Singer/Stauder (Hrsg.)
Europäisches Patentübereinkommen   4. Auflage

Heymanns Taschenkommentare
zum gewerblichen Rechtsschutz

Europäisches Patentübereinkommen

Kommentar

herausgegeben von
Margarete Singer und Dieter Stauder

begründet von
Romuald Singer und Margarete Singer

4., vollständig überarbeitete und erweiterte Auflage

Zitierweise:
Kroher in Singer/Stauder, EPÜ, 4. Auflage, Art 56 Rdn 10

Bibliografische Information Der Deutschen Bibliothek
Die Deutsche Bibliothek verzeichnet diese Publikation in der Deutschen
Nationalbibliografie; detaillierte bibliografische Daten sind im Internet über
http://dnb.ddb.de abrufbar.

(Heymanns Taschenkommentare zum gewerblichen Rechtsschutz)

ISBN 978-3-452-26114-4

Das Werk ist urheberrechtlich geschützt. Die dadurch begründeten Rechte, insbesondere
die der Übersetzung, des Nachdrucks, der Entnahme von Abbildungen, der Funksendung, der Wiedergabe auf photomechanischem oder ähnlichem Wege, und der Speicherung in Datenverarbeitungsanlagen, bleiben vorbehalten.
Verlag, Herausgeber und Autoren übernehmen keine Haftung für inhaltliche oder
drucktechnische Fehler.

Diesen Kommentar gibt es auch als elektronische Ausgabe
(mit Volltexten verlinkter Entscheidungen).

© Carl Heymanns Verlag GmbH, Köln, Berlin, München 2007
Ein Unternehmen von Wolters Kluwer Deutschland

E-Mail: service@heymanns.com
http://www.heymanns.com

ISBN 978-3-452-26114-4

Satz: mediaTEXT Jena GmbH, Jena
Druck und Weiterverarbeitung: Bercker Graphischer Betrieb, Kevelaer

Gedruckt auf säurefreiem und alterungsbeständigem Papier

Vorwort zur vierten Auflage

Die vierte Auflage ist die Fortführung der dritten, in Englisch erschienenen Auflage. Sie erscheint noch zur Rechtslage vor dem Inkrafttreten des EPÜ 2000, erläutert diese allerdings summarisch in der Vorschau.

In der ersten Auflage haben Romuald Singers Wissen, das er durch seine Mitwirkung an der Entstehung des EPÜ erworben hat, und seine aktive und progressive Gestaltung der Rechtsprechung in den Gründerjahren des Amtes ihren Niederschlag gefunden. Sein unverkennbarer persönlicher Stil und seine Lehrtätigkeit am CEIPI prägten gleichermaßen Inhalt und Formulierung. Die Herausgeber haben sich bemüht, soweit wie möglich die charakteristischen Merkmale des Kommentars zu erhalten, insbesondere die Darlegungen zur Einführung in die Probleme, die weitgehend auf Singers Erfahrungen bei seiner Lehrtätigkeit zurückgehen.

Die englische Ausgabe der ersten Auflage war, in wichtigen Fragen auf neueren Stand gebracht, von Raph Lunzer betreut worden, dem an dieser Stelle besonders gedacht wird. Die italienische Ausgabe besorgte Franco Benussi.

Lise Dybdahl verfasste die zweite Auflage in dänischer Sprache.

Die englische Ausgabe erschien 2003 als dritte Auflage. In französischer Sprache steht die dritte Auflage im Internet zur Verfügung und wird von Didier Frelon betreut.

Die Neuherausgabe wurde durch die Mit- und Zusammenarbeit von Autoren ermöglicht, deren Namen und Funktionen der Namensliste zu entnehmen sind. Ohne ihr Engagement wäre auch diese Auflage nicht möglich gewesen. Bearbeiter und Herausgeber sind während der langen gemeinsamen Arbeit zu einem Team zusammengewachsen.

Für den Inhalt des Kommentars versteht es sich von selbst, dass die Ausführungen der Bearbeiter, die dem EPA angehören oder angehört haben, deren persönliche Auffassung und nicht die des Amtes wiedergeben.

Auch für diese Auflage gilt, dass der Kurzkommentar in erster Linie ein Praktikerkommentar ist. Wichtigstes Material ist die Rechtsprechung der Beschwerdekammern.

Das europäische Patentsystem befindet sich in Veränderung. Spätestens am 13. Dezember 2007 tritt EPÜ 2000 in Kraft. Die Gemeinschaftspatentverordnung wird hingegen in absehbarer Zeit nicht in Kraft treten.

An dieser Stelle sei allen gedankt, die uns mit Rat und Tat unterstützt haben. Dazu gehören vor allem die EPA-Angehörigen, mit denen persönlicher Kontakt besteht und die den Herausgebern bei ihrer Arbeit geholfen haben. Besonders danken wir Felix Jenny und Monika Aùz Castro, die an dieser Auflage nicht mehr mitwirken. Weiter bedanken wir uns bei Petra Schmitz, Eskil Waage und Eric Wolff für ihre wertvolle Mitwirkung.

Wie bei der Herausgabe der Vorauflagen sind wir dankbar für jeden Hinweis auf Fehler und missverständliche Darstellungen sowie für Anregungen zur Verbesserung des Kommentars.

München, im Dezember 2006
Margarete Singer
Dieter Stauder

Bearbeiter

Der Kommentar Singer/Stauder, Europäisches Patentübereinkommen, wurde begründet von

Romuald Singer und Margarete Singer,

fortgeführt von Margarete Singer und Dieter Stauder

Bearbeiter der 4. Auflage:

Fritz Blumer, Dr. jur., Dipl.-Ing., Rechtsanwalt	Art 123
Lise Dybdahl-Müller, Direktorin, Leiterin der Rechtsabteilung, EPA	Art 127–134, 163
Brigitte Günzel, Dr. jur., Vorsitzende der Juristischen Beschwerdekammer und Mitglied der Großen Beschwerdekammer	Art 99–105c
Reinoud Hesper, Jurist im EPA	Art 150–158
Nikolaus Heusler, Prüfer im EPA	Anhang 11
Ulrich Joos, Dr. jur., Jurist im EPA	Art 106–112a
Jürgen Kroher, Dr. jur., LL.M. (Queen's University), Rechtsanwalt	Art 56, 118–122
Hans Peter Kunz-Hallstein, Dr. jur., Rechtsanwalt	Art 4, 5, 8
Beat Schachenmann, Dr. jur., dipl. Phys., Vorsitzender einer technischen Beschwerdekammer und Mitglied der Großen Beschwerdekammer, EPA	Art 113–117
Ulrich Schatz, Dr. jur., vormals Hauptdirektor Internationale Angelegenheiten, EPA	Art 53
Detlef Schennen, Dr. jur., Vorsitzender einer Beschwerdekammer im Harmonisierungsamt für den Binnenmarkt (Marken, Muster und Modelle), Alicante	Art 63, 65–68, 70–74, 135–149, 159–162, 164–176
Margarete Singer, vormals Amtsgerichtsrätin	Art 6, 7, 10–15, 19–25, 52, 55, 57, 86, 90–98, 104, 124, 126, 128–134, 163

Reinhard Spangenberg, Dr. rer. nat., vormals Vorsitzender einer Technischen Beschwerdekammer, EPA	Art 54, 87–89
Dieter Stauder, Dr. jur., vormals Prof. associé Université Robert Schuman, Strasbourg, Mitglied des Direktoriums des Instituts für Geistiges Eigentum, Wettbewerbs- und Medienrecht der TU Dresden, Rechtsanwalt	Präambel, Art 1–3, 9, 14, 15, 19–25, 52, 57–62, 64, 69, 90–98, 125, 177, 178
Rudolf Teschemacher, Dr. jur., vormals Vorsitzender einer Technischen Beschwerdekammer und Mitglied der Großen Beschwerdekammer, EPA	Art 16–18, 77–85
Gérard Weiss, Mitglied der Juristischen und Technischen Beschwerdekammern, vormals langjähriger Sekretär des Verwaltungsrats, EPA	Art 10, 26–51

Bearbeiter der Vorauflagen:

Romuald Singer, Prof. Dr. Dr., Direktor der Internationalen Abteilung, CEIPI, Université Robert Schuman, Strasbourg, vormals Vorsitzender der Großen und Juristischen Beschwerdekammer des Europäischen Patentamts (1. Auflage)

Monika Aúz Castro, Mitglied der Juristischen Beschwerdekammer, stellvertretendes Mitglied der Großen Beschwerdekammer, EPA, Art 87–89 (2.–3. Auflage),

Felix A. Jenny, Dr. phil. II, vormals in der Patentabteilung der Ciba Geigy AG in Basel, langjähriger Vorsitzender des Ausschusses für europäische Patentpraxis des epi Art 123, 124, 126 (2.–3. Auflage),

York Busse, Hauptverwaltungsrat, EPA, Art 150–158 (2.–3. Auflage)

Klaus-Dieter Rippe, vormals Bereichsleiter Administrative Angelegenheiten, EPA, Art 86, 90–98, GebO (2.–3. Auflage).

Inhaltsübersicht

Vorwort	V
Bearbeiter	VII
Hinweise für die Benutzung	XI
Literatur und Arbeitsmaterial	XIII
Abkürzungen	XVII
Kommentierung des EPÜ	1
Inhalt	3
Präambel	11
Erster Teil Allgemeine und institutionelle Vorschriften	14
Zweiter Teil Materielles Patentrecht	113
Dritter Teil Die europäische Patentanmeldung	324
Vierter Teil Erteilungsverfahren	473
Fünfter Teil Einspruchsverfahren	532
Sechster Teil Beschwerdeverfahren	628
Siebenter Teil Gemeinsame Vorschriften	720
Achter Teil Auswirkungen auf das nationale Recht	1011
Neunter Teil Besondere Übereinkommen	1035
Zehnter Teil Internationale Anmeldung nach dem Vertrag über die internationale Zusammenarbeit auf dem Gebiet des Patentwesens (PCT)	1043
Elfter Teil Übergangsbestimmungen	1212
Zwölfter Teil Schlussbestimmungen	1218
Anhang 1 Ausführungsordnung (AO)	1245
Anhang 2 Anerkennungsprotokoll (AnerkProt)	1313
Anhang 3 Protokoll über Vorrechte und Immunitäten (ImmunProt)	1318
Anhang 4 Zentralisierungsprotokoll (ZentrProt)	1326
Anhang 5 Gebührenordnung (GebO)	1332
Anhang 6 Das laufende Konto des EPA (LfdKto)	1341
Anhang 7 Verfahrensordnung der Großen Beschwerdekammer (VerfOGBK)	1342
Anhang 8 Verfahrensordnung der Beschwerdekammern (VerfOBK)	1347
Anhang 9 Straßburger Patentübereinkommen (StraßbÜ)	1355

Inhaltsübersicht

Anhang 10	Vereinbarung zwischen EPO und WIPO nach dem PCT – mit PCT-Zeitschiene und PCT-Phasenbild (EPO/WIPO-Vereinb)	1366
Anhang 11	Konkordanztabelle EPÜ 2000 Ausführungsordnung	1376

Entscheidungen der Großen Beschwerdekammer	1385
Entscheidungen der Juristischen Beschwerdekammer	1388
Entscheidungen der Technischen Beschwerdekammern	1395
EURO-PCT-Entscheidungen der Technischen Beschwerdekammern (Widersprüche)	1432
Entscheidungen der Beschwerdekammern in Disziplinarangelegenheiten	1434
Entscheidungen der ersten Instanz des EPA	1435
Entscheidungen europäischer und nationaler Gerichte	1436
Sachregister	1443

Hinweise für die Benutzung

1. Die Artikel und Regeln des EPÜ werden ohne den Zusatz *EPÜ* zitiert. Die Kennzeichnung *EPÜ* wird jedoch verwendet, wenn eine Unklarheit oder die Gefahr der Verwechslung mit anderen Konventionen besteht, zB mit dem PCT (insbes bei den Art 150 ff). Absätze eines Artikels werden in Klammern () gesetzt. Aus Platzgründen kann nur die deutsche Fassung des Übereinkommens abgedruckt werden.

2. Die Aktenzeichen der Beschwerdekammern geben die Art der Kammer (zB T), die laufende Nummer im Jahr und das Jahr an, in dem die Beschwerde eingereicht worden ist. Folgende Abkürzungen werden verwendet:

- Große Beschwerdekammer: G (früher Gr), zB G 1/88,
- Juristische Beschwerdekammer: J, zB J 3/86,
- Technische Beschwerdekammer: T, zB T 385/86,
- Technische Beschwerdekammer bei Widerspruchsentscheidungen: W, zB W 31/88,
- Beschwerdekammer in Disziplinarangelegenheiten: D, zB D 3/87.

Die im Amtsblatt des EPA veröffentlichten Entscheidungen sind mit Aktenzeichen und Fundstellen angegeben, zB T 385/86, ABl 1988, 308. Die nicht oder noch nicht im Amtsblatt veröffentlichten Entscheidungen werden mit Aktenzeichen und Datum der Entscheidung angegeben, zB W 32/88 vom 28.11.1988. Bei Entscheidungen, die aus persönlichkeitsrechtlichen Gründen als Aktenzeichen xx erhalten haben, ist zusätzlich das Datum der Entscheidung angegeben, zB J xx/87 vom 17.8.1987, ABl 1988, 323. Die Veröffentlichung in der Verfahrenssprache erfolgt laufend auf CD-ROM und auf der Website des EPA.

Die im Kommentar zitierten Entscheidungen der Beschwerdekammern und der ersten Instanz sowie die vom EuGH und von nationalen Gerichten und Ämtern erlassenen Entscheidungen sind in den beigefügten Entscheidungsregistern aufgeführt.

3. In Anhang 2–5 und 9 sind die mit dem Übereinkommen zusammenhängenden gesetzlichen Grundlagen enthalten, in Anhang 7 und 8 die Verfahrensordnungen der Beschwerdekammern und in Abhang 10 die Vereinbarung zwischen EPO und WIPO.

Das Anerkennungsprotokoll (Anhang 2) und das Straßburger Patentübereinkommen (Anhang 9) haben kurze Kommentierungen, die der besseren Lesbarkeit wegen kursiv gesetzt sind.

4. Das Übereinkommen ist in der Fassung vom 27. Oktober 2005 wiedergegeben. die Ausführungsordnung (Anhang 1) in der Fassung vom 9. Dezember 2004 und die Gebührenordnung (Anhang 5) in der Fassung vom 15. Dezember 2005.

Literatur und Arbeitsmaterial (Auswahl)

1. Literatur

Beier/Haertel/Schricker, Europäisches Patentübereinkommen. Münchner Gemeinschaftskommentar, seit 1984, Carl Heymanns Verlag

Benkard, Europäisches Patentübereinkommen, Verlag C. H. Beck 2002

Benkard, Patentgesetz. Gebrauchsmustergesetz, 10. Auflage 2006, Verlag C. H. Beck

Bertschinger/Münch/Greiser, Schweizerisches und Europäisches Patentrecht, Handbücher für die Anwaltspraxis, Band VI, Helbing & Lichtenhain 2002

Bodenhausen, Guide to the Application of the Paris Convention for the Protection of Intellectual Property, BIRPI 1968

Bodenhausen, Pariser Verbandsübereinkunft zum Schutz des gewerblichen Eigentums, 1971, Carl Heymanns Verlag

Brandi-Dohrn/Gruber/Muir, Europäisches und Internationales Patentrecht. Einführung zum EPÜ und PCT, Verlag C. H. Beck, 5. Auflage 2002

Busse, Patentgesetz, Walter de Gruyter, 6. Auflage 2003

CIPA-Commentary, Guide to the Patents Act, Sweet & Maxwell, 5th ed. 2001 with supplements

Cornish/Llewelyn, Intellectual Property: Patents, Copyright, Trade Marks and Allied Rights, Sweet & Maxwell, 6th ed. 2007

Dybdahl, European Patents, Carl Heymanns Verlag, 2001: Europäisches Patentrecht, Einführung in das europäische Patentsystem, Carl Heymanns Verlag, 2. Auflage 2001; Dänisch: Europaeisk Patent, Gadjura, Copenhagen 1999; Französisch: Les Brevets européens, Litec Paris, 2005 (2. Auflage)

van Empel, The Granting of European Patents, A. W. Sijthoff, Leyden 1975

Encyclopedia of United Kingdom and European Patent Law, loose-leaf, Sweet & Maxwell

Gall/Rippe/Weiss, Die europäische Patentanmeldung und der PCT in Frage und Antwort, 6. Auflage 2003, Carl Heymanns Verlag

Gall/Rippe/Weiss, Die europäische Patentanmeldung und der PCT in Frage und Antwort, 7. Auflage 2006, Carl Heymanns Verlag

Hoekstra, References to the European Patent Convention, loose-leaf, Hoekstra Document Services, see www.hoekstradoc.nl

Jehan, European Patent Decisions. A Compendium of the more important decisions from the Boards of Appeal of the European Patent Office, Sweet & Maxwell, Herfordshire (England), 5. Auflage (Loseblatt)

Kraßer, Patentrecht, Verlag C. H. Beck, 5. Auflage 2004

Kur/Luginbühl/Waage, »... und sie bewegt sich doch« – Patent Law on the Move, Festschrift für Gert Kolle und Dieter Stauder, Carl Heymanns Verlag, 2005

Mathély, Le Droit Européen des Brevets d'Invention, Librairie du Journal des Notaires et des Avocats, Paris 1978

Paterson, The European Patent System. The Law and Practice of the European Patent Convention, Sweet & Maxwell, 2nd ed. 2001

Payraudeau, La Convention sur le brevet européen, Collection du CEIPI No. 43, Editions Litec, Paris 1999

Schulte, Patentgesetz mit Europäischem Patentübereinkommen, Carl Heymanns Verlag, 7. Auflage 2005

Seidl-Hohenveldern/Loibl, Das Recht der Internationalen Organisationen einschließlich der Supranationalen Staatengemeinschaften, 7. Auflage, 2000

Singer, Das neue europäische Patentsystem, Nomos Verlagsgesellschaft, Baden-Baden 1979

Singer, The European Patent Convention, Revised English (1995) edition by Raph Lunzer

Terrell, On the Law of Patents, Sweet & Maxwell, 15th ed. 2000

Visser, The Annotated European Patent Convention, annually revised, publ. by H. Tel, Begijnstraat 26, 5503 Veldhoven (Niederlande)

Waage, L'application de principes généraux de procédure en droit européen des brevets, Collection du CEIPI No 45, Editions Litec, Paris 2000 ; Principles of Procedures in European Patent Law, EPOscript Vol. 5, 2002

2. Material

Entscheidungen
- a) Rechtsprechung der Beschwerdekammern des Europäischen Patentamts, 5. Auflage 2006, EPA
- b) Rechtsprechung der Beschwerdekammern, jährliche Sonderausgaben zum Amtsblatt

EPOR, European Patent Office Reports (Entscheidungssammlung)

Der Weg zum europäischen Patent, Leitfaden für Anmelder, 1. Teil, 10. Auflage April 2004, EPA

Der Weg zum europäischen Patent, Euro-PCT; Leitfaden für Anmelder, 2. Teil, 3. Auflage Dezember 2005, EPA

Durchführungsvorschriften zum Europäischen Patentübereinkommen, jährlich revidiert, EPA

Richtlinien für die Prüfung im Europäischen Patentamt, dem Kommentar zugrunde liegender Stand Juni 2005, Loseblattsammlung des EPA

Nationales Recht zum EPÜ, 12. Auflage 2003, EPA

PCT-Leitfaden für Anmelder, 3. Auflage 1993, Loseblattausgabe, Carl Heymanns Verlag
European Patents Handbook, CIPA, Sweet & Maxwell, loose-leaf
Internationale Patentklassifikation, 7. Ausgabe 1999, herausgegeben vom DPMA, Carl Heymanns Verlag
Berichte der Münchner Diplomatischen Konferenz über die Einführung eines europäischen Patenterteilungsverfahrens (München 10.9.–5. 10. 1973), herausgegeben von der Regierung der Bundesrepublik Deutschland

Abkürzungen

A

aA	anderer Ansicht
aaO	am angegebenen Ort
ABl	Amtsblatt des EPA
ABl EG	Amtsblatt der Europäischen Gemeinschaften
Abs	Absatz
aE	am Ende
aF	alte Fassung
AJP (PJA)	Aktuelle Juristische Praxis
AnerkProt	Anerkennungsprotokoll
Anm	Anmerkung
Ann	Annales de la propriété industrielle, artistique et littéraire (Zeitschrift)
AO	Ausführungsordnung zum EPÜ
AöR	Archiv für öffentliches Recht
ARIPO	African Regional Industrial Property Organization
Art	Artikel
AT	Österreich
Aufl	Auflage
AZ	Aktenzeichen

B

BAG	Deutsches Bundesarbeitsgericht
Bd	Band
BE	Belgien
BEST	Bringing Examination and Search Together
betr	betreffend
BG	Bulgarien
BG	Schweizerisches Bundesgericht
BGB	Deutsches Bürgerliches Gesetzbuch

BGBl	Deutsches Bundesgesetzblatt
BGH	Deutscher Bundesgerichtshof
BIE	Bijblad bij de Industriële Eigendom (Zeitschrift)
BioPatRL	EG-Richtlinie 98/44 über den rechtlichen Schutz biotechnologischer Erfindungen vom 6.7.1998, ABl 1999, 101
BlPMZ	Blatt für Patent-, Muster- und Zeichenwesen (Zeitschrift)
BPatG	Deutsches Bundespatentgericht
BPatGE	Entscheidungen des deutschen Bundespatentgerichts
Buchst	Buchstabe
BV	Budapester Vertrag
BVerfG	Deutsches Bundesverfassungsgericht
BVerwG	Deutsches Bundesverwaltungsgericht
bzw	beziehungsweise
C	
CEIPI	Centre d'Etudes Internationales de la Propriété Industrielle
CH	Schweiz
CIPA	Chartered Institute of Patent Agents
COPAC	Common Patent Appeal Court
CY	Zypern
CZ	Tschechische Republik
D	
D	Aktenzeichen von Entscheidungen der Disziplinarkammer
DE	Deutschland
DEM (DM)	Deutsche Mark
Dir.Ind.	Diritto Industriale (Zeitschrift)
DPMA	Deutsches Patent- und Markenamt (früher DPA)
dh	das heißt
DK	Dänemark
Dok	Dokument

E

EAPO	Eurasische Patentorganisation
EE	Estland
EESR	Erweiterter europäischer Recherchenbericht
EFTA	Europäische Freihandelszone
EG	Europäische Gemeinschaft(en)
EGMR	Europäischer Gerichtshof für Menschenrechte
EGV	Vertrag zur Gründung der Europäischen Gemeinschaft
EIPR	European Intellectual Property Review (Zeitschrift)
EISPE	Erweiterte Internationale Recherche und vorläufige Prüfung (Extended International Search and Preliminary Examination)
EKMR	Europäische Kommission für Menschenrechte
EMBL	Europäisches Laboratorium für Molekularbiologie
engl	englisch
EPA	Europäisches Patentamt
epi	Institut der beim EPA zugelassenen Vertreter
EPIDOS	Patentinformationsregister des EPA
epi-info	Information des Instituts der beim EPA zugelassenen Vertreter (Zeitschrift)
EPLA	Übereinkommen über die Schaffung eines Streitregelungssystems für europäische Patente (European Patent Litigation Agreement
EPO	Europäische Patentorganisation
EPOR	European Patent Office Reports (Entscheidungssammlung)
EPÜ	Europäisches Patentübereinkommen
ES	Spanien
EU	Europäische Union
EuGH	Gerichtshof der Europäischen Gemeinschaften
EuGH Slg	Entscheidungssammlung des EuGH
EuGVÜ	EG-Gerichtsstands- und Vollstreckungsübereinkommen in Zivil- und Handelssachen

Abkürzungen

EuGVVO	EG-Gerichtsstands- und Vollstreckungsverordnung in Zivil- und Handelssachen
EWG	Europäische Wirtschaftsgemeinschaft
EWR	Europäischer Wirtschaftsraum
F	
ff	folgende
FI	Finnland
FN/Fn	Fußnote
FR	Frankreich
franz	französisch
F.S.R.	Fleet Street Report
G	
G (früher Gr)	Aktenzeichen von Entscheidungen der Großen Beschwerdekammer
GAAP	Allgemein anerkannte Rechnungsgrundsätze
GB	Vereinigtes Königreich (Großbritannien)
GD	Generaldirektion
GebO	Gebührenordnung
GebrMG	Deutsches Gebrauchsmustergesetz
GPÜ	Gemeinschaftspatentübereinkommen
GR	Griechenland
GRUR	Gewerblicher Rechtsschutz und Urheberrecht (Zeitschrift)
GRUR Int	Gewerblicher Rechtsschutz und Urheberrecht, Internationaler Teil (Zeitschrift)
GeschmMG	Deutsches Geschmacksmustergesetz
H	
HU	Ungarn
I	
IB	Internationales Büro der WIPO
idF	in der Fassung
idR	in der Regel

IE	Irland
IGE	Eidgenössisches Institut für Geistiges Eigentum (CH-Patentamt)
IIB	Internationales Patentinstitut
IIC	International Review of Industrial Property and Copyright Law (Zeitschrift)
ImmunProt	Protokoll über Vorrechte und Immunitäten
Ind.Prop.	Industrial Property (Zeitschrift)
INPADOC	Internationales Patentdokumentationszentrum
IntPatÜG	Gesetz über internationale Patentübereinkommen
INPI	Institut National de la Propriété Industrielle
IPEA	Internationale vorläufige Prüfungsbehörde (International Preliminary Examining Authority)
IPER	Internationaler vorläufiger Prüfungsbericht (International Preliminary Examination Report)
IPRax	Praxis des Internationalen Privat- und Verfahrensrechts (Zeitschrift)
IS	Island
ISA	Internationale Recherchenbehörde (International Searching Authority)
iSd	im Sinne des/der
iSv	im Sinne von
IT	Italien
iVm	in Verbindung mit
J	
J	Aktenzeichen von Entscheidungen der Juristischen Beschwerdekammer
L	
LG	Landgericht (deutsch)
LI	Liechtenstein
LS	Leitsatz
LT	Litauen
LU	Luxemburg

LV	Lettland
M	
MAC	Management Advisory Committee
MC	Monaco
MDK	Münchner Diplomatische Konferenz
Mitt.	Mitteilungen der Deutschen Patentanwälte (Zeitschrift)
MünchGemKom	Münchner Gemeinschaftskommentar
mwNachw	mit weiteren Nachweisen
N	
n.	note (Anmerkung)
nF	neue Fassung
NGO	Non-Governmental Organization
NIR	Nordisk Immateriellt Rättsskydd (Zeitschrift)
NJW	Neue Juristische Wochenschrift (Zeitschrift)
NL	Niederlande
Nr	Nummer
O	
OAPI	Organisation Africaine de la Propriété Intellectuelle
ÖBl	Österreichische Blätter für gewerblichen Rechtsschutz und Urheberrecht (Zeitschrift)
OGH	Österreichischer Oberster Gerichtshof
OJ	Official Journal of the EPO (Amtsblatt des EPA)
OLG	Oberlandesgericht (deutsch)
P	
PatBeschwG	Schwedisches Patentbeschwerdegericht (Patentbesvärsrätten)
PatBl	Österreichisches Patentblatt
PatG	Patentgesetz
PatVertrEG	Österreichisches Patentverträge-Einführungsgesetz
PatVO	Patentverordnung

PCT	Vertrag über die internationale Zusammenarbeit auf dem Gebiet des Patentwesens (Patent Cooperation Treaty)
PIBD	Propriété Intellectuelle : Bulletin Documentaire (Zeitschrift)
PL	Polen
PLT	Patent Law Treaty
Prop.Ind.	Propriété Industrielle (Zeitschrift)
PrüfRichtl	Richtlinien für die Prüfung im EPA
PT	Portugal
PVÜ	Pariser Verbandsübereinkunft

R

R	Regel der Ausführungsordnung
RDPI	Revue de Droit de la Propriété Intellectuelle (Zeitschrift)
Rdn	Randnummer innerhalb der Kommentierung
rev.	revidiert
RG	Deutsches Reichsgericht
RIW	Recht der internationalen Wirtschaft (Zeitschrift)
Rn	Randnummer in anderen Veröffentlichungen
RO	Rumänien
R.P.C.	Reports of Patent, Design and Trade Mark Cases
Rspr	Rechtsprechung
RsprBer	Rechtsprechungsbericht, Sonderausgabe zum ABl
Rspr BK 1998	Rechtsprechung der Beschwerdekammern des EPA, 1998
RTD com	Revue Trimestrielle de Droit Commerciale (Zeitschrift)

S

S	Seite
SchwPMMBl	Schweizerisches Patent-, Muster- und Markenblatt (Zeitschrift)
SE	Schweden
sec.	section

Abkürzungen

Sec.	Section
SI	Slowenien
sic!	Zeitschrift für Immaterial-, Informations- und Wettbewerbsrecht (Zeitschrift)
SK	Slowakei
Slg	Sammlung der Rechtsprechung des EuGH
SMI	Schweizerische Mitteilungen über Immaterialgüterrecht (Zeitschrift)
sog	sogenannte
StGB	Strafgesetzbuch (deutsch)
StraßbÜ	Übereinkunft zur Vereinheitlichung gewisser Begriffe des materiellen Rechts der Erfindungspatente (Straßburger Patentübereinkommen)
StrRegProt	Streitregelungsprotokoll
stRspr	ständige Rechtsprechung
T	
T	Aktenzeichen von Entscheidungen der Technischen Beschwerdekammern
TRIPS	Agreement on Trade-Related Aspects of Intellectual Property Rights
U	
ua	unter anderem
UrhR	Urheberrecht
UPOV	Internationaler Vertrag zum Schutz von Pflanzenzüchtungen
USA	Vereinigte Staaten von Nordamerika
USPTO	US-Patent- and Trademark Office
usw	und so weiter
uU	unter Umständen
V	
v.	versus
VDV	Vorschriften über die europäische Eignungsprüfung für zugelassene Vertreter

XXIV *Singer/Stauder, EPÜ, 4. Aufl.*

VerfOBK	Verfahrensordnung der Beschwerdekammern
VerfOGBK	Verfahrensordnung der Großen Beschwerdekammer
VG (VerwG)	Verwaltungsgericht (deutsch)
vgl	vergleiche
VGP	Vereinbarung über Gemeinschaftspatente
VO	Verordnung
Vol	Volume
VR	Verwaltungsrat

W

W	Aktenzeichen in Widerspruchsverfahren zur Einheitlichkeit (Euro-PCT)
WIPO	Weltorganisation für geistiges Eigentum
WTO	World Trade Organization

Z

zB	zum Beispiel
ZentProt	Zentralisierungsprotokoll
Zif	Ziffer
ZPO	Deutsche Zivilprozessordnung
zT	zum Teil

Kommentar

Inhalt

Übereinkommen über die Erteilung Europäischer Patente (Europäischer Patentübereinkommen)
vom 5.10.1973
in der Fassung vom 10.12.1998 (ABl 1999, 1)

Präambel	11

Erster Teil	**Allgemeine und institutionelle Vorschriften**	14

Kapitel I   Allgemeine Vorschriften 14

Art 1	Europäisches Recht für die Erteilung von Patenten	14
Art 2	Europäisches Patent	15
Art 3	Territoriale Wirkung	17
Art 4	Europäische Patentorganisation	19

Kapitel II   Die Europäische Patentorganisation 22

Art 5	Rechtsstellung	22
Art 6	Sitz	23
Art 7	Dienststellen des Europäischen Patentamts	25
Art 8	Vorrechte und Immunitäten	26
Art 9	Haftung	29

Kapitel III   Das Europäische Patentamt 33

Art 10	Leitung	35
Art 11	Ernennung hoher Beamter	39
Art 12	Amtspflichten	41
Art 13	Streitsachen zwischen der Organisation und den Bediensteten des Europäischen Patentamts	41
Art 14	Sprachen des Europäischen Patentamts	43
Art 15	Organe im Verfahren	53
Art 16	Eingangsstelle	55
Art 17	Recherchenabteilungen	59
Art 18	Prüfungsabteilungen	62
Art 19	Einspruchsabteilungen	67
Art 20	Rechtsabteilung	69
Art 21	Beschwerdekammern	73
Art 22	Große Beschwerdekammer	78
Art 23	Unabhängigkeit der Mitglieder der Kammern	80
Art 24	Ausschließung und Ablehnung	84

Inhalt

Art 25	Technische Gutachten	87

Kapitel IV   Der Verwaltungsrat 91

Art 26	Zusammensetzung	92
Art 27	Vorsitz	92
Art 28	Präsidium	93
Art 29	Tagungen	94
Art 30	Teilnahme von Beobachtern	96
Art 31	Sprachen des Verwaltungsrats	97
Art 32	Personal, Räumlichkeiten und Ausstattung	97
Art 33	Befugnisse des Verwaltungsrats in bestimmten Fällen	98
Art 34	Stimmrecht	101
Art 35	Abstimmungen	101
Art 36	Stimmenwägung	103

Kapitel V   Finanzvorschriften 104

Art 37	Deckung der Ausgaben	104
Art 38	Eigene Mittel der Organisation	105
Art 39	Zahlungen der Vertragsstaaten aufgrund der für die Aufrechterhaltung der europäischen Patente erhobenen Gebühren	105
Art 40	Bemessung der Gebühren und Anteile – besondere Finanzbeiträge	106
Art 41	Vorschüsse	107
Art 42	Haushaltsplan	108
Art 43	Bewilligung der Ausgaben	108
Art 44	Mittel für unvorhergesehene Ausgaben	108
Art 45	Haushaltsjahr	109
Art 46	Entwurf und Feststellung des Haushaltsplans	109
Art 47	Vorläufige Haushaltsführung	109
Art 48	Ausführung des Haushaltsplans	109
Art 49	Rechnungsprüfung	110
Art 50	Finanzordnung	110
Art 51	Gebührenordnung	111

Zweiter Teil   Materielles Patentrecht 113

Kapitel I   Patentierbarkeit 114

Art 52	Patentfähige Erfindungen	115
Art 53	Ausnahmen von der Patentierbarkeit	134
Art 54	Neuheit	165

Inhalt

Art 55	Unschädliche Offenbarungen	200
Art 56	Erfinderische Tätigkeit	205
Art 57	Gewerbliche Anwendbarkeit	239

Kapitel II Zur Einreichung und Erlangung des europäischen Patents berechtigte Personen – Erfindernennung 243

Art 58	Recht zur Anmeldung europäischer Patente	243
Art 59	Mehrere Anmelder	245
Art 60	Recht auf das europäische Patent	247
Art 61	Anmeldung europäischer Patente durch Nichtberechtigte	252
Art 62	Anspruch auf Erfindernennung	261

Kapitel III Wirkungen des europäischen Patents und der europäischen Patentanmeldung 265

Art 63	Laufzeit des europäischen Patents	265
Art 64	Rechte aus dem europäischen Patent	270
Art 65	Übersetzung der europäischen Patentschrift	276
Art 66	Wirkung der europäischen Patentanmeldung als nationale Hinterlegung	282
Art 67	Rechte aus der europäischen Patentanmeldung nach Veröffentlichung	284
Art 68	Wirkung des Widerrufs des europäischen Patents	290
Art 69	Schutzbereich	292
Art 70	Verbindliche Fassung einer europäischen Patentanmeldung oder eines europäischen Patents	310

Kapitel IV Die europäische Patentanmeldung als Gegenstand des Vermögens 315

Art 71	Übertragung und Bestellung von Rechten	315
Art 72	Rechtsgeschäftliche Übertragung	319
Art 73	Vertragliche Lizenzen	321
Art 74	Anwendbares Recht	322

Dritter Teil Die europäische Patentanmeldung 324

Kapitel I Einreichung und Erfordernisse der europäischen Patentanmeldung 324

Art 75	Einreichung der europäischen Patentanmeldung	324
Art 76	Europäische Teilanmeldung	333
Art 77	Übermittlung europäischer Patentanmeldungen	343

Inhalt

Art 78	Erfordernisse der europäischen Patentanmeldung	347
Art 79	Benennung von Vertragsstaaten	366
Art 80	Anmeldetag	376
Art 81	Erfindernennung	383
Art 82	Einheitlichkeit der Erfindung	388
Art 83	Offenbarung der Erfindung	398
Art 84	Patentansprüche	418
Art 85	Zusammenfassung	435
Art 86	Jahresgebühren für die europäische Patentanmeldung	438

Kapitel II Priorität 446

Art 87	Prioritätsrecht	447
Art 88	Inanspruchnahme der Priorität	462
Art 89	Wirkung des Prioritätsrechts	470

Vierter Teil Erteilungsverfahren 473

Art 90	Eingangsprüfung	473
Art 91	Formalprüfung	477
Art 92	Erstellung des europäischen Recherchenberichts	483
Art 93	Veröffentlichung der europäischen Patentanmeldung	493
Art 94	Prüfungsantrag	500
Art 95	Verlängerung der Frist zur Stellung des Prüfungsantrags	508
Art 96	Prüfung der europäischen Patentanmeldung	509
Art 97	Zurückweisung oder Erteilung	518
Art 98	Veröffentlichung der europäischen Patentschrift	528

Fünfter Teil Einspruchsverfahren 532

Art 99	Einspruch	535
Art 100	Einspruchsgründe	567
Art 101	Prüfung des Einspruchs	572
Art 102	Widerruf oder Aufrechterhaltung des europäischen Patents	594
Art 103	Veröffentlichung einer neuen europäischen Patentschrift	607
Art 104	Kosten	608
Art 105	Beitritt des vermeintlichen Patentverletzers	620

Sechster Teil Beschwerdeverfahren 628

Art 106	Beschwerdefähige Entscheidungen	631

Inhalt

Art 107	Beschwerdeberechtigte und Verfahrensbeteiligte	643
Art 108	Frist und Form	656
Art 109	Abhilfe	666
Art 110	Prüfung der Beschwerde	670
Art 111	Entscheidung über die Beschwerde	689
Art 112	Entscheidung oder Stellungnahme der Großen Beschwerdekammer	706

Siebenter Teil Gemeinsame Vorschriften ... 720

Kapitel I   Allgemeine Vorschriften für das Verfahren ... 721

Art 113	Rechtliches Gehör	721
Art 114	Ermittlung von Amts wegen	740
Art 115	Einwendungen Dritter	757
Art 116	Mündliche Verhandlung	763
Art 117	Beweisaufnahme	781
Art 118	Einheit der europäischen Patentanmeldung oder des europäischen Patents	808
Art 119	Zustellung	812
Art 120	Fristen	823
Art 121	Weiterbehandlung der europäischen Patentanmeldung	846
Art 122	Wiedereinsetzung in den vorigen Stand	857
Art 123	Änderungen	895
Art 124	Angaben über nationale Patentanmeldungen	943
Art 125	Heranziehung allgemeiner Grundsätze	945
Art 126	Beendigung von Zahlungsverpflichtungen	954

Kapitel II   Unterrichtung der Öffentlichkeit und Behörden ... 959

Art 127	Europäisches Patentregister	959
Art 128	Akteneinsicht	962
Art 129	Regelmäßig erscheinende Veröffentlichungen	970
Art 130	Gegenseitige Unterrichtung	972
Art 131	Amts- und Rechtshilfe	976
Art 132	Austausch von Veröffentlichungen	979

Kapitel III   Vertretung ... 981

Art 133	Allgemeine Grundsätze der Vertretung	981
Art 134	Zugelassene Vertreter	991

Inhalt

Achter Teil   Auswirkungen auf das nationale Recht 1011

Kapitel I   Umwandlung in eine nationale Patentanmeldung 1011

Art 135	Umwandlungsantrag	1012
Art 136	Einreichung und Übermittlung des Antrags	1015
Art 137	Formvorschriften für die Umwandlung	1017

Kapitel II   Nichtigkeit und ältere Rechte 1020

Art 138	Nichtigkeitsgründe	1021
Art 139	Ältere Rechte und Rechte mit gleichem Anmelde- oder Prioritätstag	1025

Kapitel III   Sonstige Auswirkungen 1030

Art 140	Nationale Gebrauchsmuster und Gebrauchszertifikate ..	1030
Art 141	Jahresgebühren für das europäische Patent	1033

Neunter Teil   Besondere Übereinkommen 1035

Art 142	Einheitliche Patente	1037
Art 143	Besondere Organe des Europäischen Patentamts	1037
Art 144	Vertretung vor den besonderen Organen	1038
Art 145	Engerer Ausschuss des Verwaltungsrats	1038
Art 146	Deckung der Kosten für die Durchführung besonderer Aufgaben	1039
Art 147	Zahlungen aufgrund der für die Aufrechterhaltung des einheitlichen Patents erhobenen Gebühren	1039
Art 148	Die europäische Patentanmeldung als Gegenstand des Vermögens	1040
Art 149	Gemeinsame Benennung	1041

Zehnter Teil   Internationale Anmeldung nach dem Vertrag über die internationale Zusammenarbeit auf dem Gebiet des Patentwesens (PCT) 1043

Art 150	Anwendung des Vertrags über die internationale Zusammenarbeit auf dem Gebiet des Patentwesens	1057
Art 151	Das Europäische Patentamt als Anmeldeamt	1077
Art 152	Einreichung und Weiterleitung der internationalen Anmeldung	1083
Art 153	Das Europäische Patentamt als Bestimmungsamt	1092
Art 154	Das Europäische Patentamt als Internationale Recherchenbehörde	1109

Inhalt

Art 155	Das Europäische Patentamt als mit der internationalen vorläufigen Prüfung beauftragte Behörde	1135
Art 156	Das europäische Patentamt als ausgewähltes Amt	1162
Art 157	Internationaler Recherchenbericht	1167
Art 158	Veröffentlichung der internationalen Anmeldung und ihre Übermittlung an das Europäische Patentamt	1185

Elfter Teil   Übergangsbestimmungen 1212

Art 159	Verwaltungsrat während einer Übergangszeit	1212
Art 160	Ernennung von Bediensteten während einer Übergangszeit	1212
Art 161	Erstes Haushaltsjahr	1213
Art 162	Stufenweise Ausdehnung des Tätigkeitsbereichs des Europäischen Patentamts	1214
Art 163	Zugelassene Vertreter während einer Übergangszeit	1214

Zwölfter Teil   Schlussbestimmungen 1218

Art 164	Ausführungsordnung und Protokolle	1218
Art 165	Unterzeichnung – Ratifikation	1220
Art 166	Beitritt	1220
Art 167	Vorbehalte	1221
Art 168	Räumlicher Anwendungsbereich	1225
Art 169	Inkrafttreten	1227
Art 170	Aufnahmebeitrag	1229
Art 171	Geltungsdauer des Übereinkommens	1229
Art 172	Revision	1230
Art 173	Streitigkeiten zwischen Vertragsstaaten	1234
Art 174	Kündigung	1234
Art 175	Aufrechterhaltung wohlerworbener Rechte	1235
Art 176	Finanzielle Rechte und Pflichten eines ausgeschiedenen Vertragsstaats	1235
Art 177	Sprachen des Übereinkommens	1236
Art 178	Übermittlungen und Notifikationen	1241

Präambel

Die Vertragsstaaten –

in dem Bestreben, die Zusammenarbeit zwischen den europäischen Staaten auf dem Gebiet des Schutzes der Erfindungen zu verstärken,

in dem Bestreben, einen solchen Schutz in diesen Staaten durch ein einheitliches Patenterteilungsverfahren und durch die Schaffung bestimmter einheitlicher Vorschriften für die nach diesem Verfahren erteilten Patente zu erreichen,

in dem Bestreben, zu diesen Zwecken ein Übereinkommen zu schließen, durch das eine Europäische Patentorganisation geschaffen wird und das ein Sonderabkommen im Sinn des Artikels 19 der am 20.3.1983 in Paris unterzeichneten und zuletzt am 14.7.1967 revidierten Verbandsübereinkunft zum Schutz des gewerblichen Eigentums und einen regionalen Patentvertrag im Sinn des Artikels 45 Absatz 1 des Vertrags über die internationale Zusammenarbeit auf dem Gebiet des Patentwesens vom 19.6.1970 darstellt –

sind wie folgt übereingekommen:

Dieter Stauder

Übersicht
1	Inhalt der Präambel	1-4
2	Bedeutung der Präambel für die Auslegung des EPÜ	5-9

1 Inhalt der Präambel

Die Präambel hält die mit der Schaffung des EPÜ angestrebten Ziele fest. Sie dient dem Verständnis, der Auslegung und der Weiterentwicklung des Übereinkommens. Da die Vertragsstaaten selbst in der Präambel ihre Überlegungen und Bestrebungen geäußert haben, ergibt sich für sie auch eine grundsätzliche Verpflichtung, die in der Präambel gemeinsam formulierten Ziele weiterzuverfolgen. 1

Das Übereinkommen soll nach Abs 1 die Zusammenarbeit der europäischen Staaten auf dem Gebiet des Erfindungsschutzes verstärken. Die Präambel fordert damit kooperatives Verhalten. 2

Präambel

3 Abs 2 nennt als Mittel dafür zum einen ein einheitliches Patenterteilungsverfahren und zum anderen bestimmte einheitliche Vorschriften für die europäische Patentanmeldung. Damit bezieht die Präambel die im StraßbÜ von 1963 angestrebten Ziele ein.

4 Nach Abs 3 ist das EPÜ ein Sonderabkommen nach Art 19 PVÜ, das zum Schutz des gewerblichen Eigentums geschlossen worden ist und dessen Bestimmungen mit Absicht so gefasst sind, dass sie der PVÜ nicht zuwiderlaufen.[1] Weiterhin ist das EPÜ ein regionaler Patentvertrag nach Art 45 PCT. Das Zusammenwirken von PCT und EPÜ bei Euro-PCT-Anmeldungen ist sehr erfolgreich.

2 Bedeutung der Präambel für die Auslegung des EPÜ

5 Die Präambel ist Bestandteil des Übereinkommens. Sie hat daher Bedeutung für die Auslegung der einzelnen Bestimmungen des EPÜ. Die Auslegung hat den Zielen der Präambel zu folgen und darf nicht im Widerspruch zu ihr stehen. Zur Auslegung im einzelnen siehe Art 177.

6 Das entspricht auch den Grundsätzen des Wiener Übereinkommens über das Recht der Verträge vom 23.5.1969, nach dessen Art 31 (2) bei der Auslegung von internationalen Verträgen die Präambel heranzuziehen ist. Die Grundsätze des Wiener Übereinkommens sind auf das EPÜ anwendbar, auch wenn das Übereinkommen formell für das EPÜ nicht gilt;[2] **T 1173/97**[3] billigt dem Wiener Übereinkommen »erhebliche Autorität« zu. Zu beachten ist auch das TRIPS-Abkommen zur Errichtung gemeinsamer Standards und Prinzipien über die Erhältlichkeit, den Umfang und die Nutzung von geistigem Eigentum, obwohl auch TRIPS die EPO nicht unmittelbar bindet.[4] Die Bestimmungen des TRIPS-Übereinkommens ebenso wie die Entscheidungen des Europäischen und des Internationalen Gerichtshofs sowie die nationalen Entscheidungen sind Elemente, die von den Beschwerdekammern berücksichtigt werden müssen, für sie aber nicht bindend sind. Bestehen ausdrückliche und eindeutige Bestimmungen des EPÜ, ist eine abweichende Auslegung, zB mit Bezug auf das TRIPS-Übereinkommen, nicht zu rechtfertigen; denn damit würde in die Rolle des Gesetzgebers eingegriffen.[5]

7 Das EPA hat bei seinen Maßnahmen und Entscheidungen die Ziele des Übereinkommens zu beachten. Der verhältnismäßig karge Text der Präambel ist dahin zu ergänzen, dass es Ziel und Zweck des EPÜ ist, Patente für Erfindungen

---

1 **G 2/98**, ABl 2001, 413, 422 Nr 3 – Dieselbe Erfindung.
2 **G 1/83**, **G 5/83** und **G 6/83** – Zweite medizinische Indikation, ABl 1985, 60, 64 und 67; **G 2/02** und **G 3/02** – Indische Prioritäten –, ABl 2004, 483, Nr 5.2.
3 **T 1173/97**, ABl 1999, 609, Nr 2.2.
4 **T 1173/97**, aaO, Nr 2.1–2.3.
5 **G 2/02** und **G 3/02** – Indische Prioritäten –, ABl 2004, 483, Nr 8.6, letzter Absatz.

auf allen Gebieten der Technik zu erteilen und den technischen Fortschritt dadurch zu fördern, dass den Erfindungen angemessener Schutz gewährt wird.

Die Präambel richtet sich aber nicht nur an die Organe der Europäischen Patentorganisation, also an das EPA mit seinen Beschwerdekammern und an den Verwaltungsrat, sondern auch an die Organe und besonders die Gerichte der Vertragsstaaten, wenn sie die Bestimmungen des EPÜ auszulegen haben. 8

Das Revisionsübereinkommen ist von seiner eigenen Präambel begleitet. 9

Erster Teil Allgemeine und institutionelle Vorschriften

Kapitel I Allgemeine Vorschriften

Artikel 1 Europäisches Recht für die Erteilung von Patenten

Durch dieses Übereinkommen wird ein den Vertragsstaaten gemeinsames Recht für die Erteilung von Erfindungspatenten geschaffen.

Dieter Stauder

Übersicht
1	Allgemeines	1
2	Eigenständigkeit des EPÜ	2-3
3	Fortbestand des nationalen Rechts	4-5

1 Allgemeines

1 Art 1 stellt klar, dass durch das EPÜ ein den Vertragsstaaten **gemeinsames Recht** geschaffen wird, das sowohl materielles Recht als auch Verfahrensrecht einschließt.[1]

2 Eigenständigkeit des EPÜ

2 Das EPÜ mit seinen Bestandteilen (Art 164) enthält für die Erteilungsphase mit Einspruch fast ausschließlich ein von den nationalen Rechtssystemen unabhängiges und eigenständiges (autonomes) Recht.[2] In der Phase nach der Patenterteilung (nationale Phase) ist auf das europäische Patent in stärkerem Maße nationales Recht anzuwenden.

3 Das Recht des EPÜ ist internationales Einheitsrecht, das für die Tätigkeit des EPA und in den Vertragsstaaten einheitlich gilt.[3] Durch Übernahme des Vertragstextes des EPÜ in ein nationales Gesetz, wie zB im GB-PatG, verliert das Einheitsrecht nicht seinen international ausgerichteten Charakter.

---

1 Ganz klar **J 18/86**, ABl 1988, 167, Nr 4.
2 Für die Priorität **J 15/80**, ABl 1981, 213, Nr 3; für die Bestimmung des Anmeldetags **J 18/86**, ABl 1988, 165, Nr 11).
3 Haertel/Stauder, Zur Auslegung von Internationalem Einheitsrecht, GRUR Int 1982, 85.

3 Fortbestand des nationalen Rechts

Aus Aufbau und Inhalt des EPÜ ergibt sich, dass das EPÜ nicht die bisherigen nationalen Rechte ersetzen soll, sondern als weiteres Recht neben die nationalen Rechte tritt. Das neue gemeinsame Recht erfasst zunächst das Verfahren bis zur Erteilung; die weitere Existenz des europäischen Patents richtet sich in stärkerem Maße nach dem nationalen Recht der Vertragsstaaten. Nationales Recht gilt insbesondere für den Umfang des Ausschließlichkeitsrechts und der Sanktionen bei Rechtsverletzung (außer dem Schutzumfang), die Zahlung der Jahresgebühren, die Arbeitnehmererfindung, die Rechtsnachfolge, insbesondere für die Übertragung, die vertraglichen Lizenzen und die Zwangslizenzen, für das nationale Gerichtsverfahren und das Erlöschen. 4

Art 5 GPÜ erklärt ausdrücklich, dass die Mitgliedstaaten der EU nationale Patente unberührt vom GPÜ erteilen können. 5

Artikel 2 Europäisches Patent

(1) Die nach diesem Übereinkommen erteilten Patente werden als europäische Patente bezeichnet.

(2) Das europäische Patent hat in jedem Vertragsstaat, für den es erteilt worden ist, dieselbe Wirkung und unterliegt denselben Vorschriften wie ein in diesem Staat erteiltes nationales Patent, soweit sich aus diesem Übereinkommen nichts anderes ergibt.

Dieter Stauder

Übersicht

1	Allgemeines	1
2	Die Bezeichnung *europäisches Patent*	2-3
3	Eigenständigkeit des europäischen Patents	4-6
4	Vorrangige Regelungen des EPÜ für das europäische Patent	7
5	Anwendung nationalen Rechts	8
6	Vorbehalte	9

1 Allgemeines

Dieser Artikel hat einen doppelten Inhalt: Er führt in Abs 1 den Begriff des europäischen Patents ein und klärt in Abs 2, welche Vorschriften auf das europäische Patent nach seiner Erteilung in den Vertragsstaaten anzuwenden sind. 1

2 Die Bezeichnung *europäisches Patent*

Nach Abs 1 heißen die nach dem EPÜ erteilten Patente europäische Patente. In der Bezeichnung ist, ohne dass dies im Text vollständig zum Ausdruck 2 kommt, eine echte Begriffsbestimmung enthalten. Die Auffassung, dass das europäische Patent nach seiner Erteilung in ein Bündel nationaler Patente in den benannten Vertragsstaaten zerfällt, mag anschaulich erscheinen, ist aber rechtlich und systematisch unrichtig.

3 Das europäische Patent entsteht mit seiner Erteilung als ein **Bündel europäischer Patente** (bundle of European patents, faisceau de brevets européens), sofern mehr als ein Vertragsstaat benannt ist, und bleibt dies auch. Anschaulich spricht Beier im MünchGemKom, Einführung, Rn 9 von einem europäischen Bündelpatent mit europäischen und nationalen Schutzwirkungen. In **G 4/91**[1] sowie in **T 393/87** vom 2.10.1989 und **T 290/90**[2] wird der europäische Charakter des europäischen Patents nicht so deutlich herausgehoben.

Zur Erstreckung europäischer Patente auf Nicht-Vertragsstaaten siehe Art 79 Rdn 37 und Art 169 Rdn 3–5.

3 Eigenständigkeit des europäischen Patents

4 Der Wortlaut von Abs 2 bestätigt, genau gelesen, den europäischen Charakter des europäischen Patents: das europäische Patent hat dieselbe Wirkung und unterliegt denselben Vorschriften wie ein in diesem Staat erteiltes nationales Patent; es ist aber nicht mit einem nationalen Patent identisch. Der angefügte Nebensatz ist im eigentlichen Sinne die Hauptregel, denn aus dem Übereinkommen ergibt sich eine sehr starke eigenständige europäische Rechtsregelung des europäischen Patents.

5 Das europäische Patent hat zwar keinen einheitlichen Charakter im Sinne des geplanten Gemeinschaftspatents; das ändert aber nichts an seinem rechtseinheitlichen Charakter, soweit Konventionsrecht besteht. Im Gegensatz zum europäischen Patent ist das Gemeinschaftspatent, das ebenfalls eigenständig ist (Art 2 (3) GPÜ), ein einheitliches Recht (Art 2 (2) GPÜ).

6 Die Eigenständigkeit des EPÜ wirkt über die Erteilung des europäischen Patents hinaus, so dass die nationalen Gerichte der Vertragsstaaten bei der Auslegung der europäischen Bestimmungen auch bei gleichlautenden nationalen Bestimmungen, die für die nationale Patenterteilung gelten, nicht diese, sondern die Bestimmungen des EPÜ anzuwenden und auszulegen haben. Ist das EPÜ – wie in Großbritannien – in das nationale Patentgesetz gegossen worden, so sind diese Vorschriften europäisch auszulegen.[3]

---

1 G 4/91, ABl 1993, 707, Nr 1.
2 T 290/90, ABl 1992, 368 Nr 2.
3 Vgl Haertel, Die Harmonisierungswirkung des europäischen Patentrechts, GRUR Int 1981, 479, 488, Nr 3; Urteil des House of Lords vom 26.10.1995 – *Terfenadin* – GRUR Int 1996, 825, Merrill Dow Pharmaceutical v. Norton.

4 Vorrangige Regelungen des EPÜ für das europäische Patent

Als Rechtsvorschriften, die nach Patenterteilung auf das europäische Patent vorrangig gegenüber dem nationalen Recht anzuwenden sind, schreibt das Übereinkommen ausdrücklich vor:
- die Laufzeit des europäischen Patents beträgt 20 Jahre ab Anmeldetag (Art 63 (1) mit Verlängerungsmöglichkeit);
- die Fassung der europäischen Patentanmeldung und des europäischen Patents in der Verfahrenssprache ist grundsätzlich die verbindliche Fassung (Art 70);
- der Schutz des Verfahrenspatents erstreckt sich auf die durch das Verfahren unmittelbar hergestellten Erzeugnisse (Art 64 (2));
- der Schutzbereich der europäischen Patentanmeldung sowie des europäischen Patents wird ausschließlich europäisch nach Art 69 und dem dazugehörigen Auslegungsprotokoll bestimmt;
- ein europäische Patent darf im nationalen Verfahren grundsätzlich nur vernichtet werden, wenn die Voraussetzungen für seine Erteilung nach dem EPÜ nicht vorgelegen haben (Art 138); die Nichtigerklärung wirkt stets ex tunc (Art 68).

5 Anwendung nationalen Rechts

Ausdrücklich auf die ergänzende Anwendung nationalen Rechts verweist das EPÜ bei folgenden Fragenkomplexen:
- die ausschließlichen Rechtswirkungen des europäischen Patents (Art 64 (1)) und der einstweilige Schutz der europäischen Patentanmeldung (Art 67);
- die Verletzung des europäischen Patents (Sanktionen und Prozeßrecht, Art 64 (3));
- die europäische Patentanmeldung als Gegenstand des Vermögens (Art 74).

6 Vorbehalte

Die von den Vertragsstaaten ausgesprochenen Vorbehalte gegen die Patentfähigkeit bestimmter Erzeugnisse nach Art 167 sind abgelaufen (siehe Vorauflage an der gleichen Stelle).

Artikel 3 Territoriale Wirkung

Die Erteilung des europäischen Patents kann für einen, mehrere oder alle Vertragsstaaten beantragt werden.

Artikel 3 — Territoriale Wirkung

Dieter Stauder

Übersicht

1	Allgemeines	1
2	Wahlmöglichkeit	2-3
3	Einzelheiten der Anwendung	4-5

1 Allgemeines

1 Das EPÜ ermöglicht den Erwerb eines Bündels europäischer Patente für mehrere Staaten, aber auch die Benennung nur eines Vertragsstaats. Diese Vorschrift ist im Spiegel zu Art 3 Satz 2 GPÜ zu sehen, nach dem die Benennung eines oder mehrerer Staaten der EU als Benennung aller dieser Staaten gelten sollte. Die GPÜ-Vorschrift ist durch die 1989 in das GPÜ eingefügte Option zwischen Gemeinschaftspatent und europäischem Patent nach Art 81 GPÜ in dieser Strenge nicht mehr gültig.

2 Wahlmöglichkeit

2 Genau betrachtet erklärt Art 3, dass dem Anmelder Zahl und Wahl der benannten Vertragsstaaten freisteht. Erst aus der Benennung folgt die territoriale Wirkung der europäischen Patentanmeldung und des angestrebten europäischen Patents. Anders ist es nach Art 3 GPÜ: Die Benennung auch nur eines Vertragsstaats des GPÜ gilt als Benennung aller GPÜ-Staaten. Allerdings hat der Anmelder die Möglichkeit, statt des Gemeinschaftspatents das europäische Patent zu wählen (Art 81 GPÜ).

3 Art 4 (1) (ii) PCT regelt für die internationale Anmeldung die Bestimmung der Vertragsstaaten und die Wahl des europäischen Patents als regionales Patent ebenso wie das EPÜ. Das EPÜ spricht von benannten Staaten, während der deutsche Text des PCT von Bestimmungsstaaten redet. Gemeint ist das Gleiche. Dementsprechend heißt es in den englischen Texten des EPÜ und des PCT *designated states*.

3 Einzelheiten der Anwendung

4 Die Staaten, in denen Schutz begehrt wird, sind im Erteilungsantrag zu benennen (Art 79 (1).[1]

5 In Art 3 ist nicht der räumliche Anwendungsbereich des europäischen Patents in den einzelnen Vertragsstaaten geregelt; das ist in Art 168 geschehen (siehe dort). Für das Gemeinschaftspatent gilt ergänzend Art 9 der Vereinbarung über das Gemeinschaftspatent (Sonderregel für Meeresgebiete).

---

[1] Siehe Art 79 Rdn 7–10; für die gemeinsame Benennung einer Gruppe von Vertragsstaaten – Schweiz und Liechtenstein – siehe Art 149.

Artikel 4 Europäische Patentorganisation

(1) Durch dieses Übereinkommen wird eine Europäische Patentorganisation gegründet, die nachstehend Organisation genannt wird. Sie ist mit verwaltungsmäßiger und finanzieller Selbständigkeit ausgestattet.

(2) Die Organe der Organisation sind:
a) das Europäische Patentamt;
b) der Verwaltungsrat.

(3) Die Organisation hat die Aufgabe, die europäischen Patente zu erteilen. Diese Aufgabe wird vom Europäischen Patentamt durchgeführt, dessen Tätigkeit vom Verwaltungsrat überwacht wird.

Hans Peter Kunz-Hallstein

Übersicht
1	Allgemeines	1-2
2	Die Europäische Patentorganisation als internationale Organisation	3-5
3	Die Organe der Organisation	6-7
4	Aufgaben der Organisation	8-9

1 Allgemeines

Die Vorschrift enthält die Gründungsklausel der Europäischen Patentorganisation (EPO) und die Struktur ihrer Organisation. **1**

Um die in der Präambel definierten Zwecke des EPÜ zu verwirklichen, haben die Vertragsstaaten die EPO als Internationale Organisation errichtet. Die Organisation ist im Verhältnis zu den Mitgliedstaaten mit verwaltungsmäßiger und finanzieller Selbständigkeit ausgestattet. Ihre Aufgabe ist die Erteilung europäischer Patente. **2**

EPÜ 2000
In Art 4a wird eine Konferenz der Minister der Vertragsstaaten als ständige Einrichtung begründet.

2 Die Europäische Patentorganisation als Internationale Organisation

Als Internationale Organisation ist die EPO Völkerrechtssubjekt (siehe Art 5 Rdn 3). Sie kann selbständig Träger völkerrechtlicher Rechte und Pflichten sein. Sie kann mit anderen Völkerrechtssubjekten – mit Staaten und anderen Internationalen Organisationen – völkerrechtliche Verträge schließen. Insoweit begegnet sie den anderen Völkerrechtssubjekten auf der Ebene formeller Gleichstellung.[1] Die EPO hat zB am 19.10.1977 Abkommen mit den Regierun- **3**

---
[1] EMBL-Schiedsspruch vom 29.6.1990, Kunz-Hallstein, NJW 1992, 3069.

gen Deutschlands und der Niederlande über den Sitz der Organisation und der Zweigstelle den Haag geschlossen.[2] Zum Abkommen mit der Regierung Österreichs wegen der Dienststelle Wien siehe Art 7 Rdn 2.

4 Die EPO ist von anderen Internationalen Organisationen zu unterscheiden. Sie ist autonom und insbesondere nicht Teil der Europäischen Union. Daher gilt das für andere Organisationen maßgebliche Recht grundsätzlich nur, wenn und soweit eine solche Geltung ausdrücklich angeordnet ist (vgl insbesondere Präambel Abs 3).

5 Die Reichweite der Autonomie der EPO bestimmt sich nach Völkerrecht, in erster Linie nach dem EPÜ selbst. Verwaltung und Finanzen sind die Kernbereiche dieser Autonomie (Art 26 ff und Art 37 ff). Diese Bereiche sind der Zwangsgewalt der Mitgliedstaaten verschlossen.[3] Siehe Anmerkungen zu Art 8.

3 Die Organe der Organisation

6 Die EPO wurde mit zwei Organen ausgestattet. Das EPA ist als Vollzugsorgan eingerichtet, welchem insbesondere die Aufgabe obliegt, europäische Patente zu erteilen (Abs 3 S 2).

7 Das andere Organ, der Verwaltungsrat (VR), ist das Organ für die Willensbildung der Organisation. Durch den Verwaltungsrat überwachen die Mitgliedstaaten zugleich die Tätigkeit des EPA.[4]

4 Aufgaben der Organisation

8 Aufgabe der Organisation ist es ausdrücklich (Abs 3), europäische Patente zu erteilen. Nach den Absätzen 1 und 3 der Präambel des Übereinkommens zählt die Verstärkung der Zusammenarbeit der europäischen Staaten auf dem Gebiet des Schutzes der Erfindungen allgemein zu den Zwecken der Organisation. Die Mitgliedstaaten können der Organisation weitere Aufgaben zuweisen.

9 Der Organisationszweck begrenzt die Handlungsbefugnisse der Organisation; außerhalb ihrer Organisationszwecke (ultra vires) kann die EPO nicht rechtswirksam handeln. Freilich besitzt die Organisation die zur Erfüllung ihrer satzungsgemäßen Zwecke erforderlichen Befugnisse (implied powers). Ausgestaltung, Aufgaben und Einzelheiten der Organisation und ihrer Organe sind in den Kapiteln II (Die Europäische Patentorganisation), III (Das Europäische Patentamt) und IV (Der Verwaltungsrat) näher festgelegt.

---

2 Siehe Haertel in MünchGemKom Art 6 Rn 23–28 mwNachw.
3 Vgl Wenckstern, Handbuch des Internationalen Zivilverfahrensrechts Bd II/1, Die Immunität der internationalen Organisationen, Tübingen 1994, Rn 993 ff.
4 Vgl Seidl-Hohenveldern/Loibl, Das Recht der internationalen Organisationen einschließlich der supranationalen Gemeinschaften, 7. Auflage 2000, Rn 1001 ff, 1013 ff.

EPÜ 2000

Artikel 4a Konferenz der Minister der Vertragsstaaten

Eine Konferenz der für Angelegenheiten des Patentwesens zuständigen Minister der Vertragsstaaten tritt mindestens alle fünf Jahre zusammen, um über Fragen der Organisation und des europäischen Patentsystems zu beraten.

Kapitel II Die Europäische Patentorganisation

Vorbemerkung zu Art 5–9

Hans Peter Kunz-Hallstein

Dieses Kapitel bestimmt die Rechtsstellung der Organisation und ihren Sitz. Es räumt der Organisation Vorrechte und Immunitäten ein, begründet aber auch die Haftung der Organisation für ihr Handeln.

Artikel 5 Rechtsstellung

(1) **Die Organisation besitzt Rechtspersönlichkeit.**

(2) **Die Organisation besitzt in jedem Vertragsstaat die weitestgehende Rechts- und Geschäftsfähigkeit, die juristischen Personen nach dessen Rechtsvorschriften zuerkannt ist; sie kann insbesondere bewegliches und unbewegliches Vermögen erwerben und veräußern sowie vor Gericht stehen.**

(3) **Der Präsident des Europäischen Patentamts vertritt die Organisation.**

Hans Peter Kunz-Hallstein

Übersicht

1	Allgemeines	1
2	Status der Organisation	2-3
3	Vertretung der Organisation (Abs 3)	4

1 Allgemeines

1   Die Bestimmung begründet die Rechtspersönlichkeit der EPO im Bereich des Völkerrechts. Zugleich begründet sie die Handlungs- und Beteiligtenfähigkeit der Organisation im Bereich des innerstaatlichen Rechts der Mitgliedstaaten. Damit wird es der Organisation ermöglicht, am Rechts- und Wirtschaftsleben der Mitgliedstaaten teilzunehmen.

2 Status der Organisation

2   Die Vorschrift bestimmt die Rechtsstellung der Organisation (sogenannte Statusklausel).[1]

---

[1] Ballreich in MünchGemKom, Art 5, Rn 1.

Die Rechtspersönlichkeit der EPO wird auf staatlicher Ebene anerkannt. Dies bedeutet nicht, dass der EPO der Status einer juristischen Person des nationalen privaten oder öffentlichen Rechts verliehen wäre; sie bleibt eine Rechtspersönlichkeit des Völkerrechts und erhält lediglich im nationalen Bereich die zur Erfüllung ihrer Aufgaben erforderliche Rechts-, Handlungs- und Geschäftsfähigkeit, welche der einer juristischen Person entspricht (Abs 2). Sie kann deshalb insbesondere Rechte an materiellem und geistigem Eigentum erwerben und veräußern, und sie kann auch – vorbehaltlich der ihr zustehenden und eingeräumten Gerichtsbefreiungen – vor Gericht stehen; sie besitzt die Beteiligtenfähigkeit nach nationalem Prozessrecht.

3 Vertretung der Organisation (Abs 3)

Der Präsident vertritt die Organisation im Außenverhältnis. Seine Aufgaben und Befugnisse sind zB in Art 10 geregelt. Daneben bestehen die Befugnisse des Verwaltungsrats (zB Art 33), der den Präsidenten zu bestimmten Handlungen ermächtigen kann (zB Art 33 (4)).[2]

Artikel 6 Sitz

(1) Die Organisation hat ihren Sitz in München.

(2) Das Europäische Patentamt wird in München errichtet. Es hat eine Zweigstelle in Den Haag.

Margarete Singer

Übersicht
1	Allgemeines	1
2	Einheitlicher Sitz für Organisation und EPA	2
3	Die Zweigstelle in Den Haag	3-4
4	Die Dienststelle Berlin	5-6
5	Übertragene Arbeiten	7

1 Allgemeines

Das EPÜ dürfte eines der wenigen internationalen Übereinkommen sein, in denen der Sitz der zuständigen Behörde bereits vor dem Inkrafttreten des Übereinkommens geklärt war. Zur Diskussion standen ursprünglich München, Den Haag und London.

---

2   Siehe **G 5/88**, **G 7/88** und **G 8/88**, ABl 1991, 137.

2 Einheitlicher Sitz für Organisation und EPA

2   Als Sitz der Organisation wird München festgelegt (Abs 1). Aufgrund des Abs 2 Satz 1 wurde das EPA am 1.11.1977 in München errichtet.[1]

3 Die Zweigstelle in Den Haag

3   In Abs 2 Satz 2 wird die Zweigstelle in Den Haag ausdrücklich erwähnt, um Diskussionen über das Fortbestehen dieser Zweigstelle, die aus dem IIB, dem früheren Internationalen Patentinstitut in Den Haag hervorgegangen ist, von vornherein auszuschließen. Das IIB war durch das Haager Abkommen vom 6.6.1947, revidiert am 16.2.1961, errichtet worden. Durch Vertrag vom 19.10.1977 zwischen der EPO und den Niederlanden wurde das IIB zum 1.1.1978 in das EPA integriert und gleichzeitig für aufgelöst erklärt).[2] Seit der Übernahme des IIB führt die Zweigstelle Den Haag alle Aufgaben weiter, die das IIB sowohl für seine ehemaligen Mitgliedstaaten als auch für die Öffentlichkeit durchgeführt hatte (vgl Zentralisierungsprotokoll, Abschnitt I (1) (b)). Einzelheiten regelt das Zentralisierungsprotokoll (siehe Anhang 4), das nach Art 164 (1) Bestandteil des Übereinkommens ist.

4   Die Zweigstelle Den Haag ist kein Organ der EPO (Art 4 (2)), sondern Teil des EPA. Zu ihr gehört die Dienststelle Berlin (siehe Rdn 5–6). Die Zweigstelle ist – neben München – Annahmestelle für europäische Patentanmeldungen und internationale Anmeldungen (vgl Art 75 (1) a); siehe auch Art 75 Rdn 5–7).

4 Die Dienststelle Berlin

5   Die Dienststelle Berlin ist nicht im Übereinkommen, sondern im Zentralisierungsprotokoll (siehe Anhang 4) als Dienststelle errichtet und der Zweigstelle Den Haag unterstellt (Abschnitt I (3) (a)).[3]

6   Auch die Dienststelle Berlin ist Annahmestelle für europäische und internationale Patentanmeldungen (siehe Art 75 Rdn 5–7).

5 Übertragene Arbeiten

7   Nach dem Zentralisierungsprotokoll (Abschnitt IV, siehe Anhang 4) konnte die Bearbeitung von europäischen Patentanmeldungen in gewissem Umfang auch nationalen Patentämtern der Vertragsstaaten übertragen werden. Der Zeitraum für die Übertragung solcher Aufgaben ist abgelaufen.

---

1   ABl 1978, 28.
2   ABl 1978, 202 und 207.
3   Siehe Mitteilungen des EPA ABl 1978, 248 und 1979, 108.

Artikel 7 Dienststellen des Europäischen Patentamts

In den Vertragsstaaten und bei zwischenstaatlichen Organisationen auf dem Gebiet des gewerblichen Rechtsschutzes können, soweit erforderlich und vorbehaltlich der Zustimmung des betreffenden Vertragsstaats oder der betreffenden Organisation, durch Beschluss des Verwaltungsrats Dienststellen des Europäischen Patentamts zu Informations- oder Verbindungszwecken geschaffen werden.

Margarete Singer

Übersicht
1	Allgemeines	1
2	Die Dienststelle in Wien (INPADOC)	2-4

1 Allgemeines

Zu Informations- und Verbindungszwecken können Dienststellen des EPA errichtet werden. Durch ihre Errichtung soll das europäische Patentsystem den Erfindern und möglichen Anmeldern nähergebracht werden.   1

2 Die Dienststelle in Wien (INPADOC)

Der Verwaltungsrat hat, gestützt auf Art 7, bisher nur einmal von dieser Vorschrift Gebrauch gemacht: Das internationale Informationszentrum INPADOC in Wien wurde aufgrund eines am 2.7.1990 mit der Republik Österreich abgeschlossenen Abkommens in das EPA übernommen.[1] Als Dienststelle des EPA ist dieses Zentrum seit 1992 zuständig für die Patentinformation des EPA;[2] siehe auch Art 127 Rdn 17–19). Veröffentlichungen des EPA, für die der Präsident die Verkaufspreise festgesetzt hat (Art 5 (2) GebO) können nur in Wien bezogen werden.   2

Die in München, Berlin und Den Haag integrierten Informationsstellen bestehen fort. Informationen über das europäische Patenterteilungsverfahren sowie die vom EPA ohne Berechnung von Kosten herausgegebenen Broschüren und Formblätter sind sowohl von allen Informationsstellen des EPA als auch von den nationalen Patentämtern der Vertragsstaaten zu erhalten.   3

Patentanmeldungen können in der Dienststelle Wien nicht eingereicht werden (siehe Art 75 Rdn 5).   4

---

1 Mitteilung des Präsidenten vom 10.10.1990 ABl 1990, 492.
2 Mitteilung des Präsidenten vom 4.3.1992 ABl 1992, 183.

Artikel 8 Vorrechte und Immunitäten

Die Organisation, die Mitglieder des Verwaltungsrats, die Bediensteten des Europäischen Patentamts und die sonstigen Personen, die in dem diesem Übereinkommen beigefügten Protokoll über Vorrechte und Immunitäten bezeichnet sind und an der Arbeit der Organisation teilnehmen, genießen in den Hoheitsgebieten der Vertragsstaaten die zur Durchführung ihrer Aufgaben erforderlichen Vorrechte und Immunitäten nach Maßgabe dieses Protokolls.

Hans Peter Kunz-Hallstein

Übersicht

1	Allgemeines	1-3
2	Gerichtsbefreiung	4-6
3	Von der Organisation zu gewährender Rechtsschutz	7-9
4	Möglichkeiten anderer Streitschlichtung	10-11
5	Streitigkeiten aus Beschaffungsverträgen und bei außervertraglicher Haftung	12-13

1 Allgemeines

1   Die Europäische Patentorganisation erfüllt die Aufgabe der Erteilung europäischer Patente (Art 4 (3) Satz 1) im gemeinsamen Interesse der Mitgliedstaaten. Die ihr in Art 8 zuerkannten und im Protokoll über Vorrechte und Immunitäten definierten Privilegien sollen dies ermöglichen und sicherstellen. Die entsprechenden Vorschriften sind auf Grund der Ratifizierung des EPÜ und des einen Bestandteil des Übereinkommens bildenden Privilegienprotokolls (Art 164 (1)) durch die Bundesrepublik Deutschland (Art 59 (2) GG) Teil des geltenden, die Rechtsprechung bindenden Rechts (Art 20 (3) GG).

2   Da die Europäische Patentorganisation den Mitgliedstaaten auf der Ebene des Völkerrechts in formaler Gleichstellung gegenübersteht,[1] sind die Möglichkeiten der nationalen Gerichte, die für sie fremde Rechtsordnung der Organisation einzugreifen,[2] von vornherein beschränkt.[3] Insoweit jedenfalls ist die Gerichtsbefreiung der Internationalen Organisation auch sachlich begründet.

3   Mit den Internationalen Organisationen üblicherweise gewährten Vorrechten und Immunitäten haben die Vertragsstaaten die Organisation zur Erfüllung ihrer Aufgaben und im Rahmen ihrer amtlichen Tätigkeit von der Zwangsgewalt der einzelnen Mitgliedstaaten freigestellt. Das Übereinkommen sieht vor, dass die Staaten ihre partikulären Interessen in den hierfür vorgesehenen Orga-

---

[1] EMBL-Schiedsspruch vom 29.6.1990, *Kunz-Hallstein* NJW 1992, 3069, 3070.
[2] DE-BVerwG vom 19.10.1992, – *Europäische Schulen*, NJW 1993, 1409.
[3] *Walter*, AöR 129 (2004) 39, 73 f.

nen gemeinsamer Willensbildung zur Geltung bringen.⁴ Das ist insbesondere der Verwaltungsrat, der die laufenden Geschäfte der Organisation überwacht (Art 4 (3) Satz 2). Außerhalb dieser Grenzen erfüllt die Organisation ihre Aufgaben autonom und frei von Einwirkungen der einzelnen Staaten, ihrer Behörden und Gerichte. Es würde insbesondere dem Sinn und Zweck der Ermächtigung des Art 24 (1) GG widersprechen, wenn eine Internationale Organisation im Kernbereich ihrer Autonomie gewärtigen müßte, gegebenenfalls voneinander abweichender Rechtsprechung der Gerichte der Mitgliedstaaten ausgesetzt zu sein; dies würde die Funktionsfähigkeit der Organisation beeinträchtigen.⁵

2 Gerichtsbefreiung

Daher stellt die Gerichtsbefreiung, die Immunität von der staatlichen Gerichtsbarkeit, das praktisch wichtigste Vorrecht der Organisation dar. Den staatlichen Gerichten ist es versagt, die Rechtmäßigkeit der von der Organisation, zumal ihrem Exekutivorgan, dem Europäischen Patentamt, im Rahmen amtlicher Tätigkeit getroffenen Maßnahmen und Entscheidungen zu überprüfen. In Deutschland begründet die Gerichtsbefreiung ein in jedem Stadium des Verfahrens von Amts wegen zu beachtendes Verfahrenshindernis (§ 20 (2) GVG). Daher sind insbesondere Anfechtungsklagen gegen Entscheidungen der Beschwerdekammern des Europäischen Patentamts unzulässig.⁶

Die Gerichtsbetreuung der EPO gilt für ihre amtliche Tätigkeit. Sie umfasst das gesamte mit dem Organisationszweck zusammenhängende Verhalten einschließlich der sogenannten Beschaffungsverträge, soweit diese amtlichen Zwecken dienen.⁷ Die Freistellung erfasst daher auch Tätigkeiten, die – von einem Staat ausgeübt – als sogenannte acta jure gestionis nicht von der Gerichtsbarkeit eines fremden Staates freigestellt wären; die Gerichtsbefreiung Internationaler Organisationen ist weiter als die der Staaten.⁸

Ausnahmen von der Gerichtsbefreiung bestimmt in engen Grenzen Art 3 (1) ImmunProt: Ein Verzicht der Organisation auf die Befreiung muss ausdrück-

---

4   *Seidl-Hohenveldern/Loibl*, Das Recht der Internationalen Organisationen einschließlich der supranationalen Gemeinschaften, 7. Aufl 2000, Rn 1102.
5   DE-VG München vom 8.7.1999, – *Nationale Überprüfung von EPA-Entscheidungen II*, stRspr, GRUR Int 2000, 77; im gleichen Sinne: GB-Patents Court vom 20.12.1996, – *Lenzing*, GRUR Int 1997, 1010.
6   DE-VG München vom 8.7.1999, – *Nationale Überprüfung von EPA-Entscheidungen*, GRUR Int 2000, 77; DE-BVerfG vom 4.4.2001, – *Europäische Eignungsprüfung*, GRUR 2001, 728.
7   Für einen Mietvertrag der EPO vgl AT-OGH vom 11.6.1992, RIW 1993, 237 mit Anmerkung von Seidl-Hohenveldern.
8   Vgl Kunz-Hallstein, NJW 1992, 3069, 3072; *Klein*, in: *Graf Vitzthum*, Völkerrecht, 3. Aufl 2004, 4. Abschnitt Rn 108.

Artikel 8 *Vorrechte und Immunitäten*

lich und für den Einzelfall erklärt sein. Ein weiterer Fall betrifft die Haftung der Organisation für ihre Motorfahrzeuge.

3 Von der Organisation zu gewährender Rechtsschutz

7 Die Vertragsstaaten der Europäischen Patentorganisation sind nach Art 6 (1) der Europäischen Menschenrechtskonvention verpflichtet, jeder Person ein Recht auf ein Gericht zu gewähren. Sie können sich dieser Verpflichtung nicht dadurch entziehen, dass sie zur Erledigung bestimmter Aufgaben internationale Organisationen gründen.[9] Das Grundgesetz gestattet eine Übertragung von Hoheitsrechten auf eine Internationale Organisation gemäß Art 24 (1) GG nur dann, wenn die Organisation dem Einzelnen Rechtsschutz gegen behauptete rechtswidrige Akte der Organisation gewährt.[10]

8 In Fortsetzung dieser Rechtsprechung behandelt das Bundesverfassungsgericht Handlungen einer Internationalen Organisation, also auch solche der Europäischen Patentorganisation, als Akte öffentlicher Gewalt im Sinne des § 90 (1) BVerfGG, gegen welche die Einlegung einer Verfassungsbeschwerde grundsätzlich statthaft ist.[11] Die Zulässigkeit der Verfassungsbeschwerde setzt einen hinreichend substantiierten Vortrag des Beschwerdeführers voraus, der von der Organisation gewährte Grundrechtsschutz entspreche nicht den Grundsätzen der Verfassung. Mangels solchen Vortrages übt das Bundesverfassungsgericht seine Rechtsprechung nicht aus.[12]

9 Die Europäische Patentorganisation ist daher den Vertragsstaaten verpflichtet, den von ihren Maßnahmen und Entscheidungen Betroffenen eine angemessene Möglichkeit der Streitschlichtung durch eine von der Organisation unabhängige Instanz zur Verfügung zu stellen.

4 Möglichkeiten anderweitiger Streitschlichtung

10 a) Streitigkeiten mit Verfahrensbeteiligten vor den Beschwerdekammern:
Die in Verfahren vor dem Amt beteiligten Personen können nach Maßgabe des Übereinkommens die Beschwerdekammern des Amtes anrufen (Art 21 ff). Rechtsstellung und Verfahren der Beschwerdekammern entsprechen ebenfalls

---

9   EGMR vom 18.2.1999, – *Waite und Kennedy*, NJW 1999, 1173, 1174.
10 DE-BVerfG vom 23.6.1981, – *Eurocontrol I*, NJW 1982, 505, 507.
11 DE-BVerfG vom 12.10.1993, – *Maastricht*, NJW 1993, 3047, 3049; DE-BVerfG vom 4.4.2001, – *Europäische Eignungsprüfung*, NJW 2001, 2705 = GRUR 2001, 728.
12 BVerfG vom 22.10.1986, – *Solange II*, NJW 1987, 577, 582; BVerfG vom 4.4.2001, – *Europäische Eignungsprüfung*, NJW 2001, 2705, 2706 = GRUR 2001, 728; DE-BVerfG vom 5.4.2006, 1 BvR 2310/05.

den Anforderungen des Grundgesetzes[13] und der Europäischen Menschenrechts-Konvention.[14]

b) Dienstrechtliche Streitigkeiten:

Die Bediensteten und ehemaligen Bediensteten können in Personalstreitigkeiten das Verwaltungsgericht der Internationalen Arbeitsorganisation in Genf anrufen, das älteste und erfahrenste internationale Dienstgericht (Art 13). Das Verfahren und die Rechtsprechung dieses Gerichts entsprechen den Anforderungen des Grundgesetzes[15] und auch denen der Europäischen Menschenrechtskonvention.[16]

5 Streitigkeiten aus Beschaffungsverträgen und bei außervertraglicher Haftung

Für Streitigkeiten aus im Rahmen amtlicher Tätigkeit mit privaten Dritten geschlossenen Verträgen, insbesondere den sogenannten Beschaffungsverträgen, bietet die Organisation der Praxis anderer Internationaler Organisationen folgend eine Entscheidung durch schiedsgerichtliches Verfahren an.

Gleiches gilt für Fälle außervertraglicher Haftung im Zusammenhang mit amtlicher Tätigkeit, soweit nicht in besonderen Fällen die Gerichtsbefreiung nach Art 3 (1) b) und c) ImmunProt entfällt.

Artikel 9 Haftung

(1) **Die vertragliche Haftung der Organisation bestimmt sich nach dem Recht, das auf den betreffenden Vertrag anzuwenden ist.**

(2) **Die außervertragliche Haftung der Organisation für Schäden, die durch sie oder die Bediensteten des Europäischen Patentamts in Ausübung ihrer Amtstätigkeit verursacht worden sind, bestimmt sich nach dem in der Bundesrepublik Deutschland geltenden Recht. Ist der Schaden durch die Zweigstelle in Den Haag oder eine Dienststelle oder durch Bedienstete, die einer dieser Stellen angehören, verursacht worden, so ist das Recht des Vertragsstaats anzuwenden, in dem sich die betreffende Stelle befindet.**

---

13 VG München vom 8.7.1999 – *Nationale Überprüfung von Patentamtsentscheidungen II*, GRUR Int 2000, 77, 78; BVerfG vom 4.4.2001 – *Europäische Eignungsprüfung* –, NJW, 2001, 2705, 2706 = GRUR 2001, 728, 729; vergl. auch BVerfG vom 8.1.1997, – *Lenzing*, NJW 1997, 1500 = Mitt 1997, 394.

14 EKMR, Beschwerde Nr 39025/97, Beschl. vom 9.9.1998 – *Lenzing gegen Deutschland*.

15 BVerfG vom 10.11.1981, – *Eurocontrol II*, –NJW 1982, 512, 514; vgl. auch BVerwG vom 19.10.1992, – *Europäische Schulen*, NJW 1993, 1409, 1410.

16 Vgl EGMR vom 18.2.1999, – *Waite und Kennedy*, NJW 1999, 1173, 1175.

Artikel 9 *Haftung*

(3) Die persönliche Haftung der Bediensteten des Europäischen Patentamts gegenüber der Organisation bestimmt sich nach den Vorschriften ihres Statuts oder der für sie geltenden Beschäftigungsbedingungen.

(4) Für die Regelung der Streitigkeiten nach den Absätzen 1 und 2 sind folgende Gerichte zuständig:
a) bei einer Streitigkeit nach Absatz 1 das zuständige Gericht der Bundesrepublik Deutschland, sofern in dem von den Parteien geschlossenen Vertrag nicht ein Gericht eines anderen Staats bestimmt worden ist;
b) bei einer Streitigkeit nach Absatz 2, je nach Lage des Falls, entweder das in der Bundesrepublik Deutschland zuständige Gericht oder das zuständige Gericht des Staats, in dem sich die Zweigstelle oder die Dienststelle befindet.

Dieter Stauder

Übersicht
1	Allgemeines	1
2	Das anwendbare Recht auf vertragliche Haftung (Abs 1)...................................	2-4
3	Das anwendbare Recht auf außervertragliche Haftung wegen Schäden (Abs 2)	5-7
4	Ansprüche gegenüber Bediensteten des EPA (Abs 3)...................................	8
5	Regreßanspruch der Organisation	9
6	Gerichtliche Zuständigkeit (Abs 4)	10-11

1 Allgemeines

1 Dieser Artikel regelt die Grundsätze der vertraglichen Haftung der Organisation, ihrer außervertraglichen Haftung für Schäden, der persönlichen Haftung der Bediensteten des EPA gegenüber der Organisation und die gerichtliche Zuständigkeit bei Streitigkeiten. Nach Art 5 (1) besitzt nur die Organisation als solche Rechtsfähigkeit, nicht dagegen haben sie ihre Organe (Art 4 (2)) oder gar weitere Organe des EPA (Art 15). Klagen sind also stets gegen die Organisation zu richten (vgl Art 5).

2 Das anwendbare Recht auf vertragliche Haftung (Abs 1)

2 Die Frage nach dem bei vertraglicher Haftung anwendbaren Recht stellt sich vor allem dann, wenn der Vertragspartner des EPA seinen Sitz oder Wohnsitz nicht in dem Staat hat, in dem das EPA seinen Sitz hat. Dann ist das anwendbare Recht nach dem internationalen Privatrecht zu ermitteln.

3 Aus der Rechtsprechung zu dieser Frage, zB in der Bundesrepublik Deutschland, ergibt sich, dass in erster Linie der Wille der Parteien maßgeblich ist, in

zweiter Linie der hypothetische Parteiwille und schließlich nach dem subsidiär geltenden Gewohnheitsrecht das Recht des Leistungs- oder Erfüllungsorts. In aller Regel wird das EPA aus Gründen der Rechtssicherheit das anwendbare Recht vertraglich vereinbaren.

Ob die EPO auch für amtliche Privatrechtsgeschäfte und sämtliche Beschaffungsverträge das Vorrecht der Gerichtsbefreiung genießt, ergibt sich nicht ausdrücklich aus dem EPÜ. Es kann davon ausgegangen werden, dass die Immunität der EPO für amtliche Privatrechtsgeschäfte den Standards des Europarats entspricht.[1]

3 Das anwendbare Recht auf außervertragliche Haftung wegen Schäden (Abs 2)

Die außervertragliche Haftung der Organisation für Schäden bezieht sich vor allem auf unerlaubte Handlungen (zivilrechtliche Delikte, zB Amtspflichtverletzungen) und auf Fälle der Gefährdungshaftung (zB Haftung für Kraftfahrzeuge, hierzu siehe Rdn 11). Anwendbar ist in erster Linie deutsches Recht, nach Satz 2 kann auch das Recht der Zweigstelle in Den Haag oder einer Dienststelle anwendbar sein.

Die Formulierung, dass es sich um Schäden handeln muss, die in Ausübung der Amtstätigkeit verursacht worden sind, legt die entsprechende Anwendung des § 839 DE-BGB nahe. Liegt keine Amtspflichtverletzung vor, sondern eine unerlaubte Handlung im fiskalischen Bereich, so dürfte die Anwendung der §§ 823, 826 DE-BGB in Betracht kommen oder auch die Haftung für Angestellte und Gehilfen nach §§ 89, 31, 831 DE-BGB. Die gleichen Bestimmungen dürften auch für die Dienststelle Berlin gelten, obwohl sie zur Zweigstelle in Den Haag gehört (Abs 2 S 2 ZentrProt, Abschnitt I (3) (a)). Für die Zweigstelle in Den Haag selbst ist entsprechend Abs 2 S 2 das niederländische Recht anzuwenden, für die Dienststelle Wien österreichisches Recht.

Nach **J 14/87** sind die Beschwerdekammern des EPA nicht zuständig, über Ersatzforderungen für angeblich vom EPA bei der Durchführung eines Patenterteilungsverfahrens verursachte Schäden zu befinden.[2]

4 Ansprüche gegenüber Bediensteten des EPA (Abs 3)

Bedienstete des EPA unterliegen nach Art 14 a) ImmunProt (Anhang 3) bei Amtspflichtverletzungen nicht der Gerichtsbarkeit. Es besteht also keine persönliche Außenhaftung für Amtspflichtverletzung. Der Geschädigte muss sich deshalb entsprechend Art 9 (2) wegen eines ihm entstandenen Schadens an die Organisation halten.

---

1 Kunz-Hallstein in MünchGemKom, Art 8 Rn 24.
2 **J 14/87**, ABl 1988, 295.

5 Regreßanspruch der Organisation

9 Nach Abs 3 kann jedoch die Organisation in solchen Fällen nach den Vorschriften des Beamtenstatuts bei den betreffenden Bediensteten Regress nehmen. Einzelheiten regelt Art 25 des Beamtenstatuts: der Bedienstete kann zum vollen oder teilweisen Ersatz des Schadens herangezogen werden, den die Organisation durch grob fahrlässiges oder vorsätzliches Verhalten des Beamten in Ausübung oder anlässlich der Ausübung seines Amts erlitten hat. Eine entsprechende Regressverfügung wird nach den für Disziplinarsachen geltenden Verfahrensvorschriften erlassen. Ein Regress ist ausgeschlossen, wenn der Schaden durch die Entscheidung einer Beschwerdekammer oder der Großen Beschwerdekammer entstanden ist (Art 25 (1) S 2 Beamtenstatut).

6 Gerichtliche Zuständigkeit (Abs 4)

10 Abs 4 regelt die gerichtliche Zuständigkeit. Dabei ist zu beachten, dass die Organisation nach Art 3 (1) ImmunProt (siehe Anhang 3) grundsätzlich auch Immunität von der Gerichtsbarkeit und Vollstreckung genießt, soweit sie im Einzelfall nicht ausdrücklich darauf verzichtet.

11 Unabhängig von einem Verzicht genießt die Organisation nach Art 3 (1) des erwähnten Protokolls dann keine Immunität, wenn eines ihrer Kraftfahrzeuge einen Unfall verursacht hat und sie wegen des Schadens verklagt wird, sowie wenn mit einem ihrer Fahrzeuge die Straßenverkehrsvorschriften übertreten werden, ferner im Falle der Vollstreckung eines Schiedsspruchs nach Art 23 ImmunProt.

Kapitel III Das Europäische Patentamt

Vorbemerkung zu Art 10–25

Margarete Singer/Gérard Weiss

Übersicht

1	Allgemeines	1
2	Zusammenhang der Vorschriften	2
3	Örtliche Aufteilung des EPA	3-5
4	Verwaltungsmäßige Gliederung des EPA (R 12) ..	6-14
5	Personal des EPA	15-17

1 Allgemeines

Das Kapitel regelt die Grundsätze der Organisation des EPA, die Aufgaben 1 und Befugnisse des Präsidenten und die Sprachen des EPA. Für das Verfahren werden Organe geschaffen. Eingefügt in Kapitel III ist die Verpflichtung des EPA, technische Gutachten zu erstatten (Art 25). Die Übergangsvorschriften (Art 160, 162) sind inzwischen bedeutungslos. Zu Kapitel I gehören aus der AO *Sprachen des EPA* (R 1–7) und *Organisation des EPA* (R 8–12).

2 Zusammenhang der Vorschriften

Art 4 (2) bestimmt die Organe der EPO. Art 6 (2) legt den Sitz fest. Art 10 ff 2 regeln die Befugnisse der Organe und die verwaltungsmäßige Organisation der EPO.

3 Örtliche Aufteilung des EPA

Das EPA hat seinen Sitz in München und eine Zweigstelle in Den Haag. Diese 3 hat eine Dienststelle in Berlin. Die durch die Dezentralisierung der Recherche (Den Haag und Berlin) entstehenden zusätzlichen Kosten, zB für die Prüfstoffpflege, Verwaltung und Miete, trägt die Bundesrepublik Deutschland. (Abschnitt I Nr 3 ZentrProt, siehe Anhang 4) und Abkommen zwischen der Europäischen Patentorganisation und der Regierung der Bundesrepublik Deutschland über die Errichtung der Dienststelle Berlin des EPA vom 19.10.1977 mit Änderungen.

Die Dienststelle Wien (siehe Art 7 Rdn 2–4) ist zuständig für die Veröffentli- 4 chung der Anmeldungen und der Patente. Ihre weitere Aufgabe ist die Patentinformation;[1] (siehe Art 127 Rdn 17–19).

---

1 ZB auf Anfragen an das EPIDOS Informationsregister.

Vor Artikel 10–25

5   Die Anschriften des EPA und seiner Dienststellen sowie die Homepageadresse sind auf der hinteren Einbandseite jedes Amtsblatts abgedruckt.

4 Verwaltungsmäßige Gliederung des EPA (R 12)

6   Dem Präsidenten stehen für seine Tätigkeit sieben Einheiten unmittelbar zur Verfügung: das Präsidialbüro, das Ratssekretariat (das die Sekretariatsarbeit für den Verwaltungsrat ausführt), die Hauptdirektionen Controlling Office, Kommunikation und Pensionsreservefonds sowie die Direktionen Innenrevision und Ausschuss für interne Beschwerden.

7   Unter dem Präsidenten ist das EPA nach R 12 verwaltungsmäßig in fünf Generaldirektionen gegliedert, nämlich in die GD 1 Operative Tätigkeit, die GD 2 Operative Unterstützung, die GD 3 Beschwerde, die GD 4 Verwaltung und die GD 5 Recht/Internationale Angelegenheiten.

8   In die Organisationsstruktur sind die für das Verfahren bestimmten Organe des EPA eingefügt (Art 15 und Art 16–25).

9   Die verwaltungsmäßige Gliederung und die Einordnung der Verfahrensorgane in die Organisation des EPA (R 12) ergibt folgendes Bild:

10   Die GD 1 Operative Tätigkeit in Den Haag besteht aus sechs Hauptdirektionen. In der Hauptdirektion Verwaltung ist die Eingangsstelle vor allem für die Eingangsformalprüfung der Anmeldung zuständig. Die drei Hauptdirektionen Recherche sind für die Gebiete Chemie, Physik/Elektrotechnik und Mechanik zuständig; sie erstellen europäische, nationale und internationale Recherchen sowie Recherchen für private Auftraggeber. Die Hauptdirektion Dokumentation, die unter anderem für die Ergänzung und Aufrechterhaltung des gesamten Prüfstoffs verantwortlich ist, entscheidet auch über Fragen der Klassifikation (siehe Art 17 Rdn 5 und 6). Die letzte Hauptdirektion der GD 1 ist die Zweigstelle Berlin, in der Recherchen für bestimmte technische Gebiete durchgeführt werden. Zur Entwicklung des Arbeitsaufkommens in der Recherche siehe Art 17 Rdn 4.

11   In der GD 2 Operative Unterstützung sind die für das Patenterteilungsverfahren zentralen Organe zusammengefasst, nämlich die Prüfungs- und die Einspruchsabteilungen. Diese Generaldirektion ist in vier Hauptdirektionen aufgegliedert: Fach- und Verwaltungsunterstützungsdienste, Chemie, Physik/Elektrotechnik, und Mechanik/Allgemeine Technologie.

12   Die GD 3 Beschwerde bildet die zweite und zugleich letzte Instanz für das europäische Patenterteilungsverfahren, gegen deren Entscheidungen es keine weiteren Rechtsmittel gibt. Sie besteht aus der Großen Beschwerdekammer, einer Juristischen Beschwerdekammer, den technischen Beschwerdekammern (siehe Art 106 ff), der Beschwerdekammer in Disziplinarangelegenheiten (siehe Art 134 Rdn 73–76) sowie der Direktion Wissenschaftliche Dienste und Verwaltung.

In der GD 4 Verwaltung sind die verschiedenen Verwaltungseinheiten zusammengefasst, nämlich Finanzen, Personal, Allgemeine Verwaltung, Patentinformation, Sprachendienst und Verwaltung Den Haag.

Die GD 5 Recht/Internationale Angelegenheiten hat folgende Hauptdirektionen: Europäische und internationale Angelegenheiten, Internationale Rechtsangelegenheiten und Patentrecht, Justiziariat und die Europäische Patentakademie. Die Akademie ist 2004 mit dem Ziel gegründet, zum Nutzen des europäischen Patentsystems die Aus- und Fortbildung in der Theorie und Praxis des europäischen und des internationalen patentbezogenen Rechts des geistigen Eigentums zu fördern.[2]

5 Personal des EPA

Das Personal des EPA besteht grundsätzlich aus Angehörigen der Vertragsstaaten. Rechte und Pflichten der Bediensteten des EPA, die auch als Beamte bezeichnet werden, regelt das Statut der Beamten des Europäischen Patentamts vom 20.10.1977.

Art 5 (1) des Statuts sieht vor, dass die Beamten unter den Staatsangehörigen der Vertragsstaaten auf möglichst breiter geographischer Grundlage auszuwählen sind. Die Gehälter der Bediensteten des EPA sind ebenfalls im Statut festgelegt und niedriger als die der Bediensteten der Europäischen Gemeinschaften. Sie unterliegen einer internen Besteuerung nach der Verordnung über die interne Steuer zugunsten der Europäischen Patentorganisation vom 20.10.1977. Die Versorgung der Bediensteten ist durch die Versorgungsordnung für das Europäische Patentamt vom 20.10.1977 geregelt.

Das EPA hatte Ende 2005 6.116 Bedienstete.

Artikel 10 Leitung

(1) Die Leitung des Europäischen Patentamts obliegt dem Präsidenten, der dem Verwaltungsrat gegenüber für die Tätigkeit des Amts verantwortlich ist.

(2) Zu diesem Zweck hat der Präsident insbesondere folgende Aufgaben und Befugnisse:
a) **er trifft alle für die Tätigkeit des Europäischen Patentamts zweckmäßigen Maßnahmen, einschließlich des Erlasses interner Verwaltungsvorschriften und der Veröffentlichung von Mitteilungen an die Öffentlichkeit;**
b) **er bestimmt, soweit in diesem Übereinkommen hierüber nichts vorgesehen ist, welche Handlungen beim Europäischen Patentamt in Mün-**

---

[2] Beschluss des VR und des Präsidenten des EPA vom 17.6.2004, ABl 2004, 362.

chen und welche Handlungen bei seiner Zweigstelle in Den Haag vorzunehmen sind;

c) er kann dem Verwaltungsrat Vorschläge für eine Änderung dieses Übereinkommens sowie Entwürfe für allgemeine Durchführungsbestimmungen und Beschlüsse vorlegen, die zur Zuständigkeit des Verwaltungsrats gehören;

d) er bereitet den Haushaltsplan und etwaige Berichtigungs- und Nachtragshaushaltspläne vor und führt sie aus;

e) er legt dem Verwaltungsrat jedes Jahr einen Tätigkeitsbericht vor;

f) er übt das Weisungsrecht und die Aufsicht über das Personal aus;

g) vorbehaltlich Artikel 11 ernennt er die Bediensteten und entscheidet über ihre Beförderung;

h) er übt die Disziplinargewalt über die nicht in Artikel 11 genannten Bediensteten aus und kann dem Verwaltungsrat Disziplinarmaßnahmen gegenüber den in Artikel 11 Absätze 2 und 3 genannten Bediensteten vorschlagen;

i) er kann seine Aufgaben und Befugnisse übertragen.

(3) Der Präsident wird von mehreren Vizepräsidenten unterstützt. Ist der Präsident abwesend oder verhindert, so wird er nach dem vom Verwaltungsrat festgelegten Verfahren von einem der Vizepräsidenten vertreten.

Margarete Singer/Gérard Weiss

Übersicht

1	Allgemeines	1-2
2	Ausübung der Befugnisse nach Abs 2 a)	3-5
3	Vorschlagsrecht gegenüber dem Verwaltungsrat (Abs 2 c))	6
4	Weisungsrecht und Dienstaufsicht (Abs 2 f))	7
5	Disziplinargewalt (Abs 2 h))	8
6	Übertragung von Aufgaben und Befugnissen (Abs 2 i))	9
7	Vertretung des Präsidenten (Abs 3 Satz 2)	10-11

1 Allgemeines

1   In diesem Artikel wird insbesondere die Stellung des Präsidenten als Leiter des EPA festgelegt. Erster Präsident des EPA war bis 1985 J. B. van Benthem (NL). Sein Nachfolger von 1986–1995 war P. Braendli (CH). Vom 1. Januar 1996 bis zum 30. Juni 2004 war I. Kober (DE) Präsident. A. Pompidou (FR) wurde am 1. Juli 2004 Präsident und A. Brimelow (GB) wird am 1. Juli 2007 Präsidentin; beide sind für eine Amtszeit von jeweils drei Jahren ernannt. Die letztgenann-

ten Ernennungen wurden als so genannte Partnerschaftslösung für die Amtspräsidentenschaft bezeichnet.

Abs 1 stellt klar, dass das EPA als Verwaltungsbehörde vom Präsidenten geleitet wird, der dem Verwaltungsrat gegenüber verantwortlich ist. Nach Abs 3 wird er bei dieser Aufgabe von mehreren (5) Vizepräsidenten unterstützt. Seit Eröffnung des EPA haben die jeweiligen Präsidenten des EPA im Interesse einer kollegial ausgerichteten Amtsführung einen Präsidialausschuss (1977–1993) bzw ein Direktorium (seit 1993) eingesetzt (jetzt »MAC«, Management Advisery Committee), in dem wichtige Entscheidungen des Präsidenten vorbereitet und grundsätzlich nach kollegialen Prinzipien erarbeitet werden.[1]

Im MAC sind der Präsident und die Vizepräsidenten des EPA, der Controller, der Leiter der Kommunikationsabteilung und der Leiter des Präsidialbüros. Auch drei Hauptdirektoren nehmen als aktive Beobachter an der gesamten Sitzung teil. Zu den einzelnen Tagesordnungspunkten können bestimmte Fachreferenten hinzugezogen werden.

Abs 2 führt die wichtigsten Aufgaben und Befugnisse des Präsidenten auf. Wegen der ihm unmittelbar unterstellten Büros siehe Vor Art 10 Rdn 6.

2 Ausübung der Befugnisse nach Abs 2 a)

Die für das Erteilungsverfahren wichtigen Befugnisse hat der Präsident insbesondere dadurch ausgeübt, dass er die umfangreichen Richtlinien für die Prüfung im EPA (PrüfRichtl) erlassen hat. Sie sollen als allgemeine Anleitungen gelten, von denen die Prüfer in Ausnahmefällen abweichen können. Maßgeblich sind das Übereinkommen mit seiner AO und (an zweiter Stelle) seine Auslegung durch die Beschwerdekammern.[2] Die Beteiligten können davon ausgehen, dass sich das EPA an diese Richtlinien halten wird, bis sie revidiert werden. Dies ist bereits öfter geschehen.

Der Präsident erlässt Beschlüsse und Mitteilungen zur Anwendung des EPÜ, der AO und der GebO und gibt allgemeine Rechtsauskünfte zu einzelnen Fragen.[3] Die Terminologie dieser Durchführungsverordnungen ist bedauerlicherweise nicht einheitlich. Durchführungsvorschriften des Präsidenten mit normativen Inhalt wurden oft als »Mitteilung des Präsidenten« erlassen;[4] zuweilen enthielten die Durchführungsvorschriften keine Bezugnahme auf das Organ, das sie erlassen hatte.[5] In den letzten Jahren werden Durchführungsvorschrif-

---

1 Siehe Braendli in MünchGemKom, Art 10 Rn 47.
2 Allgemeine Einleitung zu den PrüfRichtl 1.2; **T 162/82**, ABl 1987, 533; **T 42/84**, ABl 1988, 251; **T 204/91** vom 22.6.1992.
3 Siehe die Veröffentlichung des EPA *Durchführungsvorschriften zum Europäischen Patentübereinkommen*, 2006, in denen auch die Rechtsauskünfte enthalten sind.
4 Beispiel: »Mitteilung des Präsidenten über die öffentliche Zustellung« ABl 1980, 36.
5 Beispiel: »Anwendung der Regel 38 Absätze 3 und 4 auf europäische Teilanmeldungen«, ABl 1979, 290.

Artikel 10 *Leitung*

ten häufig in zwei Abschnitten erlassen: einem »Beschluss des Präsidenten«, der die wichtigsten Regelungen enthält, und einer »Mitteilung des Europäischen Patentamts« mit weiteren Detailregelungen. Im Stufenbau der Rechtsordnung sind die Normen gleichwertig. Ob eine Mitteilung normativen Inhalt hat oder bloß eine Bekanntmachung darstellt, kann daher nur aus ihrem Inhalt erschlossen werden.[6]

5 Auch Verwaltungsvereinbarungen können zweckmäßige Maßnahmen nach Abs 2 a) für die Tätigkeit des EPA sein. Die mit dem DPMA abgeschlossene Vereinbarung vom 29.6.1981 über den rechtzeitigen Zugang von Schriftstücken hatte allerdings keinen Bestand und wurde durch die Vereinbarung vom 13.10.1989 ersetzt. Die Verwaltungsvereinbarung wurde am 1.9.2005 beendet,[7] und zwar aufgrund eines Beschlusses des Bundespatentgerichts, in dem festgestellt wurde, dass die in der Vereinbarung getroffene Zugangsregelung rechtswidrig sei.[8]

3 Vorschlagsrecht gegenüber dem Verwaltungsrat (Abs 2 c))

6 Abs 2 c) ermächtigt den Präsidenten, Änderungen des Übereinkommens, der allgemeinen Durchführungsvorschriften, der AO und der Beschlüsse vorzuschlagen, die in die Zuständigkeit des Verwaltungsrats gehören (siehe Art 33).

4 Weisungsrecht und Dienstaufsicht (Abs 2 f))

7 Dem Weisungsrecht und der Dienstaufsicht unterstehen die erstinstanzlichen Organe, Art 15 a) bis e). Da diese Organe kraft des Übereinkommens für die ihnen übertragenen Aufgaben selbst zuständig sind, kann sich der Präsident nicht durch Inanspruchnahme seines Weisungsrechts an ihre Stelle setzen. Seine Weisungen haben nicht Entscheidungscharakter, sondern sind je nach der Rechtsnatur der behandelten Frage verbindliche Anordnungen.

Die Mitglieder der Beschwerdekammer sind nach Art 23 (3) für ihre Entscheidungen nicht an Weisungen des Präsidenten gebunden; sie sind nur dem Übereinkommen unterworfen.

5 Disziplinargewalt (Abs 2 h))

8 Die Ausübung der Disziplinargewalt nach Abs 2 h) ist im einzelnen in dem vom Verwaltungsrat nach Art 33 (2) b) erlassenen Beamtenstatut geregelt (Art 14 ff des Beamtenstatuts).

---

6 ZB die Mitteilung des EPA vom 22.12.2004 über die Einführung der elektronischen Veröffentlichung europäischer Patentanmeldungen sowie die über die Änderung der Regeln 51 (4), 54 und 108 EPÜ, ABl 2005, 126.
7 ABl 2005, 444.
8 DE-BPatG vom 23.11.2004 (11 W (pat) 41/03), Mitt 2005, 119, BlPMZ 2005, 183.

6 Übertragung von Aufgaben und Befugnissen (Abs 2 i))

Der Präsident macht von seiner in Abs 2 i) vorgesehenen Delegationsbefugnis Gebrauch und hat verschiedene Aufgaben auf die Vizepräsidenten übertragen.[9] Zur Problematik der Delegation siehe G 2/04.[10]

7 Vertretung des Präsidenten (Abs 3 Satz 2)

Nach Abs 3 Satz 2 wird der Präsident von den Vizepräsidenten für die in ihren Geschäftsbereich fallenden Fragen vertreten.[11]

In Angelegenheiten, die nach außen wirken und gewöhnlich vom Präsidenten wahrgenommen werden, vertritt der Dienstälteste der in München anwesenden Vizepräsidenten den Präsidenten. Ausgenommen von dieser Vertretungsregelung ist der Vizepräsident der GD 3 (Beschwerde) mit Rücksicht auf die Trennung von Verwaltung und Rechtsprechung.

Artikel 11 Ernennung hoher Beamter

(1) Der Präsident des Europäischen Patentamts wird vom Verwaltungsrat ernannt.

(2) Die Vizepräsidenten werden nach Anhörung des Präsidenten vom Verwaltungsrat ernannt.

(3) Die Mitglieder der Beschwerdekammern und der Großen Beschwerdekammer einschließlich der Vorsitzenden werden auf Vorschlag des Präsidenten des Europäischen Patentamts vom Verwaltungsrat ernannt. Sie können vom Verwaltungsrat nach Anhörung des Präsidenten des Europäischen Patentamts wieder ernannt werden.

(4) Der Verwaltungsrat übt die Disziplinargewalt über die in den Absätzen 1 bis 3 genannten Bediensteten aus.

Margarete Singer

Übersicht

1	Allgemeines	1
2	Präsident und Kreis der hohen Beamten	2
3	Sonderregelung für Mitglieder der Beschwerdekammer	3
4	Disziplinargewalt	4

---

9 Siehe Mitteilung des Vizepräsidenten der General Direktion 2 des EPA«, ABl 1984, 317, ABl 1989, 178, ABl 1999, 503 in der geltenden Fassung.
10 **G 2/04**, ABl 2005, 549.
11 Siehe Beschluss des Verwaltungsrats vom 6.7.1978, ABl 1978, 326.

Artikel 11 — *Ernennung hoher Beamter*

1 Allgemeines

1 Dieser Artikel legt die Zuständigkeit und die Grundsätze für die Ernennung hoher Beamter des EPA fest.

Vertiefte Kommentierung von Braendli findet sich im MünchGemKom.[1]

EPÜ 2000

In einem neuen Abs 5 wird eine beständige Rechtsgrundlage geschaffen, um externe rechtskundige Mitglieder der Großen Beschwerdekammer zu ernennen (bisherige Grundlage Art 160 (2)).

2 Präsident und Kreis der hohen Beamten

2 Der Präsident wird nach Abs 1 vom Verwaltungsrat mit qualifizierter Mehrheit ernannt (Art 35 (2) und (3)). Der Verwaltungsrat ernennt nach Anhörung des Präsidenten auch die Vizepräsidenten (Abs 2, Art 11 (2)). Die Mitglieder der Beschwerdekammern und der Großen Beschwerdekammer und ihre Vorsitzenden werden auf Vorschlag des Präsidenten vom Verwaltungsrat ernannt und können nach seiner Anhörung wieder ernannt werden (Art 11 (3)).

3 Sonderregelung für Mitglieder der Beschwerdekammer

3 Die Bediensteten des EPA werden grundsätzlich auf Lebenszeit mit der Maßgabe ernannt, dass sie mit Vollendung des 65. Lebensjahres in den Ruhestand versetzt werden (Art 54 (1) Beamtenstatut).

Die Mitglieder der Beschwerdekammern werden auf Vorschlag des Präsidenten (Abs 3 Satz 1) nach Art 23 (1) EPÜ für einen Zeitraum von fünf Jahren ernannt und können wieder ernannt werden. Der Zeitraum für die Ernennung wurde auf fünf Jahre beschränkt, weil nicht vorhersehbar war, ob im Laufe der Zeit nicht die Zahl der Beschwerden und damit die Tätigkeit der Mitglieder der Beschwerdekammern beträchtlich zurückgehen würde. Wird ein Mitglied einer Beschwerdekammer nicht wieder ernannt, so ist es im EPA an anderer Stelle weiter zu beschäftigen; zusätzlich zu den Grundsätzen des Art 23 soll auch diese Regelung die Unabhängigkeit der Kammermitglieder bei ihren Entscheidungen gewährleisten.

4 Disziplinargewalt

4 Über die vom Verwaltungsrat ernannten Beamten übt nicht der Präsident, sondern der Verwaltungsrat die Disziplinargewalt aus (Art 11 (4)). Das Beamtenstatut trägt dem Rechnung in seinem Titel VII Disziplinarordnung.

---

1 Braendli in MünchGemKom, 24. Lieferung 2000, Art 11.

Artikel 12 Amtspflichten

Die Bediensteten des Europäischen Patentamts sind verpflichtet, auch nach Beendigung ihrer Amtstätigkeit Kenntnisse, die ihrem Wesen nach unter das Berufsgeheimnis fallen, weder preiszugeben noch zu verwenden.

Margarete Singer

Übersicht
1	Allgemeines	1
2	Die Amtsverschwiegenheit	2-3

1 Allgemeines

Diese Vorschrift soll der Öffentlichkeit die Gewähr dafür geben, dass die Bediensteten des EPA die für Patentanmeldungen wichtige Geheimhaltung auch nach ihrem Ausscheiden wahren. Sie setzt eine allgemeine Pflicht der Bediensteten zur Verschwiegenheit während ihrer Zugehörigkeit zum EPA voraus. 1

Vertiefte Kommentierung siehe Braendli in MünchGemKom.[1]

2 Die Amtsverschwiegenheit

Die Pflichten und Rechte der Bediensteten des EPA sind in den Art 14–32 des Beamtenstatuts geregelt. Art 12 bildet die Grundlage für die in Art 20 (1) und (3) des Beamtenstatuts im einzelnen festgelegte Verschwiegenheitspflicht der Bediensteten des EPA. Art 20 des Beamtenstatuts (Amtsverschwiegenheit) bestimmt in seinem Abs 1: »Der Beamte ist verpflichtet, über alle Tatsachen und Angelegenheiten, von denen er in Ausübung oder anlässlich der Ausübung seines Amtes Kenntnis erhält, strengstes Stillschweigen zu bewahren; es ist ihm untersagt, nicht veröffentlichte Schriftstücke oder Informationen in irgendeiner Form zu verwenden oder Personen preiszugeben, die nicht befugt sind, davon Kenntnis zu erhalten«. Art 20 (3) wiederholt die Verschwiegenheitspflicht von Art 12 nach Ausscheiden aus dem Dienst. 2

Gegen Bedienstete und frühere Bedienstete, die gegen diese Verpflichtung verstoßen, kann ein Disziplinarverfahren entsprechend der Disziplinarordnung des Beamtenstatuts eingeleitet werden. 3

Artikel 13 Streitsachen zwischen der Organisation und den Bediensteten des Europäischen Patentamts

(1) Die Bediensteten oder ehemaligen Bediensteten des Europäischen Patentamts oder ihre Rechtsnachfolger haben das Recht, in Streitsachen

---

1 Braendli in MünchGemKomm, 24. Lieferung 2000, Art 12.

zwischen ihnen und der Europäischen Patentorganisation das Verwaltungsgericht der Internationalen Arbeitsorganisation nach der Satzung dieses Gerichts und innerhalb der Grenzen und nach Maßgabe der Bedingungen anzurufen, die im Statut der Beamten oder in der Versorgungsordnung festgelegt sind oder sich aus den Beschäftigungsbedingungen für die sonstigen Bediensteten ergeben.

(2) Eine Beschwerde ist nur zulässig, wenn der Betreffende alle Beschwerdemöglichkeiten ausgeschöpft hat, die ihm das Statut der Beamten, die Versorgungsordnung oder die Beschäftigungsbedingungen für die sonstigen Bediensteten eröffnen.

Margarete Singer

Übersicht
1	Allgemeines	1
2	Anrufung des Verwaltungsgerichts der Internationalen Arbeitsorganisation	2
3	Ausschöpfung der Beschwerdemöglichkeiten vor Anrufung des Gerichts (Abs 2)	3-4

1 Allgemeines

1   Für Streitsachen mit der EPO eröffnet die Vorschrift den Bediensteten des EPA den Rechtsweg.
    Eingehende Kommentierung von Kunz-Hallstein/Ullrich findet man in MünchGemKom.[1]

2 Anrufung des Verwaltungsgerichts der Internationalen Arbeitsorganisation

2   Das zuständige Gericht ist das Verwaltungsgericht der Internationalen Arbeitsorganisation in Genf.

3 Ausschöpfung der Beschwerdemöglichkeiten vor Anrufung des Gerichts (Abs 2)

3   Vor der Anrufung des Gerichts ist der im Beamtenstatut vorgesehene Beschwerdeweg einzuschlagen (Art 106–113 des Statuts): Der Beamte kann vom Präsidenten eine formelle Entscheidung verlangen, die dieser, versehen mit Gründen, innerhalb von zwei Monaten zu erlassen hat (Art 106 des Statuts). Gegen sie kann der Bedienstete innerhalb von drei Monaten eine interne Beschwerde beim EPA einlegen. Ein aus fünf Bediensteten bestehender Beschwerdeausschuss arbeitet in voller Unabhängigkeit eine mit Gründen verse-

---

1   Kunz-Hallstein/Ullrich in MünchGemKom, 17. Lieferung 1995.

hene Stellungnahme aus, die dem Beschwerdeführer mitgeteilt wird (Art 107 ff des Statuts).

Erst wenn der Präsident der Beschwerde des Beamten nicht stattgibt oder binnen zwei Monaten nach Einreichung der internen Beschwerde nicht tätig geworden ist, kann der Beamte das Verwaltungsgericht der Internationalen Arbeitsorganisation anrufen.

Artikel 14 Sprachen des Europäischen Patentamts

(1) Die Amtssprachen des Europäischen Patentamts sind Deutsch, Englisch und Französisch. Europäische Patentanmeldungen sind in einer dieser Sprachen einzureichen.

(2) Natürliche oder juristische Personen mit Wohnsitz oder Sitz im Hoheitsgebiet eines Vertragsstaats, in dem eine andere Sprache als Deutsch, Englisch oder Französisch Amtssprache ist, und die Angehörigen dieses Staats mit Wohnsitz im Ausland können europäische Patentanmeldungen in einer Amtssprache dieses Staats einreichen. Sie müssen jedoch eine Übersetzung in einer der Amtssprachen des Europäischen Patentamts innerhalb einer in der Ausführungsordnung vorgeschriebenen Frist einreichen; diese Übersetzung kann während des gesamten Verfahrens vor dem Europäischen Patentamt mit der Anmeldung in der ursprünglich eingereichten Fassung in Übereinstimmung gebracht werden.

(3) Die Amtssprache des Europäischen Patentamts, in der die europäische Patentanmeldung eingereicht oder in die sie im Fall des Absatzes 2 übersetzt worden ist, ist in allen Verfahren vor dem Europäischen Patentamt, die diese Anmeldung oder das darauf erteilte Patent betreffen, als Verfahrenssprache zu verwenden, soweit in der Ausführungsordnung nichts anderes bestimmt ist.

(4) Die in Absatz 2 genannten Personen können auch fristgebundene Schriftstücke in einer Amtssprache des betreffenden Vertragsstaats einreichen. Sie müssen jedoch innerhalb einer in der Ausführungsordnung vorgeschriebenen Frist eine Übersetzung in der Verfahrenssprache einreichen; in den in der Ausführungsordnung vorgesehenen Fällen können sie auch eine Übersetzung in einer anderen Amtssprache des Europäischen Patentamts einreichen.

(5) Wird ein Schriftstück, das nicht zu den Unterlagen der europäischen Patentanmeldung gehört, nicht in der in diesem Übereinkommen vorgeschriebenen Sprache eingereicht oder wird eine Übersetzung, die in diesem Übereinkommen vorgeschrieben ist, nicht rechtzeitig eingereicht, so gilt das Schriftstück als nicht eingegangen.

Artikel 14 — Sprachen des EPA

(6) Die europäischen Patentanmeldungen werden in der Verfahrenssprache veröffentlicht.

(7) Die europäischen Patentschriften werden in der Verfahrenssprache veröffentlicht; sie enthalten eine Übersetzung der Patentansprüche in den beiden anderen Amtssprachen des Europäischen Patentamts.

(8) In den drei Amtssprachen des Europäischen Patentamts werden veröffentlicht:
a) das Europäische Patentblatt;
b) das Amtsblatt des Europäischen Patentamts.

(9) Die Eintragungen in das europäische Patentregister werden in den drei Amtssprachen des Europäischen Patentamts vorgenommen. In Zweifelsfällen ist die Eintragung in der Verfahrenssprache maßgebend.

Margarete Singer/Dieter Stauder

Übersicht

1	Allgemeines	1-2
2	Terminologie zu den Sprachen	3
3	Sprache der europäischen Patentanmeldung	4-12
4	Einreichung der Übersetzung aus zugelassenen Nichtamtssprachen (Abs 2 Satz 2, Abs 4 Satz 2 und Abs 5)	13-19
5	Wahl und Verwendung der Verfahrenssprache (Abs 3 und R 1 (2))	20-22
6	Keine Änderung der Verfahrenssprache	23
7	Ausnahmen von der Verfahrenssprache im schriftlichen Verfahren (R 1 (1))	24-27
8	Ausnahmen von der Verfahrenssprache bei Beweismitteln (R 1 (3))	28
9	Beglaubigung von Übersetzungen (R 5)	29
10	Ausnahmen von der Verfahrenssprache im mündlichen Verfahren (R 2)	30-36
11	Teilanmeldungen (R 4)	37
12	Gebührenermäßigung (R 6 (3), Art 12 (1) GebO)	38-43
13	Veröffentlichung der europäischen Patentanmeldungen (Abs 6)	44
14	Veröffentlichung der europäischen Patentschriften (Abs 7)	45-46

1 Allgemeines

1 Dieser Artikel enthält zusammen mit R 1–7 die Grundsätze der Sprachregelung für das europäische Verfahren.

Weitere Sprachenregeln enthalten Art 70 (Verbindliche Fassung einer europäischen Patentanmeldung oder eines europäischen Patents) sowie Art 97 (5) und R 51 (4–6)(Übersetzung der Patentansprüche), R 58 (5) (Übersetzung der Patentansprüche nach Änderungen im Einspruchsverfahren), R 104 (EPA als PCT-Anmeldeamt), Art 158 (Veröffentlichung der internationalen Anmeldung), Art 88 (1) und R 38 (5) (Sprache der Prioritätsunterlagen, siehe Art 88 Rdn 22). Daneben sei auf Art 177 (Sprachen des Übereinkommens) für die Auslegung des Übereinkommens hingewiesen. Siehe auch PrüfRichtl A-VIII (Sprachen). Zur Sprache der internationalen Anmeldung siehe Vor Art 151/152 Rdn 5–19.

EPÜ 2000

Wichtigste Änderung ist die Möglichkeit der Einreichung einer europäischen Patentanmeldung in anderen Sprachen als bisher (infolge von Art 5 (2) PLT zum Anmeldetag; siehe Art 80). Die Verwendung der zugelassenen Nichtamtssprachen gilt nur noch für später eingereichte Schriftstücke (Abs 4).

2 Terminologie zu den Sprachen

Das Übereinkommen unterscheidet drei Sprachgruppen:

a) die *Amtssprachen des EPA* (Deutsch, Englisch und Französisch – Abs 1),
b) die *Verfahrenssprache*, die der Anmelder im konkreten Verfahren vor dem EPA gewählt hat (eine der 3 Amtssprachen – Abs 3),
c) die Amtssprachen der Vertragsstaaten, die nicht Deutsch, Englisch oder Französisch sind *(zugelassene Nichtamtssprachen)*.[1]

3 Sprache der europäischen Patentanmeldung

Die europäische Patentanmeldung ist grundsätzlich nach Abs 1 in einer der Amtssprachen, also in Deutsch, Englisch oder Französisch, einzureichen. Es gilt der Grundsatz der **Einsprachigkeit**.[2] Maßgebende Teile der Anmeldung zur Bestimmung der Verfahrenssprache nach Art 14 (3) sind die Beschreibung und mindestens ein Patentanspruch nach Art 80 d); Zeichnungen, auch mit Textpassagen, gehören nicht dazu.[3] Sind diese Teile in einer einzigen Amtssprache abgefasst, so hat der Anmelder damit die Verfahrenssprache gewählt. Wenn für diese Teile keine Einsprachigkeit vorliegt, so wird der Anmeldetag auf den Zeitpunkt der fristgerechten Beseitigung des Mangels festgesetzt (Art 90 (2),

---

1 Siehe Broschüre *Nationales Recht zum EPÜ*, Tabelle II, Spalte 4; über die Homepage des EPA – Unterlagen für Anmelder – Nationales Recht zum EPÜ.
2 **J 18/96**, ABl 1998, 403, Nr 2.2.
3 **J 7/80**, ABl 1981, 137; **T 382/94**, ABl 1998, 24, Nr 5–7.

R 39). Zu Zeichnungen, eingereicht in falscher Sprache, siehe **T 382/94** und Art 80 Rdn 12.[4]

Bei nicht fristgerechter Beseitigung des Mangels wird die Anmeldung nicht als europäische Patentanmeldung behandelt (Art 90 (2) Satz 2; siehe Art 90 Rdn 8–11).

5 Die Eingangsstelle hat nach Art 90 iVm R 39 den Anmelder möglichst rasch über Mängel zu informieren, die der Zuerkennung eines Anmeldetags entgegenstehen, um ihm Gelegenheit zu deren Behebung und zur Erlangung eines Anmeldetags nach Art 80 zu geben;[5] siehe Art 80 Rdn 12.

6 Die Verwendung nur einer Verfahrenssprache bzw die Übersetzung in nur eine Verfahrenssprache bezieht sich auf die Erfordernisse des Art 80 d). Bei ordnungsmäßiger Verwendung des dreisprachigen Formblatts für den Erteilungsantrag sollten Probleme vermeidbar sein.

Die zulässige Anmeldung in einer zugelassenen Nichtamtssprache ist eine »Anmeldung in der ursprünglich eingereichten Fassung« im Sinne von Abs 2 Satz 2, zweiter Halbsatz, die Übersetzung in die Verfahrenssprache kann im gesamten Verfahren vor dem EPA mit dieser Fassung in Übereinstimmung gebracht werden (berichtigt werden). Für die Frage der unzulässigen Erweiterung gilt die ursprüngliche Fassung; siehe Art 123 (2), auch Art 70 (2); Einzelheiten siehe Art 123 Rdn 33, Art 70 Rdn 5.

7 Zwei Personengruppen ist die Verwendung von zugelassenen Nichtamtssprachen gestattet:

a) Natürlichen und juristischen Personen mit Wohnsitz oder Sitz in einem Vertragsstaat, in dem eine andere Sprache als Deutsch, Englisch oder Französisch Amtssprache ist. Es kann zB ein japanischer Staatsangehöriger, der in Stockholm lebt, seine europäische Patentanmeldung in schwedischer Sprache einreichen. Hat ein Vertragsstaat neben einer EPA-Amtssprache eine weitere Amtssprache, so kann auch diese andere Amtssprache benutzt werden.

b) Angehörigen von Vertragsstaaten (nur natürliche Personen), die eine oder mehrere zugelassene Nichtamtssprachen haben, mit Wohnsitz im Ausland. Sie behalten das Recht, ihre europäische Patentanmeldung in einer Amtssprache ihrer Heimat einzureichen. Dabei ist es gleichgültig, ob der Wohnsitzstaat ein Vertragsstaat ist oder nicht. Es kann also ein italienischer Staatsangehöriger, gleich ob er in den Niederlanden oder Japan lebt, eine europäische Patentanmeldung in italienischer Sprache einreichen. Nach der Einreichung der Anmeldung muss er sich, wenn er nicht im Gebiet eines Vertragsstaats wohnt, nach Art 133 (2) durch einen zugelassenen Vertreter vertreten lassen.

---

4 **T 382/94**, ABl 1998, 24, Nr 5–7.
5 **J 18/96**, ABl 1998, 403, Nr 3.1.

Die Anwendung von Art 14 (2) auf eine in spanischer Sprache eingereichte europäische Patentanmeldung eines in Uruguay ansässigen Anmelders ist für die Zuerkennung eines Anmeldetags nach Art 80 durch **J 15/98** anerkannt worden.[6] Diese Entscheidung erkennt dagegen nicht an, dass eine privilegierte und damit gebührenermäßigte Anmeldung nach Art 14 (2) vorliegt.[7]

Zu den Mindesterfordernissen bei Verwendung der zugelassenen Nichtamtssprache zur Wahrung des Gebührenvorteils siehe Rdn 38–43. **8**

Vertragsstaaten mit zugelassenen Nichtamtssprachen siehe Broschüre »Nationales Recht zum EPÜ«, Tabelle I, Spalte 4.

Vor welchen nationalen Ämtern welche Sprachen bei der Einreichung der europäischen Patentanmeldung zugelassen sind, siehe Art 75 Rdn 18–21. **9**

Der Anmelder muss im Zeitpunkt der Einreichung der europäischen Patentanmeldung Wohnsitz oder Sitz in einem der Staaten mit einer zugelassenen Nichtamtssprache oder die entsprechende Staatsangehörigkeit haben. Mehrfache Staatsangehörigkeit schadet nicht. **10**

Das Privileg besteht auch dann, wenn bei einer Anmeldung **mehrerer Anmelder** die Voraussetzungen nur bei **einem** Anmelder vorliegen. Das Privileg ist großzügig und liberal anzuwenden.[8] **11**

Privilegiert nach Buchst a) und b) sind nur Verfahrensbeteiligte. Es genügt nicht, dass nur der Vertreter privilegiert wäre.[9] **12**

Zu den Voraussetzungen für die Wahrung der Gebührenermäßigung siehe Rdn 38–43.

Zur Zuerkennung des Anmeldetags bei Verwendung von falschen Sprachbestandteilen siehe Art 80 Rdn 11.

Wegen der Sprache einer internationalen Anmeldung nach dem PCT siehe Vor Art 151/152 Rdn 5–19.

4 Einreichung der Übersetzung aus zugelassenen Nichtamtssprachen (Abs 2 Satz 2, Abs 4 Satz 2 und Abs 5)

a) Wird die europäische Patentanmeldung in einer zugelassenen Nichtamtssprache nach Abs 2 eingereicht, so ist eine Übersetzung in einer Amtssprache des EPA innerhalb von drei Monaten nach Eingang der europäischen Patentanmeldung einzureichen, spätestens innerhalb von 13 Monaten nach dem Prioritätstag (Abs 2 iVm R 6 (1) Satz 1). Mit der Amtssprache, in die die europäische Patentanmeldung übersetzt wird, wählt der Anmelder die Verfahrenssprache (Abs 3; Einzelheiten zur Wahl der Verfahrenssprache siehe Rdn 4 und 20–22). **13**

---

6   **J 15/98**, ABl 2001, 183; anderer Meinung **J 9/01** vom 19.11.2001, siehe Art 80 Rdn 11.
7   **J 15/98**, ABl 2001, 183, Nr 5.
8   Haertel in MünchGemKom, Art 14 Rn 9.
9   **T 149/85**, ABl 1986, 103.

Wird die Übersetzung der europäischen Patentanmeldung in der Verfahrenssprache nicht rechtzeitig eingereicht, so gilt die europäische Patentanmeldung als zurückgenommen (Art 90 (3)).

14 Bei Fristversäumung ist nach Art 122 Wiedereinsetzung in den vorigen Stand zulässig.

15 b) Die Übersetzung **fristgebundener Schriftstücke** nach Abs 4 muss innerhalb eines Monats (R 6 (2) Satz 1) grundsätzlich in der **Verfahrenssprache** eingereicht werden, außer die AO gestattet die Übersetzung in **eine** (andere) Amtssprache (Abs 4 Satz 2).

16 Für Einsprüche und Beschwerden kann die Frist zur Einreichung der Übersetzung bis zum Ablauf der Einspruchs- oder Beschwerdefrist verlängert werden (R 6 (2) Satz 2).

17 Die Sanktion bei nicht rechtzeitiger Einreichung der Übersetzung wird entweder besonders angeordnet oder ergibt sich aus Abs 5; zB gelten Einspruch und Beschwerde als nicht eingelegt. Daher ist nach **T 323/87** die Einspruchsgebühr zurückzuzahlen.[10]

18 c) Werden Schriftstücke, die nicht zu den Unterlagen der europäischen Patentanmeldung gehören, nicht rechtzeitig in der vorgeschriebenen Sprache oder Übersetzung eingereicht, so gelten sie als nicht eingegangen (Abs 5), zB die Einwendungen Dritter nach Art 115.

19 Das EPA unterrichtet den Betroffenen von dem Rechtsverlust.[11] Wie auch sonst in Fällen dieser Art hat der Antragsteller einen Anspruch auf Entscheidung nach R 69 (2). Nach den PrüfRichtl wird bei fehlender Übersetzung die Verfahrens**handlung** insoweit anerkannt, als das Schriftstück Teil der Akte wird, wenn im Begleitschreiben die europäische Anmeldenummer angegeben ist.[12]

5 Wahl und Verwendung der Verfahrenssprache (Abs 3 und R 1 (2))

20 Mit der Wahl der Amtssprache, die der Anmelder für die europäische Patentanmeldung oder ihre Übersetzung benutzt, wird die in allen Verfahren vor dem EPA zu verwendende Verfahrenssprache bestimmt (Einzelheiten zur Wahl siehe Rdn 4–12).

21 Änderungen der europäischen Patentanmeldung und des europäischen Patents müssen stets in der Verfahrenssprache eingereicht werden (R 1 (2); vgl weiter R 2 (6)).

22 Davon abgesehen gestattet die AO in R 1 und 2 umfangreiche Ausnahmen von der Benutzung der Verfahrenssprache (siehe unten Rdn 30–36).

---

10 **T 323/87**, ABl 1989, 343; so auch **T 193/87**, ABl 1993, 207.
11 PrüfRichtl A-VIII, 3.2.
12 PrüfRichtl A-VIII, 3.2 Abs 1 am Ende.

6 Keine Änderung der Verfahrenssprache

Die Verfahrenssprache kann während des Verfahrens nicht geändert werden. 23

7 Ausnahmen von der Verfahrenssprache im schriftlichen Verfahren (R 1 (1))

Nach R 1 (1) kann sich jeder Verfahrensbeteiligte im schriftlichen Verfahren vor dem EPA einer der 3 Amtssprachen bedienen, auch die privilegierten Personen (nach Art 14 (2) und (4)). 24

Die privilegierten Personen können darüber hinaus fristgebundene Schriftstücke in einer zugelassenen Nichtamtssprache einreichen (Art 14 (4) Satz 1). Wegen der Einreichung der Übersetzung siehe Rdn 13–19. 25

Fristgebundene Schriftstücke, die innerhalb einer bestimmten **gesetzlichen** Frist eingereicht werden müssen, sind zB der Prüfungsantrag (Art 94 (2)) sowie Einspruch (Art 99 (1)) und Beschwerde (Art 108), auch der Antrag auf Weiterbehandlung (Art 121 (2)) oder Wiedereinsetzung (Art 122 (2)). Fristgebundene Schriftstücke, bei denen die Frist **vom Amt festgesetzt** wird, sind zB die Nachholung der Erfindernennung (R 42 (1)), die Mängelbeseitigung in der Formalprüfung vor der Eingangsstelle (Art 91 (2)), die Stellungnahme nach Aufforderung im Erteilungsverfahren (Art 96 (2)) sowie die Handlungen nach R 51 (6). 26

Die Bestimmungen über die erforderliche Übersetzungen (Abs 4 und 5) sind nicht zu beachten bei einem Abbuchungsauftrag gegenüber dem EPA zur Zahlung der Einspruchsgebühr, der ohne seine Textbestandteile verständlich ist und zB über die Patentnummer einer Akte des EPA zugeordnet werden kann.[13] 27

8 Ausnahmen von der Verfahrenssprache bei Beweismitteln (R 1 (3))

Schriftstücke, die als Beweismittel vor dem EPA verwendet werden sollen, können in jeder Sprache eingereicht werden (R 1 (3)). Hierunter fallen vor allem Entgegenhaltungen aus dem Stand der Technik, die zB Einsprechende im Einspruchsverfahren vorlegen, aber auch Urkunden, aus denen sich ein Rechtsübergang der europäischen Patentanmeldung ergibt (R 20). Das EPA kann die Vorlage einer Übersetzung in einer seiner Amtssprachen verlangen, die nicht die Verfahrenssprache sein muss. Die Wahl der Amtssprache trifft der Einreichende.[14] Das Amt setzt eine Frist je nach Umfang und Sprache des Dokuments, die mindestens einen Monat beträgt (R 1 (3) Satz 2). Wird die Übersetzung nicht rechtzeitig vorgelegt, so gilt nach Abs 5 das Schriftstück als nicht eingegangen. 28

---

13 **T 170/83**, ABl 1984, 605.
14 PrüfRichtl A-VIII, 2a.

9 Beglaubigung von Übersetzungen (R 5)

29 Das EPA kann eine Beglaubigung darüber verlangen, dass die Übersetzung mit dem Urtext übereinstimmt. Es setzt eine von ihm zu bestimmende Frist, wenn ernsthafte Zweifel an der Richtigkeit der Übersetzung bestehen.[15] Wird die Aufforderung nicht beachtet, so gilt das Schriftstück als nicht eingegangen.

10 Ausnahmen von der Verfahrenssprache im mündlichen Verfahren (R 2)

30 1) Jeder an einem mündlichen Verfahren Beteiligte kann sich einer Amtssprache des EPA bedienen, die nicht die Verfahrenssprache ist. Er hat dies entweder dem EPA spätestens einen Monat vor dem angesetzten Termin mitzuteilen, das dann auf eigene Kosten für die Übersetzung in die Verfahrenssprache sorgt (R 2 (5)), oder er hat selbst für die Übersetzung in die Verfahrenssprache zu sorgen, zB mit Hilfe eines Dolmetschers (R 2 (1) Satz 1). Kann die Monatsfrist nicht gewahrt werden oder fällt ein Dolmetscher aus, so kann das EPA Abweichungen von R 2 (1) zulassen (R 2 (1) Satz 3).[16] Die Absicht, eine andere Amtssprache zu benutzen, muss für das Beschwerdeverfahren rechtzeitig gesondert erklärt werden. Die Mitteilung im Einspruchsverfahren wirkt nicht für das Beschwerdeverfahren fort.[17]

31 2) Weiterhin kann jeder Beteiligte sich **einer zugelassenen Nichtamtssprache** bedienen, wenn er selbst für die Übersetzung in die Verfahrenssprache sorgt (R 2 (1) Satz 2).

32 3) Sind alle Parteien und das EPA einverstanden, so kann im mündlichen Verfahren sogar **jede Sprache** benutzt werden (R 2 (4)).

33 4) Die **Bediensteten** können sich **jeder Amtssprache** bedienen (R 2 (2)). Sie sollten von der Verfahrenssprache nicht ohne stichhaltige Gründe abweichen.[18] Gegebenenfalls hat das EPA für die Übersetzung in die Verfahrenssprache zu sorgen.

34 5) In der **Beweisaufnahme** können sich die zu vernehmenden Personen, die sich in einer Amtssprache des EPA nicht hinlänglich ausdrücken können, einer anderen Sprache bedienen (R 2 (3)). Bei einer Beweisaufnahme auf Verlangen des Amts hat das EPA für die Übersetzung in die Verfahrenssprache zu sorgen. Bei einer Beweisaufnahme auf Antrag eines Beteiligten hat dieser für die Übersetzung in die Verfahrenssprache zu sorgen; das EPA kann die Übersetzung in eine der beiden anderen Amtssprachen zulassen (R 2 (3)). Die PrüfRichtl emp-

---

15 PrüfRichtl A-VIII, 6 zu R 5.
16 Siehe näher PrüfRichtl E-V, 3.
17 **T 34/90**, ABl 1992, 454.
18 PrüfRichtl E-V, 5.

fehlen, die Benutzung einer Nichtamtssprache im Einspruchsverfahren nur mit dem Einverständnis der anderen Beteiligten zuzulassen.[19]

6) Erklärungen in einer Amtssprache des EPA werden nach R 2 (6) in dieser Sprache, Erklärungen in einer anderen Sprache in Form der Übersetzung in die Amtssprache in die Niederschrift aufgenommen. Änderungen der Patentansprüche und der Beschreibung werden nur in der Verfahrenssprache in die Niederschrift aufgenommen.

Sorgt der Beteiligte selbst für die Übersetzung, so sollte er das EPA rechtzeitig darauf hinweisen, damit die technischen Vorbereitungen für den Einsatz der Simultananlage getroffen werden können.

11 Teilanmeldungen (R 4)

Die Teilanmeldung muss stets in der Verfahrenssprache der Stammanmeldung eingereicht werden (siehe Art 76 Rdn 20). Ist die Stammanmeldung in einer zugelassenen Nichtamtssprache eingereicht worden, so kann die Teilanmeldung in der früher benutzten Sprache unter Nachreichung der Übersetzung in der für die Stammanmeldung gewählten Verfahrenssprache (Frist siehe R 6 (1) Satz 2 und Art 76 Rdn 24) eingereicht werden, es sei denn, dass das Recht zur Benutzung einer zugelassenen Nichtamtssprache durch eine Übertragung der Anmeldung verloren gegangen ist. Sie kann auch gleich in der Verfahrenssprache der Stammanmeldung eingereicht werden. Für die erste Lösung spricht der Gebührenvorteil nach R 6 (3) (siehe Rdn 38–43; mit EPÜ 2000 soll der Gebührenvorteil für die Teilanmeldung entfallen), für die zweite Lösung, dass die Stammanmeldung bereits in der Übersetzung in die Verfahrenssprache vorliegt.

12 Gebührenermäßigung (R 6 (3), Art 12 (1) GebO)

Die Benachteiligung von Beteiligten aus Vertragsstaaten, deren Amtssprache nicht eine der Amtssprachen des EPA ist, wird durch eine Ermäßigung von Gebühren ausgeglichen (siehe Rdn 7–12). R 6 (3) sieht zu Gunsten des Anmelders, Patentinhabers und Einsprechenden, die von der Möglichkeit der Abs 2 und 4 Gebrauch machen, Ermäßigungen der Anmelde-, Prüfungs-, Einspruchs- und Beschwerdegebühr vor. Die Ermäßigung beträgt 20 % der jeweiligen Gebühr (Art 12 (1) GebO).

Es muss für jeden Verfahrensabschnitt gesondert von den Möglichkeiten der Abs 2 und 4 Gebrauch gemacht werden.

Nach G 6/91 entsteht der Anspruch auf Gebührenermäßigung,[20] wenn **das wesentliche Schriftstück der ersten Verfahrenshandlung** im Anmelde-, Prüfungs-, Einspruchs- oder Beschwerdeverfahren in einer zugelassenen Nicht-

---

19 PrüfRichtl E-V, 4.
20 **G 6/91**, ABl 1992, 491.

amtssprache eingereicht wird. In Fortsetzung dieser Rechtsprechung hat **T 905/90** entschieden,[21] dass es nicht darauf ankommt, ob die Vornahme der ersten Handlung in sprachlicher Hinsicht besonders anspruchsvoll ist. Weder der Antrag auf Gebührenermäßigung noch die Mitteilung, dass nur eine ermäßigte Gebühr entrichtet worden sei, ist ein wesentliches Schriftstück der ersten Verfahrenshandlung.

41 Die Übersetzung darf gleichzeitig vorgelegt werden, nicht aber früher.

42 Die maßgebenden Teile für die Gewährung der Gebührenermäßigung sind folgende:

- Nach **J 7/80** sind die wesentlichen Teile der **Anmeldung** die **Beschreibung und die Patentansprüche**.[22] Die weiteren Teile der Anmeldung können in einer Amtssprache des EPA eingereicht werden; siehe auch Art 78 Rdn 54.[23]

- Der **Prüfungsantrag** muss für die Gebührenvergünstigung in der zugelassenen Nichtamtssprache gestellt werden. Formulierungsvorschläge siehe Merkblatt zum Erteilungsantrag Form 1001, Anmerkung zu Feld 5; siehe auch Art 94 Rdn 26.

- Das maßgebende Schriftstück im **Einspruchsverfahren** ist die **Einspruchsschrift**, die nach R 55 c) eine Erklärung über den Umfang des Einspruchs, die Einspruchsgründe und die Angabe der zur Begründung vorgebrachten Tatsachen und Beweismittel enthalten muss;[24] siehe auch Art 99 Rdn 32 und 36.

- Im **Beschwerdeverfahren** ist das erste wesentliche Schriftstück die **Beschwerdeschrift**.[25] Spätere Schriftstücke, auch die Beschwerdebegründung, können in einer Amtssprache des EPA eingereicht werden; siehe auch Art 108 Rdn 27–29.

43 Die Gebührenermäßigung ist vom EPA von Amts wegen zu berücksichtigen. In aller Regel wird der Gebührenpflichtige nur den geminderten Betrag bezahlen. Bei Zweifeln über die Berechtigung der Minderung ist ihm anzuraten, zunächst die volle Gebühr zu entrichten. Warnendes Beispiel ist **T 905/90**,[26] positives Beispiel **T 290/90**.[27]

---

21 T 905/90, ABl 1994, 306 und 556.
22 J 7/80, ABl 1981, 137.
23 J 4/88, ABl 1989, 483.
24 T 290/90, ABl 1992, 368, Nr 3.
25 G 6/91, ABl 1992, 491.
26 T 905/90, ABl 1994, 306 (556), Nr 6.
27 T 290/90, ABl 1992, 368.

13 Veröffentlichung der europäischen Patentanmeldungen (Abs 6)

Die europäischen Patentanmeldungen werden in der Verfahrenssprache veröf- 44
fentlicht. Zur rechtlichen Bedeutung des Wortlauts der europäischen Patentanmeldung siehe Art 70.

14 Veröffentlichung der europäischen Patentschriften (Abs 7)

In der europäischen Patentschrift wird das erteilte Patent in der Verfahrens- 45
sprache zusammen mit den Übersetzungen der Patentansprüche in den beiden anderen Amtssprachen des EPA veröffentlicht. Die Übersetzung der Patentansprüche wird vom Patentanmelder erstellt und eingereicht (Art 97 (5) iVm R 51 (4–6) Satz 1). Das EPA überprüft die Übersetzung nicht. Daher kann nicht davon ausgegangen werden, dass die Übersetzungen der Patentansprüche immer genau den Patentansprüchen in der Verfahrenssprache entsprechen.

Sucht man nach einer Leitlinie in der Sprachenregelung, so zeigt sich, dass 46
alle auf den Inhalt der Patentschrift gerichteten Texte in **einer** Sprache – der Verfahrenssprache – vorliegen müssen. Dieses Ziel wird durch die Ausnahmen vom Grundsatz des Art 14 (1) nicht gefährdet.

Artikel 15 Organe im Verfahren

Im Europäischen Patentamt werden für die Durchführung der in diesem Übereinkommen vorgeschriebenen Verfahren gebildet:
a) eine Eingangsstelle;
b) Recherchenabteilungen;
c) Prüfungsabteilungen;
d) Einspruchsabteilungen;
e) eine Rechtsabteilung;
f) Beschwerdekammern;
g) eine Große Beschwerdekammer.

Margarete Singer/Dieter Stauder

Übersicht

1	Allgemeines	1-3
2	Übertragungsverfügung (R 9 (3))	4
3	Geschäftsstelle für die Kostenfestsetzung im Einspruchsverfahren (R 9 (4))	5
4	Geschäftsverteilung für die zweite Instanz und Bestimmung ihrer Mitglieder (R 10)	6-7
5	Beschwerdekammer in Disziplinarangelegenheiten der zugelassenen Vertreter (R 10 (4))	8

| 6 | Verfahrensordnungen für die zweite Instanz (R 11) | 9 |
| 7 | Verwaltungsmäßige Gliederung des EPA | 10 |

1 Allgemeines

1 Durch diesen Artikel werden die »Organe im Verfahren« geschaffen, die nach dem im Übereinkommen festgelegten Verfahren europäische Patente erteilen. Es handelt sich dabei nicht um die Organe der EPO im Sinne von Art 4 (2). Man könnte sie als selbständig handelnde und verantwortliche Einheiten definieren. Der englische Text nennt sie »departments«, der französische »instances«.

2 Diesen »Organen« sind bestimmte Aufgaben im Verfahren der Patenterteilung zugewiesen. Sie haben eigene Entscheidungsbefugnisse.[1]

3 Art 16–25 regeln die Zuständigkeiten und Aufgaben der »Organe«. Eingangs- und Formalprüfung, Recherche, Prüfung und Einspruch gehören zur »Ersten Instanz«. Die Beschwerdekammern bilden die »Zweite Instanz«. Zur Organisation und Geschäftsverteilung siehe R 8 – 12.

2 Übertragungsverfügung (R 9 (3))

4 Der Vizepräsident der GD Prüfung/Einspruch hat nach R 9 (3) in Verbindung mit Art 10 (2) i) Bedienstete, die keine technisch vorgebildeten oder rechtskundigen Prüfer sind (Formalsachbearbeiter), mit der Wahrnehmung verschiedener Geschäfte betraut, und zwar für das Prüfungsverfahren[2] und für das Einspruchsverfahren.[3] Die Große Beschwerdekammer sieht hierin keinen Verstoß gegen übergeordnete Vorschriften.[4]

3 Geschäftsstelle für die Kostenfestsetzung im Einspruchsverfahren (R 9 (4))

5 Die Kostenfestsetzung nach Art 104 (2) wird im Geschäftsverteilungsplan jeweils einem bestimmten Formalprüfer zugewiesen, der über die entsprechenden Erfahrungen verfügt (siehe Art 104 Rdn 46–49).

4 Geschäftsverteilung für die zweite Instanz und Bestimmung ihrer Mitglieder (R 10)

6 Die Geschäftsverteilung obliegt dem erweiterten Präsidium der Beschwerdekammer, das auch über Zuständigkeitskonflikte entscheidet (R 10 (4)); Einzelheiten zur Zusammensetzung des Präsidiums siehe Art 23 Rdn 16.

---

1 **T 390/86**, ABl 1989, 30 zur Befugnis der Einspruchsabteilung.
2 Mitteilung vom 28.4.1999, ABl 1999, 504.
3 Mitteilung vom 28.4.1999, ABl 1999, 506.
4 **G 1/02**, ABl 2003, 165.

Das Präsidium, das den Gerichtssystemen verschiedener Vertragsstaaten entspricht, betont den gerichtsähnlichen Status der Beschwerdekammern.

Das Präsidium hat nach Art 5 (2) der Verfahrensordnung den Geschäftsstellenbeamten Aufgaben übertragen, die technisch und rechtlich keine Schwierigkeiten bereiten.[5]

5 Beschwerdekammer in Disziplinarangelegenheiten der zugelassenen Vertreter (R 10 (4))

Der Verwaltungsrat hat von der Ermächtigung, die Disziplinargewalt über zugelassene Vertreter einer bestehenden Beschwerdekammer zu übertragen, keinen Gebrauch gemacht. Er hat vielmehr eine selbständige Beschwerdekammer in Disziplinarangelegenheiten zugelassener Vertreter geschaffen ((Art 5 c) VDV; siehe Art 134 Rdn 73–76). Die Besetzung der Disziplinarkammer wird mit der Zusammensetzung des Präsidiums und der Besetzung der Beschwerdekammern jeweils am Jahresbeginn in der Beilage zum Amtsblatt veröffentlicht.

6 Verfahrensordnungen für die zweite Instanz (R 11)

Die Verfahrensordnungen der Großen Beschwerdekammer (Anhang 7) und der Beschwerdekammern (Anhang 8) sind mehrfach geändert worden und 2003 in konsolidierter Fassung veröffentlicht.[6] Die Verfahrensordnung der Beschwerdekammern ist 2004 mit der Einfügung des Art 10a noch einmal geändert worden.[7]

7 Verwaltungsmäßige Gliederung des EPA

R 12 legte bisher die Grundzüge der verwaltungsmäßigen Gliederung des EPA fest. Durch die Zusammenführung von Recherche und Prüfung (siehe Art 16), die durch die vorläufige Anwendung bereits jetzt Gesetz ist, kann die Regel in ihrer jetzigen Form nicht fortbestehen (siehe näher Art 16 Rdn 4 und 5). Die Unterscheidung der einzelnen Instanzen im Erteilungsverfahren ändert sich hierdurch nicht.

Artikel 16 Eingangsstelle

Die Eingangsstelle ist für die Eingangs- und Formalprüfung europäischer Patentanmeldungen zuständig.

---

5   Beschluss vom 31.5 1985, ABl 1985, 249, geändert am 15.7.2002, ABl 2002, 590.
6   VerfOGBK ABl 2003, 58; VerfOBK ABl 2003, 61.
7   ABl 2004, 541.

Artikel 16 *Eingangsstelle*

Rudolf Teschemacher

Übersicht

1	Allgemeines	1-5
2	Sachliche Zuständigkeit	
3	Zeitliche Begrenzung der Zuständigkeit der Eingangsstelle	7-12

1 Allgemeines

EPÜ 2000

1 Zu Art 16–19

Dem EPÜ von 1973 lag das Prinzip der Trennung von Recherche und Sachprüfung zu Grunde. Dies war historisch unter anderem durch die Eingliederung des Internationalen Patentinstituts in Den Haag (IIB) in das EPA bedingt. Dementsprechend entsprach der Trennung der Aufgaben auch eine organisatorische Trennung. Die Recherche wurde von der Generaldirektion 1 in der Zweigstelle in Den Haag einschließlich seiner Dienststelle in Berlin und die Prüfung von der Generaldirektion 2 in München durchgeführt. Die Eingangsstelle wurde in Art 16 der Zweigstelle in Den Haag zugeordnet

2 Nachdem es durch die technische Entwicklung möglich wurde, mit Datenbanken ohne einen Prüfstoff in Form einer Papierdokumentation zu recherchieren, suchte das Amt im Hinblick auf seinen hohen Geschäftsanfall nach Rationalisierungsmöglichkeiten. Im BEST-Projekt (Bringing Examination and Search Together) wurde stufenweise die Durchführung der Recherche in München und der Prüfung in Den Haag erprobt. Dieses Projekt wurde zum Auslöser der Revision des EPÜ im Jahr 2000, da die Hinweise auf die örtliche Zuordnung der Eingangsstelle und der Recherchenabteilungen in Art 16 und 17 sowie in Abschnitt 1(1) und (3) des Zentralisierungsprotokolls nicht mehr der Realität entsprachen. Demgemäß wurden diese lokalisierenden Hinweise gestrichen.[1]

Diese Änderungen sind nach Art 6 iVm Art 1 Nr 4 und Art 2 Nr 3 der Revisionsakte[2] seit 29. November 2000 vorläufig anwendbar.[3]

3 Zu Art 16:

Die zeitliche Begrenzung der Zuständigkeit der Eingangsstelle ist gestrichen worden. Dies soll einer größeren Flexibilität im EPA dienen.[4] Aus dem gleichen Grund wurde die Zuständigkeit der Eingangsstelle für die Veröffentli-

---

1   Zum BEST-Projekt siehe näher Teschemacher, GRUR Int 2004, 796 (Festschrift für Kraßer).
2   ABl 2001, Sonderausgabe Nr 4, Seite 3.
3   ABl 2003, Sonderausgabe Nr 1, Erläuterungen, Seite 204, Nr 16.
4   Dok. MR/2/00 (Basisvorschlag), Anm 2 zu Art 16.

chung der Anmeldung und des Recherchenberichts gestrichen, die nunmehr nach den geänderten Art 92 und 93 generell dem EPA obliegt.

Demgemäß regelt die Bestimmung nur mehr in allgemeinster Form die Aufgaben der Eingangsstelle. Da die Neufassung bereits vorläufig anwendbar ist, **beziehen sich die nachfolgenden Erläuterungen auf Art 16 EPÜ 2000.**

Die Zusammenführung von Recherche und Prüfung sowie die Ausgliederung der Eingangsstelle aus der Dienststelle Den Haag haben erhebliche organisatorische Änderungen nach sich gezogen. Alle Prüfer in allen Dienstorten, die Aufgaben der Recherche und der Sachprüfung wahrnehmen, sind in der GD 1 »Operative Tätigkeit« zusammengefasst. Die GD 1 ist in derzeit 14 joint clusters untergliedert. Jeder joint cluster besteht wiederum aus mehreren Direktionen in München und Den Haag, die Mehrzahl umfasst auch Direktionen in Berlin. Den Direktionen sind die Akten nach der Internationalen Patentklassifikation zugewiesen. Innerhalb dieser Direktionen werden für jeden Einzelfall vom zuständigen Direktor Recherche-, Prüfungs- und Einspruchsabteilungen gebildet.

Die Eingangsstelle ist keine gesonderte Organisationseinheit mehr. Die gesamte Formalprüfung europäischer Anmeldungen, umfassend die Aufgaben der Eingangsstelle, die Formalprüfung im Prüfungs- und Einspruchsverfahren sowie den Eintritt von Euro-PCT Anmeldungen in die regionale Phase, ist ebenfalls für alle Dienstorte Teil der GD 2 »Operative Unterstützung« und zwar in der Hauptdirektion Patentverwaltung. Jedem joint cluster ist jeweils für jeden Dienstort eine Gruppe von Formalprüfern aus der Direktion Patentverwaltung zugeordnet.

2 Sachliche Zuständigkeit

Der Eingangsstelle obliegen die Eingangsprüfung nach Art 90 und die Formalprüfung nach Art 91 (siehe dort). Ungeachtet der Streichung in Art 16 ist die Eingangsstelle jedenfalls bislang für die in Art 93 geregelte Veröffentlichung der europäischen Patentanmeldung und des Recherchenberichts zuständig geblieben.[5]

3 Zeitliche Begrenzung der Zuständigkeit der Eingangsstelle

Die zeitliche Grenzziehung für die Zuständigkeit der Eingangsstelle, die nach der ausdrücklichen Bestimmung in dem bisherigen Art 16 Satz 2 entweder mit der Stellung eines wirksamen Prüfungsantrags nach Übersendung des europäischen Recherchenberichts (Art 94 (2)) oder mit der Erklärung der Aufrechterhaltung der europäischen Patentanmeldung im Falle eines früher gestellten Prüfungsantrags (Art 96 (1)) endete, ist nach Wegfall dieser Regelung nicht

---

[5] PrüfRichtl A-I.1.i) iVm Kapitel VI, wonach die Veröffentlichung offenbar zur Formalprüfung gerechnet wird.

durch einen besonderen Organisationsakt neu geregelt worden. Die Beibehaltung der bisherigen Zuständigkeitsabgrenzung kann lediglich mittelbar aus den Richtlinien geschlossen werden. Auch die Juristische Beschwerdekammer hat aus der einstweiligen Anwendbarkeit des geänderten Art 16 keine Änderung der zeitlichen Zuständigkeitsabgrenzung zwischen Eingangsstelle und Prüfungsabteilung hergeleitet.[6] Der entschiedene Fall zeigt freilich, dass das Fehlen klarer gesetzlicher Zuständigkeitsabgrenzungen zu Zweifelsfragen und Fehlern führt. In dem justizförmig ausgestalteten Patenterteilungsverfahren ist die Einhaltung der Zuständigkeitsregeln Voraussetzung für die Wirksamkeit von Entscheidungen und für die zweifelsfreie Bestimmung der im Fall einer Beschwerde zuständigen Beschwerdekammer. Bloße Zweckmäßigkeitserwägungen rechtfertigen in diesem Bereich nicht das Fehlen klarer Kompetenzzuweisungen.

8 Die Richtlinien bestimmen wie bisher, dass für die Aufforderung zur Erklärung über die Aufrechterhaltung der europäischen Patentanmeldung (Art 96 (1)) und für die Entscheidung bei nicht rechtzeitiger Antwort nach Art 96 (3) noch die Eingangsstelle zuständig ist.[7] Die Zuständigkeit geht erst dann auf die Prüfungsabteilung über, wenn ein wirksamer Prüfungsantrag gestellt ist oder eine gültige Erklärung über die Aufrechterhaltung der Anmeldung vorliegt. Über die Gültigkeit des Antrags oder der Erklärung entscheidet die Eingangsstelle. Erst danach leitet sie die Anmeldung an die Prüfungsabteilung weiter.[8]

9 Wird ein in den Bereich der Formalprüfung fallender Antrag vor Übergang der Zuständigkeit auf die Prüfungsabteilung gestellt, so stellt sich die Frage ob die Eingangsstelle hierüber noch nach Stellung des Prüfungsantrags entscheiden kann. Dies hat die Rechtsprechung zunächst für einen Antrag auf Änderung der **Erfindernennung** bejaht,[9] dann aber ausdrücklich abweichend für einen Antrag auf Berichtigung der Prioritätserklärung verneint.[10]

10 Erfordert ein vor Abschluss der Formalprüfung gestellter Antrag auf **Berichtigung** nach R 88 Satz 2 eine technische Prüfung, so entscheidet darüber die Prüfungsabteilung; die Eingangsstelle setzt die Entscheidung aus, bis die Akte an die Prüfungsabteilung weitergeleitet worden ist.[11] Ist keine technische Prüfung erforderlich, so entscheidet die Eingangsstelle;[12] dies dürfte allerdings der Ausnahmefall sein.

11 Auch bei **Euro-PCT-Anmeldungen**, für die ein ergänzender Recherchenbericht erstellt werden muß, fordert die Eingangsstelle den Antragsteller nach

---

6 **J 13/02** vom 26.6.2003.
7 PrüfRichtl A-VI, 2.3.
8 PrüfRichtl A-VI, 2.4.
9 **J 8/82**, ABl 1984, 155.
10 **J 5/01** vom 28.11.2001.
11 **J 4/85**, ABl 1986, 205.
12 **J 33/89**, ABl 1991, 288.

Art 96 (1) zur Erklärung auf, ob er die europäische Patentanmeldung aufrechterhält.[13] Die Prüfungsgebühr ist an den Anmelder zurückzuzahlen, wenn er auf die Aufforderung nach Art 96 (1) seine Anmeldung zurücknimmt oder fallen läßt.[14]

Zu Zuständigkeit und Verfahren bei der **Verbindung** einer europäischen Patentanmeldung und einer parallelen Euro-PCT-Anmeldung für das Verfahren vor dem EPA siehe die Hinweise in der Vorauflage. Da seit geraumer Zeit alle Vertragsstaaten des EPÜ auch PCT-Vertragsstaaten sind, besteht derzeit kein Bedürfnis zur Einreichung paralleler europäischer und Euro-PCT Anmeldungen.[15]

12

Artikel 17 Recherchenabteilungen

Die Recherchenabteilungen sind für die Erstellung europäischer Recherchenberichte zuständig.

Rudolf Teschemacher

Übersicht
1	Allgemeines	1-4
2	Internationale Patentklassifikation (R 8)	5
3	Entscheidungen über die Patentklassifikation (R 9 (1) Satz 2)	6-7
4	Die Zuständigkeiten	8-12
5	Zusammensetzung	13

1 Allgemeines

EPÜ 2000

Zu den Änderungen im EPÜ im Hinblick auf die Zusammenführung von Recherche und Prüfung siehe allgemein Art 16 Rdn 1.

1

In Artikel 17 wurde die Zuordnung der Recherchenabteilungen zur Zweigstelle in Den Haag gestrichen.

In R 8 AO EPÜ 2000 wurde die Bezugnahme auf die Europäische Übereinkunft über die Internationale Patentklassifikation von 1954 gestrichen, da das Straßburger Abkommen über die Internationale Patentklassifikation vor Errichtung des EPA in Kraft getreten ist und vom EPA von Beginn an angewendet wurde. R 9 AO EPÜ 2000 übernimmt die Direktionen als Organisationseinheiten aus der bisherigen R 12. Ihnen sind die in Recherche, Sachprüfung und Einspruch tätigen Prüfer zugewiesen und auf sie verteilt der Präsident die Geschäf-

---

13 PrüfRichtl A-VII, 5.3.
14 **J 8/83**, ABl 1985, 102.
15 Vgl Rechtsauskunft Nr 10/92 rev, ABl 1992, 662.

te nach der Internationalen Patentklassifikation. Die bisher in R 9 (1) enthaltene Befugnis des Präsidenten über Fragen der Klassifikation zu entscheiden, wurde gestrichen. Sie lässt sich unter sein allgemeines Direktionsrecht nach Art 10 EPÜ einordnen.

Der geänderte Art 17 ist seit 29. November 2000 vorläufig anwendbar.[1] **Die nachfolgenden Erläuterungen beziehen sich daher bereits auf Art 17 EPÜ 2000.** Dagegen sind die Folgeänderungen in der Ausführungsordnung noch nicht anwendbar.

2 Dieser Artikel bestimmt die Zuständigkeit der Recherchenabteilungen für die Erstellung des europäischen Recherchenberichts und des ergänzenden europäischen Recherchenberichts.[2] Die Recherchenabteilungen erstellen auch den internationalen Recherchenbericht (siehe Rdn 9).

3 Zu den organisatorischen Änderungen durch die Zusammenführung von Recherche und Prüfung siehe allgemein Art 16 Rdn 4. Die Tätigkeit der Recherchenabteilungen wird von Prüfern wahrgenommen, die in Direktionen zusammengefasst sind, die für die Recherche wie auch für die Prüfung im Erteilungs- und Einspruchsverfahren zuständig sind. Im Normalfall ist ein Prüfer nach Abschluss seiner Ausbildung in all diesen Bereichen tätig.

Die personelle Zusammenführung von Recherche und Prüfung hat nichts daran geändert, dass Recherche und Sachprüfung zwei getrennte Abschnitte des Erteilungsverfahrens sind und dass die Recherche der vollständigen Ermittlung des einschlägigen Stands der Technik dient.[3] Neu ist allerdings die Verknüpfung durch den erweiterten europäischen Recherchenbericht (EESR). Die darin enthaltene Stellungnahme ergeht als erster Prüfungsbescheid, sofern der Anmelder nicht auf den EESR reagiert hat und die Akte nicht erteilungsreif ist.[4]

4 Das Arbeitsaufkommen in der Recherche steigt stetig an. 2005 wurden über 163 000 Recherchen durchgeführt. Davon entfallen rund 45 % auf Recherchen für europäische Anmeldungen, rund 43 % auf internationale Anmeldungen und rund 12 % auf Recherchen für nationale Ämter und Dritte. Seit Einführung des erweiterten europäischen Recherchenberichts nach R 44a wird zu allen in die regionale Phase einmündenden Euro-PCT-Anmeldungen, deren Recherche nicht beim EPA durchgeführt worden ist, eine ergänzende europäische Recherche erstellt.[5]

---

1   Siehe Art 16 Rdn 2.
2   **J 6/83**, ABl 1985, 97, Nr 9.
3   PrüfRichtl B-II,1 und 2, B-III.
4   PrüfRichtl B-XII, 9.
5   Vgl Mitteilung des EPA in ABl 2005, 435.

2 Internationale Patentklassifikation (R 8)

Das EPA benutzt die Internationale Patentklassifikation.[6] Die Internationale Patentklassifikation wird in regelmäßigen Abständen revidiert und von der WIPO veröffentlicht.[7]

3 Entscheidungen über die Patentklassifikation (R 9 (1) Satz 2)

Jede europäische Patentanmeldung wird bei ihrem Eingang zunächst vorläufig klassifiziert und einem für diese Klasse von Erfindungen zuständigen Prüfer zugeleitet, der im Rahmen der Recherche über ihre endgültige Klassifizierung entscheidet. Zu den Einzelheiten des Verfahrens bei der Klassifizierung von europäischen Patentanmeldungen siehe PrüfRichtl B-V.

Bei Zweifelsfragen über die Klassifizierung trägt die zur GD Operative Unterstützung gehörende Hauptdirektion Tools und Dokumentation die Verantwortung. Die Klassifikation einer europäischen Patentanmeldung oder eines europäischen Patents sind nicht mit der Beschwerde anfechtbar, da die Klassifizierung nach den für die Dokumentation maßgebenden Zweckmäßigkeitsgesichtspunkten durchzuführen ist und die Rechte der Verfahrensbeteiligten nicht berührt. In Übereinstimmung hiermit gehören die Recherchenabteilungen auch nicht zu den Organen, deren Entscheidungen nach Art 106 (1) beschwerdefähig sind.[8]

4 Die Zuständigkeiten

Im europäischen Patenterteilungsverfahren erstellen die Recherchenabteilungen nach Art 92 und R 44–46 den europäischen Recherchenbericht und bestimmen nach R 47 den endgültigen Inhalt der Zusammenfassung. Zusätzlich zum europäischen Recherchenbericht wird seit Inkrafttreten der R 44a eine Stellungnahme dazu erstellt, ob die Anmeldung und die Erfindung, die sie zum Gegenstand hat, die Erfordernisse des Übereinkommens zu erfüllen scheint.[9] Beides zusammen ist der erweiterte europäische Recherchenbericht (EESR).[10] Der EESR entspricht im Inhalt einem ersten Prüfungsbescheid.[11] Zu den Aufgaben der Recherchenabteilung gehört auch die Erstellung des ergänzenden eu-

---

6 Deutscher Text des Straßburger Abkommen über die Internationale Patentklassifikation vom 24.3.1971 siehe GRUR Int 1972, 83. Ende 2005 hatte das Abkommen 55 Mitglieder; siehe auch Haertel, Die Internationale Patentklassifikation und ihre Bedeutung für die Neuheitsrecherche, GRUR Int 1972, 65.
7 Siehe auch die website von WIPO: www.wipo.org → IP Services → International Classifications.
8 **T 87/88**, ABl 1993, 430.
9 Zum Inhalt im einzelnen siehe PrüfRichtl B-XII.
10 PrüfRichtl B-I, 4.
11 Im einzelnen siehe PrüfRichtl B-XII, 3.

ropäischen Recherchenberichts, der nach Art 157 (2) a) für Euro-PCT-Anmeldungen vorgesehen ist.[12] Die Anmeldungen werden auf die einzelnen Direktionen in Anwendung der Internationalen Klassifikation verteilt.[13]

9   Weiterhin erstellen die Recherchenabteilungen den internationalen Recherchenbericht (Art 154 EPÜ, Art 16, 17 PCT[14]). Der internationale Recherchenbericht wird mit einem Bescheid nach R 43bis PCT erstellt.

10 Bei den Recherchenabteilungen ist eine **Überprüfungsstelle** geschaffen, die vor dem Widerspruchsverfahren nach dem PCT wegen mangelnder Einheitlichkeit überprüft, ob die Aufforderung der ISA zur Zahlung zusätzlicher Recherchengebühren nach R 105(1) EPÜ iVm R 40.2 e) PCT berechtigt war. Die Überprüfungsstelle setzt sich zusammen aus dem Leiter der Direktion, aus der die Aufforderung erging, einem Prüfer mit besonderer Sachkenntnis auf dem Gebiet der Einheitlichkeit der Erfindung und normalerweise dem Prüfer, der die Aufforderung ergehen ließ.[15] Eine entsprechende Überprüfungsstelle besteht im Rahmen der internationalen Prüfung (siehe Art 18 Rdn 9).

11 Die Recherchenabteilungen führen entsprechend Abschnitt I (1) (b) ZentrProt auch Aufgaben durch, die dem IIB oblagen. Siehe näher hierzu sowie zu den weiteren Arten von Recherchen, die in den Recherchenabteilungen erstellt werden, Art 92 Rdn 2.

12 (entfallen)

5 Zusammensetzung

13 Die Recherchenabteilung besteht gewöhnlich aus einem Einzelprüfer; nur bei Recherchen in weit voneinander entfernten Sachgebieten bilden zwei oder drei Prüfer eine Recherchenabteilung.[16]

Artikel 18 Prüfungsabteilungen

(1) Die Prüfungsabteilungen sind für die Prüfung europäischer Patentanmeldungen zuständig.

(2) Eine Prüfungsabteilung setzt sich aus drei technisch vorgebildeten Prüfern zusammen. Bis zum Erlass der Entscheidung über die europäische Patentanmeldung wird jedoch in der Regel ein Mitglied der Prü-

---

12 J 6/83, ABl 1985, 97; siehe oben Rdn 4.
13 Vgl R 9(1) AO EPÜ 2000.
14 Siehe Vereinbarung zwischen EPO und dem IB der WIPO über die Aufgaben des EPA als ISA und IPEA nach dem PCT vom 1.10.1997 (ABl 1998, 85) idF der Mitteilung in ABl 2001, 601, siehe Anhang 10. Auf der Grundlage der geänderten Fassung hat das EPA seine Tätigkeit als ISA für bei anderen Anmeldeämtern eingereichte Anmeldungen hinsichtlich bestimmter technischer Gebiete beschränkt.
15 Beschluss des Präsidenten des EPA vom 25.8.1992, ABl 1992, 547.
16 PrüfRichtl B-I, 2.

fungsabteilung mit der Bearbeitung der Anmeldung beauftragt. Die mündliche Verhandlung findet vor der Prüfungsabteilung selbst statt. Hält es die Prüfungsabteilung nach Art der Entscheidung für erforderlich, so wird sie durch einen rechtskundigen Prüfer ergänzt. Bei Stimmengleichheit gibt die Stimme des Vorsitzenden der Prüfungsabteilung den Ausschlag.

Rudolf Teschemacher

Übersicht

1	Allgemeines	1-3
2	Zuständigkeit der Prüfungsabteilung	4-9
3	Dauer der Zuständigkeit	10
4	Zusammensetzung der Prüfungsabteilung	11
5	Die Ein-Mann-Prüfungsabteilung	12
6	Tätigkeit des beauftragten Prüfers	13-14
7	Übertragung der Bearbeitung auf nationale Patentämter	15
8	Die Prüfungsabteilung als Kollegialorgan	16
9	Ergänzung der Abteilung durch einen rechtskundigen Prüfer	17-18

1 Allgemeines

EPÜ 2000

Zu den Änderungen im EPÜ im Hinblick auf die Zusammenführung von Recherche und Prüfung siehe allgemein Art 16 Rdn 1.   1

In Art 18 wurde als Folgeänderung zu Art 16 die zeitliche Abgrenzung der Zuständigkeit der Prüfungsabteilung von derjenigen der Einspruchsabteilung gestrichen. Dies soll einer größeren Flexibilität im EPA dienen.[1]

R 9 AO EPÜ 2000 übernimmt die Direktionen als Organisationseinheit aus R 12.[2]

Der geänderte Art 18 ist seit 29. November 2000 vorläufig anwendbar.[3] **Die nachfolgenden Erläuterungen beziehen sich daher bereits auf Art 18 EPÜ 2000.** Dagegen sind die Folgeänderungen in der Ausführungsordnung noch nicht anwendbar.

Dieser Artikel legt die Aufgaben der Prüfungsabteilungen und ihre Zusammensetzung für die einzelnen Verfahrensabschnitte fest. Das Prüfungsverfahren wird in den Art 94–98 und in den R 51, 52 behandelt.

Zu den organisatorischen Änderungen durch die Zusammenführung von Recherche und Prüfung siehe allgemein Art 16 Rdn 4. Die Tätigkeit der Prüfungs-   2

---

1 Dok. MR/2/00 (Basisvorschlag), Erläuterung zu Art 18.
2 Siehe Art 17 Rdn 1.
3 Siehe Art 16 Rdn 2.

Artikel 18 — *Prüfungsabteilungen*

abteilungen wird von Prüfern wahrgenommen, die in Direktionen zusammengefasst sind, die für die Recherche wie auch für die Prüfung im Erteilungs- und im Einspruchsverfahren zuständig sind. Im Normalfall ist ein Prüfer nach Abschluss seiner Ausbildung in all diesen Bereichen tätig. Ebenso wie bei den Rechercheabteilungen werden die Geschäfte nach der Internationalen Patentklassifikation verteilt (R 9 (1) Satz 2, siehe Art 17 Rdn 5 und 6).

3 Der Vizepräsident der Generaldirektion Prüfung/Einspruch (nunmehr: Operative Tätigkeit) hat nach Art 10 (2) i) iVm R 9 (3) verschiedene den Prüfungsabteilungen obliegende Geschäfte, die technisch oder rechtlich keine Schwierigkeiten bereiten, Formalsachbearbeitern übertragen.[4] Die Formalsachbearbeiter handeln als Organ der Prüfungsabteilung.

Zur zeitlichen Zuständigkeitsabgrenzung zwischen der Prüfungsabteilung und der Eingangsstelle nach Wegfall der ausdrücklichen Regelung siehe Art 16 Rdn 7–12.

2 Zuständigkeit der Prüfungsabteilung

4 Die Prüfungsabteilungen sind für die Behandlung aller mit der Prüfung im Erteilungsverfahren zusammenhängenden Fragen zuständig.

5 Zur derzeit nicht relevanten Zuständigkeit für die Entscheidung über die **Verbindung** einer europäischen Patentanmeldung mit einer Euro-PCT-Anmeldung siehe die Hinweise in Art 16 Rdn 12.

6 Die Prüfungsabteilungen – und nicht die Eingangsstelle – sind ferner zuständig für die Entscheidung, ob abweichend vom Grundsatz des Art 118 auf Grund älterer europäischer Rechte nach R 87 **unterschiedliche Patentansprüche**, Beschreibungen und Zeichnungen zugelassen werden.[5] Dies gilt auch für die übrigen von der Praxis des EPA zugelassenen Fälle unterschiedlicher Fassungen der europäischen Patentanmeldung (siehe Art 84 Rdn 53, Art 118 Rdn 6 und Art 123 Rdn 102).

7 Über Anträge auf **Berichtigung** von Zeichnungen nach R 88 Satz 2, die im Verlauf der Formalprüfung gestellt wurden, entscheidet die Prüfungsabteilung, wenn hierfür eine technische Prüfung der Akte erforderlich ist;[6] das gilt auch für alle anderen Anmeldungsunterlagen. Für Anträge auf Berichtigung nach R 88 Satz 1 oder 2, die nach Stellung des Prüfungsantrags oder der Erklärung nach Art 96 (1) gestellt werden, ist die Prüfungsabteilung von vornherein zuständig.

8 Weiterhin sind die Prüfungsabteilungen im Rahmen des PCT zuständig für Entscheidungen, die das EPA als Bestimmungsamt nach Art 153 (2) EPÜ zu treffen hat (siehe Art 153 Rdn 45 und 52). Der internationale vorläufige Prü-

---

4 ABl 1999, 504 und ABl 1989, 178; vgl Art 15 Rdn 4.
5 **J 21/82**, ABl 1984, 65.
6 **J 4/85**, ABl 1986, 205; siehe Art 16 Rdn 10.

fungsbericht nach Kapitel II des PCT wird regelmäßig von einem Einzelprüfer erstellt.

Nicht als Prüfungsabteilung, sondern als Überprüfungsstelle sind Prüfer schließlich dafür zuständig, vor dem Widerspruchsverfahren nach dem PCT wegen mangelnder Einheitlichkeit zu überprüfen, ob die Aufforderung der IPEA zur Zahlung zusätzlicher Prüfungsgebühren nach R 105 (2) EPÜ iVm R 68.3 e) PCT berechtigt war. Die Überprüfungsstelle setzt sich zusammen aus dem Leiter der Direktion, von der die Aufforderung erging, einem Prüfer mit besonderer Sachkenntnis auf dem Gebiet der Einheitlichkeit der Erfindung und normalerweise dem Prüfer, der die Aufforderung ergehen ließ.[7] Eine entsprechende Überprüfungsstelle besteht im Rahmen der Recherche (siehe Art 17 Rdn 10).

3 Dauer der Zuständigkeit

Die Zuständigkeit der Prüfungsabteilungen beginnt mit dem Zeitpunkt, von dem an die Eingangsstelle nicht mehr zuständig ist (siehe Art 16 Rdn 7–12). Sie endet mit der Erteilung des europäischen Patents oder der Zurückweisung der europäischen Patentanmeldung nach Art 97.[8] Ist Beschwerde eingelegt, so bleibt die Abteilung noch zuständig für die Entscheidung über die Abhilfe nach Art 109 (1). Ihre Zuständigkeit endet mit der Vorlage der Beschwerde an die Beschwerdekammer nach Art 109 (2). Nach Ende ihrer Zuständigkeit kann die Prüfungsabteilung keine das Prüfungsverfahren betreffende Entscheidung mehr erlassen, mit Ausnahme der Berichtigung ihrer eigenen Entscheidung im Rahmen der R 89.[9]

4 Zusammensetzung der Prüfungsabteilung

Nach Abs 2 besteht die Prüfungsabteilung grundsätzlich aus drei technisch vorgebildeten Prüfern, dem Vorsitzenden, dem beauftragten Prüfer und dem zweiten Prüfer. Die Entscheidung durch drei Prüfer soll die Qualität der Prüfung und die Einheitlichkeit der Prüfungspraxis gewährleisten. Der beauftragte Prüfer ist regelmäßig der Prüfer, der den erweiterten europäischen Recherchenbericht erstellt hat.[10]

5 Die Ein-Mann-Prüfungsabteilung

Der Verwaltungsrat kann nach Art 33 (3) mit Dreiviertelmehrheit (Art 35 (2)) beschließen, dass Prüfungsabteilungen für bestimmte Gruppen von Fällen aus

---

7 Beschluss des Präsidenten des EPA vom 25. 8. 1992, ABl 1992, 547.
8 **G 7/93**, ABl 94, 775.
9 **J 7/96**, ABl 1999, 443.
10 Richtl B-I, 2, C-VI, 1.3.

Artikel 18 *Prüfungsabteilungen*

einem einzigen Prüfer bestehen, so wie dies in den meisten nationalen Prüfungspatentämtern üblich ist. Das ist bisher nicht geschehen.

6 Tätigkeit des beauftragten Prüfers

13 Im Interesse eines rationellen Prüfungsverfahrens wird nach Abs 2 Satz 2 in der Regel **ein** Prüfer der Prüfungsabteilung mit der Behandlung der Anmeldung, dh mit der Vorbereitung der Entscheidung über die Erteilung des Patents oder die Zurückweisung der Anmeldung beauftragt. Ausgangspunkt der Sachprüfung ist der erweiterte europäische Recherchenbericht, siehe Art 17 Rdn 3. Der beauftragte Prüfer führt das Verfahren mit dem Anmelder im Auftrag der Abteilung durch. Er kann alle Fragen mit den anderen Mitgliedern der Abteilung informell besprechen.[11]

14 Persönliche oder telefonische Rücksprachen mit dem Anmelder sind im EPÜ zwar nicht vorgesehen, aber auch nicht ausgeschlossen.[12] In der Regel finden sie mit dem beauftragten Prüfer statt und nicht mit der ganzen Abteilung. Sie sind keine mündliche Verhandlung (vgl Rdn 16).

7 Übertragung der Bearbeitung auf nationale Patentämter

15 Für eine Übergangszeit sah Abschnitt IV ZentrProt (siehe Anhang 4) vor, dass mit den Vorarbeiten der Sachprüfung, soweit sie nach Abs 2 Satz 2 einem Prüfer übertragen werden können, nationale Patentämter der Vertragsstaaten beauftragt werden konnten. Aufgrund dieser Möglichkeit war für kurze Zeit das britische Patentamt mit Prüfungsaufgaben betraut.

8 Die Prüfungsabteilung als Kollegialorgan

16 Nach Abs 2 Satz 1 und 2 ist für die Entscheidungen über die europäische Patentanmeldung, also für die Erteilung des Patents und für die Zurückweisung der Anmeldung, immer die Prüfungsabteilung als Kollegialorgan zuständig. Außerdem finden nach Abs 2 Satz 3 mündliche Verhandlungen stets vor der gesamten Abteilung statt. Der Anmelder hat Anspruch auf eine mündliche Verhandlung, auch wenn die Prüfungsabteilung diese nicht für sachdienlich erachtet (siehe unter Art 116). Wegen der Unterzeichnung der Entscheidungen siehe R 70 und Art 19 Rdn 6.

9 Ergänzung der Abteilung durch einen rechtskundigen Prüfer

17 In Abs 2 Satz 4 ist die Ergänzung der Prüfungsabteilung durch einen rechtskundigen Prüfer vorgesehen. Sie erfolgt regelmäßig dann, wenn dies im Hinblick auf bestimmte Rechtsfragen sachdienlich erscheint, zB wenn eine Beweis-

---

11 Siehe auch PrüfRichtl C-VI, 1.3.
12 Vgl C-VI, 4.3.

aufnahme ansteht.[13] Entfällt dieser Anlaß, zB weil sich der Anmelder nicht mehr auf die zunächst unter Beweis gestellten Tatsachen beruft, so erscheint es aus Gründen der Verfahrensökonomie nicht zweckmäßig, das rechtskundige Mitglied beizubehalten. Es wird nicht zu beanstanden sein, wenn die Beiziehung des rechtskundigen Prüfers durch Beschluss der Abteilung wieder rückgängig gemacht wird. Daß im Fall einer Abstimmung bei Stimmengleichheit die Stimme des Vorsitzenden den Ausschlag gibt (Abs 2 Satz 5), findet sich auch in nationalen Rechten, die vor ähnliche Fragen gestellt sind, zB in § 70 (2) DE-PatG.

Die Ergänzung der Prüfungsabteilung durch einen rechtskundigen Prüfer wirkt sich auch auf die Zusammensetzung der Beschwerdekammer aus. Wird gegen die Entscheidung einer aus vier Mitgliedern bestehenden Prüfungsabteilung Beschwerde eingelegt, so besteht die Beschwerdekammer nach Art 21 (3) b) nicht aus drei, sondern aus fünf Mitgliedern. 18

Artikel 19 Einspruchsabteilungen

(1) Die Einspruchsabteilungen sind für die Prüfung von Einsprüchen gegen europäische Patente zuständig.

(2) Eine Einspruchsabteilung setzt sich aus drei technisch vorgebildeten Prüfern zusammen, von denen mindestens zwei in dem Verfahren zur Erteilung des europäischen Patents, gegen das sich der Einspruch richtet, nicht mitgewirkt haben dürfen. Ein Prüfer, der in dem Verfahren zur Erteilung des europäischen Patents mitgewirkt hat, kann nicht den Vorsitz führen. Bis zum Erlass der Entscheidung über den Einspruch kann die Einspruchsabteilung eines ihrer Mitglieder mit der Bearbeitung des Einspruchs beauftragen. Die mündliche Verhandlung findet vor der Einspruchsabteilung selbst statt. Hält es die Einspruchsabteilung nach Art der Entscheidung für erforderlich, so wird sie durch einen rechtskundigen Prüfer ergänzt, der in dem Verfahren zur Erteilung des Patents nicht mitgewirkt haben darf. Im Fall der Stimmengleichheit gibt die Stimme des Vorsitzenden der Einspruchsabteilung den Ausschlag.

Margarete Singer/Dieter Stauder

Übersicht

1	Allgemeines	1-2
2	Beginn der Zuständigkeit	3
3	Zusammensetzung der Einspruchsabteilung	4
4	Tätigkeit des beauftragten Mitglieds	5

---

13 PrüfRichtl C-VI, 7.8.

5	Mitwirkung der für den Einspruch bestimmten Prüfer	6-7
6	Ergänzung durch ein rechtskundiges Mitglied	8
7	Zuständige Beschwerdekammer	9

1 Allgemeines

1 Dieser Artikel legt die Zuständigkeit der Einspruchsabteilungen und ihre Zusammensetzung fest.

Die Prüfungsabteilungen und die Einspruchsabteilungen sind bisher nach R 12 (1) in gemeinsamen Direktionen zusammengefasst (siehe Art 18 Rdn 2). R 12 wird wegen der Änderung der Art 16–18 neu gefasst werden.

2 Bestimmte, den Einspruchsabteilungen obliegende Geschäfte sind den Formalsachbearbeitern nach R 9 (3) übertragen worden (vgl Art 15 Rdn 4).[1]

2 Beginn der Zuständigkeit

3 Die Zuständigkeit der Einspruchsabteilungen wird begründet durch die Einlegung eines Einspruchs nach Art 99. Dies gilt auch, wenn der Einspruch unzulässig ist oder wenn er als nicht eingelegt gilt.

3 Zusammensetzung der Einspruchsabteilung

4 Wie die Prüfungsabteilung setzt sich auch die Einspruchsabteilung aus drei technisch vorgebildeten Prüfern zusammen (Abs 2). Um eine vom Prüfungsverfahren möglichst unbeeinflusste Entscheidung zu erhalten, darf am Einspruchsverfahren jedoch nur einer der Prüfer, die am vorhergehenden Prüfungsverfahren mitgewirkt haben, beteiligt sein, auf keinen Fall jedoch als Vorsitzender. War mehr als ein Mitglied am Erteilungsverfahren beteiligt, so ist jede von der Abteilung getroffene Entscheidung wegen Verstoßes gegen Art 19 aufzuheben.[2] Dabei genügt für den schweren Verfahrensfehler die Mitwirkung von mehr als einem Mitglied in **irgendeinem** Verfahrensabschnitt, nicht nur die Mitwirkung an der Endentscheidung.[3]

Zur Ausschließung und Ablehnung eines Mitglieds der Einspruchsabteilung in Anwendung von Art 24 siehe Art 24 Rdn 8–10 und G 5/91.[4]

4 Tätigkeit des beauftragten Mitglieds

5 Ähnlich wie im Prüfungsverfahren wird in der Regel auch im Einspruchsverfahren **ein** Prüfer als beauftragtes Mitglied mit der Bearbeitung des Einspruchs beauftragt werden (Abs 2 Satz 3; PrüfRichtl D-II, 5).

---

1 Mitteilung vom 28.4.1999, ABl 1999, 506.
2 **T 251/88** vom 14.11.1989; **T 939/91** vom 5.12.1994; **T 382/92** vom 26.11.1992.
3 **T 476/95** vom 20.6.1996, Nr 2.3 und 2.6.
4 **G 5/91**, ABl 1992, 617, Nr 3 und 4.

5 Mitwirkung der für den Einspruch bestimmten Prüfer

Die Befugnis zur Prüfung und Entscheidung von Einsprüchen muss von den dazu bestimmten Prüfern jederzeit persönlich ausgeübt werden. Diese persönliche Ausübung muss sowohl für die Beteiligten als auch für die Öffentlichkeit ersichtlich sein (Art 113 (1), Art 116). Mündliche Verhandlungen haben stets vor allen Mitgliedern der Einspruchsabteilung stattzufinden (Abs 2 Satz 4). Der schriftlichen Begründung der Entscheidung muss dann zu entnehmen sein, dass sie von diesen Mitgliedern getroffen wurde, und sie muss mit Unterschriften versehen sein, die dies belegen.[5] Kann ein Mitglied die von ihm mit getroffene Entscheidung zB wegen Krankheit nicht selbst mit unterschreiben, so kann eines der anderen Mitglieder in seinem Namen unterzeichnen; stets muss aber eindeutig feststehen, dass nur die in der Entscheidung genannten Mitglieder und niemand sonst entschieden hat.[6]

Auch hier gilt der in Art 116 (1) festgelegte Grundsatz, dass auf Antrag eines Beteiligten eine mündliche Verhandlung stattzufinden hat; diese ist im Gegensatz zur mündlichen Verhandlung vor der Prüfungsabteilung grundsätzlich öffentlich (Art 116 (4)).

6 Ergänzung durch ein rechtskundiges Mitglied

Wenn die Einspruchsabteilung es für erforderlich hält, kann sie wie im Prüfungsverfahren einen rechtskundigen Prüfer beteiligen (Abs 2 S 5), der aber im Prüfungsverfahren nicht mitgewirkt haben darf.[7] Wie im Prüfungsverfahren gibt auch hier im Fall von Stimmengleichheit die Stimme des Vorsitzenden den Ausschlag (Abs 2 Satz 6).

7 Zuständige Beschwerdekammer

Für Beschwerden gegen Entscheidungen der Einspruchsabteilungen sind nach Art 21 (4) immer die Technischen Beschwerdekammern zuständig. Eine Erweiterung der Einspruchsabteilung auf vier Mitglieder hat zur Folge, dass sich die Beschwerdekammer nach Art 21 (4) b) aus fünf Mitgliedern zusammensetzt.

Artikel 20 Rechtsabteilung

(1) **Die Rechtsabteilung ist zuständig für Entscheidungen über Eintragungen und Löschungen von Angaben im europäischen Patentregister sowie für Entscheidungen über Eintragungen und Löschungen in der Liste der zugelassenen Vertreter.**

---

5 **T 390/86**, ABl 1989, 30, Nr 7 und 8.
6 **T 243/87** vom 30.8.1989; **T 777/97** vom 16.3.1998.
7 Siehe PrüfRichtl D II, 2.2.mit Verweis auf C VI, 7.8.

Artikel 20 *Rechtsabteilung*

(2) Entscheidungen der Rechtsabteilung werden von einem rechtskundigen Mitglied getroffen.

Margarete Singer/Dieter Stauder

Übersicht
1	Allgemeines	1-3
2	Patentregister	4-7
3	Vertreterregister	8-9
4	Rechtsmittel gegen Entscheidungen der Rechtsabteilung	10

1 Allgemeines

1 Die Rechtsabteilung ist zuständig für Entscheidungen über Eintragungen und Löschungen im europäischen Patentregister und in der Liste der zugelassenen Vertreter.

2 Die Rechtsabteilung ist nach R 12 (2) der GD 5 eingegliedert, und zwar der Direktion Patentverwaltung. Die Aufgaben dieser Direktion gehen über die der Rechtsabteilung als Entscheidungsorgan hinaus. Die Zuständigkeit der Rechtsabteilung ist in einem Beschluss des Präsidenten des EPA vom 10.3.1989 festgelegt.[1]

3 Soll eine Prüfungsabteilung oder Einspruchsabteilung durch einen rechtskundigen Prüfer ergänzt werden, so ist hierfür nicht die Rechtsabteilung zuständig, sondern die Direktion Patentrecht, die ebenfalls der GD 5 angehört.

2 Patentregister

4 Das europäische Patentregister ist eine mit einer EDV-Anlage geführte Datei. Siehe im einzelnen unter Art 127.

5 Mit Beschluss vom 10.3.1989 hat der Präsident (vgl R 9 (2)) der Rechtsabteilung im Hinblick auf ihre Zuständigkeit für Eintragungen im Patentregister folgende Aufgaben zugewiesen:[2]

a) Verfahren bei mangelnder Berechtigung des Anmelders oder Patentinhabers (Art 61 (1) a) und 99 (5) sowie R 13, 14 und 16).

b) Unterbrechung und Wiederaufnahme des Verfahrens (R 90).

c) Eintragungen und Löschungen von Lizenzen und anderen Rechten (Art 71, 73 und 74 sowie R 21 und 22).

d) Eintragungen von Rechtsübergängen und Namensänderungen, sobald mit der Notwendigkeit einer Entscheidung gerechnet werden muß, die einen Beteiligten beschwert (Art 71, 72 und 74 sowie R 20 und 61; vgl ABl 1987,

---

1 Beschluss vom 10.3.1989, ABl 1989, 177.
2 Beschluss vom 10.3.1989, ABl 1989, 177.

215). Diese Zuständigkeit der Rechtsabteilung wurde bereits in der Entscheidung **J 18/84** festgestellt.[3]

e) Berichtigung der Erfindernennung, sobald mit der Notwendigkeit einer Entscheidung gerechnet werden muss, die einen Beteiligten beschwert, oder nach der Einspruchsphase (R 19).[4]

Damit wurde die Rechtsabteilung in zweckmäßiger Weise auch für Streitfragen im Formalprüfungsverfahren zuständig, wenn auch differenziert gegenüber Aussagen in den Entscheidungen **J 8/82** und **J 18/84**.[5]

Wird gleichzeitig mit einem Antrag auf Eintragung des Rechtsübergangs einer Patentanmeldung, die infolge Säumnis als zurückgenommen gilt, die Wiedereinsetzung zur Beseitigung der Rücknahmefiktion betrieben, so darf die Rechtsabteilung nur über die Eintragung des Rechtsübergangs entscheiden; der Rechtsübergang ist einzutragen, wenn der Rechtsnachfolger zusammen mit seinem Eintragungsantrag geeignete Verfahrensschritte zur Wiederherstellung der Anmeldung unternommen hat. Für den Wiedereinsetzungsantrag war im konkreten Fall die Prüfungsabteilung zuständig.[6]

3 Vertreterregister

Zu den weiteren Aufgaben der Rechtsabteilung gehören Entscheidungen zum Vertreterregister. Die Voraussetzungen der Eintragung sind in Art 134 und für eine Übergangszeit in Art 163 geregelt.

Im Beschluss vom 10.3.1989 hat der Präsident der Rechtsabteilung die Zuständigkeit für folgende Vertreterangelegenheiten zugewiesen:[7]

a) Eintragungen und Löschungen in der Liste der zugelassenen Vertreter (Art 134 (1)–(3) und 163 (1)–(3), (5)–(7) sowie R 102 und 106; Art 4 (1) d), e) und 28 (2) der Vorschriften in Disziplinarangelegenheiten von zugelassenen Vertretern.[8] Bereits in der Entscheidung **J xx/86** vom 4.11.1986 wurde die Zuständigkeit der Rechtsabteilung für die Entscheidung über die Geschäftsunfähigkeit eines zugelassenen Vertreters als Voraussetzung für die Löschung des Vertreters in der Liste bejaht.[9]

b) Eintragungen und Löschungen von Zusammenschlüssen (R 101 (9)).

c) Eintragungen und Löschungen von Rechtsanwälten (Art 134 (7)).

---

3   **J 18/84**, ABl 1987, 215.
4   Vgl **J 18/84**, ABl 1987, 215, Nr 6.3 und 6.4.
5   **J 8/82**, ABl 1984, 155 und **J 18/84**, ABl 1987, 215, Nr 6.4.
6   **J 10/93**, ABl 1997, 91, Nr 1.
7   Beschluss vom 10.3.1989, ABl 1989, 177.
8   ABl 1978, 91.
9   J xx/86 vom 4.11.1986, ABl 1987, 528.

Vor Artikel 21–24

d) Eintragungen und Löschungen von allgemeinen Vollmachten (Art 133 (3) Satz 1 sowie R 101 (2), (3)).

4 Rechtsmittel gegen Entscheidungen der Rechtsabteilung

10 Das Verfahren vor der Rechtsabteilung ist rechtsförmlich ausgestaltet und richtet sich nach den allgemeinen Verfahrensgrundsätzen der Art 113 ff.

Entscheidungen der Rechtsabteilung sind nach Art 106 (1) mit der Beschwerde zur Juristischen Beschwerdekammer (Art 21 (2)) anfechtbar.

Vorbemerkung zu Art 21–24 (Beschwerdekammern)

Margarete Singer/Dieter Stauder

Übersicht

1	Gerichtscharakter der Beschwerdekammern	1
2	Beschwerdeinstanz im Rahmen des EPA	2-4
3	Verfassungsrechtliche Situation in der Bundesrepublik Deutschland	5
4	Zur Beschwerde und zum Beschwerdeverfahren .	6

1 Gerichtscharakter der Beschwerdekammern

1 Die Beschwerdekammern und die Große Beschwerdekammer sind Gerichte.[1] Gerichte der Vertragsstaaten haben die Beschwerdekammern als Gerichte anerkannt: siehe zB die Entscheidungen des Patents Court vom 4.7.1985 und vom 7.4.1987.[2] Die *Lenzing*-Entscheidung des Patents Court vom 20.12.1997 hat den Gerichtscharakter der Beschwerdekammern bestätigt,[3] ebenso das Bayerische Verwaltungsgericht München am 8.7.1999;[4] siehe auch die Große Beschwerdekammer in **G 1/86**.[5]

2 Beschwerdeinstanz im Rahmen des EPA

2 Dass kein organisatorisch völlig unabhängiges europäisches Patentgericht geschaffen wurde, beruht vor allem auf dem Wunsch, die spätere Schaffung eines europäischen Gerichts für den gesamten gewerblichen Rechtsschutz nicht zu erschweren. Damit die Beschwerdeinstanz in ihren Entscheidungen völlig un-

---

1 Siehe Vor Art 106 Rdn 2; Gori/Löden in MünchGemKom, 18. Lieferung 1995, Vorbem. zu Art 21–24, Rn 29–35; Pignatelli in Benkard, Art 21 Rn 1 ff.
2 Patents Court vom 4.7.1985, – Wyeth and Schering –, ABl 1986, 175; Patents Court vom 7.4.1987, – Merril Lynch's Appl. –, GRUR Int 1989, 419.
3 Patents Court vom 20.12.1997 – Lenzing – [1997] R.P.C. 245.
4 Bayer. VerwG München vom 8.7.1999, ABl 2000, 205.
5 **G 1/86**, ABl 1987, 447 Nr 14.

abhängig von der Organisation ist, der sie verwaltungsmäßig angehört, wurde die Instanz mit den charakteristischen Merkmalen eines unabhängigen und weisungsfreien Gerichts ausgestattet. Dazu gehört besonders die Selbstverwaltung der gerichtlichen Tätigkeit unter dem von den Richtern gewählten Präsidium (R 10 und 12; siehe Art 15 und Art 23 Rdn 16).[6]

Die Entscheidungen der Beschwerdekammern sind endgültig. Ein weiteres Rechtsmittel ist in der Konvention nicht vorgesehen. Die Frage, ob bei Verletzung wesentlicher Verfahrensgrundsätze eine Überprüfung von Entscheidungen möglich sein sollte, ist mit **J 3/95** der Großen Beschwerdekammer vorgelegt worden;[7] die Juristische Beschwerdekammer hat dabei auf die Revisionsmöglichkeiten in verschiedenen Vertragsstaaten hingewiesen. Die Große Beschwerdekammer hat jedoch mit **G 1/97** vom 10.12.1999 die Endgültigkeit der Beschwerdekammerentscheidungen bestätigt.[8]

EPÜ 2000

EPÜ 2000 wird diese Situation durch Einführung des Verfahrens der Überprüfung von Entscheidungen der Beschwerdekammern ändern (neu: Art 105a, 105b, 105c).

3 Verfassungsrechtliche Situation in der Bundesrepublik Deutschland

Zur Verfassungsbeschwerde wird auf den **Lenzing**-Beschluss des DE-Bundesverfassungsgerichts vom 8.1.1997 verwiesen;[9] das BVerfG hatte die Verfassungsbeschwerde der ausländischen Beschwerdeführerin, einer österreichischen Aktiengesellschaft nicht angenommen.

4 Zur Beschwerde und zum Beschwerdeverfahren

Zur Beschwerde und zum Beschwerdeverfahren siehe Kommentierung zu Art 106 ff. Zur Grundlage der Geschäftsverteilung und zum Erlass der Verfahrensordnungen siehe R 10 und 11. Zur Zusammensetzung des Präsidiums siehe R 10 und Art 23 Rdn 16.

Artikel 21 Beschwerdekammern

(1) **Die Beschwerdekammern sind für die Prüfung von Beschwerden gegen Entscheidungen der Eingangsstelle, der Prüfungsabteilungen, der Einspruchsabteilungen und der Rechtsabteilung zuständig.**

---

6 **G 6/95**, ABl 1996, 649, siehe besonders Nr 2; Pignatelli in Benkard Art 21 Rn 33; früher bereits **G 1/86**, ABl 1987, 447, Nr 14.
7 **J 3/95**, ABl 1997, 493.
8 **G 1/97**, ABl 2000, 322.
9 DE-BVerfG vom 8.1.1997 – Lenzing –, Mitt 1997, 394.

Artikel 21 — Beschwerdekammern

(2) Bei Beschwerden gegen die Entscheidung der Eingangsstelle und der Rechtsabteilung setzt sich eine Beschwerdekammer aus drei rechtskundigen Mitgliedern zusammen.

(3) Bei Beschwerden gegen die Entscheidung einer Prüfungsabteilung setzt sich eine Beschwerdekammer zusammen aus:

a) zwei technisch vorgebildeten Mitgliedern und einem rechtskundigen Mitglied, wenn die Entscheidung die Zurückweisung einer europäischen Patentanmeldung oder die Erteilung eines europäischen Patents betrifft und von einer aus weniger als vier Mitgliedern bestehenden Prüfungsabteilung gefasst worden ist;

b) drei technisch vorgebildeten Mitgliedern und zwei rechtskundigen Mitgliedern, wenn die Entscheidung von einer aus vier Mitgliedern bestehenden Prüfungsabteilung gefasst worden ist oder die Beschwerdekammer der Meinung ist, dass es die Art der Beschwerde erfordert;

c) drei rechtskundigen Mitgliedern in allen anderen Fällen.

(4) Bei Beschwerden gegen die Entscheidung einer Einspruchsabteilung setzt sich eine Beschwerdekammer zusammen aus:

a) zwei technisch vorgebildeten Mitgliedern und einem rechtskundigen Mitglied, wenn die Entscheidung von einer aus drei Mitgliedern bestehenden Einspruchsabteilung gefasst worden ist;

b) drei technisch vorgebildeten Mitgliedern und zwei rechtskundigen Mitgliedern, wenn die Entscheidung von einer aus vier Mitgliedern bestehenden Einspruchsabteilung gefasst worden ist oder die Beschwerdekammer der Meinung ist, dass es die Art der Beschwerde erfordert.

Margarete Singer/Dieter Stauder

Übersicht

1	Allgemeines	1-4
2	Sachliche Zuständigkeit	5-6
3	Beginn der Zuständigkeit	7-8
4	Bezeichnung der Beschwerdekammern	9
5	Juristische Beschwerdekammer	10-12
6	Die Technischen Beschwerdekammern	
7	Zuständigkeit der Beschwerdekammern im Rahmen des PCT (Art 154 (3), 155 (3))	13-16
8	Vorsitz in den Technischen Beschwerdekammern	17-18
9	Beschwerdekammer in Disziplinarangelegenheiten	20-21

1 Allgemeines

Dieser Artikel legt die Zuständigkeit der Beschwerdekammern für die Prüfung von Beschwerden gegen Entscheidungen bestimmter Verfahrensorgane fest und regelt die Zusammensetzung der verschiedenen Kammern. Für das Verfahren vor der Beschwerdekammer hat das Präsidium nach Art 10 (2) eine Verfahrensordnung (VerfOBK) erlassen, die nach Art 23 (4) Satz 2 vom Verwaltungsrat genehmigt ist.[1] Die Große Beschwerdekammer hat ihre Verfahrensordnung (VerfOGBK) selbst erlassen.[2]

Die Beschwerdekammern und die Große Beschwerdekammer sind in der GD 3 (Beschwerde) zusammengefasst (R 12 (2)). Sie bestehen aus technisch vorgebildeten und rechtskundigen Mitgliedern. Die Kammern haben mindestens drei Mitglieder; wegen ihres Gerichtscharakters gehört jeder Beschwerdekammer mindestens **ein** rechtskundiges Mitglied an. Je nach Art der Entscheidung wird eine Beschwerdekammer aus drei oder fünf Mitgliedern gebildet (siehe Rdn 14–16). Die Geschäftsverteilung der Juristischen Kammer und der Technischen Beschwerdekammern ist in je einem Geschäftsverteilungsplan festgelegt. Beide Geschäftsverteilungspläne werden nach Art 1 der VerfOBK vom Präsidium (R 10 (2)) zu Beginn eines jeden Geschäftsjahrs aufgestellt.[3]

Die Mitglieder der Beschwerdekammern werden nicht vom Präsidenten, sondern vom Verwaltungsrat ernannt (Art 11). Während einer Übergangszeit, deren Ende der Verwaltungsrat bisher nicht bestimmt hat, können auch technisch vorgebildete und rechtskundige Mitglieder nationaler Gerichte und Behörden der Vertragsstaaten zu Mitgliedern der Beschwerdekammern ernannt werden (Art 160 (2)). Davon wird Gebrauch gemacht; die Mitglieder nach Art 160 (2) sind dort gesondert aufgeführt. Die nationalen Richter üben diese Tätigkeit als Nebentätigkeit aus.

Die Namen der Mitglieder der Beschwerdekammern können den jeweils am Anfang des Jahres in den in der Beilage zum Amtsblatt veröffentlichten Geschäftsverteilungsplänen entnommen werden

Nach R 10 (2) und Art 5 (2) VerfOBK (siehe Anhang 8) hat das Präsidium der Beschwerdekammern bestimmte den Beschwerdekammern obliegende Geschäfte den Geschäftsstellenbeamten übertragen; siehe Art 110 Rdn 84.[4]

EPÜ 2000

Die Zuständigkeit der Beschwerdekammern wird erweitert auf Entscheidungen in Beschränkungs- und Widerrufsverfahren (Art 105a bis 105c).

---

1 Siehe Anhang 8.
2 Siehe Anhang 7.
3 Jeweils in der Beilage zum ABl Nr 1.
4 ABl 1985, 249; Änderung siehe ABl 2002, 590.

2 Sachliche Zuständigkeit

5 Nach Abs 1 sind die Beschwerdekammern zuständig für die Prüfung von Beschwerden gegen Entscheidungen (siehe hierzu Art 106 Rdn 15–19). Die Entscheidungen aller erstinstanzlichen Organe des EPA (Art 16–20) mit Ausnahme der Recherchenabteilung sind mit der Beschwerde anfechtbar (siehe Art 106 insbesondere Rdn 2).

6 Das EPÜ sieht keine zusätzliche Zuständigkeit der Beschwerdekammern für die Geltendmachung von Forderungen gegen das EPA vor. **J 14/87** bestätigt ausdrücklich, dass die Beschwerdekammern nicht dafür zuständig sind, über Schadensersatzforderungen für angeblich vom EPA bei der Durchführung eines Patenterteilungsverfahrens verursachte Schäden zu befinden.[5]

3 Beginn der Zuständigkeit

7 Steht dem Beschwerdeführer ein anderer Beteiligter gegenüber (zweiseitiges Verfahren), so beginnt die Zuständigkeit der Beschwerdekammer mit dem Eingang der Beschwerde. Die erste Instanz ist hier nicht mehr zuständig (Devolutiveffekt).

8 Im einseitigen Verfahren, in dem grundsätzlich eine Abhilfe möglich ist (siehe Art 109 Rdn 5 und 6), wird bei Abhilfe die Beschwerdekammer selbst überhaupt nicht zuständig. Wird nicht abgeholfen, so beginnt die Zuständigkeit der Beschwerdekammer mit der Vorlage durch das entscheidende Organ.

4 Bezeichnung der Beschwerdekammern

9 Die aus rechtskundigen Mitgliedern zusammengesetzte Beschwerdekammer heißt Juristische Beschwerdekammer. Die aus technisch vorgebildeten und rechtskundigen Mitgliedern bestehenden Beschwerdekammern heißen Technische Beschwerdekammern.

5 Juristische Beschwerdekammer

10 Die Juristische Beschwerdekammer ist nach Abs 2 zuständig für Beschwerden gegen Entscheidungen der Eingangsstelle (Art 16, 90, 91), der die formelle Prüfung der europäischen Patentanmeldung obliegt, und der Rechtsabteilung (Art 20).

11 Außerdem hat die Juristische Beschwerdekammer eine Auffangzuständigkeit nach Abs 3 Buchst c): Sie ist auch für Beschwerden gegen Entscheidungen einer aus drei Mitgliedern bestehenden Prüfungsabteilung zuständig, soweit die Entscheidung nicht die Zurückweisung der europäischen Patentanmeldung oder die Erteilung eines europäischen Patents betrifft. Diese Fälle behandeln grundsätzlich rein rechtliche Aspekte, zB Rechtsverluste durch Fristversäumnisse,

---

5 **J 14/87**, ABl 1988, 295.

Wiedereinsetzungen und ähnliches. Dabei macht es keinen Unterschied, ob anstelle der Prüfungsabteilung der nach R 9 beauftragte Formalsachbearbeiter entschieden hat.[6]

Für Beschwerden gegen die Entscheidung, mit der die europäische Patentanmeldung zurückgewiesen oder das europäische Patent erteilt wird, sind aber immer die technischen Beschwerdekammern zuständig, auch wenn die Entscheidung von einem nach R 9 (3) beauftragten Formalsachbearbeiter getroffen worden ist.[7] Die Große Beschwerdekammer lehnt eine gegen den klaren Wortlaut des Art 21 verstoßende weitere Auffangzuständigkeit der Juristischen Beschwerdekammer ab.

6 Die Technischen Beschwerdekammern

Gegenwärtig (2006) bestehen 24 technische Beschwerdekammern.

Bei Beschwerden gegen Entscheidungen der mit drei Prüfern besetzten Prüfungs- und Einspruchsabteilung (Art 18 (2) Satz 1) setzt sich die Technische Beschwerdekammer aus drei Mitgliedern zusammen. Aus fünf Mitgliedern besteht sie dann, wenn die angefochtene Entscheidung von einer aus vier Mitgliedern bestehenden Prüfungsabteilung (also mit einem rechtskundigen Prüfer, Art 18 (2) Satz 4) getroffen worden ist (vgl Art 18 Rdn 17 und 18, obligatorische Erweiterung) oder wenn die Technische Beschwerdekammer die erweiterte Zusammensetzung für erforderlich hält (fakultative Erweiterung).

Während für Beschwerden gegen Entscheidungen der Prüfungsabteilungen auch die Juristische Beschwerdekammer zuständig sein kann (vgl Rdn 11), ist das bei Beschwerden gegen Entscheidungen der Einspruchsabteilungen nicht möglich. Der Hauptgrund für diese Regelung dürfte darin liegen, dass es sich bei Beschwerden im Einspruchsverfahren meist um Fragen der Patentierbarkeit handelt. Bezieht sich die Beschwerde auf rechtliche Fragen, so wird trotzdem nicht die Juristische Beschwerdekammer zuständig; vgl Rdn 12.[8]

Hält eine Technische Beschwerdekammer ihre Erweiterung von drei auf fünf Mitglieder für erforderlich, so soll sie dies nach Art 8 VerfOBK (siehe Anhang 8) zu einem möglichst frühen Zeitpunkt beschließen.

7 Zuständigkeit der Beschwerdekammern im Rahmen des PCT (Art 154 (3), 155 (3))

Die Beschwerdekammern sind als letzte Instanz weiterhin zuständig für die Entscheidung über einen Widerspruch des Anmelders gegen eine Entscheidung des EPA als ISA oder IPEA über die Einheitlichkeit der angemeldeten Erfindung (bei Nichteinheitlichkeit sind zusätzliche Recherchengebühren zu

---

6   **J 10/82**, ABl 1983, 94, Nr 2.
7   **G 2/90**, ABl 1992, 10 Nr 3.
8   **G 2/90**, ABl 1992, 10 Nr 3.

zahlen). Die Vereinbarung zwischen der EPO und WIPO nach dem PCT vom 1.10.1997 (ABl 1998, 85; siehe Anhang 10) enthält nichts über die Zusammensetzung der Beschwerdekammern. Die Beschwerdekammern entscheiden daher in der gleichen Besetzung wie im rein europäischen Beschwerdeverfahren: In der Regel bestehen sie aus zwei technisch vorgebildeten und einem rechtskundigen Mitglied. Für den Ablauf des Widerspruchsverfahrens siehe Art 154 Rdn 113–118, siehe auch Mitteilung des EPA vom 1.3.2005.[9]

18 Das Widerspruchsverfahren weist mehr den Charakter eines summarischen Verfahrens auf, da das EPA als ISA sich nur eine vorläufige Meinung über die Einheitlichkeit bildet. Die allgemeinen Vorschriften für das Beschwerdeverfahren vor dem EPA sind daher unter Beachtung des PCT und seiner Regeln nur eingeschränkt anzuwenden; zB dürfte keine Verpflichtung zur mündlichen Verhandlung bestehen.

8 Vorsitz in den Technischen Beschwerdekammern

19 Die Vorsitzenden der Beschwerdekammern werden auf Vorschlag des Präsidenten vom Verwaltungsrat ernannt (Art 11 (3)). Sowohl technisch vorgebildete als auch rechtskundige Mitglieder können zu Vorsitzenden ernannt werden.

9 Beschwerdekammer in Disziplinarangelegenheiten

20 Die Disziplinarkammer ist Organ im eigenständigen Disziplinarverfahren, das der Verwaltungsrat auf der Grundlage des Art 134 (8) c) geschaffen hat (siehe Art 134 Rdn 74). Die Kammer entscheidet in letzter Instanz über Beschwerden gegen Entscheidungen, die der Disziplinarrat des Instituts und der Disziplinarausschuß des EPA erlassen haben. Sie besteht aus zwei zugelassenen Vertretern und drei rechtskundigen Mitgliedern des EPA, von denen eines den Vorsitz führt (Art 10 der Disziplinarvorschriften).

21 Die Kammer entscheidet außerdem über Beschwerden gegen Entscheidungen der Prüfungskommission des EPA (siehe näher Art 134 Rdn 36).[10]

Artikel 22 Große Beschwerdekammer

(1) Die Große Beschwerdekammer ist zuständig für:
a) Entscheidungen über Rechtsfragen, die ihr von den Beschwerdekammern vorgelegt werden;
b) die Abgabe von Stellungnahmen zu Rechtsfragen, die ihr vom Präsidenten des Europäischen Patentamts nach Artikel 112 vorgelegt werden.

---

9 Mitteilung des EPA vom 1.3.2005, ABl 2005, 226.
10 Art 23 (3) der Vorschriften über die europäische Eignungsprüfung für die beim EPA zugelassenen Vertreter vom 9.12.1993.

(2) Die Große Beschwerdekammer beschließt in der Besetzung von fünf rechtskundigen Mitgliedern und zwei technisch vorgebildeten Mitgliedern. Ein rechtskundiges Mitglied führt den Vorsitz.

Margarete Singer/Dieter Stauder

Übersicht
1	Allgemeines	1-2
2	Zuständigkeit generell	3-4
3	Zusammensetzung der Großen Beschwerdekammer	5

1 Allgemeines

Die Große Beschwerdekammer ist ein eigenständiges Organ (Art 15 g)). Ihre 1 Aufgabe ist die Auslegung und Erläuterung des Übereinkommens zur Sicherstellung einer einheitlichen Rechtsanwendung und Rechtsfortentwicklung (vgl Art 112 (1)). Die Große Beschwerdekammer entscheidet nicht den Einzelfall, sondern über Rechtsfragen auf Vorlage.

Die Große Beschwerdekammer gehört zur GD 3 (Beschwerde) (R 12 (2)); sie 2 erlässt ihre Verfahrensordnung selbst (Art 23 (4), R 11 Satz 2; siehe Anhang 7), die der Genehmigung des Verwaltungsrats bedarf (Art 23 (4) Satz 2).

Das Präsidium der Beschwerdekammern bestimmt die Mitglieder und ihre Vertreter (R 10 (1) und (2)).

Zur Zuständigkeit der Großen Beschwerdekammer im einzelnen siehe Art 112.

EPÜ 2000

Art 22 (1) c) erklärt die Große Beschwerdekammer zuständig für Entscheidungen über Anträge auf Überprüfung von Entscheidungen der Beschwerdekammern nach Art 112a (neu). In diesen Verfahren entscheidet die Große Beschwerdekammer in einer Besetzung von drei oder fünf Mitgliedern (Abs 2 Satz 2 neu).

2 Zuständigkeit generell

Die Große Beschwerdekammer hat eine doppelte Zuständigkeit: 3

– Sie entscheidet über Rechtsfragen, die ihr von der Beschwerdekammer vorgelegt werden;
– sie gibt Stellungnahmen zu Rechtsfragen ab, die ihr der Präsident vorlegt.

Die Große Beschwerdekammer kann auch angerufen werden im Wider- 4 spruchsverfahren im Rahmen des PCT. Die Beschwerdekammern entscheiden hier für das EPA als ISA oder IPEA in letzter Instanz über die Einheitlichkeit der angemeldeten Erfindung, bei Nichteinheitlichkeit über die Zahlung zusätzlicher Recherchengebühren. Da für den PCT eine harmonisierte Rechtsanwendung genau so wichtig ist wie für das EPÜ, ist es gerechtfertigt und durchaus auch im Interesse des PCT-Anmelders, das EPÜ ergänzend anzuwenden, so dass Rechtsfragen der Großen Beschwerdekammer vorgelegt werden können.[1] Zum Verfahren siehe Art 112 Rdn 19–27.

3 Zusammensetzung der Großen Beschwerdekammer

5 Die Kammer setzt sich aus sieben Mitgliedern zusammen, fünf rechtskundigen und zwei technisch vorgebildeten. Den Vorsitz führt ein rechtskundiges Mitglied (Art 22 (2) Satz 2); nach derzeitiger Praxis kommt diese Aufgabe dem mit der Leitung der Generaldirektion 3 beauftragten Vizepräsidenten des EPA zu. Im EPÜ ist nicht vorgeschrieben, dass die Mitglieder der Großen Beschwerdekammer einer anderen Beschwerdekammer angehören müssen; es entspricht aber der derzeitigen Praxis.

Die Große Beschwerdekammer kann auch nichtständige (ad hoc) Mitglieder nach Art 160 (2) haben, insbesondere Richter nationaler Gerichte; zur Zeit gibt es zwei ad hoc-Mitglieder.

Artikel 23 Unabhängigkeit der Mitglieder der Kammern

(1) Die Mitglieder der Großen Beschwerdekammer und der Beschwerdekammern werden für einen Zeitraum von fünf Jahren ernannt und können während dieses Zeitraums ihrer Funktion nicht enthoben werden, es sei denn, dass schwerwiegende Gründe vorliegen und der Verwaltungsrat auf Vorschlag der Großen Beschwerdekammer einen entsprechenden Beschluss fasst.

(2) Die Mitglieder der Kammern dürfen nicht der Eingangsstelle, den Prüfungsabteilungen, den Einspruchsabteilungen oder der Rechtsabteilung angehören.

(3) Die Mitglieder der Kammern sind für ihre Entscheidungen an Weisungen nicht gebunden und nur diesem Übereinkommen unterworfen.

(4) Die Verfahrensordnungen der Beschwerdekammern und der Großen Beschwerdekammer werden nach Maßgabe der Ausführungsordnung erlassen. Sie bedürfen der Genehmigung des Verwaltungsrats.

---

1 **G 1/89** und **G 2/89**, ABl 1991, 155 und 166 jeweils Nr 1.

Margarete Singer/Dieter Stauder

Übersicht

1	Allgemeines	1
2	Ernennung auf fünf Jahre	2
3	Unabsetzbarkeit	3
4	Trennung der Instanzen	4-5
5	Weisungsfreiheit	6-7
6	Sonderregelungen im Beamtenstatut	8
7	Präsidium der Beschwerdekammern	9-10
8	Einbeziehung des Präsidenten	11

1 Allgemeines

Dieser Artikel garantiert die Unabhängigkeit der Kammermitglieder bei ihren richterlichen Aufgaben. 1

EPÜ 2000

Die Versetzung in den Ruhestand und der Antrag des Mitglieds auf Entlassung aus dem Dienst werden als Gründe für die Beendigung der Amtszeit in Abs 1 aufgenommen. Der Zusatz dient der Klarstellung.

2 Ernennung auf fünf Jahre

Der Verwaltungsrat ernennt die Mitglieder der Großen Beschwerdekammer und der Beschwerdekammern auf Vorschlag des Präsidenten für fünf Jahre (Art 11 (3)). Die Ernennung wurde auf fünf Jahre beschränkt, weil nicht vor Inkrafttreten des EPÜ vorgesehen werden konnte, ob nach Ablauf eines längeren Zeitraums nicht beträchtlich weniger Beschwerden eingereicht würden als in der Aufbauzeit. Die Mitglieder können und sollen vom Verwaltungsrat wiederernannt werden (Art 11 (3) Satz 2), wobei es nicht eines Vorschlags des Präsidenten bedarf, sondern nur seiner Anhörung. Für Mitglieder, die nach Ablauf der fünfjährigen Dienstzeit nicht wiederernannt werden, stellt das Beamtenstatut (Art 41 (3)) im Interesse ihrer Unabhängigkeit sicher, dass sie mit gleichem Gehalt bis zu ihrer Pensionierung im EPA an anderer Stelle weiter beschäftigt werden. 2

3 Unabsetzbarkeit

Im Interesse ihrer Unabhängigkeit können die Mitglieder der Beschwerdekammern und der Großen Beschwerdekammer nur aus schwerwiegenden Gründen vom Verwaltungsrat, der die Disziplinargewalt nach Art 11 (4) hat, auf Vorschlag der Großen Beschwerdekammer ihrer Funktion enthoben werden (Abs 1). 3

4 Trennung der Instanzen

4 Abs 2 dient einer klaren Trennung der Instanzen (Inkompatibilität). Kammermitgliedern ist nicht nur eine Tätigkeit im Rahmen erstinstanzlicher Organe verboten, sondern auch die Zugehörigkeit zu ihnen; es ist also auch keine Abordnung an eine Beschwerdekammer zulässig (Verbot der Doppelzugehörigkeit).

5 Abs 2 schließt zwar eine gleichzeitige Zugehörigkeit der Kammermitglieder zur Generaldirektion Verwaltung oder zu den Recherchenabteilungen nicht aus. Die Recherchenabteilungen sind deshalb in Abs 2 nicht aufgeführt, weil sie keine mit der Beschwerde anfechtbaren Entscheidungen treffen (Art 106 (1)). Aber bereits der Interimsausschuß der Europäischen Patentorganisation ging davon aus, dass im Interesse einer klaren Gewaltenteilung die Kammermitglieder nicht anderen Organisationseinheiten des EPA angehören sollten.

5 Weisungsfreiheit

6 Abs 3 legt die für eine richterliche Tätigkeit notwendige Weisungsfreiheit der Kammermitglieder fest. Sie sind rechtlich nur an das Übereinkommen mit seinen Bestandteilen gebunden, zu denen auch die AO nach Art 164 (1) gehört, soweit nicht das Verfahrensrecht der Beschwerdekammern betroffen ist.[1] **T 162/82** bestätigt, dass die Beschwerdekammern bei der Auslegung des EPÜ nicht an die vom Präsidenten erlassenen PrüfRichtl gebunden sind.[2] Damit unterscheiden sich die Mitglieder der zweiten Instanz klar von den übrigen Bediensteten des EPA, über die der Präsident des EPA nach Art 10 (2) f) das Weisungsrecht ausübt.

7 Die Weisungsfreiheit sichert die unabhängige Entscheidungsfindung. Entsprechend den für Gerichte geltenden Grundsätzen ist dieser Begriff weit zu verstehen, so dass er auch die eine Entscheidung vorbereitenden Maßnahmen umfaßt.

6 Sonderregelungen im Beamtenstatut

8 Die Pflichten der Bediensteten des EPA einschließlich der Mitglieder der Beschwerdekammern sind im Statut der Beamten des EPA festgelegt. Dieses sieht für die Mitglieder der Kammern in verschiedenen Fällen Sonderregelungen vor. So wird in Art 1 (4) Beamtenstatut generell bestimmt, dass das Statut für die Mitglieder der Beschwerdekammern nur insoweit gilt, als ihre Unabhängigkeit dadurch nicht beeinträchtigt wird. Art 41 Beamtenstatut regelt Besonderheiten ihrer Ernennung; in Art 15 Beamtenstatut werden diesen Mitgliedern noch besondere mit der Ausübung einer richterlichen Tätigkeit zusammenhängende Pflichten auferlegt. Veröffentlichungen von Kammermitgliedern können nur

---

1 **G 6/95**, ABl 1996, 649, Nr 4.
2 **T 162/82**, ABl 1987, 533.

im Einvernehmen mit dem Präsidium untersagt werden (Art 20 (2) Satz 3 Beamtenstatut). Kammermitglieder können im Interesse ihrer Unabhängigkeit nicht von der Organisation zu Schadensersatzleistungen herangezogen werden (Art 25 (1) Satz 2 Beamtenstatut), wenn der Schaden durch die Entscheidung einer Beschwerdekammer entstanden ist.

7 Präsidium der Beschwerdekammern

Das autonome Organ der Beschwerdekammern ist das Präsidium (R 10 (1). Es besteht aus dem für die Beschwerdekammern zuständigen Vizepräsidenten, sechs Vorsitzenden von Beschwerdekammern und sechs weiteren Kammermitgliedern. Die Geschäftsverteilung obliegt dem um alle Kammervorsitzenden erweiterten Präsidium, das auch über Zuständigkeitskonflikte entscheidet (R 10 (4)). Die ständigen Mitglieder der einzelnen Kammern und ihre Vertreter werden ebenfalls vom erweiterten Präsidium bestimmt.

Die Mitglieder des Präsidiums werden für ein Geschäftsjahr von den Vorsitzenden und den Kammermitgliedern gewählt (R 10 (2)). Die Zusammensetzung des Präsidiums und die Besetzung der Beschwerdekammern werden jeweils zum Jahresbeginn in der Beilage zum Amtsblatt veröffentlicht.

Das Präsidium, das den Gerichtssystemen verschiedener Vertragsstaaten entspricht, betont den gerichtsähnlichen Status der Beschwerdekammern.

Das Präsidium ist vor allem zuständig für den Erlass der Verfahrensordnung der Beschwerdekammern (siehe Anhang 8), für die Geschäftsverteilung der Kammern, für die Bestimmung der ständigen Mitglieder der Kammern sowie ihrer Vertreter und für die Entscheidung bei Meinungsverschiedenheiten mehrerer Kammern über ihre Zuständigkeit (R 10).

8 Einbeziehung des Präsidenten

Bei Fragen von allgemeinem Interesse, die sich in einem anhängigen Verfahren ergeben, kann die Beschwerdekammer den Präsidenten einladen, sich zu diesen Fragen zu äußern (Art 12a VerfOBK). Die Einladung ergeht unmittelbar und formlos. Die am Verfahren Beteiligten brauchen vorher nicht zu dieser Anfrage gehört zu werden. Der Präsident wird durch die Einladung nicht zu einem Verfahrensbeteiligten und hat infolgedessen auch kein Recht, in diesem Verfahren Anträge zu stellen, kann aber natürlich Anregungen geben. Unabhängig von dem Anspruch der Beteiligten auf rechtliches Gehör sind die Beteiligten nach Art 12a VerfOBK berechtigt, zu der Meinung des Präsidenten Stellung zu nehmen.[3]

---

[3] Siehe im einzelnen **J 14/90**, ABl 1992, 505.

Artikel 24 Ausschließung und Ablehnung

(1) Die Mitglieder der Beschwerdekammern und der Großen Beschwerdekammer dürfen nicht an der Erledigung einer Sache mitwirken, an der sie ein persönliches Interesse haben, in der sie vorher als Vertreter eines Beteiligten tätig gewesen sind oder an deren abschließender Entscheidung in der Vorinstanz sie mitgewirkt haben.

(2) Glaubt ein Mitglied einer Beschwerdekammer oder der Großen Beschwerdekammer aus einem der in Absatz 1 genannten Gründe oder aus einem sonstigen Grund an einem Verfahren nicht mitwirken zu können, so teilt es dies der Kammer mit.

(3) Die Mitglieder der Beschwerdekammern oder der Großen Beschwerdekammer können von jedem Beteiligten aus einem der in Absatz 1 genannten Gründe oder wegen Besorgnis der Befangenheit abgelehnt werden. Die Ablehnung ist nicht zulässig, wenn der Beteiligte im Verfahren Anträge gestellt oder Stellungnahmen abgegeben hat, obwohl er bereits den Ablehnungsgrund kannte. Die Ablehnung kann nicht mit der Staatsangehörigkeit der Mitglieder begründet werden.

(4) Die Beschwerdekammern und die Große Beschwerdekammer entscheiden in den Fällen der Absätze 2 und 3 ohne Mitwirkung des betroffenen Mitglieds. Bei dieser Entscheidung wird das abgelehnte Mitglied durch seinen Vertreter ersetzt

Margarete Singer/Dieter Stauder

Übersicht
1	Allgemeines	1-3
2	Ausschließungsgründe (Abs 1)	4-5
3	Selbstablehnung (Abs 2)	6
4	Ablehnungsgründe (Abs 3)	7-10
5	Verfahren (Abs 4)	11-14

1 Allgemeines

1 Diese Vorschrift sichert das Prinzip der Unparteilichkeit des Richters. **G 5/91** betont die äußerst strenge Einhaltung dieses Gebots für die Verfahren vor der Beschwerdekammer und der Großen Beschwerdekammer wegen ihrer richterlichen Funktion als oberste Instanz im europäischen Patenterteilungsverfahren.[1] Kein Kammermitglied darf an einer Entscheidung mitwirken, wenn seine Objektivität in dieser Sache gefährdet sein oder von Beteiligten bezweifelt werden könnte. Das Gebot der Unparteilichkeit gilt nach **G 5/91** (LS I) grundsätz-

---

1 **G 5/91**, ABl 1992, 617 Nr 3.

lich auch für die Bediensteten der erstinstanzlichen Organe, die an Entscheidungen mitwirken, die die Rechte eines Beteiligten berühren.

Art 24 ist dem Art 16 des Statuts des EuGH nachgebildet. Er wird ergänzt durch Art 3 VerfOBK (siehe Anhang 8).

Vorgänge über die Ausschließung und Ablehnung von Kammermitgliedern sind nach Art 128 (4) und R 93 a) von der Akteneinsicht ausgeschlossen.

2 Ausschließungsgründe (Abs 1)

Abs 1 zählt drei Ausschließungsgründe als Mitwirkungsverbote auf, die die Mitglieder der zweiten Instanz von der Mitwirkung am Verfahren ausschließen:

- in persönliches Interesse an der Sache;
- eine vorherige Tätigkeit in der Sache als Vertreter eines Beteiligten;
- die Mitwirkung an der abschließenden Entscheidung der Sache in der Vorinstanz; dieser Ausschlussgrund gilt wegen Art 19 (2) nicht im Verhältnis zwischen Prüfungs- und Einspruchsabteilung.[2]

In modifizierter Form gilt der Ausschließungsgrund der Mitwirkung in der Vorinstanz auch für die Besetzung der Großen Beschwerdekammer: Nach Art 1 (2) VerfOGBK (Anhang 7) dürfen im Verfahren vor der Großen Beschwerdekammer mindestens vier Mitglieder nicht an dem Verfahren vor der Kammer mitgewirkt haben, die die Rechtsfrage vorgelegt hat. In der Praxis wird die Mitwirkung vorbefasster Kammermitglieder überhaupt vermieden. Nach dem Geschäftsverteilungsplan sollen die beiden technisch vorgebildeten Mitglieder nicht derselben Technischen Beschwerdekammer angehören.

3 Selbstablehnung (Abs 2)

Abs 2 verpflichtet jedes Mitglied der Kammer, Bedenken gegen seine Mitwirkung am Verfahren mitzuteilen. Diese Bedenken können auch auf anderen als den in Abs 1 aufgeführten Gründen beruhen, zB auf einer von Beteiligten befürchteten Befangenheit (Abs 3). Hat ein Mitglied Zweifel, so unterrichtet es die Kammer, die den Grund nach Abs 4 aufgreifen kann.

4 Ablehnungsgründe (Abs 3)

Nach Abs 3 hat jeder am Verfahren Beteiligte das Recht, Kammermitglieder aus den in Abs 1 aufgeführten Gründen oder wegen Besorgnis der Befangenheit abzulehnen (Abs 3). Niemand darf über eine Angelegenheit entscheiden, in der er von einem Beteiligten aus guten Gründen der Befangenheit verdächtigt werden kann.[3] Dieser Ablehnungsgrund besteht aus objektiven und sub-

---

2 **G 5/91**, ABl 1992, 617 Nr 3.
3 **G 5/91**, ABl 1992, 617 Nr 3.

jektiven Elementen.[4] Es genügt also nicht die subjektive Besorgnis; sie muss auch bei sachlicher Betrachtung berechtigt sein.

8   Eine wichtige Rolle spielt die Befangenheit im **Einspruchsverfahren**, wenn der Prüfer mit einer der Einspruchsparteien als früherer Mitarbeiter oder Vertreter beruflich verbunden war. Auf einen Fall dieser Art sind die Grundsätze des Art 24 anwendbar.[5] Über die Befangenheit sollte die Einspruchsabteilung eine Zwischenentscheidung erlassen und die gesonderte Beschwerde gegen diese Entscheidung zulassen, um der Gefahr zu entgehen, dass die Endentscheidung wegen Verfahrensfehlers aufgehoben wird.[6]

9   Um Verfahrensverzögerungen zu vermeiden, verliert der Beteiligte sein Recht auf Ablehnung jedoch, wenn er in Kenntnis der Ablehnungsgründe im Beschwerdeverfahren Anträge stellt oder Stellung nimmt (Abs 3 S 2). Die in Abs 1 aufgeführten Ausschließungsgründe sind in jedem Stadium des Verfahrens von Amts wegen zu berücksichtigen.

10 Dem Charakter des europäischen Patenterteilungsverfahrens entsprechend kann die Befangenheit eines Kammermitglieds nicht mit seiner Staatsangehörigkeit begründet werden (Abs 3 Satz 3).[7]

5 Verfahren (Abs 4)

11 Im Ausschließungsverfahren muss das betroffene Kammermitglied nach Art 3 (2) VerfOBK Gelegenheit erhalten, sich zu den vorgebrachten Ausschließungsgründen zu äußern. Das Gleiche gilt für das Verfahren vor der Großen Beschwerdekammer, siehe Art 3 (2) VerfOGBK.[8]

12 Bei der Entscheidung über den Ausschluss und die Ablehnung durch einen Beteiligten wird das betreffende Mitglied nach Art 24 (4) durch seinen Vertreter ersetzt (Abs 4 Satz 2). Der Ablehnungsgrund kann sich auch gegen alle Kammermitglieder richten. Dann entscheidet die Kammer in neuer Zusammensetzung.[9] Vor der Entscheidung, die als Zwischenentscheidung ergeht (Art 106 (3)), wird das Verfahren in der Sache nicht weitergeführt (Art 3 (3) VerfOBK).

13 Art 3 (1) VerfOBK bezieht auch die Fälle ein, in denen die Kammer von einem möglichen Ausschließungsgrund auf andere Weise Kenntnis erlangt, zB durch Veröffentlichungen oder Hinweise Dritter.

14 Die Namen der Kammermitglieder werden jährlich in der Beilage zum ersten Amtsblatt veröffentlicht. Dies gibt den Beteiligten die Möglichkeit, ein Mit-

---

4   **T 843/91**, ABl 1994, 818 Nr 8, 9.5; ausführlich hierzu T 190/03, ABl 2006, 502 Nr 9 ff.
5   **G 5/91**, ABl 1992, 617 Nr 3 und 4.
6   **G 5/91**, ABl 1992, 617, Nr 5.
7   **G 5/91**, ABl 1992, 617 Nr 4 am Ende.
8   Siehe Anhang 7 und 8.
9   **T 843/91**, ABl 1994, 818 Nr 4.

glied abzulehnen. Die Beteiligten können die Zusammensetzung der Kammer auch bei der Geschäftsstelle der Beschwerdekammer erfragen.

Artikel 25 Technische Gutachten

Auf Ersuchen des mit einer Verletzungs- oder Nichtigkeitsklage befassten zuständigen nationalen Gerichts ist das Europäische Patentamt verpflichtet, gegen eine angemessene Gebühr ein technisches Gutachten über das europäische Patent zu erstatten, das Gegenstand des Rechtsstreits ist. Für die Erstattung der Gutachten sind die Prüfungsabteilungen zuständig.

Margarete Singer/Dieter Stauder

Übersicht

1	Allgemeines	1
2	Voraussetzungen für ein Gutachten	2-3
3	Technische Gutachten	4-5
4	Gebühren	6
5	Zuständiges Organ	7-8
6	Sprache	9-10
7	Verfahren	11-15
8	Erscheinen vor Gericht	16-17
9	Gleichzeitige Zuständigkeit nationaler Gerichte ..	18

1 Allgemeines

Das technische Gutachten soll die nationalen Gerichte bei der Beurteilung eines europäischen Patents mit seiner Sachkunde unterstützen. Das EPA verfügt über ein großes technisches Wissen, so dass es nahe lag, dieses auch nationalen Gerichten in Streitfällen zur Verfügung zu stellen. Siehe auch Art 131 (Amts- und Rechtshilfe). Einzelheiten über die Gutachten enthalten die PrüfRichtl in E-XII.[1]

2 Voraussetzungen für ein Gutachten

Diese Gutachten werden nur auf Ersuchen eines mit einer Verletzungs- oder Nichtigkeitsklage befassten nationalen Gerichts erstattet. Der Begriff *Klage* ist weit auszulegen, so dass auch andere gerichtliche Verfahren darunter fallen wie die Nichtigkeitswiderklage, die Einrede der Nichtigkeit und das Beschränkungsverfahren.

---

1 Siehe Kolle, Das EPA als Sachverständiger im Patentprozess, GRUR Int 1987, 476; IIC 1987, 632.

Artikel 25 *Technische Gutachten*

3   Analog zu Art 1 (2) AnerkProt (siehe Anhang 2) können auch die zuständigen Behörden, die nach ihrem nationalen Recht mit den genannten Anträgen befasst werden können, um Gutachten ersuchen. Unter *zuständigen nationalen Gerichten* sind in erster Linie die Gerichte der Vertragsstaaten des EPÜ zu verstehen, da lediglich in diesen Staaten Verletzungs- und Nichtigkeitsklagen in Bezug auf europäische Patente durchgeführt werden. Es ist aber auch vorstellbar, dass Verletzungsklagen aus europäischen Patenten in einem Nicht-EPÜ-Staat erhoben werden. Es liegt nahe, die Gutachtentätigkeit den Gerichten der Erstreckungsstaaten (siehe Art 169 Rdn 3–5) anzubieten, obwohl die erstreckten Patente als nationale Patente qualifiziert werden.

3 Technische Gutachten

4   Die vorgelegten Fragen müssen technischer Art sein. Nach den PrüfRichtl (E-XII, 2.2) sollte zu allen Fragen Stellung genommen werden, die üblicherweise bei der europäischen Sachprüfung behandelt werden, auch wenn diese neben dem technischen einen rechtlichen Aspekt aufweisen.

5   Zur konkreten Frage, ob ein Patent gültig ist oder ob es verletzt worden ist, sollte nicht Stellung genommen werden. Es bestehen aber keine Bedenken, das europäische Patent nach dem Stand der Technik zu würdigen. Eine Stellungnahme zum Schutzbereich nach Art 69 und dem Auslegungsprotokoll (siehe im Anschluss an Art 69) sollte, wenn überhaupt, mit großer Zurückhaltung abgegeben werden (ganz ablehnend PrüfRichtl E-XII, 2.2).

4 Gebühren

6   Die Höhe der in Art 25 vorgesehenen Gebühr bestimmt Art 2 Nr 20 GebO.

5 Zuständiges Organ

7   Für die technischen Gutachten sind die Prüfungsabteilungen zuständig (Art 25 Satz 2), grundsätzlich also in der Zusammensetzung mit drei technisch vorgebildeten Prüfern, von denen einer den Vorsitz führt. In der Regel wird auch ein rechtskundiger Prüfer hinzugezogen. Hierbei übernimmt die vorbereitenden Arbeiten ein beauftragter Prüfer.

8   Im Interesse eines unbeeinflussten Gutachtens sollen der nach Art 25 zu bildenden Prüfungsabteilung nicht die Prüfer angehören, die an dem betreffenden europäischen Patent in einem früheren Prüfungs- oder Einspruchsverfahren vor dem EPA mitgewirkt haben. Ist dies aus Gründen der besonderen Sachkunde nicht möglich, werden Gerichte und Parteien von der geplanten Zusammensetzung der Abteilung unterrichtet, und das Gericht wird gefragt, ob es das Ersuchen um ein technisches Gutachten aufrechterhält.[2]

---

2   PrüfRichtl E-XII, 3.2.

6 Sprache

Grundsätzlich ist das Gutachten in der Verfahrenssprache abzufassen. Auf Antrag des Gerichts kann für das Verfahren einschließlich der Abfassung des Gutachtens jedoch auch eine andere Amtssprache des EPA verwendet werden. Art 70 (Verbindliche Fassung der europäischen Patentanmeldung oder des europäischen Patents) ist in diesem Verfahren zu beachten. Siehe auch PrüfRichtl E-XII, 4.1.

Für Beweismittel in einer Nichtamtssprache kann das EPA nach R 1 (2) vom Gericht bzw den Parteien Übersetzungen verlangen. Siehe auch PrüfRichtl E-XII, 4.2 und 3.

7 Verfahren

Für die formelle Behandlung des Ersuchens ist die Formalprüfungsstelle zuständig (Gebühr, Sprache), die bei Rückfragen jedoch dem Gericht keine Frist setzt.

Ergibt sich aus den Akten, dass das Gericht den Parteien erlaubt, dem EPA ihren Standpunkt schriftlich vorzutragen, liegen aber noch keine Stellungnahmen vor, so setzt sich die Formalprüfungsstelle über das Gericht mit den Parteien schriftlich in Verbindung und setzt ihnen eine Frist (von etwa zwei Monaten) zur Stellungnahme; siehe PrüfRichtl E-XII, 5.1.

Nach Abschluss des formellen Teils und nach Eingang etwaiger Stellungnahmen befasst sich der beauftragte Prüfer mit der Frage, ob die gestellten Fragen zumindest teilweise beantwortet werden können, ob die eingereichten Unterlagen vollständig sind und die erforderlichen Übersetzungen eingereicht worden sind. Bei Mängeln oder Unklarheiten verkehrt der beauftragte Prüfer schriftlich mit dem Gericht.

Wird das Ersuchen um ein technisches Gutachten vor Beginn seiner Erstellung zurückgenommen, kann die Gebühr zu 75 % zurückerstattet werden (Art 10a GebO, siehe Anhang 5).

Das Gutachten wird von allen Mitgliedern der Prüfungsabteilung unterzeichnet und dem nationalen Gericht mit den sich auf das dortige Verfahren beziehenden Unterlagen übersandt.

8 Erscheinen vor Gericht

Wird die Prüfungsabteilung nach Erstattung des Gutachtens aufgefordert, vor dem Gericht zu erscheinen, so entsendet das EPA ein Mitglied der Abteilung gegen Kostenerstattung. Soll das Mitglied auch zu anderen Sachverhalten Stellung nehmen, müssen diese Sachverhalte der Prüfungsabteilung mindestens einen Monat vor dem Termin schriftlich mitgeteilt werden.

Problematisch wird die Situation für das EPA, wenn Gutachten während eines noch schwebenden Einspruchs- oder Beschwerdeverfahrens beantragt werden. Könnte das Gutachten der anstehenden Entscheidung widersprechen, so sollte das Amt mit dem Gutachten warten.

9 Gleichzeitige Zuständigkeit nationaler Gerichte

18 Das deutsche PatG (§ 29) sieht vor, dass Gerichte und Staatsanwaltschaften Obergutachten vom DPMA einholen können. Diese Möglichkeit besteht auch in Bezug auf erteilte europäische Patente, in denen Deutschland benannt ist.[3] Es dürfte daher den deutschen Gerichten die Wahl freistehen, ob sie ein Gutachten vom EPA oder vom DPMA oder von beiden Behörden haben wollen, soweit die jeweiligen Voraussetzungen vorliegen.

---

3   Schulte, Patentgesetz, § 29 Rn 4.

Kapitel IV Der Verwaltungsrat

Vorbemerkung zu Art 26–36

Gérard Weiss

Die folgenden Kommentierungen beschränken sich auf einige für Praktiker wichtige Aspekte. 1

Das Kapitel behandelt die Funktionen und Aufgaben des Verwaltungsrats (VR). Er ist Organ der EPO (Art 4 (2) b)) und besteht aus den Vertretern der Vertragsstaaten. Einmal hat der VR die Tätigkeit des EPA zu überwachen (Art 4 (3)). Weiterhin besitzt der VR Rechtsetzungsbefugnis (siehe Art 33).

Der VR ist nicht mit einer vorgesetzten Behörde vergleichbar, da die EPO keinen hierarchischen Aufbau hat. Bei der Ausarbeitung des Übereinkommens wurde nach längeren Diskussionen ausdrücklich davon abgesehen, eine über dem EPA stehende Organisation mit allgemeinem Weisungsrecht zu schaffen. Dieser Gedanke kommt auch in Art 5 (3) zum Ausdruck, wonach der Präsident des EPA die Europäische Patentorganisation vertritt.

Das Kapitel IV regelt die Zusammensetzung und Bildung des VR, die Durchführung seiner Tagungen, seine Befugnisse und die Abstimmungsmodalitäten. Am 19. Oktober 1977 hat sich der VR seine erste Geschäftsordnung gegeben.

Eine umfassende überarbeitete Fassung, wurde vom VR im Juni 2002 verabschiedet. Straffung zum Verfahren für die Weiterleitung von Dokumenten an die Delegierten, bessere Strukturierung des Arbeitsprogramms des VR sowie Vorschriften über die Kommunikation und die Verteilung der im VR zur Diskussion stehenden Dokumente mittels moderner elektronischer Mittel wurden in die Geschäftsordnung u.a. aufgenommen. Besonders erwähnenswert ist die generelle Einführung der elektronischen Post (E-Mail) als elektronisches Kommunikation Mittel zur Übermittlung von Einberufungen, Mitteilungen, Dokumenten und fristgebundene Schriftstücken; auch die seit mehreren Jahren Bereitstellung der Dokumenten in einer Datenbank des EPA (MICADO-Datenbank, MICADO für MInutes and CA-DOcuments) wurde in die Geschäftsordnung festgeschrieben.[1] Bedauerlicherweise wurde von einer Veröffentlichung der neuen Fassung der Geschäftsordnung im ABl abgesehen. Der Text der Geschäftsordnung kann aber jederzeit unter *http://ac.europeanpatent-office.org/administrative_council/rules_of_procedure/index.de* eingesehen bzw. herunter geladen werden. 2

---

1 Siehe Art 17 der Geschäftsordnung.

Artikel 26 — Verwaltungsrat

3   Für eine aktuelle Information über den VR und seine Tätigkeiten wurde eine Internet-Plattform (genannt Microsite) mit folgender Adresse *http://ac.european-patent-office.org/index.en.php* eingerichtet.

4   Freier Zugang zu den VR-Dokumenten wurde zur Verbesserung der Transparenz der Tätigkeiten des VR in der Neufassung der Geschäftsordnung gewährt. Art 13 (2) schreibt nun vor, dass »nicht vertrauliche Dokumente Dritten oder der Öffentlichkeit zugänglich gemacht werden können, sofern der Rat nicht im Einzelfall etwas anderes beschließt.« Das bedeutet aus der Sicht des Praktikers, dass jene Dokumente, die als »travaux préparatoires« zu bezeichnen sind, unmittelbar nach ihrer Verteilung zu Verfügung stehen.

Artikel 26 Zusammensetzung

(1) Der Verwaltungsrat besteht aus den Vertretern der Vertragsstaaten und deren Stellvertretern. Jeder Vertragsstaat ist berechtigt, einen Vertreter und einen Stellvertreter für den Verwaltungsrat zu bestellen.

(2) Die Mitglieder des Verwaltungsrats können nach Maßgabe der Geschäftsordnung des Verwaltungsrats Berater oder Sachverständige hinzuziehen.

Gérard Weiss

1   Nach Abs.1 kann jeder Vertragsstaat einen Vertreter und einen Stellvertreter bestellen. Die Zusammensetzung des Verwaltungsrats wird regelmäßig im ABl veröffentlicht (zB letzter Stand August 2006 im ABl 2006, 499).

2   Einziger Vertragsstaat mit zwei Delegationsleitern ist Deutschland. Die Interessen Deutschlands werden von einem Vertreter aus dem Bundesjustizministerium und dem Präsidenten des DPMA vertreten.

3   Von der in Abs 2 vorgesehenen Möglichkeit, Berater und Sachverständige beizuziehen, wird bei komplexen Themen Gebrauch gemacht. In diesem Fall bilden die Mitglieder mit den Beratern und Sachverständigen die Delegation des jeweiligen Vertragsstaats.

Artikel 27 Vorsitz

(1) Der Verwaltungsrat wählt aus den Vertretern der Vertragsstaaten und deren Stellvertretern einen Präsidenten und einen Vizepräsidenten. Der Vizepräsident tritt im Fall der Verhinderung des Präsidenten von Amts wegen an dessen Stelle.

(2) Die Amtszeit des Präsidenten und des Vizepräsidenten beträgt drei Jahre. Wiederwahl ist zulässig.

Gérard Weiss

Erster Präsident des VR war G. Vianès (FR), seine Nachfolger waren: I. J. G. Davis (GB), O. Leberl (AT), A. Krieger (DE), J. C. Combaldieu (FR), P. L. Thoft (DK), J. Alvarez Alvarez (ES) und S. Fitzpatrick (IE). Seit dem 5. März 2000 ist R. Grossenbacher (CH) Präsident des Verwaltungsrats. Er wurde zweimal wiedergewählt, zuletzt am 13. Dezember 2005. Seine dritte Amtszeit läuft am 4. März 2009 ab. Seit dem 5.12.2006 ist Vize-Präsident des VR B. Batistelli (FR).

Der Ratspräsident führt den Vorsitz bei den Tagungen des VR sowie des Präsidiums (siehe Artikel 28). Gemäß Art 9 (1) der Geschäftsordnung stellt er die vorläufige Tagesordnung jeder Tagung auf.

Artikel 28 Präsidium

(1) Beträgt die Zahl der Vertragsstaaten mindestens acht, so kann der Verwaltungsrat ein aus fünf seiner Mitglieder bestehendes Präsidium bilden.

(2) Der Präsident und der Vizepräsident des Verwaltungsrats sind von Amts wegen Mitglieder des Präsidiums; die drei übrigen Mitglieder werden vom Verwaltungsrat gewählt.

(3) Die Amtszeit der vom Verwaltungsrat gewählten Präsidiumsmitglieder beträgt drei Jahre. Die Wiederwahl dieser Mitglieder ist nicht zulässig.

(4) Das Präsidium nimmt die Aufgaben wahr, die ihm der Verwaltungsrat nach Maßgabe der Geschäftsordnung zuweist.

Gérard Weiss

Der VR ist seit Jahren in zunehmendem Maße gefordert, sich auch mit strategischen Fragen zu befassen, die sowohl die Position der Organisation im internationalen Patentsystem als auch die dem VR nach dem EPÜ obliegende Überwachung der Tätigkeit des EPA betreffen.

Die Europäische Patentorganisation zählt seit dem 1. Dezember 1978 (Ratifizierung von Italien) mehr als acht Mitgliedsstaaten. Der VR hätte deshalb gemäß Art 28 (1) schon längst ein Präsidium bilden können. Dies ist aber erst im Jahr 2003 geschehen, nachdem mehr als 25 Mitgliedsstaaten das EPÜ ratifiziert hatten.[1]

Dem Präsidium gehören nach Art 28 (2) EPÜ der Präsident und der Vizepräsident des VR sowie drei weitere vom VR gewählten Mitglieder des VR an.[2] Diese Mitglieder sind mit Beschluss vom 5.6.2003 unter Nr 4 ernannt worden.

---

1   Beschluss des VR vom 5.6.2003, ABl 2003, 333.
2   Diese Mitglieder sind in dem Beschluss vom 5.6.2003 unter Nr 4 des Beschlusses.

Ihre Amtszeit beträgt drei Jahre; ihre Wiederwahl ist nicht zulässig (siehe Art 28 (3)).

3   Da die Mitgliederzahl des Präsidiums auf zwei *ex officio* bestimmte und drei gewählte Mitglieder beschränkt ist, hat der VR ferner beschlossen, zusätzlich zu diesen fünf Mitgliedern die Vorsitzenden des Haushalts und Finanzausschusses und des Ausschusses Patentrecht auf einer regelmäßigen Basis zu den Beratungen des Präsidiums hinzuzuziehen, um so auch eine möglichst enge und effiziente Verbindung der Arbeit der bestehenden Ausschüsse mit der Arbeit des Präsidiums zu gewährleisten. Die Zusammensetzung des Präsidiums soll auch die verschiedenen Interessengruppen, die geographische Dimension der gewachsenen Organisation und die unterschiedlichen Erfahrungen der einzelnen Delegationen mit der Arbeit des VR widerspiegeln.

4   Der Präsident des EPA nimmt stets an den Beratungen des Präsidiums (Abs. 3 des Beschlusses vom 5.6.2003) teil. Dies entspricht Art 29 (2). Das Präsidium nach Art 28 EPÜ ist ein nachgeordnetes Organ des VR, weil es dem VR weder übergeordnet noch gleichgestellt sein kann. Da der Präsident des EPA kraft Gesetzes an den Beratungen des VR teilnimmt (Art 29 (2)), nimmt er auch an den Beratungen des Präsidiums teil.

5   In Art 5 der Geschäftsordnung des VR heißt es, dass Näheres zur Funktion und Arbeitsweise des Präsidiums in dem Beschluss zur Bildung des Präsidiums zuregeln ist. Dies wurde mit Beschluss vom 30. Oktober 2003 geregelt, indem Funktion und Arbeitsweise detailliert festgelegt wurden.[3] Zur Funktion wurde klargestellt, dass das Präsidium den Präsidenten des VR dabei unterstützt, die Arbeit des VR vorzubereiten und ihre Kontinuität zu gewährleisten, insbesondere durch die Vorbereitung des Arbeitsprogramms des Rats, die allgemeine Koordinierung der Arbeit des Rats und seiner Organe auf der Grundlage des Arbeitsprogramms und die Förderung der Geschlossenheit und des Konsenses innerhalb der Europäischen Patentorganisation. Zur Arbeitsweise des Präsidiums wurde festgelegt, dass das Präsidium auf Veranlassung des Präsidenten des VR oder mindestens zweier Präsidiumsmitglieder zusammen trifft. Der Präsident des VR entscheidet, wo und wie oft die Sitzungen stattfinden, wobei er den laufenden Aufgaben und dem Kontinuitätsanspruch in der Arbeit des VR und seiner Organe Rechnung trägt.

Seit der Errichtung des Präsidiums (1. Juli 2003) haben 15 Sitzungen (Stand: September 2006) stattgefunden, in der Regel entsprechend dem Mandat kurz vor den Tagungen des VR.

Artikel 29 Tagungen

(1) Der Verwaltungsrat wird von seinem Präsidenten einberufen.

---

[3]   Beschluss des VR vom 30.10.2003, ABl 2003, 579.

(2) Der Präsident des Europäischen Patentamts nimmt an den Beratungen teil.

(3) Der Verwaltungsrat hält jährlich eine ordentliche Tagung ab; außerdem tritt er auf Veranlassung seines Präsidenten oder auf Antrag eines Drittels der Vertragsstaaten zusammen.

(4) Der Verwaltungsrat berät auf Grund einer Tagesordnung nach Maßgabe seiner Geschäftsordnung.

(5) Jede Frage, die auf Antrag eines Vertragsstaats nach Maßgabe der Geschäftsordnung auf die Tagesordnung gesetzt werden soll, wird in die vorläufige Tagesordnung aufgenommen.

Gérard Weiss

Übersicht

1	Tagungen des Verwaltungsrats	1-2
2	Ausschüsse	3-4

1 Tagungen des Verwaltungsrats

Gegenwärtig finden jährlich 4 Tagungen statt. 1

Die Tagungen beginnen in der Regel mit Tagesordnungspunkten (TOP), die 2
auf der allen Adressaten zugänglichen Tagesordnung als »vertraulich« bezeichnet wurden (die so genannte TOP Kategorie C). Der VR berät und beschließt diese TOP im geschlossenen Kreis, dem die Mitglieder, der Präsident des EPA sowie die hinzugezogenen Bediensteten und das Kollegium der Rechnungsprüfer angehören (Art 9 (3) der Geschäftsordnung). TOP dieser Art sind zB die Benennung von Mitgliedern der Beschwerdekammern, die Ernennung eines Vize-Präsidenten des EPA oder die Wahl des Präsidenten eines Ausschusses des VR.

2 Ausschüsse

Die Geschäftsordnung des VR bildet die Grundlage für die Einsetzung von 3
Ausschüssen, die den VR in besonderen Fragen beraten sollen (Art 14 der Geschäftsordnung). Wird ein Ausschuss für eine bestimmte Frage eingesetzt (zB Einführung der Innenrevision in die Struktur der EPO), so wird er als *ad hoc* Ausschuss bezeichnet; er muss in einer ihm vorgegebenen Zeit Vorschläge für den VR vorbereiten und den VR beraten.

Die vom VR eingesetzten – für die Benutzer des Systems wohl wichtigsten – 4
Ausschüsse sind der ständige Patentrechtsausschuss und der ständige Ausschuss »Technische Information«.

Artikel 30 *Teilnahme von Beobachtern*

Der Patentrechtsausschuss berät den VR bei Revisionen des EPÜ und Änderungen der AO sowie bei Fragen der Harmonisierung der nationalen Patentrechte und des internationalen Patentrechts. Dieser Ausschuss hat mit vielen Sitzungen den Text des EPÜ 2000 ausgearbeitet. Die Mitglieder des Ausschusses sind außer den zuständigen Amtsangehörigen Patentfachleute aus den Vertragsstaaten sowie aus den Staaten und Organisationen mit Beobachterstatus (siehe Art 30). Vertreter des *epi* und der UNICE nehmen an diesen Sitzungen als Beobachter teil.

Der Ausschuss »Technische Information« befasst sich ua mit den technischen Gegebenheiten der elektronischen Nachrichtenübermittlung. So wurde ausführlich in diesem Ausschuss über die technische Modalitäten zur Einführung von *epoline* beraten. Auch hier sind die Mitglieder des Ausschusses Fachleute aus den Vertragsstaaten sowie aus den Staaten und Organisationen mit Beobachterstatus.

Artikel 30 Teilnahme von Beobachtern

(1) **Die Weltorganisation für geistiges Eigentum ist auf den Tagungen des Verwaltungsrats nach Maßgabe eines Abkommens vertreten, das die Europäische Patentorganisation mit der Weltorganisation für geistiges Eigentum schließt.**

(2) **Andere zwischenstaatliche Organisationen, die mit der Durchführung internationaler patentrechtlicher Verfahren beauftragt sind und mit denen die Organisation ein Abkommen geschlossen hat, sind, wenn dieses Abkommen entsprechende Vorschriften enthält, nach Maßgabe dieser Vorschriften auf den Tagungen des Verwaltungsrats vertreten.**

(3) **Alle anderen zwischenstaatlichen und nichtstaatlichen internationalen Organisationen, die eine die Organisation betreffende Tätigkeit ausüben, können vom Verwaltungsrat eingeladen werden, sich auf seinen Tagungen bei der Erörterung von Fragen, die von gemeinsamem Interesse sind, vertreten zu lassen.**

Gérard Weiss

1   Zur Zeit haben neben der WIPO folgende Organisationen den Beobachterstatus und können somit an den Tagungen des VR teilnehmen: Die EFTA, der Europarat, die Kommission der EU, das *epi* (Institut der zugelassenen Vertreter) und die UNICE (Union der europäischen Industrie- und Arbeitgeberverbände).

2   Ferner sind als Beobachter neben der Personalvertretung des EPA Vertreter folgender Staaten zugelassen: Albanien, Bosnien-Herzegowina, Kroatien, Malta, die ehemalige jugoslawische Republik Mazedonien und Norwegen [Stand: September 2006].

Artikel 31 Sprachen des Verwaltungsrats

(1) Der Verwaltungsrat bedient sich bei seinen Beratungen der deutschen, englischen und französischen Sprache.

(2) Die dem Verwaltungsrat unterbreiteten Dokumente und die Protokolle über seine Beratungen werden in den drei in Absatz 1 genannten Sprachen erstellt.

Gérard Weiss

Die hier festgelegten Sprachen sind die Amtssprachen des EPA nach Art 14 (1). Der Wortlaut der Beschlüsse des Verwaltungsrats ist in den drei Amtssprachen gleichermaßen verbindlich.[1]

Während der Tagungen des VR wird jeweils in jede der beiden anderen Sprachen gedolmetscht, sofern der VR nicht einstimmig beschließt, darauf zu verzichten.[2]

Eine besondere Regelung wurde für die Arbeitsweise des Präsidiums (Art 28) geschaffen: im Interesse der Effizienz kann das Präsidium auf den Einsatz von Simultandolmetschern und auf die Übersetzung der Dokumente verzichten, wobei es sich bei seiner Arbeit nach Belieben der drei Amtssprachen der Organisation bedient. De facto werden die im Präsidium zur Diskussion stehenden Dokumente nur in Englisch verteilt.

Artikel 32 Personal, Räumlichkeiten und Ausstattung

Das Europäische Patentamt stellt dem Verwaltungsrat sowie den vom Verwaltungsrat eingesetzten Ausschüssen das Personal, die Räumlichkeiten und die Ausstattung zur Verfügung, die sie zur Durchführung ihrer Aufgaben benötigen.

Gérard Weiss

Um den Verwaltungsaufwand möglichst niedrig zu halten, wurde für den VR keine eigene Verwaltung geschaffen. Er bedient sich vielmehr des Personals des EPA für seine Aufgaben und tagt auch im EPA.

Das Ratssekretariat untersteht unmittelbar dem Präsidenten des EPA (vgl Vor Art 10 Rdn 6). Es ist für sämtliche organisatorischen Belange der Arbeiten des VR verantwortlich und berät den Präsidenten des VR in organisatorischen Fragen (siehe Art 6 (2) der Geschäftsordnung).

---

1   Beschluss des Verwaltungsrats vom 24.2.1978, ABl 1978, 201.
2   Siehe Art 11 der Geschäftsordnung.

Artikel 33 Befugnisse des Verwaltungsrats in bestimmten Fällen

(1) Der Verwaltungsrat ist befugt, folgende Vorschriften zu ändern:
a) die Dauer der in diesem Übereinkommen festgesetzten Fristen; dies gilt für die in Artikel 94 genannte Frist nur unter den in Artikel 95 festgelegten Voraussetzungen;
b) die Ausführungsordnung.

(2) Der Verwaltungsrat ist befugt, in Übereinstimmung mit diesem Übereinkommen folgende Vorschriften zu erlassen und zu ändern:
a) die Finanzordnung;
b) das Statut der Beamten und die Beschäftigungsbedingungen für die sonstigen Bediensteten des Europäischen Patentamts, ihre Besoldung sowie die Art der zusätzlichen Vergütung und die Verfahrensrichtlinien für deren Gewährung;
c) die Versorgungsordnung und Erhöhungen der Versorgungsbezüge entsprechend einer Erhöhung der Dienstbezüge;
d) die Gebührenordnung;
e) seine Geschäftsordnung.

(3) Der Verwaltungsrat ist befugt, zu beschließen, dass abweichend von Artikel 18 Absatz 2 die Prüfungsabteilungen für bestimmte Gruppen von Fällen aus einem technisch vorgebildeten Prüfer bestehen, wenn die Erfahrung dies rechtfertigt. Dieser Beschluss kann rückgängig gemacht werden.

(4) Der Verwaltungsrat ist befugt, den Präsidenten des Europäischen Patentamts zu ermächtigen, Verhandlungen über den Abschluss von Abkommen mit Staaten oder zwischenstaatlichen Organisationen sowie mit Dokumentationszentren, die auf Grund von Vereinbarungen mit solchen Organisationen errichtet worden sind, zu führen und diese Abkommen mit Genehmigung des Verwaltungsrats für die Europäische Patentorganisation zu schließen.

Gérard Weiss

Übersicht
1	Allgemeines	1-2
2	Änderungen von Fristen im Übereinkommen (Abs 1 a))	3-4
3	Änderungen der AO (Abs 1 b))	5-6
4	Erlass verschiedener Verordnungen (Abs 2)	7
5	Bildung von Ein-Mann-Prüfungsabteilungen (Abs 3)	8
6	Ermächtigung des Präsidenten (Abs 4)	9

1 Allgemeines

Art 33 fasst bestimmte wichtige Befugnisse des VR zusammen, insbesondere 1
solche gesetzgeberischer Art

Im Übereinkommen finden sich auch an zahlreichen anderen Stellen Bestim- 2
mungen, die Befugnisse des VR zum Gegenstand haben. Zu den wichtigsten
gehören folgende: Überwachung der Tätigkeit des EPA (Art 4 (3)), Haushalts-
befugnisse (Art 46 (2)), Ernennung des Präsidenten, der Vizepräsidenten und
der Mitglieder der BK sowie Ausübung der Disziplinargewalt über diese Bediensteten (Art 11, 23 (1)), Schaffung von Dienststellen des EPA (Art 7), Festlegung der Befugnisse der Dienststelle Berlin (Abschnitt I (3) (c) ZentrProt), Beschlüsse über die Beiträge der Vertragsstaaten (Art 39, 40), Beschlüsse über
Aufgaben des EPA im Rahmen des PCT (Art 151, 154–157), Einladung zum
Beitritt nach Art 166 (1) b) sowie Vorbereitung und Einberufung von Revisionskonferenzen (Art 172 (2)).

2 Änderungen von Fristen im Übereinkommen (Abs 1 a))

Das Übereinkommen kann grundsätzlich nur durch Revisionskonferenzen der 3
Vertragsstaaten (Art 172) oder in einem sonstigen nach dem Völkerrecht zugelassenen Verfahren geändert werden.

Die erste Revisionskonferenz betraf die Änderung des Art 63 (Laufzeit des
Patents, Schutzrechtszertifikat). Die revidierte Fassung bedurfte zu ihrem In-
krafttreten der Ratifikation von neun Vertragsstaaten (im Einzelnen siehe
ABl 1992, 1).

Eine zweite weitgehende Revision des Übereinkommen und der dazugehöri-
gen Protokolle wurde durch die Diplomatische Konferenz 2000 von 20. bis 29.
November 2000 in München beschlossen (siehe Sonderausgabe Nr 1 zum
Amtsblatt 2001).

Dies bedeutet aber nicht, dass sämtliche Vorschriften des Übereinkommens
nur durch eine Revisionkonferenz geändert werden könnten.

Art 33 (1) a) sieht von dieser strengen Regelung eine Ausnahme vor: Im Interesse einer schnellen Anpassung an die Bedürfnisse der Praxis kann der VR die
Dauer der im EPÜ festgesetzten Fristen mit qualifizierter Mehrheit (Art 35 (2))
ändern.

Beispiele:

– Die Mindestfrist von 3 Monaten für die Einreichung der Übersetzung der
  europäischen Patentschrift (Art 65 (1) Satz 2);
– Die Frist zur Zahlung der Benennungsgebühren (Art 79 (2) Satz 2: 6 Monate ab dem Tag, an dem im Europäischen Patentblatt auf die Veröffentlichung des Recherchenberichts hingewiesen worden ist);
– Die Verlängerung der Frist zur Vorlage der Beschwerde an die Beschwerdekammer auf 3 Monate (Art 109 (2));

- Die Verkürzung des Moratoriums von 5 auf 3 Monate für Anmeldungen, für die ab 1. Januar 2006 eine Mitteilung nach Regel 51(4) ergeht (Art 97 (4) und (5)).

Diese Ermächtigung deckt auch das Recht des VR, in der AO Nachfristen einzuführen (zB R 85a, 85b oder R 58(6)). Eine Regelung, die die Fristen des EPÜ (im engeren Sinne) in der Ausführungsordnung ändert, ist durch diese allgemeine Kompetenz des VR, in das Fristensystem einzugreifen, gedeckt. Sie kann nicht als »Fall mangelnder Übereinstimmung« zwischen Vorschriften des EPÜ und der Ausführungsordnung nach Art 164 (2) angegriffen werden. Es bleibt dem VR überlassen, ob er Regelungen nach Art 33 (1) a) in die Artikel des EPÜ oder in die Ausführungsordnung aufnimmt. Zur Kompetenz des VR zur Änderung von Regel 85a und 85b siehe J 12/82 – in re Floridienne, ABl 1983, 221, Nr 6 und 7.

4   Wegen des Wunsches der Vertragsstaaten, kein Verfahren mit aufgeschobener Prüfung einzuführen, wurde die Ermächtigung des VR zur Verlängerung der Frist für den Prüfungsantrag (Art 94 (2): 6 Monate) den in Art 95 festgelegten Voraussetzungen unterworfen.

3 Änderungen der AO (Abs 1 b))

5   Abs 1 b) ermächtigt den VR zur Änderung der AO. Sie ist mit der Kompetenz der PCT-Versammlung nach Art 58 (2) PCT zur Änderung der Regeln des PCT vergleichbar. Im Fall mangelnder Übereinstimmung der Vorschriften der Ausführungsordnung gehen die Vorschriften des EPÜ (im engeren Sinne) vor (Art 164 (2)).

Der VR hat von dieser Befugnis des öfteren Gebrauch gemacht.

Diese Änderungen zielen auf eine Verbesserung des Verfahrens: Eintragung von Rechtsübergängen (R 20); Milderung des strengen Fristensystems (R 85a, R 85b); neue technische Einrichtungen zur Nachrichtenübermittlung (R 24 (1), R 36 (5)); Erleichterungen für den Anmelder (R 38 (3) u (4)) und das EPA (R 17 (3)); Vorbereitung der mündlichen Verhandlung (R 71a); unterschiedliche Patentansprüche (R 87); Anpassung an den Budapester Vertrag betreffend die Hinterlegung von Mikroorganismen (R 28a); Umsetzung der Vorgaben der EU an die Biotechnologierichtlinie der EU (R 28b, 28c, 28d, 28e); Einreichung von Teilanmeldungen (R 25) usw.

6   Änderungen der AO und der auf Grund der AO veröffentlichten Beschlüsse des Präsidenten wirken mit Rücksicht auf die Rechtssicherheit nicht zurück.[1]

4 Erlass verschiedener Verordnungen (Abs 2)

7   In Ausübung der ihm durch Abs 2 übertragenen Befugnisse hat der VR am 19.10.1977 seine Geschäftsordnung, zuletzt geändert durch Beschluss des VR

---

1   **T 210/89**, ABl 1991, 433 Nr 12.

vom 7. Dezember 2006 (vgl Vorbemerkungen zu Art 26 Rdn 2), erlassen und am 20.10.1977 die in diesem Abschnitt aufgeführten weiteren Vorschriften. Außer der GebO (Anhang 5) sind diese Vorschriften für interne Zwecke bestimmt. Die Gebührenordnung steht auf der gleichen Stufe wie die Ausführungsordnung. Eine scharfe Abgrenzung, was in der Ausführungsordnung einerseits und in der Gebührenordnung andererseits zu regeln ist, besteht nicht, wenn auch der Kern der Regelungen für beide Rechtsinstrumente unbestritten ist.

5 Bildung von Ein-Mann-Prüfungsabteilungen (Abs 3)

Von der Befugnis, Prüfungsabteilungen statt mit drei Prüfern nur mit einem Prüfer zu besetzen, hat der VR bisher nicht Gebrauch gemacht (siehe Art 18). 8

6 Ermächtigung des Präsidenten (Abs 4)

Auf der Grundlage der Ermächtigung nach Abs 4 hat der Präsident des EPA 9 verschiedene Verträge geschlossen, zB das Abkommen der EPO mit der Regierung der Bundesrepublik Deutschland über den Sitz des EPA vom 19.10.1977,[2] das Abkommen der EPO mit dem Königreich der Niederlande über die Zweigstelle Den Haag des EPA, den Vertrag über die Übernahme des IIB in das EPA (siehe Art 6), die Vereinbarung zwischen EPO und WIPO über PCT (siehe Anhang 10) usw.

Artikel 34 Stimmrecht

(1) Stimmberechtigt im Verwaltungsrat sind nur die Vertragsstaaten.

(2) Jeder Vertragsstaat verfügt über eine Stimme, soweit nicht Artikel 36 anzuwenden ist.

Gérard Weiss

Unabhängig von der Höhe der besonderen Finanzbeiträge eines Vertragsstaats 1 nach Art 40 hat jeder Vertragsstaat eine Stimme im VR. Für Beschlüsse, die schwerwiegende finanzielle Verpflichtungen mit sich bringen können, sieht Art 36 jedoch Stimmenwägung vor.

Artikel 35 Abstimmungen

(1) Der Verwaltungsrat fasst seine Beschlüsse vorbehaltlich Absatz 2 mit der einfachen Mehrheit der vertretenen Vertragsstaaten, die eine Stimme abgeben.

---

2   BGBl 1978 II, 337; siehe Haertel in MünchGemKom, Art 6 Rn 14.

Artikel 35 *Abstimmungen*

(2) Dreiviertelmehrheit der vertretenen Vertragsstaaten, die eine Stimme abgeben, ist für die Beschlüsse erforderlich, zu denen der Verwaltungsrat nach den Artikeln 7, 11 Absatz 1, 33, 39 Absatz 1, 40 Absätze 2 und 4, 46, 87, 95, 134, 151 Absatz 3, 154 Absatz 2, 155 Absatz 2, 156, 157 Absätze 2 bis 4, 160 Absatz 1 Satz 2, 162, 163, 166, 167 und 172 befugt ist.

(3) Stimmenthaltung gilt nicht als Stimmabgabe.

Gérard Weiss

1 Beschlüsse des VR bedürfen einfacher oder qualifizierter Mehrheit. Die Mehrheit errechnet sich aus den abgegebenen Stimmen. Stimmenthaltung gilt nach Abs. 3 nicht als Stimmabgabe.

2 In Abs. 1 ist für Beschlüsse des VR bei Abstimmungen grundsätzlich die einfache Mehrheit maßgebend. Das gilt auch für die Wahl des Präsidenten des VR.

3 Für Beschlüsse von größerer politischer oder finanzieller Tragweite wird in Abs. 2 die Dreiviertelmehrheit vorgeschrieben. Sie wird besonders verlangt für die Ernennung des Präsidenten, zur Genehmigung des Haushalts sowie für Änderungen von Fristen des Übereinkommens (soweit zulässig), der AO und der GebO.

4 In Art 10 der Geschäftsordnung wurde ein genaues Abstimmungsverfahren festgelegt. In dem Plenum des VR wird durch Handzeichen abgestimmt, sofern nicht ein Mitglied einer Delegation eines Vertragsstaates vor Eröffnung des Abstimmungsverfahrens eine geheime oder eine namentliche Abstimmung verlangt. Unmittelbar nach einer ersten Abstimmung durch Handzeichen, deren Ergebnis vom Präsidenten des VR festgestellt und bekannt gegeben wird, kann jedes Mitglied verlangen, dass eine zweite, namentliche Abstimmung vorgenommen wird, die dann die erste Abstimmung ersetzt. Wird namentlich abgestimmt, so ruft der Präsident die Delegationen in der alphabetischen Reihenfolge der Bezeichnungen der Vertragsstaaten in ihren jeweiligen Landessprachen auf und beginnt bei der Delegation des Vertragsstaats, den er durch Los bestimmt hat.

Beschlüsse des VR können auf Vorschlag des Präsidenten des VR oder des Präsidenten des EPA auch im Rahmen eines schriftlichen Verfahrens erfolgen. Dieses eher sehr selten benutzte Abstimmungsverfahren erfordert zunächst, dass drei Viertel der stimmberechtigten Mitglieder mit der Durchführung des schriftlichen Verfahrens einverstanden sind. Die vor der Novellierung der Geschäftsordnung vorgesehene Einstimmigkeit wurde zu Recht aufgrund der großen Anzahl der Vertragsstaaten aufgehoben. Auch diese hohe erforderliche Stimmbeteiligung könnte die Einsetzung dieses Verfahrens mit nun mehr als 30 Vertragsstaaten erschweren. Der abzustimmende Vorschlag gilt als angenommen, wenn die erforderliche Mehrheit zustande kommt. In der Regel können solche schriftlichen Abstimmungsverfahren nur für Beschlüsse, die die einfache Mehrheit erfordern, zum Tragen kommen.

Zum Text der Geschäftsordnung des VR siehe über die Homepage des EPA:
http://ac.european-patent-office.org/administrative_council/rules_of_procedure/pdf/dd02002.pdf

Artikel 36 Stimmenwägung

(1) Jeder Vertragsstaat kann für die Annahme und Änderung der Gebührenordnung sowie, falls dadurch die finanzielle Belastung der Vertragsstaaten vergrößert wird, für die Feststellung des Haushaltsplans und eines Berichtigungs- oder Nachtragshaushaltsplans der Organisation nach einer ersten Abstimmung, in der jeder Vertragsstaat über eine Stimme verfügt, unabhängig vom Ausgang der Abstimmung verlangen, dass unverzüglich eine zweite Abstimmung vorgenommen wird, in der die Stimmen nach Absatz 2 gewogen werden. Diese zweite Abstimmung ist für den Beschluss maßgebend.

(2) Die Zahl der Stimmen, über die jeder Vertragsstaat in der neuen Abstimmung verfügt, errechnet sich wie folgt:
a) Die sich für jeden Vertragsstaat ergebende Prozentzahl des in Artikel 40 Absätze 3 und 4 vorgesehenen Aufbringungsschlüssels für die besonderen Finanzbeiträge wird mit der Zahl der Vertragsstaaten multipliziert und durch fünf dividiert.
b) Die so errechnete Stimmenzahl wird auf eine ganze Zahl aufgerundet.
c) Dieser Stimmenzahl werden fünf weitere Stimmen hinzugezählt.
d) Die Zahl der Stimmen eines Vertragsstaats beträgt jedoch höchstens 30.

Gérard Weiss

1 Diese Vorschrift sieht für Änderungen der GebO sowie für andere Beschlüsse, die einer Dreiviertelmehrheit nach Art 35 (2) bedürfen und die finanzielle Belastung der Vertragsstaaten vergrößern, die Möglichkeit vor, in einer zweiten Abstimmung eine Stimmenwägung vorzunehmen.

2 Abs 1 ist so auszulegen, dass auf Verlangen eines Vertragsstaats eine Stimmenwägung im Zusammenhang mit der Beschlussfassung über den Haushaltsplan vorgenommen werden muss, wenn ein Beschluss offensichtlich finanziell belastende Auswirkungen für die Vertragsstaaten hat. Damit sollen die Staaten, die nach Art 40 möglicherweise eine größere Belastung zu tragen haben, mehr Gewicht bei der Abstimmung erhalten. Da sich das EPA finanziell selbst trägt, kommt dieser Vorschrift gegenwärtig keine Bedeutung zu. Ein solches Verfahren wurde noch nicht angewendet.

3 Nach Abs 2 d) betragen die Stimmen eines Vertragsstaats jedoch höchstens 30, so dass der Einfluss der wirtschaftlich stärkeren Staaten begrenzt wird. Er dürfte daher nur geringfügig über dem der übrigen Staaten liegen.

Kapitel V Finanzvorschriften

Vorbemerkung zu Art 37–51

Gérard Weiss

1 Auch zu Kapitel V beschränkt sich die Kommentierung auf einige Aspekte.
2 Dieses Kapitel befasst sich vor allem mit den Ausgaben der Organisation und deren Deckung, also dem Haushaltsplan und seiner Ausführung, der Rechnungsprüfung, der Finanzordnung und der GebO.

Artikel 37 Deckung der Ausgaben

Der Haushalt der Organisation wird finanziert:
a) durch eigene Mittel der Organisation;
b) durch Zahlungen der Vertragsstaaten auf Grund der für die Aufrechterhaltung der europäischen Patente in diesen Staaten erhobenen Gebühren;
c) erforderlichenfalls durch besondere Finanzbeiträge der Vertragsstaaten;
d) gegebenenfalls durch die in Artikel 146 vorgesehenen Einnahmen;
e) gegebenenfalls und ausschließlich für Sachanlagen durch bei Dritten aufgenommene und durch Grundstücke oder Gebäude gesicherte Darlehen;
f) gegebenenfalls durch Drittmittel für bestimmte Projekte.

Gérard Weiss

EPÜ 2000

Art 37 wurde neu gefasst und ergänzt, um ihn der tatsächlichen Haushaltsführung anzupassen. Als weitere Quellen für die Haushaltsfinanzierung sind unter e) und f) nunmehr Drittmittel für bestimmte genau abgegrenzte Zwecke vorgesehen. Diese Änderungen sind nach Art 6 iVm Art 1 Nr 4 und Art 2 Nr 3 der Revisionsakte seit 29. November 2000 vorläufig anwendbar.[1]

1 Die Ausgaben sollen durch die in Buchst a) vorgesehenen eigenen Mittel der EPO gedeckt werden (Art 38), nämlich im wesentlichen durch die Gebühreneinnahmen, sowie durch Zahlung eines Teils der nationalen Jahresgebühren für europäische Patente, die die Vertragsstaaten an die EPO abführen (Buchst b)

---

[1] Revisionsakte siehe ABl 2001 Sonderausgabe Nr 4, Art 6 (S 50).

iVm Art 39). Die Verfahrensgebühren und die Jahresgebührenanteile sind so zu bemessen, dass die Einnahmen den Haushalt der EPO ausgleichen.

Nur für das erste Haushaltsjahr von November 1977 bis Dezember 1978 waren die in Buchst c) vorgesehenen besonderen Finanzbeiträge der Vertragsstaaten notwendig; sie wurden im darauf folgenden Haushaltsjahr mit Zinsen zurückgezahlt. 2

Zur Zeit stammen die Einnahmen zum größten Teil aus Gebühren aus Patenterteilungsverfahren (66 % im Haushaltsjahr 2005). Der Anteil der Jahresgebühren aus den europäischen Patenten betrug im Haushaltsjahr 2005 25 % der Gesamteinnahmen. 3

Artikel 38 Eigene Mittel der Organisation

Eigene Mittel der Organisation sind:
a) alle Einnahmen aus Gebühren und sonstigen Quellen sowie Rücklagen der Organisation;
b) die Mittel des Pensionsreservefonds, der als zweckgebundenes Sondervermögen der Organisation zur Sicherung ihres Versorgungssystems durch die Bildung angemessener Rücklagen dient.

Gérard Weiss

EPÜ 2000

Die Änderungen gegenüber der alten Fassung beruhen auf den Empfehlungen der Rechnungsprüfer. Die Bestimmung ist nach Art 6 iVm Art 1 Nr 4 und Art 2 Nr 3 in ihrer revidierten Fassung seit dem 29. November 2000 vorläufig anwendbar.[1] 1

Zu den eigenen Mitteln der EPO gehören neben den Gebühreneinnahmen zB Einnahmen aus der Vermietung von Räumen des EPA. 2

Artikel 39 Zahlungen der Vertragsstaaten aufgrund der für die Aufrechterhaltung der europäischen Patente erhobenen Gebühren

(1) Jeder Vertragsstaat zahlt an die Organisation für jedes in diesem Staat aufrechterhaltene europäische Patent einen Betrag in Höhe eines vom Verwaltungsrat festzusetzenden Anteils an der Jahresgebühr, der 75 % nicht übersteigen darf und für alle Vertragsstaaten gleich ist. Liegt der Betrag unter einem vom Verwaltungsrat festgesetzten einheitlichen Mindestbetrag, so hat der betreffende Vertragsstaat der Organisation diesen Mindestbetrag zu zahlen.

---

1 Revisionsakte siehe ABl 2001, Sonderausgabe Nr 4, Art 6 (S 50).

Artikel 40 — Bemessung der Gebühren und Anteile – besondere Finanzbeiträge

(2) Jeder Vertragsstaat teilt der Organisation alle Angaben mit, die der Verwaltungsrat für die Feststellung der Höhe dieser Zahlungen für notwendig erachtet.

(3) Die Fälligkeit der Zahlung wird vom Verwaltungsrat festgelegt.

(4) Sind die genannten Zahlungen nicht fristgerecht in voller Höhe geleistet worden, so hat der Vertragsstaat den ausstehenden Betrag vom Fälligkeitstag an zu verzinsen

Gérard Weiss

1   Die für europäische Patente von den Vertragsstaaten eingenommenen Jahresgebühren werden zwischen den nationalen Patentämtern und der EPO aufgeteilt. Abs 1 begrenzt den Anteil der EPO an den Jahresgebühren für europäische Patente auf höchstens 75 % des Gesamtaufkommens.

2   Der Verwaltungsrat hat im Dezember 1980 zum ersten Mal über den Verteilungsschlüssel beschlossen; ab 1981 erhielt die EPO 60 % der Jahresgebühren, 40 % verblieben den Vertragsstaaten. Für die Zeit ab 1985 änderte der VR den Verteilungsschlüssel zugunsten der Vertragsstaaten auf 50:50 (ABl 1984, 296).

Artikel 40 Bemessung der Gebühren und Anteile – besondere Finanzbeiträge

(1) Die Höhe der Gebühren nach Artikel 38 und der Anteil nach Artikel 39 sind so zu bemessen, dass die Einnahmen hieraus den Ausgleich des Haushalts der Organisation gewährleisten.

(2) Ist die Organisation jedoch nicht in der Lage, den Haushaltsplan nach Maßgabe des Absatzes 1 auszugleichen, so zahlen die Vertragsstaaten der Organisation besondere Finanzbeiträge, deren Höhe der Verwaltungsrat für das betreffende Haushaltsjahr festsetzt.

(3) Die besonderen Finanzbeiträge werden für jeden Vertragsstaat auf der Grundlage der Anzahl der Patentanmeldungen des vorletzten Jahrs vor dem Inkrafttreten dieses Übereinkommens nach folgendem Aufbringungsschlüssel festgelegt:
a) zur Hälfte im Verhältnis der Zahl der in dem jeweiligen Vertragsstaat eingereichten Patentanmeldungen;
b) zur Hälfte im Verhältnis der zweithöchsten Zahl von Patentanmeldungen, die von natürlichen oder juristischen Personen mit Wohnsitz oder Sitz in dem jeweiligen Vertragsstaat in den anderen Vertragsstaaten eingereicht worden sind.

Die Beträge, die von den Staaten zu tragen sind, in denen mehr als 25 000 Patentanmeldungen eingereicht worden sind, werden jedoch zusammengefasst und erneut im Verhältnis der Gesamtzahl der in diesen Staaten eingereichten Patentanmeldungen aufgeteilt.

(4) Kann für einen Vertragsstaat ein Beteiligungssatz nicht nach Absatz 3 ermittelt werden, so legt ihn der Verwaltungsrat im Einvernehmen mit diesem Staat fest.

(5) Artikel 39 Absätze 3 und 4 ist auf die besonderen Finanzbeiträge entsprechend anzuwenden.

(6) Die besonderen Finanzbeiträge werden mit Zinsen zu einem Satz zurückgezahlt, der für alle Vertragsstaaten einheitlich ist. Die Rückzahlungen erfolgen, soweit zu diesem Zweck Mittel im Haushaltsplan bereitgestellt werden können; der bereitgestellte Betrag wird nach dem in den Absätzen 3 und 4 vorgesehenen Aufbringungsschlüssel auf die Vertragsstaaten verteilt.

(7) Die in einem bestimmten Haushaltsjahr gezahlten besonderen Finanzbeiträge müssen in vollem Umfang zurückgezahlt sein, bevor in einem späteren Haushaltsjahr gezahlte besondere Finanzbeiträge ganz oder teilweise zurückgezahlt werden.

Gérard Weiss

Abs 1 enthält den Grundsatz des Deckungsausgleichs von Einnahmen und Ausgaben, ohne dass die Vertragsstaaten besondere Finanzbeiträge zu leisten haben. 1

Da man ursprünglich annahm, dass sich die EPO erst nach einer längeren Anlaufzeit selbst finanzieren könnte, wurden in diesem Artikel eingehende Regelungen für die besonderen Finanzbeiträge der Vertragsstaaten vorgesehen. Seit 1979 trägt sich die EPO jedoch selbst, so dass es nicht nötig ist, auf besondere Finanzbeiträge der Vertragsstaaten zurückzugreifen. 2

Artikel 41 Vorschüsse

(1) Die Vertragsstaaten gewähren der Organisation auf Antrag des Präsidenten des Europäischen Patentamts Vorschüsse auf ihre Zahlungen und Beiträge in der vom Verwaltungsrat festgesetzten Höhe. Diese Vorschüsse werden auf die Vertragsstaaten im Verhältnis der Beträge, die von diesen Staaten für das betreffende Haushaltsjahr zu zahlen sind, aufgeteilt.

(2) Artikel 39 Absätze 3 und 4 ist auf die Vorschüsse entsprechend anzuwenden

Artikel 42 Haushaltsplan

(1) Der Haushaltsplan der Organisation ist auszugleichen. Er wird nach Maßgabe der in der Finanzordnung festgelegten allgemein anerkannten Rechnungslegungsgrundsätze aufgestellt. Falls erforderlich, können Berichtigungs- und Nachtragshaushaltspläne festgestellt werden.

(2) Der Haushaltsplan wird in der Rechnungseinheit aufgestellt, die in der Finanzordnung bestimmt wird.

Gérard Weiss

EPÜ 2000

1 Die Bestimmung nach Art 6 iVm Art 1 Nr 4 und Art 2 Nr 3 der Revisionsakte in ihrer revidierten Fassung seit dem 29. November 2000 vorläufig anwendbar.[1]

In der neuen Formulierung wird klargestellt, dass die in der Finanzordnung der Organisation festgelegten allgemein anerkannten Rechnungslegungsgrundsätze maßgebend für den Haushaltsplan sind.

Die in Abs 3 erwähnte Rechnungseinheit ist nach der Finanzordnung der Euro. Der VR genehmigte das Budget 2006, das in Einnahmen und Ausgaben auf 1 304 Mio EUR festgestellt wurde. Der Stellenplan für das Jahr 2006 weist 6698,5 Bedienstete aus.

Artikel 43 Bewilligung der Ausgaben

(1) Die in den Haushaltsplan eingesetzten Ausgaben werden für ein Haushaltsjahr bewilligt, soweit die Finanzordnung nichts anderes bestimmt.

(2) Nach Maßgabe der Finanzordnung dürfen Mittel, die bis zum Ende eines Haushaltsjahrs nicht verbraucht worden sind, lediglich auf das nächste Haushaltsjahr übertragen werden; eine Übertragung von Mitteln, die für personelle Ausgaben vorgesehen sind, ist nicht zulässig.

(3) Die vorgesehenen Mittel werden nach Kapiteln gegliedert, in denen die Ausgaben nach Art oder Bestimmung zusammengefasst sind; soweit erforderlich, werden die Kapitel nach der Finanzordnung unterteilt.

Artikel 44 Mittel für unvorhergesehene Ausgaben

(1) Im Haushaltsplan der Organisation können Mittel für unvorhergesehene Ausgaben veranschlagt werden.

---

1 Revisionsakte siehe ABl 2001, Sonderausgabe Nr 4, Art 6 (S 50).

(2) Die Verwendung dieser Mittel durch die Organisation setzt die vorherige Zustimmung des Verwaltungsrats voraus.

Artikel 45 Haushaltsjahr

Das Haushaltsjahr beginnt am 1. Januar und endet am 31. Dezember.

Artikel 46 Entwurf und Feststellung des Haushaltsplans

(1) Der Präsident des Europäischen Patentamts legt dem Verwaltungsrat den Entwurf des Haushaltsplans bis zu dem in der Finanzordnung vorgeschriebenen Zeitpunkt vor.

(2) Der Haushaltsplan sowie Berichtigungs- und Nachtragshaushaltspläne werden vom Verwaltungsrat festgestellt.

Artikel 47 Vorläufige Haushaltsführung

(1) Ist zu Beginn eines Haushaltsjahrs der Haushaltsplan vom Verwaltungsrat noch nicht festgestellt, so können nach der Finanzordnung für jedes Kapitel oder jede sonstige Untergliederung monatliche Ausgaben bis zur Höhe eines Zwölftels der im Haushaltsplan für das vorausgegangene Haushaltsjahr bereitgestellten Mittel vorgenommen werden; der Präsident des Europäischen Patentamts darf jedoch höchstens über ein Zwölftel der Mittel verfügen, die in dem Entwurf des Haushaltsplans vorgesehen sind.

(2) Der Verwaltungsrat kann unter Beachtung der sonstigen Vorschriften des Absatzes 1 Ausgaben genehmigen, die über dieses Zwölftel hinausgehen.

(3) Die in Artikel 37 Buchstabe b genannten Zahlungen werden einstweilen weiter nach Maßgabe der Bedingungen geleistet, die nach Artikel 39 für das vorausgegangene Haushaltsjahr festgelegt worden sind.

(4) Jeden Monat zahlen die Vertragsstaaten einstweilen nach dem in Artikel 40 Absätze 3 und 4 festgelegten Aufbringungsschlüssel besondere Finanzbeiträge, sofern dies notwendig ist, um die Durchführung der Absätze 1 und 2 zu gewährleisten. Artikel 39 Absatz 4 ist auf diese Beiträge entsprechend anzuwenden.

Artikel 48 Ausführung des Haushaltsplans

(1) Im Rahmen der zugewiesenen Mittel führt der Präsident des Europäischen Patentamts den Haushaltsplan sowie Berichtigungs- und Nachtragshaushaltspläne in eigener Verantwortung aus.

(2) Der Präsident des Europäischen Patentamts kann im Rahmen des Haushaltsplans nach Maßgabe der Finanzordnung Mittel von Kapitel zu Kapitel oder von Untergliederung zu Untergliederung übertragen.

Artikel 49 Rechnungsprüfung

(1) Die Rechnung über alle Einnahmen und Ausgaben des Haushaltsplans sowie eine Übersicht über das Vermögen und die Schulden der Organisation werden von Rechnungsprüfern geprüft, die volle Gewähr für ihre Unabhängigkeit bieten müssen und vom Verwaltungsrat für einen Zeitraum von fünf Jahren bestellt werden; die Bestellung kann verlängert oder erneuert werden.

(2) Durch die Prüfung, die anhand der Rechnungsunterlagen und erforderlichenfalls an Ort und Stelle erfolgt, wird die Rechtmäßigkeit und Ordnungsmäßigkeit der Einnahmen und Ausgaben sowie die Wirtschaftlichkeit der Haushaltsführung festgestellt. Nach Abschluss eines jeden Haushaltsjahrs erstatten die Rechnungsprüfer einen Bericht.

(3) Der Präsident des Europäischen Patentamts legt dem Verwaltungsrat jährlich die Rechnungen des abgelaufenen Haushaltsjahrs für die Rechnungsvorgänge des Haushaltsplans und die Übersicht über das Vermögen und die Schulden zusammen mit dem Bericht der Rechnungsprüfer vor.

(4) Der Verwaltungsrat genehmigt die Jahresrechnung sowie den Bericht der Rechnungsprüfer und erteilt dem Präsidenten des Europäischen Patentamts Entlastung hinsichtlich der Ausführung des Haushaltsplans.

Artikel 50 Finanzordnung

Die Finanzordnung regelt insbesondere:
a) die Art und Weise der Aufstellung und Ausführung des Haushaltsplans sowie der Rechnungslegung und Rechnungsprüfung;
b) die Art und Weise sowie das Verfahren, wie die in Artikel 37 vorgesehenen Zahlungen und Beiträge sowie die in Artikel 41 vorgesehenen Vorschüsse von den Vertragsstaaten der Organisation zur Verfügung zu stellen sind;
c) die Verantwortung der Anweisungsbefugten und der Rechnungsführer sowie die entsprechenden Kontrollmaßnahmen;
d) die Sätze der in den Artikeln 39, 40 und 47 vorgesehenen Zinsen;
e) die Art und Weise der Berechnung der nach Artikel 146 zu leistenden Beiträge;

f) Zusammensetzung und Aufgaben eines Haushalts- und Finanzausschusses, der vom Verwaltungsrat eingesetzt werden soll;
g) die dem Haushaltsplan und dem Jahresabschluss zu Grunde zu legenden allgemein anerkannten Rechnungslegungsgrundsätze.

Gérard Weiss

EPÜ 2000

EPÜ 2000 gleicht die Bestimmung mit Buchst g) an die neu formulierten Art 38 und 42 an. Sie ist seit dem 29.11.2000 vorläufig anwendbar.[1]

Die Finanzordnung ist am 20.10.1977 erlassen und inzwischen mehrfach geändert worden. 1

Der nach Buchst f) eingesetzte Haushalts- und Finanzausschuss tagt jeweils einige Wochen vor den Juni- und Dezembertagungen des Verwaltungsrats und legt diesem einen Bericht mit Empfehlungen vor. 2

Artikel 51 Gebührenordnung

Die Gebührenordnung bestimmt insbesondere die Höhe der Gebühren und die Art und Weise, wie sie zu entrichten sind.

Gérard Weiss

Übersicht
1	Allgemeines	1
2	Verfahrenskostenhilfe	2

1 Allgemeines

Die Gebührenordnung vom 20.10.1977 ist inzwischen mehrfach geändert worden. Gemäß Beschluss des VR vom 15. Dezember 2005 (ABl 2006, 8) und Beschluss des Präsidenten des EPA vom 17. Februar 2006 (ABl 2006, 255) wurden die Gebühren und Auslagen gemäß Art 2, 3 der GebO mit Wirkung zum 1. April 2006 neu festgesetzt und generell erhöht. Die Erhöhung gilt für alle Zahlungen ab dem 1. April 2006. 1

Die Gebührenordnung ist als Anhang 5 beigefügt.

2 Verfahrenskostenhilfe

Eine Verfahrenskostenhilfe oder eine Stundung von Gebühren (siehe zB § 129 ff DE-PatG) ist weder im Übereinkommen noch in der GebO vorgesehen. Bei der Ausarbeitung des Übereinkommens einigte man sich darauf, dass 2

---

1 Revisionsakte siehe ABl 2001, Sonderausgabe Nr 4, Art 6 (S 50).

die Unterstützung bedürftiger Erfinder und Anmelder die Angelegenheit der einzelnen Vertragsstaaten sein soll.

Zweiter Teil Materielles Patentrecht

Vorbemerkung zu Art 52–74
Margarete Singer/Dieter Stauder

Dieser Teil enthält das für europäische Patentanmeldungen und europäische Patente maßgebende materielle Patentrecht, das sowohl dem europäischen Prüfungs- und Einspruchsverfahren als auch den nationalen Nichtigkeits- und Verletzungsverfahren zugrunde gelegt ist. **1**

In Kapitel I werden die materiellen Voraussetzungen festgelegt, denen eine Erfindung genügen muss. In Kapitel II werden das Recht zur Anmeldung von europäischen Patenten festgeschrieben und das Recht auf das europäische Patent definiert sowie damit zusammenhängende Fragen näher geregelt, zB die Durchsetzung des Rechts und die Erfindernennung. Kapitel III bestimmt die Wirkungen des europäischen Patents und der europäischen Patentanmeldung für die Vertragsstaaten. Kapitel IV schließlich befasst sich mit der europäischen Patentanmeldung als Gegenstand des Vermögens und damit unter anderem mit der Übertragung von europäischen Patenten und mit ihrer Lizenzierung. **2**

Kapitel I Patentierbarkeit

Vorbemerkung zu Art 52–57

Margarete Singer/Dieter Stauder

1   Zwei Grundsätze beherrschten von Anfang an die Arbeit am materiellen Teil des europäischen Patentrechts.
2   Einmal wollte man den Schutz für die Erfindungen möglichst weit ziehen und zB auch chemische Erzeugnisse, Arzneimittel und Nahrungsmittel mit einbeziehen.
3   Zum anderen wollte man ein möglichst sicheres und unangreifbares Patent schaffen, also strenge Voraussetzungen für seine Erteilung aufstellen. Absoluter Neuheitsbegriff, erfinderische Tätigkeit und gewerbliche Anwendbarkeit sind deshalb die Bedingungen für einen europäischen Patentschutz.
4   Die Regelungen des materiellen Patentrechts waren seit 1960, dem Beginn der Arbeiten am europäischen Patentrecht, laufend mit den Vertretern der beteiligten Kreise erörtert und beträchtlich verbessert worden.
5   Im übrigen sind die wesentlichen Begriffe des materiellen Patentrechts dem im Rahmen des Europarats ausgearbeiteten Straßburger Übereinkommen zur Vereinheitlichung gewisser Begriffe des materiellen Rechts der Erfindungspatente vom 27.11.1963 entnommen, das am 1.8.1980 in Kraft getreten ist. Die beteiligten Staaten waren sich darüber einig, die richtungweisenden Bestimmungen dieses Harmonisierungsübereinkommens im europäischen Patentsystem zu berücksichtigen. Dieses Straßburger Übereinkommen beruht im übrigen weitgehend auf den Vorarbeiten, die die nordischen Staaten bei der Ausarbeitung ihres nordischen Patentrechts und die ursprünglich 6 EWG-Staaten bei der Ausarbeitung des Abkommens eines europäischen Patentrechts geleistet haben.
6   Vertragsstaaten des Harmonisierungsübereinkommens sind zZt: Dänemark, Deutschland, Frankreich, Großbritannien, Irland, Italien, Liechtenstein, Luxemburg, Mazedonien, die Niederlande, Schweden und die Schweiz. Das Straßburger Übereinkommen (StraßbÜ) ist als Anhang 9 mit einer Kurzkommentierung der einzelnen Bestimmungen wiedergegeben.

Das europäische materielle Patentrecht hat im Laufe der 1969 wieder aufgenommenen Verhandlungen eine steigende Bedeutung erlangt. Ursprünglich sollte es nur die Voraussetzungen für die Erteilung von europäischen Patenten festlegen; deren Vernichtung sollte in jedem Land nach den dort geltenden und durchaus unterschiedlichen materiell-rechtlichen Bestimmungen erfolgen. Auf nachdrücklichen Wunsch der interessierten Kreise wurde diese Minimallösung in eine Maximallösung umgewandelt: Kein Staat darf das europäische Patent aufgrund nationaler materiell-rechtlicher Bestimmungen vernichten, die über die Voraussetzungen für die Erteilung von europäischen Patenten hinausgehen. Dieser Grundsatz hat sicher den Wert des europäischen Patents beträchtlich erhöht; auf der anderen Seite hatte er es einigen Staaten erschwert, dem Übereinkommen beizutreten.

Das europäische materielle Patentrecht weist gegenüber den meisten früheren nationalen Patentrechten der Vertragsstaaten Unterschiede auf. Die Unterschiede liegen auf verschiedenen Ebenen, sie sind auch in ihrer Bedeutung für die einzelnen Staaten verschieden. 7

In den Staaten, die früher keine Erfindungshöhe verlangt haben oder die sich mit einem relativen Neuheitsbegriff zufrieden gegeben haben, ist es jetzt schwerer, ein europäisches Patent zu erlangen, als früher ein nationales. Andererseits können gewisse national bisher zusätzlich vorgesehene Voraussetzungen für das europäische Patent nicht verlangt werden. Dies gilt zB für den in der deutschen Praxis verlangten *technischen Fortschritt*. 8

Die Bedeutung des europäischen materiellen Patentrechts beschränkt sich jedoch nicht nur darauf, dass es bei der Erteilung von europäischen Patenten anzuwenden ist. Die meisten Vertragsstaaten haben inzwischen auch ihr nationales materielles Patentrecht dem europäischen Recht angeglichen. 9

Artikel 52 Patentfähige Erfindungen

(1) **Europäische Patente werden für Erfindungen erteilt, die neu sind, auf einer erfinderischen Tätigkeit beruhen und gewerblich anwendbar sind.**

(2) **Als Erfindungen im Sinn des Absatzes 1 werden insbesondere nicht angesehen:**
a) **Entdeckungen sowie wissenschaftliche Theorien und mathematische Methoden;**
b) **ästhetische Formschöpfungen;**
c) **Pläne, Regeln und Verfahren für gedankliche Tätigkeiten, für Spiele oder für geschäftliche Tätigkeiten sowie Programme für Datenverarbeitungsanlagen;**
d) **die Wiedergabe von Informationen.**

(3) **Absatz 2 steht der Patentfähigkeit der in dieser Vorschrift genannten Gegenstände oder Tätigkeiten nur insoweit entgegen, als sich die europäische Patentanmeldung oder das europäische Patent auf die genannten Gegenstände oder Tätigkeiten als solche bezieht.**

(4) **Verfahren zur chirurgischen oder therapeutischen Behandlung des menschlichen oder tierischen Körpers und Diagnostizierverfahren, die am**

menschlichen oder tierischen Körper vorgenommen werden, gelten nicht als gewerblich anwendbare Erfindungen im Sinn des Absatzes 1. Dies gilt nicht für Erzeugnisse, insbesondere Stoffe oder Stoffgemische, zur Anwendung in einem der vorstehend genannten Verfahren.

Margarete Singer/Dieter Stauder

Übersicht

1	Allgemeines	1-2
2	Allgemeines Patentierungsgebot	3-6
3	Die wichtigsten Voraussetzungen der Patentierbarkeit	7-8
4	Begriff der Erfindung	9-12
5	Technischer Fortschritt und Nützlichkeit	13
6	Ausschluss von der Patentierbarkeit (Überblick über Abs 2–4)	14-15
7	Entdeckungen, wissenschaftliche Theorien und mathematische Methoden (Abs 2 a))	16-17
8	Ästhetische Formschöpfungen (Abs 2 b))	18-19
9	Gedankliche Tätigkeiten, Spiele und geschäftliche Tätigkeiten (Abs 2 c) 1. Satzteil)	20-26
10	Computerprogramme – computerbezogene Erfindungen (Abs 2 c) 2. Satzteil)	27-40
11	Informationswiedergabe (Abs 2 d))	41-46
12	Enge Auslegung des Ausschlusses (Abs 3)	47-48
13	Heilverfahren (Abs 4)	49-64
14	Diagnostizierverfahren (Abs 4)	65-68
15	Erzeugnisse, insbesondere Arzneimittel (Abs 4) – zweite medizinische Indikation	69-73

1 Allgemeines

1 Art 52 (1) zählt die materiellrechtlichen Voraussetzungen des europäischen Patents auf, die in den sich anschließenden Artikeln definiert werden. Zur Praxis des EPA siehe PrüfRichtl C-IV, 1.2.

2 Der Artikel geht auf Art 1 StraßbÜ zurück, der allerdings die Ausnahmeregeln der Abs 2–4 nicht enthält (siehe Anhang 9). Fast alle Vertragsstaaten haben den Artikel 52 für ihre nationalen Patente vollständig in ihre nationalen Patentgesetze übernommen. Dem schweizerischen Gesetzgeber erschien dies überflüssig.

Zur Entstehungsgeschichte siehe Kolle, Die patentfähige Erfindung im europäischen Patenterteilungsübereinkommen.[1]

---

[1] Kolle, Die patentfähige Erfindung im europäischen Patenterteilungsübereinkommen, in: Gewerblicher Rechtsschutz, Urheberrecht, Wirtschaftsrecht, Mitarbeiterfestschrift für Eugen Ulmer, 1973, S 207 ff.

EPÜ 2000

Nach dem Text der Neufassung werden in Anlehnung an Art 27 (1) Satz 1 TRIPS alle Gebiete der Technik erfasst. Der vorgeschlagenen Streichung der Programme für Datenverarbeitungsanlagen in Art 52 (2) c) folgte die Konferenz nicht.

2 Allgemeines Patentierungsgebot

Dem Abs 1 kommt eine das gesamte materielle Patentrecht beherrschende Bedeutung zu. Er enthält als Grundsatznorm ein allgemeines Patentierungsgebot: Grundsätzlich sind für Erfindungen europäische Patente zu erteilen. Ausnahmen von diesem Gebot sind eng auszulegen.[2] Wenn auch das TRIPS-Abkommen nicht unmittelbar auf das EPÜ anwendbar ist, so gilt doch der Grundsatz von Art 27 (1) TRIPS, dass Erfindungen aller Technikbereiche ohne Ausnahme patentierbar sein sollen. Dabei sind die Rechtssituation im Ausland (USA und Japan) und die moderne Technikentwicklung zu beachten.[3]   3

Die Bestimmung besagt aufgrund ihres generellen Charakters, dass grundsätzlich alle technischen Gebiete im weitesten Sinn, soweit sie nicht ausdrücklich ausgeschlossen sind, dem Schutz durch europäische Patente zugänglich sind.   4

Vorbehaltsmöglichkeiten für chemische Erzeugnisse, Nahrungs- oder Arzneimittel gestattete Art 167 (2) a) für eine Übergangszeit von höchstens 15 Jahren ab Inkrafttreten des EPÜ. Die Übergangszeit ist am 7.10.1992 abgelaufen.   5

Das EPÜ ist beim Schutz chemischer Erzeugnisse nicht vom sogenannten zweckbestimmten Stoffschutz ausgegangen, sondern vom absoluten Stoffschutz: ein neuer chemischer Stoff wird als solcher ganz allgemein geschützt, und zwar nicht nur für die aufgefundene und in der Beschreibung aufgeführte Verwendung.   6

Einzelheiten zur Patentierbarkeit von Zwischenprodukten siehe Art 56 Rdn 62–63.

3 Die wichtigsten Voraussetzungen der Patentierbarkeit

Abs 1 legt vier Voraussetzungen für die Erteilung von europäischen Patenten fest: Es muss sich um eine **Erfindung** handeln, die **neu** ist, auf **erfinderischer Tätigkeit** beruht und **gewerblich anwendbar** ist.   7

Diese vier Voraussetzungen ergeben sich trotz der unterschiedlichen Formulierungen auch aus der englischen und der französischen Fassung, gleichgültig, ob die Neuheit in einem besonderen Nebensatz aufgeführt ist (englische und   8

---

2   Siehe **G 1/83, G 5/83, G 6/83**, ABl 1985, 60, 64 und 67 – Zweite medizinische Indikation –, Nr 22 mit Hinweis auf die im Ergebnis gleiche Auffassung des deutschen Bundesgerichtshofs.

3   **T 1173/97**, ABl 1999, 609, Nr 2, zum Schutz von Computerprogrammen.

deutsche Fassung) oder ob das Adjektiv dem Erfindungsbegriff beigefügt ist (französische Fassung).[4]

Die Begriffe der Neuheit, der erfinderischen Tätigkeit und der gewerblichen Anwendbarkeit werden in den folgenden Artikeln definiert.

4 Begriff der Erfindung

9 Den Begriff der Erfindung hat das EPÜ nicht definiert. Es wäre aber auch nicht möglich gewesen, sich auf eine eindeutige Definition der *Erfindung* zu einigen.[5] Abs 2 begnügt sich mit einem Negativkatalog, dessen Gegenstände nach dem EPÜ keine Erfindungen sind. Gleichwohl ergeben sich aus dem EPÜ und der AO für den Erfindungsbegriff wichtige Anhaltspunkte: Nach Art 54 (1) (Neuheit) und Art 56 (erfinderische Tätigkeit) bildet der Stand der Technik die Grundlage für die Beurteilung einer Erfindung. Einer solchen Betrachtung sind aber nur Schöpfungen auf technischem Gebiet zugänglich, die einen Beitrag zum Stand der Technik leisten. Kunstwerke als ästhetische Schöpfungen werden nicht an einem Stand der Technik gemessen.

10 Vom technischen Charakter der Erfindung gehen auch die Anmeldebestimmungen der AO aus: Der Anmelder muss das technische Gebiet angeben, auf das sich die Erfindung bezieht (R 27 (1) a)); die technische Aufgabe und ihre Lösung müssen sich aus der Offenbarung der Erfindung ergeben (R 27 (1) c)); in den Patentansprüchen, die für den Schutzbereich nach Art 69 maßgeblich sind, sind die technischen Merkmale der Erfindung anzugeben (R 29 (1)).

11 Allgemeiner formuliert: Die Erfindung muss technischen Charakter haben und ein technisches Problem mit – zumindest teilweise – technischen Mitteln lösen. Enthält eine Erfindung technische und nichttechnische Merkmale, so ist ihre Patentierbarkeit nicht ausgeschlossen. Der technische Charakter einer Lehre geht durch zusätzliche nichttechnische Merkmale nicht verloren. Die unterschiedlichen Mittel werden nicht gewertet oder gewichtet, und es kommt auch nicht darauf an, auf welchem Gebiet der Kern einer Erfindung liegt. Eine beanspruchte Erfindung aus einer Mischung von technischen und nichttechnischen Merkmalen ist generell als Erfindung anzusehen; der Stand der Technik ist bei der Entscheidung, ob es sich bei dem beanspruchten Gegenstand um eine Erfindung handelt, nicht zu berücksichtigen.[6]

Die Rechtsprechung der Beschwerdekammern bemüht sich um eine weite Definition des Begriffs *Technik*.

---

4 Siehe auch PrüfRichtl C-IV, 1.1. und Mathély, S 97.
5 Siehe auch House of Lords vom 31.10.1996 – *Biogen Inc. v. Medeva Plc.* –, [1997] R.P.C. 1 (41–42); GRUR Int 1998, 412, 414 f.
6 **T 258/03**, ABl 2004, 575, Nr 3 – Auktionsverfahren/HITACHI – mit Erörterung der früheren Rechtsprechung; siehe dazu Wiebe/Heidinger, GRUR 2006, 177; **T 931/95**, ABl 2001, 575, LS I, Nr 4 – Steuerung eines Pensionssystems – PBS/Partnership wird hier im Hinblick auf Verfahrenspatente als abweichend behandelt.

Was unter *technisch* zu verstehen ist, bestimmt weder das EPÜ noch die AO. In der deutschen Rechtsprechung sind immer wieder Definitionen des Erfindungsbegriffes entwickelt worden, aus denen sich eine Definition der *Technik* ableiten lässt. Diese Definitionen können auch im internationalen Bereich hilfreich sein: Der deutsche Bundesgerichtshof stellt zB darauf ab, dass beherrschbare Naturkräfte zur Erreichung eines kausal übersehbaren Erfolgs eingesetzt werden.[7] Nach einer früheren Entscheidung des Bundespatentgerichts vom 15.1.1965 ist technisch »die Wirkung gelenkter Naturkräfte und planmäßig ausgenützter Naturerscheinungen«.[8] Diese weitere Auslegung dürfte heute bei der steigenden Bedeutung der Erfindungen auf dem Gebiet der Biologie der überwiegenden Auffassung entsprechen.[9] **12**

5 Technischer Fortschritt und Nützlichkeit

Das Übereinkommen fordert für die Patentierbarkeit nicht, dass eine Erfindung technisch fortschrittlich oder nützlich sei. Vorteile der Erfindung gegenüber dem Stand der Technik sind aber für die Beurteilung der erfinderischen Tätigkeit wichtig und daher in der Beschreibung anzuführen (R 27 (1) c)).[10] **13**

6 Ausschluss von der Patentierbarkeit (Überblick über Abs 2–4)

Art 52 (2)–(4) schließt bestimmte Gegenstände von der Patentierbarkeit aus. Die Gründe dafür sind heterogen und bedürfen jeweils gesonderter Beachtung bei der Auslegung von Art 52 (siehe Rdn 16–17). Abs 4 wird bei **EPÜ 2000** aus systematischen Gründen zu Art 53 c). **14**

Der Ausdruck *insbesondere* zu Beginn des Abs 2 stellt klar, dass es sich um keine abschließende Aufzählung handelt. Die wichtigsten Ausnahmen sind allerdings praktisch vollständig erfasst. Dabei ist stets zu beachten, dass sie als Ausnahmen eng auszulegen sind (vgl Rdn 3). Zahlreiche Erläuterungen zu diesen Begriffen enthalten die PrüfRichtl C-IV, 2. **15**

7 Entdeckungen, wissenschaftliche Theorien und mathematische Methoden (Abs 2 a))

Mit Abs 2 a) schließt das EPÜ Entdeckungen, wissenschaftliche Theorien und mathematische Methoden als Erfindungen aus. Diese Gegenstände gehören dem Bereich menschlicher Erkenntnistätigkeit und nicht der praktischen Anwendung an. Es fehlt ihnen der technische Charakter. Sie liegen allerdings oft **16**

---

7 Beschluss des BGH vom 27.3.1969 – *Rote Taube* –, GRUR 69, 672.
8 Bundespatentgericht vom 15.1.1965, BPatGE 6, 145 (147).
9 Zur Krebsmaus/Harvard siehe Einspruchsabteilung des EPA vom **7.11.2001**, ABl 2003, 473, Nr 2.1: Der Einbau eines fremden Gens in das Genom ist ein technisches Verfahren; siehe näher Art 53.
10 PrüfRichtl C-IV, 1.3.

Erfindungen zugrunde; denn als wissenschaftliche Grundsätze sind sie Teil der angewandten Naturwissenschaften und der Ingenieurkunst.[11] Auch Algorithmen als solche sind keine patentfähigen Erfindungen in diesem Sinne.

17 Erst die Auffindung einer technischen Verwertung der Entdeckung, Theorie oder Methode kann als Erfindung patentierbar sein. Eine gewisse Einschränkung erfährt dieser Grundsatz bei neu aufgefundenen Naturstoffen, deren Vorhandensein nicht bekannt war und deren Struktur oder andere Parameter erstmals beschrieben werden. Der Stoff kann als solcher patentierbar sein. Da der Stoff, obwohl in der Natur bereits vorhanden, mangels Bekanntheit nicht verfügbar war, wird der Allgemeinheit nichts vorher Zugängliches entzogen (zur Mikrobiologie und Gentechnik siehe Art 53).

8 Ästhetische Formschöpfungen (Abs 2 b))

18 Die ästhetische Leistung der Formschöpfung bezieht sich nicht auf das Gebiet der Technik, sondern ist ein durch Urheberrecht oder als Geschmacksmuster schützbares immaterielles Recht. Ästhetische Wirkungen können jedoch mit technischen Problemlösungen herbeigeführt werden. Ob ein Merkmal technisch oder nichttechnisch ist, hängt nach T 119/88 von der Wirkung des beanspruchten Merkmals ab.[12] Richten sich die Wirkungen an den Form- und Farbensinn, können sie nicht patentbegründende Merkmale sein.[13]

19 In T 456/90 wurde der Verbindung eines Uhrgehäuses mit der Färbung des Uhrglases und dem Armband einer Armbanduhr ästhetische Wirkung zugeschrieben.[14] Aus der besonderen Art der Verbindung ergab sich kein technischer Vorteil. Soweit diese Form der Verbindung, die einen fugenlosen Übergang ermöglicht, als technisches Mittel anzusehen ist, lag sie für den Fachmann auf der Hand und war deshalb nicht erfinderisch.[15]

9 Gedankliche Tätigkeiten, Spiele und geschäftliche Tätigkeiten (Abs 2 c) 1. Satzteil)

20 Die Aufzählung in Abs 2 c) enthält sogenannte Anweisungen an den menschlichen Geist (mental steps[16]). Sie wenden sich an den Menschen, der sie durch rein geistige Tätigkeit umsetzt. Diese Anweisungen haben keinen technischen Charakter und können daher nicht patentiert werden.[17]

---

11 Siehe auch PrüfRichtl C-IV, 2.3.1 – 2.3.3.
12 **T 119/88**, ABl 1990, 395.
13 Siehe auch PrüfRichtl C-IV, 2.3.4.
14 **T 456/90** vom 25.11.1991.
15 Vgl weiter **T 686/90** vom 10.7.1993, **T 962/91** vom 24.4.1993; siehe Rspr BK 1998 I-A, 1.5, S 40 f.
16 **T 51/84**, ABl 1986, 226.
17 Siehe auch PrüfRichtl C-IV, 2.3.5.

Nach dem ersten Teil von Abs 2 c) fällt ein Verfahren zur städtischen Verkehrsregelung in das Gebiet der Pläne und Regeln.[18] Auch eine Anweisung an die Bankkunden, ihre Identifikationskarten in einer bestimmten Weise in einem bekannten Bankautomaten zu benutzen, ist eine Methode für geschäftliche Tätigkeiten.[19] Ebenso wurde in **T 51/84** eine Anweisung an Benutzer bewertet.[20] In **T 833/91** richtete sich die Erfindung an den Programmierer und war gleichzeitig eine Informationswiedergabe.[21] In **T 453/91** konnte kein Patent erteilt werden, soweit die Erfindung sich auf das Entwerfen von Chips bezog;[22] die materielle Herstellung von Chips wurde patentiert.

21

Nach **T 22/85** fällt das Zusammenfassen eines Dokuments, das Speichern der Zusammenfassung und das Wiederauffinden durch Abfrage unter *Pläne, Regeln und Verfahren für gedankliche Tätigkeiten* nach Art 52 (2) c) und (3).[23] Das bloße Aufstellen von aufeinander folgenden Schritten zur Durchführung einer Tätigkeit, die in Form von Funktionen oder funktionellen Mitteln angegeben ist und mit Hilfe üblicher Computerhardware und als Programm verwirklicht werden soll, kann dieser Erfindung keinen technischen Charakter verleihen.

22

Nach **T 38/86** ist die Lösung linguistischer Probleme mit Hilfe des Computereinsatzes nicht patentfähig.[24] Die Automatisierung von Textverarbeitung leistet keinen Beitrag auf einem Gebiet der Technik. Als entscheidend wird angesehen, ob die Erfindung einen Beitrag auf einem technischen Gebiet leistet, das von der Patentfähigkeit nicht ausgeschlossen ist.[25]

23

In **T 158/88** bestand die Aufgabe darin, Schriftzeichen, deren Bild sich nach ihrer Stellung im Wort richtet (zB Arabisch), anschlagssimultan in ihrer vollständigen Zeichenform darzustellen und trotzdem ein orthographisch richtiges Schreiben zu ermöglichen.[26] Die Darstellung vollständiger Zeichen anstelle von Bruchstücken, die damit erreicht wurde, dient der leichteren gedanklichen Erfassbarkeit des Zeichens, das orthographisch korrekte Schreiben der leichteren gedanklichen Verarbeitung des wiedergegebenen Textes. Diese beiden

24

---

18   **T 16/83** vom 12.12.1985.
19   **T 854/90**, ABl 1993, 669.
20   **T 51/84**, ABl 1986, 226.
21   **T 833/91** vom 16.4.1993.
22   **T 453/91** vom 31.5.1994.
23   **T 22/85**, ABl 1990, 12.
24   **T 38/86**, ABl 1990, 384.
25   Ähnlich auch **T 121/85** vom 14.3.1989; **T 52/85** vom 16.3.1989; **T 65/86** vom 22.6.1989; **T 186/86** vom 5.12.1989; **T 95/86** vom 23.10.1990, **T 833/91** vom 16.4.1993.
26   **T 158/88**, ABl 1991, 566, Nr 3.3.

Teilaufgaben sind nicht technischer Natur, die Aufgabe ist daher nicht technisch.[27]

25 Dagegen sah die Kammer in **T 110/90** in Steuerzeichen, die als digitale Daten in einem Text enthalten sind, technische Merkmale eines Textumwandlungsverfahrens und ließ die Patentierung zu (siehe Rdn 34).[28]

26 Nach **T 931/95** sind Verfahren, bei denen es nur um wirtschaftsorientierte Konzeptionen und Verfahrensweisen für geschäftliche Tätigkeiten geht, keine Erfindungen;[29] ein Verfahrensmerkmal, das die Verwendung technischer Mittel für einen rein nichttechnischen Zweck und/oder zur Verarbeitung rein nichttechnischer Informationen betrifft, verleiht nach dieser Entscheidung einem solchen Verfahren nicht zwangsläufig technischen Charakter. In diesem Punkt erklärt **T 258/03**, darin abzuweichen.[30] **T 931/95** räumt jedoch die Patentierbarkeit als Vorrichtung ein.[31]

Nach **T 258/03** ist die Begründung, ob eine Nichterfindung nach Art 52 (2) vorliegt, von der Anspruchskategorie unabhängig.[32] Weil sich im konkreten Fall die Lösung auf die Regeln der Auktion bezieht, dh keine technische Lösung darstellt, lag keine erfinderische Tätigkeit vor.[33]

10 Computerprogramme – computerbezogene Erfindungen

27 Nach dem zweiten Teil von Abs 2 c) sind Programme für Datenverarbeitungsanlagen **als solche** vom Schutz durch europäische Patente – wie auch in nationalen Patentgesetzen der Vertragsstaaten – ausgeschlossen.

28 1986 und 1987 ergingen zur Patentfähigkeit programmbezogener Erfindungen die ersten Grundsatzentscheidungen **VICOM** und **Röntgeneinrichtung**, aus denen sich die wesentlichen Kriterien für die Patentierbarkeit derartiger Erfindungen ergeben.

29 Die **VICOM**-Entscheidung sah als patentierbar an ein Verfahren zur digitalen Verarbeitung von Bildern in Form eines zweidimensionalen Datenfeldes mit in Zeilen und Spalten angeordneten Elementen sowie mit einer Vorrichtung zur Durchführung dieses Verfahrens.[34] Der erfinderische Gedanke konnte mathematisch beschrieben werden und beruhte auf einer mathematischen Methode, die mit Hilfe eines Computerprogramms durchgeführt wurde. Beides fällt

---

27 Vgl auch DE-BGH vom 1.6.1991 – *Chinesische Schriftzeichen*, GRUR 1992, 36 und DE-BPatG vom 21.1.1997 – *CAD/CAM-Einrichtung*, BPatGE Bd 38, S 31.
28 **T 110/90**, ABl 1994, 557.
29 **T 931/95**, ABl 2001, 441, LS II, Nr 3.
30 **T 258/03**, ABl 2004, 575, LS I, Nr 4.
31 **T 931/95**, ABl 2001, 441, LS III, Nr 5.
32 **T 258/03**, ABl 2004, 575, Nr 4.1.
33 **T 258/03**, ABl 2004, 575, Nr 5.7; mit LS II generalisierend zum nichttechnischen Charakter.
34 **VICOM, T 208/84**, ABl 1987, 14.

zwar unter den Ausschluss von Abs 2 c). Das Bildverarbeitungsverfahren hat jedoch technischen Charakter, weil die elektrischen Signale für die Daten physikalische Erscheinungen (Entitäten) erzeugen, wie Pixel eines Bildes. Damit wurde die Patentfähigkeit unabhängig davon anerkannt, ob das Programm durch Hardware oder Software realisiert wird. Die Beschwerdekammer stellte den Satz auf, dass ein Anspruch auf einen an sich bekannten Computer zulässig und schutzfähig ist, wenn der Computer so vorbereitet ist, dass er ein neues technisches Verfahren nach einem bestimmten Programm steuert oder durchführt.[35]

T 26/86 – Röntgeneinrichtung – bestätigte diese Rechtsprechung für die Verbindung eines Röntgenapparats mit einem Computer, der mit einer Datenverarbeitungseinheit arbeitet, die die Röntgenröhren für eine optimale Belichtung ohne Überbelastung steuert;[36] die technische Aufgabe bestand darin, die Lebensdauer der Röntgenröhre zu verlängern. Auch hier richtete sich der Gegenstand des Anspruchs nicht auf ein Computerprogramm als solches; vielmehr wurde über das Computerprogramm im Röntgenapparat eine technische Wirkung ausgeübt. Die Beimischung nichttechnischer – hier mathematischer – Merkmale nahm der Erfindung nicht ihren technischen Charakter. Die technischen und nichttechnischen Merkmale eines Anspruchs werden nicht gewichtet für die Frage, ob der Anspruch auf ein Computerprogramm als solches gerichtet ist. **30**

Nach **T 115/85** ist die automatische optische Anzeige von Zuständen, die in einer Vorrichtung oder einem System auftreten, im Grunde eine technische Aufgabe.[37] Auch wenn die der Erfindung zugrunde liegende Idee in einem Computerprogramm besteht, ist ein Anspruch auf Verwendung des Programms zur Lösung der technischen Aufgabe nicht auf das Computerprogramm als solches gerichtet. Die technische Eigenschaft des Problems genügt zur Patentfähigkeit. **T 42/87** bestätigt diese Auffassung.[38] **31**

In **T 1002/92** wurde ein Patent erteilt für die in einem Computer ablaufende Programmfunktion zur Organisation der Bedienungsreihenfolge von Kunden in einer Warteschlange.[39] **32**

T 6/83 bezog sich auf ein Datenverarbeitungssystem mit einer Vielzahl von Prozessoren und insbesondere auf die Steuerung der internen Kommunikation zwischen Programmen und Dateien, die von verschiedenen Prozessoren bear- **33**

---

35 Vgl hierzu Entscheidung des Octrooiraad vom **12.9.1985**, ABl 1988, 71 und Beschluss des Octrooiraad vom **10.12.1990**, ABl 1993, 703 zur Patentfähigkeit eines computergestützten Verfahrens zur Verarbeitung von Daten.
36 **T 26/86**, ABl 1988, 19 – *Röntgeneinrichtung*.
37 **T 115/85**, ABl 1990, 30.
38 **T 42/87** vom 5.10.1989.
39 **T 1002/92**, ABl 1995, 605.

beitet wurden.[40] Diese Erfindung wurde ebenfalls als im wesentlichen technisch und daher patentfähig angesehen, obwohl die verbesserten Kommunikationsmöglichkeiten zwischen Programmen und Dateien durch Software und nicht durch Änderung der physikalischen Struktur der Prozessoren oder des Übertragungssystems erreicht wurden.

34 Diese Rechtsprechung wurde in T 110/90 bestätigt.[41] Die Kammer erkannte die Patentfähigkeit eines Textumwandlungsverfahrens mit Hilfe von Steuerzeichen an, bei dem das Programm das technische Mittel zur Ausführung des technischen Verfahrens der Textumwandlung war. Die Steuerzeichen in dem digitalisierten Dokument verkörperten technische Merkmale des Verfahrens. Die Umwandlung dieser Steuerzeichen in die Steuerzeichen für ein anderes Dokument hat deshalb technischen Charakter. Wird die Umwandlung durch einen entsprechend programmierten Computer ausgeführt, so stellen die Schritte dieses Verfahrens nicht ein Computerprogramm als solches dar, sondern sind ein Programm, das als technisches Mittel zur Ausführung eines technischen Verfahrens dient. Hier liegt der Unterschied zu T 158/88 (vgl Rdn 24).[42]

35 Eine wichtige Fortbildung der älteren Rechtsprechung brachte die **SOHEI**-Entscheidung, die ein Computer-Management-System als patentierbar zuließ:[43] Auch die Lösung einer allgemein gesehen nichttechnischen Aufgabe kann patentierbar sein, wenn die erfindungsgemäße Lösung dieser Aufgabe in ihren Einzelheiten technische Überlegungen erfordert, die der Erfindung insofern technischen Charakter verleihen, als sie eine technische Aufgabe implizieren, die durch (implizite) technische Merkmale zu lösen ist. Eine solche Erfindung bezieht sich nicht auf ein Computerprogramm als solches, auch wenn funktionelle Merkmale der Erfindung durch ein Computerprogramm realisiert werden.

36 In T 953/94 wurde die Patentierung einer Methode zur Datenanalyse des zyklischen Verhaltens einer Kurve abgelehnt, weil sich aus ihr keine technische Wirkung ergab;[44] den eingeschränkten Anspruch auf die Methode zur Verwendung bei der Steuerung eines physikalischen Vorgangs ließ die Kammer dagegen zu, weil dieser Anspruch sich auf die Lösung eines technischen Problems beschränkte.

37 In T 59/93 wurde ein Anspruch auf ein Verfahren zur Eingabe von Drehwinkelwerten in ein graphisches Zeichensystem gewährt, das die Drehung der auf dem Bildschirm abgebildeten graphischen Gegenstände exakter zeigte.[45] Nach Auffassung der Kammer definierten die einzelnen Verfahrensschritte die funk-

---

40 **T 6/83**, ABl 1990, 5.
41 **T 110/90**, ABl 1994, 557.
42 **T 158/88**, ABl 1991, 566.
43 **T 769/92**, ABl 1995, 525, Nr 3.3 und Leitsatz I.
44 **T 953/94** vom 15.7.1996.
45 **T 59/93** vom 20.4.1994.

tionellen Merkmale des Systems: Das Verfahren löse eine technische Aufgabe und erziele technische Wirkungen, die als Beitrag zum Stand der Technik zu würdigen seien.

Einen entscheidenden Schritt in dieser patentfreundlichen Rechtsprechung zum Patentschutz von Computerprogrammen bildet **T 1173/97**,[46] teils identisch mit **T 935/97**:[47] Auch ein auf ein Computerprogramm als solches gerichteter Anspruch ist dann nicht von der Patentierung ausgeschlossen, wenn das auf einem Computer laufende oder auf ihn geladene Programm einen über das normale physikalische Zusammenspiel zwischen Programm (Software) und Computer (Hardware) hinausgehenden **technischen Effekt** bewirkt.[48]

38

Im Anschluss an diese beiden Entscheidungen erging **T 931/95**, die mangels technischen Charakters ein Verfahrenspatent ablehnte, aber ein Vorrichtungspatent zuließ.[49] **T 641/03** nahm die Prüfung des technischen Charakters im konkreten Fall bei der erfinderischen Tätigkeit vor.[50] Schließlich entschied **T 258/03**[51] abweichend von **T 931/95** dahin,[52] dass bei der Beurteilung des technischen Charakters nicht nach technischen und nichttechnischen Merkmalen zu differenzieren ist.

39

Zusammenfassend ergibt sich aus dieser Rechtsprechung, dass nach dem EPÜ das Tor für den Patentschutz von Erfindungen weit geöffnet ist, die Computerprogramme zum Gegenstand haben oder einschließen, und dass solche Erfindungen patentfähig sind, wenn zumindest eines der folgenden Kriterien vorliegt:

40

a) Das zugrundeliegende Problem hat technischen Charakter (siehe Rdn 29).[53]
b) Die für die Lösung des zugrunde liegenden Problems benutzten Mittel sind technischer Natur (technische Merkmale, siehe Rdn 33 und 34).[54]
c) Mit der Lösung des Problems werden technische Wirkungen erzielt (siehe Rdn 37).[55]

---

46 **T 1173/97**, ABl 1999, 609.
47 **T 935/97** vom 4.2.1999.
48 Siehe dazu auch DE-BPatG vom 12.12.2005 – *Computerprogramm-Anspruch*, Mitt 2006, 217 mit Anmerkung von Körfer.
49 **T 931/95**, ABl 2001, 441, LS II und III.
50 **T 641/00**, ABl 2003, 352.
51 **T 258/03**, ABl 2004, 575, LS I, Nr 4.
52 **T 931/95**, ABl 2001, 441, LS II.
53 Vgl **VICOM, T 208/84**, ABl 1987, 14; **Röntgeneinrichtung T 26/86**, ABl 1988, 19.
54 Vgl **T 6/83**, ABl 1990, 5 und **T 110/90**, ABl 1994, 557.
55 Vgl **T 59/93** vom 20.4.1994.

d) Die erfinderische Lösung erfordert in ihren Einzelheiten technische Überlegungen, die eine technische Aufgabe implizieren (siehe Rdn 35).[56]
e) Ein beanspruchtes Computerprogramm, das auf dem Computer läuft oder in ihn geladen ist, bewirkt einen über das normale physikalische Zusammenspiel zwischen Programm und Computer hinausgehenden technischen Effekt (siehe Rdn 38).[57]
f) Bei der Beurteilung des technischen Charakters werden technische und nichttechnische Merkmale gemeinsam einbezogen. Vorrichtungs- und Verfahrenspatente unterliegen grundsätzlich der gleichen technischen Beurteilung.[58]

Neuere Literatur: Laub, Patentfähigkeit von Softwareerfindungen: Rechtliche Standards in Europa und in den USA und deren Bedeutung für den internationalen Anmelder, GRUR Int 2006, 629. Siehe weiter GB-Court of Appeal vom 27.10.2006, **Aerotol v. Telco**, die von Richter Jacob formulierten Fragen (Nr 76 der Gründe).
Siehe auch Prüfungsrichtlinien C-IV, 2.3.6.

11 Informationswiedergabe (Abs 2 d))

41 Die Formulierung in Abs 2 d) *Wiedergabe von Informationen* ist aus R 39.1 v) PCT übernommen und bezieht sich im Prinzip auf den Informationsgehalt selbst. Schließt die Art der Informationswiedergabe jedoch neue technische Merkmale ein, so kann das Verfahren oder die Vorrichtung für die Wiedergabe der Information (Informationsträger) einen patentfähigen Gegenstand bilden.[59]

42 Die Farbgebung von Plattenhüllen für Disketten zu Ordnungszwecken ist dagegen ästhetischer Natur und eine bloße Wiedergabe von Information.[60] Zur nicht patentfähigen Übermittlung von Informationen in einem Bilderbuch für Kinder siehe **T 144/90**.[61]

43 Die nicht schutzfähige Wiedergabe von Informationen behandelt auch **T 603/89** für das Anbringen von Markierungslaschen auf der Tastatur eines Musikinstruments.[62] Die technisch-physikalischen Merkmale sind nicht neu und das Neue an dem beanspruchten Gegenstand bezieht sich auf die Darstellung einer Information. Da auch kein Zusammenwirken von technischen und nichttechnischen Informationen vorliegt, besteht der Beitrag lediglich im dar-

---

56 Vgl SOHEI, **T 769/92**, ABl 1995, 525.
57 **T 1173/97**, ABl 1999, 609.
58 **T 258/03**, ABl 2004, 575; vgl weiter **T 424/03** vom 23.2.2006, GRUR Int 2006, 851.
59 PrüfRichtl C-IV, 2.3.6 unter *Wiedergabe von Informationen*.
60 **T 119/88**, ABl 1990, 395, Nr 4.3.
61 **T 144/90** vom 3.12.1991.
62 **T 603/89**, ABl 1992, 230.

gestellten Informationsgehalt, so dass durch die Art der Markierung nur ein Verfahren für gedankliche Tätigkeit verbessert wird.

Die Ablehnung eines Patents für eine Erfindung, mit der codierte Kennzeichnungen auf einem Gegenstand angebracht und weitere Verfahrensschritte vorgenommen wurden, beruhte darauf, dass im Anspruch keinerlei technische Mittel zur Durchführung der beanspruchten Verfahrensschritte angegeben waren.[63]   44

T 163/85 erkannte ein durch technische Merkmale gekennzeichnetes Farbfernsehsignal als grundsätzlich patentierbar an.[64] Ein solches Fernsehsystem richtet sich nicht auf die Wiedergabe der Information als solche.   45

Allen diesen auf Art 52 (2) d) bezogenen Entscheidungen ist gemeinsam, dass die bloße Wiedergabe von Informationen auf gedanklicher, nichttechnischer Tätigkeit beruht. Enthält die Leistung nichts Zusätzliches, das über die Informationswiedergabe hinausgeht und technische Wirkungen auslöst, so wird sie nicht als Erfindung betrachtet und ist damit von der Patentierung ausgeschlossen.   46

12 Enge Auslegung des Ausschlusses (Abs 3)

Abs 3 ergänzt Abs 2 mit der sehr wichtigen Einschränkung, dass die Gegenstände oder Tätigkeiten in Abs 2 nur dann keine patentfähigen Erfindungen darstellen, wenn sich die europäische Patentanmeldung oder das europäische Patent auf die genannten Gegenstände oder Tätigkeiten **als solche** (as such) bezieht.   47

Bei der Auslegung von Abs 2 und 3 ist zu beachten, dass Abs 1 ein allgemeines Patentierungsgebot enthält (siehe oben Rdn 3).[65]   48

13 Heilverfahren (Abs 4)

Abs 4 schließt von der Patentierbarkeit chirurgische, therapeutische und diagnostische Verfahren am menschlichen und tierischen Körper aus. Solche Verfahren gelten zwar als Erfindung, werden aber in Abs 4 als nicht gewerblich anwendbar definiert. Die ärztliche Berufsausübung gilt als nicht gewerblich (nicht-kommerziell und nicht-industriell) (siehe auch Art 54 Rdn 87–89).[66]   49

---

63 **T 51/84**, ABl 1986, 226.
64 **T 163/85**, ABl 1990, 379.
65 **G 1/83, G 5/83** und **G 6/83**, ABl 1985, 60, 64 und 67, Nr 21; **T 1173/97**, ABl 1999, 609, Nr 10.2 und **T 935/97** vom 4.2.1999, Nr 10.2, teilweise identisch.
66 **G 1/83, G 5/83** und **G 6/83**, ABl 1985, 60, 64 und 67, Nr 22; zuletzt **T 655/92**, ABl 1998, 17, Nr 5.2.

Artikel 52 *Patentfähige Erfindungen*

Die Ausnahmevorschrift hält die Tätigkeiten der Human- und Veterinärmedizin frei von patentrechtlichen Beschränkungen.[67]

50 Die Fiktion fehlender gewerblicher Anwendung mag heute künstlich erscheinen. Bis zur Münchner Diplomatischen Konferenz waren Heilverfahren in dem Entwurf des entsprechenden Artikels der Patentierbarkeit entzogen. Aufgrund eines Vorschlags der deutschen Delegation auf der Konferenz wurden mit der Begründung, dass es sich dabei durchaus um Erfindungen handelt, die genannten Verfahren als nicht gewerblich anwendbar dem Patentschutz entzogen.[68]

51 Nach dem EPÜ gilt der in Abs 4 vorgesehene Ausschluss von der Patentierbarkeit in gleicher Weise für die Behandlung von Mensch und Tier, was nicht in allen nationalen Patentrechten der Fall ist.

52 Geräte und Stoffe, insbesondere Medikamente, können nach Abs 4 Satz 2 geschützt werden (siehe Rdn 67, 69 und 72; Art 54 Rdn 85 und 86). Patentierbar sind im Falle des Patentierungsverbots für therapeutische und diagnostische Behandlungen Herstellungsverfahren für Arzneimittel mit neuer therapeutischer oder diagnostischer Verwendung, selbst wenn die Verfahren bekannt sind (siehe Rdn 69; Art 54 Rdn 90–98 zur zweiten medizinischen Indikation).

53 Die **chirurgische Behandlung** bezweckt durch Eingriffe am lebenden Körper die Beseitigung und Heilung von Krankheiten, Körperfehlern oder Unfallfolgen. Das können sowohl Operationen (blutige Eingriffe) als auch konservative, unblutige Verfahren sein, zB das Wiedereinrenken eines ausgekugelten Gelenks. Auch moderne Verfahren durch Strahlen (Laser) oder Druckwellen gehören dazu. Mit dem Begriff der chirurgischen Behandlung setzt sich **T 182/90** eingehend auseinander.[69] Der Begriff unterliegt heute einem Bedeutungswandel und ist nicht nur auf die Gesundheit gerichtet. Auch Behandlungsverfahren, die keinem Heilzweck dienen, können chirurgischer Art sein: kosmetische Behandlungen, Schwangerschaftsabbrüche, künstliche Insemination, Organentnahmen (Nr 2.2 der Entscheidung). In der Regel verleiht **ein chirurgischer Verfahrensschritt** einem mehrstufigen medizinischen Behandlungsverfahren chirurgischen Charakter und entzieht es der Patentierbarkeit.[70] **T 383/03** unterwirft chirurgische Behandlungen nicht dem Patentierungsverbot, die eindeutig weder geeignet noch potentiell geeignet sind, die Gesundheit, die physische Unversehrtheit oder das physische Wohlergehen von Menschen oder Tieren zu erhalten oder wiederherzustellen.[71]

---

67 G 1/83, ABl 1995, 60, Nr 22; zur Krebsmaus/Harvard siehe Einspruchsabteilung vom **7.11.2001**, ABl 2003, 473 Nr 2.3.
68 Berichte der MDK, M/TR/I, S 28 Nr 24; siehe auch PrüfRichtl C-IV, 4.1 und 4.2.
69 **T 182/90**, ABl 1994, 641, Nr 2.2–2.4.
70 **T 820/92**, ABl 1995, 113, Nr 5.5; **T 82/93**, ABl 1996, 274, Nr 1.4; **T 35/99**, ABl 2000, 447.
71 **T 383/03**, ABl 2005, 159, LS, Nr 3.4 und 4.2 – Verfahren zur Haarentfernung.

Das Operieren von Tieren im Rahmen einer wissenschaftlichen Untersuchung, in deren Verlauf das Tier schließlich getötet wird, ist ebenso wenig wie das Schlachten eine chirurgische Behandlung (Nr 2.5.2 der Entscheidung).

Ein Verfahren zur Laserbehandlung am menschlichen Auge ist nicht patentierbar, selbst wenn es sich um eine künstliche Linse handelt, die auf die Hornhaut aufgesetzt wird; denn ebenso wie andere Operationen ist auch dieses Verfahren von einem Arzt oder unter seiner Aufsicht durchzuführen.[72]

Durch die **therapeutische Behandlung** soll ein pathologischer Zustand in einen Normalzustand zurückgeführt oder einem pathologischen Zustand vorgebeugt werden. Der Begriff der Therapie ist nicht eng auszulegen: Auch die Linderung von Schmerzen oder Beschwerden und die Wiederherstellung der körperlichen Leistungsfähigkeit, selbst wenn ihre Verminderung nicht durch Krankheit verursacht ist, muss als therapeutische Behandlung im Sinne dieser Bestimmung angesehen werden.[73] Wenn die Befindlichkeitsstörungen natürliche Ursachen haben (zB Menstruation, Schwangerschaft, Alter) oder Reaktionen auf Umweltbedingungen sind (zB Müdigkeit oder Kopfschmerzen durch Lärm oder atmosphärische Bedingungen wie Föhn), so decken sie sich doch mit Krankheits- und Verletzungssymptomen und sind oft kaum davon zu unterscheiden. Die biochemischen Wirkmechanismen der Arzneimittel, die den Körper wieder in den normalen, leistungsfähigen, schmerzfreien Zustand versetzen sollen, sind häufig in beiden Fällen sehr ähnlich oder gar identisch. Es ist nur schwer möglich und nicht angebracht, zwischen Therapien gegenüber Ursachen und gegenüber Symptomen zu unterscheiden. Beides gehört im übrigen zur alltäglichen therapeutischen Praxis eines Arztes.

Ein Verfahren zur Erleichterung der Blutentnahme aus dem menschlichen Körper hat weder therapeutische Ziele noch Wirkungen.[74]

Auch **prophylaktische** Maßnahmen zur Verhinderung von Krankheiten und Befindlichkeitsstörungen, zB Impfungen als solche fallen unter den Begriff der therapeutischen Behandlung: Das Impfen von Ferkeln gegen die Aujeszky-Krankheit dient der Erhaltung und Wiederherstellung der Gesundheit des Tieres und ist daher nicht patentierbar.[75] Lediglich die neue Verwendung eines bekannten Impfstoffs kann als weitere medizinische Indikation patentierbar sein (vgl Art 54 Rdn 90–98).

T 290/86 stellt ebenfalls fest, dass die prophylaktische Behandlung (Entfernung von Zahnbelag) der therapeutischen gleichzustellen ist, auch wenn damit eine **kosmetische** Wirkung, die an sich patentierbar wäre, verbunden ist.[76] Wegen einer neuen zusätzlichen Wirkung konnte auch hier ein Patent wegen einer

---

72 **T 24/91**, ABl 1995, 512; bestätigt in **T 655/92**, ABl 1998, 17.
73 **T 81/84**, ABl 1988, 207.
74 **T 329/94**, ABl 1998, 241.
75 **T 19/86**, ABl 1989, 24.
76 **T 290/86**, ABl 1992, 414.

Artikel 52 *Patentfähige Erfindungen*

zweiten nichtmedizinischen Indikation erteilt werden. Die Beschwerdekammer verweist in diesem Zusammenhang (Nr 3.5 der Gründe) auf eine Entscheidung des britischen Patentgerichts in der Sache **Oral Health Products Inc. (Halstead's) Applications**, die Verfahren zur Entfernung von Zahnbelag als medizinische Behandlung von Menschen zur Krankheitsprophylaxe bezeichnet hat.[77] In gleicher Richtung entschied **T 116/85** bei der prophylaktischen Behandlung von Schweinen gegen Parasitenbefall.[78] Ob die prophylaktische Behandlung vom Tierarzt oder vom Züchter vorgenommen wird, ist dabei gleichgültig; eine Unterscheidung wäre rechtlich unmöglich (Nr 4.3 der Gründe). **T 182/90** bestätigt, dass eine medizinische Behandlung auch von einem Nichtarzt vorgenommen werden kann.[79] Die Behandlung von Haarausfall ist ebenfalls eine zugleich therapeutische und kosmetische Behandlung.[80]

59 Auch eine **Immunstimulierung** von Nutztieren ist eine nicht patentierbare therapeutische Behandlung, da durch sie mögliche künftige Leiden verhindert oder gelindert werden sollen. Die damit verbundene Erhöhung der Fleischproduktion war wegen des verbesserten Gesundheitszustands und der geringeren Todesrate der Tiere lediglich eine natürliche Folge der Behandlung und deshalb ein reiner Sekundärerfolg, der einer erfolgreichen therapeutischen Behandlung nicht ihren Charakter nach Art 52 (4) nimmt.[81] Die Anwendung der Erfindung zur Herstellung immunstimulierender Mittel konnte dagegen patentiert werden.

60 Ist ein bekannter chemischer Stoff gleichermaßen geeignet für die therapeutische Behandlung (Akne) als auch für kosmetische Zwecke, so können die Ansprüche sich sowohl auf das Erzeugnis zur Verwendung bei der therapeutischen Behandlung wie auch auf seine Anwendung als kosmetisches Erzeugnis beziehen.[82] Ein Appetitzügler wurde wegen seiner kosmetischen Wirkung patentiert.[83]

61 Zunehmend werden **technische Geräte am und im menschlichen Körper** für medizinische Zwecke eingesetzt. In **T 245/87** handelte es sich um ein Verfahren zur Funktionskontrolle von Medikamentendosiergeräten, die in den menschlichen Körper implantiert werden, zB zur Abgabe von Insulin.[84] Zwischen dem beanspruchten Messverfahren und der vom Gerät abgegebenen Me-

---

77 GB-High Court, Patents Court vom 14.10.1976, Oral Health Products Inc. (Halstead's) Applications, [1977] R.P.C. 612.
78 **T 116/85**, ABl 1989, 13.
79 **T 182/90**, ABl 1994, 641, Nr 2.2.
80 **T 143/94**, ABl 1996, 430, Nr 3.
81 **T 780/89**, ABl 1993, 440.
82 **T 36/83**, ABl 1986, 295.
83 **T 144/83**, ABl 1986, 301; 18 IIC, 258 (1987) mit kritischer Anmerkung von Pagenberg S 261.
84 **T 245/87**, ABl 1989, 171.

dikamentendosis besteht »kein funktioneller Zusammenhang und somit keine physikalische Kausalität« (Nr 3.2.3 der Entscheidung). Die technische Lehre der Erfindung richtete sich an den Apparatefachmann, nicht an den Arzt. Daher war das Verfahren nicht von der Patentierung ausgeschlossen.

Ein Anspruch auf ein Verfahren zum Betreiben eines **Herzschrittmachers** 62 zur Bekämpfung der Tachykardie ist als therapeutische Behandlung nicht patentierbar. **T 426/89** ließ jedoch einen Anspruch auf die konstruktiven Merkmale eines Herzschrittmachers zu;[85] siehe Rdn 72.

Dagegen sind Verfahren, die auf eine **Produktions- oder Qualitätssteige-** 63 **rung** durch schnelleres Wachstum von Tieren oder eine bessere Fleisch- oder Wollqualität des Tiers zielen, nicht therapeutisch und nach Auffassung des Hauptausschusses der Münchner Diplomatischen Konferenz patentierbar.[86] Die Verbesserung der Milchproduktion durch Verabreichung von Medikamenten wurde in **T 774/89** und **T 582/88** patentiert.[87] Die Immunstimulierung von Nutztieren (siehe Rdn 59) ist demgegenüber nicht patentierbar.

Auch **T 58/87** behandelt eine nichttherapeutische Maßnahme:[88] Ein Verfah- 64 ren, das Ferkel davor schützt, von der Muttersau erdrückt oder erstickt zu werden, wenn diese sich nach dem Fressen wieder hinlegt, ist patentierbar. Die Erfindung setzt Sensoren ein, die, sobald die Sau steht, Luft unter ihren Bauch blasen lassen, so dass die Ferkel diesen Bereich meiden. Die Einspruchsabteilung hatte bereits zu Recht dargelegt, dass es sich hierbei um **Unfallverhütung** und nicht um ein therapeutisches Verfahren handelt.

14 Diagnostizierverfahren (Abs 4)

Art 52 (4) schließt Diagnostizierverfahren, die am menschlichen oder tie- 65 rischen Körper vorgenommen werden, vom Patentschutz aus. Nach G 1/04 liegt ein Diagnostizierverfahren nach Abs 4 vor, wenn der Anspruch Merkmale umfasst, die sich auf Folgendes beziehen:[89] 1. die Diagnose zu Heilzwecken im strengen Sinne, also die deduktive human- oder veterinärmedizinische Entscheidungsphase als rein geistige Tätigkeit, 2. die vorausgehenden Schritte, die für das Stellen dieser Diagnose konstitutiv sind, und 3. die spezifischen Wechselwirkungen mit dem menschlichen oder tierischen Körper, die bei der Durchführung derjenigen vorausgehenden Schritte auftreten, die technischer Natur sind (LS I). Die technischen Verfahrensschritte, die für das Stellen der Diagnose

---

85 **T 426/89**, ABl 1992, 172; siehe zur Weiterbildung eines Verfahrens **T 789/96**, ABl 2002, 362.
86 Berichte der MDK, MPr/I, S 28 Nr 23.
87 **T 774/89** vom 2.6.1992; **T 582/88** vom 17.5.1990.
88 **T 58/87** vom 24.11.1988.
89 **G 1/04**, ABl 2006, 334, LS I, III und IV; Bublak/Coehn, Diagnostisierverfahren in der europäischen Rechtspechung: Die Stellungnahme **G 1/04**, GRUR Int 2006, 640; zur Folgerechtsprechung siehe **T 1197/02** vom 12.7.2006.

Artikel 52 *Patentfähige Erfindungen*

zu Heilzwecken in strengem Sinne konstitutiv sind und ihr vorausgehen, müssen das Kriterium »am menschlichen, oder tierischen Körper vorgenommen« erfüllen (LS III). Eine bestimmte Art oder Intensität der Wechselwirkung mit dem menschlichen oder tierischen Körper wird nicht verlangt (siehe näher LS IV).

66 Die Beurteilung hängt in diesem Zusammenhang nicht von den beteiligten Personen oder der Benutzung eines automatisierten Systems ab; ebenso wenig darf zwischen wesentlichen Verfahrensschritten mit diagnostischem Charakter und unwesentlichen Verfahrensschritten ohne diagnostischen Charakter unterschieden werden.[90]

67 Nach **T 208/83** muss ein diagnostisches Verfahren einen Hinweis auf die zu stellende Diagnose enthalten.[91] Wird **lediglich ein technisches Verfahren** beschrieben, wie ein bestimmtes Messgerät funktioniert, so handelt es sich nicht um ein diagnostisches Verfahren, das auf ein Untersuchungsergebnis zielt. Untersuchungsverfahren, die lediglich die Grundlage für die Diagnose liefern, ohne einen Bezug auf das Ergebnis herzustellen, sind keine diagnostischen Verfahren im Sinne der Ausnahmevorschrift.[92] Die Lieferung allein von Zwischenergebnissen, zB die Ermittlung chemischer und physikalischer Zustände innerhalb des tierischen oder menschlichen Körpers unter Verwendung magnetischer Resonanz, erfüllt ebenfalls nicht den Tatbestand des diagnostischen Verfahrens.[93]

68 Nur die **am menschlichen Körper vorgenommene Diagnose** ist nicht patentierbar.[94] Bei der Formulierung von Patentansprüchen muss darauf Bedacht genommen werden, dass die Auswertung der diagnostischen Anwendung nicht unmittelbar in Beziehung zum menschlichen Körper stattfindet.[95] Beispiel eines Diagnostizierverfahrens ist das Verfahren zur Konzentrationsbestimmung von Zucker mittels eines implantierten Sensors.[96] Patentierbar ist nach **T 400/87** ein Verfahren, mit dem aufgrund magnetischer Kernresonanzsignale Bildinformationen gewonnen werden, wobei die Abweichung von der Norm aus den gewonnenen Diagrammen abgelesen wird.[97]

---

90 G 1/04, ABl 2006, 334, LS II.
91 **T 208/83** vom 29.8.1984.
92 **T 61/83** vom 21.11.1983; **T 18/84** vom 7.12.1984; **T 45/84** vom 22.1.1985.
93 **T 385/86**, ABl 1988, 308; kritische Auseinandersetzung mit dieser Entscheidung **T 964/99**, ABl 2002, 4, Nr 3.3 ff.
94 **T 83/87** vom 14.1.1988.
95 Vgl **T 775/92** vom 7.4.1993.
96 **T 83/87** vom 14.1.1988.
97 **T 400/87** vom 1.3.1990.

15 Erzeugnisse, insbesondere Arzneimittel (Abs 4) – zweite medizinische Indikation

Nach Abs 4 Satz 2 können Erzeugnisse, insbesondere Stoffe oder Stoffgemische patentiert werden, selbst wenn sie in einem von der Patentierung ausgeschlossenen Verfahren (Abs 4 Satz 1) angewendet werden. Dieser Satz beugt dem Missverständnis vor, durch den Ausschluss der Heilverfahren sei auch die Patentierung der in diesen Verfahren benutzten Erzeugnisse ausgeschlossen. Außerdem stellt Abs 4 Satz 2 die Verbindung zu Art 54 (5) her, der die Patentierung von bereits bekannten Stoffen oder Stoffgemischen für therapeutische Zwecke ermöglicht (siehe Art 54 Rdn 87 und 90–98).

69

Ist die Wirkung eines bekannten Stoffes als Arzneimittel unbekannt, so kann sich ein Dritter diesen Stoff als Arzneimittel für eine **erste** medizinische Indikation schützen lassen (Art 54 (5)). Auch ein neu gefundener, nur ganz bestimmter Wirkungsbereich eines Stoffs kann es rechtfertigen, für diesen Stoff einen Patentanspruch als Arzneimittel generell zu gewähren;[98] siehe auch Art 54 Rdn 87–89.

70

Für einen bereits als Arzneimittel bekannten Stoff kann wegen einer **zweiten** und weiteren medizinischen Indikation ein Patent erteilt werden.[99] Genauer gesagt: Patentierbar ist die Verwendung eines bereits bekannten Stoffes oder Stoffgemisches zur **Herstellung** eines Arzneimittels für eine bestimmte neue therapeutische oder diagnostische Anwendung (Schweizer Verwendungsansprüche); die Neuheit der Herstellung eines an sich bekannten Stoffes oder Stoffgemisches leitet sich aus dem neuen therapeutischen oder diagnostischen Gebrauch ab.[100] Die Patentierung ist nicht deswegen ausgeschlossen, weil sich das Herstellungsverfahren nicht von einem bekannten Verfahren unterscheidet, wenn also der gleiche Wirkstoff verwendet wird.[101] Dabei ist es gleichgültig, ob der therapeutische oder diagnostische Gebrauch auf einer ersten oder weiteren medizinischen Indikation beruht (LS und Nr 3.2 der Entscheidung). Diese Form der Patentierbarkeit besteht nur, wenn die Erfindung sich auf die Verwendung eines Stoffes oder Stoffgemisches für ein in Art 52 (4) Satz 1 vom Patentschutz ausgeschlossenes Heil- oder Diagnostizierverfahren bezieht;[102]

71

---

98 **T 128/82**, ABl 1984, 164, Nr 12–14 für die erste medizinische Indikation eines bekannten Stoffes; **T 43/82** vom 16.4.1984 für einen Stoff, dessen biologische Eigenschaften bekannt waren, nicht aber seine therapeutische Anwendung.
99 **G 1/83, G 5/83** und **G 6/83** – *Zweite medizinische Indikation* –, ABl 1985, 60, 64 und 67, LS I, Nr 19 am Ende; **T 4/98**, ABl 2002, 139, LS I.
100 **G 1/83, G 5/83** und **G 6/83**, Nr 21; bestätigt in **T 143/94**, ABl 1996, 430, Nr 3.1 und 3.2 für die erste und zweite Indikation.
101 **T 143/94**, Nr 3.2.
102 **G 1/83, G 5/83** und **G 6/83**, Nr 21 am Ende; **T 655/92**, ABl 1998, 17, LS I und Nr 5.2.

siehe Art 54 Rdn 85–86. Diese Rechtsprechung gewährt einen gewissen Ausgleich für das Patentierungsverbot des Abs 4.

Für die Beanspruchung einer zweiten medizinischen Verwendung reicht es nicht aus, nur eine Menge eines unspezifizierten therapeutisch wirksamen Produkts zu definieren, vielmehr muss entweder die zu behandelnde Krankheit, das hierzu bestimmte Erzeugnis oder das zu behandelnde Individuum aus dem Anspruch klar hervorgehen.[103]

72　**Medizinische Instrumente und Geräte** wie Skalpelle, Spritzen, Nadeln sowie Apparate wie Herzschrittmacher[104] (siehe Rdn 62); Herz-Lungen-Maschinen und sonstige Hilfsmittel wie Knochenzement[105] sowie künstliche Gelenke sind patentfähig.[106] Ebenso ist eine Röntgeneinrichtung zur Erstellung radiologischer Abbildungen patentierbar.[107]

73　Für ein **Kombinationspräparat**, das in einem räumlichen Nebeneinander zwei bekannte Arzneimittel enthielt (kit-of-parts), wurde nach Art 52 (4) Satz 2 und 54 (5) ein Patent erteilt; Voraussetzung für die Patentierung war, dass die Bestandteile durch eine zielgerichtete Verwendung eine funktionelle Einheit und damit eine echte Kombination bildeten.[108] Der in dieser Entscheidung wichtige Gesichtspunkt der Kombination von zwei selbständigen Erzeugnissen wurde in **T 94/83** weiterentwickelt.[109]

Artikel 53 Ausnahmen von der Patentierbarkeit

Europäische Patente werden nicht erteilt für:

a) Erfindungen, deren Veröffentlichung oder Verwertung gegen die öffentliche Ordnung oder die guten Sitten verstoßen würde; ein solcher Verstoß kann nicht allein aus der Tatsache hergeleitet werden, dass die Verwertung der Erfindung in allen oder einem Teil der Vertragsstaaten durch Gesetz oder Verwaltungsvorschrift verboten ist;

b) Pflanzensorten oder Tierarten sowie für im Wesentlichen biologische Verfahren zur Züchtung von Pflanzen oder Tieren; diese Vorschrift ist auf mikrobiologische Verfahren und auf die mit Hilfe dieser Verfahren gewonnenen Erzeugnisse nicht anzuwenden.

103　**T 4/98**, ABl 2002, 139, LS II, Nr 8.1.
104　**T 426/89**, ABl 1992, 172.
105　**T 143/82** vom 27.10.1983.
106　**T 190/83** vom 24.7.1984.
107　**T 26/86**, ABl 1988, 19.
108　**T 9/81**, ABl 1983, 372.
109　**T 94/83** vom 1.3.1985.

Ulrich Schatz

Übersicht

1	Allgemeines zu Art 53 – Rechtsgrundlagen	1-7
A	**Artikel 53 a)**	8-84
2	Bedeutung der Bezugnahme auf die öffentliche Ordnung und die guten Sitten	8-14
3	Grundsatzentscheidungen der Beschwerdekammern des EPA	15-16
4	Konsequenzen der Rechtsprechung der Beschwerdekammern	17-21
5	Auswirkungen auf die nationale Rechtsprechung zum EPÜ	22-24
6	Sonstige Fehlinterpretationen	25-27
7	Die Vorlageentscheidung T 1374/04	28-33
8	Die Einheit des europäischen Patents	34-39
9	Sinn und Zweck des Patentierungshindernisses . . .	40-47
10	Verstoß gegen die öffentliche Ordnung	48-53
11	Die Verwertung der Erfindung	54-57
12	Verstoß gegen die guten Sitten	58-59
13	Maßgebender Zeitpunkt	60-62
14	Die Ausschlusstatbestände der R 23d	63-78
15	Die Anwendung von Art 53 a) im europäischen Patenterteilungsverfahren	79-84
B	**Artikel 53 b)**	85-112
16	Allgemeines	85-87
17	Pflanzensorten	88-89
18	Verhältnis von Patent- und Sortenschutz	90-91
19	Rechtsprechung der Beschwerdekammern 150 . . .	92-100
20	Tierrassen	101
21	Umfang des Ausschlusses	102
22	Im wesentlichen biologische Verfahren zur Züchtung von Pflanzen und Tieren	103
23	Rechtsprechung der Beschwerdekammern	104-106
24	Mikrobiologische Verfahren und ihre Erzeugnisse . .	107-108
25	Rechtsprechung der Beschwerdekammern	109-112

1 Allgemeines zu Art 53 – Rechtsgrundlagen

Art 53 schließt zwei ganz unterschiedliche Gruppen von Erfindungen vom Patentschutz aus: 1

a) Erfindungen, deren Veröffentlichung oder Verwertung gegen die öffentliche Ordnung oder die guten Sitten verstößt

Artikel 53 *Ausnahmen von der Patentierbarkeit*

b) Pflanzensorten und Tierarten sowie im wesentlichen biologische Verfahren zur Züchtung von Pflanzen und Tieren

Die Vorschriften von Art 53 gehen auf Art 2 StraßbÜ zurück und haben Eingang in die Patentgesetze aller Vertragsstaaten gefunden, sei es durch die Ratifizierung dieses Übereinkommens oder mittelbar im Zuge ihres Beitritts zum EPÜ.

2   Auf dem Gebiet der Biotechnologie haben die EG-Richtlinie 98/44 vom 6.7.1998 über den rechtlichen Schutz biotechnologischer Erfindungen[1] und die Übernahme ihrer Vorschriften in die AO als R 23b bis 23e durch Beschluss des Verwaltungsrats der EPO vom 16.6.1999 zu einer weitgehenden, wenn auch nicht in jedem Punkt völlig geglückten Konkretisierung von Art 53 a) und b) geführt.[2]

3   Die BioPatRL schafft kein von Art 53 und den entsprechenden Vorschriften des nationalen Patentrechts abweichendes Sonderrecht, sondern konkretisiert deren Auslegung und Anwendung für ein Gebiet der Technik, auf dem das dort vorgesehene Patentierungshindernis besondere Bedeutung erlangt hat.[3]

4   Mit ihrer Übernahme in die AO zum EPÜ sind die Vorschriften der Richtlinie nach Art 164 (1) **Bestandteil des materiellen europäischen Patentrechts** geworden.[4] Nach Art 164 (2) gilt dies allerdings unter dem Vorbehalt der Übereinstimmung mit den Vorschriften des Übereinkommens, hier Art 53.[5] Mit dieser Einschränkung sind sie damit nicht nur für das EPA als Erteilungsbehörde, sondern nach Art 138 (1) a) auch für die nationalen Gerichte verbindlich geworden, wenn diese über die Gültigkeit europäischer Patente zu entscheiden haben.

5   Im Gegensatz zur zügigen Übernahme der BioPatRL in das EPÜ hat sich ihre Umsetzung auf der Ebene des nationalen Rechts nur schleppend vollzogen und erst im Jahre 2006 ihren Abschluss gefunden. Damit ist die für das Patentwesen in Europa so grundlegend wichtige Einheitlichkeit des materiellen Patentrechts auf dem Gebiet des Schutzes biotechnologischer Erfindungen grundsätzlich wiederhergestellt.

6   Als »spätere Praxis« iSv Art 31 (3) b) der Wiener Vertragsrechtskonvention vom 15.4.1969 (WVK)[6] ist neben der BioPatRL auch Art 27 TRIPS von völker-

---

1   BioPatRL, ABl EG 1998 L 213/13; ABl EPA 1999, 101.
2   Beschluss des Verwaltungsrats vom 16.6.1999, ABl 1999, 101.
3   BioPatRL, Erwägungsgrund 8.
4   Die Bezugnahme auf die BioPatRL in R 23b (1) umfasst auch die Erwägungsgründe. Auch diese sind daher bei der Auslegung von Art 53 ergänzend heranzuziehen.
5   Zweifel an der Vereinbarkeit mit Art 53 a) können insbes. hinsichtlich einzelner Aspekte der R 23d bestehen. Siehe dazu Rdn 63 ff.
6   Zur Bedeutung der WVK für die Auslegung des EPÜ vgl die Entscheidung der Großen Beschwerdekammer G 1/83, ABl 1985, 60; siehe auch Straus, GRUR Int 1998, 1.

rechtlich erstrangiger Bedeutung für die Auslegung der die Patentfähigkeit von Erfindungen betreffenden Vorschriften des EPÜ.[7] Als Vorbehalt der Gesetzgebung der Mitglieder kann Art 27 (2) und (3) a) TRIPS zur Auslegung der Vorschriften von Art 53 EPÜ allerdings nur insofern herangezogen werden, als das TRIPS-Abkommen die Anwendung dieses Patentierungsverbots an bestimmte Voraussetzungen knüpft.

EPÜ 2000

Art 53 wird durch die Revisionsakte vom 29.11.2000 neu gefasst. In Art 53 a) werden die Worte »Veröffentlichung und Verwertung« entsprechend Art 27 (2) TRIPS durch die Worte »gewerbliche Verwertung« ersetzt. Das in der neueren Praxis ohnehin nahezu bedeutungslose Tatbestandsmerkmal der Veröffentlichung der Erfindung ist damit entfallen. Es wird daher in der folgenden Kommentierung von Art 53 a) vernachlässigt.

Ferner wird der bisher in Art 52 (4) vorgesehene Ausschluss von medizinischen Verfahren im Zusammenhang mit der Neufassung von Art 54 (5) als Buchstabe c) an Art 53 angefügt. Art 53 EPÜ 2000 enthält somit eine erschöpfende Aufzählung der vom Patentschutz ausgeschlossenen Erfindungen. Die Auslegung und Anwendung von Art 53 a) und b) bleiben jedoch hiervon unberührt.

A Artikel 53 a)

2 Bedeutung der Bezugnahme auf die öffentliche Ordnung und die guten Sitten

Das Vorliegen des in Art 53 a) vorgesehenen Patentierungshindernisses hängt entscheidend davon ab, ob die Inhalte der Begriffe der öffentlichen Ordnung oder der guten Sitten **nationalem oder europäischem Maßstab** zu entnehmen sind.

Es kann keinem vernünftigen Zweifel unterliegen, dass diese Begriffe im **nationalen Patentrecht** keine spezifisch patentrechtlichen sein können, sondern als Bezugnahmen auf die in dem betreffenden Staat geltende – außerpatentrechtliche – Rechts- und Sittenordnung zu verstehen sind. Die öffentliche Ordnung ist dabei eine näher zu konkretisierende Teilmenge des positiven staatlichen Gesetzesrechts (unten Rdn 48–53). Bei den guten Sitten handelt es sich um ethische Normen, die durch allgemeine Akzeptanz und tatsächliche Übung in dem betreffenden Staat soziale Verbindlichkeit erlangt haben und an deren

---

[7] Die Verbindlichkeit des TRIPS-Übereinkommens für die EG und ihre Mitgliedstaaten wird in Erwägungsgrund 12 BioPatRL ausdrücklich hervorgehoben. Somit sind auch die Richtlinie und die ihr entsprechenden Regeln 23b bis 23e EPÜ im Licht von Art 27 TRIPS auszulegen.

Artikel 53 *Ausnahmen von der Patentierbarkeit (Art 53 a))*

Verletzung die staatliche Rechtsordnung Sanktionen anknüpft (vgl Rdn 58–59).[8]

10 Eben dieses Verständnis einer Bezugnahme auf die staatliche Rechts- und Sittenordnung liegt auch Art 2 StraßbÜ und Art 53 a) zugrunde. Für das StraßbÜ ergibt sich dies zwingend bereits daraus, dass sein Gegenstand die »Vereinheitlichung gewisser Begriffe des (nationalen) materiellen Patentrechts« ist. Die Vereinheitlichung außerpatentrechtlicher Begriffe wie der staatlichen öffentlichen Ordnung und der guten Sitten liegt jenseits dieses Gegenstands. Art 2 (2) StraßbÜ ist daher lediglich eine Bezugnahme auf das in den Vertragsstaaten jeweils geltende Recht.

11 Daran hat sich auch mit der Übernahme dieser Vorschriften in Art 53 a) nichts geändert, obwohl mit diesem Übereinkommen erstmals ein für alle Vertragsstaaten einheitlich erteiltes Patent geschaffen wurde. Nur Staaten haben eine öffentliche Ordnung. Sie ist der Kern der legislativen, judikativen und exekutiven Allzuständigkeit des Staates, der Ausdruck seiner inneren Souveränität. Der Staat allein trägt die Gesamtverantwortung für das Wohlergehen und den Schutz seiner Bürger.

12 Die Tatsache, dass gerade die europäischen Staaten wesentliche Teile ihrer Souveränitätsrechte auf **internationale Organisationen** übertragen haben, macht diese noch nicht zu Trägern einer wie immer gearteten öffentlichen Ordnung. Internationale Organisationen können stets nur im Rahmen ihrer aus staatlicher Souveränität abgeleiteten, partiellen Kompetenzen tätig werden. Dies gilt selbst für die Europäische Gemeinschaft, auch wenn deren Rechtsakte Vorrang vor der Geltung nationalen Rechts haben. Erst recht gilt dies für die EPO als Fachorganisation, deren Rechtsetzungsbefugnisse sich in den in Art 33 aufgezählten Verordnungsvorschriften erschöpfen.

13 Die Patentierungsschranke, die sich daraus ergibt, dass die Verwertung der Erfindung, die nach Art 1 (2) ohnehin im Raum des nationalen Rechts stattfindet, gegen die öffentliche Ordnung oder die guten Sitten verstößt, ist daher auch nach Art 53 a) ein Vorbehalt der gegebenenfalls unterschiedlichen Rechts- und Sittenordnungen der Vertragsstaaten. Eine auf den fiktiven Maßstab einer einheitlichen europäischen Rechts- und Sittenordnung gestützte Entscheidung zu Art 53 a) ist eine Verletzung staatlicher Souveränität. Dabei kann hier dahingestellt bleiben, ob diese Verletzung schwerer wiegt, wenn die Entscheidung ein national bestehendes Verwertungsverbot missachtet oder wenn sie im Gegenteil den Patentschutz für einen Staat verweigert, in dem die betreffende Technologie rechtmäßig verwertet und deshalb patentiert werden kann und womöglich mit öffentlichen Mitteln gefördert wird.

---

8 Rogge, GRUR 1998, 303; Straus, GRUR Int 1996, 15; Jaenichen, GRUR Int 1998, 921; Kraßer, Patentrecht, 5. Aufl. 2004, S 250; Schatz, GRUR Int 1997, 594.

Dies bedeutet, dass ein europäisches Patent nach Art 53 a) gegebenenfalls für bestimmte Vertragsstaaten zu erteilen ist, für andere dagegen nicht. Wie noch zu zeigen sein wird, ist dies im Einklang mit dem EPÜ möglich (siehe unten Rdn 34–39). 14

3 Grundsatzentscheidungen der Beschwerdekammern des EPA

In den Entscheidungen T 19/90, T 356/93 und T 315/03 gehen die Beschwerdekammern des EPA von einem Ansatz aus, der von dem vorstehend Dargestellten grundsätzlich abweicht.[9] Um zu vermeiden, dass Art 53 a) bei der Entscheidung über die Erteilung bzw über die Aufrechterhaltung eines europäischen Patents möglicherweise zu einem für die benannten Vertragsstaaten unterschiedlichen Ergebnis führt, haben sie einen europäisch einheitlichen Begriff der öffentlichen Ordnung und der guten Sitten behauptet (vgl insbesondere T 356/93 Nr 5, 6). Nicht mehr dem Tierschutzrecht der Vertragsstaaten, ja auch dem der EG nicht, ist zu entnehmen, ob die Erteilung eines Patents für transgene Tiere an Art 53 a) scheitert, sondern dem außerrechtlichen Maßstab einer Abwägung tierischen Leidens und möglicher Schäden für die Umwelt (T 19/90 und T 315/03) einerseits und des Nutzens der Erfindung für die Menschen andererseits. Um der fingierten europäischen öffentlichen Ordnung den Anschein eines über den Einzelfall hinausgehenden normativen Inhalts zu geben, wird dieser Begriff in T 356/93 Nr 5 dem ganz anderen, nämlich polizeirechtlichen Begriff der öffentlichen Sicherheit gleichgestellt. Hieraus folgt unmittelbar, dass eine Erfindung, »deren Verwertung den öffentlichen Frieden oder das geordnete Leben in der Gemeinschaft stört« .... »oder die Umwelt ernsthaft gefährdet«, nach Art 53 a) von der Patentierbarkeit ausgeschlossen ist (vgl unten Rdn 45 f). Im gleichen Sinne wird dem Begriff der guten Sitten in Nr 6 der Entscheidung jeder Bezug zur geltenden Rechtsordnung entzogen (vgl unten Rdn 59). 15

In T 356/93 Nr 7 wird schließlich festgestellt, »dass die Frage, ob ein Gegenstand gegen die öffentliche Ordnung oder die guten Sitten verstößt, unabhängig von etwaigen nationalen Rechtsvorschriften beurteilt werden muss«.[10] Auch könne einem Gegenstand »nicht automatisch Übereinstimmung mit den Erfordernissen des Artikels 53 a) bescheinigt werden, nur weil seine Verwertung in einigen oder allen Vertragsstaaten gestattet ist«. Das im gegebenen Fall möglicherweise einschlägige Umweltschutzrecht der EG wird nicht erwähnt. 16

---

9 **T 19/90**, ABl 1990, 476; **T 356/93**, ABl 1995, 545; **T 315/03**, ABl 2006, 15.
10 **T 356/93**, ABl 1995, 545.

Artikel 53 *Ausnahmen von der Patentierbarkeit (Art 53 a))*

4 Konsequenzen der Rechtsprechung der Beschwerdekammern

17 In den den Entscheidungen T 19/90, T 356/93 und T 315/03 zugrunde liegenden Fällen war das Patent zu erteilen bzw. aufrechtzuerhalten,[11] weil keine Anhaltspunkte dafür vorlagen, dass die Verwertung der Erfindung gegen die Rechts- und Sittenordnung in den benannten Vertragsstaaten verstoßen würde. Zu diesem Ergebnis sind die Beschwerdekammern auch in Anwendung des von ihnen entwickelten Begriffs einer einheitlichen europäischen Rechts- und Sittenordnung gekommen. Dennoch sind die erheblichen rechtlichen und systemischen Implikationen dieser Rechtsprechung bereits heute absehbar, soweit sie nicht bereits eingetreten sind. Mit Hilfe einiger Stichworte können sie hier nur angedeutet werden:

18 Da die postulierte europäische Rechts- und Sittenordnung einer konkreten Rechtsgrundlage entbehrt und nationales Recht unbeachtlich ist, werden die Entscheidungen des EPA unvorhersehbar. Die tägliche Praxis der ersten Instanz wird orientierungslos, sofern nicht, wie nur selten, ein völlig gleichgelagerter Fall in zweiter Instanz bereits entschieden ist. Die **Folge ist Rechtsunsicherheit**.

19 Entsteht hier ein **Sonderrecht für biotechnologische Erfindungen?** Entweder gilt die in T 356/93 Nr 5 vorgenommene Verschmelzung des Begriffs der öffentlichen Ordnung mit dem der öffentlichen Sicherheit für alle Gebiete der Technik oder nur für biotechnologische Erfindungen.

20 Im ersten Fall wäre jede Erfindung daraufhin zu prüfen, ob ihre Verwertung zu einer ernsthaften Gefährdung der Umwelt oder eines anderen bedeutsamen Rechtsguts führen würde. Auf vielen Gebieten der Technik, denen eine erhöhte Gefahrengeneigtheit nicht abzusprechen ist, würde dies zu einer Beeinträchtigung der Zügigkeit des Erteilungsverfahrens führen, wie sie im Bereich der Biotechnologie bereits zu beobachten ist.

Im zweiten Fall entsteht ein biotechnologisches Sonderrecht mit unabsehbaren weiteren Folgen für das europäische Patentsystem und das Patentrecht überhaupt.

21 Ein erster Schritt hierzu ist mit der BioPatRL bereits getan, die sich in Art 6 (2) den von den Beschwerdekammern vorgegebenen Ansatz zu eigen gemacht hat, wonach die Inhalte des Begriffs der öffentlichen Ordnung und der guten Sitten nicht den – gegebenenfalls unterschiedlichen – Rechts- und Sittenordnungen der Vertragsstaaten zu entnehmen, sondern »patentrechtlich autonom« zu definieren sind. Ob der Gemeinschaftsgesetzgeber damit seine auf dem Gebiet des materiellen Patentrechts bestehende Gesetzgebungsbefugnis überschritten hat oder nicht, und wie die Irrungen und Wirrungen, die sich daraus in dem einen oder anderen Fall für die Anwendung von Art 53 a) und der entsprechenden nationalen Rechtsvorschriften ergeben, aufzulösen sind, lässt

---

11 **T 19/90**, ABl 1990, 476; **T 356/93**, ABl 1995, 545; **T 315/03**, ABl 2006, 15.

sich zum gegenwärtigen Zeitpunkt nicht abschließend klären (vgl jedoch unten Rdn 48 und 63 f).

5 Auswirkungen auf die nationale Rechtsprechung zum EPÜ

Seit den Anfängen des europäischen Patentsystems bemühen sich die Gerichte der Vertragsstaaten, den von den Beschwerdekammern in richterlicher Rechtsfortbildung aufgezeigten Wegen nach Kräften zu folgen. Die Entwicklungen in zunächst umstrittenen Grundsatzfragen, wie der Patentierbarkeit der zweiten medizinischen Indikation oder von computergestützten Erfindungen, sind eindrucksvolle Beispiele für dieses für die Wahrung der Einheit des Patentrechts und der Bestandskraft europäischer Patente so entscheidend wichtige Bemühen. 22

Diesem Bemühen stellen die genannten Entscheidungen der Beschwerdekammern unüberwindliche Hürden in den Weg. Nicht nur ist ein europäischer Einheitsbegriff der öffentlichen Ordnung ohne realen Gegenstand, seine Übernahme durch die nationalen Gerichte würde diese in die Lage versetzen, entweder unterschiedliche Maßstäbe anzuwenden, je nachdem, ob es sich um die Gültigkeit eines europäischen oder eines nationalen Patents handelt, oder aber den »europäischen« Maßstab unter Missachtung der Rechtsordnung, deren Organe sie sind, auch auf nationale Patente anzuwenden.[12] 23

Dass die Gerichte – nicht zu reden von den nationalen Patentämtern – sich diesem Dilemma auszusetzen gewillt sind, darf als ausgeschlossen gelten.[13] 24

Eine endgültige Spaltung der Rechtsprechung zu Art 53 a) und den entsprechenden nationalen Patentierungshindernissen kann daher nur durch den Verzicht der Beschwerdekammern auf den von ihnen gebildeten fiktiven Begriff einer europäisch einheitlichen Rechts- und Sittenordnung vermieden werden.

6 Sonstige Fehlinterpretationen

Die Fiktion einer europäisch einheitlichen Rechts- und Sittenordnung zieht eine Reihe weiterer Fehlinterpretationen einzelner Tatbestandsmerkmale von Art 53 a) nach sich. Die Missdeutung von Art 53 a) als Instrument zur Abwehr technologiebedingter Gefahren wurde bereits erwähnt. Die nach Art 53 a) al- 25

---

12 Dennoch wird ein solches *alignment* als »Gebot der einheitlichen Auslegung von Art 53 a)« von Moufang bei Schulte, § 2, Rn 19, gefordert. Ein solches Gebot besteht jedoch nicht. Zwar haben die Gerichte bei der Beurteilung der Gültigkeit europäischer Patente nach Art 138 (1) a) Art 53 a) anzuwenden. Eine Bindungswirkung der Entscheidungen der Beschwerdekammern folgt daraus jedoch nicht. Nach Moufang, § 2, Rn 20 soll das behauptete Gebot seit Inkrafttreten der BioPatRL sogar für die Anwendung des nationalen Patentrechts gelten.
13 Vgl dazu Kraßer, S 250 mit Fußnote 10.

Artikel 53 *Ausnahmen von der Patentierbarkeit (Art 53 a))*

ternativ zu prüfenden Möglichkeiten eines Verstoßes gegen die öffentliche Ordnung **oder** die guten Sitten fallen mangels gesetzlicher Grundlage für beide in eins (Rdn 58–59).

26 Der für das Vorliegen eines Verstoßes nach Art 53 a) maßgebende Zeitpunkt wird widersprüchlich bestimmt: Nach T 356/93, Leitsatz 1 ist es (zutreffend) der **Tag der Entscheidung** über die Erteilung oder die Gültigkeit des Patents, nach T 315/03 Nr 8 der **Anmelde- bzw. Prioritätstag** (unten Rdn 62). Schließlich wird in T 356/93 nicht erkannt, dass die Verwertung einer Erfindung iS von Art 53 a) die **erfindungsgemäße** Verwertung ist, und dass daraus folgt, dass das Patentierungsverbot nicht eingreift, wenn diese Verwertung genehmigungsfähig ist (unten Rdn 56).

27 Mit der Fiktion einer von ihnen selbst inhaltlich definierten öffentlichen Ordnung und eines Begriffs der guten Sitten ohne rechtlichen Bezug haben die Beschwerdekammern dem EPA die Rolle eines Schiedsrichters im öffentlichen Meinungsstreit um die ethische Verantwortbarkeit nicht nur der Gentechnik, sondern gegebenenfalls aller modernen Technologien zugewiesen.[14] Der Kritik an einzelnen Entscheidungen, auch solchen der 1. Instanz, kann das Amt, selbst wenn sie im Einzelfall nicht berechtigt ist, nicht mehr mit dem Hinweis auf das in den Vertragsstaaten geltende Recht begegnen. Diese Rollenverschiebung belastet das **öffentliche Ansehen nicht nur des Amts**, sondern des Patentwesens in Europa überhaupt.

7 Die Vorlageentscheidung T 1374/04[15]

28 Die Entscheidung T 1374/04 vom 18.11.2005 ist im Beschwerdeverfahren gegen die Zurückweisung der Anmeldung durch die Prüfungsabteilung ergangen. Beansprucht werden u.a. undifferenzierte und differenzierte Stammzellkulturen, die aus menschlichen, nach In-vitro-Befruchtung überzähligen Embryonen gewonnen werden. Aus der Beschreibung geht hervor, dass die Herstellung der Kulturen im Zeitpunkt der Anmeldung notwendig mit der Zerstörung der Embryonen einherging.

29 In Deutschland ist die Gewinnung embryonaler Stammzellen durch das zweifellos der deutschen öffentlichen Ordnung zuzurechnende Embryonenschutzgesetz verboten, im Vereinigten Königreich ist sie nach dem Human Fertilisation and Embryology Act von 1990 (HEF) unter bestimmten Bedingun-

---

14 Ein besonders drastisches Beispiel für die Folgen dieser institutionellen Inflation sind die mit Erteilung des sog. Edinburgh-Patents (Nr EP 695 351) ausgelösten Reaktionen. Neben wütenden Protesten einiger NGO bestanden sie in einer Entschließung des Europäischen Parlaments (ABl EG C 378/96 vom 29.12.2000), in der ua der sofortige Widerruf des Patents und eine Überprüfung der Tätigkeiten des EPA gefordert wurde. Vgl hierzu die Stellungnahme des Amts in CA/145/01.

15 Mitteilung der Großen Beschwerdekammer zu **G 2/06**, ABl 2006, 393 mit Hinweis auf den Zugang zur Vorlageentscheidung über die Webseite des EPA.

gen und Genehmigungsvorbehalten zulässig. Sie fällt auch unter das vom Europäischen Parlament gebilligte Forschungsförderungsprogramm der EG. Von einer Einspruchsabteilung des EPA wurde ihre Patentierbarkeit nach Art 53 a) verneint.[16]

Die der Großen Beschwerdekammer nach Art 112 (1) a) vorgelegten Fragen lauten wie folgt:[17]   30

1. Ist Regel 23d c) EPÜ auf eine Anmeldung anzuwenden, die vor dem Inkrafttreten der Regel eingereicht wurde?
2. Falls die Frage 1 bejaht wird, verbietet Regel 23d c) EPÜ die Patentierung von Ansprüchen auf Erzeugnisse (hier: menschliche embryonale Stammzellkulturen), die – wie in der Anmeldung beschrieben – zum Anmeldezeitpunkt ausschließlich durch ein Verfahren hergestellt werden konnten, das zwangsläufig die Zerstörung der menschlichen Embryonen umfasst, aus denen die Erzeugnisse gewonnen werden, wenn dieses Verfahren nicht Teil der Ansprüche ist?
3. Falls die Frage 1 oder 2 verneint wird, verbietet Artikel 53 a) EPÜ die Patentierung solcher Ansprüche?
4. Ist es im Rahmen der Fragen 2 und 3 von Bedeutung, dass nach dem Anmeldetag dieselben Erzeugnisse auch ohne Rückgriff auf ein Verfahren hergestellt werden konnten, das zwangsläufig die Zerstörung menschlicher Embryonen umfasst (hier: zB Gewinnung aus vorhandenen menschlichen embryonalen Zelllinien)?

Bereits der systemische Zusammenhang der vier vorgelegten Fragen lässt erkennen, dass es bei dieser Vorlage um sehr viel mehr geht als um die Klärung einzelner Rechtsfragen wie etwa die der Anwendbarkeit der R 23d c) auf vor ihrem Inkrafttreten eingereichte Anmeldungen (Frage 1). Die überaus sorgfältige und doch stringente Begründung der Vorlage bestätigt vielmehr den Eindruck, dass die vorlegende Kammer der Großen Beschwerdekammer Gelegenheit zu einer grundsätzlichen Überprüfung und Neuorientierung der bisherigen, in der Vorlageentscheidung ausgiebig zitierten Rechtsprechung zu Art 53 a) und R 23d geben will, ohne sie jedoch hinsichtlich des Umfangs, geschweige denn der Ergebnisse dieser Überprüfung einengen zu wollen.   31

Eine erschöpfende Kommentierung der in den Entscheidungsgründen entwickelten Gedankengänge ist an dieser Stelle weder möglich noch erforderlich: Die Entscheidung liegt bei der Großen Beschwerdekammer. Soweit sie jedoch geeignet sind, die der Rechtsprechung der Kammern bisher zugrunde liegende Annahme einer einheitlichen, inhaltlich von ihnen selbst definierten europä-   32

---

16 EPA Einspruchsabteilung, Mitt 2003, 502 (506) (Nr 2.5) Embryonic Stem Cells/ University of Edinburgh.

17 **G 2/06**, ABl 2006, 393 mit Hinweis auf den Zugang zur Vorlageentscheidung über die Webseite des EPA.

ischen Rechts- und Sittenordnung zu erschüttern, verdienen sie im vorliegenden Zusammenhang besondere Hervorhebung.

Zunächst ergibt sich bereits aus der Begründung, dass die vorlegende Kammer sich dessen wohl bewusst ist, dass Frage 1 (»rückwirkende« Anwendung der R 23d c)) nur dann bejaht werden kann, wenn die Anwendbarkeit der Regel nicht ohnehin bereits wegen Unvereinbarkeit mit Art 53 a) an Art 164 (2) scheitert.

33 Sollte die Große Beschwerdekammer zu dieser Auffassung kommen, so besteht Hoffnung auf eine grundsätzliche Wende in der Rechtsprechung zu Art 53 a), denn in G 1/98 Nr 3.9 weist die Große Beschwerdekammer in einem *obiter dictum* die von Greenpeace auf Art 53 a) gestützten Einwände damit zurück, dass der Einsatz der Gentechnik im Pflanzenbereich zwar in der Gesellschaft umstritten, aber nach den Kriterien der öffentlichen Ordnung und der guten Sitten »**in den Vertragsstaaten** nicht einhellig verurteilt« werde.[18] Dies kann als Andeutung der Großen Beschwerdekammer verstanden werden, dass sie der Entscheidung T 356/93 nicht nur bei der Auslegung von Art 53 b), sondern auch von Art 53 a) möglicherweise nicht folgen werde.[19] Sollte sich dies bestätigen, so stellt sich auch die Frage der Anwendbarkeit von R 23d c) nicht nur im Hinblick auf den Zeitpunkt der Anmeldung (Frage 1 der Vorlageentscheidung), sondern nach Art 164 (2) auch unter dem Gesichtspunkt ihrer Vereinbarkeit mit Art 53 a).

8 Die Einheit des europäischen Patents

34 Sollte die Große Beschwerdekammer in der Vorlagesache T 1374/04 zu dem Ergebnis gelangen,[20] dass die Bezugnahme auf die öffentliche Ordnung und die guten Sitten in Art 53 a) die in den Vertragsstaaten tatsächlich bestehende Rechts- und Sittenordnung meint, so wird sie auch die bis heute nur im Schrifttum behandelte Frage zu beantworten haben, wie zu entscheiden ist, wenn, wie in dem vorgelegten Fall, das Patentierungshindernis in einem oder mehreren der benannten Vertragsstaaten besteht, in anderen dagegen nicht.

35 Die Spannungspole dieser Fragestellung sind die Maßgeblichkeit der einzelstaatlichen Rechts- und Sittenordnung für das Bestehen des Schutzhindernisses einerseits und das Intresse an der Wahrung der Einheit des europäischen Patents anderseits.

36 Im bisher vorliegenden Schrifttum wird dem Grundsatz der Einheit des europäischen Patents gegenüber einer Entscheidung entsprechend der materiellen Rechtslage der Vorrang eingeräumt. Einigkeit besteht darüber, dass das Patent

---

18 **G 1/98**, ABl 2000, 111, Nr 3.9.
19 **T 356/93**, ABl 1995, 545.
20 **T 1374/04**, siehe Mitteilung der Großen BK 2006, 393 mit Hinweis auf den Zugang zur Vorlageentscheidung über die Webseite des EPA.

erteilt werden kann, wenn der Anmelder die Benennung derjenigen Vertragsstaaten zurücknimmt, in denen das Patentierungshindernis besteht.[21] Für die Aufrechterhaltung des Patents im Einspruchsverfahren soll in Anlehnung an Art 102 (3), R 58 (4), (5) das Entsprechende gelten, wenn das Patent im allseitigen Einverständnis nur für die nicht betroffenen Staaten aufrechterhalten wird.[22] Das Gleiche müsste gelten, wenn der Patentinhaber nachweist, dass das Patent in den betroffenen Staaten widerrufen oder, zB nach Verzichtserklärung, erloschen ist.

Die genannten Möglichkeiten der Gestaltung des Verfahrens setzen ohne Ausnahme die Mitwirkung zumindest des Anmelders/Patentinhabers voraus. Fehlt es an dieser Mitwirkung, so führt die Annahme des Vorrangs des Grundsatzes der Einheit des europäischen Patents zwangsläufig dazu, dass das Patent im Widerspruch zu der nach Art 53 a) gegebenenfalls vorliegenden materiellen Rechtslage für alle benannten Vertragsstaaten erteilt bzw. aufrechterhalten oder aber nicht erteilt bzw. widerrufen werden muss.[23] Ein derartiges Ergebnis widerspricht dem Sinn und Zweck von Art 53 a) (vgl unten Rdn 40). Es ist daher zu prüfen, ob Art 118 EPÜ zwingend zu diesem Ergebnis führt. 37

Art 118 bezieht sich ausschließlich auf den in Art 59 vorgesehenen Fall, dass verschiedene Anmelder oder Inhaber eines europäischen Patents je verschiedene Vertragsstaaten benannt haben. Um den von dieser Konstellation möglicherweise ausgehenden Beeinträchtigungen des Verfahrens vor dem EPA entgegenzutreten, ordnet Art 118 drei Rechtsfolgen an: 38

1. Die verschiedenen Anmelder oder Patentinhaber werden als gemeinsame Anmelder bzw. Patentinhaber behandelt, können also vor dem EPA nur gemeinsam handeln (Satz 1).
2. Die Einheit der Anmeldung oder des Patents wird im Verfahren vor dem EPA durch die tatbestandsgemäße Konstellation der Verschiedenheit der Anmelder und Benennungen »nicht beeinträchtigt« (Satz 2, 1. Halbsatz).
3. »Insbesondere« (sprich: demzufolge) ist die Fassung der Anmeldung oder des Patents für alle benannten Vertragsstaaten einheitlich (Satz 2, 2. Halbsatz).

Dass sich auch die dritte Anordnung nur auf die tatbestandsgemäße Verfahrenslage bezieht, wird unmissverständlich klargestellt durch den einschränkenden Nachsatz »sofern sich aus diesem Übereinkommen nichts anderes ergibt«; siehe im übrigen Art 118 Rdn 7 ff.

---

21 Rogge, GRUR 1998, 303; Kraßer, S 251/252; Schatz, GRUR Int 1997, 588 (595).
22 Kraßer, S 252.
23 Rogge, GRUR 1998, S 308 spricht sich »nach langem Zögern« für die erste dieser beiden Möglichkeiten aus, ebenso Kraßer, S 251, jedenfalls andeutungsweise für die zweite Schatz, GRUR Int 1997, 595.

Artikel 53 *Ausnahmen von der Patentierbarkeit (Art 53 a))*

39 Die Prüfung von Art 118 EPÜ ergibt, dass diese Vorschrift die Einheit des europäischen Patents nicht schafft, sondern sie als gegeben voraussetzt, soweit sie nach dem Übereinkommen überhaupt besteht. Grundlage der Einheit des europäischen Patents ist allein die Einheit des materiellen europäischen Patentrechts, nach dem es zu erteilen ist. Weil aber die Rechts- und Sittenordnung der Vertragsstaaten der nach Art 53 a) für die Patenterteilung entscheidende Maßstab ist,[24] kann das europäische Patent nicht einheitlich erteilt werden, wenn das Recht der Vertragsstaaten entscheidungsrelevante Unterschiede aufweist.[25]

9 Sinn und Zweck des Patentierungshindernisses

40 Das Patent verleiht dem Erfinder ein ausschließliches Verwertungsrecht. Besteht aber der den Anmeldeunterlagen zu entnehmende objektive Zweck der Erfindung in einer Verletzung der Rechts- und Sittenordnung, kommt also eine rechtmäßige Verwertung nicht in Betracht (Rdn 54), so verbietet es die **Einheit der Rechtsordnung**, dasjenige patentrechtlich zu schützen, was nach der allgemeinen Rechts- und Sittenordnung der benannten Staaten als verwerflich anzusehen ist.

41 Neben dem Zweck, Wertungswidersprüche innerhalb der Rechtsordnung zu vermeiden, ist im Schrifttum die Formulierung verbreitet, Art 53 a) solle verhindern, dass eine Erfindung, deren Verwertung gegen die Rechts- und Sittenordnung verstoßen würde, durch die Erteilung des Patents mit dem Anschein hoheitlicher Billigung versehen würde. Schließlich wird auch darauf hingewiesen, dass der Schutz einer Erfindung, die nicht rechtmäßig verwertet werden kann, rechtlich gegenstandslos und wirtschaftlich nutzlos wäre.[26]

42 Alle diese Formulierungen stimmen im Ergebnis überein. Zumindest missverständlich wenn nicht irreführend ist dagegen die Aussage, Art 53 a) und die entsprechenden Patentierungshindernisse des nationalen Rechts bildeten wegen ihrer Bezugnahme auf die allgemeinen Rechtsbegriffe der öffentlichen Ordnung und der guten Sitten »Einfallstore für übergeordnete rechtliche und ethische Normen« in das Patentsystem. Dieses könne als Teil der Rechtsordnung »nicht wertneutral« sein.[27]

---

24 Nicht vergleichbar ist Art 53 a) mit Art 54 (3), (4), weil es dort nicht um die Anwendung unterschiedlichen Rechts geht, sondern um die Berücksichtigung älterer Rechte als Rechtstatsachen; vgl dazu Kraßer, S 251/252.

25 Wie die durch Art 53 a) aufgeworfene Problematik im Rahmen eines einheitlichen Gemeinschaftspatents zu lösen ist, ist eine derweilen höchst hypothetische Frage *de lege ferenda*. Eine mögliche Lösung könnte ein Wirkungsvorbehalt sein, wie er in Art 37 (1) GPÜ 1975 für den Fall des Bestehens älterer nationaler Rechte vorgesehen ist. Eine solche Lösung wäre bei einer künftigen Revision auch für das EPÜ zu erwägen.

26 Vgl dazu Kraßer, S 248, 249; *Schatz*, GRUR Int 1997, 593.

27 Moufang bei Schulte, § 2 Rn 113.

43 Unklar bleibt bei diesen Formulierungen, ob sie unterstellen wollen, das Patentsystem sei an sich wertneutral, entbehre also jeder individual- oder sozialethischen Grundlage und müsse deshalb der Kontrolle übergeordneter ethischer oder ethisch begründeter Normen unterstellt werden. Eine Grundlage für eine solche Forderung bietet Art 53 a) nicht, denn die Frage der Über- bzw. Unterordnung von Normen setzt begrifflich das Vorliegen einer Normenkollision voraus. Es zu einer solchen nicht erst kommen zu lassen, ist aber gerade der Sinn und Zweck von Art 53 a).

44 Unbeschadet ihrer begrifflichen Unschärfe tritt die schutzfeindliche Brisanz dieser These in ihrem Zusammenhang mit der weiteren Forderung zutage, es sei – wie in der Entscheidung T 356/93 Nr 5 ff geschehen – für die Zwecke einer einheitlichen Auslegung von Art 53 a) geboten, einen von der Rechts- und Sittenordnung der Vertragsstaaten losgelösten Maßstab der öffentlichen Ordnung und der guten Sitten zu entwickeln.[28] Judikativer Beliebigkeit ist damit Tür und Tor geöffnet.

45 Unvereinbar mit Sinn und Zweck von Art 53 a) ist die Deutung dieser Patentierbarkeitsschranke als **Instrument zur Abwehr technologiebedingter Gefahren**, wie sie in den Entscheidungen T 19/90, T 356/93 und T 315/03 insbesondere im Hinblick auf das Rechtsgut des Schutzes der Umwelt zum Ausdruck kommt.[29]

46 Weder verleiht die Patentierung einer Erfindung dem Patentinhaber ein positives Verwertungsrecht noch kann die Zurückweisung der Anmeldung oder der Widerruf des Patents den Erfinder oder Dritte an der Verwertung der Erfindung hindern. Dem angenommenen Zweck der Abwehr technologiebedingter Gefahren versagt Art 53 a) daher den Dienst. Über das Recht, eine Erfindung zu verwerten, entscheiden allein die allgemeinen Gesetze, insbesondere auch unter dem Gesichtspunkt der Abwehr technologiebedingter Gefahren.

47 In die BioPatRL (Art 6) und die AO (R 23d) hat die Deutung von Art 53 a) als Instrument zur Abwehr technologiebedingter Gefahren keinen Eingang gefunden. Dennoch hält die Entscheidung T 315/03, Nr 10 an ihr fest, wenn sie bei der Beurteilung der Patentierbarkeit von Erfindungen, deren Gegenstand gentechnisch veränderte Tiere sind, neben der Anwendung von R 23d d) auf dem »Test in T 19/90« beharrt, wonach bei der Anwendung von Art 53 a) auch zu prüfen ist, ob von der Verwertung der Erfindung ernsthafte Gefahren für die Umwelt ausgehen.[30]

---

28 **T 356/93**, ABl 1995, 545; Moufang bei Schulte, § 2 Rn 19, 20; vgl dazu oben Rdn 22 und Fußnote 15.
29 Vgl dazu oben Rdn 15 und 19.
30 **T 315/03**, ABl 2006, 15 (gekürzt); **T 19/90**, ABl 1990, 476.

Artikel 53 *Ausnahmen von der Patentierbarkeit (Art 53 a))*

10 Verstoß gegen die öffentliche Ordnung

48 Nach der allgemeinen Rechtsauffassung wird die öffentliche Ordnung gebildet durch Normen, die der Verwirklichung und dem Schutz der für das Leben in der Gemeinschaft grundlegenden Werte und Güter dienen.[31] Bei diesen Normen handelt es sich – im Gegensatz zu den guten Sitten – um Vorschriften des positiven Gesetzesrechts.[32]

49 Durch die öffentliche Ordnung geschützte Rechtsgüter sind insbesondere die Unantastbarkeit der Menschenwürde, das Recht auf Leben und körperliche Unversehrtheit des Einzelnen für sich und als Teil der Gemeinschaft. Hingewiesen wird neuerdings auch auf Art 27 (2) TRIPS, der den Kreis der durch die öffentliche Ordnung geschützten Rechtsgüter auch auf den Schutz der Umwelt sowie die Gesundheit von Menschen, Tieren und Pflanzen erstreckt. Als bloßer Vorbehalt des Rechts der Vertragsparteien ist dies allerdings nur insoweit von Bedeutung als deren Gesetzgebung ihn tatsächlich ausfüllt. Das nationale und europäische Tierschutz- und Umweltschutzrecht erfüllt diese Voraussetzung nach Maßgabe seiner Tatbestände.

50 Hinweise darauf, dass eine Verbotsnorm der öffentlichen Ordnung zuzurechnen ist, ergeben sich nach der herrschenden Lehre aus dem Verfassungsrang des durch sie geschützten Rechtsguts, aber auch aus seiner Aufnahme in ethisch begründete internationale Verträge. Genannt werden hier insbesondere die Europäische Menschenrechtskonvention, die EU-Grundrechte-Charta, oder das Verbot von Anti-Personenminen durch das Abkommen von Ottawa. Gleichzeitig wird allerdings betont, dass die Zurechenbarkeit einer Norm zur öffentlichen Ordnung nicht notwendig von ihrem Rang in der formalen Hierarchie der Rechtsvorschriften abhängt.[33]

51 Insbesondere dürften alle Normen des allgemeinen und des besonderen Strafrechts der öffentlichen Ordnung zuzurechnen sein, deren Gewährleistung ihr eigentlicher Zweck ist. Dies gilt unabhängig von dem durch den Straftatbestand geschützten Rechtsgut, sei dieses nun das Leben, die körperliche Unversehrtheit, das Eigentum, deren Schutz in vielen Staaten Verfassungsrang hat, oder das durch den Tatbestand des Betrugs geschützte Vermögen, dessen Schutz verfassungsrechtlich jedenfalls nicht ausdrücklich verankert ist. Nicht nur Diebeswerkzeug, sondern auch eine Vorrichtung zur betrügerischen Mani-

---

31 Moufang bei Schulte, § 2 Rn 17 unter Hinweis auf die Materialien zum EPÜ, Dok. IV 2767/61; Kraßer, S 249 unter Bezugnahme auf die Begründung zum IntPatÜG, BlPMZ 1976, 332.

32 Auf dieses Erfordernis verzichtet die Entscheidung **T 356/93**, Nr 5, ABl 1995, 557 und leitet damit über zur Annahme des Bestehens einer einheitlichen europäischen öffentlichen Ordnung, die von den guten Sitten sachlich nicht mehr zu unterscheiden ist; vgl dazu Straus, GRUR Int 1996, 14; Schatz, GRUR Int 9197, 594; Kraßer, S 250.

33 Moufang bei Schulte, § 2 Rn 21; nach Kraßer, S 250 können auch Normen des Gewohnheitsrechts zur öffentlichen Ordnung gehören.

pulation von Spielautomaten ist daher von der Patentierung ausgeschlossen. Im Gegensatz zum eigentlichen Strafrecht dürften allerdings reine Ordnungswidrigkeiten nicht der öffentlichen Ordnung zuzurechnen sein, auch wenn sie mit zum Teil empfindlichen Geldbußen sanktioniert sein können.

Festzuhalten bleibt dennoch, dass sich weder aus der Natur der durch eine Rechtsnorm geschützten Rechtsgüter noch aus dem formalen Rang der Norm eine abschließende inhaltliche Bestimmung der öffentlichen Ordnung gewinnen lässt. Die Abgrenzung von Erfindungen, auf die das Verdikt von Art 53 a) zutrifft von solchen, die ihm nach Halbsatz 2 entgehen, wird hierdurch nicht erleichtert. Dies gilt umso mehr als gerade auch die in Halbsatz 2 genannten gesetzlichen Verbote in aller Regel strafbewehrt sind und ihr Schutzzweck höchsten Rechtsgütern, wie dem menschlichen Leben und der körperlichen Unversehrtheit gilt. Man denke dabei nur an die StVZO oder Vorschriften über die bautechnischen Anforderungen für Hochdruckkessel. Zur Verwertung der Erfindung gehört, wenn es darum geht, ob sie gegen die öffentliche Ordnung oder die guten Sitten verstößt, auch der Bezug dieser Verwertung zu dem Verbot, dessen Verletzung in Frage steht, und dem hierdurch geschützten Rechtsgut. 52

Die durch Art 53 a) geforderte Abgrenzung lässt sich daher aus einer Unterscheidung nach dem Rang von Normen und den von ihnen geschützten Rechtsgütern allein nicht gewinnen. Sie ergibt sich aus dem Tatbestandsmerkmal der **Verwertung der Erfindung**. 53

11 Die Verwertung der Erfindung

Während die Inhalte der öffentlichen Ordnung dem in den Vertragsstaaten geltenden Recht zu entnehmen sind, ist der Begriff der Verwertung der Erfindung ein spezifisch patentrechtlicher. Es handelt sich um die **erfindungsgemäße** Verwertung, um den **objektiven Zweck der Erfindung**, der aus den Anmeldeunterlagen zu ermitteln ist. Schutzhindernd wirkt nur das Fehlen einer vernünftigerweise in Betracht kommenden rechtmäßigen Verwertungsmöglichkeit.[34] Die **Große Beschwerdekammer** hat diese Voraussetzung des Patentierungshindernisses von Art 53 a) in ihrer Entscheidung G 1/98 Nr 3.3.3 bestätigt und am Beispiel eines Hochleistungskopierers, der sich auch für die Fälschung von Banknoten besonders eignet, näher erläutert.[35] 54

Für die Anwendung von Art 53 a) ergibt sich folgende Kette von Voraussetzungen und Schlussfolgerungen: 55

1) Ein Verstoß gegen die öffentliche Ordnung liegt nur vor, wenn die erfindungsgemäße Verwertung der Erfindung gegen eine Verbotsnorm versto-

---

[34] Kraßer, S 254, 255; BGH vom 28.11.1972, GRUR 1973, 585; Rogge, GRUR 1998, 306 mit weiteren Hinweisen auf die Rechtsprechung des BGH.
[35] **G 1/98**, ABl 2000, 111, GRUR Int 2000, 430 (435).

Artikel 53 *Ausnahmen von der Patentierbarkeit (Art 53 a))*

ßen würde, die ein für den Einzelnen oder die Gesellschaft bedeutendes Rechtsgut schützt.

2) Ob die (hypothetische) Verwertung der Erfindung gegen eine Verbotsnorm verstoßen würde, ist im Wege der Subsumption des in der Anmeldung offenbarten objektiven Zwecks der Erfindung unter die Verbotsnorm festzustellen.

3) Besteht der so ermittelte objektive Zweck der Erfindung allein darin, die Verletzung eines durch eine Verbotsnorm geschützten Rechtsguts mit Hilfe der durch die Erfindung bereitgestellten Mittel zu ermöglichen oder zu erleichtern, **würde also jede erfindungsgemäße Verwertung** der Erfindung den Tatbestand einer solchen Verbotsnorm verwirklichen und damit die daraus folgenden straf- oder zivilrechtlichen Sanktionen auslösen, **so ist die Erfindung selbst** mit dem **Makel einer objektiv rechtswidrigen Finalität** behaftet, die den bloßen nach Art 53 a), 2. Halbsatz, nicht patenthindernden Verstoß der Verwertung der Erfindung gegen ein gesetzliches Verbot als Verstoß gegen die öffentliche Ordnung qualifiziert.

4) Ergibt die Ermittlung des objektiven Zwecks der Erfindung dagegen, dass die in Art 53 a) als bloß möglich vorausgesetzte, hypothetische Verwertung der Erfindung sowohl rechtmäßige wie rechtswidrige Anwendungsformen umfasst, so liegt der patenthindernde Makel der rechtswidrigen Finalität der Erfindung nicht vor.

56 Ist ein rechtswidriger Zweck der Erfindung den Anmeldeunterlagen nicht zu entnehmen, so darf dem Anmelder/Patentinhaber eine gesetz- oder sittenwidrige Verwertung nicht unterstellt werden. Deshalb scheidet ein Verstoß gegen die öffentliche Ordnung oder die guten Sitten von vornherein aus, wenn das einschlägige Verwertungsverbot, wie in T 356/93, unter Genehmigungsvorbehalt steht oder Ausnahmen zulässt. Auch die in den Entscheidungen T 19/90, T 356/93 und T 315/03 angestellte Prüfung der Frage, ob von der Verwertung der Erfindung mögliche, sei es auch »ernsthafte« Gefahren für bestimmte Rechtsgüter, hier den Schutz der Umwelt, ausgehen würden, findet in Art 53 a) keine Grundlage.[36] Denn wenn eine schädigende Verwertung der Erfindung nicht ihr objektiver Zweck ist, kann sie nicht unterstellt werden.

57 Nicht berechtigt ist schließlich auch die Praxis des EPA, den Anmelder zu einer Beschränkung der Ansprüche aufzufordern, wenn diese oder die Beschreibung neben rechtmäßigen Anwendungsformen auch solche umfassen, die im Zeitpunkt der Erteilung gegen die öffentliche Ordnung oder die guten Sitten verstoßen würden.[37] Es fehlt an dem Makel der rechtswidrigen Finalität der Erfindung als Ganzer. Gerade auf dem Gebiet der Biotechnologie sind die

---

36 **T 19/90**, ABl 1990, 476; **T 356/93**, ABl 1995, 545; **T 315/03**, ABl 2006, 15 (gekürzt).
37 So EPA Einspruchsabteilung, ABl 2003, 473 (Nr 10); zutreffend dagegen BGH, GRUR 1972, 704; Kraßer, S 256.

in den Vertragsstaaten geltenden Verwertungsverbote unterschiedlich und veränderlich. Auch darf dem Erfinder in einem solchen Fall das Recht auf Abwehr selbst rechtswidriger Formen der Verwertung der Erfindung durch Dritte nicht genommen werden.

12 Verstoß gegen die guten Sitten

Öffentliche Ordnung und gute Sitten bilden keinen Gegensatz. Beide sind ethisch begründet. Ein Verstoß gegen die öffentliche Ordnung ist daher stets auch eine Verletzung sittlicher Werte. Dagegen kann ein Verstoß gegen die guten Sitten **im Rechtssinne** nicht vorliegen, wenn die inkriminierte Handlung durch gesetzliche Vorschriften ausdrücklich erlaubt ist.[38] Dies folgt aus der Einheit der Rechtsordnung (oben Rdn 40). In einem Rechtsstaat kann (vorbehaltlich eines Normenkontrollverfahrens) nicht angenommen werden, dass gesetzmäßiges Handeln gegen die guten Sitten verstößt.[39] 58

Der Begriff der guten Sitten entstammt dem römischen Recht (*boni mores*) und wurde in den Generalklauseln der europäischen Zivilrechtsordnungen rezipiert. Es handelt sich dabei um tatsächlich bestehende Verhaltensnormen, die durch allgemeine Akzeptanz soziale Verbindlichkeit erlangt haben, und **an deren Verletzung die allgemeine Rechtsordnung Sanktionen**, wie insbesondere die Nichtigkeit von Verträgen (§ 138 BGB) oder Unterlassungs- und Schadensersatzansprüche (§ 826 BGB) **anknüpft**. Sind diese Sanktionen auf die Verwertung der Erfindung nicht anwendbar, so liegt auch ein Verstoß gegen die guten Sitten im Sinne von Art 53 a) nicht vor, andernfalls dem Erfinder das Recht auf das Patent entzogen werden könnte, Dritten aber die Verwertung der Erfindung unter dem Siegel der Rechtmäßigkeit überlassen bliebe. Die Entscheidung T 356/93 hebt diesen Zusammenhang auf, indem sie unter Nr 6 »für die Zwecke des EPÜ« einen eigenen, von der Rechtsordnung losgelösten Begriff der guten Sitten entwickelt. 59

13 Maßgebender Zeitpunkt

Maßgebender Zeitpunkt für die Beurteilung der Frage, ob die Verwertung der Erfindung gegen die öffentliche Ordnung oder die guten Sitten verstoßen würde, ist der Zeitpunkt der Entscheidung über die Erteilung oder den Widerruf des Patents. Zwischen dem Tag der Anmeldung und dem Zeitpunkt der Entscheidung eingetretene Änderungen der **Beurteilungsmaßstäbe** aber auch **neue Anwendungsmöglichkeiten der Erfindung**, die sich zwischenzeitlich 60

---

38 Kraßer, S 252.
39 So aber **T 356/93**, ABl 1995, 545 Nr 7.

Artikel 53 *Ausnahmen von der Patentierbarkeit (Art 53 a))*

ergeben haben, sind **zum Vor- und Nachteil des Anmelders** zu berücksichtigen.[40]

61 Der Tag der Entscheidung ist auch dann der maßgebende Zeitpunkt, wenn es sich um die Anwendung der Tatbestände der R 23d a) bis d) handelt. Da es nach Art 53 a) die Rechts- und Sittenordnung der Vertragsstaaten ist, die für die Beurteilung eines Verstoßes gegen die öffentliche Ordnung und die guten Sitten maßgebend ist, sind diese Tatbestände nach Art 164 (2) ohnehin nur insoweit anwendbar, als sie mit der in den benannten Vertragsstaaten geltenden Rechts- und Sittenordnung vereinbar sind. Zwischenzeitlich bereits eingetretene oder künftige Änderungen der Rechtslage in den Vertragsstaaten können daher die Anwendung der R 23d beeinflussen.

62 Abweichend von der Grundsatzentscheidung T 356/93, Leitsatz 1 hält die Entscheidung T 315/03 Nr 8.2[41] den Anmelde- bzw. Prioritätstag »wie bei allen (anderen) Patentierbarkeitskriterien« »aus Gründen der Rechtssicherheit« für den nach Art 53 a) maßgeblichen Zeitpunkt. Dies ist nicht ganz unverständlich, erklärt doch schon die Entscheidung T 356/93 die Begriffe der öffentlichen Ordnung und der guten Sitten zu patentrechtlichen und deshalb einheitlich auszulegenden. Des ungeachtet erklärt T 315/03 die Tatbestände der R 23d pauschal für anwendbar, obwohl die Anmeldung mehr als ein Jahrzehnt vor Inkrafttreten dieser Regel eingereicht wurde. Sie begründet dies mit der rein interpretatorischen Wirkung der Regel, ohne aber die Vereinbarkeit der Regel mit Art 53 a) im einzelnen nachzuprüfen. Die Vorlageentscheidung T 1374/04 hält dagegen wiederum den im Zeitpunkt der Entscheidung geltenden Maßstab für entscheidend und gibt damit der Großen Beschwerdekammer Gelegenheit, auch zu diesem Aspekt der bisherigen Rechtsprechung Stellung zu nehmen.[42]

14 Die Ausschlusstatbestände der R 23d

63 In Übereinstimmung mit Art 6 (2) BioPatRL sieht R 23d vier Tatbestände vor, von denen drei Verfahren der Humangenetik, der vierte transgene Tiere betreffen. Im Hinblick auf ihre Vereinbarkeit mit Art 53 a) besteht die Problematik dieser Tatbestände darin, dass es sich bei ihnen um genuine Ausnahmen von der Patentierbarkeit handelt, weil sie offenbar unabhängig davon gelten sollen, ob und inwieweit **die Verwertung** der den Ausschlusstatbeständen entsprechenden Erfindungen gegen den *ordre public* oder die guten Sitten in den je-

---

40 Kraßer, S 255 mit weiteren Nachweisen; Moufang bei Schulte, § 2 Rn 17; **T 356/93**, ABl 1995, 545 Leitsatz 1; vgl dazu jedoch die abweichende Entscheidung **T 315/03**, ABl 2006, 15 (gekürzt) und die Vorlageentscheidung **T 1374/04**, siehe Mitteilung der Großen BK 2006, 393 mit Hinweis auf den Zugang zu **T 1374/04** über die Webseite des EPA.
41 **T 315/03**, ABl 2006, 15 (gekürzt).
42 **T 1374/04**, siehe Mitteilung der Großen BK 2006, 393 mit Hinweis auf den Zugang zu **T 1374/04** über die Webseite des EPA.

weils benannten Vertragsstaaten verstoßen würde. Dass dies der Fall ist, setzt die Anwendung von Art 53 a) aber gerade voraus.

Eine Auflösung dieser Problematik könnte mit der Annahme versucht werden, die mit R 23d übereinstimmenden Ausschlusstatbestände von Art 6 (2) BioPatRL seien mit ihrer Übernahme in die Patentgesetze der Mitgliedstaaten der EG Bestandteil der in diesen Staaten geltenden Rechts- und Sittenordnung geworden, auf die Art 53 a) doch verweist.

Dieser Lösungsversuch scheitert jedoch an Art 27 (2) des TRIPS-Abkommens. Diese Vorschrift lässt den Ausschluss von Erfindungen von der Patentierbarkeit nur unter der Voraussetzung zu, dass die **Verhinderung ihrer gewerblichen Verwertung** innerhalb des Hoheitsgebiets des betreffenden Mitgliedstaats zum Schutz der öffentlichen Ordnung oder der guten Sitten erforderlich ist. Art 27 (2) TRIPS verlangt daher, dass dem Patentierungsausschluss ein korrespondierendes (nicht patentrechtliches) Verwertungsverbot gegenübersteht.[43] Eine TRIPS-konforme Auslegung von Art 53 a) kann daher nach Art 164 (2) EPÜ die Ausschlusstatbestände der R 23d nur insoweit anwenden, als ihnen korrespondierende Verwertungsverbote in den benannten Vertragsstaaten gegenüberstehen.

Dass die Übernahme von Art 6 BioPatRL in das nationale Patentrecht an diesem Ergebnis nichts ändert, ergibt sich aus der Richtlinie selbst. Nachdem Erwägungsgrund 12 feststellt, dass das TRIPS-Abkommen für die Gemeinschaft und ihre Mitgliedstaaten verbindlich ist, bestimmt Art 1 (2) der Richtlinie ausdrücklich, dass die Verpflichtungen der Mitgliedstaaten aus dem TRIPS-Abkommen von der Richtlinie nicht berührt werden.

Bezogen auf Art 6 (2) der Richtlinie bedeutet dies, dass die Mitgliedstaaten der EG nicht verpflichtet sind, die dort vorgesehenen Ausschlusstatbestände in ihr nationales Patentrecht zu übernehmen, wenn entsprechende Verwertungsverbote nicht bestehen. Wo sie dies im Widerspruch zu ihren Verpflichtungen aus dem TRIPS-Abkommen dennoch getan haben sollten, ist dies für die Anwendung von Art 53 a) unbeachtlich, weil dieses Patentierungsverbot sich im Einklang mit TRIPS nicht auf nationale Patentierungsverbote, sondern auf Verwertungsverbote bezieht.

Die Tatbestände der R 23d: Aus dem Vorstehenden ergibt sich, dass R 23d nur in den Grenzen der in der Rechts- und Sittenordnung der Vertragsstaaten begründeten Verwertungsverbote anwendbar ist. Ein vollständiger Überblick über diese Verbote kann hier nicht gegeben werden. Einige Beispiele müssen genügen.[44]

---

43 Vgl dazu Addor/Bühler in sic! 5/2004, 392: »Artikel 27 Absatz 2 WTO-TRIPS-Abkommen verbieten den Mitgliedstaaten, die Nutzung einer Erfindung zu erlauben, ihre Patentierung indessen zu verbieten«.

44 Eine erweiterte Darstellung findet sich bei Hartmann, GRUR Int 2006, 195.

Artikel 53 Ausnahmen von der Patentierbarkeit (Art 53 a))

69 R 23d a) schließt Verfahren zum Klonen von menschlichen Lebewesen aus. Nach Erwägungsgrund 41 BioPatRL fällt hierunter jedes Verfahren, einschließlich der Verfahren zur Embryonenspaltung, das darauf abzielt, ein menschliches Lebewesen zu schaffen, das im Zellkern die gleiche Erbinformation wie ein anderes lebendes oder verstorbenes menschliches Lebewesen besitzt.

70 Unklar bleibt, ob der Ausschluss neben dem reproduktiven auch das therapeutische Klonen umfasst,[45] soweit dieses Verfahren nicht auf die Gewinnung von Produkten abzielt, die sich zu einem vollständigen menschlichen Organismus entwickeln können.

71 Jedenfalls ist das therapeutische Klonen in mehreren Vertragsstaaten, im Vereinigten Königreich durch den Human Fertilisation and Embryology Act von 1990 unter bestimmten Bedingungen ausdrücklich zugelassen, in Deutschland durch das Embryonenschutzgesetz dagegen bei Strafe verboten.

72 R 23d b) schließt Verfahren zur Veränderung der genetischen Identität der Keimbahn des menschlichen Lebewesens aus. Im Gegensatz zur somatischen Gentherapie soll damit die Keimbahntherapie ausgeschlossen werden, die das Genom von Nachkommen verändern kann.[46]

Laut Erwägungsgrund 40 BioPatRL besteht innerhalb der EG Übereinstimmung darüber, dass die Keimbahnintervention am menschlichen Lebewesen und das Klonen von menschlichen Lebewesen gegen die öffentliche Ordnung und die guten Sitten verstoßen.

73 R 23d c) schließt die Verwendung von menschlichen Embryonen zu industriellen und kommerziellen Zwecken von der Patentierbarkeit aus. Erwägungsgrund 42 BioPatRL erläutert dazu, dass dies auf keinen Fall für Erfindungen gelte, die therapeutische oder diagnostische Zwecke verfolgen **und** auf den menschlichen Embryo zu dessen Nutzen angewandt werden. Diese Erläuterung trägt allerdings nur zur weiteren Verdunkelung des ohnehin unklaren Ausschlusstatbestands bei.

Nach Sinn und Zweck des Ausschlusses ist zunächst nur klar, dass mit der Bezeichnung »Embryo« alle Stadien der Entwicklung von der befruchteten Eizelle bis zur Geburt erfasst sind.[47]

74 Klar scheint nach Erwägung 42 BioPatRL zunächst auch, dass die Verwendung von Embryonen zu nicht industriellen oder kommerziellen, nämlich therapeutischen oder diagnostischen Zwecken, vom Ausschluss nicht erfasst ist. Daran sollte auch die im Erwägungsgrund 42, nicht aber im Tatbestand von Art 6 (2) a) (R 23d c)) gemachte Einschränkung der Anwendung des therapeu-

---

45 Bejaht von Moufang bei Schulte, § 2 Rn 38; anders zB Hartmann, GRUR Int 2006, 195, 200 f mit weiteren Nachweisen.
46 Vgl Moufang bei Schulte, § 2 Rn 41.
47 Zutreffend Moufang bei Schulte, § 2 Rn 45.

tischen oder diagnostischen Zwecks »zum Nutzen des menschlichen Embryos nichts ändern«.[48]

Die Vorlageentscheidung T 1374/04,[49] in der es um die Anwendbarkeit von R 23d c) auf Stammzellkulturen geht, die aus nach In-vitro-Befruchtung überzähligen menschlichen Embryonen gewonnen werden, lässt diese und andere Fragen in ihrer Begründung zu Vorlagefrage 2 offen (siehe Rdn 28).

Ein weiterer Gesichtspunkt kommt hinzu: 75

Im Juni 2006 hat das Europäische Parlament in erster Lesung das von der Kommission am 6.4.2005 vorgelegte 7. Forschungsrahmenprogramm für die Jahre 2007 bis 2013 mit der Maßgabe befürwortet, dass nach dem Programm auch Mittel zur Forschung an Stammzellen bereitgestellt werden können, die aus nach In-vitro-Befruchtung überzähligen menschlichen Embryonen gewonnen werden.

Sollte das Programm mit dieser Maßgabe von Parlament und Rat beschlossen werden, so wäre dies ein Hinweis darauf, dass der Gemeinschaftsgesetzgeber, Art 6 (2) c) auf die im Forschungsprogramm vorgesehenen Maßnahmen für nicht mehr anwendbar hält. Dies wäre nach Art 31 (3) b) der Wiener Vertragsrechtskonvention (WVK) auch bei einer künftigen Auslegung und Anwendung der R 23d c) zu beachten.[50]

Schließlich werden nach **R 23d d)** europäische Patente auch nicht für Verfahren zur Veränderung der genetischen Identität von Tieren erteilt, die geeignet sind, Leiden dieser Tiere ohne wesentlichen medizinischen Nutzen für den Menschen oder das Tier zu verursachen, sowie die mit Hilfe dieser Verfahren erzeugten Tiere. 76

Die entsprechende Vorschrift wurde in die BioPatRL als Art 6 (2) d) unter dem Eindruck der Entscheidung T 19/90[51] aufgenommen, nach der die Entscheidung darüber, ob Art 53 a) der Patentierung transgener Tiere entgegensteht, »hauptsächlich von einer sorgfältigen Abwägung des Leidens der (betroffenen) Tiere und möglicher Risiken für die Umwelt einerseits und dem Nutzen der Erfindung für die Menschheit andererseits abhängt«. Die Richtlinie und R 23d d) übernehmen dieses Abwägungsprinzip, ändern es jedoch dahingehend, dass die Abwägung zwischen dem möglichen Leiden der Tiere (unter Auslassung der Risiken für die Umwelt) einerseits und dem **wesentlichen medizinischen** Nutzen für den Menschen **oder das Tier** erfolgen soll. 77

---

48 AA Moufang bei Schulte, § 2 Rn 47, wonach in der Regel gewerbliche Zwecke vorliegen, wenn eine Patentanmeldung auf die Verwendung von Embryonen gerichtet ist.

49 Siehe Mitteilung der Großen BK 2006, 393 mit Hinweis auf den Zugang zu T 1374/04 über die Webseite des EPA.

50 Vgl hierzu Straus, Völkerrechtliche Verträge und Gemeinschaftsrecht als Auslegungsfaktoren des EPÜ, GRUR Int 1998, 1; **G 1/83**, GRUR Int 1985, 194.

51 **T 19/90**, ABl 1990, 476.

78 Dieser Modifikation des Abwägungsprinzips begegnet die Entscheidung T 315/03[52] mit dem Argument, R 23d sehe nur Beispielsfälle für die Anwendung von Art 53 a) vor. Daraus folgert sie, dass für die Patentierbarkeit von sog Qualzüchtungen neben dem »Test nach R 23d d)« weiterhin der »Test 19/90« anzuwenden sei, nach dem auch Gefahren für die Umwelt zu berücksichtigen sind. Es handelt sich dabei um einen Vorwand, weil es die offensichtliche Absicht des Gesetzgebers von Art 6 (2) d) BioPatRL und R 23d d) war, den Tatbestand der »Qualzüchtung« in Kenntnis der Entscheidung T 19/90 von dieser abweichend zu regeln.

Dessen ungeachtet ist auch der Maßstab der R 23d d) nach Art 53 a) iVm Art 164 (2) nur insoweit anzuwenden, als er mit dem einschlägigen Tierschutzrecht der EG und der benannten Vertragsstaaten vereinbar ist.

15 Die Anwendung von Art 53 a) im europäischen Patenterteilungsverfahren

79 Mit der Ausnahme des Bereichs der Gentechnik hat es in der 28jährigen Geschichte des europäischen Patenterteilungsverfahrens keinen Fall gegeben, in dem die Anwendung von Art 53 a) auch nur in Betracht zu ziehen gewesen wäre. Der Hintergrund dieser Tatsache besteht darin, dass am Schutz einer Erfindung, deren rechtmäßige Verwertung vernünftigerweise nicht in Betracht kommen kann, kein wirtschaftliches Interesse besteht. Derartige Anmeldungen wurden daher nicht eingereicht, erst recht nicht angesichts der Kosten des europäischen Patents.

80 Die Ursachen für die gegenläufige Entwicklung auf dem Gebiet der Gentechnik liegen ebenso klar zutage. Erstens umfasst diese neue Technologie mögliche Anwendungsformen, deren Verwertung in der Tat, insbesondere wenn sie das menschliche Leben betrifft, grundsätzliche Fragen der Ethik aufwirft. Zweitens ist die Beantwortung dieser Fragen durch die nationale Gesetzgebung – immer nach leidenschaftlichem öffentlichen Meinungsstreit – unterschiedlich verlaufen. Und drittens ist die Entwicklung auf diesem Gebiet, wie das EU-Forschungsprogramm zeigt, noch keineswegs abgeschlossen. Es kann also keine Rede davon sein, dass an europäischen Patentanmeldungen, die in dieser Grauzone eingereicht werden, kein wirtschaftliches Interesse besteht. Deshalb werden sie eingereicht.

81 Sollte die Große Beschwerdekammer bei der Beantwortung der ihr mit der Entscheidung T 1374/04 vorgelegten Fragen zu dem Ergebnis gelangen,[53] dass

---

52 **T 315/03**, ABl 2006, 15 (gekürzt). Diese im Einspruchsverfahren ergangene Entscheidung vom 6.7.2004 betrifft denselben Fall wie die im Erteilungsverfahren ergangene Entscheidung **T 19/90** vom 3.10.1990, ABl 1990, 476.
53 Siehe Mitteilung der Großen BK 2006, 393 mit Hinweis auf den Zugang zu T 1374/04 über die Webseite des EPA.

die Ausschlusstatbestände der R 23d nur insoweit anwendbar sind als sie mit den jeweils in den benannten Vertragsstaaten bestehenden Verwertungsverboten übereinstimmen, so würde dies selbst auf dem Gebiet der Biotechnologie zu einer Entlastung des Erteilungs- einschließlich des Einspruchsverfahrens vor dem EPA führen und die Gefahr der Ausweitung der Belastungen, die sich aus der Behauptung eines EPÜ-spezifischen Begriffs der öffentlichen Ordnung und der guten Sitten ergeben, auf die Verfahren auf anderen Gebieten der Technik bannen.

Für die Anwendung von Art 53 a) relevante Unterschiede im Recht der Vertragsstaaten bestehen nach bisheriger Kenntnis allein auf dem **Gebiet der Humangenetik** und sind in den zuständigen Rechtsdiensten des Amts dokumentiert. In den seltenen Fällen, in denen sie zum Tragen kommen, kann die Prüfungs- oder Einspruchsabteilung um ein rechtskundiges Mitglied erweitert werden. Eine nennenswerte Mehrbelastung des Erteilungsverfahrens ist daher selbst auf diesem Gebiet nicht zu erwarten. 82

In allen anderen Sparten der Biotechnologie könnte das Patent wie auf jedem anderen Gebiet der Technik ohne jede vorherige rechtsvergleichende Untersuchung erteilt werden, es sei denn, der rechtswidrige Zweck der Erfindung ergäbe sich unmittelbar und zwingend aus den Anmeldeunterlagen – ein Seltenheitsfall. 83

Schließlich würde in einem auf Art 53 a) gestützten Einspruchsverfahren der Einsprechende nach Art 100 a) darzulegen haben, gegen welche in den benannten Vertragsstaaten geltende, für die Anwendung von Art 53 a) relevante, gesetzliche Verbote oder gegen welche, rechtlich sanktionierte (Rdn 48) sittliche Norm die erfindungsgemäße Verwertung der Erfindung verstoßen würde. Gelingt ihm dies nicht, so ist der Einspruch ohne weiteres zurückzuweisen. 84

B Artikel 53 b)

16 Allgemeines

Art 53 b) schließt Pflanzensorten und Tierarten[54] sowie im wesentlichen biologische Verfahren zur Züchtung von Pflanzen und Tieren vom Patentschutz aus. Nach dem 2. Halbsatz ist dieser Ausschluss nicht auf mikrobiologische Verfahren und auf die mit Hilfe dieser Verfahren gewonnenen Erzeugnisse anzuwenden. Hierbei handelt es sich um **eine Klarstellung** und **nicht** etwa um eine **Einschränkung** des Ausschlusstatbestands des 1. Halbsatzes.[55] 85

Art 53 b) geht auf Art 2 b) StraßbÜ von 1963 zurück. Dies ist insofern von Bedeutung, als der Gesetzgeber dieses Übereinkommens gentechnische Sachverhalte noch nicht vor Augen haben konnte und deshalb auf diesem neuen 86

---

54 Engl.»animal varieties«, frz. »races animales«.
55 Davon abweichend **T 19/90**, ABl 1990, 476 und **T 356/93**, ABl 1995, 545; vgl dazu Rdn 108.

Gebiet der Technik der richterlichen Rechtsfortbildung erheblichen Spielraum lassen musste. Die Beschwerdekammern des EPA haben sich dieser Aufgabe gewidmet. Wesentliche Ergebnisse ihrer Rechtsprechung haben Eingang in die BioPatRL gefunden und sind mit deren Übernahme in die AusfO zum EPÜ Bestandteil des Übereinkommens geworden.

87 Der Anwendungsbereich der BioPatRL sowie der Regeln 23b bis 23e beschränkt sich auf biotechnologische Erfindungen iS der Definitionen der R 23b (2) und (3). Die Patentierbarkeit von Erfindungen, die diesen Definitionen nicht entsprechen, bleibt unberührt. Dies gilt zB für Material, das zwar aus »biologischem Material« hergestellt wurde und (noch) genetische Information enthält (zB Baumrinde, Tierhaar oder Leder), sich aber nicht mehr selbst reproduzieren oder in einem biologischen System reproduziert werden kann.

17 Pflanzensorten

88 Mit dem **Sortenschutz** steht dem Pflanzenzüchter ein seiner Arbeitsweise und seinen Schutzbedürfnissen entsprechendes Sonderschutzrecht zur Verfügung. **Schutzvoraussetzungen** sind die Neuheit, die Unterscheidbarkeit, die Homogenität und die Beständigkeit (unveränderte Vermehrbarkeit) der Sorte. Der sortenrechtliche Neuheitsbegriff unterscheidet sich wesentlich von dem des Patentrechts. Er knüpft an das erste Inverkehrbringen der Sorte an.

89 Auch in der **Schutzwirkung** unterscheidet sich der Sortenschutz vom Patentschutz. Er umfasst insbesondere das Erzeugen und Inverkehrbringen von Vermehrungsmaterial, nicht aber die Nutzung und Vermehrung innerhalb eines landwirtschaftlichen Betriebs. Ferner wird der Sortenschutz durch das Züchterprivileg eingeschränkt.

18 Verhältnis von Patent- und Sortenschutz

90 Das Internationale Übereinkommen zum Schutz von Pflanzenzüchtungen (UPOV-Ü) schloss in seiner ursprünglichen Fassung vom 2.12.1961 die Gewährung von Patentschutz für Pflanzensorten aus. In der revidierten Fassung des Übereinkommens vom 19.3.1991[56] ist das Doppelschutzverbot entfallen. Dessen ungeachtet haben sich in Europa Bestrebungen, für Pflanzensorten neben dem Sortenschutz Patentschutz zuzulassen, nicht durchgesetzt. Nach Art 1 der EG-Sortenschutzverordnung[57] ist der Sortenschutz die ausschließliche Form des gewerblichen Rechtsschutzes für Pflanzensorten. Ferner können nach Art 92 der Verordnung keine Patente für Sorten erteilt werden, die Ge-

---

56 GRUR Int 1991, 538.
57 Verordnung (EG) Nr 2100/94 des Rates über den gemeinschaftlichen Sortenschutz vom 27.7.1994 ABl EG L 227, 1, zuletzt geändert durch VO vom 18.6.2003, ABl EU L 245/23.

genstand eines gemeinschaftlichen Sortenschutzrechts sind. In der Revisionsakte 2000 zum EPÜ ist Art 53 b) unverändert geblieben.

Der **Begriff der Pflanzensorte** wird in Art 1 Nr vi UPOV-Ü, Art 5 der EG-SortenschutzVO, Art 2 BioPatRL und schließlich R 23b (4) EPÜ übereinstimmend definiert.[58] Es handelt sich um eine pflanzliche Gesamtheit innerhalb eines einzigen botanischen Taxons der untersten bekannten Rangstufe, die, unabhängig davon, ob die Bedingungen für die Erteilung des Sortenschutzes vollständig erfüllt sind,

– durch die sich aus einem bestimmten Genotyp oder einer bestimmten Kombination von Genotypen ergebende Ausprägung der Merkmale definiert,
– zumindest durch die Ausprägung eines dieser Merkmale von jeder anderen pflanzlichen Gesamtheit unterschieden und
– in Anbetracht ihrer Eignung, unverändert vermehrt zu werden, als Einheit angesehen werden kann.

19 Rechtsprechung der Beschwerdekammern

Die Rechtsprechung der Beschwerdekammern des EPA hat bereits in ihren ersten einschlägigen Entscheidungen klargestellt, dass sich der Ausschluss von Art 53 b) nur auf Pflanzensorten im Sinne der Definition des UPOV-Ü bezieht. Ansprüche auf gentechnisch veränderte oder durch anderweitige Verfahren bearbeitete Pflanzengesamtheiten, die dieser Definition nicht entsprechen, sowie deren Bestandteile wie Früchte, Samen, Zellen oder einzelne Gene sind von dem Ausschluss nicht betroffen.[59]

In der Entscheidung T 49/83 ging es um mit einem Oximderivat behandeltes Saatgut.[60] Die Kammer begnügte sich nicht mit der an sich schon ausreichenden Feststellung, die Erfindung liege nicht auf dem Gebiet der Pflanzenzüchtung (Nr 2.1), sondern wies ergänzend darauf hin, dass Art 53 b) nur Pflanzensorten im Sinne der Definition des UPOV-Ü ausschließe (Nrn 3, 4).

In T 320/87 waren die Ansprüche auf Verfahren zur Entwicklung von Hybriden und auf mit solchen Verfahren entwickelte Hybridsamen gerichtet.[61] Die Kammer bezog sich zustimmend auf die in T 49/83 entwickelten Auslegungsgrundsätze, stellte aber als entscheidend darauf ab, dass die Erfindung mangels Beständigkeit der Hybriden im konkreten Fall keinen Sortenschutz erlangen konnte. Dieser Begründung ist zu Recht entgegengehalten worden, dass sie da-

---

58 Zur Neufassung der Definition des Sortenbegriffs in der Revidierten Akte des UPOV-Ü vom 19.3.1991 vgl insbes Strauss, GRUR Int 1998, 4 ff.
59 **T 49/83** Vermehrungsgut/CIBA-Geigy vom 26.7.1983, ABl 1984, 87.
60 Vgl dazu Mitteilung des Präsidenten vom 1.7.1999, ABl 1999, 573.
61 **T 320/87** Hybridpflanzen/LUBRIZOL vom 26.7.1983, ABl 1990, 71 = GRUR Int 1990, 629.

rauf schließen lasse, dass Pflanzenmehrheiten, die der Definition der UPOV-Ü nicht entsprechen, nur deshalb vom Patentschutz ausgeschlossen werden könnten, weil sie erbbeständige genetische Veränderungen aufweisen.[62] Entscheidend war, dass das Verfahren sortenübergreifend anwendbar war und dass deshalb auch die Erzeugnisansprüche nicht auf eine oder mehrere Pflanzensorten gerichtet waren.

95 Nachdem sich die auf den Begriff der Pflanzensorte gestützte Rechtsprechung bereits in erstinstanzlichen Einspruchsentscheidungen weiter geklärt und gefestigt hatte,[63] brachte die **Entscheidung T 356/93**[64] **eine unerwartete Wende**. Gegenstand der Erfindung war die Einschleusung einer heterologen DNA-Sequenz in das Genom einer Pflanze, mit deren Hilfe die Pflanze ein Protein erzeugt, das sie gegen ein bestimmtes Herbizid resistent macht. Beansprucht waren, neben dem mehrstufigen, ua gentechnischen Verfahren, Pflanzen mit dem erfindungsgemäßen Merkmal sowie verschiedene Zwischenprodukte, insbesondere Pflanzenzellen. Obwohl die Ansprüche auf Pflanzen im allgemeinen gerichtet waren, ergab sich aus der Beschreibung, dass die Erfindung für den Tabakanbau gedacht war. Tabak wird ausschließlich in Form von Sorten angebaut, die dem Sortenschutz unterliegen.

96 Auch diese Entscheidung geht vom Sortenbegriff des UPOV-Ü aus.[65] Des ungeachtet schließt sie auf transgene Pflanzen im allgemeinen gerichtete Ansprüche aus, wenn diese Pflanzensorten, hier Tabaksorten, »umfassen«. Derartige Ansprüche stellten eine **Umgehung** des Patentierungsverbots dar (Leitsatz VII, Gründe 40.7, 40.8).

97 Diese Entscheidung ist auf Kritik gestoßen.[66] Eine gentechnische Erfindung verändert eine Pflanze stets nur in einem bestimmten, sehr geringen Abschnitt ihres Genoms, ist also nicht auf die Schaffung einer durch ihr gesamtes Genom individuell geprägten Pflanzensorte gerichtet. Die Entscheidung führt zu einer Schutzrechtslücke, weil nach ihr sortenübergreifende Pflanzenerfindungen,

---

62 Van de Graaf, Anm. zu T 320/87 in GRUR Int 1990, 629, 633.
63 Vgl insbesondere Einspruchsabteilung vom 15.2.1993, GRUR Int 1993, 865. Ansprüche auf gentechnisch veränderte Pflanzen und Pflanzenteile sind gewährbar, wenn die Anwendbarkeit der Erfindung nach der Beschreibung nicht auf eine spezifische Pflanzensorte beschränkt ist.
64 **T 356/93** Plant Genetic Systems vom 21.2.1995, ABl 1995, 595 = GRUR Int 1995, 978 mit Anm. von Schrell.
65 Leitsatz II, Gründe Nr 23. Im Zitat der begrifflichen Merkmale fehlt allerdings die Bezugnahme darauf, dass sich eine Pflanzensorte »durch die sich aus einem bestimmten Genotyp oder einer bestimmten Kombination von Genotypen ergebende Ausprägung der Merkmale definiert«.
66 Lange, GRUR Int 1996, 586; Schatz, GRUR Int 1997, 588 (592), Straus, GRUR Int 1998, 1 (12) mit weiteren Nachweisen; zuvor schon Teschemacher, GRUR Int 1987, 309; Moufang in MünchGemKom, Art 53 Rn 77 ff.

die sortenrechtlich nicht geschützt werden können, auch dem Patentschutz entzogen werden.

Eine Vorlage dieser Entscheidung durch den Präsidenten des EPA nach Art 112 (1) b) wurde von der Großen Beschwerdekammer als unzulässig zurückgewiesen.[67] Trotz dieses Rückschlags konnte dank dem vom Ausschuss für Bürgerrechte des Europäischen Parlaments gepflegten offenen Meinungsaustausch verhindert werden, dass die Entscheidung T 356/93 in diesem Punkt – im Gegensatz zu anderen ihrer Aspekte – Eingang in die BioPatRL fand. Art 4 (2) der Richtlinie (= R 23c b)) stellt ausdrücklich klar, dass Erfindungen, deren Gegenstand Pflanzen und Tiere sind, patentierbar sind, sofern ihrer Ausführung technisch nicht auf eine bestimmte Pflanzensorte oder Tierrasse beschränkt ist.

Eine Klärung der Problematik sortenübergreifender Pflanzen auf der Ebene der Rechtsprechung des EPA brachte schließlich die Entscheidung der **Großen Beschwerdekammer G 1/98 vom 20.12.1999**,[68] die nach Vorlage eines vergleichbaren Falles durch die Beschwerdekammer selbst erging.[69] Sinn und Zweck des Ausschlusses von Pflanzensorten durch Art 53 b) sieht die Große Beschwerdekammer darin, dass europäische Patente nicht für Gegenstände zu erteilen sind, für die Sortenschutz erlangt werden kann. Der Gegenstand eines sortenübergreifenden Anspruchs ist nicht mit dessen Schutzumfang gleichzusetzen. Der Umfang des Ausschlusses von der Patentierung ist das Gegenstück zur Verfügbarkeit von Sortenschutz.

Auf die wenige Monate zuvor (am 1.9.1999) in Kraft getretene R 23c b) geht die Entscheidung nicht näher ein. Dies mag ein Hinweis darauf sein, dass die Große Beschwerdekammer sich vorbehält, die Regeln der AusfO, auch soweit sie auf die BioPatRL zurückgehen, auf ihre Vereinbarkeit mit Art 53 zu prüfen und sie gegebenenfalls nach Art 164 (2) nicht anzuwenden. Tatsächlich weicht sie von R 23c b) insofern ab, als diese darauf abstellt, dass die Ausführung der Erfindung **technisch** sortenübergreifend ist, während es nach der Entscheidung darauf ankommt, dass für den **Anspruchsgegenstand** Sortenschutz nicht erlangt werden kann. In der Praxis dürfte diese Nuance allerdings kaum Bedeutung erlangen.

20 Tierrassen

Der in der deutschen Fassung von Art 53 b) verwendete **Begriff der »Tierarten«** wurde bereits in der Entscheidung T 19/90[70] im Sinne der engeren Begriffe der »animal varieties« und »races animales« der englischen bzw. der französi-

---

67 **G 3/95**, ABl 1996, 169.
68 ABl 2000, 111 Transgene Pflanzen/Novartis II.
69 **T 1054/96** Transgene Pflanzen/Novartis I, ABl 1998, 511.
70 ABl 1990, 476 Nr 4.3.

schen Fassung als Tierrassen meinend gedeutet. In der BioPatRL, der AusfO zum EPÜ und in Art 53 b) EPÜ 2000 ist das Wort »Tierrasse« an die Stelle des Wortes »Tierart« getreten. Eine gesetzliche Definition fehlt. Jedenfalls ist die Tierrasse taxonomisch eine Untereinheit der Tierart.

21 Umfang des Ausschlusses

102 Nach der Rechtsprechung der Beschwerdekammern kann der Ausschluss von Tierarten (-rassen) nicht als Ausschluss von Tieren schlechthin gedeutet werden. Dies ergibt sich bereits aus dem Wortlaut von Art 53 b, in dem beide Begriffe unterscheidend gebraucht werden. Diese Rechtsprechung hat in Art 4 (2) BioPatRL sowie R 23c b) ihren Niederschlag gefunden. Danach sind biotechnologische Erfindungen auch dann patentierbar, wenn ihr Gegenstand Tiere sind, sofern die Ausführung der Erfindung technisch nicht auf eine bestimmte Tierrasse beschränkt ist. Mit der sorten- bzw. rassenübergreifenden Ausführbarkeit der Erfindung ist damit ein für den Pflanzen- und den Tierbereich einheitliches Abgrenzungskriterium gefunden.[71] Neben Tieren als solchen ist nach R 23c a) auch dem Tierbereich zuzuordnendes biologisches Material patentierbar, also insbesondere Vermehrungsmaterial (Ei- und Samenzellen), sonstige Zellen, Teile des Genoms, Teile oder Produkte von Tieren.

22 Im wesentlichen biologische Verfahren zur Züchtung von Pflanzen und Tieren

103 Nach Art 2 (2) BioPatRL und R 23b (5) ist ein Verfahren **im wesentlichen** biologisch, wenn es **vollständig** auf natürlichen Phänomenen wie Kreuzung und Selektion beruht. In der Sache handelt es sich um Verfahren, die darauf abzielen, durch die Kombination **ganzer Genome** im Wege der Kreuzung und der Selektion Pflanzen und Tiere mit aus menschlicher Sicht verbesserten Eigenschaften hervorzubringen. Dies bedeutet, dass nicht auf ein genetisch fixiertes Ergebnis abzielende landwirtschaftliche oder sonstige auf die verbesserte Aufzucht und Pflege von Pflanzen abzielende Verfahren einerseits[72] und gezielte Eingriffe in einzelne Bestandteile des Genoms von Pflanzen und Tieren, wie sie erst die moderne Gentechnik ermöglicht hat, andererseits, von dem Ausschlusstatbestand nicht betroffen sind.

---

[71] Die in **G 1/98**, ABl 2000, 111 für den Pflanzenbereich gefundene Abgrenzung nach der Verfügbarkeit des Sonderschutzrechts ist dagegen wegen des Fehlens eines Sonderschutzrechts für Tierzüchtungen auf den Tierbereich nicht übertragbar.
[72] Zutreffend Moufang bei Schulte, § 2 Rn 86.

23 Rechtsprechung der Beschwerdekammern

Ein Verfahren zur Behandlung von Saatgut mit einem chemischen Mittel ist weder im wesentlichen biologisch noch handelt es sich überhaupt um ein Verfahren zur Züchtung von Pflanzen.[73]

104

In der oben unter Rdn 94 erwähnten Entscheidung T 320/87[74] handelte es sich um ein Verfahren, bei dem die zur Kreuzung vorgesehenen Pflanzen zunächst durch Klonen identisch vermehrt wurden, um dann erst durch Kreuzung eine größere Population von Hybridpflanzen zu erzielen. Zwar handelt es sich hier um ein Züchtungsverfahren; dieses ist jedoch nicht im wesentlichen biologisch, weil das erfindungsgemäß der Kreuzung vorangestellte Klonen ein technischer, das Gesamtverfahren prägender Vorgang ist.

105

Mehrstufige Verfahren, deren entscheidender Schritt die Einschleusung einer rekombinanten DNA-Sequenz in das Genom einer Pflanze ist, sind nach der Entscheidung T 356/93 ebenfalls technische und nicht im wesentlichen biologische Verfahren.[75] Wenn die Kammer dies unter Hinweis auf T 320/87 feststellt, so übersieht sie dabei, dass Verfahren der rekombinanten Gentechnik ohnehin nicht als Züchtungsverfahren iS von Art 53 b) anzusehen sind.

106

24 Mikrobiologische Verfahren und ihre Erzeugnisse

Nach Art 52 (1) werden europäische Patente vorbehaltlich der Ausschlusstatbestände der Art 52 (4) und Art 53 für Erfindungen auf allen Gebieten der Technik[76] erteilt, also auch für mikrobiologische Verfahren und ihre Erzeugnisse. Dies entsprach lange Zeit vor dem Abschluss des StraßbÜ und des EPÜ jahrzehntealter Praxis.

107

Vor diesem Hintergrund schien es dem Gesetzgeber des EPÜ, auch hier dem Vorbild des StraßbÜ folgend, angezeigt, im zweiten Halbsatz von Art 53 b) ausdrücklich klarzustellen, dass die Patentierbarkeit von mikrobiologischen Erfindungen durch die Vorschriften des ersten Halbsatzes nicht berührt wird.[77]

108

Diese Klarstellung ist der Sinn und Zweck von Art 53 b, 2. Halbsatz, und **in ihr erschöpft sich seine Bedeutung**. Der zweite Halbsatz ist keine »Ausnahme von der Ausnahme«. Daraus folgt unmittelbar, dass Pflanzensorten und Tierarten (-rassen) auch dann von der Patentierbarkeit ausgeschlossen bleiben, wenn sie als »mit Hilfe eines mikrobiologischen Verfahrens gewonnenen Erzeugnis-

---

73 **T 49/83** Vermehrungsgut/CIBA-Geigy, ABl 1984, 87.
74 **T 320/87**, ABl 1990, 71.
75 **T 356/93**, ABl 1995, 545 (578) Nr 40 ff.
76 So nunmehr ausdrücklich Art 52 (1) EPÜ 2000.
77 In sachlicher Hinsicht war es jedenfalls nicht ganz undenkbar, dass gewisse Mikroorganismen wie zB Bakterien, Tieren gleichgesetzt und Kreuzungsverfahren von Bakterien und ihre Ergebnisse als im wesentlichen biologische Verfahren bzw. Tierarten von den Ausschlusstatbeständen des ersten Halbsatzes erfasst werden könnten.

se« angesehen werden können. Im weiteren Sinne folgt daraus, dass es für die Patentierbarkeit einer Erfindung nach dem EPÜ schlechthin irrelevant ist, ob ein Verfahren ein mikrobiologisches oder ein sonstiges technisches Verfahren ist. Eine Klarstellung stellt klar, ändert aber nichts. Die in Art 6 (2) BioPatRL und R 23b (6) gegebene Bestimmung des Begriffs von mikrobiologischen Verfahren geht daher patentrechtlich ins Leere. Dies ist umso gewisser, als R 23c c) in Übereinstimmung mit Erwägungsgrund 32 der BioPatRL nunmehr ausdrücklich vorschreibt, dass ein durch ein mikrobiologisches (oder sonstiges technisches) Verfahren gewonnenes Erzeugnis patentierbar ist, »sofern es sich dabei nicht um eine Pflanzensorte oder Tierrasse handelt«.[78]

25 Rechtsprechung der Beschwerdekammern

109 In der Zeit vor dem Inkrafttreten der BioPatRL und ihrer Übernahme in die AusfO zum EPÜ ist die Rechtsprechung der BK allerdings zu einem anderen Ergebnis gelangt. In der Entscheidung T 356/93 wird unter Nr 32 ff ausgeführt, Art 53 b), 2. Halbsatz, müsse angesichts der bedeutsamen Entwicklungen, die sich in jüngster Zeit auf dem Gebiet der Mikrobiologie ergeben haben, nach objektiv-teleologischen Kriterien ausgelegt werden. Nach der derzeitigen Praxis des EPA fielen daher unter den Begriff »Mikroorganismus« nicht nur Bakterien und Hefen sondern neben Pilzen, Algen und Protozoen auch **menschliche, tierische und pflanzliche Zellen**, also alle für das bloße Auge nicht sichtbaren, im allgemeinen einzelligen Organismen, die im Labor vermehrt und manipuliert werden können. Mikrobiologische Verfahren sind demzufolge technische Tätigkeiten unter unmittelbarem Einsatz von Mikroorganismen in dem erweiterten Sinne.

110 Nachdem sich die Kammer bereits unter Nr 30 den in T 19/90 für den Tierbereich aufgestellten Grundsatz, »dass der zweite Halbsatz des Artikel 53 b) eine Ausnahme von der im ersten Halbsatz verankerten Ausnahme von der Patentierbarkeit ist«, für den Pflanzenbereich zu eigen gemacht hat, kommt sie zu dem Ergebnis, dass Ansprüche auf Pflanzenzellen gewährbar sind, auch wenn es sich dabei um Zellen einer Pflanzensorte handelt. Für Ansprüche auf transgene Pflanzen, die Pflanzensorten »umfassen«, soll dies aber nicht gelten, weil zur Herstellung der kompletten Pflanze neben mikrobiologischen noch weitere nicht mikrobiologische Verfahrensschritte erforderlich sind. Mehrstufige technische Verfahren mit einem mikrobiologischen Verfahrensschritt könnten

---

[78] Kraßer, S 217 weist darauf hin, dass sich in diesem Punkt möglicherweise ein Rechtsunterschied zum deutschen Patentrecht anbahnt. Nach dem Entwurf des Gesetzes zur Umsetzung der BioPatRL soll § 2a (1) PatG lauten:
»Für Pflanzensorten und Tierrassen sowie im wesentlichen biologische Verfahren zur Züchtung von Pflanzen und Tieren werden keine Patente erteilt. **Dies gilt nicht** für Erfindungen, die ein mikrobiologisches oder ein sonstiges technisches Verfahren oder ein durch **dieses Verfahren** gewonnenes Erzeugnis zum Gegenstand haben«.

deshalb nicht mit mikrobiologischen Verfahren gleichgesetzt werden (Nr 39).

Die Entscheidung der **Großen Beschwerdekammer G 1/98**[79] lässt die Frage 111 nach der rechtlichen Bedeutung des zweiten Halbsatzes von Art 53 b) offen. Unter Nr 5.1 stellt sie lediglich fest, dass ausgehend von der Annahme, dass Art 53 b) zweiter Halbsatz eine »lex specialis« ist gefolgert werden könnte, dass die lex generalis im ersten Halbsatz dieser Bestimmung nicht für Fälle gilt, die durch die »lex specialis« abgedeckt sind. Ob diese Annahme zutrifft, bleibt offen (Nr 5.1). Ihr Ergebnis gewinnt die GBK vielmehr aus anderen Gesichtspunkten. Erstens werde der Begriff »mikrobiologische Verfahren« im zweiten Halbsatz von Art 53 b) als Synonym für Verfahren gebraucht, bei denen Mikroorganismen verwendet werden. Diese seien etwas anderes als Teile von Lebewesen, mit denen bei der genetischen Veränderung von Pflanzen gearbeitet wird (Nr 5.2). Zweitens spiele es nach dem UPOV-Ü oder nach der (EG-)Verordnung über den Sortenschutz keine Rolle, wie eine Pflanzensorte gewonnen werde. Hersteller, die Pflanzensorten mit Hilfe der Gentechnik herstellen, könnten nicht besser gestellt werden als Züchter, die mit herkömmlichen Züchtungsverfahren arbeiten. Im Einklang mit Erwägungsgrund 32 BioPatRL[80] sei deshalb eine durch genetische Veränderung einer bestimmten Pflanzensorte neu gewonnene Pflanzensorte selbst dann vom Patentschutz ausgeschlossen, wenn die genetische Veränderung das Ergebnis eines biotechnologischen (mikrobiologischen) Verfahrens ist.

Festzuhalten bleibt, dass die Entscheidung G 1/98 in dieser Frage wesentlich 112 auf sortenrechtlichen Erwägungen beruht, die auf den Tierbereich nicht übertragbar sind, weil es hier ein Sonderschutzrecht nicht gibt. Dennoch sollte auch hier eine patentrechtliche Privilegierung mikrobiologischer gegenüber sonstigen technischen Verfahren vermeidbar sein. Art 53 b), 2. Halbsatz, ist keine »Ausnahme von der Ausnahme«.

Artikel 54 Neuheit

(1) **Eine Erfindung gilt als neu, wenn sie nicht zum Stand der Technik gehört.**

(2) **Den Stand der Technik bildet alles, was vor dem Anmeldetag der europäischen Patentanmeldung der Öffentlichkeit durch schriftliche oder mündliche Beschreibung, durch Benutzung oder in sonstiger Weise zugänglich gemacht worden ist.**

---

79 **G 1/98** Novartis II vom 20.12.1999, ABl 2000, 111, GRUR Int 2000, 430; vorgelegt war nicht die Entscheidung **T 356/93**, ABl 1995, 545, sondern die einen teilweise gleichgelagerten Fall betreffende Entscheidung **T 1054/96**, ABl 1997, 551.
80 R 23c c) wird, obwohl schon in Kraft, nicht angezogen.

Artikel 54 — Neuheit

(3) Als Stand der Technik gilt auch der Inhalt der europäischen Patentanmeldungen in der ursprünglich eingereichten Fassung, deren Anmeldetag vor dem in Absatz 2 genannten Tag liegt und die erst an oder nach diesem Tag nach Artikel 93 veröffentlicht worden sind.

(4) Absatz 3 ist nur insoweit anzuwenden, als ein für die spätere europäische Patentanmeldung benannter Vertragsstaat auch für die veröffentlichte frühere Anmeldung benannt worden ist.

(5) Gehören Stoffe oder Stoffgemische zum Stand der Technik, so wird ihre Patentfähigkeit durch die Absätze 1 bis 4 nicht ausgeschlossen, sofern sie zur Anwendung in einem der in Artikel 52 Absatz 4 genannten Verfahren bestimmt sind und ihre Anwendung zu einem dieser Verfahren nicht zum Stand der Technik gehört.

Reinhard Spangenberg

Übersicht

1	Allgemeines	1-7
2	Stand der Technik	8-13
3	Öffentliche Zugänglichkeit	14-16
4	Vertraulichkeit der Information	17-19
5	Zeitpunkt der Zugänglichkeit	20-25
6	Offenbarungsgehalt von Veröffentlichung und Vorbenutzung – der Fachmann	26-43
7	Maßgeblicher Zeitpunkt für die Ermittlung des Offenbarungsgehalts	44-45
8	Einzelvergleich	46-48
9	Übereinstimmung der Merkmale	49-60
10	Spezielle Begriffe und Allgemeinbegriffe – Auswahlerfindungen	61-75
11	Die sogenannten älteren Rechte (Abs 3 und Abs 4)	76-84
12	Besonderheiten des Standes der Technik bei Arzneimitteln	85-86
13	Erste medizinische Indikation	87-89
14	Zweite und weitere medizinische Indikation	90-98
15	Zweite und weitere nichtmedizinische Verwendung	99-105
16	Beweislast für fehlende Neuheit	106-112

1 Allgemeines

1 Dieser Artikel definiert die Neuheit als erste Patentierbarkeitsvoraussetzung und führt den Begriff des Standes der Technik ein, der die Grundlage für die Prüfung auf Neuheit und erfinderische Tätigkeit ist. Daneben regelt er die Be-

rücksichtigung älterer europäischer Rechte und die Patentierbarkeit von Stoffen für Heilverfahren.

In allen Staaten wird als Voraussetzung für den Schutz einer Erfindung Neuheit verlangt. Hinter diesem Begriff verbergen sich jedoch die verschiedensten Auffassungen. Für das europäische Patentrecht wurde der absolute Neuheitsbegriff gewählt: alles, was vor dem Anmeldetag – weltweit – der Öffentlichkeit in irgendeiner Weise zugänglich gemacht worden ist, gilt nicht mehr als neu. Diese Lösung wurde aus Art 4 StraßbÜ (Anhang 9) übernommen.

Mehrere Vertragsstaaten wie Frankreich und Italien hatten in ihrem nationalen Patentsystem seit jeher den absoluten Neuheitsbegriff und waren daher nicht bereit, diesen Begriff für das europäische Patent einzuschränken. Im übrigen war es das erklärte Ziel der an den Arbeiten beteiligten Staaten, ein starkes und möglichst unangreifbares Patent zu schaffen. In den Prüfungsrichtlinien befassen sich Teil C-IV, 5–8 und Teil D-V, 3 mit Fragen der Neuheit.

Alle Vertragsstaaten des EPÜ haben ihren nationalen Neuheitsbegriff dem europäischen angeglichen, und zwar zumindest in dem Umfang, den Art 4 StraßbÜ (Anhang 9) vorsieht, der auch Art 54 zugrunde liegt. In nationalen Gebrauchsmustergesetzen gilt hingegen die relative (territoriale) Neuheit.

Der Sinn der Neuheitsprüfung besteht darin, den Stand der Technik von erneuter Patentierung auszuschließen.[1] Ein im Handel erhältliches und reproduzierbares Produkt soll nicht mehr aus dem Bereich der Gemeinfreiheit (domaine public) herausgenommen werden.[2]

Die Neuheitsprüfung gegenüber Sachverhalten, die durch schriftliche Beschreibung zugänglich gemacht sind, wird im allgemeinen als unproblematisch angesehen und dient oft nur als Grobfilter vor der Prüfung auf erfinderische Tätigkeit.[3] In Fällen so genannter Auswahlerfindungen (siehe Rdn 66 ff) und bei Vorliegen älterer Rechte (siehe Rdn 76–84), dh älterer Patentanmeldungen, die nicht zum öffentlich zugänglichen Stand der Technik gehören und die bei der Prüfung auf erfinderische Tätigkeit außer Betracht bleiben (Art 56 Satz 2), ist die Neuheitsprüfung für die Frage der Erteilung oder Aufrechterhaltung eines Patents jedoch oft von entscheidender Bedeutung. In diesen Fällen muss der Beurteilung der Neuheit immer eine sorgfältige Ermittlung des Offenbarungsgehalts der relevanten Druckschrift vorangehen. Die Beschwerdekammern haben die Kriterien für die Ermittlung des Offenbarungsgehalts von Druckschriften daher vielfach am Beispiel solcher Fallgestaltungen entwickelt; diese Kriterien gelten aber allgemein.

Sie werden von den Beschwerdekammern auch angewendet, wenn der Offenbarungsgehalt der ursprünglichen Anmeldungsunterlagen bei der Prüfung

---

1 **T 198/84**, ABl 1985, 209, Nr 4; **T 12/81**, ABl 1982, 296, Nr 5; Rogge, GRUR 1996, S 933.
2 **G 1/92**, ABl 1993, 277, Nr 2.1.
3 Rogge, GRUR 1996, S 934.

Artikel 54 *Neuheit*

der Zulässigkeit späterer Änderungen ermittelt werden muss (siehe Art 123 Rdn 24, 29, 32, 34 und 39 ff) oder wenn die Vereinbarkeit einer Teilanmeldung mit Art 76 (1) (siehe Art 76 Rdn 12–18) zu entscheiden ist. Auch bei der Frage der Zuerkennung des Prioritätsrechts (Art 87–89) spielt der Offenbarungsgehalt einer Druckschrift, in diesem Falle der prioritätsbegründenden Erstanmeldung, häufig eine wesentliche Rolle;[4] (siehe auch Art 87, insbesondere Rdn 2 ff und 9).

7   Aus der Literatur wird im folgenden öfter zitiert: Singer, Der Neuheitsbegriff in der Rechtsprechung der Beschwerdekammern des EPA, GRUR 1985, 789; Szabo, Probleme der Neuheit auf dem Gebiet der Auswahlerfindungen, GRUR Int 1989, 447 (448); van den Berg, Die Bedeutung des Neuheitstests für die Priorität und die Änderung von Patentanmeldungen, GRUR Int 1993, 354; Rogge, Gedanken zur Neuheit nach geltendem Patentrecht, GRUR 1996, 931; Paterson, Die Neuheit von Verwendungsansprüchen, GRUR Int 1996, 1093 (1096); Stamm, Identitäten und Differenzen im europäischen Patentrecht. Dissoziationen vor dem logischen Bezugssystem, Mitt 1997, 278; Spangenberg, Die Neuheit sogenannter Auswahlerfindungen, GRUR Int 1998, 193; Blumer, Formulierung und Änderung der Patentansprüche im europäischen Patentrecht, Heymanns 1998.

Eine umfangreiche Sammlung von Neuheitsfragen betreffenden Entscheidungen der Beschwerdekammern des EPA findet sich in Rspr BK 2001, I-C, S 45 ff.

EPÜ 2000

Art 54 (4) wird gestrichen; jede unter Art 54 (3) fallende europäische Patentanmeldung gilt daher ab ihrem Publikationszeitpunkt als Stand der Technik für alle EPÜ-Vertragsstaaten. Regel 23a entfällt und Regel 87 wird entsprechend geändert. Siehe auch Rdn 79 am Ende.

Der neue Art 54 (4), der dem bisherigen Art 54 (5) entspricht, soll Rechtssicherheit bezüglich der Patentierbarkeit weiterer medizinischer Verwendungen schaffen. Im Gegensatz zum bisher geltenden Wortlaut erlaubt er zweckgebundenen Stoffschutz nicht nur für die erste, sondern auch für weitere neue im geltenden Art 52 (4) (neuer Art 53 (c)) aufgeführte Verwendungen.

2 Stand der Technik

8   Abs 1 führt den Begriff des Standes der Technik ein und legt im Wege der Fiktion fest, dass eine Erfindung nur dann als neu gilt, wenn sie nicht zu diesem Stand der Technik gehört.

9   Abs 2 erläutert den Begriff des Standes der Technik und bestimmt als **maßgeblichen Zeitpunkt** für die Ermittlung des Standes der Technik den Anmeldetag der europäischen Patentanmeldung. Nach Art 89 kann an die Stelle des Anmel-

---

4   G 2/98, ABl 2001, 413.

detags der Prioritätstag treten. Alles, was **vor** dem maßgeblichen Zeitpunkt der Öffentlichkeit zugänglich war, bildet den Stand der Technik und ist bei der Beurteilung der Neuheit zu berücksichtigen. Was allerdings am selben Tag, wenn auch zeitlich noch vor der Einreichung der europäischen Patentanmeldung öffentlich zugänglich war, gehört nicht zum Stand der Technik und steht der Erteilung eines europäischen Patents nicht entgegen.[5] Zu den älteren europäischen Anmeldungen, die am Stichtag noch nicht veröffentlicht sind, siehe Rdn 76–84.

Zugänglich gemacht werden kann der Stand der Technik durch schriftliche und mündliche Beschreibung sowie durch Benutzung, aber auch *in sonstiger Weise*; damit ist jede weitere Möglichkeit der Offenbarung erfasst. Die Prüfungsrichtlinien erwähnen als Beispiel die Vorführung eines Gegenstands oder Verfahrens im Fachunterricht oder im Fernsehen (PrüfRichtl D-V, 3.1.1). 10

Die Prüfung der Neuheit umfasst **zwei Stufen:**[6] Zunächst ist zu ermitteln, welche **Sachverhalte** vor dem maßgeblichen Zeitpunkt öffentlich zugänglich waren (siehe Rdn 14–16). Erst dann ist festzustellen, welche **Informationen in Form von technischen Lehren** dem Fachmann durch diese Sachverhalte vermittelt werden (siehe Rdn 26–43, 61–75, 90–98 und 99–105). Die Neuheitsprüfung verlangt einen **Einzelvergleich** mit jeder einzelnen Entgegenhaltung; es ist nicht zulässig, verschiedene Teile des Standes der Technik miteinander zu verbinden (PrüfRichtl C-IV, 7.1; Einzelheiten siehe Rdn 46–48). 11

Eine Entgegenhaltung gehört nur dann zum Stand der Technik, wenn ihre Offenbarung **nachvollziehbar** ist, zB ein offenbarter Stoff für den Fachmann herstellbar ist[7] (Einzelheiten siehe Rdn 39). 12

Bei der Bestimmung des Standes der Technik ist Art 55 (Unschädliche Offenbarungen) zu beachten. Eine allgemeine Neuheitsschonfrist ist dem EPÜ unbekannt. 13

Zur Inanspruchnahme und Wirkung der Priorität siehe Art 87–89 mit Kommentierung.

3 Öffentliche Zugänglichkeit

Eine Information ist dann der Öffentlichkeit zugänglich, wenn auch **nur ein Mitglied der Öffentlichkeit** die **Möglichkeit** hatte, die Information zu erlangen und zu verstehen und wenn keine Geheimhaltungspflicht bestand (Prüf- 14

---

5   **T 123/82** vom 30.3.1985.
6   Blumer, Formulierung und Änderung der Patentansprüche im europäischen Patentrecht, Heymanns 1998, 3. Teil, Nr 9.2.2 [S 183]).
7   **T 206/83**, ABl 1987, 5; **T 26/85**, ABl 1990, 22.

Artikel 54 Neuheit

Richtl C-IV, 5.2).[8] Dabei kommt es nicht darauf an, ob das Mitglied der Öffentlichkeit tatsächlich Kenntnis genommen hat. Dies wurde schon in der ersten Entscheidung einer Beschwerdekammer zur Frage der öffentlichen Vorbenutzung klargestellt.[9] Bei einem Schriftstück ist weder erforderlich, dass bestimmte Kriterien bezüglich der Form der Veröffentlichung oder des Layouts erfüllt sind, noch kommt es darauf an, ob es mit (subjektiv) zumutbarem Aufwand gefunden werden kann, sondern nur darauf, dass es überhaupt zugänglich war.[10] Eine nur einem begrenzten Personenkreis zugängliche Information ist nicht öffentlich zugänglich, wenn die Personen einer zumindest stillschweigend vereinbarten oder sich aus den Umständen ergebenden Geheimhaltungsverpflichtung unterliegen;[11] (vgl auch Rdn 17–19).

15 Dieser Grundsatz gilt für jedes der in Art 54 (2) genannten **Offenbarungsmittel**, also unabhängig davon, ob das Mittel ein Schriftstück,[12] ein Vortrag oder eine der Öffentlichkeit zugänglich gemachte Sache ist. Die Öffentlichkeit umfasst Fachleute wie auch Nichtfachleute.[13] Wird eine Information allerdings mündlich nur nichtfachkundigen Personen zugänglich gemacht, die diese weder selbst verwerten noch an Fachleute weitergeben können, so ist sie nicht öffentlich zugänglich.[14]

16 Die Offenbarung kann auch in Programmiersprache abgefasst sein.[15] Zum Offenbarungsgehalt von Schriftstücken siehe Rdn 34); zu den Informationen, die sich aus einer öffentlich zugänglichen Sache gewinnen lassen, siehe Rdn 40 und 41).

4 Vertraulichkeit der Information

17 Eine Information gilt nach den meisten nationalen Rechtssystemen nicht als der Öffentlichkeit zugänglich gemacht, wenn ihre Offenbarung mit einer Geheimhaltungsverpflichtung verbunden ist. Ebenso gilt in einem solchen Fall eine Erfindung nicht als offenkundig vorbenutzt. Dieser Grundsatz, der durch

---

8   Vgl auch **T 482/89**, ABl 1992, 646; DE-BGH vom 19.5.1999 **Anschraubscharnier**; Mitt 1999, 369; CH-Bundesgericht vom 19.8.1991 **Stapelvorrichtung**; ABl 1993, 170, GRUR Int 1992, 293, SMI 1992, 95; Entscheidung des schwedischen Patentbeschwerdegerichts SE-Patentbesvärsretten vom 10.5.1995 **Vorrichtung für Verkaufsautomaten**; GRUR Int 1998, 251).
9   **T 84/83** vom 29.9.1983; siehe auch Singer, GRUR 1985, 797.
10 **T 165/96** vom 30. 5. 2000.
11 **T 300/86** vom 28.8.1989.
12 **T 381/87**, ABl 1990, 213.
13 **T 953/90** vom 12.5.1992; **T 969/90** vom 12.5.1992; **T 462/91** vom 5.7.1994, **T 165/96** vom 30.5.2000).
14 **T 877/90** vom 28.7.1992; **T 406/92** vom 18.1.1995.
15 **T 164/92**, ABl 1995, 305; einschränkend **T 461/88**, ABl 1993, 295).

die Rechtsprechung der verschiedenen Staaten allerdings bisher nicht einheitlich gewahrt war, gilt auch für das europäische Patenterteilungsverfahren.

In den Prüfungsrichtlinien (D-V, 3.1.3.2) sind verschiedene Grundsätze enthalten: etwas ist der Öffentlichkeit dann nicht zugänglich gemacht worden, wenn eine Geheimhaltung ausdrücklich oder stillschweigend vereinbart worden ist oder wenn sie sich nach Treu und Glauben aus den Umständen des Falles ergibt. Dabei wird betont, dass bei vertraglichen oder geschäftlichen Beziehungen ein Treue- oder Vertrauensverhältnis gegeben sein kann.[16] Das kann auch bei einem größeren, aber begrenzten Personenkreis der Fall sein.[17] Dagegen ist eine an die Kunden verteilte technische Beschreibung keine vertrauliche Information.[18] Ebenso ist ein Dokument nicht deshalb vertraulich, weil es nur in geringer Auflage an einen kleinen nicht fachkundigen Leserkreis verteilt worden ist.[19] Ein sogenannter »preprint«, den ein Wissenschaftler zur Vorabinformation an Kollegen versendet, kann vertraulich sein.[20] Der Inhalt eines für eine bestimmte Zeit vertraulichen Dokuments wird nach Ablauf dieser Zeit nicht automatisch öffentlich zugänglich.[21]

Werden Verkaufsverhandlungen über noch nicht patentierte oder noch in der Entwicklung befindliche Produkte oder Verfahren geführt oder Verträge zu ihrer Auswertung mit Dritten ausgehandelt, so neigt die Rechtsprechung[22] zur Annahme einer stillschweigend vereinbarten Geheimhaltungsverpflichtung jedenfalls dann, wenn der Personenkreis und die Mitteilung über die technische Lehre in einem abgrenzbaren Rahmen bleiben. Damit trägt sie dem Interesse des Erfinders Rechnung und berücksichtigt die Tatsache einer fehlenden Neuheitsschonfrist. Wenn die zur Geheimhaltung verpflichtete Person unter Nichtbeachtung ihrer Verpflichtung die Information der Öffentlichkeit zugänglich macht, so gehört diese Information zwar zum Stand der Technik, innerhalb des in Art 55 (1) genannten Zeitraums aber nicht gegenüber dem Erfinder und Anmelder.[23]

---

16 ZB **T 830/90**, ABl 1994, 713.
17 **T 300/86** vom 28.8.1989, **T 838/97** vom 14.11.2000.
18 **T 173/83**, ABl 1987, 465.
19 **T 165/96** vom 30.5.2000.
20 **T 238/98** vom 7.5.2003; so auch BGH, **Fotovoltaisches Halbleiterelement**, GRUR 1993, 466.
21 **T 1081/01** vom 27. 9. 2004.
22 Rspr BK 2001, I-C, 1.6.7 S 54 ff.
23 Loth in MünchGemKom Art 55, Rn 101, 102.

5 Zeitpunkt der Zugänglichkeit

20 Bei der Zugänglichkeit kann man unterscheiden zwischen der Zugänglichkeit des Offenbarungsmittels selbst und der Zugänglichkeit der Information, die dem Offenbarungsmittel entnommen werden kann.[24]

21 Nach G 1/92 genügt es im Grundsatz, dass das Offenbarungsmittel (hier ein Erzeugnis) zugänglich und erkennbar ist:[25] Die chemische Zusammensetzung eines Erzeugnisses gehört zum Stand der Technik, wenn das **Erzeugnis selbst** der Öffentlichkeit **zugänglich** ist und vom Fachmann analysiert und reproduziert werden kann, und zwar unabhängig davon, ob es besondere Gründe für die Analyse gibt.[26] Grundsätzlich spielt es für den Zeitpunkt keine Rolle, ob das Verstehen eines Dokuments oder die Analyse eines Produkts noch Zeit und Aufwand benötigt. Die Information ist aber dann nicht zugänglich, wenn sie der Handlung oder dem Schriftstück nicht entnommen werden kann, zB wenn sie verschlüsselt ist oder in einer unzugänglichen black box steckt. Ein Zwischenbereich liegt dann vor, wenn eine Information nur unter äußerstem Sach- und Zeitaufwand erschlossen werden kann: In **T 461/88** wurde ein Steuerungsprogramm, das auf einem Mikrochip gespeichert war, nicht als Stand der Technik angesehen,[27] weil der Aufwand für die Analyse des Chips in der Größenordnung von mehreren Mannjahren lag; im konkreten Fall konnte nicht angenommen werden, dass dieses Programm vom einzigen Käufer der durch dieses System gesteuerten Maschine aus dem Mikrochip bis zum Zeitpunkt der prioritätsbegründenden Anmeldung untersucht werden konnte. G 1/92 setzt in den Gründen 1.4, nicht aber in der Antwort auf die vorgelegte Frage voraus,[28] daß der Fachmann **ohne unzumutbaren Aufwand** die Zusammensetzung oder innere Struktur des Erzeugnisses erschließen und dieses reproduzieren kann.[29]

22 Ein **Dokument** ist zugänglich, sobald die Möglichkeit seiner Kenntnisnahme besteht (Rspr BK 2001, I-C, 1.6 bis 1.6.2, S 48 ff). Eine nicht vorher offengelegte deutsche Patentanmeldung wird mit dem Tag des Hinweises auf die Patenterteilung im Patentblatt der Öffentlichkeit zugänglich.[30] Der Artikel in einer Fachzeitschrift ist nicht mit der Versendung der Zeitschrift, sondern erst mit der Auslieferung an den Abonnenten zugänglich. Bei Aufnahme in den Bibliotheksbestand kommt es darauf an, wann ein Mitglied der Öffentlichkeit Ein-

---

24 **T 952/92**, ABl 1995, 755, LS I.
25 **G 1/92**, ABl 1993, 277.
26 **T 301/94** vom 28.11.1996 hinsichtlich eines verborgenen Merkmals.
27 **T 461/88**, ABl 1993, 295.
28 **G 1/92**, ABl 1993, 277.
29 Siehe dazu auch die Entscheidung des schwedischen Patentbeschwerdegerichts SE-Patentbesvärsretten vom 10.5.1995 **Vorrichtung für Verkaufsautomaten**, GRUR Int 1998, 251.
30 **T 897/98** vom 5. 10. 1998.

sicht in die Veröffentlichung hätte nehmen können.[31] Solche Fragen sind aufgrund der Beweislage anhand der größeren Wahrscheinlichkeit zu entscheiden; hierbei ist allerdings ein strenger Maßstab anzulegen;[32] siehe auch Rdn 106–112.

Ein öffentlicher **Vortrag** ist bereits als solcher neuheitsschädlich. Die spätere schriftliche Wiedergabe des Vortrags kann als Indiz für den Inhalt der mündlichen Offenbarung dienen (siehe aber Rspr BK 2001, I-C 1.6.3, S 51 und Rdn 109). Entsprechendes gilt für eine später veröffentlichte Zusammenfassung, die den wesentlichen Inhalt eines Schriftstücks wiedergibt, das zB in einer schwer zu beschaffenden Zeitschrift oder in einer anderen Sprache als einer der Amtssprachen des EPA veröffentlicht worden ist. 23

Wird eine Sache der Öffentlichkeit nicht übergeben, sondern zB im Rahmen einer **Besichtigung** nur gezeigt, so sind nur die Kenntnisse, die der Fachmann durch die Besichtigung erhalten konnte, der Öffentlichkeit zugänglich gemacht. Verborgene Merkmale sind in diesem Fall nicht öffentlich zugänglich gemacht.[33] Bei der Besichtigung zweier auf einem abgezäunten Werftgelände installierter Zerstäuber von außerhalb des Zaunes kann ein Fachmann ein bestimmtes Abmessungsverhältnis nicht ohne weiteres erkennen.[34] 24

Wird eine **öffentliche Vorbenutzung** geltend gemacht, so müssen der Zeitpunkt der öffentlichen Vorbenutzung, der genaue Gegenstand der Benutzung und die Umstände, unter denen die Benutzung erfolgte, zB der Ort der Benutzung substantiiert und gegebenenfalls bewiesen werden;[35] zur Beweislast siehe Rdn 106–112. 25

6 Offenbarungsgehalt von Veröffentlichung und Vorbenutzung – der Fachmann

Was sich aus einer Entgegenhaltung als bekannte technische Lehre ergibt, richtet sich nach dem Wissensstand des **Fachmanns** (PrüfRichtl C-IV, 7.3). Der Fachmann wird in Art 54 nicht ausdrücklich erwähnt; für das Verständnis der technischen Lehre kommt es aber auf ihn an. Man braucht die fiktive Figur des Fachmanns auch bei der Beurteilung der erfinderischen Tätigkeit, der ausreichenden Offenbarung und der Zulässigkeit von Änderungen (vgl Art 56 Rdn 12; Art 83 Rdn 1–5; Art 123 Rdn 7). Stets ist der gleiche Durchschnitts- 26

---

31 Vgl **T 381/87**, ABl 1990, 213.
32 **T 472/92**, ABl 1998, 161; **T 750/94**, ABl 1998, 32.
33 **T 363/90** vom 25.2.1992; **T 461/88**, ABl 1993, 295.
34 **T 245/88** vom 12.3.1991.
35 **T 194/86** vom 17.5.1988; **T 328/87**, ABl 1992, 701; **T 93/89**, ABl 1992, 718.

fachmann mit dem gleichen Allgemeinwissen maßgebend. Er hat aber jeweils unterschiedliche Funktionen zu erfüllen.[36]

27 Die Aufgabe des Fachmanns bei der Neuheitsprüfung ist auf den **Einzelvergleich** beschränkt. Er darf die angemeldete Erfindung mit jeweils nur **einer** Entgegenhaltung vergleichen (siehe Rdn 46–48). Weiterhin darf der Fachmann Einzelheiten aus einer Entgegenhaltung nicht ohne weiteres kombinieren oder verbinden (siehe unten a)). Überlegungen, die über diese enge Neuheitsprüfung hinausgehen, sind in die Prüfung auf erfinderische Tätigkeit nach Art 56 einzubeziehen;[37] siehe Art 56 Rdn 122.

28 Ein zum Stand der Technik gehörendes **Dokument** ist nur neuheitsschädlich, wenn der Gegenstand der Erfindung **unmittelbar und eindeutig** aus dem Dokument hervorgeht.[38] Offenbart sind auch Merkmale, die nicht ausdrücklich im Dokument genannt sind, wenn sie für den Fachmann vom Inhalt **implizit** mit erfasst sind.[39] Allerdings ist hier Vorsicht geboten, damit nicht durch die implizite Vorbeschreibung Fragen für die Bewertung der erfinderischen Tätigkeit bereits wegen fehlender Neuheit ausgeschlossen werden.[40] Auch das sich zwangsläufig einstellende Ergebnis der Nacharbeitung eines zum Stand der Technik gehörenden Verfahrens ist implizit offenbart.[41]

29 **Inhärente** Merkmale sind dagegen nicht eingeschlossen.[42] Die nicht erkannte oder heimliche Benutzung begründet keine öffentliche Zugänglichkeit. Das EPÜ ist hier möglicherweise enger als früheres nationales Recht einiger Vertragsstaaten.[43]

30 Kann ein falscher Zahlenwert vom Fachmann auf Grund seines allgemeinen Fachwissens erkannt und berichtigt werden, so beeinträchtigt der falsche Wert nicht die Deutlichkeit und Vollständigkeit der Offenbarung.[44] Zur Offenba-

---

36 Blumer, Formulierung und Änderung der Patentansprüche im europäischen Patentrecht, Heymanns 1998, 3. Teil, Nr 9.2.2, S 162 ff.
37 **T 181/82**, ABl 1984, 401; **T 195/84**, ABl 1986, 121; **T 572/88** vom 27.2.1991, GRUR Int 1991, 816.
38 **T 450/89** vom 15.10.1991, Nr 3.11; **T 511/92** vom 27.5.1993, Nr 2.2; Rspr BK 2001, I-C 2, S 62 ff.
39 **T 59/87**, ABl 1991, 561; PrüfRichtl C-IV, 7.2.
40 **T 763/89** vom 8.7.1993; **T 572/88** vom 27.2.1991, GRUR Int 1991, 816; **T 666/89**, ABl 1993, 495.
41 **T 12/81**, ABl 1982, 296, siehe aber auch **T 310/88** v. 23.7.1990.
42 Zur Inhärenzdoktrin siehe G 2/88, ABl 1990, 93, Nr 10.1; abweichender Sprachgebrauch in **T 472/92**, ABl 1998, 161, LS II.
43 G 2/88, ABl 1990 93, LS III und Nr 10.1; Paterson, GRUR Int 1996, S 1096 zur englischen Rechtsprechung.
44 **T 171/84**, ABl 1986, 95.

rung von punktförmigen Zahlenwerten gehören die auf dem Fachgebiet üblichen Fehlergrenzen, zB bei Legierungsbestandteilen.[45]

Der in einer Patentanmeldung gemäß R 27 (1) b) beschriebene **interne**, nur 31 dem Anmelder bekannte Stand der Technik darf nicht als öffentlich zugänglich unterstellt werden.[46]

Im Gegensatz zur deutschen Praxis [47] werden bei der Prüfung auf Neuheit 32 allgemein bekannte – aber nicht genannte –**Äquivalente** nicht berücksichtigt; das geschieht erst bei der Prüfung auf erfinderische Tätigkeit (PrüfRichtl C-IV, 7.2).[48] Diese enge Auslegung vermindert die Gefahr der Selbstkollision durch Nachanmeldung. Im Typ verwandte, aber nicht konkret erwähnte chemische Stoffe gelten nicht als offenbart.[49]

Eine zu enge Anlehnung an den Wortlaut einer Vorbeschreibung (fotografi- 33 scher Neuheitsbegriff) wird aber auch abgelehnt.[50] Die Rechtsprechung bemüht sich vielmehr um ein angemessenes Verständnis der Offenbarung im Rahmen der Neuheitsprüfung. Dabei sind folgende Regeln zu beachten:

a) Die Offenbarung einer **Veröffentlichung** umfasst jede technische Lehre, 34 die sich für den Fachmann **zweifelsfrei** beim Lesen des Dokuments ergibt.[51] Die technische Lehre einer Vorveröffentlichung kann den Inhalt einer anderen Vorveröffentlichung durch einen ausdrücklichen Hinweis darauf ganz oder teilweise umfassen.[52]

Der Offenbarungsgehalt einer **Patentschrift** umfasst Gegenstände, die sich 35 aus Kombinationen einzelner Merkmale der Patentansprüche ergeben, nur insoweit, als diese Kombinationen von der Beschreibung gestützt werden und nicht im Widerspruch zu ihr stehen.[53] Ausführungsbeispiele in einer Patentschrift gehören in der Regel zur allgemeinen technischen Lehre, die sie erläutern sollen; ihr Inhalt kann daher mit anderen zu dieser allgemeinen Lehre gehörenden Informationen kombiniert werden, wenn das Dokument dem Fachmann keine Anhaltspunkte dafür liefert, eine solche Kombination zu unterlassen.[54] Merkmale, die zu unterschiedlichen speziellen Ausführungsarten einer allgemeinen technischen Lehre gehören, dürfen jedoch normalerweise

---

45 **T 624/91** vom 16.6.1993, Nr 3.2, siehe auch **T 594/01** vom 30.3.2004.
46 **T 654/92** vom 3.5.1994, Nr 4.
47 Rogge, GRUR 1996, 936.
48 bestätigt in **T 167/84**, ABl 1987, 369, und **T 928/93** vom 23.1.1997.
49 **T 572/88** vom 27.2.1991, GRUR Int 1991, 816.
50 **T 12/81**, ABl 1982, 296, Nr 5; **T 198/84**, ABl 1985, 209.
51 **T 153/85**, ABl 1988, 1, LS III.
52 **T 153/85**, LS IV; ähnlich schon früher im Rahmen eines obiter dictum **T 31/84**, ABl 1986, 369 und im Zusammenhang mit einer Änderung der Patentansprüche **T 6/84**, ABl 1985, 238.
53 **T 42/92** vom 29.11.1994.
54 **T 332/87** vom 23.11.1990.

nicht miteinander kombiniert werden.[55] Ebenso gehören technische Lehren, die sich erst aus der Kombination nicht zusammengehöriger Angaben in einer Veröffentlichung ergeben, nicht zum Offenbarungsgehalt.[56]

36 Informiert zB eine Entgegenhaltung über die Weiterentwicklung eines ganz allgemein dargestellten Standes der Technik, so ist es bei der Ermittlung des Offenbarungsgehalts unzulässig, diese allgemeinen Angaben mit spezifischen Ausführungen zu kombinieren, die lediglich im Zusammenhang mit der Erläuterung zur Weiterentwicklung beschrieben sind, sofern ein Fachmann diese Kombination der Entgegenhaltung nicht entnommen hätte.[57]

37 Zur Offenbarung gehören auch nur **zeichnerisch** dargestellte Merkmale, wenn sie eine klare technische Lehre vermitteln.[58]

38 Auch Zusammenfassungen (**abstracts**) gehören zum Stand der Technik und können anstelle des Originaldokuments entgegengehalten werden, soweit darin der Inhalt des Originaldokuments korrekt wiedergegeben wird.[59] Ergibt sich aus gleichzeitig zur Verfügung stehenden Beweismitteln, dass die wörtliche Offenbarung eines Dokuments falsch ist und nicht zum beabsichtigten Erfolg führt, so gehört sie nicht zum Stand der Technik.[60]

39 b) Eine **Veröffentlichung** ist nur dann neuheitsschädlich, wenn sich aus ihr auch die **Ausführbarkeit** der in der Erfindung beanspruchten technischen Lehre ergibt;[61] vgl Rdn 12. Die Ausführbarkeit bedarf keiner detaillierten Beschreibung, wenn sie der Fachwelt bekannt ist. Der Inhalt von Schriftstücken, insbesondere Patentschriften, ist häufig allgemein gehalten, so dass Einzelheiten ergänzt und allgemeine Angaben (zB befestigen) durch konkrete (zB kleben, nageln usw) ersetzt werden müssen. Soweit diese Ergänzung für den Fachmann selbstverständlich ist, bleibt die Lehre ausführbar und kann entgegengehalten werden. Ist in einem Dokument angegeben, eine chemische Verbindung könne in üblicher Weise hergestellt werden, so genügt es, wenn dem Fachmann nur eine **einzige** Herstellungsweise als üblich bekannt ist.[62]

40 c) Durch **offenkundige Vorbenutzung** wird das zugänglich, was der Fachmann einer Analyse des vorbenutzten Erzeugnisses mit Analyseverfahren, die zum Stand der Technik gehören, entnehmen kann. Dabei genügt es, wenn sich diese Analyse auf die im Patentanspruch enthaltenen Merkmale beschränkt und so **eine** unter den Patentanspruch fallende Ausführungsform erschließt.[63]

---

55 **T 901/90** vom 23.9.1993; **T 931/92** vom 10.8.1993.
56 **T 305/87**, ABl 1991, 429.
57 **T 291/85**, ABl 1988, 302.
58 **T 204/83**, ABl 1985, 310.
59 **T 160/92**, ABl 1995, 35.
60 **T 77/87**, ABl 1990, 280; anders **T 591/90** vom 12.11.1991.
61 **T 206/83**, ABl 1987, 5; **T 26/85**, ABl 1990, 22.
62 **T 233/90** vom 8.7.1992.
63 **T 952/92**, ABl 1995, 755.

Ergänzend wird angemerkt, dass ein Handelsprodukt als solches implizit nichts offenbart, was über seine Zusammensetzung oder innere Struktur hinausgeht.[64] Wenn es nicht möglich ist, festzustellen, ob ein vorbenutztes Produkt von einem Patentanspruch umfaßt wird, ohne das Produkt zu reproduzieren, und nicht eindeutig geklärt werden kann, ob das reproduzierte Produkt mit dem vorbenutzten identisch ist, dann ist die Vorbenutzung nicht neuheitsschädlich.[65]

d) Auch eine **Zeichnung** ist eine schriftliche Beschreibung im Sinne des Art 54 (2) und kann eine technische Information offenbaren, wenn der Fachmann dem ausschließlich zeichnerisch dargestellten Merkmal auch ohne Erläuterung eine erkennbare und ausführbare Lehre zum technischen Handeln entnehmen kann.[66]

Zur Ermittlung des Offenbarungsgehalts eines Patentdokuments können die ursprünglich eingereichten Zeichnungen herangezogen werden, wenn der Fachmann der Zeichnung **Struktur** und **Funktion** der gezeichneten Merkmale als zur Erfindung gehörig vollständig und unmittelbar in klarer und eindeutiger Weise entnehmen kann und zwar in Einklang mit dem Gesamtinhalt der Beschreibung.[67] Bei Zeichnungen ist unter Einbeziehung der Aufgabe, die mit dem gezeichneten Gegenstand gelöst werden soll, besonders sorgfältig zu prüfen, ob der Fachmann den Zeichnungen wirklich alle Merkmale der Erfindung, deren Neuheit in Frage steht, entnehmen kann, um *zufällige Vorwegnahmen* auszuschließen.[68] Einer schematischen Darstellung kann der Fachmann nicht ohne weiteres konkrete Maßverhältnisse entnehmen, die darin zufällig enthalten sind.[69] Dies wird durch weitere Rechtsprechung bestätigt.[70]

7 Maßgeblicher Zeitpunkt für die Ermittlung des Offenbarungsgehalts

Für die Ermittlung des Offenbarungsgehalts eines vorveröffentlichten Dokuments ist das Wissen des Fachmanns am Veröffentlichungstag maßgebend,[71] für eine ältere Patentanmeldung (Art 54 (3)) sein Wissen an deren Anmeldetag bzw Prioritätstag).[72] Späteres Fachwissen bleibt grundsätzlich unberücksichtigt. Denn der Fachmann hat bei der Neuheitsprüfung nur den Inhalt der entge-

---

64 **G 1/92**, ABl 1993, 277, Nr 3; sich anschließend **T 472/92**, ABl 1998, 161 mit abweichendem Sprachgebrauch von *inhärent*.
65 **T 977/93**, ABl 2001, 84.
66 **T 204/83**, ABl 1985, 310, Nr 4.
67 **T 169/83**, ABl 1985, 193; **T 896/92** vom 28.4.1994.
68 **T 161/82**, ABl 1984, 551.
69 **T 56/87**, ABl 1990, 188.
70 Rspr BK 2001, I-C, 2.6, S 69.
71 **T 205/91** vom 16.6.1992.
72 PrüfRichtl C-IV, 7.3; siehe auch **T 233/90** vom 8.7.1992.

gengehaltenen Veröffentlichung zu ermitteln;[73] vgl Rdn 46–48. Es ist also zu fragen, welche ausführbare technische Lehre der Autor mit seiner Veröffentlichung der fachkundigen Öffentlichkeit am Zeitpunkt der Veröffentlichung vermittelt hat. Deshalb kann bei der Ermittlung des Offenbarungsgehalts nur das zu **diesem** Zeitpunkt vorhandene allgemeine Fachwissen herangezogen werden.[74] Eine chemische Verbindung, deren Name oder Formel in einem Dokument erwähnt worden ist, dürfte nur dann als vorbeschrieben anzusehen sein, wenn die Angaben in dem Dokument zusammen mit dem allgemeinen Fachwissen zum Zeitpunkt der Veröffentlichung des Dokuments ihre Herstellung und Abtrennung oder, zB im Falle einer in der Natur vorkommenden Verbindung, nur ihre Abtrennung ermöglichen. Aus dem zu diesem Zeitpunkt vorhandenen allgemeinen Fachwissen kann sich auch ergeben, dass in einem Dokument ein dort nicht ausdrücklich genanntes Merkmal implizit beschrieben ist, zB das Vorhandensein eines Dichtungsmittels im Falzverschluss einer Bierdose. Ein solches Merkmal gehört zum Offenbarungsgehalt und ist bei der Neuheitsprüfung zu berücksichtigen.[75]

45 Erst im Falle der Prüfung auf erfinderische Tätigkeit ist darauf abzustellen, welche Bedeutung der Fachmann den in Betracht kommenden Dokumenten im **Zeitpunkt der Priorität der zu prüfenden Anmeldung** beimisst.

8 Einzelvergleich

46 Bei der Beurteilung der Neuheit muss die Erfindung mit jeder bekannten technischen Lehre einzeln und getrennt von anderen Lehren verglichen werden.[76] Ergibt sich die in der Patentanmeldung offenbarte Lehre erst aus einer Kombination mehrerer bekannter Lehren, so ist die Erfindung neu. Die Ermittlung des Offenbarungsgehalts einer Veröffentlichung erfolgt unter Berücksichtigung des allgemeinen Fachwissens (siehe auch Rdn 34 und 75), das gegebenenfalls durch ein Dokument nachgewiesen werden muß. Ein solches Dokument, das nur zur Interpretation einer Veröffentlichung beiträgt, betrifft keine weitere bekannte Lehre. Eine derartige Kombination von Dokumenten ist zulässig.[77]

47 Eine einzige zum Stand der Technik gehörende Veröffentlichung kann mehrere technische Lehren offenbaren. Eine Kombination dieser voneinander unabhängigen Lehren muss bei der Beurteilung der Neuheit genauso unterbleiben wie die Kombination von in unterschiedlichen Dokumenten beschriebenen

---

73 **T 305/94** vom 20.6.1996.
74 **T 229/90** vom 10.10.1991; **T 677/91** vom 3.11.1992; **T 590/94** vom 3.5.1996).
75 **T 74/90** vom 1.10.1991.
76 PrüfRichtl C-IV, 7.1; siehe auch van den Berg, GRUR Int 1993, 355.
77 **T 288/90** vom 1.12.1992.

Lehren.[78] Bei der Prüfung auf erfinderische Tätigkeit werden dagegen alle Entgegenhaltungen kombiniert (siehe Art 56 Rdn 15 und 16).

In einer Patentanmeldung oder einem Patent können mehrere technische Lehren beansprucht werden. Eine Vielzahl technischer Lehren kann in einem einzigen Patentanspruch beansprucht werden, zB wenn dieser funktionelle Merkmale oder Bereichsangaben enthält (siehe hierzu auch Art 84, Rdn 1 ff und 24 ff). Ein Patentanspruch umfasst alle technischen Lehren, die sich technisch sinnvoll unter die im Anspruch gewählten generischen oder funktionellen Definitionen subsumieren lassen. **Alle** diese Lehren sind einzeln mit dem Stand der Technik zu vergleichen. Es besteht kein Anlass, bei der Prüfung auf Neuheit einen zu breit gefassten Anspruch mit Hilfe der Beschreibung enger zu interpretieren, wenn es sich nicht um das Verständnis von erläuterungsbedürftigen Begriffen, sondern um die Beurteilung eines zu breit gefassten Patentbegehrens in Relation zum Stand der Technik handelt.[79] Gehört auch nur **eine** der bei richtiger Auslegung vom Anspruch umfassten technischen Lehren zum Stand der Technik, so genügt der Anspruch als Ganzes nicht dem Erfordernis der Neuheit. Bei der Beurteilung der Neuheit der beanspruchten Gegenstände sollte einem Begriff, der in einem Anspruch verwendet wird, die breiteste technisch sinnvolle Bedeutung beigemessen werden.[80] Ähnliche Überlegungen gelten, wenn ein Patentanspruch durch die Verwendung des Wortes »etwa« unscharf definierte Zahlenbereiche enthält.[81] In solchen Fällen ist also **vor** dem Vergleich mit dem Stande der Technik zu ermitteln, welche Gegenstände beansprucht werden. Diese Ermittlung nimmt der Fachmann vor, an den sich der Patentanspruch richtet.[82]

9 Übereinstimmung der Merkmale

Nach der einheitlichen Praxis des EPA liegt dann keine Neuheit vor, wenn völlige Übereinstimmung **sämtlicher** Merkmale der Erfindung mit denen **einer** Entgegenhaltung oder **eines** neuheitsschädlichen Tatbestands besteht;[83] siehe auch Singer, GRUR 1985, 790 Nr 4. Merkmal ist alles, was zur Lösung der jeweils in Betracht zu ziehenden technischen Aufgabe erforderlich ist.[84] Nach

---

78 **T 153/85**, ABl 1988, 1; **T 305/87**, ABl 1991, 429; **T 291/85**, ABl 1988, 302; **T 667/94** vom 16.10.1997; **T 866/93** vom 8.9.1997.
79 **T 607/93** vom 14.2.1996.
80 **T 79/96** vom 20.10.1998, **T 1127/02** vom 14.9.2004, **T 1049/99** vom 9.11.2004.
81 **T 686/96** vom 6.5.1999.
82 **T 820/00** vom 7.9.2004.
83 **T 177/83** vom 29.8.1984; **T 21/83** vom 6.4.1984; **T 7/80**, ABl 1982, 95;.
84 **T 170/87**, ABl 1989, 441; Blumer, Formulierung und Änderung der Patentansprüche im europäischen Patentrecht, Heymanns 1998, 2. Teil, Nr 6.5 (S 100 ff) und Nr 14.3.3.3.2 (S 339 ff).

Artikel 54 *Neuheit*

G 2/88[85] und G 6/88[86] ist eine Erfindung dann neu, wenn sie sich durch ein **wesentliches** technisches Merkmal vom Stand der Technik unterscheidet. Nach R 29 (3) iVm R 29 (1) sind alle in einem unabhängigen Patentanspruch enthaltenen technischen Merkmale zunächst in diesem Sinne als wesentlich zu betrachten. Insoweit hat sich durch die Entscheidungen der Großen Beschwerdekammer an der früheren Rechtsprechung der Beschwerdekammern nichts geändert.

50 Die Definition eines **Erzeugnisses** durch einen anderen Parameter verleiht ihm noch keine Neuheit.[87] Bezogen auf das Gebiet der Chemie besagt T 12/81,[88] dass nicht nur das, was in den Ausführungsbeispielen detailliert angegeben ist, zum Stand der Technik gehört, sondern jede für den Fachmann ausführbare Information aus dem Anspruchs- und Beschreibungsteil.

51 Zur Neuheitsbegründung bedarf es der Feststellung, dass es sich um ein bisher nicht bekanntes Erzeugnis handelt. Ergibt sich dies nicht bereits aus üblichen Stoffparametern wie der chemischen Zusammensetzung, so müssen deutliche Unterschiede zu den Eigenschaften der entsprechenden Erzeugnisse mit vergleichbaren Stoffparametern dargelegt werden.[89]

52 Für das EPÜ ist als Prinzip anerkannt, dass ein Patent mit einem **Sachanspruch**, in dem der Gegenstand per se beansprucht wird, für diesen Gegenstand absoluten Schutz gewährt; daraus folgt, dass der Gegenstand nicht neu ist, wenn er nachgewiesenermaßen bereits zum Stand der Technik gehört.[90] Ein neuer Verwendungszweck ist kein technisches Merkmal, das die Neuheit der **Sache** begründen könnte; zB ist ein medizinisches Bestrahlungsgerät zur Behandlung karzinomatös veränderten Zellgewebes nicht neu, wenn es sich nur durch den Verwendungszweck, aber nicht durch ein Vorrichtungsmerkmal, zB einen besonderen Filter, von bekannten Bestrahlungsgeräten unterscheidet.[91]

53 Bedingt der im Sachanspruch angegebene Verwendungszweck jedoch eine bestimmte körperliche Ausgestaltung der beanspruchten Sache, so ist er als funktionelles Merkmal bei der Beurteilung der Neuheit zu berücksichtigen (PrüfRichtl C-IV, 7.6). Dementsprechend wurde die Neuheit einer ausschließlich zur äußeren Anwendung bestimmten Zubereitung eines Wirkstoffs gegenüber einer oral oder durch Injektion zu verabreichenden Zubereitung desselben Wirkstoffs anerkannt, nachdem Zubereitungen, die außer zur äußerlichen

---

85   **G 2/88**, ABl 1990, 93, Nr 7.
86   **G 6/88**, ABl 1990, 114, Nr 6.
87   **T 12/81**, ABl 1982, 296.
88   **T 12/81**, ABl 1982, 296.
89   **T 150/82**, ABl 1984, 309; **T 205/83**, ABl 1985, 363; **T 248/85**, ABl 1986, 261; **T 252/85** vom 14.9.1987.
90   **G 2/88**, ABl 1990, 93, Nr 5.
91   **T 69/85** vom 2.4.1987.

Anwendung auch zur oralen und injizierbaren Anwendung geeignet waren, vom Schutzbegehren ausgeschlossen worden waren.[92]

Die erstmalige Angabe eines bestimmtem Reinheitsgrades einer chemischen **54** Verbindung ist nicht zwangsläufig ein wesentliches technisches Merkmal, das die so gekennzeichnete Verbindung von einer bekannten Verbindung gleicher Struktur, aber anderen Reinheitsgrads unterscheidet.[93] Ebenso wenig genügt die explizite Angabe eines impliziten oder redundanten technischen Merkmals eines bekannten Erzeugnisses, zB eines Gehalts an unspezifizierten Additiven, zur Unterscheidung eines beanspruchten Erzeugnisses von dem bekannten Erzeugnis.[94] Von einem zum Stande der Technik gehörenden experimentell ermittelten Zahlenwert kann ein beanspruchter Bereich nicht durch die Angabe »niedriger als« (der bekannte Zahlenwert) abgegrenzt werden, da unter Berücksichtigung der experimentellen Fehlergrenzen weiterhin Übereinstimmung der technischen Merkmale besteht.[95]

Da bei einer **Verwendungserfindung** die Verwendung Gegenstand des Pa- **55** tents ist (siehe Rdn 99–105), stellt die Lehre von der Verwendung selbst die Neuheit des Patentgegenstandes her, und zwar unbeschadet der Tatsache, dass das verwendete Mittel als solches zum Stand der Technik gehört.[96] Ein Anspruch, der auf die Verwendung eines Stoffes für einen bestimmten Zweck gerichtet ist, der auf einer in dem Patent beschriebenen technischen Wirkung beruht, ist dahingehend auszulegen, dass er diese technische Wirkung als **funktionelles technisches Merkmal** enthält; ein solcher Anspruch ist nach Art 54 (1) dann nicht zu beanstanden, wenn dieses technische Merkmal nicht schon früher der Öffentlichkeit zugänglich gemacht worden ist.[97]

In einem überlappenden Bereich kann Neuheit, nicht aber erfinderische Tä- **56** tigkeit, durch einen **Disclaimer** (siehe Art 84 Rdn 15–18) hergestellt werden,[98] wenn die bekannten Lehren in Patentdokumenten enthalten sind, die nur gemäß Art 54 (3) und (4) zum Stande der Technik gehören, oder wenn die bekannte Lehre sich mit der beanspruchten nur »zufällig« überschneidet; eine Vorwegnahme ist zufällig, wenn sie so unerheblich für die beanspruchte Erfindung ist und so weitab von ihr liegt, dass der Fachmann sie bei der Erfindung nicht berücksichtigt hätte; oder um einen Gegenstand auszuklammern, der nach den Artikeln 52 bis 57 EPÜ aus nichttechnischen Gründen vom Patentschutz ausgeschlossen ist.[99] Gegenüber einer allgemein übergreifenden Vorver-

---

92 **T 289/84** vom 10.11.1986.
93 **T 990/96**, ABl 1998, 489.
94 **T 80/96**, ABl 2000, 50; **T 917/94** vom 28.10.1999.
95 **T 594/01** vom 30.3.2004.
96 **T 30/86** vom 11.11.1987.
97 **G 6/88**, ABl 1990, 114, Leitsatz, identisch mit Leitsatz III von **G 2/88**, ABl 1990, 93.
98 **T 170/87**, ABl 1989, 441; **T 597/92**, ABl 1996, 135.
99 **G 1/03** und **G 2/03**, ABl 2004, 413, 448.

Artikel 54 *Neuheit*

öffentlichung genügt zur Abgrenzung in der Regel kein auf eine Einzelheit abstellender Disclaimer.[100]

57 Bezweckt ein Disclaimer die Abgrenzung der beanspruchten Erfindung von einer zufälligen Vorwegnahme durch einen Stand der Technik gemäß Art 54 (2), so ist als erstes der zufällige Charakter der Vorwegnahme festzustellen. Ist dieses Erfordernis erfüllt, so kann die Zulässigkeit des Disclaimers immer noch in Frage gestellt werden, wenn sich die Beschränkung als relevant für die Beurteilung der erfinderischen Tätigkeit oder die ausreichende Offenbarung erweist. Würde man hingegen nicht zwischen zufälliger Vorwegnahme und sonstigen Neuheitseinwänden unterscheiden, wäre das Vorgehen umgekehrt: der Disclaimer gälte stets als zulässig, und nur wenn vom EPA oder von einem Wettbewerber im Einspruchs- oder Nichtigkeitsverfahren begründet würde, dass der ausgeklammerte Teil nicht erfinderisch ist, käme es zur Zurückweisung der Anmeldung bzw. zum Widerruf des Patents. Mit dem Übereinkommen in Einklang steht nur der Ansatz, dem zufolge Disclaimer ausschließlich Beschränkungen sein können, die keinen Beitrag zur Erfindung leisten, und dessen maßgebendes Kriterium mithin nicht aus Artikel 56 EPÜ, sondern aus Artikel 123 (2) EPÜ abgeleitet wird.[101]

58 Falls es zwei Vorwegnahmen gibt, nämlich einen Stand der Technik nach Artikel 54 (3) EPÜ und einen weiteren nach Artikel 54 (2) EPÜ, so stellt ein wegen des Standes der Technik gemäß Art 54 (3) zulässigerweise aufgenommener Disclaimer nicht zwangsläufig auch die Neuheit in Bezug auf einen damit gleichzeitig ausgenommenen Stand der Technik gemäß Art 54 (2) her. Die besondere Beziehung zwischen kollidierenden Anmeldungen ist im Verhältnis zu einem vorveröffentlichen Stand der Technik nämlich nicht gegeben. Es ist die beanspruchte Erfindung **in der ursprünglich offenbarten Fassung**, die die Erfordernisse des Artikels 54 (2) EPÜ erfüllen muss; daher kann ein Disclaimer, der nur auf der Grundlage der kollidierenden Anmeldung zulässig wäre, die Erfindung nicht neu oder erfinderisch gegenüber einem Stand der Technik nach Artikel 54 (2) EPÜ machen, außer wenn es sich um eine zufällige Vorwegnahme handelt und es lediglich um die Neuheit geht.[102]

59 Ähnliches gilt, wenn ein Neuheitseinwand nach Artikel 54 (3) EPÜ zu einer Vorwegnahme im Sinne von Artikel 54 (2) EPÜ wird, weil sich herausstellt, dass der streitigen Anmeldung das beanspruchte Prioritätsrecht gar nicht zukommt, weil es entweder von vornherein unwirksam war oder wegen einer zusätzlich zum Disclaimer vorgenommenen Änderung, die in der Prioritätsanmeldung nicht offenbart war, verloren ging. In dieser Situation ist der Disclai-

---

100 **T 188/83**, ABl 1984, 555; **T 290/86**, ABl 1992, 414.
101 **G 1/03**, ABl 2004, 413, Gründe Nr 2.6.1.
102 **G 1/03**, ABl 2004, 413, Gründe Nr 2.6.2).

mer nicht mehr gerechtfertigt, wenn sich herausstellt, dass die Anmeldung das Prioritätsrecht nicht in Anspruch nehmen kann.[103]

Ein neuer Verwendungszweck oder eine erstmals erkannte technisch wertvolle Eigenschaft des Verfahrensprodukts ist kein Merkmal des beanspruchten Verfahrens.[104] Anders ist es bei Patenten für Erfindungen, die nach Art 52 (4) vom Patentschutz ausgeschlossen sind (siehe Rdn 90–98 und Art 52 Rdn 69–73). 60

10 Spezielle Begriffe und Allgemeinbegriffe – Auswahlerfindungen

Die Ermittlung des Offenbarungsgehalts von Druckschriften (vgl Rdn 26–43) bedarf besonderer Sorgfalt, wenn sie mit **allgemeinen Begriffen** beschriebene technische Lehren enthalten, unter die sich eine Anzahl spezieller technischer Lehren subsumieren lassen. Besteht eine Erfindung aus einer solchen spezielleren technischen Lehre, so liegt im allgemeinen eine sogenannte Auswahlerfindung vor.[105] Das Auffinden einer solchen spezielleren technischen Lehre kann eine bedeutende und nicht naheliegende Bereicherung der Technik sein. Derartige Erfindungen werden daher in vielen nationalen Rechtssystemen als schutzwürdig anerkannt.[106] Würde man alle spezielleren, unter eine allgemeine Lehre fallenden technischen Lehren als durch die allgemeine Lehre offenbart betrachten, so würden derartige Erfindungen vom Patentschutz ausgeschlossen; denn die erfinderische Tätigkeit wird gar nicht mehr geprüft, wenn der Erfindung bereits die Neuheit abgesprochen wird.[107] Eine ausführliche Darstellung der Problematik findet sich bei Blumer.[108] 61

a) Die Prüfungsrichtlinien geben für die Beurteilung der Neuheit beim **Zusammentreffen von speziellen Begriffen mit allgemeinen Begriffen** grundsätzliche Hinweise (C-IV, 7.4): Die Offenbarung eines allgemeinen Begriffs nimmt die Neuheit eines speziellen Beispiels nicht vorweg, das unter den offenbarten allgemeinen Begriff fällt. Neuheitsschädlich ist dagegen die Offenbarung eines speziellen Begriffs für einen allgemeinen Anspruch, der den offenbarten speziellen Begriff einschließt; zB ist eine Offenbarung von Nieten neuheitsschädlich für Befestigungsmittel als allgemeinen Begriff, nicht aber für irgendein anderes Befestigungsmittel als Nieten. 62

Die Beschwerdekammern haben sich wiederholt mit der Frage befasst, inwieweit ein genereller Begriff oder Bereich neuheitsschädlich ist gegenüber Er- 63

---

103 **G 1/03**, ABl 2004, 413, Gründe Nr 2.6.3.
104 **T 188/83**, ABl 1984, 555; **T 303/86** vom 8.11.1988; **T 51/93** vom 8.6.1994.
105 **G 2/98**, ABl 2001, 413, Gründe Nr 8.4.
106 Blumer, Formulierung und Änderung der Patentansprüche im europäischen Patentrecht, Heymanns 1998, 4. Teil, Nr 13.4.3.2 (S 297 f).
107 Turrini, Der Begriff der Neuheit, GRUR Int 1991, 447.
108 Blumer, Formulierung und Änderung der Patentansprüche im europäischen Patentrecht, Heymanns 1998, 4. Teil, Nr 14.4, S 345 ff.

findungen, die Einzelbegriffe, Einzelbereiche oder kleinere Einheiten betreffen. Im Grundsatz wird die Neuheitsschädlichkeit eines allgemeinen Begriffs gegenüber einem speziellen Begriff verneint.[109]

64 Von einer Einsprechenden wurde vorgetragen, der Gegenstand eines angegriffenen Patents sei nicht neu, wenn er in den **Schutzbereich** eines zum Stand der Technik gehörenden Patents falle.[110] Die Offenbarung der spezifischen Merkmale des Patentgegenstands im Stand der Technik sei nicht erforderlich. Die Beschwerdekammer ist dieser Auffassung nicht gefolgt und hat ausgeführt, dass zwischen Schutzbereich und Offenbarungsgehalt einer Patentschrift ein wesentlicher Unterschied bestehe, weil der Schutzbereich davon abhängt, was unter die Erfindungsdefinition im Patentanspruch subsumiert werden kann (**Umfang** des Patentanspruchs), während zum Offenbarungsgehalt nur die zur Erfindungsdefinition benutzten Begriffe gehören (**Inhalt** des Patentanspruchs);[111] mit anderen Worten: Offenbarte Erfindung und beanspruchter Schutzbereich decken sich nicht. Die Neuheit wurde also anerkannt.

65 b) Allgemeine Begriffe des **gleichen denkgesetzlichen Inhalts müssen nicht den gleichen Informationsgehalt** (Offenbarungsgehalt) haben.[112] Ein Beispiel hierfür findet sich in **T 181/82**:[113] Es war zu entscheiden, ob der in einer zum Stand der Technik gehörenden Druckschrift enthaltene Begriff *Alkylrest mit 1 bis 4 Kohlenstoffatomen* eine konkrete Vorbeschreibung des Methylrests (Alkylrest mit einem Kohlenstoffatom) sei. Die Frage war, ob der Begriff *Alkylrest mit 1 bis 4 Kohlenstoffatomen* denselben Informationsgehalt hat wie der Begriff *Alkylrest mit weniger als 5 Kohlenstoffatomen*. Die Kammer hat festgestellt, dass die beiden Begriffe zwar denselben Umfang, aber nicht denselben Offenbarungsgehalt haben, da der erstere den Methylrest offenbart, der letztere aber nicht.[114]

66 c) Die Frage der **Neuheit von Auswahlerfindungen** stellt sich besonders häufig im Zusammenhang mit Erfindungen, die chemische Stoffe betreffen. Dies mag daran liegen, dass im Gegensatz zu mechanischen Vorrichtungen bei chemischen Stoffen in der Regel kein Zusammenhang zwischen strukturellen Merkmalen und der Gesamtheit ihrer für die technische Anwendung bedeutsamen Eigenschaften besteht.[115]

67 T 12/81 gibt grundsätzliche Hinweise für chemische Auswahlerfindungen: Ist in einer Entgegenhaltung ein Verfahren zur Herstellung chemischer Stoffe

---

109 Van den Berg, GRUR Int 1993, 361; Spangenberg, GRUR Int 1998, 194; Rspr BK 2001, I-C 4, S 92 ff.
110 **T 378/94** vom 19.3.1996.
111 Van den Berg, GRUR Int 1993, 359; Spangenberg, GRUR Int 1998, 194.
112 Stamm, Mitt 1997, 278, 280.
113 **T 181/82**, ABl 1984, 401.
114 Siehe auch Stamm, Mitt 1997, S 280.
115 Spangenberg, GRUR Int 1998, 193.

beschrieben, so offenbart diese nur diejenigen Verfahrensprodukte, deren Herstellung in Form einer ausführbaren technischen Lehre beschrieben ist.[116] Eine solche Lehre liegt nicht schon dann vor, wenn zur Herstellung der Produkte zweierlei Ausgangsstoffe notwendig sind, die jeweils in einer Auflistung gewissen Umfangs zusammengestellt sind, ohne dass der Fachmann erkennt, welche bestimmten Ausgangsstoffe aus diesen Listen er miteinander umsetzen soll. Hat der Fachmann dagegen die Wahl unter mehreren Verfahren, mittels derer ein einziger Ausgangsstoff aus einer einzigen Liste durch Umsetzung mit immer demselben weiteren Ausgangsstoff (Wasserstoff) zu einem Endprodukt derselben Elementarzusammensetzung umgesetzt werden kann, so benötigt er zur Herstellung der Endprodukte keine zusätzlichen Angaben (in der Entscheidung als *neues Element* bezeichnet.[117] Hier liegt keine Auswahl im patentrechtlichen Sinn vor; alle in der Entgegenhaltung genannten Verfahrensvarianten gelten als offenbart. Die Produkte dieser Verfahrensvarianten ergeben sich zwangsläufig bei deren Ausführung. Sie gehören damit ebenfalls zum Stand der Technik, auch wenn ihre chemische Struktur nicht in allen Einzelheiten beschrieben ist. Wenn die Auswahl eines Elements aus einer ersten Liste zwingend die »Auswahl« eines anderen Elements aus einer zweiten Liste nach sich zieht (zB ein Enzym und sein Substrat), so ergibt eine solche kombinierte Auswahl ebenfalls keine neue technische Lehre.[118]

Diese Grundsätze sind von den Beschwerdekammern in einer Vielzahl von späteren Entscheidungen angewendet und weiterentwickelt worden (Rspr BK 2001, I-C 4, S 83). So wird in der bereits erwähnten Entscheidung T **181/82** erstmals der Grundsatz aufgestellt, dass spezielle Begriffe (hier: Methyl, Ethyl, Propyl, Butyl), die sich unter einen in einem Dokument genannten allgemeinen Begriff (hier: Alkylrest mit 1 bis 4 Kohlenstoffatomen) zwar gedanklich subsumieren lassen, darin aber nicht ausdrücklich genannt werden, nicht zum Offenbarungsgehalt des allgemeinen Begriffs gehören.[119] Lediglich der Begriff *Methyl*, der synonym mit dem ausdrücklich genannten Begriff *Alkylrest mit einem Kohlenstoffatom* ist, wurde als offenbart gewertet.

T **124/87** bestätigt grundsätzlich die bisherige Rechtsprechung und ergänzt sie für den Fall der Beschreibung von Stoffkollektiven im Stand der Technik und der auf Neuheit zu prüfenden Anmeldung, die durch sich überschneidende Parameterbereiche charakterisiert sind.[120] In diesem Falle handelte es sich um polymere Verbindungen. Beide Stoffkollektive waren durch Konzentrationsangaben der Ausgangsmonomeren gekennzeichnet. Das Verfahren zur Her-

---

116 **T 12/81**, ABl 1982, 296.
117 Blumer, Formulierung und Änderung der Patentansprüche im europäischen Patentrecht, Heymanns 1998, 4. Teil, Nr 14.4.3.2.1, S 350.
118 **T 366/96** vom 17.2.2000.
119 **T 181/82**, ABl 1984, 401.
120 **T 124/87**, ABl 1989, 491.

stellung des bekannten Stoffkollektivs lieferte ohne weiteres auch Produkte, deren Parameter sowohl unter den bekannten als auch unter den erfindungsgemäßen Bereich fielen. Die Neuheit dieser Produkte wurde nicht anerkannt. Im Anschluss daran befasste sich eine weitere Entscheidung mit dem Offenbarungsgehalt allgemeiner chemischer Formeln.[121] In einer zum Stand der Technik gehörenden älteren, aber nicht vorveröffentlichten Anmeldung (vgl Rdn 76–84) wurde eine Klasse chemischer Verbindungen durch eine chemische Formel mit variablen Strukturelementen (*Markush-Formel*) beschrieben. Die auf Neuheit zu prüfende Erfindung betraf eine sich mit der bekannten Verbindungsklasse teilweise überschneidende Verbindungsklasse. Zwei Herstellungsbeispiele fielen in den Überschneidungsbereich. Unter diesen Umständen fehlte diesem die Neuheit, da diese Beispiele die in der Entscheidung **T 12/81** geforderte zusätzliche Angabe über die Verknüpfung der in unterschiedlichen Listen enthaltenen Strukturelemente lieferten.[122] Daher reichte es zur Herstellung der Neuheit auch nicht aus, mittels eines Disclaimers nur diese zwei Beispiele aus der beanspruchten Verbindungsklasse auszunehmen; es musste vielmehr der ganze durch die Beispiele in Verbindung mit der allgemeinen Formel offenbarte Überschneidungsbereich ausgenommen werden.

70 d) Verschiedene Entscheidungen auf dem Gebiet der Chemie befassen sich mit der **Neuheit von Teilbereichen** eines bekannten quantitativen Wertbereichs (Parameterbereich), zB bei Konzentrationen oder Temperaturen. Nach **T 2/81** offenbart ein quantitativer Wertbereich zusammen mit einem eingeschlossenen bevorzugten engeren Bereich unmittelbar auch die möglichen zwei Teilbereiche, die außerhalb des engeren Vorzugsbereichs, aber innerhalb des allgemeinen Gesamtbereichs liegen.[123] Nach **T 188/83** wird ein zum Stand der Technik gehörender Parameterbereich durch die punktförmige Herausnahme der konkret in Beispielen enthaltenen einzelnen Zahlenwerte nicht neu, die verstreut innerhalb des bekannten Bereichs liegen.[124]

71 Zur Neuheit bei quantitativen Teilbereichen äußert sich auch **T 198/84**.[125] Dort wurde ein Teilbereich aus einem bekannten breiteren Zahlenbereich deshalb nicht als offenbart angesehen, weil die zur Illustration des bekannten größeren Bereichs dienenden Einzelwerte **genügend Abstand** vom beanspruchten Teilbereich hatten und zusätzliche Anzeichen vorhanden waren, dass es sich bei der durch den engeren Zahlenbereich charakterisierten technischen Lehre nicht um eine bloße Ausführungsart der bekannten allgemeineren Lehre handelte, sondern dass in der Tat eine andere Erfindung vorlag (**gezielte Auswahl**). Die Kammer betonte, dass bei solchen herausgegriffenen Teilbereichen

---

121 **T 12/90** vom 23.8.1990.
122 **T 12/81**, ABl 1982, 296.
123 **T 2/81**, ABl 1982, 394.
124 **T 188/83**, ABl 1984, 555.
125 **T 198/84**, ABl 1985, 209.

die Neuheit nicht durch einen nur dort auftretenden neuen Effekt erlangt wird. Ein solcher Effekt kann aber den Rückschluss erlauben, dass es sich tatsächlich um eine andere Erfindung handelt. In **T 17/85** wurde die Neuheit eines Stoffgemisches deshalb verneint, weil der bevorzugte Zahlenbereich der Entgegenhaltung den beanspruchten Bereich teilweise vorwegnahm und die Werte in den Ausführungsbeispielen der Entgegenhaltung nur knapp außerhalb des beanspruchten Bereichs lagen, so dass sie dem Fachmann die Lehre vermittelten, dass er innerhalb des gesamten beanspruchten Bereichs arbeiten kann.[126]

Nach **T 26/85** ist ein Teilbereich, der von einem bekannten Parameterbereich umfasst wird, dann nicht als offenbart anzusehen, wenn der Fachmann erkennen kann, dass dieser Teilbereich nicht ernsthaft in Betracht zu ziehen ist.[127] **T 666/89** hat sich unter anderem mit den in **T 198/84** und **T 26/85** verwendeten Ausdrucksweisen kritisch auseinandergesetzt und dabei betont, dass Erwägungen, die bei der Beurteilung der erfinderischen Tätigkeit angebracht sind, weder zu einem engeren noch zu einem weiteren Offenbarungsgehalt führen können.[128]

72

e) Die alleinige Auswahl eines Teilbereichs aus einem einzigen größeren bekannten Parameterbereich wird selten als neue Erfindung beansprucht. Häufiger bezieht sich die Auswahl aus einer bekannten allgemeineren Lehre nicht nur auf einen einzigen Parameterbereich, sondern es sind Teilbereiche aus bekannten Bereichen mehrerer Parameter zu kombinieren. In diesen Fällen gelten die Grundsätze aus **T 12/81**,[129] dh auch die ausgewählte Kombination muss der Vorveröffentlichung entnommen werden können.[130] Dies gilt auch für Angaben über die Art und Weise, wie einzelne Zahlenwerte aus diesen Bereichen miteinander in Beziehung zu setzen sind. Dabei sind auch funktionelle Beschränkungen der auszuwählenden Einzelwerte in Betracht zu ziehen.[131]

73

f) Die Prüfungsrichtlinien (C-IV, 7.3a) gehen davon aus, dass eine Veröffentlichung, die ein **Stoffgemisch** beschreibt, nicht auch die darin enthaltenen **Einzelkomponenten** offenbart, sondern nur diejenigen, deren Abtrennung aus dem Stoffgemisch beschrieben ist. Die Rechtsprechung der Beschwerdekammern hat diese Regel bestätigt. Sie hat sie anhand der Rechtsprechung zur Neuheit sogenannter chiraler chemischer Verbindungen in Anwendung des in **T 12/81** aufgestellten Grundsatzes dadurch ergänzt,[132] daß diese Beschreibung der Abtrennung in Form einer ausführbaren technischen Lehre erfolgt sein

74

---

126 **T 17/85**, ABl 1986, 406.
127 **T 26/85**, ABl 1990, 22.
128 **T 666/89**, ABl 1993, 495; **T 198/84**, ABl 1995, 209; **T 26/85**, ABl 1990, 22.
129 **T 12/81**, ABl 1982, 296.
130 **T 245/91** vom 21.6.1994.
131 **T 500/89** vom 26.3.1991; **T 209/94** vom 11.10.1996.
132 **T 12/81**, ABl 1982, 296.

muß.[133] Chirale Verbindungen existieren in zwei verschiedenen, sich zueinander wie rechte und linke Hand verhaltenden Raumformen, die normalerweise in einem sogenannten racemischen Gemisch vorliegen, das gleiche Anteile der beiden Raumformen enthält. Die bloße wissenschaftliche Erkenntnis, dass ein solches Stoffgemisch vorliegt, genügt nicht dem Erfordernis der Offenbarung einer ausführbaren technischen Lehre zu dessen Zerlegung in die Einzelkomponenten, selbst wenn das allgemeine Fachwissen brauchbare Verfahren zur Abtrennung der Einzelkomponenten bereithält. Hingegen wurde die ausdrückliche Angabe, eine zum Stand der Technik gehörende Lehre umfasse nicht nur das Stoffgemisch, sondern auch die nach üblichen Methoden abtrennbaren Einzelkomponenten, als eindeutige (implizite) Offenbarung auch der Einzelkomponenten solcher von der allgemeinen Lehre umfassten Gemische angesehen, deren Abtrennung nicht explizit beschrieben worden war.[134] Ein Beispiel dafür, dass die Feststellung einer impliziten Offenbarung nur nach sorgfältiger Abwägung der Umstände des Einzelfalls erfolgen kann, gibt **T 1048/92**.[135] Dort wurde in einem allerdings nur auf den ersten Blick ähnlich gelagerten Fall keine implizite Offenbarung einer Einzelkomponente eines bekannten racemischen Gemisches gefunden.

75 g) Bei der Beurteilung des Offenbarungsgehalts von Vorveröfenlichungen im Hinblick auf die Neuheit von Auswahlerfindungen ist somit immer der Gesamtinhalt der Vorveröffentlichung in der konkreten Situation des Einzelfalls fachmännisch zu bewerten.[136] Aufgrund dieses Gesamtinhalts muss der Fachmann wie in allen anderen Fällen auch (vgl Rdn 26–43) diejenigen technischen Lehren ermitteln, die der Vorveröffentlichung klar und eindeutig entnommen werden können, und diese Lehren dann einzeln mit der auf Neuheit zu prüfenden Lehre vergleichen.[137] Eine große Zahl weiterer Beispiele hierzu findet sich in Rspr BK 2001, I-C, 4.2.2, S 94 f.

11 Die sogenannten älteren Rechte (Abs 3 und Abs 4)

76 In allen Patentsystemen ist dieser Konflikt zwischen zwei Anmeldungen bekannt: Eine Anmeldung wird **nach** einer anderen Anmeldung mit dem gleichen Gegenstand eingereicht, aber **vor** deren Veröffentlichung.

77 Die nationalen Systeme lösen das Problem entweder nach dem *prior claim approach*, auch als Identitätsprüfung bezeichnet, oder nach dem *whole contents approach*. Im ersten Fall soll ein Doppelschutz verhindert werden: dabei wird entscheidend auf den Schutzbereich der erteilten Patentansprüche abgestellt.

---

133 **T 296/87**, ABl 1990, 195.
134 **T 658/91** vom 14.5.1993.
135 **T 1048/92** vom 5.12.1994.
136 Vgl auch Spangenberg, GRUR Int 1998, S 198.
137 **T 666/89**, ABl 1993, 495, Nr 5.

Nach dem *whole contents approach* gilt auch die Beschreibung der zuerst eingereichten Anmeldung mit dem Zeitpunkt der Anmeldung als Stand der Technik im Verhältnis zur später eingereichten Anmeldung: damit kann in der ersten Anmeldung Beschriebenes – unabhängig von der Anspruchsfassung und damit dem Schutzbegehren – nicht mehr in der zweiten Anmeldung beansprucht werden. Art 4 (3) und Art 6 StraßbÜ überlassen die Wahl zwischen diesen Alternativen den Vertragsstaaten.

Das EPÜ hat in Abs 3 den *whole contents approach* gewählt, und zwar in einer etwas gemilderten Form. Nach Abs 3 wird die früher eingereichte, aber später veröffentlichte europäische Patentanmeldung für die Prüfung der Neuheit in den Stand der Technik mit dem Zeitpunkt ihrer Anmeldung bzw ihrer Priorität einbezogen.

Eine nicht vorveröffentlichte europäische Anmeldung gehört unter folgenden Voraussetzungen zum Stand der Technik:

1) Sie muss **vor** dem Anmeldetag der jüngeren Anmeldung eingereicht worden sein.

2) Sie muss **an oder nach** dem Tag der Einreichung der jüngeren Anmeldung veröffentlicht worden sein.

3) Sie muss bei ihrer Veröffentlichung noch **wirksam** sein. Ist sie vor dem Veröffentlichungstag zurückgenommen oder sonst unwirksam, aber doch veröffentlicht, weil zB die Vorbereitungen für die Veröffentlichung abgeschlossen waren, so wird sie nicht zum älteren Recht nach Abs 3, sondern wirkt nur von ihrem Veröffentlichungstag ab als gewöhnliche Veröffentlichung.

4) Sie wirkt nur im Hinblick auf **dieselben wirksam benannten** Vertragsstaaten (Abs 4). Gehört eine ältere europäische Patentanmeldung nur für einen Teil der benannten Vertragsstaaten zum Stand der Technik, so kann das europäische Patent für die verschiedenen Staaten mit unterschiedlichem Umfang erteilt werden (R 87). Für eine zum Zeitpunkt ihrer Veröffentlichung zurückgenommene oder auf andere Weise unwirksam gewordene Benennung eines Vertragsstaats wirkt sie nicht als älteres Recht.[138]

5) Sie gilt nach der neuen R 23a nur dann als älteres Recht, wenn die Benennungsgebühr wirksam gezahlt ist, die nach Art 79 (2) Satz 2 innerhalb von 6 Monaten nach dem Tag des Hinweises auf die Veröffentlichung des europäischen Recherchenberichts zu entrichten ist (neu gefasst gleichzeitig mit der Einfügung von R 23a). Für Einzelheiten der seit dem 1.7.1997 geltenden Regelung im Zusammenhang mit der Benennung siehe Gall, Staatenbenennung und älteres europäisches Recht – die Lage nach dem 1. Juli 1997, Mitt 1998, 161.

---

[138] PrüfRichtl C-IV, 6.1a; **J 5/81**, ABl 1982, 155, siehe auch **G 4/98**, ABl 2001, 131.

Artikel 54   *Neuheit*

6) Die ältere **PCT-Anmeldung**, für die das EPA als Bestimmungsamt oder Ausgewähltes Amt tätig wird, entfaltet nach Art 150 (3) iVm Art 158 (1) Satz 2 dieselbe Wirkung, sobald ihre Übersetzung in einer Amtssprache vorliegt und die nationale Gebühr gezahlt ist (Art 158 (2)).

EPÜ 2000

Im EPÜ 2000 entfallen Art 54 (4) und R 23a; die in den vorhergehenden Abschnitten 4) und 5) genannten Voraussetzungen gelten dann nicht mehr.

80 Das spätere Schicksal einer früheren Anmeldung, dh ob sie zB später zurückgenommen oder zurückgewiesen wird, hat auf die Zugehörigkeit zum Stand der Technik keinerlei Einfluss (Versteinerungstheorie[139]).

81 Um die Härte des *whole contents approach* zu mildern, wurde die Anwendung dieses Grundsatzes auf die Neuheit beschränkt. Bei der Prüfung auf erfinderische Tätigkeit werden die älteren europäischen Rechte **nicht** in Betracht gezogen (Art 56 Satz 2). Diese Regelung bedingt eine strikte Trennung zwischen der Prüfung auf Neuheit und der Prüfung auf erfinderische Tätigkeit. Um die Trennungslinie näher zu bestimmen und so die Gefahr von Selbstkollisionen zu verringern, betonen die Prüfungsrichtlinien (C-IV, 7.2), dass allgemein bekannte Äquivalente, die in der älteren europäischen Patentanmeldung nicht offenbart sind, nicht bei der Prüfung auf Neuheit, sondern nur bei der Prüfung auf erfinderische Tätigkeit berücksichtigt werden dürfen. **T 167/84** hat diese Praxis bestätigt (vgl Rdn 32).[140]

82 Art 54 (3) verbietet Doppelpatentierungen, dh die nochmalige Patentierung technischer Lehren, die mit explizit oder implizit offenbarten technischen Lehren in älteren europäischen Patentanmeldungen übereinstimmen.[141] Die Beschwerdekammern legen jedoch den Offenbarungsgehalt der älteren Anmeldung ebenso wie denjenigen aller anderen Dokumente (siehe Rdn 32 und 61–75) restriktiv aus;[142] damit wird die Gefahr der Selbstkollision vermindert. Der Ausschluss der älteren Rechte bei der Prüfung auf erfinderische Tätigkeit würde sonst seinen Sinn verlieren.[143] Wenn jedoch der Anmeldetag exakt mit dem Prioritätstag identischer Anmeldungen anderer Anmelder übereinstimmt, ist Doppelpatentierung möglich.

83 Außer der Schweiz haben alle Vertragsstaaten des EPÜ den *whole contents approach* in ihr nationales Recht eingeführt. Das Schweizer Recht gewährt für diesen Fall die Umwandlung nach Art 135 (siehe Broschüre *Nationales Recht zum EPÜ*, Tabelle VII).

---

139 Gall, Mitt 1998, Nr 4.4, S 174 f.
140 **T 167/84**, ABl 1987, 369.
141 ZB **T 124/87**, ABl 1989, 491.
142 **T 572/88** vom 27.2.1991.
143 **T 447/92** vom 7.7.1993.

Zum Verhältnis älterer europäischer Rechte zu jüngeren nationalen Rechten und älterer nationaler Rechte (einschließlich Gebrauchsmustern und Gebrauchszertifikaten) zu jüngeren europäischen Rechten siehe Art 139 und 140.

12 Besonderheiten des Standes der Technik bei Arzneimitteln

Abs 5 gestattet die Patentierung bekannter Stoffe und Stoffgemische, deren Anwendung nach Art 52 (4) nicht patentfähig ist. Art 52 (4) Satz 1 schließt Verfahren zur chirurgischen oder therapeutischen Behandlung des menschlichen oder tierischen Körpers sowie Diagnostizierverfahren, die am menschlichen oder tierischen Körper vorgenommen werden, als nicht gewerblich anwendbare Erfindungen vom Patentschutz aus (Einzelheiten siehe Art 52 Rdn 49–64 und 65–68). Der Patentierungsausschluss trifft aber nicht zu für Erzeugnisse – besonders Arzneimittel – zur Anwendung in einem solchen Verfahren (Art 52 (4) Satz 2; siehe Art 52 Rdn 69–73).

Handelt es sich um **neue** Erzeugnisse, zB Geräte oder auch Arzneimittel, so können diese wie sonstige Erzeugnisse oder chemische Produkte im Rahmen des absoluten Stoffschutzes geschützt werden. Es braucht nicht im Patentanspruch auf die spezielle Verwendung des Erzeugnisses für chirurgische, therapeutische oder diagnostische Zwecke hingewiesen zu werden. Wird jedoch der Verwendungszweck im Patentanspruch angegeben, so ist im Einzelfall zu prüfen, ob alle vom Anspruch umfassten Erzeugnisse bzw Produkte sich für den genannten Zweck eignen oder ob in dieser Zweckangabe ein einschränkendes funktionelles Merkmal zu sehen ist, das ungeeignete Produkte vom Schutzbegehren ausschließt. In letzterem Falle kann ein Mangel an Klarheit (Art 84 Rdn 4–14 und 23–26) vorliegen[144] oder die Ausführbarkeit fraglich sein, wenn der Fachmann aus einer Vielzahl von Produkten die geeigneten nicht ohne weiteres ermitteln kann (siehe Art 83 Rdn 15–23). Ebenso steht es dem Anmelder frei, einen Verwendungsanspruch in der von der Großen Beschwerdekammer für die zweite Indikation (siehe Rdn 90–98) zugelassenen Form aufzustellen, wenn der zu verwendende Wirkstoff neu ist, oder wenn er zwar bekannt ist, aber erstmals zur therapeutischen Anwendung vorgeschlagen wird.[145]

13 Erste medizinische Indikation

Eine besondere Regelung trifft Abs 5 für Stoffe und Stoffgemische, die bereits zum Stand der Technik gehören. Ist die Verwendung solcher Stoffe und Stoffgemische für chirurgische, therapeutische oder diagnostische Verfahren neu, so kann für das Erzeugnis ein zweckbestimmter Stoffschutz gewährt werden, und zwar zur Anwendung in einem dieser Verfahren. Dieser zweckgebundene Stoffschutz erhält damit eine Sonderstellung im Rahmen des europäischen Pa-

---

144 **T 939/92**, ABl 1996, 309.
145 **T 570/92** vom 22.6.1995.

tentrechts. Er geht auf die französische Regelung des Patentschutzes von Arzneimitteln zurück. Dieser Anspruch tritt an die Stelle des sonst üblichen Verwendungsanspruchs, der nach Art 52 (4) Satz 1 nicht zulässig ist.[146] Der Begriff *Stoffgemisch* umfasst auch mehrere getrennte Stoffe in derselben Verpackung (kit-of-parts).[147]

88   Auch eine neu gefundene, spezifische therapeutische Wirkung eines Stoffs kann es rechtfertigen, für diesen Stoff einen Patentanspruch als Arzneimittel generell zu gewähren und nicht nur einen Patentanspruch zur Verwendung für die Heilung einer bestimmten Krankheit (**T 128/82**[148] für die erste medizinische Indikation eines bekannten Stoffes; **T 43/82**[149] für einen Stoff, dessen biologische Eigenschaften bekannt waren, nicht aber seine therapeutische Anwendung). Der zweckgebundene Stoffschutz steht nicht für Stoffe zur Verfügung, die erstmals für eine nicht von Art 54 (5) umfasste Verwendung vorgeschlagen werden (zB für die Empfängnisverhütung).[150]

89   Die Frage, welche verschiedenen Anspruchsarten in Betracht kommen, wenn ein bekannter Stoff sowohl als Arzneimittel als auch als kosmetisches Mittel geschützt werden soll, behandeln **T 36/83** und **T 144/83** (vgl Art 52 Rdn 60 ff).[151]

14 Zweite und weitere medizinische Indikation

90   Mit den Entscheidungen **G 1/83**, **G 5/83** und **G 6/83** wurde die Frage der Patentierbarkeit einer zweiten und weiterer medizinischer Indikationen geklärt.[152] Es ging dabei um die Frage, ob und auf welche Weise ein für die Heilung einer bestimmten Krankheit bekanntes Arzneimittel für die Behandlung weiterer Krankheiten geschützt werden kann.

91   Der deutsche BGH hatte in seinem Beschluss **Hydropyridin**[153] für das deutsche Recht entschieden, dass auch die Patentierung der Verwendung einer bereits als Arzneimittel bekannten Substanz zur Behandlung einer mit dieser Substanz noch nicht behandelten Krankheit nicht ausgeschlossen sei.

92   Die Große Beschwerdekammer ist unter Bezugnahme auf die Grundsätze des Wiener Übereinkommens über das Recht der Verträge vom 23.5.1969 (das teilweise im Amtsblatt[154] abgedruckte Übereinkommen ist auf die Auslegung des EPÜ nicht unmittelbar anwendbar, vgl Art 177 Rdn 8) dieser Entscheidung

---

146 G 1/83, G 5/83 und G 6/83, ABl 1985, 60, 64 und 67.
147 Siehe T 9/81, ABl 1993, 372.
148 T 128/82, ABl 1984, 164.
149 T 43/82 vom 16.4.1984.
150 T 303/90, T 401/90, beide v. 3.2.1992, T 74/93, ABl 1995, 712.
151 T 36/83, ABl 1986, 295; T 144/83, ABl 1986, 301.
152 G 1/83, G 5/83 und G 6/83, ABl 1985, 60, 64 und 67.
153 **Hydropyridin**, ABl 1984, 26.
154 ABl 1984, 192.

nicht gefolgt, hat jedoch unter Hinweis auf das Patentierungsgebot des Art 52 (1) die Schutzfähigkeit solcher Erfindungen anerkannt, da Ausnahmen auf diesem Gebiet wie die des Art 52 (4) Satz 1 eng auszulegen seien. Danach können für weitere medizinische Indikationen Ansprüche zugelassen werden, die auf die Verwendung eines (bekannten) Stoffes oder Stoffgemisches zur **Herstellung** eines Arzneimittels für eine bestimmte neue und erfinderische Anwendung gerichtet sind (Schweizer Anspruchsfassung).

Die Große Beschwerdekammer hat die Neuheit der Herstellung eines an sich bekannten Stoffes oder Stoffgemisches analog zur Sonderregelung des Art 54 (5) (vgl Rdn 87–89) aus seinem neuen therapeutischen Gebrauch abgeleitet. Nach einem Hinweis der Kammer soll dieser Grundsatz für die Beurteilung der Neuheit der Herstellung nur für Erfindungen bzw Patentansprüche gelten, die sich auf die Verwendung eines Stoffes oder Stoffgemisches für ein in Art 52 (4) genanntes Verfahren beziehen (bestätigt zB in **T 655/92**).[155] Beansprucht werden kann dabei sowohl die Verwendung eines Stoffes oder Stoffgemisches zur Herstellung eines Arzneimittels als auch ein Verfahren zu Herstellung eines Arzneimittels, das durch die Verwendung des betreffenden Stoffes gekennzeichnet ist.[156] Für die Beanspruchung einer zweiten medizinischen Verwendung reicht es nicht aus, nur eine Menge eines unspezifizierten therapeutisch wirksamen Produkts zu definieren; vielmehr müssen entweder die zu behandelnde Krankheit, das hierzu bestimmte Erzeugnis oder das zu behandelnde Subjekt aus dem Anspruch klar hervorgehen.[157] 93

Das englische Patentgericht ist dem mit der Entscheidung **Zweite medizinische Indikation/Wyeth und Schering** vom 4.7.1985 gefolgt,[158] ebenso das schwedische Patentgericht mit der Entscheidung **Hydropyridin/SE** vom 13.6.1986.[159] Das Schweizerische Bundesamt für Geistiges Eigentum (jetzt EIGI) hatte bereits in einer Auskunft vom 30.5.1984 für weitere medizinische Indikationen ausdrücklich die von der Großen Beschwerdekammer später erlaubte Anspruchsfassung zugelassen.[160] 94

Hingegen hat die Beschwerdeabteilung des niederländischen Patentamts mit Entscheidung vom 30.9.1987 – **Zweite medizinische Indikation** – derartige Verwendungsansprüche abgelehnt;[161] das niederländische Patentgesetz weicht allerdings in seinem Wortlaut von Art 52 (1) EPÜ ab, so dass fraglich ist, ob 95

---

155 **T 655/92**, ABl 1998, 17 LS I.
156 **T 958/94**, ABl 1997, 241, LS.
157 **T 4/98**, ABl 2002, 139.
158 **Zweite medizinische Indikation/Wyeth und Schering** vom 4.7.1985, ABl 1986, 175.
159 **Hydropyridin/SE** vom 13.6.1986, ABl 1988, 198.
160 Auskunft des EIGI vom 30.5.1984, GRUR Int 1984, 768.
161 Entscheidung vom 30.9.1987 **Zweite medizinische Indikation**, ABl 1988, 405.

die Gründe dieser Entscheidung auch für die Anwendung des EPÜ gelten.[162] Ferner hat die französische Cour de Cassation in der Entscheidung vom 26.10.1993 – **Alfuzosin** –, die die Frage der zusätzlichen Erfindervergütung für die Erfindung einer zweiten therapeutischen Anwendung eines bekannten Erzeugnisses betraf, Ausführungen gemacht, die möglicherweise auch für die Frage der Zulässigkeit der vom EPA gewährten Verwendungsansprüche bedeutsam sind.[163]

EPÜ 2000

Der im EPÜ 2000 enthaltene geänderte Art 54 (4), der den geltenden Art 54 (5) ersetzt, soll in dieser Frage Rechtssicherheit herstellen, indem auch für die zweite und weitere medizinische Indikationen die Möglichkeit des zweckgebundenen Stoffschutzes eröffnet wird.

96 Die Entscheidungen G 1/83, G 5/83 und G 6/83 der Großen Beschwerdekammer wurden in **T 19/86** weiter entwickelt.[164] Danach kann auch die Anwendung eines bekannten Arzneimittels zur prophylaktischen Behandlung derselben Krankheit bei einer Tierpopulation, die zwar derselben Art angehört, aber immunologisch verschieden reagiert (Impfung seropositiver Ferkel gegen die Aujeszki-Krankheit unter bestimmten Bedingungen), nach den von der Großen Beschwerdekammer aufgestellten Grundsätzen als neue therapeutische Anwendung beansprucht werden; denn bei der Beurteilung der Neuheit einer Erfindung (und auch der erfinderischen Tätigkeit), die eine weitere therapeutische Anwendung betrifft, ist nicht nur darauf abzustellen, um welche Krankheit es sich handelt, sondern auch darauf, bei welchen Subjekten diese Behandlung zum Stand der Technik gehört. Die Kammer sah hier die Neuheit als gegeben an, weil das betreffende Mittel nur für die Behandlung ganz bestimmter Tiere (hier seronegativer Ferkel) bekannt war. Die Gruppe der zu behandelnden Subjekte darf aber weder willkürlich aus der nach dem Stand der Technik zu behandelnden Gruppe ausgewählt worden sein noch sich mit letzterer überschneiden.[165]

97 Auch eine andere Verabreichungsart (subkutan anstelle von intramuskulär oder intermittierend anstelle von kontinuierlich) kann die Neuheit eines Verwendungsanspruchs zur Herstellung eines Präparats für diese Art der Verabreichung begründen.[166] Die Aufstellung eines Verfahrensanspruchs anstelle des von der Großen Beschwerdekammer zugelassenen Verwendungsanspruchs wurde nicht gestattet.[167] In **T 290/86** wurde das **Entfernen** von Zahnbelag ge-

---

162 **T 297/88** vom 5.12.1989.
163 FR-Cour de Cassation vom 26.10.1993 – *Alfuzosin*, ABl 1995, 252.
164 **T 19/86** ABl 1989, 24.
165 **T 233/96** vom 4.5.2000.
166 **T 51/93** vom 8.6.1994, **T 1020/03** vom 29.10.2004.
167 abweichend **T 893/90** vom 22.7.1993, **T 958/94**, ABl 1997, 241.

genüber der **Verringerung der Bildung** von Zahnbelag als eine neue Anwendung betrachtet.[168]

Eine neue zweite medizinische Indikation kann jedoch nicht darin gesehen werden, dass erstmals die bekannte Wirkung einer bekannten therapeutisch wirksamen Zusammensetzung der Anwesenheit einer der Komponenten dieser Zusammensetzung zugeschrieben wird. Eine derartige Lehre betrifft nur die wissenschaftliche Erklärung der bekannten Wirkung, nicht aber eine neue Verwendung der bekannten Zusammensetzung.[169] Auch eine geänderte Dosierungsanweisung, die nicht zu einem neuen therapeutischen Zweck dient, ist keine neue medizinische Verwendung.[170] Zur Frage der Neuheit in Fällen, in denen sowohl eine weitere medizinische als auch eine nichtmedizinische Verwendung beansprucht wird, siehe T 292/04.[171]

15 Zweite und weitere nichtmedizinische Verwendung

Das EPÜ lässt generell sowohl Verfahrensansprüche als auch Verwendungsansprüche zu. Nach Auffassung der Großen Beschwerdekammer ist es meist nur eine Frage der individuellen Wahl, ob der Anmelder eine Tätigkeit als Verfahren zur Ausführung der Tätigkeit unter Angabe verschiedener Verfahrensschritte beansprucht oder ob er diese Tätigkeit, zu der naturgemäß eine Folge von Verfahrensschritten gehören kann, als Anwendung oder Verwendung einer Sache für einen bestimmten Zweck in einem Anspruch geschützt erhalten will. Die Große Beschwerdekammer sieht hierin keinen sachlichen Unterschied.[172]

Demnach sind Verwendungsansprüche auch auf nichtmedizinischem Gebiet zulässig und unterliegen keinen besonderen Bedingungen. Probleme treten dann auf, wenn eine neue Verwendung einer bekannten Sache dieselben Verfahrensschritte impliziert wie eine bekannte Verwendungsart derselben Sache. Ein solcher Sachverhalt lag **T 231/85** zugrunde.[173] Bekannt war die Verwendung einer chemischen Verbindung als Wachstumsregulator; als neu beansprucht war die Verwendung derselben Verbindung als Fungizid. Beiden Verwendungen gemeinsam war das Besprühen von Nutzpflanzen mit dieser Verbindung. Die Neuheit dieser zweiten Verwendung wurde anerkannt. In zwei späteren, ähnlich gelagerten Fällen wurde der Großen Beschwerdekammer die Frage vorgelegt, ob die schon bekannte Verwendung einer Substanz, obwohl ganz klar einem anderen Zweck dienend, **inhärent** auch die nun als neu beanspruchte Verwendung umfasste, wenn das einzige Merkmal, durch das sich die beiden

---

168 **T 290/86**, ABl 1992, 414.
169 **T 254/93**, ABl 1998, 285.
170 **T 317/95** vom 26.2.1999, **T 56/97** vom 30.8.2001.
171 **T 292/04** vom 17.10.2005.
172 **G 1/83**, **G 5/83** und **G 6/83**, ABl 1985, 60, 64, 67.
173 **T 231/85**, ABl 1989, 74.

Artikel 54 — Neuheit

Verwendungen unterscheiden, der Zweck ist, für den diese Substanz verwendet wird.[174]

101 In **G 2/88** und **G 6/88** wurde diese Frage geklärt.[175] Die Große Beschwerdekammer ging davon aus, dass eine beanspruchte Erfindung nur dann neu ist, wenn sie sich durch mindestens ein **wesentliches** technisches Merkmal vom Stand der Technik unterscheidet. Bei der Neuheitsprüfung ist daher grundsätzlich zunächst die beanspruchte Erfindung auf ihre technischen Merkmale hin zu untersuchen (siehe Rdn 49 und Art 84 Rdn 7 ff).

102 Die Große Beschwerdekammer kam zu dem Ergebnis, dass bei einem Anspruch auf eine neue Verwendung eines bekannten Stoffes diese neue Verwendung eine neu entdeckte und im Patent beschriebene technische Wirkung wiedergeben kann. Die Erzielung dieser technischen Wirkung ist als **funktionelles technisches Merkmal** des Anspruchs zu betrachten (zB die Erreichung dieser technischen Wirkung in einem bestimmten Zusammenhang). Ist dieses technische Merkmal der Öffentlichkeit zuvor nicht durch eines der in Art 54 (2) genannten Mittel zugänglich gemacht worden, dann ist die beanspruchte Erfindung neu, auch wenn diese technische Wirkung bei der Ausführung dessen, was zuvor der Öffentlichkeit zugänglich gemacht worden ist, möglicherweise schon inhärent aufgetreten ist. Technische Lehren, die im Stand der Technik inhärent enthalten sind, können demnach neu und erfinderisch sein. Zum Stand der Technik gehört nämlich nur das, was tatsächlich zugänglich gemacht worden ist. Nach dem EPÜ ist deshalb eine der Öffentlichkeit nicht zugänglich gemachte, zB nicht erkannte oder heimliche Benutzung kein Grund, die Rechtsgültigkeit eines europäischen Patents anzuzweifeln. Diesbezüglich unterscheiden sich möglicherweise die Bestimmungen des EPÜ vom früheren nationalen Recht einiger Vertragsstaaten oder auch vom derzeitigen Recht einiger Nichtvertragsstaaten. Nach den Feststellungen der Großen Beschwerdekammer war deshalb in **T 231/85** die Neuheit zu Recht anerkannt worden, denn der Anspruch auf die Verwendung einer (als Wachstumsregulator bekannten) Substanz als Fungizid implizierte als **funktionelles** technisches Merkmal, dass die besagte Substanz bei ihrer Verwendung tatsächlich die bisher unerkannte pilzbekämpfende Wirkung erzielte (dh diese Funktion erfüllte).[176]

103 Dies bedeutet nicht, dass grundsätzlich jeder im Stand der Technik nicht ausdrücklich genannte Verwendungszweck neu ist. Es ist genau zu unterscheiden zwischen dem, was tatsächlich zugänglich gemacht worden ist, und dem, was verborgen geblieben oder sonstwie nicht zugänglich gemacht worden ist. In den beiden abschließenden Entscheidungen **T 59/87** und **T 208/88** befand die Beschwerdekammer in Anwendung der genannten Grundsätze die bean-

---

174 **T 59/87**, ABl 1988, 347; **T 208/88** vom 20.7.1988.
175 **G 2/88** und **G 6/88**, ABl 1990, 93 und 114.
176 **T 231/85**, ABl 1989, 74.

spruchten Verwendungserfindungen als neu und erfinderisch.[177] Verwendungsansprüche betreffen nicht nur das Gebiet der Chemie, sondern alle technischen Gebiete.[178]

Sowohl Verfahrens- als auch Verwendungsansprüche richten sich auf Tätigkeiten. Die in **G 2/88** aufgestellten Grundsätze dürften daher auch gelten, wenn statt eines Verwendungsanspruchs ein entsprechender Verfahrensanspruch aufgestellt worden ist.[179] So war ein Verfahren zur nicht-therapeutischen Behandlung von Tieren zur Erhöhung ihrer Milchleistung durch orale Verabreichung von Glykopeptidantibiotika in einer propionaterhöhenden Menge allein deshalb neu, weil die durch die Erfindung erzielte technische Wirkung – in diesem Fall die Verbesserung der Milchproduktion – nicht zum Stand der Technik gehörte.[180] Ist ein Erzeugnis sowohl zur therapeutischen Behandlung als auch zu nicht-therapeutischen Zwecken verwendbar, so kann für die nicht-therapeutische (zB kosmetische) Anwendung ein Verwendungsanspruch neben einem zweckgebundenen Sachanspruch nach Art 54 (5) für die therapeutische Anwendung aufgestellt werden.[181] Dem Anmelder steht es jedoch nicht frei, statt eines auf eine nicht-therapeutische Verwendung gerichteten Anspruchs einen zweckgebundenen Sachanspruch aufzustellen, da dessen Gegenstand nicht neu wäre.[182] Weitere Entscheidungen, in denen das technische Ergebnis einer Verwendung oder eines Anwendungsverfahrens als neues technisches Merkmal angesehen wurde, finden sich in Rspr BK 2001, I-C, 5.3.1, S 109 ff.

104

Die Feststellung, dass ein bekanntes chemisches Produkt nach einem bekannten Verfahren in einer im Stand der Technik nicht erkannten Reinheit hergestellt werden kann, ist nicht unbedingt ein neues funktionelles technisches Merkmal im Sinne von **G 2/88** und **G 6/88**.[183] Ebenso ist eine bisher unbekannte Erkenntnis darüber, warum sich ein bekanntes Erzeugnis zu einem bekannten Zweck eignet, kein solches funktionelles technisches Merkmal;[184] vgl Rdn 98 mit **T 254/93**.[185] Auch die Beschreibung einer neuen Eigenschaft im Rahmen einer bekannten Verwendung begründet nicht die Neuheit im Sinne der Entscheidungen **G 2/88** und **G 6/88**.[186]

105

---

177 **T 59/87**, ABl 1991, 561; **T 208/88**, ABl 1992, 22.
178 Siehe zB **T 977/02** vom 16.6.2004 für das Gebiet des Maschinenbaus.
179 **G 2/88**, ABl 1990, 93.
180 **T 582/88** vom 17.5.1990.
181 **T 36/83**, ABl 1986, 295.
182 **T 523/89** vom 1.8.1990.
183 **T 279/93** vom 12.12.1996.
184 **T 958/90** vom 4.12.1992.
185 **T 254/93**, ABl 1998, 285.
186 **T 892/94** ABl 2000, 1.

16 Beweislast für fehlende Neuheit

106 Im Verfahren vor dem EPA gilt allgemein, dass die Beweislast für das Zutreffen eines behaupteten Sachverhalts bei demjenigen liegt, der sich auf diesen Sachverhalt beruft, wenn der wahre Sachverhalt nicht von Amts wegen festgestellt werden kann.[187]

107 Der Beweis, dass eine bestimmte Lehre zum Stand der Technik gehört, kann durch alle geeigneten Beweismittel geführt werden. Es gilt der Grundsatz der freien Beweiswürdigung (näheres dazu Rspr BK 2001, I-C 1.7, S 60 ff und VI-J 5 und 6, S 403ff). Im Erteilungsverfahren muss jedoch die Zurückweisung einer europäischen Patentanmeldung wegen mangelnder Neuheit unter Angabe von Druckschriften substantiiert werden. Die persönliche Kenntnis eines Prüfers, die nicht von Dokumenten, Offenbarungen oder Verwendungsangaben aus dem Stand der Technik gestützt wird, ist kein ausreichendes Beweismittel für fehlende Neuheit des Erfindungsgegenstandes.[188] Entsprechend der Empfehlung in den PrüfRichtl C-IV, 5.2 sollte ein entgegengehaltenes Dokument dann nicht zum Stand der Technik gerechnet werden, wenn begründete Zweifel an seiner öffentlichen Zugänglichkeit zum maßgeblichen Zeitpunkt bestehen.[189] Auch falls behauptet wird, eine Druckschrift offenbare eine technische Lehre implizit, ist dies derart zu belegen, dass keine begründeten Zweifel bestehen bleiben.[190]

108 Andererseits kann in Fällen, in denen sich die Neuheit eines Gegenstands aus im Stand der Technik nicht erwähnten Eigenschaften (Parametern) ergeben soll, die Beweislast für geltend gemachte Unterschiede zwischen dem bekannten und dem beanspruchten Gegenstand auf den Anmelder übergehen, wenn es gute Gründe gibt, beide Gegenstände für identisch zu halten; zB weil sie nachweislich auf ähnliche Weise hergestellt worden sind.[191]

109 Wer geltend macht, eine technische Lehre sei vor dem maßgeblichen Datum der Öffentlichkeit zugänglich gemacht worden, hat zumindest zu beweisen, dass man nach der Lebenserfahrung von der öffentlichen Zugänglichkeit dieser Lehre ausgehen muss.[192] Wird ein so glaubhaft gemachter Sachverhalt bestritten, so sind Tatsachen anzugeben, die die Wahrscheinlichkeit der Zugänglichkeit widerlegen.[193] Im Rahmen der Beweiswürdigung sind die Anforderungen an die Beweiskraft des Beweismittels um so höher, je einschneidender die

---

187 **T 219/83**, ABl 1986, 211, Nr 12.
188 **T 21/83** vom 6.4.1984.
189 **T 32/95** vom 28.10.1996.
190 **T 793/93** vom 27.9.1995, **T1029/96** vom 21. 8. 2001.
191 Siehe PrüfRichtl C-IV, 7.5; **T 205/83**, ABl 1985, 363.
192 **T 381/87**, ABl 1990, 213; **T 275/89**, ABl 1992, 126; Aùz Castro, Vorbenutzung als Stand der Technik und ihr Beweis, GRUR Int 1996, 1099.
193 **T 743/89** vom 27.1.1992.

Konsequenzen der behaupteten Tatsache für die Rechtsbeständigkeit der strittigen Patentanmeldung oder des angegriffenen Patents sind.[194] Wenn mündliche Offenbarung geltend gemacht wird, so ist der Beweiswert einer späteren, angeblich damit übereinstimmenden Veröffentlichung besonders vorsichtig zu würdigen.[195] Festzustellen ist, was einem Zuhörer durch den Vortrag als technische Lehre tatsächlich vermittelt worden ist, und nicht, was der Vortragende vermitteln wollte.[196]

Eine Druckschrift hat als Beweismittel in der Regel zwei unterschiedliche Funktionen. Zum einen kann sie beweisen, dass eine bestimmte Lehre durch sie zum Stand der Technik gemacht wurde; des weiteren weist sie den Zeitpunkt der Zugänglichmachung dieser Lehre nach.[197]

110

Wird geltend gemacht, eine technischen Lehre sei durch Benutzung öffentlich zugänglich geworden, so müssen die maßgeblichen Umstände so dargelegt werden, dass ohne weiteres ersichtlich ist, was wann und unter welchen Umständen benutzt worden sein soll (vgl Rdn 14–16). Das Vorbringen ist ausreichend, wenn es vom EPA und den anderen Parteien ohne weitere eigene Ermittlungen verstanden werden kann.[198] Unterliegen praktisch alle Beweismittel für eine offenkundige Vorbenutzung der Verfügungsmacht und dem Wissen des Einsprechenden, so hat er sie lückenlos nachzuweisen.[199] Wird gegen die Öffentlichkeit einer Vorbenutzung eingewendet, es habe eine Verpflichtung zur Geheimhaltung bestanden, so hat in der Regel der Patentinhaber die Tatsachen anzugeben, die das Bestehen einer solchen Verpflichtung glaubhaft machen.[200] Die Wahrscheinlichkeit einer Geheimhaltungsverpflichtung kann sich jedoch auch aus den zur Substantiierung der Vorbenutzung mitgeteilten Tatsachen ergeben. In diesem Falle hat der Einsprechende zu beweisen, dass keine Geheimhaltungsverpflichtung bestanden hat.[201]

111

Wird offenkundige Vorbenutzung geltend gemacht, so ist das EPA berechtigt, hierüber allein aufgrund der von den Parteien vorgelegten Tatsachen und Beweismittel zu entscheiden. Es ist nicht verpflichtet, den wahren Sachverhalt von Amts wegen aufgrund von Art 114 (1) zu ermitteln. Insbesondere besteht keine Verpflichtung zur Ermittlung von Amts wegen, wenn die Umstände der Vorbenutzung nicht lückenlos dargelegt sind und die Partei, die sie geltend gemacht hat, an der Ermittlung des Sachverhalts nicht mehr mitwirkt.[202] In einem

112

---

194 **T 750/94**, ABl 1998, 32.
195 **T 86/95** vom 9.9.1997, **T 348/94** vom 21.10.1998 und **T 890/96** vom 9.9.1999.
196 **T 400/97** vom 24.5.2000 und **T 1212/97** vom 14.5.2001.
197 **T 795/93** vom 29.10.1996.
198 **T 441/91** vom 18.8.1992.
199 **T 472/92**, ABl 1998, 161, LS I.
200 **T 221/91** vom 8.12.1992; **T 1054/92** vom 20.6.1996.
201 **T 887/90** vom 6.10.1993.
202 **T 129/88**, ABl 1993, 598; **T 830/90**, ABl 1994, 713.

Fall wurde jedoch im Beschwerdeverfahren einer Vorbenutzung wegen offensichtlicher Relevanz von Amts wegen nachgegangen, obwohl sie im Einspruchsverfahren nicht ausreichend substantiiert worden war.[203]

Artikel 55 Unschädliche Offenbarungen

(1) Für die Anwendung des Artikels 54 bleibt eine Offenbarung der Erfindung außer Betracht, wenn sie nicht früher als sechs Monate vor Einreichung der europäischen Patentanmeldung erfolgt ist und unmittelbar oder mittelbar zurückgeht:

a) auf einen offensichtlichen Missbrauch zum Nachteil des Anmelders oder seines Rechtsvorgängers oder
b) auf die Tatsache, dass der Anmelder oder sein Rechtsvorgänger die Erfindung auf amtlichen oder amtlich anerkannten Ausstellungen im Sinn des am 22. November 1928 in Paris unterzeichneten und zuletzt am 30. November 1972 revidierten Übereinkommens über internationale Ausstellungen zur Schau gestellt hat.

(2) Im Fall des Absatzes 1 Buchstabe b ist Absatz 1 nur anzuwenden, wenn der Anmelder bei Einreichung der europäischen Patentanmeldung angibt, dass die Erfindung tatsächlich zur Schau gestellt worden ist, und innerhalb der Frist und unter den Bedingungen, die in der Ausführungsordnung vorgeschrieben sind, eine entsprechende Bescheinigung einreicht.

Margarete Singer

Übersicht

1	Allgemeines	1-4
2	Der Beginn der 6-Monatsfrist	5-10
3	Unmittelbare oder mittelbare Kausalität	11
4	Art und Weise der Offenbarung	12
5	Offensichtlicher Missbrauch	13-17
6	Arbeitnehmererfindungen; widerrechtliche Entnahme	18-19
7	Internationale Ausstellungen	20-21
8	Geltendmachung des Ausstellungsschutzes	22
9	Wirkung	23-25

1 Allgemeines

1 Dieser Artikel regelt, welche Offenbarungen abweichend von Art 54 ausnahmsweise nicht neuheitsschädlich sind.

---

203 **T 582/90** vom 11.12.1992; Aùz Castro, GRUR Int 1996, S 1102, Fußnote 23.

Die Vorschrift ist aus Art 4 (4) StraßbÜ (Anhang 9) übernommen worden. Gleichlautende Bestimmungen haben die meisten Vertragsstaaten in ihr nationales Patentrecht übernommen.[1] Art 55 bringt gegenüber früherem nationalem Recht (zB in Deutschland, Großbritannien, Österreich und der Schweiz, auch Italien, siehe Überblick bei Loth, eine erhebliche Einschränkung der Schonfrist.[2]

Durch Buchst a) und b) werden zwei durchaus unterschiedliche Tatbestände von der Neuheitsschädlichkeit ausgenommen, nämlich offensichtliche Missbräuche und Zurschaustellungen auf internationalen Ausstellungen. Für beide Gruppen ist zwingende Voraussetzung, dass die Offenbarung der Erfindung nicht früher als 6 Monate vor Einreichung der europäischen Patentanmeldung erfolgt ist.

Siehe auch Prüfungsrichtlinien C-IV, 8.

Aus der Literatur: Holtz, Article 55 (1) a) EPC. Abuse – Grace period.[3] Allgemein zur Neuheitsschonfrist: Bunke, Gefährdung der Rechtssicherheit durch Wiedereinführung einer Neuheitsschonfrist?[4] und Vorstand der Patentanwaltskammer, Die Neuheitsschonfrist im Patentrecht.[5]

2 Der Beginn der 6-Monatsfrist

Wird die europäische Patentanmeldung als Nachanmeldung unter Inanspruchnahme der Priorität einer nationalen Voranmeldung eingereicht, so stellt sich die Frage, ob es genügt, wenn innerhalb der 6-Monatsfrist die prioritätsbegründende Anmeldung eingereicht wird oder ob es notwendig ist, innerhalb dieser Frist die europäische Patentanmeldung selbst einzureichen.

Art 55 knüpft die Fristberechnung an die Einreichung der europäischen Patentanmeldung, also an den Anmeldetag nach Art 80. Diesen letzteren Begriff verwendet das EPÜ in den einschlägigen Bestimmungen (zB Art 54) und hat in Art 89 angeordnet, in welchen Fällen der Prioritätstag als der Anmeldetag gilt. Art 55 ist in diesem Katalog nicht aufgeführt, wohl aber Art 54 (2) und (3); auf Art 54 als ganzes bezieht sich Art 55 (1) mit dem Hinweis, dass er die Anwendung des Art 54 regelt. Eine Verbindung zu Art 89 kann aber wohl kaum hergestellt werden, weil in Art 55 (1) nicht auf den Anmeldetag der europäischen Patentanmeldung abgestellt wird, sondern ausdrücklich auf deren Einrei-

---

1   Übersicht aus dem Jahr 1990 bei Loth in MünchGemKom, Art 55, Rn 8–22.
2   Loth in MünchGemKom, Art 55, Rn 42–44.
3   Holtz, Article 55 (1) a) EPC. Abuse – Grace period, NIR, 1997 I 3.
4   Bunke, Gefährdung der Rechtssicherheit durch Wiedereinführung einer Neuheitsschonfrist?, Mitt 1998, 443.
5   Vorstand der Patentanwaltskammer, Die Neuheitsschonfrist im Patentrecht, Mitt 1998, 447.

chung. Dieser Text geht auf die Münchner Diplomatische Konferenz zurück.[6]

7 Die Frage nach dem Beginn der 6-Monatsfrist hat die Große Beschwerdekammer in ihrer Entscheidung **G 2/99**, verbunden mit **G 3/98**, mit ihrem Leitsatz beantwortet und sehr ausführlich begründet:.[7] Für die Berechnung der Frist von sechs Monaten nach Artikel 55 (1) EPÜ ist der Tag der tatsächlichen Einreichung der europäischen Patentanmeldung maßgebend; der Prioritätstag ist für die Berechnung dieser Frist nicht heranzuziehen.

Die Große Beschwerdekammer setzt sich auch eingehend mit der divergierenden nationalen Rechtsprechung auseinander. Sie sieht sich im Einklang mit der Auslegung in der Schweiz[8] und in Deutschland.

Die vom Prioritätstag als Fristbeginn ausgehende Entscheidung des Hoge Raad enthält nach Auffassung der Großen Beschwerdekammer keine entgegenstehenden Gesichtspunkte:[9] die knappe Begründung des Hoge Raad in dem dortigen Verfahren einer einstweiligen Verfügung stellt vor allem auf den Schutzzweck des Art 55 ab.[10]

8 Das Schweizer Patentgesetz hat bei Übernahme von Art 55 (1) in Art 7b CH-PatG jedoch vorgesehen, dass in diesen Fällen für die Berechnung der Frist auch das Prioritätsdatum der Erstanmeldung maßgebend ist. In der Rechtsauskunft des Eidgenössischen Instituts für geistiges Eigentum (EIGI) vom 15.12.1980 wird dieser Unterschied betont.[11] Für nationale Schweizer Patentanmeldungen gilt dies weiterhin.

9 Die Schonfrist von 6 Monaten verhindert nicht das Entstehen nationaler Vorbenutzungsrechte.

10 Die in der 2. und 3. Auflage vertretene Auffassung hat sich durch die Entscheidung **G 3/98** und **G 2/99** der Großen Beschwerdekammer erledigt.[12]

3 Unmittelbare oder mittelbare Kausalität

11 Zwischen der neuheitsschädlichen Vorverlautbarung und der Patentanmeldung muss Kausalität in der Weise bestehen, dass beide ihren gemeinsamen Ursprung in der Erfindung des Anmelders oder seines Rechtsvorgängers haben.

---

6   Berichte der MDK, M/Pr/I Nr 61; Singer, GRUR Int 1974, 63; Mathély, S 119; Loth in MünchGemKom Art 55, Rn 59.
7   **G 3/98** und **G 2/99**, ABl 2001, 63 und 83, LS und Nr 2.
8   CH-Bundesgericht vom 19.8.1991 – *Stapelvorrichtung* –, BGE 117 II 480 = ABl 1993, 170 = GRUR Int 1992, 293 = SMI 1992, 95; DE-BGH vom 5.12.1995 – *Corioliskraft* –, GRUR 1996, 349 = ABl 1998, 263.
9   Hoge Raad vom 23.6.1995 – *Follikelstimulationshormon II* –, BIE 1997, 235 = ABl 1998, 278 = GRUR Int 1997, 838.
10 Zum Fristbeginn ab Priorität siehe Eisenführ, Die Schonfrist-Falle des Art 55 (1) a) EPÜ, Mitt 1997, 268; mit Zitaten der weiteren einschlägigen Literatur.
11 SchwPMMBl 1981 I, 35/36; GRUR Int 1981, 561.
12 **G 3/98** und **G 2/99**, ABl 2001, 63 und 83.

Die Worte *unmittelbar oder mittelbar* stellen klar, dass die Offenbarung nicht nur dann unschädlich ist, wenn die offenbarende Person ihr Wissen unmittelbar vom späteren Anmelder ableitet; sondern auch, wenn ein Dritter die Erfindung offenbart, der zufällig und mittelbar – ohne eigenen offensichtlichen Missbrauch – von ihr Kenntnis erlangt hat, zB über einen Mitarbeiter des Erfinders oder einen Gesprächspartner des Anmelders.

4 Art und Weise der Offenbarung

Die Offenbarung kann mündlich, schriftlich oder durch Benutzung erfolgen (Art 54 (2)) oder auch durch die Einreichung einer Patentanmeldung. Im letzten Fall kann der wahre Berechtigte seine Rechte nach Art 61 geltend machen. 12

5 Offensichtlicher Missbrauch

Nach **T 173/83** liegt einmal ein offensichtlicher Missbrauch vor, wenn eindeutig feststeht, dass Schädigungsabsicht vorliegt;[13] Missbrauch besteht aber auch, wenn ein Dritter in Kenntnis seiner Nichtberechtigung unter Inkaufnahme eines Nachteils für den Erfinder oder unter Verletzung eines Vertrauensverhältnisses handelt. Die Verletzung eines Vertrauensverhältnisses kann sich auch aus einer Geheimhaltungspflicht herleiten, die sich aus den Umständen ergibt.[14] Der Hoge Raad hat Missbrauch bejaht, wenn der Dritte nicht befugt ist, die betreffende Information weiterzugeben;[15] der Missbrauch ist offensichtlich, wenn klar und unzweifelhaft feststeht, dass die Information nicht weitergegeben werden durfte. 13

Die versehentliche, offensichtlich gegen das Gesetz verstoßende vorzeitige Veröffentlichung einer Patentanmeldung durch ein Patentamt wurde nicht als missbräuchliche Handlung zum Nachteil des Anmelders gewertet (**T 585/92**). 14

Der Ausdruck *Missbrauch* dürfte gleichwohl nicht bedeuten, dass es auf Absicht, bösen Willen oder irgendeine Form von Schuld dessen ankommt, der die Erfindung offenbart, sondern auf den Erfolg dieser Handlung, durch die die Rechte des eigentlich Berechtigten ungerechtfertigt beschnitten werden. 15

Das Merkmal der Offensichtlichkeit wird meistens mit dem Begriff des Missbrauchs zusammen behandelt. Es meint die objektive Erkennbarkeit und Beweisbarkeit des Missbrauchs, dh ob der Missbrauch klar und unzweifelhaft feststeht.[16] 16

Die Unbestimmtheit des Begriffs war der Grund dafür, dass in der entsprechenden Bestimmung des britischen Patentgesetzes in Sec. 2 (4) nicht wie im EPÜ 17

---

13 **T 173/83**, ABl 1987, 465, Nr 6.
14 **T 585/92**, ABl 1996, 129, Nr 6.5.
15 Hoge Raad vom 23.6.1995 – *Follikelstimulationshormon II*, BIE 1997, 235 = ABl 1998, 278 = GRUR Int 1997, 838.
16 **T 173/83**, ABl 1987, 465, Nr 6; Loth in MünchGemKom, Art 55, Rn 97.

ein *evident abuse* verlangt wird, sondern einzelne Tatbestände näher festgelegt worden sind. Dass damit keine sachliche Abweichung von der Regelung des EPÜ beabsichtigt war, muss man daraus schließen, dass gerade das britische PatG die einheitliche Auslegung des europäischen und nationalen Rechts in section 130 Abs 7 besonders betont.

6 Arbeitnehmererfindungen; widerrechtliche Entnahme

18 Offensichtlicher Missbrauch liegt in aller Regel auch vor, wenn ein angestellter Erfinder seine Erfindung, die dem Betrieb zusteht, Dritten offenbart oder selbst anmeldet. Dabei macht es keinen Unterschied, ob nach dem anwendbaren nationalen Arbeitnehmererfinderrecht die Erfindung unmittelbar dem Arbeitgeber zusteht oder ob dieser sie nur anmelden kann, wenn er sie in Anspruch nimmt (deutsches Recht).

19 Beruht die neuheitsschädliche Offenbarung zB als Veröffentlichung einer europäischen Patentanmeldung auf der unberechtigten Anmeldung eines Dritten, der sich die Erfindung widerrechtlich angeeignet hat, so kann der Erfinder im Hinblick auf die Anmeldung die Rechte nach Art 61 geltend machen (siehe dort und Art 60 Rdn 15).

7 Internationale Ausstellungen

20 Unter Buchst b) wird der zweite Fall der unschädlichen Offenbarung behandelt, dass die Erfindung auf einer amtlichen oder amtlich anerkannten Ausstellung im Sinne des genannten Übereinkommens über internationale Ausstellungen zur Schau gestellt wird. Es wird im Gegensatz zum früheren deutschen und schweizerischen sowie zum gegenwärtigen österreichischen Recht (und zum deutschen Gebrauchsmusterrecht) keine Ausstellungspriorität gewährt, sondern nur die Neuheitsunschädlichkeit.

21 Ausstellungen, die den im Übereinkommen über internationale Ausstellungen festgelegten Erfordernissen entsprechen, sind äußerst selten. Sie sind jeweils im Amtsblatt veröffentlicht.[17] Es fallen nur sehr wenige Weltausstellungen unter das Übereinkommen.

8 Geltendmachung des Ausstellungsschutzes

22 Nach Abs 2 muss der Anmelder bei Einreichung der europäischen Patentanmeldung die Zurschaustellung der Erfindung angeben. Innerhalb von vier Monaten nach diesem Zeitpunkt muss er eine Bescheinigung vorlegen, die vom Aussteller erteilt wird. Tut er dies nicht, so wirkt die Zurschaustellung neuheitsschädlich. Einzelheiten über die Bescheinigung enthält R 23.

---

17 Siehe zB ABl 1989, 156.

9 Wirkung

Die in der Schonfrist erfolgte Offenbarung der Erfindung kann der Anmeldung nicht als neuheitsschädlicher Stand der Technik entgegengehalten werden (Art 54 (1) und (2)). 23

Erfolgt die Offenbarung einer früher eingereichten europäischen Patentanmeldung am oder nach dem Anmeldetag der späteren europäischen Patentanmeldung, so wird wegen der Bezugnahme von Art 55 auch auf Art 54 (3) die frühere Anmeldung nicht zu einem älteren Recht. Wegen dieses Ergebnisses ist der Text *nicht früher als* anstelle von *innerhalb von* gewählt worden. 24

Betreibt der Anmelder nicht die Vindikation nach Art 61, so kann es zu einer Doppelpatentierung kommen. 25

Artikel 56 Erfinderische Tätigkeit

Eine Erfindung gilt als auf einer erfinderischen Tätigkeit beruhend, wenn sie sich für den Fachmann nicht in nahe liegender Weise aus dem Stand der Technik ergibt. Gehören zum Stand der Technik auch Unterlagen im Sinn des Artikels 54 Absatz 3, so werden diese bei der Beurteilung der erfinderischen Tätigkeit nicht in Betracht gezogen.

Jürgen Kroher

Übersicht

1	Allgemeines	1-3
2	Objektiver Begriff	4-7
3	Stand der Technik	8-19
4	Die nahe liegende Weise	20-36
5	Aufgabe und Lösung	37-51
6	Auffinden der Lösung (*could-would-approach*)	52-54
7	Verbot der rückschauenden Betrachtungsweise – einfache Erfindungen – Kombinationserfindungen	55-59
8	Analogieverfahren	60-61
9	Chemische Zwischenprodukte	62-63
10	Aufgabenerfindungen	64-67
11	Bedeutung von Hilfserwägungen; Beweisanzeichen	68-79
12	Der wirtschaftliche Erfolg	80-83
13	Unerwartete zusätzliche Ergebnisse – Nebeneffekte	84-87
14	Lange bestehendes Bedürfnis	88-107
15	Vorurteile der Fachwelt	108-115
16	Der Fachmann	116-122
17	Nahes oder weit entferntes technisches Gebiet	123-136
18	Ältere europäische Rechte	137-138

Artikel 56 — *Erfinderische Tätigkeit*

1 Allgemeines

1 Neben der Neuheit (Art 54) ist wichtigste Voraussetzung für die Erteilung eines europäischen Patents, dass die Erfindung auf einer erfinderischen Tätigkeit beruht. Sie muss sich also vom Stand der Technik durch mehr als nur durch Neuheit abheben.

2 Art 56 enthält eine für das europäische Erteilungs- wie für das nationale Nichtigkeitsverfahren verbindliche Definition des Begriffs der erfinderischen Tätigkeit. Diese Definition ist aus Art 5 StraßbÜ übernommen worden;[1] die klarstellende Bezugnahme auf den Fachmann ergänzt den Begriff. Bei den ersten Vorarbeiten zum EPÜ und zum StraßbÜ Anfang der sechziger Jahre bildeten naturgemäß die europäischen Patentrechte die Grundlage. Die meisten Rechtsordnungen kannten Entsprechungen des deutschen Begriffs der Erfindungshöhe (obviousness, erfinderischer Schritt usw). Daneben wurden aber auch die Formulierungen des amerikanischen Patentgesetzes (§ 103) berücksichtigt.

Die PrüfRichtl (C-IV, 9) äußern sich eingehend zur Anwendung dieser Bestimmung in der Praxis und geben Beispiele für die Beurteilung der erfinderischen Tätigkeit.

3 Art 33 (3) PCT enthält für die internationale vorläufige Prüfung eine ähnlich lautende Definition, die die Anwendung gleicher Grundsätze für die PCT- und EPÜ-Prüfung nahelegt.[2] Dem entspricht die Praxis der PCT-Behörden bei der Recherche und der vorläufigen Prüfung.

2 Objektiver Begriff

4 Satz 1 Halbsatz 2 zeigt, dass die erfinderische Tätigkeit trotz ihres subjektiven Elements objektiv zu verstehen ist. Die französischen und deutschen Begriffe deuten zwar auf die schöpferische Tätigkeit des Erfinders und damit auf einen personenbezogenen Aspekt hin; die gesetzliche Definition stellt jedoch klar, dass die erfinderische Tätigkeit objektiv zu beurteilen ist.[3] Die englische Überschrift *inventive step*, die auf einen Abstand zum Stand der Technik hindeutet, entspricht daher besser dem Inhalt der Bestimmung. Es gibt – im Idealfall – immer nur eine richtige Entscheidung, bei der subjektive Gesichtspunkte nicht einfließen dürfen. Daher ist es unerheblich, ob die Erfindung von einem Professor mit umfassendem Fachwissen oder von einem Arbeiter ohne wissenschaft-

---

1 Anhang 9.
2 Art 33 (3) PCT: »Für die Zwecke der internationalen vorläufigen Prüfung gilt eine beanspruchte Erfindung als auf einer erfinderischen Tätigkeit beruhend, wenn sie für einen Fachmann nach dem Stand der Technik, wie er in der Ausführungsordnung umschrieben ist, nicht zu dem vorgeschriebenen maßgeblichen Zeitpunkt als naheliegend anzusehen ist.«.
3 **T 1/80**, ABl 1981, 206; **T 24/81**, ABl 1983, 133.

liche Ausbildung aufgrund jahrelanger praktischer Erfahrung gemacht worden ist. Ebenso wenig spielt es eine Rolle, ob sie auf langen Forschungsarbeiten oder auf einem Gedankenblitz oder sogar auf einem Traum beruht. Entscheidend ist der objektive Abstand der neuen Lehre zum Stand der Technik. Selbstverständlich werden dabei zuweilen unterschiedliche Auffassungen vertreten, wie manche abweichenden Beurteilungen ein und derselben Erfindung im EPA bei Prüfung, Einspruch und Beschwerde belegen.

Die Grundsätze und Kriterien, die in der Rechtsprechung der Vertragsstaaten 5 für die Beurteilung von Erfindungen im Laufe der Jahrzehnte herausgearbeitet worden sind, entsprechen der in Art 56 festgelegten Definition und bilden eine tragfähige Grundlage für die gemeinsame Weiterentwicklung des Begriffs der erfinderischen Tätigkeit im europäischen Rechtsraum. Die in den PrüfRichtl (C-IV, 9) enthaltenen Erläuterungen und Beispiele sollen dabei helfen.[4]

Für die Beurteilung der erfinderischen Tätigkeit im Einspruchsverfahren vor 6 dem EPA und in nationalen Nichtigkeitsverfahren gelten die gleichen Maßstäbe wie bei der Patenterteilung.[5] Dennoch kann dieselbe Erfindung auf Grund der Unterschiede des anzuwendenden Verfahrensrechts verschieden beurteilt werden. Im Nichtigkeitsverfahren vor den nationalen Gerichten ist schon auf Grund des späteren Zeitpunkts eine andere Beurteilung denkbar. Das aber betrifft nicht die Frage, wie *erfinderische Tätigkeit* auszulegen ist.

Eine Nichtigerklärung kann auch wegen eines Standes der Technik erfolgen, 7 der bereits in einem das gleiche Schutzrecht betreffenden Einspruchs- und Beschwerdeverfahren berücksichtigt wurde.[6] Nach der Rechtsprechung des BGH besteht selbst dann keine Bindung im Sinne einer res iudicata, wenn Einsprechender und Nichtigkeitskläger identisch sind. Das Einspruchs- und Beschwerdeverfahren nach dem EPÜ ist aber ein echtes streitiges Verfahren, in dem die Parteien ihre gegensätzlichen Interessen vor der Beschwerdekammer ausfechten (siehe Vor Art 99 Rdn 5 und Vor Art 106 Rdn 2 und Art 110 Rdn 39). Die unterschiedliche rechtliche Behandlung gegenüber Gerichtsentscheidungen ist daher kaum zu rechtfertigen. Anders als der BGH billigt das österreichische Patentverträge-Einführungsgesetz in § 11 den Einspruchsentscheidungen des EPA Rechtskraft zu.[7]

---

4   Siehe auch van Benthem/Wallace, Zur Beurteilung des Erfordernisses der erfinderischen Tätigkeit [Erfindungshöhe] im europäischen Patenterteilungsverfahren, GRUR Int 1978, 219; Dolder, Erfindungshöhe – Rechtsprechung des EPA zu Art 56 EPÜ, Heymanns 2003.
5   **T 677/91** vom 3.11.1992, Nr 3.4.
6   BGH vom 4.1.1995 – *Zahnkranzfräser* –, GRUR Int 1996, 56; BGH vom 5.5.1998 –, *Regenbecken*, ABl 1999, 322.
7   Gall, 6. Aufl, Antwort auf Frage 162 b), S 402).

3 Stand der Technik

8 Die erfinderische Tätigkeit wird aufgrund einer qualitativen Bewertung des Abstands der Erfindung zum Stand der Technik festgestellt.[8] Da alles, was nicht neu ist, bereits zum Stand der Technik gehört, kann erfinderisch nur etwas sein, was zumindest neu ist. Aus verfahrensökonomischen Gründen kann die Prüfung der erfinderischen Tätigkeit vorgezogen werden, wenn die Neuheit schwierig zu beurteilen ist und eindeutig keine erfinderische Tätigkeit vorliegt.

9 Maßgebend ist der Stand der Technik zum **Zeitpunkt der Anmeldung** der zu prüfenden Erfindung. Wird die Priorität einer Voranmeldung wirksam beansprucht, so gilt der Prioritätstag als Anmeldetag (Art 54 (2) iVm Art 89). Es wird strikt auf die Zugänglichkeit des Standes der Technik abgestellt, selbst wenn diese nur kurz vor dem Anmelde- oder Prioritätszeitpunkt eintrat.[9]

10 Bei der erfinderischen Tätigkeit wird wie bei der Neuheit vom Stand der Technik ausgegangen (vgl Art 54 Rdn 8–13). Es kann aber in beiden Fällen ein unterschiedlicher Stand der Technik sein: Für die Neuheit gehören auch die **älteren Rechte** dazu (Art 54 (3); siehe Art 54 Rdn 76–84). Für die Beurteilung der erfinderischen Tätigkeit dürfen sie dagegen nach Satz 2 nicht in den Stand der Technik einbezogen werden. Entgegenhaltungen, die sich aus diesen älteren Rechten ergeben, bleiben unberücksichtigt. Die erfinderische Tätigkeit soll also nur im Vergleich mit dem dem Erfinder zugänglichen Entgegenhaltungen beurteilt werden.[10] Die älteren Rechte im europäischen Erteilungsverfahren sind die prioritätsälteren europäischen Patentanmeldungen, die zum Anmeldezeitpunkt der zu prüfenden Erfindung noch nicht veröffentlicht sind.

11 Zum Stand der Technik für die Prüfung auf erfinderische Tätigkeit gehört zunächst der allgemeine Wissensstand des Fachmanns bzw das technische Allgemeinwissen des Spezialisten.[11] Zugänglich wird dieses Wissen durch einschlägige Nachschlagewerke und besonders durch die Patentdokumentationen; dabei kommt es auf die Sprache der Veröffentlichung nicht an, und der Offenbarungsgehalt ist nicht auf die in der Publikation angesprochenen Fachgebiete beschränkt; die Übertragung auf andere Anwendungsgebiete ist nicht ausgeschlossen.[12] Veröffentlichungen in Fachbüchern oder seriösen wissenschaftlichen Zeitschriften belegen, dass etwas bereits zum allgemeinen Wissen

---

8 Wobei nach **T 172/03** vom 27.11.2003, Nr 8 f der Kenntnisstand in der Wirtschaft und im Bereich der Geschäftsmethoden nicht zum Stand der Technik gehören sollen.
9 **T 729/91** vom 21.11.1994, Nr 2.
10 Ähnlich auch Pagenberg in MünchGemKom, Art 56, Rn 19.
11 **T 195/84**, ABl 1986, 121; **T 171/84**, ABl 1986, 95; **T 206/83**, ABl 1987, 5; **T 51/87**, ABl 1991, 177; zur Zurechenbarkeit von Datenbanken zum allgemeinen Fachwissen **T 890/02**, ABl 2005, 497; siehe Art 54 Rdn 8–13 zum Stand der Technik.
12 **T 426/88**, ABl 1992, 427, Nr 6.1.

gehört;¹³ damit ist aber nicht ausgeschlossen, dass es nicht schon vor dieser Veröffentlichung allgemein bekannt war.¹⁴

Sind bei einer Erfindung sowohl die erfinderische Tätigkeit als auch die ausreichende Offenbarung zu beurteilen, so ist grundsätzlich derselbe Wissensstand zugrunde zu legen.¹⁵ Der Stand der Technik ist einheitlich.¹⁶ 12

Bei der Beurteilung ist stets vom **objektiven** Stand der Technik auszugehen und nicht von der subjektiven Leistung des Erfinders¹⁷ oder von einem in der Anmeldung angegebenen, aber objektiv nicht einschlägigen Stand der Technik.¹⁸ Ein Wissen, das nur dem Anmelder bekannt ist, gehört daher nicht zum Stand der Technik (siehe auch Rdn 136).¹⁹ An den Offenbarungsgehalt einer Entgegenhaltung ist der gleiche Maßstab anzulegen wie an den der Erfindung.²⁰ Der Inhalt einer älteren Patentschrift ist deshalb in vollem Umfang zu würdigen und wird nicht durch den Hauptanspruch eingeschränkt.²¹ 13

Bekannte Äquivalente zu vorveröffentlichten Lehren können zur Beurteilung der erfinderischen Tätigkeit herangezogen werden (PrüfRichtl C-IV, 7.2), aber der Äquivalenzbereich darf nicht überdehnt werden.²² Eine objektive Beurteilung der erfinderischen Tätigkeit, die nach dem Aufgabe-Lösung-Ansatz (siehe Rdn 37–51) vom nächstliegenden Stand der Technik auszugehen hat, verlangt dessen eindeutige Feststellung und Würdigung.²³ 14

Ein weiterer grundlegender Unterschied zwischen Neuheitsprüfung und der Prüfung auf erfinderische Tätigkeit besteht darin, dass bei der Neuheit jedes zum Stand der Technik gehörende Dokument nur einzeln mit der zu prüfenden Erfindung verglichen wird (siehe Art 54 Rdn 46–48);²⁴ ein Gesamtvergleich der Erfindung mit mehreren oder gar sämtlichen den Stand der Technik bildenden Bestandteilen ist ausgeschlossen. 15

Diese Beurteilungsregel gilt nicht für die erfinderische Tätigkeit. Vielmehr ist hier eine **Mosaik-Betrachtung** aller Quellen des Standes der Technik zulässig und geboten. Kombiniert werden können dabei auch Teile verschiedener Dokumente aus dem Stand der Technik. Es kommt darauf an, welche Lehre der Fachmann diesen Dokumenten entnimmt und unter welchen Umständen eine 16

---

13 **T 378/93** vom 6. 12. 1995, Nr 4.5.
14 **T 766/91** vom 29. 9. 1993, Nr 8.2.
15 **T 60/89**, ABl 1992, 268; vgl Art 83 Rdn 13.
16 Kolle, Der Stand der Technik als einheitlicher Rechtsbegriff, GRUR Int 1971, 63 ff.
17 **T 24/81**, ABl 1983, 133.
18 **T 28/87**, ABl 1989, 383, Nr 5.4.
19 **T 181/95** vom 12.9.1996.
20 **T 109/93** vom 1.3.1996, Nr 4.3.
21 **T 632/02** vom 17.7.2003, Nr 2.2.
22 **T 697/92** vom 15.6.1994 unter Berufung auf Mathély.
23 **T 248/85**, ABl 1986, 261; **T 181/95** vom 12.9.1996.
24 **T 153/85**, ABl 1988, 1.

Kombination dieser Dokumente oder ihrer Teile am Prioritätstag nahe lag.[25] Bei der Kombination mehrerer Merkmale in einem Dokument ist davon auszugehen, dass der Fachmann unterscheiden kann, welche Merkmale zur Lösung des Problems wesentlich sind und welche nicht.[26]

17 Wichtig ist, wie der Fachmann Art und Inhalt der Dokumente bewertet. Dabei spielt eine Rolle, ob die Gebiete der Technik benachbart sind oder weit auseinander liegen (vgl Rdn 123–136) und wie viele Dokumente miteinander in Verbindung gebracht werden müssen. Man kann vom Fachmann erwarten, dass er bei einer Aufgabe, die nach dem nächstliegenden Stand der Technik aus einer Anzahl von Einzelproblemen besteht, Lösungen aus Sekundärdokumenten in gleichen oder benachbarten Gebieten heranzieht.[27] Bei Zwischenprodukten sind der *zwischenproduktnahe* und der *produktnahe* Stand der Technik zu beachten.[28] Druckschriften aus der Industrieforschung haben für den Fachmann besondere Relevanz und vergrößern das Mosaik der Dokumente.[29]

18 Maße von Schemazeichnungen und Darstellungen in Diagrammform gehören bei der Prüfung der Neuheit nicht ohne weiteres zum Stand der Technik (siehe Art 54 Rdn 43); bei der Prüfung der erfinderischen Tätigkeit können die durch Schemazeichnungen vermittelten Eindrücke aber nicht völlig außer Acht gelassen werden, sofern sie die Überlegungen des Fachmanns beeinflussen können.[30]

19 Auch Zusammenfassungen von Patentdokumenten können als Stand der Technik herangezogen werden, sofern sie einen technischen Informationsgehalt haben und diese Informationen von der Patentschrift gedeckt sind;[31] für Abweichungen der Zusammenfassung gegenüber der vollständigen Druckschrift hat derjenige die Beweislast, der sich darauf beruft.[32]

4 Die nahe liegende Weise

20 Die zu schützende Erfindung darf sich nicht in *nahe liegender Weise* aus dem Stand der Technik ergeben. Die Begriffe *obvious*, *nahe liegend* und *évident* sind nicht völlig inhaltsgleich. Maßgeblich ist jedoch die im EPA und den Vertragsstaaten entwickelte Auslegung.

---

25 PrüfRichtl C-IV, 9.7; **T 239/85** vom 4.11.1987; **T 95/90** vom 30.10.1992.
26 **T 239/85**, vom 4.11.1987 Nr 12.
27 **T 552/89** vom 27.8.1991; **T 745/92** vom 23.4.1992.
28 **T 18/88**, ABl 1992, 107, Nr 3.
29 **T 537/90** vom 20.4.1993.
30 **T 521/88** vom 27.10.1989 unter Bezugnahme auf **T 204/83**, ABl 1985, 310, wo diese Frage unter dem Gesichtspunkt der Neuheit behandelt wird.
31 **T 77/87**, ABl 1990, 280, Nr 4.1.2; **T 1080/99**, ABl 2002, 568, Nr 4.
32 **T 160/92**, ABl 1995, 35, wo es um in englischer Sprache vorveröffentlichte Zusammenfassungen japanischer Patentschriften ging.

Nahe liegend ist alles, was »nicht über die normale technologische Weiterent- 21
wicklung hinausgeht, sondern sich lediglich ohne weiteres oder folgerichtig aus
dem bisherigen Stand der Technik ergibt, dh etwas, das nicht die Ausübung
einer Geschicklichkeit oder Fähigkeit abverlangt, die über das bei einem Fachmann voraussetzbare Maß hinausgeht« (PrüfRichtl C-IV, 9.3). Was nahe liegend ist, muss als Kernfrage der erfinderischen Tätigkeit für jeden Einzelfall
ermittelt werden. Anhaltspunkte ergeben sich aus der europäischen Patentanmeldung, dem Stand der Technik und dem Vortrag der Parteien im Erteilungs-
und Einspruchsverfahren.

Hilfreich bei der Beurteilung sind folgende Fragen: 22

a) gibt der Stand der Technik dem Fachmann Hinweise in Richtung auf die Erfindung?
b) würde der Fachmann sich bei den ihm zur Verfügung stehenden Möglichkeiten die konkrete Aufgabe stellen und voraussichtlich zu der beanspruchten Lösung gelangen?

In der Praxis der Beschwerdekammern haben sich für die Beurteilung des 23
Naheliegens Erfahrungssätze herausgebildet:

– Ein Verbesserungseffekt durch technische Maßnahmen, die im Rahmen des 24
handwerklichen Könnens liegen, ist nahe liegend.[33]

– Die bloße Beseitigung von Nachteilen, Optimierung von Parametern und 25
Automatisierung von Funktionen entspricht dem generellen Trend der
Technik und ist im Hinblick auf die Aufgabenstellung nicht ohne weiteres
erfinderisch, sondern nahe liegend.[34]

– Nahe liegend sind bekannte Äquivalente, die dem Fachmann zur Verfü- 26
gung stehen. Dennoch kann nach den Umständen des Einzelfalls die Ersetzung eines Mittels durch ein Mittel gleicher Wirkung erfinderisch sein.

– Die Verwendung eines bestimmten Materials aufgrund seiner bekannten 27
Eigenschaften und in bekannter Weise zur Erzielung einer bekannten Wirkung im Rahmen einer neuen Kombination ist normalerweise nicht erfinderisch.[35] Anders kann das Ergebnis lauten bei unerwarteter Ausnahme,
Überwindung eines Vorurteils, besonderen Schwierigkeiten oder der Notwendigkeit, eine Komponente zu ändern.

– In jedem Fall muss sich die Erfindung auf ein technisch-funktionales Merkmal beziehen; die bloße Veränderung eines Merkmals ohne technische Wirkung kann erfinderische Tätigkeit nicht begründen, auch wenn sie für den

---

33 **T 598/90** vom 10.3.1992.
34 **T 15/81**, ABl 1982, 2, Nr 3; **T 36/82**, ABl 1983, 269, Nr 3–9; **T 775/90** vom 24.6.1992; **T 85/93**, ABl 1998, 183.
35 **T 130/89**, ABl 1991, 514.

Fachmann noch so fern lag.[36] Dies gilt auch für Computersysteme, die so programmiert sind, dass sie eine *Geschäftsmethode* ausführen und die Voraussetzungen einer technische Erfindung nach Art 52 (1) erfüllen (vgl Prüf-Richtl C-IV, 2.3). Wenn die von der Erfindung gelehrte Verbesserung im wesentlichen wirtschaftlicher Natur ist, kann sie nicht zur erfinderischen Tätigkeit beitragen. Erfinderische Tätigkeit setzt deshalb voraus, dass die durch die Schritte der Datenverarbeitung funktional bestimmten technischen Merkmale nicht zum Wissen des Fachmanns gehören oder dass zum Prioritätszeitpunkt die Anwendung von Computern im einschlägigen Wirtschaftszweig nicht bereits allgegenwärtig war.[37]

28 – Die Erwähnung des Nutzens eines bestimmten Vorrichtungsteils im Stand der Technik bedeutet nicht notwendig, dass für den Fachmann die Erforschung aller möglichen Nutzungen nahe liegt.[38]

29 – Bei der Beurteilung des Naheliegens sind die einzelnen Merkmale nicht isoliert zu betrachten. Hat der Stand der Technik dem durchschnittlichen Fachmann keine Anregungen für ein Zusammenwirken einzelner bekannter Merkmale unter Berücksichtigung ihrer Funktionen gegeben, so kann erfinderische Tätigkeit vorliegen.[39]

30 – Ist eine Reihe von Schritten erforderlich, um vom Stand der Technik zur Erfindung zu gelangen, so spricht das gegen ein Naheliegen und für erfinderische Tätigkeit, und zwar besonders dann, wenn der entscheidende letzte Schritt, so einfach er auf den ersten Blick erscheinen mag, nicht aus dem Stand der Technik bekannt oder ableitbar ist.[40]

---

36 **T 72/95** vom 18.3.1998; **T 158/97** vom 4.4.2000, Nr 2.3; **T 641/00**, ABl 2003, 352, Nr 6; **T 1177/97** vom 9.7.2002, Nr 3 und 7; **T 258/03**, ABl 2004, 575, Nr 5.7 und unter Bezug auf diese Entscheidung BPatG vom 3.3.2005, CR 2005, 554.

37 **T 931/95**, ABl 2001, 441, Nr 8; zum nicht Naheliegen einer neuen Datenstruktur; vgl auch **T 1194/97**, ABl 2000, 525; **T 113/02** vom 17.3.2004, Nr 9 zum Beitrag einer Menüstruktur zur erfinderischen Tätigkeit, wenn sie auf technischen Überlegungen beruht; **T 643/00** vom 16.10.2003, Nr 15 ff zur Anordnung von Bildsymbolen auf dem Bildschirm aufgrund technischer Überlegungen; **T 531/03** vom 17.3.2005, Nr 2 zu einem System für den Ausdruck von Rabattgutschriften in einem Einzelhandelsgeschäft.

38 **T 930/92**, ABl 1996, 191.

39 **T 710/89** vom 24.9.1991.

40 **T 113/82**, ABl 1984, 10; anders dagegen **T 623/97** vom 11.4.2002, Nr 4.4, wenn die technische Aufgabe den Fachmann Schritt für Schritt zur Lösung führt und jeder Einzelschritt für ihn unter dem Gesichtspunkt des Erreichten und der noch zu lösenden Restaufgabe nahe liegend ist.

- Führt der nächstliegende Stand der Technik weg von der erfindungsgemäßen Lehre in eine andere Richtung, so spricht das gegen ein Naheliegen und für erfinderische Tätigkeit.[41]
- War das Problem, das der patentgemäßen Aufgabe zugrunde liegt, nicht bekannt, so hat der Stand der Technik auch seine Lösung nicht nahe gelegt.[42]
- Wird ein bekanntes technisches Mittel für einen bislang unbekannten Zweck eingesetzt, so kann dies als offenbar nicht nahe liegend erfinderische Tätigkeit begründen. In T 4/83 handelte es sich um ein bekanntes Testverfahren, das als Endstufe im Gesamtverfahren die Reinigung von besonders schwefelsäurereichen Sulfonsäuren ermöglicht;[43] Die Beschwerdekammer sah diese Lehre als überraschend und erfinderisch an.
- Einer nahe liegenden Lehre kann durch nachträgliches Hinzufügen eines ursprünglich nicht **konkret** offenbarten Merkmals (ebenso wie durch einen Disclaimer) keine erfinderische Qualität verliehen werden; damit würde eine in der Anmeldung enthaltene technische Lehre modifiziert. Mit einem Disclaimer kann daher eine sich mit dem Stand der Technik überschneidende erfinderische Lehre neu, nicht aber eine nahe liegende Lehre erfinderisch gemacht werden.[44] Disclaimer dürfen deshalb nur Beschränkungen enthalten, die keinen Beitrag zur Erfindung leisten.[45]

31
32
33
34

Im **chemischen Bereich** hängt erfinderische Tätigkeit bei der Substitution analoger Stoffe davon ab, wie gut das Wissen über Strukturen und Eigenschaften auf dem jeweiligen Gebiet ist.[46] Der bloße Austausch eines Bestandteils mit unerwünschten Eigenschaften durch einen anderen, der diese Eigenschaften bekanntermaßen nicht besitzt, ist nicht erfinderisch, sofern damit nicht eine unerwartete Wirkung erzielt wird.[47] Eine in der Natur der Sache liegende, wenn auch nicht erkannte Verwendung einer bekannten Substanz liegt nahe, wenn sich aus dem Stand der Technik eine feststehende Verbindung zwischen dem früheren und dem späteren Verwendungszweck ergibt.[48] Ebenso ist die Anwendung marktgängiger und für bestimmte Verfahren – unabhängig von ihren Eigenschaften – geeigneter Materialien nicht allein wegen dieser Eigen-

35

---

41 **T 292/85**, ABl 1989, 275.
42 **T 59/90** vom 12.3.1993.
43 **T 4/83**, ABl 1983, 498.
44 **T 170/87**, ABl 1989, 441, Nr 8.4.4; **T 710/92** vom 11.10.1995, Nr 5.
45 Grundlegend zur Zulässigkeit von Disclaimern: **G 1/03** und **G 2/03**, ABl 2004, 413 und 448, insbes Nr 2.6.
46 **T 632/91** vom 1.2.1994; **T 852/91** vom 6.6.1994; **T 643/96** vom 14.10.1996, Nr 4.2.3.3.
47 **T 213/87** vom 8.7.1990 unter Bezugnahme auf **T 130/89**, ABl 1991, 514 und **T 192/82**, ABl 1984, 415; **T 4/98**, ABl 2002, 139, Nr 12.5.
48 **T 112/92**, ABl 1994, 192, Nr 3.9.

Artikel 56 *Erfinderische Tätigkeit*

schaften erfinderisch.[49] Die Umkehr von Verfahrensschritten bei der Herstellung eines Endprodukts liegt nahe, wenn die Wahl zwischen den Alternativen von normalen Erwägungen des Fachmanns abhängt.[50]

36 Auf dem Gebiet der **Gentechnik** liegt keine erfinderische Tätigkeit vor, wenn die Existenz weiterer Rezeptoren im Stand der Technik vorhergesagt und das Verfahren zur Identifizierung bekannt war; die Tatsache, dass zahlreiche Auswahlentscheidungen nötig waren, um zum beanspruchten Gegenstand zu gelangen, begründet keinen erfinderischen Schritt, weil solche Entscheidungen zur Routinearbeit des Fachmanns gehören.[51] Erfinderische Tätigkeit wird ebenfalls verneint, wenn der Fachmann am Prioritätstag davon ausgehen kann, dass die Klonierung und Expression eines Gens für den Fachmann, auch wenn sie sehr arbeitsaufwendig sind, keine besonderen Probleme aufwirft, die den Erfolg fraglich erscheinen lassen; die Lösung liegt dann nahe und ist nicht erfinderisch.[52] Die Beschwerdekammer betont in mehreren Entscheidungen, dass eine normale und vernünftige Erfolgserwartung (a reasonable expectation of success), die dem Fachmann eine realistische Vorhersage auf den Erfolg seines Experiments erlaubt und diesen Weg deshalb nahelegt, nicht verwechselt werden darf mit einer verständlichen Hoffnung auf Erfolg (hope to succeed), die kein Naheliegen begründet.[53]

5 Aufgabe und Lösung

37 Für die Prüfung auf erfinderische Tätigkeit hat sich in ständiger Praxis der Aufgabe/Lösung-Ansatz herausgebildet. Er folgt dem *zwingenden* Erfordernis in R 27 (1) c),[54] dass die Aufgabe und die Lösung der beanspruchten Erfindung aus der Beschreibung ersichtlich sein müssen. Nach T 654/92 beschränkt sich dieses Erfordernis auf den veröffentlichten Stand der Technik und umfasst nicht auch unveröffentlichtes Wissen, das nur dem Anmelder bekannt war.[55]

38 Bei *Aufgabe und Lösung* ist zunächst der objektiv nächstliegende Stand der Technik zu ermitteln und anhand dieses Standes der Technik die technische Aufgabe zu bestimmen, die mit der Erfindung gelöst werden soll. Entscheidend ist nicht, wie der Erfinder subjektiv die Aufgabe in der Anmeldung dargestellt hat, vielmehr ist auf die objektive Leistung abzustellen, die sich in der beanspruchten Erfindung zeigt. Es kann deshalb erforderlich werden, die Aufgabe neu zu formulieren, wenn der in der Erfindung angegebene Stand der Technik

---

49 **T 513/90**, ABl 1994, 154, Nr 4.4.
50 **T 1/81**, ABl 1981, 439.
51 Einspruchsabteilung vom 20.6.2001, ABl 2002, 293, Nr 3.
52 **T 386/94**, ABl 1996, 658.
53 **T 296/93** vom 28.7.1994, ABl 1995, 627, Nr 7.4.4 (dieser Teil nicht im ABl); **T 694/92**, ABl 1997, 408, Nr 28.5; **T 737/96** vom 9.3.2000, Nr 11.
54 So **T 26/81**, ABl 1982, 211.
55 **T 654/92** vom 3.5.1994.

der Erfindung nicht tatsächlich am nächsten kommt; jede Nichtanerkennung der in der Anmeldung formulierten Aufgabe ist von der jeweiligen Instanz des EPA zu begründen.[56] Steht die Aufgabe fest, so ist zu prüfen, ob die gefundene Lösung angesichts des Standes der Technik für den Fachmann nahe liegend gewesen wäre.[57]

Der Aufgabe/Lösung-Ansatz soll eine rückschauende Betrachtung (ex post facto-Analyse) verhindern und gerade bei Kombinationserfindungen zu angemessenen Ergebnissen in der Bewertung erfinderischer Tätigkeit führen.[58] Das Prüfungsschema eröffnet allerdings auch Fehlerquellen, die in Literatur und Rechtsprechung kritisch aufgegriffen werden.[59] 39

Folgende Gesichtspunkte verlangen eine kritische Anwendung des Aufgabe/Lösung-Ansatzes: 40

– Bei der Festlegung von Aufgabe und Lösung darf das **rückschauende** Element nicht übersehen werden; die Aufgabe muss **frei von Elementen der Lösung** der beanspruchten Erfindung bleiben; es gilt, eine **künstliche Aufgabenformulierung** zu meiden.[60]

– Die Prüfung nach Aufgabe und Lösung mündet zwangsläufig in der Fragestellung, ob die Erfindung die technische Aufgabe tatsächlich löst; dies darf jedoch nicht zu einem zusätzlichen Patentierungserfordernis werden, das über die gewerbliche Anwendbarkeit nach Art 57 hinausgeht.[61] Diese Gefahr wird deutlich, wenn in einzelnen Entscheidungen nur solche Vorteile bei der Ermittlung der technischen Aufgabe berücksichtigt werden, die hinreichend belegt sind,[62] oder wenn im Erteilungsverfahren die tatsächli- 41

---

56 **T 419/93** vom 19.7.1995.
57 PrüfRichtl C-IV, 9.5; Knesch, Assessing Inventive Step in Examination and Opposition Proceedings in the EPO, epi-Inf 3/1994, 95 ff.
58 **T 47/91** vom 30.6.1992; vgl auch Lunzer, englische Ausgabe der 1. Auflage dieses Kommentars, Art 56.05.
59 Hagel/Menes, Making proper use of the problem-solution approach, epi-Inf 1/1995, 14 ff; Jehan, The Problem and Solution Test in the Assessment of Inventive Step, epi-info 2/1995, 66 ff; Portal, Contribution à une nouvelle analyse de l'approche Problème – Solution, epi-Inf 2/1995, 69 ff; **T 465/92**, ABl 1996, 32; a.A. Teschemacher, Die Bewertung der erfinderischen Tätigkeit in 20 Jahren europäischer Praxis – Die Lösung eines Problems?, epi-Inf 3/97, 25 ff, der bei zutreffender Anwendung dieses Ansatzes keine Anwendungsdefizite sieht. Umfassende Darstellungen des Aufgabe/Lösung-Ansatzes finden sich bei Schachenmann, Begriff und Funktion der Aufgabe im Patentrecht, Schulthess Polygraphischer Verlag Zürich 1986, und Szabo, Der Ansatz über Aufgabe und Lösung in der Praxis des EPA, Mitt 1994, 225 ff; Knesch, Die erfinderische Tätigkeit – der Prüfungsansatz im EPA, Mitt 2000, 311 ff.
60 **T 465/92**, ABl 1996, 32.
61 Jehan, The Problem and Solution Test in the Assessment of Inventive Step, epi-info 2/1995, 66 ff.
62 **T 20/81**, ABl 1982, 217 und **T 742/89** vom 2.11.1992.

che Lösung der Aufgabe anhand von Versuchsberichten des Anmelders bewertet wird.[63] Das EPÜ verlangt nicht, dass die Erfindung einen technischen Fortschritt bringt; auch die Bereitstellung einer weiteren Lösung zu einer im Stand der Technik bereits gelösten Aufgabe kann erfinderisch sein, wenn es nicht nahe lag, den bekannten Effekt auf die nunmehr vorgeschlagene Weise zu erzielen.[64]

42 Für die zutreffende Anwendung des Aufgabe/Lösung-Ansatzes gelten folgende Regeln:

43 a) Bei der Festlegung der Aufgabe ist zunächst von der Patentschrift auszugehen.[65] Dieser Rechtsgrundsatz gilt auch für ex parte-Verfahren.[66]

44 b) Ergibt sich, dass das offenbarte technische Problem in Wirklichkeit nicht gelöst wird oder dass ein unzutreffender Stand der Technik für die Aufgabe herangezogen wurde, so kann die in der Beschreibung dargelegte Aufgabe abgeändert werden,[67] wenn
 – die Neuformulierung nicht zu allgemein ausfällt;[68] ein Zurückstecken auf ein weniger ehrgeiziges Ziel ist zulässig, solange der Rahmen der Aufgabe nicht verlassen wird;[69]
 – die neu formulierte Aufgabe von der ursprünglichen Offenbarung gedeckt ist (Art 123 (2)): der Fachmann muss das Problem aus der ursprünglich eingereichten Anmeldung entnehmen können,[70] wobei der Offenbarungsgehalt von Zeichnungen gewisse Spielräume eröffnen kann.[71] Für die Aufgabe können demnach bspw berücksichtigt werden: Ein in der europäischen Patentanmeldung nicht ausdrücklich angegebener technischer Erfolg, der sich bei Befolgung der erfindungsgemäßen Lehre einstellt,[72] oder ein weniger ehrgeiziges Ziel, das auch vorhergesehen wurde,[73] oder zusätzliche Vorteile, die in der europäischen Patentanmeldung nicht aufgeführt sind, aber zum gleichen Nutzungsbereich gehören und das Wesen der Erfindung nicht verän-

---

63 **T 590/90** vom 24.3.1993 und **T 741/91** vom 22.9.1993.
64 **T 588/93** vom 31.1.1996, Nr 6.1.
65 **T 495/91** vom 20.7.1993; **T 741/91** vom 22.9.1993.
66 **T 881/92** vom 22.4.1996, **T 882/92** vom 22.4.1996 und **T 884/92** vom 22.4.1996.
67 **T 644/97** vom 22.4.1999, Nr 2.3.
68 **T 566/91** vom 18.5.1994.
69 **T 184/82**, ABl 1984, 261.
70 **T 13/84**, ABl 1986, 253; **T 39/93**, ABl 1997, 134; **T 1188/00** vom 30.4.2003, Nr 4.5.
71 **T 818/93** vom 2.4.1996.
72 **T 218/84** vom 13.1.1987.
73 **T 339/96** vom 21.10.1998, Nr 4.1.

dern;[74] eine nachträglich aufgefundene unerwartete Wirkung darf allerdings nicht einbezogen werden;[75]
- die geänderte technische Aufgabe nicht im Widerspruch steht zu früheren Aussagen über den allgemeinen Zweck und Charakter der Erfindung, die in der Anmeldung enthalten sind. Der Anmelder kann sich nicht auf eine von ihm zuvor als unerwünscht und nutzlos bezeichnete Wirkung berufen, diese nun plötzlich unter einem anderen Gesichtspunkt als vorteilhaft darstellen und erwarten, dass diese Abänderung der technischen Aufgabe anerkannt und entsprechend gewürdigt wird.[76]

c) Die Aufgabe wird nach objektiven Kriterien ermittelt.[77] Subjektive Elemente werden nicht in Betracht gezogen.[78] Dies gilt auch für die Beurteilung des Standes der Technik; so sind beim Vergleich einer Verfahrenserfindung mit im Stand der Technik bekannten Verfahren nicht die Absichten der Erfinder der verschiedenen Verfahren entscheidend. Bei Ermittlung der Aufgabe darf aber nicht in einer Weise abstrahiert werden, die vom konkreten Denken des Fachmanns wegführt und damit leichter zu einer nicht gerechtfertigten Übereinstimmung mit einer bereits im Stand der Technik gelösten Aufgabe kommt.[79]

45

d) Auszugehen ist vom objektiv **nächstliegenden** Stand der Technik,[80] unabhängig vom Wissen des Erfinders.[81] Die konkrete Aufgabe muss im nächstliegenden Stand der Technik nicht ausdrücklich angesprochen sein, sondern es kommt darauf an, was der Fachmann beim Vergleich des nächstliegenden Standes der Technik mit der Erfindung als Aufgabe objektiv erkennt.[82]

46

Der objektiv nächstliegende Stand der Technik kann nur dann außer Acht bleiben, wenn er realistischerweise vom Fachmann nicht als Ausgangspunkt in Betracht gezogen worden wäre,[83] beispielsweise, weil die betreffende Entgegenhaltung für den Fachmann erkennbar nicht zum offenbar-

---

74 **T 440/91** vom 22.3.1994.
75 **T 386/89** vom 24.3.1992.
76 **T 155/85**, ABl 1988, 87.
77 **T 1/80**, ABl 1981, 206; **T 13/84**, ABl 1986, 253; **T 967/97** vom 25.10.2001, Nr 3.3; **T 970/00** vom 15.9.2004, Nr 4.1.2.
78 **T 76/83** vom 21.3.1985.
79 **T 5/81**, ABl 1982, 249, wohl auch **T 176/84**, ABl 1986, 50.
80 **T 254/86**, ABl 1989, 115, Nr 15; kritisch zur Methodik: Benkard/*Jestaedt*, EPÜ, Art 56 Rn 37 f.
81 **T 138/85** vom 23.4.1987.
82 **T 910/90** vom 14.4.1993; **T 939/92**, ABl 1996, 309, Nr 2.4.3.
83 **T 334/92** vom 23.3.1994; **T 1019/99** vom 16.6.2004, Nr 2.4 f.

ten Ergebnis führt.[84] Die Erwähnung eines technischen Problems im Stand der Technik, das mit der Patentbeschreibung nicht wenigstens in Bezug steht, ist nicht als nächstliegender Stand der Technik für die Beurteilung des erfinderischen Schritts zu berücksichtigen.[85] Bei der Ermittlung des nächstliegenden Standes der Technik ist nicht nur maßgebend, wie ähnlich die Produkte in ihrer stofflichen Zusammensetzung sind, sondern auch ihre Eignung für den erfindungsgemäß angestrebten Zweck.[86]

Zum nächstliegenden Stand der Technik gehört nur das Wissen bis zum Prioritätstag. Eine erst nach dem Prioritätsdatum erkannte oder behauptete Unwirksamkeit einer zum Stand der Technik gehörenden Vorrichtung oder eines Verfahrens kann nicht zur Formulierung der Aufgabe herangezogen werden.[87] Andererseits verbietet es das Alter einer Druckschrift nicht grundsätzlich, diese als nächstliegenden Stand der Technik anzusehen, wenn sie als realistischer Ausgangspunkt für eine beabsichtigte Verbesserung der Technik in Betracht kommt,[88] wenn mit der Erfindung nur Alternativen zu bekannten Verbindungen aufgezeigt werden und der Fachmann jeden bekannten Stoff als Ausgangspunkt untersuchen würde[89] oder wenn sich die Erfindung als Wiederbelebung eines sehr alten Standes der Technik mit nahe liegenden Abänderungen darstellt.[90]

47 e) Um eine rückschauende Betrachtung zu vermeiden ist die technische Aufgabe nach ständiger Rechtsprechung der Beschwerdekammern so zu formulieren, dass sie keine Lösungsansätze enthält.[91] Die Aufnahme von Lösungsansätzen soll dann zulässig sein, wenn es sich um im Anspruch enthaltene Zielsetzungen nichttechnischer Art handelt.[92]

48 f) Grundsätzlich ist für die Patenfähigkeit die Lösung der gestellten Aufgabe erforderlich, wobei jedoch über den Aufgabe/Lösung-Ansatz kein zusätzliches Patentierungserfordernis eingeführt werden darf, das über Art 57 hinausgeht. Wenn allerdings eine Aufgabe erkennbar nicht gelöst wird, so kann sie nicht in die Erörterung der erfinderischen Tätigkeit miteinbezogen werden.[93] Dies gilt auch, wenn nicht für alle Varianten einer breit defi-

---

84 **T 211/01** vom 1.12.2003, Nr 2.1.2 ff.
85 **T 644/97** vom 22.4.1999, Nr 2.4.2.10; **T 835/00** vom 7.11.2000, Nr 4.2 und 4.4.5.
86 **T 574/88** vom 6.12.1989; **T 59/96** vom 7.4.1999, Nr 3.1; **T 986/96** vom 10.8.2000, Nr 3.1.3; **T 710/97** vom 25.10.2000, Nr 3.2.1.
87 **T 268/89**, ABl 1994, 50.
88 Verneint in **T 479/00** vom 15.2.2002, Nr 3.2 für ein 65 Jahre altes Dokument.
89 **T 964/92** vom 23.8.1994.
90 **T 113/00** vom 17.9.2002, Nr 3.7.
91 **T 229/85**, ABl 1987, 237; **T 99/85**, ABl 1987, 413; **T 184/89** vom 25.2.1992; **T 422/93**, ABl 1997, 24, Nr 3.6.1.
92 **T 641/00**, ABl 2003, 352, Nr 7.
93 **T 346/89** vom 21.6.1991.

nierten Erfindung eine Lösung aufgezeigt wird.[94] Die Lösung muss eine **kausale Beziehung** zur Aufgabe haben. Deshalb muss die Abänderung eines chemischen Stoffes, die auf eine Verbesserung seiner bekannten Wirkung abzielt, kausal für die Verbesserung sein.[95] Das Element einer Merkmalskombination ist bei der Prüfung auf erfinderische Tätigkeit nicht zu berücksichtigen, wenn es nicht zur Lösung der Aufgabe beiträgt,[96] oder wenn es keine technische Wirkung hat[97] (siehe auch Rdn 27) oder technisch nachteilig ist.[98]

g) Für die Frage, ob die vorgeschlagene Lösung der objektiv bestehenden technischen Aufgabe nahe lag, kommt es nicht darauf an, ob die Aufgabe in der Verbesserung nur einer oder mehrerer Produkteigenschaften bestand.[99] Beruht die vorgeschlagene Lösung auf verschiedenen Maßnahmen, um zB ein Modul einer neuen Schaltung für Radio- und Fernsehgeräte geeignet zu machen, so begründet dies keine erfinderische Tätigkeit, wenn der Fachmann diese Maßnahmen routinemäßig ausführt.[100]

Kommen mehrere gangbare Wege für die Lösung der Aufgabe in Betracht, so muss die Erfindung in Bezug auf alle diese Lösungswege untersucht werden, bevor der erfinderische Schritt bejaht werden kann; für eine Verneinung des erfinderischen Schritts genügt es dagegen, wenn sich die Erfindung für den Fachmann in Bezug auf einen dieser Lösungswege in nahe liegender Weise aus dem Stand der Technik ergibt.[101]

h) Werden mit der Erfindung verschiedene **Einzelprobleme** gelöst, so fragt sich, ob die technische Beziehung dieser Probleme zueinander so eng ist, dass sie gemeinsam für die Beurteilung der erfinderischen Tätigkeit berücksichtigt werden können.[102] Setzt sich das mit der Erfindung zu lösende Problem aus zwei Teilaufgaben zusammen, so werden zum Nachweis mangelnder erfinderischer Tätigkeit in der Regel drei Dokumente benötigt: ein Dokument für den der Erfindung am nächsten kommenden Stand der Technik als Ausgangspunkt und je ein Dokument für die Lösungsmittel jeder Teilaufgabe.[103] Besteht zwischen zwei in einem Anspruch enthaltenen Lösungen keine funktionelle Verbindung, so können diese unabhängig

---

94 **T 668/94** vom 20.10.1998, Nr 8.3; **T 1188/00** vom 30.4.2003, Nr 4.5 ff; **T 134/00** vom 5.9.2003, Nr 2.3.3.
95 **T 192/82**, ABl 1984, 415.
96 **T 37/82**, ABl 1984, 71.
97 **T 258/03**, ABl 2004, 575, Nr 5.7.
98 **T 158/97** vom 4.4.2000, Nr 2.3; BGH vom 20.3.2001, Mitt 2001, 254 – *Trigonellin*.
99 **T 574/88** vom 6.12.1989.
100 **T 261/85** vom 14.5.1987.
101 **T 967/97** vom 21.10.2001, Nr 3.2.
102 **T 15/85** vom 31.5.1988.
103 **T 315/88** vom 11.10.1989.

voneinander mit dem Stand der Technik verglichen, also verschiedene Druckschriften getrennt in Betracht gezogen werden.[104]

51 i) Die Aufgabenstellung kann wesentlich zur erfinderischen Tätigkeit beitragen oder diese sogar allein begründen, wenn die der Erfindung zugrunde liegende Aufgabe nicht aus dem Stand der Technik abzuleiten ist.[105]

6 Auffinden der Lösung (*could-would-approach*)

52 Ist die Aufgabe, die mit der Erfindung gelöst werden soll, anhand des objektiven Stands der Technik klar umrissen, so fragt sich, ob die vom Anmelder gefundene Lösung nahe liegt oder nicht: Wäre der Durchschnittsfachmann mit Zugang zum gesamten Stand der Technik zum Prioritätszeitpunkt auf diese Lösung gekommen? Ist das der Fall, so hat sie nahe gelegen.

53 Die Erfindung liegt nicht schon dann nahe, wenn der Fachmann die gleiche Lösung hätte finden **können** (could), sondern nur dann, wenn er sie ebenfalls gefunden **hätte** (would). Dass eine Lösung technisch möglich ist, bedeutet nicht, dass sie dem Fachmann auch als technisch realisierbar nahe lag. Dieser wesentliche Unterschied zwischen könnte (could) und hätte (would) ist feste Rechtsprechung der Beschwerdekammern.[106]

54 Sind zB die Eigenschaften eines technischen Mittels dem Fachmann bekannt und hätte er dieses Mittel in einer bekannten Vorrichtung einsetzen können, so bedeutet dies nur ein Benutzen **können** für einen bestimmten Zweck. Ein Naheliegen der Benutzung fordert zusätzlich einen **Anlass** im freien Stand der Technik für eine Kombination des bekannten Mittels mit der bekannten Vorrichtung. Ob dieser Anlass vorliegt, hängt von den bekannten Eigenschaften des Mittels und der Vorrichtung ab.[107]

7 Verbot der rückschauenden Betrachtungsweise – einfache Erfindungen – Kombinationserfindungen

55 Da die erfinderische Tätigkeit immer erst nach dem prioritätsbegründenden Zeitpunkt geprüft wird, besteht die Gefahr der rückwärts schauenden Betrachtungsweise (ex post facto-Analyse, hindsight). Der nachträgliche Betrachter ist stets klüger und neigt dazu, auch Fachwissen einzubeziehen, das erst nach diesem Zeitpunkt entstanden ist, oder auch Kenntnisse aus der Erfindung in den Stand der Technik zu übernehmen. Eine solche rückschauende Betrachtungs-

---

104 **T 687/94** vom 23.4.1996, Nr 5.1; **T 597/93** vom 17.2.1997, Nr 3.3; **T 711/96** vom 17.6.1998, Nr 6.1.
105 **T 417/86** vom 28.4.1988; **T 64/87** vom 21.9.1989.
106 **T 2/83**, ABl 1984, 265: **T 90/84** vom 2.4.1985: **T 256/84** vom 11.9.1986: **T 392/86** vom 1.2.1988: **T 219/87** vom 11.3.1988; **T 61/90** vom 22.6.1993; **T 597/92**, ABl 1996, 135: **T 167/93**, ABl 1997, 229.
107 **T 203/93** vom 1.9.1994.

Erfinderische Tätigkeit **Artikel 56**

weise, vor der die PrüfRichtl in C-IV, 9.9 warnen, ist nach ständiger Rechtsprechung der Beschwerdekammern unzulässig.[108] Als Korrektiv ist deshalb das zu berücksichtigen, was zum historischen Umfeld und Hintergrund der Erfindung gehört; dies umfasst auch die Beweisanzeichen (Rdn 68–79).

Gerade bei auf den ersten Blick **einfachen** Lösungen ist die Gefahr groß, nachträglich die Schwierigkeiten der Erfindung zu verkennen,[109] weil einfache Lösungen oft schwieriger zu erkennen sind als komplizierte.[110] Ist eine Reihe von Schritten nötig, um vom Stand der Technik zu der Erfindung zu gelangen, und ist gerade der entscheidende letzte Schritt, so einfach er auf den ersten Blick erscheinen mag, nicht aus dem Stand der Technik bekannt oder ableitbar, so kann das auf erfinderische Tätigkeit hindeuten.[111] Beispiele für einfache, aber dennoch patentfähige Erfindungen betrafen bspw. die Herstellung von Fertigkompostpreßlingen durch Zusatzbefeuchtung der noch unzerkleinerten Presslinge während der Trocknung[112] oder die Verwendung von Apparaturen aus Edelstahl zur Herstellung von farbstabilem o-Chloranilin.[113] Andererseits dürfen sich auch sogenannte einfache Erfindungen für den Fachmann nicht in nahe liegender Weise aus dem Stand der Technik ergeben, zB wenn es sich um routinemäßige Anpassungsmaßnahmen bei einer nahe liegenden Anwendung handelt.[114] 56

Das Problem stellt sich häufig bei **Kombinationserfindungen**. Ist die Kombination als solche oder ein einzelnes ihrer Merkmale nicht als nahe liegend aus dem Stand der Technik herzuleiten, so kann dies erfinderische Tätigkeit begründen.[115] Erfinderische Tätigkeit kann auch dann vorliegen, wenn die Merkmale zwar durch den Stand der Technik nahe gelegt sind, in der Kombination aber ein synergistischer Effekt auftritt, der die Summe der Einzelwirkungen in unvorhergesehener Weise übersteigt.[116] Ohne eine solche Gesamtwirkung liegt, wenn alle Merkmale bekannt sind, keine erfinderische Tätigkeit vor, da es sich dann um eine bloße Aneinanderreihung von Merkmalen, nicht aber um 57

---

108 **T 20/82** vom 20.12.1982; **T 171/83** vom 29.5.1984; **T 124/82** vom 18.10.1983; **T 82/90** vom 23.7.1992; **T 1077/92** vom 5.12.1995.
109 **T 106/84**, ABl 1985, 132.
110 **T 234/91** vom 25.6.1993.
111 **T 113/82**, ABl 1984, 10; **T 394/90** vom 20.3.1991, Nr 5.3.
112 **T 225/85** vom 28.4.1987.
113 **T 307/85** vom 26.5.1987.
114 **T 261/85** vom 14.5.1987.
115 **T 111/86** vom 30.6.1987; **T 167/82** vom 11.12.1985.
116 **T 40/83** vom 4.11.1985; nach BGH vom 10.12.2002, GRUR 2003, 317 – *Kosmetisches Sonnenschutzmittel* – begründet auch eine deutliche und unerwartete synergistische Wirkung keine erfinderische Tätigkeit, wenn die Kombination als solche nahe gelegen hat.

eine Kombinationserfindung handelt.[117] Da das Bekanntsein von Merkmalen keinen zuverlässigen Schluss auf das Naheliegen der Kombination erlaubt, ist hier zu prüfen, ob der Stand der Technik dem Fachmann Anregungen für das Zusammenwirken der Merkmale und ihrer Funktionen innerhalb der Kombination gegeben hat oder nicht,[118] dh ob die Kombination nahe lag.[119]

58 Die Prüfung auf die Kombinationswirkung setzt zunächst voraus, dass eine Kombinationserfindung beansprucht wird, was durch Auslegung zu ermitteln ist. In der Regel muss ein Kombinationsgedanke erwähnt sein, dh in welcher Weise die Merkmale zusammenwirken. Grundsätzlich ist davon auszugehen, dass ausschließlich die gleichzeitige Anwendung aller Merkmale der Kombination beansprucht wird.[120]

59 Die Auffassungen der Beteiligten über die Auslegung solcher Ansprüche festzulegen, ist nicht Sache der Prüfungs- und Einspruchsinstanzen des EPA. Anträge der Beteiligten hierzu werden daher nur zu den Akten genommen.

8 Analogieverfahren

60 Die Schutzfähigkeit von Analogieverfahren zur Herstellung eines neuen und erfinderischen chemischen Erzeugnisses ist auch im europäischen Recht anerkannt.[121] Die Eigenart dieses Schutzes liegt darin, dass ein Patent für ein bekanntes Verfahren erteilt wird, dessen Neuheit sich aus seiner bislang unbekannten Eignung zur Bearbeitung einer bestimmten Substanz herleitet und dessen erfinderische Tätigkeit in unerwarteten Eigenschaften des Endprodukts, der Ergiebigkeit des Verfahrens oder anderer, vormals unbekannter Ergebnisse liegt. Umgekehrt kann die erfinderische Tätigkeit auch für ein an sich nahe liegendes Erzeugnis bejaht werden, wenn es im Stand der Technik keinen bekannten Weg oder kein bekanntes analoges Verfahren zu seiner Herstellung gab.[122]

61 Dieser ursprünglich besonders in Deutschland mangels chemischen Stoffschutzes entwickelte Schutz von Analogieverfahren hat an Bedeutung verloren, weil nach dem EPÜ neue Erzeugnisse unmittelbar geschützt werden können. Die von einzelnen Staaten nach Art 167 angemeldeten Vorbehalte gegen den Stoffschutz sind inzwischen abgelaufen.[123] Der Schutz von Analogieverfahren hat aber noch Bedeutung für die entsprechenden Anmeldungen aus der Zeit vor Ablauf der Vorbehalte.

---

117 **T 144/85** vom 25.6.1987; **T 387/87** vom 14.9.1989; **T 410/91** vom 13.10.1993; **T 363/94** vom 22.11.1995, Nr 4.
118 **T 37/85**, ABl 1988, 86.
119 **T 717/90** vom 10.7.1991; **T 388/89** vom 26.2.1991; **T 407/91** vom 15.4.1993.
120 **T 175/84**, ABl 1989, 71.
121 **T 119/82**, ABl 1984, 217.
122 **T 595/90**, ABl 1994, 695; **T 803/01** vom 9.9.2003, Nr 5.3.
123 Siehe 2. Aufl., unter Art 167.

9 Chemische Zwischenprodukte

Die Patentierbarkeit chemischer Zwischenprodukte wird in der Rechtsprechung des EPA anerkannt. Bei solchen Erfindungen kommen unterschiedliche Bezugspunkte für die Bewertung der erfinderischen Tätigkeit in Betracht: der Bezug zu dem verfahrensmäßigen Stand der Technik sowohl für das Herstellungs- als auch das Weiterverarbeitungsverfahren ebenso wie der produktbezogene Stand der Technik, der in zwischenproduktnahen und produktnahen Stand der Technik unterteilt werden kann. **62**

Erfinderische Tätigkeit kann für Zwischenprodukte darin begründet sein, dass das erzielte vorteilhafte Ergebnis im Verfahren überraschend ist und ohne das Zwischenprodukt nicht erreicht wird.[124] Für die Patentierbarkeit von Zwischenprodukten wurde zuweilen als Einschränkung angenommen, dass entweder die **Herstellung** des neuen Zwischenprodukts erfinderisch sein müsse (weil es erstmals in erfinderischer Weise zugänglich gemacht wird und andere Wege zu seiner Herstellung ausgeschlossen erscheinen) oder die **Weiterverarbeitung** des Zwischenprodukts erfinderisch sein müsse.[125] Diese Auffassung scheint inzwischen überholt; denn nach **T 648/88** müssen für chemische Zwischenprodukte die gleichen Maßstäbe wie für andere chemische Stoffe gelten,[126] nämlich, dass ihre Bereitstellung zu einer nicht nahe liegenden Bereicherung der Technik führt. Ob diese Bereicherung auf eine erfinderische Herstellungsweise, eine erfinderische Weiterverarbeitung oder auf das Konzept eines erfinderischen Gesamtverfahrens für das Endprodukt zurückzuführen ist, spielt keine Rolle. Allerdings soll eine überlegene (zB insektizide) Wirkung des Endprodukts die erfinderische Qualität des Zwischenprodukts nicht begründen können.[127] **63**

10 Aufgabenerfindungen

Von einer Aufgabenerfindung (problem invention) spricht man, wenn die Lösung der Aufgabe rückblickend trivial und nahe liegend, die Aufgabe selbst aber neu und nicht durch den Stand der Technik nahe gelegt ist. Auch solche Erfindungen sind grundsätzlich schutzfähig.[128] **64**

Aufgabenerfindungen gibt es zB im chemischen Bereich, wenn der Schutz von Analogieverfahren aus der Eignung zur Herstellung eines an sich bekannten Erzeugnisses abgeleitet wird (vgl Rdn 60) und die Herstellungsmerkmale retrospektiv trivial erscheinen, die neue Aufgabe aber in der Benutzung des an- **65**

---

124 **T 22/82**, ABl 1982, 341.
125 **T 163/84**, ABl 1987, 301.
126 **T 648/88** ABl 1991, 292 unter Bezugnahme auf **T 61/86** vom 2.12.1988 und **T 22/82** vom 22.6.1982.
127 **T 18/88**, ABl 1992, 107 unter Berufung auf **T 65/82**, ABl 1983, 327.
128 **T 2/83**, ABl 1984, 265; **T 225/84**, ABl 1986, 263; **T 135/94** vom 12.6.1995, Nr 3.8.

deren Herstellungsverfahrens besteht.[129] Ähnliches gilt auch für chemische Zwischenprodukte, die erfinderisch sein können, wenn sie für die Weiterverarbeitungsprodukte einen neuen Strukturbeitrag leisten.[130]

66 Erfinderische Tätigkeit, die ausschließlich in der Aufgabenstellung liegt, wird von den Beschwerdekammern in aller Regel zurückhaltend beurteilt, da das Bemühen um Verbesserungen und Mängelbeseitigung zu den Grundpflichten des Fachmanns gehört.[131] Begründet die Aufgabenstellung für sich genommen keine erfinderische Tätigkeit, so kann sie dennoch zur erfinderischen Tätigkeit der Erfindung insgesamt wesentlich beitragen. Das wurde angenommen in **T 417/86** für die neue Aufgabe,[132] ein Fernsehgerät im *stand by*-Betrieb in einer definierten Zeit seit dem letzten *Ein*-Betriebszustand automatisch abzuschalten.[133] In **T 540/93** trugen zur erfinderischen Tätigkeit für die beanspruchte Ausgestaltung einer Haustierpforte neue Erkenntnisse über die Verletzungsrisiken bei konventionellen Gestaltungen bei.[134]

67 Mit diesem Beitrag der Aufgabenstellung zur erfinderischen Tätigkeit kann man auch den Widerspruch zur deutschen Rechtsprechung auflösen, nach der eine Aufgabe keine Erfindung ist, sondern die Erfindung immer nur in der Lösung einer Aufgabe bestehen kann.[135] Denn auch nach der Rechtsprechung der Beschwerdekammern wird ein Patent nicht für die bloße Formulierung einer Aufgabe erteilt, wenn nicht zugleich eine Lösung beansprucht wird.

11 Bedeutung von Hilfserwägungen; Beweisanzeichen

68 Patentämter und Gerichte haben bei der Entscheidung über die erfinderische Tätigkeit eine Vielzahl gesondert liegender Einzelfälle zu beurteilen. Daher ist es auch für das EPA schwer, eine allgemein gültige Antwort auf die Frage zu geben, wann eine Erfindung nahe liegend ist. Neben den bisher erläuterten Prüfungskriterien wurden aber bestimmte Anzeichen für das Vorliegen erfinderischer Tätigkeit herausgearbeitet.[136] Auch bei der Beurteilung dieser Anzeichen gilt das Verbot der ex post facto-Analyse (siehe Rdn 55–59).

69 Die PrüfRichtl (C-IV, 9.8) geben Beispiele aus der Praxis nationaler Patentämter wieder. Für die Beweisanzeichen haben sich 4 Hauptkategorien herausgebildet:

---

129 T 119/82, ABl 1984, 217.
130 **T 65/82**, ABl 1983, 327.
131 **T 109/82**, ABl 1984, 473; **T 630/92** vom 22.2.1994.
132 **T 417/86** vom 28.4.1988.
133 Siehe auch **T 64/87** vom 21.9.1989.
134 **T 540/93** vom 8.2.1994.
135 BGH vom 15.11.1983 – **Kreiselegge** –, GRUR 1984, 194; Hesse, Die Aufgabe – Begriff und Bedeutung im Patentrecht, GRUR 1981, 853.
136 Pagenberg, Die Beurteilung der erfinderischen Tätigkeit im System der europäischen Prüfungsinstanzen, GRUR Int 1978, 143.

a) der wirtschaftliche Erfolg (Rdn 80–83),
b) eine überraschende Wirkung oder ein unerwartetes Ergebnis (Rdn 84–87),
c) ein lange bestehendes Bedürfnis (Rdn 88–107),
d) Vorurteile der Fachwelt (Rdn 108–115).

Ausgangspunkt für Hilfserwägungen ist zunächst die europäische Patentanmeldung, denn nach R 27(1) c) sollen in der Anmeldung vorteilhafte Wirkungen der Erfindung angegeben werden. Allerdings genügen Hinweise auf verbesserte Verfahrensergebnisse, besonders gute Eigenschaften oder erhebliche technische Effekte – technischer Fortschritt – häufig nicht, um die Bedenken der Prüfer auszuräumen. Die überraschenden Ergebnisse müssen vielmehr nachgewiesen oder wenigstens glaubhaft gemacht werden,[137] und sie müssen sich im gesamten beanspruchten Bereich erzielen lassen.[138] 70

Dieser Nachweis muss einen Vergleich mit dem **nächstliegenden** Stand der Technik enthalten[139] und nicht lediglich mit handelsüblichen Erzeugnissen.[140] 71

Wichtig ist dies oft bei Chemieerfindungen, wenn im Prüfungs- oder Einspruchsverfahren Berichte über Vergleichsversuche vorgelegt werden, um die besonderen Vorteile der Erfindung nachzuweisen. Als erste Frage ist hierbei zu prüfen, ob die beanspruchte Verbesserung gegenüber dem nächstliegenden Stand der Technik auf das Merkmal zurückzuführen ist, das die Erfindung vom Stand der Technik unterscheidet.[141] Die Vergleichsversuche brauchen nicht notwendig auf international anerkannten Versuchsmethoden zu beruhen, da diese nicht auf jedem Gebiet existieren; aber sie dürfen nicht willkürlich, sondern müssen sachgerecht und möglichst objektiv sein.[142] 72

Bei der Prüfung der erfinderischen Tätigkeit können die verschiedenen Anzeichen für die Gesamtbewertung **kombiniert** werden. Als Beispiel sei auf eine Entscheidung über ein Verfahren zum Entkoffeinieren von Rohkaffee verwiesen, das den Entzug von Stoffen verhindert, die für das Aroma wichtig sind. Zur Vermeidung einer Ex-post-Analyse untersuchte die Beschwerdekammer aufgrund einer der Lösung nahe kommenden älteren Erfindung eingehend die Entwicklung dieser Verfahren seit den frühen 30er Jahren:[143] Mit dem Rückgriff auf ein älteres Verfahren hat die Anmelderin mit der herrschenden Ent- 73

---

137 Detailliert zur Beweislast und den Beweismitteln: Benkard/*Jestaedt*, EPÜ, Art 56, Rn 165 ff.
138 **T 939/92**, ABl 1996, 309, Nr 2.6; **T 694/92**, ABl 1997, 408, Nr 6.
139 **T 181/82**, ABl 1984, 401; **T 199/86** vom 15.9.1987.
140 **T 164/83**, ABl 1987, 149; ähnlich auch **T 623/89** vom 12.5.1992.
141 **T 197/86**, ABl 1989, 371, Nr 6.1.3 unter Bezugnahme auf **T 181/82**, ABl 1994, 401, Nr 5.
142 **T 38/88** vom 7.3.1989; **T 317/95** vom 26.2.1999; **T 702/99** vom 3.12.2003, Nr 2 ff zu einem kosmetischen Erzeugnis.
143 **T 181/85** vom 5.5.1987.

wicklungstendenz gebrochen – ein erster Beitrag zur erfinderischen Tätigkeit; die weiteren Schritte, mit denen die bekannten Nachteile des Verfahrens vermieden wurden, lagen ebenfalls nicht nahe, zumal es noch fünf Jahre brauchte, das neue Verfahren mit der Idee zu entwickeln, gängige organische Lösungsmittel durch flüssiges oder überkritisches CO_2 zu ersetzen. Die erfinderische Tätigkeit wurde anerkannt und das europäische Patent unverändert aufrechterhalten. In einer weiteren Entscheidung hat die Beschwerdekammer ebenfalls die Summe verschiedener Hilfserwägungen positiv berücksichtigt (Abkehr vom bisherigen technischen Lösungsweg, Verbesserung des Produkts und – wenn auch eingeschränkt – wirtschaftlicher Erfolg),[144] obwohl der Erfindungsgegenstand prima facie als nahe liegend angesehen werden konnte.

74 Gemeinsam ist den Beweisanzeichen ihr **subsidiärer** Charakter. Sie sind nur dann relevant, wenn nicht schon nach dem Aufgabe/Lösung-Ansatz eine erfinderische Tätigkeit anerkannt wird.[145]

75 Das bloße Vorliegen von üblichen Bewertungsmerkmalen, wie erheblicher technischer Effekt oder überraschende Wirkung, führt nicht **zwingend** zur Bejahung der erfinderischen Tätigkeit. Liegen solche Anzeichen vor, so kann aus der Gesamtschau des Standes der Technik und der Abwägung aller maßgeblichen Fakten die erfinderische Tätigkeit folgen, sie ergibt sich aber nicht automatisch.[146]

76 Gibt es im Stand der Technik keine Anregungen zu weiteren Nachforschungen, so kann auch das Ergebnis einer **systematischen** Suche, die im chemischen Bereich oft eine Suche nach der Nadel im Heuhaufen ist, erfinderische Tätigkeit belegen.[147]

77 Diese Rechtsprechung zeigt, dass die Hilfserwägungen zwar in gewissem Umfang zur positiven Bewertung erfinderischer Tätigkeit beitragen, eine qualitative Beurteilung aber nötig bleibt. Das in den Bezeichnungen *überraschende oder unerwartete Wirkung, unerwartetes Ergebnis, glücklicher Griff* oder dergleichen enthaltene Überraschungs- oder Zufallselement kann ebenso wie andere Beweisanzeichen, bspw erheblicher technischer Fortschritt, nur dann Wirkung entfalten,[148] wenn der Stand der Technik und die Fähigkeiten des Durchschnittsfachmanns nicht zwangsläufig zu dem als erfinderisch beanspruchten Ergebnis geführt hätten. So konnte bei einem Herstellungsverfahren, das auf eine wesentlich höhere Gesamtausbeute zielte, der Fachmann klar

---

144 **T 326/89** vom 16.9.1991.
145 **T 1072/92** vom 28.6.1994.
146 **T 24/81**, ABl 1983, 133; **T 181/82**, ABl 1984, 401; **T 199/84** vom 18.12.1986; **T 330/87** vom 24.2.1988, Nr 8.3.
147 in **T 164/82** vom 9.5.1984 nach Tensiden mit beträchtlich verbessertem biologischen Abbauvermögen.
148 **T 1/80**, ABl 1981, 206; **T 2/80**, ABl 1981, 431, **T 20/83**, ABl 1983, 419; **T 271/84**, ABl 1987, 405.

erkennen, dass sich bei der Lösung der Aufgabe (Übergang von Chlorierung zu Bromierung) mit Routineversuchen verlässliche Voraussagen für die erhöhte Ausbeute machen ließen; diese Routineversuche konnten deshalb trotz ihres überraschenden Ergebnisses keine erfinderische Tätigkeit begründen.[149]

Die für Hilfserwägungen in Betracht zu ziehenden besonderen Eigenschaften des Erfindungsgegenstandes dürfen **nicht überspannt** werden. So kann die erfinderische Tätigkeit zB anerkannt werden, wenn die Vergleichssubstanz sich in nur einer Beziehung als besser erweist. Die wesentliche und überraschende Verbesserung einer Stoffeigenschaft muss nicht gleichzeitig zu besseren Eigenschaften bei der Verwendung führen. Aber die Vorteile einer Erfindung dürfen nicht von anderen Nachteilen aufgewogen werden.[150]

78

Für die erfinderische Tätigkeit ist der Hintergrund der Erfindung zu berücksichtigen (vgl Rdn 55). So kann erfinderische Tätigkeit vorliegen, wenn der Stand der Technik von der erfindungsgemäßen Lehre weg in eine andere Richtung führte.[151] Auch der **Zweck**, dem ein bekanntes technisches Mittel dient, kann ausschlaggebende Bedeutung haben, so dass die Anwendung für einen bislang unbekannten Zweck erfinderisch sein kann.[152]

79

12 Der wirtschaftliche Erfolg

Die Beschwerdekammern berücksichtigen den wirtschaftlichen Erfolg als Beweisanzeichen mit Zurückhaltung und lehnen es ab, eine erfinderische Tätigkeit allein auf den wirtschaftlichen Erfolg zu stützen.[153] So kann die Anwendung geläufiger Konstruktionskonzepte mit bekannten Wirkungen keine erfinderische Tätigkeit begründen, selbst wenn sie zu wirtschaftlichem Erfolg führt.[154]

80

Der wirtschaftliche Erfolg kann aber mit berücksichtigt werden und die Schlussfolgerung verstärken,[155] die beim Vergleich der Erfindung mit dem Stand der Technik auf die erfinderische Tätigkeit gezogen wird.[156]

81

---

149 T 199/84 vom 18.12.1986; ähnlich auch T 132/86 vom 26.11.1987; T 882/94 vom 7.8.1997, Nr 4.4.3.
150 T 254/86, ABl 1989, 115 unter Bezugnahme auf T 57/84, ABl 1987, 53 und T 155/85, ABl 1988, 87.
151 T 292/85, ABl 1989, 275.
152 T 4/83, ABl 1983, 498 für den Einsatz eines bekannten Testverfahrens als Endstufe in einem bekannten Verfahren zur Reinigung von Sulfonsäuren; s.a. T 238/93 vom 10.5.1994, Nr 6.4.
153 T 91/83 vom 12.7.1984; T 69/82 vom 27.9.1983; T 191/82, ABl 1985, 189; T 215/83 vom 29.4.1986; T 270/84 vom 1.9.1987; T 11/87 vom 2.3.1989; T 351/93 vom 1.3.1995, Nr 5.6.
154 T 629/90, ABl 1992, 654 und T 5/91 vom 24.6.1993.
155 T 106/84, ABl 1985, 132; T 626/96 vom 10.1.1997, Nr 6.
156 T 335/86 vom 18.10.1988; T 915/00 vom 19.6.2002, Nr 5.3.

82 Wirtschaftlicher Erfolg wird nur berücksichtigt, wenn die technischen Besonderheiten der Erfindung für ihn nachweisbar **kausal** gewesen sind.[157] Die Kausalität und die Schwierigkeit ihres Nachweises sind die Gründe für die Zurückhaltung der Beschwerdekammern bei der Anerkennung des wirtschaftlichen Erfolges.

83 Dennoch gibt es auch Sachverhalte, bei denen selbst eine geringe Verbesserung der Ausbeute einen erheblichen wirtschaftlichen Erfolg mit sich bringt und als Anzeichen für erfinderische Tätigkeit gewertet werden kann.[158]

13 Unerwartete zusätzliche Ergebnisse – Nebeneffekte

84 Unerwartete oder überraschende Ergebnisse können erfinderische Tätigkeit begründen.[159]

85 Bei unerwarteten **zusätzlichen** Effekten ist zunächst sicherzustellen, dass ein Erfolg, der sich bei Befolgung der erfindungsgemäßen Lehre einstellt, nicht als Nebeneffekt behandelt wird, nur weil er in der Anmeldung nicht ausdrücklich angegeben ist.[160] Zu prüfen ist auch, ob es sich um einen echten Zusatznutzen handelt oder um die Lösung eines doppelten und damit als Einheit zu behandelnden Problems.[161]

86 Unvorhergesehene vorteilhafte Wirkungen führen nach der Rechtsprechung der Beschwerdekammern aber nicht zur Anerkennung der erfinderischen Tätigkeit, wenn der Stand der Technik den Fachmann für einen zumindest wesentlichen Teil der Aufgabe zu der aufgefundenen Lösung zwingt. Die unerwartete Lösung einer Teilaufgabe, die dem Fachmann bei nahe liegendem planmäßigen Handeln in den Schoß fällt, ist nicht erfinderisch.[162] Das gilt auch, wenn zu einem erwarteten Effekt ein überraschender Sondereffekt hinzutritt; die Beschwerdekammern sprechen hier von einer Einbahnstraßen-Situation, weil keine Auswahl aus mehreren Möglichkeiten zu treffen war.[163]

---

157 PrüfRichtl C-IV, 9.9; **T 257/91** vom 17.11.1992; ähnlich zurückhaltend auch der BGH vom 18.9.1990 – *Elastische Bandage* –, ABl 1991, 533, Nr II.3, wenn der Markterfolg nicht eindeutig auf die sprunghafte Bereicherung des Standes der Technik zurückzuführen ist.

158 **T 38/84**, ABl 1984, 368 zur Verbesserung der Ausbeute um 0,5 % bei einem großtechnischen Verfahren, das industriell wichtig für die Herstellung chemischer Massengüter war; siehe auch **T 286/93** vom 22.11.1996, Nr 4.3.2.

159 **T 301/87**, ABl 1990, 335, Nr 7.12–7.14; **T 205/83**, ABl 1985, 363.

160 **T 218/84** vom 13.1.1987.

161 **T 236/88** vom 26.10.1989, Nr 4.2.

162 **T 69/83**, ABl 1984, 357, Nr 7; **T 296/87**, ABl 1990, 195, Nr 8.4; **T 506/92** vom 3.8.1995, Nr 2.6.

163 **T 192/82**, ABl 1984, 415, Nr 16; ähnlich auch **T 21/81**, ABl 1983, 15, Nr 6; **T 766/92** vom 14.5.1996.

Verneint wurde eine solche Einbahnstraße allerdings bspw bei einer Erfindung, die den Einsatz von Chitosansalzen zur Haarpflege betraf, da sich aus den bekannten Grundeigenschaften dieser Salze keine Hinweise auf ihre Eignung als Pflegemittel ergab.[164] Ähnlich auch im Fall einer Badeemulsion, bei der ein bestimmter Grundstoff durch einen anderen ersetzt worden war, obwohl die Lehre einer Entgegenhaltung von diesem Grundstoff wegführte; der Erfolg war deshalb nicht vorhersehbar.[165]

14 Lange bestehendes Bedürfnis

Als Beweisanzeichen für erfinderische Tätigkeit wird häufig ein lange bestehendes Bedürfnis vorgebracht. Ob es tatsächlich vorliegt, prüfen die Beschwerdekammern sehr genau.

Das bloße Alter einer Entgegenhaltung genügt nicht für die Annahme, dass tatsächlich über längere Zeit ein dringendes Bedürfnis bestanden hat, vielmehr bedarf es dafür weiterer Sachdarlegungen.[166] Es muss ein allgemeines Bedürfnis sein und nicht nur das eines Einzelnen.[167]

Ein tatsächlich seit langem bestehendes Bedürfnis ersetzt nicht den Nachweis, dass die gefundene Lösung erfinderisch war, also nicht nahe gelegen hat. Wenn aber ein altes Dokument, das einen nahen Stand der Technik bildet, keinerlei Entwicklung in Richtung auf die Erfindung ausgelöst hat, so spricht dies gegen ein Naheliegen dieser Lösung und damit für erfinderische Qualität; hier ergibt sich aus dem Alter des Dokuments ein Indiz dafür, dass die Lösung nicht nahe lag.[168] Weicht der Erfinder von einem seit langem bestehenden Trend ab, dem der Fachmann normalerweise folgt, und knüpft er an eine alte, nicht mehr beachtete Veröffentlichung an, so spricht das ebenfalls gegen ein Naheliegen.[169]

Nach der Rechtsprechung der Beschwerdekammern können folgende Anhaltspunkte für ein seit langem bestehendes Bedürfnis sprechen:

a) Der im Recherchenbericht aufgeführte Stand der Technik ist relativ alt, und
b) im Bereich der Erfindung ist gegenüber dem lange zurückliegenden Stand der Technik nichts entwickelt worden, obwohl es sich um ein wirtschaftlich bedeutendes Fachgebiet handelt.[170]

---

164 **T 126/83** vom 19.4.1984.
165 **T 38/88** vom 7.3.1989.
166 **T 79/82** vom 6.10.1983; **T 199/83** vom 14.2.1985; **T 115/89** vom 24.7.1990; **T 478/91** vom 2.6.1993.
167 **T 605/91** vom 20.7.1993.
168 **T 404/90** vom 16.12.1993.
169 **T 366/89** vom 12.2.1992; ähnlich auch **T 261/87** vom 16.12.1988.
170 **T 273/92** vom 18.8.1993; **T 203/93** vom 1.9.1994.

Artikel 56 *Erfinderische Tätigkeit*

c) Die Lösung der Aufgabe ist nachweislich wiederholt vergeblich versucht worden.[171]
d) Zahlreiche Nachveröffentlichungen zeigen, dass mit der Erfindung ein Durchbruch erzielt wurde, der ein lange bestehendes Bedürfnis befriedigte;[172] ähnlich ist es, wenn die Erfindung nach ihrer Veröffentlichung von Wettbewerbern nachgeahmt wird,[173] oder wenn die Konkurrenz noch kurz vorher ihre Kunden ohne die vorteilhafte erfinderische Lösung beliefert.[174]

92 **Beispiele für die Berücksichtigung** eines lange bestehenden Bedürfnisses als Anzeichen für erfinderische Tätigkeit geben folgende Entscheidungen:

93 Zu a) In **T 106/84** genügte schon die relativ kurze Dauer von 7 Jahren seit Beschreibung des Problems, um ein lange bestehendes Bedürfnis für eine *einfache* Lösung anzunehmen:[175] Bei einer Verpackungsmaschine, die von einer Kunststoffrolle die einzelnen Folien abwickelt und mit einer heizbaren Abreißkante abtrennt, sorgte eine einfache, an sich nicht erfinderische Vorrichtung für die Einhaltung einer vorbestimmten kritischen Temperatur. Dadurch wurden die bei höheren Temperaturen entstehenden gesundheitsschädlichen Dämpfe vermieden.

94 **T 335/86** bewertete den Ablauf von 16 Jahren seit der Veröffentlichung des Standes der Technik positiv zugunsten der erfinderischen Tätigkeit bei einem Verfahren zur Verbesserung der flüssigen Schmelze für die Stahlherstellung.[176]

95 Zu b) In **T 273/92** wird auf einem wirtschaftlich bedeutenden und stark bearbeiteten Fachgebiet ein Zeitraum von 23 Jahren zwischen Vorveröffentlichung und Prioritätsdatum als starkes Indiz für ein lange bestehendes Bedürfnis an dem angemeldeten Verfahren zur Herstellung der beanspruchten Konzentrate angesehen.[177] In **T 203/93**, die eine Erfindung zu optischen Kommunikationssystemen betraf, sah die Beschwerdekammer wegen der stürmischen Entwicklung auf diesem Gebiet schon 11 Jahre als ausreichend an, um ein zusätzliches Beweisanzeichen für erfinderische Tätigkeit anzunehmen.[178]

96 In **T 271/84** behob die Erfindung die Nachteile, die mit einem seit über 20 Jahren kommerziell erfolgreich durchgeführten Verfahren verbunden waren (Rectisol-Verfahren zur Gasreinigung).[179] Der einschlägige Stand der Technik

---

171 **T 226/89** vom 28.2.1990.
172 **T 292/85**, ABl 1989, 275, Nr 6.10.
173 **T 92/86** vom 5.11.1987, dort traf dies allerdings nicht zu.
174 **T 812/92** vom 21.11.1995.
175 **T 106/84**, ABl 1985, 132.
176 **T 335/86** vom 18.10.1988.
177 **T 273/92** vom 18.8.1993.
178 **T 203/93** vom 1.9.1994.
179 **T 271/84**, ABl 1987, 405.

war schon einige Jahre vor dem Prioritätstag bekannt. Die mit der beanspruchten Verfahrenskombination angestrebte Kostenersparnis durch Reduzierung der Lösungsmittel war offenbar nicht vorhersehbar und deshalb nicht nahe liegend, also erfinderisch.

In **T 165/85** handelte es sich um ein Verfahren zum Nachweis von Redox-Reaktionen, bei dem durch Zugabe von Jodat die Nachteile vermieden wurden, die mit der hier notwendigen Verwendung von Ascorbinsäure verbunden waren.[180] Da Jodat seit 1941 bekannt war und das Bedürfnis zur Verfahrensverbesserung seit 1958 bestand, wäre diese Verfahrensverbesserung nach Auffassung der Beschwerdekammer längst entwickelt worden, wenn sie nahe gelegen hätte. 97

T 41/84 bejaht ein lange bestehendes Bedürfnis für ein Verfahren zur Vermeidung von Explosionen bei der Erzeugung und Weiterverarbeitung von Ethylenoxid, das als Massenprodukt bei der Herstellung von Lösungsmitteln, Polymerisaten und dergleichen verwendet wird.[181] 1969 wurden weltweit mehr als 3 000 Mill Tonnen hergestellt und weiterverarbeitet. Dabei kam es immer wieder zu Explosionen, wie sich aus zwei älteren Veröffentlichungen von 1969 und 1980 ergab. 98

Nach **T 330/87** bestand seit langem ein Bedürfnis dafür, lasurüberzogene Waffeln so zu gestalten, dass sie ohne störendes Beschmieren der Finger verzehrt werden können.[182] Das Anbringen eines zusätzlichen fingerkuppengroßen Stücks Waffel auf der Lasur bezeichnete die Beschwerdekammer als einfache Maßnahme ohne Vorbild im Stand der Technik, die nicht den einzig denkbaren Lösungsweg darstellt und ein lange bestehendes Bedürfnis wirtschaftlich erfolgreich befriedigt. 99

Zu c) In **T 226/89** zeigten zahlreiche ältere Veröffentlichungen, die auf einem Artikel aus dem Jahre 1938 basierten, dass verschiedene Wissenschaftler vergeblich versucht hatten, die in der Erfindung gestellte Aufgabe zu lösen.[183] Auch in **T 957/92** waren trotz ständigen Bemühens der Fachwelt in einem Zeitraum von 17 Jahren zwischen der Druckschrift und dem Prioritätsdatum keine entsprechenden Lösungen vorgeschlagen worden.[184] 100

Zu d) In **T 292/85**, in der es um die Herstellung und Verwendung von Polypeptiden ging,[185] sprach für die erfinderische Qualität des beanspruchten Verfahrens schon die Tatsache, dass vor dem Prioritätstag viele Artikel über die Insertion von DNS in ein Plasmid erschienen waren, jedoch keiner zu dem konkreten Ergebnis führte. Nach der Veröffentlichung der Erfindung folgte 101

---

180 **T 165/85** vom 5.8.1986.
181 **T 41/84** vom 12.3.1985.
182 **T 330/87** vom 24.2.1988.
183 **T 226/89** vom 28.2.1990.
184 **T 957/92** vom 21.12.1993.
185 **T 292/85**, ABl 1989, 275, Nr 6.10.

Artikel 56 *Erfinderische Tätigkeit*

eine plötzliche Flut von Anmeldungen, die sich die Erfindung zunutze machten. Das zeigte, dass die Erfindung einen lange ersehnten Durchbruch gebracht hatte, und wurde als Zeichen für ihre bahnbrechende Bedeutung angesehen.

102 In T 1077/92 zieht die Beschwerdekammer aus den **Gesamtumständen** den Schluss, dass es sich bei der Stabilisierung von Wassserstoffperoxid-Lösungen um ein seit langem ungelöstes Problem gehandelt hat,[186] das durch den hohen Entwicklungsaufwand und raschen Fortschritt beim Ätzen von gedruckten Schaltungen wahrscheinlich intensiv untersucht worden war, so dass die nunmehr gefundene Lösung auf einer erfinderischen Leistung beruhen müsse.

103 Beispiele für die Verneinung eines lange bestehenden Bedürfnisses:

104 T 24/81 betrachtet in dem vor mehr als 30 Jahren eingeführten Sauerstoffblasverfahren zur Stahlerzeugung die Ersetzung des Sauerstoffs durch Kohlendioxid, wodurch der umweltverschmutzende rote Eisenoxidrauch reduziert wurde, als nahe liegend.[187] Dass dieser Austausch nicht früher vorgenommen wurde, führte die Beschwerdekammer auf die damit verbundenen hohen Kosten zurück; erst die strengen Umweltschutzbestimmungen der letzten Jahre hatte diese nahe liegende Lösung interessant gemacht.

105 Nach T 109/82 braucht eine während mehrerer Jahrzehnte stagnierende Technik kein Anzeichen dafür zu sein, dass die Beseitigung von Unzulänglichkeiten im Stand der Technik erfinderisch ist.[188] Im gesamten Stand der Technik waren keine Bemühungen zu finden, ein umständliches Verfahren zur Prüfung von Hörgeräten mit Schallboxen zu vereinfachen; es hatte also offenbar kein lange unbefriedigtes Bedürfnis dafür bestanden. Nachweispflichtig wäre insoweit der Beschwerdeführer gewesen, der solche Anzeichen geltend gemacht hatte. Ähnlich äußert sich auch **T 115/89**.[189]

106 Auch **T 79/82** lässt den Zeitraum von 17 Jahren zwischen der Entgegenhaltung und der Erfindung nicht als Anzeichen für erfinderische Tätigkeit genügen:[190] dem Stand der Technik war nicht zugleich zweifelsfrei zu entnehmen, dass während dieser ganzen Zeit ein dringendes Bedürfnis bestanden hatte, dessen Befriedigung von der Fachwelt vergeblich versucht worden war.

107 Ähnlich weisen **T 199/83** und **T 478/91** darauf hin, dass der bloße Zeitabstand zwischen nächstliegendem Stand der Technik und Prioritätsdatum nicht zum Nachweis erfinderischer Tätigkeit genügt, wenn das Bedürfnis nicht seit der älteren Druckschrift, sondern erst wesentlich kürzer bestand.[191]

---

186 **T 1077/92** vom 5.12.1995.
187 **T 24/81**, ABl 1983, 133.
188 **T 109/82**, ABl 1984, 473.
189 **T 115/89** vom 24.7.1990.
190 **T 79/82** vom 6.10.1983.
191 **T 199/83** vom 14.2.1985; **T 478/91** vom 2.6.1993.

15 Vorurteile der Fachwelt

Anmelder stützen des öfteren die erfinderische Tätigkeit darauf, dass die Erfindung wegen eines Vorurteils der Fachwelt gegen eine solche Lösung nicht nahe gelegen habe. Auch hier wird – wie bei dem lange bestehenden Bedürfnis – gelegentlich auf einen lange stagnierenden Stand der Technik oder auf das hohe Alter der Entgegenhaltungen hingewiesen und daraus ein Vorurteil der Fachwelt hergeleitet.

In Betracht kommt nur ein **allgemein anerkanntes** technisches Vorurteil, »a well accepted technical prejudice«,[192] oder ein durch Fakten belegbares Hindernis,[193] das zum Prioritätszeitpunkt bestand.[194] Es genügt nicht, wenn lediglich ein Patentinhaber in seinem Patent die beanspruchte Erfindung als nicht zu verwirklichen erwähnt hat; eine Person ist nicht die Fachwelt, auch wenn sie mit dem betreffenden Gebiet vertraut ist.[195]

Fachwelt oder *Fachkreise* sind die für den Erfindungsbereich zuständigen Fachleute. Bei einer Erfindung zB, die Kunststofflager für Haushaltsgeräte oder Wärmespeicheröfen betrifft, sind die Fachleute für Lager maßgebend und nicht die Hersteller der Endprodukte.[196]

Wer sich auf die Überwindung eines Vorurteils beruft, muss nachweisen, dass ein solches Vorurteil tatsächlich bestand.[197] Ein bloßer Hinweis auf eine schwebende unveröffentlichte Patentanmeldung, die weder der Öffentlichkeit noch der Beschwerdekammer zur Verfügung steht, genügt nicht.[198] Gibt der Patentinhaber dagegen triftige Gründe an, die den Fachmann bisher von dem in der Erfindung vorgeschlagenen Weg abgehalten haben, ist es Sache des Einsprechenden, diese Gründe zu widerlegen.[199]

Besondere Überzeugungskraft haben Aussagen in einem Standardwerk für das betreffende Gebiet oder in einem Fachbuch, wenn dort die Lösung der Erfindung als nicht durchführbar oder nachteilig bezeichnet wird, der Erfinder sich aber über die herrschende Lehrmeinung hinweggesetzt hat.[200]

Beispiele aus der Entscheidungspraxis:

In **T 148/83** wurde ein Vorurteil als erwiesen angesehen, das sich aus einer umfangreichen wissenschaftlichen Veröffentlichung von 1977 über ein Verfah-

---

192 T 300/90 vom 16.4.1991.
193 T 207/94, ABl 1999, 273.
194 T 341/94 vom 13.7.1995, Nr 6.1.1.
195 T 19/81, ABl 1982, 51; T 453/92 vom 20.12.1994; T 461/92 vom 5.7.1994.
196 T 62/82 vom 13.6.1983.
197 T 119/82, ABl 1984, 217; T 246/84 vom 27.3.1987.
198 T 119/82, Nr 14.
199 T 749/89 vom 16.12.1992.
200 T 104/83 vom 9.5.1984; T 18/81, ABl 1985, 166, Nr 8; T 317/95 vom 26.2.1999.

Artikel 56 *Erfinderische Tätigkeit*

ren zur Reinigung von Rohsilizium für die Herstellung von Solarzellen ergab.[201]

Nach **T 749/89** steht es einem Vorurteil gleich, wenn es triftige technische Gründe gab, die den Fachmann von einem bestimmten Schritt abgehalten hätten.[202]

In **T 176/89** hat die Beschwerdekammer von sich aus die von der Erfindung wegführenden Hinweise im Stand der Technik stärker gewürdigt, um einer ex-post-facto-Analyse der Einspruchsabteilung gegenzusteuern.[203]

T 512/88 bezeichnet die herrschenden Vorbehalte der Fachwelt als Ausdruck einer allgemein eingewurzelten Fehlvorstellung, die durch die Erfindung überwunden worden ist, und betrachtet dies als wichtiges Indiz unter mehreren für die erfinderische Tätigkeit.[204]

In **T 366/89** hatte der Anmelder bei der Herstellung optischer Linsen auf ein mehr als 50 Jahre altes Verfahren zurückgegriffen und in Verbindung mit einem anderen bekannten Verfahren eine unerwartete Qualitätsverbesserung der Linsen erzielt.[205] Die Beschwerdekammer sah die erfinderische Leistung darin, dass der Anmelder sich über den ausschließlich in anderer Richtung verlaufenen Entwicklungstrend hinweggesetzt hatte.

114 Nach **T 254/86** liegt keine Einbahnstraße zur Erfindung vor, wenn die wirksamen Strukturelemente vormals mit wenig attraktiven Eigenschaften in Verbindung gebracht wurden und deshalb ihre Verwendung in der patentgemäßen Kombination nicht angezeigt erschien (Reaktivfarbstoffe).[206] Andererseits wird es nicht als Überwindung eines Vorurteils angesehen, wenn lediglich die vorteilhafte Komponente eines Stoffgemisches weggelassen und ein damit einhergehender Nachteil in Kauf genommen wird.[207]

115 Eine Fundstelle, die den Fachmann eindeutig davon abhält, in einem gewissen Bereich weiterzuforschen, kann sowohl die Neuheit als auch die erfinderische Tätigkeit begründen.[208]

Meldet ein Wettbewerber kurz nach dem Prioritätszeitpunkt der Erfindung ein Patent mit einer gänzlich anderen Zielrichtung an, so kann dies als Indiz für erfinderische Tätigkeit angesehen werden.[209]

---

201 **T 148/83** vom 16.2.1984.
202 **T 749/89** vom 16.12.1992.
203 **T 176/89** vom 27.6.1990.
204 **T 512/88** vom 24.7.1991; ähnlich auch **T 74/90** vom 1.10.1991, Nr 7.1.
205 **T 366/89** vom 12.2.1992.
206 **T 254/86**, ABl 1989, 115.
207 **T 69/83**, ABl 1984, 357.
208 **T 26/85**, ABl 1990, 22, Nr 13 und 14, Schichtdicke eines magnetischen Aufzeichnungsträgers.
209 **T 872/98** vom 26.10.1999, Nr 5.4.

16 Der Fachmann

Der Fachmann ist ein Mann der Praxis, der darüber unterrichtet ist, was zu einem bestimmten Zeitpunkt zum allgemein üblichen Wissensstand auf dem betreffenden Gebiet gehört; dabei ist auch zu unterstellen, dass er zu allem, was zum Stand der Technik gehört, Zugang hatte, insbesondere zu den im Recherchenbericht angegebenen Dokumenten, und dass er über die normalen Mittel und Fähigkeiten für routinemäßige Arbeiten und Versuche verfügt.[210] Der für die erfinderische Tätigkeit maßgebende Fachmann und das ihm zuzurechnende Fachwissen decken sich mit dem für die Offenbarung geltenden Prüfungsmaßstab.[211]

116

Der Fachmann ist der Durchschnittsfachmann auf dem betreffenden technischen Gebiet, der selbst gerade keine erfinderische Begabung hat.[212] Entsprechend der heutigen Spezialisierung der Technik wird aber zunehmend auf die Kenntnisse des für den fraglichen Bereich zuständigen Spezialisten abgestellt, zB auf den Werkstofffachmann[213] oder den Feinwerkmechaniker[214] und seltener auf die Kenntnisse des für das allgemeine technische Gebiet zuständigen Konstrukteurs.

117

Bei komplizierten Erfindungen, etwa auf dem Gebiet der Datenverarbeitungsanlagen oder Telefonanlagen, bei komplexen chemischen Stoffen oder der kommerziellen Produktion integrierter Schaltungen kann auch ein **Team von Fachleuten** maßgebend sein: So wurde für die Beurteilung eines »Prüfungssystems zur Diagnose von Kraftfahrzeugen oder Fahrzeugbestandteilen« mit einzelnen für sich betreibbaren Prüfgeräten eine Zusammenarbeit des Fachmanns für elektrische Steckverbindungen mit dem Gehäusefachmann als erforderlich angesehen. Die Beschwerdekammer stellte fest, dass beide Fachleute jeweils bekannte Techniken in einer analogen Situation angewandt hätten, um zur beanspruchten Erfindung zu kommen; erfinderische Tätigkeit wurde deshalb verneint.[215] Für das Plasmaätzen von Leiterplatten wurde ein Team aus Halbleiter- und Plasmaspezialisten als einschlägig angesehen.[216] Für die Herstellung menschlichen Immun-Interferons ist ein Team von Genspezialisten maßgeblich.[217] Als Fachmann für Gentechnik sind Wissenschaftler oder Teams von Wissenschaftlern anzusehen, die in Laboratorien gearbeitet haben, in denen die

118

---

210 PrüfRichtl C-IV, 9.6.
211 **T 60/89**, ABl 1992, 268, Nr 2.2.4 und 3.2.5; **T 694/92**, ABl 1997, 408, Nr 7 f; siehe Art 83 Rdn 11–14; auch Art 54 Rdn 26–43 und Art 123 Rdn 36.
212 **T 39/93**, ABl 1997, 134, Nr 7.8.4.
213 **T 32/81**, ABl 1982, 225, Nr 4.2.
214 **T 61/82** vom 11.5.1982.
215 **T 141/87** vom 29.9.1988.
216 **T 424/90** vom 11.12.1991.
217 **T 223/92** vom 20.7.1993.

Kroher

Molekulargenetik zur Gentechnik entwickelt worden ist.[218] Für elektronische Rechenbausteine ist ein Elektroniker mit ausreichenden Programmierkenntnissen oder ein Team von Elektronikern und Programmierern als maßgeblicher Fachmann anzusehen; folglich wird eine als Anhang zu einer Vorveröffentlichung abgedruckte Programmliste in die Prüfung einbezogen.[219]

119 Der **Ort der Berufsausübung** spielt für das Wissen des Fachmanns keine Rolle.[220]

120 Auch die **typische Verhaltensweise** des Fachmanns auf dem einschlägigen Gebiet spielt eine Rolle. So wird bspw der Fachmann für bakterielle Gentechnik als eher konservativ und wenig risikofreudig angesehen.[221] Andererseits bedeutet dies jedoch nicht, dass er Informationen unberücksichtigt lässt, weil sie nicht in den Kernbereich seines Forschungsgebiets fallen oder nur für bestimmte Teile der Welt zutreffen.[222]

121 Beim **Fachwissen** (siehe auch Rdn 11) wird unterstellt, dass der Fachmann, dessen eigenes Fachwissen zur Lösung der gestellten Aufgabe nicht mehr ausreicht, sich im einschlägigen Stand der Technik, insbesondere in der internationalen Patentliteratur unterrichtet.[223] Dazu gehören nicht nur das eigene technische Gebiet, sondern auch die benachbarten Gebiete und das übergeordnete allgemeine technische Gebiet (siehe auch Rdn 17 und 123).[224]

122 Wenn aber für die Übertragung einer technischen Lösung aus einem Nachbargebiet Routine nicht genügt, sondern wissenschaftliche Forschung nötig ist, kann das über das Fachwissen hinausgehen und erfinderische Tätigkeit anerkannt werden.[225] Auch darf dem Fachmann kein Spezialwissen auf einem anderen technischen Gebiet unterstellt werden, wenn der nächstliegende Stand der Technik keinerlei Hinweise enthält, dass die Lösung dort zu suchen ist.[226]

17 Nahes oder weit entferntes technisches Gebiet

123 Generelle Ausgangsbasis für die Beurteilung der erfinderischen Tätigkeit ist nach Satz 1 der Stand der Technik. Dieser Begriff wird in das Übereinkommen durch Art 54 (Neuheit) eingeführt und definiert; er gilt auch für die erfinderische Tätigkeit (siehe auch Art 54 Rdn 8–13).[227]

---

218 **T 60/89**, ABl 1992, 268, Nr 2.2.4; siehe auch **T 500/91** vom 21.10.1992.
219 **T 164/92**, ABl 1995, 305, Nr 3.5.
220 **T 426/88**, ABl 1992, 427, Nr 6.3; **T 493/01** vom 4.6.2003, Nr 7.
221 **T 455/91**, ABl 1995, 684, Nr 5.1.3.3 und **T 223/92** vom 20.7.1993.
222 **T 493/01** vom 4.6.2003, Nr 7.
223 **T 15/81**, ABl 1982, 2; **T 59/82** vom 24.5.1982; **T 199/83** vom 14.2.1985.
224 **T 963/90** vom 2.4.1992, Nr 5.3; **T 1037/92** vom 29.8.1996; **T 26/98** vom 30.4.2002, Nr 6.3 mit einer Zusammenfassung der Rechtsprechung.
225 **T 441/93** vom 27.3.1996.
226 **T 422/93**, ABl 1997, 24, LS 3.
227 **T 107/82** vom 30.11.1983.

Bei der Prüfung auf erfinderische Tätigkeit braucht sich der Fachmann aber nur auf seinem **eigenen** oder einem **nahegelegenen** Gebiet umzusehen, auch wenn der Stand der Technik alle Gebiete der Technik umfasst; der Fachmann muss nicht die Patentliteratur eines weit entfernten technischen Gebietes kennen.[228] Andere Fachgebiete sind dann einzubeziehen, wenn der nächstliegende Stand der Technik den Fachmann ausdrücklich veranlasst, auf speziellen anderen Gebieten nach der Lösung zu suchen.[229] 124

Als nahe gelegene oder benachbarte Fachgebiete wurden zB angesehen: 125

– Die bakterielle Gentechnik und die Expression von Polypeptiden in Hefe.[230] 126

– Das Abfüllen von pharmazeutischen Präparaten in Hart- oder Weichkapseln, obwohl beide Verfahren in der Praxis von verschiedenen Fachleuten ausgeführt werden.[231] Hierbei handelt es sich aber um technische Nachbargebiete. Man kann daher erwarten, dass der Fachmann des einen Gebietes die Weiterentwicklungen auf dem anderen Gebiet im Auge behält, insbesondere wenn zweckbedingte Berührungspunkte vorliegen. 127

– Die vorprogrammierbare Infusion von Flüssigkeiten in Patienten (zB von Insulin) und das eng benachbarte Gebiet der Medizinaltechnik, nämlich die Elektrostimulation zB von Herzschrittmachern.[232] 128

– Der Fachmann für Probenzuführgeräte bei Gaschromatographen wird auch die Entwicklung auf dem Nachbargebiet der Absorptionsspektralanalyse beobachten.[233] 129

– Vom Fachmann, der besonders flammfeste Kabelaußenmäntel mit den erforderlichen mechanischen Eigenschaften entwickeln will, wird erwartet, dass er sich zunächst in den technischen Nachbargebieten danach umsieht, ob es dort bereits geeignet erscheinende Polymermischungen gibt. Ein solches Nachbargebiet ist das der Elektroisoliermischungen auf der Basis von Elastomeren, obwohl an die Isoliereigenschaften von Kabelaußenmänteln im allgemeinen keine so hohen Anforderungen gestellt werden wie an Isoliermaterial.[234] 130

---

228 **T 11/81** vom 4.11.1981.
229 **T 588/99** vom 27.3.2003, Nr 2.3.4 für die Suche nach bestimmten Prohibitoren des Enzyms einer Waschmittelzusammensetzung auf den Gebieten der Biochemie oder Medizin.
230 **T 455/91**, ABl 1995, 684, Nr 5.1.3.3.
231 **T 1/85** vom 22.7.1986.
232 **T 161/84** vom 28.8.1986.
233 **T 454/87** vom 2.8.1989.
234 **T 118/84** vom 6.2.1986.

Artikel 56 *Erfinderische Tätigkeit*

131 Andererseits wurde auf dem Gebiet platzsparender Schranktüren für Datenverarbeitungsgeräte die Technologie für Tore von Flugzeughallen als nicht benachbart bewertet.[235]

132 Neben den Nachbargebieten kann auch ein **übergeordnetes allgemeines Gebiet** für den Stand der Technik heranzuziehen sein, wenn auf diesem die gleichen oder ähnlichen Probleme wie auf dem Spezialgebiet eine Rolle spielen und erwartet werden kann, dass der Fachmann des Spezialgebietes davon weiß.[236] Bei der Herstellung eines Spitzers, in dem der Abfall zurückgehalten werden sollte, lag es dagegen für den Fachmann nicht nahe, sich auf dem Gebiet der Spardosen und ihrer Einwurfschlitzsicherungen umzusehen.[237]

133 Lösungen allgemeiner technischer Aufgaben auf nichtspezifischen Gebieten sind Teil des **technischen Allgemeinwissens**, das auch bei Spezialisten vorauszusetzen ist.[238] So ist bspw davon auszugehen, dass der Fachmann für bestimmte Regelungsfragen (Regelung der Leerlaufdrehzahl bei Verbrennungsmotoren) ein Nachschlagewerk für allgemeine Regelungstechnik zu Rate zieht.[239] Auch wird der Fachmann eines breiteren Feldes (Erkennung und Aufzeichnung von Kraft- und Beschleunigungswerten) ein spezielleres engeres Feld beachten, auf dem die allgemeinere Technologie bekanntermaßen angewandt wird (Fahrzeuge), wenn er nach einer Lösung sucht, die von einer bestimmten Verwendung dieser Technologie unabhängig ist.[240] Anregungen durch Alltagsgegenstände können die erfinderische Tätigkeit widerlegen; es muss allerdings eine deutliche Wahrscheinlichkeit bestehen, dass der Fachmann sich bei der Lösung der Aufgabe von seinen Kenntnissen des Alltagsgegenstandes leiten ließe.[241]

134 Voraussetzung für das Naheliegen zu einem übergeordneten allgemeinen Gebiet ist, dass sich der Stand der Technik des allgemeinen Gebiets uneingeschränkt auf das spezielle Gebiet anwenden lässt. Verneint wurde dies zB für die Verwendung eines in der Sandstrahltechnik üblichen Druckluft/Granulat-Gemisches in der Medizin, um menschliches Gewebe abzutragen, weil die Besonderheiten des menschlichen Gewebes eine solche Anwendung nicht nahe legten.[242]

---

235 **T 9/82** vom 30.7.1982.
236 **T 47/91** vom 30.6.1992 für die Kühlung von Rädern oder Rollen bei der Gussherstellung.
237 **T 176/84**, ABl 1986, 50, Nr 5.3.
238 **T 195/84**, ABl 1986, 121.
239 **T 426/88**, ABl 1992, 427, Nr 6.1 und 6.2.
240 **T 955/90** vom 21.11.1991.
241 **T 1043/98** vom 11.5.2000, Nr 2.
242 **T 619/94** vom 12.12.1995.

Das Naheliegen der Lösung kann auch aus einem anderen Gebiet abgeleitet werden, das weder benachbart noch übergeordnet ist.[243] Voraussetzung ist allerdings, dass die Lösung auf dem anderen Gebiet der breiten Öffentlichkeit durch ausgedehnte Diskussion wohlbekannt ist und dass die verwendeten Werkstoffe von der Art her verwandt sind (Ersetzung von Asbestfasern in der Bauindustrie und auf dem Spezialgebiet der Behälter zur Speicherung von Acetylen).

135

Das maßgebliche Gebiet ist ebenso wie der Stand der Technik insgesamt objektiv festzulegen (vgl Rdn 13). Auch wenn der Anmelder selbst darauf hingewiesen hat, dass seine Aufgabe auf einem entfernt liegenden technischen Gebiet in paralleler Weise gelöst worden ist, bleibt dieser Hinweis eine subjektive Gedankenbrücke des Anmelders und macht das entfernt liegende technische Gebiet nicht – zum Nachteil des Anmelders – objektiv zu einem benachbarten Gebiet.[244]

136

18 Ältere europäische Rechte

Satz 2 schreibt vor, dass sogenannte ältere europäische Rechte (Art 54 (3)), die bei der Prüfung auf Neuheit zum Stand der Technik gehören, bei der Prüfung auf erfinderische Tätigkeit nicht in Betracht gezogen werden dürfen. Diese Regelung vermindert die Unterschiede zwischen der Anwendung des *prior claim approach* und des *whole contents approach* (siehe Art 54 Rdn 77). Die Unterschiede werden im übrigen noch weiter dadurch reduziert, dass die Neuheit im europäischen Prüfungsverfahren eng, und zwar mehr im Sinn einer Identität ausgelegt wird.[245]

137

Andererseits erhöht sich natürlich die Gefahr von Doppelpatentierungen durch die Tatsache, dass allgemein bekannte Äquivalente nicht bei der Neuheit geprüft werden, sondern bei der erfinderischen Tätigkeit (vgl Rdn 26; siehe auch Art 54 Rdn 32).

138

Artikel 57 Gewerbliche Anwendbarkeit

Eine Erfindung gilt als gewerblich anwendbar, wenn ihr Gegenstand auf irgendeinem gewerblichen Gebiet einschließlich der Landwirtschaft hergestellt oder benutzt werden kann.

---

243 **T 560/89**, ABl 1992, 725, Nr 5.2.
244 **T 28/87**, ABl 1989, 383, Nr 5.4.
245 **T 167/84**, ABl 1987, 369.

Artikel 57   Gewerbliche Anwendbarkeit

Margarete Singer/Dieter Stauder

Übersicht

1	Allgemeines	1-2
2	Herstellung oder Benutzung auf irgendeinem gewerblichen Gebiet	3-10
3	Gewerbliche Anwendbarkeit, Ausführbarkeit und ausreichende Offenbarung	11-13

1 Allgemeines

1 Dieser Artikel enthält die Definition für das in Art 52 (1) enthaltene vierte Erfordernis der Patentierbarkeit, die gewerbliche Anwendbarkeit. Mit dieser Vorschrift soll gesichert werden, dass die zu schützenden Erfindungen im Rahmen einer gewerblichen Tätigkeit angewandt werden oder zumindest angewandt werden können. Zur Angabe der gewerblichen Anwendbarkeit in der Anmeldung siehe R 23e (3) und in der Beschreibung siehe R 27 (1) f).

Die Fassung dieses Artikels wurde aus Art 3 StraßbÜ (siehe Anhang 9) fast wörtlich übernommen und findet sich auch wörtlich oder sinngemäß in den nationalen Patentgesetzen der Vertragsstaaten des EPÜ. In ähnlicher Formulierung ist diese Bestimmung für die vorläufige Prüfung internationaler Patentanmeldungen in Art 33 (4) PCT enthalten.

2 Wichtig ist die Definition für den Schutz von Erfindungen in den Staaten, die bisher gewisse landwirtschaftliche Erfindungen vom Patentschutz ausgeschlossen haben.

Besondere Bedeutung hat diese Bestimmung dadurch erlangt, dass in Art 52 (4) Verfahren zur chirurgischen und therapeutischen Behandlung usw als gewerblich nicht anwendbar fingiert werden (siehe unter Art 52 Rdn 49–51).

2 Herstellung oder Benutzung auf irgendeinem gewerblichen Gebiet

3 Als Grundlage für die Patentierbarkeit genügt die **Möglichkeit** der Herstellung oder Benutzung auf irgendeinem gewerblichen Gebiet. Eine Erfindung gilt als gewerblich anwendbar, wenn ihr Gegenstand auf irgendeinem gewerblichen Gebiet hergestellt oder benutzt werden kann.[1] Dabei ist der Begriff des Gewerbes (industry, industrie) entsprechend der international anerkannten weiten Umschreibung des Begriffs des gewerblichen Eigentums in Art 1 (3) PVÜ weit auszulegen, was durch die Einfügung *einschließlich der Landwirtschaft* deutlich wird.

Die Aufzählung spekulativer Funktionen zB eines Proteins begründet für sich genommen nicht die gewerbliche Anwendbarkeit.[2] Es darf dem Leser einer

---

1 **T 144/83**, ABl 1986, 301, Nr 5; siehe auch **T 870/04** vom 11.5.2005, [2006] EPOR 8, Nr 3 und 4, allerdings mit Einbeziehung der Gewinnerzielung.
2 Entscheidung der Einspruchsabteilung vom **20.6.2001**, ABl 2002, 293.

Patentschrift nicht die volle Last bleiben herauszufinden, wie eine Erfindung gewerblich anwendbar sein könnte; vage und spekulative Hinweise genügen nicht.[3] Die Möglichkeit der Gewinnerzielung ist ein Indiz für gewerbliche Anwendung.[4]

Ein weiterer Hinweis darauf, dass *gewerblich* nicht eng auszulegen ist, sondern als Gegensatz zu privat angesehen werden kann, findet sich in Art 31 Buchst a) GPÜ. Dort wird ausgeführt, dass »Handlungen, die im privaten Bereich zu nicht gewerblichen Zwecken vorgenommen werden«, nicht vom Schutz des Gemeinschaftspatents erfasst werden. In der englischen Fassung lautet die Formulierung *for non-commercial purposes* und in der französischen Fassung *à des fins non commerciales*.

So werden zB Vorrichtungen für religiöse Handlungen gewerblich hergestellt, aber nicht in Ausübung eines Gewerbes benutzt. Das gleiche gilt für Vorrichtungen, die eine Ausübung der Künste erleichtern oder die Arbeit der Polizei bei der Verbrechensbekämpfung unterstützen sollen sowie für ärztliche Geräte, die an Mensch und Tier angewendet werden, da die ärztliche Tätigkeit wegen ihres sozialethischen Einschlags nach herrschender Meinung nicht als Gewerbe angesehen wird.[5]

Ein Verfahren zur Empfängnisverhütung, das im privaten, persönlichen Bereich eines Menschen anzuwenden ist, sah die Beschwerdekammer dagegen nicht als gewerblich anwendbar an.[6]

Wird neben einer ersten medizinischen Anwendung auch eine neue kosmetische Anwendung beansprucht, so kann dieser Anspruch zugelassen werden, da es sich hierbei um eine gewerbliche Anwendung handelt, die nicht unter das Patentierungsverbot des Art 52 (4) fällt.[7] Nach **T 144/83** kann ein chemisches Erzeugnis, das sowohl bei der kosmetischen als auch bei der therapeutischen Behandlung des menschlichen Körpers wirksam ist, für die kosmetische Behandlung patentiert werden (hier: Anwendung eines Appetitzüglers zum Gewichtsverlust gegenüber Heilung von Fettsucht).[8] Die Verwendung solcher Erzeugnisse in Kosmetik- oder Schönheitssalons erfüllt das Erfordernis der gewerblichen Anwendung. Kann man die kosmetische Verwendung von der therapeutischen nicht abgrenzen, ist die Verwendung insgesamt vom Schutz ausgeschlossen.[9]

---

3 **T 870/04** vom 11.5.2005, LS 2, Nr 19 – 21.
4 Vgl **T 870/04** vom 11.5.2005, Nr 4 und 19.
5 AA zB Busse, § 5 Rn 17.
6 **T 74/93**, ABl 1995, 712 und 27 IIC 99 (1996) mit kritischer Anmerkung von Pagenberg, S 104; a.A. Busse, § 5 Rn 17.
7 **T 36/83**, ABl 1986, 295.
8 **T 144/83**, ABl 1986, 301.
9 **T 67/02** vom 14.5.2004 (Kosmetik/Dermatologie).

Artikel 57 *Gewerbliche Anwendbarkeit*

8   Auch reine Prüfverfahren sind gewerbliche Erfindungen, vor allem, wenn sie zur Kontrolle von gewerblichen Erzeugnissen, Geräten oder Verfahren verwendet werden können, zB bei Tieren zur Feststellung, ob pyrogene oder allergische Wirkungen auftreten.[10]

9   Verfahren, die nach Art 52 (2) nicht als Erfindungen gelten, können selbstverständlich nicht dadurch patentfähig werden, dass sie gewerblich verwendet werden, zB administrative Verfahren zur Kontrolle eines Lagers.

10 Die Art und Weise der gewerblichen Anwendbarkeit muss nur dann ausdrücklich angegeben werden, wenn sie für den Fachmann nicht offensichtlich ist. Die Patentansprüche selbst brauchen nicht notwendigerweise auf die gewerbliche Anwendbarkeit beschränkt zu werden.[11]

3 Gewerbliche Anwendbarkeit, Ausführbarkeit und ausreichende Offenbarung

11 Zur gewerblichen Anwendbarkeit gehört auch, dass die vom Anmelder gegebene Lehre ausführbar ist. Dies wird in Art 83 unter dem Gesichtspunkt der Offenbarung der Erfindung ausdrücklich festgestellt.

12 Im Prinzip sind zwei Fälle denkbar, die aber ineinander übergehen können: es wird ein Verfahren oder ein Gerät angemeldet, das in einer Art und Weise betrieben werden soll, die eindeutig im Widerspruch zu feststehenden physikalischen Gesetzen steht (zB bei einem Perpetuum mobile); oder aber es fehlen absichtlich oder unabsichtlich in der Beschreibung Merkmale, so dass es für den Durchschnittsfachmann unmöglich ist, die beschriebene Erfindung auszuführen.

13 Die PrüfRichtl sehen in Bezug auf ein Perpetuum mobile die Anwendung des Art 57 insoweit vor, als der Patentanspruch im einzelnen Angaben über die angestrebte Funktionsweise oder den Zweck der Erfindung enthält und hierauf gerichtet ist. Bei einem bloßen Sachanspruch auf eine besonders spezifizierte Bauweise des Perpetuum mobile ist nach den PrüfRichtl die mangelnde Ausführbarkeit (Art 83) einzuwenden, was zugleich die gewerbliche Anwendung ausschließt.[12]

Zur gemeinsamen Anwendung der Art 57 und 83 siehe PrüfRichtl C-II, 4.11.

---

10   PrüfRichtl C-IV, 4.3.
11   PrüfRichtl C-IV, 4.4; zu den für Gensequenzen notwendigen Angaben siehe PrüfRichtl C-IV, 4.5.
12   PrüfRichtl C-IV, 4.1.

Kapitel II Zur Einreichung und Erlangung des europäischen Patents berechtigte Personen – Erfindernennung

Artikel 58 Recht zur Anmeldung europäischer Patente

Jede natürliche oder juristische Person und jede einer juristischen Person nach dem für sie maßgebenden Recht gleichgestellte Gesellschaft kann die Erteilung eines europäischen Patents beantragen.

Dieter Stauder

Übersicht

1	Allgemeines zur Anmeldeberechtigung	1
2	Anmelder und Erfinder	2
3	Die anmeldeberechtigten Personen und Gesellschaften	3-6
4	Prüfung der Antragsberechtigung	7-8

1 Allgemeines zur Anmeldeberechtigung

Der Artikel legt den Grundsatz der unbeschränkten Berechtigung zur Anmeldung europäischer Patente nieder. Jedermann, gleichgültig welcher Staatsangehörigkeit und welchen Wohnsitzes oder Sitzes weltweit, auch gleichgültig ob Angehöriger eines Verbandsstaates der PVÜ, ist anmeldeberechtigt (anders für die internationale Anmeldung Art 9 PCT; vgl Art 151). Das EPÜ hat damit die Diskussion um die Akzessibilität auf die denkbar liberalste Weise beantwortet. 1

2 Anmelder und Erfinder

Im Verfahren vor dem EPA ist der Anmelder zur Einreichung und Erlangung des europäischen Patents berechtigt. Das materielle Recht auf das europäische Patent steht allerdings dem Erfinder (zu diesem Begriff siehe Art 60 Rdn 4–6) oder seinem Rechtsnachfolger zu (Art 60 (1)). Das EPA prüft aber nicht, ob dem Anmelder dieses Recht zusteht. Vielmehr wird der Anmelder als der berechtigte Inhaber des Rechts auf das europäische Patent behandelt (Art 60 (3)). Auch die Pflicht zur Erfindernennung (Art 81) führt zu keiner anderen Folge. Der Erfinder, der gegenüber dem Anmelder sein Recht auf das europäische Patent durchsetzen will, wird auf den nationalen Rechtsweg verwiesen (Art 61 (1)). 2

Artikel 58   *Recht zur Anmeldung*

3 Die anmeldeberechtigten Personen und Gesellschaften

3   Die Anmeldeberechtigung steht jeder natürlichen Person, also jedem Menschen, und jeder juristischen Person zu. Diesen Personen ist die Eigenschaft der Rechtsfähigkeit gemeinsam. Personengesellschaften, die nach dem für sie maßgebenden Recht juristischen Personen gleichgestellt sind, sind zwar nicht rechtsfähig, dennoch aber anmeldeberechtigt, so die offene Handelsgesellschaft-OHG (§ 124 (1) DE-HGB, § 105 AT-HGB), die Kommanditgesellschaft-KG (§ 161 (2) DE-HGB, § 161 AT-HGB), die GmbH & Co KG sowie nach deutschem Recht die Reederei (§ 493 (3) DE-HGB).

4   Die Anmeldeberechtigung einer natürlichen Person besteht unabhängig davon, ob sie geschäftsunfähig oder beschränkt geschäftsfähig ist. Anmeldeberechtigt sind alle juristischen Personen sowohl des Privatrechts wie des öffentlichen Rechts.

5   Nach welchem Recht (Statut) sich die Geschäftsfähigkeit einer natürlichen Person oder die Existenz der juristischen Person richtet, bestimmt sich ebenso wie bei den gleichgestellten Gesellschaften nach dem maßgebenden nationalen Recht, das sich im Einzelfall nach internationalem Privatrecht bestimmt.

6   Die Gesellschaften des Bürgerlichen Rechts nach deutschem und österreichischem Recht (§ 705 DE-BGB, § 1175 AT-ABGB) und die nicht eingetragenen Vereine (§ 54 DE-BGB) sind nicht den juristischen Personen gleichgestellt. Wollen solche Gesellschaften ein europäisches Patent erhalten, so können sie es nach Art 59 EPÜ (Mehrere Anmelder) beantragen, aber es müssen dann alle Gesellschafter oder Vereinsmitglieder als Anmelder auftreten.

4 Prüfung der Antragsberechtigung

7   Im Erteilungsantrag (R 26 (2) c)) sind Namen und Adresse, Staatsangehörigkeit sowie Wohnsitz- oder Sitzstaat (wegen Prüfung des Vertreterzwangs) anzugeben, bei juristischen Personen und Gesellschaften ihre offiziellen Bezeichnungen (Handelsnamen). Solange keine Zweifel angebracht sind, geht das Amt von der Qualifikation des Anmelders aus.[1] Das Amt hat aber erkennbare Mängel in der Rechtsstellung und in der gesetzlichen Vertretung zu beachten, wie die Unterbrechung des Verfahrens aufgrund fehlender Geschäftsfähigkeit des Anmelders oder Patentinhabers zeigt (R 90 (1) a)).

8   Für die Zuerkennung eines Anmeldetags nach Art 80 genügen zur Anmeldeberechtigung Angaben, die es erlauben, die Identität des Anmelders unter Zuhilfenahme sämtlicher Angaben in den eingereichten Unterlagen zweifelsfrei festzustellen (siehe Art 80 Rdn 2–6).[2]

---

1   Van Empel, Nr 149.
2   **J 25/86**, ABl 1987, 475; PrüfRichtl A-II, 4.4.

Artikel 59 Mehrere Anmelder

Die europäische Patentanmeldung kann auch von gemeinsamen Anmeldern oder von mehreren Anmeldern, die verschiedene Vertragsstaaten benennen, eingereicht werden.

Dieter Stauder

Übersicht

1	Allgemeines	1-2
2	Mehrheit von Anmeldern (Terminologie)	3-6
3	Gemeinsamer Vertreter	7-8
4	Patenterteilung an verschiedene Anmelder	9-11

1 Allgemeines

Dieser Artikel sieht vor, dass eine europäische Patentanmeldung auch von mehreren Personen gemeinsam eingereicht werden kann und dass diese auch verschiedene Vertragsstaaten benennen können. Die gemeinsame Einreichung einer Anmeldung setzt ein einheitliches Verfahren vor dem EPA in Gang, das auch bei der Aufspaltung der Vertragsstaaten unter mehrere Anmelder einheitlich bleibt (Art 118 – Einheit des Verfahrens). Eine Ausnahme besteht für das Einspruchsverfahren, wenn in einem Vertragsstaat aufgrund einer rechtskräftigen Entscheidung ein neuer Patentinhaber anstelle des bisherigen in das Patentregister dieses Staats eingetragen ist: Der neue Patentinhaber und der bisherige Patentinhaber für die anderen Vertragsstaaten gelten in Bezug auf diesen Staat nicht als gemeinsame Inhaber, es sei denn, beide verlangen es (Art 99 (5)). 1

Weitere Einzelheiten des Verfahrens bei mehreren Anmeldern finden sich in R 26 (3), 52 und 100. Siehe auch PrüfRichtl A-II, 2, A-III,4.2.1 und 12.1.

Auch nach dem PCT können im Antrag der internationalen Anmeldung für verschiedene Bestimmungsstaaten verschiedene Anmelder angegeben werden (R 4.5 PCT). 2

2 Mehrheit von Anmeldern (Terminologie)

Zwei Anmelder können die gleichen Staaten oder verschiedene Staaten benennen, sie können auch teils die gleichen und teils verschiedene Staaten benennen. Die Benennung muss bei der Anmeldung erfolgen und zwar im Erteilungsantrag (R 26 (2) h)). Spätere Benennungen sind nicht möglich. 3

Die europäische Patentanmeldung durch eine Mehrheit von Anmeldern erfasst also zwei verschiedene Fälle: Eine europäische Patentanmeldung kann entweder von mehreren Personen gemeinsam für dieselben benannten Vertragsstaaten oder von mehreren Anmeldern für verschiedene Vertragsstaaten 4

Artikel 59 *Mehrere Anmelder*

eingereicht werden; nach Art 118 Satz 1 gelten auch sie im Verfahren vor dem EPA als gemeinsame Anmelder.[1]

5   Eine Mehrheit von Anmeldern kann auch nachträglich durch Übertragung der europäischen Patentanmeldung für alle oder verschiedene Vertragsstaaten (rechtsgeschäftliche Übertragung, gesetzliche Rechtsnachfolge usw) zustande kommen (Art 71).

6   Das EPÜ eröffnet mit der Möglichkeit einer Mehrheit von Anmeldern für verschiedene Vertragsstaaten von Anfang an die geographische Aufspaltung der europäischen Patentanmeldung und des europäischen Patents, die für das Gemeinschaftspatent ausgeschlossen ist (Art 3 GPÜ).

3 Gemeinsamer Vertreter

7   Nach R 26 (3) soll im Fall mehrerer Anmelder, ebenso der gemeinsamen Anmelder, im Erteilungsantrag ein Anmelder oder Vertreter als gemeinsamer Vertreter bezeichnet werden. Nach dem PCT kann ein gemeinsamer Vertreter oder von den berechtigten Anmeldern einer von ihnen als gemeinsamer Vertreter bestellt werden (R 90.2 a), 90.1 a) PCT).

8   Ist ein gemeinsamer Vertreter nicht bezeichnet worden, wird nach R 100 der in der europäischen Patentanmeldung zuerst genannte Anmelder gemeinsamer Vertreter aller Anmelder (Art 133 Rdn 38–44; R 90.2 b). R 19.1 PCT enthält für internationale Anmeldungen die gleiche Regelung.

4 Patenterteilung an verschiedene Anmelder

9   Gemeinsamen Anmeldern wird das Patent gemeinsam erteilt. Sie erhalten eine Urkunde über das europäische Patent durch Zustellung an den bezeichneten Anmelder oder an den gemeinsamen Vertreter.

10 Im Fall der Erteilung eines europäischen Patents an mehrere Anmelder für verschiedene Staaten wird nach R 52 das europäische Patent den verschiedenen Anmeldern jeweils für die betreffenden Vertragsstaaten erteilt. Jeder von ihnen erhält eine eigene Urkunde (R 54 (1)). In dieser Patenturkunde für mehrere Anmelder für verschiedene Staaten, die inhaltlich für alle Patentinhaber gleich ist, werden die Patentnummer und die jeweiligen Patentinhaber in den verschiedenen Vertragsstaaten angegeben.

11 Aufgrund Mängelberichtigung nach R 88 kann der Name des Anmelders durch einen anderen ersetzt werden;[2] siehe Art 60 Rdn 20, aber auch Art 123 Rdn 149).

---

1   Vgl **J 2/01**, ABl 2005, 88, Nr 2.5.1.
2   **J 18/93**, ABl 1997, 326.

Artikel 60 Recht auf das europäische Patent

(1) Das Recht auf das europäische Patent steht dem Erfinder oder seinem Rechtsnachfolger zu. Ist der Erfinder ein Arbeitnehmer, so bestimmt sich das Recht auf das europäische Patent nach dem Recht des Staats, in dem der Arbeitnehmer überwiegend beschäftigt ist; ist nicht festzustellen, in welchem Staat der Arbeitnehmer überwiegend beschäftigt ist, so ist das Recht des Staats anzuwenden, in dem der Arbeitgeber den Betrieb unterhält, dem der Arbeitnehmer angehört.

(2) Haben mehrere eine Erfindung unabhängig voneinander gemacht, so steht das Recht auf das europäische Patent demjenigen zu, dessen europäische Patentanmeldung den früheren Anmeldetag hat; dies gilt jedoch nur, wenn diese frühere Anmeldung nach Artikel 93 veröffentlicht worden ist, und nur mit Wirkung für die in der veröffentlichten früheren Anmeldung benannten Vertragsstaaten.

(3) Im Verfahren vor dem Europäischen Patentamt gilt der Anmelder als berechtigt, das Recht auf das europäische Patent geltend zu machen.

Dieter Stauder

Übersicht
1	Allgemeines	1-3
2	Recht des Erfinders auf das europäische Patent	4-6
3	Miterfinder	7-10
4	Rechtsnachfolger	11
5	Arbeitnehmererfindung	12-15
6	Doppelerfindungen	16-18
7	Fiktion der Berechtigung des Anmelders	19-20

1 Allgemeines

Das Recht auf das europäische Patent ist der materiell-rechtliche Anspruch, der von dem formellen (verfahrensrechtlichen) Erteilungsanspruch nach Art 58 zu unterscheiden ist. Das EPA hat sich um den wahren materiell-rechtlich Berechtigten nicht zu kümmern. Für das Verfahren vor dem EPA gilt der Anmelder als Inhaber des Rechts auf das europäische Patent (Abs 3). Die Ersetzung des Namens des Anmelders durch einen anderen aufgrund der Berichtigung von Mängeln nach R 88 ist allerdings möglich;[1] siehe jedoch Art 123 Rdn 149.

Soweit nach dem EPÜ der Erfinder oder sein Rechtsnachfolger als wahrer Berechtigter auf das europäische Patent angesehen wird, wird dem Erfindergrundsatz gefolgt. Dieses Prinzip wird für das europäische Patenterteilungs-

---

[1] **J 18/93**, ABl 1997, 326.

verfahren durch zwei Regelungen durchbrochen, die dem Erstanmeldergrundsatz (first-to-file-Prinzip) folgen:

a) Im Falle der Doppelanmeldung einer Erfindung durch unabhängige Erfinder erwirbt nur der Erstanmelder das Recht auf das europäische Patent;
b) im Verfahren vor dem EPA gilt der Anmelder als die (formell) berechtigte Person (gesetzliche Fiktion).

3   Streitigkeiten zwischen Anmelder und Erfinder um den Erteilungsanspruch auf das europäische Patent sind von den nationalen Gerichten zu entscheiden (siehe Art 61).

Monographien zu Art 60 und 61: Cronauer, Das Recht auf das Patent im Europäischen Patentübereinkommen (1988); Ohl, Die Patentvindikation im deutschen und europäischen Recht (1987); Heath in MünchGemKom, 27. Lieferung, 2004, Artikel 58–62.

EPÜ 2000

Der Text ist verbessert und geändert, um der Streichung von Art 54 (4) Rechnung zu tragen.

2 Recht des Erfinders auf das europäische Patent

4   Die Erfindung als eine geistige und somit individuelle Leistung wird von dem Erfinder hervorgebracht, der stets eine natürliche Person ist. Die persönlichkeitsrechtliche Anerkennung des Erfinders erfolgt durch die Erfindernennung nach Art 81.

5   Der Begriff des Erfinders als Schöpfer oder Urheber der Erfindung ist für das EPÜ konventionsautonom auszulegen. Eine Auslegung des Erfinderbegriffs nach nationalem Recht (van Empel, Nr 152), dessen Anwendbarkeit nach internationalem Privatrecht bestimmt würde, ist vom Konventionsgeber nicht gewollt (Cronauer, S 50 ff mwNachw). Die Entscheidungen der nationalen Gerichte und die Stellungnahmen der Literatur können als Erkenntnisquellen für die konventionsautonome Auslegung des Erfinderbegriffs herangezogen werden.

6   Nach dem Erfindergrundsatz in Abs 1 Satz 1 steht das Recht auf das europäische Patent de jure dem Erfinder oder im Falle eines Rechtsübergangs seinem Rechtsnachfolger zu.[2] Das Recht auf das europäische Patent kann aber auch in der Person des Arbeitgebers entstehen, wenn das anzuwendende nationale Recht dies bestimmt oder zulässt (Art 60 (1) Satz 2; siehe Rdn 12–15).

3 Miterfinder

7   Sind mehrere Personen an der Entstehung einer Erfindung beteiligt, so sind sie Miterfinder an dieser gemeinschaftlichen Erfindung. Über die Miterfinder-

---

2   So G 3/92, ABl 1994, 607, Nr 2.

schaft enthält die Konvention keine Bestimmung. In den vorbereitenden Arbeiten taucht seit 1962 auch kein Vorschlag mehr auf. Miterfinder haben die gleiche Rechtsposition wie der Einzelerfinder. Art 81 geht bei der Erfindernennung ebenfalls von der Gleichbehandlung aller Erfinder aus.

Die Anerkennung als Miterfinder hängt von dem Beitrag ab, den der Beteiligte bei der Entwicklung der Erfindung geleistet hat. So reicht eine rein handwerkliche Beteiligung an der Ausführung nicht aus, während eine erfinderische Mitwirkung den Beteiligten zum Miterfinder macht. Da Miterfinderschaft nur eine besondere Ausgestaltung der Erfinderschaft ist, ist sie ebenfalls konventionsautonom und nicht nach dem jeweils anwendbaren nationalen Recht zu bestimmen.[3] Wie für den Erfinderbegriff kann auch für die Auslegung des Miterfinderbegriffs auf Erkenntnisse und Äußerungen im sonstigen internationalen und nationalen Bereich zurückgegriffen werden. 8

Miterfinder erwerben das Recht auf das europäische Patent gemeinsam. Wird ein Miterfinder bei der Anmeldung des gemeinsamen europäischen Patents von seinem Miterfinder oder seinen Miterfindern ausgeschlossen, so muss er zunächst seine Mitberechtigung an der Erfindung vom nationalen Gericht feststellen lassen. Es liegt nahe, in diesem Verfahren auf Feststellung der Miterfinderschaft auch das Recht des Miterfinders auf Erteilung des europäischen Patents feststellen zu lassen; Voraussetzung dafür ist aber, dass das angerufene Gericht nach dem Anerkennungsprotokoll (siehe Anhang 2) für diese Entscheidung zuständig ist. 9

Erst nach Obsiegen kann er sein Recht auf die Erteilung des europäischen Patents gegenüber der Erfindergemeinschaft nach Art 61 geltend machen. Steht seine Berechtigung zur Anmeldung fest, so kann er in analoger Anwendung des Art 61 (1) a) neben den anderen Anmeldern am weiteren Erteilungsverfahren teilnehmen. Die Rechte nach Art 61 (1) b) und c), die auf den Miterfinderstreit schlecht passen, kann er allenfalls gemeinsam mit den anderen Anmeldern geltend machen. Nach Anerkennung der Klage aus Art 61 sind die Miterfinder wie gemeinsame Anmelder nach Art 59 zu behandeln.[4] Auch im Miterfinderstreit ist Aussetzung nach R13 (1) denkbar.[5] 10

4 Rechtsnachfolger

Der Rechtsnachfolger, im EPÜ nicht definiert, leitet seine Rechtsposition vom Erfinder ab. Die Rechtsnachfolge bestimmt sich nach dem nationalen Recht, dessen Anwendbarkeit sich nach internationalem Privatrecht regelt. Als anzuwendendes nationales Recht kann wegen der freien Akzessibilität (siehe Art 58 Rdn 1) das Recht eines jeden Landes der Welt in Betracht kommen. Dies gilt 11

---

3   So auch Heath in MünchGemKom, Art 60 Rn 12; anders Cronauer, S 51.
4   So der Vorschlag von Heath in MünchGemKom, Art 61 Rn 54.
5   Heath in MünchGemKom, Art 61 Rn 55.

auch für die verschiedenen Formen des Rechtsübergangs der europäischen Patentanmeldung nach Art 74.

5 Arbeitnehmererfindung

12 Wegen der sehr unterschiedlichen Ausgestaltung des Arbeitnehmererfinderrechts begnügt sich das EPÜ mit der Verweisung auf das nationale Arbeitnehmerrecht. Auch hier ist die Anwendung des Arbeitnehmererfinderrechts nicht nur der Vertragsstaaten, sondern aller Staaten der Welt denkbar.

13 Im Fall einer Arbeitnehmererfindung verweist Abs 1 Satz 2 auf das Recht des Staates, in dem der Arbeitnehmer überwiegend beschäftigt ist, hilfsweise auf das Recht des Staates, in dem der Arbeitgeber den Betrieb unterhält, dem der Arbeitnehmer angehört. Zunächst muss als Vorfrage geklärt werden, ob der Erfinder Arbeitnehmererfinder ist. Die Antwort kann auf unterschiedlichen Wegen gesucht werden: Nach dem Recht des befassten Gerichts (lex fori), nach dem Ort des Arbeitsplatzes oder Unternehmenssitzes (lex causae), nach allgemeinem internationalem Privatrecht oder aufgrund autonomer Auslegung.[6] Für das EPÜ ist eine möglichst praxisnahe, einfache und international akzeptable Lösung zu wählen.[7] Die Arbeitnehmererfindereigenschaft ist daher nach dem Recht des Arbeitsplatz- oder Unternehmenssitzes, Abs 1 Satz 2, zu bestimmen. Diese Anknüpfung entspricht dem international anerkannten Arbeitsstatut.

14 Aufgrund der Verweisung des EPÜ auf das Recht des Beschäftigungsortes oder des Betriebsstandorts muss nach dem in diesem Staat anwendbaren Arbeitnehmererfinderrecht entschieden werden, ob und unter welchen Voraussetzungen dem Arbeitnehmer oder dem Arbeitgeber das Recht auf das europäische Patent zusteht. Eine Rechtswahlvereinbarung zwischen Arbeitgeber und Arbeitnehmer ist zu berücksichtigen, wenn das anzuwendende nationale Recht eine solche zulässt. Zu kompliziert wäre es, in Abs 1 Satz 2 eine Verweisung auf das nationale Recht einschließlich des gesamten Kollisionsrechts zu sehen (Gesamtnormverweisung).[8] Die Gefahr der Weiterverweisung würde die Anwendbarkeit der Vorschrift erheblich erschweren und das Ziel vereiteln, auf möglichst einfachem Weg das anzuwendende nationale Arbeitnehmererfinderrecht zu finden.

15 Hat ein nichtberechtigter Arbeitgeber eine europäische Patentanmeldung eingereicht, so muss der Arbeitnehmer sein Recht nach Art 61 bei dem zuständigen nationalen Gericht einklagen, das aufgrund der auf Art 60 (1) Satz 2 ver-

---

6 Cronauer, S 114–126.
7 Zustimmend Heath in MünchGemKom, Art 60 Rn 22.
8 Siehe Straus, Die international-privatrechtliche Beurteilung von Arbeitnehmererfindungen im europäischen Patentrecht, GRUR Int 1984, 1.

weisenden Zuständigkeit nach Art 4 AnerkProt (siehe Anhang 2) meist sein eigenes Recht anzuwenden hat.

6 Doppelerfindungen

Abs 2 ordnet für den Fall, dass mehrere Anmelder eine Erfindung unabhängig voneinander gemacht haben, den Erstanmeldergrundsatz (first-to-file-Prinzip) an. Das Recht auf das europäische Patent steht dem Anmelder mit dem älteren (europäischen) Anmelde- bzw Prioritätstag (Art 89) zu. Die Wirkung der älteren Anmeldung tritt aber nur im Fall ihrer Veröffentlichung und nur mit Wirkung für die in der älteren (europäischen) Anmeldung genannten Staaten (Art 54 (3) und (4)) ein.

Es muss sich bei der älteren (europäischen) Anmeldung um eine im Zeitpunkt der Veröffentlichung wirksame Anmeldung handeln. Ist sie vor der Veröffentlichung zurückgenommen worden, so steht das Recht auf das europäische Patent dem späteren Anmelder zu, da die ältere Anmeldung ihre Wirkung nicht entfaltet;[9] siehe auch Art 54 Rdn 82.

Haben Doppelerfindungen den gleichen Anmelde- oder Prioritätstag, so steht das Recht auf das europäische Patent jedem Anmelder für seine Anmeldung zu (Art 54 Rdn 82).

7 Fiktion der Berechtigung des Anmelders

Abs 3 enthält das Anmelderprinzip für das Verfahren vor dem EPA. Aufgrund Fiktion gilt der Anmelder oder bei Mehrheit der Anmelder gelten diese (und zwar die registrierten)[10] als Berechtigte, ohne dass das EPA diese Berechtigung nachprüft. »De facto« kann jede andere Person als der nach Art 60 (1) und (2) »de jure«-Berechtigte eine europäischen Patentanmeldung einreichen.[11] Es obliegt dem nach Art 60 (1) materiell Berechtigten, sein Recht nach Art 61 geltend zu machen. Die Legitimation des Anmelders oder des aufgrund Umschreibung neu im Patentregister eingetragenen Patentinhabers kann im Erteilungs- und Einspruchsverfahren nicht bestritten werden.[12]

Im Wege der Mängelberichtigung nach R 88 kann der Name des Anmelders durch einen neuen ersetzt werden. An die Beweislast werden hohe Anforderungen gestellt, um Missbrauch von R 88 zu verhindern.[13] Die Stelle, die die Berichtigung vornehmen soll, muss davon überzeugt sein, dass mit der Berich-

---

9 Obiter dictum in **J 5/81**, ABl 1982, 155.
10 **J 2/01**, ABl 2005, 88, Nr 2.6.
11 **G 3/92**, ABl 1994, 607, Nr 2.
12 **T 553/90**, ABl 1993, 666.
13 **J 18/93**, ABl 1997, 326, Nr 2 und 3, wobei die schriftliche Zustimmung des bisher eingetragenen Anmelders berücksichtigt wurde.

tigung nicht unter Missbrauch der R 88 in Wahrheit ein Rechtsübergang verschleiert werden soll (siehe jedoch Art 123 Rdn 149).

Artikel 61 Anmeldung europäischer Patente durch Nichtberechtigte

(1) Wird durch rechtskräftige Entscheidung der Anspruch auf Erteilung eines europäischen Patents einer in Artikel 60 Absatz 1 genannten Person, die nicht der Anmelder ist, zugesprochen, so kann diese Person, sofern das europäische Patent noch nicht erteilt worden ist, innerhalb von drei Monaten nach Eintritt der Rechtskraft der Entscheidung in Bezug auf die in der europäischen Patentanmeldung benannten Vertragsstaaten, in denen die Entscheidung ergangen oder anerkannt worden ist oder auf Grund des diesem Übereinkommen beigefügten Anerkennungsprotokolls anzuerkennen ist,

a) die europäische Patentanmeldung anstelle des Anmelders als eigene Anmeldung weiterverfolgen,

b) eine neue europäische Patentanmeldung für dieselbe Erfindung einreichen oder

c) beantragen, dass die europäische Patentanmeldung zurückgewiesen wird.

(2) Auf eine nach Absatz 1 eingereichte neue europäische Patentanmeldung ist Artikel 76 Absatz 1 entsprechend anzuwenden.

(3) Das Verfahren zur Durchführung des Absatzes 1, die besonderen Erfordernisse für eine nach Absatz 1 eingereichte neue europäische Patentanmeldung und die Frist zur Zahlung der Anmeldegebühr, der Recherchengebühr und der Benennungsgebühren für die neue Anmeldung sind in der Ausführungsordnung vorgeschrieben.

Dieter Stauder

Übersicht

1	Allgemeines	1-4
2	Befugnis nur für die europäische Patentanmeldung	5
3	Keine Anhängigkeit der europäischen Patentanmeldung erforderlich	6-8
4	Anerkennung des Urteils	9-14
5	Beschränkung der Zurücknahme der europäischen Patentanmeldung und Aussetzung (R 13, 14)	15-23
6	Weiterverfolgung der europäischen Patentanmeldung als eigene	24-27

7	Einreichung einer neuen europäischen Patentanmeldung	28–30
8	Teilweiser Rechtsübergang	31–32
9	Zurückweisung der europäischen Patentanmeldung	33

1 Allgemeines

Art 61 zusammen mit dem Anerkennungsprotokoll (siehe Anhang 2) und den Regeln der AO bilden das – komplizierte – Verfahrensgerüst dafür, dass das EPA von Streitigkeiten über die materielle Patentberechtigung freigehalten wird und Entscheidungen darüber den zuständigen nationalen Spruchkörpern überlassen bleiben.[1] **1**

Der Artikel enthält zwei Regelungsbereiche. Er setzt die Erfordernisse fest, die erfüllt sein müssen, damit der berechtigte Inhaber des Rechts auf das europäische Patent anstelle des bisherigen Anmelders – oder im Falle der Miterfindung daneben – zum Verfahren vor dem EPA zugelassen wird. Als zweites gibt der Artikel dem obsiegenden Rechtsinhaber drei Möglichkeiten, seine Rechte zu wahren (siehe Rdn 24–32). **2**

Art 61 regelt für die europäische Patentanmeldung einen Bereich, der in den Vertragsstaaten mit den Begriffen der *erfinderrechtlichen Vindikationsklage*, der *widerrechtlichen Entnahme* und der *Rechtsinhaberschaft* verbunden ist. Art 61 bildet nicht selbst die Anspruchsgrundlage des wahren Berechtigten gegen den Nichtberechtigten, sondern überlässt dem nationalen Recht, die rechtlichen Einzelheiten der Vindikationsklage inhaltlich näher auszugestalten.[2] Nur zwei Vertragsstaaten (DE; GB) haben eigens Vorschriften zur Anwendung von Art 61 (1) formuliert; Einzelheiten siehe Cronauer, S 158–163 mit Nachweis des Rechts der Vertragsstaaten. **3**

Die nach Art 61 berechtigten Personen sind die in Art 60 (1) Genannten. Damit erfasst die Vorschrift nicht nur den klassischen Fall der Anmeldung einer widerrechtlich entnommenen (gestohlenen) Erfindung, sondern auch den Streit zwischen Arbeitnehmer und Arbeitgeber um das Recht auf die Erteilung des europäischen Patents sowie des rechtmäßigen Miterfinders gegen den oder die Miterfinder, die ihn bei der Anmeldung übergangen haben. Bei Miterfinderschaft steht das Recht auf das europäische Patent allen Miterfindern zu, die, wenn sie einen Miterfinder nicht an der Anmeldung beteiligen, als Unberechtigte handeln. **4**

---

[1] AT-OGH vom 20.10.1992 – *Holzlamellen* –, Österr Patentblatt 1993, 154 = GRUR Int 1994, 65; Cronauer, S 155.

[2] AT-OGH vom 20.10.1992 – *Holzlamellen* –, Österr Patentblatt 1993, 154 = GRUR Int 1994, 65 im Anschluss an Stauder in MünchGemKom, 6. Lieferung, Art 1 AnerkProt Rn 1 und 6.

Aus der Literatur ist hinzuweisen auf Cronauer, Das Recht auf das Patent im europäischen Patentübereinkommen, Heymanns 1988, und Stauder in Münch-GemKom, AnerkProt (6. Lieferung); siehe auch PrüfRichtl A-IV, 2.

2 Befugnis nur für die europäische Patentanmeldung

5 Ist das europäische Patent erteilt, so endet die Befugnis des EPA nach Art 61. Der wahre Berechtigte muss nun für jeden benannten Vertragsstaat, für den ein europäisches Patent erteilt ist, Patentvindikationsklage nach nationalem Recht erheben. Die entscheidende Zäsur ist die Patenterteilung durch Hinweis auf die Erteilung im europäischen Patentblatt (Art 97 (4)). Bis dahin – auch noch nach Abschluss der Beschlussfassung – ist die Aussetzung nach R 13 (1) und die Sicherung des zentralen Verfahrens auch nach R 14 und Art 61 möglich;[3] siehe Rdn 15–23. Für die EU-Staaten besteht allerdings die Möglichkeit, nach der EuGVVO (vor dem 1.3.2002 nach dem EuGVÜ) ein in den EU-Staaten anzuerkennendes Urteil auf Übertragung des europäischen Patents zu erstreiten.[4] Für die EFTA-Staaten eröffnet das Übereinkommen von Lugano diesen Weg.

3 Keine Anhängigkeit der europäischen Patentanmeldung erforderlich

6 Nach **G 3/92** – **Latchways** –, der ersten Entscheidung mit abweichender Minderheitsmeinung,[5] kann der obsiegende Anmelder nach Art 61 (1) b) eine neue europäische Patentanmeldung – mit Anerkennung des Prioritätsdatums der ursprünglichen Anmeldung – einreichen, auch wenn zum Zeitpunkt der Einreichung die ältere widerrechtliche Anmeldung nicht mehr vor dem EPA anhängig ist. Das EPA erkannte damit eine Entscheidung des britischen Patentamts an, das in erster Instanz zur Feststellung des Rechts auf das europäische Patent zuständig war, obwohl die europäische Patentanmeldung nicht mehr anhängig war. Nach britischer Praxis kann das Recht auf das Patent auch für zurückgezogene oder fallengelassene Patentanmeldungen zugesprochen werden.[6] In den Staaten, in denen der Streit um die Berechtigung auf das Patent als Vindikationsklage ausgestaltet ist, erscheint eine solche Situation schwer denkbar, weil diese Form der Herausgabeklage das Bestehen der vindizierten Rechtsposition voraussetzt. Aufgrund der rechtlichen Ausgestaltung von Art 61 mit den begleitenden Ausführungsvorschriften dürfte die Minderheitsmeinung der Großen Beschwerdekammer eher die historisch gewollte und systematisch richtige Auslegung getroffen haben.

---

3   **J 7/96**, ABl 1999, 443.
4   EuGH vom 15.11.1983 – *Duijnstee./.Goderbauer* –, EuGH Slg 1983, 3663; GRUR Int 1984, 693 mit Anmerkung Stauder; Stauder, IPrax 1985, 76.
5   G 3/92 – *Latchways* –, ABl 1994, 607.
6   Siehe C.I.P.A. Guide to the Patents Act, 3rd ed., 5th Cumulative Supplement 28.1.1994, Sec. 8 n. 8.11.

Die Mehrheitsmeinung hat dagegen rechtsentwickelnd eine den wahren Berechtigten und damit den Erfinder begünstigenden Weg eingeschlagen. Sie weist die nationalen Gerichte aber auf den Konflikt hin, der entsteht, wenn zwischen dem Fallenlassen der europäischen Patentanmeldung durch den unberechtigten Anmelder und der Neuanmeldung durch den wahren Berechtigten Dritte die Erfindung in gutem Glauben in Benutzung genommen haben. Diesem Umstand können die nationalen Gerichte, wenn der Dritte wegen Verletzung später in Anspruch genommen wird, zB durch Anerkennung eines Zwischenbenutzungsrechts Rechnung tragen.[7] Die Große Beschwerdekammer überlässt es dabei den nationalen Gerichten, einen etwaigen Verzug des wahren Berechtigten bei der Weiterverfolgung der erloschenen europäischen Patentanmeldung zu berücksichtigen.[8] Weitere Konsequenz der Mehrheitsentscheidung ist folgerichtig die Beschränkung der Rechte aus Art 61 (1) auf die Einreichung der neuen europäischen Patentanmeldung nach 61 (1) b). 7

Der Bundesgerichtshof ist wegen der nach seiner Auffassung anderen Gesetzeslage dem Weg der Großen Beschwerdekammer im Fall einer zurückgenommenen Patentanmeldung nicht gefolgt.[9] 8

4 Anerkennung des Urteils

Um die Rechte aus Art 61 (1) zu erwerben, muss der wahre Berechtigte eine rechtskräftige und anzuerkennende Entscheidung vorlegen. Beides hat das EPA zu prüfen. 9

Hinsichtlich des Inhalts der Entscheidung beschränkt sich Art 61 (1) auf »eine gewisse inhaltliche Vorskizzierung des Urteilstenors«.[10] Es ist nicht entscheidend, wie die wörtliche Formulierung des Urteilsspruchs aussieht, zu deren Auslegung der Inhalt der Entscheidungsgründe heranzuziehen ist. Es muss sich aber aus dem Urteil hinreichend deutlich ergeben, dass der Kläger statt des beklagten Anmelders (oder neben ihm) der nach Art 60 (1) Berechtigte ist.[11] Im Verfahren vor dem nationalen Gericht sollte der Kläger auf eine entsprechende Formulierung des Urteilsspruchs (Tenor) hinwirken. 10

Die Entscheidung entfaltet ihre Wirkung für den benannten Vertragsstaat, in dem sie ergangen ist, und für die weiteren benannten Vertragsstaaten, in denen sie anerkannt worden ist oder aufgrund des AnerkProt (siehe Anhang 2) anzuerkennen ist. Das AnerkProt erleichtert als wichtigstes Anerkennungsinstrument die Anwendung von Art 61 für die Vertragsstaaten des EPÜ. Es geht 11

---

7   **G 3/92** – *Latchways* –, ABl 1994, 607, Nr 6.
8   **G 3/92** – *Latchways* –, ABl 1994, 607, Nr 4.4.
9   DE-BGH vom 29.4.1997 – *Drahtbiegemaschine* –, GRUR 1997, 890.
10 AT-OGH vom 20.10.1992 – *Holzlamellen* –, Österr Patentblatt 1993, 154 (158) = GRUR Int 1994, 65, Leitsätze dreisprachig in ABl 1993, 751.
11 AT-OGH vom 20.10.1992 – *Holzlamellen* –, Österr Patentblatt 1993, 154 (157).

grundsätzlich anderen Anerkennungsabkommen vor (vgl Art 11 (1) Anerk-Prot). Nicht anzuerkennen nach dem AnerkProt sind Entscheidungen von und für Vertragsstaaten, die einen Vorbehalt nach Art 167 (2) d) erklärt haben, für die Dauer des Vorbehalts.

12 Das EPA hat die Anerkennungsfähigkeit der Entscheidung zu prüfen und festzustellen.[12] Die Zuständigkeit des Gerichts darf das EPA nicht überprüfen;[13] ebenso ist die Gesetzmäßigkeit der Entscheidung der Überprüfung entzogen (Art 9 (2) AnerkProt). Es hat jedoch die Rüge nicht ordnungsgemäßer und nicht rechtzeitiger Klagezustellung sowie die Unvereinbarkeit mit einem Urteil aufgrund einer früher eingereichten Klage zu prüfen (Art 10 AnerkProt). Eines Anerkennungsverfahrens durch die anderen Vertragsstaaten bedarf es nicht (Art 9 (1)) – außer bei Anerkennungsabkommen mit Drittstaaten (Art 11 (1) AnerkProt, siehe Anhang 2).

13 Die Zuständigkeit einer nach nationalem Recht gleichgestellten Behörde[14] ist jedenfalls dann nicht nachzuprüfen, wenn der Vertragsstaat eine entsprechende Mitteilung an das EPA gemacht hat (vgl Art 1 (2) Satz 2 AnerkProt). Die fehlende Mitteilung hindert nicht die Anerkennungsfähigkeit, hat das EPA aber zur Nachprüfung der Zuständigkeit zu veranlassen.[15]

14 Auch Gerichtsentscheidungen von Nichtvertragsstaaten können anerkannt werden, besonders wenn das Gericht den wegen der Anwendung des ausländischen Rechts und des Wohnsitzes oder Sitzes der Parteien geeigneteren internationalen Gerichtsstand besitzt. Wegen der weltweit freien Zugänglichkeit des europäischen Patenterteilungsverfahrens wäre eine Beschränkung der gerichtlichen Zuständigkeit auf die Gerichte der Vertragsstaaten zu eng und würde berechtigten Interessen der Anmelder schaden, die das europäische System benutzen.[16]

---

12 Siehe im einzelnen Stauder in MünchGemKom, 6. Lieferung, Art 9 AnerkProt Rn 4–10.
13 Art 9 (2) AnerkProt; **G 3/92** – *Latchways* –, ABl 1994, 607, Nr 3.1.
14 ZB der Comptroller des UK-Patentamts nach Sec. 12 (1) UK-PatG, siehe **G 3/92** – *Latchways* –, ABl 1994, 607, Nr II; in Österreich das Patentamt nach AT-OGH vom 20.10.1992 – *Holzlamellen* –, Österr Patentblatt 1993, 154 = GRUR Int 1994, 65; Leitsätze dreisprachig in ABl 1993, 751.
15 So im Ansatz AT-OGH vom 20. 10. 1992 – *Holzlamellen* –, Österr Patentblatt 1993, 154 = GRUR Int 1994, 65.
16 Vgl Erwägungen in **J 34/86** vom 15.3.1988, EPOR 88, 266; Stauder in MünchGemKom, 6. Lieferung, AnerkProt Art 6 Rn 4 und 11; ebenso vertiefend Heath in MünchGemKom, Art 61 Rn 59–63.

5 Beschränkung der Zurücknahme der europäischen Patentanmeldung und Aussetzung (R 13, 14)

Während des Rechtsstreits um das Recht auf das europäische Patent muss der 15
Anmelder daran gehindert werden, Handlungen zuungunsten des wahren Berechtigten vorzunehmen und insbesondere die europäische Patentanmeldung zurückzunehmen. R 14 entzieht deshalb dem Anmelder mit der Aussetzung das Recht, die europäische Patentanmeldung oder die Benennung eines Vertragsstaates zurückzunehmen, wenn der Dritte gegenüber dem EPA nachweist, dass er ein Verfahren wegen des Rechts auf das europäische Patent eingeleitet hat. R 14 dient dem Schutz des Dritten, der nach R 13 (1) Aussetzung verlangt (siehe Rdn 17 ff), und enthält ein absolutes Verfügungsverbot, das bis zur Patenterteilung nach Art 97 (4), auch noch nach Abschluss der Entscheidungsfindung seine Wirkung entfaltet.[17] Aus allen drei Fassungen des EPÜ ergibt sich ein absolutes Verbot.

Seit **G 3/92** ist allerdings die Zurücknahme der europäischen Patentanmeldung grundsätzlich kein Hindernis für eine Neuanmeldung nach Art 61 (1) 16
b).[18] Dies gilt aber nur, falls ein nationales Gericht nach dem anwendbaren nationalen Recht trotz Zurücknahme der Patentanmeldung den Anspruch auf Erteilung des europäischen Patents dem Berechtigten zuspricht. Dies ist bisher nur in Großbritannien geschehen (vgl Rdn 6–8).

Zum Schutz des wahren Berechtigten sieht R 13 (1) die Aussetzung des Verfahrens vor für die Zeit nach der Veröffentlichung der europäischen Patentanmeldung (R 13 (1) Satz 3). Voraussetzung hierfür ist der Nachweis, dass er gegen den Anmelder ein Verfahren eingeleitet hat mit dem Verlangen, dass ihm der Anspruch auf Erteilung des europäischen Patents zugesprochen wird (so R 13 (1) Satz 1). Ist die Entscheidung zu seinen Gunsten ergangen, so kann er innerhalb von 3 Monaten nach Rechtskraft der Entscheidung von den in Art 61 (1) aufgeführten Möglichkeiten Gebrauch machen. 17

Das EPÜ verlangt für die Aussetzung – in allen drei Fassungen – keine 18
Rechtshängigkeit der Klage, die sich nach der lex fori bestimmen würde.[19] Es genügt der Nachweis, dass das Verfahren eingeleitet ist, jedenfalls für den Schutz nach R 14;[20] siehe Rdn 5 und 15. Besonders bei Zustellung an einen Beklagten im Ausland kann zwischen der Einreichung der Klage und der Zustellung ein längerer Zeitraum verstreichen, in dem die Position des Klägers gefährdet sein kann. Bei der Aussetzung kann den widersprechenden Interessen – Fortsetzung des Verfahrens oder Abwarten der zivilrechtlichen Regelung des Falles – durch flexible Anwendung der Aussetzungsregeln begegnet werden;

---

17 **J 7/96**, ABl 1999, 443.
18 **G 3/92** – *Latchways* –, ABl 1994, 607.
19 Anderer Meinung **J 7/00** vom 12.7.2002.
20 **J 7/96**, ABl 1999, 443.

zB geht **T 146/82** davon aus,[21] dass ein vom EPA nach R 13 (3) für die Fortsetzung des Verfahrens festgesetzter Zeitpunkt auf Antrag einer Partei geändert oder die Aussetzung des Verfahrens aufgehoben werden kann. Damit besitzt das EPA ein elastisches Mittel zur Einwirkung auf die Aussetzungsdauer.

19 Sind die Bedingungen nach R 13 erfüllt, so muss das EPA das Erteilungsverfahren von Amts wegen aussetzen, ohne dass dem Patentanmelder rechtliches Gehör gewährt wird oder eine förmliche Entscheidung getroffen werden muss. **T 146/82** unterstreicht den obligatorischen Charakter der Aussetzungsvorschriften.[22] Die automatische und unverzügliche Aussetzung dient als vorbeugende Maßnahme zugunsten des Dritten, der die Aussetzung beantragt;[23] siehe auch Rdn 5, 15 und 18. Widerspricht der Anmelder der Aussetzung, von der er unterrichtet wird, so entscheidet die Rechtsabteilung.[24] Gegen die Entscheidung, durch die die Aussetzung aufgehoben oder der Einwand des Patentanmelders zurückgewiesen wird, ist die Beschwerde möglich. Am Beschwerdeverfahren sind beide Parteien beteiligt.[25]

20 Auch während der Einspruchsfrist oder während eines Einspruchsverfahrens hat das EPA nach R 13 (4) das Verfahren auszusetzen, um zu verhindern, dass ein Verhalten des Patentinhabers in diesem Zeitraum die Rechte des wahren Berechtigten beeinträchtigt oder zunichte macht. Damit wird die Wirksamkeit von Klagen nach dem EuGVVO oder dem Lugano Übereinkommen auf Übertragung des europäischen Patents besonders geschützt (siehe Rdn 5). Die Entscheidung eines nationalen Gerichts kann darüber hinaus nach R 16 (3) unmittelbare Auswirkung auf das Ergebnis des Einspruchsverfahrens haben.

21 Während der Aussetzung eines Erteilungsverfahrens verbleibt das Verfahren unverändert in dem Rechtsstadium, in dem es sich zum Zeitpunkt der Aussetzung befand.[26] Insbesondere hat die Aussetzung nach R 13 (5) zur Folge, dass die am Tag der Aussetzung laufenden Fristen gehemmt werden, zB die Frist zur Stellung des Prüfungsantrags.[27] Die gehemmten Fristen laufen bei Fortsetzung des Verfahrens weiter, enden aber frühestens zwei Monate nach der Fortsetzung des Verfahrens. Die Fristen zur Zahlung der **Jahresgebühren** sind von der Hemmung ausgenommen. Der Dritte muss sich also über die nach Art 86 für das dritte und jedes weitere Jahr geschuldeten Gebühren für die europäische Patentanmeldung unterrichten und sie selbst zahlen. Für eine neue Anmeldung nach Art 61 (1) b) siehe R 37 (4).

---

21 **T 146/82**, ABl 1985, 267.
22 **T 146/82**, ABl 1985, 267.
23 Vgl **J 7/96**, ABl 1999, 443.
24 Beschluss des Präsidenten vom 10.3.1989, Nr 1.2 a), ABl 1989, 177.
25 **J 28/94**, ABl 1997, 400 = GRUR Int 1997, 923.
26 **J 38/92**, ABl 1995, 8, Nr 2.5.
27 Siehe das Beispiel in den PrüfRichtl A-IV, 2.4.

Insgesamt sind die ungemein detaillierten Aussetzungsregeln auf dem Hintergrund ihres Zweckes so auszulegen,[28] dass sie die Rechtsposition des Dritten sichern.[29] So ist der Begriff des *Verfahrens*, dessen Einleitung die Aussetzung voraussetzt (R 13 (1) Satz 1), weit auszulegen und erfasst auch andere Verfahren, wie besonders Schiedsgerichtsverfahren, deren Entscheidungen urteilsähnliche Wirkungen haben (vgl den englischen Text: proceedings). Für Schiedsverfahren ist Art 5 AnerkProt zumindest sinngemäß anwendbar.   22

Das OLG München gestattete in seinem Urteil vom 26.9.1996 – **Sequestration** – die Beschlagnahme einer europäischen Patentanmeldung und die Einsetzung eines Sequesters.[30] Das Gericht sah es in einer Empfehlung als zulässig an, dass der Kläger im einstweiligen Verfahren auch die Bevollmächtigung des gerichtlich bestellten Sequesters vor dem EPA erzwingen kann (vgl auch Art 71 und 74). Mit der Bevollmächtigung des Sequesters und aufgrund dessen Verpflichtung zur Wahrung der Interessen beider Streitparteien kann das Verfahren vor dem EPA ohne Aussetzung fortgeführt werden.[31]   23

6 Weiterverfolgung der europäischen Patentanmeldung als eigene

Für die Geltendmachung des Rechts nach Abs 1 a) schreibt das Übereinkommen keine besonderen Förmlichkeiten vor. Es genügt eine schriftliche Erklärung des Berechtigten[32] unter Vorlage der rechtskräftigen Entscheidung. Der Antrag kann nach der Entscheidung **J 5/88**,[33] die allerdings eine besondere Situation betraf, bereits vor Beginn der in Abs 1 vorgesehenen 3-Monatsfrist gestellt werden.   24

Zuständig für die Umschreibung im Patentregister ist die Rechtsabteilung.[34]   25

Falls der Berechtigte gegenüber dem Anmelder nur teilweise berechtigt ist, beide also gemeinsame Erfinder sind, und die Erfindung nicht teilbar ist, dürfte im Prinzip die Lösung darin bestehen, den zusätzlich Berechtigten als weiteren Anmelder in das laufende Verfahren aufzunehmen. Dabei könnte der in Abs 1 a) festgelegte Grundsatz entsprechend angewendet werden. Die teilweise Berechtigung wird im übrigen in R 16 näher behandelt (siehe Rdn 31–32).   26

---

28 Vgl **G 3/92** – *Latchways* –, ABl 1994, 607, Nr 8.5.
29 Zur Fortsetzung des Erteilungsverfahrens siehe R 13 (3) und PrüfRichtl A-IV, 3.
30 Urteil vom 26.9.1996 – *Sequestration* – Mitt 1997, 349.
31 Vgl Gallo in der Anmerkung zum Urteil des OLG München; abweichend Rapp, Kann eine europäische Patentanmeldung sequestriert werden?, Mitt 1998, 347 ff.
32 PrüfRichtl A-IV, 2.6.
33 **J 5/88** vom 30.8.1988.
34 Siehe Art 20 Rdn 4–7; Beschluss des Präsidenten vom 10.3.1989 über die Zuständigkeit der Rechtsabteilung, Nr 1.2 a), ABl 1989, 177.

Artikel 61 *Anmeldung europäischer Patente durch Nichtberechtigte*

27 Die Weiterverfolgung der europäischen Patentanmeldung ist als geeignete Rechtsfolge analog auch auf bisher ausgeschlossene Miterfinder anzuwenden.[35]

7 Einreichung einer neuen europäischen Patentanmeldung

28 Reicht der Berechtigte nach Abs 1 b) eine neue europäische Patentanmeldung ein, so ist diese nach ihrer Einreichung wie eine europäische Teilanmeldung nach Art 76 (1) zu behandeln (Art 61 (2)).[36] Die Einreichung einer neuen Anmeldung ist bei nicht mehr anhängigen Anmeldungen die einzige Möglichkeit, das Patent zu erlangen (wegen G 3/92, siehe Rdn 7). Die neue europäische Patentanmeldung kann auch bei den nationalen Patentämtern eingereicht werden; das ergibt sich aus R 15 (3). Denn die analoge Anwendung von Art 76 (1) bezieht sich nicht auf die Einreichung der neuen Anmeldung (vgl Art 76 Rdn 10). Die Behandlung wie eine europäische Teilanmeldung bedeutet nach Art 76 (1), dass sie nicht über den Inhalt der früheren europäischen Patentanmeldung hinausgehen darf (vgl Art 123 Rdn 29) und dass sie insoweit das Prioritätsrecht der früheren Anmeldung genießt. Nach R 15 (1) gilt die frühere europäische Patentanmeldung mit dem Tag der Einreichung der neuen Anmeldung als zurückgenommen. Für die neue europäische Patentanmeldung gelten besondere Zahlungsfristen (R 15 (2));[37] auch hier kann die Nachfrist der R 85 a) mit Zuschlagszahlung in Anspruch genommen werden (siehe auch Art 76 Rdn 26–30).

29 Bei Einreichung der neuen Anmeldung bei nationalen Stellen gilt nach R 15 (3) in Anlehnung an Art 77 (3) eine Frist von vier Monaten für die Weiterleitung der Anmeldung an das EPA. Die Erfindernennung kann nach R 42 (2) nachgeholt werden.

30 Nach dem Wortlaut des Art 61 (1) dürfen in der neuen europäischen Patentanmeldung nur die Vertragsstaaten benannt werden, die in der früheren Anmeldung benannt waren. Diese Beschränkung trägt dem Schutz Dritter Rechnung, die in den nicht benannten Vertragsstaaten sonst mit einer europäischen Patentanmeldung konfrontiert würden, mit der sie nicht haben rechnen können.

8 Teilweiser Rechtsübergang

31 Nach R 16 (1) kann eine neue europäische Patentanmeldung für einen Teil der ursprünglichen Anmeldung eingereicht werden, wenn sich aus der Entscheidung ergibt, dass dem Antragsteller der Anspruch auf einen abtrennbaren Teil der vom Nichtberechtigten eingereichten europäischen Patentanmeldung zusteht.

---

35 Siehe Art 60 Rdn 9 und 10; Cronauer, S 164.
36 R 15, 16 und PrüfRichtl A-IV, 2.7.
37 Abweichende Regelung für Jahresgebühren R 37 (4).

R 16 (2) sieht die Aufspaltung der sonst einheitlichen europäischen Patentanmeldung (Art 118 Satz 2) – ähnlich wie in R 87 – vor. Dies dürfte dann in Betracht kommen, wenn der Berechtigte für die Staaten, für die die nationale Entscheidung anzuerkennen ist, an den weiten ursprünglichen Ansprüchen nicht interessiert ist, oder wenn umgekehrt der ursprüngliche Anmelder für die ihm verbleibenden Staaten eine engere Fassung der Ansprüche wünscht.

R 16 (3) regelt den Sachverhalt der Aufspaltung für das Einspruchsverfahren.

9 Zurückweisung der europäischen Patentanmeldung

Für das Recht in Art 61 (1) c), die Zurückweisung der europäischen Patentanmeldung zu beantragen, gibt es keine besonderen Ausführungsbestimmungen. Dieses Recht reicht nur so weit wie die nationale Entscheidung. Die Zurückweisung kann nur für die Vertragsstaaten erfolgen, für die die Entscheidung Wirkung entfaltet, und bei einem nur teilweisen Übergang nur in dem sich aus der Entscheidung ergebenden Umfang.

Artikel 62 Anspruch auf Erfindernennung

Der Erfinder hat gegenüber dem Anmelder oder Inhaber des europäischen Patents das Recht, vor dem Europäischen Patentamt als Erfinder genannt zu werden.

Dieter Stauder

Übersicht

1	Allgemeines	1
2	Angaben zur Erfindernennung	2-3
3	Recht auf Erfindernennung	4-6
4	Berichtigung der Erfindernennung	7-10

1 Allgemeines

Diese Vorschrift enthält den materiell-rechtlichen Anspruch des Erfinders gegenüber dem Anmelder oder Inhaber eines europäischen Patents, vor dem EPA als Erfinder genannt zu werden. Dieser Anspruch ist Teil des Erfinderpersönlichkeitsrechts, das in verschiedenen Vertragsstaaten als Teil des allgemeinen Persönlichkeitsrechts angesehen wird.

Zur Erfindernennung siehe PrüfRichtl A-III, 5

2 Angaben zur Erfindernennung

Das EPA überprüft – ähnlich wie bei der Anmeldeberechtigung (Art 60 (3)) – nicht die Richtigkeit der Erfindernennung (R 17 (2)). Dennoch setzt das EPÜ voraus, dass der oder die richtigen Erfinder genannt werden. Name und Adresse des Erfinders sind anzugeben (R 17 (1) 2. Halbsatz); weiterhin sind Angaben zum Rechtserwerb des Anmelders erforderlich (Art 81); das EPA teilt diese Angaben dem oder den in der Erfindung Genannten mit (R 17 (3) und (4).[1]

3 Kommt der Anmelder der Verpflichtung zur Erfindernennung trotz der in R 42 (1) vorgesehenen Aufforderung nicht innerhalb der in Art 91 (5) vorgeschriebenen Frist von 16 Monaten ab Anmelde- oder Prioritätstag nach, so gilt die europäische Patentanmeldung als zurückgenommen (Art 91 (5); Einzelheiten siehe PrüfRichtl A-III, 5.5 und Art 91 Rdn 18–22. Für die Wirksamkeit der Erfindernennung kommt es nicht darauf an, ob der genannte Erfinder der wirkliche und einzige Erfinder ist, ob noch andere Personen an der Erfindung beteiligt sind oder ob der Beitrag eines genannten Erfinders zur Erfindung für die Miterfindereigenschaft zu gering war.

3 Recht auf Erfindernennung

4 Der Anmelder ist aufgrund seiner Rechtsstellung die Person, die gegenüber dem Amt den oder die Erfinder zu benennen hat (Art 81, R 17). Ist die Erfindernennung unrichtig oder unvollständig, so müssen der oder die Erfinder vor den nationalen Gerichten klagen. Ihre Klage richtet sich auf Verpflichtung des Anmelders oder Patentinhabers zur Nennung des oder der Erfinder gegenüber dem EPA. Reicht der obsiegende Erfinder eine rechtskräftige Entscheidung mit einem entsprechenden Urteilsausspruch beim EPA ein, das Rechtskraft und Inhalt des Urteils prüft, so hat das EPA die Erfindernennung entsprechend bekanntzumachen (R 18 (2) und (1); vgl Art 81 Rdn 20–22).

5 Das EPÜ regelt nicht die Zuständigkeit der nationalen Gerichte, deren rechtskräftiger Entscheidung das EPA nach R 18 (2) Folge leistet. Da das Anerkennungsprotokoll eindeutig die gerichtliche Zuständigkeit nur für das Recht auf das europäische Patent und nicht auf Erfindernennung regelt, könnte allenfalls an seine analoge Anwendung gedacht werden (siehe Art 81 Rdn 22). Auf den Anspruch nach Art 62, der als zivilrechtlich zu qualifizieren ist,[2] ist jedenfalls die EuGVVO und für die Nicht-EU-Staaten das Übereinkommen von Lugano anwendbar.

Die Gerichtsstände des AnerkProt decken sich im übrigen weitgehend mit den Gerichtsständen dieser Regelungen. Das Anerkennungsprotokoll kennt den exorbitanten Gerichtsstand des Klägerwohnsitzes oder -sitzes (Art 3 AnerkProt) und fügt den Hilfsgerichtsstand des Art 6 AnerkProt hinzu.

6 Kläger sollten einen durch diese Übereinkommen gesicherten Gerichtsstand wählen: Wohnsitz oder Sitz des Beklagten, Gerichtsstand des Vertrags- und Arbeitsstatuts, gegebenenfalls der unerlaubten Handlung. Ähnlich sind Urteile

---

1 Siehe **J 8/82**, ABl 1984, 155, Nr 12.
2 So AT-OGH vom 20.10.1992 – *Holzlamellen* –, Österr. Patentblatt 1993, 154 = GRUR Int 1994, 65.

von Gerichten außerhalb Europas anerkennungsfähig.[3] Art 6 AnerkProt sollte auf jeden Fall als international wichtige letzte Hilfe zur Verfügung stehen. Der AT-OGH hat jedenfalls eine Klage, in der der Anspruch auf Erfindernennung der Kläger zu 1 und 2 mit der Klage auf das europäische Patent des Klägers zu 3 verbunden war, zugelassen (Urteil siehe Rdn 5).

4 Berichtigung der Erfindernennung

Die Berichtigung oder der Widerruf einer unrichtigen Erfindernennung (R 19 (1) und (3)) erfordert den Antrag des Anmelders oder Patentinhabers oder, wenn der Antrag von dritter Seite gestellt wird, ihre Zustimmungserklärung (R 19 (1)). Nach **J 8/82** ist die Zustimmung der bereits genannten Erfinder zur Aufnahme eines weiteren Erfinders in die Erfindernennung nicht erforderlich;[4] denn sie sind keine zu Unrecht Genannten iSd R 19 (1). Diese Entscheidung ist auch insofern folgerichtig, als der Anmelder oder Patentinhaber vor dem EPA gegenüber allein formell berechtigt ist und die Richtigkeit der Erfindernennung vom EPA nicht geprüft wird. Sind die bereits genannten Erfinder mit der Nachbenennung eines weiteren Erfinders nicht einverstanden, so müssen sie sich mit der Klage auf Rückberichtigung der Erfindernennung an ein nationales Gericht wenden.

Will ein Erfinder die Berichtigung einer Erfindernennung gerichtlich durchsetzen, so muss er den Anmelder oder Patentinhaber im nationalen Verfahren darauf verklagen, beim EPA einen entsprechenden Antrag einzureichen. Ist der Anmelder oder Patentinhaber zur Einreichung eines Berichtigungsantrags bereit, wehrt sich jedoch der unrichtig benannte Erfinder, so muss sich die Klage gegen ihn richten. Mit dem rechtskräftigen Urteil, das die Zustimmungserklärung des zu Unrecht als Erfinder Genannten ausspricht oder anordnet, und der Zustimmungserklärung des Anmelders oder Patentinhabers kann der obsiegende Erfinder dann die Berichtigung herbeiführen (R 19 (1)).

Für die Berichtigung der Erfindernennung im Verfahren vor dem EPA ist die Stelle zuständig, vor der das Verfahren schwebt, während der Formalprüfung also die Eingangsstelle,[5] während der Sachprüfung die Prüfungsabteilung, während der ersten bzw zweiten Instanz die Einspruchsabteilung oder die Beschwerdekammer. Besteht über die Erfindernennung Streit, so müssen darüber die nationalen Gerichte entscheiden.

Erst wenn die Erfindernennung ins Register eingetragen werden soll oder ist und über die Eintragung oder deren Inhalt Streit entsteht, ist die Rechtsabtei-

---

3   Vgl Stauder in MünchGemKom, 6. Lieferung, Art 11 Rn 4–6; vgl auch Art 61 Rdn 14.
4   **J 8/82**, ABl 1984, 155.
5   **J 8/82**, ABl 1984, 155.

lung zuständig, die hierüber im Nebenverfahren entscheidet.[6] Die Rechtsabteilung kann aber nicht über das zugrunde liegende Rechtsverhältnis entscheiden.

---

6 **T 553/90**, ABl 1993, 666 Nr 2.3.

Kapitel III Wirkungen des europäischen Patents und der europäischen Patentanmeldung

Vorbemerkung zu Art 63–70

Detlef Schennen

Die Grundsatzbestimmung des Art 2 (2) über das europäische Patent verweist wegen seiner Wirkungen auf das jeweilige nationale Recht, soweit das Übereinkommen nichts anderes regelt. Kapitel III von Teil II ist hier besonders gemeint. Hier wird auch festgelegt, in welchem Bereich die nationalen Gesetze für die europäische Patentanmeldung und das europäische Patent gelten und an welche Voraussetzungen die nationalen Gesetzgeber der Vertragsstaaten gebunden sind. Laufzeit, Schutz des Verfahrenserzeugnisses und vor allem der Schutzbereich in Art 69 sind konventionsrechtlich geregelt und einheitlich auszulegen. 1

Da die verschiedenen Vertragsstaaten durchaus unterschiedliche Regelungen für den Übertritt der europäischen in die nationale Phase und für die Weiterexistenz des europäischen Patents in ihren jeweiligen Staatsgebieten festgelegt haben, die für die Patentinhaber Arbeitsaufwand, Sorgfalt und zT recht hohe Validierungskosten fordern, ist die nationale Phase des europäischen Patents Gegenstand der Bemühungen der Vertragsstaaten und der EPO, die einschlägigen Regelungen zu vereinheitlichen und an die gesamteuropäischen Bedürfnisse anzupassen. 2

Das EPA listet in seiner kostenlosen Informationsbroschüre *Nationales Recht zum EPÜ* die Rechtsvorschriften der Vertragsstaaten auf, die die nationalen Gesetzgeber für die Schnittstellen zwischen europäischem und nationalem Recht getroffen haben. Die gedruckte Fassung ist 2003 in 12. Aufl erschienen und auch als PDF-Version im Internet verfügbar. Außerdem bietet das EPA im Internet eine HTML-Version an, die ständig aktualisiert wird. 3

Artikel 63[1] Laufzeit des europäischen Patents

(1) Die Laufzeit des europäischen Patents beträgt zwanzig Jahre, gerechnet vom Anmeldetag an.

(2) Absatz 1 lässt das Recht eines Vertragsstaats unberührt, unter den gleichen Bedingungen, die für nationale Patente gelten, die Laufzeit eines

---

[1] Geändert durch die Akte zur Revision von Art 63 EPÜ vom 17.12.1991, in Kraft getreten am 4.7.1997 (ABl 1992, 1 ff).

Artikel 63 — *Laufzeit des Patents*

europäischen Patents zu verlängern oder entsprechenden Schutz zu gewähren, der sich an den Ablauf der Laufzeit des Patents unmittelbar anschließt,

a) um einem Kriegsfall oder einer vergleichbaren Krisenlage dieses Staats Rechnung zu tragen;

b) wenn der Gegenstand des europäischen Patents ein Erzeugnis oder ein Verfahren zur Herstellung oder eine Verwendung eines Erzeugnisses ist, das vor seinem Inverkehrbringen in diesem Staat einem gesetzlich vorgeschriebenen behördlichen Genehmigungsverfahren unterliegt.

(3) Absatz 2 ist auf die für eine Gruppe von Vertragsstaaten im Sinne des Artikels 142 gemeinsam erteilten europäischen Patente entsprechend anzuwenden.

(4) Ein Vertragsstaat, der eine Verlängerung der Laufzeit oder einen entsprechenden Schutz nach Absatz 2 Buchstabe b vorsieht, kann auf Grund eines Abkommens mit der Organisation dem Europäischen Patentamt mit der Durchführung dieser Vorschriften verbundene Aufgaben übertragen.

Detlef Schennen

Übersicht

1	Allgemeines	1-2
2	Revision des Art 63; Verlängerungsmöglichkeit	3-4
3	Inkrafttreten der Revisionsakte	5
4	Schutzzertifikat für Arzneimittel	6-8
5	Schutzzertifikat für Pflanzenschutzmittel	9
6	Rechtsprechung des EuGH zum Schutzzertifikat	10-16

1 Allgemeines

1   Dieser Artikel legt unmittelbar die Laufzeit des europäischen Patents auf 20 Jahre ab Anmeldetag fest. Die Vertragsstaaten haben die Dauer ihrer nationalen Patente angeglichen. Die 20jährige Laufzeit ab Anmeldung hat sich durchgesetzt und entspricht den Verpflichtungen der Staaten nach TRIPS.

2   Auch in Österreich ist die Dauer nationaler Patente mit Wirkung vom 1.1.1996 generell auf 20 Jahre ab dem Anmeldetag heraufgesetzt worden.[2]

2 Revision des Art 63; Verlängerungsmöglichkeit

3   Mit der von den Vertragsstaaten in einer Regierungskonferenz am 17.12.1991 angenommenen Akte zur Revision des Art 63 ist die neue Fassung des Art 63

---

2   § 28 AT-PatG idF des Gesetzes Nr 181/1996, BlPMZ 1996, 328 und Hinweis in ABl 1996, 451.

beschlossen worden, die für zulassungspflichtige Produkte die Möglichkeit eröffnet, den Patentschutz zu verlängern. Diese Verlängerung ist vor allem für Arzneimittelpatente gedacht, bei denen bis zur behördlichen Zulassung viel Zeit vergeht, so dass die effektive Patentnutzungsdauer dadurch erheblich geschmälert wird.

Art 63 (2) b) nF stellt darauf ab, ob der Gegenstand des Patents einem gesetzlich vorgeschriebenen behördlichen Genehmigungsverfahren unterlag. Die Genehmigungspflicht muss sich auf ein Erzeugnis beziehen. Die Verlängerungsmöglichkeit besteht aber auch für Verfahrenspatente, die dieses Erzeugnis schützen. 4

Art 63 (2) nF enthält eine bloße Ermächtigung für das nationale Recht (einschließlich des EG-Rechts). Die Gesetzgebungsinitiative ist hier auf die EG übergegangen. Die Revision des Art 63 diente nur der begleitenden Absicherung der EG-VO 1768/92, weil diese außer nationalen Patenten auch die europäischen Patente erfasst.

Art 63 (2) nF erlaubt außer einer Verlängerung der Patentlaufzeit auch einen *entsprechenden* Schutz; damit ist das ergänzende Schutzzertifikat der EG gemeint.

Siehe umfassend Schennen, Die Verlängerung der Patentlaufzeit für Arzneimittel im Gemeinsamen Markt, Köln 1993.

3 Inkrafttreten der Revisionsakte

Die Revisionsakte ist am 4.7.1997 in Kraft getreten, dh zwei Jahre, nachdem die Schweiz als neunter Vertragsstaat seine Ratifikationsurkunde hinterlegt hat (Art 4 der Revisionsakte). Auf die Wirksamkeit der EG-VO 1768/92 hat dies keinen Einfluss, weil Schutzzertifikate erst im Anschluss an die 20jährige Laufzeit des europäischen Patents, also nicht vor Juni 1998 wirksam werden konnten.[3] 5

4 Schutzzertifikat für Arzneimittel

Seit dem 2.1.1993 ist die EG-VO 2768/92 über die Schaffung eines ergänzenden Schutzzertifikats für Arzneimittel in Kraft,[4] die für Arzneimittel einen zusätzlichen Schutz von bis zu 5 Jahren in Gestalt des *ergänzenden Schutzzertifikats* schafft.[5] Das Zertifikat wird in jedem oder für jeden Vertragsstaat gesondert für einen erstmals in dem Vertragsstaat zugelassenen Arzneimittelwirkstoff erteilt. Das Zertifikat setzt auf einem Grundpatent auf, das der Antragsteller auswäh- 6

---

3 Joos, in: FS für Kolle und Stauder, S 429, 431.
4 ABl EG L 182/1992, S 1.
5 Näheres siehe Schennen, Die Verlängerung der Patentlaufzeit für Arzneimittel im Gemeinsamen Markt, und Brändel, Offene Fragen zum »ergänzenden Schutzzertifikat«, GRUR 2001, 875.

len muss, und verlängert dessen Schutzwirkungen. Grundpatent kann nach Wahl des Anmelders jedes nationale oder europäische Patent in einem (oder mit Wirkung für einen) EG-Mitgliedstaat sein (künftig auch ein Gemeinschaftspatent). Das Zertifikat wird für den durch das Grundpatent geschützten Wirkstoff erteilt, wenn dieser Wirkstoff in dem betreffenden Staat arzneimittelbehördlich zugelassen ist. Da nicht Wirkstoffe, sondern fertige Präparate nach dem Arzneimittelgesetz zulassungspflichtig sind, kommt es darauf an, ob der Wirkstoff in einem zugelassenen Fertigarzneimittel verwendet worden ist. Der Schutz des Zertifikats entspricht dem des Grundpatents mit der Einschränkung, dass er auf einen bestimmten Wirkstoff beschränkt ist (das Grundpatent kann zB eine ganze Reihe von Stoffen aufgrund einer breiten Formel schützen) und daß der Schutz nur die Verwendungen des Wirkstoffs als Arzneimittel erfasst, nicht auch für andere Zwecke (zB als Farbstoff). Die Laufzeit des Zertifikats, die sich an die Laufzeit des Patents anschließt, entspricht dem Zeitraum von der Patentanmeldung bis zur ersten Zulassung des Wirkstoffs als Arzneimittel, nicht als Tierarzneimittel,[6] in der EG abzüglich von 5 Jahren; sie beträgt aber höchstens 5 Jahre. Auf Grund des EWR-Abkommens tritt die erste Genehmigung in einem EWR-Staat an die Stelle der ersten Genehmigung in der Gemeinschaft; dies gilt auch für den EWR-Mitgliedstaat LI, sogar für solche Genehmigungen, die in CH erteilt wurden und lediglich in LI anerkannt wurden, ohne im übrigen Genehmigungen gemäß RL 65/65/EWG gleichgestellt zu sein.[7]

7 Zuständig sind die nationalen Patentämter. Von der in Art 1 (4) der Revisionsakte und Art 9 (1) der VO 1768/92 eröffneten Möglichkeit, für europäische Patente das EPA mit der Erteilung des Zertifikats zu beauftragen, hat bisher kein Vertragsstaat Gebrauch gemacht.

8 Auf Grund der EG-Beitrittsverträge gilt die EG-VO 1768/92 auch in den 1995 und 2004 der EG neu beigetretenen Vertragsstaaten (für Österreich: Gesetz Nr 635 vom 19.4.1994, bereits abgelöst durch Gesetz Nr 11 vom 10.1.1997).

In der Schweiz ist durch Gesetz vom 3.2.1995 (Art 140a–147CH-PatG) ebenfalls ein Schutzzertifikat für Arzneimittel eingeführt; die Regelung entspricht im wesentlichen der EG-VO.

5 Schutzzertifikat für Pflanzenschutzmittel

9 Im Anschluss an die Schaffung eines Schutzzertifikats für Arzneimittel ist mit der EG-VO Nr 1610/96 der Zertifikatsschutz auf Pflanzenschutzmittel ausgedehnt worden. Die VO ist am 8.2.1997 in Kraft getreten;[8] ihre Bestimmungen

---

6   CH-Rekurskommission vom 30. 4. 1998, sic! 1999, 449.
7   EuGH vom 21.4.2004 – *Novartis/Comptroller General* –, GRUR Int 2005, 581.
8   ABl 1997, 77.

entsprechen weitestgehend denen der VO für Arzneimittel.[9] Im Anschluss daran ist in der Schweiz und Liechtenstein der Zertifikatsschutz ebenfalls auf Pflanzenschutzmittel ausgedehnt worden, und zwar mit Wirkung vom 1.5.1999.

6 Rechtsprechung des EuGH zum Schutzzertifikat

Die Anwendung der Verordnungen 1768/92 und 1610/96 ist Gegenstand mehrerer Urteile des EuGH und deutscher Gerichte geworden.

In C-392/97 hat der EuGH[10] entschieden, dass ein ergänzendes Schutzzertifikat, das für einen Wirkstoff erteilt wurde, für den eine wirksame Genehmigung für das Inverkehrbringen vorliegt, sich auf alle Derivate dieses Wirkstoffes, einschließlich von Salzen und Estern, erstreckt, wenn diese vom Grundpatent geschützt sind, und dass für die Bestimmung des Schutzbereichs des Grundpatents nationales Recht zugrundezulegen ist.

Demnach urteilte der BGH,[11] dass der Schutzbereich des ergänzenden Schutzzertifikats alle Derivate umfasst, die vom Schutzbereich des Grundpatents erfasst sind. Jedoch habe der Anmelder keinen Anspruch darauf, dass alle diese Derivate im Schutzzertifikat selbst genannt werden, da dies auf eine unzulässige Bestimmung des Schutzumfangs im Erteilungsverfahren hinausliefe. Der BGH hob die Ausgangsentscheidung des BPatG[12] auf, der verlangt hatte, die Genehmigung für das Inverkehrbringen müsse ausdrücklich das geschützte Erzeugnis, dh den Wirkstoff, bezeichnen. Siehe auch Sredl, Das ergänzende Schutzzertifikat im deutschen Patentnichtigkeitsverfahren, GRUR 2001, 597.

Das BPatG hat das »Farmitalia« – Urteil des EuGH dahin interpretiert, dass eine objektive Identifizierung des Erzeugnisses nötig ist, jedoch keine Schutzansprüche für das ergänzende Schutzzertifikat aufgestellt werden dürfen oder für die Bestimmung des Wirkstoffes anspruchsähnliche Formulierungen verwendet werden dürfen.

Weitere Klarheit zum Begriff des »Wirkstoffs« brachte das Urteil EuGH C-258/99.[13] Der EuGH entschied, dass zwei chemische Verbindungen, die die gleiche Wirkung als Pflanzenschutzmittel haben, sich jedoch nur durch den Reinheitsgrad unterscheiden, dasselbe Erzeugnis darstellen, für das nur ein ergänzendes Schutzzertifikat erteilt werden kann, auch wenn für deren Inverkehrbringen als Pflanzenschutzmittel zwei Genehmigungen erforderlich waren.

---

9   Siehe Schennen, Auf dem Weg zum Schutzzertifikat für Pflanzenschutzmittel, GRUR Int 1996, 102.
10 EuGH C-392/97 vom 16. 9. 1999 – *Farmitalia Carlo Erba* –, GRUR Int 2000, 69.
11 BGH vom 15.2.2000 – *Idarubicin II* –, GRUR 2000, 683.
12 BPatG vom 15.5.1995 – *Idarubicin I* –, BlPMZ 1995, 446.
13 EuGH C-258/99 – *BASF / BIE* –, GRUR Int 2001, 754.

15 Der Inhaber des ergänzenden Schutzzertifikats und des Grundpatents einerseits und der betreffenden Genehmigung für das Inverkehrbringen andererseits müssen nicht dieselbe Person sein.[14]

16 Nach der Übergangsregelung des Art 19 der VO 1768/92 kann für Deutschland ein Zertifikat nur für Arzneimittelwirkstoffe erteilt werden, deren erste Genehmigung für das Inverkehrbringen in der Gemeinschaft nach dem 1.1.1988 erteilt wurde. Gemeint ist jede Genehmigung als Arzneimittel in irgendeinem Mitgliedstaat der EG. Im Widerspruch dazu erteilte Zertifikate sind für nichtig zu erklären; der nach Mitgliedstaaten gespaltene Stichtag in Art 19 der VO 1768/92 verstößt nicht gegen den EG-Vertrag.[15] Allerdings umfasst der Begriff »Arzneimittel« in Art 3 (b) und Art 19 der VO 1768/92 sowohl Human- als auch Tierarzneimittel, so dass eine vor dem 1.1.1988 als Tierarzneimittel erteilte Genehmigung nach Art 19 der VO 1768/92 die Erteilung eines Zertifikats für Deutschland ausschließt.[16]

Artikel 64 Rechte aus dem europäischen Patent

(1) Das europäische Patent gewährt seinem Inhaber von dem Tag der Bekanntmachung des Hinweises auf seine Erteilung an in jedem Vertragsstaat, für den es erteilt ist, vorbehaltlich Absatz 2 dieselben Rechte, die ihm ein in diesem Staat erteiltes nationales Patent gewähren würde.

(2) Ist Gegenstand des europäischen Patents ein Verfahren, so erstreckt sich der Schutz auch auf die durch das Verfahren unmittelbar hergestellten Erzeugnisse.

(3) Eine Verletzung des europäischen Patents wird nach nationalem Recht behandelt.

Dieter Stauder

Übersicht

1	Allgemeines	1
2	Das Ausschließlichkeitsrecht des europäischen Patents	2-5
3	Beginn des vollen Schutzes	6-8
4	Schutz des unmittelbaren Verfahrenserzeugnisses	9-14
5	Beweislastumkehr	15
6	Nationale Verletzungsverfahren	16
7	Grenzüberschreitende Verletzungen	17-24

---

14 EuGH vom 23.1.1997 – *Biogen / Smithkline* –, GRUR 1997, 363.
15 EuGH vom 11.12.2003 – *Omeprazol* –, GRUR 2004, 225.
16 befürwortend, aber dem EuGH zur Klärung vorgelegt: BGH vom 17.12.2002 – *Cabergolin* –, GRUR 2003, 599.

1 Allgemeines

Dieser Artikel befasst sich mit dem Ausschließlichkeitsrecht des europäischen Patents und bestimmt den Zeitpunkt der Entstehung des vollen Schutzes (Abs 1). Er erstreckt den Schutz europäischer Verfahrenspatente auf die durch das Verfahren unmittelbar hergestellten Erzeugnisse (Abs 2). Schließlich verweist er für das Verletzungsverfahren auf das nationale Recht (Abs 3).

2 Das Ausschließlichkeitsrecht des europäischen Patents

Die Vorschrift führt die Grundsatznorm in Art 2 (2) weiter aus mit seiner Anordnung, dass das europäische Patent in jedem Vertragsstaat, für den es erteilt worden ist, dieselbe Wirkung hat wie ein in diesem Staat erteiltes nationales Patent.

Abs 1 enthält mit seinem Verweis auf das anwendbare Recht des benannten Vertragsstaats eine allgemein anerkannte Regel des internationalen Privatrechts, dass das Ausschließlichkeitsrecht des Patents sich nach dem Recht des Staates bestimmt, in dem das Patent wirkt (Patent- oder Schutzstaat). Die Definition des Ausschließlichkeitsrechts in den Vertragsstaaten des EPÜ ist wegen der oft wörtlichen Übernahme der Art 25 und 26 GPÜ in das Recht der Vertragsstaaten europäisches Einheitsrecht geworden. Das GPÜ hat ohne sein Inkrafttreten europaweit Rechtseinheit hergestellt (»kalte Harmonisierung«). Deswegen ist es folgerichtig, dass die nationalen Gerichte ihre Vorschriften über das Ausschließlichkeitsrecht einheitlich auslegen. Die Vorschriften des GPÜ enthalten weitgehend materiell-rechtliche Definitionen des Ausschließlichkeitsrechts, allerdings auch Unterlassungsregeln. So ist mit der Übernahme von Art 26 GPÜ in das Recht der Vertragsstaaten die mittelbare Patentverletzung in Europa gesetzlich eingeführt.[1]

Die zivilrechtlichen Ansprüche (Rechtsfolgen, Sanktionen) wegen Verletzung des europäischen Patents richten sich nach dem Recht des Schutzstaats. Alle Vertragsstaaten kennen den vom Verschulden unabhängigen Unterlassungsanspruch sowie in unterschiedlicher Ausgestaltung Ansprüche auf Schadensersatz, Auskunft und Rechnungslegung sowie Beschlagnahme. Vornehmlich im romanischen Rechtskreis ist die Urteilsveröffentlichung geläufig.

Die prozessrechtlichen Mittel zur Durchsetzung des Ausschließlichkeitsrechts richten sich nach dem Verfahrensrecht des Gerichtsstaats (Abs 3).

3 Beginn des vollen Schutzes

Art 64 (1) bestimmt als relevanten Zeitpunkt für den Beginn des Ausschließlichkeitsrechts aus dem Patent den Tag der Bekanntmachung des Hinweises auf seine Erteilung im Europäischen Patentblatt; nach Art 97 (4) wird die Entschei-

---

[1] Siehe zu einer Klage aus einem europäischen Patent wegen mittelbarer Patentverletzung BGH vom 24.9.1991 – *Beheizbarer Atemluftschlauch*, ABl 1993, 89.

dung über die Erteilung an diesem Tag wirksam. Mit dem rechtskräftig erteilten oder aufrechterhaltenen Patent ist das Verfahren vor dem EPA abgeschlossen; damit verliert das EPA seine Kompetenz.[2] Gleichzeitig damit wird nach Art 98 die europäische Patentschrift herausgegeben.

7 Zu Mängeln bei der Bekanntmachung des Hinweises über die Erteilung des europäischen Patents siehe J 14/87,[3] vgl Art 99 Rdn 20, 21.

8 Die meisten Vertragsstaaten machen nach Art 65 den Eintritt der Wirkung davon abhängig, dass der Patentinhaber eine Übersetzung der europäischen Patentschrift in einer ihrer jeweiligen Amtssprachen einreicht. Systematisch gesehen wird das europäische Patent zunächst für die benannten Vertragsstaaten erteilt, entfällt aber rückwirkend bei Nichteinreichung der geforderten Übersetzung in dem betreffenden Vertragsstaat.

4 Schutz des unmittelbaren Verfahrenserzeugnisses

9 Abs 2 erstreckt die Wirkungen des Schutzes eines europäischen Patents für ein Verfahren zur Herstellung eines Erzeugnisses auf die nach dem Verfahren hergestellten Erzeugnisse. Die Schutzerstreckung ist ein historisch altes, notwendiges Instrument, um der chemisch-pharmazeutischen Industrie für Verfahrenserfindungen einen angemessenen Patentschutz zu verschaffen: Die nach einem geschützten Verfahren hergestellten Erzeugnisse werden von den Wirkungen des Ausschließlichkeitsrechts erfaßt, als ob das Erzeugnis selbst geschützt wäre. Dies gilt auch dann, wenn das Verfahrenserzeugnis von der Patentierbarkeit ausgeschlossen ist. Der Patentinhaber kann den ungenehmigten Vertrieb und die Benutzung der Verfahrenserzeugnisse wie bei einem durch ein Sachpatent geschützten Produkt verbieten.

10 Der Schutz des unmittelbaren Verfahrenserzeugnisses dient dazu, dem Patentinhaber über diese Schutzerstreckung die angemessene Belohnung für seine Erfindung zu sichern. Seine besondere Wirkung – dies ist der historische Anlass der Schutzerstreckung – entfaltet der Verfahrenserzeugnisschutz durch sein Importverbot für chemisch-pharmazeutische Produkte, die im patentfreien Ausland nach dem geschützten Verfahren hergestellt sind.[4] Der Schutz des unmittelbaren Verfahrenserzeugnisses ist nicht auf die im Verfahrenspatent offenbarte Verwendung des Erzeugnisses beschränkt.[5]

11 Darauf, ob das Verfahrenserzeugnis neu ist, kommt es nicht an. Ist es neu und erfinderisch, so kann es neben dem Verfahren beansprucht werden. Die Schutzerstreckung des patentierten Verfahrens auf das nicht erfinderische Produkt ist

---

2 J 42/92 vom 28.2.1997; T 777/97 vom 16.3.1998; J 7/96, ABl 1999, 443.
3 J 14/87, ABl 1988, 295.
4 DE-BGH vom 19.3.1969 – *Bausteine*, GRUR 1969, 439; siehe auch Art 5 [quater] PVÜ.
5 BGH vom 29.10.1981 – *Zahnpasta*, GRUR 1982, 162 zu § 9 Nr 3 DE-PatG.

ein Ergebnis gesetzgeberischer Regelung, die nicht zulässt, dieses Produkt in dem Verfahrenspatent zu beanspruchen.[6]

Eine unerwünscht weite Ausdehnung des Schutzes nach Abs 2 wird durch das Merkmal »unmittelbar« vermieden. Das Erzeugnis muss durch das geschützte Herstellungsverfahren unmittelbar hervorgebracht worden sein. So sind vom Schutz des Abs 2 nicht die Endprodukte erfasst, wenn das geschützte Verfahren die Herstellung von Zwischenprodukten betrifft und zur Herstellung des Endprodukts noch weitere Verfahren angewendet werden müssen.[7] Nach Art 8 der Richtlinie 98/44/EG umfasst der Schutz eines Verfahrenspatents, das auf die Gewinnung einer auf Grund der Erfindung mit bestimmten Eigenschaften ausgestatteten biologischen Materials gerichtet ist, nicht nur das durch das Verfahren unmittelbar gewonnene biologische Material, sondern auch jedes andere von diesem durch generative oder vegetative Vermehrung gewonnene Material, das mit denselben Eigenschaften ausgestattet ist.[8]

Product-by-process-Ansprüche sind Sachansprüche, bei denen zulässigerweise das Erzeugnis statt durch seine Strukturformel durch die zu seiner Herstellung erforderlichen Verfahrensschritte definiert wird.[9] Die Erzeugnisse als solche müssen die Voraussetzungen für die Patentierbarkeit erfüllen. Product-by-process-Ansprüche sind nur zulässig, wenn es dem Anmelder unmöglich ist, das Erzeugnis durch seine Zusammensetzung, seine Struktur oder sonstige nachprüfbare Parameter hinreichend zu kennzeichnen; vgl Art 84 Rdn 3.[10]

Zum Schutz des unmittelbaren Verfahrenserzeugnisses bei biotechnologischen Erfindungen siehe Art 53 Rdn 107–108.

5 Beweislastumkehr

Art 64 (2) wird ergänzt durch die Beweislastumkehr nach § 139 (3) DE-PatG und entsprechende Bestimmungen in anderen nationalen Gesetzen, die Art 35 GPÜ umsetzen: Betrifft das Herstellungsverfahren ein neues Erzeugnis, so besteht eine Vermutung, dass ein von einem Dritten auf den Markt gebrachtes

---

6 **T 248/85**, ABl 1986, 261.
7 GB-Patents Court vom 24.1.1995, – Pioneer Electronics Capital v. Warner Music Manufacturing Europe GmbH, [1995] R.P.C. 487 zu Sec. 60 (1) (c) GB-PatG, der Art 64 (2) EPÜ entspricht, unter Bezugnahme auf Bruchhausen, GRUR 1979, 743; bestätigt durch Court of Appeal vom 28.11.1996 – *Compact Disk* –, [1997] R.P.C. 757; BGH vom 21.11.1989 – *Geschlitzte Abdeckfolie* – mit Anmerkung von Eisenführ, GRUR 1990, 505; BGH vom 15.1.1990 – *Spreizdübel* –, GRUR 1990, 508, Nr II 2 b.
8 Zur Problematik der Unmittelbarkeit siehe näher Beier/Ohly, Was heißt »unmittelbares Verfahrenserzeugnis«?, GRUR Int 1996, 973.
9 **T 150/82**, ABl 1984, 309; **T 664/90** vom 9.7.1991.
10 **T 150/82**, ABl 1984, 309; PrüfRichtl C-III, 4.7b.

Erzeugnis nach dem geschützten Verfahren hergestellt worden ist. Diese Vermutung muss der Dritte ausräumen.

6 Nationale Verletzungsverfahren

16 Abs 3 verweist wegen der Verletzung des europäischen Patents auf das nationale Recht. Die Rechtsfolgen der Verletzung (Sanktionen) bestimmen sich nach dem Recht des Schutzstaats (siehe Rdn 4), während das Verletzungsgericht stets eigenes Prozessrecht anwendet, das für eigene nationale Patente gelten würde (lex fori). Dies gilt auch für vorprozessuale Maßnahmen (saisie-contrefaçon) und einstweilige Verfügungen. Im Rahmen von Art 64 gehören die Rechtsfolgen zu Abs 1. Die ihnen dienenden prozessualen Maßnahmen zur Durchsetzung der Sanktionen unterliegen Abs 3: das gilt zB für das Verfahren zur Feststellung des Schadensumfangs sowie die Maßnahmen zur Erzwingung der Unterlassung durch astreinte, dwangsom, contempt of court, Zwangsgeld und Zwangshaft.

7 Grenzüberschreitende Verletzungen

17 Nach traditioneller Auffassung hatten die Gerichte des Patentstaats grundsätzlich die ausschließliche Gerichtsbarkeit für Patentverletzungen. Die Verletzung des europäischen Patents in mehreren Vertragsstaaten zwang den Patentinhaber in der Regel zu jeweils gesonderten Verletzungsprozessen in den Vertragsstaaten. Seit Beginn der 90er Jahre zeichnet sich unter Führung der Praxis und Lehre in den Niederlanden eine neue Entwicklung ab, die sich auf EG-Recht stützt. Es geht um die Frage, wann ein Gericht zuständig ist, um über im Ausland begangene Patentverletzungen zu entscheiden.

18 Die internationale Zuständigkeit für Patentverletzungsklagen nach der VO (EG) Nr 44/2001 des Rates vom 22.12.2000 über die gerichtliche Zuständigkeit und die Anerkennung und Vollstreckung von Entscheidungen in Zivil- und Handelssachen,[11] die für die EG-Staaten (außer Dänemark) das EuGVÜ (Brüsseler Übereinkommen über die gerichtliche Zuständigkeit) und die Vollstreckung gerichtlicher Entscheidungen in Zivil- und Handelssachen[12] abgelöst hat, und dem Übereinkommen von Lugano vom 16.9.1988.[13] Danach kann wegen Patentverletzungen wahlweise am Gerichtsstand des Beklagtenwohnsitzes oder -sitzes (Art 2, Art 67 EuGVVO) oder der unerlaubten Handlung (des Orts der Patentverletzung, Art 5 Nr 3 EuGVVO) geklagt werden. Der Kläger

---

11 ABl EG L 12 vom 16.1.2001, S 1.
12 ABl EG C 189/1990, S 1.
13 ABl EG L 319/1988, S 9.

kann außerdem aufgrund Art 6 Nr 1 EuGVVO Beklagte mit Sitz in verschiedenen Vertragsstaaten vor einem einzigen Forum verklagen.[14]

Verletzt ein Beklagter ein europäisches Bündelpatent durch Verletzungshandlungen in verschiedenen Vertragsstaaten, so kann das Gericht des Beklagtenwohnsitzes oder -sitzes Sanktionen auch gegen die im Ausland begangenen Handlungen erlassen und dabei insbesondere ein Verbot gegenüber den Auslandstaten anordnen. Zulässig ist auch die Anordnung einstweiliger Maßnahmen mit Wirkung im Hoheitsgebiet eines anderen Staates (siehe für das Gemeinschaftspatent auch Art 36 (2) StrRegProt). 19

Die Gerichte 1. und 2. Instanz in Den Haag, die in den Niederlanden für Patentsachen ausschließlich zuständig sind, haben seit Jahren ihre Zuständigkeit in Fällen der Verletzung von europäischen Patenten für die anderen Vertragsstaaten bejaht, und zwar auch im summarischen Rechtsschutz (kort geding).[15] Diese Rechtsprechung hat durch das Urteil GAT/LuK des EuGH vom 13.7.2006 ein jähes Ende gefunden:[16] Wendet der Verletzungsbeklagte die Nichtigkeit der ausländischen Patente ein, gleichgültig ob mit absoluter oder inzidenter Wirkung, ist das Verletzungsgericht für die Klage aus den ausländischen Patenten nicht mehr zuständig. Dies gilt auch für die negative Feststellungsklage, soweit sie auf die Nichtigkeit des Patents gestützt wird. 20

Das Gericht des Tatorts kann nach Art 5 Nr 3 EuGVVO keine grenzüberschreitende Zuständigkeit in Anspruch nehmen. Der EuGH hat die Kompetenz (Entscheidungsbefugnis) des Tatortgerichts auf den Gerichtsstaat beschränkt.[17] Für das ehemalige Gemeinschaftspatent war ebenfalls die Zuständigkeit des Gerichts der unerlaubten Handlung auf Verletzungshandlungen im Gerichtsstaat beschränkt (Art 17 (2) StrRegProt). 21

Zumindest in Fällen grenzüberschreitender Patentverletzungen, die auf einer einheitlichen Handlung beruhen (Multistate-Patentverletzung)[18] sollte sich die 22

---

14 Allgemein zur Anwendung des EuGVÜ siehe Stauder, GRUR Int 1976, 465 ff und 510 ff; Nachweise neuer Literatur und Rechtsprechung siehe Stauder, 29 IIC 497 (1998); weiter IPrax 1998, 317.
15 Siehe Brinkhof, GRUR Int 1993, 387 = EIPR 1994, 360; Bertrams, GRUR Int 1995, 193; Brinkhof, GRUR Int 1997, 489 = BIE 1996, 258; Stauder, GRUR Int 1997, 859; v. Rospatt, GRUR Int 1997, 861 ff; beides in englisch: Cross-Border Protection of European Patents, IIC 497 (1998); Grabinski, GRUR Int 2001, 199; zur europäisch-transatlantischen Situation siehe Blumer, Texas Intellectual Property Law Journal, Vol. 9, No. 3, 2001, 329.
16 EuGH vom 13.7.2006, C-4/03 – GAT/LuK, GRUR Int 2006, 839; hierzu Luginbühl/Stauder, Der europäische Gerichtshof setzt den grenzüberschreitenden Entscheidungen in Patentsachen ein vorläufiges Ende, sic! 12/2006; Heinze/Roffael, Internationale Zuständigkeit für Entscheidungen über die Gültigkeit ausländischer Immaterialgüterrechte, GRUR Int 2006, 787.
17 **Fiona Shevill v. Presse Alliance**, EuGHE 1995 I, 415.
18 Siehe Stauder, GRUR Int 1983, 586, 588 ff.

23 Beschränkt anwendbar ist auch die Zusammenführung von Beklagten aus mehreren Vertragsstaaten vor dem Gericht der Beklagtenmehrheit nach Art 6 N 1 EuGVVO. Im Interesse des Beklagtenschutzes hatte der Gerechtshof Den Haag gefordert, dass der Beklagte, der den Gerichtsstand begründet, der Hauptverletzer ist oder eine ähnlich beherrschende Funktion hat (spider in the web).[19] Dieser Rechtsprechung ist durch das Urteil Roche/Primus des EuGH vom 13.7.2006 ebenfalls der Boden entzogen.[20]

24 Die restriktive Rechtsprechung hat eine Entwicklung abgebrochen, die von Gerichten und Anwaltschaft betrieben worden war, eine einheitliche internationale Zuständigkeit für das europäische Bündelpatent zu entwickeln. Nach dem derzeitigen Rechtsstand genügt es, dass eine Partei die Ungültigkeit des ausländischen Patents einwendet, um der Zuständigkeit zu entkommen. Die andere Seite dürfte nicht mit dem Argument gehört werden, dass dieser Einwand rechtsmissbräuchlich sei; denn der EuGH hat einem Einwand dieser Art im Rahmen der Zuständigkeitsregeln der EuGVVO die Wirkung genommen.

Der sogenannte Torpedo kann aber weiterhin wirken. Die grenzüberschreitende negative Feststellungsklage ist dem angeblichen Verletzer nicht versperrt, wenn er vor einem Gericht des Wohnsitz- oder Sitzstaates des Patentinhabers klagt und nicht die Ungültigkeit der ausländischen Patente, sondern zB nur den fehlenden verletzenden Eingriff geltend macht.

Artikel 65 Übersetzung der europäischen Patentschrift

(1) Jeder Vertragsstaat kann für den Fall, dass die Fassung, in der das Europäische Patentamt für diesen Staat ein europäisches Patent zu erteilen oder in geänderter Fassung aufrechtzuerhalten beabsichtigt, nicht in einer seiner Amtssprachen vorliegt, vorschreiben, dass der Anmelder oder Patentinhaber bei der Zentralbehörde für den gewerblichen Rechtsschutz eine Übersetzung der Fassung nach seiner Wahl in einer der Amtssprachen dieses Staats, oder, soweit der betreffende Staat die Verwendung einer bestimmten Amtssprache vorgeschrieben hat, in dieser Amtssprache einzureichen hat. Die Frist für die Einreichung der Übersetzung endet drei Monate, nachdem der Hinweis auf die Erteilung des europäischen Patents oder die Aufrechterhaltung des europäischen Patents in geänder-

---

19 Gerechtshof Den Haag vom 23.4.1998 **Expandable Graffs Partnership v. Boston Scientific BV**, englische Übersetzung in F.S.R. [1999] 352, 359.
20 EuGH vom 13.7.2006, C-539/03 – Roche/Primus GRUR Int 2006, 836.

tem Umfang im Europäischen Patentblatt bekannt gemacht worden ist, sofern nicht der betreffende Staat eine längere Frist vorschreibt.

(2) Jeder Vertragsstaat, der eine Vorschrift nach Absatz 1 erlassen hat, kann vorschreiben, dass der Anmelder oder Patentinhaber innerhalb einer von diesem Staat bestimmten Frist die Kosten für eine Veröffentlichung der Übersetzung ganz oder teilweise zu entrichten hat.

(3) Jeder Vertragsstaat kann vorschreiben, dass im Fall der Nichtbeachtung einer auf Grund der Absätze 1 und 2 erlassenen Vorschrift die Wirkungen des europäischen Patents in diesem Staat als von Anfang an nicht eingetreten gelten.

Detlef Schennen

Übersicht

1	Allgemeines	1-4
2	Übersetzungspflicht	5-6
3	Vertragsstaaten mit mehreren Amtssprachen	7-13
4	Frist für die Einreichung der Übersetzung	14-15
5	Nationale Fristen	16
6	Inlandsvertreter oder inländische Zustellanschrift	17
7	Formblätter und Anzahl der Übersetzungsausfertigungen	18
8	Gebühren (Abs 2); Berichtigung und Besonderheiten	19
9	Rechtsfolgen bei Nichteinreichung (Abs 3)	20-21
10	Art und Weise, wie die Übersetzung der Öffentlichkeit zugänglich gemacht wird	22

1 Allgemeines

Eine Übersicht über die Einreichung von Übersetzungen der Patentschrift 1 nach Art 65 EPÜ, gegliedert nach Vertragsstaaten, enthält die Broschüre *Nationales Recht zum EPÜ*, Tabelle IV. Die nationalen Rechte verlangen die Beachtung von Vorschriften zur Bestellung eines Vertreters, zu Fristen, Förmlichkeiten, Gebührenzahlungen usw, die in schwierigen Fällen die Beiziehung eines mit dem jeweiligen nationalen Recht vertrauten Vertreters erfordern kann.

Die nationalen Regeln zur Überführung des europäischen Patents in die nationale Phase bilden die sogenannte Validierung des europäischen Patents, mit der Validierungskosten verbunden sind. 2

Art 65 räumt jedem Vertragsstaat die Befugnis ein, nach der Erteilung des europäischen Patents die Übersetzung der Patentschrift in eine seiner Amtssprachen zu verlangen. Dieses Erfordernis widerspricht nicht dem EG-Vertrag.[1] 3

---

[1] EuGH vom 21.9.1999 – *BASF/Deutsches Patentamt* –, GRUR Int 2000, 71.

Artikel 65 *Übersetzung der Patentschrift*

Das EPÜ selbst schreibt nur die Übersetzung der Patentansprüche in die beiden anderen Amtssprachen vor (Art 14 (7), Art 97 (5), R 51 (6), Art 102 (5), R 58 (5); siehe Art 97 Rdn 20–22). Eine Übersetzung der veröffentlichten europäischen Patentanmeldung ist nur für die Geltendmachung des einstweiligen Schutzes nötig (Art 67 (3)).

EPÜ 2000

Die Revisionsakte vom 29.11.2000 hat Art 65 nur geringfügig geändert, und zwar durch Erwähnung des neu eingeführten zentralen Beschränkungsverfahrens. Wichtiger ist das Übereinkommen vom 17.10.2000 über die Anwendung des Art 65,[2] das eine freiwillige Anstrengung zur Senkung der Übersetzungskosten darstellt. Hauptpunkt des Abkommens ist, dass Vertragsstaaten auf die Übersetzung des europäischen Patents in ihre Amtssprache verzichten, wenn die europäische Patentschrift in einer bestimmten Amtssprache des EPA veröffentlicht wurde. Hat der betreffende Staat eine Amtssprache, die auch eine der Amtssprachen des EPA ist, so verzichtet der Staat auf die Übersetzung (Art 1 (1) des Übereinkommens). Hat der betreffende Staat mit dem EPA keine Amtssprache gemein, so verzichtet der Staat auf die Übersetzung der gesamten Patentschrift, wenn das Patent in einer von dem betreffenden Staat bestimmten Amtssprache des EPA erteilt wurde oder in diese übersetzt wurde; dieser Staat darf das Übersetzungserfordernis für die Ansprüche des europäischen Patents beibehalten (Art 1 (2), (3) des Übereinkommens). Im Endeffekt wäre bei voller Anwendung des Übereinkommens die europäische Patentschrift nur in den drei EPA- Amtssprachen verfügbar. Das Übereinkommen wurde bereits von 8 Vertragsstaaten gezeichnet; es tritt in Kraft, wenn es von 8 Vertragsstaaten ratifiziert ist, zu denen die drei Vertragsstaaten mit der höchsten Zahl an erteilten europäischen Patenten zählen müssen.[3] 2005 war das Übereinkommen noch nicht in Kraft. Slowenien hat jedoch von den Ermächtigungen bereits Gebrauch gemacht (siehe unten, Rdn 5).

4 Der Wortlaut in der Verfahrenssprache einer europäischen Patentanmeldung und eines europäischen Patents bleibt die verbindliche Fassung, vorbehaltlich der Ausnahme in Art 70 (3) und (4) (siehe Art 70 Rdn 6, 7, 9, 13 und 15).

2 Übersetzungspflicht

5 Jeder Vertragsstaat kann eine Übersetzung der europäischen Patentschrift in eine der Amtssprachen seines Staates verlangen, wenn das europäische Patent nicht in einer seiner Amtssprachen vorliegt. Von dieser in Abs 1 vorgesehenen Möglichkeit haben gegenwärtig alle Vertragsstaaten außer Luxemburg und Monaco Gebrauch gemacht. Slowenien verlangt nur die Übersetzung der An-

---

2 ABl 2001, 550.
3 Siehe Verlautbarung des EPA, ABl 2001, 549, und Kober, GRUR Int 2001, 495.

sprüche.[4] Für alle anderen Vertragsstaaten gilt das Übersetzungserfordernis für die gesamte europäische Patentschrift (Ansprüche, Beschreibung, Zeichnungen), und zwar sowohl für das erteilte europäische Patent (R 51 (6)) als auch für das im Einspruchsverfahren in geändertem Umfang aufrechterhaltene europäische Patent (R 58 (5)).

Die Übersetzung ist bei der Zentralbehörde für den gewerblichen Rechtsschutz (nationales Patentamt) einzureichen. Die Frist beträgt 3 Monate (siehe Rdn 14 und 16). Nach nationalem Recht sind Gebühren für die Veröffentlichung der Übersetzung innerhalb einer bestimmten Frist zu entrichten.[5] Bei Nichtbeachtung dieser Pflichten droht Rechtsverlust. 6

3 Vertragsstaaten mit mehreren Amtssprachen

Hat ein Staat mehrere Amtssprachen, so bedarf es keiner Übersetzung, wenn die Verfahrenssprache des europäischen Patents eine dieser Sprachen ist. 7

Ist die Verfahrenssprache des europäischen Patents keine der Amtssprachen des Vertragsstaats, so kann die Verwendung einer bestimmten Amtssprache vorgeschrieben werden. Ist das nicht geschehen, so kann der Anmelder wählen, in welcher Amtssprache dieses Staats er die Übersetzung einreicht. 8

Von den Vertragsstaaten haben Belgien, die Schweiz, Luxemburg und Finnland mehrere Amtssprachen. Es bestehen folgende Regeln:[6] 9

Belgien hat als Amtssprachen Französisch und Niederländisch. Unter bestimmten Voraussetzungen ist auch die Verwendung von Deutsch zulässig.[7] 10

In der Schweiz sind Amtssprachen Deutsch, Französisch und Italienisch. Die rätoromanische Sprache ist zwar Staatssprache in einem bestimmten Gebiet, aber keine Amtssprache, in der Schweizer Patentanmeldungen eingereicht werden können. Der Patentinhaber hat die Wahl zwischen den 3 Amtssprachen, und zwar auch für Liechtenstein. 11

In Finnland, dessen Amtssprachen Finnisch und Schwedisch sind, muss die Patentschrift ins Finnische übersetzt werden. Nur wenn die Sprache des Anmelders Schwedisch ist, genügt die Übersetzung der Patentschrift ins Schwedische; sie muss vom Anmelder oder seinem Vertreter beglaubigt werden. 12

In Luxemburg sind die Amtssprachen Deutsch, Französisch und Luxemburgisch (Broschüre *Nationales Recht zum EPÜ*, Tabelle II, Spalte 4). Da in Luxemburg keine Übersetzungen der Patentschrift verlangt werden, taucht die Frage der Sprachenwahl für die Übersetzung nicht auf. 13

---

4   ABl 2004, 298.
5   Siehe Broschüre *Nationales Recht zum EPÜ*, Tabelle IV, Spalte 3.
6   Nach Broschüre *Nationales Recht zum EPÜ*, Tabelle IV, Spalte 4.
7   Siehe Bekanntmachung des EPA, ABl 1999, 320, und Broschüre *Nationales Recht zum EPÜ*, Tabelle IV, Spalte 4.

4 Frist für die Einreichung der Übersetzung

14 Nach der am 1.1.1996 in Kraft getretenen Änderung von Art 65 (1) Satz 2 endet die Mindestfrist drei Monate nach dem Hinweis im Europäischen Patentblatt auf die Erteilung des europäischen Patents. Dem Patentinhaber steht zusätzlich die Mindestfrist von fünf Monaten zur Verfügung zwischen der Aufforderung des EPA nach R 51 (6) und der Bekanntmachung des Hinweises (Art 97 (4) und (5)). Dem Patentinhaber ist damit nun für alle Vertragsstaaten eine ausreichende Frist garantiert.

15 Falls im Einspruchsverfahren das europäische Patent in geändertem Umfang aufrechterhalten wird, beträgt die Mindestfrist 3 Monate (Art 65 (1) Satz 2).

5 Nationale Fristen

16 Außer Irland und der Türkei hat kein Vertragsstaat eine längere Frist als die in Art 65 (1) Satz 2 vorgesehene 3-Monatsfrist bestimmt. Irland sieht eine Frist von 6 Monaten vor. Die Türkei erlaubt eine Nachfrist von 3 Monaten gegen Zahlung eines Zuschlags.[8]

6 Inlandsvertreter oder inländische Zustellanschrift

17 Einige Staaten schreiben vor, dass die Übersetzung von einem zur Vertretung befugten Inlandsvertreter einzureichen ist oder dass eine inländische Zustellanschrift anzugeben ist. Einzelheiten siehe Broschüre *Nationales Recht zum EPÜ*, Tabelle IV, Spalte 1; diese Erfordernisse gelten auch für PL[9], RO[10], BG[11], SK[12], CZ[13] und EE.[14] Siehe außerdem Einführung zu Tabelle IV, unter 2 am Ende, betreffend verspätete Erfüllung dieser Pflichten.

7 Formblätter und Anzahl der Übersetzungsausfertigungen

18 Verschiedene Staaten verlangen die Benutzung von Formblättern und die Einreichung in mehreren Exemplaren.[15]

8 Gebühren (Abs 2); Berichtigung und Besonderheiten

19 Die meisten Staaten verlangen für die Kosten der Veröffentlichung eine Gebühr, siehe Broschüre *Nationales Recht zum EPÜ*, Tabelle IV, Spalte 3 und

---

8 Mitteilung des EPA, ABl 2001, 354.
9 ABl 2004, 521.
10 ABl 2004, 531.
11 ABl 2004, 591.
12 ABl 2004, 469.
13 ABl 2004, 344.
14 ABl 2004, 192.
15 Einzelheiten siehe Broschüre *Nationales Recht zum EPÜ*, Tabelle IV, Spalte 5–7. Zum Umfang der Unterlagen und der Übersetzung siehe Tabelle IV, Spalte 11.

Übersetzung der Patentschrift **Artikel 65**

Nachträge für neue Vertragsstaaten[16] sowie ferner neueste Gebührenänderungen.[17] Berichtigung der Übersetzung und zu Besonderheiten siehe Tabelle IV, Spalte 9–11.

9 Rechtsfolgen bei Nichteinreichung (Abs 3)

Von der Sanktionsmöglichkeit des Abs 3 haben alle Staaten Gebrauch gemacht, 20 die eine Übersetzung verlangen: Bei Nichtbeachtung der nationalen Bestimmungen gelten die Wirkungen des europäischen Patents in diesem Staat als von Anfang an nicht eingetreten.[18] Entgegen Art II § 3 (1), (2) (6) DE-IntPatÜG und § 2 (1) der DE-VO vom 2.6.1992[19] hält es das Bundespatentgericht für ausreichend, wenn der Patentinhaber eine Übersetzung der Beschreibung und der sprachlichen Hinweise in den Zeichnungen, nicht aber eine Übersetzung der Patentansprüche einreicht, die bereits in der europäischen Patentschrift in deutscher Sprache mit veröffentlicht worden sind.[20]

In den meisten Vertragsstaaten sind die vorgeschriebenen Fristen nicht ver- 21 längerbar. Ausnahmen sind GB, CZ, TR, EE, RO und SK;[21] In CH/LI ist die Weiterbehandlung möglich. Die Möglichkeit der Wiedereinsetzung in den vorigen Stand besteht in AT, CH, CZ, DE, DK, ES, FI, FR, GB, IE, IT, NL, PT und SE.[22] Dieser nationale Rechtsbehelf ist nach Art 122 (7) zulässig (vgl Art 122 Rdn 143–144).

10 Art und Weise, wie die Übersetzung der Öffentlichkeit zugänglich gemacht wird

Es gibt 3 verschiedene Arten, in der die Übersetzung der Öffentlichkeit zu- 22 gänglich gemacht wird:[23]

a) Hinweis und Veröffentlichung als Druckschrift (AT, BG, CZ, DE, DK, ES, FI, PL, SE, SI);

b) Hinweis und Einsichtnahme im nationalen Patentamt; Kopien sind erhältlich (EE, FR, GB, GR, HU, NL, PT, TR);

---

16   PL, ABl 2004, 521; RO, ABl 2004, 531; BG, ABl 2004, 591; SK, ABl 2004, 469; EE, ABl 2004, 192; SI, ABl 2004, 298.
17   AT, ABl 2005, 484; CZ, ABL 2005, 144; DK, ABl 2004, 104; ES, ABl 2005, 221; GR, ABl 2005, 412; IT, ABl 2005, 223; HU, ABl 2005, 486; PT, ABl 2005, 489; TR, ABl 2005, 147.
18   Broschüre *Nationales Recht zum EPÜ*, Einleitung zu Tabelle IV unter 2.
19   DE-VO vom 2.6.1992 in BlPMZ 1992, 290.
20   BPatG vom 23.5.1997 – *Übersetzung der Beschreibung*, BPatGE 38, 150 = GRUR 1997, 820.
21   Siehe auch Broschüre *Nationales Recht zum EPÜ*, Tabelle IV, Spalte 3.
22   Siehe Broschüre *Nationales Recht zum EPÜ*, Einführung zu Tabelle IV, unter 2.
23   Broschüre *Nationales Recht zum EPÜ*, Tabelle IV, Spalte 8.

c) Einsichtnahme im nationalen Patentamt; Kopien sind erhältlich (BE, CH, IE, IT);
d) Hinweis und Einsichtnahme im nationalen Patentamt; Veröffentlichung im Internet (SK).

Artikel 66 Wirkung der europäischen Patentanmeldung als nationale Hinterlegung

Eine europäische Patentanmeldung, deren Anmeldetag feststeht, hat in den benannten Vertragsstaaten die Wirkung einer vorschriftsmäßigen nationalen Hinterlegung, gegebenenfalls mit der für die europäische Patentanmeldung in Anspruch genommenen Priorität.

Detlef Schennen

Übersicht

1	Allgemeines	1
2	Wirkung der europäischen Patentanmeldung ...	2-4
3	Der feststehende Anmeldetag	5-7
4	Einbeziehung einer geltend gemachten Priorität .	8

1 Allgemeines

1 Dieser Artikel legt eindeutig fest, dass die europäische Patentanmeldung in allen benannten Vertragsstaaten die volle Wirkung einer dort eingereichten nationalen Anmeldung hat. Damit geht ihre Wirkung weit über die eines Prioritätsrechts hinaus.
PCT hat in Art 11 (3) eine entsprechende Bestimmung.

2 Wirkung der europäischen Patentanmeldung

2 Die europäische Patentanmeldung wirkt wie eine vorschriftsmäßige nationale Hinterlegung in jedem benannten Vertragsstaat. Damit wird sie einer tatsächlichen nationalen Hinterlegung in diesem Staat völlig gleichgestellt.
Die Wirkung nach Art 66 zeigt sich, wenn die europäische Patentanmeldung in eine nationale Anmeldung umgewandelt wird (Art 135 ff).
3 Sie zeigt sich ferner darin, dass die europäische Patentanmeldung als Erstanmeldung die Grundlage für eine nationale Nachanmeldung in jedem anderen PVÜ-Verbandsstaat bilden kann. Damit wird dem Text in Art 4 A PVÜ *vorschriftsmäßige nationale Hinterlegung* entsprochen. Die Priorität einer europäischen Patentanmeldung kann für eine Patent- oder Gebrauchsmuster-Nachanmeldung in Anspruch genommen werden. Auch bei der *Abzweigungsregelung* (Inanspruchnahme des Anmeldetags einer früheren Patentanmeldung) nach § 5 DE-GebrMG ist die europäische Patentanmeldung als Grund-

lage der Inanspruchnahme des Anmeldetags für eine Gebrauchsmusteranmeldung der nationalen Patentanmeldung gleichgestellt.

Die europäische Patentanmeldung bildet weiter in den benannten Vertragsstaaten den Stand der Technik wie eine ältere nationale Anmeldung (Art 139 (1); für DE siehe § 3 (2) Nr 2 PatG). Sie hat damit in den benannten Vertragsstaaten sowohl die positiven, patentbegründenden Wirkungen wie auch die negativen patenthindernden Wirkungen als Stand der Technik wie eine nationale Anmeldung.

Nicht aus Art 66, sondern aus Art 87 ff ergibt sich, inwieweit die europäische Patentanmeldung die Priorität nationaler Anmeldungen beanspruchen kann.

3 Der feststehende Anmeldetag

Voraussetzung für den Eintritt dieser Wirkung ist, dass der Anmeldetag der europäischen Patentanmeldung feststeht. In der englischen und französischen Fassung heißt es deutlicher, dass der Anmeldetag bewilligt oder gewährt wird (accorded, accordée). Nach Art 80 wird der Anmeldetag zuerkannt, wenn die Eingangsstelle nach Art 90 (1) a) zum Ergebnis gekommen ist, dass die Anmeldung den Erfordernissen des Art 80 genügt. Bisher galt als Grundsatz, dass das spätere Schicksal der Anmeldung keinen Einfluss auf den Anmeldetag hat.

Dieser Grundsatz war durch **J 22/95**[1] in Frage gestellt worden: Die Entscheidung geht davon aus, dass die zurückgenommene Benennung eines Vertragsstaats mit Rücksicht auf Art 67 (4) so anzusehen sei, als habe sie nie existiert (Nr 2.3 der Gründe) und mithin ex tunc entfalle. Gelten alle Benennungen als zurückgenommen, weil die Benennungsgebühren nicht gezahlt worden sind, würde damit die gesamte Anmeldung ex tunc entfallen. Damit würde auch ein bereits zuerkannter Anmeldetag nachträglich seine Wirkung wieder verlieren und zB auch als Prioritätstag nicht mehr in Anspruch genommen werden können.

Dies stand in Gegensatz zu **J 4/86**[2] und **J 25/88**,[3] die die Praxis des EPA bisher bestimmt haben. Die Große Beschwerdekammer[4] bestätigte J 4/86 und J 25/88 und urteilte, dass die Zurücknahme einer, mehrerer oder aller Benennungen von Vertragsstaaten nicht die Wirkung der europäischen Patentanmeldung rückwirkend beseitigt. Die unterlassene Zahlung von Benennungsgebühren führt, wie die unterlassene Zahlung der Prüfungsgebühr, zur Fiktion der Zurücknahme der europäischen Patentanmeldung, jedoch lediglich mit Wirkung ex nunc und ohne Auswirkungen auf den Anmeldetag. Somit hängt die Wirkung des Art 66 weder von der Zahlung der Benennungsgebühren noch von

---

1 **J 22/95**, ABl 1998, 569.
2 **J 4/86**, ABl 1988, 119.
3 **J 25/88**, ABl 1989, 486.
4 **G 4/98**, ABl 2001, 131.

der Zahlung der Anmeldegebühr ab (siehe insbesondere Abschnitte 3.1 und 5 der Entscheidung G 4/98).

4 Einbeziehung einer geltend gemachten Priorität

8   Die Einbeziehung der geltend gemachten Priorität ist logisch und notwendig, da der weitaus überwiegende Teil der europäischen Patentanmeldungen als Nachanmeldungen unter Beanspruchung einer früheren nationalen oder PCT-Priorität angemeldet werden.

Ob eine Priorität zu Recht geltend gemacht worden ist, ergibt sich aus der Prioritätsregelung des EPÜ (siehe Art 87–89).

Artikel 67 Rechte aus der europäischen Patentanmeldung nach Veröffentlichung

(1) Die europäische Patentanmeldung gewährt dem Anmelder vom Tag ihrer Veröffentlichung nach Artikel 93 an in den in der Veröffentlichung angegebenen benannten Vertragsstaaten einstweilen den Schutz nach Artikel 64.

(2) Jeder Vertragsstaat kann vorsehen, dass die europäische Patentanmeldung nicht den Schutz nach Artikel 64 gewährt. Der Schutz, der mit der Veröffentlichung der europäischen Patentanmeldung verbunden ist, darf jedoch nicht geringer sein als der Schutz, der sich auf Grund des Rechts des betreffenden Staats aus der zwingend vorgeschriebenen Veröffentlichung der ungeprüften nationalen Patentanmeldungen ergibt. Zumindest hat jeder Vertragsstaat vorzusehen, dass der Anmelder für die Zeit von der Veröffentlichung der europäischen Patentanmeldung an von demjenigen, der die Erfindung in diesem Vertragsstaat unter Voraussetzungen benutzt hat, die nach dem nationalen Recht im Fall der Verletzung eines nationalen Patents sein Verschulden begründen würden, eine den Umständen nach angemessene Entschädigung verlangen kann.

(3) Jeder Vertragsstaat kann für den Fall, dass eine seiner Amtssprachen nicht die Verfahrenssprache ist, vorsehen, dass der einstweilige Schutz nach den Absätzen 1 und 2 erst von dem Tag an eintritt, an dem eine Übersetzung der Patentansprüche nach Wahl des Anmelders in einer der Amtssprachen dieses Staats oder, soweit der betreffende Staat die Verwendung einer bestimmten Amtssprache vorgeschrieben hat, in dieser Amtssprache
a) der Öffentlichkeit unter den nach nationalem Recht vorgesehenen Voraussetzungen zugänglich gemacht worden ist oder
b) demjenigen übermittelt worden ist, der die Erfindung in diesem Vertragsstaat benutzt.

Rechte aus der Anmeldung **Artikel 67**

(4) Die in den Absätzen 1 und 2 vorgesehenen Wirkungen der europäischen Patentanmeldung gelten als von Anfang an nicht eingetreten, wenn die europäische Patentanmeldung zurückgenommen worden ist, als zurückgenommen gilt oder rechtskräftig zurückgewiesen worden ist. Das Gleiche gilt für die Wirkungen der europäischen Patentanmeldung in einem Vertragsstaat, dessen Benennung zurückgenommen worden ist oder als zurückgenommen gilt.

Detlef Schennen

Übersicht

1	Allgemeines	1-2
2	Geringerer einstweiliger Schutz und seine Entstehung	3-6
3	Mindestschutz	7
4	Schadensersatz oder eine angemessene Entschädigung; sonstige Rechtsfolgen	8-9
5	Übersetzung der Patentansprüche	10-11
6	Vertragsstaaten mit mehreren Amtssprachen . . .	12-13
7	Einreichung der Übersetzung; Schutzbeginn	14
8	Gebühr für die Veröffentlichung	15
9	Nationaler Vertreter oder nationale Zustellanschrift	16
10	Formulare und Zahl der Exemplare der Übersetzung	17
11	Einzelheiten bei Einreichung der Übersetzung . .	18
12	Art und Weise, wie die Übersetzung der Öffentlichkeit zugänglich gemacht wird	19
13	Besonderheiten hinsichtlich der Wirkung von Euro-PCT-Anmeldungen	20-23
14	Wegfall der Wirkung	24-26

1 Allgemeines

Artikel 67 befasst sich mit dem Schutz, den die veröffentlichte europäische Patentanmeldung gewährt; er gibt den Vertragsstaaten die Befugnis, den Schutz zu beschränken und ihn von der Vorlage von Übersetzungen der Patentansprüche in eine der Amtssprachen des betreffenden Staats abhängig zu machen. Der Schutz ist nach Abs 4 stets nur einstweilig. 1

Der Schutz der veröffentlichten internationalen Anmeldung ist in Art 29 PCT geregelt, für die Euro-PCT-Anmeldung gilt Art 158 EPÜ. Den Schutz der künftigen Gemeinschaftspatentanmeldung enthält Art 32 GPÜ. 2

Die Broschüre *Nationales Recht zum EPÜ* führt in Tabelle III A und B die nach Art 67 (2) und (3) erlassenen nationalen Vorschriften im einzelnen auf.

Artikel 67   *Rechte aus der Anmeldung*

EPÜ 2000

Art 67 ist durch die Revisionsakte vom 29. 11. 2000 nur redaktionell geändert worden. Art 67 ist von dem Übereinkommen über die Anwendung des Art 65 EPÜ (siehe dazu unter Art 65 Rdn 3) nicht betroffen.

2 Geringerer einstweiliger Schutz und seine Entstehung

3   Abs 1 stellt den Grundsatz auf, dass die veröffentlichte europäische Patentanmeldung denselben vollen Schutz genießen soll wie ein nach Prüfung erteiltes europäisches Patent. Der einstweilige Schutz tritt am Tage der Veröffentlichung ein, die unverzüglich nach Ablauf von 18 Monaten nach dem Anmelde- bzw Prioritätstag erfolgt, auf Wunsch des Anmelders aber auch früher erfolgen kann (Art 93 (1) Satz 1 und 2).

4   Der volle Schutz wird nur gewährt, wenn der jeweilige Vertragsstaat keine abweichende Regelung nach Abs 2 eingeführt hat. Alle Vertragsstaaten haben von diesem Recht Gebrauch gemacht. Die Rechte aus der europäischen Patentanmeldung nach Veröffentlichung sind in der Broschüre *Nationales Recht zum EPÜ* in Tabelle III A nach Ländern aufgelistet. Ganz überwiegend gewährt die europäische Patentanmeldung nach dem jeweiligen nationalen Recht nur einen Anspruch auf eine angemessene Entschädigung oder auf Schadensersatz. Das deutsche Recht gewährt nur den Anspruch auf angemessene Entschädigung, Art II § 1 (1) DE-IntPatÜG.

5   Die Gewährung des patentrechtlichen Vollschutzes wäre bedenklich, weil die Anmeldung noch nicht das volle Prüfungsverfahren durchlaufen hat und der Benutzer der Anmeldung sich gegenüber einem Unterlassungsanspruch nicht wie nach der Erteilung mit dem Einspruch oder der Nichtigkeitsklage wehren kann. Deshalb haben die Vertragsstaaten die konventionsrechtliche Gleichstellung nicht übernommen.

6   In einem Teil der Vertragsstaaten kann der Anspruch aus dem einstweiligen Schutz erst nach der Patenterteilung geltend gemacht werden; andere Rechtsordnungen sehen vor, dass die Klage aus dem einstweiligen Schutz bis zur Patenterteilung auszusetzen ist oder ausgesetzt wird (Broschüre *Nationales Recht zum EPÜ*, Tabelle III A, Spalte 4). Der einstweilige Schutz steht somit stets unter dem Vorbehalt der Patenterteilung (vgl auch Abs 4).

3 Mindestschutz

7   Abs 2 Satz 2 enthält eine Mindestschutzklausel: Der nationale Schutz der veröffentlichten ungeprüften nationalen Anmeldung darf nicht unterschritten werden. Nach Abs 2 Satz 3 muss jeder Vertragsstaat als Mindestschutz den Anspruch auf eine den Umständen angemessene Entschädigung vorsehen, wenn den Verletzer ein Verschulden trifft, das nach nationalem Recht Ansprüche wegen der Verletzung des nationalen Rechts begründen würde.

4 Schadensersatz oder eine angemessene Entschädigung; sonstige Rechtsfolgen

Ob in den Vertragsstaaten ein Anspruch auf Schadensersatz oder auf eine den Umständen nach angemessene Entschädigung, gelegentlich auf Beschlagnahme oder Geldstrafe besteht, ist in der Broschüre *Nationales Recht zum EPÜ*, Tabelle III A, Spalte 3 im einzelnen aufgelistet. 8

Die nach den Umständen angemessene Entschädigung wird dem Patentanmelder für die ungenehmigte Benutzung seiner europäischen Patentanmeldung als Mindestvergütung gewährt (Abs 2 Satz 3). Sie ist auch nach nationalem Recht regelmäßig geringer als der volle Schadensersatz für die Benutzung eines erteilten Patents und entspricht einer angemessenen Lizenz für die Benutzung der Anmeldung. Weitergehende Ansprüche schließt das EPÜ nicht aus. 9

5 Übersetzung der Patentansprüche

Nach Abs 3 können die Vertragsstaaten den einstweiligen Schutz aus der veröffentlichten europäischen Patentanmeldung davon abhängig machen, dass eine Übersetzung der Patentansprüche in einer ihrer Amtssprachen vorgelegt wird. Alle Vertragsstaaten haben von dieser Ermächtigung Gebrauch gemacht.[1] 10

Der vorläufige Schutz tritt erst zu dem Zeitpunkt ein, zu dem die Übersetzung der Patentansprüche der Öffentlichkeit zugänglich gemacht oder dem Benutzer der Erfindung übermittelt worden ist. Die meisten Vertragsstaaten sehen beide Möglichkeiten vor (so auch Art II § 1 (2) DE-IntPatÜG). In der ersten Variante (Abs 3 Buchst a) beginnt der Schutz mit dem Tag der Zugänglichmachung, deren Voraussetzungen das nationale Recht festlegt. Nach dem EPÜ ist es unerheblich, ob mit der Anmeldung auch der Recherchenbericht veröffentlicht worden ist. Ebenfalls ohne Bedeutung ist es konventionsrechtlich, ob der Hinweis auf die Veröffentlichung im Europäischen Patentblatt bereits veröffentlicht ist (Art 127 und 129 a), R 92 (1)). (Einzelheiten der Erfordernisse für die Zugänglichmachung und zum Zeitpunkt der Entstehung der Rechte siehe Broschüre *Nationales Recht zum EPÜ*, Tabelle III A, Spalte 4 und III B, Spalte 7). 11

6 Vertragsstaaten mit mehreren Amtssprachen

Hat ein Vertragsstaat mehrere Amtssprachen, so kann der Anmelder eine von ihnen frei wählen. Aus der französischen und englischen Fassung folgt, dass sich die Worte in Abs 3 *nach seiner Wahl* auf die Amtssprachen beziehen, nicht auf die Fälle der Buchst a) und b). Anders ist dies in Art 32 (2) GPÜ, der dem Anmelder ein Wahlrecht gibt, auf welche Art er die Übersetzung vorlegt. 12

---

1 Einzelheiten siehe Broschüre *Nationales Recht zum EPÜ*, Tabelle III A, Spalte 2 und III B., zu den neuen Vertragsstaaten siehe die Nachweise unter Art 65 Rdn 17.

Artikel 67 *Rechte aus der Anmeldung*

13 Auch Luxemburg, das keine Übersetzung der europäischen Patentschrift vorschreibt, verlangt im übrigen als Voraussetzung für die Wirkung der europäischen Patentanmeldung, dass eine Übersetzung der Patentansprüche ins Französische oder Deutsche eingereicht wird.[2]

Weitere Besonderheiten siehe Broschüre *Nationales Recht zum EPÜ*, Tabelle III B, Spalte 10.

7 Einreichung der Übersetzung; Schutzbeginn

14 Für die Einreichung einer Übersetzung der Patentansprüche ist keine Frist gesetzt. Der Schutz tritt mit dem Tag der Zugänglichmachung der Übersetzung nach nationalem Recht ein (zu deren Modalitäten siehe Broschüre *Nationales Recht zum EPÜ*, Tabelle III B, Spalte 7) oder mit der Übermittlung der Übersetzung an den Benutzer (Abs 3). Zugunsten des Benutzers entstehen keine Weiterbenutzungsrechte.

8 Gebühr für die Veröffentlichung

15 Die meisten Staaten verlangen Gebühren für die Veröffentlichung der Patentansprüche oder eines Hinweises darauf. In DE ist mit dem Antrag eine Gebühr von 60 Euro zu zahlen (§ 3 und Anlage zu § 2 des DE-Patentkostengesetzes). Keine Gebühr verlangen BE, CH, DK, FI, GB, MC, NL, PL und SI. Einzelheiten siehe Broschüre *Nationales Recht zum EPÜ*, Tabelle III B, Spalte 2 sowie die Nachweise unter Art 65 Rdn 19.

Außer GR und EE erheben alle Vertragsstaaten, die für die Veröffentlichung Gebühren verlangen, auch für eine Berichtigung Gebühren.[3]

9 Nationaler Vertreter oder nationale Zustellanschrift

16 Einzelne Staaten verlangen, dass die Übersetzung von einem nationalen Vertreter eingereicht wird oder dass später ein solcher Vertreter bestellt wird, zumindest aber, dass eine nationale Zustellanschrift angegeben wird.[4] In DE besteht kein solches Erfordernis.[5]

10 Formulare und Zahl der Exemplare der Übersetzung

17 Die Verwendung von Formblättern ist für die Einreichung der Übersetzung in CY, DE, ES, GB, IT und PT vorgeschrieben. Man halte sich im übrigen an die Formerfordernisse der R 35 (3)–(14) EPÜ (Broschüre *Nationales Recht zum EPÜ*, Tabelle III B, Spalte 6). Die Übersetzung muss je nach Vertragsstaat 1–4fach eingereicht werden (Tabelle III B, Spalte 5 und 6).

---

2 Broschüre *Nationales Recht zum EPÜ*, Tabelle III A, Spalte 4 und III B, Spalte 3.
3 Broschüre *Nationales Recht zum EPÜ*, Tabelle III B, Spalte 9.
4 Broschüre *Nationales Recht zum EPÜ*, Tabelle III B, Spalte 1.
5 Mitteilung des DPMA, BlPMZ 1992, 481.

11 Einzelheiten bei Einreichung der Übersetzung

Für weitere formelle Einzelheiten, die bei der Einreichung der Übersetzung zu beachten sind, siehe Broschüre *Nationales Recht zum EPÜ*, Tabelle III B, für besondere Einzelheiten siehe Spalte 10.

18

12 Art und Weise, wie die Übersetzung der Öffentlichkeit zugänglich gemacht wird

Auf drei verschiedene Arten können die Übersetzungen der Öffentlichkeit zugänglich gemacht werden:[6]

19

a) DE, DK, FI, SK: Die Übersetzung der Patentansprüche wird als Druckschrift oder im Internet veröffentlicht, ein Hinweis erfolgt im Patentblatt. Siehe Art II § 2 (1) DE-IntPatÜG.
b) BG, CY, CZ, EE, ES, FR, GB GR, LU, NL, PL, PT, SE, TR: In einem Veröffentlichungsorgan des Amtes, meist im Patentblatt, wird auf das Vorliegen der Übersetzung hingewiesen; die Übersetzung steht zur Einsichtnahme (meist im Patentamt, und zwar meist im Lesesaal) zur Verfügung; Kopien sind möglich.
c) AT, BE, CH/LI, IE, IT: Die Übersetzung steht zur Einsichtnahme im Patentamt zur Verfügung; Kopien sind möglich.

13 Besonderheiten hinsichtlich der Wirkung von Euro-PCT-Anmeldungen

Die Veröffentlichung einer Euro-PCT-Anmeldung durch WIPO (Art 21 PCT) tritt an die Stelle der Veröffentlichung der europäischen Patentanmeldung (Art 158 (1) Satz 1; in der Fassung der Revision 2000: Art 153 (3)). Sie entfaltet den einstweiligen Schutz nach Art 67.

20

Wenn die Euro-PCT-Anmeldung nicht in einer der Amtssprachen des EPA veröffentlicht ist, sondern zB in Japanisch, Chinesisch, Spanisch oder Russisch, so tritt der einstweilige Schutz nach Art 158 (3) EPÜ (in der Fassung der Revision 2000: Art 153 (4)) erst ab dem Tag ein, an dem das EPA die internationale Anmeldung in einer seiner Amtssprachen veröffentlicht. Auch in diesem Fall sind die Vorschriften zu beachten, die national in Ausführung von Art 67 (2) und (3) für europäische Patentanmeldungen getroffen sind (zB Art II § 1 (3), § 2 (1) DE-IntPatÜG).

21

Beispiel: Die internationale Anmeldung ist in Japanisch veröffentlicht worden, das EPA veröffentlicht sie in englischer Übersetzung. Mit der Veröffentlichung der englischen Übersetzung tritt der einstweilige Schutz der Anmeldung in GB und IE ein. In den übrigen Vertragsstaaten des EPÜ tritt die Wirkung erst ein, wenn die Übersetzungen der Patentansprüche bei den nationalen Äm-

---

[6] Broschüre *Nationales Recht zum EPÜ*, Tabelle III B, Spalte 7.

Artikel 68 — Wirkung des Widerrufs des Patents

tern eingereicht oder dem Benutzer übermittelt und die übrigen für europäische Patentanmeldungen vorgeschriebenen nationalen Erfordernisse erfüllt sind.

22   Aus der – wenn nötig übersetzten – internationalen Anmeldung kann der Anmelder wie aus einer europäischen Patentanmeldung durch Übermittlung an den Benutzer vorgehen (Art 158 (3) Satz 2 iVm Art 67 (3)).

23   Der PCT verweist für den einstweiligen Schutz aus einer internationalen Anmeldung auf das nationale Recht (Art 29 PCT) mit seinen Modifikationen.

14 Wegfall der Wirkung

24   Der Schutz ist lediglich einstweilig: geht die veröffentlichte europäische Patentanmeldung unter, so entfällt rückwirkend der Schutz. Abs 4 führt drei Möglichkeiten hierfür auf, nämlich die Zurücknahme der Anmeldung, die Fiktion der Zurücknahme und die rechtskräftige Zurückweisung der Anmeldung. Letztere liegt nach Ablauf der Beschwerdefrist vor, wenn keine Beschwerde eingelegt worden ist, sonst nach Abschluss des Beschwerdeverfahrens. In gleicher Weise entfällt rückwirkend der Schutz für die Staaten, deren Benennung im Lauf des Verfahrens zurückgenommen wird oder als zurückgenommen gilt.

25   Die Große Beschwerdekammer hat in G 4/98[7] entschieden, dass der Verlust der Wirkungen der europäischen Patentanmeldung in einem Vertragsstaat nach Art 67 (4) rückwirkende Kraft hat, dass dies aber keine generelle Regel für andere Fälle darstellt, in denen das Übereinkommen die Zurücknahme oder die Fiktion der Zurücknahme der Anmeldung behandelt. Sie hob J 22/95[8] auf und bestätigte J 4/86[9] und J 25/88:[10] die Zurücknahmefiktion wegen Nichtzahlung der Benennungsgebühren wirkt ex nunc. Zu Einzelheiten siehe unter Art 66 Rdn 7.

26   Nach Art 68 entfällt der einstweilige Schutz durch Widerruf des europäischen Patents im Einspruchsverfahren. Hat der Patentanmelder vor Wegfall der Anmeldung oder des Patents bereits außergerichtliche oder gerichtliche Maßnahmen gegen den Benutzer ergriffen, so kann er nach nationalem Recht schadenersatzpflichtig sein.

Artikel 68 Wirkung des Widerrufs des europäischen Patents

Die in den Artikeln 64 und 67 vorgesehenen Wirkungen der europäischen Patentanmeldung und des darauf erteilten europäischen Patents

---

7   G 4/98, ABl 2001, 131.
8   J 22/95, ABl 1998, 569.
9   J 4/86, ABl 1988, 119.
10 J 25/88, ABl 1989, 486.

gelten in dem Umfang, in dem das Patent im Einspruchsverfahren widerrufen ist, als von Anfang an nicht eingetreten.

Detlef Schennen

Übersicht

1	Allgemeines	1
2	Umfang der Wirkung des Widerrufs	2-4
3	Wirkung der Nichtigerklärung eines europäischen Patents	5

1 Allgemeines

Der Widerruf des Patents nach Art 102 (1) beseitigt rückwirkend die Wirkung der europäischen Patentanmeldung und des darauf erteilten europäischen Patents. Dieselbe Rechtsfolge ist für nationale Patente der Vertragsstaaten des StraßbÜ in Art 1 Satz 3 angeordnet (siehe Anhang 9). Sie gilt in allen Vertragsstaaten des StraßbÜ. Für das künftige GP gilt dasselbe (Art 33 GPÜ und Art 29 des Kommissionsvorschlags für eine GPV[1]). Die Rückwirkung der Einspruchs- und Nichtigkeitsentscheidungen ist heute international anerkannt.

2 Umfang der Wirkung des Widerrufs

Das europäische Patent verliert mit dem Widerruf seine Wirkung (Art 64), und zwar von Anfang an; auch die früheren Rechte aus der veröffentlichten europäischen Patentanmeldung (Art 67) werden rückwirkend beseitigt. Die zwingende Vorschrift des Übereinkommens wirkt unmittelbar auf die einzelnen Teile des europäischen Bündelpatents in den benannten Vertragsstaaten.

Die Rückwirkung des Widerrufs bedeutet jedoch nicht, dass die veröffentlichte europäische Patentanmeldung und das erteilte europäische Patent als nicht vorhanden angesehen werden. Sie wirken weiterhin neuheitsschädlich als ältere Rechte nach Art 54 (3). Bereits entrichtete Jahresgebühren können nicht zurückverlangt werden.

Die Lizenzzahlungspflicht für ein nichtig erklärtes europäisches Patent richtet sich nach nationalem Recht. Die deutsche Rechtsprechung erkennt eine Zahlungspflicht für die Zeit bis zur Nichtigerklärung an, in der der Lizenznehmer die Vorzugsstellung faktisch genossen hat, auch wenn er keinem Wettbewerb ausgesetzt war.[2]

---

[1] GRUR Int 2003, 389.
[2] BGH vom 28.9.1976 – *Werbespiegel*, GRUR 1977, 107; BGH vom 25.1.1983 – *Brückenlegepanzer I*, GRUR 1983, 237.

3 Wirkung der Nichtigerklärung eines europäischen Patents

Das EPÜ regelt nicht – wie für den Widerruf im Einspruchsverfahren – die Wirkung der Nichtigerklärung des europäischen Patents. Nach Art 2 (2) ist das nationale Recht anzuwenden. In den Vertragsstaaten wirkt die Nichtigerklärung ex tunc.

Artikel 69 Schutzbereich

(1) Der Schutzbereich des europäischen Patents und der europäischen Patentanmeldung wird durch den Inhalt der Patentansprüche bestimmt. Die Beschreibung und die Zeichnungen sind jedoch zur Auslegung der Patentansprüche heranzuziehen.

(2) Für den Zeitraum bis zur Erteilung des europäischen Patents wird der Schutzbereich der europäischen Patentanmeldung durch die zuletzt eingereichten Patentansprüche, die in der Veröffentlichung nach Artikel 93 enthalten sind, bestimmt. Jedoch bestimmt das europäische Patent in seiner erteilten oder im Einspruchsverfahren geänderten Fassung rückwirkend den Schutzbereich der Anmeldung, soweit dieser Schutzbereich nicht erweitert wird.

Protokoll über die Auslegung des Artikels 69 des Übereinkommens

Artikel 69 ist nicht in der Weise auszulegen, dass unter dem Schutzbereich des europäischen Patents der Schutzbereich zu verstehen ist, der sich aus dem genauen Wortlaut der Patentansprüche ergibt, und daß die Beschreibung sowie die Zeichnungen nur zur Behebung etwaiger Unklarheiten in den Patentansprüchen anzuwenden sind. Ebensowenig ist Artikel 69 dahingehend auszulegen, dass die Patentansprüche lediglich als Richtlinie dienen und der Schutzbereich sich auch auf das erstreckt, was sich dem Fachmann nach Prüfung der Beschreibung und der Zeichnungen als Schutzbegehren des Patentinhabers darstellt. Die Auslegung soll vielmehr zwischen diesen extremen Auffassungen liegen und einen angemessenen Schutz für den Patentinhaber mit ausreichender Rechtssicherheit für Dritte verbinden.

Dieter Stauder

Übersicht

1	Allgemeines	1-5
2	Grundsätze	6-14
3	Die Patentkategorien	15-19
4	Inhalt der Patentansprüche und Auslegungsprotokoll	20-22
5	Bedeutung der Beschreibung und der Zeichnungen (Abs 1 Satz 2)	23-27
6	Schutz der Äquivalente	28-31
7	Nationale Rechtsprechung	32-58
8	Teilschutz	59
9	Schutzbereich der europäischen Patentanmeldung (Abs 2)	60-63

1 Allgemeines

Art 69 und das dazugehörige Auslegungsprotokoll legen die einheitliche Bestimmung des Schutzbereichs der europäischen Patentanmeldung und des europäischen Patents fest. Sie erfüllen verschiedene Funktionen: 1

a) Im Patenterteilungsverfahren müssen Anmelder und EPA wissen, nach welchen Teilen der späteren Patentschrift und nach welchen Kriterien sich der erstrebte Schutzbereich richtet.

b) Eine Änderung der Patentansprüche im Einspruchsverfahren darf nicht zu einer Erweiterung des Schutzbereichs führen (siehe Art 123 Rdn 77–101).

c) Das europäische Patent soll in allen Vertragsstaaten, vor allem von den Gerichten, einheitlich nach dem europäischen Standard ausgelegt werden. Die bisher im nationalen Bereich bestehenden Unterschiede sollen überwunden werden.

Wegen der Sorge der interessierten Kreise um eine einheitliche Auslegung der Patentansprüche wurde auf der Münchner Diplomatischen Konferenz das *Protokoll über die Auslegung des Art 69 des Übereinkommens* dem Übereinkommen beigefügt.[1] Es ist nach Art 164 (1) Bestandteil des Übereinkommens und hat damit die gleiche Wirkung wie die Bestimmungen des Übereinkommens selbst. 2

Art 8 (3) StraßbÜ (Anhang 9), der vom »sachlichen« Schutzbereich spricht, deckt sich im übrigen wörtlich mit Art 69. Fast alle Vertragsstaaten haben die Vorschrift in ihr nationales Recht übernommen, zB das DE-PatG mit § 14 (ohne das Protokoll, dessen Anwendung auf nationale Patente dem deutschen Gesetzgeber selbstverständlich war) und das FR-PatG mit Art L. 613–2. Das GB-PatG hat in Sec. 125 (1) den Inhalt des Art 69 sinngemäß übernommen und 3

---

1 Text siehe oben im Anschluss an den Gesetzestext von Art 69.

in Sec. 125 (3) die Anwendung des Protokolls vorgeschrieben. Das Gebot rechtseinheitlicher Anwendung in Sec. 130 (7) verstärkt das britische Bemühen um harmonisierte Auslegung.

4   Früh setzten die Bemühungen ein, die Gerichte in der Entwicklung einer rechtseinheitlichen Auslegung des europäischen Patents zu unterstützen. Einige Darstellungen und Analysen aus der Anfangszeit enthalten auch Hinweise aus internationaler Sicht auf die nationale Rechtsprechung: Bruchhausen, Neuere Rechtsprechung zum Schutzumfang von Patenten in verschiedenen europäischen Staaten, GRUR Int 1973, 610; Bruchhausen, Der Schutzbereich des europäischen Patents, GRUR Int 1974, 1; Boucourechliev/Mousseron, Les brevets d'invention, rédaction et interprétation, 1973, Presses Universitaires de France; AIPPI, Annuaire 1979/I, Comité exécutif de Toronto, Rapports des Groupes, Frage 60, Auslegung der Patentansprüche, 6–157; Colloque international, CEIPI, 2.–3. octobre 1974, van Benthem/Singer/Ellis/Burst/Mathély, L'interprétation des revendications et l'étendue de la protection conférée par le brevet européen, Librairies Techniques, 1975, Paris, 75–147; Schiuma, Formulierung und Auslegung von Patentansprüchen nach europäischem, deutschem und italienischem Recht, Carl Heymanns 2000; Franzosi, Claim Interpretation, in Festschrift für Kolle/Stauder, Carl Heymanns 2005, S 123.

Neue gründliche Untersuchung herausgegeben von Pagenberg/Cornish, Interpretation of Patents in Europe. Application of Article 69, Carl Heymanns, 2006. Die Untersuchung behandelt die Geschichte von Art 69, enthält Länderberichte aus Österreich, Schweiz, Deutschland, Frankreich, Italien, Niederlande, Schweden, Großbritannien, und schließt mit Vorschlägen. Der Inhalt dieser umfassenden Untersuchung kann in dieser Kommentierung nicht annähernd aufgegriffen werden; daher möge der Leser zur genauen Information darauf zugreifen.

5   Beispielhaft für den europäischen Impetus ist der Schlusssatz in Spengler, Abschied vom allgemeinen Erfindungsgedanken: »Es ist nicht angemessen, einer Kooperation zum Zwecke der Rechtsvereinheitlichung immer dann eine Absage zu erteilen, wenn die eigene Lösung nicht zum Vorbild für die Gemeinschaftslösung erwählt worden ist«.[2]

EPÜ 2000

In Art 69 (1) der Revisionsakte ist der Bezug auf den Inhalt (terms, teneur) gestrichen worden. Art 69 (2) Satz 1 ist klarer formuliert; Satz 2 ist auf das Beschränkungs- und nationale Nichtigkeitsverfahren erstreckt.

Es gab den Vorschlag, das Auslegungsprotokoll des Art 69 durch Regeln zur Bedeutung der Äquivalenz und zur Begrenzung von Erklärungen bei der Beurteilung des Schutzbereichs zu ergänzen. Dieser Vorschlag ist nur im Hinblick auf Äquivalente in folgender Form als Art 2 des Auslegungsprotokolls ange-

---

2   GRUR 1967, 390.

nommen worden: »Artikel 2 – Äquivalente – Bei der Bestimmung des Schutzbereichs des europäischen Patents ist solchen Elementen gebührend Rechnung zu tragen, die Äquivalente der in den Patentansprüchen genannten Elemente sind.«

2 Grundsätze

a) Die Patentansprüche bestimmen den Schutzbereich. 6
b) Beschreibung und Zeichnungen dienen ihrer Auslegung. 7
c) Das Auslegungsprotokoll verbietet die Fortsetzung der zu weiten Auslegung früherer deutscher Praxis mit dem Schutz des allgemeinen Erfindungsgedankens, aber auch der zu engen Praxis der wortwörtlichen Auslegung nach britischem Recht. 8
d) Die Auslegung soll einen angemessenen Schutz für den Patentinhaber mit ausreichender Rechtssicherheit für Dritte verbinden. 9
e) Für die Auslegung der Patentschrift sind die Kenntnisse und Fähigkeiten des einschlägigen Durchschnittsfachmanns zur Zeit des Prioritäts- oder Anmeldetags maßgeblich. 10
f) Auf die öffentlich zugänglichen Erteilungsakten wird grundsätzlich nicht zurückgegriffen. 11
g) Ob eine angegriffene Verletzungsform in den Schutzumfang eines Patents fällt, bedarf eines Vergleichs der Merkmale des Patentanspruchs mit der Ausführungsform. Ihr geht eine Merkmalsanalyse des Patentanspruchs voraus. Der Vergleich erfolgt als Einzelvergleich.[3] 12

Ist der Wortlaut eines Anspruchs festgelegt, so ist es nicht Aufgabe der Organe des EPA, weitergehend festzulegen, wie der Anspruch auszulegen ist.[4] 13

Wenn auch die Gerichte der Vertragsstaaten bei der Auslegung des europäischen Patents an Art 69 und das Auslegungsprotokoll gebunden sind, wirken traditionelle Grundsätze der nationalen Rechtsprechung zum Schutzumfang naturgemäß noch nach. Das Fehlen eines obersten gemeinsamen Gerichts (COPAC) macht sich hier besonders bemerkbar. Im Laufe der Zeit werden die zunehmende Beachtung ausländischer Rechtsprechung in den Verletzungsprozessen und die Aufgeschlossenheit der nationalen Richter gegenüber einer einheitlichen europäischen Rechtsanwendung ihre Bedeutung entfalten. Hier- 14

---

3 Bruchhausen, Die Bestimmung des Schutzgegenstands von Patenten im Erteilungs-, Verletzungs- und Nichtigkeitsverfahren, GRUR Int 1989, 468 (470 f).
4 **T 175/84**, ABl 1989, 71; vgl auch DE-BGH vom 5.5.1998 – *Regenbecken* –, GRUR 1998, 895 (896); ABl 1999, 322.

zu tragen die Symposien europäischer Patentrichter bei, auf denen regelmäßig eine Fallstudie der Beurteilung des Schutzumfangs gewidmet ist.[5]

3 Die Patentkategorien

15 Die Einteilung der Patente in Kategorien (R 29 (2)) ist auch für den Umfang des Schutzes bedeutsam (siehe auch Art 84 Rdn 33–37). Da den einzelnen Kategorien spezifische Benutzungsarten zugeordnet sind, die erheblich voneinander abweichen, hängt der Schutzumfang von der einmal getroffenen Kategoriewahl ab.[6] Deshalb und wegen des Gebots der Klarheit soll der Patentanspruch die Patentkategorie erkennen lassen; zur Zulässigkeit der Klarstellung siehe **T 426/89**.[7]

16 Der Wechsel der Anspruchskategorie ist wichtig für die **Änderungsverbote in Art 123 (2) und (3)**. Siehe hierzu im einzelnen Art 123 Rdn 68–70 und Rdn 88–92.

17 Patente werden in die zwei Hauptkategorien des Erzeugnis- und Verfahrenspatents eingeteilt. Unterkategorien des Erzeugnispatents sind das Vorrichtungs- und das Stoffpatent. Unterkategorien des Verfahrenspatents betreffen das Herstellungsverfahren (mit Erzeugnisschutz, auch von Zwischenprodukten), den Anwendungs- oder Verwendungsanspruch und das Arbeitsverfahren. Das Erzeugnispatent wird auch Sach- oder Produktpatent genannt. Für Verfahren wird auch Methode oder Tätigkeit gesagt.[8] Der Sprachgebrauch ist nicht immer einheitlich.

18 Zur Einteilung in die Kategorien hat sich die Große Beschwerdekammer rechtsgrundsätzlich in **G 2/88** geäußert:[9]

a) Der Gegenstand einer Erfindung, der in den Patentansprüchen angegeben sein muss, wird bestimmt durch:
   – die Kategorie oder die Art des Anspruchs und
   – die technischen Merkmale, die seinen Gegenstand ausmachen (Nr 2.6 der Gründe).

b) Es gibt zwei verschiedene Kategorien von Ansprüchen:
   – auf Gegenstände (Sachansprüche) und
   – auf Tätigkeiten (Verfahrensansprüche) (Nr 2.2 der Gründe).

c) Es besteht ein klarer Unterschied zwischen dem Schutzbereich des europäischen Patents (Art 69 mit Auslegungsprotokoll) und den Rechten aus dem

---

5 Kolle/Stauder, Die Symposia europäischer Patentrichter, GRUR Int 2001, 955; Dolder/Faupel, Der Schutzbereich von Patenten. Rechtsprechung zu Patentverletzungen in Deutschland, Österreich und der Schweiz, 2. Aufl. 2001.
6 **T 378/86**, ABl 1988, 386, Nr 3.1.4; **G 6/88**, ABl 1990, 114, Nr 2.5.
7 **T 426/89**, ABl 1992, 172, Nr 2.2.
8 Siehe PrüfRichtl C-III, 3.1.
9 **G 2/88**, ABl 1990, 93.

europäischen Patent. Die Rechte ergeben sich aus den Rechtsvorschriften der Vertragsstaaten und bleiben bei Änderungen der Patentansprüche im Einspruchsverfahren außer Betracht (Nr 3.3 der Gründe).

d) Wird ein Gegenstand per se beansprucht, so genießt dieser Gegenstand absoluten Schutz. Die Umwandlung eines solchen Anspruchs in einen Anspruch auf Verwendung dieser Sache ist zulässig (Nr 5 der Gründe; siehe Art 123 Rdn 88). Der Verwendungsanspruch enthält kein Herstellungsverfahren mit der Folge eines Erzeugnisschutzes nach Art 64 (2) (Nr 5.1 der Gründe).

e) Der Anspruch auf die Verwendung eines bekannten Stoffes für einen bestimmten Zweck, der auf einer in dem Patent beschriebenen Wirkung beruht, ist dahin auszulegen, dass er diese technische Wirkung als funktionelles technisches Merkmal enthält (Nr 10.3 der Gründe).[10]

Auch die Pioniererfindung ist nach einem objektiven Maßstab auszulegen und erhält nicht automatisch einen großen Schutzbereich.[11]   19

4 Inhalt der Patentansprüche und Auslegungsprotokoll

Entscheidend für den Schutzbereich ist nach dem deutschen Wortlaut des Art 69 (1) der Inhalt der Patentansprüche. Die Aufgabe der Patentansprüche besteht nach Art 84 darin, den Gegenstand anzugeben, für den Schutz begehrt wird (siehe auch R 29–31und Art 84 insbesondere Rdn 3 und 5; zur klarstellenden Verwendung von Bezugszeichen in Ansprüchen, um eine einschränkende Auslegung zu vermeiden.[12]   20

Die drei Sprachfassungen, die wegen Art 177 (1) gleichermaßen verbindlich sind, verwenden die Begriffe *Inhalt der Ansprüche*, *terms of the claims* und *teneur des revendications*. Das Auslegungsprotokoll verdankt dem unterschiedlichen Sinn der Texte in den drei Sprachen seine Entstehung. Man war sich der unterschiedlichen Bedeutung sehr wohl bewusst: *Inhalt* ist die weiteste Umschreibung, *teneur* ist schon enger in Richtung auf *Wortlaut*, der in der englischen Fassung genannt wird.   21

Das Auslegungsprotokoll richtet sich nach seinem Wortlaut eigentlich auf die Auslegung von Art 69 und fordert die einheitliche Auslegung der genannten Begriffe. Das Protokoll wird jedoch auch als direkte Anweisung zur Auslegung der Patentansprüche verstanden.

Grundsätzlich gibt es keine Auslegung nur nach dem reinen Wortlaut. Lediglich in Deutschland wird der Schutzbereich dann auf den reinen Wortlaut redu-   22

---

10 Siehe auch **G 6/88**, ABl 1990, 114.
11 Vgl Gerechtshof Den Haag vom 11.11.1997 – *NASBA* –, GRUR Int 1998, 58, mit Anmerkung Stauder; abweichend Ullmann in Benkard, § 14 PatG Rn 8 und 125 für die deutsche Auffassung.
12 Vgl zB **T 237/84**, ABl 1987, 309; siehe auch R 32(2) e).

Artikel 69   *Schutzbereich*

ziert, wenn sich im Verletzungsprozess ergibt, dass das Patent im Stand der Technik vorweggenommen ist. Aufgrund dieser Beschränkung kann die Verletzungsklage abgewiesen werden, ohne dass der Verletzungsbeklagte zu einer Nichtigkeitsklage vor dem DE-BPatG gezwungen wäre. Dieser Sonderfall ergibt sich aus dem in Deutschland geltenden System der Trennung von Nichtigkeits- und Verletzungsverfahren. Eine Fortführung dieser Praxis für das europäische Patent scheint wegen der Verbindlichkeit des Art 69 und des Auslegungsprotokolls zweifelhaft, aus prozessökonomischen Gründen aber auch vertretbar.[13]

5 Bedeutung der Beschreibung und der Zeichnungen (Abs 1 Satz 2)

23   Die Bedeutung der Beschreibung und der Zeichnungen für die Auslegung der Patentansprüche war von Anfang an ein wichtiger Punkt. Nach dem 1962 veröffentlichten Vorentwurf sollten die Beschreibung und die Zeichnungen nur zur *Verdeutlichung der Tragweite der Patentansprüche* (*à préciser la portée des revendications*) herangezogen werden. Im 1963 unterzeichneten StraßbÜ (Art 8 (3), siehe Anhang 9) wurde jedoch auf den weiterreichenden Ausdruck der *Auslegung* (*to interpret, à interpréter*) übergegangen. Restriktivere Vorschläge von skandinavischen Delegationen fanden auf der Münchner Diplomatischen Konferenz keine Mehrheit (siehe Stauder, Die Entstehungsgeschichte von Art 69 (1) EPÜ und Art 8 StraßbÜ über den Schutzbereich des Patents, GRUR Int 1990, 793, 799 mit Fußnote 59).

24   Das Übereinkommen schreibt vor, dass in der Beschreibung die Erfindung, wie sie in den Patentansprüchen gekennzeichnet ist, so darzustellen ist, dass danach die technische Aufgabe und deren Lösung verstanden werden kann (R 27 (1) c)). Die Beschreibung trägt zu einem großen Teil, wenn auch nicht ausschließlich, die deutliche und vollständige Offenbarung der Erfindung (vgl Art 83 Rdn 6; Art 123 Rdn 27, 28 und 34).

25   Die Heranziehung von Beschreibung und Zeichnungen zur Auslegung der Patentansprüche ist eine allgemeine, auch Normalfälle einschließende Anweisung. Beschreibung und Zeichnungen sind nicht nur in Fällen der Unklarheit des Patentanspruchs heranzuziehen. Deutlicher noch als die deutsche Fassung macht der französische Text klar, dass Beschreibung und Zeichnungen der Auslegung *dienen*. Mit der Einfügung des Wortes *jedoch* wird betont, dass die Patentansprüche nicht isoliert für sich den Schutzbereich bestimmen, sondern unter Zuhilfenahme von Beschreibung und Zeichnungen auszulegen sind. Die Auslegung erfolgt aus der Sicht des Durchschnittsfachmanns zur Zeit des Prioritäts- oder Anmeldetags.[14]

---

13   Preu, Stand der Technik und Schutzbereich, GRUR 1980, 691 [696/697].
14   Rogge, Mitt 1998, 201, 202 Fn 13 mit Nachweisen von Entscheidungen ausländischer Gerichte.

Einmal dient Art 69 (1) Satz 2 im Prüfungsverfahren der Prüfung und Feststellung, ob die Ansprüche iSd Art 84 deutlich und knapp gefasst sind (vgl Art 84 Rdn 4–14).[15] Die Ansprüche dürfen nicht widersprüchlich sein. Zum anderen wird Art 69 (1) Satz 2 im Einspruchsverfahren herangezogen, um die Patentfähigkeit (besonders Neuheit und erfinderische Tätigkeit) zu beurteilen.[16] 26

Verzichte und Beschränkungen, die der Anmelder im Erteilungsverfahren vorgenommen hat, sind dann zu berücksichtigen, wenn sie aus der Patentbeschreibung selbst ersichtlich sind.[17] Nur in Ausnahmefällen sollte auf die öffentlich zugänglichen Erteilungsakten zurückgegriffen werden.[18] 27

Zur »Zäsurwirkung« der Patenterteilung siehe **T 1149/97**;[19] siehe auch Art 123 Rdn 78.

6 Schutz der Äquivalente

Die Äquivalenzlehre knüpft an die Bestimmung des Schutzumfangs und die Auslegung der Patentansprüche an, ist aber in ihrer vollen Aussage nicht in Art 69 enthalten.[20] Art 69 und dem Auslegungsprotokoll ist zu entnehmen, dass der Schutzbereich über den Anspruchswortlaut hinausgehen kann.[21] Auch die Benutzung durch Äquivalente ist aus Art 69 und dem Auslegungsprotokoll abzuleiten.[22] Zur Anwendung der Äquivalenzlehre ist auf das Auslegungsprotokoll und besonders auf seinen Satz 3 zurückzugreifen, dass die Bestimmung des Schutzumfangs durch Auslegung einen angemessenen Schutz 28

---

15 **T 238/88**, ABl 1992, 709, Nr 5.2; **T 860/93**, ABl 1995, 47, LS II und Nr 5.7.
16 **T 23/86**, ABl 1987, 316, Nr 2; **T 16/87**, ABl 1992, 212, LS III und Nr 6.
17 Siehe hierzu im einzelnen Rogge, Berücksichtigung beschränkender Erklärungen bei der Bestimmung des Schutzbereichs eines Patents (§ 14 PatG; Art 69 EPÜ), Mitt 1998, 201 mit Nachweisen in Fn 3, mit Ergänzung versehener Beitrag aus der Festschrift für Brandner, 1996.
18 Hoge Raad vom 13.1.1995 – *Kontaktlinsenflüssigkeit* –, BIE 1995, 238; GRUR Int 1995, 727, 728; ABl 1995 142, Leitsätze; siehe auch Rogge, Mitt 1998, S 203, 204.
19 **T 1149/97** vom 7.5.1999, LS III und Nr 6, besonders Nr 6.1.10.
20 Vgl Brinkhof, Einige Gedanken über Äquivalente, GRUR Int 1991, 435 [437].
21 Kraßer, Äquivalenz und Abhängigkeit im Patentrecht, Festschrift für Wolfgang Fikentscher zum 70. Geburtstag, 1998, S 516 (522 f).
22 Rogge, Mitt 1998, 201 [204].

Artikel 69 *Schutzbereich*

für den Patentinhaber mit ausreichender Rechtssicherheit für Dritte zu verbinden hat. Die Äquivalenzregel entspricht europäischer Rechtstradition.[23]

29 Als Leitlinie bietet sich an, der Definition der Äquivalente zu folgen, die der *Basic Proposal* der WIPO von 1991 für den Patentrechtsvertrag in Art 21 (2) enthielt:[24] Ein Element ist allgemein als äquivalent anzusehen für ein in einem Anspruch ausgedrücktes Element, wenn zum Zeitpunkt der angeblichen Verletzung eine der folgenden Bedingungen in Bezug auf die beanspruchte Erfindung erfüllt ist:

(i) das äquivalente Element erfüllt im wesentlichen dieselbe Funktion auf im wesentlichen demselben Weg und bringt im wesentlichen dasselbe Ergebnis hervor wie das in dem Anspruch ausgedrückte Element, oder

(ii) es ist für den Durchschnittsfachmann naheliegend, dass dasselbe Ergebnis, das mit dem im Anspruch ausgedrückten Element erreicht wird, mit dem äquivalenten Element erreicht werden kann.

30 Die Äquivalenzregel wird in den Vertragsstaaten noch recht unterschiedlich gehandhabt. ZB wird nach deutscher Rechtsprechung grundsätzlich nicht ausdrücklich unterschieden, ob es sich um ein für die Ausführung der Erfindung wesentliches oder unwesentliches Mittel handelt, sofern nur das äquivalente Mittel dem gleichen Lösungsprinzip folgt wie das in der Patentschrift angegebene. Andere Vertragsstaaten legen Gewicht auf die Unterscheidung, ob das äquivalente Mittel ein wesentliches Merkmal betrifft.[25] Wichtig ist auch die Definition der Erkenntnis des Durchschnittsfachmanns, in welchem Ausmaß er die Lehre des Patents verallgemeinert und aufgrund seines Wissens äquivalente Mittel auffindet.

31 Bei Anwendung der Äquivalenzregel darf es nicht zu einer zu abstrahierenden Betrachtung kommen. Sonst würde der Schutz nicht durch den Inhalt der Patentansprüche bestimmt, sondern nur aus ihm »hergeleitet«. Die abstrahierende Auslegung birgt die Gefahr, unter Verstoß gegen Art 69 den allgemeinen

---

23 Vgl Bruchhausen, GRUR Int 1974, 1 (5f); Brinkhof, GRUR Int 1991, 435 [438]; bereits Spengler, GRUR 1967, 390 [392]; BGH vom 29.4.1986 – *Formstein*, GRUR 1986, 803 [805 linke Spalte] = ABl 1987, 551; IIC 1987, 795 mit Anm. Geissler. Siehe weiter aus der neueren umfangreichen Literatur: Stenfink, Protection for Equivalents under Patent Law – Theory and Practice, IIC 2001, 1; Brinkhof, Is there a European doctrine of Equivalence?, IIC 2002, 911; siehe in der Festschrift für Kolle/Stauder: Cornish/Llewelyn, Who applies a Doctrine of Equivalence?, S 15; Takenaka, Extent of Patent Protection in the United States, Germany and Japan – Analysis of Two Types of Equivalents and their Patent Policy Implications, S 135.

24 Treaty Supplementing the Paris Convention as far as Patents are concerned, Februar-Heft 1991 von Ind. Prop.

25 Vgl zum englischen Recht Beton, Mitt 1992, 189 [199].

Erfindungsgedanken wieder aufleben zu lassen, worauf bereits in der Vorauflage hingewiesen wurde (siehe auch Rdn 57).[26]

7 Nationale Rechtsprechung

Die nationale Rechtsprechung ist im folgenden vereinfacht in dem Bemühen dargestellt, einen anschaulichen Überblick zu geben; insbesondere wird Bezug genommen auf die im Amtsblatt des EPA in den drei Sprachen wiedergegebenen Entscheidungen, auch wenn sie verkürzt oder nur in Leitsätzen abgedruckt sind. Eine vertiefende Darstellung kann im Rahmen dieses Kommentars nicht geleistet werden. 32

a) Für Deutschland hat der BGH in seinem Urteil vom 29.4.1986 – **Formstein** –[27] die neuen Grundsätze für die Bestimmung des Schutzbereichs festgelegt und mit Urteil vom 3.10.1989 – **Batteriekastenschnur** –[28] bestätigt: Der BGH stellt eine vollständige Übereinstimmung von § 14 DE-PatG mit Art 69 fest. Zwar wurde in das DE-PatG das Auslegungsprotokoll nicht übernommen. Aber der BGH bestätigt die vom deutschen Gesetzgeber in der Begründung des deutschen Gesetzes zum Ausdruck gebrachte Auffassung, dass die im Protokoll niedergelegten Grundsätze auch für deutsche Patente maßgebend sind; denn nur so sei das mit der Einführung der neuen Vorschrift angestrebte Ziel einer möglichst einheitlichen Bestimmung des Schutzbereichs von Patenten in Europa zu erreichen. Der BGH schließt sich mit dem **Formstein**-Urteil den europäischen Grundsätzen an; nach seiner Auffassung dient die Auslegung nicht nur zur Behebung etwaiger Unklarheiten in den Patentansprüchen, sondern auch zur Klarstellung der in den Patentansprüchen verwendeten technischen Begriffe sowie zur Klärung und Bedeutung der Tragweite der dort beschriebenen Erfindung.[29] Außerdem erstreckt sich der Schutzbereich auch auf Äquivalente der beanspruchten Erfindung. Diese Erstreckung entspricht der Rechtsvorstellung der Vertragsstaaten des EPÜ, wenn auch im einzelnen noch erhebliche Abweichungen bestehen. 33

Nach dem Urteil kann der Beklagte im Verletzungsprozess den Einwand erheben, die als äquivalent angegriffene Ausführungsform stelle mit Rücksicht auf den Stand der Technik keine patentfähige Erfindung dar, sondern ergebe sich für den Fachmann in naheliegender Weise aus dem Stand der Technik.[30] 34

---

26 Siehe Franzosi, Three European Cases on Equivalence – Will Europe adopt Catnic?, IIC 2001, 113.
27 Urteil vom 29.4.1986 – *Formstein* –, GRUR 1986, 803; ABl 1987, 551.
28 Urteil vom 3.10.1989 – *Batteriekastenschnur* –, GRUR 1989, 903; 22 IIC 104 [1991]; ABl 1993, 463.
29 GRUR 1986, 805, linke Spalte.
30 Sogenannter Formstein-Einwand, GRUR 1986, 805/806; ergänzt durch BGH vom 4.2.1997 – *Kabeldurchführung* –, GRUR 1997, 454 [457]).

35 Zum Schutzbereich eines europäischen Patents hat der BGH in der Entscheidung vom 14.6.1988 – **Ionenanalyse** – betont, dass das Verständnis und die Sicht des Durchschnittsfachmanns für die Auslegung maßgeblich sind;[31] sein Verständnis ist auch bei der Feststellung des über den Wortsinn hinausgehenden weiteren Inhalts der Patentansprüche hinsichtlich der Benutzung der Erfindung durch Äquivalente maßgebend.

36 Der DE-BGH bestätigt mit Urteil vom 19.11.1991 – **Heliumeinspeisung** –[32] seine Auffassung, dass ein über den Wortlaut der Patentansprüche hinausgehender Schutz nicht völlig ausgeschlossen ist; die Patentansprüche müssen aber stets die maßgebliche Grundlage des Patentschutzes bleiben. Der DE-BGH zitiert ausdrücklich Satz 3 des Auslegungsprotokolls zur Abwägung der Interessen des Patentinhabers und der Allgemeinheit.[33]

37 Nach DE-BGH vom 24.9.1991 – **beheizbarer Atemluftschlauch** – »wäre (es) mit dem im Protokoll über die Auslegung des Art 69 (1) EPÜ ausdrücklich angesprochenen Gebot der Rechtssicherheit unvereinbar, den Schutz eines Patents auf einen Gegenstand zu erstrecken, dem ein Merkmal fehlt, dessen besondere Bedeutung in der Patentschrift hervorgehoben ist«.[34]

38 Der Schutzbereich eines Patents kann nicht auf eine Ausführungsform erstreckt werden, die auf den entscheidenden Vorteil der Erfindung vollständig verzichtet und statt dessen ein Mittel aus dem Stand der Technik einsetzt, dessen Einsatz zu vermeiden Hauptzweck der Erfindung ist; bei dieser Fallgestaltung kommt ein Schutz für eine Unterkombination nicht in Frage, über dessen Zulässigkeit nach neuem Recht nicht entschieden wird.[35]

39 Zum Schutzbereich bei äquivalenter Abwandlung, die auf erfinderischer Tätigkeit beruht, siehe DE-BGH vom 17.3.1994 – **Zerlegvorrichtung für Baumstämme** –.[36] Zur Erheblichkeit beschränkender Erklärungen im Einspruchsverfahren gegenüber dem später am Nichtigkeitsverfahren Beteiligten

---

31 Entscheidung vom 14.6.1988 – *Ionenanalyse* –, GRUR 1988, 896 (899).

32 DE-BGH, Urteil vom 19.11.1991 – *Heliumeinspeisung* –, GRUR 1992, 305; ABl 1992, 686, nur Leitsätze.

33 Siehe auch DE-BGH vom 12.3.2002 – *Schneidmesser I* –, GRUR 2002, 513; IIC 2002, 873, in Auseinandersetzung mit dem Catnic-Fall, siehe Rdn 43; weitere Entscheidungen des BGH siehe in Fußnote 17 der Studie von Tilmann, The Harmonisation of Invalidity and Scope of Protection. Practice of the National Courts of EPC Member States, IIC 2006, 62.

34 DE-BGH vom 24.9.1991 – *beheizbarer Atemluftschlauch* –, GRUR Int 1992, 40; ABl 1993, 89.

35 DE-BGH vom 9.11.1990 – *Autowaschvorrichtung* –, GRUR 1991, 444; ABl 1991, 503.

36 DE-BGH vom 17.3.1994 – *Zerlegvorrichtung für Baumstämme* –, GRUR 1994, 597; 26 IIC 261 [1995]; Kühnen, Äquivalenzschutz und patentierte Verletzungsform, GRUR 1996, 729 [733 ff], wenn die Patentierung der Verletzungsform aus zusätzlichen Merkmalen besteht.

siehe DE-BGH vom 5.6.1997 – **Weichvorrichtung II** –.[37] Hingewiesen wird auf die wichtige Entscheidung des DE-BGH vom 2.3.1999 – **Spannschraube** –,[38] die sich mit der begrenzenden Auslegung eines europäischen Patents und der Äquivalenz unter Vergleich mit der englischen Rechtsprechung befasst und in der Sache anders als das CH-Bundesgericht entscheidet (siehe Rdn 42 am Ende). Siehe weiter DE-BGH vom 27.10.1998 – **Sammelförderer** –.[39]

Bei Beschränkungen und Verzichten soll nur ausnahmsweise auf die Erteilungsakten zurückgegriffen werden, beispielsweise wenn die Patentschrift widersprüchliche Angaben enthält oder wenn der Schutz über den Wortlaut hinaus auf Abwandlungen (Äquivalente) erstreckt werden soll.[40] 40

b) In **Österreich** hat sich der Oberste Patent- und Markensenat in einer Entscheidung vom 13.4.1988 – **Gebrannte Bausteine** – mit der Auslegung der Patentansprüche nach dem neuen AT-PatG befasst:[41] Auch der zweiteilige Patentanspruch ist stets als Ganzes zu betrachten, weil er Aufgabe und Lösung enthält, die zusammengehören und den Schutzumfang festlegen. Eine isolierte Betrachtung einzelner Merkmale ohne Zusammenhang mit den anderen Merkmalen ergäbe ein falsches Bild. Bei Unklarheiten im Anspruchswortlaut ist zur Auslegung des Anspruchs die Beschreibung heranzuziehen. Zum Schutzumfang eines europäischen Patents siehe auch die frühere Entscheidung des AT-OGH vom 3.4.1984 – **Befestigungsvorrichtung für Fassadenelemente** –.[42] Entscheidend sind die Kenntnisse des Durchschnittsfachmanns zum Anmeldezeitpunkt. 41

c) **Schweiz**: Das Handelsgericht Zürich vom 3.12.1991 – **Werkzeughalterspindeln II** –[43] hat sich bei Auslegung des schweizerischen Rechts der Bemessung des Schutzbereichs nach Art 69 angeschlossen; eine äquivalente Benutzung liegt vor, wenn anstelle der beanspruchten Mittel mit solchen Mitteln gearbeitet wird, die dem Fachmann aufgrund der offenbarten Erfindung naheliegen und die innerhalb der Tragweite der geschützten technischen Lehre 42

---

37 DE-BGH vom 5.6.1997 – *Weichvorrichtung II* –, ABl 1998, 141, nur Leitsätze; Mitt 1997, 364, 408 mit Anmerkung Keller, S 367.
38 DE-BGH vom 2.3.1999 – *Spannschraube* –, GRUR 1999, 932; Mitt 1999, 304.
39 DE-BGH vom 27.10.1998 – *Sammelförderer* –, GRUR 1999, 909; ABl 2001, 259; IIC 1999, 932; Mitt 1999, 365.
40 Rogge, Mitt 1998, 201 [203 f]; DE-BGH vom 12.3.2002 – *Kunststoffrohrteil* – , GRUR Int 2002, 612, 614 ff.
41 Entscheidung vom 13.4.1988 – *Gebrannte Bausteine* –, ABl 1989, 268 Leitsatz; ÖBl 1989, 18; siehe auch Holzer, Der Schutzbereich nach Art 69, die »unzulässige Erweiterung« nach Art 138 EPÜ und österreichisches Recht, Mitt 1992, 129 [130 f].
42 AT-OGH vom 3.4.1984 – *Befestigungsvorrichtung für Fassadenelemente* –, GRUR Int 1985, 766.
43 Handelsgericht Zürich vom 3.12.1991 – *Werkzeughalterspindeln II* –, SMI 1992, 303; GRUR Int 1992, 783; ABl 1993, 189, nur Leitsätze.

liegen. Auf der Grundlage des in der Patentschrift mitgeteilten Standes der Technik ist die technische Lehre aus der Sicht des maßgebenden Durchschnittsfachmanns zu ermitteln.[44] Bei Beurteilung der Verletzung eines Kombinationspatents durch eine unvollkommene Ausführung darf der Fachmann die Erfindung nicht losgelöst vom Patentanspruch frei interpretieren. Der Einwand des freien Standes der Technik gegenüber der Verletzung eines Kombinationspatents greift nur durch, wenn die angegriffene Ausführungsform insgesamt im freien Stand der Technik liegt.[45]

Das CH-Bundesgericht hat in seinem Urteil vom 12.4.2001 – **Spannschraube** –[46] die Verletzung desselben europäischen Patents anders entschieden als der DE-Bundesgerichtshof vorher, siehe oben Rdn 39.

43 d) In der Rechtsprechung **Großbritanniens** beherrscht die **Catnic-Entscheidung** (Catnic Components v. Hill & Smith) vom 27.11.1980 – **Stahlträger II** –[47] des House of Lords bis heute die Auslegungsgrundsätze. Diese Entscheidung erweiterte die im Grundsatz wortgetreue Auslegung auf die am Zweck orientierte Auslegung (purposive construction): Maßgeblich ist, ob es aufgrund der Patentschrift für einen Fachmann naheliegend war, dass ein Merkmal in abweichender Form durch den Wortlaut des Patentanspruchs vom Schutzbereich nicht ausgeschlossen sein sollte.

44 Die Catnic-Entscheidung erging zwar noch zum alten britischen Recht, sprach aber bereits für das neue, an das EPÜ angeglichene Recht. Bedeutung für die Auslegung, ob ein abweichendes Merkmal unter den Patentanspruch fällt, haben die drei Catnic-Fragen von Lord Diplock, die Justice Hoffmann in der **Epilady**-Entscheidung (Improver v. Remington Consumer Products) des Patens Court vom 16.5.1989 formuliert hat:[48]

a) Hat die Abweichung eine wesentliche Auswirkung auf die Funktionsweise der Erfindung? Wenn ja, so liegt die Variante außerhalb des Patentanspruchs. Wenn nein:

b) Wäre dies (dh dass sich die Abweichung nicht in wesentlicher Weise auswirkt) zum Zeitpunkt der Veröffentlichung des Patents für einen Fachmann offensichtlich gewesen? Wenn nein, so liegt die Variante außerhalb des Patentanspruchs. Wenn ja:

---

44 CH-BG vom 31.10.1991 – *Rohrschelle* –, GRUR Int 1993, 878.
45 Siehe auch Brunner, Der Schutzbereich europäisch erteilter Patente aus schweizerischer Sicht – eine Spätlese, sic! 1998, 348; Hilty, Die Bestimmung des Schutzbereichs schweizerischer und europäischer Patente, AJP/PJA 4/93, S 396.
46 GRUR Int 2001, 986.
47 *Catnic-Entscheidung*, Catnic Components v. Hill & Smith, House of Lords vom 27.11.1980 – *Stahlträger II* –, GRUR Int 1982, 136; [1982] R.P.C. 183.
48 *Epilady*-Entscheidung, Improver v. Remington Consumer Products, Patents Court vom 16.5.1989, [1990] F.S.R. 1981; GRUR Int 1993, 245 – *Epilady IX*.

c) Hätte ein Fachmann dennoch aus dem Text des Patentanspruchs geschlossen, dass der Patentinhaber die strenge Einhaltung des Wortlauts als ein entscheidendes Erfordernis der Erfindung verstanden wissen wollte? Wenn ja, so liegt die Variante außerhalb des Patentanspruchs.

Die Epilady-Entscheidung des Patents Court ließ eine Patentverletzung an der 3. Catnic-Frage scheitern mit der Begründung, dass auch die am Zweck orientierte Auslegung eine Stütze im Wortlaut der Patentansprüche finden muss.

Im Fall **Assidoman Multipack v. The Mead Corp.** des Patents Court vom 13.12.1994 – **Kartonrohlinge** –,[49] der die Rechtsprechung ab der Epilady-Entscheidung kurz referiert (S 333 ff), wird die zweckgerichtete Auslegung als ein Mittel verstanden, das Boot »zwischen Scylla, dem Felsen wörtlicher Auslegung, und Charybdis, dem Whirlpool geführter Freiheit (guided freedom) zu steuern«. Eine in der dritten Catnic-Frage offensichtlich großzügigere Haltung vertrat der Court of Appeal in PLG Research Ltd. v Ardon International Ltd. vom 16.11.1994 – **Kunststoffnetz** –.[50]

Der vorherrschenden Catnic-Linie folgten der Court of Appeal in Kastner v. Rizla Ltd. vom 16.6.1995 – **Zigarettenblättchen**[51] und der Patents Court in Beloit Technologies Inc. v. Valmet Paper Machinery Inc. vom 28.4.1995 – **Papiermaschine**.[52] Beide Entscheidungen sehen in den in der Catnic-Entscheidung entwickelten Leitlinien die via media, die das Auslegungsprotokoll zu Art 69 fordert. Justice Jacob hält in der Beloit-Entscheidung den Catnic-Approach der zweckgerichteten Auslegung für den gebotenen Weg zur Anwendung des Auslegungsprotokolls. Er äußert Zweifel an der europäischen Anwendung der Äquivalenzlehre.

Das House of Lords hat durch Lord Hoffmann in seiner aufsehenerregenden Entscheidung **Kirin-Amgen v. Hoechst Marion Roussel** vom 21.10.2004 – **Erythropoietin** –[53] die britische Sicht formuliert, dass die Feststellung des Schutzbereichs aufgrund der Auslegung des Wortlauts der Patentansprüche er-

---

49 Assidoman Multipack v. The Mead Corp. – *Kartonrohlinge* –, Patents Court vom 13.12.1994 [1995], R.P.C. 321; GRUR Int 1997, 371.
50 Court of Appeal vom 16.11.1994 – *Kunststoffnetz* –, [1995] F.S.R. 116, [1995] R.P.C. 287; GRUR Int 1997, 368.
51 Court of Appeal vom 16.6.1995 [1995] R.P.C. 585; GRUR Int 1997, 374 – *Zigarettenblättchen* –.
52 Patents Court vom 28.4.1995 [1995] R.P.C. 705; GRUR Int 1997, 373 – *Papiermaschine* –.
53 Kirin-Amgen v. Hoechst Marion Roussel vom 21.10.2004 – Erythropoietin –, [2005] R.P.C. 169; GRUR Int 2005, 343; ABl 2005, 539 (Zusammenfassung in Form redaktioneller Leitsätze) Grabinski, »Schneidmesser« versus »Amgen«. Zum Sinn oder Unsinn patentrechtlicher Äquivalenz, GRUR 2006, 714.

folgt, wie sie der Durchschnittsfachmann versteht, und dass die Prüfung von Äquivalenz **nur** im Rahmen der Auslegung stattfindet.[54]

e) Für **Frankreich** dürfte zunächst gelten, dass Oberbegriff und kennzeichnender Teil der Patentansprüche gemeinsam den Schutzumfang bestimmen.[55] Der kennzeichnende Teil ist nicht der einzig Bestimmende.[56] Zur Äquivalenz genügt die Gleichheit der Funktionen der Merkmale im Hinblick auf dasselbe Ergebnis.[57] Die Patentansprüche dürfen nicht durch zusätzliche Elemente erweitert werden, die in der Patentschrift keinen Niederschlag gefunden haben.[58]

47 Ist die Struktur des angeblich verletzenden Systems nicht mit dem des Patents identisch, so liegt keine Äquivalenz vor. Es muss eine identische Funktion für ein technisches Ergebnis derselben Art, wenn nicht desselben Grades vorliegen.[59] Zum Teilschutz siehe Rdn 59.

48 f) Auch in den **Niederlanden** gilt, dass für die Auslegung der Patentansprüche die Kenntnisse des Durchschnittsfachmanns im Anmelde- oder Prioritätszeitpunkt entscheidend sind.[60] Der Hoge Raad hat in seinem Urteil vom 27.1.1989 – **Extraktionsvorrichtung** – als Ausgangspunkt für die Bestimmung des Schutzumfangs eines Patents auf das Wesen der patentierten Erfindung abgestellt.[61] Eine Beschränkung der Erfindung auf eine bestimmte Ausführungsform darf nur dann als Verzicht auf einen Teil des Schutzumfangs gewertet wer-

---

54 Hierzu Cornish/Llewelin, Who applies a Doctrine of Equivalence?, in Festschrift für Kolle/Stauder, S 115.

55 Cour de Paris vom 29.11.1995, – *Alfuzosin* –, PIBD 1996 III, S 111; abweichend Cour d'Appel de Paris vom **18.1.1995**, Ann. 1995, S 287, kritisiert von Franzosi, Claim Interpretation, in Festschrift für Kolle/Stauder, S 123, 131 mit weiteren Zitaten in Fußnote 44.

56 Note Azéma in RTD com 1996, S 177.

57 Cour de Cassation vom 26.10.1993 – *Alfuzosin* –, RDPI 1993, 54; vgl auch Tribunal de Grande Instance Paris vom **14.6.1996**, PIBD 1996 III, S 555; vgl weiter Kaspar, Auslegung der Patente nach französischem Recht im Vergleich mit dem Europäischen Patentübereinkommen, Mitt 1993, 359, 360.

58 Cour de Paris vom 11.10.1990 – *Aufspießmaschine* –, GRUR Int 1993, 173.

59 Cour de Paris vom **15.3.1996**, Ann. 1996, S 182; vgl weiter Cour de Paris vom **18.6.1996**, PIBD 1996 IV, S 606.

60 Gerechtshof Den Haag vom 20.2.1992 – *Epilady XII* –, BIE 1992, 285; GRUR Int 1993, 252, und Hoge Raad in der **Kontaktlinsenflüssigkeit**-Entscheidung vom 13.1.1995, BIE 1995, 238; GRUR Int 1995, 727; ABl 1998, 142 nur Leitsätze; beide Entscheidungen mit Anmerkung von Heijo Ruijsenaars; hierzu auch Huydecoper, Interpretation of patents, equivalency and invalidity defences in Netherlands patent law and practice, Mitt 1995, 65 [67].

61 Hoge Raad, Urteil vom 27.1.1989 – *Extraktionsvorrichtung* –, BIE 1989, 202; GRUR Int 1990, 384 und 23 IIC 529 (1992), beide mit Anmerkung von Heijo Ruijsenaars; ABl 1997, 488, nur Leitsätze; hierzu auch Huydecoper, Interpretation of patents, equivalency and invalidity defences in Netherlands patent law and practice, Mitt 1995, 65 [67].

den, wenn für die Annahme eines solchen Verzichts nach dem Inhalt der Patentschrift – unter Berücksichtigung weiterer für Dritte erkennbarer Fakten – hinreichende Gründe vorliegen.

Bei der Feststellung des Schutzumfangs eines Patents darf der für Dritte zugängliche Teil der Erteilungsakte nur dann mit berücksichtigt werden, wenn dem Durchschnittsfachmann auch nach Prüfung der Beschreibung und der Zeichnungen des Patents redlicherweise Zweifel verbleiben, wie die Ansprüche des Patents auszulegen sind. Obwohl die aufgrund einer unsorgfältigen Formulierung der Patentschrift hervorgetretenen Unklarheiten grundsätzlich zu Lasten des Patentinhabers gehen, darf der öffentliche Teil der Erteilungsakte eventuell auch zugunsten des Patentinhabers herangezogen werden.[62] 49

Beschränkende Merkmale, die der Anmelder nach Erhalt des Recherchenberichts aufgenommen hat, dürfen nicht nach Erteilung des Patents »weginterpretiert« werden.[63] 50

Der Gerechtshof Den Haag hat der Pioniererfindung keinen erweiterten Schutzbereich gewährt; er hat darüber hinaus als Einwand des Beklagten anerkannt, dass dieser ein eigenes Patent an seiner Ausführungsform besitze.[64] 51

g) In **Italien** gelten nach der Feststellung der Giurì della proprietà industriale vom 20.1.1997[65] die europäischen Grundsätze auch für italienische Patente, obwohl das IT-PatG die Vorschrift des StraßbÜ nicht übernommen hat. Die Giurì folgt dem europäischen Recht. Sie stellt fest, dass bei der Patentauslegung die Kenntnisse eines in dem Fachgebiet tätigen Durchschnittsfachmanns zugrunde zu legen sind, wobei ihm die Kenntnisse und der Sprachgebrauch zugeschrieben werden, die er im Anmeldezeitpunkt des Patents hatte.[66] 52

Der Schutz der Äquivalente ist anerkannt.[67] 53

---

62 Hoge Raad vom 13.1.1995 – *Kontaktlinsenflüssigkeit* –, BIE 1995, 238; GRUR Int 1995, 727; ABl 1998, 142, nur Leitsätze.
63 Hoge Raad vom 13.1.1995 – *Heizkesselanlage* –, GRUR Int 1996, 67.
64 Entscheidung vom 11.11.1997 – *NASBA* –, GRUR Int 1998, 58 mit Anmerkung Stauder.
65 Gruri della proprietà industriale vom 20.1.1967, – *Monitore* – Riv. dir. Ind. 1997 II 204; GRUR Int 1998, 326.
66 Vgl weitere Einzelheiten bei Schiuma, Zum Schutzbereich des italienischen Patents im Vergleich mit der deutschen Rechtslage, GRUR Int 1998, 291 ff; siehe auch Franzosi, Il brevetto: quale tutela?, Milano 1996, 152; Franzosi, La determinzione dell' ambito di protezione del brevetto, Dir. ind. 1996, 21; Franzosi, Claim Interpretation, in Festschrift für Kolle/Stauder, Seite 123, in der auch das italienische Recht und die Rechtsprechung einbeziehenden rechtsvergleichenden Darstellung; Nachweise italienischer Urteile in den Fußnoten 3, 8, 29, 36.
67 Tribunale di Milano vom 4.5.1992 – *Epilady XI*, GRUR Int 1993, 249; Schiuma, GRUR Int 1998, 296 f; Marchetti/Ubertazzi, Commentario breve al diritto della concorrenza, 1997, Art 1, VIII, Rn 1; vgl auch Modiano, Der Schutzbereich nach Art 2, 69 und 164 EPÜ im italienischen Patentrecht, Mitt 1992, 286.

Artikel 69 *Schutzbereich*

54 h) Anlaß intensiver Diskussion um die einheitliche Auslegung des europäischen Patents war der **Epilady-Fall**, der die **unterschiedliche deutsche und britische Auslegung** illustriert. Eine wirtschaftlich erfolgreiche, durch ein europäisches Patent geschützte Erfindung zur Haarentfernung war in England und Deutschland im Verletzungsstreit. Die Haarentfernung erfolgt bei der beanspruchten Erfindung durch eine sich drehende gebogene Spiralfeder. Durch ihre Bogenform öffnet sich die Spirale nach außen und schließt sich nach innen. Das Körperhaar wird in den geöffneten Rundungen erfasst, durch die Umdrehung zur Innenseite eingeschlossen und dann ausgezupft. Ansprüche und Beschreibung des europäischen Patents nannten als entscheidendes Mittel der Haarentfernung nur die Spiralfeder (helical spring) in Bogenform. Das Gerät des Wettbewerbers benutzte anstelle der spiralförmigen, in einer Schleife gehaltenen Feder eine flexible Walze aus synthetischem Gummi in einem Halbbogen. Die Walze enthielt radiale Einschnitte, die wie die sich öffnende und schließende Spirale das Haar erfassten und entfernten. Die Einschnitte waren nicht spiralförmig angebracht.

55 Das OLG Düsseldorf vom 21.11.1991 – **Epilady VIII** – sah in dem Gerät eine Patentverletzung, weil der Durchschnittsfachmann, anknüpfend am Sinngehalt der Patentansprüche, die Verletzungsform als gleichwirkend auffinden konnte;[68] entscheidend ist das Wissen des Durchschnittsfachmanns zum Prioritätszeitpunkt; auf die konkrete Ausgestaltung des Ersatzmittels (hier der Gummiwalze) kommt es nicht an, wenn dessen Elemente aus der Sicht der Erfindung unwesentlich sind, das Ersatzmittel aber seiner Art nach als naheliegend anzusehen ist.

56 Das englische Gericht kam im Hauptsacheverfahren zum gegenteiligen Ergebnis. Die englische Entscheidung bejaht die erste Catnic-Frage (siehe Rdn 44), dass die Unterschiede in der Funktionsweise unwesentlich sind. Nach der zweiten, ebenfalls bejahten Catnic-Frage wäre es für einen Fachmann offensichtlich gewesen, dass die Abweichung in der gleichen Weise funktioniert. Die dritte Catnic-Frage lautete: Hätte ein Fachmann nichtsdestoweniger angenommen, dass der Patentinhaber seinen Anspruch auf die Grundbedeutung einer spiralförmigen Feder beschränken wollte? Der Richter war der Auffassung, dass bei dieser Interpretation des Anspruchs der Begriff spiralförmige Feder nicht so weit ausgelegt werden kann, einen Gummistab einzuschließen. Erheblich war auch, dass die Feder nicht als unwesentlich oder der Wechsel von einer Metallfeder zu einem Gummistab nicht als eine untergeordnete Abwandlung angesehen werden kann.

57 Das deutsche Gericht bewertet das Lösungsmittel – die Spiralfeder – seiner Funktion nach und wendet eine abstrahierende Methode an. Das englische Ge-

---

68 OLG Düsseldorf vom 21.11.1991 – *Epilady VIII* –, GRUR Int 1993, 242; 24 IIC 838 [1993].

richt orientiert sich an der Willensauffassung des Anmelders, wie sie im Erklärten Ausdruck findet.[69]

Das Landgericht Düsseldorf hat sich in seinem Urteil vom 22.9.1998 – **Sonnenblende II** –mit einer lesenswerten rechtsvergleichenden Untersuchung der Mühe unterzogen, den Schutzbereich eines Patents aufgrund von Sachverständigengutachten für die britischen, französischen, italienischen und schwedischen Teile zu bestimmen.[70]

Ein neueres Beispiel unterschiedlicher Auslegung des Schutzumfangs eines europäischen Patents sind die deutsche, die schweizerische und die französische Entscheidungen zur Erfindung »Rohrschelle/Spannschraube«; siehe die Entscheidungen in Rdn 39 und 42 am Ende; siehe auch die Entscheidung des FR-Cour de Cassation, Chambre Commerciale vom 4.6.2002.[71] Das Material ist zusammengestellt in der Fallstudie des 11. Symposium europäischer Patentrichter, Sonderausgabe Nr 2 zum ABl 2003, S 76 ff.

8 Teilschutz

Angeregt durch die französische Rechtsprechung wird der Teilschutz diskutiert. Es geht um die Frage, ob eine Patentverletzung auch vorliegt, wenn die Verletzungsform nur teilweise von den Merkmalen eines Patents, besonders eines Kombinationspatents, Gebrauch macht. Dieser Rechtsschutz wird in Frankreich erörtert.[72] Auch in Deutschland wird ein solcher Schutz für denkbar gehalten, sofern die fehlenden Merkmale nach dem Inhalt der Patentschrift für die geschützte Lehre und ihre Schutzwürdigkeit ohne Bedeutung sind,[73] aber bisher noch nicht anerkannt.[74]

---

69 Siehe die Analysen zu Epilady von: Beton, The interpretation of United Kingdom patents, Mitt 1992, 189 [192 ff, 202]; Bardehle, Die Einbeziehung der Äquivalenzlehre in den WIPO-Patentharmonisierungsvertrag, Mitt 1992, 133 [135 ff]; Valle, Der sachliche Schutzbereich des europäischen Patents, Peter Lang 1996, S 164 ff; weiter Valle, Der Schutzbereich europäisch erteilter Patente, Mitt 999, 166; siehe weiter zu Epilady auch Drope, Mitt 1995, 229; Franzosi, Three European Cases on Equivalence – Will Europe adopt Catnic?, IIC 2001, 113; Adam, der sachliche Schutzbereich des Patents in Großbritannien und Deutschlands, Carl Heymanns Verlag 2003.
70 Landgericht Düsseldorf, Entscheidungen der 4. Zivilkammer 1998, S 75.
71 Cour de Cassation, Chambre Commerciale, vom 4.6.2002, PIBD 2002 III, 387.
72 Cour de Paris vom **29.11.1995**, Ann 1997, 116, 124 ff mit Anmerkung von Mathély; Le Stanc/Vigand, La contrefaçon partielle de brevet, in Mélanges J.-J. Burst, 1997, S 297.
73 Rogge, Mitt 1998, 204 mit Fn 21 und 23.
74 Pagenberg, Teilschutz im französischen und deutschen Patentrecht, GRUR 1993, 264; weiter Beton, Mitt 1992, 198 zur englischen Situation.

9 Schutzbereich der europäischen Patentanmeldung (Abs 2)

60 Der sachliche Schutzbereich der Anmeldung richtet sich nach denselben Regeln wie der Schutzbereich des erteilten Patents. Er ist wichtig, wenn das Recht aus der Anmeldung nach Art 67 geltend gemacht wird.

61 Für den Zeitraum bis zur Patenterteilung bestimmen die zuletzt eingereichten und veröffentlichten Patentansprüche den Schutzbereich (Abs 2 Satz 1).

62 Wird das europäische Patent in einer geänderten Fassung erteilt oder wird seine Fassung im Einspruchs- und Beschwerdeverfahren geändert, so bestimmt diese Fassung rückwirkend den Schutzbereich der Anmeldung (Abs 2 Satz 2), soweit der Schutzbereich der Anmeldung nicht erweitert worden ist. Dies bedeutet, dass wohl meist das Verletzungsverfahren aus der Anmeldung ausgesetzt wird. Sollte dies nicht der Fall sein, so hätte der verurteilte Verletzer Anspruch auf Rückgabe eines aufgrund der Änderung der Patentansprüche nicht gerechtfertigten Schadensersatzes.

63 Fällt im Erteilungsverfahren die europäische Patentanmeldung weg oder wird im Einspruchsverfahren das Patent widerrufen, so gelten die Wirkungen der europäischen Patentanmeldung als von Anfang an nicht eingetreten (Art 67 (4) und Art 68). Damit entfällt auch rückwirkend jeder Anspruch auf Schadensersatz.

Artikel 70 Verbindliche Fassung einer europäischen Patentanmeldung oder eines europäischen Patents

(1) Der Wortlaut einer europäischen Patentanmeldung oder eines europäischen Patents in der Verfahrenssprache stellt in Verfahren vor dem Europäischen Patentamt sowie in jedem Vertragsstaat die verbindliche Fassung dar.

(2) Im Fall des Artikels 14 Absatz 2 ist jedoch in Verfahren vor dem Europäischen Patentamt der ursprüngliche Text für die Feststellung maßgebend, ob der Gegenstand der europäischen Patentanmeldung oder des europäischen Patents nicht über den Inhalt der Anmeldung in der eingereichten Fassung hinausgeht.

(3) Jeder Vertragsstaat kann vorsehen, dass in seinem Staat eine im Übereinkommen vorgeschriebene Übersetzung in einer seiner Amtssprachen für den Fall maßgebend ist, dass der Schutzbereich der europäischen Patentanmeldung oder des europäischen Patents in der Sprache der Übersetzung enger ist als der Schutzbereich in der Verfahrenssprache; dies gilt nicht für Nichtigkeitsverfahren.

(4) Jeder Vertragsstaat, der eine Vorschrift nach Absatz 3 erlässt,

a) muss dem Anmelder oder Patentinhaber gestatten, eine berichtigte Übersetzung der europäischen Patentanmeldung oder des europäischen Patents einzureichen. Die berichtigte Übersetzung hat erst dann rechtliche Wirkung, wenn die von dem Vertragsstaat in entsprechender Anwendung der Artikel 65 Absatz 2 und Artikel 67 Absatz 3 aufgestellten Voraussetzungen erfüllt sind;
b) kann vorsehen, dass derjenige, der in diesem Staat in gutem Glauben eine Erfindung in Benutzung genommen oder wirkliche und ernsthafte Veranstaltungen zur Benutzung einer Erfindung getroffen hat, deren Benutzung keine Verletzung der Anmeldung oder des Patents in der Fassung der ursprünglichen Übersetzung darstellen würde, nach Eintritt der rechtlichen Wirkung der berichtigten Übersetzung die Benutzung in seinem Betrieb oder für die Bedürfnisse seines Betriebs unentgeltlich fortsetzen darf.

Detlef Schennen

Übersicht

1	Allgemeines	1
2	Verfahrenssprache (Abs 1)	2-3
3	Verbindlichkeit der Verfahrenssprache vor dem EPA und in den Vertragsstaaten (Abs 1)	4
4	Der ursprüngliche Text der europäischen Patentanmeldung in einer zugelassenen Nichtamtssprache (Abs 2)	5
5	Die maßgebliche Fassung im Einspruchsverfahren	6
6	Engerer Schutzbereich der übersetzten Fassung (Abs 3)	7-8
7	Ausnahme im Nichtigkeitsverfahren (Abs 3 letzter Halbsatz)	9-12
8	Berichtigung der Übersetzung (Abs 4 a))	13-14
9	Weiterbenutzungsrecht (Abs 4 b))	15

1 Allgemeines

Abs 1 und 2 regeln die verbindliche Fassung der europäischen Patentanmeldung und des europäischen Patents und die Wirkung dieser Verbindlichkeit. Abs 3 und 4 gestatten dem nationalen Gesetzgeber, die europäische Patentanmeldung und das europäische Patent in der übersetzten Fassung für verbindlich zu erklären, wenn ihr Schutzbereich enger ist. Siehe Broschüre *Nationales Recht zum EPÜ*, Tabelle V, zu Art 70.

EPÜ 2000

Art 70 wurde durch das EPÜ 2000 lediglich redaktionell angepasst.

2 Verfahrenssprache (Abs 1)

2 Der Wortlaut der europäischen Patentanmeldung und des europäischen Patents in der Verfahrenssprache ist der verbindliche Text. Die Verbindlichkeit ist nicht auf die veröffentlichte europäische Patentanmeldung beschränkt; sie besteht in jedem Verfahrensstadium.

3 Die Verfahrenssprache ist diejenige der drei Amtssprachen des EPA, in der die Anmeldung oder nach Art 14 (2) die Übersetzung aus einer zugelassenen Nichtamtssprache eingereicht wird (siehe Art 14 Rdn 13–19). Die Verfahrenssprache kann seit Streichung der R 3 nicht mehr geändert werden (siehe Art 14 Rdn 23).

3 Verbindlichkeit der Verfahrenssprache vor dem EPA und in den Vertragsstaaten (Abs 1)

4 Der Wortlaut in der Verfahrenssprache ist für das gesamte Verfahren vor dem EPA verbindlich. Er ist weiter verbindlich in den Verfahren in jedem Vertragsstaat, auch nach Erteilung (zum Nichtigkeitsverfahren siehe Rdn 9–12).

4 Der ursprüngliche Text der europäischen Patentanmeldung in einer zugelassenen Nichtamtssprache (Abs 2)

5 Die gewählte Verfahrenssprache ist auch dann verbindlich, wenn die europäische Patentanmeldung nach Art 14 (2) in einer zugelassenen Nichtamtssprache – zB in italienisch – eingereicht worden ist. Die ursprüngliche Fassung der Anmeldung – in unserem Fall in italienisch – ist jedoch für die Frage maßgebend, ob der Gegenstand der europäischen Patentanmeldung oder des europäischen Patents in der Verfahrenssprache – als Übersetzung – über den Inhalt der Anmeldung in der eingereichten Sprache, eben in italienisch, hinausgeht oder den Inhalt der Anmeldung beschränkt.[1] Die unrichtige Übersetzung kann während des Verfahrens vor dem EPA jederzeit nach Art 14 (2) Satz 2 letzter Halbsatz berichtigt werden. Ebenso ist für die europäische Patentanmeldung als Stand der Technik nach Art 54 (3) der ursprüngliche Text maßgeblich.

5 Die maßgebliche Fassung im Einspruchsverfahren

6 Der Inhalt der Anmeldung in der ursprünglich eingereichten Fassung ist im Einspruchsverfahren maßgeblich dafür, ob der Gegenstand der Anmeldung unzulässig erweitert worden ist (Art 100 c). Nach R 7 kann die Einspruchsabteilung von der Übereinstimmung der Übersetzung mit dem ursprünglichen Text der Anmeldung ausgehen. Sie wird dies nach den PrüfRichtl D-V, 5.1 regelmäßig tun, sofern der Einsprechende nicht den Gegenbeweis erbringt.

---

1 Van Empel, Rn 278, 279.

6 Engerer Schutzbereich der übersetzten Fassung (Abs 3)

Wenn die Vertragsstaaten Übersetzungen nach Art 67 (3) und Art 65 (1) verlangen, so können sie weiter vorschreiben, dass die Übersetzung verbindlich ist, wenn die europäische Patentanmeldung oder das europäische Patent in der Übersetzung einen engeren Schutzbereich hat als in der Verfahrenssprache.

Von den Staaten, die Übersetzungen verlangen, haben Belgien, Deutschland und die Niederlande keine Vorschriften nach Art 70 (3) erlassen. Siehe Broschüre *Nationales Recht zum EPÜ*, Tabelle V, Spalte 1.

7 Ausnahme im Nichtigkeitsverfahren (Abs 3 letzter Halbsatz)

Der Wortlaut des europäischen Patents in der Verfahrenssprache ist grundsätzlich die verbindliche Fassung für das Nichtigkeitsverfahren (Art 70 (1)), zu dem sinngemäß die Nichtigkeitswiderklage und der Nichtigkeitseinwand gehören. Dies gilt auch für den Fall, dass der Schutzbereich in der Übersetzung auf Grund nationaler Anordnung nach Art 70 (3) enger ist als der in der Verfahrenssprache. Der deutsche Gesetzgeber hat von Art 70 (3) keinen Gebrauch gemacht, wohl aber von Art 70 (4) (siehe Art II § 3 (4) und (5) DE-IntPatÜG); diese Vorschrift ist noch in Kraft, solange das Übereinkommen über die Anwendung des Art 65 EPÜ noch nicht in Kraft ist: Art 4 des Gesetzes zur Änderung des IntPatÜG vom 10. 12. 2003[2]).

Der Patentinhaber kann im Nichtigkeitsverfahren gegen den Nichtigkeitsgrund der unzulässigen Erweiterung (Art 138 (1) c)) einwenden, dass in Wahrheit keine Erweiterung vorliegt, weil der weitere Schutzbereich des europäischen Patents in der Verfahrenssprache sich auf die ursprüngliche Fassung der Anmeldung in der zugelassenen Nichtamtssprache stützen kann.[3] Es ist dann folgerichtig, eine Anpassung des Textes des europäischen Patents an die weitere Fassung zuzulassen.[4]

Der Patentinhaber kann nach deutscher Rechtsprechung sein europäisches Patent in der Verfahrenssprache wie auch in deutscher Sprache einschränken; ob die deutsche oder die Fremdsprache vorzuziehen ist, ist eine Frage der Abwägung.[5]

Siehe auch unter Art 138 Rdn 4.

---

2 BlPMZ 2004, 46.
3 Vgl Haertel in MünchGemKom, Art 14, Rn 102.
4 Ablehnend Haertel aaO.
5 BGH vom 8.6.1993 – *Locking Device*, Schulte-Kartei, PatG § 81–85, Nr 151; BGH vom 12.5.1992 – *Linsenschleifmaschine*, ABl 1993, 331; siehe auch Rogge, GRUR 1993, 284.

8 Berichtigung der Übersetzung (Abs 4 a))

13 Die Vertragsstaaten lassen in unterschiedlichem Umfang die Berichtigung der fehlerhaften Übersetzung zu (Broschüre *Nationales Recht zum EPÜ*, Tabelle IV, Spalte 9 – zu Art 65).

14 Die Regelung in Abs 4 kann nicht durch Berichtigung nach anderen Regeln umgangen werden.[6]

9 Weiterbenutzungsrecht (Abs 4 b))

15 Die Vertragsstaaten, die die Übersetzung in einer ihrer Amtssprachen nach Abs 3 für maßgebend erklärt haben, und Deutschland (Art II § 3 (5) DE-IntPatÜG) haben von der Befugnis des Abs 4 b) Gebrauch gemacht und dem gutgläubigen Benutzer einer europäischen Patentanmeldung oder eines europäischen Patents mit einer zu eng übersetzten Fassung ein unentgeltliches Weiterbenutzungsrecht für die Zeit nach der Berichtigung eingeräumt.[7] Der gute Glaube richtet sich auf die Richtigkeit der Übersetzung. Geschützt wird das Vertrauen des Benutzers in die veröffentlichte Übersetzung. Positives Wissen von der Unrichtigkeit der Übersetzung zerstört den guten Glauben.

Zum Weiterbenutzungsrecht siehe näher unter Art 122 Rdn 136–142.

---

6 GB-Patentamt vom **16.9.1995**, [1996] R.P.C. 125.
7 Broschüre *Nationales Recht zum EPÜ*, Tabelle V, Spalte 2.

Kapitel IV Die europäische Patentanmeldung als Gegenstand des Vermögens

Vorbemerkung zu Art 71–74

Detlef Schennen

Das EPÜ regelt recht kurz und weitgehend durch Verweis auf nationales Recht 1
die vermögensrechtlichen Aspekte der europäischen Patentanmeldung. Wegen der Einheitlichkeit der europäischen Patentanmeldung musste die Konvention einige Fragen regeln, die die europäische Patentanmeldung als Gegenstand des Vermögens betreffen. Die europäische Patentanmeldung wird im Verfahren vor dem EPA als eine Einheit nach einheitlichen europäischen Rechtsnormen behandelt (vgl zB Art 118, R 100). Für die europäische Patentanmeldung als Gegenstand des Vermögens gilt dieser Grundsatz wegen der Bedürfnisse des Geschäftsverkehrs nur beschränkt. Die entsprechenden Bestimmungen für die europäische Patentanmeldung fasst dieses Kapitel in den Art 71–74 zusammen, wobei Art 74 für die Fälle, die nicht in den Art 71–73 geregelt sind, auf das nationale Recht verweist. Diese Bestimmungen werden ergänzt durch die R 20–22 und 61 über die Eintragung in das europäische Patentregister. Das Kapitel enthält weitgehend materielles Recht.

Für das künftige Gemeinschaftspatent finden sich entsprechende Bestim- 2
mungen vor allem in den Art 2 (2), 39, 42, 44 GPÜ und Art 2 (2), 14–24 des Kommissionsvorschlags für eine GPV.

Artikel 71 Übertragung und Bestellung von Rechten

Die europäische Patentanmeldung kann für einen oder mehrere der benannten Vertragsstaaten übertragen werden oder Gegenstand von Rechten sein.

Detlef Schennen

Übersicht

1	Allgemeines	1
2	Beschränkung auf die europäische Patentanmeldung	2–3
3	Gegenstand der Übertragung	4
4	Aufteilung unter mehreren Vertragsstaaten	5
5	Eintragung von Rechtsübergängen	6–11

6	Grenze zwischen europäischer und nationaler Registrierung	12-13
7	Eintragung nach Erteilung	14-15
8	Eintragung von Zwangsvollstreckungsmaßnahmen	16-19

1 Allgemeines

1 Die europäische Patentanmeldung kann entsprechend dem Charakter des europäischen Patents als Bündelpatent (Art 2 (2)) nicht nur gemeinsam für alle Vertragsstaaten übertragen oder lizenziert werden, sondern auch für einen oder mehrere Staaten. Wegen der Eintragung in das Patentregister siehe R 20–22 sowie R 61 für das europäische Patent.[1]

2 Beschränkung auf die europäische Patentanmeldung

2 Die vermögensrechtliche Vorschrift des Art 71 betrifft nur die europäische Patentanmeldung und nicht das erteilte Patent. Für die Übertragung und Belastung des erteilten Patents – auch während des Einspruchsverfahrens – gilt nationales Recht.

3 Für Gemeinschaftspatentanmeldungen (nach der Terminologie des GPÜ: europäische Patentanmeldungen, in denen die EG-Mitgliedstaaten benannt sind) wird Art 71 nicht gelten; sie können ebenso wie das Gemeinschaftspatent nur einheitlich übertragen werden (Art 44 (1), 38 GPÜ bzw Art 15, 24 des Entwurfs der GPV, jeweils iVm Art 148 EPÜ).

3 Gegenstand der Übertragung

4 Übertragung ist der Übergang des Eigentums an der europäischen Patentanmeldung vom Anmelder auf eine andere Person. R 20 erfasst alle gesetzlichen und rechtsgeschäftlichen Übertragungsvorgänge. Gegenstand von Rechten ist die Anmeldung zB bei Lizenzerteilung und Verpfändung.

4 Aufteilung unter mehreren Vertragsstaaten

5 Der Wortlaut *für einen oder mehrere der ... Vertragsstaaten* stellt klar, dass die gesetzlichen und rechtsgeschäftlichen Übertragungsvorgänge für einzelne Vertragsstaaten unterschiedlich vorgenommen werden können. Dies stimmt überein mit Art 59, der die Benennung verschiedener Vertragsstaaten durch mehrere Anmelder zulässt.

Übertragung und Belastung der europäischen Patentanmeldung für einzelne Staaten ist nur für das gesamte Territorium eines Vertragsstaats möglich. Ledig-

---

[1] Aus der Literatur: Hoorneman, De Europese octrooiaanvrage op de pijnbank van het Nederlandse vermogensrecht, BIE 1997, 67.

lich Lizenzerteilungen sind für Teile der jeweiligen Hoheitsgebiete zulässig (Art 73).

5 Eintragung von Rechtsübergängen

Der Rechtsübergang wird gegenüber dem EPA wirksam, wenn er durch Vorlage von Urkunden nachgewiesen und eine Verwaltungsgebühr gezahlt worden ist (R 20 (2) und (3)). Der Übergang wird unter dem Tag eingetragen, an dem das letzte Erfordernis (Eingang des Antrags, der Beweismittel oder der Verwaltungsgebühr beim EPA) erfüllt ist (PrüfRichtl E-XIII, 1.4 und 1.5). Die Verwaltungsgebühr (Art 3 GebO, siehe Anhang 5) beträgt derzeit 75 Euro.[2]

Durch diese Regelung hat das EPA stets einen Verfahrensbeteiligten, demgegenüber es das Verfahren fortführen kann, etwa durch Fristsetzungen oder die Übermittlung von Bescheiden, deren Nichtbeantwortung einen Rechtsverlust zur Folge hat. Ein Zeitverlust aufgrund des Verfahrens beim Rechtsübergang soll damit vermieden werden.

Der Eintragungsantrag kann seit der Änderung von R 20 (1) mit Wirkung ab 1.6.1991 in jeder Amtssprache eingereicht werden.

Bei einer Übertragung von mehreren europäischen Patentanmeldungen sind alle Schriftstücke in der entsprechenden Stückzahl einzureichen (R 36 (4)).

Seit der Liberalisierung der R 20 (1), in Kraft ab 1.6.1995, genügt jeder Nachweis des Rechtsübergangs durch geeignete schriftliche Beweismittel. Es genügt aber auch eine Erklärung des Übertragenden, dass er der Eintragung des neuen Rechtsinhabers zustimmt.[3] Andernfalls kann der Nachweis durch Vorlage der Urkunde, die den Eigentumsübergang belegt, geführt werden, dh hauptsächlich durch Vorlage des Übertragungsvertrags. Das Verfahren ist damit den internationalen Anmeldungen angenähert (R 92^{bis}1 PCT).

Von der Eintragung werden der alte und der neue Anmelder von Amts wegen unterrichtet. Die Umschreibungen führen die Formalsachbearbeiter durch. Sobald mit der Notwendigkeit einer Entscheidung gerechnet werden muss, die einen Beteiligten beschwert, ist die Rechtsabteilung zuständig.[4]

R 20 (1) und (2) gelten nach R 21 (1) auch für die Eintragung von Lizenzerteilungen oder -übertragungen, dinglichen Rechten und Zwangsvollstreckungsmaßnahmen.

Die Eintragungen werden nach R 21 (2) auf gebührenpflichtigen Antrag gelöscht. Voraussetzung ist die Vorlage einer entsprechenden Urkunde über den Wegfall des Rechts oder eine Löschungsbewilligung des Rechtsinhabers.

---

[2] Beilage zum ABl 9/2005, Nr 2.1.1, Stand von 1.7.2005.
[3] PrüfRichtl E-XIII.
[4] Mittteilung des EPA, ABl 1984, 317, mit Änderungen ABl 1989, 178.

6 Grenze zwischen europäischer und nationaler Registrierung

12 Die europäischen Patente werden ab Erteilung (Art 97 (4)) in die nationalen Register eingetragen,[5] die ihre Legitimationswirkung entfalten. So ist in Deutschland die Nichtigkeitsklage gegen den in der nationalen Patentrolle Eingetragenen zu richten, auch wenn im Europäischen Patentregister eine andere Person eingetragen ist; die europäische Eintragung gilt nur für das europäische Einspruchs- und Beschwerdeverfahren.[6]

13 Dagegen entfaltet die Eintragung eines Rechtsübergangs, der vor der Erteilung des europäischen Patents stattgefunden hat, Wirkung für die nationale Phase. In Österreich[7] ist eine formlose Berichtigung zugelassen worden. Maßgeblicher Zeitpunkt dafür, wann das nationale Amt zuständig wird, ist die Veröffentlichung des Hinweises auf die Erteilung (Art 97 (4)).

7 Eintragung nach Erteilung

14 Nach R 61 ist R 20 (Eintragung von Rechtsübergängen) entsprechend auf den Rechtsübergang des europäischen Patents während der Einspruchsfrist und der Dauer des Einspruchsverfahrens einschließlich der Beschwerde anzuwenden (siehe Rdn 6 und 12). Nach Abschluß des Einspruchs- und des Beschwerdeverfahrens ist eine Eintragung in das europäische Patentregister unzulässig; das europäische Patent ist dann dem europäischen Verfahren entzogen.[8]

15 Der Rechtsübergang des europäischen Patents richtet sich nach nationalem Recht.[9] Lässt das nationale Recht die Übertragung durch formlosen (mündlichen) Vertrag zu – wie in Deutschland –, so muss nach R 20 (1) für die Eintragung im europäischen Register der Abschluss eines solchen Vertrags schriftlich nachgewiesen werden. Die Fiktion des Art 60 (3) verbietet Zweifel an der Aktivlegitimation der Patentinhaberin, auf die das europäische Patent während des Einspruchsverfahrens umgeschrieben worden ist.[10]

8 Eintragung von Zwangsvollstreckungsmaßnahmen

16 R 21 (1) erfasst auch die Eintragung von Zwangsvollstreckungsmaßnahmen, die von nationalen Instanzen ausgesprochen werden. Die Eintragung ins Register wird aufgrund einer entsprechenden gerichtlichen Anordnung eines nationalen Gerichts vorgenommen. Gegenüber dem EPA bleibt der Patentanmelder

---

5 BPatG vom 7.7.1986 – *Umschreibgebühr*, ABl 1987, 438 = GRUR Int 1986, 801; AT-Patentamt vom **13.12.1983**, ABl 1984, 276.

6 DE-PatG § 30 (3) Satz 3; BPatG vom 26.6.1991 – *Zusätzlicher Kläger*, GRUR 1992, 435.

7 Beschwerdeabteilung des AT-Patentamts vom **13.12.1983**, ABl 1984, 276.

8 **J 17/91**, ABl 1994, 225.

9 AT-OGH vom 12.2.1991 – *Duschtrennwand* –, ABl 1993, 87.

10 **T 553/90**, ABl 1993, 666.

oder Patentinhaber Eigentümer und zur Verfügung über das europäische Patent bzw die europäische Patentanmeldung allein berechtigt. Nach nationalem Recht richten sich hingegen Art, Inhalt und Wirkung der jeweiligen Zwangsvollstreckungsmaßnahme.

Bei den Maßnahmen zur Eintragung der Zwangsvollstreckung hat das EPA – abweichend von der Entscheidung der Rechtsabteilung vom 3.11.1988 – folgende Praxis entwickelt:[11] Der Pfändungsgläubiger wird nicht Beteiligter im Erteilungsverfahren; er kann aber durch Vorlage der gerichtlichen Verfügung beim EPA die Eintragung der Zwangsvollstreckungsmaßnahme erwirken, die nach nationalem Recht ausgesprochen worden ist. Eine förmliche Zustellung der gerichtlichen Verfügung ist nicht erforderlich. Das EPA überprüft im übrigen nicht die Richtigkeit der gerichtlichen Verfügung. Die Beziehung zwischen Pfändungsgläubiger und Pfändungsschuldner richtet sich nach nationalem Recht.

Nach deutschem Recht erfolgt die Pfändung einer Patentanmeldung durch Pfändungsbeschluss nach § 857 DE-ZPO und wird mit Zustellung des Pfändungsbeschlusses an den Schuldner (Patentanmelder) wirksam; um die Befriedigung des Pfandgläubigers zu sichern, wird dem Patentinhaber ein Verfügungsverbot auferlegt.[12] Das Patentrecht selbst verbleibt auch nach der Pfändung dem Anmelder. Pfandrechte an der europäischen Patentanmeldung setzen sich am erteilten Patent fort.

Der Gläubiger hat somit gegenüber dem EPA nur das Recht auf Eintragung der Zwangsvollstreckungsmaßnahme. Er kann ein etwaiges Verfügungsverbot nicht gegenüber dem EPA durchsetzen. Er muss ein solches Verfügungsverbot mit den Mitteln des nationalen Rechts gegenüber dem Schuldner durchsetzen. Beispielsweise kann eine vom Schuldner vorgenommene Übertragung dinglich unwirksam sein. Der Gläubiger wäre dann darauf verwiesen, die Rückeintragung des Schuldners im europäischen Patentregister zu erwirken.

Artikel 72 Rechtsgeschäftliche Übertragung

Die rechtsgeschäftliche Übertragung der europäischen Patentanmeldung muss schriftlich erfolgen und bedarf der Unterschrift der Vertragsparteien.

---

11   Vgl 1. Auflage, Art 71 Rn 7 betr das europäische Patent 0 122 596.
12   BGH vom 24.3.1994 – *Rotationsbürstenwerkzeug* –, GRUR 1994, 602, 604.

Artikel 72 — Rechtsgeschäftliche Übertragung

Detlef Schennen

Übersicht
1 Allgemeines 1
2 Schriftlichkeit und Unterschrift 2-4

1 Allgemeines

1 Die rechtsgeschäftliche Übertragung der europäischen Patentanmeldung bedarf der Schriftform und Unterschrift der Vertragsparteien. Andernfalls ist sie unwirksam. Darüber hinaus beurteilt sich die Gültigkeit der rechtsgeschäftlichen Übertragung nach dem anwendbaren nationalen Recht (Art 74), das zusätzliche Formerfordernisse vorsehen kann, deren Nichterfüllung ebenfalls die Unwirksamkeit der Übertragung nach sich zieht, aber nur mit Wirkung für den betroffenen Vertragsstaat. Es liegt kein Vertrag vor, wenn die schriftliche Annahmeerklärung nur dem EPA zugegangen ist, denn ein Vertragsschluss setzt Zugang der Erklärung beim Vertragspartner voraus.[1]

Zur rechtsgeschäftlichen Übertragung künftiger Gemeinschaftspatente siehe Art 39 und 40 GPÜ sowie Art 15, 24 des Entwurfs der GPV.

2 Schriftlichkeit und Unterschrift

2 Als Voraussetzung für die Gültigkeit einer rechtsgeschäftlichen Übertragung wird die Schriftlichkeit des Vertrags und die Unterschrift der Vertragsparteien verlangt. Die Vorschrift ist aus ihrer Zweckbestimmung heraus vertragsautonom auszulegen.

3 Der BGH[2] betont, dass die vorgeschriebene Form der Rechtssicherheit im internationalen Rechtsverkehr dient: Der Inhaber der europäischen Patentanmeldung und des europäischen Patents muss auf einfache und sichere Weise bestimmt werden können. Dieser Zweck gebietet eine strenge Auslegung der Vorschrift. Klarheit und Belegbarkeit des Erklärten verlangen, dass sein Inhalt aus dem Schriftstück ersichtlich ist und die sonst nach deutschem Zivilrecht geltenden Grundsätze, einen abweichenden Willen der Beteiligten zu beachten, hier nicht gelten können.

4 Den Parteien ist unbedingt zu empfehlen, Angebot und Annahme in **einer** Urkunde schriftlich zu erklären.[3]

---

1 **J 18/84**, ABl 1987, 215.
2 BGH vom 23.6.1992 – *Magazinbildwerfer* –, ABl 1993, 88, GRUR 1992, 692.
3 BGH vom 23.6.1992 – *Magazinbildwerfer* –, GRUR 1992, 693, Nr II 2 d am Ende; nicht so strikt als obiter dictum **J 18/84**, Nr 5.1, ABl 1987, 215 zum Begriff *Übertragungsvertrag* nach R 20 (1) alter Fassung.

Artikel 73 Vertragliche Lizenzen

Eine europäische Patentanmeldung kann ganz oder teilweise Gegenstand von Lizenzen für alle oder einen Teil der Hoheitsgebiete der benannten Vertragsstaaten sein.

Detlef Schennen

Übersicht

1	Allgemeines	1-4
2	Sachlicher Lizenzbereich	5
3	Räumlicher Lizenzbereich	6
4	Anwendbarkeit europäischen und nationalen Rechts.	7
5	Eintragung von Lizenzen	8-9

1 Allgemeines

Als Ausdruck der Vertragsfreiheit gestattet Art 73 die Lizenzierung der europäischen Patentanmeldung in sachlicher und territorialer Hinsicht. Vermögensrechtlich bildet Art 73 im Interesse des Anmelders eine Ausnahme von der Einheitlichkeit der europäischen Patentanmeldung. 1

Die Lizenzvergabe ist wohl der häufigste und wirtschaftlich bedeutendste Fall von Rechtsgeschäften, die eine europäische Patentanmeldung betreffen. Die Wirksamkeit des Lizenzvertrags richtet sich nach nationalem Recht. 2

Nach deutschem Recht bestehen keine Formerfordernisse, so dass die Lizenz auch mündlich erteilt werden kann (siehe unten, Rdn 7). 3

Das EPÜ ordnet keine unmittelbaren Rechtsfolgen der Eintragung von Lizenzverträgen an. Zum einen besteht der Effekt in der Unterrichtung künftiger Erwerber und weiterer Lizenznehmer, zum andern können sich Rechtsfolgen aus nationalem Recht ergeben. Der Sukzessionsschutz nach § 15 (3) DE-PatG gilt auch für europäische Patente und die deutsche Benennung in einer europäischen Patentanmeldung, und zwar unabhängig von einer Eintragung der Lizenz im europäischen Patentregister. Ein eigenes Klagerecht im Verletzungsprozess hat nach deutschem Patentrecht nur der ausschließliche Lizenznehmer,[1] nicht der einfache Lizenznehmer. 4

2 Sachlicher Lizenzbereich

Der Umfang der Lizenz kann sich sachlich auf bestimmte technische Anwendungsgebiete beschränken. Bei solchen Einschränkungen können auch die Benutzungsarten genau bezeichnet werden. 5

---

[1] BGH vom 20.4.1994 – *Kleiderbügel* –, GRUR 1995, 388.

3 Räumlicher Lizenzbereich

6 Anders als bei der Übertragung nach Art 71 kann eine vertragliche Lizenz sowohl für alle oder einzelne Vertragsstaaten als auch für einen Teil des Gebiets aller oder einzelner Vertragsstaaten vereinbart werden.

4 Anwendbarkeit europäischen und nationalen Rechts

7 Soweit europäisches und nationales Recht für den Abschluß von Lizenzverträgen besondere Regeln aufstellen, insbesondere Wettbewerbsregeln, sind diese zu beachten. Für den Lizenzvertrag sind außerdem die Vorschriften des europäischen und nationalen Kartellrechts zu beachten, besonders Art 85 des EG-Vertrags und die VO Nr 772/2004 der Kommission zur Anwendung von Artikel 85 Absatz 3 des Vertrags auf Gruppen von Technologietransfer-Vereinbarungen.[23] Das Schriftformerfordernis des § 34 DE-GWB ist weggefallen, gilt aber für vor dem 1. 1. 1999 abgeschlossene Verträge weiter.[4]

5 Eintragung von Lizenzen

8 Die Eintragung der Lizenzerteilung und -übertragung wird wie die Eintragung des Rechtsübergangs (R 20 (1) und (2)) behandelt (siehe Art 71 Rdn 6–11). In J 17/91 wird betont, dass nach Abschluss des europäischen Verfahrens keine Eintragung einer Lizenz mehr möglich ist (siehe Art 71 Rdn 6 und 12).[5] Die Eintragung erfolgt aufgrund eines gebührenpflichtigen Antrags,[6] der vom Lizenznehmer oder Lizenzgeber gestellt werden kann. R 21 (1) iVm R 20 (3) bestimmt lediglich den Zeitpunkt für die Wirksamkeit der Lizenzerteilung gegenüber dem EPA (vgl Art 71 Rdn 6 und 12). Durch die entsprechende Anwendung von R 20 (1) genügt der Antrag eines Beteiligten.

9 Nach R 22 (1) ist eine Lizenz an einer europäischen Patentanmeldung im europäischen Patentregister als ausschließliche zu bezeichnen, wenn sowohl der Anmelder als auch der Lizenznehmer es beantragen.

Eine Unterlizenz wird nach R 22 (2) als solche bezeichnet.

Die Löschung richtet sich nach R 21 (2).

Artikel 74 Anwendbares Recht

Soweit in diesem Übereinkommen nichts anderes bestimmt ist, unterliegt die europäische Patentanmeldung als Gegenstand des Vermögens in

---

2 ABl EG Nr L 123/2004, S 1 = BlPMZ 2004, 337.
3 Aus der Literatur: Pagenberg/Geissler, Lizenzverträge, 4. Aufl, Heymanns 1997, mit kommentierten Vertragsmustern; Drexl, GRUR 2004, 716.
4 BGH – *Coverdisk* –, GRUR 1999, 776.
5 J 17/91, ABl 1994, 225.
6 Derzeit 75 Euro, Gebührenverzeichnis Nr 2.1.2, Beilage zum ABl 9/2005.

jedem benannten Vertragsstaat und mit Wirkung für diesen Staat dem Recht, das in diesem Staat für nationale Patentanmeldungen gilt.

Detlef Schennen

Übersicht

1	Allgemeines	1
2	Anwendbares nationales Recht	2

1 Allgemeines

Die europäische Patentanmeldung unterliegt vermögensrechtlich in jedem benannten Vertragsstaat und mit Wirkung für diesen dem dort geltenden nationalen Recht, das für nationale Patente gilt. Das EPÜ hat sich mit der Weiterverweisung auf das nationale Recht für eine europäische Minimallösung entschieden. Eine einheitliche Anknüpfung an das Realstatut eines einzigen Staates ist nur für das künftige Gemeinschaftspatent nötig und geboten, das ein einheitlicher Vermögensgegenstand sein wird. Europäisches Recht enthalten die Art 71–73. 1

2 Anwendbares nationales Recht

Die Verweisung auf das nationale Recht schließt das internationale Privatrecht des jeweiligen Staats ein.[1] Internationales Privatrecht ist nationales Recht, das die Frage regelt, ob der Richter sein Heimatrecht oder das Recht einer ausländischen Rechtsordnung zur Anwendung bringen soll. Das EPÜ zwingt nicht zur Anwendung eines bestimmten Sachrechts. Anders als beim Gemeinschaftspatent kann dies auch das Recht eines Nicht-Vertragsstaats sein. Daher kann im Rahmen des Art 74 das nationale Recht wiederum auf ausländisches Recht verweisen, zB auf das Recht der Staatsangehörigkeit oder, bei juristischen Personen, des Sitzes des Anmelders. 2

---

[1] AA Benkard/Ullmann, EPÜ, Art 74 Rn 2.

Dritter Teil Die europäische Patentanmeldung

Kapitel I Einreichung und Erfordernisse der europäischen Patentanmeldung

Artikel 75 Einreichung der europäischen Patentanmeldung

(1) Die europäische Patentanmeldung kann eingereicht werden:
a) beim Europäischen Patentamt in München oder seiner Zweigstelle in Den Haag oder
b) bei der Zentralbehörde für den gewerblichen Rechtsschutz oder bei anderen zuständigen Behörden eines Vertragsstaats, wenn das Recht dieses Staats es gestattet. Eine in dieser Weise eingereichte Anmeldung hat dieselbe Wirkung, wie wenn sie an demselben Tag beim Europäischen Patentamt eingereicht worden wäre.

(2) Absatz 1 steht der Anwendung der Rechts- und Verwaltungsvorschriften nicht entgegen, die in einem Vertragsstaat
a) für Erfindungen gelten, die wegen ihres Gegenstands nicht ohne vorherige Zustimmung der zuständigen Behörden dieses Staats ins Ausland übermittelt werden dürfen, oder
b) bestimmen, dass Patentanmeldungen zuerst bei einer nationalen Behörde eingereicht werden müssen, oder die die unmittelbare Einreichung bei einer anderen Behörde von einer vorherigen Zustimmung abhängig machen.

(3) Ein Vertragsstaat darf weder vorschreiben noch zulassen, dass europäische Teilanmeldungen bei einer in Absatz 1 Buchstabe b genannten Behörde eingereicht werden.

Rudolf Teschemacher

Übersicht
1	Allgemeines	1-4
2	Einreichung beim EPA (Annahmestellen)	5-7
3	Beschränkung der Einreichung beim EPA	8-17
4	Die für die Einreichung zuständigen nationalen Behörden	18-19

5	Sprachen, in denen europäische Patentanmeldungen bei nationalen Behörden einzureichen sind...	20-21
6	Weitere Besonderheiten	22
7	Art der Einreichung	23-26
8	Empfangsbescheinigung und Unterrichtung	27
9	Beschränkung der Einreichung bei nationalen Behörden auf die Anmeldungsunterlagen	28-29
10	Einreichung von Teilanmeldungen	30-31

1 Allgemeines

Die europäischen Patentanmeldungen können beim EPA eingereicht werden; sie können auch bei den nationalen Patentämtern der Vertragsstaaten oder anderen zuständigen Stellen der Vertragsstaaten eingereicht werden, wenn das Recht des betreffenden Vertragsstaats dies vorsieht. Der Einreichungsort ist aus der Anmeldenummer zu erkennen.[1] Seit 2002 wird jedem Einreichungsort eine 6-stellige Nummernserie zugeordnet.[2] Die Staaten können vorschreiben, dass europäische Patentanmeldungen aus ihrem Territorium zuerst bei einer nationalen Behörde eingereicht werden müssen (Abs 2 b)). Grund für diese Bestimmung ist die Sorge der meisten Staaten um die Geheimhaltung verteidigungswichtiger Erfindungen.

Vorschriften, die von den nationalen Behörden bei der Behandlung von europäischen Patentanmeldungen anzuwenden sind, enthalten Art 77 (Übermittlung europäischer Patentanmeldungen), R 24 (2) (Vermerk des Tags des Eingangs und Empfangsbescheinigung) und R 24 (3) (Unterrichtung des EPA). Für die Bearbeitung der europäischen Patentanmeldung in den nationalen Ämtern gibt es Richtlinien des EPA.[3]

Die Schriftform der europäischen Patentanmeldung ergibt sich aus den R 24 (1), 26 (1) und 35 (10), erläutert unter Art 78 Rdn 9. Für den Zeitpunkt der Einreichung (Anmeldetag) siehe Art 80 Rdn 15–21.

Die wichtigsten nationalen Vorschriften über die Einreichung von europäischen Patentanmeldungen mit Angabe der Fundstellen sind aus der Broschüre *Nationales Recht zum EPÜ*,[4] Tabelle II ersichtlich. Im Hinblick auf die stark gestiegene Zahl der Vertragsstaaten sind die einzelnen Hinweise unter Rdn 8 ff im wesentlichen auf die Staaten beschränkt, die bis zum Jahr 2000 Vertragsstaat wurden.

EPÜ 2000

Art 75 wurde gestrafft. Abs 3 wurde gestrichen und durch eine Verweisung in Abs 2 auf Art 76 (1) inhaltlich ersetzt. Die Einreichungsorte des EPA wurden

---

1 PrüfRichtl A-II, 1a.
2 ABl 2001, 465.
3 Vgl **J 18/86**, ABl 1988, 165.
4 Zugänglich auf der website des EPA www.epo.org → Unterlagen für Anmelder.

von Art 75 (1) in R 24 (1) AO 2000 verschoben, dort ist nunmehr neben München und Den Haag auch Berlin ausdrücklich genannt. In R 24 AO 2000 wurde die Befugnis des Präsidenten zur Regelung der Benutzung technischer Einrichtungen von Abs 1 in einen neuen Abs 2 verschoben. Dementsprechend sind die bisherigen Absätze 2 bis 4 als Absätze 3 bis 5 umnummeriert. Im geänderten Abs 4 ist nunmehr bestimmt, dass das nationale Amt dem EPA alle beanspruchten Prioritätstage mitzuteilen hat. Im übrigen wurden nur geringfügige redaktionelle Änderungen in R 24 vorgenommen.

2 Einreichung beim EPA (Annahmestellen)

5 Nach Abs 1 a) können europäische Patentanmeldungen am Sitz des EPA in München (Hauptgebäude und Pschorrhöfe[5]), bei seiner Zweigstelle in Den Haag und bei der Dienststelle des EPA in Berlin[6] eingereicht werden. Bei diesen Annahmestellen können europäische Patentanmeldungen, internationale Anmeldungen und andere Unterlagen eingereicht werden. Bei der Dienststelle Wien ist keine fristwahrende Einreichung möglich.[7] Nach der Streichung von Art 5 (1) e) GebO sind die Amtskassen geschlossen worden. Eine Bareinzahlung beim EPA ist nicht mehr möglich.[8]

6 Die Öffnungszeiten der Annahmestellen in München, Den Haag und Berlin zur Entgegennahme von Schriftstücken werden im Amtsblatt veröffentlicht.[9] Ebenso werden die Tage veröffentlicht, an denen die Annahmestellen des EPA und die nationalen Patentbehörden geschlossen sind.[10] An geschlossenen Tagen laufen gemäß R 85 keine Fristen ab. Zur Fristberechnung siehe im einzelnen Art 120 Rdn 49 ff.

7 Die Postanschriften sind:[11]

Europäisches Patentamt	Europäisches Patentamt	Europäisches Patentamt
D-80298 München	Zweigstelle Den Haag	Dienststelle Berlin
	Postbus 5818	D-10958 Berlin
	NL-2280 HV Rijswijk	

3 Beschränkung der Einreichung beim EPA

8 Nur wenige Vertragsstaaten lassen die Einreichung von europäischen Patentanmeldungen ohne Einschränkungen beim EPA zu, so *Österreich*, die *Schweiz*, *Liechtenstein*, *Irland* und *Monaco*. Die meisten Staaten haben von Abs 2 Ge-

---

5   ABl 1991, 223.
6   ABl 1989, 218.
7   ABl 1992, 183.
8   ABl 1999, 81.
9   zB ABl 2005, 44.
10 zB ABl 2006, 92, 445.
11 ABl 1994, 744; siehe 4. Umschlagseite der Amtsblätter.

brauch gemacht und schreiben für Anmeldungen, die für die Sicherheit des betreffenden Vertragsstaats von Bedeutung sind und daher geheim gehalten werden sollen, oder die möglicherweise ein Staatsgeheimnis enthalten, die Einreichung bei den nationalen Patentämtern des betreffenden Vertragsstaats vor. Die Wirkung der Einreichung wird nicht von bestehenden nationalen Beschränkungen berührt. Dementsprechend prüft das EPA im Einzelfall nicht, ob solche Beschränkungen bestehen und beachtet wurden.

Für Anmeldungen aus *Deutschland* ist Art II § 4 (2) IntPatÜG idF von Art 2 (2) des Gesetzes vom 13. Dezember 2001[12] maßgebend:

»§ 4 Einreichung europäischer Patentanmeldungen beim Deutschen Patentamt

(1) Europäische Patentanmeldungen können auch beim Deutschen Patent- und Markenamt oder gemäß § 34 Abs 2 des Patentgesetzes über ein Patentinformationszentrum eingereicht werden. Die nach dem Europäischen Patentübereinkommen zu zahlenden Gebühren sind unmittelbar an das Europäische Patentamt zu entrichten.

(2) Europäische Anmeldungen, die ein Staatsgeheimnis (§ 93 des Strafgesetzbuches) enthalten können, sind beim Deutschen Patent- und Markenamt nach Maßgabe folgender Vorschriften einzureichen:

1) In einer Anlage zur Anmeldung ist darauf hinzuweisen, dass die angemeldete Erfindung nach Auffassung des Anmelders ein Staatsgeheimnis enthalten kann.
2) Genügt die Anmeldung den Anforderungen der Nummer 1 nicht, so wird die Entgegennahme durch Besscluss abgelehnt. Auf das Verfahren sind die Vorschriften des Patentgesetzes entsprechend anzuwenden. Die Entgegennahme der Anmeldung kann nicht mit der Begründung abgelehnt werden, dass die Anmeldung kein Staatsgeheimnis enthalte.
3) Das Deutsche Patent- und Markenamt prüft die nach Maßgabe der Nummer 1 eingereichten Anmeldungen unverzüglich darauf, ob mit ihnen Patentschutz für eine Erfindung nachgesucht wird, die ein Staatsgeheimnis (§ 93 des Strafgesetzbuches) ist. Für das Verfahren gelten die Vorschriften des Patentgesetzes entsprechend; § 53 des Patentgesetzes ist anzuwenden.
4) Ergibt die Prüfung nach Nummer 3, dass die Erfindung ein Staatsgeheimnis ist, so ordnet das Deutsche Patent- und Markenamt von Amts wegen an, dass die Anmeldung nicht weitergeleitet wird und jede Bekanntmachung unterbleibt. Mit der Rechtskraft der Anordnung gilt die europäische Patentanmeldung auch als eine von Anfang an beim Deutschen Patent- und Markenamt eingereichte nationale Patentanmeldung, für die eine Anordnung nach § 50 Abs 1 des Patentgesetzes ergangen ist. § 9 Abs 2 ist entsprechend anzuwenden.

---

12 BlPMZ 2002, 4.

Artikel 75 *Einreichung der Anmeldung*

(3) Enthält die Anmeldung kein Staatsgeheimnis, so leitet das Deutsche Patent- und Markenamt die Patentanmeldung an das Europäische Patentamt weiter und unterrichtet den Anmelder hiervon.«

Siehe auch § 14:

»§ 14 Unzulässige Anmeldung beim Europäischen Patentamt
Wer eine Patentanmeldung, die ein Staatsgeheimnis (§ 93 des Strafgesetzbuches) enthält, unmittelbar beim Europäischen Patentamt einreicht, wird mit Freiheitsstrafe bis zu 5 Jahren oder mit Geldstrafe bestraft.«

10   Ebenso ist die Rechtslage für die Anmeldung von Erfindungen im Bereich der nationalen Sicherheit in *Luxemburg*. Entsprechende Beschränkungen gibt es in *Belgien, Dänemark, Finnland* und *Schweden* für Personen mit der Staatsangehörigkeit des betreffenden Landes und Personen, die dort Wohnsitz oder Sitz haben, in *Schweden* darüber hinaus auch für Erfindungen, die in *Schweden* gemacht worden sind. Die *Niederlande* schließen im Regelfall die Einreichung beim nationalen Amt aus; diese ist aber vorgeschrieben für Anmeldungen, die im Interesse der Verteidigung geheim zu halten sind. Die Frage, ob der Gegenstand der europäischen Patentanmeldung geheimhaltungsbedürftig ist, liegt in den vorstehend erörterten Staaten im Verantwortungsbereich des Anmelders.

11   *Frankreich, Griechenland, Italien, Portugal, Spanien das Vereinigte Königreich* und *Zypern* überlassen die Entscheidung der Frage, ob eine Anmeldung geheimhaltungsbedürftig ist, nicht dem Anmelder, sondern gestatten die Anmeldung beim EPA nur dann, wenn ihr nationales Amt bereits Gelegenheit hatte, die Erfindung auf ihre Geheimhaltungsbedürftigkeit zu prüfen.

12   In *Frankreich* müssen Anmelder mit Sitz oder Wohnsitz in Frankreich europäische Erstanmeldungen sowie auch Nachanmeldungen, für die eine nichtfranzösische Priorität in Anspruch genommen wird, beim INPI einreichen.

13   In *Griechenland* müssen Anmelder mit griechischer Staatsangehörigkeit europäische Anmeldungen beim griechischen Patentamt einreichen, wenn nicht die Priorität einer früheren griechischen Anmeldung beansprucht wird. Entsprechendes gilt in *Cypern*.

14   Im *Vereinigten Königreich* dürfen Anmelder mit Sitz oder Wohnsitz im Inland nur dann eine europäische Patentanmeldung beim EPA einreichen, wenn sie die Erfindung mindestens 6 Wochen vorher beim britischen Patentamt eingereicht haben und der Leiter dieses Amts die Veröffentlichung der Erfindung nicht untersagt hat. Die Frist von 6 Wochen entfällt, wenn die Genehmigung zur europäischen Anmeldung der Erfindung erteilt wurde.

15   In *Italien* müssen Anmelder mit Sitz oder Wohnsitz in Italien europäische Erstanmeldungen beim nationalen Amt einreichen.

16   In *Portugal* müssen Anmelder mit Sitz oder Wohnsitz in Portugal europäische Patentanmeldungen bei INPI einreichen, es sei denn, die Priorität einer früheren portugiesischen Anmeldung wird beansprucht und der Gegenstand der Anmeldung wurde von den Behörden nicht als geheim angesehen.

In *Spanien* müssen Anmelder mit Sitz, Wohnsitz, gewöhnlichem Aufenthaltsort oder ständiger Niederlassung in Spanien beim Registro de la Propiedad Industrial (RPI) einreichen, wenn nicht die Priorität einer früheren spanischen Anmeldung beansprucht wird.

4 Die für die Einreichung zuständigen nationalen Behörden

Soweit europäische Patentanmeldungen bei nationalen Behörden eingereicht werden können oder müssen, sind hierfür nach Abs 1 b) die nationalen Zentralbehörden für den gewerblichen Rechtsschutz zuständig; europäische Patentanmeldungen können regelmäßig (Ausnahme: *Niederlande*[13]) bei den nationalen Behörden eingereicht werden.[14] Für *Liechtenstein* kann beim Eidgenössischen Institut für Geistiges Eigentum eingereicht werden.

Besonderheiten und weitere nationale Behörden:

DE: europäische Patentanmeldungen können auch bei der Dienststelle Berlin und Jena des DPMA sowie bei einer Reihe von Patentinformationszentren[15] eingereicht werden.

ES: In den autonomen Gebieten Spaniens können die Anmeldungen bei den Ämtern der autonomen Verwaltung (Administración Autonómica) eingereicht werden.

FR: europäische Patentanmeldungen können außer beim INPI in Paris auch bei den regionalen Dienststellen in Bordeaux, Grenoble, Lille, Lyon, Marseille, Nancy, Nantes, Nizza, Rennes, Straßburg und Toulouse eingereicht werden.

GB: Das britische Patentamt in Newport besitzt noch eine Anschrift an seinem früheren Sitz in London.

IT: europäische Patentanmeldungen können außer beim Patent- und Markenamt in Rom auch bei der Handelskammer in Rom eingereicht werden.

SE: Erfindungen für Verteidigungszwecke sind entweder beim schwedischen Patentamt einzureichen oder dem »Granskningsnämnden för försvarssuppfinningar« (Prüfungsausschuß für Erfindungen für Verteidigungszwecke) vorzulegen.

5 Sprachen, in denen europäische Patentanmeldungen bei nationalen Behörden einzureichen sind.

Ohne Einschränkung sind alle Sprachen nach Art 14 (1) und (2) zugelassen in *Belgien*, der *Schweiz* und *Liechtenstein*, *Dänemark*, *Deutschland*, *Finnland*, *Frankreich*, *Irland*, *Luxemburg*, *Monaco*, den *Niederlanden* (nur für geheimhaltungsbedürftige Anmeldungen) *Schweden* und dem *Vereinigten Königreich*.

---

13 Im übrigen siehe *Nationales Recht zum EPÜ*, jeweils in Tabelle II, Spalte 1.
14 Adressen siehe *Nationales Recht zum EPÜ*, Tabelle II.
15 Mitteilung des Präsidenten des DPMA Nr 38/04 in BlPMZ 2004, 478.

Artikel 75 *Einreichung der Anmeldung*

Alle genannten Sprachen sind auch zugelassen in *Österreich*, wenn zumindest der »Hinweis, dass ein europäisches Patent beantragt wird«, die »Benennung mindestens eines Vertragsstaats« und »Angaben, die es erlauben, die Identität des Anmelders festzustellen«, in Deutsch, Englisch oder Französisch enthalten sind.

21 Besonderheiten gelten in:

- ES: Eine Übersetzung ist beizufügen, wenn die europäische Patentanmeldung nicht in Spanisch abgefaßt ist.
- GR: Neben den 3 Amtssprachen ist Griechisch zugelassen. Ist die europäische Patentanmeldung nicht in Griechisch abgefaßt, so ist eine Übersetzung beizufügen.
- CY: wie GR.
- IT: Eine Übersetzung ist beizufügen, wenn die europäische Patentanmeldung nicht in Italienisch abgefaßt ist, es sei denn, dass eine italienische Priorität beansprucht ist.
- PT: wie IT.

Näheres siehe Broschüre *Nationales Recht zum EPÜ*, Tabelle II, Spalten 3 und 5.

6 Weitere Besonderheiten

22 AT: Für die Einreichung der europäischen Patentanmeldung ist keine Stempelgebühr mehr zu zahlen.
- DE: Bei Anmeldungen, die beim DPMA eingereicht werden müssen, hat der Anmelder in einer Anlage darauf hinzuweisen, dass die Erfindung nach seiner Auffassung ein Staatsgeheimnis enthalten kann.
- FR: Anmeldungen, die national eingereicht werden müssen, dürfen nicht ohne Genehmigung des zuständigen Ministers frei verbreitet oder verwertet werden. Die Genehmigung gilt als von Rechts wegen erteilt, wenn 4 Monate seit dem Einreichungstag oder 14 Monate seit dem Prioritätstag vergangen sind.
- GR: Anmeldungen, die national eingereicht werden müssen, dürfen nicht ohne Genehmigung des zuständigen Ministers frei verbreitet oder verwertet werden. Die Genehmigung gilt, wenn kein vorläufiger Besscluss über die Geheimhaltung ergeht, spätestens 30 Tage nach Hinterlegung der Anmeldung oder, wenn kein endgültiger Besscluss über die Geheimhaltung ergeht, 125 Tage nach Hinterlegung als erteilt.
- LU: Für die Übermittlung der Anmeldung an das EPA ist eine Gebühr zu entrichten.
- NL: Es ist darauf zu achten, dass europäische Patentanmeldungen, die bei der Zweigstelle des EPA in Den Haag (Postanschrift siehe Rdn 7) eingereicht

werden, nicht an das im gleichen Gebäude befindlichen NIPO gerichtet werden.
PT: Mit Einreichung ist eine Gebühr zu entrichten.

Näheres siehe Broschüre *Nationales Recht zum EPÜ*, Tabelle II, Spalte 5.

7 Art der Einreichung

Sowohl beim EPA als auch bei den zuständigen nationalen Behörden können europäische Patentanmeldungen nach R 24 (1) unmittelbar oder durch die Post eingereicht werden. Die unmittelbare Einreichung kann entweder durch Übergabe der Anmeldung oder durch Einwurf in einen Briefkasten der Behörde erfolgen; das EPA hat in München (Hauptgebäude und Pschorrhöfe) und in Berlin einen Nachtbriefkasten, der die Fristwahrung bis zum Ende des 24-Stunden-Tags erlaubt. In Den Haag können Unterlagen auch außerhalb der Dienstzeiten beim Pförtner abgegeben werden. Bei der Übersendung durch die Post ist darauf zu achten, dass die allgemein als sicher angesehenen Einschreibsendungen nur während der Dienststunden der jeweiligen Annahmestelle angenommen werden. 23

Die Verwaltungsvereinbarung vom 29.6.1981 zwischen dem DPA und dem EPA über den Zugang von Schriftstücken und Zahlungsmitteln, nach der beide Ämter den Eingang beim jeweils anderen Amt anerkannten, wird nicht mehr angewendet,[16] weil diese Zugangsregelung nach Auffassung des BPatG rechtswidrig ist.[17] Fehlgeleitete Sendungen werden zwar weiterhin dem jeweils anderen Amt zugeleitet, doch gilt als Eingangstag erst der Tag des Eingangs beim richtigen Adressaten. 24

Zur Benutzung technischer Mittel der Nachrichtenübermittlung siehe Art 78 Rdn 10 ff. 25

Nach Art 75 (1) b) steht es den Vertragsstaaten zwar frei, ob sie die Einreichung auf dem nationalen Weg zulassen; machen sie allerdings hiervon Gebrauch, so richten sich die Voraussetzungen für den Eingang, insbesondere für den Anmeldetag nach europäischem Recht (vgl Art 80). Die Fiktion des rechtzeitigen Eingangs bei Versäumung der Prioritätsfrist durch eine Postverzögerung gemäß R 84a (1) gilt gemäß R 84a (2) auch im Fall der Einreichung beim nationalen Amt. Dasselbe gilt nach R 85 (3) für die Fristverlängerungen in den Fällen der geschlossenen Tage und der Postunterbrechung nach R 85 (1) und (2). Zur Fristberechnung im einzelnen, siehe Art 120 Rdn 45–48 ff. Nationale Bestimmungen, die es erlauben, einen früheren Tag als den des tatsächlichen Eingangs festzusetzen, sind nicht anwendbar.[18] Wird etwa nach nationalem 26

---

16 Hinweis im ABl 2005, 444 und Mitteilung des Präsidenten des DPMA 23/05, BlPMZ 2005, 273.
17 BlPMZ 2005, 183.
18 **J 18/86**, ABl 1988, 165.

Recht für den Anmeldetag einer Anmeldung der Tag der Postaufgabe anerkannt, so gilt dies nicht für eine beim nationalen Amt eingegangene europäische Anmeldung.[19]

8 Empfangsbescheinigung und Unterrichtung

27 Die Behörde (EPA oder nationale Behörde), bei der die europäische Patentanmeldung eingegangen ist, erteilt dem Anmelder unverzüglich eine Empfangsbescheinigung (R 24 (2)), die aus Blatt 6 des Erteilungsantrags besteht. Sie nennt die Art und Zahl der Unterlagen, den Tag ihres Eingangs und die der Anmeldung zugeteilte Nummer. Es empfiehlt sich, Blatt 6 des Erteilungsantrags sorgfältig vorzubereiten, da die Empfangsbescheinigung den Anscheinsbeweis für den Eingang der aufgeführten Unterlagen erbringt.[20] Zur Anerkennung eines Anmeldetags auf Grund einer falschen Empfangsbescheinigung siehe Art 80 Rdn 8. Die Richtigkeit der angegebenen Blattzahlen wird erst bei der Formalprüfung geprüft. Der Anmelder kann sich gegen Gebühr den Eingang auch mit Telefax bestätigen lassen.[21] Zur Bestätigung nachgereichter Unterlagen ist Formblatt 1037 vorgesehen.[22] Als Tag des Eingangs wird der tatsächliche Tag der Einreichung mitgeteilt. Vom EPA wird der Eingang auch für Tage registriert und bestätigt, an denen das Amt geschlossen ist. Ist die europäische Patentanmeldung bei einer nationalen Behörde eingegangen, so unterrichtet diese das EPA unverzüglich vom Eingang der Anmeldung (R 24 (3)). Das EPA wiederum unterrichtet den Anmelder, sobald es die europäische Patentanmeldung von der nationalen Behörde erhalten hat (R 24 (4)).

Siehe auch PrüfRichtl A-II, 3.

9 Beschränkung der Einreichung bei nationalen Behörden auf die Anmeldungsunterlagen

28 Dieser Artikel regelt nur die Einreichung der Anmeldung; Art 78 legt den formellen Inhalt der Anmeldung fest. Die nationalen Behörden sind nur für die Entgegennahme der **Anmeldung** zuständig und weder für eine formelle Prüfung der eingegangenen Unterlagen (vgl Art 90, 91) noch für die Entgegennahme von Zahlungsmitteln wie Schecks und von weiterem Schriftwechsel. Sie leiten jedoch auch andere der Anmeldung beigefügte Unterlagen an das EPA weiter, wie Abbuchungsaufträge, Prioritätsbelege, Vollmachten, Erfindernennungen und ähnliches. Auch kurz nach der Einreichung der Anmeldung nachgereichte Unterlagen, zB fehlende Zeichnungen (R 43), dürfen die nationalen Behörden annehmen und weiterleiten, keinesfalls jedoch Antworten des An-

---

19 Rechtsauskunft des Bundesamts für Geistiges Eigentum, ABl 1982, 279.
20 J 20/85, ABl 1987, 102.
21 ABl 2005, 44.
22 ABl 2000, 369; Neuauflage des Formblatts: Ausgabe 02.06.

melders auf einen Bescheid des EPA. Ist einer bei der nationalen Behörde eingereichten Anmeldung ein Scheck beigefügt und leitet diese den Scheck an das EPA weiter, so ist für die Feststellung des Zahlungstages (Art 78 (2), 79 (2)) nicht der Tag des Scheckeingangs bei der nationalen Behörde, sondern beim EPA maßgebend; eine Wiedereinsetzung in diese Fristen ist nach Art 122 (5) ausgeschlossen. Ist der Anmeldung jedoch ein Abbuchungsauftrag von einem beim EPA geführten laufenden Konto beigefügt, so ist der Tag des Eingangs bei der nationalen Behörde maßgebend (Vorschriften über das laufende Konto Nr 6.10, siehe Anhang 6, Beilage Nr 2 zu ABl 1/2005).

Nach Erhalt der Mitteilung nach R 24 (4) (siehe Rdn 27) hat der Anmelder alle weiteren Unterlagen unmittelbar an das EPA zu senden.[23] Unterlagen, die später noch bei einem nationalen Amt eingereicht und von diesem an das EPA weitergeleitet werden, erhalten als Eingangstag den Tag des Eingangs beim EPA.[24] 29

10 Einreichung von Teilanmeldungen

Abs 3 schließt aus, dass europäische Teilanmeldungen bei nationalen Behörden eingereicht werden. Art 76 (1) schreibt positiv die unmittelbare Einreichung beim EPA vor. Dadurch soll die schnelle Bearbeitung und insbesondere Veröffentlichung dieser Teilanmeldung sichergestellt werden. Wird eine Teilanmeldung entgegen diesen Vorschriften bei einer nationalen Behörde eingereicht, so hat diese Einreichung keine rechtliche Wirkung. Übermittelt die nationale Behörde trotzdem die Teilanmeldung dem EPA, so gilt sie erst am Tag des Eingangs der Unterlagen beim EPA als eingegangen.[25] 30

Das Verbot der Einreichung bei einer nationalen Behörde gilt nicht für die Einreichung einer neuen europäischen Patentanmeldung nach Art 61. Auf diese finden zwar nach Art 61 (2) die Vorschriften über die Teilanmeldung (Art 76 (1)) Anwendung, aber erst, wenn sie bereits eingereicht ist, nicht schon für die Einreichung selbst. Das ergibt sich auch aus R 15 (3) (siehe Art 61 Rdn 28). 31

Artikel 76 Europäische Teilanmeldung

(1) Eine europäische Teilanmeldung ist unmittelbar beim Europäischen Patentamt in München oder seiner Zweigstelle in Den Haag einzureichen. Sie kann nur für einen Gegenstand eingereicht werden, der nicht über den Inhalt der früheren Anmeldung in der ursprünglich eingereichten Fassung hinausgeht; soweit diesem Erfordernis entsprochen wird, gilt die

---

23 PrüfRichtl A-II, 3.2.
24 Mitteilung des EPA vom 1.6.1990, ABl 1990, 306.
25 PrüfRichtl A-IV, 1.3.1.

Artikel 76 Teilanmeldung

Teilanmeldung als an dem Anmeldetag der früheren Anmeldung eingereicht und genießt deren Prioritätsrecht.

(2) In der europäischen Teilanmeldung dürfen nur Vertragsstaaten benannt werden, die in der früheren Anmeldung benannt worden sind.

(3) Das Verfahren zur Durchführung des Absatzes 1, die besonderen Erfordernisse der europäischen Teilanmeldung und die Frist zur Zahlung der Anmeldegebühr, der Recherchengebühr und der Benennungsgebühren sind in der Ausführungsordnung vorgeschrieben.

Rudolf Teschemacher

Übersicht

1	Begriff der Teilanmeldung	1-7
2	Unmittelbare Einreichung beim EPA	8-10
3	Gleicher Anmelde- und Prioritätstag	11
4	Gegenstand der Teilanmeldung	12-18
5	Gleiche Vertragsstaaten	19
6	Gleiche Verfahrenssprache	20
7	Zeitraum für die Einreichung der Teilanmeldung	21-25
8	Gebühren	26-30
9	Erfindernennung	31-32
10	Akteneinsicht in die Stammanmeldung	33

1 Begriff der Teilanmeldung

1   Dieser Artikel legt die Voraussetzungen für europäische Teilanmeldungen und die Grundsätze ihrer Einreichung fest. Eine Definition der Teilanmeldung enthält die Bestimmung nicht. Ein Fall der Teilanmeldung ist die Teilung einer uneinheitlichen Stammanmeldung (in der Terminologie des EPÜ: frühere Anmeldung). Nach Art 82 muss die europäische Patentanmeldung dem dort aufgestellten Erfordernis der Einheitlichkeit entsprechen. Verwirklichen die einzelnen Teile der Anmeldung nicht eine einzige allgemeine erfinderische Idee, so muss die Anmeldung auf einen einheitlichen Komplex beschränkt werden. Für die anderen Teile können Teilanmeldungen eingereicht werden. Dies entspricht Art 4 G (1) PVÜ.

2   Aber auch wenn die Anmeldung eine einheitliche Gruppe von Erfindungen enthält, kann der Anmelder aus wirtschaftlichen, verfahrenstechnischen oder sonstigen Gründen ein Interesse daran haben, einen einzelnen Teil dieser Anmeldung abzutrennen, um für diesen Teil ein gesondertes Patent zu bekommen. Auch hier spricht die PVÜ in Art 4 G (2) von einer Teilanmeldung. Das EPÜ hat die Terminologie übernommen und behandelt beide Fälle gleich.

3   Da die Teilanmeldung die Abspaltung eines Teils der Stammanmeldung ist, deckt sich die Berechtigung an beiden: Für die Einreichung der Teilanmeldung gilt der Anmelder der Stammanmeldung als berechtigt (R 25 (1); vgl auch

Art 60 (3)). Bei einer Mehrheit von Anmeldern der früheren Anmeldung sind nur alle gemeinsam zur Einreichung der Teilanmeldung berechtigt.[1] Ein Rechtsnachfolger ist nur dann legitimiert, wenn spätestens mit Einreichung der Teilanmeldung die formellen Voraussetzungen für eine Umschreibung erfüllt sind. Wurde die Teilanmeldung nicht im Namen des oder der Berechtigten eingereicht, ist keine Berichtigung möglich.[2]

Einzelheiten über die Teilung finden sich vor allem in R 25 (Vorschriften für europäische Teilanmeldungen), in R 4 (Sprache der europäischen Teilanmeldung), R 6 (Fristen und Gebührenermäßiging), R 37 (3) (Fälligkeit), R 42 (2) (Nachholung der Erfindernennung), R 85a (Verlängerung von Fristen für Gebührenzahlungen). Art 128 (3) regelt iVm R 95a die Akteneinsicht und Aufbewahrung der Akten. In Art 100 c) und Art 138 (1) c) ist die unzulässige Erweiterung der Teilanmeldung gegenüber der früheren Anmeldung als Einspruchs- und Nichtigkeitsgrund geregelt. In den PrüfRichtl werden die Teilanmeldungen eingehend unter A-IV, 1 und C-VI, 9.1 behandelt. Der PCT sieht die Einreichung von Teilanmeldungen nicht vor. Zu einer internationalen Anmeldung kann erst dann eine Teilanmeldung eingereicht werden, wenn sie in die regionale Phase vor dem EPA eingetreten ist.[3]

Wenn Art 76 von *einer* Teilanmeldung spricht, so ist dies keine zahlenmäßige Beschränkung. Es können aus einer Stammanmeldung mehrere Teilanmeldungen entstehen. Auch aus einer Teilanmeldung kann eine weitere Teilanmeldung abgetrennt werden.[4] Dies sollte durch die Änderung von Regel 25 (1) klargestellt worden, in der es nunmehr heißt, dass eine Teilanmeldung zu *jeder* anhängigen Anmeldung eingereicht werden kann.[5] Dies ist dann von Bedeutung, wenn die erste Anmeldung nicht mehr anhängig ist.

Die Teilanmeldung wird bei Einreichung nicht auf das Erfordernis der Einheitlichkeit geprüft. Sie kann im Prüfungsverfahren wegen Uneinheitlichkeit beanstandet werden und zu einer weiteren Teilanmeldung führen.

Während nach dem deutschen Verfahren die Teilanmeldung in der Verfahrenslage der Stammanmeldung weiterbehandelt wird, ist eine europäische Teilanmeldung wie jede andere europäische Patentanmeldung zu recherchieren, zu veröffentlichen und zu prüfen. Sie durchläuft daher das gesamte Verfahren mit Eingangs- und Formalprüfung von neuem. Eine Beschleunigung ergibt sich für die Veröffentlichung, da sich diese gemäß Art 93 (1) iVm Art 76 (1) Satz 2 nach dem Anmelde- oder Prioritätstag der Stammanmeldung richtet.

---

1 **J 2/01**, ABl 2005, 88.
2 **J 17/97** vom 14.2.2002.
3 PrüfRichtl A-IV, 1.1.1.
4 PrüfRichtl A-IV, 1.1.1.
5 Beschluss des Verwaltungsrats vom 18. 10. 2001, ABl 2001, 448.

Artikel 76   *Teilanmeldung*

EPÜ 2000

In Einklang mit der Änderung von Art 75 wurden auch in Art 76 (1) die Einreichungsorte herausgenommen, sie finden sich für Teilanmeldungen nun in R 25 (2) AO 2000. Ferner wurde in Art 76 (1) eine allgemeine Bezugnahme auf die AO aufgenommen, die den bisherigen Abs 3 ersetzt. In Abs 2 wurde eine Änderung aufgrund der Änderung des Benennungssystems in Art 79 EPÜ 2000 erforderlich. Dort tritt an die Stelle des bisherigen Systems der individuellen Benennung von Vertragsstaaten die fiktive kollektive Benennung aller Vertragsstaaten. Diese konnte aber nicht unverändert nach Art 76 übernommen werden, da der Möglichkeit der (ggf fiktiven) Rücknahme von Vertragsstaaten in der früheren Anmeldung Rechnung zu tragen war. Daher sieht Abs 2 nun die fiktive Benennung der in der früheren Anmeldung noch wirksamen Benennung von Vertragsstaaten vor.

R 25 (1) AO 2000 ist unverändert. R 25 (2) AO 2000 regelt neben den Einreichungsorten auch die Sprache der Teilanmeldung, die nunmehr obligatorisch in der Verfahrenssprache der früheren Anmeldung einzureichen ist, R 4 und R 6 (1) Satz 2 wurden gestrichen; die Einreichung in einer zugelassenen Nichtamtssprache ist nicht mehr vorgesehen. Damit entfällt auch die bisherige Grundlage für die Gebührenvergünstigung für Anmelder aus Vertragsstaaten mit einer von den Amtssprachen des EPA abweichenden Amtssprache. Abs 3 bezieht sich nur mehr auf die Anmelde- und der Recherchengebühr, die Rechtsfolge der Nichtzahlung wurde aus Art 90 (3) übernommen. Die Benennungsgebühren wurden in einem gesonderten Abs 4 geregelt. Hinsichtlich der bisher in Art 79 (3) Satz 2 geregelten Rechtsfolge der Nichtzahlung wird hier auf R 25c (3) AO 2000 verwiesen. R 37 (3) AO 2000 (Jahresgebühren) wurde nur redaktionell geändert. Hinsichtlich der bei Einreichung noch nicht vorliegenden Erfindernennung knüpft R 42 (2) AO 2000 nicht mehr an die in der früheren Anmeldung laufende Frist an. Es ist stets eine eigenständige Frist in der Teilanmeldung zu setzen. Im Hinblick auf den erweiterten Anwendungsbereich der Weiterbehandlung nach Art 121 EPÜ 2000 wurde R 85a ersatzlos gestrichen.

2 Unmittelbare Einreichung beim EPA

8   Abweichend vom deutschen Recht, nach dem eine Teilanmeldung durch Teilungserklärung anhängig wird, ist für die Entstehung einer Teilanmeldung nach europäischem Recht die Einreichung von Anmeldungsunterlagen erforderlich. Ferner ist im Erteilungsantrag nach R 26 (2) e) neben der Nummer der Stammanmeldung anzugeben, dass es sich um eine europäische Teilanmeldung handelt. Zur Möglichkeit der Berichtigung siehe PrüfRichtl A-IV, 1.3.2.

9   Um die schnelle Bearbeitung und Veröffentlichung der Teilanmeldungen sicherzustellen, ordnet Abs 1 Satz 1 an, dass Teilanmeldungen unmittelbar beim

Teilanmeldung **Artikel 76**

EPA einzureichen sind.⁶ Nach Art 75 (3) ist es den Vertragsstaaten verboten, die Einreichung einer Teilanmeldung bei einer nationalen Behörde anzuordnen oder zuzulassen. Die Einreichung bei einer nationalen Behörde hat keine rechtliche Wirkung.⁷

Dieses Verbot gilt nicht für neue europäische Patentanmeldungen, die nach Art 61 (1) b) eingereicht werden und nach Art 61 (2), sobald sie eingereicht sind, wie europäische Teilanmeldungen zu behandeln sind.⁸   10

3 Gleicher Anmelde- und Prioritätstag

Eine wesentliche Folge der ordnungsgemäßen Teilanmeldung ist, dass sie den gleichen Anmelde- und Prioritätstag hat wie die Stammanmeldung (Abs 1 Satz 2). Dies schreibt auch Art 4 G PVÜ vor. Der Anmelder genießt das Prioritätsrecht; dies gilt natürlich nur, soweit die in der Stammanmeldung ordnungsgemäß beanspruchte Priorität inhaltlich den Gegenstand der Teilanmeldung abdeckt. Die Prioritätserklärung braucht nicht wiederholt zu werden und bereits für die Stammanmeldung eingereichte Prioritätsunterlagen müssen nicht noch einmal für die Teilanmeldung vorgelegt werden.⁹   11

4 Gegenstand der Teilanmeldung

Nach Art 76 (1) Satz 2 kann eine Teilanmeldung nur für einen Gegenstand eingereicht werden, der nicht über den Inhalt der Stammanmeldung hinausgeht; soweit diesem Erfordernis entsprochen ist, gilt die Teilanmeldung als am Anmeldetag der früheren Anmeldung eingereicht. Dabei kommt allen einzelnen Teilen der Patentanmeldung (also auch den Zeichnungen) außer der Zusammenfassung die gleiche Bedeutung zu.   12

Die bisherige ständige Praxis des Amts und der Rechtsprechung zur Tragweite von Art 76 (1) Satz 2 ist in der Vorlageentscheidung **T 39/03**¹⁰ in zweifacher Hinsicht grundsätzlich in Frage gestellt worden. Zunächst wird die Frage gestellt, ob eine Teilanmeldung, die bei ihrer Einreichung über den Gegenstand der früheren Anmeldung hinausgeht, beschränkt werden kann, um die Erfordernisse des Art 76 (1) zu erfüllen. Diese Frage läuft darauf hinaus, dass eine unzulässig erweiterte Teilanmeldung keinen Anmeldetag genießen soll.¹¹ Zusätzlich wird die Frage gestellt, ob im Fall von sukzessiven Teilanmeldungen

---

6 Siehe hierzu Art 75 Rdn 30–31.
7 Siehe hierzu Art 75 Rdn 30.
8 Siehe hierzu Art 75 Rdn 31 und Art 61 Rdn 28.
9 Siehe im einzelnen PrüfRichtl A-IV, 1.2.2.
10 **T 39/03** ABl 2006, 362. Das Vorlageverfahren ist unter **G 1/05** anhängig. Weitere Aspekte der Problematik sind in den Vorlagen **T 1409/05** vom 30.3.2006 und **T 1440/04** vom 23.3.2006, anhängig unter **G 1/06** und **G 3/06**, angesprochen.
11 So schon dieselbe Kammer in **T 1158/01**, ABl 2005, 110.

Artikel 76 *Teilanmeldung*

eine weitere Teilanmeldung einen Gegenstand beanspruchen kann, der von der ihr vorangehenden Teilanmeldung nicht umfasst (gemeint ist wohl: beansprucht) war.[12] Die folgenden Erläuterungen können der Entscheidung der GBK nicht vorgreifen und gehen daher von der bisherigen etablierten Praxis aus.[13]

13   Ist die Stammanmeldung nach Art 14 (2) in einer zugelassenen Nichtamtssprache eingereicht worden, so dürfte diese Fassung als die »ursprünglich eingereichte Fassung« maßgebend für ihren Inhalt sein; dies lässt sich aus Art 14 (2) letzter Halbsatz und Art 70 (2) ableiten.

14   Die Frage, ob der Gegenstand nicht über den ursprünglichen Inhalt hinausgeht, wird erst im Sachprüfungsverfahren geprüft.[14]

15   Die Prüfung nach Art 76 (1) entspricht der Prüfung nach Art 123 (2), dh daß der Gegenstand der Teilanmeldung mit der ursprünglich eingereichten Fassung der Stammanmeldung zu vergleichen ist.[15] Daher dürfen Ansprüche in der Teilanmeldung weiter sein als die in der Stammanmeldung aufgestellten Ansprüche, soweit sie durch den ursprünglichen Inhalt der Beschreibung gedeckt sind. Merkmale, die dort durchweg als wesentlich hingestellt worden sind, dürfen nicht gestrichen werden.[16] In der Teilanmeldung dürfen keine Gegenstände enthalten sein, auf die in der Stammanmeldung vorbehaltlos verzichtet worden ist. Allerdings wird die Vorlage beschränkter Ansprüche regelmäßig nur als Formulierungsversuch und nicht als Verzicht anzusehen sein.[17] Im Ergebnis hat daher der Anmelder durch die Einreichung der Teilanmeldung keine Vorteile, was die Grenzen materiell zulässiger Änderungen angeht.

16   In der Teilanmeldung und in der ursprünglichen Anmeldung darf nicht die gleiche Erfindung beansprucht werden.[18] Die Erfindung kann aber in einer allgemeineren Form beansprucht werden, soweit dies durch die ursprüngliche Offenbarung in der Stammanmeldung gedeckt ist.[19]

17   Geht die später eingereichte Teilanmeldung über die Stammanmeldung inhaltlich hinaus, enthält sie zB neue Elemente, so ist dies im Prüfungsverfahren zu beanstanden. Beschränkt der Anmelder die Teilanmeldung nicht auf den Inhalt der früheren Anmeldung, so wird die Teilanmeldung zurückgewiesen.

---

12   Verneinend bereits die vorlegende Kammer ua in **T 720/02** vom 23.9.2004.
13   Im Sinn dieser Praxis gegen die Tendenz der Vorlage: Bremi/Harrison, Mitt. 2005, 49.
14   PrüfRichtl A-IV, 1.2.1; ebenso **J 13/85**, ABl 1987, 523.
15   Rspr BK 2001 III.A.2.
16   **T 514/88**, ABl 1992, 570, mwNachw; siehe im übrigen Art 123 Rdn 29 und 56–58.
17   PrüfRichtl C-VI, 9.1.3; aA **J 15/85**, ABl 1986, 395; wie hier für das Einspruchsverfahren **T 296/87**, ABl 1990, 195.
18   PrüfRichtl C-VI, 9.6.
19   **T 587/98**, ABl 2000, 497.

Ferner darf nach Art 123 (2) in die Teilanmeldung nichts aufgenommen werden, was bei ihrer Einreichung nicht in ihr enthalten war.[20] Ein Austausch von Offenbarung zwischen früherer Anmeldung und Teilanmeldung ist nicht möglich.[21] Probleme in dieser Hinsicht können vermieden werden, wenn die Teilanmeldung zunächst mit der unveränderten Beschreibung der Stammanmeldung eingereicht wird und etwaige Streichungen erst im Lauf der Sachprüfung durchgeführt werden. Nach Wegfall der ursprünglichen R 25 (2) mit Wirkung vom 1.6.1991 werden nur unbedingt notwendige Streichungen in der Beschreibung verlangt.[22]

5 Gleiche Vertragsstaaten

In der Teilanmeldung dürfen gegenüber der Stammanmeldung keine zusätzlichen Staaten benannt werden (Abs 2). Das Wort »nur« stellt klar, dass in der Teilanmeldung weniger Staaten benannt werden können. Unter Benennung ist eine wirksame Benennung zu verstehen; dh, es müssen die in Art 79 (2) vorgeschriebenen Benennungsgebühren im Rahmen der Stammanmeldung entrichtet sein.[23] Da eine Teilanmeldung logischerweise nur für eine noch existierende Stammanmeldung eingereicht werden kann, müssen die jeweiligen Benennungen in der Stammanmeldung bei Einreichung der Teilanmeldung noch rechtsgültig (zB nicht zurückgenommen[24]) sein. Entsprechendes gilt für einen Erstreckungsantrag.[25]

6 Gleiche Verfahrenssprache

R 4 (Sprache der europäischen Teilanmeldung) schreibt für die Teilanmeldung die gleiche Verfahrenssprache vor, in der die Stammanmeldung abgefasst war.

War die Stammanmeldung in einer Amtssprache des EPA (zB Englisch) eingereicht, so ist die Teilanmeldung in derselben Sprache einzureichen. War die Stammanmeldung in einer zugelassenen Nichtamtssprache, zB Italienisch eingereicht worden, so kann die Teilanmeldung in Englisch, aber auch in Italienisch eingereicht werden, sofern der Anmelder die persönlichen Voraussetzungen nach Art 14 (2) erfüllt (PrüfRichtl A-IV, 1.3.3). Wird sie in Italienisch eingereicht, so muss bei der Übersetzung die Verfahrenssprache der Stammanmeldung, in diesem Beispiel Englisch, benutzt werden.

---

20 **T 873/94**, ABl 1997, 456.
21 **T 441/92** vom 10.3.1995.
22 PrüfRichtl C-VI, 9.1.5.
23 **J 22/95**, ABl 1998, 569; vgl auch **G 4/98**, ABl 2001, 131, Gründe Nr 5.
24 **J 29/97** vom 14.6.1999.
25 PrüfRichtl A-III, 13.1; ABl 1997, 538, Nr 7.

Artikel 76 Teilanmeldung

7 Zeitraum für die Einreichung der Teilanmeldung

21 Im Gegensatz zu § 60 DE-PatG in der bis zum 1.7.2006 gültigen Fassung sieht das EPÜ die Teilung des erteilten Patents nicht vor. Eine Teilanmeldung kann daher im Einspruchsverfahren nicht eingereicht werden. Sie setzt vielmehr ein anhängiges Erteilungsverfahren voraus.

Der zeitliche Rahmen für die Einreichung von Teilanmeldungen ist seit Inkrafttreten des EPÜ mehrfach erweitert worden. R 25 (1) in der ursprünglichen Fassung machte analog zu Art 4 G PVÜ einen Unterschied zwischen obligatorischer Teilung nach Beanstandung der Uneinheitlichkeit und freiwilliger Teilung. Die obligatorische Teilung war nur innerhalb von 2 Monaten nach Beanstandung der Uneinheitlichkeit und Aufforderung durch die Prüfungsabteilung möglich. Die freiwillige Teilung war unbeschränkt nur bis zum Erhalt des ersten Prüfungsbescheids möglich, nachher nur mehr, wenn sie von der Prüfungsabteilung als sachdienlich angesehen wurde, R 25 (1) in der Fassung vom 1.10.1988[26] beseitigte diesen Unterschied und erlaubte die Einreichung einer Teilanmeldung bis zu dem Zeitpunkt, zu dem der Anmelder gemäß R 51 (4) sein Einverständnis mit der für die Erteilung bestimmten Fassung erklärte.[27]

22 R 25 (1) in der seit 2.1.2002 geltenden Fassung[28] erlaubt nunmehr die Einreichung einer Teilanmeldung zu jeder anhängigen Anmeldung. Damit wurde zum einen dem Anmelder die größtmögliche Flexibilität gegeben, zum anderen wurden Abgrenzungsprobleme, wie sie sich aus den früheren Beschränkungen ergeben hatten, weitgehend vermieden.

23 Nach der Mitteilung des EPA über die Änderung der R 25 (1)[29] ist eine Anmeldung bis zu (damit aber nicht mehr an[30]) dem Tag anhängig, an dem im Europäischen Patentblatt auf die Patenterteilung hingewiesen wird oder an dem die Anmeldung zurückgewiesen wird oder als zurückgenommen gilt; wird gegen den Zurückweisungsbeschluss Beschwerde eingelegt, kann auch noch während eines Beschwerdeverfahrens eine Teilanmeldung eingereicht werden. Die aufschiebende Wirkung der Beschwerde tritt nicht ein, wenn diese zB wegen Nichtzahlung der Beschwerdegebühr als nicht eingelegt gilt oder sonst ganz offensichtlich unzulässig ist.[31] Im Fall einer Rücknahmefiktion ist die Anmeldung bis zum Ablauf der versäumten Frist anhängig. Gilt die Anmeldung tatsächlich als zurückgenommen, ändert die Einreichung einer Beschwerde nichts am Zeitpunkt des Eintritts der Rücknahmefiktion. Die Entscheidung

---

26 Beschluss des Verwaltungsrats vom 10.6.1988, ABl 1988, 290.
27 Zur Rechtsprechung zu den früheren Fassungen vgl die Vorauflagen.
28 Beschluss des Verwaltungsrats vom 18.10.2001, ABl 2001, 488.
29 ABl 2002, 112.
30 Ebenso J 7/04 vom 9.11.2004.
31 Art 106 Rdn 25.

der Beschwerdekammer ist hier rein feststellend[32] und die aufschiebende Wirkung betrifft nur die Frage, ob die Rücknahmefiktion eingetreten ist, aber nicht den Zeitpunkt in dem dies geschehen ist. Eine Beschwerde gegen einen Erteilungsbeschluss hat noch nicht zur Folge, dass die angefochtene Entscheidung beseitigt wird. Die Folgen aus dieser Entscheidung werden lediglich hinausgeschoben. Daher hängt die Wirkung einer solchen Beschwerde auf eine nach Bekanntmachung des Hinweises auf die Patenterteilung eingereichte Teilanmeldung vom Erfolg der Beschwerde ab.[33] Auch eine offensichtliche Unzulässigkeit der Beschwerde mangels Beschwer hat zur Folge, dass die Beschwerde gegen den Erteilungsbeschluss keine Möglichkeit zur Einreichung einer Teilanmeldung eröffnet. Im Fall der Zurückweisung ist die Anmeldung bis zur Verkündung der Entscheidung oder im schriftlichen Verfahren bis zu ihrer Zustellung anhängig. Wenn auch die Entscheidung für die Prüfungsabteilung schon früher bindend wird,[34] kann das Erteilungsverfahren nicht vor Bekanntgabe der Entscheidung enden. Wird die Teilanmeldung erst eingereicht, wenn die frühere Anmeldung nicht mehr anhängig ist, so ist die Wiedereinsetzung nicht statthaft, da R 25 (1) keine Frist enthält, sondern eine Bedingung für die Einreichung einer Teilanmeldung festlegt.[35]

Für die Frist zur Einreichung der Übersetzung in der Verfahrenssprache ist bei Teilanmeldungen eine besondere Regelung getroffen worden: Da die in R 6 (1) Satz 1 für Übersetzungen der Anmeldungen vorgesehene Einreichungsfrist für die Stammanmeldung regelmäßig bereits abgelaufen ist, darf der Anmelder die Übersetzung der Teilanmeldung noch innerhalb eines Monats nach Einreichung der Teilanmeldung vorlegen (R 6 (1) Satz 2). 24

Auch bei der Einreichung von Teilanmeldungen kann die Anmeldegebühr nach R 6 (3) in Verbindung mit Art 12 (1) GebO um 20% ermäßigt werden. 25

8 Gebühren

Die für normale europäische Patentanmeldungen zu entrichtenden Gebühren sind auch für europäische Teilanmeldungen zu zahlen. 26

Die Anmeldegebühr und die Recherchengebühr müssen innerhalb eines Monats nach Einreichung der Teilanmeldung gezahlt werden (R 25 (2) Satz 1). Die Benennungsgebühren sind nach R 25 (2) Satz 2 in der seit 1.3.2000 geltenden Fassung innerhalb von 6 Monaten nach dem Tag zu entrichten, an dem im Europäischen Patentblatt auf die Veröffentlichung des europäischen Recherchen- 27

---

32 Art 106 Rdn 20.
33 J 28/03, 2005, 597.
34 G 12/91, ABl 1994, 285.
35 J 24/03, ABl 2004, 544; J 18/04, ABl 2006, 569 zum früheren Recht, ähnlich J 21/96 vom 6.5.1998.

Artikel 76 — Teilanmeldung

berichts hingewiesen worden ist. Zu Fristberechnung und Nachfrist siehe Art 78 Rdn 20 und Art 79 Rdn 13.

28 Bei Versäumung dieser Fristen ist jedenfalls bis zum Inkrafttreten des EPÜ 2000 weder Weiterbehandlung noch Wiedereinsetzung möglich (Art 122 (5)).

29 Stützt sich der Recherchenbericht zur Teilanmeldung ganz oder teilweise auf den Recherchenbericht zur Stammanmeldung, so wird die Recherchengebühr nach Art 10 (1) GebO ganz oder teilweise zurückerstattet.[36] Sie muss jedoch in jedem Fall zunächst bei der Einreichung der Teilanmeldung entrichtet werden, da die Voraussetzungen der Gebührenvergünstigung vom Amt zu prüfen sind. Keine Rückerstattung wird gewährt, wenn die Teilanmeldung eine andere Erfindung beansprucht als die in der früheren Anmeldung recherchierte.[37]

30 Für die Anspruchsgebühren bei Anmeldungen mit mehr als zehn Ansprüchen gelten die allgemeinen Vorschriften in R 31. Anspruchsgebühren sind in der europäischen Teilanmeldung auch dann zu entrichten, wenn für entsprechende Ansprüche bereits in der Stammanmeldung Gebühren entrichtet worden waren.

Für die Zahlung von Jahresgebühren für die Teilanmeldung siehe unter Art 86 Rdn 24–26.

9 Erfindernennung

31 Gemäß Art 81, R 17 ist der Erfinder in der europäischen Patentanmeldung zu nennen. Der Anmelder hat jedoch nach Art 91 (1) f), (5) und R 42 (1) ab Anmelde- bzw Prioritätstag 16 Monate Zeit, die Erfindernennung nachzuholen, andernfalls gilt die europäische Patentanmeldung als zurückgenommen (siehe Art 81 Rdn 13–17).

32 Auch bei einer europäischen Teilanmeldung muss der Erfinder gemäß Art 81 genannt werden. Regelmäßig wird in diesem Fall die 16-Monatsfrist bereits abgelaufen sein. Um jedoch dem Anmelder der Teilanmeldung noch die Möglichkeit zu geben, die Erfindernennung nachzuholen, wird dieser nach R 42 (2) aufgefordert, die Erfindernennung innerhalb einer Frist von 2 Monaten einzureichen. Wiedereinsetzung in diese Frist ist möglich.

10 Akteneinsicht in die Stammanmeldung

33 Damit Dritte nachprüfen können, ob die Grundlagen für die Einreichung von Teilanmeldungen gegeben waren, wird nach Art 128 (3) Akteneinsicht in die Stammanmeldung gewährt, und zwar unabhängig von ihrer Veröffentlichung. Um dieses Recht auch nach einer etwaigen Zurücknahme der Stammanmeldung zu gewährleisten, sieht R 95a (2) vor, dass die Akten der Stammanmel-

---

[36] Siehe hierzu den Beschluss und die Mitteilung des Präsidenten des EPA vom 17.2.2006, ABl 2006, 189 und seine Mitteilung vom 1.7.2005, ABl 2005, 431, 433.
[37] Mitteilung, aaO, Nr 2.3.

dung zumindest ebenso lange aufbewahrt werden wie die einer daraus abgeleiteten Teilanmeldung. Das europäische Patentregister enthält bei der Stammanmeldung einen Hinweis auf die Teilanmeldung und umgekehrt (R 92 (1) j) k)).

Artikel 77 Übermittlung europäischer Patentanmeldungen

(1) Die Zentralbehörde für den gewerblichen Rechtsschutz eines Vertragsstaats hat die bei ihr oder bei anderen zuständigen Behörden dieses Staats eingereichten europäischen Patentanmeldungen innerhalb der kürzesten Frist, die mit der Anwendung der nationalen Vorschriften über die Geheimhaltung von Erfindungen im Interesse des Staats vereinbar ist, an das Europäische Patentamt weiterzuleiten.

(2) Die Vertragsstaaten ergreifen alle geeigneten Maßnahmen, damit die europäischen Patentanmeldungen, deren Gegenstand offensichtlich im Sinn der in Absatz 1 genannten Vorschriften nicht geheimhaltungsbedürftig ist, innerhalb von sechs Wochen nach Einreichung der Anmeldung an das Europäische Patentamt weitergeleitet werden.

(3) Europäische Patentanmeldungen, bei denen näher geprüft werden muss, ob sie geheimhaltungsbedürftig sind, sind so rechtzeitig weiterzuleiten, dass sie innerhalb von vier Monaten nach Einreichung der Anmeldung oder, wenn eine Priorität in Anspruch genommen worden ist, innerhalb von vierzehn Monaten nach dem Prioritätstag beim Europäischen Patentamt eingehen.

(4) Eine europäische Patentanmeldung, deren Gegenstand unter Geheimschutz gestellt worden ist, wird nicht an das Europäische Patentamt weitergeleitet.

(5) Europäische Patentanmeldungen, die nicht bis zum Ablauf des vierzehnten Monats nach Einreichung der Anmeldung oder, wenn eine Priorität in Anspruch genommen worden ist, nach dem Prioritätstag dem Europäischen Patentamt zugehen, gelten als zurückgenommen. Die Anmeldegebühr, die Recherchengebühr und die Benennungsgebühren werden zurückgezahlt.

Rudolf Teschemacher

Übersicht
1	Allgemeines	1-4
2	Unverzügliche Weiterleitung offensichtlich nicht geheimhaltungsbedürftiger Anmeldungen	5
3	Weiterleitung nicht geheimhaltungsbedürftiger Anmeldungen erst nach Prüfung	6-7
4	Unterbundene Weiterleitung	8

Artikel 77 *Übermittlung der Anmeldungen*

5	Nicht rechtzeitige Weiterleitung	9-11
6	Mitteilung des Rechtsverlusts	12
7	Rechtsbehelfe	13-15

1 Allgemeines

1   Dieser Artikel regelt die Weiterleitung von europäischen Patentanmeldungen, die bei nationalen Behörden eingereicht worden sind.

2   Er baut auf der Möglichkeit nach Art 75 (1) b) und der Verpflichtung nach Art 75 (2) auf, europäische Patentanmeldungen bei nationalen Behörden einzureichen, und legt die für die Weiterleitung der Anmeldung notwendigen Maßnahmen einheitlich fest. Für den Fall der nicht rechtzeitigen Weiterleitung sehen die Art 135 ff eine Umwandlungsmöglichkeit der als zurückgenommen geltenden europäischen Patentanmeldungen in nationale Anmeldungen vor (die deutschen Ausführungsvorschriften enthält Art II § 9 DE-IntPatÜG). Der europäische Anmeldetag bleibt für die nationale Anmeldung erhalten. Die Mitteilung des Rechtsverlustes ist in R 69 geregelt.

3   Der PCT sieht in Art 12 in Verbindung mit R 22 für die Weiterleitung einer internationalen Anmeldung vom Anmeldeamt an das Internationale Büro ein ähnliches Verfahren vor, bei dem der Anmelder die Möglichkeit hat, die Übermittlung selbst zu betreiben (R 22.1 (d) PCT). Im europäischen Verfahren kann er allenfalls bei der nationalen Behörde auf die alsbaldige Übermittlung drängen.

4   Eine besondere Frist für die Weiterleitung einer vom Berechtigten eingereichten neuen europäischen Patentanmeldung (Art 61 (1) b), (2)) enthält R 15 (3).

EPÜ 2000

Art 77 wurde erheblich gestrafft. Abs 1 wurde einerseits gekürzt, andererseits durch eine Verweisung auf die AO ergänzt. Der Inhalt der gestrichenen Abs 2 und 3 findet sich in R 25a (1) a) und b) AO 2000. Die Details zum bisherigen Abs 5, umnummeriert Abs 3, sind in R 25a (2) AO 2000 zu finden, wo jetzt auch die Anspruchsgebühren genannt sind, eine Regelung, die bisher in R 31 (2) Satz 2 untergebracht ist. In der Überschrift zu Art 77 wurde der Begriff der Übermittlung durch Weiterleitung ersetzt, während es in der Überschrift zu R 25a AO 2000 noch Übermittlung heißt. R 15 (3) mit der Frist für die Weiterleitung einer bei einem nationalen Amt eingereichten neuen europäischen Patentanmeldung wurde gestrichen, und zwar unter Hinweis darauf, dass eine solche Anmeldung stets beim EPA einzureichen sei.[1]

---

1   Siehe aber Art 76 Rdn 10.

2 Unverzügliche Weiterleitung offensichtlich nicht geheimhaltungsbedürftiger Anmeldungen

Offensichtlich nicht geheimhaltungsbedürftige Anmeldungen sind umgehend an das EPA weiterzuleiten und zwar innerhalb einer Höchstfrist von 6 Wochen. Bei Nichteinhaltung dieser Frist ist keine Sanktion vorgesehen. Aus Abs 1 ergibt sich, dass für die Weiterleitung die jeweilige Zentralbehörde des Vertragsstaats zuständig ist und nicht etwa andere zusätzlich zuständige Behörden des betreffenden Staats, wie zB in Frankreich die regionalen Dienststellen.

3 Weiterleitung nicht geheimhaltungsbedürftiger Anmeldungen erst nach Prüfung

Bei europäischen Patentanmeldungen, die nach den nationalen Vorschriften auf Geheimhaltungsbedürftigkeit näher zu prüfen sind, muss diese Prüfung so rechtzeitig abgeschlossen sein, dass sie als Erstanmeldungen innerhalb von 4 Monaten nach dem Anmeldetag und als Nachanmeldungen innerhalb von 14 Monaten nach dem Prioritätstag beim EPA eingehen (Abs 3).

In Deutschland sieht Art II § 4 (2) Nr 3 DE IntPatÜG (siehe Art 75 Rdn 9) iVm § 53 DE-PatG vor, dass der Anmelder, dem innerhalb von 4 Monaten nach Einreichung der Anmeldung keine Geheimhaltungsanordnung zugeht, sowie jeder andere im Zweifel davon ausgehen kann, dass die Erfindung nicht der Geheimhaltung bedarf.

4 Unterbundene Weiterleitung

Abs 4 enthält die an sich selbstverständliche Feststellung, dass geheimhaltungsbedürftige europäische Patentanmeldungen nicht an das EPA weitergeleitet werden.

5 Nicht rechtzeitige Weiterleitung

In Abs 5 werden Folgerungen aus einer nach Abs 3 nicht rechtzeitigen Weiterleitung oder aus einer nach Abs 4 unterbliebenen Weiterleitung gezogen.

Die Überschreitung der 4-Monatsfrist bei der Weiterleitung von Erstanmeldungen zieht, sofern sie innerhalb von 14 Monaten erfolgt, keine Konsequenzen nach sich.

Geht jedoch eine europäische Patentanmeldung – unabhängig von ihrer Geheimhaltungsbedürftigkeit – nicht spätestens innerhalb von 14 Monaten nach dem Prioritätstag oder dem Anmeldetag dem EPA zu, so gilt die Anmeldung als zurückgenommen.

Die Frist ist nach R 83 (4) zu berechnen. Läuft sie an einem Tag ab, an dem eine Annahmestelle des EPA geschlossen ist oder an dem gewöhnliche Postsendungen dort nicht zugestellt werden, so erstreckt sie sich auf den nächstfolgenden Tag, an dem diese Voraussetzungen nicht mehr vorliegen (R 85 (1)). Dassel-

Artikel 77 *Übermittlung der Anmeldungen*

be gilt, wenn bei Fristablauf die Postzustellung in dem betreffenden Vertragsstaat oder zwischen ihm und dem EPA allgemein unterbrochen oder im Anschluss an eine solche Unterbrechung gestört ist. Die zuvor nur für *Beteiligte* geltende Vorschrift der R 85 (2) ist mit Wirkung vom 1.6.1991 auf die Fälle des Art 77 (5) erstreckt worden, um Rechtsnachteile zu vermeiden, die ihre Ursachen außerhalb des Einflussbereichs des Anmelders haben. Es erscheint zweifelhaft, ob die in Folge terroristischer Aktivitäten eingeführte R 85 (5)[2] ebenfalls entsprechend anzuwenden ist, da die Vorschrift sich auf den Beteiligten oder seinen Vertreter bezieht.

11 Da den Anmelder an der Fristversäumung kein Verschulden trifft, werden die für die Anmeldung entrichteten Gebühren zurückgezahlt. Die mit der Anmeldegebühr, der Recherchengebühr und den Benennungsgebühren entrichteten Anspruchsgebühren nach R 31 (1) sind nicht in Art 77 (5) als zurückzuzahlende Gebühren aufgeführt. Die Verpflichtung, sie zu zahlen, ist in der AO festgelegt; der Anspruch auf ihre Rückzahlung findet sich in R 31 (2) Satz 2.

6 Mitteilung des Rechtsverlusts

12 Dem Anmelder werden die nicht rechtzeitige Weiterleitung an das EPA und der dadurch eingetretene Rechtsverlust nach R 69 mitgeteilt. Das EPA wird von der Existenz der europäischen Patentanmeldung bei der nationalen Behörde durch die Mitteilung dieser Behörde an das EPA gemäß R 24 (3) unterrichtet.

7 Rechtsbehelfe

13 Hat das nationale Patentamt die 14-Monatsfrist zur Weiterleitung der europäischen Patentanmeldung an das EPA versäumt, so gibt es keine Wiedereinsetzung in den vorigen Stand, da es sich dabei um keine Frist handelt, die nach Art 122 (1) vom Anmelder oder Patentinhaber einzuhalten war.[3]

14 Der Anmelder hat als einzigen Rechtsbehelf die Möglichkeit der Umwandlung der europäischen Patentanmeldung in nationale Patentanmeldungen in den von ihm benannten Vertragsstaaten nach Art 135 ff. Im übrigen kann er sich an die nationale Zentralbehörde halten, die die Anmeldung nicht rechtzeitig weitergeleitet hat.

15 Bei einer Nichtweiterleitung wegen festgestellter Geheimhaltungsbedürftigkeit ist der Umwandlungsantrag bei der Zentralbehörde des Landes einzureichen, in dem die europäische Patentanmeldung eingereicht worden war (Art 136 (2)), in anderen Fällen der Fristüberschreitung beim EPA (Art 136 (1)).

---

2 ABl 2001, 491.
3 Siehe auch **J 3/80**, ABl 1980, 92.

Erfordernisse der Anmeldung **Artikel 78**

Artikel 78 Erfordernisse der europäischen Patentanmeldung

(1) Die europäische Patentanmeldung muss enthalten:
a) einen Antrag auf Erteilung eines europäischen Patents;
b) eine Beschreibung der Erfindung;
c) einen oder mehrere Patentansprüche;
d) die Zeichnungen, auf die sich die Beschreibung oder die Patentansprüche beziehen;
e) eine Zusammenfassung.

(2) Für die europäische Patentanmeldung sind die Anmeldegebühr und die Recherchengebühr innerhalb eines Monats nach Einreichung der Anmeldung zu entrichten.

(3) Die europäische Patentanmeldung muss den Erfordernissen genügen, die in der Ausführungsordnung vorgeschrieben sind.

Rudolf Teschemacher

Übersicht

A	**Erläuterungen zu Art 78**	1-28
1	Allgemeines	1-6
2	Bestandteile der europäischen Patentanmeldung	7-8
3	Schriftform der Anmeldung	9
4	Einreichung durch Telefax	10-18
5	Elektronische Einreichung	19
6	Zahlung der Anmelde- und Recherchengebühr	20-23
7	Zahlung bei Teilanmeldungen und PCT-Anmeldungen	24-25
8	Stundung der Gebühren	26
9	Rückerstattung der europäischen Recherchengebühr	27
10	Einschlägige Bestimmungen der AO	28
B	**Der Erteilungsantrag (R 26)**	29-33
11	Allgemeines zu R 26	29
12	Allgemeines zum Formblatt	30-32
13	Hinweis auf das Merkblatt	33
C	**Form der Zeichnungen (R 32)**	34-43
14	Allgemeines zu R 32	34-35
15	Zeichnungen und Abbildungen	36-38
16	Einzelheiten	39
17	Bezugszeichen	40
18	Erläuterungen	41
19	Numerierung der Zeichnungsblätter	42-43
D	**Unzulässige Angaben (R 34)**	44-52
20	Allgemeines zu R 34	44
21	Angaben oder Zeichnungen, die gegen die öffentliche Ordnung oder gegen die guten Sitten verstoßen,	

Artikel 78   *Erfordernisse der Anmeldung*

	und ihre verfahrensmäßige Behandlung	45-47
22	Herabsetzende Äußerungen und ihre verfahrensmäßige Behandlung	48-51
23	Unnötige Angaben und ihre verfahrensmäßige Behandlung	52
E	**Allgemeine Bestimmungen (R 35)**	53-58
24	Allgemeines zu R 35	53
25	Zur Sprachenfrage	54
26	Stückzahl der Unterlagen	55
27	Einzelbestimmungen	56
28	Durchnumerierung der Bestandteile der europäischen Patentanmeldung	57
29	Nichtbefolgung dieser Bestimmungen	58
F	**Unterlagen nach Einreichung der europäischen Patentanmeldung (R 36)**	59-72
30	Allgemeines zu R 36	59
31	Ersatzstücke der europäischen Patentanmeldung	60
32	Formvorschriften für andere Schriftstücke	61-62
33	Unterschiedliche Zahl der einzureichenden Schriftstücke	63
34	Einreichung mittels Telefax	64-72

A Erläuterungen zu Art 78

1 Allgemeines

1   Der Artikel zählt in Abs 1 die notwendigen Bestandteile einer europäischen Patentanmeldung auf. Drei dieser Bestandteile werden im Übereinkommen an anderer Stelle näher behandelt, nämlich die Beschreibung in Art 83 (Offenbarung der Erfindung), die Patentansprüche in Art 84 und die Zusammenfassung in Art 85. Hinsichtlich der einzelnen Erfordernisse wird auf die AO verwiesen. Auch der Erteilungsantrag und die Zeichnungen werden in der AO näher behandelt, auf die Abs 3 verweist. Die zulässigen Sprachen sind in Art 14 geregelt.

2   Abs 2 legt die Gebührenpflicht für die Anmeldung fest. Die Bestimmung ist in Zusammenhang mit den anderen Vorschriften über die bei Einreichung zu zahlenden Gebühren zu sehen: Art 79 (2) (Benennungsgebühren) und R 31 (Anspruchsgebühren).

3   Damit werden die grundlegenden formellen Erfordernisse der europäischen Patentanmeldung aufgestellt, die in den R 26–36 konkretisiert werden. Diese Bestimmungen bilden eine der Grundlagen für die Entscheidung, ob der europäischen Patentanmeldung ein Anmeldetag zuerkannt werden kann (Art 80, Art 90), ob sie den formellen Erfordernissen genügt (Art 91) und nach Art 93 veröffentlicht werden kann, sowie ob ein europäisches Patent erteilt werden kann (Art 97). Das Vorliegen dieser Voraussetzungen wird teils von der Eingangsstelle bei der Eingangs- und Formalprüfung festgestellt (Art 90, Art 91)

Erfordernisse der Anmeldung **Artikel 78**

und teils von der Prüfungsabteilung im Rahmen der dort vorgesehenen Prüfung (Art 96), und zwar zT von den Formalsachbearbeitern und zT von der Abteilung selbst.

Nach R 36 (1) gelten bestimmte formelle Erfordernisse auch für Schriftstücke, die im späteren Verfahren, zB im Prüfungs- und Beschwerdeverfahren, eingereicht werden und die Unterlagen der europäischen Patentanmeldung ersetzen. Nach R 61a sind sie im Einspruchsverfahren entsprechend anzuwenden. 4

Ähnliche Vorschriften enthält auch der PCT, siehe Art 3 ff und R 3 ff.

Auch nationale Rechtsordnungen, zB das deutsche PatG (§ 34) haben Art 78 seinem Sinn nach weitgehend übernommen, so daß früher vorhandene Unterschiede in der Bedeutung der einzelnen Elemente der Anmeldung (zB der Zeichnungen) für die neueren nationalen Anmeldungen zum größten Teil nicht mehr bestehen. 5

Zu Vertretung und Vertretungszwang siehe Art 133 und 134.

Um der Übersichtlichkeit willen sind einzelne Bestimmungen der AO im Anschluß an die Erläuterung des Art 78 gesondert kommentiert. 6

EPÜ 2000

Abs 3 mit der Verweisung auf die AO wurde durch eine entsprechende Klausel am Ende von Abs 1 ersetzt. Die bisher in A 90 (3) geregelte Rechtsfolge der Nichtzahlung von Anmelde- und Recherchengebühr wurde in A 78 (2) hinzugefügt, die Frist für die Entrichtung der Gebühren findet sich nun in der neuen R 25b.

In R 24 AO 2000 wurde die Befugnis des Präsidenten zur Regelung der Benutzung technischer Einrichtungen für die Übermittlung der Anmeldung von Abs 1 in einen neuen Abs 2 verschoben. Dementsprechend sind die bisherigen Abs 2 bis 4 als Abs 3 bis 5 umnummeriert. In R 36 (5) ist die entsprechende Befugnis nicht mehr eigenständig formuliert, sondern durch eine Verweisung auf R 24 (1) geregelt. R 32 und 35 wurden gestrafft. Die bisherige R 85a wurde gestrichen, da im Hinblick auf den erweiterten Anwendungsbereich der Weiterbehandlung kein eigenständiger Rechtsbehelf für die Nichtzahlung der Anmelde- und Recherchengebühr mehr erforderlich ist. R 85a AO 2000 ist eine Durchführungsvorschrift zur Weiterbehandlung.

2 Bestandteile der europäischen Patentanmeldung

Abs 1 führt 5 Bestandteile der europäischen Patentanmeldung auf: 7

a) Den Erteilungsantrag, für den ein Formblatt zu verwenden ist (R 26, siehe Rdn 29–33);
b) die Beschreibung (Art 83 und R 27, 27a, 28, 28a);
c) die Patentansprüche (Art 84 und R 29, 31 sowie Art 82 und R 30);
d) die Zeichnungen (R 32, siehe Rdn 34–43, siehe auch Art 83);

e) die Zusammenfassung (Art 85 und R 33).

8 Die Bestandteile a) bis d) müssen jedenfalls bis zum Inkrafttreten des EPÜ 2000 grundsätzlich bei der Einreichung der Anmeldung vorhanden sein, wenn sie auch noch mit Mängeln behaftet sein können. Das Fehlen der Zusammenfassung verhindert nicht die Zuerkennung eines Anmeldetags, wird jedoch bei der Formalprüfung nach Art 91 (1) c) und (2) sofort gerügt.
Zur erforderlichen Stückzahl siehe Rdn 55.

3 Schriftform der Anmeldung

9 Die europäische Patentanmeldung muss schriftlich abgefaßt sein. Ausdrücklich ist dies für den Erteilungsantrag in R 26 (1) vorgeschrieben. Für die übrigen Bestandteile der europäischen Patentanmeldung ergibt es sich aus R 35 (10), wo für alle Bestandteile (außer den Zeichnungen) Maschinenschrift oder Druck verlangt wird. R 24 (1) Satz 1, die die Einreichung der europäischen Patentanmeldung bei den in Art 75 aufgeführten Behörden vorsieht, geht ebenfalls von der schriftlichen Einreichung aus. Zur Schriftform gehört die Unterschrift (R 26 (2) i), R 36 (3)); zu deren Nachholung siehe R 36 (3) Satz 3. Die Schriftform kann im Rahmen der zugelassenen Formen technischer Nachrichtenübermittlung auch durch Übermittlung elektronischer Signale gewahrt werden.[1]

4 Einreichung durch Telefax

10 R 24 (1) ermächtigt den Präsidenten des EPA, die Einreichung »mittels technischer Einrichtungen zur Nachrichtenübermittlung« zuzulassen. Auf Grund dieser Ermächtigung hat der Präsident mit Besbluss vom 6.12.2004[2] in Art 1 bestimmt, dass europäische und internationale Patentanmeldungen bei den Annahmestellen des EPA auch durch Telefax eingereicht werden können. Bei den zuständigen nationalen Behörden kann ebenfalls durch Telefax eingereicht werden, soweit die Vertragsstaaten dies gestatten. Das ist in den meisten Vertragsstaaten möglich.[3] Zu den Niederlanden siehe Art 75 Rdn 10 am Ende.

11 Nach Art 4 (1) des Beschlusses sind schriftliche Anmeldungsunterlagen, die den Inhalt der telekopierten Unterlagen wiedergeben, auf Anforderung des EPA innerhalb eines Monats nachzureichen; die Frist ist nicht verlängerbar. Bei Nichteinhaltung der Frist wird die Anmeldung zurückgewiesen. Als Rechtsbehelf bei Versäumung der Frist kommen Art 121, da es sich um eine vom Präsidenten des EPA bestimmte Frist handelt, und auch Art 122 in Betracht.

---

1 J 20/84 und J 23/85, ABl 1987, 95; zur Benutzung außerhalb dieses Rahmens siehe Rdn 10, 19, 64 und 72.
2 ABl 2005, 41.
3 Vgl im einzelnen Broschüre *Nationales Recht zum EPÜ*, Tabelle II, Spalte 5 und PrüfRichtl A-II, 2.

Nach der Mitteilung des EPA vom 6.12.2004[4] wird die schriftliche Nachreichung durch Bestätigungsschreiben bei europäischen Anmeldungen nur bei mangelnder Qualität der gefaxten Unterlagen verlangt. Dagegen sind bei internationalen Anmeldungen stets schriftliche Unterlagen mit Bestätigungsschreiben nachzureichen. In dem letztgenannten Fall sollten die formgerechten schriftlichen Anmeldungsunterlagen und der ordnungsgemäß unterzeichnete Erteilungsantrag (1 Stück) gleichzeitig übermittelt werden. In dem Telefax sollte darauf hingewiesen werden, dass diese Übermittlung erfolgt ist; in den nachgereichten schriftlichen Unterlagen sollte darauf hingewiesen werden, dass es sich um die »Bestätigung einer durch Telekopie eingereichten Anmeldung« handelt. Damit soll eine Doppelanlage von Akten verhindert werden.[5] 12

Grundsätzlich sind Anträge auf Erteilung von europäischen Patentanmeldungen (nicht dagegen die Anmeldungsunterlagen) zu unterzeichnen. Bei Einreichung durch Fax gilt die bildliche Wiedergabe der Unterschrift als Unterzeichnung.[6] 13

Eine durch Fax eingereichte europäische Patentanmeldung erhält als Anmeldetag den Tag, an dem die telekopierten Anmeldungsunterlagen beim EPA vollständig eingegangen sind, vorausgesetzt, die Erfordernisse des Art 80 sind erfüllt. 14

Auf Antrag des Anmelders wird eine Empfangsbestätigung durch Telefax erteilt, wenn die entsprechende Verwaltungsgebühr rechtzeitig entrichtet wird.[7] 15

Die Einreichung von Anmeldungen durch Telegramm, Fernschreiben, Teletex oder E-Mail sowie die Einreichung auf Diskette ist unzulässig. Auf diese Weise eingereichte europäische Patentanmeldungen begründen keinen wirksamen Anmeldetag nach Art 80.[8] 16

Das Risiko für eine technisch einwandfreie Übermittlung durch Telefax trägt der Anmelder, jedenfalls soweit die Empfangseinrichtungen des EPA ungestört arbeiten. Fehlbedienung oder Leitungsprobleme können dazu führen, dass die empfangenen Stücke ganz oder teilweise unleserlich sind. Der Anmelder ist unverzüglich zu benachrichtigen.[9] 17

Auch nach der Einreichung der europäischen Patentanmeldung können Schriftstücke durch Telefax eingereicht werden (R 36 (5)); siehe Rdn 64–72. 18

5 Elektronische Einreichung

Ein erster Versuch, die elektronische Datenaufzeichnung für das Erteilungsverfahren zu nutzen, war die Einreichung des Anmeldungstexts auf Diskette im 19

---

4 ABl 2005, 44, Nr 4.1.
5 aaO, Nr 4.2.
6 aaO, Nr 3.
7 aaO, Nr 6.3; zur Empfangsbescheinigung im übrigen siehe Art 75 Rdn 27.
8 aaO, Nr 1.3; PrüfRichtl A-II, 1.4.
9 ABl 2005, 41, Art 3.

Rahmen des DATIMTEX-Projekts zwischen 1985 und 1989. Anschließend wurde ein System zur elektronischen Einreichung im EASY-Projekt geschaffen.[10] Seit Dezember 2000 ist die Möglichkeit zur elektronischen Einreichung im Rahmen von *epoline®* auf Dauer verfügbar.

Die maßgeblichen Rechtsgrundlagen sind derzeit R 24 (1) iVm dem Beschluss des Präsidenten des EPA vom 29.10.2002 und der Mitteilung des EPA vom selben Tag über die elektronische Einreichung von Patentanmeldungen und anderen Unterlagen,[11] die wiederum auf weitere Informationen auf der Website des EPA (www.epo.org) unter *epoline®* verweisen. Die elektronische Einreichung ist online oder auf elektronischem Datenträger in zugelassenem Format möglich. Für die Wirksamkeit der Einreichung ist es erforderlich, dass die Einreichung im Rahmen der jeweils zugelassenen Bedingungen erfolgt.[12]

Eine Bestätigung durch Papierunterlagen ist nicht erforderlich. Für die Einreichung ist eine zugelassene Software (vorzugsweise *epoline®* Online Filing Software) zu benutzen. Benutzer, die sich registrieren lassen müssen, erhalten diese Software und die zugehörigen Handbücher kostenlos. Die Software umfasst folgende Schritte:

- Zusammenstellung der bibliographischen Daten,
- Zusammenstellung der technischen Anmeldungsunterlagen, die in einem konvertierbaren Datenformat erstellt sein müssen,
- digitale Signatur,
- Verschlüsselung,
- online Übermittlung,
- Rücksendung einer elektronischen Empfangsbescheinigung, die zusätzlich zu den üblichen Daten den Hash-Wert, d.h. die Nachricht in komprimierter Form enthält.

Der Erteilungsantrag wird aus den bibliographischen Daten generiert, die Software unterstützt den Anmelder bei der Erstellung und soll verhindern, dass vorgeschriebene Angaben fehlen. Die technischen Unterlagen können Sequenzprotokolle enthalten. Die Vollmacht, die Erfindernennung, das Formblatt 1200 für den Eintritt in die regionale Phase und ein Auftrag zur Abbuchung vom laufenden Konto können ebenfalls elektronisch eingereicht werden.

Sind Unterlagen nicht lesbar oder unvollständig, so gilt der unvollständig übermittelte oder nicht lesbare Teil als nicht eingegangen. Dasselbe gilt für Unterlagen, die mit einem Computervirus infiziert sind oder andere bösartige

---

10 Zur Beendigung des Projekts, siehe Mitteilung des EPA vom 1.10.2002, ABl 2002, 515.
11 ABl 2002, 543 und 545.
12 **J 17/02** vom 8.7.2005.

Software enthalten. Der Anmelder wird unverzüglich benachrichtigt und, wenn möglich, aufgefordert, die Mängel zu beseitigen. Einreichungstag ist der Tag, an dem die Mängel beseitigt sind.

Die elektronische Einreichung europäischer Patentanmeldungen ist auch bei den zuständigen nationalen Behörden der Vertragsstaaten zulässig, die dies gestatten.[13]

Für die elektronische Einreichung internationaler Anmeldungen gelten ergänzend die Verwaltungsvorschriften zum PCT.

Wird die Anmeldung online eingereicht oder tritt der Anmelder online in die regionale Phase ein, so ermäßigt sich die Anmeldegebühr um 75 EUR.

6 Zahlung der Anmelde- und Recherchengebühr

Diese Gebühren müssen innerhalb eines Monats nach Einreichung der Anmeldung gezahlt werden (Abs 2 iVm Art 2 Nr 1 und 2 GebO[14]). Die Frist beginnt mit dem Tag, an dem die Voraussetzungen für einen Anmeldetag vorliegen. Zur Ermäßigung der Gebühren aus Sprachgründen siehe Art 14 Rdn 38–43; zur Ermäßigung bzw Nichterhebung der Recherchengebühr bei Euro-PCT-Anmeldungen in der regionalen Phase siehe Art 157 Rdn 59, Rdn 66. 20

Die Frist läuft nicht regelmäßig am letzten Kalendertag eines Monats ab (wie die Frist zur Zahlung von Jahresgebühren für die europäische Patentanmeldung nach Art 86 (1) und (2), R 37 (1)). Vielmehr folgt aus den Vorschriften über die Fristberechnung (R 83 (4)), dass bei der Einreichung, zB an einem dritten eines Monats, der letzte Tag zur Zahlung dieser Gebühren der dritte Tag des kommenden Monats ist; dabei sind natürlich die Fristverlängerungen nach R 85 zu beachten (Tage, an denen eine Annahmestelle des Amts geschlossen ist, Unterbrechung der Postzustellung). 21

In die Versäumung dieser Fristen gibt es nach Art 122 (5) keine Wiedereinsetzung. 22

Der Verwaltungsrat hat jedoch mit R 85a die Möglichkeit geschaffen, diese Gebühren noch innerhalb einer Nachfrist von 1 Monat nach Zustellung einer Mitteilung über die Fristversäumung wirksam zu entrichten, sofern innerhalb der Nachfrist eine Zuschlagsgebühr (Art 2 Nr 3b GebO) gezahlt wird. Ebenso wie für die Grundfrist ist auch für die Nachfrist die Wiedereinsetzung ausgeschlossen.[15]

---

13 Gegenwärtig DE, ES, FI, FR, UK: PrüfRichtl A-II, 1.3. Für das DPMA siehe VO über den elektronischen Rechtsverkehr beim DPMA BlPMZ 2006, 305.
14 Anhang 5; siehe auch das Gebührenverzeichnis auf der Website des EPA www.epo.org → Unterlagen für Anmelder → Europäisches Patentübereinkommen.
15 **G 3/91**, ABl 1993, 8, Nr 2.

Artikel 78 *Erfordernisse der Anmeldung*

Wenn Anmelde- und Recherchengebühr nicht innerhalb der Nachfrist eingegangen sind, stellt das Amt nach R 69 (1) fest (siehe Art 106 Rdn 7–14), dass die Anmeldung nach Art 90 (3) als zurückgenommen gilt.

23 Zu den Benennungsgebühren siehe Art 79 Rdn 13, 19 und 23, zu den Anspruchsgebühren siehe Art 84 Rdn 49.

Zur Fristberechnung siehe unter Art 120.

7 Zahlung bei Teilanmeldungen und PCT-Anmeldungen

24 Sonderregelungen gelten für Teilanmeldungen (Art 76; siehe Art 76 Rdn 26–30) und neue europäische Patentanmeldungen des wirklich Berechtigten (Art 61).

25 Für PCT-Anmeldungen, in denen das EPA als Bestimmungsamt angegeben ist, siehe Art 153, 157, 158 und insbes R 106 bis R 108; zur Nichterhebung bzw Ermäßigung der Recherchengebühr siehe Art 157 Rdn 59, 66.

8 Stundung der Gebühren

26 Eine Stundung der Gebühren oder eine Verfahrenskostenhilfe, wie sie im deutschen Patentrecht[16] vorgesehen ist, gibt es nach dem EPÜ nicht. Bei der Ausarbeitung des Übereinkommens einigte man sich darauf, dass die Unterstützung bedürftiger Erfinder und Anmelder Angelegenheit der einzelnen Vertragsstaaten sein soll.

9 Rückerstattung der europäischen Recherchengebühr

27 Die Fälle, in denen eine Rückerstattung der europäischen Recherchengebühr wegen des Vorliegens eines früheren Recherchenberichts des EPA in Betracht kommt, sind in Art 10 (1) GebO geregelt. Die Höhe der Rückerstattung beträgt 100% oder 25%, je nachdem ob der Recherchenbericht in der zu prüfenden Anmeldung voll oder teilweise auf einen früheren Recherchenbericht des EPA gestützt werden kann.[17] Betrifft die zu prüfende Anmeldung eine andere Erfindung als die frühere Anmeldung, wird keine Rückerstattung gewährt.[18] Im übrigen sind die in Art 78 (2) genannten Gebühren mangels Rechtsgrund zu erstatten, wenn der Anmeldung kein Anmeldetag zuerkannt werden kann.[19]

---

16 § 129 ff DE-PatG.
17 Beschluss des Präsidenten des EPA vom 17. 2. 2006, ABl 2006, 189 und Mitteilung des Präsidenten des EPA vom 1. 7. 2005, ABl 2005, 463.
18 Mitteilung des Präsidenten des EPA vom 1. 7. 2005, ABl 2005, 433 und PrüfRichtl A-XI, 10.2.1.
19 Vgl PrüfRichtl A-XI, 10.1.1.

10 Einschlägige Bestimmungen der AO

Abs 3 verweist hinsichtlich der einzelnen formellen Erfordernisse der Anmeldung auf die AO. Dabei handelt es sich um zwingende Vorschriften, deren Nichteinhaltung teils im Rahmen der Eingangs- und Formalprüfung, teils im Prüfungsverfahren beanstandet wird. Die wichtigsten dieser Erfordernisse werden nachfolgend behandelt.

B Der Erteilungsantrag (R 26)

11 Allgemeines zu R 26

Diese Regel enthält die Erfordernisse des Erteilungsantrags. Nach Abs 1 muss der Antrag auf Erteilung eines europäischen Patents schriftlich gestellt werden (siehe Rdn 9) und zwar auf einem vom EPA vorgeschriebenen Formblatt.[20]

12 Allgemeines zum Formblatt

Das Formblatt ist in den drei Amtssprachen abgefaßt, um etwaige Rechtsverluste zu vermeiden, die dadurch auftreten können, dass der Antrag in einer anderen Verfahrenssprache abgefaßt ist als die übrigen Teile der Anmeldung. Solche Mängel sind aber grundsätzlich behebbar.[21] Die Verwendung des Formblatts zusammen mit den ursprünglichen Unterlagen ist dringend anzuraten, da es Elemente enthält, die der Wahrung der Rechte des Anmelders dienen, wie zB die Benennung aller Vertragsstaaten in Feld 32 oder die Stellung des Prüfungsantrags in Feld 5.

Wird das Formblatt nicht verwendet, so wird dieser Mangel nach Art 91 (1) b), (2), R 41 beanstandet und dem Anmelder die Möglichkeit gegeben, ihn innerhalb einer von der Eingangsstelle bestimmten Frist zu beseitigen. Wird diese Frist versäumt, so gibt es die Möglichkeit der Weiterbehandlung nach Art 121 und der Wiedereinsetzung nach Art 122.

Das Formblatt enthält nicht nur Spalten und Felder für die in R 26 (2) und (3) aufgeführten Angaben (zur Bezeichnung der Erfindung siehe PrüfRichtl A-III, 7). Die zusätzlichen Rubriken beziehen sich auf für die Praxis wichtige Fragen, zB auf die Benennung sämtlicher Vertragsstaaten, die sofortige Stellung des Prüfungsantrags, Angaben über die Gebührenzahlungen, einen Antrag auf etwaige Rückerstattung der Recherchengebühr, die Liste der beigefügten Unterlagen usw.

Der Erteilungsantrag kann auch mit Telefax und elektronisch eingereicht werden (siehe Rdn 10 und 19).

---

20 ABl 2005, 366; verfügbar auch auf der Website des EPA www.epo.org → Unterlagen für Anmelder → Anmeldeformulare.
21 **J 7/80**, ABl 1981, 137.

Artikel 78 — *Erfordernisse der Anmeldung*

Wird der Erteilungsantrag mit der *epoline®* Software erstellt,[22] so ersetzt die Faksimile- oder digitale Signatur die eigenhändige Unterschrift.[23]

13 Hinweis auf das Merkblatt

33 In Anbetracht des ausführlichen Merkblatts zum Antrag auf Erteilung eines europäischen Patents wird davon abgesehen, hier die einzelnen Nummern des Formblatts zusätzlich zu kommentieren. Es soll nur darauf hingewiesen werden, dass das Formblatt in Feld 34 seit März 1994 die Möglichkeit eröffnet, die Erstreckung des Patents auf Staaten zu beantragen, die nicht Vertragsstaaten des EPÜ sind (siehe Art 79 Rdn 37 und Art 169 Rdn 3). Seit 1. Juli 1994 kann der Anmelder in Feld 43 beantragen, nicht nur die bei Einreichung zu zahlenden Gebühren, sondern auch später fällig werdende Gebühren von seinem laufenden Konto abzubuchen (vgl Anhang 6).

Im übrigen wird auf die Wiedergabe des Formblatts und des Merkblatts sowie die Mitteilung des EPA über die Neufassung des Formblatts verwiesen.[24]

C Form der Zeichnungen (R 32)

14 Allgemeines zu R 32

34 In Art 78 wird nichts darüber ausgeführt, wann Zeichnungen erforderlich sind. Der PCT schreibt in Art 7 (1) vor, dass Zeichnungen erforderlich sind, wenn sie für das Verständnis der Erfindung notwendig sind. Das EPÜ regelt diese Frage in Art 78 (1) d) nur unter dem formalen Aspekt, dass die Zeichnungen beizufügen sind, auf die in der Beschreibung oder in den Patentansprüchen Bezug genommen wird. Der Anmelder bestimmt selbst, ob er Zeichnungen für die Offenbarung der Erfindung für erforderlich hält oder ob er sie zur Erleichterung des Verständnisses der Erfindung beifügt und in der Beschreibung erwähnt. Die Entscheidung darüber, ob eine Erfindung ohne Zeichnungen verständlich und damit offenbart ist, entzieht sich einer formellen Betrachtung und wird im Sachprüfungsverfahren getroffen; maßgebend ist, ob die Erfindung in der eingereichten Anmeldung nach Art 83 so deutlich und vollständig offenbart worden ist, dass ein Fachmann sie ausführen kann.

35 Für die Offenbarung der Erfindung kommt der Zeichnung die gleiche Bedeutung zu wie den übrigen Bestandteilen der Anmeldung.[25] Jedenfalls die frühere deutsche Praxis wie auch andere nationale Patentsysteme sind in dieser Beziehung nicht so weit gegangen.[26]

---

22 PrüfRichtl A-III, 4.1.
23 Prüf-Richtl A-IX, 3.2.
24 ABl 2005, 366; siehe auch PrüfRichtl A-III, 4.
25 **T 169/83**, ABl 1985, 193; siehe näher Art 83 Rdn 7.
26 Schulte, Patentgesetz, § 34 Rn 330.

Zur Möglichkeit der Berichtigung nach R 88, wenn eine Zeichnung oder ein Teil einer Figur einer Zeichnung fehlt, siehe Art 123.

15 Zeichnungen und Abbildungen

Dieser Teil der Anmeldung setzt sich meist aus mehreren *Einzelzeichnungen* zusammen. Diese mehr oder weniger selbständigen Teile werden in R 32 (2) und R 33 (4) auch als *Abbildungen*, im üblichen Sprachgebrauch auch als *Figuren*, im Englischen und Französischen als *figures* bezeichnet. Den einzelnen Abbildungen soll unabhängig von der verwendeten Amtssprache die Abkürzung *FIG* vorangehen.[27]

Als Zeichnungen im Sinne des Übereinkommens gelten technische Zeichnungen aller Art, beispielsweise Perspektivansichten, auseinandergezogene Darstellungen, Querschnitte und Schnittzeichnungen, Einzelzeichnungen mit verändertem Maßstab usw. Nach R 32 (3) gelten als Zeichnungen auch »Flußdiagramme und Diagramme«, wobei diese Begriffe schematische Darstellungen von Funktionsabläufen und graphische Darstellungen eines bestimmten Phänomens unter Wiedergabe der zwischen 2 oder mehreren Größen bestehenden Beziehungen umfassen.[28]

Graphische Darstellungen können jedoch auch in die Beschreibung, die Patentansprüche und die Zusammenfassung einbezogen werden und unterliegen dann nicht denselben Erfordernissen wie die Zeichnungen als gesonderter Teil der Anmeldung. Es handelt sich hierbei um chemische oder mathematische Formeln und um Tabellen (siehe R 35 (11)). Werden solche Darstellungen jedoch als Zeichnungen vorgelegt, so unterliegen sie den in R 32 aufgestellten Erfordernissen für Zeichnungen. Zur Behandlung von Fotografien siehe PrüfRichtl A-X, 1.2.

16 Einzelheiten

Einzelheiten über die Anfertigung von Zeichnungen sind in den PrüfRichtl A-X (Zeichnungen) und in den Mitteilungen des EPA vom 16.2.1987 zu informellen Zeichnungen[29] und 1.12.1993 zu Zeichnungen auf Karton[30] aufgeführt. Nachstehend folgen einige für die Praxis wichtige Details:

17 Bezugszeichen

Nach R 32 (2) i) dürfen in den Zeichnungen Bezugszeichen nur insoweit verwendet werden, als sie in der Beschreibung und/oder in den Patentansprüchen

---

27 PrüfRichtl A-X, 5.2.
28 PrüfRichtl A-X, 1.1.
29 ABl 1987, 123.
30 ABl 1994, 74.

Artikel 78 — *Erfordernisse der Anmeldung*

aufgeführt sind und umgekehrt. Für die gesamte Anmeldung sind die gleichen Bezugszeichen zu verwenden.

Zur Bedeutung von Bezugszeichen siehe PrüfRichtl C-III, 4.11.[31]

18 Erläuterungen

41 Nach R 32 (2) j) dürfen die Zeichnungen keine Erläuterungen enthalten; ausgenommen sind kurze unentbehrliche Angaben, wie »Wasser«, »Dampf«, »Ofen«, »Zu«, »Schnitt nach A-B« sowie in elektrischen Schaltplänen und Blockschaltbildern oder Flußdiagrammen kurze Stichworte, die für das Verständnis unentbehrlich sind.[32] Wegen der nach Art 65 von den meisten Vertragsstaaten verlangten Übersetzungen der europäischen Patentschrift in eine Amtssprache des betreffenden Vertragsstaats ist es zweckmäßig, die Erläuterungen so anzubringen, dass sie im Falle der Übersetzung mit den Ausdrücken in den anderen Sprachen überklebt werden können.

19 Numerierung der Zeichnungsblätter

42 R 35 (8) schreibt vor, dass alle Blätter der europäischen Patentanmeldung fortlaufend mit arabischen Zahlen zu numerieren sind. Dabei sind die Blattzahlen oben in der Mitte, aber nicht auf dem oberen Rand anzubringen; die Numerierung muss also innerhalb der maximal nutzbaren Fläche (R 32 (1)) vorgenommen werden. Falls eine Zeichnung zu nahe an die Mitte des oberen Randes der benutzbaren Fläche heranreicht, kann die Seitenzahl auch nach rechts verschoben werden.[33]

43 Die Vorschrift über die Durchnumerierung wird unter Berücksichtigung der R 35 (5) dahin gehandhabt, dass die Blätter der Zeichnungen vorzugsweise mit einer eigenen Nummernfolge, beginnend mit arabisch 1, zu numerieren sind. Die Zeichnungen sind also selbständig durchzunumerieren. Sie können aber auch mit Beschreibung und Patentansprüchen zusammen durchnumeriert werden (siehe Rdn 57).

D Unzulässige Angaben (R 34)

20 Allgemeines zu R 34

44 Diese Regel legt fest, welche Angaben eine europäische Patentanmeldung nicht enthalten darf, sowie die Behandlung der unzulässigen Angaben bei der Veröffentlichung. Zur Behandlung in den verschiedenen Verfahrensabschnitten siehe PrüfRichtl A-III, 8 und C-II, 7.

---

31 Unter Verweis auf **T 237/84**, ABl 1987, 309.
32 PrüfRichtl A-X, 8.
33 PrüfRichtl A-X, 4.2.

Der PCT regelt entsprechende Tatbestände für internationale Anmeldungen in R 9 PCT.

21 Angaben oder Zeichnungen, die gegen die öffentliche Ordnung oder gegen die guten Sitten verstoßen, und ihre verfahrensmäßige Behandlung

Diese in R 34 (1) a) enthaltenen Angaben stellen die erste Gruppe der unzulässigen Angaben dar. Zur Auslegung dieser Begriffe siehe Art 53 a). Nach den PrüfRichtl (A-III, 8.1) werden darunter vor allem rassen- und religionsdiskriminierende Propaganda und Angaben verstanden, die einen Anreiz zum Aufruhr oder zu verbrecherischen Handlungen bieten, sowie grob obszöne Darstellungen. 45

Diese Angaben sollen nach R 34 (2) nicht veröffentlicht werden; sie sind von der Veröffentlichung der Anmeldung auszuschließen.

Dies geschieht durch die Eingangsstelle im Rahmen der Formalprüfung.[34] Auch nach einem vorläufigen Abschluß der Formalprüfung können solche Teile von der Veröffentlichung ausgeschlossen werden, wenn zB eine Recherchenabteilung bei der Erstellung der europäischen Recherche auf solche Angaben stößt und die Eingangsstelle hierauf aufmerksam macht.[35] Die Durchsicht durch die Eingangsstelle selbst ist nur kursorisch.[36] 46

Der Anmelder wird von der Auslassung solcher Angaben bei der Veröffentlichung unterrichtet; es tritt für ihn kein substantieller Verlust ein, da in der Veröffentlichung die Stelle der Auslassung und die Zahl der ausgelassenen Wörter und Zeichnungen bzw Zeichnungsteile anzugeben ist. Die Angaben sind damit der Öffentlichkeit zugänglich, da jeder Dritte im Wege der Akteneinsicht nach Art 128 (4) Kenntnis von den ausgelassenen Teilen erhalten kann. Diese sind nicht nach Art 128 (4) iVm R 93 von der Akteneinsicht ausgeschlossen. Das EPA stellt auf Antrag eine Abschrift der ausgelassenen Stellen nach R 95 zur Verfügung.[37] 47

22 Herabsetzende Äußerungen und ihre verfahrensmäßige Behandlung

In dieser zweiten Gruppe von unzulässigen Angaben werden herabsetzende Äußerungen über Erzeugnisse oder Verfahren Dritter oder den Wert oder die Gültigkeit von Anmeldungen oder Patenten Dritter zusammengefaßt. Reine Vergleiche mit dem Stand der Technik allein sind nicht herabsetzend. Sie werden in der Beschreibung nach R 27 (1) b) und c) sogar verlangt, da sich aus ihnen vorteilhafte Wirkungen der Erfindung ergeben können. 48

---

34 PrüfRichtl A-III, 8.
35 PrüfRichtl B-IV, 1.2.
36 PrüfRichtl A-III, 8.1.
37 PrüfRichtl A-III, 8.2.

49 Herabsetzende Angaben können und sollen von der Eingangsstelle bei der Veröffentlichung der europäischen Patentanmeldung ausgelassen werden (R 34 (3)). Da die Beurteilung dieser Frage gerade im Hinblick auf die vom Anmelder vorzunehmende Würdigung des Stands der Technik schwieriger sein kann, ist die Auslassung solcher Angaben in R 34 (3) nicht zwingend vorgeschrieben, sondern in das Ermessen des EPA gestellt.

50 In Zweifelsfällen werden die Äußerungen mit der europäischen Patentanmeldung veröffentlicht; die Prüfung der Frage, ob die Äußerungen tatsächlich herabsetzend sind, obliegt dann der Prüfungsabteilung im Sachprüfungsverfahren (Art 94 (1); siehe auch PrüfRichtl A-III, 8.2).

51 Weigert sich der Anmelder in diesem Verfahren, auf die Äußerung zu verzichten, so ist die gesamte Anmeldung nach Art 97 (1) iVm R 34 (1) b) zurückzuweisen; Abs 1 dieser Regel hat zwingenden Charakter. Die Möglichkeit, solche Angaben von Amts wegen, also ohne Zustimmung des Anmelders, auszuschließen, besteht nach dem Wortlaut von R 34 (3) nur bei der Veröffentlichung der Anmeldung, später also nicht mehr.

23 Unnötige Angaben und ihre verfahrensmäßige Behandlung

52 Die letzte Gruppe der unzulässigen Angaben erfasst Angaben, die den Umständen nach offensichtlich belanglos oder unnötig sind (R 34 (1) c)). Diese Vorschrift soll es ermöglichen, die Patentschrift klar und verständlich zu halten und von unnötigen, verwirrenden oder auch werbenden Bestandteilen freizuhalten. Denn der Zweck der Patentschrift ist lediglich, das Wesen der Erfindung und den Inhalt des Schutzes festzulegen.

Nach der klaren Bestimmung der R 34 (1) c) darf die europäische Patentanmeldung solche Angaben nicht enthalten; dies ist nach Art 94 (1) im Sachprüfungsverfahren zu prüfen.[38] Wird ein solcher Verstoß festgestellt und stimmt der Anmelder einer Streichung dieser Angaben nicht zu, so muss nach Art 97 (1) die europäische Patentanmeldung zurückgewiesen werden.

E Allgemeine Bestimmungen (R 35)

24 Allgemeines zu R 35

53 Mit dieser Regel werden einheitliche Formvorschriften für alle Anmeldungsunterlagen festgelegt. Nach einer Anpassung an die Vorschriften des PCT decken sich die entsprechenden Vorschriften fast völlig. Sie ergänzen die vorhergehenden Regeln und gelten nach R 36 auch für die später eingereichten Unterlagen.

---

38 PrüfRichtl C-II, 7.3.

Über diese Vorschrift hinaus hat das EPA *Hinweise für die Erstellung OCR-lesbarer Anmeldungsunterlagen* veröffentlicht,[39] deren Beachtung die maschinelle Erfassung der Anmeldungstexte erleichtern soll. Nach R 35 (3) in der seit 1.1.1999 geltenden Fassung (ABl 1999, 1) muss eine elektronische Vervielfältigung, insbesondere durch Scanning gewährleistet sein.

25 Zur Sprachenfrage

R 35 (1) ergänzt Art 14 (2), der für bestimmte Personengruppen die Einreichung der europäischen Patentanmeldung in der Amtssprache eines Vertragsstaats zuläßt, die nicht Amtssprache des EPA ist, sowie Art 14 (3), der die Verwendung der für die einzureichende Übersetzung gewählten Amtssprache vor dem EPA als Verfahrenssprache vorschreibt. Der Text der Anmeldung in dieser Übersetzung wird damit dem Verfahren vor dem EPA zugrunde gelegt. Erweist sich die Übersetzung als nicht korrekt, so kann sie nach Art 14 (2) Satz 2, 2. Halbsatz in Übereinstimmung mit den ursprünglichen Unterlagen gebracht werden.

Zur Gebührenermäßigung bei Einreichung in einer zugelassenen Nichtamtssprache siehe Art 14 Rdn 38–43.

26 Stückzahl der Unterlagen

Die Unterlagen der europäischen Patentanmeldung sind in folgender Stückzahl einzureichen:[40]

- Der Erteilungsantrag in 1 Stück mit Ausnahme von Blatt 6 (vorbereitete Empfangsbescheinigung): Blatt 6 in 2 Stücken (Einreichung beim EPA) bzw 3 Stücken (Einreichung national).
- Beschreibung, Ansprüche, Zusammenfassung und Zeichnungen, sowie deren Version in einer zugelassenen Nichtamtssprache (Art 14 (2) Satz 1) und deren Übersetzung in einer der Amtssprachen des EPA nach Art 14 (2) Satz 2, die nach R 35 (1) als Unterlagen der europäischen Patentanmeldung gelten, in 1 Stück.
- Erfindernennungen nach Art 81, die dem Erfinder nach R 17 (3) zuzustellen sind, in einem Stück für die Akten und in je einem weiteren Stück für die Erfinder, denen die Erfindernennung zuzustellen ist (R 36 (4)). Dieses Erfordernis macht zwar nach Einführung der elektronischen Akte keinen Sinn mehr, da eine Papierakte nicht mehr geführt wird und erforderliche

---

39 ABl 1993, 59.
40 R 35 (2) iVm dem Merkblatt zum Erteilungsantrag, Allgemeine Hinweise. Auch die Unterlagen einer internationalen Anmeldung sind beim EPA als Anmeldeamt nur mehr in einem Stück einzureichen, Beschluss des Präsidenten des EPA vom 8.7.2006, ABl 2006, 439.

Mehrstücke aus dem Datenbestand kopiert werden, es besteht aber formal noch.[41]

27 Einzelbestimmungen

56 Die R 35 (4)–(14) enthalten die Einzelvorschriften, die sich weitgehend mit dem PCT (zB R 11) decken sowie mit den harmonisierten nationalen Vorschriften.[42] Wichtig ist, dass die in R 35 (6) angegebenen Ränder eingehalten werden und auch nicht für die Numerierung oder Randnummern verwendet werden, um die vollständige Erfassung des Textes zu gewährleisten. Nach R 35 (9) soll in Beschreibung und Ansprüchen jede 5. Zeile numeriert sein.[43] »Die Zahlen sind an der linken Seite, rechts vom Rand anzubringen«, dh innerhalb des Satzspiegels; auch leere Zeilen sind als Zeilen zu zählen. Dagegen wird in den Hinweisen für die Erstellung OCR-lesbarer Anmeldungsunterlagen empfohlen, »falls gewünscht« außerhalb des Satzspiegels die Zeilennumerierung anzugeben.[44] Im Ergebnis wird jede Praxis toleriert.

Entgegen manchen nationalen Systemen muss die Anmeldung mit Maschine geschrieben oder gedruckt sein (R 35 (10)); Handschrift ist also nicht erlaubt und wird beanstandet.

28 Durchnumerierung der Bestandteile der europäischen Patentanmeldung

57 R 35 (8) schreibt vor, dass alle Blätter der europäischen Patentanmeldung oben in der Mitte fortlaufend mit arabischen Zahlen zu numerieren sind. Unter Berücksichtigung von R 35 (5) sollen vorzugsweise jeweils eine mit 1 beginnende Nummernfolge für den Antrag, eine weitere für die Beschreibung, die Ansprüche und die Zusammenfassung sowie eine dritte für die Zeichnungen verwendet werden. Es bestehen aber auch keine Bedenken, Beschreibung, Patentansprüche und Zeichnungen fortlaufend zu numerieren, wobei die Nummernfolge mit dem ersten Blatt der Beschreibung beginnen soll.[45] Der nach R 26 (1) auf einem Formblatt einzureichende Erteilungsantrag hat seine eigene Numerierung.

---

41 Siehe den Hinweis auf R 36 (4) in PrüfRichtl A-IX, 2.4 noch in der Fassung Juni 2005.
42 Für Deutschland zB Abschnitt 2 der Patentverordnung – PatV – vom 1.9.2003 (BlPMZ 2003, 322).
43 Ebenso PrüfRichtl A-IX, 2.1.
44 ABl 1993, 59.
45 PrüfRichtl A-X, 4.2.

29 Nichtbefolgung dieser Bestimmungen

Die Befolgung dieser Bestimmungen, nämlich der R 35 (2)–(11) und (14) wird nach Art 91 (1) b), R 40 im Rahmen der Formalprüfung von der Eingangsstelle geprüft. Nach Art 91 (2), R 41 (1) wird der Anmelder aufgefordert, etwaige Mängel innerhalb einer von der Eingangsstelle zu bestimmenden Frist zu beseitigen. Geschieht dies nicht, so wird die Anmeldung nach Art 91 (3) zurückgewiesen. Rechtsbehelfe sind Weiterbehandlung (Art 121) und Wiedereinsetzung (Art 122) sowie gegebenenfalls die Beschwerde (Art 106).

F Unterlagen nach Einreichung der europäischen Patentanmeldung (R 36)

30 Allgemeines zu R 36

Diese Regel enthält Vorschriften über die Form nachgereichter Anmeldungsunterlagen und sonstiger im patentamtlichen Verfahren vorzulegender Schriftstücke sowie über die Benutzung technischer Einrichtungen zur Nachrichtenübermittlung bei der Einreichung von Unterlagen.

31 Ersatzstücke der europäischen Patentanmeldung

In R 36 (1) werden die Formvorschriften für die Beschreibung, die Patentansprüche, die Zeichnungen und die Zusammenfassung auch für die Ersatzstücke für anwendbar erklärt. Kleinere Änderungen können auf Kopien vorgenommen werden, für größere sind Ersatzseiten einzureichen.[46] Komplette Neuschriften sind zu vermeiden, wenn dies der Umfang der Änderungen nicht erfordert.[47]

32 Formvorschriften für andere Schriftstücke

Für andere als zur Anmeldung gehörende Schriftstücke, die im patentamtlichen Verfahren einzureichen sind, zB Beschwerdeerwiderungen, Einsprüche, Beschwerden sind nach R 36 (2) Maschinenschrift oder Druck und links ein etwa 2,5 cm breiter Rand vorgeschrieben. Rechtsfolgen für die Nichtbeachtung dieser Vorschriften sind nicht ausdrücklich vorgesehen. Unabhängig von diesen Formvorschriften sind die in R 36 (2) aufgeführten Schriftstücke (außer Anlagen) zu unterzeichnen (R 36 (3)). Unterlagen wie Prioritätsbelege oder Vollmachten müssen daher mit einem Anschreiben eingereicht werden. Hierfür steht Formblatt 1038 zur Verfügung, das eine integrierte Empfangsbescheinigung enthält.[48] Fehlt die Unterschrift und wird sie nicht innerhalb einer vom

---

46 PrüfRichtl E-II, 2.
47 PrüfRichtl II, 2; ebenso **T 850/95**, ABl 1997, 152.
48 ABl 2000, 369; Neuauflage des Formblatts: Ausgabe 02.06.

Artikel 78 *Erfordernisse der Anmeldung*

EPA zu bestimmenden Frist nachgeholt, so gilt das Schriftstück als nicht eingegangen. Ein dadurch eingetretener Rechtsverlust wird vom EPA nach R 69 (1) festgestellt. Nach Auffassung der 1. Auflage können die Folgen einer Versäumung der Frist im Wege der Weiterbehandlung (Art 121) oder der Wiedereinsetzung (Art 122) beseitigt werden. Dies ist allerdings deswegen zweifelhaft, weil sich ein etwaiger Rechtsverlust nicht aus R 36 (3) Satz 3, sondern aus den Vorschriften über die Verfahrenshandlung ergibt, die mit Einreichung des Schriftstücks vorgenommen werden soll. Daher sind diese Vorschriften wohl auch für die Frage relevant, ob Weiterbehandlung und/oder Wiedereinsetzung möglich sind.

62 Aus der Tatsache, dass R 36 (3) diejenigen Anlagen der europäischen Patentanmeldung von dieser Regelung auszuschließen scheint, die zu unterzeichnen sind, wird in der Praxis des EPA gefolgert, dass für diese Anlagen, wie die Erfindernennung nach R 17 (1) und die Vollmacht nach R 101 (1), nicht die Aufforderung zur Nachholung der Unterschrift gilt. In diesen Fällen gilt das Schriftstück als nicht eingegangen.[49] Dies folgt daraus, dass es sich bei diesen Unterlagen nicht um Verfahrenshandlungen des Erteilungsverfahrens handelt, sondern um Urkunden, die einen bestimmten Urheber ausweisen müssen. Ist ein Vollmachtsformular nicht unterschrieben, so liegt noch keine Vollmachtsurkunde vor. Einschlägige Entscheidungen der Beschwerdekammer liegen noch nicht vor.

33 Unterschiedliche Zahl der einzureichenden Schriftstücke

63 Die Stückzahl der einzureichenden Unterlagen bestimmt sich nach der Zahl der Personen oder Patentanmeldungen, für die die Unterlagen bestimmt sind, wobei zu beachten ist, dass stets auch ein Aktenexemplar einzureichen ist (R 36 (4)). Im Hinblick darauf, dass das EPA keine Papierakte mehr führt und Mehrstücke ohnehin aus dem Datenbestand ausgedruckt werden, ist diese Vorschrift überflüssig geworden.

Die Höhe der Kosten für trotz Aufforderung nicht eingereichte und daher vom EPA anzufertigende Kopien ergibt sich aus dem Verzeichnis der Verwaltungsgebühren zu Art 3 GebO.[50]

34 Einreichung mittels Telefax

64 Schriftstücke mit Ausnahme von Vollmachten und Prioritätsbelegen können auch **nach** der Einreichung der europäischen Patentanmeldung mittels Telefax eingereicht werden.[51]

---

49 Siehe Strebel in MünchGemKom, 2. Lieferung, Einleitung zum 4. Teil, Rn 42.
50 Beilage zu ABl 12/2005, Nr 2.1.14.
51 R 36 (5) iVm Art 2 des Beschlusses des Präsidenten vom 6. 12. 2004, ABl 2005, 41.

Nach Art 4 (2) des Beschlusses des Präsidenten ist ein Bestätigungsschreiben, das den Inhalt des gefaxten Schriftstücks wiedergibt und der AO entspricht, nur auf Aufforderung des zuständigen Organs des EPA nachzureichen. Dies hat dann innerhalb einer nicht verlängerbaren Frist von 1 Monat zu geschehen. 65

Bei nicht rechtzeitiger Nachreichung gilt das Telefax als nicht eingegangen. In J 1/79[52] wurde eine Beschwerde aus diesem Grund als unzulässig verworfen. Der Rechtsverlust wird dem Anmelder nach R 69 (1) mitgeteilt. 66

Nach Auffassung der 1. Auflage ist bei Versäumung dieser 1-Monatsfrist die Weiterbehandlung nach Art 121 und die Wiedereinsetzung nach Art 122 möglich, da es sich um eine vom Präsidenten des EPA festgesetzte Frist handelt. Dies ist allerdings deswegen zweifelhaft, weil sich ein etwaiger Rechtsverlust nicht aus dem Besschluss des Präsidenten, sondern aus den Vorschriften über die Verfahrenshandlung ergibt, die mit der Einreichung des Schriftstücks vorgenommen werden soll. Daher sind diese Vorschriften auch wohl für die Frage relevant, ob Weiterbehandlung und/oder Wiedereinsetzung möglich sind. 67

Nach der Mitteilung des EPA vom 6.12.2004[53] verlangt das EPA regelmäßig kein Bestätigungsschreiben mehr. Ein Bestätigungsschreiben wird wohl nur mehr dann notwendig werden, wenn die Qualität der gefaxten Unterlagen mangelhaft ist. 68

In einem solchen Fall sollten die nachgereichten formgerechten schriftlichen Unterlagen mit einem deutlichen Hinweis versehen werden, dass diese Unterlagen eine »Bestätigung des am ... durch Telefax eingereichten Schriftstücks« darstellen. Wird ein Abbuchungsauftrag mit Telefax eingereicht, so ist zur Vermeidung von Doppelbuchungen von der Nachreichung der Originale abzusehen.[54] 69

Fehlt bei der Nachreichung des Schriftstücks die Unterschrift, so wird der Beteiligte aufgefordert, die Unterschrift nachzuholen, und zwar auch dann, wenn zwar eine Unterschrift vorliegt, diese aber nicht von einer zum Handeln vor dem EPA berechtigten Person stammt.[55] Aus der Formulierung der R 36 (5) Satz 2 »und dieser AO entspricht« folgt, dass innerhalb der Frist nicht nur das Schriftstück, sondern auch die Unterschrift vorliegen muss und daß auf diesen Fall die in R 36 (3) vorgesehene Fristsetzung keine Anwendung findet.[56] Einschlägige Entscheidungen der Beschwerdekammern hierzu liegen noch nicht vor. 70

---

52 ABl 1980, 34.
53 ABl 2005, 44.
54 PrüfRichtl A-II, 1.6.
55 PrüfRichtl A-IX, 3.1.
56 Siehe Strebel, MünchGemKom, 2. Lieferung, Einleitung zum 4. Teil, Rn 42.

71 Bei Einreichung durch Telefax gilt die bildliche Wiedergabe der Unterschrift als schriftliche Unterzeichnung. Aus der Unterzeichnung muss der Name und die Stellung der handelnden Person eindeutig hervorgehen.[57]

72 Bei Einreichung von Unterlagen mit Telefax wird vom EPA auf Antrag eine Empfangsbestätigung durch Telefax abgegeben, wenn die entsprechende Verwaltungsgebühr rechtzeitig entrichtet wird.[58] Für eine Telefaxbestätigung ist eine vorbereitete Empfangsbescheinigung (zB Form 1037) einzureichen.

Seit Dezember 2003 können im Erteilungsverfahren nachgereichte Schriftstücke mit Ausnahme von Prioritätsbelegen auch elektronisch unter Benutzung der *epoline®* Software eingereicht werden.[59] Die online – Einreichung wird während des Übertragungsvorgangs schriftlich bestätigt. Diese Möglichkeit steht nicht für das Einspruchs- und Beschwerdeverfahren, sowie für die Einreichung beim EPA als PCT-Behörde zur Verfügung. Wird die elektronische Einreichung für ein Verfahren benutzt, in dem sie nicht zugelassen ist, fehlt es an der vorgeschriebenen Schriftform.[60] In zwei Fällen wurde die Beschwerde gleichwohl im Ergebnis als zulässig angesehen, weil das EPA angesichts aufgetretener Probleme noch Anlass und Gelegenheit zu einer Beanstandung hatte.[61]

Zur Einreichung der Anmeldungsunterlagen mit Fax und online siehe Rdn 10 und 19.

Artikel 79 Benennung von Vertragsstaaten

(1) Im Antrag auf Erteilung eines europäischen Patents sind der Vertragsstaat oder die Vertragsstaaten, in denen für die Erfindung Schutz begehrt wird, zu benennen.

(2) Für die Benennung eines Vertragsstaats ist die Benennungsgebühr zu entrichten. Die Benennungsgebühren sind innerhalb von sechs Monaten nach dem Tag zu entrichten, an dem im Europäischen Patentblatt auf die Veröffentlichung des europäischen Recherchenberichts hingewiesen worden ist.

(3) Die Benennung eines Vertragsstaats kann bis zur Erteilung des europäischen Patents zurückgenommen werden. Die Zurücknahme der Benennung aller Vertragsstaaten gilt als Zurücknahme der europäischen Patentanmeldung. Die Benennungsgebühren werden nicht zurückgezahlt.

---

57 ABl 2005, 44 Nr 3.
58 ABl 2005, 44 Nr 6.
59 Mitteilung des EPA vom 3.12.2003, ABl 2003, 609.
60 T 514/05 ABl 2006, 526: Beschwerde gilt als nicht eingelegt.
61 **T 781/04** vom 30.11.2005: Beschwerde unzulässig, aber Wiedereinsetzung gewährt; **T 991/04** vom 22.11.2005: Grundsatz des Vertrauensschutzes.

Rudolf Teschemacher

Übersicht

1	Allgemeines	1-6
2	Benennung im Erteilungsantrag	7-10
3	Berichtigung der Benennung von Staaten	11-12
4	Entrichtung der Benennungsgebühren nach Abs 2	13-18
5	Die Nachfrist der R 85a	19-22
6	Nicht ausreichende Benennungsgebühren	23-25
7	Zurücknahme der Benennung von Vertragsstaaten (Abs 3)	26-29
8	Nachanmeldung durch den Berechtigten und Teilanmeldung	30-31
9	Benennung von EPÜ-Staaten in einer internationalen Anmeldung nach dem PCT	32-36
10	Erstreckung	37-42

1 Allgemeines

Dieser Artikel schreibt vor, dass die Vertragsstaaten, in denen Schutz begehrt 1 wird, im Erteilungsantrag benannt werden müssen; außerdem legt er fest, wann die dafür zu entrichtenden Benennungsgebühren zu bezahlen sind.

Der Grundsatz, dass alle Vertragsstaaten, für die Schutz begehrt wird, in der 2 Anmeldung zu benennen sind, ist Teil des Konzepts des Bündelpatents des EPÜ (siehe Art 2, Rdn 3). Für das Konzept eines Patents für die Staaten des Gemeinsamen Marktes würde es genügen, dass nur einer von ihnen benannt wird: Mit der Benennung auch nur eines Staates wären automatisch alle Vertragsstaaten benannt (Art 3 Satz 2 GPÜ; siehe aber die vom Grundsatz des Art 2 (1) GPÜ abweichenden Wahlmöglichkeiten in Art 81, 82 GPÜ).

Der Anmelder kann auch den Vertragsstaat benennen, in dem die prioritäts- 3 begründende Voranmeldung eingereicht wurde.[1]

Nach Art 149 (1) iVm dem zwischen der Schweiz und Liechtenstein beste- 4 henden Patentvertrag[2] bedeutet die Benennung eines dieser Staaten auch zugleich die Benennung des anderen. Für beide Staaten ist nur eine Benennungsgebühr zu entrichten.

Verschiedene Anmelder können verschiedene Vertragsstaaten benennen 5 (Art 59; Form 1001, Feld 33); so können etwa zwei Anmelder eine erste Gruppe von Staaten gemeinsam benennen, eine weitere allein für den ersten Anmelder und eine letzte allein für den zweiten Anmelder.

Auch in internationalen Anmeldungen sind nach Art 4 (1) ii) PCT alle Staaten 6 zu *bestimmen* (Terminologie des PCT), in denen Schutz begehrt wird. Dies gilt

---

[1] BGH – *Roll- und Wippbrett*, ABl 1982, 66.
[2] ABl 1980, 407.

Artikel 79 *Benennung von Vertragsstaaten*

auch dann, wenn über das EPA als Bestimmungsamt für verschiedene Staaten ein europäisches Patent beantragt wird (siehe Rdn 32–36).

In den PrüfRichtl wird die Benennung von Vertragsstaaten in Teil A-III, 12 behandelt.

Ähnlich wie eine Benennung wirkt ein Antrag auf Erstreckung des europäischen Patents, siehe Rdn 37–42.

EPÜ 2000

Der geänderte Abs 1 sieht vor, dass alle Vertragsstaaten als benannt gelten. Der Anmelder hat aber nach Abs 3 weiterhin die Möglichkeit, die Benennung von Vertragsstaaten zurückzunehmen. Abs 2 wurde dahin geändert, dass die Erhebung von Benennungsgebühren nicht mehr obligatorisch ist. Die bisher in Art 79 (2) enthaltene Zahlungsfrist und die in Abs 3 enthaltene Regelung der Rücknahme von Benennungen und der Rechtsfolge der Rücknahme aller Benennungen sind gestrichen und für die AO vorgesehen.

Die neue R 25c (2) AO EPÜ 2000 enthält in Abs 1 die bisher in Art 79 (2) Satz 2 enthaltene Zahlungsfrist. Sie enthält damit auch implizit die Verpflichtung zur Zahlung von Benennungsgebühren und füllt damit die Ermächtigung in Art 79 (2) aus. Abs 2 enthält die bisher in Art 91 (4) geregelte Rechtsfolge der Nichtzahlung einer Benennungsgebühr, Abs 3 die Rechtsfolge der Rücknahme aller Benennungen (bisher in Art 79 (3) Satz 2) und die Rechtsfolge der Nichtzahlung aller Benennungsgebühren.

2 Benennung im Erteilungsantrag

7   Die Benennung muss nach Abs 1 mit der Einreichung der Anmeldung im Erteilungsantrag erfolgen. Eine spätere Benennung, auch innerhalb der Prioritätsfrist, ist danach grundsätzlich unzulässig. Daher ist es auch ausgeschlossen, die Benennung eines Staats nachzuholen, der erst nach Einreichung der Anmeldung Vertragsstaat des EPÜ wird (siehe auch Rdn 32).

8   Bei Inkrafttreten der Verlängerung der Frist zur Zahlung der Benennungsgebühren (siehe Rdn 15) wurde das Benennungssystem geändert[3] und dementsprechend das Formblatt für den Erteilungsantrag neu gefasst. Das System der Vorsorgebenennung[4] wurde abgelöst.

9   Der Erteilungsantrag enthält in Feld 32.1 bereits angekreuzt die Benennung sämtlicher Vertragsstaaten des EPÜ. Dies schützt den Anmelder dagegen, dass er Benennungen unterlässt. Über den tatsächlichen territorialen Geltungsbereich entscheidet der Anmelder erst bei Entrichtung der Benennungsgebühren. Da die Zahlungsfrist nun ebenso läuft wie die Frist für die Stellung des Prüfungsantrags, kann sich der Anmelder auf der Grundlage des europäischen Recherchenberichts ein Bild über die Erfolgsaussichten der Anmeldung machen.

---

3   ABl 1997, 160, 164; siehe auch Gall, Mitt. 1998, 161.
4   Siehe 1. Auflage Art 79 Rn 2.

In Feld 32.2 soll der Anmelder die Staaten angeben, für die er beabsichtigt, 10
Benennungsgebühren zu entrichten. Das sind entweder unter Nr 2a alle Vertragsstaaten, wenn der Anmelder den Höchstbetrag der Benennungsgebühren bezahlen will (siehe Rdn 14) oder unter Nr 2b weniger als 7 Staaten, die der Anmelder aufführen soll. Benutzt der Anmelder Feld 32.2b, so beantragt er nach dem Text von Form 1001 für die unter Nr 2b nicht angegebenen Staaten von der Zustellung einer Gebührennachricht nach R 85a (1) und der Mitteilung eines Rechtsverlusts nach R 69 (1) abzusehen. Damit vermeidet er Mitteilungen zu Staaten, für die er ohnehin keinen Schutz anstrebt. Trotzdem behält er die Möglichkeit, innerhalb der Fristen (siehe Rdn 14 und 19) noch Benennungsgebühren auch für die nicht angegebenen Staaten zu entrichten.

3 Berichtigung der Benennung von Staaten

Vor allem vor der Einführung der sog vorsorglichen Benennung sämtlicher 11
Vertragsstaaten im Erteilungsantrag waren Versehen bei der Benennung von Staaten vorgekommen. Die Berichtigung solcher Unrichtigkeiten wurde im Rahmen der R 88 in beschränktem Umfang zugelassen, wenn die Beweise eindeutig waren, dass es sich um einen der Berichtigung zugänglichen Irrtum handelte, und die Berichtigung rechtzeitig beantragt wurde.[5]

Die Nichtzahlung der Benennungsgebühren kann jedoch nicht nach R 88 12
»berichtigt« werden.[6] Daher ist die Berichtigung einer Benennung allenfalls insoweit von nennenswerter praktischer Bedeutung, als beantragt wird, die Benennung eines wirksam benannten Staates durch die eines anderen zu ersetzen. Dies setzt aber voraus, dass die berichtigte Benennung dem ursprünglichen Willen des Anmelders entsprach und dass der Antrag unverzüglich gestellt wird, spätestens so rechtzeitig, dass bei Veröffentlichung der Anmeldung ein entsprechender Hinweis gegeben werden kann.[7] Die gleichen Grundsätze gelten für die Berichtigung von Benennungen im Formblatt 1200 für den Eintritt in die regionale Phase.[8]

4 Entrichtung der Benennungsgebühren nach Abs 2

Für jeden benannten Vertragsstaat ist die Benennungsgebühr zu entrichten 13
(Abs 2), deren Höhe in Art 2 Nr 3 GebO festgelegt ist. Für die gemeinsame Benennung der Schweiz und Liechtensteins ist nach Art 2 Nr 3a GebO nur **eine** Gebühr zu zahlen.

Nach Art 2 Nr 3 GebO in der seit 1.7.1999 geltenden Fassung ist die Höhe 14
der Benennungsgebühren gekappt: mit der Zahlung des **siebenfachen Betrags**

---

5 ZB **J 4/80**, ABl 1980, 351; siehe auch Art 123 Rdn 118–124, 148.
6 **J 21/84**, ABl 1986, 75; **T 152/85**, ABl 1987, 191.
7 **J 7/90**, ABl 1993, 133 mwNachw.
8 **J 27/96**, Rspr BK, 2001, VII.A.4.4.

einer Gebühr gelten die Gebühren **für alle Vertragsstaaten** als entrichtet. Zahlt der Anmelder nicht den Höchstbetrag, so hängt die Zustellung einer Gebührennachricht und damit die Frist für die Nachzahlung von Benennungsgebühren mit Zuschlag von der Ausfüllung des Felds 32 des Erteilungsantrags ab. Hat der Anmelder nichts eingetragen, ist der Inhalt der vorgedruckten Kästchen Nr 1 und 2a maßgebend und er erhält eine Gebührennachricht für alle Staaten, für die keine Benennungsgebühren entrichtet worden sind. Hat er in Nr 2b weniger als 7 Staaten eingetragen und die zutreffende Zahl von Benennungsgebüren entrichtet, so erhält er keine Gebührennachricht für die restlichen Staaten, weil er auf eine Nachricht verzichtet hat (siehe oben Rdn 10). Hat er dagegen weniger Benennungsgebühren gezahlt, als Staaten in Nr 2b aufgeführt sind, erhält er eine Gebührennachricht, für die aufgeführten Staaten, für die keine Benennungsgebühren entrichtet worden sind.

Unabhängig von der Zustellung einer Gebührennachricht kann der Anmelder nicht gezahlte Benennungsgebühren noch innerhalb einer Nachfrist nachzahlen. Länge und Lauf der Nachfrist unterscheiden sich aber je nachdem, ob eine Gebührennachricht ergangen ist oder nicht (Siehe unten Rdn 19–22).

In **J 7/90**[9] hat sich die Juristische Beschwerdekammer mit rechtlichen und praktischen Problemen bei der Zahlung von Benennungsgebühren befasst und in Form von *obiter dicta* Überlegungen zur Reform des Systems angestellt. Die Gestaltung des für den Erteilungsantrag vorgeschriebenen Formblatts darf nicht dazu führen, dass der Anmelder die Wahlmöglichkeit verliert, eine Gebührennachricht zu erhalten, auf die er nach R 85a (1) einen Anspruch hat.[10]

15 Für die Entrichtung der Benennungsgebühr ist seit dem 1.7.1997 eine **Frist von 6 Monaten** nach dem Tag vorgesehen, an dem im europäischen Patentblatt auf die Veröffentlichung des europäischen Recherchenberichts hingewiesen worden ist. Diese Regelung ist durch Änderung des EPÜ, der AO und der GebO vom 5.12.1996 eingeführt worden. Die Frist stimmt damit überein mit der Frist für die Entrichtung der Prüfungsgebühr (Art 94 (2)). Damit kann der Anmelder den europäischen Recherchenbericht abwarten, bevor er die Benennungsgebühren zahlen muss.[11] Zur Möglichkeit der Hinausschiebung des Hinweises auf die Erteilung des Patents bei noch nicht gezahlten Benennungsgebühren siehe R 51 (8a).

16 Die genannte Frist gilt seit der Änderung von R 104a ff mit Wirkung vom 1. März 2000 auch für Benennungsgebühren bei Euro-PCT Anmeldungen. Nach R 107 (1) (d) iVm Art 79 (2) und 157 (1) sind die Benennungsgebühren innerhalb von 6 Monaten nach der Veröffentlichung des internationalen Recherchenberichts oder innerhalb der Frist für den Eintritt in die regionale Phase

---

9 **J 7/90**, ABl 1993, 133.
10 **J 17/04** vom 9.4.2005.
11 Für Einzelheiten siehe Mitteilung des EPA 1997, 160, 163 ff.

zu zahlen. Die Verlängerung der Frist für den Eintritt in die regionale Phase auf 31 Monate für alle Euro-PCT Anmeldungen mit Wirkung vom 2. Januar 2002[12] hat freilich zur Folge, dass die Frist von 6 Monaten nur Anwendung findet, wenn der internationale Recherchenbericht erheblich verzögert ist; ansonsten hat die Frist von 31 Monaten Vorrang. Zu der Zahlungsfrist bei einer Nachanmeldung durch den Berechtigten und bei Teilanmeldungen siehe Rdn 30–31.

In die Frist für die Entrichtung der Benennungsgebühren gibt es nach Art 122 (5) keine Wiedereinsetzung.[13] **17**

Werden für einen Staat keine Benennungsgebühren entrichtet, so gilt nach Art 54 (4) iVm R 23a die Anmeldung für diesen Staat nicht als Stand der Technik gemäß Art 54 (3). Nachdem die Frist nunmehr erst nach der Veröffentlichung der Anmeldung endet (Ausnahme siehe Rdn 30–31), enthält die veröffentlichte Anmeldung regelmäßig sämtliche Vertragsstaaten als Bestimmungsstaaten.[14] Im EPÜ 2000 ist Art 54 (4) gestrichen, so dass eine kollidierende Anmeldung stets für alle Vertragsstaaten zu berücksichtigen ist. Die dazugehörige R 23a wurde ebenfalls gestrichen. **18**

5 Die Nachfrist der R 85a

Hat der Anmelder nicht den Höchstbetrag der Benennungsgebühren (siehe Rdn 14) innerhalb der Grundfrist entrichtet, so können weitere Benennungsgebühren noch innerhalb einer in R 85a vorgesehenen Nachfrist wirksam entrichtet werden. Ist eine Gebührennachricht ergangen (siehe oben Rdn 10, 14), beträgt die Nachfrist gemäß R 85a (1) einen Monat nach Zustellung der Mitteilung. Ist keine Gebührennachricht ergangen, beträgt die Nachfrist gemäß R 85a (2) zwei Monate nach Ablauf der Grundfrist. In beiden Fällen muss gleichzeitig die in Art 2 Nr 3b GebO vorgeschriebene Zuschlagsgebühr gezahlt werden. **19**

Gilt für einen Teil der Benennungsgebühren R 85a (1) und für einen anderen Teil R 85a (2), und laufen die beiden Fristen zu verschiedenen Zeitpunkten ab, so können alle Gebühren noch bis zu dem späteren Zeitpunkt wirksam entrichtet werden.[15] **20**

Für Euro-PCT Anmeldungen, die in die regionale Phase eintreten, ist R 85a mit Wirkung vom 2. Januar 2002[16] durch R 108 ersetzt worden. Rechtsfolge der Nicht-Zahlung ist die Fiktion der Rücknahme der Anmeldung (Abs 1) oder einzelner Benennungen (Abs 2). Abs 3 sieht eine Mitteilung über den Rechtsverlust vor. Dieser gilt als nicht eingetreten, wenn die Gebühr(en) und der Zu- **21**

---

12 Siehe Mitteilung in ABl 2001, 586.
13 **G 3/91**, ABl 1993, 8.
14 PrüfRichtl A-VI, 1.3.
15 **J 5/91**, ABl 1993, 657; siehe auch Art 120 Rdn 72.
16 Siehe Mitteilung in ABl 2001, 586.

schlag innerhalb der Nachfrist von 2 Monaten nach Mitteilung entrichtet werden. Ein Anmelder, der weniger als den Höchstbetrag von 7 Benennungsgebühren zu zahlen beabsichtigt, kann das EPA in Abschnitt 10.2 des Formblatts 1200 entsprechend unterrichten und die Staaten aufführen, für die er zu zahlen beabsichtigt. Nach der Version 1200 05.06 kann er durch Ankreuzen eines weiteren Kästchens für die nicht aufgeführten Staaten auf eine Gebührennachricht verzichten.

22 Bei den Nachfristen in R 108 ergibt sich eine ähnliche Situation wie bei denen der R 85a. Ist eine Gebührennachricht ergangen, so kann noch innerhalb der Nachfrist von 2 Monaten nach Zustellung der Mitteilung gemäß R 108 (3) Satz 2 mit Zuschlag gezahlt werden. Hat der Anmelder im Formblatt 1200 auf eine Mitteilung nach R 108 (3) verzichtet, so kann er gemäß R 108 (4)[17] noch innerhalb von 2 Monaten nach Ablauf der Grundfrist zahlen.

Zur Fristberechnung siehe Art 120.

6 Nicht ausreichende Benennungsgebühren

23 Für den Fall, dass nicht der Höchstbetrag der Benennungsgebühren gezahlt wurde (siehe Rdn 14) und im Erteilungsantrag mehr Staaten angegeben sind, als Benennungsgebühren gezahlt worden sind, sieht Art 9 (2) GebO vor, dass die Gebühren für die benannten Vertragsstaaten in der vom Anmelder gewählten Reihenfolge als entrichtet gelten, soweit der gezahlte Betrag ausreicht.

24 Nach J 23/82[18] findet Art 9 (2) GebO nicht unmittelbar Anwendung, vielmehr ist bei unzureichendem Gebührenbetrag und fehlender Zuordnung der Zahlung zuerst der Einzahler nach Art 7 (2) Satz 1 GebO aufzufordern, die von ihm gewünschten Staaten auszuwählen. Erst wenn der Einzahler dieser Aufforderung nicht nachkommt, ist Art 9 (2) GebO anzuwenden, also die Reihenfolge der Benennungen maßgebend.

25 Die Verpflichtung zur Rückfrage findet auf Vertragsstaaten keine Anwendung, für die der Anmelder in Feld 32.2b erklärt hat, keine Benennungsgebühren entrichten zu wollen.

7 Zurücknahme der Benennung von Vertragsstaaten (Abs 3)

26 Im Prinzip bedeutet die Zurücknahme der Benennung eines Vertragsstaats die Zurücknahme der europäischen Patentanmeldung für diesen Vertragsstaat und damit auch den Wegfall der Wirkung als nationale Patentanmeldung in diesem Vertragsstaat (Art 66). Die Zurücknahme der Benennung aller Vertragsstaaten gilt als Zurücknahme der europäischen Patentanmeldung (Art 79 (3) Satz 2). Dementsprechend gilt die Fiktion der Zurücknahme aller Benennungen durch Nichtzahlung von Benennungsgebühren (Art 91 (4) und Regel 108 (1)) auch als

---

17 Eingefügt mit Wirkung vom 1. April 2005, ABl 2005, 11.
18 **J 23/82**, ABl 1983, 127; PrüfRichtl A-III, 12.8.

Fiktion der Zurücknahme der Anmeldung. Die fiktive Rücknahme einer Benennung oder der Anmeldung durch Nichtzahlung von Benennungsgebühren hat nur dort Rückwirkung, wo dies im EPÜ ausdrücklich vorgesehen ist, nämlich für den einstweiligen Schutz gemäß Art 67 (4). Daher berührt die Nichtzahlung von Benennungsgebühren nicht die Zuerkennung eines Anmeldetags und eine Anmeldung, für die keine Benennungsgebühren entrichtet worden sind, lässt gleichwohl ein Prioritätsrecht entstehen. In gleicher Weise bleibt es ohne Auswirkungen auf eine Teilanmeldung, wenn nach ihrer Einreichung die frühere Anmeldung nach Art 79 (3) oder R 108 (1) als zurückgenommen gilt;[19] siehe auch Art 80 Rdn 23.

Eine Benennung kann nicht mehr zurückgenommen werden, wenn nach R 14 ein Dritter den Nachweis vorlegt, dass er ein Verfahren zur Geltendmachung eines Anspruchs auf die Erteilung des europäischen Patents eingeleitet hat (siehe unter Art 61). 27

In J 10/87[20] wurde der Widerruf der Zurücknahme einer Benennung in einem Fall zugelassen, in dem die Zurücknahme noch nicht im Europäischen Patentblatt veröffentlicht worden war. 28

Benennungsgebühren werden nicht zurückgezahlt (Art 79 (3) Satz 3). Eine Ausnahme gilt, wenn die Anmeldung keinen Anmeldetag erhält; in diesem Fall fehlt der Rechtsgrund für die Zahlung.[21] 29

8 Nachanmeldung durch den Berechtigten und Teilanmeldung

Reicht ein nach Art 61 (1) b) Berechtigter eine neue Anmeldung ein, so gilt diese nur für die bisher benannten Vertragsstaaten, soweit diese auch in der neuen Anmeldung benannt sind. Nach R 15 (2) in der seit 1.3.2000 geltenden Fassung sind die Benennungsgebühren innerhalb von 6 Monaten nach Veröffentlichung des Hinweises auf den Recherchenbericht zur Nachanmeldung des Berechtigten zu zahlen. R 85a ist anwendbar. 30

Auch in europäischen Teilanmeldungen (Art 76 (2)) dürfen nur Vertragsstaaten benannt werden, die in der ursprünglichen Anmeldung benannt worden sind; das bedeutet, dass nicht mehr oder andere Vertragsstaaten benannt werden dürfen, wohl aber weniger. Nach R 25 (2) in der seit 1.3.2000 geltenden Fassung sind die Benennungsgebühren innerhalb von 6 Monaten nach Veröffentlichung des Hinweises auf den Recherchenbericht zur Teilanmeldung zu zahlen. R 85a ist anwendbar. 31

---

19 **G 4/98**, ABl 2001, 131.
20 **J 10/87**, ABl 1989, 323. Zur analogen Situation beim Widerruf der Rücknahme der Anmeldung, siehe **J 25/03**, ABl 2006, 395.
21 **J 11/91** und **J 16/91**, ABl 1994, 28, Nr 4.3.

9 Benennung von EPÜ-Staaten in einer internationalen Anmeldung nach dem PCT

32 Soll ein europäisches Patent über eine internationale Anmeldung erlangt werden, so müssen in der internationalen Anmeldung die Staaten angegeben werden, für die ein europäisches Patent (durch das EPA) erteilt werden soll; dies ist nur möglich mit Wirkung für Staaten, die bei Einreichung der Anmeldung gleichzeitig Vertragsstaaten des EPÜ und des PCT sind.[22] Lagen diese Voraussetzungen am Anmeldetag nicht vor, so ist eine spätere Nachholung der Benennung nicht möglich.[23]

33 Nach R 4.9 PCT in der seit 1. Januar 2004 geltenden Fassung gilt der Antrag als Bestimmung aller Vertragsstaaten. Ferner gilt er als Angabe, dass für jeden Vertragsstaat, für den dies möglich ist, ein regionales Patent, und sofern der betreffende Staat nicht den nationalen Weg nach Art 45 (2) PCT geschlossen hat, auch ein nationales Patent beantragt wird. Demgemäß sieht das Formblatt RO/101 weder die Bestimmung einzelner Vertragsstaaten oder die Angabe, dass ein regionales Patent gewünscht wird, vor, noch gibt er die Möglichkeit, die Angabe, dass ein europäisches Patent gewünscht wird, zu streichen. Belgien, Frankreich, Griechenland, Irland, Italien, Monaco, die Niederlande Zypern und Slowenien haben von der Möglichkeit des Art 45 (2) PCT Gebrauch gemacht und schreiben vor, dass jede Bestimmung eines solchen Staats in der internationalen Anmeldung als Hinweis auf den Wunsch anzusehen ist, ein europäisches Patent zu erhalten.

34 Nach Art 4 (2) PCT ist zwar für jede Bestimmung die vorgeschriebene Gebühr zu entrichten, doch schreibt die Ausführungsordnung keine gesonderte Bestimmungsgebühr mehr vor. Nach R 15.1 in der seit 1. Januar 2004 geltenden Fassung gibt es nur mehr eine einheitliche internationale Anmeldegebühr. Damit erwirbt der Euro-PCT Anmelder bei Einreichung der internationalen Anmeldung eine kostengünstige Option für Schutz im gesamten EPÜ-Bereich. Allerdings muss er bei Eintritt in die regionale Phase Benennungsgebühren für die Vertragsstaaten des EPÜ bis zum Höchstbetrag von 7 Gebühren entrichten (zur Frist siehe Rdn 16).

35 Bei Fristversäumung kann eine europäische Benennungsgebühr noch während einer Nachfrist gemäß R 108 (3) oder (4) wirksam entrichtet werden; siehe oben Rdn 22.

36 Wiedereinsetzung ist nach Art 122 (5) für Euro-PCT Anmeldungen ebenso ausgeschlossen wie für europäische Direktanmeldungen.[24]

---

22 **J 30/90**, ABl 1992, 516.
23 **J 14/90**, ABl 1992, 505.
24 **G 3/91**, ABl 1993, 8; näheres siehe Art 122 Rdn 33; zur früheren Praxis siehe 1. Auflage.

10 Erstreckung

Der Erstreckungsantrag ist in seiner praktischen Handhabung der Benennung nachgebildet, wenngleich die rechtlichen Grundlagen anders sind.[25] Das EPÜ ist nur anwendbar, soweit dies in den betreffenden nationalen Vorschriften vorgesehen ist. Dies ist nur hinsichtlich der Fristen für die Zahlung der Erstreckungsgebühr und die Modalitäten ihrer Entrichtung der Fall.[26] Ein Rechtsweg zu den Beschwerdekammern ist daher in Fragen der Erstreckung nicht gegeben.[27] Der Erstreckungsantrag hat nach dem nationalen Recht des betreffenden Staates zur Folge, dass das europäische Patent die Wirkung eines nationalen Patents hat, während die Benennung nach Art 97 (2) bewirkt, dass das europäische Patent vom EPA mit Wirkung für den benannten Staat erteilt wird. 37

Der Erstreckungsantrag gilt als gestellt für alle Staaten, mit denen Erstreckungsabkommen bestehen, die am Anmeldetag in Kraft sind (vgl den vorgedruckten Text in Feld 34 des Erteilungsantrags und in Feld 11 von Form 1200; zum gegenwärtigen Stand siehe Art 169 Rdn 5). Der Anmelder soll dort angeben, für welche Staaten er beabsichtigt, Erstreckungsgebühren zu zahlen; diese Erklärung ist nicht bindend. Entsprechendes gilt für Feld 11 von Form 1200 bei Eintritt in die regionale Phase. 38

Bei einer internationalen Anmeldung (siehe Art 150 Rdn 8) gilt der PCT Antrag als Antrag auf Erteilung eines nationalen Patents für einen Erstreckungsstaat und als Angabe, dass ein europäisches Patent gewünscht wird (siehe oben Rdn 33). Für die Wirksamkeit des Erstreckungsantrags ist es erforderlich, dass der betreffende Staat am Anmeldetag der internationalen Anmeldung Vertragsstaat des PCT ist und dass für ihn an diesem Tag das Erstreckungsabkommen in Kraft ist. 39

Die Erstreckung wird nur wirksam, wenn die vorgeschriebene Erstreckungsgebühr (derzeit EUR 102) für jeden Staat innerhalb der für die Benennungsgebühren maßgebenden Fristen an das EPA entrichtet wird (Art 79 (2), R 15 (2), 25 (2), 107 (1) d)). Wird nicht innerhalb der Grundfrist gezahlt kann noch mit einem Zuschlag von 50% innerhalb einer Nachfrist entsprechend R 85a (2) gezahlt werden. Ein Hinweis auf die Versäumung der Grundfrist oder auf den Ablauf der Nachfrist ergeht nicht. Die Wiedereinsetzung in die Fristen ist nicht möglich. Wird die Gebühr nicht rechtzeitig gezahlt, so gilt der Erstreckungsantrag als nicht gestellt. Der Antrag kann durch Erklärung gegenüber dem EPA zurückgenommen werden; eine wirksam gezahlte Erstreckungsgebühr wird nicht erstattet. 40

---

25 PrüfRichtl A-III, 13; zur Erstreckung und zu den Staaten, für die eine Erstreckung beantragt werden kann, siehe Art 169 Rdn 5.
26 Vgl etwa Z. 16 der Mitteilung betreffend die ehemalige jugoslawische Republik Mazedonien in ABl 1997, 538.
27 **J 9/04** vom 1. März 2005.

Zur Erstreckung bei Teilanmeldungen siehe Art 76 Rdn 19.

41 Die Publikationen und Schriften des EPA enthalten neben den Angaben im Patentregister (vgl Art 127 Rdn 6) seit 1997 auch Hinweise auf Erstreckungsstaaten.[28] Nachdem die Frist zur Zahlung der Erstreckungsgebühren nunmehr erst nach der Veröffentlichung der Anmeldung endet, enthält die veröffentlichte Anmeldung regelmäßig sämtliche Staaten, mit denen Erstreckungsabkommen in Kraft sind.[29]

42 Die Erstreckungsstaaten sind als Beobachter im Verwaltungsrat und im Patentrechtsausschuss zugelassen.

Artikel 80 Anmeldetag

Der Anmeldetag einer europäischen Patentanmeldung ist der Tag, an dem die vom Anmelder eingereichten Unterlagen enthalten:
a) einen Hinweis, dass ein europäisches Patent beantragt wird;
b) die Benennung mindestens eines Vertragsstaats;
c) Angaben, die es erlauben, die Identität des Anmelders festzustellen;
d) in einer der in Artikel 14 Absätze 1 und 2 vorgesehenen Sprachen eine Beschreibung und einen oder mehrere Patentansprüche, selbst wenn die Beschreibung und die Patentansprüche nicht den übrigen Vorschriften dieses Übereinkommens entsprechen.

Rudolf Teschemacher

Übersicht
1	Allgemeines	1
2	Voraussetzungen (a)–d))	2-12
3	Beseitigung von Mängeln	13-14
4	Festlegung und Verschiebung des Anmeldetags	15-21
5	Bedeutung des Anmeldetags	22-23

1 Allgemeines

1 Dieser Artikel legt die Voraussetzungen für die Zuerkennung des Anmeldetags für die europäische Patentanmeldung fest. Die Eingangsstelle prüft, ob die europäische Patentanmeldung diesen Erfordernissen genügt (Art 90 (1) a), R 39). Siehe auch PrüfRichtl A-II, 4.1. Zur Bedeutung des Anmeldetags siehe Rdn 22–23.

Für internationale Anmeldungen werden ähnliche Erfordernisse in Art 11 (1) ii) und iii) PCT verlangt, dem diese Vorschrift nachgebildet ist (vgl Vor Art 151/152).

---

28   ABl 1997, 115.
29   PrüfRichtl A-VI, 1.3.

Anmeldetag **Artikel 80**

EPÜ 2000

Art 80 ist auf ein Minimum reduziert. Er enthält nicht mehr die einzelnen Erfordernisse für die Zuerkennung eines Anmeldetags, sondern verweist insofern auf die Ausführungsordnung.

Die neue R 25c enthält in Abs 1 die bisher in Art 80 geregelten Erfordernisse für den Anmeldetag, die im Hinblick auf die geringeren Mindesterfordernisse des Patent Law Treaty eingeschränkt wurden. Nur der in Buchst a) verlangte Hinweis, dass ein europäisches Patent beantragt wird, ist unverändert geblieben. Das Erfordernis der Benennung mindestens eines Vertragsstaats im bisherigen Buchst b) ist entfallen, da nach Art 79 (1) im Erteilungsantrag ohnehin alle Vertragsstaaten als benannt gelten.

Die Erfordernisse des neuen Buchst b) sind nun nicht nur erfüllt, wenn Angaben vorliegen, die es erlauben, die Identität des Anmelders festzustellen, sondern auch schon dann, wenn sie es erlauben, mit ihm in Kontakt zu treten.

Für die Beschreibung ist keine bestimmte Sprache mehr vorgeschrieben. Gemäß dem neuen Buchst c) kann nun statt einer Beschreibung auch eine Bezugnahme auf eine früher eingereichte Anmeldung eingereicht werden. R 25c (2) regelt die Mindestangaben für die Bezugnahme auf eine früher eingereichte Anmeldung. R 25c (3) schreibt bei Bezugnahme auf eine früher eingereichte Anmeldung die Einreichung einer Abschrift vor, darüber hinaus auch die Einreichung einer Übersetzung, wenn die in Bezug genommene Anmeldung nicht in einer Amtssprache des EPA abgefasst war. Wird eine europäische Patentanmeldung unmittelbar in einer Nichtamtssprache eingereicht ergibt sich das Übersetzungserfordernis aus Art 14 (2). Ansprüche sind in Einklang mit dem Patent Law Treaty für die Zuerkennung eines Anmeldetags nicht mehr erforderlich.[1]

Die Prüfung der Erfordernisse des Anmeldetags ist Teil der Eingangsprüfung nach Art 90 iVm R 39 und R 39a.

2 Voraussetzungen (a)–d))

Dass die Voraussetzungen a) bis c) erfüllt sind, soll sich aus dem ausgefüllten Formular für den Erteilungsantrag (siehe Art 78 Rdn 29–33) ergeben (vgl Felder 5, 7 ff, 32). Für die Zuerkennung des Anmeldetags ist die Verwendung des Formblatts jedoch nicht erforderlich.

a) Die erforderlichen Angaben müssen aber in den eingereichten Unterlagen so deutlich enthalten sein, dass sie ihnen entnommen werden können. Die Richtlinien sprechen davon, dass sie »entziffert werden können«.[2] Es ist unschädlich, wenn der Erteilungsantrag nicht zur offenbarten Erfindung passt,

---

1 So schon bisher das deutsche Recht, BPatGE 37, 187.
2 PrüfRichtl A-II, 4.1.

weil er eine völlig andere Bezeichnung enthält; zentrales Erfordernis des Art 80 ist die Offenbarung einer Erfindung.[3]

4 b) Die im Erteilungsantrag bis Juni 1997 enthaltene »vorsorgliche Benennung« wurde durch die Juristische Beschwerdekammer[4] auch auf europäische Patentanmeldungen erstreckt, für die nicht das Formblatt 1001 als Erteilungsantrag verwendet wird und in der kein bestimmter Vertragsstaat benannt ist; auch in diesem Fall sollen alle Vertragsstaaten als benannt (siehe auch Art 79 Rdn 7–10) und damit das Mindesterfordernis nach Art 80 b) als erfüllt gelten. Die entsprechende Situation ist nunmehr für die in Feld 32 Ziffer 1 des Formblatts 1001 enthaltene Benennung sämtlicher Vertragsstaaten des EPÜ gegeben.

5 c) Die Identität des Anmelders ist jedenfalls dann feststellbar, wenn Name und Anschrift so angegeben sind, dass der Antragsteller über die Post erreicht werden kann. Bei mehreren Anmeldern müssen nach den Richtlinien die entsprechenden Angaben für jeden Anmelder vorliegen.[5] Ob die Forderung berechtigt ist, dass jeder einzelne Anmelder unabhängig von den anderen postalisch erreichbar ist, ist noch nicht entschieden.

6 Der Forderung nach »Angaben, die es erlauben, die Identität des Anmelders festzustellen« ist dann genügt, wenn es möglich ist, die Identität des Anmelders zweifelsfrei auf der Grundlage aller Angaben festzustellen, die in den vom Anmelder oder seinem Vertreter eingereichten Unterlagen enthalten sind. In dem entschiedenen Fall[6] war der Vorname des Anmelders im Erteilungsantrag falsch angegeben worden, konnte jedoch der unterzeichneten Vollmacht eindeutig entnommen werden.

7 Ist in einer europäischen Patentanmeldung statt des Namens des Anmelders lediglich angegeben, dass dieser später mitgeteilt werde, und geschieht dies zu einem späteren Zeitpunkt, so wirkt diese Mitteilung nicht auf den Eingang der übrigen Anmeldungsunterlagen zurück; dh der Anmeldetag ist der Tag, an dem der Name des Anmelders übermittelt worden ist.[7]

8 d) Nach Art 80 d) müssen die Unterlagen auch eine Beschreibung und einen oder mehrere Patentansprüche enthalten, die jedoch nicht den Vorschriften des Übereinkommens entsprechen müssen; sie können daher zB abweichend von R 35 (10) handgeschrieben sein. Nach den Richtlinien[8] genügt es festzustellen, dass die Unterlagen »offenbar« eine Beschreibung und Patentansprüche enthalten. Zu beachten ist aber, dass aus den Unterlagen der Anmeldung ein ausreichend feststellbarer Inhalt erkennbar sein muss, über den spätere Änderun-

---

3 J 21/94 ABl 1996, 16.
4 J 25/88, ABl 1989, 486.
5 PrüfRichtl A-II, 4.1.2.
6 J 25/86, ABl 1987, 475.
7 J 21/87 vom 21.12.1987.
8 PrüfRichtl A-II, 4.1.3.

gen nicht hinausgehen dürfen (Art 123 (2)).[9] Die Offenbarung einer Erfindung ist das zentrale Erfordernis für die Zuerkennung des Anmeldetags.[10] Der Großen Beschwerdekammer wurde die Frage vorgelegt, ob es für die Zuerkennung eines Anmeldetags ausreiche, wenn ein Anspruch aus der Beschreibung herleitbar sei.[11] Die Vorlage hat sich vor Beantwortung der Frage erledigt.

Auf der Grundlage des Vertrauensschutzes wurde einer Anmeldung ohne Ansprüche ein Anmeldetag zuerkannt, weil das EPA zu Unrecht in der vorbereiteten Empfangsbestätigung den Eingang von tatsächlich nicht eingereichten Ansprüchen bestätigt hatte.[12] Die Entscheidung spricht freilich die Folgen für die ursprüngliche Offenbarung der Erfindung nicht an, insbes im Hinblick auf das Erweiterungsverbot des Art 123 (2).

Der PCT verlangt in Art 11 (1) iii) (d) und (e) Teile, die dem Anschein nach 9 als Beschreibung und Ansprüche angesehen werden können; zur vorgeschriebenen Sprache siehe R 20.4 c) und d) PCT.

Beschreibung und Ansprüche müssen in einer der Amtssprachen des EPA 10 oder in einer nach Art 14 (2) zugelassenen Nichtamtssprache abgefasst sein (siehe Art 14 Rdn 3 und 4–12). Dies sind die Sprachen, die dem EPA von den Behörden der Vertragsstaaten als deren Amtssprachen mitgeteilt worden sind und deren Verwendung auch zur Inanspruchnahme der Gebührenvergünstigungen nach R 6 (3) und Art 12 (1) GebO berechtigt. Zum jeweils aktuellen Stand siehe den Text des Prüfungsantrags in diesen Sprachen im Merkblatt zum Erteilungsantrag, Anmerkung zu Feld 5; siehe auch Art 14 Rdn 38–43.

Die Frage, ob der Anmelder zur Verwendung einer der nach Art 14 (2) zugelassenen Nichtamtssprachen berechtigt sein muß, um einen Anmeldetag zu erhalten, wurde von der Juristischen Beschwerdekammer zunächst in einem Fall 11 verneint, in dem ein Anmelder aus Uruguay in Spanisch eingereicht hatte.[13] Kurz darauf kam die Kammer jedoch zum gegenteiligen Ergebnis.[14] Unter Berufung auf die zweite Entscheidung lehnen die Richtlinien nunmehr die Zuerkennung eines Anmeldetags ab.[15] Keinen Anmeldetag erhält eine Anmeldung, wenn Beschreibung und Ansprüche in einer Sprache abgefaßt sind, die für keinen Vertragsstaat zugelassen ist.

Sind die Unterlagen in verschiedenen Sprachen eingereicht, so kommt es für 12 die Frage, ob die Voraussetzungen des Art 14 (1) oder (2) erfüllt sind, auf die für

---

9   G 2/95, ABl 1996, 555.
10 J 18/96, ABl 1998, 403.
11 J 20/94, ABl 1996, 181.
12 J 34/03 vom 14.10.2005.
13 J 15/98, ABl 2001, 183; ebenso Bossung in MünchGemKom, Art 80 Rn 63 unter Hinweis auf das Interesse des mit Art 80 bezweckten Anmelderschutzes.
14 J 9/01 vom 19.11.2001.
15 PrüfRichtl A-VIII, 3.1, bestätigt durch J 16/05 vom 17.10.2005.

die Beschreibung und Ansprüche verwendete Sprache an.[16] Ein Anmeldetag ist nicht zuzuerkennen, wenn Ansprüche und Beschreibung in verschiedenen Sprachen eingereicht sind.[17] Dagegen soll es unschädlich sein, wenn Textbestandteile der Zeichnungen in der falschen Sprache eingereicht sind. Auch solchen Textbestandteilen wurde der ursprüngliche Anmeldetag zuerkannt.[18]

3 Beseitigung von Mängeln

13 Liegen die Voraussetzungen für die Zuerkennung des Anmeldetags nicht vor, so wird der Anmelder hierauf im Rahmen der Eingangsprüfung nach Art 90, R 39 hingewiesen und bekommt die Möglichkeit, die Mängel innerhalb einer nicht verlängerbaren Frist von einem Monat zu beseitigen. Die Anmeldung erhält dann als Anmeldetag den Tag der fristgemäßen Beseitigung der Mängel.[19] Andernfalls werden die Unterlagen nicht als europäische Patentanmeldung behandelt. Der Anmelder wird hiervon nach R 69 (1) unterrichtet und kann dann nach R 69 (2) hierüber von der Eingangsstelle eine beschwerdefähige Entscheidung verlangen. Entrichtete Gebühren werden zurückgezahlt, sobald rechtskräftig feststeht, dass der Anmeldung kein Anmeldetag zukommt.

14 Fehler in den ursprünglichen Anmeldungsunterlagen, zB hinsichtlich der Person des Anmelders können nach R 88 berichtigt werden.[20] Während bei R 88 Satz 2 die Berichtigung wegen des Erweiterungsverbots in Art 123 (2) nur feststellende, nicht rückwirkende Kraft hat,[21] wird der Anmelder bei Anwendung von R 88 Satz 1 so gestellt, als wenn er von Anfang an die richtige statt der unrichtigen Erklärung abgegeben hätte. Wegen Art 164 (2) dürfen aber durch Anwendung von R 88 nicht Vorschriften des Übereinkommens außer Kraft gesetzt werden.[22] Daher sind hier Art 60 (3) und 71 zu beachten. Eine Berichtigung des Anmelders ist nicht zulässig, wo eine Umschreibung geboten wäre. Nach dem Grundsatz der Rechtssicherheit muss jederzeit feststehen, wer Verfahrensbeteiligter ist.[23] Ob die in der Rechtsprechung gestellten Anforderungen, insbesondere an den Nachweis der Unrichtigkeit,[24] hiermit in Einklang stehen, mag bezweifelt werden.

Weiterbehandlung und Wiedereinsetzung siehe Art 90 Rdn 10 f.

---

16 **J 7/80**, ABl 1981, 137.
17 **J 18/96**, ABl 1998, 403.
18 **T 382/94** ABl 1998, 24.
19 PrüfRichtl A-II, 4.1.5.
20 **J 7/80**, ABl 1981, 137.
21 **G 11/91**, ABl 1993, 125, Nr 4.
22 **G 11/91**, aaO; **J 21/84**, ABl 1986, 75, Nr 4.
23 **G 2/04**, ABl 2005, 549.
24 Siehe **J 18/93**, ABl 1997, 326.

4 Festlegung und Verschiebung des Anmeldetags

Liegen die vorgeschriebenen Voraussetzungen vor, so ist der Zeitpunkt der Einreichung der Unterlagen der Anmeldetag der europäischen Patentanmeldung und des europäischen Patents. Er bleibt grundsätzlich unverändert und ist in jeder Phase des Verfahrens zu beachten. Eine positive Zwischenentscheidung über den Anmeldetag ergeht nicht. Eine negative Entscheidung kann dann ergehen, wenn der Anmeldung ein vom Anmelder beantragter Anmeldetag nicht zuerkannt werden kann.

Kommt bei einer Telefaxübermittlung ein Teil der Anmeldungsunterlagen erst nach Mitternacht an, so kann der Anmelder auf diesen Teil verzichten und beantragen, eine Empfangsbescheinigung auf den vorangegangenen Tag auszustellen.[25] Beruft sich ein Anmelder darauf, die Anmeldung sei vor dem vom EPA zuerkannten Anmeldetag eingegangen, so hat er sein Vorbringen auf objektiv überprüfbare Tatsachen zu stützen. Die bloße Behauptung, ein Brief sei vor Mitternacht in den Nachtbriefkasten des EPA geworfen worden und offensichtlich habe ein Stau im Einwurfschacht das Hineinfallen des Briefs verhindert, reicht für eine Verschiebung des Anmeldetags nicht aus.[26]

Maßgebend für den Anmeldetag ist der tatsächliche Eingang der Unterlagen bei einer der in Art 75 (1) aufgeführten Stellen (siehe Art 75 Rdn 18–19). Eine Ausnahme lässt die Praxis des EPA bei Inkrafttreten des EPÜ für einen neuen Vertragsstaat zu: Wird eine Anmeldung innerhalb eines Monats vor dem Inkrafttreten eingereicht, so kann der Anmelder beantragen, dass die Anmeldung erst den Tag des Inkrafttretens als Anmeldetag erhält.[27] Diese Praxis beruht auf der Rechtsprechung der Juristischen Beschwerdekammer. Diese hatte zwar den Grundsatz aufgestellt, dass mangels Rechtsgrundlage der Anmeldetag nicht auf einen späteren Tag verschoben werden kann, der dem Anmelder die Benennung eines weiteren Staats erlauben würde, nachdem das EPÜ für diesen in Kraft getreten ist.[28] Allerdings wurde die ausdrückliche Benennung eines Vertragsstaats, für den das EPÜ kurz nach tatsächlicher Einreichung und noch vor Ablauf des Prioritätsjahrs in Kraft tritt, als zulässiger Antrag ausgelegt, der Anmeldung erst den Tag des Inkrafttretens als Anmeldetag zuzuerkennen.[29] Demnach liegt in den einschlägigen Fällen keine Verschiebung des Anmeldetags vor, sondern die Festsetzung eines Anmeldetags in Einklang mit dem von Anfang an gestellten Antrag.

---

25 Mitteilung des EPA, ABl 1992, 306, Nr 5.1.
26 **J 22/99** vom 21.6.2001.
27 ZB für Lettland ABl 2005, 299; siehe hierzu **J 14/90**, ABl 1992, 505 und **J 18/90**, ABl 1992, 511.
28 **J 14/90**, ABl 1992, 505.
29 **J 18/90**, ABl 1992, 511.

In **J 5/89**[30] war die Übersetzung der Anmeldungsunterlagen in die Verfahrenssprache zu spät eingereicht worden, so daß die Anmeldung an sich als zurückgenommen galt. Die Beschwerdekammer hat den Tag der Einreichung der Übersetzung unter dem Gesichtspunkt des Vertrauensschutzes als Anmeldetag anerkannt, da der Anmelder durch eine irreführende Mitteilung des EPA davon abgehalten worden sei, eine neue europäische Patentanmeldung mit diesem Datum einzureichen.

Die Anerkennung eines verspäteten Zugangs nach R 84a oder eine Fristverlängerung nach R 85 für die Prioritätsfrist hat keine Änderung des Anmeldetags zur Folge. Vielmehr gilt die Frist gewahrt, obwohl der Anmeldetag nach Ablauf der Prioritätsfrist liegt.

18   Der Anmeldetag kann verschoben werden wegen nachgereichter Zeichnungen, auf die die Beschreibung oder Ansprüche Bezug nehmen (Art 91 (6), R 43; siehe Art 91 Rdn 23–29). Der Patentanmelder muss sorgfältig beim Nachreichen von Zeichnungen prüfen: Will er nicht die Bezugnahmen als gestrichen gelten lassen, so muss er sich dazu entschließen, den Anmeldetag neu auf den Eingang der Zeichnungen festsetzen zu lassen; er muss sich also entscheiden, ob ihm die Bezugnahme auf die Zeichnungen und deren Offenbarungsgehalt oder der frühere Anmeldetag wichtiger ist (Art 91 (6) iVm R 43 (1)).

19   Sonderregelungen des nationalen Rechts, die einer nationalen Anmeldung ein früheres Anmeldedatum zuerkennen, gelten für die europäische Patentanmeldung auch dann nicht, wenn sie nach Art 75 (1) b) bei einer nationalen Behörde eingereicht worden ist. R 24 enthält eine eigenständige und umfassende Regelung für die Feststellung des Anmeldetags.[31] Die Beschwerdekammer nennt als Beispiel für solche nationalen Regelungen rule 97 der britischen Patents Rules und Art 2 der schweizerischen PatV.

20   Danach gilt in Großbritannien für das nationale Patenterteilungsverfahren ein Schriftstück zu dem Zeitpunkt als eingereicht, zu dem es im Rahmen des gewöhnlichen Postablaufs ausgeliefert wird, und zwar auch dann, wenn es tatsächlich später eingeht. In der Schweiz gilt national als Einreichungsdatum der aus dem Poststempel ersichtliche Tag der Postaufgabe im Inland.

21   Für das nationale deutsche Patentrecht hat das Bundesverfassungsgericht[32] bestätigt, dass auch unter Berücksichtigung der Vorschriften des deutschen Grundgesetzes eine entsprechende Bestimmung, wonach der Anmeldetag einer deutschen Patentanmeldung durch den Eingang der Anmeldungsunterlagen festgelegt wird, den verfassungsrechtlichen Anforderungen genügt.

---

30   **J 5/89** vom 9.6.1989 EPOR 1990, 248.
31   **J 18/86**, ABl 1988, 165.
32   Entscheidung vom **4.10.1990**, BlPMZ 1990, 247.

5 Bedeutung des Anmeldetags

Vom Anmeldetag an hat die europäische Patentanmeldung nach Art 66 auch die Wirkung einer vorschriftsmäßigen nationalen Hinterlegung in den benannten Vertragsstaaten. Dieser Tag legt vor allem den Stand der Technik fest, der nach Art 54, vorbehaltlich einer wirksam in Anspruch genommenen Priorität, bei der Beurteilung der Patentfähigkeit zu berücksichtigen ist.[33] Die Unterlagen, die den Anmeldetag begründen, legen den Inhalt der Anmeldung im Sinne des Änderungsverbots nach Art 123 (2) fest. 22

Außerdem kann von dem Zeitpunkt an, an dem eine europäische Erstanmeldung mit Anmeldetag vorliegt, die Priorität dieser Erstanmeldung für weitere europäische, internationale oder nationale Nachanmeldungen in Anspruch genommen werden. Dafür ist nicht erforderlich, dass die Anmeldung weiterverfolgt wird, insbesondere nicht, dass die europäischen Anmelde- und Recherchengebühren gezahlt werden. Die Nichtzahlung aller Benennungsgebühren hat zur Folge, dass die Anmeldung als zurückgenommen gilt. Das bedeutet freilich nicht, dass die Wirkung einer vorschriftsmäßigen nationalen Hinterlegung nach Art 4 A (3) PVÜ und Art 87 (1) EPÜ verloren geht. Daher hat die Nichtzahlung keinen Einfluss auf den Anmeldetag.[34] Schließlich löst der Anmeldetag den Konflikt zwischen parallelen Patentanmeldungen, die aus unabhängig voneinander gemachten Erfindungen nach Art 60 (2) entstanden sind. 23

Artikel 81 Erfindernennung

In der europäischen Patentanmeldung ist der Erfinder zu nennen. Ist der Anmelder nicht oder nicht allein der Erfinder, so hat die Erfindernennung eine Erklärung darüber zu enthalten, wie der Anmelder das Recht auf das europäische Patent erlangt hat.

Rudolf Teschemacher

Übersicht

1	Allgemeines	1-3
2	Erfindernennung in der Anmeldung	4-6
3	Berichtigung der Erfindernennung	7-9
4	Unterrichtung der genannten Erfinder	10-12
5	Folgen der unterlassenen Erfindernennung	13-17
6	Bekanntmachung der Erfindernennung	18-19
7	Bekanntmachung der Erfindernennung auf Grund rechtskräftiger Entscheidung	20-22
8	Verzicht auf die Bekanntmachung	23

---

[33] Vgl Teschemacher, Anmeldetag und Priorität im europäischen Patentrecht, GRUR Int 1983, 695.

[34] **G 4/98**, ABl 2001, 131; siehe auch Art 79 Rdn 26.

Artikel 81 *Erfindernennung*

1 Allgemeines

1 Dieser Artikel schreibt für die europäische Patentanmeldung zwingend die Nennung des Erfinders vor. Für den Fall, dass Erfinder und Anmelder nicht identisch sind, ist zusätzlich eine Erklärung nötig, wie der Anmelder das Recht auf das europäische Patent erlangt hat.

2 Nach Art 60 (1) steht das Recht auf das europäische Patent grundsätzlich dem Erfinder oder seinem Rechtsnachfolger zu. Der Erfinder hat nach Art 62 gegenüber dem Anmelder oder Patentinhaber das Recht, vor dem EPA als Erfinder genannt zu werden. Dieses Recht wird durch die zwingende Vorschrift des Art 81 auch dann verwirklicht, wenn der Erfinder selbst es nicht geltend macht: Art 91 (1) f und (5) bedroht die Unterlassung der Erfindernennung mit dem Verlust der Anmeldung. Einzelheiten über die Durchführung der Erfindernennung enthalten die R 17–19 sowie R 42.[1] Eine Erfindernennung ist auch für eine Teilanmeldung einzureichen (vgl insbes zur Frist R 42 (2)).

3 In internationalen Anmeldungen ist der Erfinder im Erteilungsantrag anzugeben, wenn dies das nationale Recht eines Bestimmungsstaats verlangt, siehe näher Art 4 (1) (v) iVm R 4.6 PCT. In der internationalen Phase (dh bis zum Ablauf von 30 Monaten nach dem Anmelde- bzw Prioritätstag) können die Angaben aufgrund einfachen Antrags an das IB geändert werden (R 92bis PCT).

Hat der Anmelder den Erfinder weder in der internationalen Phase noch von sich aus bei Eintritt in die regionale Phase genannt, so wird er gemäß R 111 (1) nach Ablauf von 31 Monaten nach dem Anmelde- oder Prioritätstag aufgefordert, die in R 17 (1) vorgeschriebenen Angaben zu machen.

EPÜ 2000

Art 81 ist unverändert geblieben.

R 17 bis 19 wurden geringfügig redaktionell überarbeitet. In diesem Zusammenhang wurde R 19 (3) gestrichen. In R 17 (3) sind nunmehr die bisher in Art 128 (5) enthaltenen Daten aufgeführt, die dem Erfinder mitgeteilt werden.

2 Erfindernennung in der Anmeldung

4 Grundsätzlich ist der Erfinder in der Anmeldung zu nennen. Falls der Anmelder der alleinige Erfinder ist, geschieht dies durch Ankreuzen von Feld 22 des Erteilungsantrags (siehe auch R 26 (2) k)), andernfalls in einem gesonderten Schriftstück, für das R 17 (1) folgendes vorschreibt: Namen, Vornamen und vollständige Anschrift des Erfinders, eine Erklärung, wie der Anmelder das Recht auf das europäische Patent (Art 60) erlangt hat, und die Unterschrift des Anmelders oder Vertreters.

Hierfür hat das EPA ein dreisprachiges Formblatt (Erfindernennung) herausgegeben,[2] dessen Verwendung zu empfehlen ist.

---

1 Siehe auch PrüfRichtl A-III, 5.
2 Form 1002, ABl 2000, 369, Aufl 07.04.

Sind mehrere Erfinder beteiligt, die nicht Anmelder sind, so ist an sich neben 5
dem Aktenexemplar für jeden Erfinder eine weitere Kopie der Erfindernennung beizufügen (R 36 (4) iVm R 17 (3)), die zu dessen Benachrichtigung bestimmt ist. Seit Einführung der elektronischen Akte beim EPA ist dieses Formerfordernis allerdings überflüssig.

Aus den Fußnoten zu dem vom EPA herausgegebenen Formblatt ergibt sich, 6
dass die Angabe über die Erlangung des Rechts auf das europäische Patent kurz gehalten sein kann. Bei rechtsgeschäftlicher Übertragung genügt die Angabe »Gemäß Vertrag vom ...«. Bei Arbeitnehmererfindungen genügt der Hinweis, dass der Erfinder Arbeitnehmer des Anmelders ist. Bei Erbfolge genügt die Angabe, dass der Anmelder Erbe des Erfinders ist. Es ist also nicht wie in anderen Rechtssystemen erforderlich, eine Erklärung des Erfinders oder eine Urkunde über den Rechtsübergang vorzulegen.

3 Berichtigung der Erfindernennung

Nach R 17 (2) wird die Richtigkeit der Erfindernennung vom EPA nicht nach- 7
geprüft, ebensowenig wie die Wirksamkeit des angegebenen Rechtsübergangs.

Eine unrichtige Erfindernennung kann nach R 19 (1) berichtigt werden. Dies geschieht nicht von Amts wegen, sondern nur auf Antrag, dem die Zustimmungserklärung des zu Unrecht als Erfinder Genannten und, wenn der Antrag nicht vom Anmelder oder Patentinhaber gestellt ist, auch dessen Zustimmungserklärung beizufügen ist.[3] Eine Erfindernennung ist nicht nur dann unrichtig, wenn ein falscher Name angegeben worden ist, sondern auch dann, wenn die bisherige Erfindernennung unvollständig ist und deshalb neben dem bereits genannten Erfinder ein weiterer zusätzlich eingetragen werden soll. In diesem Fall ist jedoch der bisher genannte Erfinder kein »zu Unrecht Genannter«, so dass seine Zustimmung zur Berichtigung der Erfindernennung nicht erforderlich ist.[4]

Eine Berichtigung ist auch noch nach Abschluss des Erteilungsverfahrens 8
möglich, da das Persönlichkeitsrecht des wahren Erfinders durch einen unrichtigen Registereintrag fortdauernd beeinträchtigt ist. Zur Bekanntmachung der Berichtigung siehe Rdn 18–19.

In der internationalen Phase einer internationalen Anmeldung (dh bis zum 9
Ablauf von 30 Monaten nach dem Anmelde- bzw Prioritätstag) muss die Zustimmung des zu Unrecht Genannten nicht beigebracht werden; vielmehr genügt dort ein einfacher Antrag an das Internationale Büro ohne weiteren Nachweis (R 92bis PCT).

---

3   PrüfRichtl A-III, 5.6.
4   **J 8/82**, ABl 1984, 155.

4 Unterrichtung der genannten Erfinder

10 Als Ergebnis der Aussprachen auf der Münchner Diplomatischen Konferenz über den Schutz der Erfinder teilt das EPA nach R 17 (3) den Erfindern, soweit sie nicht mit dem Anmelder identisch sind, die in der Erfindernennung enthaltenen und die weiteren in Art 128 (5) vorgesehenen Angaben mit. Die Mitteilung wird zugestellt (Art 119, R 77–82). Kann die Mitteilung bei der angegebenen Anschrift nicht zugestellt werden, so fragt das EPA beim Anmelder nach, ob eine neue Anschrift bekannt ist.[5]

11 Durch diese Zustellung soll erreicht werden, dass der Erfinder von der Anmeldung seiner Erfindung erfährt und seine etwaigen Ansprüche geltend machen kann. Weiß er, dass seine Erfindung angemeldet werden soll und erhält er keine Mitteilung zugestellt, so muss er daraus schließen, dass er nicht als Erfinder genannt ist, und kann sein Recht auf Erfindernennung geltend machen. Allerdings können nach R 17 (4) aus der Unterlassung der Mitteilung oder aus dabei begangenen Fehlern keine Ansprüche hergeleitet werden.

12 Die Mitteilung an den Erfinder unterbleibt, wenn dieser im voraus auf sie verzichtet.[6]

5 Folgen der unterlassenen Erfindernennung

13 Nach Art 81 iVm R 17 (1) hat die Erfindernennung zusammen mit der Anmeldung zu erfolgen. Geschieht dies nicht, so liegt ein Mangel vor, der nach Art 91 (1) f) von der Eingangsstelle gerügt wird. Nach R 42 (1) fordert die Eingangsstelle den Anmelder auf, diesen Mangel innerhalb einer Frist von 16 Monaten nach dem Anmelde- bzw Prioritätstag zu beseitigen. Geschieht dies nicht, so gilt nach Art 91 (5) die europäische Patentanmeldung als zurückgenommen.

14 Würden dem Anmelder weniger als zwei Monate von der Zustellung der Aufforderung zur Mängelbeseitigung bis zum Ablauf der 16 Monate verbleiben, so wird ihm eine Frist von zwei Monaten eingeräumt.[7] Dies lässt sich aus dem Gedanken rechtfertigen, dass das EPA zur Prüfung und (rechtzeitigen) Beanstandung nach Art 91 (1) f) iVm R 42 (1) verpflichtet war. Daraus lässt sich keine Grundlage dafür herleiten, auch die Weiterbehandlung zu eröffnen, da die Praxis nicht befugt ist, eine gesetzliche Frist in eine vom Amt bestimmte Frist iSd Art 121 (1) umzuwandeln.[8]

15 Die Formulierung in dieser Bestimmung, wonach die Erfindernennung innerhalb dieser Frist **nachgeholt** werden kann, zeigt, dass es sich dabei um einen

---

5 PrüfRichtl A-III, 5.4.
6 Zu den Voraussetzungen im einzelnen siehe Mitteilung des EPA, ABl 1991, 266 und PrüfRichtl A-III, 5.4.
7 PrüfRichtl A-III, 5.5.
8 Wie hier Strebel in MünchGemKom, Art 91, Rn 157; Bossung in MünchGemKom, Art 81 Rn 76.

bereits bei der Einreichung der Anmeldung vorhandenen und bei der Formalprüfung zu beanstandenden Mangel handelt, also nach Ablauf der 16-Monatsfrist eine weitere Mängelrüge nicht erfolgt. In J 1/80[9] wird auf den grundsätzlichen Unterschied zwischen der 16-Monatsfrist für die Erfindernennung und der 16-Monatsfrist für die Einreichung von Prioritätsunterlagen nach R 38 hingewiesen. Bei nicht rechtzeitiger Einreichung der Prioritätsunterlagen tritt der Mangel erst nach Ablauf der 16-Monatsfrist ein.

Bei Vorliegen von Mängeln in den eingereichten Angaben unterscheiden die Richtlinien zwischen erheblichen Mängeln, bei denen die Erfindernennung nicht als rechtswirksam angesehen werden kann (zB Fehlen des Namens des Erfinders) und geringfügigen Mängeln (zB Fehlen der Anschrift des Erfinders). Im erstgenannten Fall ergeht ein Bescheid nach Art 91 (1) f) (siehe Rdn 13). Nach Art 81 Satz 2 gehört auch die Erklärung, wie der Anmelder das Recht auf das europäische Patent erlangt hat, zur Erfindernennung und auch ein Mangel in dieser Beziehung führt nach Art 91 (1) f) und (5) zum Verlust der Anmeldung. Bei geringfügigen Mängeln ergeht ein Bescheid nach Art 91 (2), der nicht die Rücknahmefiktion nach Art 91 (5) zur Folge hat, sondern zur Zurückweisung führt.[10] 16

Die Wiedereinsetzung in die 16-Monatsfrist ist nicht ausgeschlossen. 17

6 Bekanntmachung der Erfindernennung

Der Erfinder wird auf der veröffentlichten europäischen Patentanmeldung und auf den europäischen Patentschriften sowie im europäischen Patentregister und im Europäischen Patentblatt angegeben (R 18 (1), R 92 (1) g), Art 129 a)). 18

Berichtigungen werden im europäischen Patentregister und im Europäischen Patentblatt bekannt gemacht.[11] 19

7 Bekanntmachung der Erfindernennung auf Grund rechtskräftiger Entscheidung

Die Erfindernennung wird nach R 18 (2) auch auf Grund einer rechtskräftigen Entscheidung auf der veröffentlichten europäischen Patentanmeldung oder der europäischen Patentschrift vermerkt, wenn sich aus der Entscheidung die Verpflichtung des Anmelders oder des Patentinhabers ergibt, den Erfinder zu nennen. Es ist wohl davon auszugehen, dass mit *rechtskräftigen Entscheidungen* im Prinzip nur Gerichtsurteile gemeint sind, denn nur sie können Rechtskraft im eigentlichen Sinn erlangen. Ausnahmefälle sind denkbar, wie Art 1 (2) des Anerkennungsprotokolls zeigt, der die für die Klagen auf Patenterteilung zuständigen Behörden in den Vertragsstaaten den Gerichten gleichstellt. 20

---

9   ABl 1980, 289.
10 PrüfRichtl A.III, 5.5.
11 PrüfRichtl A-III, 5.6.

21 Für die Beantwortung der Frage, von welchen Gerichten solche das EPA praktisch bindenden Entscheidungen stammen müssen, gibt R 18 (2) keinen Hinweis. Die Bestimmung geht von der erlassenen und bereits rechtskräftig gewordenen Entscheidung aus.[12]

22 Der Vorschlag, die Zuständigkeitsregelung des Anerkennungsprotokolls auf den Anspruch auf Erfindernennung nach Art 62 anzuwenden,[13] erscheint zweifelhaft, da das Protokoll nur die Vindikationsklage gegen den nicht berechtigten Anmelder nach Art 61 (1) umfasst.[14] Daraus dürfte zu schließen sein, dass das EPA auch auf Grund von Gerichtsentscheidungen aus Nichtvertragsstaaten den Erfinder auf der Anmeldung und auf der Patentschrift vermerkt (weitere Einzelheiten siehe Art 62 Rdn 4 und 7).

8 Verzicht auf die Bekanntmachung

23 Wenn der genannte Erfinder dem EPA gegenüber schriftlich auf seine Bekanntmachung als Erfinder verzichtet, unterbleibt die Veröffentlichung seines Namens (R 18, R 92 (1) g)). Dies befreit den Anmelder jedoch nicht von der Verpflichtung, den Erfinder dem EPA gegenüber zu nennen. Hierzu gehört auch die Erklärung, wie der Anmelder das Recht auf das europäische Patent erlangt hat. Der Verzicht auf die Nennung hat lediglich zur Folge, dass die Bekanntmachung in den Schriften und im europäischen Patentregister unterbleibt; die die Erfindernennung betreffenden Aktenteile sind von der Akteneinsicht ausgeschlossen (Art 128 (4), R 93 c)).

Artikel 82 Einheitlichkeit der Erfindung

Die europäische Patentanmeldung darf nur eine einzige Erfindung enthalten oder eine Gruppe von Erfindungen, die untereinander in der Weise verbunden sind, dass sie eine einzige allgemeine erfinderische Idee verwirklichen.

Rudolf Teschemacher

Übersicht

1	Allgemeines	1-4
2	Definition der Einheitlichkeit	5-8
3	Patentansprüche verschiedener Kategorien	9-10
4	Patentansprüche der gleichen Kategorie	11
5	Abhängige Patentansprüche	12-14

---

12 Zur Zuständigkeit in AT siehe AT-OGH vom 20.10.1992 – **Holzlamellen** –, Österr Patentblatt 1993, 154; ABl 1993, 751, nur Leitsätze.
13 Bossung in MünchGemKom, Art 81 Rn 62 und 63.
14 Stauder in MünchGemKom, Art 1 Anerkennungsprotokoll Rn 1–5.

6	Mangelnde Einheitlichkeit *a priori* und *a posteriori*	15-16
7	Einheitlichkeit im Verfahren	17-22
8	Einheitlichkeit und Zwischenprodukte	23
9	Einheitlichkeit bei internationalen Anmeldungen	24-31

1 Allgemeines

Dieser Artikel soll sicherstellen, dass eine europäische Patentanmeldung nur   1
eine einzige Erfindung oder einen einheitlichen Erfindungskomplex enthält. Er wird ergänzt durch R 30 (Einheitlichkeit der Erfindung), R 46 (Europäischer Recherchenbericht bei mangelnder Einheitlichkeit) und R 25 (Vorschriften für europäische Teilanmeldungen). Zum Verfahren siehe unter Art 92 und 96.

Die Patentsysteme der einzelnen Staaten haben die Frage der Einheitlichkeit, die ihrem Wesen nach ein Ordnungsproblem ist, in durchaus unterschiedlicher Weise geregelt.

Im Gegensatz zu manchen Staaten[1] sieht bereits der Wortlaut des Art 82 vor,   2
dass in einer einzigen europäischen Patentanmeldung auch mehrere Erfindungen enthalten sein und beansprucht werden können.

Um die Praxis bei der Prüfung der Einheitlichkeit international zu harmonisieren,   3
hat das EPA mit dem USPTO und dem Japanischen Patentamt im Jahr 1988 gemeinsam einen Prüfungsmaßstab entwickelt, der in die mit Wirkung vom 1.6.1991 geänderte R 30 aufgenommen wurde. In gleicher Weise wurde R 13.2 PCT geändert. R 13.1 PCT, der nur einen formalen Anknüpfungspunkt in Art 3 (4) (iii) PCT hat, entspricht nach wie vor Art 82 EPÜ. Die Recherchenabteilungen sind gehalten, bei einer ergänzenden europäischen Recherche möglichst nicht von dem in der internationalen Phase eingenommenen Standpunkt abzuweichen.[2]

Ein wichtiger Teil der umfangreichen Rechtsprechung der Beschwerdekammern   4
sind Entscheidungen über Widersprüche von Anmeldern gegen eine vom EPA als Internationale Recherchenbehörde oder als mit der internationalen vorläufigen Prüfung beauftragte Behörde angeforderte zusätzliche Gebühr (Art 17 (3) a), 34 (3) a) PCT). Diese Entscheidungen werden wegen des Sachzusammenhangs hier behandelt. Siehe auch unter Art 154.

Einzelheiten der praktischen Anwendung der Einheitlichkeit enthalten die Prüfungsrichtlinien.[3]

EPÜ 2000

Artikel 82 und die zugehörigen R 30 und 86 (4) sind unverändert. R 46 wurde redaktionell geändert. R 112 wurde ebenfalls redaktionell geändert und in drei Absätze aufgeteilt.

---

1   ZB DE-PatG § 35 (1) Satz 2 idF, die bis zum 1.11.1998 in Kraft war.
2   PrüfRichtl B-VII, 2.4.
3   PrüfRichtl B-VII und C-III, 7.

Artikel 82 *Einheitlichkeit der Erfindung*

Die bisher in Art 154 und 155 geregelten Tätigkeiten des EPA als ISA und IPEA sind nunmehr in Art 152 zusammengefasst. Die Zuständigkeit der Beschwerdekammern zur Entscheidung über Widersprüche nach dem PCT in den bisherigen Art 154 (3) und 155 (3) iVm R 105 (3) Satz 3 wurde gestrichen. Das Widerspruchsverfahren soll vereinfacht und auf eine Verwaltungsinstanz beschränkt werden. Die Regelung des Widerspruchsverfahrens und damit auch des zuständigen Organs obliegt nach R 105 Satz 2 (neu) dem Präsidenten des EPA.

2 Definition der Einheitlichkeit

5 Dass eine einzige Erfindung Gegenstand einer europäischen Patentanmeldung sein kann, ist so selbstverständlich, dass es eigentlich nicht besonders gesagt zu werden braucht; dieser Grundsatz wird aber in Art 82 deshalb aufgeführt, um deutlicher werden zu lassen, dass auch mehrere Erfindungen Gegenstand einer einzigen europäischen Patentanmeldung sein können, allerdings nur dann, wenn sie in ihrer Verbindung eine allgemeine erfinderische Idee verwirklichen.

6 Die Einheitlichkeit ist auf der Grundlage der beanspruchten Erfindungen zu prüfen. In der Recherche sind die ursprünglichen Ansprüche maßgebend (vgl R 86 (1)), in der Sachprüfung die jeweils geltenden Ansprüche. Die in Art 82 geforderte Verbindung verschiedener Erfindungen durch eine einzige allgemeine erfinderische Idee liegt nach der Legaldefinition von R 30 (1) Satz 1 dann vor, wenn zwischen ihnen ein technischer Zusammenhang besteht, der in einem oder mehreren gleichen oder entsprechenden *besonderen technischen Merkmalen* zum Ausdruck kommt. Hierunter sind nach R 30 (1) Satz 2 diejenigen Merkmale zu verstehen, die einen Beitrag der beanspruchten Erfindung als Ganzes zum Stand der Technik bestimmen.[4] Einander entsprechende Merkmale iSd Bestimmung können solche sein, die in ihrer Funktion aufeinander abgestimmt sind. Die Richtlinien nennen zB im Zusammenhang mit R 29 (2)[5] Sender/Empfänger, Stecker/Steckdose. Daneben werden auch Alternativen, zB eine Metallfeder oder ein Gummiklotz als Federungselement, als entsprechende technische Merkmale, zwischen denen eine Wechselbeziehung bestehen kann, behandelt.[6]

7 Die Entscheidung über das Vorliegen einer einzigen allgemeinen erfinderischen Idee erfordert eine inhaltliche Bewertung der verschiedenen beanspruchten Gegenstände unter Berücksichtigung von Aufgabe und Lösung[7] gegenüber dem nächsten herangezogenen Stand der Technik.[8] Zur Formulierung der Auf-

---

4   **W 4/96**, ABl 1997, 552.
5   PrüfRichtl C-III, 3.2.
6   PrüfRichtl C-III, 7.2.
7   **W 11/89**, ABl 1993, 225.
8   **W 6/97** vom 18.9.1997.

gabe siehe Art 83 Rdn 38 und Art 56 Rdn 37. Anders als bei der Prüfung auf erfinderische Tätigkeit kommt es nicht auf die Aufgabe für einen einzelnen zu prüfenden Anspruch an, sondern auf eine den verschiedenen beanspruchten Erfindungen gemeinsame Aufgabe.[9] Rein formale Kriterien, wie die Zugehörigkeit zu verschiedenen Klassifikationseinheiten, die Notwendigkeit von Ermittlungen in diesen oder die Zahl unabhängiger Ansprüche rechtfertigen allein keinen Einwand. Auch auf mangelnde Klarheit (Art 84) kann ein Einwand gegen die Uneinheitlichkeit nicht gestützt werden.[10] Liegen die gemeinsamen strukturellen Merkmale alle nur in den Oberbegriffen der Ansprüche und leisten diese bekannten Merkmale keinen Beitrag zur Lösung der Aufgabe der Gesamtkombination, so spricht dies gegen die Einheitlichkeit.[11]

Alternativen einer Erfindung können in mehreren Ansprüchen derselben Kategorie (Rdn 11) oder aber innerhalb eines einzigen Anspruchs beansprucht werden. Die Einheitlichkeit ist in beiden Fällen nach denselben Maßstäben zu prüfen (R 30 (2)). Enthält ein Anspruch auf eine Gruppe chemischer Verbindungen für ein Merkmal mehrere Alternativen (*markush-claim*), so wird die Einheitlichkeit anerkannt, wenn die Alternativen von ähnlicher Beschaffenheit sind; dies gilt schon dann, wenn die Alternativen einer bekannten Klasse chemischer Verbindungen auf dem betreffenden Fachgebiet angehören.[12] Dies gilt für strukturelle wie für funktionelle Merkmale. Erweist sich allerdings, dass die in der Anmeldung offenbarte Verwendung für eine Alternative schon bekannt war, so kann diese Verwendung nicht mehr als Beitrag zum Stand der Technik angesehen werden, der die Einheitlichkeit begründet.[13] Der Begriff *Markush-Gruppe* wird auch für nichtchemische Alternativen verwendet.[14]

3 Patentansprüche verschiedener Kategorien

Der in R 30 eingeführte Maßstab (siehe Rdn 3) sollte keine Verschärfung der früheren Praxis zur Folge haben: Die Bestimmung ist so auszulegen, dass die in der ursprünglichen R 30 aufgeführten Kombinationen von unabhängigen Ansprüchen verschiedener Kategorien weiterhin zulässig sind.[15] Daher sind parallel möglich:

i) neben einem Anspruch für ein Erzeugnis ein Anspruch für ein besonders angepasstes Verfahren zu dessen Herstellung und ein Anspruch für eine Verwendung des Erzeugnisses, oder

---

9 **W 17/93** vom 19.7.2001.
10 **W 31/88**, ABl 1990, 134.
11 **W 6/90**, ABl 1991, 438.
12 PrüfRichtl C-III, 7.4a; **W 3/94**, ABl 1995, 775 für internationale Anmeldungen.
13 **W 4/96**, ABl 1997, 552.
14 PrüfRichtl C-III, 7.4a.
15 PrüfRichtl C-III, 7.2.

Artikel 82 *Einheitlichkeit der Erfindung*

ii) neben einem Anspruch für ein Verfahren ein Anspruch für eine Vorrichtung oder ein Mittel, die zur Ausführung des Verfahrens besonders entwickelt wurden, oder

iii) neben einem Anspruch für ein Erzeugnis ein Anspruch für ein besonders angepasstes Verfahren zu dessen Herstellung und ein Anspruch für eine Vorrichtung oder ein Mittel, die zur Ausführung dieses Verfahrens besonders entwickelt wurden.

10 Während eine der Gruppen i) bis iii) stets zulässig ist, ist die Einheitlichkeit einer Mehrzahl dieser Gruppen im Einzelfall unmittelbar auf der Grundlage von R 30 und Art 82 zu prüfen. Der für die Bejahung der Begriffe *besonders angepaßt* und *besonders entwickelt* notwendige technische Zusammenhang wird in den Richtlinien erläutert.[16] Das Vorliegen eines besonders angepassten Verfahrens nach Alternative i) kann nicht schon deswegen verneint werden, weil das Verfahren auch zur Herstellung anderer Erzeugnisse benutzt werden kann.[17]

4 Patentansprüche der gleichen Kategorie

11 Auch unabhängige Patentansprüche der gleichen Kategorie können in **einer** europäischen Patentanmeldung enthalten sein. Der die Einheitlichkeit begründende Zusammenhang iSd R 30 (1) kommt insbesondere in Betracht bei Zwischen- und Endprodukten (siehe Rdn 23), *markush-claims* (siehe Rdn 8) und Erfindungen, bei denen verschiedene Gegenstände in Wechselbeziehung der Verwirklichung desselben erfinderischen Gedankens dienen (siehe Rdn 6). Dabei muss jeder unabhängige Anspruch eine Ausprägung der gemeinsamen allgemeinen erfinderischen Idee sein, da das Erfordernis der Einheitlichkeit nicht für die Gesamtheit der Informationen in der Anmeldung gilt, sondern für die Gegenstände der unabhängigen Ansprüche erfüllt sein muss.[18]

Enthält die Anmeldung mehr als einen Anspruch in derselben Kategorie, müssen auch die die Zahl der Ansprüche beschränkenden Erfordernisse von Art 84 iVm R 29 (2) erfüllt sein, siehe Art 84 Rdn 34.

5 Abhängige Patentansprüche

12 Abhängige Patentansprüche (siehe unter Art 84) werden grundsätzlich nicht wegen mangelnder Einheitlichkeit mit dem übergeordneten Anspruch beanstandet, und zwar auch dann nicht, wenn der abhängige Patentanspruch eine Erfindung enthält, die selbständig beansprucht werden könnte.

---

16 Siehe PrüfRichtl C-III, 7.2.
17 **W 11/99**, ABl 2000, 186.
18 **T 702/93** vom 10.2.1994.

Die Richtlinien[19] bringen ein Beispiel: In Anspruch 1 wird ein besonders geformtes Turbinenrotorblatt beansprucht. Anspruch 2 beansprucht ein Turbinenrotorblatt, wie in Anspruch 1 beansprucht, das aus der Legierung Z hergestellt ist. Auch wenn die Legierung Z neu und erfinderisch ist oder sie zwar nicht neu, aber ihre Verwendung für Turbinenrotorblätter nicht naheliegend ist, wird kein Einwand wegen mangelnder Einheitlichkeit erhoben.

Mehrere abhängige Ansprüche können dadurch uneinheitlich werden, dass sich der sie verbindende übergeordnete Anspruch als nicht patentfähig erweist (siehe Rdn 15–16). Dies soll nicht gelten, wenn es sich um einen Stand der Technik handelt, der nach Art 54 (3) nur für die Neuheit relevant ist.[20]

6 Mangelnde Einheitlichkeit *a priori* und *a posteriori*

Mangelnde Einheitlichkeit kann schon aus der zu prüfenden Anmeldung selbst ersichtlich sein (a priori). Sie kann sich aber auch erst aus einem Vergleich der beanspruchten Erfindungen mit dem ermittelten Stand der Technik (a posteriori) ergeben, wenn sich der Gegenstand eines unabhängigen Anspruchs als bekannt oder nicht erfinderisch erweist und damit die Idee entfällt, die mehrere abhängige Ansprüche verbindet. Zwar ist die Recherchenabteilung nicht für die Prüfung auf Neuheit und erfinderische Tätigkeit zuständig, doch muss sie sich für eine sinnvolle Recherche ohnehin ein vorläufiges Bild über diese Fragen machen. Daher kann die Recherchenabteilung feststellen, dass die Anmeldung a posteriori uneinheitlich sei, und zusätzliche Gebühren verlangen.[21] Da die Beurteilung nur vorläufig ist und der Anmelder in diesem Stadium keine Gelegenheit zur Äußerung hat, sollten Beanstandungen allerdings nur in klaren Fällen erhoben werden. Der Stand der Technik, der zur Uneinheitlichkeit führt, ist zu nennen.[22] Mangelnde Neuheit des übergeordneten Anspruchs hat freilich nicht automatisch Uneinheitlichkeit der abhängigen Ansprüche zur Folge. Vielmehr ist zu prüfen, ob zwischen diesen Ansprüchen eine erfinderische Verbindung besteht.[23]

Die Uneinheitlichkeit kann nicht auf andere Mängel der Anmeldung gestützt werden. Insbesondere kann sie sich nicht aus einem Mangel an Klarheit ergeben.[24] Materielle Mängel sind bei der Recherche nur insoweit in Betracht zu ziehen, als sie eine sinnvolle Recherche ausschließen (R 45 EPÜ, Art 17 (2) PCT).

---

19 PrüfRichtl C-III, 7.8.
20 **T 1168/02** vom 10.2.2006.
21 **G 1/89** und **G 2/89**, ABl 1991, 155 und 166 für die internationale Recherche, als obiter dictum auch für die europäische Recherche.
22 **W 9/86**, ABl 1987, 459.
23 **W 6/98** in Rspr BK 2001, II.C.3.
24 **W 31/88**, ABl 1990, 134.

7 Einheitlichkeit im Verfahren

17 Die Frage der Einheitlichkeit ist zunächst im Recherchenverfahren zu prüfen. Dabei sind die nach Art 82, R 30 anzuwendenden Kriterien dieselben wie im Sachprüfungsverfahren. Ist die Anmeldung uneinheitlich, so richtet sich das weitere Verfahren nach R 46. Zunächst wird regelmäßig[25] ein Teilrecherchenbericht für die zuerst in den Ansprüchen definierte Erfindung oder Gruppe von Erfindungen erstellt. Mit dessen Zustellung wird der Anmelder zur Zahlung zusätzlicher Recherchengebühren nach R 46 aufgefordert (siehe Art 92). Zahlt der Anmelder nicht innerhalb der gesetzten Frist (regelmäßig ein Monat), so wird ein europäischer Recherchenbericht zugestellt, der mit dem vorangegangenen Teilrecherchenbericht identisch ist. Zahlt der Anmelder dagegen ganz oder teilweise, so umfasst der europäische Recherchenbericht auch die Erfindungen, für die zusätzliche Gebühren entrichtet sind. Die Recherchenabteilung kann keine abschließende Entscheidung über die Einheitlichkeit treffen. Daher kann der Anmelder im Prüfungsverfahren die Frage erneut aufwerfen und eine Erstattung zusätzlich gezahlter Recherchengebühren verlangen (R 46 (2)). Die Prüfungsabteilung trifft hierüber eine Entscheidung, die im Fall der Ablehnung beschwerdefähig ist.

18 Unabhängig von einem Antrag auf Erstattung von zusätzlichen Recherchengebühren muss die Einheitlichkeit stets auch im Sachprüfungsverfahren geprüft werden. Dabei kann die Prüfungsabteilung in Übereinstimmung mit oder in Abweichung von der Auffassung der Recherchenabteilung die Einheitlichkeit bejahen oder ihr Fehlen beanstanden. Die Prüfer sind gehalten, bei einem erstmaligen Einwand eine zu enge, zu wörtliche oder theoretische Auslegung zu vermeiden.[26]

19 Wird ein Einwand erhoben, so werden die uneinheitlichen Teile aufgeführt und der Anmelder aufgefordert, die Anmeldung auf einen einheitlichen Gegenstand zu beschränken. Dies gilt nicht nur für die Ansprüche, sondern auch für die Beschreibung.[27] Die verfahrensrechtlichen Möglichkeiten des Anmelders richten sich nun danach, ob er nach R 46 angeforderte zusätzliche Recherchengebühren entrichtet hat. Hat er dies getan, so kann er jeden der recherchierten in sich einheitlichen Komplexe im Rahmen der anhängigen Anmeldung weiterverfolgen, uneinheitliche Teile streichen und gegebenenfalls zum Gegenstand einer Teilanmeldung machen. Gegenstände, für die er angeforderte zusätzliche Recherchengebühren nicht gezahlt hat, können nicht in der Anmeldung bleiben; sie können aber in einer Teilanmeldung weiterverfolgt werden.[28] Auch für den Fall der Nichtzahlung weiterer von der Recherchenabteilung angeforder-

---

25 Siehe aber PrüfRichtl B-VII, 2.3.
26 PrüfRichtl C-III, 7.7.
27 PrüfRichtl C-III, 7.10.
28 **G 2/92**, ABl 1993, 591.

ter Recherchengebühren gehen die Richtlinien[29] davon aus, dass die Prüfungsabteilung prüft, ob sie die Auffassung der Recherchenabteilung zur Uneinheitlichkeit teilt, bevor sie eine Beschränkung auf einen einheitlichen Gegenstand verlangt, wenngleich sie in der Regel den von der Recherchenabteilung vertretenen Standpunkt übernimmt.[30]

Der von der Großen Beschwerdekammer in **G 2/92** aufgestellte Grundsatz, dass Gegenstände, für die keine Recherchengebühren entrichtet wurden, nicht in derselben Anmeldung geprüft werden sollen,[31] gilt auch bei Änderungen. Nach R 86 (4) in der seit 1.6.1995 geltenden Fassung dürfen geänderte Ansprüche sich nicht auf nicht recherchierte Gegenstände beziehen, die mit der ursprünglich beanspruchten Erfindung uneinheitlich sind. Damit wird die Umgehung des Erfordernisses der Einheitlichkeit durch das Umsteigen auf nicht beanspruchte und demgemäß nicht recherchierte Teile der Anmeldung unterbunden. Eine solche nachträgliche Uneinheitlichkeit liegt aber nicht vor, wenn ein ursprünglich eingereichter Anspruch durch ein ursprünglich in der Beschreibung offenbartes Merkmal beschränkt wird.[32]

Im Einspruchsverfahren kann die mangelnde Einheitlichkeit nicht mehr beanstandet oder geltend gemacht werden.[33] Sie ist weder Einspruchsgrund, noch von Amts wegen zu prüfen, da sich Art 82 nur auf die Anmeldung und nicht auf das erteilte europäische Patent bezieht.

Mangelnde Einheitlichkeit ist auch kein Grund für die Vernichtung eines europäischen Patents in einem nationalen Verfahren, da diese nicht in dem abschließenden Katalog des Art 138 aufgeführt ist.

8 Einheitlichkeit und Zwischenprodukte

Zwischen- und Endprodukte sind dann einheitlich, wenn das Zwischenprodukt ein wesentliches Strukturelement in das Endprodukt einbringt und beide allenfalls durch eine kleine Zahl von Herstellungsschritten getrennt sind. Verschiedene Zwischenprodukte zur Herstellung desselben Endprodukts können nebeneinander beansprucht werden, wenn sie dasselbe wesentliche Strukturelement besitzen. Diese in den Richtlinien[34] enthaltenen Grundsätze gehen im Wesentlichen auf die in der 1. Auflage zitierte Rechtsprechung zurück.

9 Einheitlichkeit bei internationalen Anmeldungen

Das EPA wird gemäß Art 154 und 155 iVm R 105 als ISA und IPEA für internationale Anmeldungen tätig. Es handelt sich um Anmeldungen, die bei ihm

---

29 PrüfRichtl C-III, 7.10, bestätigt durch **T 631/97**, ABl 2001, 13.
30 PrüfRichtl C-VI, 3.2a.
31 **G 2/92**, ABl 1993, 591.
32 PrüfRichtl C-VI, 5.2 ii).
33 **G 1/91**, ABl 1992, 253.
34 PrüfRichtl C-III, 7.3.

Artikel 82 *Einheitlichkeit der Erfindung*

selbst eingereicht worden sind oder bei einem Anmeldeamt, von dem das EPA als ISA oder IPEA bestimmt worden ist (Art 16 (2), 32 (2) PCT). Sowohl bei der internationalen Recherche wie auch bei der internationalen vorläufigen Prüfung ist die Einheitlichkeit zu prüfen (Art 17 (3) a), 34 (3) a) PCT). Rechtsgrundlage für die Beurteilung der Einheitlichkeit ist Art 3 (4) iii) PCT iVm R 13 PCT (siehe Rdn 3). Dabei ist das EPA an die PCT-Richtlinien für die internationale Recherche und für die internationale vorläufige Prüfung gebunden.[35] Uneinheitlichkeit kann a priori und a posteriori vorliegen (siehe Rdn 15–16).

25 Sieht die ISA die Anmeldung nicht als einheitlich an, so fordert sie den Anmelder mit dem Ergebnis der Teilrecherche auf, zusätzliche Recherchengebühren zu entrichten (Art 17 (3) (a) PCT). Die IPEA ist berechtigt, vom Anmelder zusätzliche Prüfungsgebühren anzufordern, muss ihm aber alternativ die Möglichkeit einräumen, die Anmeldung auf einen einheitlichen Gegenstand zu beschränken (R 68.1 und 2 PCT). In den genannten Aufforderungen wird eine Frist von 1 Monat gesetzt. Es sind die Gründe anzugeben, warum die Anmeldung dem Erfordernis der Einheitlichkeit nicht entspricht (R 40.1, R 68.2 PCT). In der internationalen vorläufigen Prüfung darf die Zahlungsaufforderung erst ergehen, nachdem der Anmelder einen Einwand fehlender Einheitlichkeit im ersten Bescheid nicht ausgeräumt hat.[36] Teile der Anmeldung, für die die angeforderten zusätzlichen Gebühren nicht entrichtet sind, werden nicht vom Recherchen- oder Prüfungsbericht umfasst. Umgekehrt ist der Recherchenbericht oder vorläufige internationale Prüfungsbericht für alle Erfindungen zu erstellen, für die gezahlt worden ist. Mehrere aufeinander folgende Aufforderungen zur Zahlung zusätzlicher Recherchengebühren sind nicht zulässig.[37]

26 Die ISA kann im Fall der Uneinheitlichkeit davon absehen, zusätzliche Recherchengebühren anzufordern, insbesondere wenn bei einem a posteriori Einwand die vollständige Recherche mit unerheblichem Mehraufwand erstellt werden kann.[38] Diese Entscheidung steht im Ermessen der ISA.[39] Auch die IPEA kann von der Anforderung zusätzlicher Gebühren aus Gründen der Verfahrensökonomie absehen.[40]

---

35 Art 2 der geänderten Vereinbarung zwischen der EPO und WIPO nach dem PCT, ABl 2001, 601, siehe Anhang 10; **G 1/89**, ABl 1991, 155; die genannten Richtlinien sind auf der website der WIPO zu finden: www.wipo.org → IP Services → Patents (PCT) → Guidelines for Authorities and Offices.
36 **W 6/99**, ABl 2001, 96.
37 **W 1/97**, ABl 1999, 33.
38 PCT-Richtlinien für die internationale Recherche und die internationale vorläufige Prüfung 10.64.
39 **W 15/91**, ABl 1993, 515.
40 R 68.1 PCT; PCT-Richtlinien für die internationale Recherche und die internationale vorläufige Prüfung 10.76.

Abweichend vom europäischen Verfahren ist ein Rechtsbehelf gegen die 27
Feststellung der Uneinheitlichkeit gegeben, da die ISA oder IPEA die Grundlage auch für ein späteres Prüfungsverfahren anderer Behörden schafft. Der Anmelder kann angeforderte zusätzliche Gebühren unter Widerspruch, der zu begründen ist, bezahlen. Der Widerspruch ist innerhalb der Frist von 1 Monat nach R 40.1 ii) oder R 68.2 iii) für die Zahlung der zusätzlichen Gebühren zu begründen (R 40.2 c) und R 68.3 c)).

Sind Zahlung der zusätzlichen Gebühren und Begründung verspätet, so 28
braucht die ISA oder IPEA keinen Bericht für weitere Gegenstände zu erstellen; der Widerspruch ist unzulässig und die Gebühren zurückzuzahlen. Ist nur die Begründung verspätet, so wird der Bericht für die weiteren Gegenstände erstellt, für die bezahlt worden ist; der Widerspruch ist hier ebenfalls unzulässig. Der Widerspruch ist auch unzulässig, wenn seine Begründung unzureichend ist, dh wenn sie nicht erkennen lässt, warum die Erfindung einheitlich sein soll.[41] Bei Versäumung der Widerspruchsfrist wurde aufgrund von Art 48 (2) PCT iVm Art 122 EPÜ die Wiedereinsetzung zugelassen.[42] Offen bleibt, wie sich angesichts der Fristen im Wiedereinsetzungsverfahren die Behandlung dieses Rechtsbehelfs mit der Verpflichtung der ISA und der IPEA zur rechtzeitigen Erstellung der Berichte in Einklang bringen lässt (Art 18 (1) iVm R 42.1, Art 35 (1) iVm R 69.2 PCT).

Nach Änderung der R 40 und 68 PCT mit Wirkung vom 1. April 2005 wurde 29
der Ablauf des Widerspruchsverfahrens geändert.[43] Über den Widerspruch entscheidet zunächst eine Überprüfungsstelle der Recherchenabeilungen. Führt die Überprüfung nicht zu der beantragten Rückzahlung in vollem Umfang, so wird dem Anmelder mitgeteilt, dass er innerhalb von 1 Monat die Widerspruchsgebühr zu entrichten hat, wenn er wünscht, dass der Widerspruch der Beschwerdekammer vorgelegt wird (vgl Art 154 (3), 155 (3)). Die Widerspruchsgebühr wird erstattet, wenn sich der Widerspruch in vollem Umfang als berechtigt erweist.

Einem Widerspruch wird aus formellen Gründen stattgegeben, wenn ein Be- 30
gründungsmangel vorliegt. Die Anforderung zusätzlicher Gebühren muss die tragenden Erwägungen für die Feststellung der Uneinheitlichkeit in logischer Gedankenführung enthalten, so dass der Anmelder erkennen kann, welche Erwägungen für die Entscheidung maßgebend waren. Nur in einfachen Fällen reicht es aus, wenn die verschiedenen uneinheitlichen Gegenstände lediglich aufgezählt werden.[44] Regelmäßig hat sich die Anforderung mit Aufgabe und Lösung auseinanderzusetzen, da ohne diese die Einheitlichkeit nicht sinnvoll

---

41 **W 16/92**, ABl 1994, 237.
42 **W 3/93**, ABl 1994, 931.
43 Mitteilung des EPA über das Widerspruchsverfahren nach dem PCT, ABl 2005, 226.
44 **W 9/86**, ABl 1987, 459.

beurteilt werden kann.[45] Bei einer Beanstandung a posteriori ist der für die Feststellung maßgebende Stand der Technik anzugeben. Werden die PCT-Richtlinien angewandt, so muss ersichtlich sein, warum die dort aufgestellten Kriterien erfüllt sind.[46] Eine in der Aufforderung nach R 40.1 oder R 68.2 PCT fehlende Begründung kann nicht im Überprüfungsverfahren nachgeschoben werden. Die Überprüfung hat auf der Basis der Gründe in der Zahlungsaufforderung zu erfolgen, wobei die Überprüfungsstelle auf das Widerspruchsvorbringen einzugehen hat.[47] Auch die Beschwerdekammer prüft nicht von Amts wegen, ob ein Einwand aus anderen Gründen gerechtfertigt wäre.[48] Allerdings kann im Fall einer unzureichenden Aufforderung der ISA die IPEA den Anmelder erneut zur Zahlung weiterer Gebühren auffordern.[49] In sachlicher Hinsicht gelten für die Beurteilung der Einheitlichkeit die gleichen Grundsätze wie für die europäische Recherche.

31 Nach Eintritt in die regionale Phase ist ein ergänzender europäischer Recherchenbericht zu erstellen, außer in den Fällen, für die der Verwaltungsrat nach Art 157 (3) beschlossen hat, dass auf einen solchen Bericht verzichtet wird. In dieser Hinsicht hat sich die Lage infolge der Einführung des erweiterten europäischen Recherchenberichts nach R 44a geändert. Nach den derzeit geltenden Beschlüssen des Verwaltungsrats wird ein ergänzender europäischer Recherchenbericht zu einer seit dem 1. Juli 2005 eingereichten internationalen Anmeldung nur dann nicht mehr erstellt, wenn das EPA den internationalen Recherchenbericht erstellt hat.[50] Ist der internationale Recherchenbericht nur für einen Teil der internationalen Anmeldung erstellt worden, so kann der Anmelder nach R 112 einen europäischen Recherchenbericht für die nicht recherchierten Teile bekommen. Hierfür fordert die Recherchenabteilung zusätzliche Recherchengebühren an, wenn sie die Anmeldung für uneinheitlich hält. R 112 unterscheidet nicht danach, ob das EPA oder eine andere Behörde als ISA tätig war. Teilt der Anmelder die Auffassung über die Uneinheitlichkeit nicht, so kann er im Prüfungsverfahren die Erstattung zusätzlich gezahlter Gebühren verlangen (R 112 letzter Satz).

Artikel 83 Offenbarung der Erfindung

Die Erfindung ist in der europäischen Patentanmeldung so deutlich und vollständig zu offenbaren, dass ein Fachmann sie ausführen kann.

---

45 **W 11/89**, ABl 1993, 225.
46 **W 3/94**, ABl 1995, 775.
47 **W 4/94**, ABl 1996, 73.
48 **W 4/93**, ABl 1994, 939, mwNachw.
49 **W 3/93**, ABl 1994, 931.
50 Zu den Einzelheiten und den maßgebenden Beschlüssen des Verwaltungsrats siehe Mitteilung des EPA über Recherchen- und Prüfungsgebühren ABl 2006, 192.

Offenbarung der Erfindung **Artikel 83**

Rudolf Teschemacher

Übersicht

A	**Erläuterungen zu Art 83**	1-30
1	Allgemeines.........................	1-5
2	Offenbarung in der Anmeldung	6-10
3	Deutlichkeit und Vollständigkeit für den Fachmann	11-14
4	Ausführbarkeit der Erfindung	15-23
5	Verweisungen in europäischen Patentanmeldungen auf andere Dokumente	24-30
B	**Inhalt der Beschreibung (R 27 und R 27a)**	31-57
6	Allgemeines zu R 27	31
7	Bezeichnung der Erfindung	32
8	Technisches Gebiet (R 27 (1) a))	33
9	Bisheriger Stand der Technik (R 27 (1) b))	34-37
10	Darstellung der Erfindung (R 27 (1) c))	38-42
11	Beschreibung der Abbildungen und Zeichnungen (R 27 (1) d))	43
12	Ausführungsweg (R 27 (1) e))	44-48
13	Gewerbliche Anwendbarkeit (R 27 (1) f))	49
14	Zwingender Charakter der Vorschrift (R 27 (2)) ...	50-52
15	Darstellung von Nucleotid- und Aminosäuresequenzen (R 27a)	53-57
C	**Biologisches Material (R 28 und 28a)**	58-75
16	Allgemeines zu R 28 und 28a	58-61
17	Das zu hinterlegende biologische Material (R 28 (1))	62
18	Zeitpunkt und Ort der Hinterlegung (R 28 (1) a)) ..	63-65
19	Angaben in der europäischen Patentanmeldung (R 28 (1) a), b), c), (2))	66-69
20	Herausgabe einer Probe des biologischen Materials an Dritte (R 28 (3))	70-71
21	Herausgabe einer Probe des biologischen Materials an Sachverständige (R 28 (4))	72-73
22	Erneute Hinterlegung des biologischen Materials (R 28a)............................	74-75

A Erläuterungen zu Art 83

1 Allgemeines

Dieser Artikel schreibt als selbständiges Erfordernis einer europäischen Patentanmeldung die Offenbarung der Erfindung vor; sie soll es dem Fachmann ermöglichen, die Erfindung in die Praxis umzusetzen. Damit wird die Erfindung wiederholbar, also ausführbar. Zugleich soll die Erfindung dem Leser den Beitrag der Erfindung zum Stand der Technik aufzeigen, der Maßstab dafür ist, in welchem Umfang ein Schutzrecht gerechtfertigt ist (siehe Rdn 15–23). 1

Artikel 83 *Offenbarung der Erfindung*

2   Neben den Patentierbarkeitsvoraussetzungen der Art 52–57 gehört die Offenbarung der Erfindung zu den grundlegenden Voraussetzungen für die Erteilung eines gültigen europäischen Patents. Mangelnde Offenbarung ist nach Art 138 (1) b) einer der Gründe, aus denen ein europäisches Patent im nationalen Verfahren für nichtig erklärt werden kann. Der PCT enthält eine entsprechende Vorschrift in Art 5, allerdings mit der Abweichung, dass die Erfindung in der Beschreibung zu offenbaren ist.

3   Fragen der Offenbarung stellen sich nicht nur bei der Prüfung der Ausführbarkeit der angemeldeten oder patentierten Erfindung, sondern auch bei der Zulässigkeit von Änderungen (Art 123 (2)), der Identität von Vor- und Nachanmeldung (Art 87 (1)) und der Bewertung des Standes der Technik für Neuheit und erfinderische Tätigkeit (Art 54, 56). Bei der Anwendung von Art 87 (1) und Art 123 (2) sind dieselben Kriterien anzuwenden.[1]

4   Soll die europäische Patentanmeldung als Erstanmeldung Prioritätsgrundlage für Nachanmeldungen im Ausland sein oder handelt es sich um eine internationale Anmeldung, so ist zu beachten, dass verschiedene ausländische Staaten, zB USA (best mode, vgl R 5.1 (v) PCT), größere Anforderungen an die Offenbarung stellen als das EPA und die Vertragsstaaten.

5   Wer sich auf fehlende Ausführbarkeit beruft, ist dafür beweispflichtig. Der Einsprechende wird diesen Beweis regelmäßig durch Vorlage von Versuchen führen; bloße Behauptungen reichen jedenfalls nicht aus.[2]

Siehe auch PrüfRichtl C-II, 4 und D-V, 4. Zum Verhältnis zwischen Art 83 und Art 57 siehe Art 57 Rdn 11–13.

EPÜ 2000

Art 83 ist unverändert geblieben.

R 27 enthält geringfügige redaktionelle Änderungen. R 27a wurde unverändert in die neue R 23f überführt. Auch R 28 und R 28a wurden in das Kapitel V der AO über biotechnologische Erfindungen überführt. Dabei wurde R 28 ohne inhaltliche Änderung in R 23g (Hinterlegung von biologischem Material), R 23h (Sachverständigenlösung) und R 23i (Zugang zu biologischem Material) aufgespalten. R 28a wurde in R 23j (Erneute Hinterlegung von biologischem Material) überführt und in Anlehnung an Art 14 der Richtlinie 98/44/EG erheblich gestrafft. Für die Modalitäten der Nachhinterlegung wird nunmehr auf den BV verwiesen.

2 Offenbarung in der Anmeldung

6   Die Offenbarung muss nicht vollständig – wie Art 5 PCT es vorschreibt – in der Beschreibung erfolgen. Sie kann sich auch teilweise aus anderen Bestandtei-

---

1   **G 2/98**, ABl 2001, 413.
2   **T 182/89**, ABl 1991, 391 mwNachw; **T 16/87**, ABl 1992, 212.

len der Anmeldung, also aus den Patentansprüchen und den Zeichnungen (Art 78 (1)) ergeben.

Die Zeichnungen sind für die Offenbarung neben Beschreibung und Ansprüchen gleichwertiger Bestandteil der Anmeldungsunterlagen.[3] Daher können einer Zeichnung Merkmale entnommen werden, die in Struktur und Funktion klar erkennbar und in Einklang mit Beschreibung und Ansprüchen als zur Erfindung gehörend ersichtlich sind;[4] vgl im übrigen Art 123 Rdn 24–52. Dabei sind freilich die Besonderheiten zeichnerischer Darstellung zu berücksichtigen. Demgemäß können aus einer bloßen Schemazeichnung keine Abmessungen hergeleitet werden.[5] Wie bei anderen Formen der Darstellung dürfen Merkmale nicht aus ihrem Zusammenhang gerissen werden. Die isolierte Aufnahme eines Merkmals in einen Anspruch ist nur dann möglich, wenn es ersichtlich getrennt von den übrigen dazu beiträgt, das Ziel der Erfindung zu verwirklichen.[6]

Für die Offenbarung in den ursprünglichen Unterlagen einer Anmeldung sind ausschließlich Beschreibung, Ansprüche und Zeichnungen maßgebend. Die Zusammenfassung ist nicht Ort der Offenbarung (siehe Art 85 Rdn 2–6), ebensowenig der Prioritätsbeleg.[7]

Ist ein wichtiger Teil der Offenbarung aber nur in den Patentansprüchen oder den Zeichnungen enthalten, so müssen diese Elemente auch in die Beschreibung übernommen werden, soweit für sie im Zusammenhang mit den übrigen Elementen in einem Patentanspruch Schutz begehrt wird (Art 84 Satz 2). Ist der Gegenstand eines abhängigen Anspruchs aus sich heraus verständlich, so erübrigt sich eine weitere Erörterung in der Beschreibung; es kann der Hinweis genügen, dass eine besondere Ausführungsform der Erfindung in den Ansprüchen enthalten ist.[8]

Entscheidend ist, dass die Erfindung in den ursprünglichen Unterlagen der Anmeldung offenbart wird. Durch die Offenbarung am Anmeldetag wird der Inhalt der europäischen Patentanmeldung bestimmt. Spätere Ergänzungen der Offenbarung sind als Erweiterung des Inhalts nach Art 123 (2) nicht zulässig und bilden Einspruchs- und Nichtigkeitsgründe (Art 100 c), 138 (1) c)). Mängel in der Offenbarung können daher nicht behoben werden, sofern nicht durch eine Änderung der Ansprüche die Prüfung der Offenbarung auf eine andere Grundlage gestellt werden kann (siehe Rdn 23).

---

3 **T 818/93** vom 2.4.1996.
4 **T 169/83**, ABl 1985, 193; **T 66/85**, ABl 1989, 167.
5 **T 204/83**, ABl 1985, 310.
6 **T 308/90** vom 3.9.1991.
7 **G 11/91**, ABl 1993, 125.
8 PrüfRichtl C-II, 4.5, C-III, 6.6.

3 Deutlichkeit und Vollständigkeit für den Fachmann

11   Die Offenbarung muss in einer Weise erfolgen, dass ein Fachmann die Erfindung ausführen kann. Als Fachmann ist der Durchschnittsfachmann zu verstehen, an den die gleichen Anforderungen gestellt werden wie an den Fachmann, der für die Beurteilung der erfinderischen Tätigkeit nach Art 56 maßgebend ist.[9] Dabei ist von einem Mann der Praxis auszugehen, der darüber unterrichtet ist, was zum Zeitpunkt der Anmeldung zum allgemein üblichen Wissensstand auf diesem Gebiet gehört, der auch zu allem, was zum Stand der Technik gehört, Zugang hat und über die normalen Mittel und Fähigkeiten für routinemäßige Arbeiten und Versuche verfügt.[10] Vom Fachmann ist zu erwarten, dass er für das Verständnis der Anmeldung sein allgemeines Fachwissen heranzieht. In der Anmeldung müssen also nicht alle Einzelheiten für die Ausführung der Erfindung beschrieben werden. Dies wird durch die Vorarbeiten zum EPÜ bestärkt. Dort wurde zur Klarstellung aus dem Satzteil des Entwurfs *dass ein Fachmann sie danach ausführen kann* das Wort *danach* gestrichen. Im deutschen Text des StraßbÜ (Anhang 9) ist *danach* noch enthalten.

12   Für die Offenbarung ist somit nicht allein der Wortlaut eines Dokuments, sondern der für den Fachmann erkennbare Sinn maßgebend (vgl die für die Beurteilung der Neuheit entwickelten Grundsätze unter Art 54). Es gehören damit auch Merkmale zur Offenbarung, die für den Fachmann mittelbar in dem Dokument offenbart sind, ohne ausdrücklich erwähnt zu sein.[11]

13   Die Praxis zu Umfang und Grenzen des »allgemeinen Fachwissens«[12] beruht im Wesentlichen auf **T 171/84**[13] und **T 206/83**,[14] wobei für die Beurteilung der erfinderischen Tätigkeit und der Ausführbarkeit derselbe Wissensstand maßgeblich ist.[15] Dem Fachmann braucht nicht in allen Einzelheiten vorgeschrieben zu werden, wie er vorzugehen hat.[16] Daher braucht in einer Anmeldung nicht wiederholt zu werden, was zum fundamentalen und präsenten Wissen des Fachmanns gehört, wie es sich regelmäßig in Standardfach- und -lehrbüchern niederschlägt. Dem allgemeinen Fachwissen ist auch zuzurechnen, was der Fachmann lediglich in erschlossenen Quellen nachzuschlagen braucht, von denen anzunehmen ist, dass er sie bei Bedarf benützt. Hierzu gehören Enzyklopädien und gängige Nachschlagewerke. Dagegen gehören Informationen, die erst aufgrund einer Recherche zugänglich werden, nicht zum allgemeinen

---

9   **T 60/89**, ABl 1992, 268; vgl Art 56 Rdn 116–122.
10 PrüfRichtl C-IV, 9.3.
11 PrüfRichtl C-IV, 7.2.
12 PrüfRichtl C-II, 4.1.
13 **T 171/84**, ABl 1986, 95.
14 **T 206/83**, ABl 1987, 5.
15 **T 60/89**, ABl 1992, 268.
16 **T 123/85**, ABl 1989, 336, insoweit nicht veröffentlicht.

Fachwissen. Das gilt regelmäßig für Fachzeitschriften, auch wenn sie als Standardzeitschriften zu bezeichnen sind[17] oder für Patentliteratur. Eine Patentschrift kann ausnahmsweise allgemeines Fachwissen wiedergeben, wenn auf einem neuen Forschungsgebiet noch keine Standardliteratur existiert und anzunehmen ist, dass der Fachmann den Inhalt der Schrift gekannt und beachtet hat.[18] Chemical Abstracts gehören nicht zum allgemeinen Fachwissen, weil sie den vollständigen Stand der Technik auf dem betreffenden Gebiet repräsentieren.[19] Wer sich auf ein allgemeines Fachwissen beruft, ist für dessen Vorliegen beweispflichtig. Der Beweis wird regelmäßig durch ein Literaturzitat geführt werden;[20] die Frage ist aber auch zB dem Sachverständigenbeweis zugänglich.

Es ist nicht notwendig, in einer Anmeldung bestimmte Angaben als erfindungswesentlich herauszustellen.[21] Ausreichend ist, dass der Fachmann den Unterlagen die technische Lehre unmittelbar und eindeutig entnehmen kann. Dies setzt voraus, dass ihm die technische Bedeutung der dargestellten Merkmale für die Erfindung verständlich ist und er erkennen kann, dass sie zur angemeldeten Erfindung gehören. 14

4 Ausführbarkeit der Erfindung

Die Darstellung der Erfindung in der Anmeldung genügt inhaltlich den Erfordernissen des Art 83, wenn sie es dem Fachmann ermöglicht, die Erfindung nachzuarbeiten. Diese Voraussetzung ist nicht gegeben, wenn die behauptete Wirkungsweise gegen die Naturgesetze verstößt.[22] Die Erfindung ist so darzustellen, dass der Fachmann die Aufgabe und deren Lösung verstehen kann (vgl R 27 (1) c)). Bei einer Sache ist erforderlich, dass sie hergestellt werden kann. Dafür ist es notwendig, dass dem Fachmann die Ausgangsstoffe verfügbar sind oder durch die Anmeldung verfügbar gemacht werden und dass ihm das Verfahren zur Herstellung bekannt ist (Analogieverfahren) oder in der Anmeldung offenbart wird. Bei Erzeugnisansprüchen auf dem Gebiet der Biologie kann durch Hinterlegung und Freigabe einer Probe des biologischen Materials nach R 28 die Angabe eines Herstellungsverfahrens ersetzt werden.[23] Bei einem Verfahren gehören zur Offenbarung die Verfahrensmittel und die Verfahrensschritte. 15

---

17 **T 475/88** vom 23.11.1989; zu einer Ausnahme siehe **T 676/94** vom 6.2.1996.
18 **T 51/87**, ABl 1991, 177.
19 **T 206/83**, ABl 1987, 5.
20 **T 475/88**, vom 23.11.1989.
21 So nunmehr auch die deutsche Praxis, siehe die Nachweise bei Schulte, § 34, Rn 335.
22 **T 442/97** vom 4.9.1997, EPOR 1998, 212.
23 PrüfRichtl C-IV, 3.5.2; so auch die deutsche Rechtsprechung, BGH vom 12.2.1987 – *Tollwutvirus* –, ABl 1987, 429, unter Aufgabe von BGH vom 11.3.1975 – *Bäckerhefe* –, GRUR 1975, 430.

16 Für eine ausreichende Offenbarung ist es nicht erforderlich, dass die naturgesetzlichen Zusammenhänge, auf denen die Erfindung beruht, zutreffend erkannt und dargestellt sind; ebensowenig ist erforderlich, dass die Erfindung bereits tatsächlich ausgeführt worden ist. In Übereinstimmung hiermit ist es nicht zwingend ein Offenbarungsmangel, wenn ein Ausführungsbeispiel fehlt oder wenn es Fehler enthält (siehe Rdn 44–48). Die Anforderungen von Art 83 sind erfüllt, wenn der Fachmann aufgrund der Angaben in der Anmeldung unter Benutzung seines Fachwissens in der Lage ist, planmäßig und mit hinreichender Sicherheit den angestrebten Erfolg zu erzielen. Dabei klebt der Fachmann nicht am Wortlaut der Unterlagen, sondern versteht diese in ihrem Zusammenhang. Er ist daher in der Lage, Informationen zu erkennen, die nicht ausdrücklich angegeben sind, sich aber aus den Angaben implizit, aber doch unmittelbar und eindeutig ergeben. Dies ist dann zu bejahen, wenn ihm diese Informationen beim Studium der Unterlagen aufgrund seiner Fachkenntnisse unvermeidbar in den Sinn kommen.[24]

17 Probleme bei der Ausführbarkeit können sich aus einer unzureichenden Darstellung ergeben, wenn etwa die Angaben insgesamt lückenhaft oder einzelne Angaben unzutreffend sind. Sie können aber auch daraus folgen, dass die gegebene technische Lehre nicht in Einklang mit den Naturgesetzen steht, wenn zB ein perpetuum mobile beansprucht wird (dann liegt auch ein Mangel nach Art 57 vor,[25] siehe Art 57 Rdn 11–13) oder wenn der angestrebte und beanspruchte technische Effekt objektiv nicht zu erzielen ist. Art 83 differenziert nicht nach diesen verschiedenen Fallgruppen, die in der deutschen Praxis teilweise unter die Begriffe *technische Brauchbarkeit* und *Wiederholbarkeit* eingeordnet werden.[26]

18 Bei Mängeln in der Darstellung ist danach zu fragen, ob der Fachmann aufgrund seines fachmännischen Könnens und Wissens am Anmeldetag in der Lage war, fehlende Angaben zu ergänzen oder falsche zu korrigieren. Die vorhandenen Angaben müssen den Fachmann in die Lage versetzen, die Lehre planmäßig ohne unzumutbare Schwierigkeiten auszuführen. Sie sind unzureichend, wenn der angestrebte Erfolg nur zufällig oder aufgrund eingehender weiterer Versuche zu erzielen ist. Gelegentliche Fehlschläge sind unschädlich, wenn zumutbare Versuche, die dem Fachmann aufgrund seines Fachwissens möglich oder in der Anmeldung beschrieben sind, zuverlässig zum Erfolg führen.[27] Es ist jedoch ein unzumutbarer Aufwand, wenn die Erfindung nur aufgrund von Zufällen eintritt, sofern nicht bewiesen ist, dass solche Zufallsereignisse häufig genug eintreten, um den Erfolg zu garantieren.[28] Eine für die An-

---

[24] **T 49/90** vom 17.11.1992.
[25] **T 541/96** vom 7.3.2001.
[26] Benkard, § 1, Rn 70 ff.
[27] **T 14/83**, ABl 1984, 105; **T 226/85**, ABl 1988, 336.
[28] **T 727/95**, ABl 2001, 1.

wendung in einer bestimmten Therapie beanspruchte Vorrichtung ist nur dann ausreichend offenbart, wenn diese Therapie ausführbar ist. Dies setzt voraus, dass ein kausaler Zusammenhang zwischen den offenbarten Maßnahmen und der therapeutischen Wirkung zumindest plausibel ist.[29]

Ist bei der Ausführung der Erfindung ein bestimmter Parameter einzuhalten (siehe auch Art 84 Rdn 9), so sind geeignete Meßmethoden anzugeben,[30] wenn dem Fachmann keine Standardmethoden bekannt sind, die die Einhaltung der Parameter mit hinreichender Genauigkeit sicherstellen.[31] Im Einzelfall ist zu unterscheiden:[32] Führen lückenhafte Angaben über einzuhaltende Parameter nur dazu, dass die Grenzen des beanspruchten Gegenstands nicht präzise definiert sind, liegt lediglich ein Mangel nach Art 84 vor.[33] Erlauben es dagegen die Angaben dem Fachmann überhaupt nicht, notwendige Messungen vorzunehmen, oder liefern Messungen nach verschiedenen in Betracht kommenden Methoden unterschiedliche Ergebnisse, die es dem Fachmann nicht mit hinreichender Sicherheit erlauben, den angestrebten Erfolg zu erzielen, so liegt ein Offenbarungsmangel vor. 19

Die Ausführbarkeit muss über die gesamte Breite der beanspruchten Erfindung, dh auch außerhalb der Beispiele, vorliegen;[34] zum Fehlen wesentlicher Merkmale siehe Art 84 Rdn 7. Stellt sich heraus, dass die Erfindung in einem Teilbereich nicht ausführbar ist, so liegt insoweit ein Mangel nach Art 83 vor. Dies bedeutet allerdings nicht immer, dass jede einzelne unter einen Anspruch fallende Alternative ausführbar sein muss. Gibt es für ein abstrakt beschriebenes Merkmal eine Vielzahl von Alternativen, so ist die Unbrauchbarkeit oder fehlende Verfügbarkeit einzelner Alternativen unschädlich, wenn brauchbare Alternativen über den gesamten beanspruchten Bereich vorhanden sind und mit zumutbarem Aufwand aufgefunden werden können.[35] Zu funktionellen Merkmalen siehe Art 84 Rdn 7. 20

Probleme in dieser Hinsicht stellen sich insbes bei biologischen Erfindungen. Zum einen ist lebende Materie schwer zu definieren, zum anderen ist es nicht einfach vorauszusehen, ob geringe Abweichungen im benutzten Material Auswirkungen auf die Eignung für die Erfindung haben. Zudem sind dem Fachmann häufig (noch) nicht alle denkbaren Alternativen verfügbar. Gleichwohl gelten auch hier die allgemeinen Regeln. Bei der Frage der Zumutbarkeit von Versuchen, die für das Auffinden von Alternativen über den beanspruchten Bereich notwendig sind, sind allerdings Definitionsschwierigkeiten und das Ziel 21

---

29 **T 58/05** vom 16.5.2006.
30 **T 225/93** vom 13.5.1997.
31 **T 492/92** vom 18.1.1996.
32 Siehe etwa **T 943/00** vom 31.7.2003 und **T 960/98** vom 9.4.2003, jeweils mwNachw.
33 Zu weit gehend daher PrüfRichtl C-II, 4.10.
34 **T 226/85**, ABl 1988, 336; **T 409/91**, ABl 1994, 653.
35 **T 238/88**, ABl 1992, 709.

eines angemessenen Schutzes in Betracht zu ziehen.[36] In vielen Fällen würde eine Beschränkung auf konkret gefundene und offenbarte Alternativen dem Wettbewerber erlauben, ohne eigenes erfinderisches Bemühen auf andere Alternativen auszuweichen und dabei den Kern der Neuerung zu benutzen, ohne zum Verletzer zu werden. Dies sollte in angemessenem Umfang durch die Verwendung funktioneller Merkmale vermieden werden (vgl Art 84 Rdn 23–26). Zur Anzahl notwendiger Beispiele siehe Rdn 44–48.

22 Ist eine neue Sache beansprucht, deren vorteilhafte Wirkungen nicht für alle beanspruchten Alternativen gegeben sind, so kann es an der Ausführbarkeit fehlen, wenn der angestrebte Effekt in einem Merkmal des Sachanspruchs zum Ausdruck kommt. Andernfalls ist das Fehlen des Effekts unter dem Gesichtspunkt der erfinderischen Tätigkeit nach Art 56 für diesen Teilbereich zu berücksichtigen.[37]

23 Ein Mangel in der Offenbarung einer beanspruchten Erfindung kann nicht geheilt werden. Ist die Lehre objektiv unausführbar, so liegt von vornherein keine schützbare Erfindung vor; war sie unzureichend dargestellt, so scheitert eine Behebung des Mangels am Änderungsverbot des Art 123 (2). Es kann jedoch sein, dass eine Anmeldung eine andere als die mangelhaft offenbarte Erfindung enthält.

Erweist es sich zB, dass der patentbegründende im Anspruch ausgedrückte Effekt über die Breite des Hauptanspruchs nicht mit hinreichender Sicherheit zu erreichen ist, so kann sich der Anmelder einschränken und eine engere Kombination – etwa unter Einbeziehung eines Unteranspruchs in den Hauptanspruch – beanspruchen, die mit hinreichender Sicherheit zum Erfolg führt.

Kommt der Effekt nicht im Anspruch zum Ausdruck (vgl vorstehende Rdn), so kann eine Neuformulierung der Aufgabe dazu führen, dass trotz der zunächst unzureichenden Offenbarung die erfinderische Tätigkeit bejaht werden kann. Wird der ursprünglich geltend gemachte spezielle Effekt objektiv nicht erreicht, so kann im Hinblick auf einen weniger weit reichenden Effekt, der von den ursprünglichen Unterlagen zumindest impliziert wird, eine neue Aufgabe formuliert werden, die tatsächlich gelöst wird. Diese Aufgabe kann auch darin bestehen, ohne eine Verbesserung gegenüber bisher bekannten Lösungen eine Alternative bereitgestellt zu haben. Diese Möglichkeiten bestehen nicht nur im Erteilungsverfahren, sondern in den Grenzen des Verbots der Erweiterung des Schutzbereichs (Art 123 (3)) auch im Einspruchsverfahren.

---

36 **T 292/85**, ABl 1989, 275; **T 301/87**, ABl 1990, 335.
37 **T 939/92**, ABl 1996, 309.

5 Verweisungen in europäischen Patentanmeldungen auf andere Dokumente

Patentanmeldungen enthalten häufig Verweisungen auf andere Dokumente.[38] Solche Bezugnahmen sind ein geeignetes Mittel, den Umfang einer Anmeldung auf das Wesentliche zu beschränken. Es kann auch auf ein Dokument Bezug genommen werden, das nicht in einer Amtssprache des EPA abgefasst ist.[39] Probleme können unter mehreren Gesichtspunkten auftauchen. 24

Zunächst ist zu prüfen, ob eine Bezugnahme notwendig oder zumindest sachdienlich ist. Dies wird zu bejahen sein, wenn sie zum Verständnis der Erfindung beiträgt. Ist dies unter keinem Gesichtspunkt der Fall, so ist die Verweisung überflüssig und nach R 34 (1) c) in klaren Fällen zu streichen. 25

Betrifft die Bezugnahme die Offenbarung der angemeldeten Erfindung, so genügt es nicht, dass die Informationen dem Referenzdokument entnommen werden können, wenn das Dokument Angaben enthält, die den Kern der angemeldeten Erfindung betreffen. In diesem Fall sind die Anmeldungsunterlagen ohne die zusätzlichen Informationen nicht aus sich heraus verständlich. Angaben zu wesentlichen Merkmalen der Erfindung müssen daher in die Beschreibung aufgenommen werden. Es dürfte allerdings zu weit gehen, die Aufnahme aller für die Erfüllung der Erfordernisse des Art 83 notwendigen Angaben zu verlangen,[40] da dann Bezugnahmen meist entweder überflüssig oder aber unzulässig wären. Vielmehr ist auf das Wesen oder den Kern der Erfindung abzustellen, der den Anmeldungsunterlagen unmittelbar zu entnehmen sein muß. Betrifft eine Anmeldung etwa die Weiterverarbeitung einer Vielzahl bekannter chemischer Stoffe durch ein besonderes Verfahren, so sollte es zulässig sein, für die Ausgangsstoffe auf ein anderes Dokument zu verweisen, obwohl die Kenntnis dieser Stoffe für die Nacharbeitung der Erfindung unverzichtbar ist. 26

Die Übernahme von Angaben aus einem Referenzdokument ist zulässig, wenn dieses 27

a) am Anmeldetag der Öffentlichkeit zugänglich war, oder
b) dem Amt am Anmeldetag zur Verfügung stand **und**
c) der Öffentlichkeit spätestens am Tag der Veröffentlichung der Anmeldung zugänglich war.

Die Voraussetzungen unter b) und c) können am einfachsten dadurch erfüllt werden, dass das in Bezug genommene Dokument mit den ursprünglichen Unterlagen eingereicht wird und damit ab Veröffentlichung der Akteneinsicht unterliegt. Wurde das Referenzdokument nicht oder nicht rechtzeitig der Öffent- 28

---

38 Siehe allgemein PrüfRichtl C-II, 4.18.
39 **T 920/92** vom 19.10.1995; zur Rechtslage in Deutschland siehe DE-BGH vom 3.2.1998 – *Polymermasse* – GRUR 1998, 901.
40 So wohl PrüfRichtl C-II, 4.18.

Artikel 83 *Offenbarung der Erfindung*

lichkeit zugänglich, so bildet es nicht Teil der Offenbarung, und die Bezugnahme ist im Prüfungsverfahren zu streichen. Ist die Erfindung ohne Kenntnis des Dokuments nicht ausführbar, so liegt ein unheilbarer Mangel nach Art 83 vor.

29 Die Aufnahme von Merkmalen aus einem Referenzdokument in die Ansprüche ist nach **T 689/90**[41] im Hinblick auf Art 123 (2) nur dann zulässig, wenn aus den ursprünglichen Unterlagen »für den Fachmann zweifelsfrei erkennbar ist,

a) dass für diese Merkmale Schutz begehrt wird oder werden kann;
b) dass diese Merkmale zum technischen Ziel der Erfindung und somit zur Lösung der der anmeldungsgemäßen Erfindung zugrunde liegenden technischen Aufgabe beitragen;
c) dass diese Merkmale eindeutig implizit zur Beschreibung der in der eingereichten Anmeldung enthaltenen Erfindung (Art 78 (1) b) EPÜ) und damit zum Offenbarungsgehalt dieser Anmeldung (Art 123 (2) EPÜ) gehören.«

30 Bei der Prüfung der Neuheit ist es an sich unzulässig, verschiedene Dokumente miteinander zu kombinieren (Art 54 Rdn 46–48). Enthält jedoch eine Entgegenhaltung eine Bezugnahme auf ein anderes Dokument, so kann dies zur Folge haben, dass bei der Auslegung der Entgegenhaltung die Offenbarung des anderen Dokuments ganz oder teilweise mit einzubeziehen ist.[42]

Zu den Hinweisen auf den Stand der Technik siehe Rdn 34–37.

B Inhalt der Beschreibung (R 27 und R 27a)

6 Allgemeines zu R 27

31 Die Regel schreibt vor, welche Einzelbestandteile die Beschreibung einer europäischen Patentanmeldung enthalten muss. Sie werden in ähnlicher Weise auch in R 5 PCT und in nationalen Patentrechten verlangt.

Die Nichtbeachtung dieser Regel kann nach Art 97 (1) zur Zurückweisung der europäischen Patentanmeldung führen. Zu Möglichkeiten der Abweichung siehe Rdn 50–52.

Siehe auch PrüfRichtl C-II, 4 sowie die Beispiele und Erläuterungen im »Leitfaden für Anmelder«, Rn 73–75 und Anhang III.

7 Bezeichnung der Erfindung

32 R 27 (1) a) in der ursprünglichen Fassung ist mit Wirkung vom 1.6.1991 gestrichen worden, so daß am Anfang der Beschreibung nicht mehr die Bezeichnung

---

41 **T 689/90**, ABl 1993, 616.
42 **T 153/85**, ABl 1988, 1; ähnlich PrüfRichtl C-II, 4.18.

der Erfindung aus dem Erteilungsantrag zu wiederholen ist. Geschieht dies trotzdem, so wird die Bezeichnung von Amts wegen gestrichen.[43]

8 Technisches Gebiet (R 27 (1) a))

Die Erfindung soll durch Angabe des allgemeinen technischen Gebiets, auf das sie sich bezieht, in ihren allgemeinen Rahmen eingeordnet werden. Dies kann zB geschehen durch wörtliche oder sinngemäße Wiedergabe des Oberbegriffs der unabhängigen Patentansprüche oder durch bloße Bezugnahme auf ihn.[44]

33

9 Bisheriger Stand der Technik (R 27 (1) b))

Die Angaben zum Stand der Technik[45] sollen die Erfindung in den zutreffenden technischen Zusammenhang setzen. Sie erleichtern das Verständnis der Erfindung und sind insbesondere für die objektive Beurteilung der Aufgabe erforderlich. Sie sind gerade dann von besonderer Bedeutung, wenn der Anmelder die einteilige Anspruchsfassung gewählt hat.[46]

34

Zum Stand der Technik gehören Dokumente, die dem Anmelder bekannt waren und solche, die im Lauf des Verfahrens ermittelt wurden. Daher ist der Anmelder gegebenenfalls verpflichtet, diese Angaben nachträglich in die Beschreibung aufzunehmen.[47] Bloße Hinweise dieser Art verstoßen nicht gegen Art 123 (2).[48] Doch dürfen Vorteile der angemeldeten Erfindung, die aus den ursprünglichen Unterlagen nicht herleitbar waren, nicht im Weg des Vergleichs mit nachträglich zitiertem Stand der Technik eingeführt werden.[49] Neben der Darstellung des Standes der Technik sollen auch die Fundstellen angegeben werden, aus denen er sich ergibt. Andernfalls ist eine Überprüfung, ob der Stand der Technik richtig dargestellt ist, nicht möglich.[50] Dies gilt vor allem für den »Oberbegriff« des oder der unabhängigen Patentansprüche, wenn die zweiteilige Anspruchsfassung verwendet wird. Die Angabe mehrerer Fundstellen, die das gleiche Merkmal oder den gleichen Aspekt des Standes der Technik betreffen, wird nicht verlangt; es soll lediglich auf die am nächsten kommende Fundstelle verwiesen werden.

35

Der Begriff des Standes der Technik ist in Art 54 (2), (3) und (4) definiert. Es gehört also grundsätzlich nicht der sogenannte »interne Stand der Technik« dazu, dh Kenntnisse, über die nur der Anmelder verfügt. Liegt eine ältere, noch

36

---

43 Mitteilung des EPA, ABl 1991, 300.
44 Leitfaden für Anmelder, Rn 73.
45 Vgl allgemein PrüfRichtl C-II, 4.3.
46 **T 170/84**, ABl 1986, 400.
47 **T 11/82**, ABl 1983, 479, stRspr.
48 **T 51/87**, ABl 1991, 177 mwNachw.
49 PrüfRichtl C-II, 4.3.
50 **T 248/85**, ABl 1986, 261.

nicht veröffentliche Anmeldung vor, so sollte ausdrücklich auf die Tatsache hingewiesen werden, dass dieses Dokument unter Art 54 (3) fällt.[51] Siehe hierzu auch Rdn 24–30.

37 Zur Angabe des Standes der Technik gehört auch seine Würdigung, dh es muss auf Unklarheiten, Nachteile und ähnliches hingewiesen werden, um die im Anschluss daran beschriebene Erfindung in der richtigen Perspektive erscheinen zu lassen. Dabei sind nach R 34 (1) b) herabsetzende Äußerungen zu vermeiden (siehe Art 78 Rdn 48–51).

Auch im Einspruchsverfahren kann es noch angezeigt sein, nach einer Beschränkung nächsten Stand der Technik einzuführen, der für das Verständnis der Erfindung wesentlich ist.[52]

10 Darstellung der Erfindung (R 27 (1) c))

38 Dieser den Kern der Beschreibung bildende Teil muss die Aufgabe und ihre Lösung verständlich machen (siehe im einzelnen Rdn 15 und Art 56 Rdn 37).

Ist dieses zwingende Erfordernis nicht erfüllt, so kann kein Patent erteilt werden. Nach T 26/81[53] liegt dann keine Erfindung im Sinne des Art 52 vor; die Existenz einer patentfähigen Erfindung kann nur bejaht werden, wenn die technische Aufgabe aus der Anmeldung abzuleiten ist. Dies entspricht der ständigen Rechtsprechung der Beschwerdekammern. Siehe die umfangreiche Rechtsprechung zu Aufgabe und Lösung unter Art 56 Rdn 37–51.

39 Bei der Abfassung der Beschreibung ist besonders darauf zu achten, dass die Erläuterung der »technischen Aufgabe« auch keine Ansätze enthält, wie die Aufgabe gelöst werden soll. Andernfalls besteht die Gefahr, dass die erfinderische Leistung verkannt wird.[54]

40 Sieht der Anmelder die Erfindung im Erkennen einer Aufgabe, so sollte dies deutlich gemacht werden, während sich die Angaben zu ihrer Lösung auf ein Mindestmaß beschränken können, wenn es auf der Hand liegt, wie die (einmal erkannte) Aufgabe zu lösen ist. Allerdings dürfte bei korrekter Anwendung des Aufgabe/Lösungs-Ansatzes in solchen Fällen der zutreffendere Weg die Formulierung einer abstrakteren Aufgabe sein.

41 Erweist sich die ursprünglich angegebene Aufgabe im Licht des Stands der Technik als objektiv unzutreffend, so kann für die Erfindung eine andere Aufgabe definiert werden, sofern diese aus den ursprünglichen Unterlagen herleitbar ist und tatsächlich gelöst wird (siehe Rdn 23, Art 56 Rdn 37–51).

42 Die vorhandenen vorteilhaften Wirkungen der Erfindung sind anzugeben. Sie sollen auf der nach R 27 (1) b) vorzunehmenden Würdigung des bisherigen

---

51 PrüfRichtl aaO.
52 **T 450/97**, ABl 1999, 67.
53 **T 26/81**, ABl 1982, 211.
54 **T 229/85**, ABl 1987, 237; **T 99/85**, ABl 1987, 413.

Standes der Technik aufbauen, aber keine herabsetzenden Äußerungen (R 34 (1) b)) enthalten. Soweit die Wirkungen für die Formulierung der geltend gemachten Aufgabe wesentlich sind, gehören sie zur notwendigen ursprünglichen Offenbarung. Daher muss bei einer weiteren pharmazeutischen Verwendung die spezifische Indikation ursprünglich offenbart sein.[55] Ist nach den Kenntnissen des Fachmanns nicht anzunehmen, dass behauptete Eigenschaften, die der Aufgabe zu Grunde liegen sollen, tatsächlich vorhanden sind, so müssen die ursprünglichen Unterlagen einen entsprechenden Beleg enthalten. Auf rein spekulative Angaben kann eine Aufgabe auch dann nicht gestützt werden, wenn sie durch nachgereichte und nachveröffentlichte Beweismittel bestätigt werden.[56]

11 Beschreibung der Abbildungen und Zeichnungen (R 27 (1) d))

Nach den Richtlinien[57] sind beigefügte Zeichnungen etwa wie folgt zu beschreiben: »Abbildung 1 zeigt einen Grundriss des Umformergehäuses; Abbildung 2 stellt eine Seitenansicht des Gehäuses dar; Abbildung 3 ist ein Seitenriss der Abbildung 2 in Pfeilrichtung X; Abbildung 4 ist ein Querschnitt durch A-A der Abbildung 1.« Wird in der Beschreibung auf Teile der Zeichnungen Bezug genommen, so sollten sowohl die Bezeichnung als auch das Bezugszeichen genannt werden, zB »Widerstand 3 ist durch Schalter 4 mit Kondensator 5 verbunden«.   43

12 Ausführungsweg (R 27 (1) e))

In der Angabe mindestens eines Ausführungswegs sind die für die Ausführung der Erfindung wesentlichen Maßnahmen für den Fachmann konkret darzustellen. Wo es angebracht ist, soll dies durch Beispiele und gegebenenfalls unter Bezugnahme auf Zeichnungen geschehen (siehe auch Rdn 11–14 und die dort aufgeführten Entscheidungen sowie Art 84 Rdn 56–58). Einzelheiten allgemein bekannter Merkmale oder andere Routinemaßnahmen müssen und sollen nicht angegeben werden.   44

In vielen Fällen genügt ein einziges Beispiel oder eine einzige Ausführungsform.[58] Bei weit gefassten Patentansprüchen müssen jedoch, je nach Lage des Falles, mehrere Beispiele, alternative Ausführungsformen oder Varianten beschrieben werden, um das Erfordernis der ausreichenden Ausführbarkeit nach Art 83 zu erfüllen.

Ein einziges Beispiel kann ausreichend sein, um einen breiten Anspruch zu stützen, wenn etwa eine neue technische Methode offenbart wird und die Be-   45

---

55 **T 609/02** vom 27.10.2004.
56 **T 1329/04** vom 28.6.2005.
57 PrüfRichtl C-II, 4.7.
58 PrüfRichtl C-II, 4.9.

Artikel 83   *Offenbarung der Erfindung*

schreibung eines Weges zu ihrer Anwendung den Fachmann in die Lage versetzt, die angestrebte Wirkung durch die Verwendung geeigneter Varianten und Alternativen der konkret beschriebenen Mittel ohne unzumutbaren Aufwand mit hinreichender Sicherheit über den gesamten beanspruchten Bereich zu erzielen.[59] Besteht die Erfindung dagegen darin, eine verfügbare technische Methode in einem bestimmten Anwendungsgebiet einzusetzen und ist der Beitrag zum Stand der Technik in den hierzu erforderlichen technischen Schritten zu sehen, so kann die hierzu in dem einzigen Beispiel gegebene Lehre in den Ansprüchen nicht so verallgemeinert werden, dass sie Bereiche umfaßt, für die solche konkreten Schritte nicht offenbart sind.[60]

46   Das Fehlen eines Ausführungsbeispiels ist unschädlich, wenn die Erfindung auch ohne ein solches nachgearbeitet werden kann.[61] R 27 (1) e) verlangt Beispiele nur, wo sie angebracht sind. Im übrigen kann von den Erfordernissen des Abs 1 ohnehin unter den Voraussetzungen von Abs 2 abgewichen werden (siehe Rdn 50–52). Ein Fehler in einem Ausführungsbeispiel ist unschädlich, wenn er aufgrund des allgemeinen Fachwissens erkannt und berichtigt werden kann.[62] Kann ein Beispiel nicht exakt nachgearbeitet werden, so reicht es aus, wenn das Verfahren trotz der Abweichung zuverlässig zum Erfolg führt.[63] Auch die fehlende Nacharbeitbarkeit des einzigen Ausführungsbeispiels ist unschädlich, wenn der allgemeine Teil der Beschreibung sonst einen Weg zur Ausführung der Erfindung mit der angestrebten Wirkung offenbart[64]

47   Wegen des Änderungsverbots in Art 123 (2) können Beispiele nicht nachträglich in die Beschreibung eingefügt werden. Sie können aber als Beweismittel für die Ausführbarkeit eingereicht werden.[65]

48   Der PCT schreibt in R 5.1 a) v) vor, dass wenigstens der nach Ansicht des Anmelders beste Weg zur Ausführung der beanspruchten Erfindung anzugeben ist. Dies ist vor allem wichtig, wenn die USA zu den Bestimmungsstaaten gehören. Nach der PCT-Regel hat die Nichtbefolgung dieser Vorschrift in Staaten, die dieses Erfordernis nicht aufgestellt haben, keine Folgen.

13 Gewerbliche Anwendbarkeit (R 27 (1) f))

49   Aufgrund der weiten Formulierung des Art 57 (Gewerbliche Anwendbarkeit) braucht in den meisten Anmeldungen die Art und Weise der gewerblichen Anwendbarkeit nicht ausdrücklich angegeben zu werden. Allerdings ist nun im

---

59   **T 292/85**, ABl 1989, 275.
60   **T 694/92**, ABl 1997, 408.
61   **T 389/87** vom 10.5.1988.
62   **T 171/84**, ABl 1986, 95.
63   **T 281/86**, ABl 1989, 202; **T 212/88**, ABl 1992, 28.
64   **T 293/97**, EPOR 2003, 63.
65   PrüfRichtl C-VI, 5.7a.

Gebiet der Biotechnologie entschieden worden, dass die bloße Herstellbarkeit eines Erzeugnisses nicht das Erfordernis der gewerblichen Verwertbarkeit erfüllt, wenn keine konkrete praktische Verwendung offenbart ist. Dabei zieht die Entscheidung zwar auch R 23e (3) heran, stützt sich aber in erster Linie auf die allgemeine Vorschrift des Art 57.[66]

14 Zwingender Charakter der Vorschrift (R 27 (2))

R 27 (1) ist seiner Formulierung nach obligatorisch; jeder mit einem Buchstaben gekennzeichnete Bestandteil dieser Vorschrift beginnt mit »ist« (engl »shall«, franz »doit«). 50

R 27 (2) relativiert den zwingenden Charakter der Vorschrift: Wenn wegen der Art der Erfindung eine andere Form oder Reihenfolge der einzelnen Bestandteile zu einem besseren Verständnis oder zu einer knapperen Darstellung führen würde, darf von R 27 (1) insoweit abgewichen werden. Das bedeutet aber nicht, dass die Darstellung der Erfindung mit dem in R 27 (1) c) vorgeschriebenen Inhalt nicht erforderlich wäre, wonach Aufgabe und Lösung offenbart sein müssen.[67] 51

Der PCT enthält in R 5.1 b) eine entsprechende Regelung. 52

15 Darstellung von Nucleotid- und Aminosäuresequenzen (R 27a)

Anmeldungen auf dem Gebiet der Gentechnik enthalten häufig genetische Informationen, die in codierter Form in vielfältiger Weise dargestellt werden können. Der Vergleich solcher in nicht standardisierter Form dargestellter Sequenzen ist kaum möglich. Eine sinnvolle Prüfung erforderte die Entwicklung eines entsprechenden Standards, der wiederum den Aufbau von Datenbanken insbes für eine elektronische Recherche ermögliche. Der hierfür geschaffene WIPO Standard ST.25 beruht auf Vorarbeiten der trilateralen Zusammenarbeit des EPA mit dem USPTO und dem japanischen Patentamt. 53

Nach R 27a (1) sind in einer europäischen Anmeldung offenbarte Nucleotid- oder Aminosäuresequenzen iSv ST.25 Nr 2 in einem diesem Standard entsprechenden Sequenzprotokoll darzustellen. Dieses ist als Bestandteil der Beschreibung einzureichen; es kann auch nachgereicht werden, ist dann aber nicht Bestandteil der Beschreibung und der ursprünglichen Offenbarung. 54

Zusätzlich zur Schriftform muss das Sequenzprotokoll auch auf einem zugelassenen Datenträger eingereicht werden. Hierfür wird die kostenlos zur Verfügung stehende Standard-Software PatentIn empfohlen, die ebenfalls ein Ergebnis der trilateralen Zusammenarbeit ist. Der Anmelder hat zu erklären, 55

---

66 **T 870/04** vom 11.5.2005.
67 **T 26/81**, ABl 1982, 211, Nr 5.

dass die auf dem Datenträger gespeicherte Information mit dem schriftlichen Sequenzprotokoll übereinstimmt.[68]

56 Die Eingangsstelle teilt dem Anmelder etwaige Mängel mit und fordert ihn auf, diese innerhalb einer nur einmal verlängerbaren Frist von 2 Monaten zu beseitigen. Werden die Mängel nicht fristgemäß beseitigt, so wird die Anmeldung zurückgewiesen (Art 91 (1) b) und (3) iVm R 27a, 40, 41). Bei Fristversäumung ist Weiterbehandlung (Art 121) möglich.

57 In den PCT wurden entsprechende Bestimmungen eingefügt (R 5.2, 13ter PCT sowie Abschnitt 208 iVm Anhang C der PCT Verwaltungsvorschriften). Bei Eintritt in die regionale Phase wird, wenn nötig, zur Nachreichung eines vorschriftsmäßigen Sequenzprotokolls aufgefordert (R 111 (3)).

C Biologisches Material (R 28 und 28a)

16 Allgemeines zu R 28 und 28a

58 Diese Regeln ergänzen Art 83 (Offenbarung der Erfindung) dahin, dass Erfindungen auf dem Gebiet der lebenden Materie in bestimmten Fällen dadurch offenbart werden können, dass eine Kultur des verwendeten biologischen Materials bei einer anerkannten Hinterlegungsstelle hinterlegt wird.[69]

59 Erste Änderungen der R 28 sind bereits am 1.6.1980 in Kraft getreten.[70] Sie betreffen insbesondere das Recht des Anmelders, die Herausgabe der hinterlegten Kultur nach Veröffentlichung der Anmeldung und vor Erteilung des europäischen Patents zu beschränken und zwar auf vom EPA anerkannte Sachverständige (siehe Rdn 72).

60 Ebenfalls am 1.6.1980 ist die R 28a in Kraft getreten.[71] Sie enthält eine Regelung zur erneuten Hinterlegung nicht mehr lebensfähigen biologischen Materials entsprechend dem Budapester Vertrag über die internationale Anerkennung der Hinterlegung von Mikroorganismen für die Zwecke von Patentverfahren vom 28. April 1977.

61 R 28 und 28a wurden mit Wirkung vom 1.10.1996 geändert.[72] Dabei wurde der Kreis der hinterlegungsfähigen Gegenstände von Mikroorganismen auf biologisches Material erweitert. Dies wurde in R 28 (6) a) als Material definiert, das genetische Informationen enthält und sich selbst reproduzieren oder in einem biologischen System reproduziert werden kann. Damit wurde die Regelung an die technische Entwicklung angepasst, die sich mehr und mehr auf le-

---

68 R 27a (2) iVm dem Beschluss des Präsidenten und der Mitteilung des EPA vom 2.10.1998, ABl 11/1998, Beilage Nr 2, Anhang: WIPO Standard ST.25; PrüfRichtl A-IV, 5.
69 Vgl **G 2/93**, ABl 1995, 275.
70 ABl 1979, 447.
71 ABl 1979, 449.
72 ABl 1996, 390 sowie erläuternde Hinweise in ABl 1996, 596.

bendes Material erstreckte, das nicht mehr unter den Begriff Mikroorganismus einzuordnen war. Ferner wurde der Rechtsprechung Rechnung getragen, nach der die Hinterlegung regelmäßig durch den Anmelder selbst erfolgt sein muss.[73] Nunmehr kann sich der Anmelder unter den Voraussetzungen von R 28 (1) d) auf die Hinterlegung eines Dritten berufen. Schließlich wurde die Sachverständigenlösung für den Fall erweitert, dass die Anmeldung ohne Erteilung eines Patents untergeht. Hierfür ist jetzt in R 28 (4) b) vorgesehen, dass die Beschränkung der Herausgabe einer Probe an einen Sachverständigen für die Dauer von 20 Jahren ab dem Anmeldetag wirksam bleibt. Mit Wirkung vom 1. 9. 1999 wurde die Definition des biologischen Materials aus R 28 (6) nach R 23b (3) verschoben.

Siehe ergänzend PrüfRichtl A-IV, 4 und C-II, 6; Mitteilung des EPA, ABl 1986, 269.

17 Das zu hinterlegende biologische Material (R 28 (1))

Die Pflicht zur Hinterlegung besteht für biologisches Material, das der Öffentlichkeit nicht zugänglich ist und in der europäischen Patentanmeldung nicht so beschrieben werden kann, dass ein Fachmann die Erfindung ausführen kann. Die Hinterlegung ist kein formales Erfordernis, sondern Beschreibungsersatz. Sie ist daher nur dann erforderlich, wenn das genannte Material zur Ausführung der Erfindung erforderlich ist.[74] Dies ist dann zu verneinen, wenn das Material nur beispielhaft genannt ist und andere geeignete Alternativen dem Fachmann zur Verfügung stehen.[75] Der Anmelder ist nicht verpflichtet, die Nacharbeitung durch eine Hinterlegung zu erleichtern, wenn die Erfindung ohne Hinterlegung, wenn auch aufwendiger und mühsamer, ausgeführt werden kann.[76] Sind die Voraussetzungen nach R 28 nicht erfüllt, so liegt ein Mangel nach Art 83 vor, wenn die Erfindung ohne das biologische Material nicht ausführbar ist.

62

18 Zeitpunkt und Ort der Hinterlegung (R 28 (1) a))

Die Probe ist spätestens am Anmeldetag bei einer anerkannten Hinterlegungsstelle zu hinterlegen; das ist entweder eine internationale Hinterlegungsstelle nach dem Budapester Vertrag, den das EPA anwendet,[77] oder eine nach R 28 anerkannte Hinterlegungsstelle. Wird die Priorität einer früheren Patentanmeldung geltend gemacht, so muss die Hinterlegung am Prioritätstag erfolgt sein, da eine wirksame Prioritätsinanspruchnahme voraussetzt, dass die Erfin-

63

---

73 **T 118/87**, ABl 1991, 474.
74 Vgl hierzu **T 418/89**, ABl 1993, 20.
75 **T 361/87** vom 15.6.1988.
76 **T 412/93** vom 21.11.1994, EPOR 1995, 629.
77 Siehe ABl 1980, 380.

dung zum Zeitpunkt der Prioritätsanmeldung ausreichend offenbart ist (siehe Art 87).

64 Nach **T 39/88**[78] muss eine Hinterlegung, die bei einer anerkannten Hinterlegungsstelle auf einer anderen Rechtsgrundlage erfolgt ist, spätestens am Anmeldetag in eine Hinterlegung nach dem Budapester Vertrag oder nach R 28 umgewandelt werden. Unter Hinweis darauf, dass bis zur Veröffentlichung des EPA in ABl 1986, 269 die Rechtslage insoweit unklar gewesen sei, hat die Kammer die ursprüngliche Hinterlegung als ausreichend angesehen, da der Mikroorganismus noch vor der genannten Veröffentlichung uneingeschränkt zugänglich geworden sei. Dies hatte freilich zur Folge, dass für eine Übergangszeit eine Freigabe nach R 28 (3) nicht mit Sicherheit gewährleistet war.

65 Die vom EPA anerkannten Hinterlegungsstellen werden jährlich im Amtsblatt in der Übersicht über den Geltungsbereich internationaler Verträge veröffentlicht.

19 Angaben in der europäischen Patentanmeldung (R 28 (1) a), b), c), (2))

66 Trotz der Hinterlegung der Kultur sind in der europäischen Patentanmeldung die dem Anmelder **zur Verfügung stehenden** maßgeblichen Angaben (engl »available«, franz »dont dispose«) über die Merkmale des biologischen Materials aufzuführen.[79]

67 Der Anmelder muss sich diese Angaben, falls erforderlich, durch Versuche beschaffen, allerdings nur durch allgemein übliche, die es erlauben, das biologische Material zu klassifizieren. Hierzu gehören bei Mikroorganismen die morphologischen und biochemischen Charakteristika und eine taxonomische Beschreibung.

68 Es muss ersichtlich sein, dass das in den ursprünglichen Unterlagen bezeichnete biologische Material mit dem hinterlegten identisch ist. Dies wird durch die ursprüngliche Angabe des Bezugszeichens des Hinterlegers für das biologische Material gewährleistet.[80]

69 Ferner hat der Anmelder in der europäischen Patentanmeldung die Hinterlegungsstelle und die Eingangsnummer des hinterlegten biologischen Materials anzugeben. Diese Angaben können nach Abs 2 innerhalb von 16 Monaten nach dem Prioritäts- oder Anmeldetag nachgereicht werden. Die Frist ist nicht verlängerbar, eine Mängelbeseitigung nach Fristablauf ist ausgeschlossen.[81] In **T 227/97**[82] wurde die Wiedereinsetzung in die versäumte 16-Monatsfrist zugelassen. In G 2/93 hatte die Große Beschwerdekammer den materiell-rechtli-

---

78 ABl 1989, 499.
79 Vgl PrüfRichtl C-II, 6.3 i).
80 Vgl R 7.3 (iv) BV; **G 2/93**, ABl 1995, 275.
81 **G 2/93**, ABl 1995, 275, in Abweichung von **J 8/87**, ABl 1989, 9.
82 **T 227/97**, ABl 1999, 495.

chen Charakter der Erfordernisse der Regel 28 hervorgehoben und ausgeführt, die Fristversäumung führe zu einem Offenbarungsmangel. Demgegenüber sieht T 227/97 die unmittelbare Folge der Fristversäumung als Verlust eines sonstigen Rechts iSv Art 122 (1) an. Ob ein Offenbarungsmangel mit einem solchen Rechtsverlust gleichgesetzt werden kann, erscheint noch erörterungsbedürftig.

20 Herausgabe einer Probe des biologischen Materials an Dritte (R 28 (3))

Grundsätzlich vom Tag der Veröffentlichung der europäischen Patentanmeldung an ist das biologische Material Dritten auf Anfrage zugänglich, und zwar durch Herausgabe einer Probe des hinterlegten biologischen Materials an den Antragsteller (vorbehaltlich Abs 4, siehe Rdn 72). Die Herausgabe erfolgt nur, wenn der Antragsteller sich verpflichtet, das hinterlegte oder davon abgeleitete biologische Material während eines in Abs 3 näher bestimmten Zeitraums Dritten nicht zugänglich zu machen und es lediglich zu Versuchszwecken zu verwenden.

Der Antrag ist auf einem Formblatt[83] beim EPA einzureichen. Wenn die Voraussetzungen gegeben sind, leitet dieses den Antrag an die Hinterlegungsstelle mit einer Bestätigung weiter, dass die Anmeldung vorliegt und daß der Antragsteller Anspruch auf Abgabe einer Probe hat; der Anmelder bzw Patentinhaber erhält eine Kopie des Antrags (R 28 (7) und (8)). Das EPA bleibt auch nach Erteilung des Patents zuständig (R 28 (7) Satz 3).

21 Herausgabe einer Probe des biologischen Materials an Sachverständige (R 28 (4))

Der Anmelder kann dem EPA mitteilen, dass das biologische Material bis zur Erteilung des europäischen Patents nur einem vom Antragsteller benannten Sachverständigen zugänglich gemacht wird (siehe Erteilungsantrag Feld 30). Die Mitteilung ist möglich, solange »die technischen Voraussetzungen für die Veröffentlichung der Anmeldung nicht als abgeschlossen gelten«, also zZt nach einem Beschluss des Präsidenten spätestens 5 Wochen vor der geplanten Veröffentlichung der europäischen Patentanmeldung nach 18 Monaten.[84]

Als Sachverständige kommen natürliche Personen in Betracht, die der Präsident des EPA als Sachverständige anerkannt hat, oder auch eine natürliche Person, deren Benennung mit Zustimmung des Anmelders erfolgt ist.[85] Die Tatsache, dass die Liste der Sachverständigen seit 1992 nicht revidiert wurde, ist wohl ein deutlicher Hinweis darauf, dass die Sachverständigenlösung in R 28 (4)

---

83 Form 1140, ABl 1995, 62.
84 ABl 2006, 405.
85 Siehe Mitteilung des Präsidenten vom 28.7.1981, ABl 1981, 358; zur Liste der Sachverständigen siehe ABl 1992, 470.

nicht die praktische Bedeutung hat, die vor ihrer Einführung geltend gemacht wurde.

22 Erneute Hinterlegung des biologischen Materials (R 28a)

74 R 28a enthält die erforderlichen Vorschriften für den Fall, dass das hinterlegte biologische Material nicht mehr lebensfähig oder die Hinterlegungsstelle aus anderen Gründen zur Abgabe von Proben nicht mehr in der Lage ist. Im Prinzip gilt eine Unterbrechung der Zugänglichkeit dann nicht als eingetreten, wenn der Hinterleger innerhalb von 3 Monaten nach Unterrichtung über die Unterbrechung das ursprünglich hinterlegte biologische Material erneut hinterlegt und dies innerhalb von weiteren 4 Monaten dem EPA mitteilt.

75 In einem solchen Fall wird zu prüfen sein, ob die Lebensfähigkeit durch äußere Umstände unterbrochen wurde, oder ob das biologische Material aufgrund seiner Eigenschaften nur für einen begrenzten Zeitraum aufbewahrt werden kann. Ferner ist gegebenenfalls mit Hilfe der Hinterlegungsstelle zu prüfen, ob die Erklärung des Hinterlegers zutrifft, dass das erneut hinterlegte biologische Material das Gleiche ist wie das ursprünglich hinterlegte (R 28a (4)). Nach T 824/94[86] trägt in einem solchen Fall der Einsprechende die Beweislast dafür, dass die Nachhinterlegung von der Ersthinterlegung abweicht.

Artikel 84 Patentansprüche

Die Patentansprüche müssen den Gegenstand angeben, für den Schutz begehrt wird. Sie müssen deutlich, knapp gefasst und von der Beschreibung gestützt sein.

Rudolf Teschemacher

Übersicht

1	Allgemeines	1-2
2	Gegenstand des Schutzbegehrens	3
3	Fassung der Patentansprüche	4-14
4	Disclaimer	15-18
5	Omnibus-claims	19
6	Product-by-process-Ansprüche	20-22
7	Funktionelle Ansprüche	23-26
8	Der zweiteilige Patentanspruch	27-32
9	Die Patentkategorien	33-37
10	Besonderheiten bei Arzneimitteln	38-42
11	Unabhängige und abhängige Patentansprüche	43-47
12	Anzahl der Patentansprüche, Anspruchsgebühren	48-51

---

86 Vom 18. 11. 1999.

| 13 | Mehrere Sätze von Patentansprüchen | 52-55 |
| 14 | Stützung durch die Beschreibung, Anspruchsbreite | 56-58 |

1 Allgemeines

Dieser Artikel legt die maßgebenden Grundsätze für den Inhalt und die Abfassung der Patentansprüche fest. R 29 (Form und Inhalt der Patentansprüche) ergänzt ihn. Weitere wichtige Bestimmungen für die Patentansprüche enthalten ua Art 69 (Schutzbereich) und das dazugehörige Protokoll, Art 78 (Erfordernisse der europäischen Patentanmeldung), Art 80 (Anmeldetag) und Art 82 iVm R 30 (Einheitlichkeit der Erfindung), R 31 (Gebührenpflichtige Patentansprüche) und R 87 (Unterschiedliche Patentansprüche ... für verschiedene Staaten). 1

Ein Verstoß gegen Art 84 ist nach Art 100 kein Einspruchsgrund. Im Einspruchsverfahren muss nur dann geprüft werden, ob ein Patentanspruch »deutlich und knapp gefasst« ist, wenn der Patentinhaber Änderungen nach Art 102 (3) vorgenommen hat (R 61a).[1] Auf Art 84 gestützte Einwände sind nur dann zulässig, wenn sie auf Änderungen im Einspruchsverfahren zurückgehen.[2] Im Einspruchsverfahren bejaht die Rechtsprechung teilweise selbst bei unveränderter Terminologie eine Unklarheit, wenn Ansprüche zusammengefasst werden.[3] Im übrigen spielen unter Art 84 fallende Mängel im Einspruchsverfahren nur dann eine Rolle, wenn sie zugleich für die Prüfung von Ausführbarkeit, Neuheit oder erfinderischer Tätigkeit von Bedeutung sind (vgl Rdn 58). 2

Der PCT enthält ähnliche Bestimmungen in Art 6 und R 6, allerdings zT etwas enger, zB was mehrfach abhängige Patentansprüche betrifft (R 6.4 a)).

Siehe auch die PrüfRichtl C-III.

EPÜ 2000

Art 84 Satz 2 wurde in der deutschen Fassung an die Fassungen in den beiden anderen Amtssprachen angepasst. R 29 wurde geringfügig redaktionell geändert.

2 Gegenstand des Schutzbegehrens

Unter dem »Gegenstand, für den Schutz begehrt wird«, ist die Erfindung zu verstehen, soweit sie geschützt werden soll. Die richtige Formulierung ist besonders wichtig, weil der Schutzbereich des europäischen Patents nach Art 69 in erster Linie durch den Inhalt der Patentansprüche bestimmt wird. Die Ansprüche sind nicht – wie nach früherem deutschen Recht – nur der Ausgangs- 3

---

1 **T 23/86**, ABl 1987, 316 und die weiteren Nachweise in Art 100 Rdn 16.
2 Rspr BK 2001 VII.C.10.2.
3 Einerseits **T 681/00** vom 26.3.2003, andererseits **T 971/04** vom 22.11.2005, jeweils mwNachw.

punkt, sondern die maßgebliche Grundlage für die Bestimmung dessen, was vom Schutzbereich umfasst ist.[4] Die Formulierung der Ansprüche kann vor Beginn und im Rahmen der Sachprüfung unter den in Art 123 iVm R 86 vorgesehenen Voraussetzungen geändert werden, soweit der Gegenstand der Anmeldung dadurch nicht erweitert wird (Art 123 (2)); nach der Erteilung des europäischen Patents sind nur mehr Änderungen der Ansprüche zulässig, die durch Einspruchsgründe veranlasst sind (R 57a). Ferner besteht das Verbot fort, dem Inhalt der Anmeldung etwas hinzuzufügen (Art 123 (2)), und schließlich darf der Schutzbereich, der im Prinzip durch den Inhalt der Ansprüche festgelegt wird, nicht erweitert werden (Art 123 (3)).

3 Fassung der Patentansprüche

4 Die Patentansprüche müssen deutlich und knapp gefasst sein. Dieses Erfordernis gilt für die gewählte Patentkategorie, für die Terminologie und auch für Zahl und Reihenfolge der Ansprüche. Zur Anzahl der Patentansprüche schreibt R 29 (5) vor, dass sie sich in vertretbaren Grenzen zu halten hat; R 29 (2) beschränkt die Zahl der unabhängigen Ansprüche (siehe Rdn 48–51).

5 Die klare Fassung der Patentansprüche dient zunächst der Rechtssicherheit; den Wettbewerbern soll eine brauchbare Basis für die Beurteilung der Frage gegeben werden, ob eine Benutzungshandlung das Patent verletzt. Im europäischen System ist sie auch wegen der von den meisten Vertragsstaaten verlangten Übersetzung der Ansprüche erforderlich, wenn Schutz aus der europäischen Patentanmeldung nach Art 67 beansprucht wird. Denn nur ein klar und deutlich gefasster Anspruch kann zuverlässig übersetzt werden.

6 Dies gilt besonders auch für die Ansprüche des erteilten europäischen Patents, die nach Art 69 dessen Schutzbereich festlegen. Diese Ansprüche müssen nicht nur in die beiden anderen Amtssprachen des EPA übersetzt werden (Art 14 (7)); darüber hinaus verlangen die meisten Vertragsstaaten auch Übersetzungen der gesamten europäischen Patentschrift, also auch der Ansprüche, in ihre eigene Amtssprache (Art 65).

7 Nach R 29 (1) sind in den Patentansprüchen die »technischen Merkmale der Erfindung« anzugeben. Darunter sind Merkmale zu verstehen, die dazu notwendig und geeignet sind, dem Fachmann eine Lehre zum technischen Handeln zu geben. Das können strukturelle oder funktionelle (siehe Rdn 23–26) Merkmale sein. Nicht-technische Angaben, zB über wirtschaftliche Vorteile, werden in Ansprüchen nicht zugelassen, sofern sie sich nicht im Einzelfall auf einen mit technischen Mitteln erreichten nicht-technischen Erfolg beziehen.

---

4   DE-BGH vom 24.3.1998, – *Leuchtstoff* –, GRUR 1998, 1003.

Zweckangaben sind zulässig, wenn sie zur Definition der geschützten Erfindung beitragen.[5]

Nach R 29 (3) müssen in einem unabhängigen Anspruch **alle** wesentlichen Merkmale enthalten sein. Wesentlich sind die Merkmale, die für den Fachmann unerlässlich sind, um das beanspruchte Verfahren durchzuführen oder das beanspruchte Erzeugnis zu definieren. Aufgrund dieser Merkmale muss sich die Erfindung vom nächstliegenden Stand der Technik unterscheiden.[6] Dabei muss die Aufgabe über den gesamten beanspruchten Bereich gelöst werden, insbes müssen sich die Vorteile einstellen, auf die eine erfinderische Tätigkeit gestützt wird.[7] Die Einfügung wesentlicher Merkmale in einen Anspruch kann nicht dadurch ersetzt werden, dass Beschränkungen aus der Beschreibung in den Anspruch hineingelesen werden.[8] Für den Fachmann Selbstverständliches braucht nicht wiederholt zu werden (siehe im übrigen Rdn 56–58).

Chemische Erzeugnisse können durch ihre Strukturformel, als Verfahrenserzeugnis (siehe Rdn 20–22) oder durch ihre Eigenschaften gekennzeichnet werden.[9] Die Lehre, wie ein Erzeugnis hergestellt werden kann, braucht nicht in den Ansprüchen enthalten zu sein. Es genügt, wenn die Beschreibung (Art 83) den Fachmann in die Lage versetzt, das beanspruchte Erzeugnis herzustellen. 8

Parameter sind Messwerte von Eigenschaften eines Erzeugnisses. Sie können zu seiner Kennzeichnung verwendet werden, wenn eine andere Definition nicht möglich oder nicht sinnvoll ist und die Parameter eindeutig und zuverlässig durch übliche Verfahren bestimmt werden können.[10] Unübliche Parameter können die Wettbewerber vor unzumutbare Schwierigkeiten bei der Bestimmung des geschützten Gegenstands stellen und dienen möglicherweise der Verschleierung fehlender Neuheit.[11] Erweist sich die Definition durch einen Parameter als notwendig, für den die verwendete Meßmethode nicht zum allgemeinen Fachwissen gehört, so ist diese in den ursprünglichen Unterlagen zu offenbaren.[12] Gleiches gilt, wenn verschiedene bekannte Methoden zu verschiedenen Ergebnissen führen.[13] 9

Wird die Erfindung im Anspruch durch einen Parameter definiert, so ist nach den Richtlinien[14] auch die Messmethode in den Anspruch aufzunehmen, sofern nicht:

---

5 PrüfRichtl C-III, 2.1; zur Verwendung von Marken, Namen usw siehe PrüfRichtl C-II, 4.16, C-III, 4.5b.
6 **T 1055/92**, ABl 1995, 214.
7 **T 32/82**, ABl 1984, 354, ständige Rechtsprechung; PrüfRichtl C-III, 4.4.
8 **T 932/99** vom 3.8.2004.
9 PrüfRichtl C-III, 4.7a.
10 **T 94/82**, ABl 1984, 75.
11 PrüfRichtl C-III, 4.7a.
12 **T 626/91** vom 5.4.1995; vgl Art 83 Rdn 19.
13 **T 805/93** vom 20.2.1997.
14 PrüfRichtl C-III, 4.10a.

i) die erforderliche Knappheit des Anspruchs beeinträchtigt würde; in diesem Fall soll auf die Messmethode in der Beschreibung nach R 29 (6) Bezug genommen werden;
ii) ein Fachmann wissen würde, welche Methode zu verwenden ist, oder
iii) alle Methoden innerhalb der Messtoleranzen zu demselben Ergebnis führen.

10   Im Interesse der Klarheit sollen die Ansprüche aus sich heraus verständlich sein. Technische Merkmale dürfen daher nur durch **Bezugnahmen** auf die Beschreibung oder die Zeichnungen definiert werden, soweit dies unbedingt erforderlich ist (R 29 (6) Satz 1). Dies ist dann zu bejahen, wenn die Mittel der Sprache nicht ausreichen, um das Schutzbegehren mit vertretbarem Aufwand klar und eindeutig verständlich zu formulieren.[15] In gleicher Weise sind Bezugnahmen auf andere Unterlagen wie Formelblätter zu behandeln.[16] Aus den gleichen Gründen soll die Bedeutung der Begriffe in den Ansprüchen ohne Rückgriff auf Erläuterungen in der Beschreibung eindeutig sein, sofern sich nicht im Einzelfall ein erläuterungsbedürftiges Merkmal als notwendig erweist, um einen angemessenen Schutz zu ermöglichen.[17] Erst recht stellen Bezugnahmen auf andere Unterlagen außerhalb der Anmeldung, zB auf ein Patentdokument die Klarheit in Frage.[18]

Unklarheiten können sich auch dadurch ergeben, dass ein Bezug zu einem anderen, nicht beanspruchten Gegenstand hergestellt wird. Hierzu gehören etwa Dimensionsangaben in Abhängigkeit von einem anderen Gegenstand, dessen Größe unbestimmt ist[19] oder die räumliche Zuordnung zu einem Gegenstand, etwa durch das Wort »in«, die Anlass zu der Annahme geben kann, dass die Gesamtheit beider Gegenstände geschützt sein soll.[20]

Bei der Bestimmung des Verhältnisses zwischen Ansprüchen und Beschreibung ist der Gesetzeszweck von Art 84 zu berücksichtigen. Zwar sind sowohl für die Prüfung der Patentfähigkeit als auch für die Bestimmung des Schutzbereichs Begriffe in den Patentansprüchen so zu deuten, wie sie der Fachmann nach dem Gesamtinhalt der Patentschrift versteht.[21] Demgemäß sind Begriffe in den Ansprüchen auf der Grundlage der Beschreibung auszulegen, die nicht nur der Behebung etwaiger Unklarheiten in den Patentansprüchen, sondern auch zur Klarstellung der in ihnen verwendeten technischen Begriffe sowie zur Klärung der Bedeutung und der Tragweite der Erfindung dient. In dieser Hin-

---

15 **T 150/82**, ABl 1984, 309; Beispiele siehe PrüfRichtl C-III, 4.10.
16 **T 271/88** vom 6.6.1989.
17 **T 56/04** vom 21.9.2005.
18 **T 363/99** vom 19.4.2004.
19 Siehe näher PrüfRichtl C-III, 4.8a.
20 PrüfRichtl C-III, 4.8b; **T 728/98**, ABl 2001, 319.
21 BGH vom 7.11.2000 – *Brieflocher* – GRUR 2001, 232.

sicht kann die Beschreibung als Lexikon für die Patentschrift angesehen werden, die einem Begriff in den Ansprüchen auch einen vom allgemeinen Sprachgebrauch abweichenden Inhalt geben kann.[22] Nach Patenterteilung sind aber die Möglichkeiten zur Änderung der Ansprüche eingeschränkt und die Sachlage ist verschieden vom Erteilungsverfahren, das mit klar umgrenzten Ansprüchen enden sollte. Daher ist es dem Anmelder nicht gestattet, vermeidbare Unklarheiten durch Verwendung unnötig unbestimmter Merkmale zu schaffen, für die eine klare Definition lediglich in der Beschreibung gegeben wird (siehe auch Rdn 12).

Physikalische Größen sind in den in der internationalen Praxis anerkannten Einheiten anzugeben, das sind in erster Linie die SI-Einheiten (R 35 (12) Satz 1 in der seit 1.6.1995 geltenden Fassung[23]). Sind andere Einheiten verwendet (zB inch), so sind die korrekten Angaben (zB cm) hinzuzufügen (R 35 (12) Satz 2). Das Streichen der nicht korrekten Angaben könnte Probleme im Hinblick auf das Verbot von Änderungen bei Abweichungen oder Fehlern in der Umrechnung zur Folge haben. 11

Relative Begriffe (wie *dünn*, *weit* oder *stark*) sind dann zulässig, wenn sie auf dem betreffenden Fachgebiet eine allgemein anerkannte und ausreichend präzise Bedeutung haben.[24] Dies ist etwa bei dem Begriff *Niederalkyl* in der organischen Chemie nicht der Fall.[25] Relativierende Zusätze wie »etwa« sind jedenfalls dann unzulässig, wenn sie die eindeutige Abgrenzung vom Stand der Technik in Frage stellen.[26] 12

Die in den Patentansprüchen genannten technischen Merkmale sollen in Klammern mit **Bezugszeichen** auf die der Anmeldung beigefügten Zeichnungen versehen werden, wenn dadurch das Verständnis der Patentansprüche erleichtert wird (R 29 (7)); ausdrücklich wird in dieser Regel im Hinblick auf Art 69 ausgeführt, dass die Bezugszeichen nicht zu einer einschränkenden Auslegung der Patentansprüche herangezogen werden dürfen. 13

In **T 237/84**[27] wurde die Verpflichtung zur Verwendung von Bezugszeichen bejaht, wenn dadurch das Verständnis der Ansprüche erleichtert wird. Da sich der Beschwerdeführer darauf berief, nach der Tradition der britischen Rechtsprechung sei zu erwarten, dass die Bezugszeichen bei der Auslegung der Ansprüche berücksichtigt würden, erlaubte die Kammer abweichend von der 14

---

22 BGH vom 2.3.1999 – *Spannschraube* – ABl 2001, 259.
23 Zuvor siehe **T 561/91**, ABl 1993, 736.
24 PrüfRichtl C-III, 4.5; siehe auch R 35 (12).
25 **T 337/95**, ABl 1996, 628; eine eindeutige Definition des unklaren Begriffs in der Beschreibung reicht nicht, **T 1129/97**, ABl 2001, 273; zur Terminologie im übrigen siehe PrüfRichtl C-III, 4.2ff.
26 PrüfRichtl C-III, 4.5a; **T 728/98**, ABl 2001, 319, zu »substantially pure«.
27 ABl 1987, 309.

Rechtsauskunft 12/82[28] die Aufnahme eines Regel 29 (7) Satz 2 wiederholenden Hinweises in die Beschreibung, der mangels einer einschlägigen nationalen Rechtsprechung nicht als offensichtlich belanglos oder unnötig eingestuft wurde.

Komplexität eines Anspruchs bedeutet noch keinen Mangel an Klarheit, wenn die Erfindung nicht in angemessener Weise in weniger komplexer Form beansprucht werden kann.[29]

4 Disclaimer

15 Das Schutzbegehren in den Patentansprüchen ist knapp und klar grundsätzlich durch positive technische Merkmale anzugeben; negative Merkmale, die bestimmte Ausführungsformen ausschließen, sind aber nicht per se unzulässig.

16 Für die Zulässigkeit eines Disclaimers stellen sich zwei Fragen. Die Frage, ob ursprünglich nicht offenbarte Disclaimer zulässig sind, ist in **G 1/03** beantwortet worden;[30] siehe hierzu die Erläuterungen zu Art 123 Rdn 46.

17 Daneben stellt sich die Frage der formellen Zulässigkeit eines Disclaimers. Auch für Ansprüche mit einem Disclaimer gelten die Erfordernisse der Knappheit und Klarheit.[31] Unter diesen Gesichtspunkten sind Disclaimer zulässig, wenn eine solche Formulierung die präziseste und kürzeste Fassung darstellt oder wenn eine Formulierung durch positive Merkmale den Schutz unangemessen einschränken würde (PrüfRichtl C-III, 4.12). Ein Disclaimer hat gemäß R 29 (1) Satz 1 den Bereich zu definieren, der vom Anspruch nicht umfasst sein soll. Das kann etwa ein Merkmal sein, das nicht vorhanden sein soll oder ein engerer Bereich für einen Parameter, der von einem weiteren Bereich ausgenommen ist. Pauschale Verweisungen, zB auf eine Druckschrift, sind unzulässig.[32]

18 Soweit nach **G 1/03** ein nicht ursprünglich offenbarter Disclaimer zulässig ist, darf er nicht mehr ausklammern, als unter angemessener Berücksichtigung von Klarheit und Knappheit[33] notwendig ist, um den Mangel auszuräumen, der den Disclaimer rechtfertigt. Wie in anderen Fällen auch ist abzuwägen zwischen dem Interesse des Anmelders an angemessenem Schutz und dem Interesse der Öffentlichkeit, den Schutzumfang mit vertretbarem Aufwand bestimmen zu können. Aus der Beschreibung sollte der Grund für die Einfügung des Disclaimer ersichtlich sein. Eine Mehrheit von Disclaimern kann dazu führen, dass ein Anspruch wegen mangelnder Klarheit nicht gewährbar ist, so etwa wenn ein disclaimer sich auf ein Merkmal bezieht, das in einem weiteren Disc-

---

28 ABl 1982, 109.
29 **T 1020/98**, ABl 2003, 533, zu einer Markush-Formel.
30 **G 1/03** und **G 2/03**, ABl 2004, 413, 420; siehe hierzu die Erläuterungen zu Art 123.
31 **G 1/03**, aaO.
32 **T 11/89** vom 6.12.1990, EPOR 1991, 336.
33 Hierzu vgl **T 10/01** vom 9.3.2005.

laimer ausgeschlossen ist.[34] Umgekehrt wurden auch 11 Disclaimer zum Ausschluss einzelner alternativer Ausführungsformen als zulässig angesehen.[35]

5 Omnibus-claims

Patentansprüche sollen aus sich heraus verständlich sein. Daher dürfen sich die Ansprüche nach R 29 (6) im Hinblick auf die technischen Merkmale nicht auf Bezugnahmen auf die Beschreibung oder die Zeichnungen stützen, wenn dies nicht unbedingt erforderlich ist. »Omnibus-claims« nach alter englischer Praxis, dh eine generelle Rückverweisung auf die Beschreibung, sind nicht zugelassen. Eine Bezugnahme kann beispielsweise zulässig sein, wenn ein Merkmal sich auf eine in der Zeichnung dargestellte Formgebung bezieht, die nicht ohne weiteres durch Worte oder durch eine Formel definiert werden kann.[36] Den Beweis, dass ein solcher Ausnahmefall vorliegt, hat der Anmelder zu erbringen.[37]

19

6 Product-by-process-Ansprüche

Kann ein Erzeugnis nicht oder nur unzureichend durch seine Zusammensetzung, seine Struktur oder sonstige nachprüfbare Parameter gekennzeichnet werden, so bleibt dem Anmelder nur die Möglichkeit, das Erzeugnis durch sein Herstellungsverfahren (product-by-process-Anspruch) zu definieren.[38] Dies gilt auch für lebende Materie als Erzeugnis eines biologischen Verfahrens.[39] Während die Richtlinien[40] keine einschränkenden Voraussetzungen für product-by-process-Ansprüche nennen, verlangt die zitierte Rechtsprechung, dass eine andere Kennzeichnung (insbesondere Zusammensetzung, Struktur, Parameter) nicht möglich ist.

20

Zu beachten ist, dass ein product-by-process-Anspruch Anspruch trotz der Verfahrensmerkmale ein Erzeugnisanspruch bleibt. Er umfasst daher alle Erzeugnisse mit denselben Eigenschaften, auch wenn sie durch ein anderes Verfahren hergestellt wurden. Zur Vermeidung von Missverständnissen sollte er daher lauten »Erzeugnis X, **erhältlich** durch das Verfahren Y« und nicht »... **erhalten** durch ...«. Aus dem Wesen des Erzeugnisanspruchs folgt, dass Neu-

21

---

34 **T 161/02** vom 13.9.2004.
35 **T 451/99** vom 13.01.2005.
36 PrüfRichtl C-III, 4.10.
37 **T 150/82**, ABl 1984, 309.
38 **T 150/82**, ABl 1984, 309; **T 219/83**, ABl 1986, 211; **T 248/85**, ABl 1986, 261.
39 **T 320/87**, ABl 1990, 71.
40 PrüfRichtl C-III, 4.7b.

heit und erfinderische Tätigkeit für das Erzeugnis als solches gegeben sein müssen und nicht aus Verfahrensmerkmalen abgeleitet werden können.[41]

22 Fehlen für ein Erzeugnis eines Verfahrens Neuheit oder erfinderische Tätigkeit, so kann es nur mittelbar über ein selbst schutzfähiges Herstellungsverfahren als unmittelbares Verfahrenserzeugnis nach Art 64 (2) geschützt werden.

7 Funktionelle Ansprüche

23 Zur Frage der funktionellen Ansprüche siehe die Erörterungen auf dem 3. Symposium europäischer Patentrichter.[42]

24 Technische Merkmale iSd R 29 (1) Satz 1 sind nicht notwendig strukturelle Merkmale. Sie können auch funktionelle Merkmale sein, die zulässig sind, wenn dem Fachmann aus der Anmeldung oder aus seinem Fachwissen ohne weiteres mehrere Mittel zur Ausübung der angegebenen Funktion verfügbar sind,[43] die aufgrund einer verallgemeinerungsfähigen Lehre aufgefunden werden können.[44] Die funktionellen Merkmale müssen dem Fachmann eine ausreichend klare technische Lehre offenbaren, die er mit zumutbarem Denkaufwand – wozu auch die Durchführung üblicher Versuche gehört – ausführen kann.[45] Sind dem Fachmann unter der allgemeinen Definition eine ausreichende Anzahl brauchbarer Alternativen verfügbar, so ist es unschädlich, wenn sich andere Alternativen als unbrauchbar erweisen oder nicht verfügbar sind.[46]

25 Die Wahl, wie ein Merkmal im Patentanspruch zu definieren ist, steht allerdings nicht im freien Belieben des Anmelders; vielmehr ist die objektiv präziseste Form zu wählen.[47]

26 Dabei kann die funktionelle Darstellung im Einzelfall durchaus klarer sein als die strukturelle.[48] Wie stets ist bei der Wahl der Gestaltungsmöglichkeiten des Anmelders für die Anspruchsformulierung auch hier dessen Interesse an einem angemessenen Schutz zu berücksichtigen. Hat er ein verallgemeinerungsfähiges Konzept für die Erfüllung einer Funktion offenbart, dann verdient er auch Schutz für noch nicht erprobte, noch unbekannte oder auch noch nicht existierende Alternativen zur Erfüllung der Funktion.[49] Eine Häufung funktioneller Merkmale innerhalb desselben Anspruchs kann die Verständlich-

---

41 PrüfRichtl C-III, 4.7b; so nun auch die englische Rechtsprechung, House of Lords Kirin v. Amgen, GRUR Int 2006, 343, Gründe Nr 89 ff.
42 GRUR Int 4/1985,; insbes Ford, Funktionelle Ansprüche, aaO, S 249.
43 PrüfRichtl C-III, 2.1 und 6.5.
44 **T 409/91**, ABl 1994, 653; **T 435/91**, ABl 1995, 188.
45 **T 68/85**, ABl 1987, 228.
46 **T 292/85**, ABl 1989, 275.
47 **T 14/83**, ABl 1984, 105; **T 4/80**, ABl 1982, 149.
48 PrüfRichtl C-II, 4.9.
49 **T 292/85**, ABl 1989, 275.

keit des Anspruchs unzumutbar erschweren und einen Einwand mangelnder Klarheit nach sich ziehen.

8 Der zweiteilige Patentanspruch

R 29 (1) schreibt grundsätzlich einen zweiteiligen Patentanspruch vor (bestehend aus Oberbegriff und kennzeichnendem Teil), sofern diese Anspruchsfassung zweckdienlich ist. Sie ist dann zweckdienlich, wenn die Erfindung in einer bestimmten Verbesserung einer bekannten Kombination von Teilen oder Verfahrensschritten besteht,[50] oder mit anderen Worten, wenn ein klar abgegrenzter Stand der Technik vorliegt, von dem sich der beanspruchte Gegenstand durch zusätzliche technische Merkmale unterscheidet.[51]

Die Verwendung des zweiteiligen Anspruchs soll nicht zu einem gekünstelten oder verzerrten Bild der Erfindung führen. Die Aufteilung in Oberbegriff und kennzeichnenden Teil ist zB unzweckmäßig, wenn die Erfindung in einer neuen Kombination mehrerer bekannter, gleichwertiger Merkmale, in der Abänderung von Merkmalen oder in der Bereitstellung eines neuen chemischen Stoffs besteht.[52] Auch wenn der nächste Stand der Technik eine kollidierende Anmeldung nach Art 54 (3) ist, sollte der zweiteilige Anspruch vermieden werden.[53] Bereitet die Bestimmung des nächsten Stands der Technik Schwierigkeiten, zB weil er entfernt oder komplex ist, so ist das ein Anzeichen dafür, dass möglicherweise ein einteiliger Anspruch vorzuziehen ist.

Generell ist die einteilige Fassung des Patentanspruchs der zweiteiligen Fassung gemäß R 29 (1) vorzuziehen, wenn hierdurch der Gegenstand, für den Schutz begehrt wird, durch Vermeidung nicht zweckdienlicher, zu komplexer Formulierungen deutlich und knapp definiert wird (Art 84). Dies macht jedoch die Angaben im Sinne der R 29 (1) a) in der Beschreibung erforderlich, dh die Angaben, die bei zweiteiligen Ansprüchen als Inhalt des »Oberbegriffs« vorgeschrieben sind.[54]

Bei der Verwendung des zweiteiligen Anspruchstyps bilden den »Oberbegriff« die Bezeichnung des Gegenstands der Erfindung und die zur Festlegung des beanspruchten Gegenstands notwendigen Merkmale, die in Verbindung miteinander aus dem nächstliegenden Stand der Technik bekannt sind. Der kennzeichnende Teil enthält die weiteren Merkmale, für die in Verbindung mit dem Oberbegriff Schutz begehrt wird (R 29 (1) a) und b)). Hält die Prüfungsabteilung im Gegensatz zum Anmelder den zweiteiligen Patentanspruch für zweckdienlicher, so führt dies gewöhnlich nicht zur Zurückweisung der An-

---

50 PrüfRichtl C-III, 2.3.
51 **T 13/84**, ABl 1986, 253.
52 PrüfRichtl C-III, 2.3.
53 PrüfRichtl C-III, 2.3a.
54 **T 170/84**, ABl 1986, 400.

meldung, wenn in der Beschreibung die Erfindung eindeutig gegenüber dem Stand der Technik abgegrenzt wird.[55] Demgegenüber ist nach der Rechtsprechung die Frage, in welchem Umfang der Stand der Technik nach R 27 angegeben werden muss, für die Feststellung nicht ausschlaggebend, ob die einteilige oder die zweiteilige Anspruchsform im Einzelfall zweckmäßiger ist.[56] Sie verlangt demgemäß eine zweiteilige Fassung gegebenenfalls auch dann, wenn aus der Beschreibung klar zu erkennen ist, welche Merkmale in Verbindung miteinander zum Stand der Technik gehören.

31 Der Prüfung eines Anspruchs ist die Gesamtheit seiner Merkmale zugrunde zu legen. Die Erfindung schlägt sich keineswegs nur im kennzeichnenden Teil nieder.[57] Wenngleich zunächst davon ausgegangen werden kann, dass der Oberbegriff zutreffend formuliert ist, dh dass seine Merkmale in Verbindung miteinander bekannt waren,[58] so ist doch die Aufteilung in Oberbegriff und kennzeichnenden Teil für das weitere Prüfungsverfahren nicht bindend. Stellt sich heraus, dass ein technisches Merkmal der Erfindung zu Unrecht im Oberbegriff aufgeführt war, so kann es in den kennzeichnenden Teil gebracht werden.[59]

32 Weder die Verwendung eines einteiligen Anspruchs noch eine unzutreffende Abgrenzung in einem zweiteiligen Anspruch können im Rahmen der Einspruchsgründe des Art 100 gerügt werden. Auch auf Initiative des Patentinhabers besteht keine Veranlassung, einen erteilten Anspruch nur deshalb zu ändern, weil die Aufteilung in Oberbegriff und kennzeichnenden Teil nicht dem objektiven Stand der Technik entspricht (R 29 (1) a).[60]

9 Die Patentkategorien

33 R 29 (2) führt als Kategorien *Erzeugnis*, *Verfahren*, *Vorrichtung* und *Verwendung* auf (wegen der Bedeutung der Kategorien für den Schutzumfang siehe Art 69 Rdn 15–19).

34 In einer europäischen Patentanmeldung können auch mehrere unabhängige Ansprüche der gleichen Kategorie unter gewissen Voraussetzungen enthalten sein: Einmal muss die europäische Patentanmeldung einheitlich bleiben (Art 82), zum andern darf die nach R 29 (2) und (5) zulässige Zahl unabhängiger Ansprüche nicht überschritten sein (siehe Rdn 48–51).

35 Im Grunde ist von zwei grundlegenden Arten von Patentansprüchen auszugehen, nämlich solchen für Gegenstände (Erzeugnis, Vorrichtung) und solchen

---

55 PrüfRichtl C-III, 2.3 b.
56 **T 162/82**, ABl 1987, 533; **T 13/84**, ABl 1986, 253.
57 **T 13/84**, ABl 1986, 253.
58 **T 87/85** vom 15.12.1987.
59 **T 6/81**, ABl 1982, 183; **T 160/83** vom 19.3.1984, EPOR 1979-85, c, 860.
60 **T 99/85**, ABl 1987, 413.

für Tätigkeiten (Verfahren, Verwendung).[61] Die Kategorie der Verwendung hat im EPÜ eine besondere Regelung gefunden: Heilverfahren sind in Art 52 (4) von der Patentierung ausgeschlossen; als Kompensation hat der Gesetzgeber die Neuheit eines Arzneimittels für seine erste medizinische Verwendung in Art 54 (5) fingiert (zu medizinischen Indikationen siehe näher Rdn 38–42). Auch für die Beurteilung der Einheitlichkeit ist die Kategorie der Verwendung von eigenständiger Bedeutung (siehe Art 82 Rdn 22). Zur Neuheit von Verwendungsansprüchen siehe die Erörterungen auf dem 7. Symposium europäischer Patentrichter.[62]

Die Frage, welche Kategorien von unabhängigen Ansprüchen nach Art 82 in einer europäischen Patentanmeldung auf jeden Fall zugelassen sind, war bis 1.6.1991 in R 30 geregelt. Die dort aufgeführten Kombinationen von Ansprüchen sind nunmehr in den Richtlinien[63] enthalten und gelten als einheitlich nach Art 82 (siehe Art 82 Rdn 9–10). In der Sache hat sich keine Änderung ergeben. Zur Zahl der unabhängigen Ansprüche siehe Rdn 48. **36**

Erzeugnis- und Verfahrensansprüche haben verschiedene Schutzwirkungen. Die Verwendung von Vorrichtungsmerkmalen in Verfahrensansprüchen und umgekehrt ist aber nicht ohne weiteres zu beanstanden, da sie im Einzelfall zu einer knappen, klaren und präzisen Anspruchsfassung beitragen kann.[64] Allerdings muss doch stets klar sein, zu welcher Kategorie der Anspruch als Ganzes gehört. Daher ist ein Anspruch auf ein *Verfahren zum Betreiben eines Geräts* unzulässig, wenn die Merkmale nur die Wirkungsweise des Geräts beschreiben und damit funktionell eine Sache definieren.[65] **37**

Ein Wechsel der Kategorie der Patentansprüche des erteilten Patents ist nur möglich, sofern dadurch der Schutzbereich des erteilten Patents nicht erweitert wird.[66]

10 Besonderheiten bei Arzneimitteln

Nach Art 52 (4) und 54 (5) gelten für Anspruchsformulierungen zum Schutz von Arzneimitteln besondere Grundsätze.[67] **38**

Ist das Arzneimittel als Erzeugnis neu, so kann es aufgrund des absoluten Stoffschutzes nach allgemeinen Grundsätzen als Erzeugnis geschützt werden und naturgemäß auch als Arzneimittel. **39**

---

61 **G 6/88**, ABl 1990, 114; PrüfRichtl C-III, 3.1.
62 GRUR Int 11/1996.
63 PrüfRichtl C-III, 7.2.
64 Siehe etwa **T 455/91**, ABl 1995, 684; **T 952/99** vom 10.12.2002.
65 **T 426/89**, ABl 1992, 172; ebenso DE-BGH vom 16.9.1997 – *Handhabungsgerät*, GRUR 1998, 130.
66 Siehe Art 123 Rdn 68–70 und PrüfRichtl D-V, 6.3.
67 Siehe hierzu die Erörterungen auf dem 5. Symposium europäischer Patentrichter, GRUR Int 6/1991.

40 Ist das Erzeugnis, das als Arzneimittel verwendet werden soll, aber bereits als chemisches Erzeugnis ohne therapeutische Eigenschaften bekannt, so kann dieser Stoff oder dieses Stoffgemisch zur Anwendung bei einem Verfahren nach Art 52 (4) Satz 2 geschützt werden.[68] Abweichend von den allgemeinen Grundsätzen gilt hier kraft der Fiktion des Art 54 (5) bei einem Erzeugnisanspruch eine Zweckangabe als neuheitsbegründend. Bei dieser so genannten ersten medizinischen Indikation ist es nicht notwendig, die Anwendung auf die gefundene Indikation zu beschränken; es werden grundsätzlich Ansprüche als Arzneimittel generell gewährt.

41 Weitere medizinische Indikationen für als Arzneimittel bekannte Stoffe können durch Ansprüche geschützt werden, die auf die Verwendung des bekannten Stoffes oder Stoffgemisches zur **Herstellung** eines Arzneimittels für eine bestimmte neue und erfinderische Anwendung gerichtet sind.[69]

42 Soll ein bekanntes chemisches Erzeugnis zum ersten Mal als Arzneimittel, aber auch in einer kosmetischen Zusammensetzung verwendet werden, so kommen für die Anwendung als Arzneimittel Ansprüche entsprechend den Grundsätzen der ersten medizinischen Indikation in Betracht, für die Anwendung als kosmetisches Mittel Verwendungsansprüche und Ansprüche auf eine kosmetische Zusammensetzung, wenn dieses Mittel neu ist.[70]

11 Unabhängige und abhängige Patentansprüche

43 Der Ausdruck *Unteranspruch*[71] wird im EPÜ und in den Prüfungsrichtlinien nicht verwendet. Ergänzend zu den unabhängigen Ansprüchen in R 29 (2) spricht R 29 (3) von den *besonderen Ausführungsarten* und R 29 (4) von den *abhängigen Patentansprüchen*.

44 Bei einem unabhängigen Patentanspruch handelt es sich um einen Anspruch, der die notwendigen Merkmale der Erfindung wiedergibt, deren Schutz begehrt wird (vgl R 29 (1)). Ein auf eine besondere Ausführungsart gerichteter Anspruch muss alle Merkmale wenigstens eines unabhängigen Anspruchs einschließen und betrifft eine spezifischere Offenbarung der Erfindung als die im unabhängigen Anspruch definierte.[72]

45 Demgemäß hat ein abhängiger Patentanspruch nach R 29 (4) im Weg der Bezugnahme alle Merkmale eines anderen Anspruchs zu enthalten und noch zusätzliche Merkmale anzugeben, für die im Zusammenhang mit diesem anderen Anspruch Schutz begehrt wird. Ob dieser abhängige Anspruch selbst patentfä-

---

68 Zur Rechtsnatur solcher Verwendungsansprüche siehe DE-BGH vom 5.10.2005 – *Arzneimittelgebrauchsmuster* –, GRUR 2006, 135.
69 **G 1/83, G 5/83** und **G 6/83**, ABl 1985, 60, 64 und 67; siehe Art 54 Rdn 90–98.
70 **T 36/83**, ABl 1986, 295; **T 144/83**, ABl 1986, 301; siehe auch Art 57 Rdn 3–10.
71 Vgl § 9 (6) DE-PatV.
72 PrüfRichtl C-III, 3.4.

hig gegenüber dem Stand der Technik[73] oder auch gegenüber dem unabhängigen Anspruch ist, spielt keine Rolle. Diese Frage ist im Prüfungsverfahren nur von Bedeutung, wenn der Hauptanspruch selbst nicht patentfähig ist.

Ein Patentanspruch, der sich auf einen Anspruch aus einer anderen Patentkategorie bezieht (zB »Vorrichtung ... zur Durchführung des Verfahrens nach Anspruch 1, gekennzeichnet durch ...«) ist kein abhängiger Patentanspruch iSd R 29(4).[74] Solche Bezugnahmen sind in geeigneten Fällen zulässig.[75]

Nach R 29 (4) Satz 2 sind auch Ansprüche zulässig, die von einem selbst abhängigen Anspruch abhängen. Auch mehrfach abhängige Ansprüche sind nicht ausgeschlossen als Grundlage für weitere mehrfach abhängige Ansprüche; der PCT lässt solche Kombination nicht zu (PCT R 6.4a). Voraussetzung für deren Gewährung im europäischen Patenterteilungsverfahren ist jedoch, dass solche Ansprüche deutlich und klar sind, dh dass sich die zwischen ihnen bestehenden Zusammenhänge ohne weiteres feststellen lassen.[76]

12 Anzahl der Patentansprüche, Anspruchsgebühren

Nach R 29 (5) hat sich die Zahl der Patentansprüche in vertretbaren Grenzen zu halten. Beispielsweise wurden 157 Ansprüche als unangemessene Belastung der Öffentlichkeit bezeichnet[77] und 10 unabhängige Ansprüche mit überlappenden Bereichen nicht zugelassen.[78]

R 29 (2) in der seit Anfang 2002 geltenden Fassung bestimmt, dass eine Anmeldung nur in folgenden Fällen mehrere unabhängige Ansprüche derselben Kategorie (Erzeugnis, Verfahren, Vorrichtung, Verwendung) enthalten darf:

a) mehrere miteinander in Beziehung stehende Erzeugnisse,
b) verschiedene Verwendungen eines Erzeugnisses oder einer Vorrichtung,
c) Alternativlösungen für eine bestimmte Aufgabe, sofern es nicht zweckmäßig ist, diese Alternativen in einem einzigen Anspruch wiederzugeben.

Zweck dieser Regelung ist es, die Sachprüfung zu vereinfachen und die Darlegungslast dafür, dass eine Mehrzahl unabhängiger Ansprüche sachlich gerechtfertigt ist, dem Anmelder aufzuerlegen.[79] Die Richtlinien nennen für alle drei Fallgruppen Beispiele.[80] Da R 29 (2) »unbeschadet Art 82« gilt, sind die Erfordernisse beider Bestimmungen nebeneinander anwendbar.

---

73 Anders, wenn dem abhängigen Anspruch nicht die Priorität des unabhängigen Anspruchs zukommt, **T 131/99** vom 19.7.2001.
74 PrüfRichtl C-III, 3.7a.
75 **T 410/96** vom 25.7.1999; siehe aber Rdn 37 am Ende.
76 PrüfRichtl C-III, 3.6.
77 **T 246/91** vom 14.9.1993.
78 **T 79/91** vom 21.2.1992, EPOR 1993, 91; siehe nunmehr R 29 (2).
79 Mitteilung des EPA, ABl 2002, 112; **T 56/01** vom 21.1.2004.
80 PrüfRichtl A-III, 3.2.

Teschemacher

49 R 31 schreibt vor, dass für jeden über 10 hinausgehenden Patentanspruch eine Anspruchsgebühr zu entrichten ist, deren Höhe in Art 2 Nr 15 GebO festgelegt ist. Maßgebend ist die Reihenfolge der Ansprüche bei Einreichung.[81] Daher kann die Gebührenpflicht für die ersten zehn Ansprüche nicht dadurch umgangen werden, dass auf einzelne dieser Ansprüche verzichtet wird.[82] Für die Ansprüche 11 ff kann der Anmelder bei Zahlung (gegebenenfalls nach Aufforderung, siehe Art 7 (2) GebO[83]) auswählen, für welche Ansprüche Gebühren entrichtet werden sollen. Zur Berechnung bei mehreren Anspruchssätzen siehe Rdn 52–55. Wie Anmelde- und Recherchengebühr sind auch die Anspruchsgebühren innerhalb eines Monats nach Einreichung der Anmeldung zu entrichten. Wird auch nicht innerhalb der vom Amt nach R 31(1) Satz 3 gesetzten Nachfrist gezahlt, so gilt das als Verzicht auf den Patentanspruch (R 31 (2)). Die Wiedereinsetzung in diese Frist ist in Art 122 (5) nicht ausgeschlossen (siehe Art 122 Rdn 127–130).

50 Zu der Frage, was der fiktive Verzicht nach R 31 (2) bedeutet, liegen noch keine Entscheidungen vor. Insbesondere wird zu klären sein, ob ein Anspruch, für den nicht bezahlt wurde, in veränderter Form wieder in die Anmeldung aufgenommen oder zum Gegenstand einer Teilanmeldung gemacht werden kann.

51 Enthält die für die Erteilung zum Patent vorgesehene europäische Patentanmeldung mehr als 10 Patentansprüche und sind die zusätzlichen Anspruchsgebühren noch nicht entrichtet worden (R 31 (1)), so fordert die Prüfungsabteilung den Anmelder nach R 51 (7) auf, die entsprechenden Anspruchsgebühren innerhalb der Frist nach R 51 (4) zu entrichten.[84] Bei Versäumung der Frist ist die Weiterbehandlung möglich.

Für Euro-PCT-Anmeldungen ergibt sich die Gebührenpflicht aus R 110 (1). Der Einreichung der Anmeldung bei europäischen Anmeldungen entspricht hier der Eintritt in die regionale Phase. Demgemäß sind die Gebühren innerhalb von 31 Monaten nach dem Anmelde- oder Prioritätstag zu zahlen. Auch hier kann innerhalb von 1 Monat nach Zustellung einer Gebührennachricht bezahlt werden. Maßgebend für die Berechnung der gebührenpflichtigen Ansprüche sind die Ansprüche, die dem europäischen Erteilungsverfahren zugrunde zu legen sind. Dazu gehören auch noch geänderte Ansprüche, die innerhalb der in der Gebührennachricht gesetzten Frist eingereicht werden.[85] Die Wirkung der Nicht-Zahlung als Verzicht findet sich in R 110 (4).

---

81 PrüfRichtl A-III, 9.
82 **J 9/84**, ABl 1985, 233.
83 PrüfRichtl A-III, 9.
84 PrüfRichtl C-VI, 15.1.
85 PrüfRichtl A-VII, 1.3.

13 Mehrere Sätze von Patentansprüchen

Die europäische Patentanmeldung enthält auf Grund ihres einheitlichen Charakters grundsätzlich nur einen Satz von Patentansprüchen (Art 118). 52

In bestimmten Fällen werden jedoch gesonderte Sätze von Ansprüchen zugelassen:[86] 53

a) im Fall älterer europäischer Rechte nach R 87,
b) im Fall älterer nationaler Rechte, einbezogen durch R 87 in der seit 1.6.1995 geltenden Fassung,
c) im Fall der Beanspruchung eines Schutzes für chemische Erzeugnisse oder Nahrungs- oder Arzneimittel, wenn ein benannter Staat einen Vorbehalt nach Art 167 gemacht hat und anstelle der Erzeugnisansprüche Verfahrensansprüche eingereicht werden;[87] die letzten Vorbehalte sind 1992 außer Kraft getreten, bleiben aber für Patente wirksam, die auf während der Geltung des Vorbehalts eingereichte Anmeldungen erteilt wurden,
d) im Fall eines teilweisen Rechtsübergangs aufgrund einer Entscheidung nach Art 61 iVm R 16 (2), (3).

Gesonderte Sätze von Ansprüchen können grundsätzlich erst vor der Prüfungsabteilung aufgestellt werden.[88] Eine Ausnahme galt nur für gesonderte Ansprüche nach Buchst c).[89] Gesonderte Anspruchssätze können auch noch im Einspruchsverfahren eingereicht werden.[90] Dies ist durch die am 1.6.1995 in Kraft getretene R 57a klargestellt worden. 54

Für gesonderte Sätze, die nicht mehr als 10 Ansprüche enthalten, sind keine Anspruchsgebühren zu entrichten. R 31 und R 110 (1) sind nur auf den Satz von Ansprüchen anzuwenden, der die meisten Ansprüche enthält.[91] 55

14 Stützung durch die Beschreibung, Anspruchsbreite

Die Forderung, dass die Patentansprüche von der Beschreibung gestützt sein müssen, bedeutet, dass der Gegenstand eines jeden Anspruchs eine Grundlage in der Beschreibung haben muss, und dass der Umfang der Ansprüche nicht über den durch die Beschreibung und die Zeichnungen gerechtfertigten Umfang hinausgehen darf.[92] Der durch die Ansprüche festgelegte Umfang des 56

---

86 Siehe im einzelnen PrüfRichtl C-III, 8.
87 Zum zeitlichen Anwendungsbereich siehe Art 167 (5) sowie die Hinweise in ABl 1987, 426 und 1992, 301.
88 **J 21/82**, ABl 1984, 65.
89 Zum Zeitpunkt der Einreichung vor Erteilung siehe PrüfRichtl C-VI, 4.10 unter Berücksichtigung von **G 7/93**, ABl 1994, 775.
90 PrüfRichtl D-VII, 4.
91 **J 8/84**, ABl 1985, 261; PrüfRichtl C-VI, 15.1.
92 PrüfRichtl C-III, 6.1.

Artikel 84 — Patentansprüche

Ausschließungsrechts soll dem Beitrag des Anmelders zum Stand der Technik entsprechen.[93]

57 Die Stützung durch die Beschreibung enthält zunächst einen formellen Aspekt: Ansprüche und Beschreibung dürfen einander nicht widersprechen, damit die Ansprüche auf der Grundlage der Beschreibung ausgelegt werden können (vgl Art 69 (1) Satz 2). Ist zB ein Merkmal in der Beschreibung durchweg als notwendig für die Ausführung der Erfindung dargestellt, so muss es auch in den Anspruch aufgenommen werden;[94] die Offenbarung in der Beschreibung kann hier nicht geändert werden. Fallen Beispiele in der Beschreibung nicht unter die Ansprüche, so sind sie zu streichen (siehe R 34 (1) c)) oder als Vergleichsbeispiele zu kennzeichnen. Umgekehrt kann es auch in Betracht kommen, die Ansprüche allgemeiner zu fassen, sofern hierdurch keine neuen technischen Angaben eingeführt werden (Art 123 (2)).

Sind die Ansprüche weiter, als es die Beschreibung rechtfertigen würde, so kann im Einzelfall auch die Beschreibung an die Ansprüche angepasst werden, wenn die Ansprüche insoweit eine ausreichende Offenbarung enthalten und die Beschreibung erkennbar zu eng gefasst war.

Nicht jede beanspruchte Ausführungsform muss in der Beschreibung dargestellt sein; ist ein abhängiger Anspruch aus sich heraus verständlich, so bedarf er keiner weiteren Erläuterung in der Beschreibung.[95] Werden Elemente in Anspruch und Beschreibung unterschiedlich definiert,[96] so muss die Beschreibung an die Ansprüche angepasst werden oder umgekehrt. Dies ist allerdings dann nicht zulässig, wenn der Gesamtheit der ursprünglichen Unterlagen nicht zu entnehmen ist, welche der beiden Informationen richtig ist und welche falsch.[97]

58 Üblicherweise werden in den Patentansprüchen die in der Beschreibung enthaltenen Beispiele verallgemeinert. Hieraus ergibt sich der andere, materielle Aspekt von Art 84: wie breit können die Ansprüche sein, ohne daß die Voraussetzungen der Patentierbarkeit (Neuheit, erfinderische Tätigkeit und Ausführbarkeit) in Frage gestellt werden? Dem Anmelder ist gestattet, alle offensichtlichen Abwandlungen, Äquivalente und Verwendungsmöglichkeiten des Beschriebenen in die Ansprüche einzuschließen, wobei allerdings nach dem Anmeldetag im Hinblick auf Art 123 (2) keine neuen technischen Angaben eingeführt werden dürfen.[98] Die genannten Verallgemeinerungen setzen voraus, dass alle beanspruchten Varianten die Eigenschaften besitzen, die zur Ausführung der Erfindung oder zur Begründung der erfinderischen Tätigkeit notwendig sind. Einwände dürfen allerdings nicht auf bloße Vermutungen gestützt

---

93 **T 409/91**, ABl 1994, 653.
94 **T 133/85**, ABl 1988, 441.
95 PrüfRichtl C-II, 4.5; C-III, 6.6.
96 Vgl PrüfRichtl C-III, 4.3.
97 **T 13/83**, ABl 1984, 428.
98 PrüfRichtl C-III, 15.1.

werden, sondern sind zu belegen.[99] Besteht danach Grund zu der Annahme, dass nicht alle beanspruchten Ausführungsformen die ihnen zugeschriebenen Vorteile aufweisen, so sind diese nachzuweisen.[100] Das Erfordernis der Ausführbarkeit besteht für alle unter einen Anspruch fallenden Alternativen,[101] soweit es nicht zumutbar ist, durch Versuche ungeeignete Alternativen auszuschließen.[102] Lassen sich gegen die Erfindung im beanspruchten Umfang keine materiellen Einwände finden, so können auch die Ansprüche nicht nach Art 84 als »ungebührlich breit« beanstandet werden.[103] Vielmehr kann der Anmelder seine Ansprüche so weit fassen, wie sein tatsächlicher Beitrag zum Stand der Technik reicht.[104]

Artikel 85 Zusammenfassung

Die Zusammenfassung dient ausschließlich der technischen Information; sie kann nicht für andere Zwecke, insbesondere nicht für die Bestimmung des Umfangs des begehrten Schutzes und für die Anwendung des Artikels 54 Absatz 3, herangezogen werden.

Rudolf Teschemacher

Übersicht

1	Allgemeines	1
2	Zweck der Zusammenfassung	2-6
3	Inhalt der Zusammenfassung	7
4	Die Zeichnungen	8
5	Einzelheiten zur Anfertigung der Zusammenfassung	9
6	Endgültiger Inhalt der Zusammenfassung	10-11

1 Allgemeines

Dieser Artikel schließt aus, dass dem Inhalt der Zusammenfassung materiellrechtliche Bedeutung zuerkannt wird. 1

Die Notwendigkeit der Zusammenfassung als Teil der europäischen Patentanmeldung ergibt sich aus Art 78 (1) e); ihre Form und ihr Inhalt sind in R 33 festgelegt. Mit ihrer Überprüfung befassen sich die Art 91 (1) c) und R 47.

Die Zusammenfassung wurde vom PCT übernommen; folgende Bestimmungen entsprechen einander: Art 3 (2) PCT und Art 78 (1) EPÜ, Art 3 (3) PCT

---

99 PrüfRichtl C-III, 6.3.
100 **T 26/85**, ABl 1990, 22; T 694/92, ABl 1997, 408.
101 **T 435/91**, ABl 1995, 188.
102 **T 226/85**, ABl 1988, 336; siehe im übrigen oben Rdn 24, Art 83 Rdn 11, 15 und 20 f.
103 **T 939/92**, ABl 1996, 309.
104 **T 694/92**, ABl 1997, 408.

Artikel 85 *Zusammenfassung*

und Art 85 EPÜ, R 8 PCT und R 33 EPÜ. Die Zusammenfassung wurde auch in verschiedene nationale Systeme übernommen.

Siehe auch PrüfRichtl A-III, 11 und 14 sowie B-IV, 1.4 und B-XI.

EPÜ 2000

Art 85 ist unverändert geblieben.

In R 33 wurden die Absätze 1, 4 und 5 geringfügig redaktionell geändert. In R 47 wurden die beiden Absätze zusammengefasst. Der bisher in Art 93 (2) geregelte Inhalt der Veröffentlichung der europäischen Patentanmeldung ist in R 49 überführt worden, die nun ohne Einschränkung bestimmt, dass die Zusammenfassung mit der Anmeldung zu veröffentlichen ist.

2 Zweck der Zusammenfassung

2   Die Zusammenfassung dient ausschließlich dazu, die in der Anmeldung offenbarte technische Information der Öffentlichkeit mitzuteilen. Deshalb wird sie grundsätzlich mit der europäischen Patentanmeldung veröffentlicht; diese Veröffentlichung enthält nach Möglichkeit den Recherchenbericht (Art 93 (2)).

3   Nach dieser Bestimmung können zwar Recherchenbericht und Zusammenfassung auch später veröffentlicht werden. Im Interesse einer frühzeitigen Information der Öffentlichkeit veröffentlicht das EPA die eingereichte Zusammenfassung jedoch auch dann zusammen mit der Anmeldung, wenn der Recherchenbericht erst später veröffentlicht werden kann;[1] in diesem Fall wird die Zusammenfassung noch einmal, gegebenenfalls überarbeitet, mit dem europäischen Recherchenbericht veröffentlicht.

4   Die Zusammenfassung dient nur einer ersten Information der Öffentlichkeit. Daher spielt sie nach der Veröffentlichung im europäischen Patenterteilungsverfahren keine Rolle mehr und wird auch nicht aufgrund neuerer Überlegungen oder Erkenntnisse überarbeitet oder erneut veröffentlicht.

Diese Zweckbestimmung bedeutet, dass die Zusammenfassung für nichts anderes benutzt werden darf. Der rein informatorische Charakter der Zusammenfassung wird durch die Rechtsprechung bestätigt, die ausschließt, dass die Zusammenfassung für die Feststellung des »Inhalts der Anmeldung« nach Art 123 (2) herangezogen werden kann.[2]

5   Ausdrücklich ausgeschlossen ist, dass die Zusammenfassung herangezogen wird, um den Umfang des Schutzbereichs zu bestimmen, der nach Art 69 ohne Bezugnahme auf die Zusammenfassung festzulegen ist. Ferner wird ausgeschlossen, dass die Zusammenfassung bei der Feststellung älterer europäischer Rechte (vgl Art 54 (3) Rdn 76) in Betracht gezogen wird. Dieser Ausschluss dürfte auch für die Wirkung von europäischen Patentanmeldungen und euro-

---

1   PrüfRichtl A-VI, 1.3.
2   **T 246/86**, ABl 1989, 199; **T 168/86** vom 22.2.1988; **T 407/86** vom 1.3.1988, EPOR 1988, 254.

päischen Patenten als älteren Rechten gegenüber nationalen Patentanmeldungen nach Art 139 (1) gelten.

Weicht eine veröffentlichte Zusammenfassung von der Anmeldung ab, so ist sie als Stand der Technik regelmäßig im Lichte der Anmeldungsunterlagen auszulegen.³ 6

3 Inhalt der Zusammenfassung

Die Zusammenfassung muss nach R 33 (2) eine Kurzfassung der in der Beschreibung, den Patentansprüchen und den Zeichnungen offenbarten Erfindung enthalten, so daß Aufgabe und Lösung sowie die wichtigsten Verwendungsmöglichkeiten verstanden werden können; auch soll das in der Beschreibung bezeichnete technische Gebiet aufgeführt werden (R 27 (1) a)). Außerdem muss in ihr – zweckmäßigerweise als Überschrift – die Bezeichnung der Erfindung angegeben sein (R 33 (1) und R 26 (2) b)). 7

R 33 (5) gibt nähere Anweisungen für die Abfassung der Zusammenfassung unter Berücksichtigung ihres Zweckes.

Aus der in R 33 (3) enthaltenen Begrenzung auf 150 Wörter ergibt sich die für die Zusammenfassung notwendige Beschränkung.

4 Die Zeichnungen

Falls die Patentanmeldung Zeichnungen enthält, hat der Anmelder nach R 33 (4) für die Zusammenfassung die geeigneten Zeichnungen vorzuschlagen. Tut er das nicht, so entscheidet das EPA ohne seine Mitwirkung, mit welchen Zeichnungen (regelmäßig nur einer) die Zusammenfassung zu veröffentlichen ist (siehe Rdn 10–11). 8

5 Einzelheiten zur Anfertigung der Zusammenfassung

Detaillierte Angaben zu Inhalt und Struktur von Zusammenfassungen enthält der WIPO Standard ST 12.⁴ Die Prüfer sind gehalten, die Kontrollliste dieses Standards bei der Prüfung der Zusammenfassung zu benutzen.⁵ 9

Die Bezeichnung der Erfindung ist in der Überschrift der Zusammenfassung wiederzugeben; es ist überflüssig, die Bezeichnung im ersten Satz der Zusammenfassung zu wiederholen.

Für europäische Patentanmeldungen, die Zeichnungen enthalten, wird auf R 33 (4) Satz 3 hingewiesen, wonach hinter jedem wesentlichen Merkmal, das durch die Zeichnung veranschaulicht wird und mit einem Bezugszeichen ver-

---

3   **T 77/87**, ABl 1990, 280; **T 1080/99**, ABl 2002, 568.
4   Zugänglich auf der Website der WIPO, www.wipo.org → Resources → WIPO Standards and other Documentation → List of WIPO Standards.
5   Wiedergegeben in PrüfRichtl, Anlage zu B-XI.

sehen ist, auch im Text der Zusammenfassung das Bezugszeichen in Klammern zu setzen ist.

Bei Zusammenfassungen auf dem Gebiet der Chemie, insbesondere der organischen Chemie, muss die chemische Formel in der Zusammenfassung angegeben werden, die die Erfindung am besten kennzeichnet.

6 Endgültiger Inhalt der Zusammenfassung

10 Im Rahmen der Formalprüfung wird von der Eingangsstelle geprüft, ob die Zusammenfassung eingereicht worden ist (Art 91 (1) c)). Stellt die Eingangsstelle fest, dass die eingereichten Unterlagen keine Zusammenfassung enthalten oder daß die eingereichte Zusammenfassung offensichtlich nicht zu der Anmeldung gehört,[6] so wird eine Frist von mindestens 2 Monaten für die Nachreichung der Zusammenfassung gesetzt (R 41 (1), R 84). Wird der Mangel nicht innerhalb dieser Frist beseitigt, so wird die Anmeldung von der Eingangsstelle zurückgewiesen (Art 91 (3)). Nach Art 14 (1) b) PCT gilt die internationale Anmeldung in diesem Fall als zurückgenommen. Ist der Anmelder nicht zur Einreichung der Zusammenfassung aufgefordert worden oder entspricht diese nicht R 8 PCT, so wird nach R 38.2 PCT die Zusammenfassung von Amts wegen erstellt.

Die Folgen der Fristversäumung vor dem EPA können unter den Voraussetzungen der Art 121 und 122 beseitigt werden.

11 Nach R 47 (1) wird der endgültige Inhalt der Zusammenfassung von der zuständigen Recherchenabteilung bestimmt, und zwar sowohl der Text als auch die für die Zusammenfassung bestimmte Zeichnung. Dabei soll der Prüfer den Zweck der Zusammenfassung berücksichtigen, die nach R 33 (5) eine wirksame Handhabe zur Sichtung des jeweiligen technischen Gebiets geben und insbes eine Beurteilung der Frage ermöglichen soll, ob es notwendig ist, die vollständige Anmeldung selbst einzusehen.[7] Der Anmelder erhält die Zusammenfassung in der endgültigen Fassung mit dem Recherchenbericht.[8]

Artikel 86 Jahresgebühren für die europäische Patentanmeldung

(1) Für die europäische Patentanmeldung sind nach Maßgabe der Ausführungsordnung Jahresgebühren an das Europäische Patentamt zu entrichten. Sie werden für das dritte und jedes weitere Jahr, gerechnet vom Anmeldetag an, geschuldet.

(2) Erfolgt die Zahlung einer Jahresgebühr nicht bis zum Fälligkeitstag, so kann die Jahresgebühr noch innerhalb von sechs Monaten nach Fällig-

---

6 PrüfRichtl A-III, 11.2 und 14.
7 PrüfRichtl B-XI, 2.
8 PrüfRichtl B-XI, 6.

keit wirksam entrichtet werden, sofern gleichzeitig die Zuschlagsgebühr entrichtet wird.

(3) Werden die Jahresgebühr und gegebenenfalls die Zuschlagsgebühr nicht rechtzeitig entrichtet, so gilt die europäische Patentanmeldung als zurückgenommen. Das Europäische Patentamt ist allein befugt, hierüber zu entscheiden.

(4) Die Verpflichtung zur Zahlung von Jahresgebühren endet mit der Zahlung der Jahresgebühr, die für das Jahr fällig ist, in dem der Hinweis auf die Erteilung des europäischen Patents bekannt gemacht wird.

Margarete Singer

Übersicht

1	Allgemeines	1-3
2	Gebührenzahlung und Fälligkeit (Abs 1, R 37 (1))	4-7
3	Zahlung bei Änderung der Gebühren (R 37 (1)) . .	8-9
4	Nachfrist und Zuschlagsgebühr (Abs 2, R 37 (2))	10-12
5	Nicht rechtzeitige Zahlung (Abs 3)	13-14
6	Benachrichtigung des Anmelders	15-17
7	Wiedereinsetzung in den vorigen Stand	18-20
8	Aussetzung und Unterbrechung des Verfahrens .	21-23
9	Jahresgebühren für Teilanmeldungen (R 37 (3)) . .	24-26
10	Neuanmeldung des wahren Berechtigten (R 37 (4), Art 61 (1) b))	27
11	Fälligkeit bei Euro-PCT-Anmeldungen (R 107 (1) g)	28-31
12	Rückzahlung von Jahresgebühren	32

1 Allgemeines

Wie viele nationale Rechtssysteme verlangt auch das EPÜ schon für die Aufrechterhaltung von **Anmeldungen** die Zahlung von Jahresgebühren. Die Höhe der Gebühr und ihre jährliche Steigerung ergeben sich aus Art 2 Nr 4 GebO;[1] die Fälligkeit und weitere Einzelheiten bestimmen R 37 und R 51 (9). Das Patent wird nur erteilt, wenn die fälligen Jahresgebühren einschließlich etwaiger Zuschlagsgebühren bezahlt sind (Art 97 (2) c)). Andernfalls gilt die europäische Patentanmeldung als zurückgenommen (siehe Rdn 13–14). 1

Für das **erteilte europäische Patent** sind Jahresgebühren an die Patentämter der benannten Staaten auf der Grundlage der jeweiligen nationalen Vorschriften zu entrichten, und zwar auch während eines Einspruchs- und Beschwerdeverfahrens. Art 141 bestimmt den Zeitpunkt, von dem an die Jahresgebühren an die Vertragsstaaten zu entrichten sind. 2

---

[1] Siehe auch Gebührenverzeichnis, jeweilige Beilage zum ABl.

Artikel 86 *Jahresgebühren für die Anmeldung*

3 Referenzwährung für die Gebühren ist der Euro.
EPÜ 2000
Abs 2 wird aufgehoben und in der AO geregelt.

2 Gebührenzahlung und Fälligkeit (Abs 1, R 37 (1))

4 Eine Jahresgebühr wird erst ab dem dritten Patentjahr erhoben. Die letzte Gebühr an das EPA ist für das Jahr zu zahlen, in dem der Hinweis auf die Erteilung des europäischen Patents im Europäischen Patentblatt bekanntgemacht worden ist (Abs 4). Jahresgebühren sind im **voraus** zu bezahlen und werden für die europäische Patentanmeldung jeweils am Ende des Monats **fällig**, in dem das Patentjahr beginnt (R 37 (1) Satz 1). Die Jahresgebühr kann bereits innerhalb eines Zeitraums von einem Jahr **vor** Fälligkeit gezahlt werden (R 37 (1) Satz 2).

5 Grundlage für die Gebührenberechnung ist also das Patentjahr, dessen Beginn sich – unabhängig von einer geltend gemachten Priorität – nach dem Tag der Anmeldung bestimmt. Das erste Patentjahr beginnt nach R 83 (2) am Tag **nach** der Anmeldung als dem fristauslösenden Ereignis und endet am ersten Jahrestag der Anmeldung (R 83 (3)). Die Mitteilung des EPA in ABl 1980, 100 (erneut abgedruckt in ABl 1984, 272) gibt hierzu ein Beispiel:

Die europäische Patentanmeldung wurde eingereicht am 2.6.1978; damit beginnt jedes Patentjahr am jeweiligen 3. 6. und endet am 2. 6. des folgenden Jahres.

	Beginn	Ende
3. Patentjahr	3.6.1980	2.6.1981
4. Patentjahr	3.6.1981	2.6.1982

Wurde in dem Beispiel der Hinweis auf die Erteilung am 2.6.1980 und damit noch im zweiten Patentjahr bekanntgemacht, so war überhaupt keine europäische Jahresgebühr mehr zu entrichten, sondern die nationalen Gebühren für das dritte Patentjahr bereits an die nationalen Patentämter. Erfolgte der Hinweis auf die Bekanntmachung am 3.6.1980, also am ersten Tag des dritten Patentjahrs, so war die Jahresgebühr für das 3. Patentjahr, die am 30.6.1980 fällig wurde, als europäische Gebühr an das EPA zu zahlen. Erst für die darauf folgenden Patentjahre wären dann die Gebühren an die nationalen Patentämter zu entrichten (Art 141 (1)).

6 Es sei daran erinnert, dass Beginn des Patentjahrs und Fälligkeit der Jahresgebühr zusammenfallen, wenn der Anmeldetag der vorletzte Tag des Monats ist.

7 R 51 (9) regelt die besondere Situation, dass eine Jahresgebühr **nach** der Mitteilung nach R 51 (4) und **vor** dem Tag der frühestmöglichen Bekanntmachung des Hinweises auf die Erteilung des europäischen Patents fällig wird (Jahresgebührenlücke; siehe auch Art 97 Rdn 19). In einem solchen Fall wird der Hinweis auf die Erteilung erst nach Entrichtung dieser Jahresgebühr bekanntgemacht; hiervon wird der Anmelder mit der Mitteilung nach R 51 (9) Satz 2 un-

terrichtet. Er muss diese Gebühr zahlen, damit der Hinweis bekannt gemacht wird.

3 Zahlung bei Änderung der Gebühren (R 37 (1))

Werden die Sätze der GebO geändert, so ist maßgebend für die Höhe der Jahresgebühr der Satz, der am Tage der zulässigen und damit wirksamen Zahlung gilt. Wird die Jahresgebühr im voraus entrichtet, was nach R 37 (1) Satz 2 ein Jahr vor ihrer Fälligkeit wirksam geschehen kann, so richtet sich die Höhe der Gebühr nach den am Zahlungstag geltenden Sätzen. Der Schuldner von Jahresgebühren kann also die Auswirkungen einer bevorstehenden Gebührenerhöhung für ein Jahr dadurch vermeiden, dass er die Gebühr innerhalb der zulässigen Jahresfrist (R 37 (1) Satz 2), aber vor dem Stichtag der Erhöhung bezahlt.[2]   8

Werden die Jahresgebühren herabgesetzt, was bei den Gebührensenkungen zum 1.7.1997 (ABl 1997, 104) und 1.7.1999 (ABl 1999, 10) allerdings **nicht** geschehen ist, so würde der gleiche Grundsatz wohl auch dann gelten: bei vorheriger Zahlung müsste die Gebühr, um wirksam beglichen zu sein, in der alten Höhe entrichtet werden. Jedenfalls ist bei der Senkung der Anmelde-, Recherchen- und Benennungsgebühren zum 1.7.1997 eine entsprechende Regelung getroffen worden: Wurde eine dieser Gebühren vor dem Stichtag tatsächlich entrichtet, so war die Zahlung grundsätzlich nur in der alten Höhe wirksam.[3]   9

4 Nachfrist und Zuschlagsgebühr (Abs 2, R 37 (2))

Art 86 (2) sieht entsprechend Art 5bis PVÜ die Zahlung der Jahresgebühren mit Zuschlag noch innerhalb von 6 Monaten nach dem Fälligkeitstag vor, der grundsätzlich ein Monatsletzter ist. Das Ende dieser Nachfrist bestimmt sich nach R 83 (4) unter entsprechender Anwendung der R 37 (1) Satz 1. **J 4/91**[4] stellt abweichend von **J 31/89**[5] mit eingehender Begründung fest, dass die Nachfrist von 6 Monaten nach Fälligkeit immer an Ultimo (von Ultimo zu Ultimo) endet (Nr 2.7 der Gründe). Auch wenn die Gebühr wegen der Feiertagsregelung (R 85 (1)) noch am nächsten Werktag wirksam geleistet werden kann, bleibt der Fälligkeitszeitpunkt der Monatsletzte. Anderes gilt bei der Jahresgebühr für das dritte Patentjahr bei Euro-PCT-Anmeldungen, falls diese vor Eintritt in die regionale Phase fällig wurde (R 107 (1) g)) (siehe Rdn 28–31; Rechtsauskunft 5/93 rev., ABl 1993, 229).   10

Art 86 (2) geht von der gleichzeitigen Zahlung von Jahresgebühr und Zuschlagsgebühr aus. Nach R 37 (2) genügt es, wenn Jahresgebühr und Zuschlags-   11

---

[2] Beschluss des Verwaltungsrats vom 5.12.1986, ABl 1987, 4, letzte Fußnote.
[3] ABl 1997, 12, 79, 80, 107, 215.
[4] **J 4/91**, ABl 1992, 402.
[5] **J 31/89** vom 31.10.1989.

Artikel 86 *Jahresgebühren für die Anmeldung*

gebühr, auch mit getrennten Zahlungen, innerhalb der 6-Monatsfrist entrichtet werden.

12   Die Zuschlagsgebühr beträgt nach Art 2 Nr 5 der GebO 10% der verspätet gezahlten Jahresgebühr.

5 Nicht rechtzeitige Zahlung (Abs 3)

13   Bei nicht rechtzeitiger Zahlung der Jahresgebühr – mit oder ohne Zuschlagsgebühr – gilt die europäische Patentanmeldung nach Art 86 (3) als zurückgenommen. Es tritt die gleiche Folge ein wie bei Nichtzahlung der Anmelde- und Recherchengebühr (Art 90 (3)). Das EPA trifft die Feststellung der Rücknahmefiktion der Anmeldung nach R 69 (1) (siehe unter Art 106 Rdn 7–12).

14   Da es sich nicht um die Versäumung einer vom Amt festgesetzten Frist handelt, scheidet der Rechtsbehelf der Weiterbehandlung der Anmeldung nach Art 121 aus; es steht nur die Wiedereinsetzung in den vorigen Stand nach Art 122 zur Verfügung, die auch hilfsweise neben einem Antrag auf eine beschwerdefähige Entscheidung nach R 69 (2) betrieben werden kann.

6 Benachrichtigung des Anmelders

15   Ist die Jahresgebühr bis zum Fälligkeitstag nicht entrichtet, so benachrichtigt das EPA den Anmelder über seine Säumnis und weist ihn auf die Rechtsfolge hin; weiter wird ihm mitgeteilt, dass er innerhalb der bereits laufenden 6-Monatsfrist durch Zahlung der Jahresgebühr und der Zuschlagsgebühr den Rechtsverlust abwenden kann. Das EPA ist zu dieser Mitteilung nicht verpflichtet; aus einer Unterlassung der Mitteilung kann der Anmelder keine Rechte herleiten. Daß sich ein Anmelder darauf verlässt, eine solche Mitteilung zu erhalten, ist kein Wiedereinsetzungsgrund.[6]

16   Zur Verpflichtung des EPA, den Anmelder mit Rücksicht auf Treu und Glauben auf Fehler im Zusammenhang mit der Zahlung der Jahresgebühr hinzuweisen, siehe **J 13/90**[7] im Anschluss an **T 14/89**.[8]

17   Durfte der Anmelder auf Grund des Verhaltens des EPA in gutem Glauben annehmen, dass die dritte Jahresgebühr entrichtet worden war, wird die später erfolgte Zahlung als rechtzeitig anerkannt.[9]

7 Wiedereinsetzung in den vorigen Stand

18   Bei Versäumung der Nachfrist zur Zahlung mit Zuschlag ist die Wiedereinsetzung in den vorigen Stand nach Art 122 möglich. Nach Art 122 (2) Satz 4 beginnt die in Art 122 (2) Satz 3 festgelegte Ausschlußfrist von einem Jahr vom

---

6   **J 12/84**, ABl 1985, 108; **J 40/89** vom 22.5.1991.
7   **J 13/90** ABl 1994, 456.
8   **T 14/89** ABl 1990, 432.
9   **J xx/87** vom 17.8.1987 Nr 3.13 und 3.14, ABl 1988, 323.

Fälligkeitstag an zu laufen und nicht erst mit Ablauf der 6-Monatsfrist, innerhalb der mit Zuschlag gezahlt werden kann.

Weist der Antrag des Anmelders einen offensichtlichen Mangel auf, der sich fristgerecht noch leicht beheben läßt, so verlangt es der Vertrauensgrundsatz, dass das EPA den Anmelder auf den Mangel hinweist.[10] Diese Verpflichtung des EPA ist keine der freiwilligen Serviceleistungen, aus deren Unterlassung der Anmelder keine Rechte herleiten könnte (vgl Rdn 15–17). 19

Unterblieb irrtümlich die Zahlung der Jahresgebühr vor Fälligkeit (Ultimo), so ist eine Wiedereinsetzung nicht möglich, da keine Frist im Sinne von Art 122 versäumt worden ist; denn der Fälligkeitszeitpunkt ist nach der Amtspraxis keine Frist. Dem Anmelder bleibt nur die fristgerechte Nachzahlung mit Zuschlag. Es ist aber eigentlich nicht recht einzusehen, warum die Festsetzung des Fälligkeitstags in der Konvention den Gedanken an eine Zahlungsfrist ausschließt; denn mit der Möglichkeit, die Jahresgebühr bereits ein Jahr vor Fälligkeit zu zahlen (R 37 (1) Satz 2), wird eine Zahlungsfrist geschaffen, in der wirksam gezahlt werden kann und deren letzter Tag der Fälligkeitstag ist. 20

8 Aussetzung und Unterbrechung des Verfahrens

Bei einer **Aussetzung** des Verfahrens bleibt der Fälligkeitszeitpunkt für die Jahresgebühren unverändert, und auch die Fristen zur Zahlung der Jahresgebühr mit Zuschlag laufen weiter (R 13 (5)). Jahresgebührenhinweise werden wie üblich dem Anmelder und gegebenenfalls dem Dritten zugestellt (siehe Rdn 15–17). 21

Wird das Verfahren nach R 90 **unterbrochen** (siehe ausführlich Art 120 Rdn 94–136), so können Jahresgebühren, die während der Unterbrechung fällig werden, bei Wiederaufnahme des Verfahrens noch ohne Zuschlag gezahlt werden. Der Fälligkeitstag verschiebt sich damit für die während der Unterbrechung vergangenen Patentjahre auf den Tag der Wiederaufnahme des Verfahrens. Dieser neue Fälligkeitstag ist auch der Ausgangspunkt (das maßgebliche Ereignis) für die Berechnung der Nachfrist von sechs Monaten, innerhalb der die Gebühr noch mit Zuschlag gezahlt werden kann. 22

Läuft am Tag der Unterbrechung bereits die Frist zur Zahlung der Jahresgebühr mit Zuschlag, so wird diese Frist gehemmt; die restliche Frist läuft ab Wiederaufnahme des Verfahrens. 23

9 Jahresgebühren für Teilanmeldungen (R 37 (3))

Die Frist der für Teilanmeldungen zu entrichtenden Jahresgebühren berechnet sich nach dem Anmeldetag der Stammanmeldung, da dies auch der Anmeldetag der Teilanmeldung ist. Da Jahresgebühren für europäische Patentanmeldungen nach Art 86 (1) bereits für das dritte Jahr nach der Anmeldung zu zahlen sind, 24

---

10 **J 13/90**, ABl 1994, 456 im Anschluß an **T 14/89**, ABl 1990, 432.

Artikel 86 *Jahresgebühren für die Anmeldung*

ist es durchaus möglich, dass sie auch für die Zeit **vor** der Einreichung der Teilanmeldung geschuldet werden.

25 Fällig werden die Jahresgebühren nach R 37 (3) mit der Einreichung der Teilanmeldung; sie können nach R 37 (3) Satz 2 bis zum Ablauf von vier Monaten seit Einreichung der Teilanmeldung ohne Zuschlagsgebühr entrichtet werden. Wird in diesen vier Monaten eine weitere Jahresgebühr fällig, so ist auch diese Gebühr nach R 37 (3) Satz 2 bis zum Ablauf von vier Monaten seit Einreichung der Teilanmeldung noch ohne Zuschlag zahlbar. Sind die Gebühren nicht rechtzeitig gezahlt worden, so können sie innerhalb weiterer 2 Monate (6 Monate seit Einreichung der Teilanmeldung) mit Zuschlag entrichtet werden.

26 Der Fälligkeitstag für die aufgelaufenen Jahresgebühren verschiebt sich nicht, wenn die Frist von vier Monaten an einem Feiertag oder am Wochenende endet.[11] Die Zahlung kann am ersten Werktag noch ohne Zuschlag erfolgen; der Beginn der »Nachfrist« von 2 Monaten wird aber nicht verschoben (siehe auch Rdn 10–12), da diese nur Teil der Frist von 6 Monaten seit Einreichung der Teilanmeldung ist.

10 Neuanmeldung des wahren Berechtigten (R 37 (4), Art 61 (1) b))

27 R 37 (4) stellt klar, dass der wahre Berechtigte für seine neue europäische Patentanmeldung nach Art 61 (1) b) keine Jahresgebühren für die vorherige Anmeldung durch den Nichtberechtigten zahlen muß.

11 Fälligkeit bei Euro-PCT-Anmeldungen (R 107 (1) g)

28 Eine besondere Regelung gilt für die Euro-PCT-Anmeldung, bei der die regionale Phase innerhalb von 31 Monaten nach dem Prioritäts- oder Anmeldetag einzuleiten ist. R 107 (1) ist mit Wirkung vom 2.1.2002 dahingehend geändert, dass die Frist von 31 Monaten stets gilt, gleichgültig, ob Kapitel II beantragt worden ist.[12] Im Interesse der Verfahrensanpassung ist die in Art 22 (1) PCT festgelegte Frist so geändert worden, dass für den Eintritt in die nationale oder regionale Phase für Kapitel I und II eine einheitliche Mindestfrist von 30 Monaten gilt.[13] Wird eine Priorität von weniger als 7 Monaten oder keine Priorität beansprucht, so hat bei Eintritt in die regionale Phase nach 31 Monaten das dritte Patentjahr bereits begonnen. Die Zahlungsfrist für die erste Jahresgebühr (3. Patentjahr) beträgt 31 Monate ab Prioritäts- bzw Anmeldetag, wenn diese Jahresgebühr vor Ablauf der 31 Monate fällig würde (Art 40 PCT, Art 150 (2) Satz 3 und R 107 (1) g) EPÜ). Diese Fristberechnung folgt nicht der Fälligkeitsregel des Art 86 (2) iVm R 37 (1). Vielmehr richtet sich der Fälligkeitstag nach

---

11 Rechtsauskunft 5/93 rev., ABl 1993, 229, II.4.
12 ABl 2001, 273.
13 ABl 2001, 587.

dem Ablauf der 31 Monate, gerechnet ab Prioritäts- bzw Anmeldetag; er kann also je nach Prioritäts- bzw Anmeldetag auch mitten im Monat liegen.

Dieser Fälligkeitstag ist auch für die Berechnung der Nachfrist nach Art 86 (2) maßgebend.[14] Fällt dieser Tag auf einen Samstag, Sonntag oder Feiertag, so erstreckt sich die Frist auf den nächsten Werktag, der damit Fälligkeitstag wird (R 85, insbes Abs 1). Ab diesem Tag wird dann die Nachfrist berechnet; diese zusammengesetzte Frist folgt also nicht der Regel »von Ultimo zu Ultimo«, sondern der Berechnung zusammengesetzter Fristen (siehe auch Art 120 Rdn 22–33).[15] Auch der Fälligkeitstag kann also mitten im Monat liegen. 29

Ist R 107 (1) g) nicht anwendbar, weil die Jahresgebühr erst nach Ablauf der 31-Monatsfrist fällig wird, so verschiebt sich weder der Fälligkeitszeitpunkt noch die Berechnung der Nachfrist, sondern richtet sich nach den allgemeinen Regeln des EPÜ. 30

Die Fälligkeit der weiteren Jahresgebühren richtet sich stets nach R 37 (1): sie müssen jeweils bis zum Ende des Anmeldemonats für das nächste Patentjahr gezahlt werden. 31

12 Rückzahlung von Jahresgebühren

Jahresgebühren werden zurückerstattet, wenn sie ohne Rechtsgrund, dh für eine nicht mehr bestehende Anmeldung gezahlt worden sind. 32

In **J 4/86** war kein Prüfungsantrag gestellt worden, auch nicht während der Nachfrist nach R 85b;[16] die Jahresgebühr, die vor Stellung des Prüfungsantrags fällig geworden wäre, wurde aber entrichtet. Da die Anmeldung mit Ablauf der Prüfungsantragsfrist als zurückgenommen gilt (Art 94 (2) und (3)), die Jahresgebühr also für eine nicht mehr bestehende Anmeldung gezahlt wurde, war sie zurückzuerstatten.

---

14 Rechtsauskunft 5/93 rev., ABl 1993, 229, II, 2; **J 1/89**, ABl 1992, 17, LS II.
15 Rechtsauskunft 5/93 rev., ABl 1993, 229, Nr II.3.
16 **J 4/86**, ABl 1988, 119.

Kapitel II Priorität

Vorbemerkung zu Art 87–89
Reinhard Spangenberg

1 Dieses Kapitel regelt die Entstehung des Prioritätsrechts für europäische Patentanmeldungen, seine Inanspruchnahme und Wirkung. Eine solche Regelung war notwendig, da die EPO nicht Mitglied der Pariser Union ist. Das EPÜ hat sich nicht mit einem Verweis auf Art 4 PVÜ begnügt, wie er in Art 8 (2) PCT enthalten ist – dort mit einer Ergänzung in Abs 2 b). Es hat die Priorität für die europäische Patentanmeldung in einer eigenen Fassung geregelt; dabei sind die PVÜ-Vorschriften weitgehend übernommen worden.

2 Da das EPÜ nach seiner Präambel ein Sonderabkommen nach Art 19 PVÜ ist und die europäische Fassung sich eng, meist wörtlich, an das internationale Vorbild anlehnt, unterscheiden sich die europäischen und nationalen Prioritätsgrundsätze nicht wesentlich. Daher sind EPÜ und PVÜ möglichst rechtseinheitlich auszulegen. Die Praxis der PVÜ-Vertragsstaaten wird bei der Auslegung des EPÜ beachtet.[17]

3 Jede Erstanmeldung in einem oder mit Wirkung für einen Vertragsstaat der PVÜ gewährt dem Anmelder oder seinem Rechtsnachfolger ein Prioritätsrecht für eine europäische Nachanmeldung. Zur Inanspruchnahme einer Priorität aus WTO-Staaten, die nicht dem PVÜ angehören, siehe Art 87, Rdn 50 ff und 158 Rdn 107.

Die Erstanmeldung kann entweder eine nationale Anmeldung sein oder eine Anmeldung, die Wirkung in einem Vertragsstaat entfaltet, zB eine europäische Patentanmeldung. Damit kann auch die europäische Erstanmeldung selbst prioritätsbegründend sein; denn ihr wird die Wirkung einer vorschriftsmäßigen nationalen Hinterlegung zuerkannt (Art 87 (1) und (2) iVm Art 66).

4 Die Priorität einer europäischen Erstanmeldung kann für eine europäische Zweitanmeldung in Anspruch genommen werden. Weiterhin kann diese Priorität für nationale Nachanmeldungen in den PVÜ-Staaten beansprucht werden, zu denen auch alle EPÜ-Staaten gehören. Sind in der europäischen Erst- und der europäischen Nachanmeldung dieselben EPÜ-Vertragsstaaten benannt, so handelt es sich um einen Fall der nach EPÜ zulässigen Selbstbenennung (innere Priorität, siehe unter Art 87 Rdn 41 und 58). Die PVÜ gewährt dagegen Priorität nur im Verhältnis zu anderen Verbandsstaaten. Hier

---

17 **G 3/93**, ABl 1995, 18, Nr 4; **J 15/80**, ABl 1981, 213 und 546; **T 301/87**, ABl 1990, 335, Nr 7.5; BGH vom 29.10.1988 – *Roll- und Wippbrett* –, ABl 1982, 66 = GRUR Int 1982, 31.

besteht ein wesentlicher Unterschied zwischen den Prioritätsregelungen des EPÜ und der PVÜ.

Der PCT bedient sich eines ähnlichen Systems: Art 8 PCT regelt die Priorität, allerdings mit direktem Verweis auf Art 4 PVÜ. Art 11 (4) PCT entspricht der Regelung in Art 66 EPÜ.

Aus der Literatur: Wieczorek, Die Unionspriorität im Patentrecht, Heymanns 1975; Teschemacher, Anmeldetag und Priorität im Europäischen Patentrecht, GRUR Int 1983, 695; Beier/Moufang, Verbesserungserfindungen und Zusatzpatente im Prioritätsrecht der Pariser Verbandsübereinkunft, GRUR Int 1989, 869; Beier/Straus, Probleme der Unionspriorität im Patentrecht, GRUR Int1991, 255; Joos, Identität der Erfindung, Mehrfach- und Teilpriorität im europäischen Patentrecht, in: Festschrift für Friedrich Karl Beier, 1995, S 73 ff. Joos, Veröffentlichungen im Prioritätsintervall, GRUR Int 1998, 456; Publications within the Priority Interval, 30 IIC 607 (1999); Gall, 7. Aufl, S. 242 ff; Ruhl, Unionspriorität. Artikel 4 PVÜ und seine Umsetzung im amerikanischen, europäischen, deutschen und italienischen Recht, Heymanns 2000.

Artikel 87 Prioritätsrecht

(1) Jedermann, der in einem oder mit Wirkung für einen Vertragsstaat der Pariser Verbandsübereinkunft zum Schutz des gewerblichen Eigentums eine Anmeldung für ein Patent, ein Gebrauchsmuster, ein Gebrauchszertifikat oder einen Erfinderschein vorschriftsmäßig eingereicht hat, oder sein Rechtsnachfolger genießt für die Anmeldung derselben Erfindung zum europäischen Patent während einer Frist von zwölf Monaten nach der Einreichung der ersten Anmeldung ein Prioritätsrecht.

(2) Als prioritätsbegründend wird jede Anmeldung anerkannt, der nach dem nationalen Recht des Staats, in dem die Anmeldung eingereicht worden ist, oder nach zwei- oder mehrseitigen Verträgen unter Einschluss dieses Übereinkommens die Bedeutung einer vorschriftsmäßigen nationalen Anmeldung zukommt.

(3) Unter vorschriftsmäßiger nationaler Anmeldung ist jede Anmeldung zu verstehen, die zur Festlegung des Tags ausreicht, an dem die Anmeldung eingereicht worden ist, wobei das spätere Schicksal der Anmeldung ohne Bedeutung ist.

(4) Als die erste Anmeldung, von deren Einreichung an die Prioritätsfrist läuft, wird auch eine jüngere Anmeldung angesehen, die denselben Gegenstand betrifft wie eine erste ältere in demselben oder für denselben Staat eingereichte Anmeldung, sofern diese ältere Anmeldung bis zur Einreichung der jüngeren Anmeldung zurückgenommen, fallen gelassen oder zurückgewiesen worden ist, und zwar bevor sie öffentlich ausgelegt wor-

den ist und ohne dass Rechte bestehen geblieben sind; ebenso wenig darf diese ältere Anmeldung schon Grundlage für die Inanspruchnahme des Prioritätsrechts gewesen sein. Die ältere Anmeldung kann in diesem Fall nicht mehr als Grundlage für die Inanspruchnahme des Prioritätsrechts dienen.

(5) Ist die erste Anmeldung in einem nicht zu den Vertragsstaaten der Pariser Verbandsübereinkunft zum Schutz des gewerblichen Eigentums gehörenden Staat eingereicht worden, so sind die Absätze 1 bis 4 nur insoweit anzuwenden, als dieser Staat nach einer Bekanntmachung des Verwaltungsrats auf Grund einer ersten Anmeldung beim Europäischen Patentamt und auf Grund einer ersten Anmeldung in jedem oder für jeden Vertragsstaat gemäß zwei- oder mehrseitigen Verträgen ein Prioritätsrecht gewährt, und zwar unter Voraussetzungen und mit Wirkungen, die denen der Pariser Verbandsübereinkunft vergleichbar sind.

Reinhard Spangenberg

Übersicht

1	Allgemeines	1
2	Prioritätsrecht für *dieselbe Erfindung*	2-9
3	Ausführbare Offenbarung	10-11
4	Offenbarungsgehalt der Voranmeldung	12-23
a)	Allgemeine und konkrete Offenbarung	12-18
b)	Toleranzbereiche oder übliche Alternativen	19-23
5	Einschränkung des Schutzbereichs	24-25
6	Prioritätsbegründende Schutzrechtsanmeldungen	26-32
7	Erste Anmeldung einer Erfindung	33-39
8	Der Berechtigte – Übertragung des Prioritätsrechts	40-42
9	Prioritätsfrist	43-44
10	Vorschriftsmäßige Erstanmeldung	45-48
11	Erweiterung des Begriffs der ersten Anmeldung	49
12	Prioritätsrecht aus Anmeldungen in Nicht-PVÜ-Staaten	50-52

1 Allgemeines

1 Dieser Artikel legt fest, unter welchen Voraussetzungen ein Prioritätsrecht aus einer früheren Anmeldung eines gewerblichen Schutzrechts für die europäische Patentanmeldung geltend gemacht werden kann. Die Vorschrift ist weitgehend der entsprechenden Vorschrift des Art 4 PVÜ nachgebildet, und zwar unter Vermeidung gewisser Unklarheiten der PVÜ und unter Verwendung der Terminologie des EPÜ.

Prioritätsrecht **Artikel 87**

Die Einzelheiten, wie ein Prioritätsrecht in Anspruch genommen wird, sind in Art 88 und der dazugehörigen R 38 geregelt.[1] Der PCT enthält Bestimmungen über die Inanspruchnahme von Prioritäten vor allem in Art 8 und R 4.10.

EPÜ 2000

Art 87 (1) wird mit Art 2 des TRIPS-Übereinkommens in Übereinstimmung gebracht, der vorsieht, dass das Prioritätsrecht sich auch auf erste Anmeldungen in jedem WTO-Staat erstreckt.

Abs 5 wird geändert, um eine einfache, schnelle und praktikable Möglichkeit für die gegenseitige Anerkennung von Prioritätsrechten zwischen der EPO und Staaten zu schaffen, die weder der PVÜ noch der WTO angehören.

2 Prioritätsrecht für *dieselbe Erfindung*

Nach Abs 1 kann die europäische Patentanmeldung die Priorität einer früheren Anmeldung nur für *dieselbe Erfindung* beanspruchen. Dies bedeutet, dass der Gegenstand der Ansprüche der europäischen Patentanmeldung in der früheren Anmeldung insgesamt klar erkennbar sein muß. Der Wortlaut braucht jedoch nicht identisch zu sein.[2] Bei der Beurteilung der Erfindungsidentität der Erst- mit der europäischen Nachanmeldung ist auf den Fachmann abzustellen.[3]

Für *dieselbe Erfindung* hat die Rechtsprechung der Beschwerdekammern bis zum Jahr 2001 unterschiedliche Definitionsansätze entwickelt:

a) Einige Entscheidungen stellten darauf ab, ob alle in der europäischen Patentanmeldung beanspruchten Merkmale in der Voranmeldung offenbart sind.[4]

Den gleichen Weg gehen die PrüfRichtl:[5] Die grundlegende Prüfung, ob einem Anspruch der Prioritätstag der Prioritätsunterlage zukommt, ist mit der Prüfung identisch, ob eine Änderung einer Anmeldung das Erfordernis des Art 123 (2) erfüllt.

Nach einer anderen Entscheidung[6] entsprach die Überprüfung der Priorität einer Prüfung gemäß Art 123 (2), aber in Analogie zu den Feststellungen in **G 1/93**[7] wurden dabei später hinzugefügte triviale Merkmale oder solche, die, ohne einen technischen Beitrag zum Gegenstand der Erfindung zu leisten, lediglich den Schutzbereich des Patents einschränken, außer Acht gelassen.

---

1 Siehe auch PrüfRichtl A-III, 6.
2 **T 184/84** vom 4.4.1986; **T 81/87**, ABl 1990, 250.
3 **T 136/95**, ABl 1998, 198, LS und Nr 3.3. Auf den Fachmann bezieht sich auch **T 77/97** vom 3.7.1997, Nr 6.5.
4 **T 96/82** vom 22.2.1985; **T 184/84**; **T 85/87** vom 21.7.1988; **T 295/87** vom 6.12.1988; **T 251/91** vom 12.9.1991; **T 255/91**, ABl 1993, 318; **T 1090/92** vom 8.12.1994, **T 77/97** vom 3.7.1997, Nr 6.5.
5 C-V, 2.2.
6 **T 828/93** vom 7.5.1996.
7 ABl 1994, 541 (insbes Leitsatz II).

Spangenberg

5 b) Andere Entscheidungen verlangten, dass die **wesentlichen Merkmale** der Erfindung in der Prioritätsunterlage offenbart sind. Nach T 81/87[8] muss die Prioritätsunterlage alle wesentlichen Bestandteile, dh die Merkmale der Erfindung, entweder ausdrücklich offenbaren oder unmittelbar und unzweideutig implizit enthalten. Fehlende Teile, die erst später als wesentlich erkannt werden, sind nicht Teil der Offenbarung.[9]

6 c) Die **Entscheidung »Snackfood«**[10] unterschied zwischen solchen technischen Merkmalen im Anspruch eines europäischen Patents, die für die Bestimmung des Schutzumfangs wesentlich sind, nicht aber für die Feststellung der Priorität, und solchen, die zwangsläufig auch für die Feststellung der Priorität wesentlich sind. Nach dieser Entscheidung konnte die europäische Patentanmeldung unter gewissen Umständen die Priorität der Voranmeldung auch dann beanspruchen, wenn das in ihr beanspruchte Merkmal in der Voranmeldung nicht offenbart war, wenn nämlich das hinzugefügte Merkmal das Wesen und die Art der Erfindung nicht verändert hatte, wenn also das Anspruchsmerkmal nicht im Zusammenhang mit der Funktion und der Wirkung der Erfindung stand. Die Feststellung in den PrüfRichtl, dass die Prioritätsprüfung der Prüfung gemäß Art 123 (2) entspreche, sei falsch. Dieser Definition *derselben Erfindung* sind einige weitere Entscheidungen gefolgt.

7 In der auf eine Vorlage des Präsidenten des EPA ergangenen Stellungnahme **G 2/98**[11] hat die Große Beschwerdekammer festgestellt, das in Artikel 87 (1) EPÜ für die Inanspruchnahme einer Priorität genannte Erfordernis »derselben Erfindung« bedeute, dass die Priorität einer früheren Anmeldung für einen Anspruch in einer europäischen Patentanmeldung gemäß Art 88 nur dann anzuerkennen sei, wenn der Fachmann den Gegenstand des Anspruchs unter Heranziehung des allgemeinen Fachwissens unmittelbar und eindeutig der früheren Anmeldung als Ganzes entnehmen könne. Diese Auslegung werde durch die Bestimmungen der PVÜ und des EPÜ untermauert und lasse sich voll und ganz mit der Stellungnahme **G 3/93**[12] in Einklang bringen.[13] Zur selben Auffassung kam der DE-BGH.[14]

Der Begriff »dieselbe Erfindung« in Art 87 (1) ist mit dem Begriff »derselbe Gegenstand« in Art 87 (4) gleichzusetzen.[15] Der Gegenstand eines Anspruchs,

---

8   ABl 1990, 250.
9   ebenso T 269/87 vom 24.1.1989; T 301/87, ABl 1990, 335; T 81/85 vom 17.3.1989; T 409/90, ABl 1993, 40; T 305/92 vom 18.5.1993; T 886/91 vom 16.6.1994; T 296/93 vom 28.7.1994; T 207/94, ABl 1999, 273, Nr 5.
10 T 73/88, ABl 1992, 557.
11 ABl 2001, 413.
12 ABl 1995, 18.
13 G 2/98, Gründe Nr.6.
14 Entscheidung vom 11.11.2001 – *Luftverteiler* – GRUR Int 2002, 154.
15 **G 2/98**, Gründe Nr 6.8.

der die Erfindung in der europäischen Patentanmeldung definiert, ergibt sich aus der spezifischen Merkmalskombination in diesem Anspruch,[16] d.h. **alle** darin enthaltenen Merkmale sind »wesentlich« im Sinne der in Rdn 5 zitierten Rechtsprechung.

Angesichts der von der Großen Beschwerdekammer in **G 2/98**[17] angewendeten Grundsätze sind die Ausführungen der Beschwerdekammern in früheren Entscheidungen, wonach die Hinzufügung unwesentlicher, nur den Schutzbereich beschränkender Merkmale den Prioritätsanspruch nicht unwirksam macht, neu zu bewerten. Sie sind noch insoweit relevant, als sie im Einklang mit den zur Beurteilung der Zulässigkeit einer Änderung gemäß Art 123 (2) entwickelten Kriterien stehen. Dies folgt aus der Entscheidung **G 1/03**.[18] Dort hat die Große Beschwerdekammer ausgeführt, dass zur Vermeidung von Widersprüchen die Offenbarung als Grundlage für das Prioritätsrecht nach Artikel 87 (1) EPÜ genauso zu interpretieren ist wie als Grundlage für Änderungen in der Anmeldung nach Artikel 123 (2) EPÜ. 8

Die ältere Rechtsprechung, die sich auf den sogenannten »disclosure test« stützte, bleibt weiterhin im Rahmen der in **G 2/98**[19] genannten Grundsätze anwendbar.

Es ist fraglich, ob der Ansatz in **T 136/95**,[20] nicht nur das allgemeine Fachwissen, sondern auch das sich aus dem relevanten Stand der Technik ergebende Wissen oder das Ergebnis einfacher Ausführungsschritte heranzuziehen, um zu ermitteln, ob es sich um dieselbe Erfindung handelt, im Lichte der Stellungnahme **G 2/98**[21] Bestand haben wird.

Art 87 (1) sagt nichts darüber aus, ob es erlaubt ist, innerhalb der Prioritätsfrist dieselbe Erfindung in ein und demselben Land mehrfach anzumelden und die Priorität für jede dieser Anmeldungen jeweils separat zu beanspruchen. Die Frage wird in der Literatur kontrovers diskutiert.[22] Eine Beschwerdekammer hatte sich damit auseinanderzusetzen.[23] Sie hat entschieden, dass das Prioritätsrecht nur für die erste Anmeldung wirksam in Anspruch genommen werden kann, da sie die im EPÜ aufgegriffenen Bestimmungen der PVÜ als Ausnahme- 9

---

16 **G 2/98**, Gründe Nr.2.
17 ABl 2001, 413.
18 ABl 2004, 413, Gründe Nr 4.
19 ABl 2001, 413.
20 ABl 1998, 198.
21 ABl 2001, 413.
22 Eingehend besprochen von Bremi/Liebetanz, Mitt. 2004, 148.
23 **T 998/99**, ABl 2005, 229, Gründe Nr 3.1.

bestimmungen angesehen hat, die eng auszulegen seien. Dieser Entscheidung sind andere Beschwerdekammern nicht gefolgt.[24]

3 Ausführbare Offenbarung

10 Wie eine Entgegenhaltung, um neuheitsschädlich zu sein, eine nacharbeitbare Offenbarung enthalten muß,[25] muss auch das Prioritätsdokument die in der europäischen Patentanmeldung beanspruchte Erfindung so offenbaren, dass ein Fachmann sie ausführen kann. Lücken bei den Grundbestandteilen der Offenbarung können nicht nachträglich durch einen Hinweis auf das einschlägige Fachwissen gefüllt werden.[26] Im Prüfungsverfahren darf die Zuerkennung des Prioritätsanspruchs jedoch nicht allein wegen angeblich mangelnder Ausführbarkeit der Lehre des Prioritätsdokuments verweigert werden, wenn die Patentanmeldung reproduzierbar erscheinende technische Angaben enthält; es sei denn, die Prüfungsabteilung kann auf nachprüfbare Tatsachen gestützte Zweifel an der Ausführbarkeit darlegen.[27]

11 Zur britischen Auffassung über die Ausführbarkeit der Offenbarung siehe Urteil des House of Lords vom 31.10.1996 – **Hepatitis-B**.[28]

4 Offenbarungsgehalt der Voranmeldung

a) Allgemeine und konkrete Offenbarung

Gelegentlich stellt sich die Frage, ob und inwieweit eine Voranmeldung, die die Erfindung allgemein offenbart, als Prioritätsunterlage für die Nachanmeldung dienen kann, die eine konkrete Ausführungsform enthält. Die Antwort darauf richtet sich danach, ob die konkrete Ausführungsform eindeutig vom Inhalt des Prioritätsdokuments erfasst wird (siehe Rdn 8). Einige repräsentative Fallgestaltungen werden anschließend dargestellt. Weitere Beispiele finden sich in Rspr BK 2001, IV-B 1.2 bis 2.2, S. 270 ff. Die Ausführungen zum Offenbarungsgehalt von Dokumenten in der Kommentierung der Artikel 54 und 123 (2) sollten für die Beantwortung dieser Frage ebenfalls in Betracht gezogen werden (siehe Art 54, Rdn 6, 26 ff und Rdn 61 ff sowie Art 123, Rdn 33, 34 ff und 39 ff).

12 In **T 61/85**[29] hatte die Voranmeldung zwei Alternativen in allgemeiner Form offenbart; mit der europäischen Patentanmeldung wurde eine dieser Alternati-

---

24 **T 15/01**, ABl 2006, 153, LS I, Nr 25 – 41. **T 5/05** v. 9.11.2005; Bremi/Liebetanz, Entwarnung: Keine Erschöpfung des Prioritätsrechts, sic! 2005, 698 ff; in englisch: epi-info 2005, 139.
25 **T 206/83**, ABl 1987, 5; **T 26/85**, ABl 1990, 22.
26 **T 81/87**, ABl 1990, 250.
27 **T 843/03** v. 25.10.2004.
28 **Biogen Inc. v. Medeva Plc** – [1997] R.P.C. 1 (49–52); GRUR Int 1998, 412 (416ff).
29 **T 61/85** vom 30.9.1987.

ven beansprucht, die durch ein quantitatives Ergebnis gekennzeichnet war. Die Priorität wurde verneint, weil das Ergebnis sich weder zwangsläufig nach einer der Alternativen ergab, noch ausdrücklich offenbart war.

In **T 85/87**[30] war für eine spezifische Verbindung in der europäischen Patentanmeldung die Priorität einer australischen Voranmeldung beansprucht, die eine allgemeine Offenbarung enthielt, die diese Verbindung umfaßte. Unter Bezugnahme auf die Grundsatzentscheidungen, die sich mit der Neuheit einer bestimmten Verbindung im Hinblick auf die allgemeine Offenbarung einer Gruppe von Verbindungen befassen[31] hat die Beschwerdekammer entschieden, dass die allgemeine Offenbarung in der Voranmeldung nicht die konkrete Offenbarung im betreffenden Anspruch der europäischen Patentanmeldung trägt. 13

T 409/90[32] zog das Prioritätsdokument als Ganzes heran, so wie der Fachmann es liest. Der Zweck des Anspruchs im Prioritätsdokument, nämlich sein Schutzbegehren, muss für den Umfang der Offenbarung berücksichtigt werden. Wenn ein Anspruch in einer Prioritätsunterlage so breit ist, dass er auch einen konkreten, in der europäischen Patentanmeldung erstmals beanspruchten Gegenstand umfaßt, bedeutet das nicht, dass dieser Gegenstand bereits im Prioritätsdokument offenbart war und daß es sich um *dieselbe Erfindung* handelt.[33] 14

T 301/87[34] betraf einen Anspruch in der europäischen Patentanmeldung auf einen Bestandteil einer DNA-Sequenz. In der Voranmeldung war eine längere Sequenz offenbart, die den beanspruchten Bestandteil mit umfaßte, aber nicht ausdrücklich erwähnte. Die Priorität wurde versagt, weil die Offenbarung eines Gegenstandes selbst nicht zwangsläufig bedeute, dass damit für Prioritätszwecke auch ein Bestandteil des Gegenstands offenbart wird, wenn dieser nicht unmittelbar und eindeutig als solcher bezeichnet wird und es erheblicher Nachforschungen bedarf, um seine Identität zu ermitteln. 15

Dagegen erwähnte in **T 182/92**[35] ausdrücklich nur die europäische Patentanmeldung vernetzbare Polymere, nicht aber die Voranmeldung. Dennoch wurden die Polymere als aus der Prioritätsunterlage herleitbar angesehen wegen der dort genannten Zwischenprodukte und der Bezugnahme auf Produkte, die weiter vernetzt werden können. 16

In **T 828/93**[36] sah der Patentinhaber drei – in den Prioritätsunterlagen nicht explizit enthaltene – Anspruchsmerkmale der Nachanmeldung als Einschränkung von im Prioritätsdokument allgemeiner formulierten Merkmalen auf eine 17

---

30 **T 85/87** vom 21.7.1988.
31 **T 12/81**, ABl 1982, 296; **T 181/82**, ABl 1984, 401; **T 7/86**, ABl 1988, 381.
32 ABl 1993, 40.
33 ebenso **T 77/97** vom 3.7.1997, Nr 6.
34 ABl 1990, 335.
35 **T 182/92** vom 6.4.1993.
36 **T 828/93** vom 7.5.1996.

konkretere Fassung, dh als Teilmenge des ursprünglich Offenbarten, an. Die Beschwerdekammer entschied dagegen unter analoger Anwendung der Feststellungen in **G 1/93**,[37] daß den Merkmalen für sich allein zwar kein erfinderisches Gewicht zukomme. Sie seien aber auch nicht trivial, sondern hätten Einfluss auf den Ablauf des beanspruchten Verfahrens. Somit stellten sie keine **reine** Einschränkung des Schutzbereichs iSd Weglassens einer Anzahl von aufgezählten Alternativen oder eines Teils eines Zahlenbereichs (ohne besonderen hierdurch erzielten Effekt) dar. Die Priorität wurde verneint.

18 Zur britischen Auffassung über die Stützung der Ansprüche durch das Prioritätsdokument siehe Urteil des House of Lords vom 31.10.1996 – **Hepatitis-B**.[38]

b) Toleranzbereiche oder übliche Alternativen

19 Toleranzbereiche können unter gewissen Voraussetzungen beansprucht werden, wenn sich dadurch die in der Prioritätsunterlage offenbarte Erfindung nicht ändert. Ob dies im Lichte der Stellungnahme **G 2/98**[39] auch für übliche Alternativen[40] gilt, hängt vom Ergebnis der fachmännischen Interpretation der Offenbarung des Prioritätsdokuments ab. Die Tatsache allein, dass Änderungen in einem Patentanspruch nicht als erfindungswesentlich erscheinen, begründet die Zuerkennung des Prioritätsrechts jedenfalls nicht mehr.

20 In **T 212/88**[41] wurde ein chemisches Erzeugnis unter anderem durch eine Tabelle mit Röntgenbeugungsdaten definiert, die in der Prioritätsanmeldung nicht enthalten war. Die Tabelle leitete sich aber von einer anderen in ihr enthaltenen Tabelle ab und war nur durch Fehlergrenzen ergänzt, die den Charakter und die Art der Erfindung nicht änderten, so daß die Priorität zugestanden werden konnte.

21 In **T 65/92**[42] enthielten das Prioritätsdokument und das europäische Patent Molekulargewichtsmessungen für ein Protein nach dem genau gleichen Verfahren. Die Meßmethode wurde in beiden Dokumenten als ungenau bezeichnet und schloss daher Abweichungen ein. Während in der Prioritätsunterlage 65 kD angegeben war, betrug im europäischen Patent die Obergrenze 68 kD. Aufgrund dieser Umstände sah die Kammer in dem festgestellten Unterschied keine strukturelle Verschiedenheit zwischen dem Erzeugnis des europäischen Patents und dem der Prioritätsunterlage und nahm auch nicht an, dass durch

---

37 ABl 1994, 541.
38 **Biogen Inc. v. Medeva Plc** – [1997] R.P.C. 1 (49–52); GRUR Int 1998, 412 (416ff).
39 ABl 2001, 413.
40 **T 581/89** vom 22.1.1991, **T 364/95** vom 20.11.1996, Nr 3.4.
41 ABl 1992, 28.
42 **T 65/92** vom 13.6.1993.

die Änderung der Obergrenze Elemente abgedeckt werden sollten, die erst später als wesentlich erkannt worden waren.

Dagegen wurde in **T 131/92**[43] bei im übrigen gleichen Verfahren in Vor- und Nachanmeldung zur Herstellung von Mucopolysacchariden das Verfahren nach dem europäischen Patent bei einem Molekulargewicht der Mucopolysaccharide zwischen 2 000 und 8 000 Dalton unterbrochen, nach dem Prioritätsdokument dagegen bei einem bevorzugten Bereich zwischen 3 000 und 6 000 Dalton. Die Identität der Verfahren wurde verneint, da der Molekulargewichtsbereich – weil von einem äußeren Eingriff abhängig – nicht als zwangsläufiges Ergebnis des Verfahrens angesehen werden konnte. Auch waren innerhalb und außerhalb des Bereichs von 3 000 bis 6 000 Dalton nicht-identische Eigenschaften zu erwarten. 22

In **T 957/91**[44] ging es unter anderem um das Streckverhältnis von Fasern. Das Prioritätsdokument offenbarte alle wesentlichen Merkmale des europäischen Patents. Der Umstand, dass die Zahl 29,4 als Untergrenze des Streckverhältnisses nicht ausdrücklich im Prioritätsdokument erwähnt war, konnte angesichts der Offenbarung der sehr nahe kommenden Zahl 30 in Verbindung mit derselben quantitativen und qualitativen Korrelation des Streckverhältnisses zu den anderen relevanten wesentlichen Merkmalen den Gegenstand nicht in seinem Wesen ändern. 23

5 Einschränkung des Schutzbereichs

In einigen vor 1998 ergangenen Entscheidungen der Beschwerdekammern wurde die Auffassung vertreten, dass das Prioritätsrecht auch dann noch in Anspruch genommen werden kann, wenn die europäische Patentanmeldung ein in einer besonderen Ausführungsform konkret offenbartes Merkmal enthält, das in der Prioritätsunterlage mehr allgemein offenbart ist und lediglich den Schutzbereich der europäischen Patentanmeldung gegenüber der Offenbarung der Prioritätsunterlage einschränkt, sofern sich der Charakter und die Art der beanspruchten Erfindung durch das zusätzliche Merkmal nicht ändern.[45] Diese Auffassung hat die Große Beschwerdekammer in der Stellungnahme **G 2/98**[46] verworfen (siehe Rdn 7). 24

Hingegen hat sie in der Entscheidung **G 1/03**[47] ausdrücklich klargestellt, dass ein Disclaimer, der die in **G 1/03** aufgestellten Kriterien erfüllt und während des europäischen Erteilungsverfahrens zugelassen wird, nur den Schutzbereich 25

---

43 **T 131/92** vom 3.3.1994.
44 **T 957/91** vom 29.9.1994.
45 **T 73/88**, ABl 1992, 557; **T 16/87**, ABl 1992, 212; **T 582/91** vom 11.11.1992.
46 ABl 2001, 413.
47 ABl 2004, 413, Gründe Nr 4.

des Patents, nicht aber die Identität der darin beanspruchten Erfindung im Hinblick auf Artikel 87 (1) EPÜ ändert. Daher ist seine Aufnahme auch bei der Abfassung und Einreichung einer europäischen Patentanmeldung zulässig, ohne daß dadurch das Prioritätsrecht aus der früheren Anmeldung berührt wird, die den Disclaimer nicht enthält (siehe auch Art 54, Rdn 56 ff).

6 Prioritätsbegründende Schutzrechtsanmeldungen

26 Abs 1 legt unter anderem den Kreis der Schutzrechtsanmeldungen fest, die für eine europäische Patentanmeldung als prioritätsbegründende erste Anmeldung in Betracht kommen. Es muss sich um die frühere Anmeldung eines Patents, eines Gebrauchsmusters (zB in Deutschland, Griechenland, Italien, Spanien, Brasilien, Japan), eines Gebrauchszertifikats (zB in Frankreich) oder eines Erfinderscheins (zB in Kuba) in einem PVÜ-Staat handeln.

EPÜ 2000

Da Art 87 (1) mit Art 2 des TRIPS-Übereinkommens in Übereinstimmung gebracht wird (vgl nach Rn 1), entfällt die Bezugnahme auf Erfinderscheine.

27 Nach einzelnen nationalen Rechtssystemen kann auch die Priorität weiterer Schutzrechte beansprucht werden, zB in Deutschland die von Geschmacksmustern. Für europäische Patentanmeldungen ist das nicht möglich,[48] da aus der PVÜ in diesem Zusammenhang keine besonderen Ansprüche hergeleitet werden können und Art 87 EPÜ eine eigenständige Regelung darstellt.[49] Das EPA betrachtet sich daher als nicht unmittelbar durch Art 4 PVÜ gebunden, der von den Verbandsstaaten im übrigen auch unterschiedlich ausgelegt wird (siehe Nr 12 und 13 der Entscheidung **J 15/80**).

28 Die Frage, wie *design patents* amerikanischen Ursprungs zu behandeln sind, wurde in dieser Entscheidung, die sich mit der Priorität aus einer deutschen Geschmacksmusterhinterlegung zu befassen hatte, nicht angeschnitten.

29 Offen bleibt jedoch die Möglichkeit, einschlägige parallele PVÜ-Bestimmungen auf Grund der Erwähnung der PVÜ in der Präambel des EPÜ über den Wortlaut der EPÜ-Bestimmung hinaus auszulegen, wenn alle EPÜ-Staaten, die zugleich PVÜ-Staaten sind, einhellig eine Auffassung vertreten, die über den reinen Wortlaut des EPÜ-Textes hinausgeht.[50]

30 Die Anmeldung muss entweder in einem PVÜ-Staat oder mit Wirkung für einen solchen Staat eingereicht worden sein. Diese Bestimmung geht auf Art 4 A (2) PVÜ zurück und bezieht sich auf nationale Anmeldungen in PVÜ-Staaten, auf europäische Patentanmeldungen, in denen ein PVÜ-Staat benannt worden ist (was selbstverständlich ist) und auf internationale Anmeldungen nach dem PCT.

---

48 **J 15/80**, ABl 1981, 213 und 546.
49 **G 2/98**, ABl 2001, 413 No. 3.
50 **J 5/80**, ABl 1981, 213, LS III.

Prioritätsrecht **Artikel 87**

Die in den USA mit Wirkung vom 8.6.1995 eingeführte Möglichkeit einer 31
provisional application for patent wird nach der Mitteilung des Präsidenten
vom 26.1.1996[51] als prioritätsbegründende vorschriftsmäßige nationale Anmeldung anerkannt. Auf die selbständige Entscheidungskompetenz der Beschwerdekammern des EPA und der Gerichte der Vertragsstaaten ist in der Mitteilung hingewiesen.

Die Frage, ob für eine europäische Patentanmeldung auch die Priorität einer 32
nationalen Anmeldung aus einem Vertragsstaat geltend gemacht werden kann, der in der europäischen Patentanmeldung benannt wird (Selbstbenennung), hat der **BGH** für Deutschland positiv entschieden.[52]

7 Erste Anmeldung einer Erfindung

Nach Abs 1 kann das Prioritätsrecht nur für eine erste Anmeldung geltend gemacht werden. Hat der Anmelder außer der Anmeldung, deren Priorität er in 33
der europäischen Patentanmeldung beansprucht, bereits eine frühere eingereicht, und zwar insbesondere vor dem Prioritätsintervall, so ist der Prioritätsanspruch unwirksam, wenn die in der europäischen Patentanmeldung beanspruchte Erfindung schon in dieser früheren Anmeldung offenbart ist. Hierbei sind dieselben Grundsätze anzuwenden wie bei der Prüfung auf Identität der Erfindung in Vor- und Nachanmeldung (siehe hierzu Rdn 2–9).

Der Vergleich mit der in Betracht kommenden früheren Anmeldung ist nach 34
denselben Grundsätzen vorzunehmen wie der Vergleich der ursprünglich eingereichten Patentanmeldung mit einer im Erteilungsverfahren geänderten Fassung bei der Prüfung der Zulässigkeit einer Änderung gemäß Art 123 (2).[53] Diese entsprechen den Grundsätzen, die bei der Ermittlung des Offenbarungsgehalts einer Entgegenhaltung im Rahmen der Neuheitsprüfung angewendet werden.[54]

Dabei kommt es nicht auf den gleichen Wortlaut der Anmeldung an, sondern 35
auf den gleichen Gegenstand (»subject-matter«).[55] Art 88 (4) fordert lediglich eine Offenbarung irgendwo in der Anmeldung – zB in der Beschreibung – und nicht, dass die gesamte Offenbarung auch von den Ansprüchen der früheren Anmeldung erfasst wird. Zur Prüfung, ob es sich um den gleichen Gegenstand handelt, werden die in der Entscheidung **T 205/83** über die Neuheitsabgrenzung genannte Kriterien herangezogen.[56]

---

51 ABl 1996, 81.
52 Entscheidung vom 20.10.1981 – *Roll- und Wippbrett*, ABl 1982, 66 und GRUR Int 1982, 31.
53 **G 1/03**, ABl 2004, 413, Gründe Nr 4; siehe auch Rdn 8.
54 **T 251/91** vom 12.9.1991; **T 255/91**, ABl 1993, 318; **T 1090/92** vom 8.12.1994; siehe auch Art 123, Rdn 30, 34–38 und 39–42 sowie Art 54, Rdn 6, 26–43 und 61–75.
55 **T 184/84** vom 4.4.1986.
56 **T 205/83**, ABl 1985, 363.

36 Auch Zeichnungen gehören zum Inhalt der Prioritätsunterlagen und können Erfindungsmerkmale offenbaren.[57]

37 Auch **T 295/87**[58] wendet die Neuheitsabgrenzung unter Hinweis auf **T 12/81** an:[59] Hier ging es um drei **frühere** Anmeldungen für Verfahren zur Herstellung von Verbindungen, die sich aus in längeren Listen aufgeführten Einheiten zusammensetzten und wovon ein Endprodukt in der europäischen Patentanmeldung beansprucht wurde. Die Kammer stellte fest, dass es sich in den vor dem Prioritätsdatum eingereichten Anmeldungen um allgemeine Offenbarungen handelte, die den Gegenstand der europäischen Patentanmeldung möglicherweise umfaßten, aber nicht wie das Prioritätsdokument konkret offenbarten. Daher wurde die beanspruchte Priorität zugestanden.

38 In **T 400/90** ging es um einen elektromagnetischen Durchflußmesser mit sattelförmigen Spulen, für den die Priorität einer US-amerikanischen Anmeldung mit Recht beansprucht worden war.[60] Eine frühere Erfindung des Anmelders, nach deren Lehre jede Spulenform verwendet werden konnte, sah die Beschwerdekammer nicht als identisch an.

39 Als Beispiel für ein eindeutig vom Inhalt der Voranmeldung umfaßtes Merkmal sei eine Kunststoff-Flasche genannt, die in der Voranmeldung als dünnwandig, mit der Hand zusammendrückbar und faltbar beschrieben war, während in der Nachanmeldung das Merkmal »dünnwandig« fehlte. Das Weglassen dieses Merkmals, das als in den verbleibenden Merkmalen implizit enthalten angesehen wurde, änderte nichts an der Gültigkeit des Prioritätsanspruchs.[61]

Eine prioritätsbegründende erste Anmeldung kann auch eine Anmeldung sein, für die bereits eine andere Priorität in Anspruch genommen wird. Voraussetzung dafür ist, dass diese nur für einen Teil der Nachanmeldung geltendgemacht wird. In diesem Fall kann die Priorität der zweiten Anmeldung für die zum ersten Mal in dieser Anmeldung offenbare Erfindung für eine weitere Anmeldung geltendgemacht werden. Dies ergibt sich daraus, dass Abs 1 das Prioritätsrecht für die zum ersten Mal offenbare *Erfindung* gewährt.[62]

Zur Erweiterung des Begriffs der ersten Anmeldung siehe auch Rdn 49.

8 Der Berechtigte – Übertragung des Prioritätsrechts

40 Aus der Formulierung des Abs 1 ergibt sich, dass das Prioritätsrecht dem Anmelder bzw seinem Rechtsnachfolger zusteht. Das EPA verlangt vom Anmel-

---

57 **T 169/83**, ABl 1985, 193, Nr 4.2.
58 **T 295/87**, ABl 1990, 470, Prioritätsfragen nicht veröffentlicht.
59 **T 12/81**, ABl 1982, 296.
60 **T 400/90** vom 3.7.1991.
61 **T 809/95** vom 29. 4. 1997.
62 **T 301/87**, ABl 1990, 335.

der einer europäischen Patentanmeldung bei mangelnder Personenidentität, dass er sein Recht auf die Priorität nachweist, wenn es im Verfahren auf die geltendgemachte Priorität ankommt, dh wenn im Prioritätsintervall möglicherweise patenthinderndes Material festgestellt wird.

In J 19/87[63] wird im Rahmen eines Antrags auf Berichtigung bestätigt, dass 41 dem Anmelder einer europäischen Patentanmeldung, der die Priorität einer nationalen Anmeldung geltend macht, eine entsprechende Priorität im Zeitpunkt der Einreichung der Anmeldung zustehen muß. Diese Frage richtet sich nach nationalem Recht; das Vorliegen der Priorität ist erforderlichenfalls durch ein von den Beteiligten vorzulegendes Rechtsgutachten darzulegen und zu beweisen.[64]

Das Prioritätsrecht ist unabhängig von der prioritätsbegründenden Anmel- 42 dung bis zum Zeitpunkt der Nachanmeldung frei übertragbar.[65] Die Rechtsnachfolge muss nach der Erstanmeldung und vor der Nachanmeldung stattfinden.[66] Es ist also nicht möglich, nachträglich durch eine Übertragung des Rechts an einer Voranmeldung die Priorität zu manipulieren.[67] Die nachträgliche rückwirkende Heilung von Übertragungsfehlern dürfte dagegen möglich sein.

9 Prioritätsfrist

Nach Art 87 (1) besteht das Prioritätsrecht entsprechend Art 4 C (1) PVÜ 43 während einer Frist von 12 Monaten nach der Einreichung der ersten Anmeldung. Bei Versäumung dieser Frist ist die Wiedereinsetzung in den vorigen Stand nach Art 122 (5) ausgeschlossen.

Die Frist endet nach Ablauf von 12 Monaten an dem Tag, der dem Anmelde- 44 tag entspricht (vgl R 83 (3); so auch Art 4 C (2) PVÜ). Ist eine Annahmestelle des EPA nicht geöffnet, zB an gesetzlichen Feiertagen, so verschiebt sich der Tag des Fristablaufs auf den nächsten Werktag (R 85 (1); so auch Art 4 C (3) PVÜ; Einzelheiten zur Fristverlängerung siehe Art 120 Rdn 49–65). Eine Fristverlängerung gibt es im Fall einer allgemeinen Unterbrechung der Postzustellung in einem Vertragsstaat sowie bei anschließender Störung (R 85 (2)). Im Fall einer unvorhergesehenen Verzögerung bei der Postzustellung ist das EPA nicht zu einer Fristverlängerung befugt.[68]

Mit Wirkung vom 1.1.1999 ist allerdings die neue R 84a für verspätet beim EPA eingetroffene Schriftstücke eingefügt worden. Bei Anwendbarkeit von

---

63 **J 19/87** vom 21.3.1988.
64 ebenso **T 1008/96** vom 25.6.2003.
65 Wieczorek, Die Unionspriorität im Patentrecht, S 129 ff.
66 Wieczorek, Die Unionspriorität im Patentrecht, S 142.
67 Teschemacher, GRUR Int 1983, S 699, Nr 5.5.
68 **J 4/87**, ABl 1988, 172.

R 84a gilt die Prioritätsfrist als wirksam in Anspruch genommen, obwohl der Anmeldetag nach Ablauf der Prioritätsfrist liegt (zur zeitlichen Begrenzung auf 3 Monate und zu Einzelheiten zur Anwendung von R 84a siehe Art 120 Rdn 45–48).

Zur Möglichkeit der Berichtigung (R 88) einer unterlassenen oder fehlerhaften Prioritätserklärung siehe Art 88 Rdn 7–18).

10 Vorschriftsmäßige Erstanmeldung

45 In Abs 2 wird festgelegt, dass eine Anmeldung dann prioritätsbegründend ist, wenn sie eine vorschriftsmäßige nationale Anmeldung ist oder ihr diese Bedeutung zukommt. Ob dies der Fall ist, bestimmt das Recht des Staats, in dem die Erstanmeldung eingereicht worden ist, oder auch ein internationaler Vertrag, in dem dies für mehrere Staaten festgelegt ist. Die Einfügung »unter Einschluss dieses Übereinkommens« nimmt Bezug auf Art 66, der bestimmt, dass eine europäische Patentanmeldung, deren Anmeldetag feststeht, in den benannten Vertragsstaaten die Wirkung einer vorschriftsmäßigen nationalen Hinterlegung hat. Mit diesen Bestimmungen wird sichergestellt, dass die Priorität einer europäischen Erstanmeldung für eine spätere europäische Nachanmeldung geltend gemacht werden kann. Die Formulierung dieses Absatzes lehnt sich stark an Art 4 A (2) PVÜ an.

46 Art 87 (3) stellt in Übereinstimmung mit Art 4 A (3) PVÜ klar, dass es ausreicht, wenn der Hinterlegungszeitpunkt festgestellt werden kann, ohne daß es auf das spätere Schicksal der Anmeldung ankommt. Für die Eignung einer europäischen Erstanmeldung als prioritätsbegründende Erstanmeldung genügt es daher, wenn die Voraussetzungen des Art 80 (Anmeldetag) erfüllt sind; hierzu ist nicht die Zahlung der Anmeldegebühr und der Recherchengebühr erforderlich.

47 Ein Beispiel für eine prioritätsbegründende untergegangene Erstanmeldung bietet die Entscheidung T 132/90.[69] Die Erstanmeldung betraf eine Schweizer Anmeldung, deren ursprüngliches Anmeldedatum (11.3.1983) infolge Änderung der Anmeldung auf den 1.7.1983 verschoben worden war. Wesentlich war die Feststellung der Beschwerdekammer, dass die Datumsverschiebung eine Wirkung **ex nunc** entfaltet und daß demzufolge die ursprüngliche Anmeldung bis zum Datum der Verschiebung bestand. Da deren späteres Schicksal aus prioritätsrechtlicher Sicht ohne Bedeutung ist, konnte diese Anmeldung Grundlage für die Inanspruchnahme eines Prioritätsrechts sein und das ursprüngliche Anmeldedatum als Prioritätsdatum für die europäische Patentanmeldung anerkannt werden.

48 Wird bei mikrobiologischen Erfindungen eine Priorität in Anspruch genommen und muss zusätzlich zur schriftlichen Beschreibung eine Probe des biolo-

---

[69] **T 132/90** vom 21.2.1994.

gischen Materials (bis zur Änderung der R 28 hieß es *Kultur des Mikroorganismus*) hinterlegt werden, damit die Erfindung ausreichend offenbart wird, so muss die Probe spätestens am Anmeldetag der Prioritätsanmeldung hinterlegt worden sein; dabei müssen die Hinterlegungsstelle und das Statut der Hinterlegung dem Recht des Erstanmeldestaats genügt haben; außerdem muss über die Erstanmeldung die Identifizierung der Probe möglich sein.[70]

11 Erweiterung des Begriffs der ersten Anmeldung

Art 87 (1) verlangt als prioritätsbegründende Anmeldung eine »erste Anmeldung«. In Art 87 (4) wird dieser Begriff durch fast wörtliche Übernahme des Art 4 C (4) PVÜ dahin erweitert, dass eine jüngere Anmeldung desselben Gegenstands (eingereicht in demselben oder für denselben Staat) die Grundlage eines Prioritätsrechts sein kann, wenn die erste Anmeldung vor ihrer Veröffentlichung und ohne bereits als Grundlage für die Beanspruchung eines Prioritätsrechts gedient zu haben, folgenlos weggefallen ist, zB durch Verzicht. Die entsprechende Bestimmung war auf der Lissaboner Konferenz 1958 in die PVÜ eingefügt worden (siehe Bodenhausen, Pariser Verbandsübereinkunft, 1968, Art 4 C (4), Anmerkung (a)). Grund dafür war, dass Anmelder gelegentlich, um ein möglichst frühes Prioritätsdatum zu erhalten, unausgereifte Erfindungen zum Patent anmeldeten. Werden deren Fehler bald darauf erkannt, so kann die Anmeldung der überarbeiteten Erfindung anstelle der ursprünglichen und zurückgenommenen Anmeldung prioritätsbegründend wirken. Die Beweislast für das Vorliegen der Voraussetzungen des Art 87 (4) trägt der Anmelder bzw. Patentinhaber.[71]

49

12 Prioritätsrecht aus Anmeldungen in Nicht-PVÜ-Staaten

Über die Bestimmungen der PVÜ hinausgehend sieht Abs 5 vor, dass auch die Priorität von Erstanmeldungen in Staaten anerkannt werden kann, die nicht der PVÜ angehören. Die EPÜ-Staaten bemühen sich damit, vor allem Ländern gegenüber offen zu sein, die noch nicht die Möglichkeit hatten, sich der PVÜ anzuschließen. Diese Möglichkeit ist jedoch von den in Abs 5 aufgestellten Bedingungen abhängig.

50

Bisher liegt keine derartige Bekanntmachung des Verwaltungsrats vor; siehe jedoch nach Rdn 1, »EPÜ 2000«.

51

Derzeit berechtigt das TRIPS-Übereinkommen den Anmelder einer europäischen Patentanmeldung nicht, die Priorität einer ersten Anmeldung in einem Staat zu beanspruchen, der an den maßgeblichen Tagen nicht Mitglied der PVÜ, aber Mitglied des WTO/TRIPS-Übereinkommens war.[72]

52

---

70 Mitteilung des EPA vom 18.7.1986, ABl 1986, 269 II A, Nr 8.
71 **T 1056/01** vom 4.6.2003.
72 **G 2/02** und **G 3/02**, ABl 2004, 483.

Artikel 88 Inanspruchnahme der Priorität

(1) Der Anmelder, der die Priorität einer früheren Anmeldung in Anspruch nehmen will, hat eine Prioritätserklärung, eine Abschrift der früheren Anmeldung und, wenn die Sprache der früheren Anmeldung nicht eine Amtssprache des Europäischen Patentamts ist, eine Übersetzung der früheren Anmeldung in einer der Amtssprachen einzureichen. Das Verfahren zur Durchführung dieser Vorschrift ist in der Ausführungsordnung vorgeschrieben.

(2) Für eine europäische Patentanmeldung können mehrere Prioritäten in Anspruch genommen werden, selbst wenn sie aus verschiedenen Staaten stammen. Für einen Patentanspruch können mehrere Prioritäten in Anspruch genommen werden. Werden mehrere Prioritäten in Anspruch genommen, so beginnen Fristen, die vom Prioritätstag an laufen, vom frühesten Prioritätstag an zu laufen.

(3) Werden eine oder mehrere Prioritäten für die europäische Patentanmeldung in Anspruch genommen, so umfasst das Prioritätsrecht nur die Merkmale der europäischen Patentanmeldung, die in der Anmeldung oder den Anmeldungen enthalten sind, deren Priorität in Anspruch genommen worden ist.

(4) Sind bestimmte Merkmale der Erfindung, für die die Priorität in Anspruch genommen wird, nicht in den in der früheren Anmeldung aufgestellten Patentansprüchen enthalten, so reicht es für die Gewährung der Priorität aus, dass die Gesamtheit der Anmeldungsunterlagen der früheren Anmeldung diese Merkmale deutlich offenbart.

Reinhard Spangenberg

Übersicht
1	Allgemeines	1
2	Die Prioritätserklärung	2-6
3	Berichtigung von Fehlern	7-18
4	Prioritätsbeleg	19-22
5	Inanspruchnahme mehrerer Prioritäten – Teilprioritäten	23-34
6	Umfang des Prioritätsrechts	35-37

1 Allgemeines

1   Abs 1 regelt die formelle Inanspruchnahme der Priorität, während Abs 2–4 von Teil- und Mehrfachprioritäten handelt. Einzelheiten der Prioritätserklärung und Prioritätsunterlagen enthält R 38 und zur versäumten Prioritätsfrist R 41 (3). Sehr wichtig ist im europäischen Patentrecht, dass in Abweichung von nati-

onalen Regelungen die Priorität mit der Einreichung der europäischen Patentanmeldung zu beanspruchen ist (R 38 (2)). Von der Möglichkeit einer Berichtigung fehlerhaft unterlassener Prioritätsbeanspruchung abgesehen (Rdn 7–18), ist eine spätere Geltendmachung der Priorität ausgeschlossen.

EPÜ 2000

Zur Erhöhung der Flexibilität des EPÜ hinsichtlich der Formerfordernisse bei der Beanspruchung einer Priorität sind alle diesbezüglichen Bestimmungen in die Ausführungsordnung übertragen worden; diese wird den vom PCT und PLT vorgegebenen Regeln entsprechen müssen.

2 Die Prioritätserklärung

Zur Inanspruchnahme der Priorität einer früheren Anmeldung hat der Anmelder einer europäischen Patentanmeldung folgende Schriftstücke (Dokumente) einzureichen: 2

a) die Prioritätserklärung,
b) eine Abschrift der früheren Anmeldung (Prioritätsbeleg; siehe Rdn 19–22),
c) eine Übersetzung der früheren Anmeldung in einer der Amtssprachen des EPA, sofern die Sprache der früheren Anmeldung keine Amtssprache ist.

Die Prioritätserklärung besteht aus drei Angaben zur früheren Anmeldung, nämlich einer Erklärung über den Tag und den Staat der Erstanmeldung, sowie der Angabe des Aktenzeichens (R 38 (1)). 3

Von diesen drei Bestandteilen müssen der Tag und der Staat der früheren Anmeldung bereits bei Einreichung der europäischen Patentanmeldung angegeben werden (R 38 (2)). Sie können nicht im Wege der Mängelbeseitigung nachgeholt werden (R 41 (2)).[1] Ohne diese beiden Angaben ist der Prioritätsanspruch erloschen, sofern nicht eine Berichtigung möglich ist (siehe Rdn 7–18). 4

Für die Mitteilung des Aktenzeichens hat der Anmelder dagegen eine Frist von 16 Monaten nach dem Prioritätstag (R 38 (2), Satz nach dem Semikolon), ebenso für die Einreichung des Prioritätsbelegs sowie eine weitere Frist für die Einreichung der Übersetzung (R 38 (4); siehe Rdn 22). Nach J 1/80[2] ist der Anmelder nach Ablauf der Frist auf ein etwaiges Fehlen dieser Angaben hinzuweisen (vorher liegt noch kein Mangel vor) und unter Fristsetzung nach R 84 aufzufordern, den Mangel zu beseitigen (Art 91 (1) d) iVm (2)) und das Aktenzeichen nachzureichen. Die Frist beträgt mindestens zwei und höchstens vier Monate. Praktisch verlängert sich dadurch die 16-Monatsfrist für die Angabe des Aktenzeichens auf mindestens 18 Monate (siehe Art 91 Rdn 11). 5

Bei Versäumung dieser Frist ist keine Weiterbehandlung möglich, da nur ein Teilrechtsverlust eingetreten ist. 6

---

1 Art 91 Rdn 10.
2 ABl 1980, 289.

3 Berichtigung von Fehlern

7 Die Einhaltung der 12monatigen Prioritätsfrist bereitet dem Patentanmelder und seinem Vertreter oft große Schwierigkeiten. Der Entscheidungsprozeß über die Frage, in welchen Ländern nachangemeldet werden soll, sowie die Verständigung im internationalen Bereich führen zu zeitlichen Engpässen. Nachanmeldungen werden oft erst kurz vor Ablauf der Prioritätsfrist eingereicht. Im europäischen Patentsystem wird die Situation dadurch verschärft, dass eine Wiedereinsetzung in die Prioritätsfrist des Art 87 (1) nach Art 122 (5) ausgeschlossen ist. Fehler entstehen durch Prioritätserklärungen mit unrichtigen Angaben sowie durch völliges Übersehen einer beabsichtigten Prioritätsbeanspruchung.

8 Irrtümer bei Prioritätserklärungen scheinen nach dem Umfang der Rechtsprechung nicht selten zu sein. Grundlage dieser Rechtsprechung zur Berichtigung ist R 88 Satz 1, der gestattet, sprachliche Fehler, Schreibfehler und Unrichtigkeiten in eingereichten Unterlagen auf Antrag zu berichtigen. Die Rechtsprechung bemüht sich, bei der Entscheidung über die Berichtigung das Interesse des Anmelders gegenüber dem Interesse der Allgemeinheit an einer rechtzeitigen Information angemessen abzuwägen. In **J 6/91**[3] und **J 3/91**[4] hat die Juristische Beschwerdekammer die damalige Rechtsprechung zusammengefaßt.

9 Der **Fehler** kann zB eine falsche Angabe sein,[5] ein verwechselter Prioritätsbeleg[6] oder – besonders in Fällen vergessener Inanspruchnahme der Priorität – eine Auslassung oder eine versäumte Handlung.[7] Die bloße Tatsache, dass eine vorhandene Priorität nicht in Anspruch genommen wurde, rechtfertigt keine Berichtigung.[8]

10 Der Fehler muss **offensichtlich** sein; ist er nicht ohne weiteres erkennbar, so sind entsprechende Beweise zu erbringen, dass die berichtigte Fassung von Anfang an beabsichtigt war. Die Berichtigung darf nicht dazu mißbraucht werden, die Anmeldung neuen Vorstellungen oder einer technischen Weiterentwicklung anzupassen.[9]

11 Die Berichtigung muss **unverzüglich und so rechtzeitig beantragt** werden, dass in die Veröffentlichung der Anmeldung ein entsprechender Hinweis aufgenommen werden kann.[10] Die Aufnahme eines Hinweises in die Veröffentli-

---

3 ABl 1994, 349.
4 ABl 1994, 365.
5 **J 3/91**, ABl 1994, 365.
6 **J 2/92**, ABl 1994, 375.
7 **J 11/92**, ABl 1995, 25, Nr 2; **J 7/94**, ABl 1995, 817.
8 **J 7/94**, ABl 1995, 817, Nr 8.
9 **J 9/91** vom 1.12.1991; **T 972/93** vom 16.6.1994, Nr 2 (j).
10 **J 4/82**, ABl 1982, 385; **J 14/82**, ABl 1983, 121; **J 21/84**, ABl 1986, 75.

chung dient als vorsorgliche Maßnahme zur Information der Öffentlichkeit. R 88 Satz 1 sieht zwar keine zeitliche Begrenzung für den Berichtigungsantrag vor; sie ist aber – mit Ausnahmen in Sonderfällen (siehe Rdn 13 und 17) – nötig, um im Interesse der Öffentlichkeit die Rechtssicherheit zu schützen.

Der Anmelder selbst kann sich um den geforderten Schutz der Öffentlichkeit 12 dadurch bemühen, dass er **vorsorglich rechtzeitig eine zweite europäische Patentanmeldung** einreicht, aus der sich der volle Umfang des europäischen Schutzbegehrens ergibt.[11]

Wird **kein Hinweis** mit der europäischen Patentanmeldung veröffentlicht, so 13 wird die Berichtigung nur zugelassen, wenn sie auf Grund besonderer Umstände gerechtfertigt ist[12] und besonders, wenn das Interesse der Öffentlichkeit nicht ernsthaft verletzt wurde.[13]

Daß eine Priorität falsch angegeben ist oder fehlt, muss **anhand der veröf-** 14 **fentlichten Anmeldung ohne weiteres** ersichtlich sein (offensichtliche Unstimmigkeit[14]). Ein Fehler, der erst nach Einsichtnahme in die Prioritätsunterlage entdeckt werden kann, reicht nicht aus.[15]

Eine **zweite oder weitere Priorität** kann hinzugefügt werden, wenn ein ent- 15 sprechender Hinweis bei der Veröffentlichung erfolgt ist[16] oder die Öffentlichkeit durch eine Zweitanmeldung rechtzeitig informiert worden ist.[17] Die Hinzufügung jeder weiteren Priorität ist jedoch für die Rechtsgültigkeit des Patents von Belang und berührt daher das öffentliche Interesse; daher ist eine Berichtigung nach Veröffentlichung ohne Hinweis nur bei einem ohne weiteres aus der veröffentlichten Anmeldung ersichtlichen Fehler zulässig.[18]

Ein Berichtigungsantrag erst am letzten Tag der Einspruchsfrist beeinflusst 16 den entgegenzuhaltenden Stand der Technik; eine Berichtigung würde das Einspruchsrecht stark beeinträchtigen und wurde daher abgelehnt.[19]

Ein Sonderfall liegt vor, wenn das EPA für den nicht rechtzeitigen Berichti- 17 gungsantrag oder die Nichtveröffentlichung des Hinweises mitverantwortlich ist. Hier stehen mit Rücksicht auf den Vertrauensschutz eher die Anmelderinteressen im Vordergrund.[20]

---

11 **J 14/82**, ABl 1983, 121, Nr 8; **J 11/92**, ABl 1995, 25, Nr 2.3.4; **T 972/93** vom 16.6.1994, Nr 2. (jjj).
12 **J 6/91**, ABl 1994, 349; **J 7/94**, ABl 1995, 817.
13 **J 6/91**, ABl 1994, 349.
14 **J 3/91**, ABl 1994, 365.
15 **J 7/94**, ABl 1995, 817, Nr 7 und 8.
16 **J 4/82**, ABl 1982, 385.
17 **J 14/82**, ABl 1983, 121.
18 **J 7/94**, ABl 1995, 817.
19 **T 796/94** vom 27.11.1995, Nr 3.5.2.
20 **J 11/89** vom 26.10.1989; **J 3/82**, ABl 1983, 171.

18 Liegt der beanspruchte Prioritätstag mehr als ein Jahr vor dem Anmeldetag der europäischen Patentanmeldung, so wird der Anmelder von der Eingangsstelle nach R 41 (3) informiert mit dem Hinweis, dass er innerhalb eines Monats einen berichtigten Prioritätstag anzugeben hat.
Zur Berichtigung allgemein siehe Art 123 Rdn 118–165.

4 Prioritätsbeleg

19 Nach Art 88 (1) und R 38 (3) ist eine Abschrift der früheren Anmeldung, der sogenannte Prioritätsbeleg, vor Ablauf des 16. Monats ab dem Prioritätstag beim EPA einzureichen.[21] Zur Beifügung des Prioritätsbelegs von Amts wegen siehe Rdn 21; zu vom USPTO als elektronische Dateien ausgestellten Prioritätsunterlagen siehe Mitteilung des EPA vom 15. September 2004;[22] allgemein zur Einreichung auf anderen Datenträgern als Papier siehe PrüfRichtl A-III, 6.7. Prioritätsbelege können nicht telegrafisch, fernschriftlich oder durch Telefax übermittelt werden.[23]

Wird die 16-Monatsfrist versäumt, so ist der Anmelder auf den Mangel hinzuweisen, was aber erst nach Ablauf dieser Frist geschehen kann, da vorher noch kein Mangel vorliegt; zugleich wird er nach R 84 zur Nachreichung der Unterlagen innerhalb einer Mindestfrist von 2 Monaten aufgefordert.[24] Praktisch verlängert sich dadurch die 16-Monatsfrist für die Einreichung der Unterlagen nach R 84 ebenso wie für die Angabe des Aktenzeichens auf mindestens 18 Monate. Bei Fristversäumung ist Wiedereinsetzung nach Art 122 möglich, nicht jedoch Weiterbehandlung nach Art 121, da es sich beim Erlöschen des Prioritätsrechts (Art 91 (3)) um einen Teilrechtsverlust handelt.

20 Für europäische Teilanmeldungen braucht die Prioritätserklärung nicht wiederholt zu werden, und bereits für die Stammanmeldung eingereichte Prioritätsunterlagen müssen nicht noch einmal vorgelegt werden (siehe Art 76 Rdn 11).

21 Bezieht sich der Prioritätsbeleg auf eine europäische Patentanmeldung, eine beim EPA eingereichte internationale Erstanmeldung, eine japanische Patent- oder Gebrauchsmusteranmeldung oder eine beim japanischen Patentamt eingereichte internationale Erstanmeldung, so nimmt das EPA eine Abschrift der früheren Anmeldung gebührenfrei in die Akte der europäischen Patentanmeldung; dies gilt auch für internationale Anmeldungen, die in die regionale Phase vor dem EPA übergegangen ist.[25]

---

21 Einzelheiten siehe PrüfRichtl A-III, 6.7.
22 Mitteilung des EPA vom 15.9.2004, ABl 2004, 562.
23 Beschluss des Präsidenten vom 26.5.1992, ABl 1992, 299, Art 2.
24 J 1/80, ABl 1980, 289.
25 Beschluss des Präsidenten vom 22.12.1998, ABl 1999, 80, ergänzt durch Beschluss des Präsidenten vom 9.3.2000, ABl 2000, 227 zur Unterrichtung des Anmelders.

Zur Anerkennung einer digital signierten beglaubigten Kopie einer US-Patentanmeldung in elektronischer Form siehe ABl 2004, 562; zur Alternative: Papierform oder andere Datenträger siehe PrüfRichtl A-III, 6.7.

Ist die Sprache der früheren Anmeldung keine Amtssprache des EPA, so muss eine Übersetzung der früheren Anmeldung eingereicht werden (Art 88 (1), R 38 (5)). Sie ist in einer frei wählbaren Amtssprache innerhalb einer vom EPA zu bestimmenden Frist einzureichen, spätestens jedoch mit Ablauf der Frist nach R 51 (4). Bei dieser nicht verlängerbaren Frist ist Vorsicht geboten, weil bei ihrer Nichtbeachtung die Priorität erlischt und nur über eine Wiedereinsetzung nach Art 122 geholfen werden kann. **22**

Ist die europäische Patentanmeldung eine vollständige Übersetzung der früheren Anmeldung (R 38 (5) Satz 2), so genügt eine entsprechende Erklärung des Anmelders; Einzelheiten siehe Rechtsauskunft Nr 19/99.[26]

5 Inanspruchnahme mehrerer Prioritäten – Teilprioritäten

Wie im allgemeinen auch bei den nationalen Systemen können für eine einzige Nachanmeldung mehrere nationale Prioritäten – auch aus verschiedenen Staaten – in Anspruch genommen werden. Als Folge einer Anregung der deutschen Delegation auf der Münchner Diplomatischen Konferenz, für einen Patentanspruch nur eine einzige Priorität zuzulassen, wurde das Gegenteil beschlossen. **23**

Mehrere oder mehrfache Unionsprioritäten liegen vor, wenn eine Nachanmeldung keine einheitliche Priorität hat, sondern für einzelne Teile Prioritäten aus verschiedenen Voranmeldungen in Anspruch nimmt (Abs 2). Mehrfachprioritäten entstehen, wenn die in der Nachanmeldung offenbarte Erfindung schrittweise in mehreren Voranmeldungen offenbart worden ist, zB in einer amerikanischen continuation-in-part Anmeldung. Die Mehrfachpriorität ist auch in Art 4 F PVÜ anerkannt. Das Instrument der Mehrfachpriorität ermöglicht dem Erfinder, die Entwicklungsstufen nach der Erstanmeldung unter Ausnutzung zeitlich verschiedener Prioritäten optimal zu schützen. **24**

Unter einer Teilpriorität ist der Fall zu verstehen, dass in einer Nachanmeldung Priorität nur für einen Teil der Erfindung beansprucht wird (Abs 3). **25**

Mehrfach- und Teilprioritäten können kombiniert auftreten. Die Inanspruchnahme setzt nicht voraus, dass die Priorität von einem ganzen Anspruch hergeleitet wird; es genügt, wenn nur ein bestimmtes Merkmal in Anspruch genommen wird. **26**

Für die Inanspruchnahme mehrerer Prioritäten für einen Patentanspruch (Art 88 (2) Satz 2) siehe insbesondere **G 2/98**,[27] in der die verschiedenen Fallgestaltungen dargestellt werden; ebenso PrüfRichtl C IV 5.3. Für verschiedene Patentansprüche oder verschiedene Alternativen, die in einem Patentanspruch **27**

---

26   Rechtsauskunft Nr 19/99, **ABl** 1999, 296; PrüfRichtl A-III, 6.8.
27   **G 2/98**, ABl 2001, 413 Nr 6.3 ff.

enthalten sind, können unterschiedliche Prioritätstage gelten. Daher können auch Teil- und Mehrfachprioritäten innerhalb eines Anspruchs geltend gemacht werden.[28]

28 Der früheste Prioritätstag bestimmt den Lauf aller vom Prioritätstag abhängigen Fristen (Abs 2 Satz 3).

29 In **T 85/87**[29] enthielt die Prioritätsunterlage die gleiche allgemeine chemische Formel wie Anspruch 1 der europäischen Nachanmeldung, aber nicht die konkrete Verbindung in Anspruch 9 der Nachanmeldung; für Anspruch 1 galt die Priorität der Voranmeldung, für Anspruch 9 die Priorität des Anmeldetags der europäischen Patentanmeldung.

30 In **T 594/90**[30] bestand ein baulich und in der Wirkung wesentlicher Unterschied zwischen dem Verbindungselement nach der Prioritätsunterlage und dem europäischen Patent, so daß nicht mehr von derselben Erfindung gesprochen werden konnte und das Prioritätsrecht versagt wurde. Der Ansicht des Patentinhabers, dass auch Weiterentwicklungen einer in einem Prioritätsdokument offenbarten Erfindung die Priorität dieser Voranmeldung insoweit zustehe, folgte die Beschwerdekammer nicht.

31 In einem ähnlichen Fall[31] wurde die Priorität des im Prioritätsintervall veröffentlichten Gebrauchsmusters D 1 für Anspruch 1 und einige abhängige Ansprüche anerkannt. Für die Unteransprüche, die in D 1 nicht offenbarte Merkmale enthielten, wurde eine Teilpriorität aus D 1 verneint. D 1 war Stand der Technik gegenüber diesen Unteransprüchen.

32 Der Anmelder kann jederzeit auf die beanspruchte Priorität verzichten. Verzichtet er vor Abschluß der technischen Vorbereitungen für die Veröffentlichung, so verschiebt sich die Veröffentlichung bis zum Ablauf von 18 Monaten nach dem Anmeldetag;[32] siehe auch Art 93 Rdn 7. Verzichtet der Anmelder erst nach Abschluß der technischen Vorbereitungen für die Veröffentlichung, so wird die Anmeldung 18 Monate nach dem ursprünglich in Anspruch genommenen Prioritätstag veröffentlicht.[33] Im europäischen Patentblatt erscheint dann ein Hinweis auf den Prioritätsverzicht; ähnlich wird verfahren, wenn der Prioritätsanspruch nach Art 91 (3) erloschen ist.[34]

33 Bei mehreren Prioritäten sind die Fristen nach der ältesten Priorität zu berechnen, die nach dem Verzicht noch verbleibt. Der Wegfall einer Priorität hat

---

28 **T 828/93** vom 7.5.1996, Nr 3.1; **T 395/95** vom 4.9.1997, Nr 2.1.2 und **T 77/97** vom 3.7.1997, Nr 6.2.
29 **T 85/87** vom 21.7.1988.
30 **T 594/90** vom 7.6.1995.
31 **T 127/92** vom 14.12.1994.
32 PrüfRichtl A-VI, 1.2.
33 PrüfRichtl C-V, 3.4.
34 PrüfRichtl A-VI, 1.1.

keinen Einfluss auf schon abgelaufene Fristen.[35] Ein bereits auf Grund Fristablaufs eingetretener Verlust kann daher durch den Verzicht nicht rückgängig gemacht werden.[36]

Nach Erteilung ist die Unionspriorität der Verfügung der Beteiligten entzogen.[37] Der Verzicht auf eine Mehrfachpriorität dürfte in der Praxis eine gewisse Rolle spielen.

6 Umfang des Prioritätsrechts

Die Absätze 3 und 4 verdeutlichen und konkretisieren die Überlegungen, die in Art 4 F und Art 4 H PVÜ enthalten sind. Abs 3 beschränkt das Prioritätsrecht auf die Merkmale, die in der Anmeldung enthalten sind, deren Priorität in Anspruch genommen worden ist. Diese Merkmale brauchen in der Erstanmeldung aber nicht ausdrücklich erwähnt zu sein, sofern sie der Fachmann mit seinem Fachwissen entnehmen kann[38] (siehe auch **G 2/98**[39]).

Nach Abs 4, der Art 4 H PVÜ entspricht, ist es nicht nötig, dass die in der europäischen Patentanmeldung aufgeführten Merkmale der Erfindung in den Patentansprüchen der prioritätsbegründenden Erstanmeldung enthalten sind. Es genügt vielmehr, wenn diese Merkmale in den Anmeldungsunterlagen der früheren Anmeldung insgesamt deutlich offenbart sind[40] (siehe Art 87 Rdn 2–9). Die entsprechende PVÜ-Bestimmung wurde auf der Londoner Regierungskonferenz 1934 in die PVÜ eingefügt (siehe Bodenhausen, Pariser Verbandsübereinkunft, Art 4, Abschnitt H, Anmerkung (a)). Auch Anmeldungen, die keine Patentansprüche enthalten, können als prioritätsbegründend beansprucht werden.[41]

T 77/97[42] weist darauf hin, dass der Ausdruck *dieselbe Erfindung* in Art 87 (1) in Übereinstimmung mit Art 88 (2)–(4) ausgelegt werden muß. Art 88 (4) verlangt in seiner französischen Fassung, die sich mit dem französischen Text von Art 4 H PVÜ deckt, dass die beanspruchten Elemente *d'une façon précise* offenbart sind.

---

35 PrüfRichtl A-III, 6.10.
36 PrüfRichtl E VIII, 1.5.
37 Benkard, Patentgesetz, Internationaler Teil, Rn 68, 69; Wieczorek, aaO vor Art 87, S 186/187.
38 **T 136/95**, ABl 1998, 198, LS und Nr 3.3.
39 ABl 2001, 413, LS.
40 **T 497/91** vom 3.6.1992.
41 **T 469/92** vom 9.9.1994.
42 **T 77/97** vom 3.7.1997, Nr 6.

Artikel 89 Wirkung des Prioritätsrechts

Das Prioritätsrecht hat die Wirkung, dass der Prioritätstag als Tag der europäischen Patentanmeldung für die Anwendung des Artikels 54 Absätze 2 und 3 sowie des Artikels 60 Absatz 2 gilt.

Reinhard Spangenberg

Übersicht
1	Allgemeines	1
2	Wirkung auf die Neuheit und erfinderische Tätigkeit	2-9
3	Wirkung hinsichtlich des Rechts auf das europäische Patent	10
4	Grenzen des Prioritätsrechts	11-12

1 Allgemeines

1 Dieser Artikel legt die Wirkung einer zu Recht geltend gemachten Priorität fest und ist auf das EPÜ abgestellt. Die Beschränkung, dass der Prioritätstag als Tag der europäischen Patentanmeldung nur für bestimmte Artikel gilt, dient der Rechtssicherheit.
Der Prioritätszeitpunkt ist unverrückbar und unzerstörbar.

2 Wirkung auf die Neuheit und erfinderische Tätigkeit

2 Eine zu Recht geltend gemachte Priorität verhindert, dass etwas, was der Öffentlichkeit nach Einreichung der prioritätsbegründenden Anmeldung zugänglich gemacht worden ist, gegenüber der betreffenden europäischen Patentanmeldung als Stand der Technik nach Art 54 (2) gilt. Die der europäischen Patentanmeldung zugrundeliegende Erfindung wird also hinsichtlich der Neuheit so angesehen, als ob sie am Prioritätsdatum zum Patent angemeldet worden sei.

3 Die Einbeziehung von Art 54 (3) bedeutet, dass nur die vor dem Prioritätszeitpunkt eingereichten europäischen Patentanmeldungen als ältere europäische Rechte zum Stand der Technik gehören und damit neuheitsschädlich sein können, dagegen nicht europäische Patentanmeldungen, die im Prioritätsintervall eingereicht worden sind.[1]

4 In der Regel sollte der Prüfer die Gültigkeit eines Prioritätsrechts nicht nachprüfen. Wenn aber im Prioritätsintervall Stand der Technik zugänglich gemacht worden ist (Art 54 (2)) oder wenn eine andere Anmeldung im Sinne von Art 54 (3) einen Prioritätstag innerhalb des Prioritätsintervalls beansprucht, dann muss sich der Prüfer Gewißheit über den Umfang der Priorität verschaffen (sie-

---

1 Siehe auch **J 21/82**, ABl 1984, 65 Nr 3.

he PrüfRichtl C-V, 2; zur Recherche siehe Art 92 Rdn 20). Die Nichtbeachtung von Art 89 iVm Art 54 (2) und (3) stellt einen wesentlichen Verfahrensmangel dar, der die Rückzahlung der Beschwerdegebühr rechtfertigt.[2]

Wird die beanspruchte Priorität nicht anerkannt, so steht der im Prioritätsintervall veröffentlichte technische Inhalt des Prioritätsdokuments der europäischen Patentanmeldung als Stand der Technik entgegen.[3] Die große Beschwerdekammer hatte sich mit der Frage zu befassen, welche Folgen für den Anmelder eintreten, wenn der Inhalt der von ihm für eine europäische Patentanmeldung beanspruchten Prioritätsunterlage im Prioritätsintervall veröffentlicht wird. Dies ist vor allem dann von Bedeutung, wenn die europäische Patentanmeldung eine Weiterentwicklung darstellt und ihre Ansprüche Gegenstände umfassen, die in der beanspruchten Prioritätsunterlage nicht enthalten sind, so daß die europäische Patentanmeldung nicht mehr dieselbe Erfindung betrifft wie die Prioritätsunterlage.

Über diese Folgen gab es divergierende Entscheidungen.[4] Während die eine die Veröffentlichung unter Heranziehung von Art 4 Abschnitt B PVÜ weder als neuheitsschädlich noch als die erfinderische Tätigkeit schmälernd beurteilte, sah die andere das im Prioritätsintervall veröffentlichte Dokument, dessen technischer Inhalt mit dem der Prioritätsunterlage identisch war, als Stand der Technik an, der nach Art 54 (2) zu berücksichtigen ist.

Die Große Beschwerdekammer bestätigte diese Ansicht und entschied, dass ein im Prioritätsintervall veröffentlichtes Dokument, dessen technischer Inhalt dem des Prioritätsdokuments entspricht, einer europäischen Patentanmeldung, in der diese Priorität in Anspruch genommen wird, insoweit als Stand der Technik gemäß Art 54 (2) entgegengehalten werden kann, als der Prioritätsanspruch unwirksam ist. Dies gilt insbesondere, wenn der Prioritätsanspruch deshalb unwirksam ist, weil das Prioritätsdokument und die spätere europäische Patentanmeldung nicht dieselbe Erfindung betreffen, da in der europäischen Patentanmeldung Gegenstände beansprucht werden, die im Prioritätsdokument nicht offenbart waren.

T 620/94[5] unterscheidet sich von G 3/93[6] insofern, als es sich bei dem in den Prioritätsintervall fallenden Stand der Technik nicht um die in Anspruch genommene Prioritätsanmeldung handelte. Hier war von zwei in Anspruch 1 der europäischen Patentanmeldung beanspruchten Alternativen A und B in der Prioritätsunterlage nur die Alternative B offenbart. Auf Grund des im Priori-

---

2 **T 16/89** vom 24.1.1990.
3 **G 3/93**, ABl 1995, 18.
4 **T 301/87**, ABl 1990, 335 und **T 441/91** vom 18.8.1992, s. Rspr BK 2001, IV-D. 1, S 279.
5 **T 620/94** vom 13.6.1995.
6 ABl 1995, 18.

Artikel 89   *Wirkung des Prioritätsrechts*

tätsintervall veröffentlichten Standes der Technik wurde für die nicht durch die Priorität gedeckte Alternative A die erfinderische Tätigkeit verneint.

9   Art 56 Satz 2 in Verbindung mit Art 54 (3) und Art 89 verbietet, Offenbarungen im Prioritätsintervall als Stand der Technik unter dem Gesichtspunkt der mangelnden erfinderischen Tätigkeit gegen die Patentierbarkeit der angemeldeten Erfindung geltend zu machen.

3 Wirkung hinsichtlich des Rechts auf das europäische Patent

10   Nach Art 60 (2) Satz 1 ist dann, wenn mehrere Anmelder ein europäisches Patent unabhängig voneinander anmelden, für den Anspruch auf das europäische Patent maßgebend, welche Anmeldung den früheren Anmeldetag hat. Auch in diesem Fall tritt an die Stelle des Anmeldetags der Prioritätstag (siehe Art 60 Rdn 16–18).

4 Grenzen des Prioritätsrechts

11   In anderen Fällen ist der Prioritätstag nicht dem Anmeldetag automatisch gleichgestellt. Für die Anwendung von Art 55 (Unschädliche Offenbarungen) hat die Große Beschwerdekammer in **G 3/98**[7] und **G 2/99**[8] entschieden, dass für die Berechnung der Frist von sechs Monaten nach Art 55 (1) der Tag der tatsächlichen Einreichung maßgebend ist; der Prioritätstag ist für die Berechnung dieser Frist also nicht relevant (Leitsatz; siehe auch Art 55 Rdn 5–10)

12   In **T 998/99**[9] wurde entschieden, dass das Prioritätsrecht für ein- und dieselbe Erfindung in einem Vertragsstaat nicht mehrfach ausgeübt werden kann (»Erschöpfung des Prioritätsrechts«). Dies dürfte eine Einzelfallentscheidung sein.[10]

---

7   ABl 2001, 62.
8   ABl 2001, 83.
9   **T 998/99**, ABl 2005, 229.
10 **T 15/01**, ABl 2006, 153, LS I, Gründe Nr 25 – 41; **T 5/05** vom 9.11.2005; siehe Literaturhinweise bei Art 87 Rdn 9.

Vierter Teil Erteilungsverfahren

Vorbemerkung zu Art 90–98

Margarete Singer/Dieter Stauder

Der Teil »Erteilungsverfahren« enthält die Eingangs- und Formalprüfung (formelle Voraussetzungen, Art 90 und 91), die Erstellung des – erweiterten – europäischen Recherchenberichts (Art 92) und die Veröffentlichung der europäischen Patentanmeldung (Art 93); weiterhin regelt er das Verfahren der Sachprüfung bis zu der Erteilung des europäischen Patents oder seiner Zurückweisung (Art 94–97) und die Veröffentlichung der europäischen Patentschrift (Art 98).

Zur früheren organisatorischen und geographischen Trennung von Recherche und Prüfung siehe Art 16 Rdn 1–3. Die Zugehörigkeit der Eingangsstelle zur Zweigstelle in Den Haag ist aufgehoben.

Artikel 90 Eingangsprüfung

(1) Die Eingangsstelle prüft, ob
a) die europäische Patentanmeldung den Erfordernissen für die Zuerkennung eines Anmeldetags genügt;
b) die Anmeldegebühr und die Recherchengebühr rechtzeitig entrichtet worden sind;
c) im Fall des Artikels 14 Absatz 2 die Übersetzung der europäischen Patentanmeldung in der Verfahrenssprache rechtzeitig eingereicht worden ist.

(2) Kann ein Anmeldetag nicht zuerkannt werden, so gibt die Eingangsstelle dem Anmelder nach Maßgabe der Ausführungsordnung Gelegenheit, die festgestellten Mängel zu beseitigen. Werden die Mängel nicht rechtzeitig beseitigt, so wird die Anmeldung nicht als europäische Patentanmeldung behandelt.

(3) Sind die Anmeldegebühr und die Recherchengebühr nicht rechtzeitig entrichtet worden oder ist im Fall des Artikels 14 Absatz 2 die Übersetzung der europäischen Patentanmeldung in der Verfahrenssprache nicht rechtzeitig eingereicht worden, so gilt die europäische Patentanmeldung als zurückgenommen.

Artikel 90 Eingangsprüfung

Margarete Singer/Dieter Stauder

Übersicht

1	Allgemeines	1-4
2	Zuerkennung des Anmeldetags (Abs 1 a))	5-7
3	Nichtzuerkennung eines Anmeldetags und Mängelbeseitigung (Abs 2)	8-11
4	Zahlung der Anmelde- und Recherchengebühr (Abs 1 b) und Abs 3)	12-14
5	Einreichung der Übersetzung aus zugelassenen Nichtamtssprachen (Abs 1 c) und Abs 3)	15-16

1 Allgemeines

1 Art 90 sieht als erste Phase der Prüfung einer europäischen Patentanmeldung die Eingangsprüfung vor, in der einmal das Vorliegen einiger weniger Voraussetzungen geprüft wird, die erforderlich sind, damit der europäischen Patentanmeldung ein Anmeldetag zuerkannt werden kann. Ferner wird geprüft, ob die Anmelde- und Recherchengebühren gezahlt sind und ob bei einer Anmeldung in einer zugelassenen Nichtamtssprache eine Übersetzung eingereicht ist.[1]

2 Die Eingangsstelle ist keine gesonderte Organisationseinheit mehr (siehe näher Art 16, Rdn 5–6). Eingangsprüfung und Formalprüfung nach Art 91 werden gewöhnlich von einem Formalprüfer in einem Arbeitsgang durchgeführt. Die Formalprüfung wird lediglich dann abgespalten, wenn bei der Eingangsprüfung Mängel festgestellt werden.

Seit Juli 1998 werden die Akten zu europäischen Patentanmeldungen und zu internationalen Anmeldungen, für die das Europäische Patentamt nach dem Vertrag über die internationale Zusammenarbeit auf dem Gebiet des Patentwesens (PCT) tätig wird, unter Einsatz des elektronischen Aktensystems des EPA (PHOENIX) in elektronischer Form angelegt, geführt und bearbeitet.[2]

3 Art 90 wird durch R 39 (Mitteilung aufgrund der Eingangsprüfung) ergänzt. Werden die Voraussetzungen des Art 90 nicht erfüllt, so findet R 69 (Feststellung eines Rechtsverlusts) Anwendung (siehe Art 106 Rdn 7–14).[3]

4 Bei internationalen Anmeldungen nimmt das *Anmeldeamt* eine ähnliche Prüfung vor (Art 11 PCT, R 20 PCT).

EPÜ 2000
Die revidierte Fassung enthält Verbesserungen und Vereinfachungen; außerdem sind Bestandteile aus dem gestrichenen Art 91 übernommen worden.

---

1 Zur Eingangsprüfung siehe PrüfRichtl A-II, 4.
2 ABl 1998, 360.
3 Siehe auch die Prüfungsrichtlinien A-II, 4.

2 Zuerkennung des Anmeldetags (Abs 1 a))

Als erstes prüft die Eingangsstelle nach Art 90 (1) a), ob die Voraussetzungen des Art 80 vorliegen und der Anmeldung ein Anmeldetag zuerkannt werden kann (siehe Art 78 und 80; PrüfRichtl A-II, 4.1). Ist dies der Fall, so hat die europäische Patentanmeldung in den benannten Vertragsstaaten die Wirkung einer vorschriftsmäßigen nationalen Hinterlegung (Art 66) mit der für die europäische Patentanmeldung beanspruchten Priorität.

Ist der europäischen Patentanmeldung als Erstanmeldung ein Anmeldetag zuerkannt, so kann sie als prioritätsbegründend für eine Nachanmeldung in Anspruch genommen werden, und zwar für eine weitere europäische Patentanmeldung unmittelbar nach Art 87 (1), für eine nationale Anmeldung nach Art 4 PVÜ iVm Art 66 EPÜ und für eine internationale Anmeldung nach Art 8 PCT iVm Art 4 PVÜ (siehe vor Art 87 Rdn 1 und 2 und Art 80 Rdn 1 und 22). Das EPA stellt gegen Entrichtung einer Verwaltungsgebühr einen Prioritätsbeleg aus.

Bei einer europäischen Nachanmeldung hängt die Einhaltung des Prioritätsjahrs vom Anmeldetag ab; damit ist seine Zuerkennung eine der grundlegenden Voraussetzungen im Erteilungsverfahren.[4]

3 Nichtzuerkennung eines Anmeldetags und Mängelbeseitigung (Abs 2)

Genügt die europäische Patentanmeldung nicht den Erfordernissen für die Zuerkennung eines Anmeldetags nach Art 80, so gibt die Eingangsstelle dem Anmelder Gelegenheit zur Mängelbeseitigung innerhalb einer nicht verlängerbaren Frist von einem Monat (R 39); siehe zu den Einzelheiten und Rechtsfolgen wie Verschiebung des Anmeldetags und zu den Fristen Art 80 Rdn 13 ff. Beseitigt der Anmelder die Mängel nicht rechtzeitig, so wird die Anmeldung nicht als europäische Patentanmeldung behandelt (Art 90 (2) Satz 2).

Da die Anmeldung nicht als europäische Patentanmeldung behandelt wird (Abs 2 Satz 2; R 39; PrüfRichtl A-II, 4.6), können aus ihr keine Prioritätsrechte hergeleitet werden (Art 66); sie kann daher auch kein Hindernis für eine spätere prioritätsbegründende Erstanmeldung sein (vgl Art 87 (4)). Sie kann auch nicht in eine nationale Anmeldung umgewandelt werden (Art 135).

Weiterbehandlung nach Art 121 ist nicht möglich, da die Frist zur Mängelbeseitigung nicht vom EPA bestimmt wird, sondern in R 39 festgelegt ist.

Wiedereinsetzung in die Monatsfrist zur Mängelbeseitigung wäre nach Art 122 möglich, aber wohl nicht sinnvoll, da als Anmeldetag nur der Tag der Mängelbeseitigung in Betracht kommt. Eine Neuanmeldung dürfte den gleichen Zweck erfüllen, und es entfallen die für die Wiedereinsetzung erforderlichen Nachweise und die Wiedereinsetzungsgebühr. Für die europäische Pa-

---

[4] J 20/94, ABl 1996, 181, Nr 13.

tentanmeldung, der kein Anmeldetag zuerkannt worden ist, werden die nach Abs 1 b) gezahlten Gebühren erstattet.[5]

4 Zahlung der Anmelde- und Recherchengebühr (Abs 1 b) und Abs 3)

12 Steht der Anmeldetag fest, so wird nach Abs 1 b) geprüft, ob nach Art 78 (2) die Anmelde- und Recherchengebühr rechtzeitig innerhalb eines Monats nach Einreichung der Anmeldung oder mit der Zuschlagsgebühr innerhalb der Nachfrist von 1 Monat nach Zustellung einer Mitteilung über die Fristversäumung nach R 85a entrichtet worden ist (siehe unter Art 78 Rdn 20–23). Innerhalb der Monatsfrist des Art 78 (2) sind auch nach R 31 (1) Anspruchsgebühren zu entrichten, wenn die Anmeldung mehr als 10 Ansprüche enthält (siehe Art 84 Rdn 49).

Unter *Einreichung der Anmeldung* ist der zuerkannte Anmeldetag zu verstehen (siehe Art 78 Rdn 20–23).[6]

13 Sind die Anmelde- und Recherchengebühr nicht rechtzeitig entrichtet worden, so gilt die europäische Patentanmeldung als zurückgenommen (Abs 3). Dies wird dem Anmelder nach R 69 (1) mitgeteilt. Zum Rechtsverlust bei Nichtzahlung siehe Art 78 Rdn 22 und Art 106 Rdn 7–14. Die Wiedereinsetzung ist nach Art 122 (5) ausgeschlossen.

14 Die Nichtzahlung hindert nicht die Zuerkennung eines Anmeldetags mit Konsequenzen für das Prioritätsrecht. Rechtsfolge ist lediglich die Fiktion, dass die Anmeldung als zurückgenommen gilt. Der Rechtsverlust durch nicht rechtzeitige Zahlung.tritt mit dem Ablauf der Grundfrist ein.[7]

5 Einreichung der Übersetzung aus zugelassenen Nichtamtssprachen (Abs 1 c) und Abs 3)

15 Hat der Anmelder nach Art 14 (2) die europäische Patentanmeldung in einer zugelassenen Nichtsamtssprache eingereicht, so wird nach Abs 1 c) geprüft, ob er die Übersetzung in einer der Amtssprachen innerhalb der in Art 14 (2) iVm R 6 (1) vorgeschriebenen Frist von 3 Monaten nach Einreichung der Anmeldung, jedoch nicht später als 13 Monate nach dem Prioritätstag eingereicht hat (siehe Art 14 Rdn 13). Sonst gilt die europäische Patentanmeldung als zurückgenommen (Abs 3). Dies wird dem Anmelder nach R 69 (1) mitgeteilt (siehe Art 106 Rdn 7–14).

16 Wiedereinsetzung nach Art 122 in die Frist der R 6 (1) ist für diesen Fall zulässig.[8]

---

5   PrüfRichtl A-II, 4.1.4; **J 11/91** und **J 16/91**, ABl 1994, 28.
6   PrüfRichtl A-II, 4.2.1.
7   PrüfRichtl A-II, 4.2.3 mit Begründung aus der Rechtsprechung.
8   PrüfRichtl A-II, 4.2.3.

Artikel 91 Formalprüfung

(1) Steht der Anmeldetag einer europäischen Patentanmeldung fest und gilt die Anmeldung nicht nach Artikel 90 Absatz 3 als zurückgenommen, so prüft die Eingangsstelle, ob
a) den Erfordernissen des Artikels 133 Absatz 2 entsprochen worden ist;
b) die Anmeldung den Formerfordernissen genügt, die zur Durchführung dieser Vorschrift in der Ausführungsordnung vorgeschrieben sind;
c) die Zusammenfassung eingereicht worden ist;
d) der Antrag auf Erteilung eines europäischen Patents hinsichtlich seines Inhalts den zwingenden Vorschriften genügt, die in der Ausführungsordnung vorgeschrieben sind, und ob gegebenenfalls den Vorschriften dieses Übereinkommens über die Inanspruchnahme der Priorität entsprochen worden ist;
e) die Benennungsgebühren entrichtet worden sind;
f) die Erfindernennung nach Artikel 81 erfolgt ist;
g) die in Artikel 78 Absatz 1 Buchstabe d genannten Zeichnungen am Anmeldetag eingereicht worden sind.

(2) Stellt die Eingangsstelle behebbare Mängel fest, so gibt sie dem Anmelder nach Maßgabe der Ausführungsordnung Gelegenheit, diese Mängel zu beseitigen.

(3) Werden die in den Fällen des Absatzes 1 Buchstaben a bis d festgestellten Mängel nicht nach Maßgabe der Ausführungsordnung beseitigt, so wird die europäische Patentanmeldung zurückgewiesen; betreffen die in Absatz 1 Buchstabe d genannten Vorschriften den Prioritätsanspruch, so erlischt der Prioritätsanspruch für die Anmeldung.

(4) Wird im Fall des Absatzes 1 Buchstabe e die Benennungsgebühr für einen Vertragsstaat nicht rechtzeitig entrichtet, so gilt die Benennung dieses Staats als zurückgenommen.

(5) Wird im Fall des Absatzes 1 Buchstabe f die Erfindernennung nicht nach Maßgabe der Ausführungsordnung vorbehaltlich der darin vorgesehenen Ausnahmen innerhalb von sechzehn Monaten nach dem Anmeldetag oder, wenn eine Priorität in Anspruch genommen worden ist, nach dem Prioritätstag nachgeholt, so gilt die europäische Patentanmeldung als zurückgenommen.

(6) Werden im Fall des Absatzes 1 Buchstabe g die Zeichnungen nicht am Anmeldetag eingereicht und wird der Mangel nicht nach Maßgabe der Ausführungsordnung beseitigt, so tritt nach der vom Anmelder auf Grund der Ausführungsordnung getroffenen Wahl die Rechtsfolge ein, dass entweder der Anmeldetag neu auf den Tag der Einreichung der

Artikel 91 — Formalprüfung

Zeichnungen festgesetzt wird oder die Bezugnahmen auf die Zeichnungen in der Anmeldung als gestrichen gelten.

Margarete Singer/Dieter Stauder

Übersicht

1	Allgemeines	1-3
2	Vertretungszwang (Abs 1 a))	4-5
3	Erfüllung bestimmter Formerfordernisse (Abs 1 b))	6-7
4	Zusammenfassung (Abs 1 c))	8
5	Inhalt des Erteilungsantrags (Abs 1 d))	9
6	Inanspruchnahme der Priorität (Abs 1 d))	10-14
7	Entrichtung der Benennungsgebühren (Abs 1 e))	15-17
8	Erfindernennung (Abs 1 f))	18-22
9	Vollständigkeit der Zeichnungen (Abs 1 g))	23-29
10	Mängelbehandlung und Rechtsfolgen bei Mängeln (Abs 2-6)	30-33

1 Allgemeines

1   Der Eintritt in die Formalprüfung setzt voraus, dass die Eingangsprüfung positiv abgeschlossen ist und ein Anmeldetag zuerkannt ist. Art 91 enthält eine Liste der einzelnen Prüfungspunkte, regelt die Verfahrensschritte und bestimmt die Rechtsfolgen bei Verstößen. Die Prüfung soll vor allem die ordnungsgemäße Veröffentlichung der sachlich ungeprüften europäischen Patentanmeldung 18 Monate nach dem Prioritätstag sicherstellen. Der Artikel wird durch verschiedene Regeln ergänzt, vor allem durch R 40 (Prüfung bestimmter Formerfordernisse), R 41 (Beseitigung von Mängeln in den Anmeldungsunterlagen), R 42 (Nachholung der Erfindernennung) und R 43 (Verspätet oder nicht eingereichte Zeichnungen).

Für das Verfahren gelten die allgemeinen Verfahrensvorschriften nach Art 113 ff und R 68 ff. Zu den Rechtsfolgen nicht behobener Mängel siehe Rdn 30–33.

2   Zu einer Aufforderung, Mängel zu beseitigen, besteht keine Veranlassung, wenn der Anmelder die Mängel bereits ohne Aufforderung beseitigt hat. Diese ständige Amtspraxis ist in **G 1/88** bestätigt worden:[1] eine Regel der AO braucht nicht mehr vollzogen zu werden, wenn ihr Normzweck bereits erfüllt ist.

3   Für internationale Anmeldungen nach PCT ist eine ähnliche Formalprüfung durch das Anmeldeamt vor allem in Art 14 und R 26 PCT vorgesehen.

Siehe auch Prüfungsrichtlinien A-III.

---

1   **G 1/88**, ABl 1989, 189 Nr 5.2.3.

EPÜ 2000

Der Artikel wird gestrichen; sein Inhalt wird in Art 90 und die AO übernommen.

2 Vertretungszwang (Abs 1 a))

Anmelder ohne Wohnsitz oder Sitz in einem Vertragsstaat müssen im Verfahren vor dem EPA nach Art 133 (2) durch einen zugelassenen Vertreter vertreten sein. Auch bei Anmeldern aus den Vertragsstaaten ist zu prüfen, ob eine hierzu legitimierte Person handelt. Das kann ein Angestellter des Anmelders, ein Organ einer juristischen Person oder ein zugelassener Vertreter sein (siehe Art 133 Rdn 2). Für den Nachweis der Vollmacht siehe Art 133 Rdn 22–26.

Zur Einreichung der europäischen Patentanmeldung sind die Anmelder jedoch selbst befugt (Art 133 (2): »mit Ausnahme der Einreichung«), sowie zur Zahlung der Gebühren.[2] Der nach Einreichung der Anmeldung nicht ordnungsgemäß Vertretene wird nach Abs 2 aufgefordert, innerhalb einer Frist von meistens 2 Monaten[3] einen bevollmächtigten Vertreter zu bestellen (Einzelheiten siehe Art 133 Rdn 21–35). Geschieht dies nicht, ist die Anmeldung daher nach Abs 3 zurückzuweisen. Als Rechtsbehelfe kommen (neben Beschwerde) die Weiterbehandlung nach Art 121 und die Wiedereinsetzung nach Art 122 in Betracht.

3 Erfüllung bestimmter Formerfordernisse (Abs 1 b))

Nach Art 91 (1) b) hat die Anmeldung die in der AO vorgeschriebenen Formerfordernisse zu erfüllen. R 40 zählt die Erfordernisse der R 27a (1)–(3), 32 (1) und (2), 35 (2)–(11) und (14) sowie R 36 (2) und (4) auf; hierzu siehe im einzelnen Art 78 Rdn 53 ff sowie Art 83 Rdn 53–57.

Sind diese Voraussetzungen nicht erfüllt, so wird dem Anmelder nach Art 91 (2), R 41 (1) Gelegenheit gegeben, die Mängel zu beheben. Zu den Rechtsfolgen bei nicht behobenen Mängeln siehe Rdn 30–33.

4 Zusammenfassung (Abs 1 c))

Nach Art 78 (1) e) gehört zu den Bestandteilen einer europäischen Patentanmeldung auch die Zusammenfassung (Art 85). Die Zusammenfassung kann ohne Nachteil nachgereicht werden, wozu der Anmelder gegebenenfalls nach Abs 2 iVm R 41 (1) aufgefordert wird. Zum Inhalt der Zusammenfassung siehe Art 85 Rdn 7, zum Umfang der Mängelprüfung durch die Eingangsstelle Art 85 Rdn 10–11, zu den Rechtsfolgen bei nicht behobenen Mängeln siehe Rdn 30–33.

---

2   Vgl Rechtsauskunft Nr 6, ABl 1991, 573.
3   PrüfRichtl A-III, 14.2.

5 Inhalt des Erteilungsantrags (Abs 1 d))

9 Die Eingangsstelle hat zu überprüfen, ob der Erteilungsantrag den zwingend vorgeschriebenen Bestimmungen, vor allem R 26, genügt. Siehe hierzu die Kommentierung zu Art 78.

6 Inanspruchnahme der Priorität (Abs 1 d))

10 Nach R 26 (2) g) hat der Anmelder im Erteilungsantrag den Tag und den Staat der Erstanmeldung anzugeben (vgl Art 88 (1) iVm R 38 (1) und (2)). Für diese Angaben gibt es keine Mängelbeseitigung und keine Nachholung (R 41 (2)), sofern nicht eine Berichtigung möglich ist (siehe im einzelnen Art 88 Rdn 4). Die Eingangsstelle prüft nur die förmlichen Voraussetzungen des Prioritätsrechts und dessen Inanspruchnahme.[4] Die materiellen Voraussetzungen des Prioritätsrechts, insbesondere die Frage der Übereinstimmung von Vor- und Nachanmeldung, werden von der Prüfungsabteilung geprüft, wenn relevanter Stand der Technik im Prioritätsintervall vorhanden ist.

11 Der Anmelder kann innerhalb einer Frist von 16 Monaten nach dem Prioritätstag eine Abschrift der früheren Anmeldung (Prioritätsbeleg) und das Aktenzeichen nachreichen. Ist die Frist abgelaufen, so wird der Anmelder nach Art 91 (2) iVm R 41 (1) zur Mängelbeseitigung aufgefordert (siehe Art 88 Rdn 5 und 19).[5] Zur Beifügung des Prioritätsbelegs von Amts wegen siehe ABl 1999, 80; zu vom USPTO ausgestellten Prioritätsunterlagen ABl 2004, 562; zur Alternative: Papierform oder andere Datenträger PrüfRichtl A-III, 6.7.

12 Sofern nötig, ist eine Übersetzung der früheren Anmeldung innerhalb einer nach R 38 (5) vom Amt zu bestimmenden Frist einzureichen (siehe näher Art 88 Rdn 19–22) Hierzu wird spätestens vor Patenterteilung in der Mitteilung nach R 51 (4) aufgefordert.

13 Wird in der Formalprüfung festgestellt, dass der in der Anmeldung angegebene Prioritätstag mehr als ein Jahr vor der europäischen Patentanmeldung liegt, dass also nach Art 87 (1) keine Priorität besteht, so wird dies dem Anmelder nach R 41 (3) mitgeteilt. Hierbei wird er darauf hingewiesen, dass ein etwa bestehender Prioritätsanspruch erlischt, wenn er nicht innerhalb eines Monats einen Prioritätstag angibt, der in die 12-Monatsfrist fällt.

14 Wird ein behebbarer Mangel nicht auf Aufforderung beseitigt, so erlischt der Prioritätsanspruch (vgl Art 91 (3)). Der Anmelder wird von diesem Teilrechtsverlust nach R 69 (1) unterrichtet.

Zur Berichtigung von Fehlern bei Prioritätserklärungen (R 88) siehe Art 88 Rdn 7–18.

---

4 PrüfRichtl A-III, 6.
5 Siehe J 1/80, ABl 1980, 289.

7 Entrichtung der Benennungsgebühren (Abs 1 e))

Zu prüfen ist die rechtzeitige Entrichtung der Benennungsgebühren; sie sind innerhalb einer Frist von 6 Monaten nach dem Tag zu entrichten, an dem im europäischen Patentblatt auf die Veröffentlichung des europäischen Recherchenberichts hingewiesen worden ist (Art 79 (2) Satz 2; zu Teilanmeldungen siehe R 15 (2) und 25 (2); hierzu, auch zu Euro-PCT-Anmeldungen siehe Art 79 Rdn 15–16). Mit der Zahlung des siebenfachen Betrags einer Benennungsgebühr gelten die Benennungsgebühren für alle Vertragsstaaten als entrichtet.[6] Der Rechtsverlust tritt mit dem Ablauf der Grundfrist ein und nicht mit Ablauf der Nachfrist gemäß R 85 a.[7]

Für die Entrichtung der Benennungsgebühren gilt die Nachfristregel in R 85a.[8]

Nach Art 91 (4) gilt die Benennung des Vertragsstaats, für den die Benennungsgebühr nicht rechtzeitig entrichtet worden ist, als zurückgenommen. Ist überhaupt keine Benennungsgebühr entrichtet worden, gilt die Anmeldung als zurückgenommen (siehe auch Art 79 Rdn 26).

Fehlt ein Teil der Benennungsgebühren und ergibt sich aus dem Erteilungsantrag nichts Näheres über die Verwendung des gezahlten Betrags, so ist beim Anmelder nach Art 7 (2) GebO zurückzufragen.[9] Kommt der Einzahler der Aufforderung nicht nach, ist Art 9 (2) GebO anzuwenden (Einzelheiten siehe Art 79 Rdn 24).

In die Frist für die Entrichtung der Benennungsgebühren gibt es nach Art 122 (5) keine Wiedereinsetzung.[10]

8 Erfindernennung (Abs 1 f))

Nach Art 81 iVm R 17 (1) hat die Erfindernennung zusammen mit der Anmeldung zu erfolgen. Geschieht dies nicht, so liegt ein Mangel vor, der nach Art 91 (1) f) und (2) von der Eingangsstelle gerügt wird. Nach R 42 (1) fordert die Eingangsstelle den Anmelder auf, diesen Mangel innerhalb der 16-Monatsfrist nach dem Anmelde- bzw Prioritätstag zu beseitigen. Geschieht dies nicht, so gilt nach Art 91 (5) die europäische Patentanmeldung als zurückgenommen. Einzelheiten zur Erfindernennung siehe Kommentierung zu Art 81.

Verbleiben dem Anmelder weniger als zwei Monate ab Zustellung der Aufforderung zur Mängelbeseitigung bis zum Ablauf der 16-Monatsfrist (Art 91

---

6 Hierzu siehe näher Art 79 Rdn 14.
7 Siehe hierzu PrüfRichtl A-III, 12.5.
8 Hierzu und zu den verschiedenen Nachfristen und fristgerechter Zahlung der Zuschlagsgebühr siehe Art 79 Rdn 19–22.
9 **J 23/82**, ABl 1983, 127; **J 16/84**, ABl 1985, 357).
10 **G 3/91**, ABl 1993, 8; PrüfRichtl A-III, 12.5 zu den Fristen Art 79 (2) und R 85a.

(5)), so wird ihm eine Frist von zwei Monaten eingeräumt.[11] Zur unterschiedlichen Ausgestaltung der 16-Monatsfrist für die Einreichung von Prioritätsunterlagen siehe Art 81 Rdn 15.

20 Zu beachten ist, dass nach Art 81 Satz 2 die Erklärung, wie der Anmelder das Recht auf das europäische Patent erlangt hat (siehe Art 81 Rdn 6 und 16), zur Erfindernennung gehört und auch das Fehlen dieser Erklärung nach Art 91 (1) f) und (5) zum Verlust der Anmeldung führt.

21 Weist die Erfindernennung nur geringfügige Mängel auf (zB fehlende Anschrift des Erfinders), so wird der Anmelder innerhalb einer vom EPA gesetzten Frist nach Art 91 (2) zur Beseitigung des Mangels aufgefordert. Wird der Mangel nicht fristgerecht behoben, so wird die Anmeldung analog Art 91 (3) zurückgewiesen. Hier ist Weiterbehandlung und Wiedereinsetzung möglich.[12]

22 Weiterbehandlung bei Versäumung der 16-Monatsfrist ist nach den Prüfrichtl A-III, 5.5 nicht möglich; zu Zweifeln; siehe Art 81 Rdn 20 und 21.
Die Wiedereinsetzung in den vorigen Stand ist nicht ausgeschlossen.[13]

9 Vollständigkeit der Zeichnungen (Abs 1 g))

23 Nach Abs 1 g) wird geprüft, ob Zeichnungen, auf die sich der Anmelder in der Beschreibung oder in den Patentansprüchen bezieht, am Anmeldetag eingereicht worden sind (Art 78 (1) d)).

24 Sind die Zeichnungen später eingereicht worden, so kann der Anmelder nach R 43 (1) innerhalb eines Monats nach einer entsprechenden Mitteilung der Eingangsstelle beantragen, den Anmeldetag neu auf den Tag der Einreichung der Zeichnungen festzusetzen. Geschieht dies nicht rechtzeitig, so gelten die Zeichnungen und die Bezugnahmen auf die Zeichnungen als gestrichen.

25 Das bedeutet aber nicht, dass die Bezugnahmen bei der Veröffentlichung weggelassen werden; denn das wäre nach Art 123 (1), R 86 (1) eine unzulässige Änderung der europäischen Patentanmeldung. Vielmehr wird die Anmeldung mit den Bezugnahmen auf die Zeichnungen in der Beschreibung und in den Ansprüchen veröffentlicht; sie enthält aber einen Hinweis, dass die Bezugnahmen auf die Zeichnungen als gestrichen gelten.

26 Verspätet eingereichte Zeichnungen werden nicht mit der ursprünglichen Anmeldung veröffentlicht; das ist auch logisch, da sie nicht mit der Anmeldung eingereicht worden sind. Etwas anderes gilt, wenn die Verspätung durch die Festsetzung eines neuen Anmeldetags geheilt wird.

27 Tatsächlich gestrichen werden die Bezugnahmen erst im Sachprüfungsverfahren unter der Kontrolle der Prüfungsabteilung.

---

[11] PrüfRichtl A-III, 5.5; wohl keine Weiterbehandlung nach Versäumung dieser Zweimonatsfrist, siehe näher Art 81 Rdn 14 und 15.
[12] PrüfRichtl A-III, 5.5; zur Berichtigung der Erfindernennung siehe Art 81 Rdn 7–9.
[13] PrüfRichtl A-III, 5.5.

Die Neufestsetzung des Anmeldetags ist nur gefahrlos, wenn es sich um eine 28
Nachanmeldung handelt und der neu festzusetzende Anmeldetag noch in das
Prioritätsjahr fällt. Liegt bei einer Nachanmeldung der neue Anmeldetag außerhalb des Prioritätsjahres, so geht der Prioritätsanspruch verloren; hat sich
der Stand der Technik während des Prioritätsjahrs weiterentwickelt, so ist die
angemeldete Erfindung möglicherweise nicht mehr neu oder erfinderisch. Andererseits muss sich der Anmelder überlegen, ob der Verzicht auf die Zeichnungen nicht dazu führt, dass die Offenbarung der Erfindung nach Art 83 darunter
leidet.

Der Streit, ob das Fehlen einer Zeichnung nach R 88 berichtigt werden kann 29
ist durch die Große Beschwerdekammer wohl weitgehend akademisch geworden:[14] Nach **G 3/89** (ABl 1993, 117) und **G 2/95** (ABl 1996, 555) muss eine
Berichtigung im Einklang mit Art 123 (2) stehen und kann daher der ursprünglichen Offenbarung nichts hinzufügen. Dies ist bei einer zusätzlichen Zeichnung schwerlich denkbar.

10 Mängelbehandlung und Rechtsfolgen bei Mängeln (Abs 2–6)

Die Besonderheiten der Mängelbehandlung bei Prioritätsbeanspruchung 30
(Abs 1 d)), Erfindernennung (Abs 1 f)) und Einreichung der Zeichnungen
(Abs 1 g)) sind unter Rdn 13, 14, 16, 18 und 24 aufgeführt.

Bei (sonstigen) **behebbaren Mängeln** gibt die Eingangsstelle dem Anmelder 31
Gelegenheit, sie zu beseitigen (Art 91 (2) und R 41). Hilft der Anmelder Mängeln ohne Aufforderung von sich aus ab, so erübrigt sich eine Aufforderung
und erneute Stellungnahme des Anmelders (vgl Rdn 2). Werden die Mängel
nicht rechtzeitig behoben, so weist die Eingangsstelle die Anmeldung zurück
(Art 91 (3)). Da die Frist für die Mängelbeseitigung vom Amt bestimmt wird
und die Rechtsfolge der Zurückweisung zum Verlust der gesamten europäischen Patentanmeldung führt, kommt Weiterbehandlung nach Art 121 in Betracht.

Weiterbehandlung bei Teilrechtsverlusten, besonders der **Priorität**, ist 32
nicht möglich, weil die europäische Patentanmeldung nur bei Gesamtrechtsverlust der Weiterbehandlung zugänglich ist (Art 121).

Dagegen ist die **Wiedereinsetzung** auch bei Teilrechtsverlusten möglich, sofern sie nicht ausdrücklich ausgeschlossen ist (Art 122 (5)). 33

Artikel 92 Erstellung des europäischen Recherchenberichts

**(1) Steht der Anmeldetag einer europäischen Patentanmeldung fest und
gilt die Anmeldung nicht nach Artikel 90 Absatz 3 als zurückgenommen,**

---

[14] Verneinend **J 1/82**, ABl 1982, 293, dagegen **J 4/85**, ABl 1986, 205, bestätigt durch
J 33/89, ABl 1991, 288.

so erstellt die Recherchenabteilung den europäischen Recherchenbericht auf der Grundlage der Patentansprüche unter angemessener Berücksichtigung der Beschreibung und der vorhandenen Zeichnungen in der in der Ausführungsordnung vorgeschriebenen Form.

(2) Der europäische Recherchenbericht wird unmittelbar nach seiner Erstellung dem Anmelder zusammen mit den Abschriften aller angeführten Schriftstücke übersandt.

Margarete Singer/Dieter Stauder

Übersicht

1	Allgemeines	1-4
2	Erweiterter europäischer Recherchenbericht	5-7
3	Beschleunigte Recherche (PACE)	8-10
4	Voraussetzungen für die Recherche	11
5	Grundlage des europäischen Recherchenberichts	12-14
6	Umfang der Recherche	15-17
7	Recherchendokumentation	18
8	Inhalt des europäischen Recherchenberichts	19-26
9	Unvollständige Recherche	27
10	Zusätzliche Recherche und ergänzende Europäische Recherche	28-29
11	Mangelnde Einheitlichkeit (R 46)	30-33
12	Standardcode für Staaten und internationale Organisationen	34

1 Allgemeines

1   Die Recherche ermittelt den Stand der Technik (R 44 (1)). Sie wird gleichlaufend mit der Formalprüfung durchgeführt.[1] Im Verfahren vor dem EPA bereitet sie die Sachprüfung vor und dient ihr als Grundlage. Nach ihr wird beurteilt, ob die Erfindung neu ist und auf erfinderischer Tätigkeit beruht (vgl R 44 (1)). Außerdem soll sie dem Anmelder noch vor Veröffentlichung der Anmeldung bei der Entscheidung darüber helfen, ob er die Anmeldung weiter verfolgen will (siehe aber Art 93 (2) Satz 2). Der veröffentlichte Recherchenbericht informiert außerdem die Öffentlichkeit und insbesondere die Wettbewerber über den Stand der Technik. Für europäische Anmeldungen und in die europäische Phase eintretende internationale Anmeldungen ergeht zusammen mit dem europäischen Recherchenbericht bzw dem ergänzenden europäischen Recherchenbericht eine Stellungnahme dazu, ob die Anmeldung und die Erfindung,

---

[1]   PrüfRichtl B-IV, 1.2.

die sie zum Gegenstand hat, die Erfordernisse dieses Übereinkommens zu erfüllen scheinen (Regel 44a).[2]

Diese Stellungnahme zur Recherche wird nicht zusammen mit dem Recherchenbericht veröffentlicht (R 44 a (2)), ist aber durch Akteneinsicht zugänglich.

Die Recherche ist eine nach dem System des EPÜ von der Sachprüfung deutlich getrennte Dokumentenrecherche. Das EPA erstellt im wesentlichen folgende Arten von Recherchen:[3]

- Die *europäische Recherche* wird für europäische Patentanmeldungen durchgeführt.
- Die *zusätzliche europäische Recherche* ergänzt nachträglich die europäische Recherche, wenn sich dies im Prüfungs- oder Einspruchsverfahren als notwendig erweist (Rdn 28–29).
- Die *internationale Recherche* führt das EPA als ISA durch. Sie tritt bei internationalen Anmeldungen an die Stelle der europäischen Recherche (siehe Art 157 Rdn 2 ff).
- Die *ergänzende europäische Recherche* wird für internationale Anmeldungen durchgeführt nach Eintritt in die europäische Phase. Der Verwaltungsrat beschließt, unter welchen Voraussetzungen und wieweit auf auf einen ergänzenden europäischen Recherchenbericht verzichtet werden kann. Zu den Einzelheiten hierzu siehe Art 157 Rdn 15 ff)

Die Rechercheabteilung ist das für die Durchführung der Recherche und die Erstellung des Recherchenberichts verantwortliche Organ im EPA. Sie besteht gewöhnlich aus einem Einzelprüfer, der in der Regel auch das erste Mitglied der Prüfungsabteilung für eine europäische Anmeldung ist. Bei einer Recherche in weit entfernten Sachgebieten kann eine besondere Rechercheabteilung mit zwei oder drei Prüfern zusammengestellt werden.[4]

Art 92 wird ergänzt durch R 44 (Inhalt des europäischen Recherchenberichts), R 45 (Unvollständige Recherche) und R 46 (Europäischer Recherchenbericht bei mangelnder Einheitlichkeit) und neuerdings R 44 a (Erweiterter europäischer Recherchenbericht). Zur Durchführung der Recherche siehe *Richtlinien für die Recherche*.[5] Für internationale Anmeldungen nach dem PCT wird eine internationale Recherche vom EPA als ISA erstellt, sofern das Anmeldeamt das EPA als ISA bestimmt hat (siehe Art 154 und 157 mit Kommentierung). Die Vorschriften des EPÜ und des PCT zur Recherche sind weitgehend

---

2   Dies gilt für europäische Anmeldungen und in die europäische Phase eintretende internationale Anmeldungen, die ab dem 1. Juli 2005 eingereicht wurden, ABl 2005, 5 und ABl 2005, 435).
3   PrüfRichtl B-X, 2; zu den einzelnen Recherchenberichten siehe PrüfRichtl B-II, 4.
4   PrüfRichtl B-I, 2.
5   PrüfRichtl, Teil B.

identisch oder zumindest miteinander vereinbar. Die PrüfRichtl sind so abgefasst, dass sie so weit wie möglich auch auf die PCT-Recherche anwendbar sind. Zum ergänzenden europäischen Recherchenbericht für internationale Anmeldungen siehe Art 157 Rdn 15 ff. Zur europäischen Recherchengebühr siehe Art 157 Rdn 66 ff.

EPÜ 2000
Die Vorschrift ist neu gefasst.

2 Erweiterter europäischer Recherchenbericht[6]

5 Bei Anmeldungen, die ab dem 1. Juli 2005 eingereicht wurden, ergeht grundsätzlich zusammen mit dem europäischen Recherchenbericht bzw. dem ergänzenden europäischen Recherchenbericht eine Stellungnahme zur Recherche: der erweiterte europäische Recherchenbericht (Extended European Search Report, EESR) Keine Stellungnahme wird den Recherchenberichten nach R 112 beigefügt; außerdem dann nicht, wenn der Anmelder den Prüfungsantrag nach Art 94 (2) vor Erhalt des Recherchenberichts gestellt und auf die Mitteilung nach Art 96 (1) verzichtet hat.[7] In diesem Fall befindet sich die Anmeldung bereits im Zuständigkeitsbereich der Prüfungsabteilung, so dass anstelle der Stellungnahme ein wirksamer Bescheid der Prüfungsabteilung ergehen kann.

6 Das Verfahren der Stellungnahme zur Recherche ist in den Prüfungsrichtlinien unter B-XII geschildert. Seine Grundzüge sind:

1. Die Stellungnahme zur Recherche hat im allgemeinen alle Einwände zu der Anmeldung zu enthalten. Diese Einwände können Sachfragen (Patentierbarkeit), Formfragen oder beides betreffen; die Stellungnahme hat die auf Grund der Analyse der Anmeldung festgestellten Einwände zu enthalten.[8] Ist die Anmeldung jedoch ganz allgemein mangelhaft, sollten zumindest die hauptsächlichen Mängel genannt werden.[9] Auf gewisse Punkte, die im Recherchestadium noch nicht hinreichend geklärt werden können, zB Gültigkeit eines Prioritätsanspruchs, wird in der Stellungnahme hingewiesen. Die Stellungnahme ist unter allen Umständen darauf zu richten, einen möglichst effizienten Entscheidungsprozess für das spätere Prüfungsverfahren vorzubereiten.[10]

Gelangt die Recherchenabteilung zu dem Schluss, dass die Anmeldung und die Erfindung, die sie zum Gegenstand hat, die Erfordernisse des EPÜ erfüllen,

---

6   Mitteilung des Präsidenten vom 8.5.2003, ABl 2003, 206, 208, Nr 5.
7   PrüfRichtl B-XII, 6. 8.
8   PrüfRichtl B-XII, 3.
9   PrüfRichtl B-XII, 3.4.
10 PrüfRichtl B-XII, 3.4 am Ende.

so enthält die Stellungnahme eine positive Bewertung der Anmeldungsunterlagen.[11]

Grundlage der Stellungnahme sind bei einer europäischen Anmeldung die Anmeldungsunterlagen in der ursprünglich eingereichten Fassung. Bei einer internationalen Anmeldung hat der Anmelder bereits die Möglichkeit gehabt zu ändern. Grundlage ist dann der zuletzt eingereichte Antrag des Anmelders.[12]

2. Nach Erhalt des EESR kann der Anmelder wie bisher nach R 86 (2) von sich aus die Beschreibung, Patentansprüche und Zeichnungen ändern und oder auch nur Bemerkungen zu den erhobenen Einwänden einreichen.[13] Sie werden erst in der Prüfungsphase untersucht.

3. Will der Anmelder sicherstellen, dass seine Änderungen oder Bemerkungen zu der Stellungnahme von der Prüfungsabteilung berücksichtigt werden, sollte er spätestens mit dem Prüfungsantrag (Art 94 (2)) oder mit der Absichtserklärung über die Aufrechterhaltung der Anmeldung (Art 96 (1)) erwidern.[14]

Reagiert der Anmelder nicht auf die Stellungnahme und tritt die Anmeldung in die Prüfungsphase ein, so erlässt die Prüfungsabteilung als ersten Bescheid eine Mitteilung nach Art 96 (2), in der auf die Stellungnahme hingewiesen und eine Frist zur Erwiderung gesetzt wird. Unterlässt der Anmelder die rechtzeitige Antwort, gilt die europäische Patentanmeldung als zurückgenommen (Art 96 (3)).[15]

4. Enthält die Stellungnahme eine allgemein positive Bewertung der Anmeldungsunterlagen oder sind nur geringfügige Änderungen erforderlich oder ergibt eine nachfolgende abschließende Recherche keinen neuen Stand der Technik nach Art 54 (3) und (4), so lässt die Prüfungsabteilung eine Mitteilung nach R 51 (4) ergehen.[16]

3 Beschleunigte Recherche (PACE)

Bei europäischen Erstanmeldungen gewährleistet das EPA aufgrund des Programms zur beschleunigten Bearbeitung von europäischen Patentanmeldungen »PACE«,[17] dass der Anmelder den Recherchenbericht in der Regel spätestens 6 Monate nach dem Anmeldetag erhält.

Bei europäischen Patentanmeldungen, für die eine Priorität in Anspruch genommen wird, ist bei der Einreichung der Anmeldung schriftlich eine be-

---

11 PrüfRicht B-XII, 3.9.
12 Möglicherweise anders bei der internationalen Anmeldung, PrüfRichtl B-XII, 2.
13 PrüfRichtl B-XII, 9.
14 So Empfehlung der PrüfRichtl B-XII, 9.
15 PrüfRichtl B-XII, 9.
16 Siehe im einzelnen PrüfRichtl B-XII, 3.9; 8 Text im 2. Teil.
17 Mitteilung des Präsidenten vom 1.10.2001 über das Programm zur beschleunigten Bearbeitung europäischer Patentanmeldungen – »PACE«, ABl 2001, 459.

schleunigte Recherche zu beantragen. Hier bemüht sich das Amt nach Kräften um eine möglichst schnelle Erstellung des Recherchenberichts.

10   Das Programm gilt auch für Euro-PCT-Anmeldungen.

4 Voraussetzungen für die Recherche

11   Die Recherche wird nur erstellt, wenn der Anmeldetag nach Art 80 feststeht und die Anmeldung nicht nach Art 90 (3) als zurückgenommen gilt.

5 Grundlage des europäischen Recherchenberichts

12   Die Recherche wird nach Abs 1 auf der Grundlage der Patentansprüche unter angemessener Berücksichtigung der Beschreibung und der Zeichnungen durchgeführt.[18]

13   Die Recherche dient der Ermittlung des Stands der Technik, der für die Neuheit und die erfinderische Tätigkeit von Bedeutung ist. Die Recherche soll sich auf das erstrecken, was augenscheinlich die wesentlichen Merkmale der Erfindung sind; sie berücksichtigt alle Änderungen in der der Erfindung zugrundeliegenden objektiven technischen Aufgabe, die sich im Laufe der Recherche auf Grund des ermittelten Stands der Technik ergeben können. Die Recherche hat auch bekannte Äquivalente der technischen Merkmale der beanspruchten Erfindung einzubeziehen.[19] Enthält die Anmeldung zu umfassende oder spekulative Ansprüche, die von der Beschreibung nicht gestützt sind, so braucht die Recherche nicht in diesem Umfang durchgeführt zu werden.[20]

14   Gelten Patentansprüche wegen Nichtzahlung der Anspruchsgebühren nach R 31 (2) als zurückgenommen, so werden sie nicht recherchiert.[21]

6 Umfang der Recherche

15   Die Recherche ist gründlich und umfassend, so dass sie auch den Anforderungen an eine internationale Recherche genügt. Sie kann aber nicht vollkommen sein. Denn es ist nicht immer möglich, die von der Erfindung berührten Lebenssachverhalte in ein von Natur aus starres Klassifikationssystem zu zwängen. Auch den Kostenfaktor spielt dabei eine Rolle. Der Prüfer recherchiert daher mit der erforderlichen Sorgfalt unter Beachtung des wirtschaftlichen Aufwands. Dabei kann er aus Gründen der Wirtschaftlichkeit Teile der Dokumentation außer Acht lassen, von denen er annehmen darf, dass er dort keine für die Erfindung einschlägigen Dokumente findet, weil sie zB aus einer Zeit stammen, als das betreffende Gebiet noch wenig entwickelt war.

---

18   PrüfRichtl B-III, 3.1; ähnlich Art 15 (3), R 33.3 a) PCT.
19   PrüfRichtl C-VI, 1.1.2 mit Verweis auf R 44 a (1).
20   PrüfRichtl B-III, 3.6 mit Beispielen.
21   PrüfRichtl B-III, 3.4.

Recherchenbericht **Artikel 92**

Die Recherche richtet sich zunächst auf alle Dokumente der unmittelbar relevanten technischen Sachgebiete, dh der Klassifikationseinheiten, zu denen die Erfindung gehört. Der Prüfer entscheidet dann von Fall zu Fall auf Grund des bisherigen Ergebnisses, ob die Recherche auf gleichartige technische Gebiete außerhalb der Klassifikationseinheit auszudehnen ist. 16

Die Prüfungsrichtlinien stellen als zweckmäßige Möglichkeit eine Rercherchenstrategie vor. Sie umfasst die Bestimmung des Gegenstands der Recherche mit möglichen Einschränkungen, die Formulierung einer Recherchenstrategie, die Durchführung der Recherche anhand der unterschiedlichen Arten von Dokumenten, die im Laufe der Ermittlungen nötige Neufestlegung des Umfangs der Recherche, die Feststellung des nächstliegenden Standes der Technik und seine Auswirkungen auf die Recherche, schließlich die Beendigung der Recherche.[22] 17

7 Recherchendokumentation

Das EPA als ISA verfügt über den in R 34 PCT vorgeschriebenen Mindestprüfstoff. Die Sammlung besteht vor allem aus Patentdokumenten, die in einer für die Recherche geeigneten Art und Weise systematisch zugänglich sind. Daneben stehen Zeitschriften und anderen Veröffentlichungen der Fachliteratur zur Verfügung. Zu Struktur und Inhalt der Recherchendokumentation siehe PrüfRichtl B-IX. 18

8 Inhalt des europäischen Recherchenberichts

Die Recherche ist im wesentlichen eine Dokumentenrecherche anhand einer Dokumentensammlung, die hauptsächlich aus Patentdokumenten besteht. 19

Der Bezugszeitpunkt der Recherche ist der von der Eingangsstelle erteilte Anmeldetag der europäischen Patentanmeldung. Ist die Priorität einer früheren Anmeldung beansprucht, was in den meisten europäischen Patentanmeldungen geschieht, so ist auch der Stand der Technik aus dem Prioritätsintervall aufzunehmen. Die Recherche nach kollidierenden Anmeldungen erstreckt sich auf alle veröffentlichten Anmeldungen, deren frühester beanspruchter Prioritätstag der Anmeldetag der recherchierten Anmeldung ist.[23] Diese Recherche wird in der Sachprüfung vervollständigt.[24] Da die Berechtigung einer Priorität erst in der Sachprüfung festgestellt werden kann, wird Material, das zwischen dem Prioritätstag und dem Anmeldetag der europäischen Patentanmeldung Stand der Technik geworden ist, als sogenannte Zwischenliteratur besonders gekennzeichnet.[25] 20

---

22 PrüfRichtl B-IV, 2.
23 PrüfRichtl B-VI, 3.
24 PrüfRichtl B-VI, 4 und C-VI, 2.2.
25 PrüfRichtl B-X, 9.2 iv).

Artikel 92 — Recherchenbericht

21 Im Recherchenbericht sind die zur Beurteilung der Neuheit und der erfinderischen Tätigkeit in Betracht zu ziehenden **Schriftstücke** genannt (R 44 (1)). Die Schriftstücke werden im Zusammenhang mit den Ansprüchen aufgeführt, auf die sie sich beziehen. Soweit erforderlich, sind auch die genauen Fundstellen im Schriftstück angegeben (zB Seite, Spalte, Zeile und dgl, R 44 (2)). Mündliche Beschreibungen sollte der Prüfer nur dann als Stand der Technik aufnehmen, wenn ihm eine schriftliche Bestätigung vorliegt oder wenn er die Tatsachen für erwiesen hält.[26] Im übrigen besteht der Recherchenbericht nur aus Literaturhinweisen und darf grundsätzlich keine Meinungsäußerungen, Begründungen und Argumente enthalten.

22 Beim Zitieren von Patentdokumenten werden für die Art des Dokuments und das ausgebende Amt die Codes nach WIPO Standard ST. 14, ST 3 und ST 16 verwendet, wie sie auf dem betreffenden Dokument angegeben sind, siehe auch Art 93 Rdn 20 und 21.[27]

23 Im Recherchenbericht sind die Dokumente nach Ihrer Wichtigkeit und Art in Kategorien eingeteilt und mit Buchstaben gekennzeichnet, die in die **erste Spalte** des Recherchenberichts aufgenommen werden: Die Buchstaben werden im unteren Teil jeder Seite des Recherchenberichts kurz erläutert.[28] Erläuterungen sind unten auf jeder Seite.

24 **X** bedeutet *von besonderer Bedeutung*. Diese Kennzeichnung wird nur verwendet, wenn **ein einziges** Dokument die Neuheit der wesentlichen Merkmale der Erfindung (Hauptanspruch) vorwegnimmt oder die erfinderische Tätigkeit eindeutig in Frage stellt.

Y bedeutet ebenfalls *von besonderer Bedeutung*, aber in Verbindung mit einem anderen Dokument derselben Kategorie und daher nur für die erfinderische Tätigkeit relevant.

P bedeutet, dass es sich um Zwischenliteratur handelt, dh um Dokumente, die am Tag der ältesten Priorität oder im Prioritätsintervall veröffentlicht worden sind.

A bedeutet, dass dieses Dokument den technologischen Hintergrund betrifft. Solche Dokumente werden vor allem dann angegeben, wenn keine bedeutsamen Dokumente zur Beurteilung der Neuheit und der erfinderischen Tätigkeit ermittelt wurden

O bedeutet, dass sich das genannte Dokument auf eine nicht schriftliche Offenbarung bezieht.

T bedeutet, dass es sich um ein Dokument handelt, das nach dem Anmeldetag oder Prioritätstag veröffentlicht worden ist und mit der Anmeldung nicht kollidiert, das jedoch für ein besseres Verständnis der Erfindung nützlich sein oder

---

[26] PrüfRichtl B-VI, 2.
[27] PrüfRichtl B-X, 9.1.1; für den Ländercode siehe ABl 1994, 412, vgl Rdn 34.
[28] Vgl PrüfRichtl B-X, 9.2.

zeigen könnte, dass die der Erfindung zugrundeliegenden Gedankengänge oder Sachverhalte unrichtig sind.

E bedeutet, dass es sich um sogenannte kollidierende Anmeldungen oder ältere Rechte handelt (Art 54 (3)), die zum Zeitpunkt der Recherche bereits veröffentlicht sind; sie werden nur aufgeführt, soweit sich die benannten Staaten decken (Art 54 (4)). Die Ermittlung solcher älterer europäischen Patentanmeldungen ist jedoch weitgehend Aufgabe der Prüfungsabteilungen des EPA im Rahmen der Sachprüfung.

Auch nationale ältere Rechte (Art 139 (2)) können im Recherchenbericht genannt werden, um den Anmelder auf sie aufmerksam zu machen. Sie können im Verfahren vor dem EPA jedoch nicht geltend gemacht werden, sondern nur im nationalen Nichtigkeitsverfahren.[29] Der Anmelder hat allerdings die Möglichkeit, im Verfahren vor dem EPA seine Patentansprüche für den betreffenden Staat entsprechend zu ändern (R 87; Art 84 Rdn 53; Art 123 Rdn 104–112; siehe auch Art 139 Rdn 6 und 7).

Im Bericht werden Anmeldungen auch mit **E** bezeichnet, wenn sie das gleiche Datum wie die europäische Patentanmeldung haben, also nach Art 54 (3) nicht neuheitsschädlich sind.[30]

D bedeutet, dass der Anmelder dieses Dokument auch in der Beschreibung der Erfindung (als zum Stand der Technik gehörend) angegeben hat.

L bedeutet, dass dieses Dokument aus anderen Gründen angegeben worden ist. Grund hierfür könnte zB sein, dass dieses Dokument Zweifel am geltend gemachten Prioritätsanspruch aufkommen lässt oder dass das betreffende Dokument Aufschlüsse darüber gibt, inwieweit ein Veröffentlichungsdatum eines anderen Dokuments wichtig ist oder nicht.

In der **Zweiten Spalte** werden die bei der Recherche gefundenen Dokumente zitiert, die den Stand der Technik ausmachen. Das Zeichen **&** steht vor einem Dokument, das mit einem zitierten Dokument verwandt ist oder die gleiche Information enthält; dieses Dokument kann ein Patentfamilienmitglied sein oder eine Literaturreferenz; meistens ist es ein vollständiges Dokument im Verhältnis zu einem *Abstract*.[31]

Ein solches zusätzlich aufgeführtes Dokument kann in der ersten Spalte einen seiner Bedeutung entsprechenden Buchstaben erhalten, zB *D*, wenn der Anmelder es schon in der Beschreibung angegeben hatte.

9 Unvollständige Recherche

Ist aufgrund des Inhalts und der Ansprüche der europäischen Patentanmeldung eine sinnvolle Ermittlung des Standes der Technik nicht möglich, so wird

---

29 PrüfRichtl B-VI, 4.2.
30 PrüfRichtl B-X, 9.2 vi.
31 PrüfRichtl B-X, 9.1.2.

der Recherchenbericht ganz oder zum Teil durch eine entsprechende Erklärung ersetzt (R 45). Dies geschieht, wenn die Anmeldung sich auf Gegenstände bezieht, für die nach Art 52 (2), (4) Satz 1 oder Art 53 kein europäisches Patent erteilt wird oder wenn die Anmeldung insgesamt unklar oder widersprüchlich ist. In allen Fällen müssen die Mängel derart gravierend sein, dass es für die ganze Anmeldung oder einen Teil unmöglich ist, eine sinnvolle Recherche durchzuführen. Diese Erklärung und gegebenenfalls ein teilweiser Recherchenbericht tritt dann an die Stelle des europäischen Recherchenberichts und wird mit der Anmeldung veröffentlicht. Stellt sich im Prüfungsverfahren heraus, dass die Anmeldung doch einen patentfähigen, nicht recherchierten Teil enthält, so ist eine zusätzliche Recherche erforderlich.[32]

10 Zusätzliche Recherche und ergänzende Europäische Recherche

28 Während der Prüfung kann sich herausstellen, dass eine zusätzliche Recherche erforderlich ist. Gründe für die zusätzliche Recherche sind zB die Änderung der Ansprüche, Beseitigung von Unklarheiten, Änderung bei der Beurteilung der Neuheit, der erfinderischen Tätigkeit und der Einheitlichkeit.[33]

29 Eine PCT-Anmeldung, für die das EPA als Bestimmungsamt oder ausgewähltes Amt tätig wird, gilt als europäische Patentanmeldung. Liegt ein internationaler Recherchenbericht vor, so tritt dieser an die Stelle des europäischen Recherchenberichts. Die Recherchenabteilung erstellt auf Grund bestimmter Voraussetzungen einen ergänzenden europäischen Recherchenbericht.[34]

11 Mangelnde Einheitlichkeit (R 46)

30 Hält der Recherchenprüfer die Erfindung für nicht einheitlich, so kann er den Anmelder zur Zahlung einer weiteren Recherchengebühr (möglicherweise auch mehrerer) auffordern (R 46 (1)).[35] Zahlt der Anmelder die Gebühr, so kann er die Überprüfung im Prüfungsverfahren verlangen und erhält, wenn der Sachprüfer seine Meinung teilt, die zusätzliche Recherchengebühr erstattet (R 46 (2)).[36] Er muss nicht bereits bei der Entrichtung der weiteren Recherchengebühren den späteren Rückerstattungsantrag ankündigen oder unter Widerspruch zahlen, wie im Euro-PCT-Verfahren (siehe Art 82 Rdn 24–31; Art 154 Rdn 75–80).

31 Zahlt der Anmelder keine zusätzliche Gebühr, so recherchiert der Recherchenprüfer nur die an erster Stelle erwähnte Erfindung der Anmeldung. Hierauf wird im Recherchenbericht hingewiesen. Dabei wird unterstellt, dass der

---

32 PrüfRichtl C-VI, 8.5.
33 PrüfRichtl B-II, 4.1 und 4.2.
34 PrüfRichtl B-II, 4.3; Einzelheiten siehe Art 157, Rdn 15 ff.
35 PrüfRichtl C-III, 7.9.
36 PrüfRichtl C-III, 7.10.

Anmelder seine Anmeldung im Umfang der recherchierten Erfindung weiter verfolgen will.[37] In der Nichtzahlung liegt kein materieller Verzicht auf die anderen nicht recherchierten Gegenstände der Anmeldung.[38]

Ist der Sachprüfer der gleichen Meinung wie der Recherchenbericht, so prüft er nur die an erster Stelle erwähnte Erfindung (R 46 (1) Satz 1). Der Prüfer wird dann entweder Streichungen oder Änderungen in Bezug auf die anderen Erfindungen verlangen.[39] 32

Grundsätzlich kann der Anmelder die in der Stammanmeldung gestrichenen Teile als Teilanmeldung mit dem Zeitrang der früheren Anmeldung weiterverfolgen (vgl Art 76 Rdn 21–25).

Hält der Sachprüfer entgegen der Auffassung des Recherchenberichts die Erfindung für einheitlich, so muss nachrecherchiert werden, und zwar ohne weitere Gebühr für den Anmelder. 33

12 Standardcode für Staaten und internationale Organisationen

Ein umfassendes Verzeichnis des Zweibuchstaben-Ländercodes (WIPO Standard ST. 3) auf dem Stand vom 1.4.1994 ist im ABl 1994, 412 wiedergegeben. 34

Artikel 93 Veröffentlichung der europäischen Patentanmeldung

(1) Die europäische Patentanmeldung wird unverzüglich nach Ablauf von achtzehn Monaten nach dem Anmeldetag oder, wenn eine Priorität in Anspruch genommen worden ist, nach dem Prioritätstag veröffentlicht. Sie kann jedoch auf Antrag des Anmelders vor Ablauf dieser Frist veröffentlicht werden. Wird die Entscheidung, durch die das europäische Patent erteilt worden ist, vor Ablauf dieser Frist wirksam, so wird die Anmeldung gleichzeitig mit der europäischen Patentschrift veröffentlicht.

(2) Die Veröffentlichung enthält die Beschreibung, die Patentansprüche und gegebenenfalls die Zeichnungen jeweils in der ursprünglich eingereichten Fassung sowie als Anlage den europäischen Recherchenbericht und die Zusammenfassung, sofern diese vor Abschluss der technischen Vorbereitungen für die Veröffentlichung vorliegen. Sind der europäische Recherchenbericht und die Zusammenfassung nicht mit der Anmeldung veröffentlicht worden, so werden sie gesondert veröffentlicht.

---

37 PrüfRichtl C-III, 7.10; **G 2/92**, ABl 1993, 591.
38 **T 87/88**, ABl 1993, 430, Nr 4.2; **G 2/92**, ABl 1993, 591.
39 PrüfRichtl C-III, 7.10 am Ende.

Artikel 93   Veröffentlichung der Anmeldung

Margarete Singer/Dieter Stauder

Übersicht

1	Allgemeines	1
2	Zeitpunkt der Veröffentlichung (Abs 1)	2
3	Zurücknahme der europäischen Patentanmeldung vor der Veröffentlichung – Verzicht auf die Priorität	3-8
4	Inhalt der Veröffentlichung im allgemeinen (Abs 2 Satz 1)	9-10
5	Veröffentlichung neuer oder geänderter Patentansprüche (R 49 (3))	11
6	Berichtigungen und sonstige Hinweise in der Veröffentlichung	12-14
7	Form der Veröffentlichung (R 49 (1))	15-20
8	Die »INID-Codes« für bibliographische Daten	21
9	Beschleunigte Erteilung eines europäischen Patents (Abs 1 Satz 3)	22
10	Mitteilung über die Veröffentlichung (R 50)	23-25

1 Allgemeines

1   Dieser Artikel ordnet an, dass die europäische Patentanmeldung nach Ablauf von 18 Monaten nach dem Anmelde- oder Prioritätstag veröffentlicht wird. Dies geschieht wie in vielen Staaten, um die Öffentlichkeit innerhalb eines angemessenen Zeitraums von der neuesten technischen Entwicklung und von entstehenden Schutzrechten zu unterrichten. Ab Veröffentlichung besteht das Recht zur Akteneinsicht, und zwar auch ohne Zustimmung des Anmelders (vgl Art 128).

Einzelheiten über die Veröffentlichung regelt die AO in R 48 (Technische Vorbereitungen für die Veröffentlichung), R 49 (Form der Veröffentlichung der europäischen Patentanmeldung und europäischen Recherchenberichte) und R 50 (Mitteilungen über die Veröffentlichung).

Mit der Veröffentlichung im Zusammenhang stehen insbesondere Art 67 (Rechte aus der europäischen Patentanmeldung nach Veröffentlichung), Art 69 (Schutzbereich; hier der europäischen Patentanmeldung) mit dem dazugehörigen Protokoll, Art 70 (Verbindliche Fassung einer europäischen Patentanmeldung oder eines europäischen Patents), Art 127 (Europäisches Patentregister), Art 128 (Akteneinsicht) sowie Art 158 (Veröffentlichung der internationalen Anmeldung und ihre Übermittlung an das EPA) für Euro-PCT-Anmeldungen. Die Veröffentlichung von internationalen Anmeldungen nach PCT durch WIPO ist vor allem in Art 21 (Internationale Veröffentlichung) und R 48 PCT geregelt.

Weitere Einzelheiten enthalten die PrüfRichtl A-VI, 1.

Die Vorschrift ist neu gefasst.

2 Zeitpunkt der Veröffentlichung (Abs 1)

Abs 1 verlangt die unverzügliche Veröffentlichung nach Ablauf von 18 Monaten seit dem Anmeldetag, bei Inanspruchnahme einer Priorität seit dem Prioritätstag. Auf Wunsch des Anmelders kann die Anmeldung auch früher veröffentlicht werden. Dies setzt voraus, dass die bei Einreichung zu zahlenden Anmelde- und Recherchengebühren wirksam entrichtet worden sind.[1]

3 Zurücknahme der europäischen Patentanmeldung vor der Veröffentlichung – Verzicht auf die Priorität

Nimmt der Anmelder seine europäische Patentanmeldung zurück oder gilt sie nach einer Bestimmung des EPÜ als zurückgenommen, so wird sie nicht veröffentlicht (R 48 (2)). Die Mitteilung oder Entscheidung, dass die Anmeldung als zurückgenommen gilt, muss unanfechtbar geworden sein. Die Anmeldung wird jedoch veröffentlicht, wenn bei Abschluss der technischen Vorbereitungen für die Veröffentlichung ein Verfahren nach R 69 (2) anhängig ist.[2]

Die Vorbereitungen für die Veröffentlichung dürfen nicht so weit fortgeschritten sein, dass es dem EPA nicht mehr zuzumuten ist, die Veröffentlichung zu verhindern. Nach R 48 (2) werden europäische Patentanmeldungen nicht veröffentlicht, die vor **Abschluss der technischen Vorbereitungen** weggefallen sind. Diese Vorbereitungen gelten als abgeschlossen mit dem Ende des Tages, der **5 Wochen** vor dem Ablauf des 18. Monats nach dem Anmeldetag liegt; ist eine Priorität in Anspruch genommen, so ist der Prioritätstag maßgebend.[3] Der Anmelder hat damit eine Garantie, dass eine vor diesem Zeitpunkt zurückgenommene Anmeldung nicht veröffentlicht wird.

Auch zu einem **späteren Zeitpunkt** hat die Eingangsstelle die Veröffentlichung zu verhindern, wenn dies mit zumutbarem Aufwand noch möglich ist.[4] Als unverbindliche späteste Grenze gibt die Mitteilung des EPA eine Frist von **2 Wochen** vor dem vorgesehenen Veröffentlichungstag an,[5] der dem Anmelder im Hinblick auf Art 67 (Form 1133) etwa 4 Wochen vorher mitgeteilt wird, damit er rechtzeitig für Übersetzungen als Voraussetzung des vorläufigen Schutzes in den benannten Vertragsstaaten sorgen kann (vgl Art 67 (3); siehe Art 67 Rdn 10 und 11).

---

1 PrüfRichtl A-VI, 1.1.
2 PrüfRichtl A-VI, 1.2; Mitteilung des EPA vom 28.8.1990, ABl 1990, 455.
3 Beschluss des Präsidenten und Mitteilung des EPA vom 25.4.2006, ABl 2006, 405.
4 **J 5/81**, ABl 1982, 155; vgl nunmehr Mitteilung des EPA vom 25.4.2006, ABl 2006, 406, Nr. 3.
5 Mitteilung des EPA vom 25.4.2006, ABl 2006, 406, Nr 3.

Artikel 93   *Veröffentlichung der Anmeldung*

Kann die Veröffentlichung der Anmeldung verhindert, die Bekanntmachung der Veröffentlichung aber nicht mehr unterdrückt werden, so wird der unrichtige Hinweis später durch eine entsprechende Veröffentlichung widerrufen und ermöglicht nicht die Möglichkeit der Akteneinsicht nach Art 128 (4).[6]

6   Die **Rücknahme** ist grundsätzlich eindeutig und ohne Vorbehalt zu erklären.[7] Die Anmeldung kann aber unter der Bedingung zurückgenommen werden, dass ihre Veröffentlichung nach Art 93 unterbleibt.[8] Dadurch bleibt die Anmeldung aufrechterhalten, wenn sie trotz der Rücknahme veröffentlicht wird. Kann die Veröffentlichung nicht mehr verhindert werden, so teilt die Eingangsstelle dem Anmelder mit, dass das Verfahren weitergeführt wird; falls der Anmelder an der Weiterverfolgung nicht mehr interessiert ist, muss er die Anmeldung nochmals ohne Bedingung zurücknehmen.[9]

7   Der Anmelder kann zu jedem Zeitpunkt auf die **Priorität verzichten**.[10] Die Veröffentlichung wird bis zum Ablauf von 18 Monaten nach dem Anmeldetag aufgeschoben, wenn die Erklärung des Verzichts rechtzeitig beim EPA eingeht (siehe oben Rdn 4 und 5). Geht die Mitteilung über den Verzicht verspätet ein, so wird im Patentblatt ein entsprechender Hinweis auf den Prioritätsverzicht veröffentlicht;[11] siehe auch Art 88 Rdn 32.

8   Damit das Amt unverzüglich die notwendigen Maßnahmen für die Nichtveröffentlichung der Anmeldung ergreifen kann, wird empfohlen, die Zurücknahmeerklärung als alleinigen Gegenstand nur einer Eingabe abzufassen, den Zweck der Verhinderung der Veröffentlichung anzugeben und Telefax zu nutzen.[12] Ein Bestätigungsschreiben ist im Regelfall nicht erforderlich.[13]

4 Inhalt der Veröffentlichung im allgemeinen (Abs 2 Satz 1)

9   Nach Abs 2 Satz 1 hat die Veröffentlichung neben der Beschreibung, den Patentansprüchen und den Zeichnungen als Anlage den Recherchenbericht und die Zusammenfassung zu enthalten, sofern diese vor Abschluss der technischen

---

6   Mitteilung des EPA vom 25.4.2006, ABl 2006, 406 Nr 3.
7   PrüfRichtl A-VI, 1.2, 3. Absatz.
8   Mitteilung des EPA vom 25.4.2006, ABl 2006, 406 Nr 4.
9   Mitteilung des EPA vom 25.4.2006, ABl 2006, 406 Nr 4, ABl 1993, 56 im Anschluß an **J 11/80**, ABl 1981, 141, Nr 4.
10   PrüfRichtl C-V, 3.5.
11   PrüfRichtl A-VI, 1.1.
12   Siehe Mitteilung des EPA vom 25.4.2006. ABl 2006, 406 Nr. 5.
13   Mitteilung des EPA vom 25.4.2006, ABl 2006, 406 Nr 5.3 mit Verweis.

Vorbereitungen für die Veröffentlichung vorliegen. Liegt der Recherchenbericht noch nicht vor, so wird er später gesondert veröffentlicht.[14]

Die Stellungnahme zur Recherche wird nicht zusammen mit dem europäischen Recherchenbericht veröffentlicht, ist aber im Wege der Akteneinsicht zugänglich.[15]

Die für die technische Information der Öffentlichkeit wichtige Zusammenfassung wird grundsätzlich mit der Anmeldung veröffentlicht.[16] Nach Möglichkeit geschieht dies in der von der Recherchenabteilung überprüften Form. Liegt aber die Zusammenfassung zu diesem Zeitpunkt noch nicht in ihrer endgültigen Form vor, so wird die vom Anmelder eingereichte Zusammenfassung veröffentlicht.

5 Veröffentlichung neuer oder geänderter Patentansprüche (R 49 (3))

Nach R 49 (3) sind in die Veröffentlichung außer den ursprünglichen auch die neuen oder geänderten Patentansprüche aufzunehmen, die der Anmelder gemäß R 86 (2) nach Erhalt des europäischen Recherchenberichts und vor Abschluss der technischen Vorbereitungen für die Veröffentlichung der europäischen Patentanmeldung vorlegt.

6 Berichtigungen und sonstige Hinweise in der Veröffentlichung

Berichtigungen der Unterlagen nach R 88, zB der Prioritätsangaben, werden bei der Veröffentlichung berücksichtigt. Ist über Berichtigungsanträge noch nicht entschieden, so wird auf jeden Fall ein Hinweis darauf in die Titelseite der Veröffentlichung aufgenommen; siehe auch Art 88 Rdn 7–18 und Art 123 Rdn 118–165.[17]

Mitteilungen des Anmelders nach R 28 (4), dass die Herausgabe einer Probe von **hinterlegtem biologischem Material** nur an einen vom Antragsteller benannten Sachverständigen erfolgen darf, werden ebenfalls veröffentlicht.[18]

Am Anmeldetag eingereichte **Sequenzprotokolle** werden als Bestandteile der Beschreibung, später eingereichte Sequenzprotokolle dagegen als Anlage

---

14 Zum Inhalt der Veröffentlichung siehe PrüfRichtl A-VI, 1.3-5; zur Veröffentlichung europäischer Patentanmeldungen mit umfangreichen Sequenzprotokollen in elektronischer Form siehe Beschluss des Präsidenten vom 9.6.2000, ABl 2000, 367; PrüfRichtl A-VI, 1.4.
15 PrüfRichtl A-VI, 1.3; A-XII, 2.1.
16 ABl 1981, 380.
17 PrüfRichtl A-VI, 1.3.
18 Sachverständigenlösung; ABl 1981, 358.

zu den Anmeldungsunterlagen bzw zur europäischen Patentschrift veröffentlicht.[19]

7 Form der Veröffentlichung (R 49 (1))

15 Der Präsident des EPA bestimmt nach R 49 (1) die Form der Veröffentlichung und die in ihr enthaltenen Angaben. Alle europäischen Patentanmeldungen und europäischen Recherchenberichte werden mittels eines Veröffentlichungsservers in elektronischer Form veröffentlicht und zum Herunterladen bereitgestellt.[20] Die bisherigen Veröffentlichungsformen werden eingestellt. Auch die Anmelder erhalten ihre Anmeldung nicht mehr als Papierexemplar.[21]

16 Zugänglich ist der Veröffentlichungsserver über ein dediziertes Portal auf der EPA-Homepage oder direkt über https://publications.european-patent-office.org.

17 Wird die europäische Patentanmeldung zusammen mit dem Recherchenbericht veröffentlicht, so wird sie mit **A 1** bezeichnet. Anmeldungen, die ohne den Recherchenbericht veröffentlicht werden, werden als **A 2** gekennzeichnet. Liegt der europäische Recherchenbericht erst später vor, so wird er gesondert veröffentlicht, aber nie allein, sondern immer mit der Zusammenfassung, die überarbeitet sein kann; diese Veröffentlichung erhält die Bezeichnung **A 3**.

18 Der vom EPA bereitgestellte Dienst ist gebührenfrei.

19 Auch die späteren Veröffentlichungen erhalten eine besondere Bezeichnung: die europäische Patentschrift wird unter der Bezeichnung **B 1** veröffentlicht, und die neue Patentschrift nach einem Einspruchsverfahren, in dem das Patent in geändertem Umfang aufrechterhalten worden ist, erhält die Bezeichnung **B 2**.

20 Die benannten Vertragsstaaten (vgl R 49 (2)) werden entsprechend dem Zweibuchstaben-Ländercode angegeben gemäß WIPO-Standard ST. 3, der von den Patentämtern verwendet wird.[22] Da das Formblatt für den Erteilungsantrag die Benennung aller Vertragsstaaten enthält und die Frist zur Zahlung der Benennungsgebühren erst nach Veröffentlichung der europäischen Patentanmeldung abläuft (siehe Art 79 Rdn 13–18), sind in der Veröffentlichung regelmäßig alle Vertragsstaaten aufgeführt. Die Information, welche Staaten aufgrund Entrichtung der Benennungsgebühren definitiv benannt sind, wird zu einem späteren Zeitpunkt im europäischen Patentregister und im europäischen

---

19 Beschluss des Präsidenten vom 2.10.1998, Art 6, ABl 11/1998, Beilage Nr 2; Prüf-Richtl A-VI, 1.3.
20 Beschluss des Präsidenten vom 22.12.2004, ABl 2004, 124, Art 1.
21 Mitteilung des EPA vom 22.12.2004, ABl 2005, 126, 127, Nr I, 1 am Ende.
22 Aktualisiertes Verzeichnis vom 1.4.1994, ABl 1994, 412.

Patentblatt bekanntgemacht. Die Veröffentlichung enthält auch die Staaten, für die eine Erstreckung beantragt ist.[23]

8 Die »INID-Codes« für bibliographische Daten

Die INID-Codes sind Nummern, die den Definitionen von bibliographischen Daten (über Anmelder, Erfinder, Priorität usw) zugeordnet sind.[24] Sie ermöglichen dem Benutzer ohne Kenntnis der Sprache und der maßgeblichen Rechtsvorschriften die Identifizierung bibliographischer Angaben auf Patentdokumenten.

9 Beschleunigte Erteilung eines europäischen Patents (Abs 1 Satz 3)

Wird das europäische Patent vor Ablauf der 18-Monatsfrist erteilt – dies ist denkbar bei einer Erstanmeldung mit frühzeitigem Prüfungsantrag im PACE-Verfahren –,[25] so wird die europäische Patentanmeldung gleichzeitig mit dem europäischen Patent veröffentlicht.[26]

10 Mitteilung über die Veröffentlichung (R 50)

Nach R 50 ist der Anmelder auf die Veröffentlichung des europäischen Recherchenberichts hinzuweisen, um ihn auf die Frist für die Stellung des Prüfungsantrags und die Zahlung der Prüfungsgebühr aufmerksam zu machen (siehe Art 94). Da im Formblatt für den Erteilungsantrag automatisch der Prüfungsantrag gestellt wird, hat der Anmelder nur noch die Zahlung der Prüfungsgebühr zu überwachen, sofern er die Prüfung wünscht. Der Anmelder wird gleichzeitig auf die Frist zur Zahlung der Benennungsgebühren und eventueller Erstreckungsgebühren hingewiesen.

Auch wenn der europäische Recherchenbericht nicht gleichzeitig mit der europäischen Patentanmeldung veröffentlicht wird, wird der Anmelder auf die Veröffentlichung der europäischen Patentanmeldung hingewiesen. Die nachträgliche Veröffentlichung des europäischen Recherchenberichts wird ihm ebenfalls mitgeteilt, denn erst diese Veröffentlichung ist der Zeitpunkt, an dem nach Art 94 (2) die Frist für die Stellung des Prüfungsantrags und die Zahlung der Prüfungsgebühr beginnt. Allerdings kann der Anmelder aus der Versäumung der Mitteilung keine Ansprüche herleiten (R 50 (2) Satz 1).

Wird dem Anmelder irrtümlich ein späterer Veröffentlichungstag mitgeteilt und ist dieser Irrtum nicht ohne weiteres erkennbar, so beginnt die Frist für die Stellung des Prüfungsantrags erst mit diesem späteren Tag (R 50 (2) Satz 2).

---

23 Mitteilung des EPA, ABl 1997, 479; PrüfRichtl A-VI, 1.3.
24 WIPO Standard ST. 9, Appendix 1.
25 Vgl Mitteilung des Präsidenten vom 1.10.2001 – »PACE«, ABl 2001, 459.
26 PrüfRichtl A-VI, 1.1.

Artikel 94 Prüfungsantrag

(1) Das Europäische Patentamt prüft auf schriftlichen Antrag, ob die europäische Patentanmeldung und die Erfindung, die sie zum Gegenstand hat, den Erfordernissen dieses Übereinkommens genügen.

(2) Der Prüfungsantrag kann vom Anmelder bis zum Ablauf von sechs Monaten nach dem Tag gestellt werden, an dem im Europäischen Patentblatt auf die Veröffentlichung des europäischen Recherchenberichts hingewiesen worden ist. Der Antrag gilt erst als gestellt, wenn die Prüfungsgebühr entrichtet worden ist. Der Antrag kann nicht zurückgenommen werden.

(3) Wird bis zum Ablauf der in Absatz 2 genannten Frist ein Prüfungsantrag nicht gestellt, so gilt die europäische Patentanmeldung als zurückgenommen.

Margarete Singer/Dieter Stauder

Übersicht

1	Allgemeines	1-4
2	Die zuständigen Organe	5-7
3	Der wirksame Prüfungsantrag: Schriftform plus Gebührenzahlung (Abs 1 und Abs 2 Satz 2)	8-10
4	Einreichung durch Telefax	11
5	Mängel des Prüfungsantrags	12-13
6	Inhalt des Prüfungsantrags (Abs 1)	14
7	Antragsberechtigung und Vertretung (Abs 2 Satz 1)	15-19
8	Antragsfrist (Abs 2 Satz 1)	20
9	Nachfrist (R 85b)	21
10	Frist bei Euro-PCT-Anmeldungen (R 107 (1) f)	22
11	Prüfungsgebühr (Abs 2 Satz 2)	23
12	Gebührenermäßigung aus Sprachgründen (Art 14 (4))	24-26
13	Gebührenermäßigung bei Euro-PCT-Anmeldungen (R 107 (2))	27
14	Zurückzahlung der Prüfungsgebühr (Art 10b GebO)	28-31
15	Folgen der Fristversäumnis und ihre Vermeidung	32-35
16	Keine Zurücknahme des Prüfungsantrags (Abs 2 Satz 3)	36
17	Nichtstellung des Prüfungsantrags (Abs 3)	37-40

1 Allgemeines

1   Eine europäische Patentanmeldung wird nur auf schriftlichen gebührenpflichtigen Antrag darauf geprüft, ob für die ihr zugrundeliegende Erfindung ein eu-

ropäisches Patent erteilt werden kann. Dieser Antrag muss vor Ablauf von 6 Monaten nach **Hinweis** auf die Veröffentlichung des **europäischen Recherchenberichts** gestellt werden. Für den Fristbeginn ist die Veröffentlichung der Anmeldung ohne Bedeutung; denn erst aufgrund des Recherchenberichts kann der Anmelder seine Erfolgsaussichten abschätzen.

Der Antrag kann noch gestellt werden innerhalb einer Nachfrist von 1 Monat nach Zustellung der Mitteilung über die Fristversäumung; dabei ist eine Zuschlagsgebühr zu entrichten (R 85b; siehe Rdn 21). 2

Besonderheiten des Prüfungsantrags bei Euro-PCT-Anmeldungen werden in Art 150 behandelt (Anwendung des Vertrags über die internationale Zusammenarbeit auf dem Gebiet des Patentwesens). 3

Im PACE-Verfahren kann jederzeit eine beschleunigte Prüfung beantragt werden; vgl auch Art 92 Rdn 8–10, Art 96 Rdn 5 und Art 97 Rdn 11.[1] Das EPA wird sich nach Kräften bemühen, den ersten Prüfungsbescheid innerhalb von 3 Monaten nach Antrag bzw Eingang der Anmeldung bei der Prüfungsabteilung zu erstellen. Der Anmelder kann weiterhin frühzeitig die Prüfung unter Zahlung der Prüfungsgebühr vor Erhalt des Recherchenberichts beantragen (Art 96 (1)). 4

EPÜ 2000

Die Neufassung fasst Art 94 und 96 zusammen.

2 Die zuständigen Organe

Für die Sachprüfung der europäischen Patentanmeldung sind nach Art 18 die Prüfungsabteilungen zuständig. 5

Wenn die Eingangsstelle festgestellt hat, dass ein wirksamer Prüfungsantrag oder eine wirksame Erklärung der Aufrechterhaltung vorliegt, so leitet sie die Anmeldung an die Prüfungsabteilung weiter.[2] 6

Da die Eingangsstelle bis zu dem Zeitpunkt zuständig ist, zu dem der Prüfungsantrag gestellt oder die Aufrechterhaltung erklärt worden ist (Art 16 Satz 1, siehe auch Art 16 Rdn 7), hat sie die Befugnis, über die Wirksamkeit des Prüfungsantrags zu entscheiden. Den Rechtsverlust stellt sie nach R 69 (1) fest. 7

3 Der wirksame Prüfungsantrag: Schriftform plus Gebührenzahlung (Abs 1 und Abs 2 Satz 2)

a) Die Schriftform ist erfüllt, wenn das in R 26 vorgeschriebene Formblatt 1001 für den Erteilungsantrag benutzt wird; denn in dem Formblatt ist der Prüfungsantrag mit dem Erteilungsantrag untrennbar gekoppelt. Diese Regelung 8

---

1 Mitteilung des Präsidenten vom 7.9.2001, ABl 2001, 459, Nr 3 ff.
2 PrüfRichtl A-VI, 2.4.

beugt einem Rechtsverlust vor, wenn der Anmelder die Prüfungsgebühr zwar zahlt, aber den Prüfungsantrag nicht rechtzeitig stellt.[3]

Für den späteren Prüfungsantrag gilt Schriftlichkeit nach R 36.[4] Nach R 36 (3) ist der Antrag zu unterzeichnen.

9 Bei **internationalen Anmeldungen** muss der schriftliche Antrag **bei oder nach Einleitung** der regionalen Phase fristgerecht gestellt werden. Deshalb wird die Verwendung des Formblatts 1200 empfohlen, das den Prüfungsantrag bereits als Standardbestandteil enthält. Auch hier genügt die Zahlung der Prüfungsgebühr allein nicht (siehe aber Rdn 13).

10 b) Die Prüfungsgebühr muss innerhalb der Prüfungsantragsfrist gezahlt werden. Ohne rechtzeitige Zahlung gilt der Prüfungsantrag als nicht gestellt, und die Anmeldung gilt als zurückgenommen (Art 94 (3)).

4 Einreichung durch Telefax

11 Der Prüfungsantrag oder die Erklärung der Aufrechterhaltung kann auch durch Telefax eingereicht werden[5] und bedarf eines Bestätigungsschreibens nur auf Anforderung des zuständigen Organs des EPA. Die Einzelheiten dieses Verfahrens sind unter Art 78 Rdn 64–72 näher beschrieben.[6]

5 Mängel des Prüfungsantrags

12 Werden Mängel im Hinblick auf den Antrag festgestellt, so soll der Anmelder, soweit es sich um behebbare Mängel handelt, zur Beseitigung aufgefordert werden. Dies ergibt sich aus dem in Art 91 (2) und R 41 (1) Satz 1 enthaltenen Rechtsgedanken.

13 Ist eine Prüfungsgebühr mit Zuschlagsgebühr rechtzeitig entrichtet worden, liegt aber kein Prüfungsantrag vor, so erfordert es der Grundsatz des Vertrauensschutzes, dass der Anmelder auf den drohenden Rechtsverlust hingewiesen wird; denn es ist davon auszugehen, dass eine Gebühr nur gezahlt wird, noch dazu mit Zuschlagsgebühr, wenn der Zahlende glaubt, er habe den Antrag gestellt; dies gilt insbesondere bei Euro-PCT-Anmeldungen.[7]

Zu den Rechtsfolgen nicht behebbarer oder nicht behobener Mängel siehe Rdn 37 und 38.

6 Inhalt des Prüfungsantrags (Abs 1)

14 Der Antrag richtet sich auf die Prüfung und Entscheidung, ob die europäische Patentanmeldung und die ihr zugrundeliegende Erfindung den sachlichen, aber

---

3 PrüfRichtl A-VI, 2.2; **J 12/82**, ABl 1983, 221.
4 Ehlers in Benkard, EPÜ, Art 94, Rn. 13.
5 Beschluss des Präsidenten vom 6.12.2004, ABl 2005, 41.
6 Mitteilung des EPA vom 6.12.2004, ABl 2005, 44.
7 **J 25/92** vom 29.9.1993.

auch den formellen Erfordernissen des Übereinkommens genügen (Art 96 (2)).

7 Antragsberechtigung und Vertretung (Abs 2 Satz 1)

Ausschließlich der Anmelder bzw sein Vertreter kann nach Abs 2 den Prüfungsantrag stellen, aber kein Dritter. 15

Hat der Anmelder, der den Antrag stellen möchte, keinen Wohnsitz oder Sitz in einem Vertragsstaat, so kann der Prüfungsantrag – im Gegensatz zur Einreichung der europäischen Patentanmeldung – nach Art 133 (2) nur durch einen zugelassenen Vertreter gestellt werden. Denn die Ausnahme in Art 133 (2) betrifft nur die Einreichung der Anmeldung, nicht den Prüfungsantrag. 16

Ist der Prüfungsantrag für die europäische Patentanmeldung jedoch bereits im Erteilungsantrag enthalten (so in Formblatt 1001), so hat er auch dann Wirkung, wenn der Erteilungsantrag von einem Anmelder gestellt wird, der weder Wohnsitz noch Sitz in einem Vertragsstaat hat (Art 133 (2)). Der Prüfungsantrag wird in diesem Fall in den Begriff *Einreichung einer europäischen Patentanmeldung* einbezogen, die von diesem Personenkreis vorgenommen werden kann.[8] Der Anmelder kann sich aber nicht von einer Person vertreten lassen, die nicht ein vor dem EPA zugelassener Vertreter ist (Rechtsauskunft des EPA 18/92, ABl 1992, 58, Nr 8). 17

Beim Eintritt der **internationalen Anmeldung** in die regionale Phase kann der auswärtige Anmelder gleichzeitig mit den vorgeschriebenen Handlungen (aber nicht später) den Prüfungsantrag stellen.[9] Für das weitere Verfahren braucht der auswärtige Anmelder einen vor dem EPA zugelassenen Vertreter (Art 133 (2)). 18

Nach **J 28/86** sind Prüfungsanträge unwirksam, die von nicht zur Vertretung berechtigten Personen (Art 134) gestellt werden.[10] Die für einen unwirksamen Prüfungsantrag entrichtete Prüfungsgebühr ist zurückzuzahlen. 19

8 Antragsfrist (Abs 2 Satz 1)

Der Prüfungsantrag kann zusammen mit der Anmeldung eingereicht werden. Um Fristversäumnis zu verhindern, hat das EPA in die Formblätter für den Erteilungsantrag 1001 und 1200 (für den Eintritt von internationalen Anmeldungen in die regionale Phase) eine Erklärung des Anmelders aufgenommen, dass er die Prüfung beantragt (vgl Rdn 8–10). 20

Die Antragsfrist endet nach Ablauf von sechs Monaten ab dem Tag, an dem im Europäischen Patentblatt auf die Veröffentlichung des europäischen Recherchenberichts hingewiesen worden ist.[11] Innerhalb dieser Frist ist auch die

---

8 Siehe Strebel in MünchGemKom, Art 91 Rn 50.
9 Siehe Formblatt 1200; Rechtsauskunft des EPA 18/92, ABl 1992, 58, Nr 7.
10 **J 28/86**, ABl 1988, 85 (nur Leitsatz).
11 Zur Fristberechnung siehe Kommentierung zu Art 120.

Artikel 94 — *Prüfungsantrag*

Prüfungsgebühr zu entrichten, damit der Prüfungsantrag wirksam ist (siehe Rdn 23).

9 Nachfrist (R 85b)

21 Wegen des harten Verbots der Wiedereinsetzung in die Frist zur Stellung des Prüfungsantrags und zur Entrichtung der Gebühr (Art 122 (5)) eröffnet R 85b die Möglichkeit, diese Handlungen noch innerhalb einer Nachfrist von einem Monat nach Zustellung der Mitteilung über die Fristversäumnis vorzunehmen, allerdings unter Zahlung einer Zuschlagsgebühr in Höhe von 50% der Prüfungsgebühr (Art 2 Nr 7 GebO). Zur Fristberechnung siehe Kommentierung zu Art 120.

Verstreicht die Nachfrist ungenutzt, so gilt die Anmeldung mit Ablauf der Grundfrist (Art 94 (3)) als zurückgenommen.[12]

10 Frist bei Euro-PCT-Anmeldungen (R 107 (1) f)

22 Für internationale Anmeldungen, in denen das EPA als Bestimmungsamt benannt ist, beginnt die 6-Monatsfrist bereits mit der Veröffentlichung des Internationalen Recherchenberichts. Nach Art 157 (1) tritt diese Veröffentlichung an die Stelle der Veröffentlichung des europäischen Recherchenberichts; Einzelheiten siehe Art 157 Rdn 5 ff. An diesem Fristablauf ändert sich nichts durch den ergänzenden europäischen Recherchenbericht nach Art 157 (2). Die 6-Monatsfrist darf aber keinesfalls vor den in Art 22 und 39 PCT für internationale Anmeldungen vorgesehenen Fristen enden (Art 150 (2) Satz 4), also nicht vor Ablauf von 20 Monaten bzw 30 Monaten seit dem Prioritätsdatum.[13] Nach R 107 (1) f) ist die Frist für den Prüfungsantrag im Interesse des Anmelders bis zum Ablauf des 21. bzw 31. Monats ab Priorität verlängert (siehe hierzu Art 157 Rdn 11). R 85b stellt weiterhin klar, dass die zusätzliche Nachfrist von 1 Monat auch für Euro-PCT-Anmeldungen gilt.

11 Prüfungsgebühr (Abs 2 Satz 2)

23 Der Prüfungsantrag gilt erst mit der Zahlung der Prüfungsgebühr als gestellt (Abs 2 Satz 2). Die Zahlung ersetzt aber nicht den Prüfungsantrag. Der Tag, an dem die Prüfungsgebühr gezahlt ist, ist im Falle des zeitlich früher gestellten Prüfungsantrages der Tag, an dem der Prüfungsantrag wirksam wird. Die Höhe der Prüfungsgebühr, die innerhalb der Antrags- bzw Nachfrist entrichtet werden muss, regelt Art 2 Nr 6 GebO. Die Zuschlagsgebühr beträgt nach Art 2 Nr 7 GebO 50% der Prüfungsgebühr.

---

12 **J 4/86**, ABl 1988, 119.
13 PrüfRichtl C-VI, 1.1.3.

12 Gebührenermäßigung aus Sprachgründen (Art 14 (4))

Grundsätzlich ist der Prüfungsantrag in einer Amtssprache einzureichen. Bei Verwendung des dreisprachigen Formblatts für den Erteilungsantrag ist diese Voraussetzung erfüllt; siehe Rdn 8.

Die nach Art 14 (4) privilegierten Anmelder mit Wohnsitz oder Sitz in einem Vertragsstaat, in dem eine andere Sprache als Deutsch, Englisch oder Französisch Amtssprache ist, sowie Angehörige solcher Staaten können – unabhängig von ihrem Wohnsitz oder Sitz – fristgebundene Schriftstücke, also auch Prüfungsanträge, in einer zugelassenen Nichtamtssprache ihres Vertragsstaats einreichen. In diesen Fällen ermäßigt sich nach R 6 (3) die Prüfungsgebühr um 20% (Art 12 (1) GebO; siehe Art 14 Rdn 38–43). Innerhalb eines Monats muss der Anmelder nach R 6 (2) Satz 1 und R 1 (1) Satz 2 eine Übersetzung des Prüfungsantrags in einer Amtssprache nachreichen, was aber auch gleichzeitig mit dem Prüfungsantrag selbst geschehen kann; siehe auch Art 14 Rdn 41.

Durch die Verwendung des dreisprachigen Formblatts 1001 für den Erteilungsantrag bzw des Formblatts 1200 für den Übergang in die regionale Phase und bei gleichzeitiger Einfügung des Prüfungsantrags nur in der zugelassenen Nichtamtssprache werden diese Voraussetzungen erfüllt. Hat der privilegierte Anmelder das Formblatt mit dem Prüfungsantrag nur in einer Amtssprache benutzt, kann er später noch innerhalb der Frist des Prüfungsantrags das Gebührenprivileg dadurch ausnutzen, dass er den Prüfungsantrag in seiner zugelassenen Nichtamtssprache einreicht.[14]

Formulierungsvorschläge für den Prüfungsantrag in den zugelassenen Nichtamtssprachen siehe im Merkblatt zum Erteilungsantrag Form 1001 unter II Ziffer 5 sowie im Merkblatt zu Form 1200 unter III, Ziffer 6.2.

13 Gebührenermäßigung bei Euro-PCT-Anmeldungen (R 107 (2))

Die Prüfungsgebühr ist für internationale Anmeldungen ermäßigt, wenn das EPA einen internationalen vorläufigen Prüfungsbericht erstellt hat (R 107 (2)), für den der Anmelder die in Art 2 Nr 19 GebO festgesetzte Gebühr zu entrichten hatte. Nach Art 12 (2) GebO beträgt die Ermäßigung 50%.

14 Zurückzahlung der Prüfungsgebühr (Art 10b GebO)

Nach Art 10b a) GebO wird die Prüfungsgebühr in voller Höhe zurückerstattet, wenn sich die europäische Patentanmeldung vor Übergang in die Zuständigkeit der Prüfungsabteilung erledigt hat, zB wenn der Anmelder auf eine Aufforderung nach Art 96 (1) nicht reagiert. Hat sich die europäische Patentanmeldung nach Übergang in die Zuständigkeit der Prüfungsabteilung, aber vor Beginn der Sachprüfung erledigt, so wird die Prüfungsgebühr zu 75% zurück-

---

14 J 6/99 vom 25.10.1999.

erstattet (Art 10b b)). Der Anmelder kann die Zurücknahme der Anmeldung von der Gebührenrückerstattung abhängig machen (bedingte Zurücknahme), wenn er sich darüber im unklaren ist, ob die Sachprüfung bereits begonnen hat.[15]

29 J 28/86 bestätigt den eigentlich selbstverständlichen Grundsatz, dass eine für einen unwirksamen Prüfungsantrag entrichtete Prüfungsgebühr zurückzuzahlen ist, wenn ihn eine nicht zur Vertretung berechtigte Person gestellt hat.[16]

30 J xx/87 stellt klar, dass bei einem Antrag auf Verbindung zweier Anmeldungen zwei Prüfungsgebühren entrichtet werden müssen, auch wenn eine der beiden Gebühren nach erfolgter Verbindung später zurückerstattet werden kann.[17]

31 Zur Zurückzahlung der Prüfungsgebühr bei Euro-PCT-Anmeldungen siehe Art 155 Rdn 60–64.[18]

15 Folgen der Fristversäumnis und ihre Vermeidung

32 a) Wird die Frist zur Stellung des Prüfungsantrags einschließlich der Nachfrist in R 85b versäumt, so gibt es weder die Weiterbehandlung nach Art 121, weil die Frist nicht vom EPA, sondern im Übereinkommen vorgeschrieben ist, noch die Wiedereinsetzung, da dieser Rechtsbehelf durch Art 122 (5) ausdrücklich ausgeschlossen wird. Der Ausschluss der Wiedereinsetzung erstreckt sich auch auf die Prüfungsantragsfrist für Euro-PCT-Anmeldungen;[19] siehe auch Art 122 Rdn 34. Auch eine Wiedereinsetzung in die Nachfrist ist ausgeschlossen, da diese der im Übereinkommen selbst festgelegten Hauptfrist untergeordnet ist (siehe Art 122 Rdn 35, 36)).

33 Zunächst ist jedoch festzustellen, ob wirklich eine Fristversäumung nach R 83–85b vorliegt, ob zB durch Feiertage oder Unterbrechung der Postzustellung der Ablauf der 6-Monatsfrist verzögert worden ist und ob auch die Nachfrist versäumt worden ist.

34 Wird das Verfahren unterbrochen (R 90 (1)), so läuft die Frist für die Entrichtung der Prüfungsgebühr weiter. Der Anmelder hat mit der Wiederaufnahme des Erteilungsverfahrens (R 90 (2)) für die Restlaufzeit der Prüfungsantragsfrist, mindestens jedoch für die in R 90 (4) Satz 2 vorgesehene Zeit von zwei Monaten Gelegenheit, den Prüfungsantrag zu stellen.

35 b) Wegen der großen Gefahren, die sich aus der Notwendigkeit rechtzeitiger Antragstellung und Gebührenzahlung ergeben, ist folgendes Vorgehen zu

---

15 Mitteilung des Präsidenten vom 15.7.1988, ABl 1988, 354.
16 J 28/86, ABl 1988, 85 (nur Leitsatz).
17 J xx/87 vom 21.5.1987, ABl 1988, 177.
18 Ehlers in Benkard, EPÜ, Art 94 Rn 26 hält die in der Vorauflage behandelte Entscheidung J 6/83, ABl 1985, 97 wegen alten Rechtszustandes für obsolet.
19 G 5/92 und G 6/92, ABl 1994, 22 und 25.

empfehlen: Der Anmelder zahlt die Prüfungsgebühr vor Erhalt des Recherchenberichts, zu seiner eigenen Sicherheit möglichst gleichzeitig mit dem Prüfungsantrag, der mit Einreichung der Anmeldung oder mit dem Übergang in die regionale Phase im Formblatt verbunden ist. Bei diesem Vorgehen wird der Anmelder nach Übersendung des Recherchenberichts zur Erklärung aufgefordert, ob er die Anmeldung aufrechterhält (Art 96 (1)). Gibt er diese Erklärung nicht ab, so erhält er die volle Prüfungsgebühr zurück (siehe Rdn 28–31). Versäumt er die Erklärungsfrist, so ist Weiterbehandlung und Wiedereinsetzung möglich.[20] Die vorgeschlagene Vorgehensweise kostet den Anmelder nur die frühzeitige Zahlung der Prüfungsgebühr, sichert ihm aber ein vorteilhaftes Verfahren.

16 Keine Zurücknahme des Prüfungsantrags (Abs 2 Satz 3)

Das Verbot, den Prüfungsantrag zurückzunehmen, dient der Vereinfachung **36** des Verfahrens und damit der Rechtssicherheit. Es entzieht dem Anmelder die Möglichkeit, über den Prüfungsantrag in den Ablauf des Prüfungsverfahrens einzugreifen.[21] Will der Anmelder nach Stellung des Prüfungsantrags das Verfahren ohne weitere Sachprüfung beenden, so kann er die Anmeldung jederzeit zurücknehmen (für den Fall, dass er noch die Veröffentlichung verhindern will, siehe Art 93 Rdn 3–8). Die Prüfung findet auch dann nicht statt oder wird nicht fortgesetzt, wenn er keine Erklärung zur Aufrechterhaltung der Anmeldung abgibt oder einen Prüfungsbescheid unbeantwortet lässt oder eine fällig gewordene Jahresgebühr nicht zahlt, und zwar mit der Folge, dass die Anmeldung dann nach Art 96 (3) bzw Art 86 (3) als zurückgenommen gilt.

Dass unwirksame Prüfungsanträge zurückgenommen werden können, klärt **J 28/86**;[22] die entrichtete Prüfungsgebühr ist dann zurückzuzahlen.

17 Nichtstellung des Prüfungsantrags (Abs 3)

Wird der Prüfungsantrag nicht rechtzeitig gestellt oder die Prüfungsgebühr **37** nicht rechtzeitig entrichtet, so gilt die europäische Patentanmeldung nach Abs 3 mit Ablauf der 6-Monatsfrist als zurückgenommen, falls auch innerhalb der Nachfrist nach R 85b kein wirksamer Prüfungsantrag gestellt wird;[23] siehe näher oben Rdn 21.

Wie unter Rdn 12 dargelegt, wird der Anmelder auf behebbare Mängel des **38** Antrags hingewiesen. Handelt es sich um nicht behebbare Mängel, so wird der Eintritt der Rechtsfolge nach Abs 3 dem Anmelder von der Eingangsstelle nach

---

20 PrüfRichtl C-VI, 1.1.1.
21 Van Empel, Nr 440.
22 **J 28/86**, ABl 1988, 85 (nur Leitsatz).
23 **J 4/86**, ABl 1988, 119.

Artikel 95 *Prüfung der Anmeldung*

R 69 (1) mitgeteilt. Der Anmelder kann dann nach R 69 (2) eine beschwerdefähige Entscheidung verlangen.

39 Kommt der Anmelder der Aufforderung der Eingangsstelle, behebbare Mängel zu beseitigen, nicht nach, so würde dies zu einer Zurückweisung der Anmeldung nach Art 91 (3) führen. Hier kann der Anmelder allerdings nach Art 121 die Weiterbehandlung und nach Art 122 die Wiedereinsetzung beantragen, weil es sich um die Versäumung einer von der Eingangsstelle bestimmten Frist handelt.

40 Die Fiktion des Abs 3 hat nach Art 67 (4) die Folge, dass die Schutzwirkungen der europäischen Patentanmeldung als von Anfang an nicht eingetreten gelten.

Artikel 95 Verlängerung der Frist zur Stellung des Prüfungsantrags

(1) Der Verwaltungsrat kann die Frist zur Stellung des Prüfungsantrags verlängern, wenn feststeht, dass die europäischen Patentanmeldungen nicht in angemessener Zeit geprüft werden können.

(2) Verlängert der Verwaltungsrat die Frist, so kann er beschließen, dass auch ein Dritter die Prüfung beantragen kann. In diesem Fall legt der Verwaltungsrat in der Ausführungsordnung die Vorschriften zur Durchführung dieses Beschlusses fest.

(3) Ein Beschluss des Verwaltungsrats, die Frist zu verlängern, ist nur auf die europäischen Patentanmeldungen anzuwenden, die nach der Veröffentlichung dieses Beschlusses im Amtsblatt des Europäischen Patentamts eingereicht werden.

(4) Verlängert der Verwaltungsrat die Frist, so hat er Maßnahmen zu treffen, um die ursprüngliche Frist so schnell wie möglich wiederherzustellen.

Margarete Singer/Dieter Stauder

1 Dieser Artikel sieht unter ganz bestimmten Voraussetzungen vor, dass der Verwaltungsrat übergangsweise die Prüfungsantragsfrist verlängern und dann auch vorsehen kann, dass Dritte Prüfungsanträge stellen.

2 Von dieser Vorschrift ist kein Gebrauch gemacht worden.

EPÜ 2000

Die Vorschrift ist gestrichen.

Artikel 96 Prüfung der europäischen Patentanmeldung

(1) Hat der Anmelder den Prüfungsantrag gestellt, bevor ihm der europäische Recherchenbericht zugegangen ist, so fordert ihn das Europäische Patentamt nach Übersendung des Berichts auf, innerhalb einer zu bestimmenden Frist zu erklären, ob er die europäische Patentanmeldung aufrechterhält.

(2) Ergibt die Prüfung, dass die europäische Patentanmeldung oder die Erfindung, die sie zum Gegenstand hat, den Erfordernissen dieses Übereinkommens nicht genügt, so fordert die Prüfungsabteilung den Anmelder nach Maßgabe der Ausführungsordnung so oft wie erforderlich auf, innerhalb einer von ihr zu bestimmenden Frist eine Stellungnahme einzureichen.

(3) Unterlässt es der Anmelder, auf eine Aufforderung nach Absatz 1 oder 2 rechtzeitig zu antworten, so gilt die europäische Patentanmeldung als zurückgenommen.

Margarete Singer/Dieter Stauder

Übersicht

1	Allgemeines	1
2	Änderungen in den Verfahrensabschnitten (R 86)	2-3
3	Aufforderung zur Erklärung über die Aufrechterhaltung (Abs 1)	4-6
4	Aufforderung des Anmelders von Euro-PCT-Anmeldungen	7-9
5	Rechtsfolge der nicht rechtzeitigen Aufrechterhaltung (Abs 3)	10
6	Gegenstand der Prüfung	11
7	Überprüfung von Formerfordernissen	12
8	Sachprüfung	13-18
9	Aufgaben und Möglichkeiten des beauftragten Prüfers	19-22
10	Aufgaben der Prüfungsabteilung als Gremium . .	23-25
11	Prüfungsbescheide; Hilfsanträge; Teilverzicht . . .	26-37
12	Mangelnde rechtzeitige Stellungnahme (Abs 3) . .	38-41

1 Allgemeines

In diesem Artikel werden wichtige Grundsätze für eine aktive Mitarbeit des Anmelders im Prüfungsverfahren festgelegt. Hat der Anmelder bereits früh Prüfungsantrag gestellt, so wird er gefragt, ob er weiter an der Anmeldung interessiert ist. Ist diese Vorfrage geklärt, so prüft das EPA, welche Bedenken der Erteilung eines europäischen Patents entgegenstehen, und fordert den Anmel-

Artikel 96   *Prüfung der Anmeldung*

der zur Stellungnahme auf. Äußert er sich nicht, so gilt die Anmeldung als zurückgenommen.

Das Verfahren nach Art 96 (1) mildert die Härte der Fristenregelung beim Prüfungsantrag (siehe Art 94 Rdn 32–35).

Art 96 (2) sieht vor, dass die Prüfungsabteilung den Anmelder so oft wie nötig zur Stellungnahme auffordert, wenn die Anmeldung oder die Erfindung den Erfordernissen des EPÜ nicht genügt. In diesem Zusammenwirken von Prüfungsbescheid und Stellungnahme muss die Prüfungsabteilung das Recht des Anmelders auf rechtliches Gehör beachten (Art 113 (1).[1] Eine Zurückweisungsentscheidung darf erst ergehen, wenn der Anmelder sein Recht auf rechtliches Gehör ausgeübt hat oder wenn er darauf verzichtet hat, zB wenn er eine Entscheidung nach Aktenlage beantragt hat.

Einzelheiten des Verfahrens finden sich vor allem in R 51 (Prüfungsverfahren), R 69 (Feststellung eines Rechtsverlustes), R 70 (Form der Bescheide und Mitteilungen), Art 119 (Zustellung der Bescheide). Siehe auch PrüfRichtl C-VI.

EPÜ 2000

Die Vorschrift ist gestrichen und in Art 94 aufgegangen.

2 Änderungen in den Verfahrensabschnitten (R 86)

2   Das EPÜ sieht unterschiedliche Möglichkeiten zur Änderung der europäischen Patentanmeldung in den einzelnen Zeitabschnitten des Verfahrens vor: Änderungen sind grundsätzlich ausgeschlossen vor Erhalt des europäischen Recherchenberichts (R 86 (1)). Nach seiner Zustellung und vor Erhalt des ersten Prüfungsbescheids kann der Anmelder die europäische Patentanmeldung von sich aus, vorbehaltlich der inhaltlichen Zulässigkeit, frei ändern (R 86 (2)).

3   Nach Zugang des ersten Bescheids hat der Anmelder nur noch das Recht zur einmaligen freien Änderung; weitere Änderungen bedürfen der Zustimmung der Prüfungsabteilung (R 86 (3)). Bei der Ausübung ihres Ermessens hat die Prüfungsabteilung das Interesse des Anmelders an der Erteilung eines rechtsbeständigen Patents und das Interesse an einem raschen Abschluss des Prüfungsverfahrens gegeneinander abzuwägen.[2]

3 Aufforderung zur Erklärung über die Aufrechterhaltung (Abs 1)

4   Hat der Anmelder vor Zugang des Recherchenberichts einen (frühzeitigen) Prüfungsantrag gestellt (vgl Art 94 Rdn 35), d.h auch die Prüfungsgebühr bereits gezahlt (Art 94 (2) Satz 4; siehe Art 94, Rdn 23), so wird er nach Zugang

---

1   **T 685/98**, ABl 1999, 346, LS I und Nr 3.2.
2   Angedeutet in PrüfRichtl C-VI, 4.7; siehe näher Teschemacher, Der zeitliche Rahmen für Änderungen im Verfahren vor dem EPA, Festschrift für Beier, Heymanns 1996, S 195.

des Recherchenberichts vom EPA zur Erklärung aufgefordert, ob er die europäische Patentanmeldung aufrechterhält. Der Recherchenbericht gilt 10 Tage nach der Abgabe zur Post als zugestellt (R 78 (2)). Die Frist für die Erklärung der Aufrechterhaltung wird entsprechend der Prüfungsantragsfrist von der Eingangsstelle auf 6 Monate nach dem Hinweis auf die Veröffentlichung des Recherchenberichts festgesetzt. Im Fall der Säumnis mit der Rechtsfolge der Rücknahmefiktion der Anmeldung (Abs 3) ist der Weg zur Weiterbehandlung und Wiedereinsetzung eröffnet;[3] siehe auch Art 94 Rdn 35.

Der Anmelder kann das Verfahren im Rahmen von PACE beschleunigen, wenn er einen frühzeitigen Prüfungsantrag stellt, die Prüfungsgebühr zahlt und vorbehaltlos auf die Aufforderung des EPA zur Aufrechterhaltung verzichtet.[4] In diesem Fall gilt nach den Prüfungsrichtlinien die Erklärung der Aufrechterhaltung mit dem Zugang des Recherchenberichts als abgegeben, so dass gemäß R 44a (1) mit dem Recherchenbericht keine Stellungnahme zur Recherche ergeht.[5] Wenn der Anmelder dann aufgrund des Recherchenberichts die Anmeldung vor Beginn der Sachprüfung zurücknimmt, wird die Prüfungsgebühr allerdings nur zu 75% zurückerstattet (Art 10b b) GebO).

Zugleich mit dieser Aufforderung wird dem Anmelder anheim gestellt, zum Recherchenbericht Stellung zu nehmen und gegebenenfalls die Beschreibung, die Patentansprüche und die Zeichnungen zu ändern (R 51 (1) und R 86 (2)). Dieser Hinweis soll den Anmelder veranlassen, sich eingehend mit dem Inhalt des Recherchenberichts auseinanderzusetzen und zu überlegen, ob er aufgrund des ermittelten Standes der Technik seine Anmeldung in vollem Umfang oder eingeschränkt weiterverfolgen will. Gelegentlich gehen die Änderungen des Anmelders nach Übermittlung des ersten Bescheids ein, so dass der Prüfer seine Prüfarbeit teilweise wiederholen muss.[6] Um dies zu vermeiden, sollte der Anmelder dem Prüfer frühzeitig seine Änderungsabsicht mitteilen.

4 Aufforderung des Anmelders von Euro-PCT-Anmeldungen

Nach Art 157 (1) tritt der internationale Recherchenbericht und seine Veröffentlichung an die Stelle des europäischen Recherchenberichts und des Hinweises auf dessen Veröffentlichung im europäischen Patentblatt. Die Anmelder von Euro-PCT-Anmeldungen, die noch einen ergänzenden europäischen Recherchenbericht nach Art 157 (2) a) benötigen, bekommen grundsätzlich eine Aufforderung nach Art 96 (1).[7] Sie werden nicht aufgefordert, wenn sie zB im

---

3   PrüfRichtl C-VI, 1.1.1.
4   ABl 2001, 459, Nr 5.
5   PrüfRichtl C-VI, 1.1.2, auch mit Informationen zum Ablauf des beschleunigten Verfahrens.
6   PrüfRichtl C-VI, 3.11.
7   **J 8/83**, ABl 1985, 102, LS I, Nr 6 ff.

Artikel 96 — *Prüfung der Anmeldung*

PACE-Verfahren (siehe Rdn 5) darauf verzichtet haben. Einzelheiten siehe Art 158 Rdn 76–79

8 Auch dem Anmelder einer internationalen Anmeldung ist die Prüfungsgebühr zurückzuzahlen, wenn er auf die Aufforderung nach Art 96 (1) hin seine Anmeldung zurücknimmt oder verfallen lässt;[8] siehe Art 158 Rdn 77.

9 Im Falle der Recherche durch das schwedische, österreichische oder spanische Patentamt siehe Art 157 Rdn 73.

5 Rechtsfolge der nicht rechtzeitigen Aufrechterhaltung (Abs 3)

10 Kommt der Anmelder der Aufforderung nicht nach, so gilt die europäische Patentanmeldung nach Art 96 (3) als zurückgenommen. Dies wird dem Anmelder nach R 69 (1) mitgeteilt. Auf seinen Antrag, der innerhalb von zwei Monaten nach Zustellung der Mitteilung zu stellen ist, erhält er eine beschwerdefähige Entscheidung (R 69 (2)); Einzelheiten siehe Art 106 Rdn 7–14.

Ferner ist bei Fristversäumnis Weiterbehandlung (Art 121) und Wiedereinsetzung (Art 122) zulässig; siehe Art 94 Rdn 35.

6 Gegenstand der Prüfung

11 Nach Art 94 (1) ist zu prüfen, ob die europäische Patentanmeldung und die Erfindung, die sie zum Gegenstand hat, den Erfordernissen des Übereinkommens genügen. Dabei hat der Prüfer vorrangig die sachlichen Voraussetzungen für die Erteilung auf der Grundlage der im Recherchenbericht aufgeführten Unterlagen zu beurteilen. Ergeben sich noch Fragen zu den Formerfordernissen, so werden diese in der Regel den Formalsachbearbeitern vorgelegt (siehe Rdn 12). Die Prüfungsabteilung ist nicht an die Auffassungen der Eingangsstelle und der Recherchenabteilung gebunden. Sie kann zB die Einheitlichkeit der Erfindung nach Art 82 verneinen, auch wenn die Recherchenabteilung keinen entsprechenden Mangel nach R 46 (1) gerügt hat.[9]

7 Überprüfung von Formerfordernissen

12 Nach Übermittlung der Anmeldung an die Prüfungsabteilung ist diese Abteilung letztlich zuständig, wobei formale Fragen in der Regel von Fornalsachbearbeitern bearbeitet werden. Es ist nicht Aufgabe der Prüfungsabteilung, die von der Eingangsstelle bereits nach Art 91 durchgeführte Formalprüfung der Anmeldungsunterlagen systematisch zu überprüfen oder zu wiederholen.[10] Allerdings ist zu beachten, dass nur ein Teil der Formerfordernisse von der Eingangsstelle geprüft werden (vgl R 40), andere fallen ausschließlich in die Zuständigkeit der Prüfungsabteilung (etwa R 29).

---

8 **J 8/83**, ABl 1985, 102, LS II.
9 **T 178/84**, ABl 1989, 157.
10 PrüfRichtl C-VI, 2.1; auch Allgemeiner Teil 4.3.

8 Sachprüfung

Die Sachprüfung wird auf der Grundlage der im Recherchenbericht aufgeführten Unterlagen durchgeführt. Die Prüfungsabteilung führt selbst keine systematische Recherche durch. 13

Es kann eine zusätzliche Recherche erforderlich werden, wenn zB der Anmelder im Lauf des Prüfungsverfahrens die Ansprüche ändert.[11] Der Prüfer kann in Ausnahmefällen zusätzliches, ihm leicht zugängliches Material selbst recherchieren, zB was ihm aus früheren Verfahren bekannt ist.[12] 14

Der Prüfer führt jedoch eine abschließende Recherche nach kollidierenden europäischen Patentanmeldungen durch,[13] die nach Art 54 (3) für die Prüfung auf Neuheit zum Stand der Technik gehören. Solche entgegenstehenden älteren Anmeldungen und die daraus hergeleiteten Schlüsse sollen nach Möglichkeit dem Anmelder im ersten Prüfungsbescheid mitgeteilt werden. 15

Das Prüfungsverfahren ist vom Grundsatz der Amtsermittlung beherrscht; siehe im einzelnen Art 114. Einwendungen Dritter sind nach Art 115 zu beachten. 16

Bei der Prüfung von Euro-PCT-Anmeldungen bilden der internationale Recherchenbericht und der ergänzende europäische Recherchenbericht nach Art 157 (2) die Grundlage für die Prüfung (siehe Art 157). 17

Für die Sachprüfung nach Abs 2 werden zuerst der beauftragte Prüfer und dann die Prüfungsabteilung insgesamt tätig. 18

9 Aufgaben und Möglichkeiten des beauftragten Prüfers

Nach Art 18 (2) Satz 2 wird grundsätzlich ein Prüfer der Prüfungsabteilung als Einzelprüfer mit der ersten Bearbeitung der Anmeldung beauftragt. Er führt dann den ersten Meinungsaustausch mit dem Anmelder durch und soll mit möglichst wenig Bescheiden klären, ob ein europäisches Patent erteilt werden kann oder nicht. Alle Gründe für Beanstandungen sind nach Möglichkeit zusammenzufassen (R 51 (3)).[14] Änderungen der Ansprüche können natürlich die Bearbeitungszeit beträchtlich verlängern. Der beauftragte Prüfer kann auftauchende Fragen jederzeit mit den übrigen Mitgliedern der Abteilung erörtern.[15] Als leitender Grundsatz ist in Abs 2 festgehalten, dass der Anmelder zu allen festgestellten Mängeln Gelegenheit zur Stellungnahme erhält; siehe Art 113 (1). 19

Rücksprachen mit dem beauftragten Prüfer sind zwar im Übereinkommen nicht vorgesehen, aber auch nicht ausgeschlossen. Sie dürfen nicht verwechselt 20

---

11 PrüfRichtl C-VI, 8.5.
12 PrüfRichtl C-VI, 8.7.
13 PrüfRichtl C-VI, 8.4.
14 PrüfRichtl C-VI, 3.3.
15 PrüfRichtl C-VI, 1.3 und 7.1.

Artikel 96 *Prüfung der Anmeldung*

werden mit den mündlichen Verhandlungen nach Art 116, die stets vor der gesamten Prüfungsabteilung stattfinden müssen (Art 18 (2) Satz 3). In den PrüfRichtl wird den Prüfern empfohlen,[16] statt eines weiteren Prüfungsbescheids eine persönliche oder telefonische Rücksprache vorzuschlagen, wenn dies nach den Umständen angebracht ist, zB bei Missverständnissen des Anmelders über die Ausführungen des Prüfers, oder auch wenn der Prüfer die Argumente des Anmelders nicht versteht. Die PrüfRichtl verlangen schriftliche Vermerke über formlose Rücksprachen.[17]

21 Ein Anspruch auf eine Rücksprache besteht nicht. Dies wird in **T 19/87** ausdrücklich bestätigt.[18] Allerdings wurde die nachfolgende schriftliche Erklärung der Anmelderin als Antrag auf mündliche Verhandlung angesehen: »Sollte der Prüfer mit dem Vorbringen nicht einverstanden sein, so beantrage ich vor Zurückweisung der Anmeldung nochmals eine Rücksprache zur Vorbereitung der mündlichen Verhandlung«. Unter Bezugnahme auf diese Entscheidung wird in **T 409/87** wiederholt,[19] dass kein Anspruch auf eine Rücksprache besteht und dass die Nichtgewährung einer Rücksprache nicht mit der Beschwerde angegriffen werden kann.

22 Wenn eine Rücksprache unzweckmäßig erscheint, verweist der Prüfer den Anmelder gewöhnlich auf eine schriftliche Stellungnahme oder auf die Möglichkeit der mündlichen Verhandlung. Der Einzelprüfer soll möglichst bald der Prüfungsabteilung eine schriftliche Empfehlung über die zu treffende Entscheidung vorlegen. Diese Empfehlung ist nicht der Akteneinsicht zugänglich (Art 128 (4), R 93 b)).

10 Aufgaben der Prüfungsabteilung als Gremium

23 Ist das Verfahren so weit fortgeschritten, dass sich eine Entscheidung abzeichnet, oder hat es einen toten Punkt erreicht, so legt der beauftragte Prüfer den Fall den anderen Mitgliedern der Prüfungsabteilung förmlich vor.[20] Dies geschieht auch, wenn eine mündliche Verhandlung durchgeführt werden soll, weil sie vom Anmelder beantragt ist oder vom Einzelprüfer für sachdienlich gehalten wird (Art 18 (2), Art 116 (1)).

24 Der Anmelder hat einen Anspruch auf mindestens eine mündliche Verhandlung. Ohne Antrag findet sie von Amts wegen statt, wenn die Abteilung sie für sachdienlich hält (Art 116 (1); Einzelheiten siehe Kommentierung zu Art 116). Darüber entscheidet die gesamte Abteilung. Die mündliche Verhandlung findet immer vor der ganzen Abteilung statt (Art 18 (2) Satz 3).

---

16 PrüfRichtl C-VI, 6.2.
17 PrüfRichtl C-VI, 6.2.
18 **T 19/87**, ABl 1988, 268, Nr 3.
19 **T 409/87** vom 3.5.1988.
20 PrüfRichtl C-VI, 7.1.

Die Prüfungsabteilung ergänzt sich durch einen rechtskundigen Prüfer, falls 25
sie dies nach Art der Entscheidung für erforderlich hält (Art 18 (2) Satz 4), zB
bei rechtlich schwieriger Fragestellung, bei einer Beweisaufnahme oder bei
mündlicher Verhandlung; die Abteilung kann sich auch durch ein Mitglied der
Direktion Patentrecht beraten lassen.[21] Bei Erweiterung der Prüfungsabteilung
auf vier Mitglieder gibt bei Stimmengleichheit die Stimme des Vorsitzenden den
Ausschlag (Art 18 (2) Satz 5).

Für das weitere Verfahren der Prüfungsabteilung siehe Art 97.

11 Prüfungsbescheide; Hilfsanträge; Teilverzicht

Die Bescheide der Prüfungsabteilung enthalten im allgemeinen die Einwände 26
zur Anmeldung. Sie können Form- und Sachfragen betreffen; in dem Bescheid
wird zur Beseitigung der Mängel aufgefordert (R 51 (2)). Die Bescheide sind zu
begründen (R 51 (3)). Eine Entscheidung soll in möglichst wenigen Arbeits-
gängen zustande kommen.[22]

a) Der erste Prüfungsbescheid enthält im allgemeinen alle Einwände zur An- 27
meldung. Zu jedem Einwand ist anzugeben, welcher Teil der Anmeldung mangelhaft ist. Dabei wird auf die Artikel und Regeln der Konvention Bezug genommen oder der Mangel auf andere Weise begründet. Der Anmelder wird unter Fristsetzung zur Stellungnahme und Mängelbeseitigung aufgefordert.[23]

Über die Frage der Einheitlichkeit der Erfindung ist so früh wie möglich zu 28
entscheiden.[24]

In Fällen ganz allgemein mangelhafter Anmeldungen, in denen der Prüfer
noch keine detaillierte Prüfung durchführen kann, ist ein angemessener anderer
Weg einzuschlagen

b) In den **weiteren Prüfungsphasen** wird die Anmeldung auf Grund der Er- 29
widerung des Anmelders erneut geprüft.[25] **Nach** der Erwiderung auf den ersten Bescheid kann der Anmelder **Änderungen** vorschlagen, die der Zustimmung der Prüfungsabteilung bedürfen (R 86 (3)).[26]

Der Fortgang des Verfahrens kann sich unterschiedlich gestalten. Sieht der 30
Prüfer erhebliche Schwierigkeiten für die Erteilung eines Patents, so wird er
den Anmelder, etwa durch einen kurzen weiteren Bescheid, warnend darauf
hinweisen. Besteht gute Aussicht auf Erteilung, so wird er versuchen, noch bestehende Einwände durch Rücksprache mit dem Anmelder oder auf der

---

21 PrüfRichtl C-VI, 7.8.
22 PrüfRichtl C-VI, 2.4.
23 PrüfRichtl C-VI, 3.3–3.6.
24 PrüfRichtl C-VI, 3.2a.
25 Siehe hierzu PrüfRichtl C-VI, 4.1–4.11.
26 Zur Prüfung der Änderungen siehe PrüfRichtl C-VI, besonders 4.6 ff.

Artikel 96 *Prüfung der Anmeldung*

Grundlage eines weiteren Bescheids auszuräumen. Zum weiteren Vorgehen nach der erneuten Prüfung siehe PrüfRichtl C-VI, 4.3 ff.

31 c) Ob zu einer **weiteren Stellungnahme** aufgefordert wird, liegt im **Ermessen** der Prüfungsabteilung. Das Ermessen ist unter Beachtung des Anspruchs auf rechtliches Gehör nach Art 113 (1) auszuüben.[27] Das rechtliche Gehör soll sicherstellen, dass dem Anmelder vor Erlass einer zurückweisenden Entscheidung unmissverständlich mitgeteilt wird, auf welche wesentlichen rechtlichen und faktischen Gründe sich die Feststellung stützt, dass ein Erfordernis des EPÜ nicht erfüllt ist.[28]

32 Es bleibt im Grundsatz Aufgabe des Anmelders, in Erwiderung auf einen Prüfungsbescheid den erhobenen Einwänden durch Änderungen Rechnung zu tragen, besonders im Wege von Hilfsanträgen (siehe Rdn 34). Will der Anmelder eine Zurückweisung ohne mündliche Verhandlung vermeiden, so sollte er bereits in seiner ersten Erwiderung eine mündliche Verhandlung beantragen.[29]

33 d) Die **Prüfungsbescheide** sollen klar abgefasst sein. Es soll eindeutig ausgeführt sein, welcher Mangel vom Anmelder zu beseitigen ist; zB sind bei mangelnder Einheitlichkeit die uneinheitlichen Teile genau zu bezeichnen, die dann zu streichen sind und in einer oder mehreren Teilanmeldungen weiterverfolgt werden können.[30] Der Bescheid schließt mit der Aufforderung, eine Stellungnahme innerhalb einer Frist einzureichen, die der Prüfer nach R 84 Satz 1 zwischen zwei und vier Monaten nach den Umständen des Einzelfalls festsetzt. Bei materiellen Mängeln wird regelmäßig eine Frist von vier Monaten gesetzt. Bei Vorliegen besonderer Umstände kann der Prüfer eine Frist bis zu sechs Monaten gewähren (R 84 Satz 1, letzter Halbsatz).[31]

34 e) **Hilfsanträge** sind für den Anmelder ein wichtiges Instrument, auf Beanstandungen der Prüfungsabteilung zu reagieren. Ein Hilfsantrag ist ein Antrag, der für den Fall gestellt wird, dass dem Hauptantrag oder einem im Rang vorgehenden Hilfsantrag nicht stattgegeben wird. Die Prüfungsabteilung ist an die Anträge in ihrer Rangfolge gebunden. Vor der Entscheidung über einen Hilfsantrag muss sie den Hauptantrag und alle im Rang vorgehenden Hilfsanträge prüfen und darüber entscheiden.

Der Anmelder kann auf diesem Wege seinen beanstandeten Hauptantrag beibehalten und trotzdem auf die Beanstandungen der Prüfungsabteilung reagieren; dadurch behält er das Recht, nach Zurückweisung der Anmeldung die Zurückweisung jedes einzelnen Antrags im Beschwerdeverfahren überprüfen zu

---

[27] ZB **T 84/82**, ABl 1983, 451; **T 161/82**, ABl 1984, 551; **T 162/82**, ABl 1987, 533, Leitsatz 3; **T 243/89** vom 2.7.1991; **T 79/91** vom 21.2.1992.
[28] So **T 951/92**, ABl 1996, 53, LS II und Nr 3.iv ff unter Heranziehung von Art 96 (2), R 51 (3) und Art 113 (1); siehe bereits **J 13/84**, ABl 1985, 34.
[29] **T 300/89**, ABl 1991, 480.
[30] PrüfRichtl C-III, 7.10.
[31] PrüfRichtl C-VI, 11 und E-VIII, 1.2.

lassen. Voraussetzung ist, dass der Anmelder an seinem Anspruchssatz festhält, mit dem die Prüfungsabteilung nicht einverstanden ist, dh dass er der Erteilung in der mitgeteilten Fassung nicht zustimmt; siehe näher Art 97 Rdn 12–15.[32]

f) Ein weiteres Mittel, auf Einwände der Prüfungsabteilung zu reagieren, ist die **Streichung** eines Gegenstands aus der Anmeldung, insbesondere einiger Ansprüche oder bestimmter Merkmale; in der Praxis wird hier auch vom Teilverzicht gesprochen. Nach der Grundsatzentscheidung **T 123/85** ist der Anmelder im Einspruchsverfahren nicht an einen solchen Teilverzicht gebunden und kann jederzeit sein Patent in der erteilten Fassung wieder verteidigen,[33] sofern darin nicht ein verfahrensrechtlicher Missbrauch liegt. Dieser in der genannten Entscheidung und in Folgeentscheidungen insbesondere für das Einspruchsverfahren entwickelte Grundsatz gilt im Prinzip auch für das Prüfungsverfahren.[34] Der Anmelder muss allerdings vermeiden, einen uneingeschränkten und vorbehaltlosen Verzicht zu erklären, der diesen Weg versperrt.[35] 35

Im Verfahren vor der Prüfungsabteilung werden im allgemeinen nur schriftliche Beweismittel vorgelegt. Dem Anmelder ist es aber unbenommen, alle relevanten Beweise beizubringen oder anzubieten.[36] 36

Schließlich ist auch zu beachten, dass in verfahrensrechtlichen Angelegenheiten zwischen dem EPA und dem Anmelder der Vertrauensgrundsatz herrscht; siehe Art 125 Rdn 24–42. 37

12 Mangelnde rechtzeitige Stellungnahme (Abs 3)

Geht auf einen Prüfungsbescheid die Antwort (mit einer Stellungnahme) nicht rechtzeitig ein, so gilt die europäische Patentanmeldung als zurückgenommen. Weiterbehandlung nach Art 121 ist möglich. Mit der Stellungnahme wird das rechtliche Gehör ausgeübt (Art 113 (1)).[37] 38

Für die Frage, ob die Antwort des Anmelders eine Stellungnahme ist, kommt es auf den sachlichen Gehalt der Antwort und damit auf den objektiven Inhalt des Schreibens an, das aber nicht isoliert, sondern im Zusammenhang mit den vorausgegangenen Bescheiden des EPA und den Schreiben des Anmelders auszulegen ist.[38] Auch wenn der Anmelder sein Schreiben nicht als förmliche Er- 39

---

32 Rechtsauskunft 15/05 (rev. 2), ABl 2005, 357; **T 1105/96**, ABl 1998, 249, Nr 1; Entscheidungen zur geänderten R 51 siehe Art 97 Rdn 6–8.
33 **T 123/85**, ABl 1989, 336, Nr 3.1.
34 Vgl **T 910/92** vom 17.5.1995, Nr 2–4.
35 Vgl **J 24/82, J 25/82, J 26/82**, ABl 1984, 467; **J 11/87**, ABl 1988, 367, Nr 3; siehe auch die Warnung in den PrüfRichtl C-VI, 4.7 am Ende; zur Teilanmeldung bei Streichung und Verzicht von Gegenständen aus der Stammanmeldung siehe PrüfRichtl C-VI, 9.1.3 und Art 76 Rdn 17 und 18.
36 PrüfRichtl C-VI, 14.
37 Siehe auch **T 685/98**; ABl 1999, 346, Nr 3.2.
38 **J 24/82**, ABl 1984, 467.

widerung auf den Bescheid versteht, ändert das nichts am sachlichen Inhalt seiner Antwort. Geht er dabei auf wesentliche Punkte des Bescheids ein, so ist die Antwort eine Stellungnahme zum Prüfungsbescheid.[39] Damit ist eine Sachentscheidung nach Aktenlage zulässig und möglich, und die Fiktion der Zurücknahme entfällt.

40 Auf keinen Fall darf dem Anmelder aber die Möglichkeit genommen werden, innerhalb der ihm gesetzten Frist eine Stellungnahme abzugeben und so sein Recht auf rechtliches Gehör auszuüben.[40] Enthält das Antwortschreiben eines Anmelders nach einem ersten Bescheid nach R 51 (2) nur einen prozessualen Antrag ohne jegliche materielle Auswirkung, so ist die Prüfungsabteilung nicht zur Zurückweisung der Anmeldung befugt (LS III der Entscheidung).

41 Benötigt der Anmelder für die vom Prüfer verlangte Stellungnahme eine längere Frist, so muss er die Verlängerung vor Ablauf der gesetzten Frist beantragen. Sind keine Gründe angegeben, so kann der Formalsachbearbeiter die Frist auf insgesamt höchstens 6 Monate verlängern. Bei Vorliegen besonderer Umstände kann die Frist weiter verlängert werden, gegebenenfalls nach Rücksprache mit dem Sachprüfer (R 84 Satz 2).[41] Wird das rechtzeitige Fristgesuch abgelehnt (R 84 Satz 2), so muss er gegenüber dem mit Fristablauf eingetretenen Rechtsverlust die Weiterbehandlung (Art 121) beantragen und kann im Rahmen der Endentscheidung die Erstattung der Weiterbehandlungsgebühr beantragen, wenn er die Ablehnung der Fristverlängerung für ungerechtfertigt hält; zum Verfahren siehe Art 106 Rdn 29, Art 121 Rdn 19 und 31.[42]

Artikel 97 Zurückweisung oder Erteilung

(1) Ist die Prüfungsabteilung der Auffassung, dass die europäische Patentanmeldung oder die Erfindung, die sie zum Gegenstand hat, den Erfordernissen dieses Übereinkommens nicht genügt, so weist sie die europäische Patentanmeldung zurück, sofern in diesem Übereinkommen nicht eine andere Rechtsfolge vorgeschrieben ist.

(2) Ist die Prüfungsabteilung der Auffassung, dass die europäische Patentanmeldung und die Erfindung, die sie zum Gegenstand hat, den Erfordernissen dieses Übereinkommens genügen, so beschließt sie die Erteilung des europäischen Patents für die benannten Vertragsstaaten, vorausgesetzt, dass

---

39 **T 160/92**, ABl 1995, 35, LS III.
40 **T 685/98**, ABl 1999, 346, LS IV und Nr 4.8.
41 PrüfRichtl C-VI, 11 und E-VIII, 1.6.
42 **J 37/89**, ABl 1993, 201.

a) gemäß der Ausführungsordnung feststeht, dass der Anmelder mit der Fassung, in der die Prüfungsabteilung das europäische Patent zu erteilen beabsichtigt, einverstanden ist,
b) die Erteilungsgebühr und die Druckkostengebühr innerhalb der in der Ausführungsordnung vorgeschriebenen Frist entrichtet und
c) die bereits fälligen Jahresgebühren und Zuschlagsgebühren entrichtet worden sind.

(3) Werden die Erteilungsgebühr und die Druckkostengebühr nicht rechtzeitig entrichtet, so gilt die europäische Patentanmeldung als zurückgenommen.

(4) Die Entscheidung über die Erteilung des europäischen Patents wird erst an dem Tag wirksam, an dem im Europäischen Patentblatt auf die Erteilung hingewiesen worden ist. Dieser Hinweis wird frühestens zwei Monate nach Beginn der in Absatz 2 Buchstabe b genannten Frist bekannt gemacht.

(5) In der Ausführungsordnung kann vorgesehen werden, dass der Anmelder eine Übersetzung der Fassung der Patentansprüche, in der die Prüfungsabteilung das europäische Patent zu erteilen beabsichtigt, in den beiden Amtssprachen des Europäischen Patentamts einzureichen hat, die nicht die Verfahrenssprache sind. In diesem Fall beträgt die in Absatz 4 vorgesehene Frist mindestens drei Monate. Wird die Übersetzung nicht rechtzeitig eingereicht, so gilt die europäische Patentanmeldung als zurückgenommen.

(6) Auf Antrag des Anmelders wird der Hinweis auf die Erteilung des europäischen Patents vor Ablauf der Frist nach Absatz 4 oder 5 bekannt gemacht. Der Antrag kann erst gestellt werden, wenn die Erfordernisse nach den Absätzen 2 und 5 erfüllt sind.

Margarete Singer/Dieter Stauder

Übersicht

1	Allgemeines	1
2	Zurückweisung der Anmeldung durch Entscheidung (Abs 1)	2-5
3	Zum Verfahren nach R 51	6-8
4	Änderungen oder Berichtigungen	9-11
5	Haupt- und Hilfsantrag	12-15
6	Erteilungs- und Druckkostengebühr (Abs 2 b), R 51 (4) und (5))	16
7	Übersetzung der Patentansprüche (Abs 5, R 51 (4)–(6))	17-18
8	Weiterer Inhalt der Mitteilung nach R 51 (4)	19
9	Gebühr für weitere Ansprüche (R 51 (7))	20-22

Artikel 97   *Zurückweisung oder Erteilung*

10	Entrichtung der Jahresgebühren (Abs 2 c), R 51 (9)) und der Benennungsgebühren (R 51 (8a)) . . .	23-25
11	Ausnahmsweise Wiederaufnahme des Prüfungsverfahrens	26
12	Erteilung des europäischen Patents an verschiedene Anmelder für verschiedene Staaten (R 52) . . .	27
13	Entscheidung über die Erteilung	28
14	Wirksamwerden der Erteilung – Anhängigkeit der Patentanmeldung.	29-35

1 Allgemeines

1   Dieser Artikel regelt zusammen mit R 51 (4) ff das Verfahren, das die Sachprüfung mit der Erteilung des Patents oder der Zurückweisung der Anmeldung abschließt. Weitere Einzelheiten enthalten ua R 52 (Erteilung des europäischen Patents an verschiedene Anmelder), R 68 (Form der Entscheidung) und R 89 (Berichtigung von Fehlern in Entscheidungen).

Nach der Neufassung und der Intention von R 51 (4) kann der Anmelder von sich aus die Abschlussphase der Patenterteilung beschleunigen, wenn er alle erforderlichen Handlungen unverzüglich vornimmt.[1]

Die PrüfRichtl behandeln die abschließende Prüfungsphase unter C-VI, 15.

EPÜ 2000

Neufassung mit Verlagerung der Formerfordernisse in die AO.

2 Zurückweisung der Anmeldung durch Entscheidung (Abs 1)

2   Eine europäische Patentanmeldung, die den förmlichen und sachlichen Erfordernissen des EPÜ einschließlich der AO nicht genügt, wird in ihrer Gesamtheit zurückgewiesen, ohne dass die Frage erörtert werden muss, ob die Anmeldung möglicherweise Sachverhalte aufweist, die sich als erfinderisch erweisen können.[2]

3   Eine Zurückweisung erfolgt nicht, wenn die Anmeldung als zurückgenommen gilt; siehe zB Art 96 (3) (nicht rechtzeitige Antwort), Art 86 (3) (Nichtzahlung der Jahresgebühr, Art 97 (3) (Nichtzahlung der Erteilungs- oder Druckkostengebühr).

4   Die Zurückweisungsentscheidungen der Prüfungsabteilung sind nach R 68 (2) Satz 1 zu begründen. Fehlt die Begründung, so liegt ein schwerer Verfahrensmangel vor, der die Rückzahlung der Beschwerdegebühr rechtfertigt.[3] In **T 647/93** befand die Beschwerdekammer, dass kein Verfahrensmangel gegeben

---

1   Siehe auch Beschluss des Präsidenten vom 1.10.2001 »PACE«, ABl 2001, 459, 462 Nr 7 zum alten Rechtszustand.
2   **T 5/81**, ABl 1982, 249; weitere unveröffentlichte Entscheidungen siehe Rspr BK VII-B, 3.9.
3   **J 27/86** vom 13.10.1987.

war, obwohl die Begründung der Prüfungsabteilung zu wünschen übrig ließ – die Zurückweisungsgründe waren etwas »undurchsichtig«.[4]

Die Entscheidung über die Zurückweisung wird gegenüber dem Anmelder mit Zustellung wirksam.[5]

Wird die Anmeldung zurückgewiesen, weil der Anmelder die vom Formalsachbearbeiter beanstandeten Formmängel nicht beseitigt hat, so wird auch die Entscheidung vom Formalsachbearbeiter erlassen.[6]

3 Zum Verfahren nach R 51

Die frühere Fassung von R 51 (4)–(6) von 1987 enthielt nach ihrem Verständnis folgende Verbesserungen: Die Zustimmungserklärung wurde von der Einreichung der Übersetzungen und der Gebührenzahlung getrennt (Abs 4 und Abs 6) und die Einholung der Einverständniserklärung (Abs 4) als ein gesondertes Verfahren geregelt.

Die Neufassung der Regel 51 (4) hebt diese Trennung nunmehr wieder auf.[7] Sie sieht nicht mehr vor, dass die Prüfungsabteilung den Anmelder auffordert, sein Einverständnis mit der mitgeteilten Fassung zu erklären. Als Einverständnis gilt – konkludent – die Entrichtung der Erteilungs- und Druckkostengebühr sowie die Einreichung einer Übersetzung der Patentansprüche in den beiden Amtssprachen des EPA, die nicht die Verfahrenssprache sind. R 51 (4)–(6) regeln das neue Verfahren. Die übrigen Bestimmungen in R 51 sind im Interesse der Kohärenz redaktionell überarbeitet.[8]

R 51 (4) bis (6) sieht folgendes Vorgehen im Regelfall vor:

Hält die Prüfungsabteilung die Voraussetzungen für die Erteilung des europäischen Patents für gegeben, so teilt sie dem Anmelder mit, in welcher Fassung sie das Patent zu erteilen beabsichtigt. Dabei hält sie sich an die Anträge des Anmelders und schlägt nur solche, meist redaktionelle Änderungen vor, von denen sie vernünftigerweise annehmen kann, dass der Anmelder ihnen zustimmt.[9] Der Anmelder erhält den vollständigen Text der für die Erteilung vorgesehenen Fassung. Gleichzeitig fordert die Prüfungsabteilung ihn auf innerhalb einer von ihr bestimmten Frist von 2 bis 4 Monaten, in der Praxis regelmäßig 4 Monate, die Erteilungs- und Druckkostengebühr zu entrichten sowie die Übersetzung der Patentansprüche einzureichen. Die vom Amt gesetzte Frist ist

---

4 **T 647/93**, ABl 1995, 132 Nr 4.2; weitere Entscheidungen in Rspr BK VI-L, 6.3.
5 Zur aufschiebenden Wirkung der Beschwerde siehe **J 28/03**, ABl 2005, 597.
6 Mitteilung des EPA, ABl 1984, 317, Nr 6; unverändert übernommen in die Mitteilung des EPA, ABl 1989, 178 und weiter in die Mitteilung vom 24.4.1999, ABl 1999, 503.
7 In der Fassung vom 1.7.2002, ABl 2001, 488.
8 Mitteilung des EPA vom 9.1.2002 über die Änderung der Regeln 25 (1), 29 (2) und 51, ABl 2002, 112, 114 f.
9 PrüfRichtl C-VI, 15.1.

nach der Neufassung nicht mehr verlängerbar. Mit den genannten Handlungen erklärt der Anmelder konkludent sein Einverständnis mit der für die Erteilung vorgesehenen Fassung.

4 Änderungen oder Berichtigungen

9   Die Mitteilung nach R 51 (4) soll ihrer Intention nach den Abschluss des Prüfungsverfahrens bilden und dem Anmelder grundsätzlich nicht die Möglichkeit eröffnen, die Ergebnisse des bisherigen Verfahrens wieder in Frage zu stellen. Deshalb werden in der Regel nur Änderungen , die die Vorbereitung für die Patenterteilung nur unerheblich verzögern, zugelassen.[10] Wenn der Anmelder als Reaktion auf die Mitteilung innerhalb der gesetzten Frist die Patentansprüche ändert, hat er seinem Antrag eine Übersetzung der geänderten Patentansprüche beizufügen(R 51 (5)).

Ist der Mitteilung nach R 51 (4) kein Bescheid nach Art 96 (2) vorausgegangen, so ist sie der **erste Bescheid** im Sinne von R 86 (3) mit der Folge, dass der Anmelder Beschreibung, Ansprüche und Zeichnungen von sich aus ändern kann. Er hat die Erteilungs- und Druckkostengebühr zu entrichten und die Übersetzung, gegebenenfalls der geänderten Ansprüche, einzureichen.

10 Mit fristgerechter Entrichtung der Gebühren und Einreichung der Übersetzungen der geänderten oder berichtigten Fassung gilt das Einverständnis als erteilt.

Lässt die Prüfungsabteilung die Änderungen oder Berichtigungen zu und hält sie sie ohne einen weiteren Bescheid nach Art 96 (2) für gewährbar, so beschließt sie ohne weitere Mitteilung die Erteilung des Patents nach Art 97 (2).

11 Lässt die Prüfungsabteilung die vorgeschlagenen Änderungen oder Berichtigungen nicht zu, so teilt sie dies dem Anmelder nach R 51 (6) unter Angabe der Gründe mit; gleichzeitig gibt sie ihm Gelegenheit, innerhalb einer bestimmten Frist Stellung zu nehmen und die nach ihrer Ansicht nötigen Änderungen einzureichen. Sind Patentansprüche geändert, ist eine entsprechende Übersetzung einzureichen. Mit Erfüllung dieser Forderungen, d.h. der Zahlung der Gebühren und Einreichung der Übersetzung, gilt das Einverständnis mit der geänderten Fassung als erteilt.

Nach den Prüfungsrichtlinien C-VI, 15.4 (im letzten Absatz des Textes) sollte das Verfahren nach R 51 (6) jedoch im Normalfall nicht angewendet werden, wenn die Mitteilung nach R 51 (4) der **erste Bescheid** der Prüfungsabteilung war. In diesem Fall wäre das normale Verfahren bei der Einreichung nicht gewährbar erachteter Änderungen die Wiederaufnahme des Prüfungsverfahrens.

---

10   PrüfRichtl C-VI, 15.4.

5 Haupt- und Hilfsantrag

Besondere Probleme entstehen, wenn der Anmelder im Prüfungsverfahren mit der Stellung von Hilfsanträgen erwidert. Die Prüfungsabteilung prüft zunächst den als Hauptantrag eingereichten Anspruchssatz, dann den hilfsweise eingereichten Anspruchssatz bzw. die Anspruchssätze in der vom Anmelder angegebenen Reihenfolge. Hält die Prüfungsabteilung einen Hilfsantrag für gewährbar, so teilt sie dies dem Anmelder in der Regel im Rahmen eines Bescheids mit und begründet, weshalb der Hauptantrag und weitere vorrangige Hilfsanträge nicht akzeptiert werden können. Hat der Anmelder eine gewährbare Fassung als Hilfsantrag eingereicht, so kann die Prüfungsabteilung auch unmittelbar die Mitteilung nach Regel 51 (4) EPÜ über den als gewährbar erachteten Anspruchssatz erlassen; in dieser wird auf die Gründe der Nichtgewährbarkeit der rangmäßig vorangehenden Anträge hingewiesen. Möchte der Anmelder dieser Fassung nicht zustimmen, sondern vielmehr auf seinem Hauptantrag bestehen, stellt sich die Frage, wie sich das Nichteinverständnis mit der mitgeteilten Fassung auswirkt. 12

Bei wörtlicher Anwendung von R 51 (4) würde er die Gebühren nicht zahlen und die Übersetzung nicht einreichen mit der Folge, dass seine Anmeldung als zurückgenommen gilt. Dies wird jedoch der Tatsache nicht gerecht, dass dem Anmelder die Möglichkeit gegeben werden muss, eine formelle Zurückweisungsentscheidung zu erlangen, gegen die er Beschwerde einlegen kann. Zur Klärung dieser Frage ist die Rechtsauskunft Nr 15/05 (rev. 2) ergangen,[11] die auf den Entscheidungen T 1181/04 und T 1255/04 basiert.[12]

Die Rechtsauskunft legt für den geschilderten Fall fest, dass die Anmeldung gemäß Art 97 (1) zurückzuweisen ist, da die vom Anmelder vorrangig beantragte Fassung nicht gewährbar ist, einer Erteilung gemäß dem erteilbaren Hilfsantrag vom Anmelder jedoch nicht zugestimmt wird (Art 113 (2)). Die Zurückweisungsentscheidung hat die Gründe für die Nichtgewährbarkeit des Hauptantrags und der gegebenenfalls rangmäßig vorangegangenen Hilfsanträge anzuführen. In diesem Fall sind keine Übersetzungen einzureichen und keine Gebühren zu entrichten.[13] 13

Im folgenden werden die verschiedenen Konstellationen in Anlehnung an die Rechtsauskunft kurz angesprochen, für Einzelheiten muss die Rechtsauskunft zu Rate gezogen werden.

1. Der Anmelder hat eine gewährbare Fassung als Hilfsantrag eingereicht, und die Prüfungsabteilung hat die Mitteilung nach R 51 (4) über den als gewährbar erachteten Anspruchssatz erlassen. 14

a) Der Anmelder stimmt vorbehaltlos zu, das Verfahren folgt R 51(4).

---

11 Rechtsauskunft Nr 15/05 (rev. 2), ABl 2005, 357.
12 **T 1181/04**, ABl 2005, 312; **T 1255/04**, ABl 2005, 424.
13 Rechtsauskunft Nr 15/05 (rev. 2), ABl 2005, 357, Nr 1.1.5 b.

Artikel 97 *Zurückweisung oder Erteilung*

b) Der Anmelder stimmt nicht zu und besteht auf einem oder mehreren der rangmäßig vorangehenden Anträge. Die Prüfungsabteilung folgt dem nicht und weist die Anmeldung mit der erforderlichen Begründung zurück.

c) Die Prüfungsabteilung folgt den Argumenten des Anmelders in seiner Erwiderung auf die Mitteilung nach R 51 (4). Sie erlässt eine zweite Mitteilung nach dieser Regel.

d) Der Anmelder reicht Änderungen ein. Nach R 51 (5) muss er die Übersetzungen einreichen und die Gebühren entrichten. Stimmt die Prüfungsabteilung diesen Änderungen nicht zu, teilt sie ihre Auffassung dem Anmelder nach R 51 (6) mit. Sie gibt ihm Gelegenheit zur Stellungnahme und zu Änderungen, die sie für erforderlich hält; im Falle geänderter Patentansprüche sind die Übersetzungen einzureichen.

Ändert der Anmelder daraufhin seinen Antrag nicht in der Weise, dass er sich auf eine von der Prüfungsabteilung für gewährbar erachtete Fassung festlegt, wird die Anmeldung nach Art 97 (1) zurückgewiesen. Die Gebühren werden zurückerstattet.

15   2. Der Anmelder hat ein Interesse an einer sofortigen Entscheidung. Auf seinen Antrag erlässt die Prüfungsabteilung unter Beachtung des rechtlichen Gehörs die Zurückweisungsentscheidung mit den Gründen, warum die Fassungen der rangmäßig vorangehenden Anträge nicht patentierbar sind.

a) Stellt der Anmelder mit der Beschwerde den Antrag, das Patent in der von der Prüfungsabteilung als patentierbar angesehenen Fassung zu erteilen, liegen die Voraussetzungen für die Abhilfe nach Art 109 vor. In diesem Falle fordert die Prüfungsabteilung den Anmelder für gewöhnlich auf, die Erfordernisse der R 51 (4) zu erfüllen. Keine Rückzahlung der Beschwerdegebühr nach R 67.

b) Liegen die Voraussetzungen für die Abhilfe nicht vor, wird die Akte ohne sachliche Stellungnahme der Beschwerdekammer vorgelegt; diese ist an die positive Bewertung der Patentierbarkeit einer hilfsweise beantragten Fassung durch die Prüfungsabteilung nicht gebunden.

6 Erteilungs- und Druckkostengebühr (Abs 2 b), R 51 (4) und (5))

16   Die Erteilungs- und die Druckkostengebühr (Art 2 Nr 8 GebO) sind innerhalb der mit der Mitteilung nach 51 (4) oder (5) bestimmten Frist zu entrichten. Wird die europäische Patentanmeldung zurückgewiesen oder zurückgenommen oder gilt sie als zurückgenommen, so werden die Gebühren zurückerstattet (R 51 (6) Satz 3), ebenso die nach R 51 (7) entrichteten Anspruchsgebühren.

7 Übersetzung der Patentansprüche (Abs 5, R 51 (4)–(6))

17   Übersetzungen der Patentansprüche in den beiden anderen Amtssprachen des EPA müssen ebenfalls innerhalb der gesetzten Frist eingereicht werden. Die

inhaltliche Richtigkeit der vom Anmelder eingereichten Übersetzung wird vom Amt nicht geprüft.[14]

Enthält die europäische Patentanmeldung unterschiedliche Patentansprüche für verschiedene Vertragsstaaten, so ist die Übersetzung für alle Sätze der Patentansprüche einzureichen.[15]

Werden Erteilungs-, Druckkosten- oder Anspruchgebühren nicht rechtzeitig entrichtet oder wird die Übersetzung nicht rechtzeitig eingereicht, so gilt die europäische Patentanmeldung als zurückgenommen (R 51 (8)); für den Fall der Nichteinverständniserklärung mit der mitgeteilten Fassung gilt R 51 (8) eingeschränkt, siehe Rdn 12–13.[16]

8 Weiterer Inhalt der Mitteilung nach R 51 (4)

Der Anmelder wird über eine schon fällig gewordene oder demnächst fällige **Jahresgebühr** (Jahresgebührenlücke) unterrichtet (R 51 (9)).[17] Außerdem wird ihm mitgeteilt, welche benannten Vertragsstaaten eine Übersetzung der Patentschrift verlangen (R 51 (10)). Liegt für eine in Anspruch genommene **Priorität** noch keine Übersetzung in eine Amtssprache vor, so wird er gleichzeitig aufgefordert, eine Übersetzung einzureichen oder eine Erklärung, dass die europäische Patentanmeldung vollständig mit der Prioritätsanmeldung übereinstimmt (R 38 (5)) Satz 2).[18] Wird die erforderliche Übersetzung oder Erklärung nicht form- und fristgerecht eingereicht, so ergeht nach R 41 eine Aufforderung, diesen Mangel zu beseitigen. Wird der Mangel nicht beseitigt, erlischt der Prioritätsanspruch nach Art 91 (3). Der einzige Rechtsbehelf neben einem Antrag nach R 69 (2) ist die Wiedereinsetzung in den vorigen Stand.[19]

In der Mitteilung wird der Anmelder auch gefragt, ob ihm zusammen mit der Urkunde über das europäische Patent ein Papierexemplar der Patentschrift – kostenlos – übermittelt werden soll.[20]

9 Gebühr für weitere Ansprüche (R 51 (7))

Enthält die europäische Patentanmeldung mehr als 10 Ansprüche und sind die Gebühren für weitere Ansprüche (Art 2 Nr 15 GebO) noch nicht gezahlt, so wird der Anmelder zur Zahlung innerhalb der Frist aufgefordert. Hierbei handelt es sich um den Fall, dass die Anmeldung bei der Erteilung mehr Ansprüche enthält als bei der Einreichung. Waren schon in der ursprünglichen Anmeldung

---

14 PrüfRichtl C-VI, 15.1.
15 PrüfRichtl C-VI, 15.1.
16 **T 1181/04**, ABl 2005, 312, Nr 3.3.
17 PrüfRichtl C-VI, 15.2.
18 PrüfRichtl C-VI, 15.1.
19 Siehe Rechtsauskunft 19/99, ABl 1999, 296 unter III.4.
20 Siehe Art 98 Rdn 7–8.

mehr als 10 Ansprüche enthalten und sind die Gebühren dafür nicht gezahlt worden, so gilt dies nach R 31 (2) Satz 1 als Verzicht auf die überzähligen Ansprüche.[21]

21 Werden die nach der Mitteilung nach 51 (4) erforderlichen Anspruchsgebühren nicht rechtzeitig gezahlt, so gilt die gesamte europäische Patentanmeldung als zurückgenommen (R 51 (8)). Weiterbehandlung der Anmeldung nach Art 121 ist möglich.

22 Zur Berechnung der Höhe der Anspruchsgebühren bei mehreren Sätzen von Patentansprüchen siehe die revidierte Fassung der Rechtsauskunft Nr 3.[22]

10 Entrichtung der Jahresgebühren (Abs 2 c), R 51 (9)) und der Benennungsgebühren (R 51 (8a))

23 Die Zahlung der fälligen Jahresgebühren und der Zuschlagsgebühren an das EPA richten sich nach Art 86 iVm R 37. Bei Fristversäumung gilt die europäische Patentanmeldung nach Art 86 (3) als zurückgenommen (siehe Art 86 Rdn 13–14).

24 R 51 (9) regelt die besondere Situation, dass eine Jahresgebühr nach der Mitteilung nach R 51 (4) und vor dem Tag der frühestmöglichen Bekanntmachung des Hinweises auf die Erteilung des europäischen Patents fällig wird (Jahresgebührenlücke). In einem solchen Fall wird der Hinweis auf die Erteilung erst nach Entrichtung dieser Jahresgebühr bekanntgemacht; hiervon wird der Anmelder unterrichtet.

25 Hat der Anmelder noch vor Fälligkeit der Benennungsgebühren die Mitteilung nach R 51 (4) erhalten, so wird er davon unterrichtet, dass der Hinweis auf die Erteilung des europäischen Patents erst nach Zahlung der Benennungsgebühren bekanntgemacht wird.[23]

11 Ausnahmsweise Wiederaufnahme des Prüfungsverfahrens

26 Die Prüfungsabteilung kann bis zum Erlass des Erteilungsbeschlusses das Prüfungsverfahren ausnahmsweise wieder aufnehmen, zB wenn ihr ein Sachverhalt bekannt wird, der die Patentierbarkeit des beanspruchten Gegenstands der Anmeldung ausschließt.[24] Die Bindungswirkung des Erteilungsbeschlusses entsteht erst mit Abgabe des Beschlusses an die interne Poststelle des EPA zum Zwecke der Zustellung.[25] Führt das weitere Prüfungsverfahren zu einer Fassung, in der das Patent erteilt werden kann, so ergeht eine neue Mitteilung nach

---

21 Siehe auch **J 5/87**, ABl 1987, 295.
22 Rechtsauskunft Nr 3, ABl 1985, 347.
23 Siehe PrüfRichtl C-VI, 15.2.
24 PrüfRichtl C-VI, 15.5.
25 Vgl **G 12/91**, ABl 1994, 285.

R 51 (4); die Erteilungs- und die Druckkostengebühr müssen nicht erneut gezahlt werden, wenn sie bereits entrichtet worden sind.[26]

12 Erteilung des europäischen Patents an verschiedene Anmelder für verschiedene Staaten (R 52)

Ist die europäische Patentanmeldung von verschiedenen Anmeldern für verschiedene Vertragsstaaten eingereicht worden, so wird in der Entscheidung über die Erteilung das europäische Patent den verschiedenen Anmeldern jeweils für die sie betreffenden Vertragsstaaten erteilt.

13 Entscheidung über die Erteilung

Die Entscheidung über die Erteilung des europäischen Patents wird von einem Formalsachbearbeiter ausgeführt.[27] Sie enthält den Tag des Hinweises auf die Erteilung des europäischen Patents und wird dem Anmelder zugestellt.[28] Zur Beschwer des Anmelders durch die Entscheidung siehe Art 107, besonders Rdn 25.

14 Wirksamwerden der Erteilung – Anhängigkeit der Patentanmeldung

Die Entscheidung über die Erteilung des europäischen Patents wird wirksam mit der **Veröffentlichung des Hinweises** auf seine Erteilung im europäischen Patentblatt (Art 97 (4)); mit diesem Tag treten die Wirkungen des Patents ein. Für die Prüfungsabteilung ist die Entscheidung bereits bindend mit der Abgabe an die interne Poststelle des EPA.[29]

In der Zeitspanne zwischen dem Erteilungsbeschluss und der Bekanntmachung des Hinweises auf die Erteilung bleibt die Anmeldung noch anhängig. Daher kann die Anmeldung in dieser Zeitspanne noch zurückgenommen oder übertragen werden, und ein Dritter, der gegenüber dem Anmelder das Recht auf die Erteilung beansprucht, kann noch die Aussetzung des Verfahrens nach R 13 beantragen, und es können auch noch zulässige Fehlerberichtigungen vorgenommen werden.[30]

Besonders für die Teilanmeldung – aber nicht nur für sie – ist wichtig, dass eine Anmeldung bis zu (damit aber nicht mehr an) dem Tag **anhängig** ist, an dem im europäischen Patentblatt auf die Patenterteilung hingewiesen wird oder an dem die Anmeldung zurückgewiesen wird oder als zurückgenommen

---

26 PrüfRichtl C-VI, 15.5.
27 ABl 1999, 504, Nr I. 9.
28 Siehe näher PrüfRichtl C-VI, 15.5 am Ende; nach der Mitteilung des EPA vom 25.4.2006, ABl 2006, 409, wird der Hinweis auf die Patenterteilung 4 Wochen nach Ergehen der Entscheidung bekanntgemacht.
29 **G 12/91**, ABl 1994, 285.
30 J 7/96 ABl 1999, 443, Nr 6.1–6.4.

gilt. Hierzu und zur aufschiebenden Wirkung der Beschwerde siehe im einzelnen die Ausführungen von Teschemacher zu Art 76 Rdn 23.

32 Der Erteilungsbeschluss kann nur unter den engen Voraussetzungen der R 89 berichtigt werden, dh wenn ein sprachlicher Fehler, ein Schreibfehler oder eine sonstige offenbare Unrichtigkeit behoben wird. Diese Unrichtigkeit kann sich in den zur Erteilung bestimmten Unterlagen befinden, auf die der Beschluss Bezug nimmt. Eine Unrichtigkeit im Sinne der R 89 liegt vor, wenn der für die Erteilung zugrunde gelegte Text nicht der Text ist und offensichtlich auch nicht der Text sein kann, den die Prüfungsabteilung ihrem Besсluss zugrunde legen wollte.[31]

33 Für den Inhalt eines europäischen Patents ist die Fassung des Erteilungsbeschlusses maßgeblich. Hinsichtlich der Unterlagen des Patents verweist der Erteilungsbeschluss auf die mit der Mitteilung nach R 51 (4) übermittelten Unterlagen und etwaige später noch zugelassenen Änderungen und Korrekturen. Weicht die Patentschrift davon ab, so kann das Amt Fehler jederzeit berichtigen und ein Korrigendum im Europäischen Patentblatt veröffentlichen.[32]

34 Nach der Entscheidung J 14/87 verhindert nicht jeder Mangel bei der Bekanntmachung des Hinweises über die Erteilung des europäischen Patents im Europäischen Patentblatt die Wirksamkeit der Entscheidung über seine Erteilung im Sinne von Art 97 (4) (siehe auch Art 99 Rdn 20).[33]

35 Die Beschwerde gegen den Erteilungsbeschluss hat aufschiebende Wirkung mit der Folge, dass die Entscheidung nicht vollzogen wird und dass die Bekanntmachung des Hinweises auf die Erteilung des europäischen Patents unterbleibt; ist die Bekanntmachung dennoch erfolgt, muss im europäischen Patentblatt unverzüglich die Berichtigung erfolgen (Einzelheiten siehe Art 99 Rdn 19 und Art 106 Rdn 20–26.[34]

Artikel 98 Veröffentlichung der europäischen Patentschrift

Das Europäische Patentamt gibt gleichzeitig mit der Bekanntmachung des Hinweises auf die Erteilung des europäischen Patents eine europäische Patentschrift heraus, in der die Beschreibung, die Patentansprüche und gegebenenfalls die Zeichnungen enthalten sind.

---

31 **T 850/95**, ABl 1997, 152.
32 Rechtsauskunft 17/90, ABl 1990, 260.
33 **J 14/87**, ABl 1988, 295.
34 PrüfRichtl E-XI, 1.

Margarete Singer/Dieter Stauder

Übersicht

1	Allgemeines	1
2	Bestandteile und Form der europäischen Patentschrift	2-4
3	Zeitpunkt der Herausgabe der Patentschrift	5-6
4	Urkunde über das europäische Patent (R 54, R 62 a))	7-8
5	Berichtigung der europäischen Patentschrift	9-10
6	Veröffentlichung einer neuen europäischen Patentschrift nach einem Einspruchsverfahren (R 62 a)	11

1 Allgemeines

Seit 2005 wird die Patentschrift nur noch in elektronischer Form veröffentlicht. 1

2 Bestandteile und Form der europäischen Patentschrift

Die europäische Patentschrift trägt eine Patentnummer, die mit der Veröffentlichungsnummer der Anmeldung identisch ist. Sie ist als *B1 Publikation* gekennzeichnet. Sie enthält neben den bibliographischen Angaben die Beschreibung, die Patentansprüche und Zeichnungen. Die mit der Anmeldung veröffentlichte Zusammenfassung wird nicht mehr mit der europäischen Patentschrift veröffentlicht. Nach R 49 (2) werden in der Patentschrift die benannten Vertragsstaaten angegeben. Nach R 53 wird auf die Einspruchsfrist von 9 Monaten (Art 99 (1)) hingewiesen. 2

Die Titelseite enthält als zusätzliche Information gegenüber der veröffentlichten Anmeldung die Entgegenhaltungen aus dem Prüfungsverfahren (INID-Code 56; siehe Art 93 Rdn 21). Ferner kann sie einen Hinweis darauf enthalten, dass nach dem Anmeldetag technische Angaben (zB Vergleichsversuche) eingereicht worden sind, die nicht in der Patentschrift enthalten sind.[1] 3

Die Patentschrift wird in elektronischer Form mittels eines Veröffentlichungsservers veröffentlicht, von dem man sie herunterladen kann.[2] Patentschriften werden generell nicht mehr in Papierform ausgegeben. 4

Die Patentanmelder oder –inhaber müssen innerhalb der gesetzten Frist (siehe unter Rdn 7) einen Antrag stellen, eine – gebührenfreie – Kopie der Patentschrift zu erhalten.[3]

---

[1] PrüfRichtl C-VI. 5.3.6.
[2] Beschluss des Präsidenten vom 22.12.2004, ABl 2005, 124, Art 2.
[3] Mitteilung des EPA vom 22.12.2004, ABl 2005, 126, 127 unter Nr 2; siehe Rdn 7.

3 Zeitpunkt der Herausgabe der Patentschrift

5   Nach Art 98 wird die europäische Patentschrift gleichzeitig mit dem nach Art 97 (4) im Europäischen Patentblatt veröffentlichten Hinweis auf die Erteilung herausgegeben, nunmehr in elektronischer Form. Wird die Patentschrift ausnahmsweise später veröffentlicht, so wird die Erteilung gleichwohl mit der Veröffentlichung des Hinweises auf die Erteilung im Europäischen Patentblatt wirksam; das ergibt sich aus den klaren Bestimmungen der Art 64 (1) und 97 (4) über das Wirksamwerden der Patenterteilung.

6   Die Patentschrift wird nicht veröffentlicht, wenn die Anmeldung vor Abschluss der technischen Vorbereitungen für die Veröffentlichung der Patentschrift zurückgenommen wird. Die Rücknahme bedarf einer unterzeichneten eindeutigen und vorbehaltlosen Erklärung, an die der Anmelder dann auch gebunden ist.[4] Einzelheiten zur Zurücknahme und ihrer Rechtzeitigkeit besonders im Hinblick auf den Abschluss der technischen Vorbereitungen siehe Art 93 Rdn 3–8.

4 Urkunde über das europäische Patent (R 54, R 62 a))

7   Nach Veröffentlichung der europäischen Patentschrift erhält der Patentinhaber nach R 54 eine Urkunde in Papierform. Gibt es mehrere Patentinhaber, so wird jedem von ihnen eine Urkunde ausgestellt. Auf besonderen Antrag – innerhalb der nach R 51 (4) bzw R 58 (5) oder (6) gesetzten Frist – erhält jeder Patentinhaber die Urkunde zusammen mit einer Kopie der Patentschrift gebührenfrei. Zusätzliche Ausfertigungen der Urkunde mit beigefügter Patentschrift sind gebührenpflichtig.

8   In der Urkunde wird die Patentnummer ausgewiesen und bescheinigt, dass das Patent den in der Urkunde genannten Personen für die in der Patentschrift beschriebene Erfindung und die dort bezeichneten Staaten erteilt oder in geänderter Fassung aufrechterhalten ist.[5]

5 Berichtigung der europäischen Patentschrift

9   Fehler in der Patentschrift, die nicht bereits in der der Erteilung zugrundeliegenden Fassung enthalten waren, können jederzeit auf administrativem Weg berichtigt werden, da hierdurch die europäische Patentschrift mit dem Inhalt der zugrundeliegenden Entscheidung in Einklang gebracht wird.

10 Die maßgebliche Fassung des europäischen Patents ergibt sich aus dem Text, der dem Patenterteilungsbeschluss zugrunde liegt.[6]

---

4   Rechtsauskunft 8/80, ABl 1981, 6.
5   Beschluss des Präsidenten vom 22.12.2004, ABl 2005, 122.
6   Rechtsauskunft 17/90, ABl 1990, 260.

6 Veröffentlichung einer neuen europäischen Patentschrift nach einem Einspruchsverfahren (R 62 a)

Wird zum Abschluss eines Einspruchsverfahrens das europäische Patent in geänderter Form aufrechterhalten (Art 102 (3)), so wird eine neue europäische Patentschrift veröffentlicht (Art 103), die als *B 2 Publikation* gekennzeichnet ist.

Fünfter Teil Einspruchsverfahren

Vorbemerkung zu Art 99–105

Brigitte Günzel

1 Das Einspruchsverfahren gibt Mitgliedern der Öffentlichkeit das Recht, in einem förmlichen Verfahren als Partei Einwendungen gegen das europäische Patent zu erheben. Vorher besteht nur der Weg über Art 115, der keine eigenen Rechte Dritter schafft.

2 Das EPÜ enthält ein Einspruchsverfahren, weil das europäische Patent ein zuverlässiges Recht sein soll, das auch in einem späteren Nichtigkeitsverfahren standhält. Im Prüfungsverfahren können die der Patentierung entgegenstehenden Sachverhalte nicht immer hinreichend vollständig ermittelt und berücksichtigt werden. Dies gilt vor allem für andere Dokumente als Druckschriften der Öffentlichkeit zugänglich gemachte mündliche Offenbarungen und Vorbenutzungen.

3 Das Einspruchsverfahren nach dem EPÜ geht über den eigentlich mit dem EPÜ verfolgten Zweck hinaus, ein einheitliches, zentralisiertes **Patenterteilungsverfahren** zu schaffen. Es bildet eine Ausnahme von der allgemeinen Regel, dass ein erteiltes europäisches Patent nicht mehr der Zuständigkeit des EPA unterliegt.[1] Die Aufnahme eines der Erteilung nachgeschalteten Einspruchsverfahrens in das Übereinkommen hat sich als sehr weitsichtig erwiesen, denn das Einspruchsverfahren vor dem EPA ermöglicht einen zentralen und damit auch kostengünstigen Angriff auf den Rechtsbestand des europäischen Patents.

4 Das Einspruchsverfahren ist ein selbständiges Verfahren, das den besonderen Vorschriften der Art 99–105 und R 55–63 unterliegt und nicht als Fortsetzung oder Erweiterung des Prüfungsverfahrens gedacht ist.[2]

5 Ziel des Einsprechenden ist im nachgeschalteten Einspruchsverfahren der Widerruf des erteilten Patents mit Wirkung ex tunc. Da die Einspruchsgründe des Art 100 auf die für die nationale Phase zugelassenen Nichtigkeitsgründe beschränkt sind, weist das Konzept des im EPÜ vorgesehenen Einspruchs nach Patenterteilung de facto in wichtigen Punkten größere Gemeinsamkeiten mit

---

1 **G 4/91**, ABl 1993, 339 und 707; **G 9/91** und **G 10/91**, ABl 1993, 408 und 420 Nr 4.
2 So bereits **G 1/84**, ABl 1985, 299; ebenso **G 9/91** und **G 10/91**, ABl 1993, 408 und 420; **T 198/88**, ABl 1991, 254; **T 182/89**, ABl 1991, 391, **T 387/89**, ABl 1992, 583.

dem Konzept des traditionellen Nichtigkeitsverfahrens auf.[3] Trotzdem soll das Einspruchsverfahren im Interesse der Parteien und der Öffentlichkeit auch ein möglichst einfaches und zügig durchgeführtes Verfahren sein.[4]

Das Einspruchsverfahren ist als ein streitiges (Verwaltungs-)Verfahren zwischen Parteien anzusehen, die in der Regel gegenteilige Interessen vertreten, die aber Anspruch auf gleiche Behandlung durch die Einspruchsabteilung haben. Die Große Beschwerdekammer hat sich damit in **G 9/91** und **G10/91** ausdrücklich von ihrer früheren gegenteiligen Auffassung in **G 1/84**,[5] distanziert, nach der man das Einspruchsverfahren im wesentlichen nicht als Streit zwischen gegnerischen Parteien betrachten könne, bei dem der Spruchkörper wie im Nichtigkeitsverfahren eine neutrale Haltung einnehme. Obwohl auch diese Entscheidungen die Geltung des Amtsermittlungsgrundsatzes gemäß Art 114 im Einspruchsverfahren im Grundsatz weiterhin ausdrücklich anerkennen,[6] hat die Neubewertung der Rechtsnatur des Einspruchsverfahrens als Streit im Verwaltungsverfahren zwischen gegnerischen Parteien doch erhebliche Auswirkungen auf die Anwendung zahlreicher Verfahrensgrundsätze gehabt. Sie betrifft zB die Anforderungen an die Begründung des Einspruchs (Art 99 Rdn 89, 93 und 106), die Bindung der Einspruchsabteilung an den Umfang des Einspruchs (Art 101 Rdn 33), die Amtsermittlung durch die Einspruchsabteilung (Art 114 Rdn 9 und 16) sowie deren Verhältnis zu den Regeln über die Darlegungs- und Beweislast (Art 102 Rdn 13 und 14), die Behandlung verspätet vorgebrachter neuer Einspruchsgründe, die Berücksichtigung von neuem Vorbringen im Rahmen eines als solchem rechtzeitig vorgebrachten Einspruchsgrundes (Art 114 Rdn 47 und 57) sowie das Recht der Einspruchsabteilung, eine Fassung vorzuschlagen, in der sie das Patent aufrechterhalten kann (Art 101 Rdn 72 und 73).

Für das Verfahren im Zusammenhang mit dem Übergang des europäischen Patents in die nationale Phase in den benannten Staaten gelten gewisse Besonderheiten, da das europäische Patent nach seiner Erteilung in den benannten Vertragsstaaten wie ein dort erteiltes nationales Patent weiterlebt. So sind zB die Jahresgebühren auch während eines vor dem EPA durchgeführten Einspruchsverfahrens an das nationale Amt zu entrichten; die Bestellung von Rechten richtet sich nach dem jeweiligen nationalen Recht; vor den nationalen Instanzen kann ein Nichtigkeitsverfahren eingeleitet werden (wenn das nationale Recht dies nicht ausschließt).

Für die Einlegung von Einsprüchen und die Durchführung des Einspruchsverfahrens wird das europäische Patent dagegen im Rahmen des Verfahrens vor

---

3   **G 9/91** und **G 10/91**, ABl 1993, 408 und 420, Nr 2 der Gründe.
4   **G 2/04**, ABl 2005, 549.
5   **G 1/84**, ABl 1985, 299, Nr 4.
6   **G 9/91** und **G 10/91**, ABl 1993, 408 und 420, Nr 16.

Vor Artikel 99–105

dem EPA weiter als Einheit behandelt. Diesem Prinzip dient auch die entsprechende Behandlung von Rechtsübergängen während dieses Zeitraums (R 61).

8 In den Prüfungsrichtlinien befasst sich Teil D mit dem Einspruchsverfahren. Das EPA hat im ABl 2001, 148 ff die wichtigsten Aspekte des Einspruchsverfahrens zusammenfassend dargestellt. Zur Beschleunigung des Einspruchsverfahrens bei anhängiger Verletzungsklage siehe dort (Nr 14) und die Mitteilung des EPA, ABl 1998, 361.

EPÜ 2000

9 Das EPÜ 2000 wird das Einspruchsverfahren in seiner Struktur erhalten. Die beschlossenen Änderungen des Übereinkommens sind bei einigen Klarstellungen mehr redaktioneller Art oder bestehen im Hinblick auf die Entwicklung der Rechtsprechung der Beschwerdekammern vor allem darin, die Regelung bestimmter Förmlichkeiten des Einspruchs (-verfahrens) aus dem Übereinkommen selbst herauszunehmen und in die Ausführungsordnung zu überführen, um etwa künftig nötig werdende Anpassungen dieser Vorschriften an geänderte Bedürfnisse der Praxis zu erleichtern. Dies betrifft die geltenden Art 99 (1), Satz 2, 99 (3), 102 (3) a), b)–(5), 104 (2) und 105 (1) EPÜ, dagegen nicht die Einspruchsfrist und die Entrichtung der Einspruchsgebühr, die nach dem Willen des Gesetzgebers wegen ihrer grundsätzlichen Bedeutung weiterhin im Übereinkommen selbst geregelt bleiben sollten. Als Folge der Streichung der genannten Regelungen aus dem Übereinkommen wurden die verbleibenden Bestimmungen neu gruppiert und teilweise umstrukturiert. Die Absätze (1)–(3) a) des geltenden Art 102 EPÜ wurden in Art 101 EPÜ 2000 eingefügt, so dass Art 102 EPÜ gestrichen wurde.

Als Beispiele der Änderungen im EPÜ 2000 seien hier genannt:

Die Neufassung von Art 101(1) EPÜ 2000, Prüfung ob »wenigstens ein Einspruchsgrund ... entgegensteht« soll der Rechtsprechung der Großen Beschwerdekammer in G 9/91 und 10/91 (siehe Rdn 41 zu Art 101) Rechnung tragen, nach der die Einspruchsabteilung nicht obligatorisch alle Einspruchsgründe nach Art 100 EPÜ prüfen muss, wenn diese vom Einsprechenden nicht geltend gemacht wurden (siehe auch R 58(1) AO 2002).

In Art 104 EPÜ 2000 wurde die geltende Beschränkung der verteilbaren Kosten auf die durch eine mündliche Verhandlung oder Beweisaufnahme entstandenen Kosten gestrichen.

In Art 105 (1), Satz 2 EPÜ 2000 wurde das Wort »gerichtliche« im geltenden Art 105 (1), Satz 2 EPÜ gestrichen, weil Klage auf Feststellung der Nichtverletzung nicht in allen Staaten bei einem Gericht erhoben werden muss.

Die in der Ausführungsordnung zum EPÜ 2000 in der Fassung des Beschlusses des Verwaltungsrats vom 12. Dezember 2002 erlassenen Regeln 55–63a nehmen die aus dem EPÜ gestrichenen Regelungen ohne große inhaltliche Änderungen auf. Die am 6.12.2006 vom Verwaltungsrat beschlossenen weiteren Änderungen der Ausführungsordnung enthalten im Hinblick auf die Vorschriften zum Einspruchsverfahren neben einer durch die Umnummerierung der Ausführungsordnung bedingten Änderung der Regelnummern (neu: R 75 –89) und der dadurch bedingten Änderung von Verweisungen wenige weitere Änderungen.

Artikel 99 Einspruch

(1) Innerhalb von neun Monaten nach der Bekanntmachung des Hinweises auf die Erteilung des europäischen Patents kann jedermann beim Europäischen Patentamt gegen das erteilte europäische Patent Einspruch einlegen. Der Einspruch ist schriftlich einzureichen und zu begründen. Er gilt erst als eingelegt, wenn die Einspruchsgebühr entrichtet worden ist.

(2) Der Einspruch erfasst das europäische Patent für alle Vertragsstaaten, in denen es Wirkung hat.

(3) Der Einspruch kann auch eingelegt werden, wenn für alle benannten Vertragsstaaten auf das europäische Patent verzichtet worden ist oder wenn das europäische Patent für alle diese Staaten erloschen ist.

(4) Am Einspruchsverfahren sind neben dem Patentinhaber die Einsprechenden beteiligt.

(5) Weist jemand nach, dass er in einem Vertragsstaat auf Grund einer rechtskräftigen Entscheidung anstelle des bisherigen Patentinhabers in das Patentregister dieses Staats eingetragen ist, so tritt er auf Antrag in Bezug auf diesen Staat an die Stelle des bisherigen Patentinhabers. Abweichend von Artikel 118 gelten der bisherige Patentinhaber und derjenige, der sein Recht geltend macht, nicht als gemeinsame Inhaber, es sei denn, dass beide dies verlangen.

Brigitte Günzel

Übersicht

A		Erläuterungen zu Art 99	1-66
	1	Allgemeines	1-4
	1.1	Der Einspruch	2-4
	2	Die Einspruchsberechtigten – der Einsprechende ..	5-13
	3	Das Interesse des Einsprechenden	14-16
	4	Gegenstand des Einspruchs	17-21
	5	Einspruchsfrist und zuständige Stelle	22-26
	6	Schriftform des Einspruchs	27-30
	7	Sprachenfrage	31-32
	8	Einspruchsgebühr	33-38
	9	Territorialer Umfang des Einspruchs	39-40

10	Einspruch nach Verzicht oder nach Erlöschen des europäischen Patents	41-44
11	Die Beteiligten am Einspruchsverfahren	45-50
12	Rechtsnachfolger des bisherigen Patentinhabers	51-58
13	Übergang der Stellung als Einsprechender	59-66
B	**Inhalt der Einspruchsschrift (R 55)**	67-109
14	Allgemeines	67-68
15	Angaben zur Person des Einsprechenden (R 55 a))	69
16	Bezeichnung des angegriffenen Patents (R 55 b))	70
17	Umfang des Einspruchs (R 55 c))	71-76
18	Angabe der Einspruchsgründe (R 55 c))	77-79
19	Angabe der Tatsachen (R 55 c))	80-91
20	Angabe der Beweismittel (R 55 c))	92-93
21	Technische und rechtliche Würdigung (R 55 c))	94-105
22	Angabe des Vertreters (R 55 d))	106-109

A Erläuterungen zu Art 99

1 Allgemeines

1 Dieser Artikel legt die wesentlichen Voraussetzungen und die hauptsächlichen Formalitäten für die Einlegung des Einspruchs fest. Daneben enthält er auch den wichtigen Grundsatz, dass das Einspruchsverfahren das europäische Patent in allen Vertragsstaaten erfasst, in denen es Wirkung hat. Weitere Einzelheiten sind in der AO geregelt, so in R 55 der notwendige Inhalt der Einspruchsschrift und in R 56 die Verwerfung des Einspruchs als unzulässig, wenn der Einspruch den Erfordernissen der R 56 nicht genügt.

2 1.1 Der Einspruch

3 Der Einspruch ist die Erklärung, Einspruch einzulegen. Die Verwendung des Wortes »Einspruch« ist wohl nicht erforderlich. Es dürfte wohl genügen, wenn die Erklärung eindeutig als Ausdruck des Willens verstanden werden kann, dass das Patent widerrufen oder eingeschränkt werden soll.

4 In der Zahlung der Einspruchsgebühr mit den dazu erforderlichen Angaben wird man als solche noch keine Einspruchseinlegung sehen können, da in der bloßen Zahlung der Gebühr eine bewusste Entscheidung des Einzahlenden liegen kann, sich die endgültige Entscheidung über die Einlegung eines Einspruchs durch Abgabe auch einer Einspruchsschrift noch vorzubehalten. So für die Beschwerde **J 19/90** vom 30.4.1992 und **T 371/92**,[1] für den Prüfungsantrag **J 12/82**,[2] und **J 25/92** vom 29.9.1993. Zur Hinweispflicht des Amtes auf einen drohenden Rechtsverlust siehe Art 99 Rdn 38 und Art 101 Rdn 20.

---

1 **T 371/92**, ABl 1995, 324, LS und Nr 3.4 ff.
2 **J 12/82**, ABl 1983, 221.

2 Die Einspruchsberechtigten – der Einsprechende

Nach Abs 1 Satz 1 kann *jedermann* beim EPA Einspruch gegen das erteilte europäische Patent einlegen. In Übereinstimmung mit Art 58 meint dies jede natürliche oder juristische Person oder jede einer juristischen Person nach dem für sie maßgebenden Recht gleichgestellte Gesellschaft, unabhängig davon, wo sie wohnt oder ihren Sitz hat.[3]

Personen ohne Sitz oder Wohnsitz innerhalb der Vertragsstaaten bedürfen hierzu nach Art 133 (2) jedoch eines zugelassenen Vertreters. Für die Wirksamkeit des Einspruchs genügt es nicht, dass ein Vertreter bestellt ist; dieser muss den Einspruch auch selbst eingelegt haben.

Kein *Jedermann* iSd Art 99 (1), Satz 1 ist der Patentinhaber selbst.[4] Der Patentinhaber kann keinen Einspruch gegen sein eigenes europäisches Patent einlegen.

Die Person des Einsprechenden muss spätestens am Ende der Einspruchsfrist für das Amt und den Patentinhaber identifizierbar sein, damit feststeht, wer Beteiligter des Einspruchsverfahrens iSd Art 99 (4) ist.[5] Zwar ist bis zum Ablauf der Einspruchsfrist jede beliebige Person zum Einspruch berechtigt. Danach verwandelt sich aber die bloße Befugnis, die jeder hat, in eine Beteiligung am Einspruchsverfahren, die nur der erlangt, der von dieser Befugnis frist- und formgerecht Gebrauch gemacht hat.[6] Deshalb liegt ein nach Ablauf der Einspruchsfrist nicht mehr heilbarer Mangel vor, wenn kein Einsprechender genannt wurde.[7]

Lässt sich bei einer Personengemeinschaft nicht feststellen, ob sie eine juristische oder dieser gleichgestellte Person ist, so ist der Einspruch als gemeinsam von diesen Personen eingelegt anzusehen.[8]

Zwar können die Namen und Anschriften dieser Personen gemäß R 55 a), 56 (2) auf Aufforderung auch noch nach Ablauf der Einspruchsfrist nachgebracht werden. Jedoch scheint nach **T 482/02** nur dann die Zulässigkeit des Einspruchs vorzuliegen,[9] wenn diese Personen auf Grund der Angabe der Personengemeinschaft innerhalb der Einspruchsfrist identifizierbar waren, ihre na-

---

[3] **G 3/99**, ABl 2002, 347, Nr 9.
[4] **G 9/93**, ABl 1994, 891 in ausdrücklicher Abkehr von **G 1/84**, ABl 1985, 299.
[5] **G 3/97** und **G 4/97**, ABl 1999, 245, Nr 2.1 und 270, bestätigt in **G 2/04**, ABl 2005, 549, Nr 2.1.4.am Ende: »selbst wenn er ein Strohmann ist«; siehe auch **T 870/92** vom 8.8.1997, Nr 1.2.
[6] **T 25/85**, ABl 1986, 81, Nr 6.
[7] **T 590/94** vom 3.5.1996, Nr 1.2.2.
[8] **G 3/99**, Nr 11; **T 482/02** vom 9. 2. 2005, Nr 3 zum gemeinsamen Einspruch, siehe Rdn 13.
[9] **T 482/02** vom 9. 2. 2005, Nr 4.

mentliche Identität also innerhalb der Einspruchsfrist hätte festgestellt werden können.[10]

Ist dagegen eine Person als Einsprechende genannt, so ist deren Einspruch nicht schon deswegen unzulässig, weil sie im Auftrag eines Dritten handelt. Der Einspruch nach dem EPÜ ist als ein Popularrechtsbehelf ausgestattet, der die Darlegung eines irgendwie gearteten Interesses des Einsprechenden am Widerruf des Patents nicht verlangt. Deshalb ist ein im Auftrag eines Dritten im eigenen Namen eingelegter Einspruch nicht per se, sondern nur dann unzulässig, wenn das Auftreten des Einsprechenden als missbräuchliche Gesetzesumgehung anzusehen ist. Eine solche liegt vor, wenn der Einsprechende im Auftrag des selbst von der Einspruchseinlegung ausgeschlossenen Patentinhabers handelt oder wenn der Einsprechende im Rahmen einer typischerweise zugelassenen Vertretern zugeordneten Gesamttätigkeit im Auftrag eines Mandanten handelt, ohne die hierfür nach Art 134 erforderliche Qualifikation zu besitzen. Eine missbräuchliche Gesetzesumgehung liegt dagegen nicht schon deswegen vor, weil ein zugelassener Vertreter im eigenen Namen für einen Mandanten handelt oder ein Einsprechender mit Sitz oder Wohnsitz in einem der Vertragsstaaten im Auftrag eines Dritten handelt, auf den diese Voraussetzung nicht zutrifft.[11]

9 Mit dieser neuen Rechtsprechung der Großen Beschwerdekammer sind die älteren Entscheidungen überholt, die im eigenen Namen eingelegte Einsprüche generell als unzulässig ansehen, wenn sich später herausstellte, dass der Einsprechende für einen nicht als Einsprechenden genannten Auftraggeber gehandelt hatte.[12]

10 Ebenfalls überholt ist damit die gesamte umfangreiche frühere Rechtsprechung, nach der ein Einspruch auch dann als unzulässig angesehen wurde, wenn berechtigte Zweifel an der wahren Identität des Einsprechenden bestanden, sowie deren Erörterungen dazu, unter welchen Voraussetzungen beweismäßiger Art vom Vorliegen solcher berechtigter Zweifel auszugehen.[13]

11 Ob eine missbräuchliche Gesetzesumgehung vorliegt, muss auf der Grundlage eines klaren und eindeutigen Beweises zur Überzeugung des entscheidenden Organs feststehen. Die Beweislast trägt, wer die Unzulässigkeit des Einspruchs

---

10 Siehe III der Entscheidung: gesetzliche Verpflichtung, eine Liste der Partner zur Einsicht bereitzuhalten.

11 **G 3/97** und **G 4/97**, ABl 1999, 245 und 270, insbesondere LS 1a–1d und Nr 3.2 der Gründe; Vorlageentscheidungen waren **T 301/95**, ABl 1997, 519 und **T 649/92**, ABl 1998, 97).

12 **T 10/82**, ABl 1983, 407; **T 25/85**, ABl 1986, 81, Nr 7; **T 635/88**, ABl 1993, 608, Nr 8.2; **T 582/90** vom 11.12.1992, Nr 1.1.

13 Siehe etwa die unter Rdn 9 genannten Entscheidungen sowie **T 289/91**, ABl 1994, 649, Nr 2.2 ff; **T 548/91** vom 7.2.1994, Nr 1.2.3 ff; **T 590/93**, ABl 1995, 337, Nr 2; **T 798/93**, ABl 1997, 363, LS I.

geltend macht.[14] Weil der Einsprechende ein wie immer geartetes Interesse, nicht zu haben braucht, braucht er dieses auch nicht zu belegen. Der Einsprechende hat ein schützenswertes Interesse daran, nicht offenbaren zu müssen, warum ihn ein Patent stört.[15] Deshalb ist es entgegen **T 635/88**,[16] **T 289/91**,[17] **T 548/91** vom 7.2.1994, Nr 1.2.4 grundsätzlich nicht Sache des Einsprechenden, berechtigte Zweifel an seiner Identität durch geeignete Beweismittel auszuräumen (siehe aber **G 3/97** und **G 4/97**, Nr 5.1.2).

Bloße Fehler in der Bezeichnung des Einsprechenden können nach R 88 berichtigt werden, und zwar auch nach Ablauf der Einspruchsfrist.[18] Die Berichtigung darf jedoch – das ist insbesondere bei juristischen Personen von Bedeutung – nicht zu einem Wechsel in der Identität des Einsprechenden oder zu einer erst nachträglichen Nennung des bei Ablauf der Einspruchsfrist nicht identifizierbar benannten Einsprechenden führen. Nach **T 25/85** liegt kein Wechsel des Einsprechenden oder Mangel der Identifizierbarkeit vor bei Benutzung eines Namens im Einspruch, unter dem ein Geschäftsteil der Firma im Geschäftsverkehr auftrat, der jedoch nicht dem eingetragenen Firmennamen entsprach.[19]

Legt eine (juristische) Person durch zwei verschiedene Schriftstücke Einspruch gegen ein erteiltes Patent ein, so erlangt sie nur einmal die Rechtsstellung als Einspruchspartei. Dass die Einsprüche verschiedenen (rechtlich unselbständigen) Geschäftsbereichen des Einsprechenden zugeordnet werden können, ist unerheblich.[20] Mehrere natürliche und/oder juristische Personen können auch gemeinsam einen Einspruch einlegen, unter Zahlung nur einer Einspruchsgebühr. Im Rechtssinn liegt dann ein einziger Einspruch vor. Die gemeinsam Einsprechenden können deshalb nur gemeinsam durch einen gemäß Art 133 (4) und R 100 bestellten Vertreter handeln. Eine Person, die nicht ursprünglich als gemeinsam Einsprechender genannt war, kann zu dem Einspruch (oder dem folgenden Beschwerdeverfahren) nicht später hinzutreten. Umgekehrt können sich ein oder mehrere gemeinsam Einsprechende aus dem Verfahren zurückziehen. Dies muss dem EPA und den anderen Parteien jedoch durch einen zur gemeinsamen Vertretung Berechtigten mitgeteilt werden, da-

---

14 **G 3/97** und **G 4/97**, ABl 1999, 245 und 270, LS 2.
15 **G 3/97** und **G 4/97**, ABl 1999, 245 und 270, Nr 3.2.1 und 3.2.3 der Gründe.
16 **T 635/88**, ABl 1993, 608, Nr 9.1.
17 **T 289/91**, ABl 1994, 649, Nr 2.2.1.
18 **T 219/86**, ABl 1988, 254; **T 870/92** vom 8.8.1997, Nr 1.2.
19 **T 25/85**, ABl 1986, 81, Nr 12.
20 **T 9/00**, ABl 2002, 275, Leitsätze, erneut **T 966/02** vom 1.12.2004, Nr 2.5.

mit der Rückzug aus dem Verfahren wirksam wird. Die verbleibenden gemeinsam Einsprechenden bleiben Partei des Verfahrens.[21]

3 Das Interesse des Einsprechenden

14 Art 99 verlangt kein bestimmtes Interesse des Einsprechenden an seinem Obsiegen, weder ein rechtliches noch ein sonstiges berechtigtes Interesse.[22] Das Einspruchsverfahren ist als Popularrechtsbehelf ausgestaltet. Ebenso wenig ist grundsätzlich ein späterer Wegfall eines solchen Interesses für die Einsprechendenstellung relevant.[23]

Zur Rechtslage, wenn bereits bei Einlegung des Einspruchs für alle benannten Vertragsstaaten auf das europäische Patent verzichtet worden oder es dort erloschen ist, siehe auch Rdn 41–44).

Man kann also auch deshalb Einspruch einlegen, um überprüfen zu lassen, ob das europäische Patent wirklich die erforderlichen erfinderischen Qualitäten aufweist. Ein zugelassener Vertreter kann aus Fortbildungsinteresse Einspruch einlegen.[24]

15 Ein allgemeines Rechtsschutzbedürfnis des Einsprechenden muss jedoch als Voraussetzung der Zulässigkeit des Einspruchs wie bei jedem Verwaltungs- oder Gerichtsverfahren vorhanden sein. Daran fehlt es nach dem Grundsatz »ne bis in idem« für einen zweiten Einspruch eines Einsprechenden gegen das Patent, wenn der zweite Einspruch keinen weitergehenden rechtlichen Rahmen begründet als der erste.[25] Dabei sieht die Kammer anscheinend als rechtlichen Rahmen des Einspruchs nicht nur dessen Umfang, sondern auch die vorgetragenen Einspruchsgründe an (Nr 2. c) bb)). In **T 966/02** wurde offen gelassen,[26] ob ein zweiter Einspruch derselben Person, der sich auf eine Entgegenhaltung stützt, die im ersten Einspruch nur als eines der im Prüfungsverfahren berücksichtigen Dokumente genannt war zulässig ist. Die Einstufung eines zweiten Einspruchs derselben Person als bloß unzulässig und nicht als wirkungslos, weil gegenstandslos, hat zur Folge, dass die zweite Einspruchsgebühr nicht zurückerstattet werden kann, obwohl der Einsprechende die Verfahrensbeteiligung nur einmal erlangt (siehe auch Rdn 34 zu Art 99).

---

21 **G 3/99**, ABl 2002, 347, LS I und III, Nr 10 ff; siehe auch Art 59 für gemeinsame Anmelder; PrüfRichtl D-I, 4; R 100 (1) Satz 3 und die Vorlageentscheidung **T 272/95**, ABl 1999, 590.
22 Ständige Rechtsprechung vor **G 3/97** und **G 4/97**, ABl 1999, 245 und 270, siehe zB **G 1/84**, ABl 1985, 299, Nr 3; **T 635/88**, ABl 1993, 608, Nr 6.; **T 548/91** vom 7.2.1994, Nr 1.2.3; **T 590/93**, ABl 1995, 337, Nr 2; **T 798/93**, ABl 1997, 363, LS I.
23 Ständige Rspr, siehe zB erneut **T 1137/99** vom 14.10.2002, Nr 4, **T 711/99**, ABl 2004, 550, Nr 2.1.5 d.
24 **T 798/93**, ABl 1997, 363, LS I.
25 **T 9/00**, ABl 2002, 275, Nr 2.c.
26 **T 966/02** vom 1.12.2004.

Zur Frage, ob der Einspruch unzulässig ist in Fällen, die in nationalen Rechts- 16
systemen unter den Begriff des Rechtsmissbrauchs oder der unzulässigen
Rechtsausübung eingeordnet werden, oder in Fällen, in denen andere prozesshindernde
Einreden bestehen, wie etwa das Bestehen einer Nichtangriffsverpflichtung,
siehe Art 101 Rdn 23–26.

4 Gegenstand des Einspruchs

Gegenstand des Einspruchs ist das formell wirksam erteilte Patent. Das liegt 17
nach Art 97 (4) vor, wenn im Europäischen Patentblatt auf die Erteilung hingewiesen
worden ist. Von diesem Tag an wird die Patenterteilung wirksam. Dieser
Tag wird in das europäische Patentregister eingetragen (R 92 (1) o)) und im Europäischen
Patentblatt veröffentlicht (Art 129 a)).

Etwaige formale Mängel im Erteilungsverfahren werden durch den Ertei- 18
lungsakt geheilt.[27] Sie machen die Patenterteilung deshalb nicht unwirksam.

Hat der Patentinhaber dagegen eine Beschwerde gegen den Erteilungsbe- 19
schluss eingelegt, so entfaltet die Erteilungsentscheidung wegen der aufschiebenden
Wirkung der Beschwerde nach Art 106 (1) Satz 2 keinerlei Rechtswirkung,
und die Bekanntmachung des Hinweises auf die Erteilung des europäischen
Patents hat zu unterbleiben (PrüfRichtl E-XI, 1). Ist die
Bekanntmachung dennoch erfolgt, so ist sie durch eine Berichtigung im Europäischen
Patentblatt außer Kraft zu setzen.[28] Das Gleiche gilt, wenn ein Dritter,
der wegen eines geltend gemachten Anspruchs auf Erteilung des europäischen
Patents die Aussetzung des Erteilungsverfahrens nach R 13 (1) beantragt hat,
gegen den Erteilungsbeschluss oder die Ablehnung, die Bekanntmachung des
Hinweises auf die Patenterteilung zu verschieben, Beschwerde eingelegt hat.[29]

Obwohl die Bekanntmachung des Hinweises auf die Patenterteilung ein Re- 20
alakt und keine Entscheidung ist, können im Grundsatz schwerwiegende Fehler
in der Bekanntmachung des Hinweises die Folge haben, dass die Rechtswirkung
des europäischen Patents nach Art 97 (4) nicht eintritt.[30] Dies ist aber nur
dann der Fall, wenn wegen dieser Mängel der Zweck des Hinweises, auf die
Patenterteilung aufmerksam zu machen, nicht mehr erfüllt wird (Nr 8 der
Gründe). Dabei ist andererseits auch das berechtigte Interesse des Patentinhabers
daran zu berücksichtigen, nicht auf Rechte verzichten zu müssen, auf deren
Vorhandensein er sich aus stichhaltigen Gründen verlassen durfte (Nr 10
der Gründe).

---

27 **J 22/86**, ABl 1987, 280, Nr 18: Patenterteilung, obwohl die Anmeldung als zurückgenommen
galt.
28 **T 1/92**, ABl 1993, 685, Nr 3.
29 **J 28/94**, ABl 1995, 742.
30 **J 14/87**, ABl 1988, 295.

21   Die Veröffentlichung der Patenterteilung wird nicht dadurch unwirksam, dass die veröffentlichte Patentschrift Fehler enthält und berichtigt werden muss.[31]

5 Einspruchsfrist und zuständige Stelle

22   Die Einspruchsfrist beträgt 9 Monate nach der Bekanntmachung des Hinweises auf die Erteilung des europäischen Patents (Art 97 (4)).

23   Ist die Bekanntmachung aus den unter Rdn 19 ff genannten Gründen unwirksam, so beginnt die Einspruchsfrist nicht zu laufen. Obwohl in **T 1/92**[32] und **J 28/94**[33] nur davon die Rede ist, dass die Wirkungen der Veröffentlichung eines solchen Hinweises durch eine Berichtigung außer Kraft zu setzen sind, wird man weitergehend folgern müssen, dass die Einspruchsfrist nicht in Gang gesetzt wird, wenn der Hinweis auf die Erteilung des europäischen Patents unwirksam ist. Allerdings müssen wegen des gesetzten Rechtsscheins Einsprüche, die aufgrund einer fehlerhaften Veröffentlichung des Hinweises auf die Erteilung eingelegt wurden, als rechtzeitig eingelegt angesehen werden, wenn der Hinweis später erneut veröffentlicht wird und der Einsprechende seinen Einspruch noch aufrechterhalten will.

24   Bei Fristversäumung ist nach Art 122 für den Einsprechenden keine Wiedereinsetzung möglich, da sich Art 122 nur auf Fristversäumnisse durch den Anmelder und den Patentinhaber bezieht.[34] Eine Ausnahme von diesem Grundsatz hat die Große Beschwerdekammer in **G 1/86**[35] nur für den Fall zugelassen, dass ein Einsprechender als Beschwerdeführer, der die Beschwerde rechtzeitig eingelegt hatte, die 4-Monatsfrist für die Begründung der Beschwerde versäumt hatte (Art 108 Satz 2); siehe näher Art 122 Rdn 39.

25   Nach Art 99 (1) muss der Einspruch beim EPA eingelegt werden, also entweder in München, bei der Zweigstelle in Den Haag oder bei der Dienststelle in Berlin (Beschluss des Präsidenten vom 10.5.1989, ABl 1989, 218). Die Einreichung bei nationalen Behörden der Vertragsstaaten ist – anders als nach Art 75 bei der Anmeldung – nicht zugelassen.

26   Jedoch wurden gemäß der Verwaltungsvereinbarung vom 29.6.1981 idF vom 13.10.1989 zwischen dem DPMA und dem EPA über den Zugang von Schriftstücken und Zahlungsmitteln) Schriftstücke und damit auch Einsprüche, die an das EPA gerichtet waren, aber versehentlich den Annahmestellen des DPMA in München und Berlin zugingen, unmittelbar dem EPA zugeleitet.[36] Sie wur-

---

31 **T 438/87** vom 9.5.1989, Nr 4.1.
32 **T 1/92**, ABl 1993, 685.
33 **J 28/94**, ABl 1995, 742.
34 **T 2/87**, ABl 1988, 264, Nr 10.
35 **G 1/86**, ABl 1987, 447.
36 ABl 1991, 187.

den vom EPA so behandelt, als seien sie zum Zeitpunkt ihres Eingangs beim DPMA beim EPA eingegangen. Als Schriftstücke galten auch Fernschreiben, Telekopien und Telegramme (Art 3 der Vereinbarung).

Weil das Bundespatentgericht festgestellt hat,[37] dass die in der Verwaltungsvereinbarung getroffene Zugangsregelung rechtswidrig ist und das DPMA die Verwaltungsvereinbarung seit dem 1. März 2005 nicht mehr anwendet, wendet auch das EPA die Verwaltungsvereinbarung gemäß seiner Veröffentlichung im ABl 2005, 404 nicht mehr an. Fehlgeleitete Schriftstücke werden zwar vom DPMA weiterhin an das EPA weitergeleitet. Sie erhalten jedoch als Zugangstag nur noch den Tag des tatsächlichen Eingangs beim EPA. Das ist für am Fristende eingereichte Einsprüche besonders bitter, weil es hier keine Wiedereinsetzung gibt.

6 Schriftform des Einspruchs

Art 99 (1) Satz 2 schreibt die Schriftform vor. R 61a verweist hinsichtlich der formellen Voraussetzungen für die Unterlagen auf die R 26–36, die für die europäische Patentanmeldung gelten. Auf die Einspruchsschrift selbst ist allerdings nur R 36 anwendbar. 27

Zur Schriftform gehört nach R 61a iVm R 36 (3) die Unterschrift des Einsprechenden oder seines Vertreters. War der Unterzeichner nicht zur Vertretung berechtigt, so ist die Einspruchsschrift so zu behandeln, als trage sie keine Unterschrift. In diesem Fall fordert der Formalprüfer den Einsprechenden unter Fristsetzung auf, die Unterschrift nachzuholen. Entspricht dieser der Aufforderung, so behält die Einspruchsschrift ihren ursprünglichen Eingangstag.[38] 28

Das EPA empfiehlt die Verwendung des Formblatts 2300. Das Formblatt und das Merkblatt zum Formblatt sind kostenlos beim Amt erhältlich und im Internet abrufbar 29

Mündliche, telefonische und auf Band gesprochene Einspruchserklärungen sind wirkungslos. 30

Der Einspruch kann jedoch telegrafisch, fernschriftlich oder durch Telekopie (Telefax) eingelegt werden, dagegen jedenfalls zurzeit (noch) nicht auf Diskette oder ähnlichen Datenträgern, durch Teletex oder online. Nach R 36 (5) iVm Art 4 (2) des Beschlusses des Präsidenten vom 26.5.1992 (ABl 1992, 299) ist ein Bestätigungsschreiben nur auf Anforderung des zuständigen Organs des EPA nachzureichen. Einzelheiten sind unter Art 78 Rdn 64–72 näher beschrieben.

---

37 Beschluss vom **23. November 2004** 11 W (pat) 41/03.
38 R 36 (3) Satz 3; **T 665/89** vom 17.7.1991 Nr 1.4; PrüfRichtl D-III, 3.3; siehe auch **G 3/99**, ABl 2002, 347, Nr 20.

7 Sprachenfrage

31 Der Einspruch kann in jeder der drei in Art 14 vorgesehenen Amtssprachen des EPA eingereicht werden (R 1 Satz 1). Dies ist eine der in Art 14 (3) vorgesehenen Ausnahmen von dem dort festgelegten Grundsatz, dass die Verfahrenssprache der europäischen Patentanmeldung beizubehalten ist.

Das Formblatt für die Einlegung des Einspruchs kann unabhängig von der für Tatsachenvorbringen und Begründung gewählten Sprache in jeder der drei Amtssprachen verwendet werden.[39] Der Einspruch gilt als in der Sprache eingereicht, in der Tatsachenvorbringen und Begründung abgefasst sind.

32 Personen mit Sitz oder Wohnsitz in einem der Vertragsstaaten, in dem eine andere Sprache Amtssprache ist, sowie Angehörige dieses Staates mit Wohnsitz im Ausland können den Einspruch nach Art 14 (4) auch in dieser Sprache einreichen. Sie müssen jedoch innerhalb eines Monats eine Übersetzung in einer der drei Amtssprachen des EPA nachreichen, wobei sich diese Frist bis zum Ablauf der Einspruchsfrist verlängert (Art 14 (4) Satz 2, R 1 Satz 2, R 6). Bei Fristversäumung ist Wiedereinsetzung nach Art 122 möglich.

Dafür, ob eine zugelassene Nicht-Amtssprache des EPA verwendet werden darf, kommt es auf den Beteiligten an, in diesem Fall auf den Einsprechenden, und nicht auf seinen Vertreter.[40]

8 Einspruchsgebühr

33 Der Einspruch gilt erst als eingelegt, wenn die Einspruchsgebühr entrichtet worden ist (Art 99 (1) Satz 3). Wird die Einspruchsgebühr nicht gezahlt, so liegt kein gültiger Einspruch vor. Wie andere Gebühren kann auch die Einspruchsgebühr durch Dritte entrichtet werden. Zur Zahlung einer Einspruchsgebühr bei gemeinsamen Einspruch durch mehrere Personen siehe oben Rdn 13.

34 Nach **T 152/85**[41] gilt der Einspruch auch dann als nicht eingelegt, wenn die Einspruchsgebühr verspätet, also nach Ablauf der Einspruchsfrist gezahlt wird. Der Einspruch ist dann also nicht lediglich unzulässig. Diese Unterscheidung ist für die Frage der Rückzahlung einer verspätet entrichteten Einspruchsgebühr von Bedeutung. Gilt der Einspruch als nicht eingelegt, so ist die Einspruchsgebühr zurückzuerstatten, weil sie ohne Rechtsgrund gezahlt ist. Bei einem unzulässigen, aber wirksam eingelegten Einspruch kommt dagegen keine Rückerstattung in Betracht. Siehe auch Rdn 15 zu Art 99.

35 Geringfügige Fehlbeträge der Einspruchsgebühr kann das EPA nach Art 9 (1) Satz 4 GebO ohne Nachteil für den Einsprechenden unberücksichtigt las-

---

39 Mitteilung des EPA, ABl 1986, 416, Nr 2.
40 **T 149/85**, ABl 1986, 103.
41 **T 152/85**, ABl 1987, 191.

sen. Nach J 11/85 kann ein Fehlbetrag von rund 10% als geringfügig angesehen werden.[42]

In T 290/90 hat die Beschwerdekammer wegen der besonderen Umstände des Falles einen Fehlbetrag von 20% toleriert.[43]

Für Einsprechende, die von der Möglichkeit des Art 14 (4) Gebrauch machen, ermäßigt sich die Einspruchsgebühr nach R 6 (3) iVm Art 12 (1) GebO um 20%. Maßgebend dafür, ob für einen Einspruch ein Anspruch auf Gebührenermäßigung entsteht, ist nicht die Sprache des Anschreibens oder Formblatts, sondern die der Begründung.[44] 36

Wiedereinsetzung nach Art 122 ist ebenso wie für die Abgabe der Einspruchserklärung ausgeschlossen (siehe Rdn 24). Die versäumte Zahlung der Einspruchsgebühr kann auch nicht im Wege der Berichtigung nach R 88 (1) nachgeholt werden. 37

Das EPA ist nicht verpflichtet, auf den drohenden Fristablauf für die Zahlung der Einspruchsgebühr hinzuweisen.[45] Zwar erfordert es nach der Entscheidung G 2/97 (Gründe Nr 4.1) der Grundsatz des Vertrauensschutzes allgemein, dass das EPA den Anmelder auf einen drohenden Rechtsverlust hinweist, wenn ein solcher Hinweis nach Treu und Glauben erwartet werden darf. Für das Einspruchsbeschwerdeverfahren hat die Große Beschwerdekammer in dieser Entscheidung (siehe Leitsatz) jedoch festgestellt, dass der Grundsatz von Treu und Glauben das EPA jedenfalls dann nicht verpflichtet, auf einen drohenden Fristablauf für die Bezahlung der Beschwerdegebühr hinzuweisen, auch wenn die Beschwerde so frühzeitig eingereicht wurde, dass der Beschwerdeführer die Gebühr noch rechtzeitig entrichten könnte, wenn weder der Beschwerdeschrift noch einem anderen auf die Beschwerde bezüglichen Dokument zu entnehmen ist, dass der Beschwerdeführer die Frist für die Entrichtung der Gebühr ohne eine solche Mitteilung versehentlich versäumen würde. Der – keinen besonderen Aufwand erfordernden – Beschwerdeerklärung kann dies vielfach nicht entnommen werden, weil der Beschwerdeführer sich sie endgültige Entscheidung darüber, ob er wirklich Beschwerde einlegen will, durch – einstweilige – Nichtentrichtung der Gebühr vorbehalten kann. Ob diese Erwägungen auf die Einspruchseinlegung übertragen werden können, erscheint fraglich, weil für den Einspruch keine besondere Begründungsfrist gilt und Einsprüche deshalb anders als Beschwerden in der Regel in der Einspruchsschrift bereits eine volle Einspruchsbegründung enthalten. 38

---

42 J 11/85, ABl 1986, 1.
43 T 290/90, ABl 1992, 368; ebenso J 27/92, ABl 1995, 288; dagegen T 905/90, ABl 1994, 306 und 556; Einzelheiten siehe GebO, Art 9.
44 Siehe Rdn 31–32; G 6/91, ABl 1992, 491, Nr 25 mit Verweis auf T 290/90, ABl 1992, 368.
45 T 152/85, ABl 1987, 191; ebenso für Gebührenzahlungen allgemein G 2/97, ABl 1999, 123, Nr 3.4 mit weiteren Nachweisen aus der Rechtsprechung.

9 Territorialer Umfang des Einspruchs

39 Nach Art 99 (2) erfasst der Einspruch das europäische Patent für alle Vertragsstaaten, in denen es Wirkung hat. Es ist also nicht möglich, einen Einspruch auf bestimmte Vertragsstaaten zu beschränken.

40 In den Fällen, in denen das europäische Patent jedoch aufgrund verschiedener Ansprüche für verschiedene Staaten unterschiedliche Wirkung hat, kann der Einspruch allerdings verschiedene Staaten überhaupt nicht oder in unterschiedlichem Umfang erfassen, wenn das europäische Patent inhaltlich nicht in vollem Umfang angegriffen wird, oder sich jedenfalls unterschiedlich auswirken.

Dabei handelt es sich um folgende Fälle:

a) der Berechtigte nach Art 61 iVm R 16 (2) hat für einen Teil der benannten Vertragsstaaten unterschiedliche Patentansprüche zugebilligt erhalten;

b) aufgrund älterer europäischer Rechte oder auch älterer nationaler Rechte sind die Ansprüche für einzelne benannte Staaten geändert worden (R 87); siehe auch die inzwischen aufgehobene Rechtsauskunft Nr 9/81 für unterschiedliche Ansprüche, die vor dem Inkrafttreten der neuen R 87 am 1.2.1995 eingereicht wurden;[46] siehe dazu Art 102 Rdn 30;

c) für Griechenland, Österreich oder Spanien sind für das europäische Patent wegen des Vorbehalts betreffend den Schutz von chemischen Erzeugnissen und von Nahrungs- und Arzneimitteln (Art 167 (2) a) und d)) in dem im jeweiligen Vorbehalt angegebenen Umfang andere Ansprüche aufgestellt worden (siehe zB Rechtsauskunft Nr 4/80, ABl 1980, 48). Im Hinblick auf die Zeitpunkte des Ablaufs der Vorbehalte (siehe unter Art 167) sind sie immer weniger von Relevanz, hauptsächlich noch für Teilanmeldungen

10 Einspruch nach Verzicht oder nach Erlöschen des europäischen Patents

41 Nach Art 99 (3) kann Einspruch auch dann eingelegt werden, wenn der Patentinhaber auf das europäische Patent für alle benannten Staaten verzichtet hat oder wenn es für diese erloschen ist. Diese Bestimmung musste deshalb in das Übereinkommen aufgenommen werden, weil der Verzicht in den meisten Staaten grundsätzlich ex nunc wirkt, also nur für die Zukunft, so dass auch nach einem Verzicht für die Zeit bis zu seinem Erlöschen Rechte aus dem europäischen Patent wie auch aus der europäischen Patentanmeldung hergeleitet werden können. Auch in dem noch nicht in Kraft getretenen GPÜ ist in Art 50 ff vorgesehen, dass ein Verzicht (Art 49 GPÜ) auf das Gemeinschaftspatent nur für die Zukunft wirkt.

---

46 ABl 1998, 359; ABl 1981, 68.

Auch das Erlöschen des europäischen Patents ist nicht im EPÜ, sondern nationsal geregelt; am häufigsten erlischt es wegen Nichtzahlung von Jahresgebühren. Auch dieses Erlöschen hat gewöhnlich nur Wirkung für die Zukunft (siehe zB Art 51 (3) GPÜ für das Gemeinschaftspatent). 42

Der Widerruf des europäischen Patents im Einspruchsverfahren hat dagegen nach Art 68 die Folge, dass die Wirkungen der europäischen Patentanmeldung und des europäischen Patents als von Anfang an nicht eingetreten gelten. 43

Da das Bestehen des europäischen Patents keine Zulässigkeitsvoraussetzung ist, leitet das EPA das Einspruchsverfahren ein, auch wenn entweder der Patentinhaber oder ein Einsprechender auf den Verzicht oder das Erlöschen hinweist. Zum weiteren Verfahren siehe Art 101 Rdn 67–73. 44

11 Die Beteiligten am Einspruchsverfahren

Am Einspruchsverfahren sind nach Art 99 (4) neben dem Patentinhaber die Einsprechenden beteiligt. 45

Patentinhaber ist der in das europäische Patentregister Eingetragene. Die Einspruchsabteilung hat von der Registereintragung auszugehen. Sie ist nicht berechtigt, über die Legitimation des eingetragenen Patentinhabers zu entscheiden (siehe Art 60 Rdn 19). Jedoch hat sie in den in Rdn 51 ff genannten Fällen eine Rechtsnachfolge zu berücksichtigen, und nach R 61 kann ein Rechtsübergang des europäischen Patents während der Einspruchsfrist oder der Dauer des Einspruchsverfahrens unter den gleichen Voraussetzungen eingetragen werden wie der Rechtsübergang einer europäischen Patentanmeldung nach R 20. Wird das europäische Patent im Einspruchsverfahren umgeschrieben, so tritt der neu in das Register eingetragene Patentinhaber im Einspruchsverfahren an die Stelle des bisherigen.[47] Es gilt auch R 20 (3). Die Umschreibung im europäischen Patentregister hat lediglich Rechtswirkungen für das Verfahren vor dem EPA und nicht für das nationale Recht.[48] 46

Einsprechender ist, wer bei Ablauf der Einspruchsfrist als Einsprechender feststeht (Rdn 8). 47

Auch ein vermeintlicher Patentverletzer kann nach Art 105 einem anhängigen Einspruchsverfahren nach Ablauf der Einspruchsfrist beitreten und dann daran beteiligt sein. Einsprechende, die ihren Einspruch zurückgezogen haben oder deren Einspruch als unzulässig verworfen worden ist, sind nur bis zur Zurückziehung oder bis zu dem Zeitpunkt, an dem ihr Einspruch rechtskräftig verworfen ist, am Verfahren beteiligt (PrüfRichtl D-I, 6). 48

Ist einer von mehreren Einsprüchen durch Vorabentscheidung als unzulässig verworfen worden, so beendet diese Entscheidung die Instanz vor der Ein- 49

---

47 **T 553/90**, ABl 1993, 666, LS und Nr 2.4.
48 DE-BPatG vom 7.7.1986 – *Umschreibgebühr* –, ABl 1987, 438, LS; AT-OGH vom 12.2.1991 – *Duschtrennnwand* –, ABl 1993, 87.

spruchsabteilung für diesen Einsprechenden auch dann, wenn der Einsprechende gegen die Entscheidung Beschwerde einlegt. Der Suspensiveffekt der Beschwerde steht dem nicht entgegen, weil die Einspruchsabteilung bis zu einer Aufhebung ihrer Entscheidung durch die Beschwerdekammer an ihre Entscheidung gebunden ist. Der Devolutiveffekt der Vorlage der Beschwerde an die Beschwerdekammer bewirkt nach Art 109 (2), dass das Verfahren im Hinblick auf diesen Einsprechenden mit der Vorlage an die Beschwerdekammer bei dieser anhängig wird. Deshalb ist entgegen der in T 290/90[49]) in einem obiter dictum geäußerten Auffassung einer von mehreren Einsprechenden, dessen Einspruch von der Einspruchsabteilung durch Vorabentscheidung als unzulässig verworfen wurde, an dem Verfahren erster Instanz vor der Einspruchsabteilung auch dann nicht mehr beteiligt, wenn er gegen diese Entscheidung Beschwerde eingelegt hat.[50] Zum weiteren Einspruchsverfahren nach Verwerfung eines von mehreren Einsprüchen durch Vorabentscheidung siehe Art 101 Rdn 32 und 34).

50 Nicht beteiligt sind Dritte, die nach Art 115 Einwendungen gegen die Patentierbarkeit der Erfindung erhoben haben. Dies ergibt sich aus dem Gesetzestext.

12 Rechtsnachfolger des bisherigen Patentinhabers

51 Ein Gesamtrechtsnachfolger des Patentinhabers tritt auch ohne Eintragung in das Europäische Patentregister in dessen Rechtsstellung, auch als Partei eines Verfahrens vor dem Europäischen Patentamt, ein.[51] Eine infolgedessen unrichtige Angabe der Person des Patentinhabers als Partei kann berichtigt werden

52 Die europäische Patentanmeldung kann nach Art 71 ff insgesamt oder für verschiedene Staaten übertragen werden. Die Übertragung des europäischen Patents richtet sich nach dem nationalen Recht des in Betracht kommenden Staates. Mit der Übertragung tritt der neue Inhaber materiellrechtlich an die Stelle des früheren. Partei im Einspruchsverfahren wird er aber nur durch Eintragung in das europäische Patentregister oder gemäß R 61 und 20 (3). Erfolgt die Übertragung nur für einen Teil der benannten Staaten, so gelten die verschiedenen Inhaber des europäischen Patents nach Art 118 im Verfahren vor dem EPA als gemeinsame Patentinhaber. Die Einheit des europäischen Patents im Verfahren vor dem EPA wird hierdurch nicht beeinträchtigt.

53 In Art 99 (5) wird der Fall besonders geregelt, dass jemand aufgrund einer rechtskräftigen Entscheidung in einem Vertragsstaat anstelle des bisherigen Patentinhabers in das nationale Patentregister eingetragen worden ist. Es dürfte

---

49 T 290/90, ABl 1992, 368, Nr 2.
50 **T 1229/97** vom 4.7.2001, Nr 1.1. und 3.3.
51 **T 15/01** ABl 2006, 153 Leitsatz 2 und Nr 4 ff für einen Fall der Verschmelzung, mit eingehender Begründung.

sich dabei meistens um die Entscheidung eines Gerichts handeln. Aus Art 1 (2) AnerkProt (Anhang 2) ergibt sich, dass in ähnlichen Fällen auch Behörden solche Entscheidungen treffen können. Hinsichtlich der Anerkennung von Entscheidungen ist das Anerkennungsprotokoll (Anhang 2) jedoch nur auf europäische Patentanmeldungen und nicht auch auf erteilte europäische Patente anzuwenden. Ist das europäische Patent vor Rechtskraft der gerichtlichen Entscheidung erteilt, so kann die Entscheidung keine Wirkung mehr entfalten.[52]

Weist der betreffende Patentinhaber seine Inhaberschaft aufgrund einer solchen Entscheidung dem EPA nach, so tritt er auf Antrag im Einspruchsverfahren für diesen Staat an die Stelle des bisherigen Patentinhabers. Er hat in diesem Fall die Eintragungen in die jeweiligen nationalen Patentregister nachzuweisen. Er braucht nicht in das europäische Patentregister eingetragen zu sein. Erst mit Eingang des Nachweises kann er als Rechtsnachfolger im Verfahren auftreten. 54

Wegen der unterschiedlichen Interessenlage der möglichen verschiedenen Inhaber an dem europäischen Patent in den verschiedenen Staaten gelten in einem solchen Fall nach Art 99 (5) Satz 2 beide abweichend von Art 118 nicht als gemeinsame Inhaber, es sei denn, dass sie dies verlangen. Die Einspruchsabteilung führt in diesen Fällen das Einspruchsverfahren für die verschiedenen Patentinhaber getrennt durch. 55

Aufgrund unterschiedlicher Anträge ist ein unterschiedlicher Ausgang beider Einspruchsverfahren möglich; nach R 16 (3) kann in einem solchen Fall das im Einspruchsverfahren aufrechterhaltene europäische Patent für den betreffenden Staat unterschiedliche Patentansprüche, Beschreibungen und Zeichnungen enthalten (PrüfRichtl D-VII, 3.2 und 4.1). 56

Ist eine Entscheidung über den Anspruch eines Dritten auf das europäische Patent noch nicht ergangen, weist dieser aber dem EPA während des Einspruchsverfahrens oder der Einspruchsfrist nach, dass er gegen den Patentinhaber ein solches Verfahren eingeleitet hat, so wird nach R 13 (4) das Einspruchsverfahren ausgesetzt, wenn der Dritte nicht der Fortsetzung des Einspruchsverfahrens schriftlich zustimmt. Das Verfahren kann nur dann ausgesetzt werden, wenn die Einspruchsabteilung den Einspruch oder mindestens einen von mehreren Einsprüchen für zulässig hält. Eine Fortsetzung des Einspruchsverfahrens ist nach dem entsprechend anwendbaren Abs 3 der R 13 auch dann möglich, wenn das gerichtliche Verfahren noch nicht abgeschlossen ist. Allgemein zur Anwendung der R 13 siehe **T 146/82**.[53] 57

Die Einspruchsabteilung wird von ihrem Ermessen vor allem dann Gebrauch machen, wenn sie den Eindruck gewinnt, dass der Kläger das gerichtliche Verfahren verzögert. 58

---

52 Siehe Stauder in MünchGemKom, AnerkProt (6. Lieferung), Art 1 Rn 7 und 8.
53 **T 146/82**, ABl 1985, 267.

13 Übergang der Stellung als Einsprechender

59 Die Stellung als Einsprechender ist nicht rechtsgeschäftlich frei übertragbar.[54] Dies stimmt mit dem unter Rdn 8 dargestellten Grundsatz überein, dass die Person des Einsprechenden am Ende der Einspruchsfrist in nicht mehr austauschbarer Weise feststehen muss.

Im Gegensatz zum Patentinhaber hat der Einsprechende keine materiellrechtliche, sondern nur eine verfahrensrechtliche Rechtsposition. Nach allgemeinen Grundsätzen des gerichtlichen Verfahrensrechts kann eine Partei ihren Status als Verfahrenspartei zwar beenden. Es liegt jedoch nicht in ihrem Ermessen, ihn auf eine andere Person zu übertragen. Dies wäre auch mit dem Konzept des befristeten Einspruchs und der nach Art 105 begrenzten späteren Beteiligung Dritter nicht zu vereinbaren.[55]

60 Die Rechtsstellung des Einsprechenden geht jedoch im Falle einer Gesamtrechtsnachfolge (Universalsukzession) auf den Gesamtrechtsnachfolger über (PrüfRichtl D-I, 4.), und zwar auch dann, wenn der Gesamtrechtsnachfolger ursprünglich selbst Einspruch eingelegt, diesen dann aber zurückgezogen hatte. Gleichgültig ist, aus welchem Grund das geschah.[56] Beispiele für Gesamtrechtsnachfolge sind die Rechtsnachfolge von Todes wegen[57] oder die Eingliederung oder Verschmelzung juristischer Personen.[58] Der Übergang der Einsprechendenstellung auf die Erben des Einsprechenden wird durch R 60 (2) implizit anerkannt.[59]

61 Die Stellung des Einsprechenden kann außerdem zusammen mit dem Bereich des Geschäftsbetriebes eines Einsprechenden auf einen Dritten übertragen werden, auf den sich der Einspruch bezieht.[60] Ist der Gegenstand eines Einspruchs zwei verschiedenen Geschäftsbereichen zugeordnet, kann die Parteistellung des Einsprechenden nur durch Übertragung beider Geschäftsbereiche oder des gesamten Unternehmens auf einen Dritten übergehen.[61]

---

54 G 2/04, ABl 2005, 549, LS I(a) und Nr 2.1.1, T 711/99, ABl 2004, 550, LS I; A.A. Vorlageentscheidung dazu T 1091/02, ABl 2005, 14, Nr 2.5.1, wie hier schon G 3/97, ABl 1999, Nr 2.2, m.w. Nachw., T 659/92, ABl 1995, 519; so bereits T 355/86 vom 14.4.1987, noch offen gelassen in G 4/88, ABl 1989, 480, Nr 5.
55 G 2/04, ABl 2005, 549, Nr 2.1 ff, siehe auch die weitere eingehende Begründung dort.
56 T 1204/97 vom 11.4.2003, Nr 1.2.
57 T 355/86 vom 14.4.1987.
58 T 349/86, ABl 1988, 345 Nr 4.; T 475/88 vom 23.11.1989.
59 So auch G 4/88, ABl 1989, 480, Nr 4.
60 G 4/88, ABl 1989, 440, LS; T 563/89 vom 3.9.1981, Nr 1.1 am Ende: in der Sache allerdings wohl eher ein Fall einer Gesamtrechtsnachfolge; T 870/92 vom 8.8.1997, Nr 2; siehe auch T 298/97, ABl 2002, 83 und Art 117 Rdn 11.
61 T 9/00, ABl 2002, 275, Leitsätze.

Die Grundsätze der **G 4/88** beziehen sich jedoch nur auf den Fall, dass ein 62
rechtlich unselbständiger Teil eines Geschäftsbetriebes eines Einsprechenden
übertragen wurde.[62]

Eine Ausnahme von dem Grundsatz, dass die Stellung als Einsprechender
nicht übertragbar ist, ist in diesem Fall gerechtfertigt, weil der Einspruch nicht
von dem Teil des Geschäftsbetriebes eingelegt werden konnte, der keine eigene
Rechtspersönlichkeit hatte, sondern nur von dem Einsprechenden, zu dem der
Geschäftsbetrieb gehörte.

Eine Ausdehnung der Grundsätze der **G 4/88** auf anders gelagerte Fallgestal- 63
tungen, in denen diese Voraussetzung nicht erfüllt ist, ist in der Rechtsprechung
der Kammern bisher nicht erfolgt und nicht gerechtfertigt.[63]

Deshalb ist die Einsprechendenstellung zB nicht übertragbar, wenn die einsprechende Muttergesellschaft die Anteile einer Tochtergesellschaft verkauft
hat, in deren Interesse sie den Einspruch eingelegt hatte. Die Einsprechendenstellung kann in diesem Fall weder auf die Tochtergesellschaft noch auf den Erwerber der Anteile der Tochtergesellschaft übertragen werden.[64]

Innerhalb einer Gruppe von Unternehmen ist es Sache der beteiligten Unter- 64
nehmen, die Vor- und Nachteile der verschiedenen Rechtsfolgen abzuwägen,
die sich aus der Verteilung der die Wahrnehmung der gewerblichen Schutzrechte betreffenden Angelegenheiten im Verhältnis zwischen der Holdinggesellschaft und ihren Tochtergesellschaften ergeben. Darüber hinaus kann die
Notwendigkeit einer Übertragung des Einspruchs auf die Gesellschaft, die den
Geschäftsbetrieb führt, durch Einlegung eines gemeinsamen Einspruchs vermieden werden.[65]

Die komplizierten und streitigen Tatfragen oder Fragen des Gesellschaftsrechts, die sich aus einer liberalen Zulassung der Übertragung von Einsprüchen
ergeben können, (Vorlageentscheidung 2.5.2) sollen im Einspruchsverfahren
im Interesse der Rechtssicherheit und der effizienten und zügigen Durchführung des Verfahrens nicht geprüft werden müssen.[66]

Ein Übergang eines Geschäftsbereichs im Sinne dieser Rechtsprechung liegt 65
nicht vor, wenn lediglich eine Reihe gewerblicher Schutzrechte übertragen
werden, ohne Übertragung desjenigen Unternehmensteils, auf den sich die fraglichen gewerblichen Schutzrechte beziehen.[67] Andererseits wird der Übergang der Einsprechendenstellung infolge der Übertragung eines ganzen Ge-

---

62 **G 4/88**, ABl 1989, 480.
63 **G 4/88**, ABl 1989, 440, **G 2/04**, ABl 2005, 549, Nr 2.2 ff, insbesondere 2.2.2.
64 **G 2/04**, ABl 2005, 549, **T 711/99**, LS III.
65 **G 2/04**, ABl 2005, 549, Nr 2.2.1.und 2.2.2(b).
66 **G 2/04**, ABl 2005, 549, Nr 2.2.2(a).
67 **T 659/92**, ABl 1995, 519, Nr 3.1.

schäftsbereichs nicht dadurch ausgeschlossen, dass von dieser Übertragung einzelne Forderungen und Verbindlichkeiten ausgenommen wurden.[68]

Ein den Übergang der Einsprechendenstellung rechtfertigender Sachverhalt ist substantiiert vorzutragen und zu beweisen.[69] Das gilt auch im Fall einer Gesamtrechtsnachfolge. Erben mehrere Personen verschiedene Teile einer Erbschaft, so ist Rechtsnachfolger des Einsprechenden der Erbe, der nachweist, dass er den Teil der Erbschaft erworben hat, auf den sich der Einspruch bezog. Mehrere gemeinsame Erben sind als gemeinsame Einsprechende im Sinne der **G 3/99** zu behandeln.[70] Die bloße Behauptung, Rechtsnachfolgerin zu sein, reicht nicht.[71] Ebenso wenig stellt es einen Beweis für den Übergang eines Geschäftsbereichs dar, dass einige Produkte, die früher vom ursprünglich Einsprechenden vermarktet wurden, nun von einem Dritten vermarktet werden.[72] Parteistellung erlangt der neue Einsprechende erst, wenn er den Rechtsübergang nachweist. Solange der Nachweis nicht erbracht ist, bleibt die bisherige Partei im Verfahren berechtigt und verpflichtet.[73] Eine Eintragung in das europäische Patentregister ist lediglich deklaratorischer Natur. Jedoch kann eine zu Unrecht erfolgte, über Jahre unbeanstandet gebliebene Anerkennung des Übergangs der Stellung als Einsprechender unter Umständen unter dem Gesichtspunkt des Vertrauensschutzes weiterhin unbeanstandet bleiben.[74] Die Zustimmung des Verfahrensgegners zum Parteiwechsel ist nicht erforderlich.[75]

Der Übergang der Stellung als Einsprechender kann auch noch im Einspruchsbeschwerdeverfahren geschehen. Zu den Anforderungen, siehe die Kommentierung zum Beschwerdeverfahren.

66 Kein Fall eines Übergangs der Einsprechendenstellung ist die bloße Namensänderung, insbesondere einer juristischen Person. Diese wird vermerkt, wenn sie nachgewiesen ist. (Zum Zusammentreffen von Namensänderungen und Übertragungen der Einsprechendenstellung und deren Behandlung im Verfahren, siehe T 273/02.[76]

---

68 **T 799/97** vom 4.7.2001, Nr 2.3 f.
69 **T 82/84** vom 9.6.2005, Nr 2.
70 **G 3/99**, ABl 2002, 347; **T 74/00** vom 15.3.2005, Nrn. 4. ff, siehe auch Rdn 13 zu Art 99.
71 **T 670/95** vom 9.6.1998, Stichwort und Nr 2; siehe auch ausführlich **T 19/97** vom 31.7.2001, Nr 4 ff.
72 **T 590/98** vom 30.4.2003, Nr 2.4.
73 Siehe auch **T 1137/97** vom 14.10.2002, Nr 1 ff.
74 **T 293/03** vom 25.7.2005, Nr 1.3 ff.
75 **T 870/92** vom 8.8.1997, Nr 2.
76 **T 273/02** vom 27.4.2005, Nr 2. ff.

B Inhalt der Einspruchsschrift (R 55)

14 Allgemeines

Art 99 (1) Satz 2 enthält die Verpflichtung zur Begründung des Einspruchs. Der notwendige Inhalt der Einspruchsschrift ist im einzelnen in R 55 festgelegt. Nähere Angaben werden verlangt über

a) den Einsprechenden,
b) das angegriffene Patent,
c) den Umfang des Einspruchs sowie die Einspruchsgründe mit Angabe der Tatsachen und Beweismittel und
d) den Vertreter.

Bei Mängeln findet R 56 Anwendung, siehe Art 101 Rdn 27 und 29.

Während R 55 a), b) und d) rein formale Erfordernisse betreffen,[77] die der zweifelsfreien Identifizierung des angegriffenen Patents und der Beteiligten dienen, ist das Begründungserfordernis der R 55 c) sachlicher Natur.) und betrifft den Kern des Einspruchsvorbringens.[78] Die Vorschrift hat jedoch nicht nur die Funktion, die inhaltlichen Anforderungen an die Zulässigkeit des Einspruchs zu regeln. Nach G 9/91 und G 10/91 legt sie auch den rechtlichen und faktischen Rahmen fest, innerhalb dessen die materiellrechtliche Prüfung des Einspruchs grundsätzlich durchzuführen ist[79] (zu den Auswirkungen dieser Betrachtungsweise auf den Umfang der Überprüfung im Einspruch siehe Art 101 Rdn 36–49).

15 Angaben zur Person des Einsprechenden (R 55 a))

R 55 a) verweist wegen der notwendigen Angaben über den Einsprechenden auf die für den Patentanmelder geltende Vorschrift der R 26 (2) c).

16 Bezeichnung des angegriffenen Patents (R 55 b))

Nach R 55 b) muss die Nummer des Patents, die Bezeichnung seines Inhabers und die Bezeichnung der Erfindung angegeben werden.

Jedoch genügt es für einen zulässigen Einspruch, wenn die dem Amt nach R 56 (2) vorliegenden Angaben ausreichen, das angegriffene Patent leicht und zweifelsfrei zu identifizieren.[80]

---

77 **T 621/91** vom 28.9.1994, Nr 3.3.
78 Std Rspr im Anschluss an **T 222/85**, ABl 1988, 3; siehe zB statt vieler **T 621/91**, Nr 3.3; **T 925/91**, ABl 1995, 469, Nr 2.2.
79 **G 9/91** und **G 10/91**, ABl 1993, 408 und 420, Nr 6.
80 Siehe dazu **T 317/86**, ABl 1989, 378; ebenso **T 69/87** vom 27.9.1988 unter Verweisung auf **T 317/86** für einen Fall, in dem der Titel auch nach R 56 (2) nicht angegeben wurde; erneut **T 335/00**.und **T 336/00** vom 8.10.2002, Nr 2.2.

17 Umfang des Einspruchs (R 55 c))

71 Der Einspruch kann gegen das europäische Patent in seiner Gesamtheit gerichtet sein. Er kann sich aber auch nur gegen bestimmte unabhängige Patentansprüche richten oder gegen bestimmte Alternativen eines solchen Anspruchs, ja sogar gegen einen definierten, in den Ansprüchen enthaltenen Gegenstand.[81]

72 Eine bestimmte Form für die Erklärung über den Umfang des Einspruchs ist nicht vorgeschrieben. Der Umfang muss sich jedoch aus dem Gesamtinhalt der Einspruchsschrift entnehmen lassen.

73 Hat der Einsprechende ausdrücklich den Widerruf des Patents oder gar den Widerruf in vollem Umfang beantragt, ist der Einspruch auch dann als unbeschränkt eingelegt auszulegen, wenn sich die Einspruchsgründe nur auf einen Teil der Ansprüche beziehen, weil bereits die fehlende Patentfähigkeit eines einzigen unabhängigen Anspruchs zum vollständigen Widerruf des Patents in der erteilten Form führen muss.[82] Das wird in der Rechtsprechung anerkannt, wenn eine selbständige Begründung zu abhängigen Ansprüchen fehlt.[83]

74 Anderer Ansicht ist T 737/92 ff.[84] Dieser abweichenden Ansicht kann nicht zugestimmt werden, weil der ausdrücklich gestellte Antrag das eigentliche Rechtsschutzbegehren des Einsprechenden ausmacht, das nicht durch Auslegung zu seinen Lasten in das Gegenteil des ausdrücklich Beantragten verkehrt werden darf. Die abweichende Auffassung kann sich nicht auf G 9/91 und G 10/91 stützen, da dort nur der Fall diskutiert wird, dass **keine** ausdrückliche Erklärung vorliegt und deshalb das vom Einsprechenden Gewollte durch Auslegung zu ermitteln ist.[85]

75 Enthält die Einspruchsschrift keine ausdrückliche Erklärung über den Umfang des Einspruchs und eine Begründung nur zu einem Teil der Ansprüche, so ist nach G 9/91 und G 10/91 zweifelhaft, ob wie früher üblich der Einspruch noch als gegen das Patent als Ganzes eingelegt angesehen werden kann.[86]

76 Zu den Rechtsfolgen eines gegenständlich beschränkten Angriffs für den Umfang der Prüfung durch die Einspruchsabteilung, siehe Art 101 Rdn 37 ff).

---

81 So in **T 580/89**, ABl 1993, 218, der Vorlageentscheidung für **G 9/91** und **G 10/91**, ABl 1993, 408 und 420.
82 **T 896/90** vom 22.4.1994, Nr 4.2; **T 926/93**, ABl 1997, 447, LS; **T 114/95** vom 8.4.1997, Nr 1.4.
83 **T 896/90** vom 22.4.1994, Nr 4.2 ff; **T 470/92** vom 19.2.1996, Nr 1; **T 1019/92** vom 9.6.1994; **T 443/93** vom 22.3.1995, Nr 5.6; **T 926/93**, ABl 1997, 447, Nr 3 erneut **T 938/03** vom 5.4.2005), in **T 114/95** vom 8.4.1997 auch im Hinblick auf einen unabhängigen Anspruch.
84 **T 737/92** vom 12.6.1995, Nr 2.1.
85 **G 9/91** und **G 10/91**, ABl 1993, 408 und 420.
86 **G 9/91** und **G 10/91**, ABl 1993, 408 und 420; Zweifel in dieser Richtung in **T 376/90**, ABl 1994, 906, Nr 2.2.1; zu dieser Frage siehe auch **T 870/92** vom 8.8.1997, Nr 1.1.

18 Angabe der Einspruchsgründe (R 55 c))

Dass nach R 55 c) anzugeben ist, auf welche Gründe sich der Einspruch stützt, wird in der Rechtsprechung der Beschwerdekammern in einschränkendem Sinn dahin verstanden, dass es lediglich das Verlangen nach der Nennung eines der Einspruchsgründe bedeutet.[87] Es ist nicht erforderlich, dass der dem Einspruchsgrund entsprechende Artikel ausdrücklich zitiert wird. Es genügt, dass sich die Geltendmachung des Einspruchsgrundes dem Sachgehalt des Vorbringens entnehmen lässt.[88]

Die zugelassenen Gründe für den Einspruch sind in Art 100 aufgeführt (siehe dort). Zu den am meisten geltendgemachten Einspruchsgründen gehören das Fehlen der erfinderischen Tätigkeit (Art 56) und mangelnde Neuheit (Art 54).

Wird der Einspruch ausschließlich auf andere als die in Art 100 aufgeführten Gründe gestützt, so ist er als unzulässig zu verwerfen. Zu solchen anderen Gründen siehe im einzelnen Rdn 98.

Das bedeutet jedoch nicht, dass ein Einspruch schon allein deshalb als unzulässig verworfen werden kann, weil sich der Einsprechende in der formalen Nennung des Einspruchsgrundes auf eine Vorschrift des EPÜ bezogen hat, die keinen Einspruchsgrund nach Art 100 darstellt. Vielmehr kommt es auf den sachlichen Gehalt der Einspruchsbegründung an. Beispiele: eine Begründung des Einspruchs mit mangelnder Klarheit oder mangelnder Stützung durch die Beschreibung stellt nach ihrem sachlichen Gehalt einen Einwand gegen die Ausführbarkeit der Erfindung (Art 100b) oder deren Neuheit oder erfinderische Tätigkeit dar (Art 100a) iVm Art 56;[89] etwa, wenn der Anspruch durch seine Unklarheit Gegenstände umfasst oder umfassen kann, die zum Stand der Technik gehören.[90] Die Einspruchsbegründung muss in diesem Fall sinngemäß ausgelegt werden.[91]

19 Angabe der Tatsachen (R 55 c))

Der Einsprechende hat die Tatsachen darzulegen, die nach seiner Auffassung für den von ihm angegebenen Einspruchsgrund von Bedeutung sind. Bei einem auf mangelnde Neuheit oder mangelnde erfinderische Tätigkeit gestützten Einspruch ist anzugeben, welche Sachverhalte (Merkmale, Maßnahmen) wann der Öffentlichkeit zugänglich gemacht worden sind. Dabei ist selbstverständlich auch die Art der Zugänglichmachung, zB durch schriftliche oder mündliche Beschreibung, durch Benutzung oder in sonstiger Weise darzulegen (Art 54 (2)).

---

87 Siehe zB **T 328/87**, ABl 1992, 701, 3.2.
88 Siehe zB **T 335/00** vom 8.10.2002 und **T 336/00** vom 8.10.2002, Nr 2.2.
89 **T 127/85**, ABl 1989, 271; **T 134/88** vom 18.12.1989, Nr 4.6.
90 **T 50/90** vom 14.5.1991.
91 **T 925/91**, ABl 1995, 469, Nr 2.1.

Artikel 99 — *Einspruch*

81 Wichtig ist, »was, wo, wann, wie und durch wen geschah«.[92] Dabei ist die konkrete Angabe, wie und wo eine bestimmte Information verlautbart wurde, vor allem bei schriftlichen Verlautbarungen auf andere Weise als durch Druckschriften und bei mündlichen Beschreibungen, bei Vorbenutzungen oder bei Verlautbarungen in sonstiger Weise von Bedeutung; denn bei diesen muss dargelegt werden, dass der Sachverhalt dadurch iSd Art 54 (2) der Öffentlichkeit zugänglich gemacht worden ist (siehe auch Rdn 90 und 91). Bei Druckschriften im eigentlichen Sinne bedarf das »Wie« und »Wo« im allgemeinen keiner näheren Angaben.[93]

82 Hinsichtlich der Frage, in welchem Umfang der Einsprechende die von ihm angegebenen Tatsachen für einen nach R 55 c) zulässigen Einspruch substantiieren (konkretisieren) muß, sind Rechtsprechung und Praxis Schwankungen unterworfen. Einem strengeren Maßstab, den Rechtsprechung und Praxis im Vergleich zu den Anfangsjahren des EPÜ anwendeten, ist wiederum eine laschere Handhabung gefolgt.

83 Rechtsprechung und Praxis hatten sich zunächst an der in **G 1/84** vertretenen Auffassung zu orientieren,[94] dass die Rechtfertigung des Einspruchsverfahrens in dem überaus starken Interesse der Öffentlichkeit an rechtsbeständigen Patenten liege; außer bei offensichtlichen Verfahrensmissbräuchen sollte jeder Einspruch sachlich geprüft werden. Diese Entscheidung der Großen Beschwerdekammer war eine der Grundlagen für eine liberale Handhabung der Zulässigkeitsvoraussetzungen dahingehend, dass es für die Zulässigkeit eines Einspruchs ausreichend sein sollte, wenn die angeführten Einspruchsgründe und ihre Stichhaltigkeit von der Einspruchsabteilung und dem Patentinhaber richtig verstanden und überprüft werden können, was an sich eine Selbstverständlichkeit jeder Begründung darstellt; das ist ständige Rechtsprechung im Anschluss an **T 222/85**;[95] der dieser Entscheidung zugrundeliegende Fall war allerdings eher ein krasser Fall unsubstantiierten Vorbringens, in dem sich die Einsprechende pauschal auf 16 Entgegenhaltungen berufen hatte, ohne ein einziges konkretes Zitat daraus. Auf der Basis dieses liberaleren Maßstabes hat etwa **T 234/86**) die pauschale Verweisung des Einsprechenden auf ein 6 $^{1}/_{2}$ Schreibmaschinenseiten langes Dokument genügen lassen ohne konkrete Bezugnahme darauf, welche Textpassagen des Dokuments die Einspruchsbegründung tragen sollten.[96]

---

92 **T 93/89**, ABl 1992, 718, LS II und 8.1 aE, mwNachw; näher dazu **T 328/87**, ABl 1992, 70, Nr 3.3 und **T 522/94**, ABl 1998, 421, Nr 12; erneut **T 786/95** vom 13.10.1997, Nr 2.4.1 ff.
93 **T 522/94**, ABl 1998, 421, Nr 9 und 16.
94 **G 1/84**, ABl 1985, 299.
95 **T 222/85**, ABl 1988, 128, 131.
96 **T 234/86**, ABl 1989, 79.

Eine liberale Handhabung der Begründungsanforderungen führt nur dann zu effizienten Einspruchsverfahren, wenn einer großzügigen Handhabung der Anforderungen an die Substantiierung durch die Parteien ein weit gefasster Prüfungsauftrag der Einspruchsabteilung von Amts wegen gegenübersteht.[97] Ist dagegen – wie in **G 9/91** und **G 10/91** festgestellt – R 55 c) so zu verstehen, dass sie den tatsächlichen und rechtlichen Rahmen absteckt, innerhalb dessen sich die Einspruchsprüfung grundsätzlich bewegen soll,[98] so muss sich, wie in anderen zweiseitigen streitigen Verfahren auch, die Last der substantiierten Darlegung des Sachverhalts, der die mit dem Einspruch begehrte Rechtsfolge rechtfertigen soll, statt seiner Ermittlung von Amts wegen auf den Einsprechenden verlagern. In diese Richtung gehen offenbar die Überlegungen der Beschwerdekammer in **T 861/93** und **T 522/94**.[99] Vor allem aber muss dieser Sachverhalt auch innerhalb der Einspruchsfrist vorgebracht sein, um die Eröffnung eines Einspruchsverfahrens zu rechtfertigen. Denn nach der neuen Rechtsprechung der Großen Beschwerdekammer in **G 9/91** und **G 10/91** kann neues Vorbringen nur noch in beschränktem Umfang nachgebracht werden, nämlich bei prima facie Relevanz. 84

Zur Umsetzung des durch **G 9/91** und **G 10/91**[100] gesetzten Maßstabes ist zu bemerken, dass sich viele Entscheidungen – insbesondere auch im Hinblick auf die Anforderungen an die Zulässigkeit von Einsprüchen – jedenfalls im Ausgangspunkt weiterhin auf **T 222/85**[101] beziehen.[102] Viele suchen aber nach einer genaueren Definition der Anforderungen an die Substantiierung für einen zulässigen Einspruch. 85

Einige Entscheidungen betonen, dass die Tatsachen, die den Einspruch stützen, konkret angegeben werden müssen: Bei einer Druckschrift müssen die in Bezug genommenen Passagen des Standes der Technik konkret angegeben wer- 86

---

97 Zur Effizienz des Einspruchsverfahrens als einem der Gesichtspunkte für das Begründungserfordernis in Art 99 (1) und R 55 c) siehe **T 621/91** vom 28.9.1994, Nr 4.2; **T 522/94**, ABl 1988, 421, Nr 6.
98 **G 9/91** und **G 10/91**, ABl 1993, 408 und 420.
99 **T 861/93** vom 29.4.1994, Nr 7; **T 522/94**, ABl 1988, 421, Nr 6.
100 **G 9/91** und **G 10/91**, ABl 1993, 408 und 420.
101 **T 222/85**, ABl 1988, 128.
102 So zB **T 925/91**, ABl 1995, 469, Nr 2.2, diese sogar auf **G 1/84**; **T 28/93** vom 7.7.1994, Nr 2; **T 406/92** vom 18.1.1995, Nr 2, **T 302/93** vom 5.7.1995, Nr 2.3, **T 152/95** vom 3.7.1996, Nr 2.2, erneut **T 934/99** vom 18.4.2001, Nr 3; **T 782/04** vom 19.7.2005, Nr 3.1 mit weiteren Nachw. aus der Rspr.

den.[103] Es darf nicht der Einspruchsabteilung überlassen werden, in den zitierten Dokumenten ex officio nach Passagen zu recherchieren, die relevant sein könnten, wie das bei der in **T 222/85** gegebenen Einspruchsbegründung der Fall war.[104] Nach **T 521/00** ist darüber hinaus auch anzugeben, was aus den in Bezug genommenen Passagen bekannt sein soll.[105]

Dagegen gibt es nach **T 934/99** keine generelle Verpflichtung, bestimmte Stellen in dem in Bezug genommenen Dokument zu bezeichnen.[106] Dies soll von der Länge, der Struktur des Dokuments und dem Zusammenhang abhängen, in dem es zitiert wird.

87 Nach **T 448/89** ist das Erfordernis der zur Begründung vorgebrachten Tatsachen in R 55 c) nicht erfüllt,[107] wenn in einer neuheitsschädlich entgegengehaltenen Druckschrift mehrere unterschiedliche Gegenstände beschrieben sind und weder angegeben noch ohne weiteres erkennbar ist, welcher davon sämtliche Merkmale eines angegriffenen Anspruchs aufweisen soll. Im Hinblick auf die Behauptung mangelnder erfinderischer Tätigkeit ist R 55 c) nicht erfüllt, wenn nicht angegeben oder ohne weiteres erkennbar ist, welche von mehreren genannten Druckschriften welche Tatsache beweisen soll. (LS, Nr 4 und 5). Ebenso **T 504/90**:[108] Der pauschale Verweis auf eine Druckschrift wegen eines Merkmals genügt nicht, wenn die Druckschrift unterschiedliche Gegenstände zeigt, die zudem das behauptete Merkmal nicht ohne weiteres erkennen lassen.

88 Nach **T 453/87** soll ein Einspruch unzulässig sein, wenn infolge eines Fehlzitats im Einspruchsschriftsatz nicht zu erkennen ist, auf welches Dokument sich das Vorbringen bezieht.[109] Dagegen hatte **T 344/88** die Zulässigkeit in einem solchen Fall mit der Begründung bejaht,[110] dass es der Einspruchsabteilung aufgrund der technischen Angaben im Einspruchsschriftsatz möglich gewesen wäre, die richtige Patentschrift im Prüfstoff zu ermitteln, und die unrichtige Angabe deshalb gemäß R 88 berichtigt werden könne (wohl überholt).

---

103 wie schon in **T 222/85**, ABl 1988, 128, so in **T 204/91** vom 22.6.1992; **T 545/91** vom 28.4.1993; **T 621/91** vom 28.9.1994, Nr 5; **T 302/93** vom 5.7.1995, Nr 2.4; **T 365/95** vom 11.6.1997, Nr 1.1.3; **T 279/88** vom 25.1.1990 auch für den Fall, dass die Druckschriften bereits aus dem Prüfungsverfahren bekannt waren; **T 861/93** vom 29.4.1994, Nr 2.; ähnlich **T 406/92** vom 18.1.1995, Nr 2: ausführliche Auseinandersetzung mit dem Inhalt der Druckschrift.
104 **T 222/85**, ABl 1988, 128; siehe dazu zB **T 621/91** vom 28.9.1991, Nr 5, **T 302/93** vom 5.7.1995, Nr 2.5.
105 **T 251/00** vom 10.4.2003, Nr 3.2.
106 **T 934/99** vom 18.4.2001, Nr 7.
107 **T 448/89**, ABl 1992, 361.
108 **T 504/90** vom 28.10.1992, Nr 5a.
109 **T 453/87** vom 18.5.1989, Nr 2.1.
110 **T 344/88** vom 16.5.1991.

Bei Schriftstücken, die keine klassischen Veröffentlichungen sind, sind konkrete Tatsachen anzugeben, aus denen auf deren öffentliche Zugänglichkeit vor dem Prioritätstag geschlossen werden kann. **T 511/02** enthielt zB keine substantiierte Darlegung der öffentlichen Zugänglichkeit einer Montage- und einer Einbauanleitung, von der lediglich ein Druckdatum angegeben war.[111] Allerdings kommt es in Fällen dieser Art besonders auf die Gesamtheit der Umstände an. So wurde in **T 782/04** die Angabe des Druckdatums einer zur Erläuterung eines Produkts für potentielle Kunden gedachten Broschüre,[112] die 18 Jahre vor dem Prioritätsdatum gedruckt worden war, als ausreichende Substantiierung der öffentlichen Zugänglichkeit vor dem Prioritätsdatum angesehen, weil die Bedeutung der vorgetragenen Umstände unter verständiger Würdigung zu ermitteln sei.

In **T 279/88** hat die Beschwerdekammer einen Einspruch als unzulässig beurteilt,[113] in dem der Einsprechende behauptet hatte, die beanspruchten spezifischen Bereiche von Legierungselementen hätten aus den angezogenen 6 Vorveröffentlichungen durch routinemäßiges Experimentieren ermittelt werden können. Ein solcher Vortrag erfülle die Anforderungen der R 55 c) nicht, wenn es sich dabei ersichtlich um eine rein spekulative Behauptung der gewünschten Schlußfolgerungen handle und die Einspruchsschrift keinerlei Beweismittel oder Argumente zur Stützung dieser Behauptung enthalte.[114] Macht der Einsprechende mangelnde Ausführbarkeit geltend, so reicht es nicht, wenn er lediglich Zweifel äußert. Vielmehr muss er zB Versuchsergebnisse vorlegen oder zumindest ankündigen.[115]

Auch bei einer offenkundigen Vorbenutzung müssen konkrete Umstände angegeben werden, was, wann, wo und wie benutzt worden ist. Es müssen also Gegenstand, Art und Zeitpunkt der Vorbenutzung konkret benannt werden.[116]

Die Merkmale des vorbenutzten Gegenstands müssen konkret angegeben werden. Eine abstrakte Umschreibung der behaupteten Vorbenutzung, zB – wie es in der Praxis häufig geschieht – durch bloße Wiederholung oder Bezugnahme auf den Wortlaut des Patentanspruchs reicht für einen zulässigen Einspruch nicht aus. Vielmehr muss der vorbenutzte Gegenstand so beschrieben werden, dass festgestellt werden kann, ob er mit dem patentgemäßen Gegen-

---

111 **T 511/02** vom 17.2.2004, Nr 3 ff.
112 **T 782/04** vom 19.7.2005, Nr 4.
113 **T 279/88** vom 25.1.1990, Nr 2.
114 Ähnlich **T 16/87**, ABl 1992, 212, Nr 4. aE.
115 **T 604/89**, ABl 1992, 240, Nr 2.
116 StRspr., im Anschluss an **T 328/87**, ABl 1992, 701, Nr 3.3; **T 538/89** vom 2.1.1991, Nr 2.3.1; **T 28/93** vom 7.7.1994, Nr 2.; erneut **T 1081/03** vom 16.12.2004, **T 240/99** vom 16.12.2002.

stand identisch oder vergleichbar war.[117] Zum bloß pauschalen Verweis auf eingereichte Zeichnungen einer Vorbenutzung ohne nähere Bezeichnung der für einschlägig gehaltenen Sachverhalte siehe die in Rdn 103–105 zitierten Entscheidungen betreffend den Verweis auf Zeichnungen. Diese betreffen zwar zum Teil Zeichnungen in Druckschriften. Es kann jedoch insoweit keinen rechtlich erheblichen Unterschied machen, ob es sich um Zeichnungen einer Entgegenhaltung oder zur Darstellung einer Vorbenutzung handelt.

Bei einer Vorbenutzung sind ferner die Umstände der Benutzung anzugeben, die den Gegenstand der Öffentlichkeit zugänglich gemacht haben. Dazu gehören Art und Ort der Verwertung. Nicht genügend ist die pauschale Behauptung, den Gegenstand auf den Markt gebracht zu haben,[118] auch nicht die Behauptung, den Gegenstand auf einer nicht näher definierten Messe ausgestellt zu haben.[119] Nach **T 241/99** soll das Erfordernis des substantiierten Vortrags einer Zugänglichmachung für die Öffentlichkeit bei einem behaupteten Verkauf an eine »kleine geschlossene« Kundengruppe nur erfüllt sein, wenn innerhalb der Einspruchsfrist Namen und Anschriften dieser Kunden genannt werden.[120] Es soll nicht genügen, wenn diese aufgrund der innerhalb der Einspruchsfrist gemachten Angaben (hier: verschlüsselter Computerausdruck) und angebotenen Beweise identifizierbar sind.

Bei einer offenkundigen Vorbenutzung sind ferner auch Tatsachen anzugeben, die die Prüfung erlauben, dass der vorbenutzte Gegenstand damit vor dem maßgeblichen Zeitpunkt (Prioritäts- oder Anmeldetag) der Öffentlichkeit iSd Art 54 (2) zugänglich geworden ist.[121] Die pauschale Angabe *vor dem Prioritätstag* genügt dafür nicht. Vielmehr muss ein konkretes Datum oder ein Zeitraum der Vorbenutzung genannt werden, die die Feststellung erlauben, ob das der Fall war.[122] Nicht genügend ist die bloße Einreichung einer Zeichnung mit einem vor dem Prioritätstag liegenden Datum,[123] nicht einmal die Behauptung, den Gegenstand zu einem bestimmten Zeitpunkt auf einer Messe ausgestellt zu haben, wenn nicht präzise angegeben ist, um welche Messe es sich handelte,[124] auch nicht der Verweis auf 41 Seiten eingereichter Unterlagen ohne speziellere Angabe von Seiten oder Passagen dieser Seiten, aus denen sich das Datum der Vorbenutzung ergeben soll.[125]

---

117 **T 28/93** vom 7.7.1994, Nr 5, unter Bezugnahme auf **T 328/87**, ABl 1992, 701; erneut **T 240/99** vom 16.12.2002, Nr 4.2.2.
118 **T 1081/03** vom 16.12.2004, Nr 4.3.
119 **T 328/87**, ABl 1992, 701, Nr 5.1.
120 **T 241/99** vom 6.12.2004, Nr 4 ff.
121 **T 83/89**, ABl 1992, 718, Nr 8.2.
122 **T 328/87**, ABl 1992, 701, Nr 3.3.1.
123 **T 328/97**, Nr 3.3.1; **T 1081/03**, Nr 4.1.
124 **T 1081/03**, Nr 5.1.
125 **T 240/99** vom 12.12.2002, Nr 4.2.1.

20 Angabe der Beweismittel (R 55 c))

Nach dem Wortlaut von R 55 c) ist es nur notwendig, die Beweismittel anzugeben. Vorgelegt werden können sie später.[126] Deshalb ist der Einspruch zulässig, wenn der Einsprechende die von ihm behaupteten Tatsachen nach den von der Rechtsprechung dazu aufgestellten Kriterien hinreichend konkret vorgetragen hat. Ob diese Behauptungen auch wahr sind, ist eine Frage nach ihrem Bewiesensein und damit eine Frage der Begründetheit des Einspruchs.[127]

Bei einem Beweisangebot durch Zeugeneinvernahme liegt die Angabe des Beweismittels in der Benennung als Zeuge. Deshalb ist es entgegen **T 241/99** gemäß R 55 c) nicht erforderlich, dass der Einspruchsschriftsatz Angaben dazu macht, was der Zeuge zu dem behaupteten Sachverhalt aussagen kann.[128] Die Zulässigkeit des Einspruchs hängt auch nicht davon ab, ob die angegebenen Beweismittel geeignet oder gar nachvollziehbar geeignet sind, den Sachvortrag des Einsprechenden zu beweisen. Anderes soll nach **T 1069/96** möglicherweise dann gelten,[129] wenn das Fehlen eines hinreichenden Zusammenhangs zwischen den Behauptungen und den mit dem Einspruch eingereichten Beweisstücken derart ist, dass eine Untersuchung des Einspruchsvorbringens nicht mehr möglich ist. Nach **T 240/99** soll es eine im Sinne von R 55 c) ungenügende Angabe der Beweismittel sein, wenn der Einsprechende zum Beweis des Datums einer Vorbenutzung auf 41 Seiten verschiedener Unterlagen verweist, ohne speziellere Angabe von Seiten oder Passagen aus diesen Seiten.[130] Das Verfahren wird jedoch erleichtert, wenn der Einsprechende bereits mit dem Einspruch schriftliche Beweismittel vorlegt, die dem Amt nicht zur Verfügung stehen, zB Rechnungen, Lieferscheine, Firmendruckschriften, Verkaufsprospekte, Dissertationen, Sonderdrucke, Protokolle oder sonstige schriftliche Unterlagen. Als Beweismittel kommen vor allem die in Art 117 (1) aufgeführten in Betracht (siehe dort).

Dass die Angabe der Beweismittel nach R 55 c) zu den Zulässigkeitsvoraussetzungen gehört, erweist sich aus heutiger Sicht als problematisch. Es bedeutet, wie die hier zitierten Entscheidungen zeigen, dass ein Einspruch auch wegen der Nichtangabe oder ohne hinreichende Angabe von Beweismitteln innerhalb der Einspruchsfrist unzulässig sein kann. Nach den Verfahrensregeln des Einspruchsverfahrens, insbesondere aber nach dem neueren Verständnis vom Einspruchsverfahren als einem zweiseitigen streitigen Verfahren, ist aber der Umfang, in dem ein Einsprechender Beweismittel vorlegen muss, nicht vorge-

---

126 StRspr, zB **T 234/86**, ABl 1989, 79; **T 328/87**, ABl 1992, 701, Nr 3.3.2.; erneut zB **T 786/95** vom 13.10.1997, Nr 2.4.3; erneut **T 1081/03** vom 16.12.2004, Nr 2.
127 **T 782/04** vom 19.7.2005, Nr 3.1.
128 **T 241/99** vom 6.12.2001, Nr 4 ff.
129 **T 1069/96** vom 10.5.2000, Nr 2.3.4.4.
130 **T 240/99** vom 12.12.2002, Nr 4.2.1.

geben, sondern hängt von dem Prozessverhalten des Patentinhabers ab. Er kann auch davon abhängen, welches Wissen, zB über Kenntnisse des Fachmannes am Prioritätstag, oder sonstige Sachkunde bei der Einspruchsabteilung vorhanden ist. Tatsachen, die unstreitig und in sich widerspruchsfrei sind, oder die nach Auffassung der Einspruchsabteilung bereits feststehen, zB weil die Einspruchsabteilung sie aus einem anderen Zusammenhang kennt, bedürfen keines Beweises und daher auch keiner Vorlage von Beweismitteln. Die Zurückweisung eines Einspruchs als unzulässig wegen mangelnder Angabe von Beweismitteln innerhalb der Einspruchsfrist kann daher nur in Ausnahmefällen in Betracht kommen. Die Beweisbedürftigkeit der vorgetragenen Tatsache unabhängig von der möglichen Einlassung des Patentinhabers oder von möglicherweise bei der Einspruchsabteilung vorhandenem eigenen Wissen müsste sich schon aus der Art des Einspruchsvortrags selbst ergeben. Daher kann **T 328/87** in dieser allgemeinen Form nicht zugestimmt werden[131] und erst recht nicht noch weitergehenden Schlussfolgerungen wie in **T 241/99**.[132] Ähnlich wie hier **T 541/92** und bereits **T 251/84**.[133]

21 Technische und rechtliche Würdigung (R 55 c))

94 Dies betrifft die Frage, inwieweit die *Angabe der zur Begründung vorgebrachten Tatsachen und Beweismittel* (R 55 c)) auch eine technische und rechtliche Würdigung der vorgebrachten Tatsachen einschließen muss.

95 Aus einem Vergleich der nach Art 177 gleichermaßen verbindlichen drei Fassungen des Übereinkommens ergibt sich, dass R 55 c) davon ausgeht, dass nicht nur Einspruchsgründe sowie bloße Tatsachen und Beweismittel (siehe dazu die deutsche Fassung) dafür angegeben werden müssen, sondern dass eine rechtliche und, wo technische Sachverhalte betroffen sind, auch eine auf technische Wertungen gestützte Verbindung zwischen den vorgetragenen Tatsachen und dem angegriffenen Patentanspruch hergestellt werden muss und die Schlussfolgerungen angegeben werden müssen, die daraus gezogen werden (siehe dazu die englische und französische Fassung). Die PrüfRichtl (D-IV, 1.2.2.1 v)) treffen kurz und knapp den entscheidenden Punkt, indem sie fordern, dass die technischen Zusammenhänge und die daraus von dem Einsprechenden gezogenen Folgerungen darzulegen sind. Dies entspricht inzwischen ständiger Rechtsprechung der Beschwerdekammern.

96 Nach dieser Rechtsprechung muss die Einspruchsbegründung, um zulässig zu sein, zwar nicht schlüssig sein, dh sie muss den Widerruf des Patents aus den

---

131 **T 328/87**, ABl 1992, 701, Nr 3.3.4: Unzulässigkeit, weil für die im Einspruchsschriftsatz genau angegebenen Umstände keine Beweismittel angegeben waren.
132 **T 241/99** vom 6.12.2001.
133 **T 541/92** vom 25.4.1994, Nr 3; **T 251/84** vom 30.10.1987, Nr 3.

angegebenen Gründen nicht tatsächlich rechtfertigen.[134] Es müssen also weder die im Einspruch angegebenen Tatsachen noch dessen Wertungen und Schlussfolgerungen zutreffend sein. Dies ist vielmehr eine Frage der Begründetheit des Einspruchs. Die Einspruchsbegründung muss weder zwingend noch überzeugend sein, noch eine »logische Argumentationskette« enthalten. Es genügt, dass die Argumentation einschlägig und spezifisch genug ist, um dem Fachmann zu gestatten, sich eine begründete Meinung dazu zu bilden, ob die Argumentationsweise überzeugend oder falsch ist.[135] Wie auch sonst im streitigen Verfahren kann die Zulässigkeit des Einspruchs aber doch von der Art seiner Begründung abhängen. So kann ein im Ergebnis nicht überzeugender Einspruchsgrund ausreichend dargelegt worden sein und der Einspruch deshalb zulässig sein. Andererseits kann ein mangelhaftes Vorbringen als unzulässig verworfen werden müssen, das bei ausreichender Darlegung in der Sache zum Erfolg hätte führen können.[136]

97 Das Einspruchsvorbringen muss aber, um zulässig zu sein, nach einer Reihe von Entscheidungen doch zumindest unter einen Einspruchsgrund nach Art 100 subsumiert werden können und so konkret vorgebracht sein, dass der Einspruchsabteilung die Prüfung ermöglicht ist, ob dies der Fall ist.[137]

98 Ein Vorbringen, das nach seinem sachlichen Gehalt ausschließlich einem Einwand zugeordnet werden kann, der kein Einspruchsgrund nach Art 100 ist (siehe Art 100 Rdn 11–21), kann die Zulässigkeit des Einspruchs nicht begründen.

So wurde in **T 134/88** ein Widerspruch zwischen Anspruch und Beispiel behauptet, damit aber in der Sache nicht der Einwand mangelnder Offenbarung oder erfinderischer Tätigkeit vorgetragen.[138]

In **T 504/90** betrafen die Einwände Art 84, sowie die unzureichende Abgrenzung eines Patentanspruchs (R 29 (2).[139]

In **T 550/88** wurde mangelnde Neuheit mit einem älteren nationalen Recht begründet.[140]

Zugelassen worden ist dagegen nach dem Sachgehalt des Vorbringens in **T 145/88** die Bezugnahme auf eine nachveröffentlichte Patentschrift, weil diese

---

134 StRspr siehe zB **T 234/86**, ABl 1989, 79, Nr 2.2; **T 134/88** vom 18.12.1989, Nr 3; **T 925/91**, ABl 1995, 469, Nr 2.2; **T 28/93** vom 7.7.1994, Nr 2; **T 505/93** vom 10.11.1995, Nr 1; **T 365/95** vom 11.6.1997, Nr 1.1.3.
135 **T 934/99** vom 18.4.2001, Nr 6.
136 **T 2/89**, ABl 1991, 51; **T 621/91** vom 28.9.1994, Nr 4.2; so auch schon **T 222/85**, ABl 1988, 128.
137 z.B. **T 538/89** vom 2.1.1991, Nr 2.6.
138 **T 134/88** vom 18.12.1989, Nr 3 und 4.6.
139 **T 504/90** vom 28.10.1992, Nr 4.
140 **T 550/88**, ABl 1992, 117, Nr 2 und 4.2; ebenso erneut **T 521/00** vom 10.4.2003, Nr 4.1.

Artikel 99 — *Einspruch*

einen Hinweis auf die vor dem Prioritätstag veröffentlichte Offenlegungsschrift enthielt.[141]

Ähnlich wurde in **T 251/84** die Nichtangabe des Veröffentlichungsdatums eines Dokuments bewertet, wenn es nicht als Stand der Technik, sondern nur zum Beweis einer vor dem Prioritätsdatum erfolgten Vorverlautbarung eingereicht wird.[142]

In **T 521/00** wurde es als ausreichend angesehen, dass ein Vortrag unter Art 84 als ein Einwand nach Art 83 aufgefasst werden kann.[143] Dagegen kommt es nach **T 65/00** nicht darauf an, ob das Vorbringen sich tatsächlich auf Art 84 oder Art 83 bezieht, da auch unrichtige Argumente einen Einspruch zulässig machen können.[144] Es genügt, dass ein diskutierfähiger Fall vorgetragen wird.

99 Einige Entscheidungen scheinen über das Erfordernis, dass das Vorbringen einem Einspruchsgrund nach Art 100 zugeordnet werden kann, noch hinauszugehen und zu fordern, dass sich das Vorbringen jedenfalls im Großen und Ganzen im Rahmen der Interpretation der Vorschrift hält, auf die der Einwand gestützt ist.

100 So hat in **T 182/89** die Beschwerdekammer zum Einwand unzureichender Offenbarung (Art 83) ausgeführt,[145] die bloße Erklärung eines Einsprechenden, die einmalige Wiederholung eines Beispiels eines Patents genau nach der Beschreibung habe nicht genau die im Patent beschriebenen und beanspruchten Ergebnisse erbracht, reiche zur Erfüllung der Beweispflicht eindeutig und grundsätzlich nicht aus. Es bestehe ein triftiger Grund, den Einspruch als unzulässig zurückzuweisen, weil er keine ausreichende Angabe von Tatsachen und Beweismitteln enthalte, die – selbst wenn sie sich als zutreffend erwiesen –, einen Widerruf eines Patents rechtlich und sachlich begründen könnten.

Ebenso erneut **T 240/99**:[146] Für die Zulässigkeit ist es keine ausreichende Begründung eines Einspruchs nach Art 100 b), wenn dieser ausschließlich darauf gestützt ist, das Patent identifiziere weder den in ihm erwähnten Stand der Technik, noch das dem gegenüber zu lösende Problem noch die durch das Patent vorgeschlagene Lösung, da derartige Einwände nicht unter Art 100 b) fallen.

101 Richtet sich ein Einspruch gegen das angebliche Fehlen von erfinderischer Tätigkeit bei einer Kombinationserfindung, so ist er in der Regel unzulässig, wenn er sich nicht von der Bewertung eines Einzelmerkmals löst. Um zulässig zu sein, muss er sich mit der Gesamterfindung oder doch wenigstens mit deren wesentlichem Gehalt auseinandersetzen und darf sich nicht nur mit einem von

---

141 **T 145/88**, ABl 1990, 451.
142 **T 251/84** vom 30.10.1987, Nr 3.
143 **T 521/00** vom 10.4.2003, Nr 4.2.ff.
144 **T 65/00** vom 10.10.2001, Nr 2.1.1 ff.
145 **T 182/89**, ABl 1991, 391, Nr 2.
146 **T 240/99** vom 12.12.2002, Nr 4.3.

mehreren wesentlichen Aspekten der beanspruchten Lehre abgeben.[147] In **T 2/89**[148] ist dagegen zwar der Leitsatz II aufgestellt worden, ein Einspruch entspreche der R 55 c) auch dann, wenn er nicht alle Merkmale des angegriffenen Anspruches behandle. Jedoch geht der Leitsatz insofern über den von der Kammer entschiedenen Fall hinaus, als der Einsprechende dort lediglich zu einem von vielen Merkmalen eines Anspruches keine Ausführungen gemacht hatte und die Kammer dies angesichts der Umstände dahin ausgelegt hatte, der Einsprechende habe damit zum Ausdruck bringen wollen, dieses Merkmal trage zur erfinderischen Tätigkeit nichts bei.

Für einen zulässigen Einspruch ist es in der Regel ferner erforderlich, einen Bezug zwischen den vorgetragenen Tatsachen und dem angegriffenen Patentanspruch herzustellen und die Schlussfolgerungen darzulegen, dh die Tatsachen technisch und rechtlich zu werten und nicht bloß den Gesetzeswortlaut zu wiederholen, wie *in naheliegender Weise* oder *ausführbare Offenbarung*. 102

Nach **T 448/89** ist R 55 c) im Hinblick auf die Behauptung mangelnder erfinderischer Tätigkeit nicht erfüllt,[149] wenn nicht angegeben oder ohne weiteres erkennbar ist, welche von mehreren genannten Druckschriften jeweils welche Tatsache (Bekanntsein von Merkmalen) beweisen soll (LS I und II).[150] Ähnlich äußert sich auch **T 28/93**:[151] Bei zahlreichen Entgegenhaltungen, die in Verbindung miteinander alle relevanten Merkmale der Ansprüche enthalten sollen, ist anzugeben, warum diese auf mangelnde erfinderische Tätigkeit oder mangelnde Neuheit schließen lassen.[152] Dafür ist nach **T 28/93**, Nr 4.1 auch erforderlich, die herangezogenen Textpassagen der Entgegenhaltung mit den Merkmalen des Anspruches zu vergleichen und technische Zusammenhänge aufzuzeigen.[153] Das bloße Einsetzen von Bezugszeichen einer Zeichnung des Patents in die Zeichnung einer Entgegenhaltung reicht dafür nicht aus.[154] 103

Dagegen wurde in **T 533/94** und **T 534/94** das Herstellen eines Zusammenhangs zwischen den einzelnen Merkmalen der beanspruchten Erfindung und den einschlägigen Stellen in den Entgegenhaltungen in tabellarischer Form zugelassen,[155] auch wenn nicht ausdrücklich angegeben worden sei, welche konkreten Angaben daraus neuheitsschädlich hervorgehen oder Ausgangspunkte für einen Angriff auf die erfinderische Tätigkeit sein sollten; schließlich richte sich die Einspruchsschrift an die Einspruchsabteilung und an den Patentinha- 104

---

147 **T 134/88** vom 18.12.1989, Nr 4.2 und 4.4; **T 504/90** vom 28.10.1992, Nr 6 am Ende.
148 **T 2/89**, ABl 1991, 51.
149 **T 448/89**, ABl 1992, 361.
150 Siehe auch **T 521/00** vom 10.4.2003, Nr 3.2.
151 **T 28/93** vom 7.7.1994, Nr 2.
152 Ebenso **T 621/91** vom 28.9.1994, Nr 6 und 7.
153 Ebenso **T 861/93** vom 29.4.1994, Nr 2 und 4.
154 **T 28/93**, vom 7.7.1994, Nr 4.
155 **T 533/94** und **T 534/94**, beide vom 23.3.1995, Nr 8.

ber, die nicht nur Fachleute in dem Bereich seien, sondern auch Erfahrung mit der Prüfung auf Neuheit und erfinderische Tätigkeit besäßen, so daß eine detaillierte Diskussion von für den Fachmann Selbstverständlichem nicht erforderlich sei. Auch in **T 28/93** wurde das für kurze Dokumente und einfach gelagerte Sachverhalte anerkannt.[156] Nach **T 199/92** darf dem Patentinhaber ein gewisser Interpretationsaufwand abverlangt werden.[157] Bei einem auf mangelnde Neuheit gestützten Einspruch wurde in **T 302/93** vom 5.7.1995, Nr 2.4 ff ausnahmsweise die Angabe der Tatsachen,[158] dh der Stellen in der angezogenen Entgegenhaltung, als implizite *Begründung* oder als *Argument* iSd Art 99 (1) Satz. 2 und R 55 c) angesehen und deshalb eine ausdrückliche Begründung für überflüssig gehalten (Nr 2.7 der Gründe). Der Verweis auf die Zeichnung einer Entgegenhaltung im Hinblick auf Merkmale eines Patentanspruchs reicht nach **T 152/95** aus, wenn der Fachmann den Verweis nur als ganz bestimmten Sachvortrag auffassen kann und ihm eindeutig das richtige und objektive Verständnis des Einspruchsvorbringens entnimmt.[159] Das Gleiche besagt **T 1069/96** vom 10.5.2000, Nr 2.3.4.2, wenn die Zeichnungen für den Durchschnittsfachmann aufgrund des leicht verständlichen Inhalts des Streitpatents bezüglich der in Frage stehenden Merkmale aus sich heraus ohne zusätzliche Erläuterungen leicht verständlich sind. Ähnlich auch **T 365/95** für den Einwand mangelnder erfinderischer Tätigkeit:[160] Die pauschale Behauptung, die dargestellten bekannten Einzelmerkmale könnten vom Fachmann leicht miteinander verbunden werden, genüge, wenn die Einzelmerkmale leicht verständlich seien und der Fachmann ohne weiteres überblicken könne, was der Einsprechende meine.[161] Auch ist für einen ausreichend substantiierten Vortrag mangelnder erfinderischer Tätigkeit nicht Voraussetzung, dass der Einsprechende den Aufgabe-Lösungs-Ansatz anwendet und den nächstkommenden Stand der Technik und das demgegenüber zu lösende Problem definiert.[162]

105 Die gleichen Grundsätze gelten auch für die erforderliche Substantiierung einer offenkundigen Vorbenutzung. Auch hier ist es erforderlich, einen Bezug zwischen dem angeblich vorbenutzten Gegenstand und dem Gegenstand des angegriffenen Patentanspruchs herzustellen.[163] Auch insoweit wird der bloß pauschale Verweis auf die Vorbenutzung darstellende Zeichnungen ohne nähere Bezeichnung der für einschlägig gehaltenen Sachverhalte und ohne Herstel-

---

156 **T 28/93** vom 7.7.1994.
157 **T 199/92** vom 11.1.1994, Nr 1.2.
158 **T 302/93** vom 5.7.1995, Nr 2.4 ff.
159 **T 152/95** vom 3.7.1996, Nr 2.2.
160 **T 365/95** vom 11.6.1997, Nr 1.1.3.
161 Ebenso **T 3/95** vom 24.9.1997, Nr 1.3.
162 **T 934/99** vom 18.4.2001, Nr 5.
163 **T 28/93** vom 7.7.1994, Nr 5, **T 538/89** vom 2.1.1991, Nr 2.3.3, **T 240/99** vom 12.12.2002, Nr 4.2.2, **T 1081/03** vom 16.12.2004, Nr 4.2.

len eines Zusammenhanges mit den Merkmalen des Patentanspruchs in einigen Entscheidungen als nicht ausreichende Substantiierung angesehen.[164]

Hinsichtlich der Behauptung einer öffentlichen Zugänglichkeit einer Vorbenutzung vor dem Prioritätstag reicht die bloße Behauptung, an einem bestimmten, vor dem Prioritätstag liegenden Tag eine Zeichnung für einen Kunden angefertigt zu haben, für die Zulässigkeit eines auf offenkundige Vorbenutzung gestützten Einspruchs nicht aus.[165]

Ähnlich hat T 511/02 keine substantiierte Darlegung der öffentlichen Zugänglichkeit einer Montage- und einer Einbauanleitung angenommen, deren Druckdaten ohne weitere Erläuterungen als »Veröffentlichungsdaten« bezeichnet wurden.[166]

22 Angabe des Vertreters (R 55 d))

Wird der Einspruch im Namen eines Dritten eingelegt, so ist Einsprechender der Dritte und nicht sein Vertreter. Der Vertreter ist nach R 55 d) ebenfalls anzugeben. 106

Eine vergleichbare rechtliche Situation gilt vor allem für die Einreichung einer europäischen Patentanmeldung, für die nach R 66 (2) c) der Anmelder eindeutig anzugeben ist und, falls ein Vertreter bestellt ist, auch dieser (R 26 (2) d). 107

Die Einreichung einer Vollmacht für das weitere Verfahren innerhalb einer vom EPA zu bestimmenden Frist ist nach R 101 iVm dem Beschluss des Präsidenten vom 19.7.1991 nur noch in bestimmten Fällen vorgeschrieben (siehe Art 133 Rdn 22–26).[167] 108

Hat ein Nichtberechtigter für einen Dritten Einspruch eingelegt, so wird dies behandelt, als fehlte die Unterschrift des Berechtigten, die nach R 36 (3) nachgeholt werden kann.[168] 109

Artikel 100 Einspruchsgründe

Der Einspruch kann nur darauf gestützt werden, dass
a) der Gegenstand des europäischen Patents nach den Artikeln 52 bis 57 nicht patentfähig ist;
b) das europäische Patent die Erfindung nicht so deutlich und vollständig offenbart, dass ein Fachmann sie ausführen kann;

---

164 **T 504/90** vom 28.10.1992, Nr 5b) und 6, **T 240/99** vom 12.12.2002, Nr 4.2.2.
165 **T 365/95** vom 11.6.1997, Nr 1.1.3.
166 **T 511/02** vom 17.2.2004, Nr 3 ff.
167 Beschluss des Präsidenten vom 19.7.1991, ABl 1991, 489.
168 PrüfRichtl D-III, 3.3 am Ende; **T 665/89** vom 17.7.1991, Nr 1.4; **G 3/99**, ABl 2002, 347, Nr 2.

c) der Gegenstand des europäischen Patents über den Inhalt der Anmeldung in der ursprünglich eingereichten Fassung oder, wenn das Patent auf einer europäischen Teilanmeldung oder einer nach Artikel 61 eingereichten neuen europäischen Patentanmeldung beruht, über den Inhalt der früheren Anmeldung in der ursprünglich eingereichten Fassung hinausgeht.

Brigitte Günzel

Übersicht

1	Allgemeines	1-2
2	Mangelnde Patentfähigkeit (Art 52–57)	3
3	Mangelnde Offenbarung (Art 83)	4-7
4	Hinausgehen über den Inhalt der Anmeldung in der ursprünglich eingereichten Fassung	8-9
5	Hinausgehen über den Inhalt bei Teilanmeldungen und Anmeldungen nach Art 61	10
6	Keine Einspruchsgründe	11-21

1 Allgemeines

1 Dieser Artikel legt abschließend die Einspruchsgründe fest. Andere, auch in nationalen Rechten enthaltene Einspruchsgründe sind im europäischen Patentrecht nicht vorgesehen und daher nicht zulässig (siehe im einzelnen Rdn 11–21).

2 Die Gründe für einen Einspruch gegen das europäische Patent sind entsprechend der Untergliederung des Art 100 in drei Kategorien aufgeteilt:
 a) mangelnde Patentfähigkeit nach den Art 52–57;
 b) mangelnde Offenbarung;
 c) Hinausgehen des Gegenstands des europäischen Patents über den Inhalt der ursprünglichen Anmeldung.

Zur Definition des »neuen« oder »verschiedenen« Einspruchsgrunds im Hinblick auf die Prüfungskompetenz der Einspruchsabteilung und der Beschwerdekammer, auch bei verspätetem Vorbringen, siehe Art 101 Rdn 46, 47 und 48 am Ende.

In den Prüfungsrichtlinien werden diese Fragen unter D-V behandelt.

2 Mangelnde Patentfähigkeit (Art 52–57)

3 Der wichtigste Einspruchsgrund ist mangelnde Patentfähigkeit (Art 100 a)), dh es fehlt eine der in den Art 52-57 aufgeführten Voraussetzungen für die Erteilung des europäischen Patents. Da dieser Einspruchsgrund sich vollständig auf Art 52–57 bezieht, wird auf deren Kommentierung verwiesen (zur Problema-

tik des *neuen Einspruchsgrundes* im Rahmen von Art 100 a) siehe Art 101 Rdn 46 ff).

3 Mangelnde Offenbarung (Art 83)

Ein weiterer Einspruchsgrund ist, dass das europäische Patent die Erfindung nicht so deutlich und vollständig offenbart, dass ein Fachmann sie ausführen kann (Art 100 b)). Art 100 b) entspricht inhaltlich der Vorschrift des Art 83. Jedoch stellt Art 100 b) seinem Wortlaut nach nicht – wie Art 83 – auf die ausführbare Offenbarung in der europäischen Patentanmeldung ab, sondern auf das europäische Patent.

Das bedeutet jedoch nicht, dass es gemäß Art 100 b) genügt, wenn die patentierte Erfindung im **erteilten Patent** ausführbar offenbart ist, wenn dies in der ursprünglichen Anmeldung noch nicht der Fall war, zB weil dem Fachmann die Mittel für die Ausführbarkeit der Erfindung erst nach dem Anmeldetag zur Verfügung standen oder weil für deren Offenbarung nötige Verweisungen auf anderen Stand der Technik erst später in die Anmeldung aufgenommen wurden. Eine solche Auslegung von Art 100 b) würde dem Grundgedanken auch des Erfordernisses nacharbeitbarer Offenbarung widersprechen, nach dem nur diejenige Offenbarung patentwürdig ist, die die Technik im Zeitpunkt der Offenbarung tatsächlich bereichert.

Deshalb wird Art 100 b) in ständiger Rechtsprechung dahin ausgelegt, dass im Einspruchsverfahren auch zu prüfen ist, ob die Patentanmeldung die Erfindung so deutlich und vollständig offenbart hat, dass ein Fachmann sie **am Anmeldetag** ausführen konnte.

Siehe hierzu auch die Ausführungen von Schulte.[1]

Nach den Prüfungsrichtlinien D-V, 4.1 können Mängel in der Patentschrift bezüglich der Ausführbarkeit nach Art 100 b) behoben werden, falls in den ursprünglichen Unterlagen eine ausreichende Offenbarung vorliegt und sowohl die Erfordernisse von Art 123 (2) als auch Art 123 (3) erfüllt sind

Ein Widerrufsgrund nach Art 100 b) ist aber auch gegeben, wenn die Ausführbarkeit der Erfindung im Zeitpunkt der Patenterteilung fehlt oder später wegfällt, zB wenn ein zum Zweck der Offenbarung hinterlegter Mikroorganismus nicht mehr lebensfähig ist und er nicht mehr ersetzt werden kann oder er nicht mehr die zur Ausführung der Erfindung erforderlichen Eigenschaften aufweist. Das gleiche gilt, wenn das einzig zur Ausführung der Erfindung geeignete Ausgangserzeugnis, auf das im europäischen Patent als im Handel erhältlich verwiesen wird, nicht mehr oder nicht mehr in der zur Ausführung geeigneten Zusammensetzung erhältlich ist und dem Fachmann auch kein Weg bekannt oder beschrieben ist, wie er dieses Ausgangserzeugnis erhalten kann.

---

1 Schulte, § 21 Rn 32 ff mit zahlreichen Nachweisen aus nationaler Rechtsprechung und der Literatur.

Eine andere Ansicht ergibt sich möglicherweise aus **T 667/94**:[2] Die Entscheidung verweist auf ein im Prioritätszeitpunkt – gemeint ist wohl am Anmeldetag – im Handel erhältliches und analysierbares Ausgangserzeugnis als genügend für die Ausführbarkeit; ob die Erfindung auch in Zukunft würde ausgeführt werden können, stand allerdings nicht konkret in Frage.

T 156/91 hat erhebliche Bedenken, ausreichende Offenbarung zu bejahen, wenn die weitere Verfügbarkeit im Handel nicht über einen feststellbaren Zeitraum gewährleistet sei, lässt die Frage aber letztlich offen.[3]

Zu den Voraussetzungen einer nacharbeitbaren Offenbarung siehe im einzelnen Art 83.

4 Hinausgehen über den Inhalt der Anmeldung in der ursprünglich eingereichten Fassung

8 Dieser in Art 100 c) aufgeführte Einspruchsgrund geht auf Art 123 (2) zurück: Die europäische Patentanmeldung und das europäische Patent dürfen nicht in der Weise geändert werden, dass ihr Gegenstand über den Inhalt der Anmeldung in der ursprünglich eingereichten Fassung hinausgeht. Geschieht dies, so liegt ein Einspruchsgrund vor. Siehe im übrigen Art 123 Rdn 17 und 24–28.

9 Handelt es sich um eine nach Art 14 (2) in einer Nichtamtssprache des EPA eingereichte europäische Patentanmeldung, so ist diese Sprache nach Art 70 (2) maßgebend. Die Einspruchsabteilung hat nach R 7 grundsätzlich davon auszugehen, dass die Übersetzung der europäischen Patentanmeldung in die Amtssprache mit dem Text der Anmeldung in der Nichtamtssprache übereinstimmt. Nach dieser Regel bleibt es dem Einsprechenden überlassen, den Gegenbeweis zu erbringen.

5 Hinausgehen über den Inhalt bei Teilanmeldungen und Anmeldungen nach Art 61

10 Handelt es sich um ein europäisches Patent, das auf eine Teilanmeldung oder eine nach Art 61 eingereichte Anmeldung zurückgeht, so ist ein Einspruchsgrund gegeben, wenn der Gegenstand des europäischen Patents über den Inhalt der früheren Anmeldung in der ursprünglich eingereichten Fassung hinausgeht. Falls die ursprüngliche Anmeldung nach Art 14 (2) in einer Nichtamtssprache des EPA eingereicht worden ist, gelten die Ausführungen unter Rdn 9 über Art 70 (2) und R 7.

6 Keine Einspruchsgründe

11 Die Einspruchsgründe sind in Art 100 abschließend geregelt. Weitere Gründe, die im Prüfungsverfahren zu einer Zurückweisung der europäischen Patentan-

---

2 **T 667/94** vom 16.10.1997, Nr 4.3.
3 **T 156/91** vom 14.1.1993.

Einspruchsgründe **Artikel 100**

meldung führen würden, können im Einspruchsverfahren gegen die erteilte Fassung des Patents nicht geltend gemacht werden (stRspr).

Deshalb führen zB folgende Gründe nicht zum Widerruf des europäischen Patents: **12**

Es handelt sich um rein formelle Mängel und Fehler im Erteilungsverfahren, die mit der Erteilung des europäischen Patents als geheilt gelten. In **J 22/86** wurde das Patent trotz Rücknahmefiktion erteilt,[4] siehe auch Art 99 Rdn 18. **13**

Es besteht mangelnde Neuheit wegen eines älteren nationalen Rechts.[5] **14**

Die Grundsätze der Einheitlichkeit der Erfindung (Art 82) sind nicht eingehalten worden.[6] **15**

Die Patentansprüche sind nicht gemäß Art 84 deutlich und knapp gefasst sowie nicht von der Beschreibung gestützt.[7] **16**

Die Ansprüche sind nicht klar gefasst:[8]

Das Beispiel oder die Zeichnung liegt außerhalb des Schutzumfangs der Ansprüche:[9]

Zwischen Anspruch und Beispiel besteht ein Widerspruch.[10]

Ansprüche sind nicht durch die Beschreibung gestützt.[11]

Im Anspruch fehlen wesentliche Merkmale.[12]

Ein »unklarer« erteilter Anspruch ist für den Vergleich mit dem Stand der Technik im Lichte der Beschreibung und der Zeichnungen auszulegen.[13]

R 29 (1) ist nicht beachtet worden.[14] **17**

Der Stand der Technik ist unzutreffend abgegrenzt.[15]

Der Stand der Technik ist in der Beschreibung mangelhaft gewürdigt.[16] **18**

Die Beschreibung ist nicht korrekt an die Ansprüche angepasst.[17] **19**

---

4 **J 22/86**, ABl 1987, 280, Nr 18 am Ende.
5 **T 550/88**, ABl 1992, 117, LS II, Satz 2 und Nr 4.2.
6 **T 162/85** vom 20.5.1987, **G 1/91**, ABl 1992, 253; erneut in **T 689/94** vom 13.11.1995, Nr 6.
7 **T 23/86**, ABl 1987, 316; **T 127/85**, ABl 1989, 271; **T 428/95** vom 17.4.1996, Nr 4.2.
8 **T 336/96** vom 11.9.1997, Nr 3.1.
9 **T 127/85**, ABl 1989, 271; **T 126/91** vom 12.5.1992.
10 134/88, 3. und 4.6, T **428/95**, 4.1–4.2.
11 **T 296/87**, ABl 1990, 195, 205; **T 301/87**, ABl 1990, 335, Nr 3.3 und 3.4.
12 **T 156/91** vom 14.1.1993.
13 **T 432/90** vom 11.8.1992, Nr 2.; **T 504/90** vom 28.10.1992, Nr 4.; **T 892/90** vom 12.1.1993, Nr 2.; **T 23/86**, ABl 1987, 316; **T 16/87**, ABl 1992, 212, LS III und Nr 6.
14 StRspr, zB **T 99/85**, ABl 1987, 413.
15 **T 168/85** vom 27.4.1987; **T 174/86** vom 5.7.1988; **T 57/88** vom 20.11.1990; **T 438/87** vom 9.5.1989; **T 458/93** vom 13.9.1995; **T 504/90** vom 28.10.1992, Nr 4.
16 **T 164/85** vom 12.11.1987; **T 185/85** vom 31.7.1987.
17 **T 138/91** vom 26.1.1993.

20 Es liegt eine widerrechtliche Entnahme vor. Der z B. im deutschen PatG in § 21 (1) Nr 3 aufgeführte Einspruchsgrund der widerrechtlichen Entnahme wurde nicht in das EPÜ aufgenommen. Der Anspruch auf das europäische Patent richtet sich nach Art 60 weitgehend nach nationalem Recht; seine Durchsetzung bleibt daher, wenn das europäische Patent erteilt ist, den nationalen Gerichten und Behörden der Vertragsstaaten überlassen (Art 138 (1) e)).

21 Für die Frage, ob der Einspruch auf einen Einspruchsgrund nach Art 100 gestützt ist, kommt es auf den Sachgehalt des Einspruchsvorbringens und nicht allein auf die ausdrücklich genannte Vorschrift des EPÜ an (siehe Art 99 Rdn 79 und 104; zur Berücksichtigung der hier genannten Gründe, die keine Einspruchsgründe darstellen, bei Änderungen im Einspruchsverfahren siehe Art 102 Rdn 42–46).

Artikel 101 Prüfung des Einspruchs

(1) Ist der Einspruch zulässig, so prüft die Einspruchsabteilung, ob die in Artikel 100 genannten Einspruchsgründe der Aufrechterhaltung des europäischen Patents entgegenstehen.

(2) Bei der Prüfung des Einspruchs, die nach Maßgabe der Ausführungsordnung durchzuführen ist, fordert die Einspruchsabteilung die Beteiligten so oft wie erforderlich auf, innerhalb einer von ihr zu bestimmenden Frist eine Stellungnahme zu ihren Bescheiden oder zu den Schriftsätzen anderer Beteiligter einzureichen.

Brigitte Günzel

Übersicht

1	Allgemeines	1-2
2	Zuständigkeit einer Einspruchsabteilung	3-6
3	Feststellung, ob ein Einspruch eingelegt ist	7-14
4	Zulässigkeit des Einspruchs	15-18
5	Die Gründe für die Unzulässigkeit des Einspruchs nach R 56 (1)	19-26
6	Unzulässigkeit infolge unterlassener Mängelbeseitigung nach R 56 (2)	27-28
7	Verfahren bei Unzulässigkeit des Einspruchs	29-35
8	Umfang der sachlichen Prüfung des erteilten Patents	36-49
9	Verfahren für die Vorbereitung der sachlichen Einspruchsprüfung (R 57)	50-54
10	Verfahren bei der sachlichen Prüfung des Einspruchs, auch bei Änderungen (R 58), einschließlich Haupt- und Hilfsanträgen	55-64

11	»Verzicht auf das europäische Patent« im Einspruchsverfahren vor dem EPA	65-66
12	Fortsetzung des Einspruchsverfahrens auf Antrag oder von Amts wegen (R 60 (1) und (2) Satz 1) . .	67-73
13	Fortsetzung des Einspruchsverfahrens von Amts wegen bei Zurücknahme des Einspruchs (R 60 (2) Satz 2).	74-77
14	Unterbrechung des Verfahrens (R 90)	78

1 Allgemeines

Diese Vorschrift ist auf das Kernstück des Einspruchsverfahrens gerichtet, nämlich auf die sachliche Prüfung des Einspruchs. Durch den Hinweis auf die Frage der Zulässigkeit bildet sie aber auch die Grundlage für die verschiedenen Bestimmungen der AO, die die Einleitung des Einspruchsverfahrens regeln. Abs 2 verweist für die Prüfung des Einspruchs auf die Bestimmungen der AO und wiederholt ausdrücklich den für das gesamte Verfahren vor dem EPA geltenden Grundsatz des rechtlichen Gehörs (siehe Art 113).

Die Zusammensetzung der Einspruchsabteilung ist in Art 19 geregelt.

Die Einzelheiten des in Art 101 festgelegten Verfahrens finden sich in R 56 (Verwerfung des Einspruchs als unzulässig), R 57 (Vorbereitung der Einspruchsprüfung), R 57a (Änderung des europäischen Patents), R 58 (Prüfung des Einspruchs), R 59 (Anforderung von Unterlagen), R 60 (Fortsetzung des Einspruchsverfahrens von Amts wegen), R 61a (Unterlagen im Einspruchsverfahren); weiter sind unter anderem von Bedeutung R 13 (4) und (5) (Aussetzung des Verfahrens), R 16 (3) (Teilweiser Rechtsübergang), R 70 (Form der Bescheide und Mitteilungen), R 71a (Vorbereitung der mündlichen Verhandlung), R 72 (Beweisaufnahme durch das EPA) und R 90 (Unterbrechung des Verfahrens).

Der Rechtsübergang des europäischen Patents während des Einspruchsverfahrens ist im einzelnen unter Art 99 Rdn 51 behandelt.

2 Zuständigkeit einer Einspruchsabteilung

Für das Einspruchsverfahrens sind nach Art 19 die Einspruchsabteilungen zuständig. Der Präsident des EPA bestimmt nach R 9 (1) die Zahl der Einspruchsabteilungen und verteilt bestimmte Bereiche der Technik nach der Internationalen Patentklassifikation auf diese Abteilungen. Die Verteilung der technischen Gebiete auf diese Abteilungen entspricht der Regelung für die Prüfungsabteilungen. Die Einspruchsabteilung besteht wie die Prüfungsabteilung aus drei technisch vorgebildeten Prüfern; erforderlichenfalls kann sie durch einen rechtskundigen Prüfer ergänzt werden, der nicht am Prüfungsverfahren mitgewirkt hat. Im Interesse eines vom bisherigen Prüfungsverfahren möglichst wenig beeinflussten Verfahrens ist ausdrücklich vorgeschrieben, dass von den drei

Artikel 101 *Prüfung des Einspruchs*

technischen Prüfern lediglich einer im Prüfungsverfahren mitgewirkt haben darf; dieser darf aber nicht den Vorsitz im Einspruchsverfahren führen.

4 Entfällt

5 Während im Prüfungsverfahren nach Art 18 (2) Satz 2 die Anmeldung bis zum Erlass der Entscheidung regelmäßig von einem einzigen Prüfer bearbeitet werden soll, sieht das Übereinkommen für das Einspruchsverfahren dafür lediglich die **Möglichkeit** vor. Nach den PrüfRichtl soll dies in der Regel geschehen (D-II, 5). Normalerweise wird der Prüfer beauftragt, der die betreffende Anmeldung im Erteilungsverfahren bearbeitet hat. Er wird als *beauftragtes Mitglied* bezeichnet. Selbstverständlich werden alle Entscheidungen von der gesamten Einspruchsabteilung getroffen, wie auch alle mündlichen Verhandlungen vor ihr stattfinden und von ihr als Ganzer vorzubereiten sind. Als äußeres Zeichen dessen ist der Ladungsbescheid, der gemäß R 71a (1) mit der Ladung zur mündlichen Verhandlung ergeht, von der ganzen Einspruchsabteilung zu unterschreiben.

6 Verschiedene Tätigkeiten und Entscheidungen, die eigentlich der Einspruchsabteilung obliegen, sind nach R 9 (3) aufgrund einer Mitteilung des Vizepräsidenten der GD 2, zuletzt vom 28.4.1999, den Formalsachbearbeitern übertragen worden.[1] Dazu gehören zB gemäß Nr 4 und 6 der Mitteilung Mitteilungen nach R 69 (1) und Entscheidungen und Unterrichtungen nach R 69 (2) sowie die Entscheidung über die Unzulässigkeit des Einspruchs mit Ausnahme der Fälle nach R 55 c). Diese bleiben der nach Art 19 besetzten Einspruchsabteilung vorbehalten. Darüber hinaus kann die Einspruchsabteilung im Einzelfall alle dem Formalsachbearbeiter übertragenen Entscheidungen auch selbst treffen.[2]

Die Übertragung der Zuständigkeiten gemäß Nr 4 und 6 der Mitteilung auf Formalsachbearbeiter verstößt nicht gegen höherrangiges Recht und ist rechtswirksam. Sie überschreitet insbesondere nicht die Befugnisse des Präsidenten des EPA gemäß R 9 (3).[3]

3 Feststellung, ob ein Einspruch eingelegt ist

7 Vor der Prüfung, ob der Einspruch zulässig ist, wird geprüft, ob der Einspruch aufgrund des eingereichten Einspruchsschriftsatzes als eingelegt gilt. Ein Einspruch gilt in folgenden Fällen nicht als eingelegt:

8 Die Einspruchsgebühr ist nicht, nicht in der erforderlichen Höhe (bis auf einen geringfügigen Betrag) oder nicht innerhalb der Einspruchsfrist entrichtet worden (Art 99 (1) Satz 3; siehe auch Art 99 Rdn 33–38).

---

1 Mitteilung vom 28.4.1999, ABl 1999, 506.
2 Mitteilung vom 28.4.1999, ABl 1999, 506.
3 **G 1/02**, ABl 2003, 165, a.A. zuvor **T 295/01**, ABl 2002, 251.

Die Einspruchsschrift ist nicht wie vorgeschrieben unterzeichnet und die Unterzeichnung wird nicht rechtzeitig nachgeholt; geschieht dies, so behält sie den ursprünglichen Tag ihres Eingangs. 9

Nach Einlegung eines Einspruchs mit Telegramm, Fernschreiben oder Telekopie hat die Einspruchsabteilung zu Recht ein Bestätigungsschreiben angefordert, und dieses wurde nicht rechtzeitig nachgereicht (siehe Art 99 Rdn 30). 10

Eine von einem Vertreter oder Angestellten des Einsprechenden nach R 101 (1) einzureichende Vollmacht wurde nicht bis zum Ablauf einer vom EPA zu bestimmenden Frist eingereicht. 11

Die Vorschriften über die Sprache, in der ein Einspruch eingereicht werden kann oder über eine einzureichende Übersetzung sind nicht eingehalten (Art 14 (2), (4) und (5), R 1 (1), R 6 (2)). Der Einspruch entspricht zB nicht R 1 (1), wenn er weder in einer Amtssprache des EPA, noch in einer nach Art 14 (2) zugelassenen Nichtamtssprache eingereicht worden ist. Der Einspruch entspricht zB nicht R 6 (2), wenn die nach Art 14 (4) erforderliche Übersetzung des Einspruchs nicht innerhalb der in R 6 (2) vorgeschriebenen Frist eingereicht worden ist.[4] 12

Diese Voraussetzungen werden gewöhnlich vom Formalsachbearbeiter unverzüglich geprüft. Zur Hinweispflicht des Amtes auf noch innerhalb der Einspruchsfrist behebbare Mängel, siehe Art 99 Rdn 38. Ist der Verfahrensmangel nicht mehr behebbar oder nicht rechtzeitig behoben worden, so teilt der Formalsachbearbeiter dem Einsprechenden und dem Patentinhaber mit, dass der Einspruch als nicht eingelegt gilt (R 69 (1)). Der Einsprechende kann hierüber eine beschwerdefähige Entscheidung nach R 69 (2) beantragen. 13

Wiedereinsetzung nach Art 122 (vgl Art 99 Rdn 24) und Weiterbehandlung nach Art 121 sind nicht möglich, da beide nur für den Anmelder oder Patentinhaber vorgesehen sind. 14

4 Zulässigkeit des Einspruchs

Art 101 (1) iVm R 56 bestimmt, dass vor der sachlichen Prüfung des Einspruchs seine Zulässigkeit zu prüfen ist. 15

Der Formalsachbearbeiter beginnt nach Eingang des Einspruchsschriftsatzes und Übersendung des Einspruchs mit der Prüfung derjenigen Zulässigkeitserfordernisse, deren Prüfung ihm überetragen worden ist (Art 101 Rdn 5). Sieht er den Einspruch insoweit als zulässig an, so fordert er den Patentinhaber mit Fristsetzung zur Stellungnahme auf und dazu, gegebenenfalls Änderungen einzureichen. Eine Mitteilung, dass der Einspruch zulässig ist, ergeht nicht, weil die Zulässigkeit vom Patentinhaber noch in Frage gestellt werden kann.[5] 16

Entfällt hier, ist jetzt Rdn 29 17

---

[4] **T 193/87**, ABl 1993, 207.
[5] PrüfRichtl D-IV, 5.1 und 5.2.

Artikel 101 *Prüfung des Einspruchs*

18 Eine förmliche Feststellung der Zulässigkeit des Einspruchs durch Zwischenentscheidung (mit oder ohne Zulassung der gesonderten Beschwerde gemäß Art 106 (3)) erfolgt im allgemeinen nicht, weil sie nicht verfahrensökonomisch wäre. Sie ist aber sowohl im Einspruchsverfahren[6] als auch im Einspruchsbeschwerdeverfahren) möglich.[7] Wird keine Zwischenentscheidung erlassen, so wird die Zulässigkeit des Einspruchs in der Endentscheidung festgestellt, falls die Zulässigkeit fraglich war.

5 Die Gründe für die Unzulässigkeit des Einspruchs nach R 56 (1)

19 R 56 legt sowohl die Gründe für die Unzulässigkeit des Einspruchs als auch das anzuwendende Verfahren fest. Folgende Gründe kommen nach R 56 (1) für die Unzulässigkeit in Betracht; sie führen zur Verwerfung des Einspruchs als unzulässig, sofern die Mängel nicht bis zum Ablauf der Einspruchsfrist beseitigt werden.

20 Der Einspruch entspricht nicht Art 99 (1), zB:
 – Der Einspruch selbst ist verspätet eingelegt worden, die Gebühr jedoch rechtzeitig eingegangen. (Zum umgekehrten Fall siehe Art 99 Rdn 33 und 34).
 – Der Einspruch ist nicht begründet worden.

21 Der Einspruch entspricht nicht Art 99 (1) iVm R 55 c), zB:
 – Der Einspruch enthält keine Erklärung darüber, in welchem Umfang er eingelegt wird;
 – der Einspruch enthält keine Angabe von Einspruchsgründen;
 – der Einspruch enthält keine hinreichenden Tatsachen zur Stützung der Einspruchsgründe
 – der Einspruch enthält keine hinreichende technische und/oder rechtliche Würdigung.

22 Einzelheiten hierzu siehe Art 99. Aus den beiden zuletzt genannten Gründen kann ein Einspruch nur dann als unzulässig verworfen werden, wenn zu keinem der angegebenen Einspruchsgründe ein hinreichend substantiierter Einspruchsvortrag vorliegt. Das ist insbesondere bei einer unzulänglich substantiierten Vorbenutzung von praktischer Bedeutung, wenn der Einspruch auch auf druckschriftlichen Stand der Technik gestützt wird und insoweit ausreichend dargelegt ist. Der Begriff der Unzulässigkeit bezieht sich in R 56 ausschließlich auf den Einspruch als Ganzes. Ein Konzept einer möglichen Teilzulässigkeit eines Einspruchs kennt das EPÜ nicht. Deshalb genügt es für die Zulässigkeit

---

6 **T 376/90**, ABl 1994, 906.
7 **T 152/95** vom 3.7.1996.

eines Einspruchs, wenn ein Einspruchsgrund im Sinne von R 55 c) hinreichend substantiiert ist.[8]

23 Ob über die in R 56 genannten Gründe hinaus ein Einspruch im Einzelfall wegen des Fehlens von Voraussetzungen unzulässig sein oder werden kann, wie sie etwa in nationalen Rechtssystemen als allgemeine Prozeßvoraussetzungen gelten, und wenn ja, welche dies sein könnten, ist in Rechtsprechung und Praxis noch weitgehend ungeklärt. Gemäß **G 3/97** und **G 4/97** bedarf es bei einem Einspruch, der die Vorschriften über die Einlegung des Einspruchs erfüllt, besonderer Gründe, die Zulässigkeit des Einspruchs weiter zu erforschen.[9]

24 Zum Erfordernis eines Rechtsschutzbedürfnisses für die Einlegung des Einspruchs, siehe Art 99 Rdn 15.

Fraglich ist insbesondere, ob und inwieweit ein Einspruch im Einzelfall wegen Rechtsmissbrauchs oder unzulässiger Rechtsausübung unzulässig sein kann.

25 Zwar hat die Große Beschwerdekammer in **G 3/97** und **G 4/97** grundsätzlich anerkannt, dass eine missbräuchliche Einspruchseinlegung nicht hingenommen werden kann und die Unzulässigkeit des Einspruchs zur Folge hat.[10] Zugleich wird man der Entscheidung aber entnehmen können, dass die Annahme eines Verfahrensmissbrauchs, jedenfalls mit Bezug auf die Person des Einsprechenden, auf die Fälle beschränkt ist, in denen die Einspruchseinlegung durch diesen Einsprechenden eine missbräuchliche Gesetzesumgehung darstellt (LS 1b), dass dagegen im persönlichen Verhältnis des Einsprechenden zum Patentinhaber begründete Einreden im Verfahren vor dem EPA nicht zu berücksichtigen sind. Jedenfalls billigt die Große Beschwerdekammer ausdrücklich (Nr 3.3.2) die im Amtsblatt veröffentlichte Entscheidung einer Einspruchsabteilung, dass Nichtangriffsabreden regelmäßig nicht zur Unzulässigkeit des Einspruchs führen.

26 In einer Entscheidung vom **13.5.1992** hatte eine Einspruchsabteilung die Berufung des Patentinhabers auf eine zwischen den Parteien in einem ausschließlichen Lizenzvertrag geschlossene Nichtangriffsabrede als im Widerspruch zu Sinn und Zweck des zentralen europäischen Einspruchsverfahrens angesehen;[11] die Ansprüche aus einer solchen Verpflichtung seien vor den zuständigen nationalen Instanzen geltend zu machen. Die Entscheidung ließ dahingestellt, wie ein Fall zu beurteilen wäre, in dem einem Einsprechenden durch rechtskräftiges Urteil verboten worden wäre, gegen das europäische Patent vorzugehen, oder in dem sich der Einsprechende in einem Prozessvergleich zum Nichtangriff auf das Schutzrecht verpflichtet hätte, oder in dem der Ein-

---

8   **T 212/97** vom 8.6.1999, Nr 3.1; **T 65/00** vom 10.2.2001, Nr 2.2; **T 131/01** vom 18.7.2002, Nr 2; **T 653/99** vom 18.9.2002, Nr 2.
9   **G 3/97** und **G 4/97**, ABl 1999, 245, Nr 3 und ABl 1999, 270.
10 **G 3/97** und **G 4/97**, ABl 1999, 245 und ABl 1999, 270.
11 Entscheidung der Einspruchsabteilung vom **13.5.1992**, ABl 1992, 747 LS 1 und 2.

Artikel 101 — *Prüfung des Einspruchs*

sprechende zu einer Nichtangriffsverpflichtung ein Negativattest[12] oder eine Einzelfreistellungserklärung der Kommission erlangt hätte.[13]

6 Unzulässigkeit infolge unterlassener Mängelbeseitigung nach R 56 (2)

27 Nach R 56 (2) ist der Einspruch auch dann unzulässig, wenn er anderen als den in R 56 (1) bezeichneten Vorschriften nicht entspricht und diese Mängel nicht innerhalb der vom EPA gesetzten Frist beseitigt werden, zB:
- Die Angaben hinsichtlich des Einsprechenden sind unvollständig (R 55 a));
- die Angaben über das angegriffene Patent sind unvollständig (R 55 b)); siehe aber auch Art 99, Rdn 70;
- die Angaben über den Vertreter des Einsprechenden sind unvollständig (R 55 d)).

In den Fällen der R 56 (2) wird der Einspruch erst dann unzulässig, wenn der Einsprechende der Aufforderung zur Mängelbeseitigung nicht rechtzeitig nachkommt. Auch in diesen Fällen gibt es bei Fristversäumung keine Heilungsmöglichkeit. Umstritten ist, ob und inwieweit R 56 (2) gegenüber R 88 als lex specialis anzusehen ist.[14] Die Frist kann jedoch auf einen vor Fristablauf gestellten begründeten Antrag hin verlängert werden.

28 Der Einspruch dürfte allerdings nicht dadurch unzulässig werden, dass der Einsprechende der Aufforderung des EPA nicht nachkommt, den in R 36 (2) Satz 1 vorgesehenen Formvorschriften zu entsprechen, also den Einspruch mit Maschine zu schreiben oder zu drucken; Satz 1 ist eine Sollvorschrift.

7 Verfahren bei Unzulässigkeit des Einspruchs

29 Nach ständiger Rechtsprechung ist die Unzulässigkeit eines Einspruchs in jedem Stadium des Verfahrens und sogar noch im Beschwerdeverfahren festzustellen, weil die Zulässigkeit des Einspruchs eine unverzichtbare prozessuale Voraussetzung für eine sachliche Prüfung des Einspruchsvorbringens ist.[15] Sie kann daher vom Patentinhaber auch noch in einem späten Verfahrensstadium, und zwar selbst noch in der Beschwerde vorgebracht werden, auch wenn ein solches Verhalten zu missbilligen ist.[16]

---

12 Art 2 VO Nr 17 des Rates: 1. DVO zu den Art 85 und 86 EWGV.
13 Art 6 VO Nr 17 des Rates: 1. DVO zu den Art 85 und 86 EWGV iVm Art 85 (3) EWGV.
14 **T 25/85**, ABl 1986, 81, Nr 1; anders **T 219/86**, ABl 1988, 254, Nr 7 ff.
15 **T 328/87**, ABl 1992, 701, LS II und Nr 4; **T 134/88** vom 18.12.1989, Nr 5; **T 279/88** vom 25.1.1990, Nr 2; **T 289/91**, ABl 1994, 649; **T 925/91**, ABl 1995, 469, Nr 1.2; **T 28/93** vom 7.7.1994; Nr 2; **T 590/94** vom 3.5.1996, Nr 1.2.1; **T 302/93** vom 5.7.1995, Nr 2.1; **T 522/94**, ABl 1998, 421, Nr 3; erneut ausführlich in **T 541/92** vom 25.4.1994, Nr 2 und **T 152/95** vom 3.7.1996, Nr 2.1.
16 **T 289/91**, ABl 1994, 649; **T 152/95** vom 3.7.1996, Nr 2.1.

Die Entscheidung über die Unzulässigkeit des Einspruchs wird außer in den 30
Fällen der R 55 c) und außer, wenn das Verfahren bereits vor der Einspruchsabteilung begonnen oder diese die Entscheidung an sich gezogen hat, vom Formalsachbearbeiter erlassen.[17] Die Entscheidung ergeht im sogenannten »einseitigen« Verfahren, d.h. ohne Beteiligung des Patentinhabers. Jedoch werden dem Patentinhaber etwaige Mitteilungen im Rahmen dieser Prüfung und die Entscheidung mitgeteilt (R 56 (3))[18] Die Entscheidung ist mit der Beschwerde anfechtbar; in einem etwaigen Beschwerdeverfahren ist auch der Patentinhaber Beteiligter.

Ergibt sich die Unzulässigkeit des einzigen Einspruchs, so ist bei jedem Stand 31
des Verfahrens der Einspruch als unzulässig zu verwerfen (siehe Rdn 29). Liegen keine weiteren zulässigen Einsprüche vor, so wird dadurch das Einspruchsverfahren beendet.

Ist der unzulässige Einspruch einer von mehreren und liegt wenigstens **ein** 32
anderer zulässiger Einspruch vor, so kann die Einspruchsabteilung über die Unzulässigkeit des Einspruchs vorab entscheiden oder das Verfahren insgesamt, dh unter Beteiligung des unzulässig Einsprechenden fortsetzen und über die Unzulässigkeit dieses Einspruchs in der Endentscheidung befinden. Welchen Weg sie wählt, liegt im pflichtgemäßen Ermessen der Einspruchsabteilung. Dabei hat sie das Interesse der anderen Beteiligten, der Öffentlichkeit und des Amts an einem möglichst baldigen Abschluss des Einspruchsverfahrens gegen das mögliche Interesse des Patentinhabers und die in den Zulässigkeitsvoraussetzungen zum Ausdruck kommende Wertung des EPÜ abzuwägen, dass ein nicht ausreichend begründeter Einspruch kein Recht auf Teilnahme am Einspruchsverfahren eröffnen soll.

Trifft die Einspruchsabteilung keine Vorabentscheidung, so muss sie den unzulässig Einsprechenden weiterhin am Verfahren beteiligen. Solange nicht die 33
Unzulässigkeit seines Einspruchs durch Entscheidung festgestellt worden ist, hat dieser Einsprechende einen Anspruch auf Beteiligung an dem Verfahren in der Sache. Damit erhält er allerdings die Möglichkeit, durch Nachschieben weiteren Materials ein Vorbringen in das Verfahren einzuführen, das er bei Zurückweisung seines Einspruchs nicht mehr hätte vorbringen können.

Andererseits kann die Vorabzurückweisung eines von mehreren Einsprüchen 34
zu erheblichen Verfahrensverzögerungen führen, wenn der unzulässig Einsprechende gegen diese Entscheidung Beschwerde einlegt. In diesem Fall folgt nämlich aus dem Suspensiveffekt seiner Beschwerde, dass das Verfahren erster Instanz mit den anderen Einsprechenden allenfalls in geringem Umfang weitergeführt werden kann. Siehe dazu den der Entscheidung **T 1129/97** vom 4.7.2001 zugrunde liegenden Fall, in dem die Einspruchsabteilung entschied,

---

17 Siehe hierzu auch Art 101 Rdn 6.
18 PrüfRichtl D-IV, 1.5.

ohne die Rechtskraft der mit der Beschwerde angefochtenen, die Vorabverwerfung eines Einspruchs als unzulässig aussprechenden Entscheidung abzuwarten. Zur Frage, ob der unzulässig Einsprechende selbst trotz Verwerfung seines Einspruchs weiter am Verfahren erster Instanz beteiligt werden kann, siehe Art 99 Rdn 49). Der Suspensiveffekt der Beschwerde gebietet, dass dem Beschwerdeführer durch eine etwaige Fortsetzung des Verfahrens in erster Instanz mit einem anderen Einsprechenden kein irreparabler Schaden zugefügt wird. In einem solchen Fall dürfen im Einspruchsverfahren erster Instanz keine Maßnahmen getroffen werden, die eine Entscheidung oder auch nur eine Vorfestlegung in der Sache bedeuten. Zu diesen zu unterlassenden Maßnahmen wird man bereits die Mitteilung einer vorläufigen Auffassung der Einspruchsabteilung in einem Zwischenbescheid und erst recht die mündliche Verhandlung rechnen müssen.

35 Das Ergebnis der Interessenabwägung, die die Einspruchsabteilung vorzunehmen hat, kann auch davon beeinflusst werden, ob der Einsprechende druckschriftlichen Stand der Technik oder eine offenkundige Vorbenutzung eingewandt hat. Bei behaupteter offenkundiger Vorbenutzung kann eine Vorabentscheidung eher angemessen sein, da der unzulässig Einsprechende sonst durch späteres Nachschieben von Vorbringen, das seinen Vortrag erst ausreichend substantiiert, eine Beweisaufnahme erzwingen könnte. Dies würde dem berechtigten Interesse des Patentinhabers als dessen Verfahrensgegner zuwiderlaufen.

Nach den Prüfungsrichtlinien D-IV, 5.5 soll die Unzulässigkeit eines von mehreren Einsprüchen in der Regel durch beschwerdefähige Entscheidung vorab festgestellt werden, es sei denn, dass auf Grund anderer zulässiger Einsprüche unmittelbar eine Entscheidung über die Zurückweisung der Einsprüche oder den Widerruf des Patents getroffen werden kann.

8 Umfang der sachlichen Prüfung des erteilten Patents

36 Ist der Einspruch zulässig, so prüft die Einspruchsabteilung, ob die in Art 100 genannten Einspruchsgründe der Aufrechterhaltung des europäischen Patents entgegenstehen.

37 Nach **G 9/91** und **G 10/91** beschränkt sich die Prüfungsbefugnis der Einspruchsabteilung bei einem **gegenständlich beschränkten Einspruch** auf den Umfang, in dem der Einsprechende das Patent angegriffen hat;[19] zur Ermittlung des Umfangs des Einspruchs durch Auslegung siehe Art 99 Rdn 71–76. Nach Art 101 (2) hat die Einspruchsabteilung den Einspruch zu prüfen. Beschränkt der Einsprechende seinen Einspruch auf einzelne Gegenstände des

---

19 **G 9/91** und **G 10/91**, ABl 1993, 408 und 420; zu den bis dahin in den Beschwerdekammern divergierenden Auffassungen siehe die in Rspr BK 1998, VII C, 9.2.1 (S 487), zitierten älteren Entscheidungen.

Patents, so unterliegen die übrigen keinem Einspruch im Sinne von Art 101 und 102 und auch keinem Verfahren im Sinne von Art 114.[20] Art 114 (1) 2. Halbsatz, nach dem das EPA nicht auf die Anträge der Beteiligten beschränkt ist, ist daher im Gegensatz zur früher herrschenden Meinung in diesem Zusammenhang nicht anwendbar. Das ergibt sich auch aus dem Erfordernis der Angabe des Umfangs des Einspruchs in R 55 c). Dieses Erfordernis wäre offensichtlich sinnlos, wenn später auch andere Teile des Patents ohne weiteres in das Verfahren einbezogen werden könnten.

R 55 c) hat nicht nur die Funktion, die Zulässigkeit des Einspruchs zu regeln, sondern legt auch den rechtlichen und faktischen Rahmen fest, innerhalb dessen die materiellrechtliche Prüfung des Einspruchs grundsätzlich durchzuführen ist[21] und ist deshalb eine Vorschrift der AO im Sinne von Art 101 (2), nach der die Einspruchsabteilung die Prüfung des Einspruchs durchzuführen hat. Beim Umfang des Einspruchs geht es um die formale Kompetenz einer Einspruchsabteilung, sich mit dem europäischen Patent zu befassen.[22] 38

Einschränkend gilt allerdings: Auch wenn der Einspruch ausdrücklich nur gegen den Gegenstand eines unabhängigen Anspruchs gerichtet ist, können Ansprüche, die von diesem abhängen, auf ihre Patentierbarkeit geprüft werden, wenn der unabhängige Anspruch vernichtet wird, sofern die Gültigkeit dieser abhängigen Ansprüche durch das bereits vorliegende Informationsmaterial prima facie in Frage gestellt wird. Die Große Beschwerdekammer geht davon aus, dass ein solcher abhängiger Gegenstand durch die Erklärung nach R 55 c) implizit abgedeckt ist.[23] Allerdings ist in einem solchen Fall das rechtliche Gehör verletzt, wenn die Einspruchsabteilung das Patent ohne vorherigen Bescheid widerruft.[24] Nach T 165/93 vom 12.7.1994 besteht dagegen kein Anspruch auf einen vorherigen Bescheid bei Widerruf im Umfang von abhängigen Ansprüchen, auf die der Einsprechende seinen Einspruch nach Ablauf der Einspruchsfrist ausgedehnt hatte. 39

Schränkt der Patentinhaber bei einem gegenständlich beschränkten Einspruch sein Patentbegehren so ein, dass er die angegriffenen Ansprüche und je nach Sachlage auch davon abhängige Ansprüche fallen lässt, so muss die Einspruchsabteilung das Patent in der geänderten Form auch dann aufrechterhalten, wenn der verbleibende Gegenstand des Patents oder ein Teil davon nach ihrer Auffassung nicht patentierbar ist.[25] siehe dazu im einzelnen Art 102 Rdn 33. 40

---

20 G 9/91 und G 10/91, ABl 1993, 408 und 420, Nr 10 der Gründe.
21 G 9/91 und G 10/91, ABl 1993, 408 und 420, Nr 6 der Gründe.
22 G 9/91 und G 10/91, ABl 1993, 408 und 420, Nr 12 der Gründe.
23 G 9/91 und G 10/91, ABl 1993, 408 und 420, Nr 11 der Gründe.
24 **T 293/88**, ABl 1992, 220, 5.1 und 5.4.
25 **T 1066/92** vom 5.7.1995, Nr 2.

41 Auch für den **Umfang der Überprüfung des erteilten Patents** auf das Vorliegen von Einspruchsgründen nach Art 100 hat die Große Beschwerdekammer in **G 9/91** und **G 10/91** festgestellt, dass R 55 c) den tatsächlichen und rechtlichen Rahmen absteckt, innerhalb dessen sich die Einspruchsprüfung durch die Einspruchsabteilung grundsätzlich bewegen soll.[26] Zum Meinungsstand bis zu diesen Entscheidungen siehe **G 9/91** und **G 10/91**, Nr 13 der Gründe. Jedoch handelt es sich dabei im Gegensatz zur Beschränkung auf den Umfang des Einspruchs nicht um eine Frage der formalen Kompetenz der Einspruchsabteilung, sondern um die im Einspruchsverfahren anzuwendenden Verfahrensgrundsätze. Die Bezugnahme auf die in Art 100 genannten Einspruchsgründe in den Art 101 (1) und 102 (2) soll nur den gesamten möglichen Rahmen der Prüfung abstecken (Nr 14 der Gründe). Der in Art 114 verankerte Grundsatz der Amtsermittlung gilt im Verfahren vor der Einspruchsabteilung auch für die Einspruchsgründe. Da die Regelung verhindern soll, dass ungültige europäische Patente aufrechterhalten werden, kann die Einspruchsabteilung in Anwendung des Art 114 (1) einen durch die Erklärung gemäß R 55 c) nicht ordnungsgemäß abgedeckten Einspruchsgrund von sich aus vorbringen oder einen solchen vom Einsprechenden nach Ablauf der Frist gemäß Art 99 (1) vorgebrachten Grund prüfen. Über den eigentlichen Inhalt der Erklärung (R 55 c)) hinaus soll sie aber nur dann prüfen, wenn prima facie triftige Gründe dafür sprechen, dass diese Einspruchsgründe relevant sind und der Aufrechterhaltung des europäischen Patents ganz oder teilweise entgegenstehen würden (Nr 16 der Gründe). Nach **T 274/95** gilt dies auch,[27] wenn ein Einspruchsgrund zwar in der Einspruchsschrift substantiiert worden ist, der Einsprechende aber später erklärt hat, dass er ihn nicht aufrechterhalte, weil ein Einspruchsgrund, der schon in der Erklärung nach R 55c) enthalten war, definitionsgemäß nicht außerhalb des rechtlichen und faktischen Prüfungsrahmens liegen und daher nicht neu sein könne.[28] Selbst in einem so späten Verfahrensstadium wie der mündlichen Verhandlung darf die Einspruchsabteilung einen neuen Einspruchsgrund einführen, wenn klar ist, dass das Patent dessen Voraussetzungen nicht erfüllt. Jedoch ist in einem solchen Fall zu vertagen, um dem Patentinhaber genügend Zeit für eine angemessene – schriftliche – Verteidigung zu geben.[29] Nach **T 275/01** ist keine Vertagung erforderlich, wenn der neue Einspruchsgrund der mangelnden Neuheit nicht auf neuen Stand der Technik gestützt ist.[30]

---

26 **G 9/91** und **G 10/91**, ABl 1993, 408 und 420.
27 **T 274/95**, ABl 1997, 99, LS I.
28 **T 879/01** vom 24.6.2005, Nr 4.
29 **T 1164/00** vom 2.9.2003, Nr 1.3: für einen Einwand nach Art 83; ebenso erneut **T 64/00** vom 1.2.2005, Nr 2.1.3 ff.
30 **T 275/01** vom 3.2.2005, Nr 2.2.

Die Große Beschwerdekammer hat sich damit nicht nur zum Umfang der 42
Prüfungspflicht und der Prüfungskompetenz der Einspruchsabteilung bei Einspruchsgründen geäußert, die der Einsprechende nicht vorgetragen hat, sondern zugleich auch zu den Kriterien, nach denen verspätetes Vorbringen des Einsprechenden zu beurteilen ist (siehe dazu Art 114 Rdn 50–66).

Im Einspruchsbeschwerdeverfahren darf ein neuer Einspruchsgrund von der 43
Kammer nur dann vorgebracht oder auf Antrag eines Einsprechenden im Verfahren zugelassen werden, wenn er nach Einschätzung der Beschwerdekammer prima facie hochrelevant ist und der Patentinhaber einverstanden ist. Jedoch soll in einem solchen Fall an die erste Instanz zurückverwiesen werden (Nr 18 der Gründe). Die Zustimmung des Patentinhabers ist auch dann nötig, wenn der Einsprechende geltend machen kann, dass der neue Einwand erst durch Vorbringen des Patentinhabers im Lauf des Beschwerdeverfahrens zutage getreten sei.[31] Jedoch hat die Beschwerdekammer in diesem Fall der Beschwerde stattgegeben und die Sache an die Einspruchsabteilung zurückverwiesen, damit der neue Einspruchsgrund in dieser ersten Instanz nach den Gesichtspunkten der prima facie-Relevanz geprüft werden könne Dagegen bildet nach heute wohl herrschender Meinung das Vorbringen eines neuen Einspruchsgrundes, der in der Beschwerde nicht mehr berücksichtigt werden kann, keinen selbständigen Aufhebungs- und Zurückverweisungsgrund. Nur wenn die erstinstanzliche Entscheidung aus anderen Gründen ohnehin aufgehoben werden muss, kann die Einspruchsabteilung nach Zurückverweisung den neuen Einspruchsgrund noch prüfen.[32]

Kein neuer Einspruchsgrund im Sinne dieser Rechtsprechung ist das Wieder- 44
aufgreifen in der Beschwerdeinstanz von Vorbringen, das im Einspruchsschriftsatz substantiiert vorgebracht, dann aber fallengelassen oder nicht weiterverfolgt wurde.[33]

Unerheblich ist, ob ein von der Beschwerdekammer wieder aufgegriffener Einspruchsgrund in der Beschwerdebegründung erwähnt worden ist.[34] Die Zurückziehung eines von mehreren, unter einem Einspruchsgrund vorgebrachten Einwänden ist keine Zurückziehung dieses Einspruchsgrundes.[35] Das

---

31 **T 1066/92** vom 5.7.1995, Nr 4; **T 365/95** vom 11.6.1997, Nr VI und 2.
32 So zB **T 193/94** vom 28.10.1997, Nr 4, **T 443/95** vom 12.12.1997, Nr 2.1 und 2.2.
33 **T 274/95**, ABl 1997, 99, LS II, **T 877/01** vom 24.6.2005, Nr 4; a.A. **T 520/01** vom 29.10.2003, Orientierungssatz 1 und Nr 1.6 ff, es sei denn, dass die Einspruchsabteilung in der angefochtenen Entscheidung zu diesem Einspruchsgrund Stellung genommen hatte, und insbesondere, wenn der Grund relevant genug wäre, um bei seiner Berücksichtigung zu Verfahrensverzögerung und möglicherweise sogar zu einer Zurückverweisung zu führen.
34 **T 877/01** vom 24.6.2005, Nr 4.
35 **T 877/01**, Nr 5, hier: Zurückziehung eines von mehreren Einwänden nach Art 123 (2) gegen Anspruchsmerkmale.

Gleiche gilt in der Einspruchsbeschwerdeinstanz für einen Einspruchsgrund, der von der Einspruchsabteilung von Amts wegen aufgegriffen worden war[36] sowie für Vorbringen, das bereits vor der Einspruchsinstanz vorgebracht, von dieser jedoch als verspätet zurückgewiesen worden war.[37] Das bloße Nichterscheinen zur mündlichen Verhandlung vor der Einspruchsabteilung ist kein Fallenlassen der schriftlich vorgetragenen Einspruchsgründe. Diese können jedenfalls, wenn die Einspruchsabteilung die Gründe in ihrer Entscheidung behandelt hat, von anderen Einsprechenden in der Beschwerdeinstanz auch dann vorgebracht werden, wenn sie sich im Verfahren vor der Einspruchsabteilung darauf nicht (mehr) berufen hatten.[38]

45 Dagegen ist das Aufgreifen eines Einspruchsgrunds, der im Einspruchsschriftsatz nur durch Ankreuzen des entsprechenden Kästchens im Einspruchsformular angegeben und nicht substantiiert worden war, ein neuer Einspruchsgrund.[39] Umgekehrt ist kein neuer Einspruchsgrund das erstmalige Berufen expressis verbis auf diesen Grund, wenn das dazu gehörende Vorbringen in der Sache schon im Einspruchsschriftsatz enthalten war,[40] auch wenn das entsprechende Kästchen im Einspruchsformular nicht angekreuzt war.[41] Für die Einordnung des Einspruchsvorbringens kommt es darauf an, ob es seiner Struktur nach bereits auf den ausdrücklich später zitierten Einspruchsgrund gerichtet war.[42] Ein neuer Einspruchsgrund ist es dagegen nach **T 443/95**,[43] wenn sich ein neuer Einwand auf eine als solche (gegen einen geänderten Antrag) ins Verfahren eingeführte Rechtsgrundlage stützt, er sich aber nunmehr gegen schon im erteilten Patent vorhandene, im Einspruch nicht mit diesem Einwand angegriffene Elemente richtet (hier: Einwand unzulässiger Erweiterung zunächst gegen Änderungen des Patents, dann gegen wieder verteidigte erteilte Fassung).

Zur Frage des neuen Einspruchsgrundes bei Änderungen siehe Art 102 Rdn 33.

46 *Verschiedene* und deshalb *neue* Einspruchsgründe im Sinne dieser Rechtsprechung sind nicht nur die in Art 100 jeweils mit den Buchstaben a), b) und c) bezeichneten Einspruchsgründe. Nach **G 1/95** und **G 7/95**) ist jede der in Art 100 in Übereinstimmung mit Art 138 (1) in Bezug genommenen Rechtsgrundlagen für einen Einwand gegen die Patentierbarkeit als ein eigener Ein-

---

36 **T 922/94** vom 30. 10. 97, Nr 2.2.
37 **T 986/93**, ABl 1996, 215, Nr 2.4.
38 **T 520/01** vom 29.10.2003, Nr 2 ff.
39 **T 105/94** vom 29.7.1997, Nr 2.
40 **T 455/94** vom 10.12.1997, Nr 2.
41 **T 1027/03** vom 10.1.2005,Nr 3.
42 **T 300/04** vom 21.4.2005, Nr 2 ff, hier: zufällige Formulierung »unzulässig verallgemeinert« innerhalb von Art 83 ist kein Einwand nach Art 123 (2).
43 **T 443/95** vom 12.12.1997, Nr 2.1 ff.

spruchsgrund anzusehen.[44] Während Art 100 b) und c) sich jeweils nur auf eine einzige einheitliche Rechtsgrundlage beziehen, auf die ein Einspruch gestützt werden kann, verweist Art 100 a) auf eine ganze Reihe verschiedener Einwände, von denen einige voneinander vollständig unabhängig sind (zB Art 53 von Art 52 (1) und Art 54) und andere stärker aufeinander bezogen sind (zB Art 52 (1) auf Art 54 und auf Art 56).

Der Begriff des Einspruchsgrunds ist im Zusammenhang der Art 99 und 100 und von R 55 c) als die individuelle Rechtsgrundlage zu interpretieren, auf die der Einwand gegen die Aufrechterhaltung des Patentes gestützt wird.[45] Deshalb sind sowohl der Einwand mangelnder Patentfähigkeit gemäß Art 52 (1), (2) im Verhältnis zum Einwand mangelnder Neuheit und erfinderischer Tätigkeit (Nr 6 der Gründe) als auch der Einwand mangelnder Neuheit im Verhältnis zum Einwand mangelnder erfinderischer Tätigkeit neue Einspruchsgründe. Das gilt, wenn der neue Einwand auf die im Einspruch zitierten Dokumente, also auf einen als solchen bereits in das Verfahren eingeführten Sachverhalt gestützt wird.[46] Jedoch kann im Rahmen mangelnder erfinderischer Tätigkeit der Einwand berücksichtigt werden, dass die Ansprüche im Hinblick auf diesen nächstliegenden Stand der Technik nicht neu sind.[47] Ausdrücklich nicht entschieden hat die Große Beschwerdekammer die ihr in T 514/92 ebenfalls vorgelegte Frage,[48] ob das auch dann gilt, wenn der Einwand mangelnder Neuheit auf einen (im Beschwerdeverfahren) neu eingeführten Sachverhalt, etwa ein neues Dokument gestützt ist. Damit sind die früheren Entscheidungen überholt, die Art 100 a) als einen einzigen Einspruchsgrund angesehen hatten.[49] 47

Weil mangelnde Neuheit und das Fehlen erfinderischer Tätigkeit verschiedene Einspruchsgründe sind, bedeutet der Vortrag einer Partei oder die Entscheidung der Einspruchsabteilung im Rahmen der Prüfung der erfinderischen Tätigkeit, dass der Anspruch neu sei, noch nicht, dass damit der Einspruchsgrund mangelnder Neuheit in das Verfahren eingeführt worden ist.[50]

Ist gegen ein Patent gemäß Art 100 a) wegen mangelnder Neuheit und mangelnder erfinderischer Tätigkeit gegenüber einem Dokument des Stands der Technik Einspruch eingelegt und der Einwand der mangelnden Neuheit gemäß R 55 c) begründet worden, so ist eine gesonderte Begründung des Einwands der mangelnden erfinderischen Tätigkeit weder erforderlich – denn die Unter-

---

44 G 1/95 und G 7/95, ABl 1996, 615 und 626; Vorlageentscheidungen waren T 937/91, ABl 1996, 25 und T 514/92, ABl 1996, 270.
45 G 1/95, ABl 1996, 615 Nr 4.6 der Gründe.
46 Ebenso unter Berufung auf G 10/91, ABl 1993, 420 und G 7/95, ABl 1996, 626 T 928/93 vom 23.1.1997, Nr 3.
47 G 7/95, ABl 1996, 626.
48 T 514/92, ABl 1996, 270.
49 ZB T 796/90 vom 13.9.1993; T 18/93 vom 7.11.1994; T 646/91 vom 16.5.1995.
50 T 135/01 vom 21.1.2004, Nr 2.

suchung der erfinderischen Tätigkeit setzt Neuheit voraus und die wird der Erfindung ja abgesprochen – noch überhaupt möglich, ohne dass ein Widerspruch zu den Argumenten entsteht, mit denen die mangelnde Neuheit begründet wurde. In einem solchen Fall ist der Einwand der mangelnden erfinderischen Tätigkeit kein neuer Einspruchsgrund.[51]

48 Soll die Einspruchsabteilung nach diesen Entscheidungen andere als vom Einsprechenden vorgetragene Einspruchsgründe sogar dann nur bei prima facie-Relevanz von sich aus aufgreifen, wenn sie auf einen als solchen bereits in das Verfahren eingeführten Sachverhalt gestützt sind, so muss dies erst recht gelten, wenn es darum geht, ob und unter welchen Umständen die Einspruchsabteilung von sich aus Tatsachen und Beweismittel, also einen neuen Sachverhalt in das Verfahren einführen kann oder soll, die nicht vom Einsprechenden vorgetragen worden sind. Auf die Zwangsläufigkeit dieser Schlussfolgerungen aus **G 9/91** und **G 10/91**,[52] die durch **G 1/95** und **G 7/95** nunmehr noch bestätigt werden,[53] weist **T 1002/92** im Zusammenhang mit der Frage nach der Berücksichtigung verspäteten Vorbringens hin.[54] Deshalb gilt zB die bisherige Rechtsprechung, nach der in der Beschreibung oder im Recherchenbericht aufgeführte und/oder im Prüfungsverfahren berücksichtigte Dokumente, auf die sich der Einsprechende nicht gestützt hat, nicht automatisch Gegenstand des Einspruchsverfahrens sind, auch weiterhin.[55]

49 Zur Anwendung des Amtsermittlungsgrundsatzes im Einspruchsverfahren und zum Umfang der sachlichen Prüfung bei verspätetem Vorbringen siehe auch Art 114 Rdn 13 und 50.

9 Verfahren für die Vorbereitung der sachlichen Einspruchsprüfung (R 57)

50 Der Einspruch – ob zulässig oder nicht – wird dem Patentinhaber nach dem Eingang übermittelt (R 57 (1)). Dabei wird der Patentinhaber unter Fristsetzung zu einer Stellungnahme zum Einspruchsvorbringen aufgefordert, gegebenenfalls zur Änderung seines Patents. Siehe auch Art 101 Rdn 16

51 R 57 (2) schreibt vor, dass dann, wenn mehrere Einsprüche eingelegt worden sind, diese Einsprüche auch den übrigen Einsprechenden mitgeteilt werden; diese werden aber nicht zu einer Stellungnahme zu den anderen Einsprüchen aufgefordert.

52 Nach R 57 (3) wird die Stellungnahme des Patentinhabers einschließlich etwaiger Anträge zur Änderung seines Patents den übrigen Beteiligten übermit-

---

51 **T 131/01**, ABl 2003, LS I und Nr 3.1.
52 **G 9/91** und **G 10/91**, ABl 1993, 408 und 420.
53 **G 1/95** und **G 7/95**, ABl 1996, 615 und 626.
54 **T 1002/92**, ABl 1995, 605.
55 Siehe zB **T 198/88**, ABl 1991, 254; **T 291/89** vom 14.5.1991; **T 387/89**, ABl 1992, 583.

telt. Wenn es der Einspruchsabteilung zweckmäßig erscheint, fordert sie sie auf, sich dazu zu äußern. Andernfalls und in der Regel wird die Erwiderung nur zur Kenntnisnahme zugesandt. Wenn sich ein Beteiligter nicht äußert, so hat dies – anders, als wenn der Anmelder nach Art 96 (3) aufgefordert wird – keine unmittelbaren Rechtsfolgen; er läuft jedoch Gefahr, mit einem späteren Vorbringen, zB einem Beweisangebot in einer mündlichen Verhandlung, nicht mehr gehört zu werden.

Ist einem Einspruchsverfahren auch ein vermeintlicher Patentverletzer nach Art 105 beigetreten, so braucht die Einspruchsabteilung nach R 57 (4) die Vorschriften der R 57 (1)–(3) über die wechselseitige Unterrichtung nicht einzuhalten. Grund hierfür ist, dass die in den Abs 1–3 vorgesehenen Maßnahmen bereits abgeschlossen sein können, wenn der Beitritt zu einem laufenden Einspruchsverfahren erfolgt, und durch den Beitritt keine vermeidbare Verzögerung des Verfahrens eintreten soll. 53

Jedoch hat die Einspruchsabteilung dabei den Grundsatz des rechtlichen Gehörs zu wahren, weil sie eine Entscheidung zu Lasten eines Beteiligten nicht auf Gründe stützen darf, zu denen sich dieser nicht äußern konnte (siehe Art 105 Rdn 20 und 21). 54

10 Verfahren bei der sachlichen Prüfung des Einspruchs, auch bei Änderungen (R 58), einschließlich Haupt- und Hilfsanträgen

Ist die Vorbereitung der sachlichen Prüfung (R 57) abgeschlossen, so muss gemäß Art 101 (1) geprüft werden, ob die in Art 100 genannten Einspruchsgründe der Aufrechterhaltung des europäischen Patents entgegenstehen. 55

Ist kein Antrag auf mündliche Verhandlung gestellt und wird eine mündliche Verhandlung auch von der Einspruchsabteilung nicht für sachdienlich gehalten (Art 116 (1)), so erfolgt die Prüfung und Entscheidung im schriftlichen Verfahren. Ein Beteiligter kann grundsätzlich in jedem Stadium des Verfahrens die mündliche Verhandlung beantragen; er braucht dies nicht in seinem ersten Schriftsatz zu tun. 56

Art 101 (2) verstärkt den in Art 113 festgelegten Grundsatz des rechtlichen Gehörs: er schreibt ausdrücklich vor, dass die Einspruchsabteilung die Beteiligten so oft wie erforderlich auffordert, zu ihren Bescheiden und zu den Schriftsätzen anderer Beteiligter Stellung zu nehmen. Die Missachtung dieses Gebots ist ein Verfahrensfehler und kann im Fall der Beschwerde die Grundlage für die Rückzahlung der Beschwerdegebühr nach R 67 bilden. Für das Verfahren vor der Prüfungsabteilung enthält Art 96 (2) eine entsprechende Regelung (siehe Art 96 Rdn 19, 23 und 31). 57

Streitig ist, ob Art 101 (2) zur Wahrung des rechtlichen Gehöres erfordert, dass die Einspruchsabteilung die Beteiligten ausdrücklich zur Stellungnahme 58

Artikel 101 *Prüfung des Einspruchs*

zum Schriftsatz eines anderen Beteiligten auffordert,[56] oder ob die bloße Zustellung von Schriftsätzen (zB zur Kenntnisnahme) zur Gewährung des rechtlichen Gehörs jedenfalls dann ausreicht, wenn die betroffene Partei nach den Umständen (zB Zeitraum, Komplexität usw) tatsächlich genügend Zeit für eine Stellungnahme zum Inhalt des Schriftsatzes hatte.[57] Jedoch müssen die Parteien bei der Art der Zustellung gleich behandelt werden. Ein Verstoß dagegen ist aber nicht per se Verletzung von Art 113.[58]

59 Art 101 (2) und R 58 (2) und (3) verpflichten die Einspruchsabteilung nicht, vor Erlass einer Entscheidung in jedem Fall zunächst einen Bescheid zu erlassen. Hatte der betroffene Beteiligte ausreichend Gelegenheit, sich zu den tragenden Gründen der Entscheidung zu äußern oder – als Patentinhaber – Änderungen vorzunehmen, zB wenn die Entscheidung auf die vom Einsprechenden vorgetragenen Gründe gestützt wird, so besteht kein Anspruch auf einen vorherigen Bescheid der Einspruchsabteilung nach Art 101 (2).[59] Er ist in diesem Fall nicht im Sinne von Art 101 (2) erforderlich (zu den Voraussetzungen im einzelnen für die Wahrung des rechtlichen Gehöres in diesen Fällen siehe Art 113 Rdn 10, 20, 30 und insbesondere 41). Zur Definition der Gründe siehe zB für das Prüfungsverfahren eingehend **T 951/92**, auf die **T 433/93** für das Einspruchsverfahren verweist.[60]

60 Gemäß R 58 (2) wird der Patentinhaber in den Bescheiden gegebenenfalls aufgefordert, soweit erforderlich, die Beschreibung, die Patentansprüche und die Zeichnungen in geänderter Form einzureichen. Der Wortlaut der Vorschrift umfasst damit, dass die Einspruchsabteilung Vorschläge für eine nach ihrer Meinung aufrechterhaltbare Fassung des Patents, insbesondere der Patentansprüche machen kann. Dies erspart dem Patentinhaber eine Vielzahl von Hilfsanträgen, um zu einer Fassung des Patents zu gelangen, die die Einwände der Einspruchsabteilung ausräumt.

61 Jedoch ergeben sich insoweit Einschränkungen aus der Einordnung der Rechtsnatur des Einspruchsverfahrens als einem streitigen Verfahren zwischen einander mit gegensätzlichen Interessen gegenüberstehenden Parteien und aus der daraus abgeleiteten Verpflichtung der Einspruchsabteilung zur Unpartei-

---

56 So **T 669/90**, ABl 1992, 739, **T 892/92**, ABl 1994, 664.
57 Wohl herrschende Meinung: **T 22/89** vom 26.6.1990; **T 275/89**, ABl 1992, 126, Nr 3.3; **T 263/93** vom 12.1.1994, Nr 2.2; **T 293/92** vom 24.8.1995, Nr 7.1 ff; **T 582/95** vom 28.1.1997, Nr 4; **T 914/98** vom 22.9.2000, Nr 2 m. w. Nachw.
58 **T 682/89** vom 17.8.1993; **T 532/91** vom 5.7.1993.
59 **T 275/89**, ABl 1992, 126; **T 682/89** vom 17.8.1993, Nr 2.1 ff; **T 532/91** vom 5.7.1993, Nr 4. ff; **T 293/92** vom 24.8.1995, Nr 7.1 ff; erneut zB **T 966/02** vom 1.12.2004, Nr 6.4.
60 **T 951/92**, ABl 1996, 53; **T 433/93** vom 6.12.1996, Nr 1.

lichkeit[61] und zur Gleichbehandlung der Parteien.[62] Ähnliches dürfte für die Aufforderung zur Ergänzung des Vorbringens gelten.[63]

Der Patentinhaber kann als Antwort auf einen Einspruch oder einen Bescheid der Einspruchsabteilung nach Art 101 (2) geänderte Ansprüche als neuen Hauptantrag und/oder in einem oder mehreren Hilfsanträgen einreichen (ständige Rechtsprechung und Praxis im Anschluss an T 234/86;[64] siehe auch Rechtsauskunft Nr 15/05 (rev. 2).[65] Die Aufrechterhaltung des Patents aufgrund eines Hilfsantrags im Einspruchsverfahren verstößt nicht gegen Art 102 (3) a), R 58 (4) und Art 113 (2).[66] 62

Bei mehreren Hilfsanträgen ist die Reihenfolge anzugeben, in der die Hilfsanträge gestellt werden. Einen Antrag als Hilfsantrag zu stellen bedeutet, ihn nur für den Fall zu stellen, dass den ihm im Rang vorgehenden Haupt- und/oder Hilfsanträgen nicht stattgegeben werden kann. In diesem Fall muss die Einspruchsabteilung die gestellten Anträge in der angegebenen Reihenfolge prüfen, bis sie zu einem gewährbaren Antrag gelangt. Die Ablehnung aller dem gewährbaren Antrag vorausgehenden Anträge ist in der Entscheidung zu begründen.[67] Auch wenn einem Hilfsantrag stattgegeben wird, ist der Patentinhaber durch die Ablehnung des vorausgehenden Hauptantrages und/oder der vorausgehenden Hilfsanträge iSd Art 107 beschwert.[68] Auf die Ablehnung des Hauptantrags darf sich die Entscheidung nur dann beschränken, wenn alle nachrangigen Hilfsanträge eindeutig zurückgenommen worden sind.[69] 63

Zu den inhaltlichen Beschränkungen des Änderungsrechtes siehe Art 102 Rdn 26. Zum Zeitpunkt im Verfahren, bis zu dem Änderungen des Patents vorgelegt werden können, siehe Art 116 Rdn 45, 61 und 62 (R 71a (2)) und Art 123 Rdn 8. 64

Weitere Einzelheiten über das Verfahren vor der Einspruchsabteilung und insbesondere von dessen Abschluss durch Aufrechterhaltung in geändertem Umfang sind in R 58 enthalten.

---

61 **T 293/92** vom 24.8.1995, Nr 2.1: Vorschlag eines gewährbaren Hauptanspruchs unangemessen.
62 **G 9/91** und **G 10/91**, ABl 1993, 408 und 420, Nr 2.
63 In **T 173/89** vom 29.8.1990, Nr 2 werden allerdings bereits Bedenken gegen das Äußern einer vorläufigen Meinung durch die Einspruchsabteilung geltend gemacht.
64 **T 234/86**, ABl 1989, 79.
65 Rechtsauskunft Nr 15/05 (rev. 2), ABl 2005, 357 mit weiteren Einzelheiten; **T 234/86**, ABl 1989, 79, LS II.
66 **T 234/86**, ABl 1989, 79, LS II.
67 **T 234/86**, ABl 1989, 79; **T 740/00** vom 10.10.2001; Nr 1.4.
68 **T 740/00** vom 10.10.2001, Nr 1.1.
69 **T 5/89**, ABl 1992, 348; **T 785/91** vom 5.3.1993; siehe auch **T 740/00** und Rechtsauskunft Nr 15/05 (rev. 2), ABl 2005, 357 PrüfRichtl D-VI, 7.2.2.

11 »Verzicht auf das europäische Patent« im Einspruchsverfahren vor dem EPA

65 Im Gegensatz zu dem in Art 99 (3) und R 60 (1) angesprochenen Verzicht auf das Patent vor den zuständigen nationalen Instanzen, dessen Voraussetzungen und Rechtswirkungen sich nach nationalem Recht richten, ist ein Verzicht auf das Patent oder Teile davon im Einspruchsverfahren durch Erklärung gegenüber dem EPA nach stRspr nicht möglich.[70] Weil das EPÜ die Erklärung eines Verzichts des Patentinhabers auf sein Patent im Einspruchsverfahren nicht vorsieht, kann der Patentinhaber vor dem EPA weder auf sein Patent im Ganzen verzichten und damit das Verfahren beenden, noch dem Patent durch Erklärung eines Teilverzichts den Inhalt beschränken. Dazu bedarf es vielmehr einer entsprechenden Entscheidung des EPA.[71] Ein im Verfahren vor dem EPA erklärter Verzicht kann deshalb keine materielle Wirkung entfalten (insoweit missverständlich Rspr BK 2001, VI I, 3.1.1). Das Verfahren kann auch nicht gemäß R 60 (1) eingestellt werden.[72]

66 Der vor dem EPA erklärte Verzicht auf das europäische Patent wird aber nach stRspr als ein Antrag auf Widerruf des Patents angesehen, wenn der Verzicht eindeutig ist. Dazu näher Art 102 Rdn 20). Verzichtet der Patentinhaber im Verfahren auf einen Teil des Patents, so kann dies allenfalls die verfahrensrechtliche Wirkung haben, dass ein Wiederaufgreifen des Gegenstands im Rahmen des anhängigen Verfahrens nicht mehr möglich ist. In der Regel wird jedoch in entsprechenden Erklärungen und Änderungsanträgen, insbesondere wenn nicht ausdrücklich von einem Verzicht gesprochen wird, nur ein Formulierungsversuch gesehen, der den Patentinhaber nicht hindert, im Verlauf des Verfahrens wieder auf die erteilte Fassung oder einen früheren, weitergehenden Antrag zurückzugehen.[73] Einschränkungen dieser Grundsätze können sich unter dem Gesichtspunkt des Verfahrensmissbrauchs ergeben.[74] Das Recht kann im Beschwerdeverfahren auch durch das Verbot der reformatio in peius eingeschränkt sein.[75]

---

70 Siehe dazu vor allem **T 123/85**, ABl 1989, 336, im Anschluß an **T 73/84**, ABl 1985, 241; **T 186/84**, ABl 1986, 79; bestätigt in **G 1/90**, ABl 1991, 275, Nr 8, erneut **T 386/01** vom 24.7.2003, Nr 3.1 f.
71 **T 123/85** vom 31.7.1987, Nr 3.1.1.
72 **T 196/91** vom 5.12.1991, Nr 2.
73 Siehe zB **T 123/85** vom 31.7.1987, Nr 3.1.1; **T 296/87**, ABl 1990, 195, Nr 2 ff; **T 576/89**, ABl 1993, 543, Nr 3.1; **T 443/95** vom 12.12.1997, Nr 2.2; erneut **T 699/00** vom 25.4.2005, Nr 2.
74 In den in der vorherigen Fußnote zitierten Entscheidungen verneint; bejaht in **T 331/89** vom 13.12.1992, Nr 3.2: dort allerdings Rückkehr zur erteilten Fassung erst in der mündlichen Verhandlung der Beschwerde.
75 **G 9/92** und **G 4/93**, ABl 1994, 875; **G 1/99**, ABl 2001, 381; siehe auch Art 110 Rdn 45.

12 Fortsetzung des Einspruchsverfahrens auf Antrag oder von Amts wegen (R 60 (1) und (2) Satz 1)

R 60 behandelt unterschiedliche Fälle, in denen das Einspruchsverfahren fortgesetzt werden kann.

In R 60 (1) ist vorgesehen, dass das Einspruchsverfahren bei Wegfall des europäischen Patents wegen Verzichts oder Erlöschens, zB wegen Nichtzahlung der Jahresgebühren, auf Antrag des Einsprechenden fortgesetzt werden kann (siehe auch Art 99 Rdn 44). Der Grund liegt darin, dass bei Erlöschen oder Verzicht der Schutz des erteilten europäischen Patents häufig nicht rückwirkend entfällt (siehe zB Art 51 GPÜ). Die Fortsetzung des Verfahrens ist innerhalb einer Frist von zwei Monaten nach einer entsprechenden Mitteilung des EPA zu beantragen.

Eine Mitteilung des EPA ergeht, wenn es den Verzicht oder das Erlöschen des Patents für alle Vertragsstaaten als nachgewiesen ansieht, in der Regel aufgrund entsprechender Information (Eintragung in das Europäische Patentregister) oder Bestätigung durch die zuständigen Behörden der benannten Vertragsstaaten,[76] aber auch, wenn der Einsprechende das vom Patentinhaber mitgeteilte Erlöschen oder den Verzicht nicht in Zweifel zieht, es also zwischen den Parteien unstreitig ist.[77] R 60 (1) erlegt dem EPA keine rechtliche Verpflichtung auf, sich von Amts wegen des Rechtsstandes eines europäischen Patents zu vergewissern.[78] Auch bei einem Antrag des Einsprechenden auf Fortsetzung des Verfahrens liegt dies nach R 60 (1) im Ermessen der Einspruchsabteilung. Das Bestehen eines Rechtsschutzinteresses des Einsprechenden an einem rückwirkenden Widerruf des Patents ist eines der Elemente, die für die Entscheidung über Einstellung oder Fortsetzung des Einspruchsverfahrens gemäß R 60 (1) eine Rolle spielen können.

Das allgemeine Interesse an einer zentralen Feststellung über die Patentwürdigkeit einer in einem Patent beanspruchten Erfindung rechtfertigt es jedenfalls dann, ein Verfahren nach Erlöschen des Patents gemäß R 60 (1) noch bis zum Erlass einer Endentscheidung fortzusetzen, wenn die Sache im Zeitpunkt des Erlöschens im wesentlichen entscheidungsreif ist, und es auch im Hinblick auf den Bestand des Patents einen Unterschied im Ergebnis ausmacht, ob eine Sachentscheidung getroffen oder das Verfahren bloß eingestellt wird.[79]

Ein berechtigtes Interesse an der Fortsetzung des Verfahrens ist jedenfalls dann zu bejahen, wenn der Einsprechende dartut, dass er vom Patentinhaber aus dem Patent für die Vergangenheit in Anspruch genommen wird. Umgekehrt dürfte für die Fortsetzung des Verfahrens und eine Entscheidung durch

---

[76] **T 194/88** vom 30.11.1992.
[77] **T 714/93** vom 20.11.1995, Nr1; erneut zB **T 607/00** vom 21.2.2005, Nr 2.
[78] **T 194/88** vom 30.11.1992.
[79] **T 598/98** vom 16.10.2001, LS I und II, Nr 1.2 ff.

die Einspruchsabteilung kein Rechtsschutzinteresse mehr bestehen, wenn ein Patentinhaber auf alle Rechte aus dem Patent von Anfang an verzichtet. Stellt der Einsprechende keinen Antrag auf Fortsetzung des Verfahrens, so ist das Einspruchsverfahren einzustellen oder für beendet zu erklären.[80]

Im Einspruchsbeschwerdeverfahren ist R 60 (1) analog anwendbar,[81] aber nur dann, wenn der Einsprechende Beschwerdeführer ist. Ist der Patentinhaber Beschwerdeführer, ist die Fortsetzung des Verfahrens nicht an einen Antrag des Einsprechenden geknüpft.[82]

70 R 60 (2) Satz 1 regelt einen Fall, der in nationalen Verfahren häufig zu Komplikationen und beträchtlichen Verfahrensverzögerungen führt: Stirbt während eines Einspruchsverfahrens der Einsprechende, so muss nach nationalem Recht gewöhnlich das Verfahren ausgesetzt werden, bis die Erben ermittelt sind und die Erbschaft angenommen haben. Im Interesse eines zügigen Verfahrens kann das europäische Einspruchsverfahren auch ohne die Beteiligung der Erben fortgesetzt werden. Dies wird dann geschehen, wenn die Ermittlung der Erben auf größere Schwierigkeiten stößt und es der Einspruchsabteilung zweckmäßig erscheint, das Verfahren ohne die Beteiligung der Erben abzuschließen.

71 Eine entsprechende Regelung gilt auch, wenn ein Einsprechender seine Geschäftsfähigkeit verliert und es nicht erforderlich erscheint, für die Fortsetzung des Verfahrens die Bestellung und Einarbeitung eines gesetzlichen Vertreters abzuwarten, was auch durch die zusätzliche Bestellung eines zugelassenen Vertreters weitere Kosten mit sich bringen kann.

72 In diesen Fällen liegt es im Ermessen der Einspruchsabteilung, die Beteiligung der Erben oder des gesetzlichen Vertreters abzuwarten oder das Verfahren von Amts wegen fortzusetzen. Eine Einstellung des Verfahrens ist in diesen Fällen nicht möglich.

73 Im Falle eines Konkurses tritt wohl der Konkursverwalter an die Stelle des Einsprechenden, jedenfalls soweit er – wie nach deutschem Recht – Partei kraft Amtes ist.

13 Fortsetzung des Einspruchsverfahrens von Amts wegen bei Zurücknahme des Einspruchs (R 60 (2) Satz 2)

74 Mangels eines ausdrücklichen Verbots kann der Einspruch zurückgenommen werden. Davon geht auch R 60 (2) Satz 2 aus: Danach kann das Verfahren auch dann von Amts wegen fortgesetzt werden, wenn der Einspruch zurückgenommen worden ist. Die Rücknahmeerklärung muss eindeutig sein; zB genügt nicht die bloße Bekundung von Desinteresse am weiteren Schicksal des Patents

---

80 **T 329/88** vom 22.6.1993; **T 762/89** vom 28.9.1992; **T 607/00** vom 21.2.2005, Nr 1.
81 **T 598/98** vom 16.10.2001, Nr 1; **T 708/01** vom 17.3.2005, Nr 1 ff.
82 **T 708/01** vom 17.3.2005.

oder die Nichtteilnahme am schriftlichen oder mündlichen Verfahren.[83] Es wird auch nicht als Teilzurücknahme des Einspruchs gewertet, wenn der Einsprechende nach einem Antrag des Patentinhabers auf Aufrechterhaltung des Patents in geänderter Fassung hierzu keinen Gegenantrag mehr stellt oder er sich mit der Aufrechterhaltung in dieser Fassung einverstanden erklärt.[84] In den zitierten Entscheidungen wurde ein solches Prozessverhalten des Beschwerde führenden Einsprechenden auch nicht als (Teil-) Zurücknahme oder (bei Einverständniserklärung gegenüber einem Hilfsantrag) als hilfsweise Zurücknahme der Beschwerde gewertet.[85] Dagegen wird die Zurücknahme des Einspruchs des Beschwerde führenden Einsprechenden als Zurücknahme der Beschwerde gewertet. Zum Umfang der Überprüfung der geänderten Fassung durch die Einspruchsabteilung in diesen Fällen, siehe Rdn 35 zu Art 102.

Mit der Zurücknahme des Einspruchs scheidet der Einsprechende als Partei aus dem Verfahren aus, außer im Hinblick auf etwaige andere, anhängig bleibende Anträge, zB Kostenanträge.[86] Die Zurücknahme des Einspruchs wird mit ihrem Eingang im Amt wirksam und bedarf weder der Zustimmung der Einspruchsabteilung noch des Patentinhabers. Sie ist unwiderruflich. Jedoch kann die irrtümliche Zurücknahme unter den Voraussetzungen der R 88 berichtigt werden.[87]

Dagegen ist die Beendigung des Einspruchsverfahrens der Disposition des Einsprechenden entzogen. Die Entscheidung darüber liegt allein bei der Einspruchsabteilung. **75**

Das Einspruchsverfahren wird fortgesetzt, wenn der Patentinhaber Änderungen beantragt hat. Es sollte außerdem dann fortgesetzt werden, wenn seine Fortsetzung nach Ansicht der Einspruchsabteilung ohne zusätzliche Hilfe des Einsprechenden und ohne aufwendige eigene Ermittlungen zum Widerruf oder zu einer Beschränkung des europäischen Patents führt. Damit kann die Öffentlichkeit vor Scheinrechten geschützt werden.[88] Umgekehrt wird das Einspruchsverfahren in der Regel beendet, wenn der Einspruch unbegründet ist oder bei einem auf eine offenkundige Vorbenutzung gestützten Einspruch noch weitere Beweiserhebung notwendig wäre.[89] Im allgemeinen wird das Ein- **76**

---

83 **T 798/93**, ABl 1997, 363, Nr 2.
84 Siehe zB **T 805/00** vom 15.7.2003, Nr II und 7, **T 769/97** vom 18.4.2002, Nr II und 3, **T 1098/01** vom 13.4.2005, insbesondere Nrn 4 und 5.1.
85 Anders wohl **T 1126/00** vom 2.12.2004, Nr 1, in diese Richtung auch bereits **T 615/96** vom 13.11.2001, Nr 3.1 und 3.2.
86 **T 82/92** vom 4.5.1994, Nr 2; **T 283/02** vom 9.4.2003, Orientierungssatz und Nr 2.1 ff.
87 Siehe dazu **T 283/02** vom 9.4.2003, Nr 2.3 und 3.ff.
88 PrüfRichtl D-VII, 6.2 und 6.3; **T 197/88**, ABl 1989, 412; **T 129/88**, ABl 1993, 598; **T 958/92** vom 18.12.1995, Nr 2.1; **T 283/02** vom 9.4.2003, Nr 4.1.
89 Siehe zB **T 283/02**, Nr 4.3, **T 972/02** vom 8.7.2005, Nr 2.10 ff.

spruchsverfahren dann durch begründeten Beschluss eingestellt. Gelegentlich beenden Beschwerdekammern das Verfahren auch durch die Feststellung, dass das Patent unverändert aufrechterhalten wird, wie zB in **T 972/02**.[90]

77 In der Beschwerdeinstanz wird die Zurücknahme des Einspruchs nach stRspr der Beschwerdekammern als Zurücknahme der Beschwerde dieses Einsprechenden gewertet. Sie beendet das Verfahren, wenn der betreffende Einsprechende der einzige Beschwerdeführer ist. **G 8/93**[91] bestätigt diese Rechtsprechung. Die Beschwerdekammer kann das Verfahren in diesem Fall auch dann nicht fortsetzen, wenn sie der Auffassung ist, dass die Voraussetzungen für eine Aufrechterhaltung des Patents nach dem EPÜ nicht erfüllt sind (**G 8/93**). Hat – auch – der Patentinhaber gegen die Entscheidung der Einspruchsabteilung Beschwerde eingelegt, also in Fällen des Widerrufs und der beschränkten Aufrechterhaltung des Patents nach Hilfsantrag, so hat die Zurücknahme des Einspruchs keinen Einfluss auf das Beschwerdeverfahren.[92] Denn andernfalls könnte dem Patentinhaber durch Zurücknahme des Einspruchs im Beschwerdeverfahren das Recht auf Überprüfung der ihn beschwerenden erstinstanzlichen Entscheidung abgeschnitten werden, weil die Einstellung des Beschwerdeverfahrens die erstinstanzliche Entscheidung des Widerrufs oder der beschränkten Aufrechterhaltung rechtskräftig werden ließe; demgegenüber nimmt **T 222/86** an, in einem solchen Fall bleibe das Patent wie erteilt aufrechterhalten.[93] Zur Beschwerdeinstanz siehe im einzelnen Art 114 Rdn 13–24.

14 Unterbrechung des Verfahrens (R 90)

78 Eine Unterbrechung des Verfahrens ist in bestimmten Fällen nach R 90 vorgesehen, wenn der Patentinhaber oder sein Vertreter verhindert ist. Dies gilt auch für das Einspruchsverfahren. Diese Bestimmung ist wichtig wegen der damit verbundenen Hemmung der laufenden Fristen. Siehe im einzelnen Art 120 Rdn 78–96.

Artikel 102 Widerruf oder Aufrechterhaltung des europäischen Patents

(1) Ist die Einspruchsabteilung der Auffassung, dass die in Artikel 100 genannten Einspruchsgründe der Aufrechterhaltung des europäischen Patents entgegenstehen, so widerruft sie das Patent.

---

90 **T 972/02** vom 8.7.2005.
91 **G 8/93**, ABl 1994, 887.
92 StRspr, siehe dazu statt vieler **T 629/90**, ABl 1992, 654 oder neuerdings wieder **T 958/92**, 2.2; **T 463/93** vom 19.2.1996, Nr 2; **T 798/93**, ABl 1997, 363, Nr 2; siehe auch die in Rspr BK 2001, VII-D, 11.1 zitierten Entscheidungen.
93 **T 222/86** vom 22.9.1987.

(2) Ist die Einspruchsabteilung der Auffassung, dass die in Artikel 100 genannten Einspruchsgründe der Aufrechterhaltung des europäischen Patents in unveränderter Form nicht entgegenstehen, so weist sie den Einspruch zurück.

(3) Ist die Einspruchsabteilung der Auffassung, dass unter Berücksichtigung der vom Patentinhaber im Einspruchsverfahren vorgenommenen Änderungen das europäische Patent und die Erfindung, die es zum Gegenstand hat, den Erfordernissen dieses Übereinkommens genügen, so beschließt sie die Aufrechterhaltung des Patents in dem geänderten Umfang, vorausgesetzt, dass
a) gemäß der Ausführungsordnung feststeht, dass der Patentinhaber mit der Fassung, in der die Einspruchsabteilung das Patent aufrechtzuerhalten beabsichtigt, einverstanden ist, und
b) die Druckkostengebühr für eine neue europäische Patentschrift innerhalb der in der Ausführungsordnung vorgeschriebenen Frist entrichtet worden ist.

(4) Wird die Druckkostengebühr für eine neue europäische Patentschrift nicht rechtzeitig entrichtet, so wird das europäische Patent widerrufen.

(5) In der Ausführungsordnung kann vorgesehen werden, dass der Patentinhaber eine Übersetzung der geänderten Patentansprüche in den beiden Amtssprachen des Europäischen Patentamts, die nicht Verfahrenssprache sind, einzureichen hat. Wird die Übersetzung nicht rechtzeitig eingereicht, so wird das europäische Patent widerrufen.

Brigitte Günzel

Übersicht
1	Allgemeines	1
2	Formelle Entscheidung	2-6
3	Widerruf des europäischen Patents aus sachlichen Gründen – Beweislast	7-12
4	Widerruf des europäischen Patents aus formellen Gründen	13-16
5	Widerruf des europäischen Patents auf Antrag des Patentinhabers	17-22
6	Zurückweisung des Einspruchs	23-24
7	Umfang der sachlichen Prüfung des geänderten Patents	25-41
8	Aufrechterhaltung des Patents in geändertem Umfang – Verfahren	42-46
9	Wirkung des Widerrufs eines europäischen Patents	47-48

Artikel 102 Widerruf oder Aufrechterhaltung des Patents

1 Allgemeines

1   Diese Vorschrift betrifft vor allem die Entscheidung der Einspruchsabteilung nach der Prüfung des Einspruchs. Sie definiert in Abs 3 aber auch den Umfang der sachlichen Prüfung, wenn der Patentinhaber Änderungen vorgenommen hat; außerdem regelt sie das Verfahren bei Aufrechterhaltung in geändertem Umfang.

Auf Einzelheiten des Verfahrens beziehen sich unter anderem R 58 (Prüfung des Einspruchs) Abs 4 ff und R 68 (Form der Entscheidungen). Die rechtskräftige Endentscheidung wird in das europäische Patentregister eingetragen (R 92 (1) r)) und im Rahmen des Datenaustausches den Patentämtern der benannten Vertragsstaaten übermittelt.

2 Formelle Entscheidung

2   Die in diesem Artikel vorgesehenen endgültigen Maßnahmen ergehen stets in Form von Entscheidungen. Dies gilt sowohl für den Widerruf des Patents (Abs 1, 4 und 5), als auch für die Zurückweisung des Einspruchs (Abs 2) und die Aufrechterhaltung des Patents in geändertem Umfang (Abs 3).

3   Für den Widerruf des Patents gilt dies in Übereinstimmung mit dem Wortlaut der Bestimmungen unabhängig davon, ob die Entscheidung aus den materiellen Gründen des Abs 1 oder den formellen Gründen der Abs 4 oder 5 ergeht. Auch in den zuletzt genannten Fällen tritt der Rechtsverlust nicht kraft Gesetzes (automatisch) ein, **G 1/90**, entgegen **T 26/88**.[1]

4   Auch Zwischenentscheidungen über Vorfragen (Art 106 (3)) sind möglich und üblich, zB Vorabentscheidungen über die Unzulässigkeit eines von mehreren Einsprüchen (Art 101 Rdn 32, 33, 34 und 35) oder über materiellrechtliche Fragen der Patentfähigkeit. Hauptfall ist die feststellende Zwischenentscheidung darüber, dass das geänderte Patent den Erfordernissen des Übereinkommens genügt, bevor es in geändertem Umfang aufrechterhalten wird (Rdn 42–46).

5   Das Verfahren für den Erlass einer schriftlichen Entscheidung ist an dem Tag abgeschlossen, an dem der Formalsachbearbeiter der Einspruchsabteilung die Entscheidung zum Zwecke der Zustellung an die interne Poststelle des EPA abgegeben hat.[2] Entscheidungen können auch in einer mündlichen Verhandlung verkündet werden (R 68 (1)); sie sind dann im Anschluss daran schriftlich abzufassen und den Beteiligten zuzustellen (siehe Art 116).

Eine getroffene Entscheidung ist für die Einspruchsabteilung bindend, und zwar auch dann, wenn die Entscheidung rechtsfehlerhaft ist. Von einer Berichtigung nach R 89 abgesehen, kann die Einspruchsabteilung eine einmal erlassene Entscheidung weder aufheben noch abändern noch durch eine andere erset-

---

1   **G 1/90**, ABl 1991, 275; **T 222/86** vom 22.9.1987; **T 26/88**, ABl 1991, 30.
2   **G 12/91**, ABl 1994, 285, LS.

zen. Tut sie dies dennoch, so hat dies im Hinblick auf die erste Entscheidung keine Rechtswirkung, außer, dass sich nach dem Grundsatz des Vertrauensschutzes der Lauf der Fristen des Art 108 nach dem Zeitpunkt der späteren Entscheidung bestimmt.[3]

Die für die Einlegung einer Beschwerde in Art 108 vorgesehene 2-Monatsfrist beginnt erst vom Zeitpunkt der Zustellung der schriftlichen Entscheidung an zu laufen. Eine bereits nach der Verkündung eingelegte Beschwerde ist jedoch nicht unzulässig;[4] siehe im einzelnen Art 108 Rdn 5–8.

3 Widerruf des europäischen Patents aus sachlichen Gründen – Beweislast

Art 102 (1) regelt den Hauptfall des Widerrufs eines europäischen Patents, dass nämlich nach Auffassung der Einspruchsabteilung einer der in Art 100 festgelegten Einspruchsgründe gegen die Aufrechterhaltung in der erteilten Fassung vorliegt.

Das Patent ist auch dann zu widerrufen, wenn keiner der vom Patentinhaber zumindest hilfsweise vorgelegten Anträge auf Aufrechterhaltung in geändertem Umfang nach Art 102 (3) den Erfordernissen des Übereinkommens genügt.

Art 102 (1), (2) und (3) stellen auf die Auffassung der Einspruchsabteilung ab. Die Einspruchsabteilung hat danach am Ende des Verfahrens auf der Basis der von den Parteien vorgetragenen und der von ihr von Amts wegen berücksichtigten Tatsachen über den Einspruch nach technischen und patentrechtlichen Wertungen zu entscheiden. Dabei können am Ende des Verfahrens erhebliche Tatsachen nicht bewiesen sein, oder die technische Würdigung von Sachverhalten, zB das Naheliegen der Erfindung aufgrund eines bestimmten Standes der Technik, kann zweifelhaft bleiben (zum Maßstab, der an das Bewiesensein anzulegen ist, zur *balance of probabilities*, zur Abwägen der Wahrscheinlichkeiten siehe Art 117 Rdn 14).

Die Grundsätze über die Beweislast regeln, zu wessen Gunsten in diesem Fall zu entscheiden ist. Bleibt am Ende des Verfahrens eine bestimmte Sachlage unbewiesen, so geht dies zu Lasten derjenigen Partei, die die Beweislast für diesen Sachverhalt trägt. Grundsätzlich trägt im Einspruchsverfahren jede Partei die Beweislast für die von ihr vorgetragenen, ihr günstigen Tatsachen unabhängig davon, in welcher Instanz sich das Verfahren befindet. Die Beweislast dafür,

---

[3] **T 1081/02** vom 13.1.2004, Orientierungssätze, hier: Erlass einer zweiten Entscheidung nach Mitteilung durch den Formalprüfer, dass die erste als gegenstandslos zu betrachten sei; **T 830/03** vom 21.9.2004, Nr 1: Ersetzung einer als fehlerhaft betrachteten Entscheidung durch eine andere; **T 466/03** vom 21.9.2004, Nr 2 ff: Aufhebung einer Entscheidung wegen Nichtbeachtung eines Antrags auf mündliche Verhandlung; allgemein auch schon **G 12/91**, ABl 1994, 285, Nr 2 und 9.3, **G 4/91**, ABl 1993, 707, LS 2 und Nr 7.

[4] **T 389/86**, ABl 1988, 87, nur Leitsatz.

Artikel 102 Widerruf oder Aufrechterhaltung des Patents

dass einer der in Art 100 genannten Einspruchsgründe der Aufrechterhaltung des Patents in der erteilten Fassung entgegensteht, trifft also den Einsprechenden.

10 Die Beweislast kann sich im Lauf des Verfahrens umkehren, unter Umständen auch mehrfach. Zu den Einzelheiten des Beweislastmaßstabs, der Beweislast und der Beweislastumkehr siehe unter Art 117 sowie auch Rspr BK 2001.[5]

11 Im Einspruchsverfahren darf das Patent nur widerrufen werden, wenn zur Überzeugung der Einspruchsabteilung feststeht, dass ein Einspruchsgrund des Art 100 der Aufrechterhaltung des Patents in unverändertem Umfang entgegensteht. Bei einem *non liquet*, wenn die Einspruchsabteilung weder davon überzeugt ist, dass die im Verfahren erörterten Tatsachen und Gründe der Aufrechterhaltung entgegenstehen noch vom Gegenteil, kann das Patent nicht widerrufen werden. In der Praxis sind aber non liquet-Entscheidungen, die keine Beweislastentscheidungen wegen nicht bewiesener Tatsachen im engeren Sinne sind, wie sie zB im deutschen Nichtigkeitsverfahren üblich sind, eher selten. Dies gilt für beide Instanzen, aber vor allem für Entscheidungen der Einspruchsabteilungen.

12 Hat sich der Patentinhaber zum Einspruchsschriftsatz geäußert und keine geänderte Fassung (auch nicht hilfsweise) vorgelegt, so kann die Einspruchsabteilung das europäische Patent ohne vorherigen Bescheid widerrufen, wenn der Widerruf sich ausschließlich auf die vom Einsprechenden vorgetragenen Gründe stützt; dies verstößt nicht gegen Art 113 (1). Der Patentinhaber kann einen solchen unmittelbaren Widerruf dadurch verhindern, dass er die mündliche Verhandlung nach Art 116 beantragt, falls seinem Antrag auf Zurückweisung des Einspruchs nicht stattgegeben werden sollte.

4 Widerruf des europäischen Patents aus formellen Gründen

13 Das europäische Patent, das nach Auffassung der Einspruchsabteilung gemäß Art 102 (3) in geändertem Umfang aufrechterhalten werden kann, wird jedoch widerrufen, wenn bestimmte formelle Voraussetzungen nicht erfüllt sind. Es handelt sich um folgende drei Fälle:

14 – Die Druckkostengebühr für eine neue europäische Patentschrift ist nicht rechtzeitig nach Aufforderung gemäß Art 102 (3) b) iVm R 58 (5) entrichtet worden und auch nicht innerhalb der in R 58 (6) vorgesehenen Nachfrist mit Zuschlagsgebühr.

15 – Die Übersetzungen der geänderten Patentansprüche in die beiden anderen Verfahrenssprachen nach Aufforderung gemäß Art 102 (5) iVm R 58 (5) sind nicht rechtzeitig und auch nicht innerhalb der in R 58 (6) vorgesehenen Frist unter Zahlung der Zuschlagsgebühr eingereicht worden.

---

5   Rspr BK 2001, I-C, 1.7.2 und VI-J, 6.1.

- Im Fall der notwendigen Vertretung (Art 133 (2)) ist nach einer Unterbrechung des Einspruchsverfahrens (R 90 (1) c)) aufgrund des Todes, der fehlenden Geschäftsfähigkeit oder der rechtlichen Verhinderung des Vertreters eines Patentinhabers dem EPA nicht innerhalb der in R 90 (3) a) vorgeschriebenen Frist von zwei Monaten die Bestellung eines neuen Vertreters angezeigt worden.

5 Widerruf des europäischen Patents auf Antrag des Patentinhabers

Im Einspruchsverfahren kann sich für den Patentinhaber das Bedürfnis ergeben, sein Patent mit rückwirkender Kraft zu beseitigen.

Nach der Rechtsauskunft Nr 11/82, ABl 1982, 57 wird das europäische Patent widerrufen, wenn der Patentinhaber erklärt, dass er der Aufrechterhaltung des europäischen Patents in der erteilten Fassung nicht zustimmt und er auch keine geänderte Fassung vorlegt. Dies entspricht Art 113 (2), nach dem sich das EPA an die vom Patentinhaber vorgelegte oder gebilligte Fassung des europäischen Patents zu halten hat. Die Praxis wurde in **T 73/84**[6] und weiteren nicht veröffentlichten Entscheidungen der Beschwerdekammern bestätigt.[7]

Nach **T 186/84** kann der Patentinhaber in Weiterentwicklung dieser Überlegungen die notwendige Folge solcher Erklärungen, nämlich den Widerruf, auch unmittelbar beantragen.[8] Der Antrag auf Widerruf des Patents kann als Entzug des Einverständnisses mit der erteilten Fassung ausgelegt werden, und das Patent ist zu widerrufen. Eine Prüfung, ob die in Art 100 genannten Gründe der Aufrechterhaltung entgegenstehen, ist in diesen Fällen nicht nur entbehrlich, sondern ausgeschlossen. Dies ist gegenwärtig ständige Praxis.

Als Antrag auf Widerruf werden auch andere Erklärungen angesehen, die eindeutig dahin zu verstehen sind, dass der Patentinhaber die Aufrechterhaltung des Patents nicht wünscht, so etwa die Erklärung, das Patent werde zurückgenommen,[9] der Patentinhaber wünsche nicht, das Patent aufrechtzuerhalten (does not wish to maintain);[10] der vor dem EPA erklärte Verzicht auf das europäische Patent wird nach ständiger Rechtsprechung als Antrag auf Widerruf des Patents angesehen, wenn die Erklärung eindeutig ist.;[11]

Das gilt aber nicht für die bloße Erklärung (Mitteilung), das Patent sei erloschen, weil dies im Gegensatz zum Widerruf nicht zurückwirkt.[12] Ist die Erklä-

---

6 **T 73/84**, ABl 1985, 241.
7 Erneut eingehend dazu **T 961/00** vom 9.12.2002, Nr 3 ff.
8 **T 186/84**, ABl 1986, 79.
9 **T 459/88**, ABl 1990, 425, Nr 5.
10 **T 677/90** vom 17.5.1991.
11 Siehe dazu vor allem **T 237/86**, ABl 1988, 261, Nr 4; aber auch **T 412/86** vom 3.11.1989; **T 264/84** vom 7.4.19881; **T 415/87** vom 27.6.1988; **T 322/91** vom 14.10.1993; erneut **T 481/96** vom 16.9.1996, Nr 1.
12 **T 973/92** vom 6.12.1993, Nr 2.

Artikel 102 Widerruf oder Aufrechterhaltung des Patents

rung nicht eindeutig, so muss sich die Einspruchsabteilung vergewissern, was der Patentinhaber gemeint hat. Nach **T 386/01** ist eine Verzichtserklärung nur dann eindeutig als ein Antrag auf Widerruf des Patents anzusehen, wenn kein Zweifel daran besteht, dass der Patentinhaber den Wegfall der Wirkungen des Patents von Anfang an begehrt.[13]

Zu den Rechtsfolgen einer Verzichtserklärung des Patentinhabers vor dem EPA siehe Art 101 Rdn 65–66.

21 Die Entscheidung über den Widerruf eines europäischen Patents in solchen Fällen ist in erster Instanz den Formalsachbearbeitern der Einspruchsabteilungen übertragen.[14]

22 Nach **T 459/88** kann der Antrag des Patentinhabers auf Widerruf auch noch nach Einlegung einer Beschwerde des Einsprechenden (und vor Einreichung der Beschwerdebegründung) eingereicht werden und dann dem Beschwerdeführer als Beschwerdebegründung dienen.[15]

6 Zurückweisung des Einspruchs

23 Der Einspruch ist nach den unter Rdn 7–12 dargestellten Grundsätzen über die Beweislast des Einsprechenden immer dann nach Art 102 (2) zurückzuweisen, wenn die Einspruchsabteilung nicht zu der Überzeugung gelangt, dass die Einspruchsgründe der Aufrechterhaltung des Patents in unveränderter Form entgegenstehen.

24 Der Patentinhaber braucht keinen Antrag auf Aufrechterhaltung des Patents (Zurückweisung des Einspruchs) zu stellen, da Art 102 (1) und (2) die Entscheidung nur daran knüpft, ob die Einspruchsabteilung den Einspruch für begründet hält; tut sie es nicht, so ist der Einspruch auch ohne Antrag des Patentinhabers zurückzuweisen.[16] Es darf allerdings kein Fall nach Rdn 17–22 gegeben sein.

7 Umfang der sachlichen Prüfung des geänderten Patents

25 Nach Art 102 (3) beschließt die Einspruchsabteilung die Aufrechterhaltung des Patents in geändertem Umfang, wenn sie der Auffassung ist, dass unter Berücksichtigung der vom Patentinhaber im Einspruchsverfahren vorgenommenen Änderungen das europäische Patent und die Erfindung, die es zum Gegenstand hat, den Erfordernissen des Übereinkommens genügen.

26 R 57a beschränkt das **Änderungsrecht des Patentinhabers** inhaltlich auf solche Änderungen, die durch Einspruchsgründe nach Art 100 veranlasst sind

---

13 **T 386/01** vom 24.7.2003, Nr 3.3 ff.
14 Mitteilung des EPA vom 28.4.1999, ABl 1999, 506.
15 **T 459/88**, ABl 1990, 425.
16 **T 501/92**, ABl 1996, 261 Nr 1 ff.

(Kodifizierung früherer Rechtsprechung).[17] Dem Patentinhaber sollen nur durch Einspruchsgründe veranlasste Änderungen gestattet sein, dagegen nicht solche, die lediglich aus anderen Gründen vorgenommen werden, zB zur Bereinigung und Verbesserung der Offenbarung oder zur Beseitigung von Unklarheiten in den Ansprüchen oder der Beschreibung. Gleichwohl wurde in T 113/86 eine nicht durch einen Einspruchsgrund bedingte Änderung zur Beseitigung eines offensichtlichen Widerspruchs zwischen Anspruch und Beschreibung zugelassen.[18] Jedoch nicht durch die Einspruchsgründe Art 54, 56 veranlasst ist eine Änderung, die nicht dazu dient, die beanspruchte Erfindung vom Stand der Technik abzugrenzen, sondern den Anspruch auf etwas erstreckt, auf das sich der erteilte Anspruch gar nicht bezogen hat.[19]

Zu den Gründen, die keine Einspruchsgründe darstellen und folglich auch kein Änderungsrecht des Patentinhabers begründen können, siehe im einzelnen Art 100 Rdn 11 und Art 99 Rdn 79 am Ende. Als grundsätzlich nicht durch Einspruchsgründe veranlasst wird auch die Hinzufügung von abhängigen oder unabhängigen Ansprüchen angesehen, die im erteilten Patent keine Entsprechung hatten,[20] da es zum Ausräumen eines Einspruchsgrundes normalerweise genügend ist, den bestehenden Anspruch zu beschränken.[21] Etwas anderes gilt ausnahmsweise dann, wenn neue unabhängige Ansprüche, die sich auf im erteilten Anspruch enthaltene Ausführungsformen beziehen, an dessen Stelle treten,[22] oder wenn sie an die Stelle von abhängigen Ansprüchen treten, die parallel auf den erteilten Anspruch zurückbezogen waren.[23]

R 57a ist insofern liberaler als die frühere Rechtsprechung, als sie nicht verlangt, dass der betreffende Einspruchsgrund nach Art 100 vom Einsprechenden tatsächlich geltend gemacht worden ist. So darf der Patentinhaber im Rahmen eines in zulässiger Weise eröffneten Einspruchsverfahrens, das auf mangelnde Patentfähigkeit gestützt ist, zB Änderungen vornehmen, um eine unzulässige Erweiterung zu beseitigen (PrüfRichtl D-IV, 5.3). Der Patentinhaber muss nicht konkret angeben, welchem Dokument aus dem Stand der Technik die Änderung Rechnung tragen soll, wenn ein Einwand gemäß Art 54, 56 ausgeräumt werden soll.[24]

---

17 Z.B. **T 127/85**, ABl 1989, 271; **T 406/86**, ABl 1989, 302; **T 295/87**, ABl 1990, 470.
18 **T 113/86** vom 28.10.1987, Nr 2.2.
19 **T 25/03** vom 8.2.2005, Nr 2.1.
20 **T 295/87**, ABl 1990, 470; **T 829/93** vom 24.5.1996, Nr 5.; **T 317/90** vom 23.4.1992, Nr 3; **T 223/97** vom 3.11.1998, Orientierungssatz, **T 610/95** vom 21.7.1999, Nr 2.1 a.E.
21 **T 181/82** vom 13.10.2003, Nr 3.2.
22 **T 223/97**, Nr 2.2, **T 181/02**, Nr 3.2.
23 **T 181/02** vom 13.10.2003.
24 **T 537/99** vom 13.1.2005, Nr 2.1.

Artikel 102 Widerruf oder Aufrechterhaltung des Patents

Nach den PrüfRichtl D-IV, 5.3 können in einer gemäß R 57a EPÜ geänderten Fassung auch Änderungen zugelassen werden, die sich nicht auf die Einspruchsgründe beziehen, wie zB Klarstellungen und Berichtigungen.

29 Ob die Änderung durch einen möglichen Einspruchsgrund veranlasst ist, ist unter objektiver Würdigung des Sachverhalts und der Änderungen zu beurteilen. Nach T 829/93 ist dafür die Auffassung der entscheidenden Instanz im Zeitpunkt der Entscheidung maßgebend.[25] Nicht erforderlich ist, dass die Änderung den Einspruchsgrund tatsächlich ausräumt. Es genügt, dass die Änderung einen bona fide Versuch dazu darstellt.[26]

30 Der Patentinhaber kann aufgrund der ausdrücklichen Verweisung auf R 87 in R 57a im Einspruchsverfahren durch Einreichung unterschiedlicher Anspruchssätze auch Änderungen vornehmen, die nur im Hinblick auf ältere nationale Rechte vorgeschlagen werden; siehe dazu auch Art 123 Rdn 110, 111 und 112 Das gilt analog auch für die Einreichung getrennter Anspruchssätze wegen nationaler Vorbehalte gemäß Art 167 (2)(a).[27]

31 Zum Zeitpunkt im Verfahren, bis zu dem Änderungen des Patents vorgelegt werden können, siehe Art 114 Rdn 41 und Art 123 Rdn 8.

32 Hat der Patentinhaber durch Einspruchsgründe veranlasste Änderungen vorgenommen, so muss die Einspruchsabteilung prüfen, ob das geänderte europäische Patent und die Erfindung, die es zum Gegenstand hat, den Erfordernissen des Übereinkommens genügen.

33 Die **Prüfungskompetenz der Einspruchsabteilung** besteht nach **G 9/91** und **G 10/91** bei einem gegenständlich beschränkten Angriff des Einsprechenden auf das Patent entgegen dem Wortlaut von Art 102 (3) nicht mehr, wenn der Patentinhaber sein Patentbegehren so eingeschränkt hat, dass er die angegriffenen Ansprüche und je nach Sachlage auch davon abhängige Ansprüche oder den vom Einsprechenden angegriffenen Gegenstand des erteilten Patents fallengelassen hat.[28] In diesem Fall muss die Einspruchsabteilung das Patent in der geänderten Form auch dann aufrechterhalten, wenn der verbleibende Gegenstand des Patents oder ein Teil davon nach ihrer Auffassung nicht patentierbar ist.[29]

34 Das gilt aber nur dann, wenn der Patentinhaber zumindest hilfsweise einen entsprechenden Antrag stellt. Die Bindung der Einspruchsabteilung an den Umfang des Angriffs bedeutet nicht, dass die Einspruchsabteilung, wie zB im deutschen Nichtigkeitsverfahren, entgegen dem Antrag des Patentinhabers ei-

---

25 **T 829/93** vom 24.5.1996, Nr 6.2 und 6.6.
26 **T 82/04** vom 9.6.2005, Nr 4.
27 **T 15/01** vom 17.6.2004, wird veröffentlicht, Leitsatz 3 und Nr 17 ff, siehe auch PrüfRichtl D-VII, 4.4.
28 **G 9/91** und **G 10/91**, ABl 1993, 408 und 420.
29 **T 1066/92** vom 5.7.1995, Nr 2.

nen Teilwiderruf des Patentes aussprechen könnte.[30] Dies würde einen Verstoß gegen Art 113 (2) bedeuten. Vielmehr bleibt die Einspruchsabteilung auch bei einem teilweisen Einspruch im Hinblick auf die Fassung, in der sie das Patent aufrechterhalten kann, an den Antrag des Patentinhabers gebunden. Dies hat zur Folge, dass sie auch bei einem nur teilweisen Angriff auf das Patent das Patent insgesamt widerrufen muss, wenn der Patentinhaber nicht wenigstens hilfsweise einen Antrag auf entsprechend beschränkte Aufrechterhaltung stellt.

Andererseits bleibt die Prüfungskompetenz und -verpflichtung der Einspruchsabteilung bestehen, wenn der Einsprechende, der das Patent ursprünglich in einem breiteren Umfang angegriffen hatte, gegen eine eingeschränkte Fassung keinen Gegenantrag mehr stellt oder sich mit ihr einverstanden erklärt, da dies nicht als Teilzurücknahme des Einspruchs gewertet wird (siehe Art 101 Rdn 74).[31] Hinsichtlich der Prüfungsverpflichtung der Beschwerdekammern, wenn derartige Erklärungen im Einspruchsbeschwerdeverfahren abgegeben werden, werden unterschiedliche Auffassungen vertreten. Nach T 615/96 soll in diesen Fällen die Kammer keinen Ermessensspielraum mehr haben, das eingeschränkte Patentbegehren einer Sachprüfung zu unterziehen.[32] Dagegen sahen sich zB T 769/97 und T 805/00 offensichtlich als berechtigt an, die eingeschränkte Fassung auf ihre Vereinbarkeit mit Art 123 und die im Verfahren vorgebrachten Einspruchsgründe zu prüfen (die allerdings als durch die Änderungen ausgeräumt betrachtet wurden).[33] 35

Nach T 1126/00 und T 1098/01 soll die Kammer diese Befugnis und Verpflichtung nur im Hinblick auf in der Beschwerdeinstanz vorgenommene Änderungen haben, dagegen nicht im Hinblick auf Ansprüche, einschließlich deren Änderungen im Vergleich zur erteilten Fassung, die bereits in der von der Einspruchsabteilung in Betracht gezogenen und aufrechterhaltenen Fassung vorhanden waren.[34] Jedenfalls ist klar, dass die Prüfungsbefugnis der Beschwerdekammern im Hinblick auf ihr vorgelegte geänderte Fassungen des Patents durch das Verbot der »reformatio in peius« nach den dazu von der Großen Beschwerdekammer entwickelten Grundsätzen eingeschränkt sein kann. Siehe dazu und zum Umfang der Überprüfungsbefugnis der Beschwerdekammern im Einspruchsbeschwerdeverfahren im allgemeinen die Kommentierung zum Beschwerdeverfahren. 36

Die Überprüfungskompetenz der Einspruchsabteilung umfasst bei Änderungen nach ständiger Rechtsprechung auch Erteilungsvoraussetzungen, die keine Einspruchsgründe sind, wie insbesondere mangelnde Klarheit und feh- 37

---

30 G 9/91 und G 10/91, ABl 1993, 408 und 420.
31 T 1098/01 vom 13.4.2005, Nr 5.1.
32 T 615/96 vom 13.11.2001, Nr 4.
33 T 769/97 vom 18.4.2002, Nr 3 und T 805/00 vom 15.7.2003, Nr 7.
34 T 1126/00 vom 2.12.2004 und T 1098/01 vom 13.4.2005, Orientierungssatz und Nr 5.1.

Artikel 102 Widerruf oder Aufrechterhaltung des Patents

lende Stützung durch die Beschreibung. Klarheit der Patentansprüche gemäß Art 84 Satz 2 ist auch von den geänderten Patentansprüchen zu fordern, denn Art 84 gilt nicht nur für das Erteilungsverfahren.[35]

38 Jedoch beschränkt sich die Überprüfungsbefugnis insoweit auf die Änderungen selbst oder Einwände, die durch die Änderungen gegen andere Teile des Patents entstanden sind. Sie berechtigt dagegen nicht dazu, nunmehr das ganze Patent daraufhin zu untersuchen, ob es auch diesen Erteilungsvoraussetzungen genügt.[36] Nach **T 689/94** sind auf mangelnde Klarheit des geänderten Patentes gestützte Einwände unzulässig, wenn dieser vermeintliche Mangel schon im erteilten Patentanspruch bestand.[37] Das meint wohl auch die Große Beschwerdekammer in **G 9/91** und **G 10/91**: Bei Änderungen sind die Änderungen auf ihre Vereinbarkeit mit dem EPÜ zu prüfen.[38]

39 Jedoch ergibt sich andererseits aus der Formulierung des Art 102 (3), dass das Patent und die Erfindung den Erfordernissen des EPÜ genügen müssen; das folgt sowohl aus dem Zweck des Einspruchsverfahrens, dass Wettbewerber den Rechtsbestand des Patentes überprüfen lassen können, als auch aus den vorbereitenden Arbeiten, dass nicht jede Ordnungsvorschrift des Erteilungsverfahrens bei der Prüfung der Frage zu beachten ist, ob das im Einspruchsverfahren geänderte Patent den Erfordernissen des Übereinkommens im Sinne von Art 102 (3) genügt. Hinsichtlich einiger Vorschriften ergibt sich schon aus ihrem Inhalt, dass sie für das geänderte Patent keine Rolle mehr spielen können.

40 So ist etwa die Einheitlichkeit des geänderten Patents kein Erfordernis, dem dieses im Einspruchsverfahren genügen muss. In **G 1/91** wird die Einheitlichkeit der Erfindung nach Art 82 EPÜ zwar als ein Erfordernis substantieller Art, aber dennoch als eine bloße Ordnungsvorschrift bezeichnet, die die Zuständigkeiten der betroffenen Stellen abgrenzen und der richtigen Dokumentation des Standes der Technik dienen soll.[39] Mit der Patenterteilung sei diese Ordnungsfunktion aber im wesentlichen erfüllt.

41 Die Feststellung, dass sich die Einspruchsprüfung grundsätzlich auf die vorgebrachten Einspruchsgründe beschränken soll, gilt nicht für die Prüfung von

---

35 Siehe insbesondere **G 1/91** ABl 1992, 253, Nr 5.2, sowie **T 23/86**, ABl 1987, 316; **T 426/89**, ABl 92, 172; **T 297/89** vom 15.10.1990, Nr 3.1; **T 789/90** vom 26.3.1992, Nr 6.2 und 6.3 (geändertes Patent auf Art 84, R 29, R 27 und 32 geprüft); ebenso neuerdings in **T 1002/95** vom 10.2.1998, 2.1 (Klarheit iSd Art 84).
36 Vgl statt vieler **T 227/88**, ABl 1990, 292; **T 301/87**, ABl 1990, 335, Nr 3.7. und 3.8; **T 472/88** vom 10.10.1990, Nr 2.
37 **T 689/94** vom 13.11.1995, Nr 3.1; ebenso **T 583/89** vom 2.12.1992, Nr 3.
38 **G 9/91** und **G 10/91**, ABl 1993, 408 und 420, Nr 19.
39 **G 1/91**, ABl 1992, 253, Nr 4.1 und 4.2.

Änderungen des Patents.⁴⁰ Jedoch gilt auch insoweit, dass es einen neuen Einspruchsgrund im Sinne der Rechtsprechung darstellt, wenn sich ein neuer Einspruchsgrund zwar gegen die geänderte Fassung richtet, er aber schon gegen die erteilte Fassung hätte vorgebracht werden können.⁴¹

8 Aufrechterhaltung des Patents in geändertem Umfang – Verfahren

Das Verfahren der Aufrechterhaltung in geändertem Umfang ist in Art 102 (3)– (5) und R 58 (4)–(8) geregelt. **42**

Das Patent kann in geändertem Umfang nur unter folgenden Voraussetzungen aufrechterhalten werden: Der Patentinhaber muss mit der geänderten Fassung iSd Art 102 (3) a) einverstanden sein (Art 113 (2)); er muss rechtzeitig die Druckkostengebühr für die neue europäische Patentschrift entrichtet haben (Art 102 (3) b) iVm R 58 (5) und (6)), die anders als die Druckkostengebühr für das erteilte europäische Patent eine Pauschalgebühr ist (Art 2 Nr 9 GebO); außerdem muss er eine Übersetzung der geänderten Patentansprüche in den beiden anderen Amtssprachen des EPA eingereicht haben (Art 102 (5) iVm R 58 (5) und (6)). **43**

Ein Einverständnis des Patentinhabers mit der geänderten Fassung iSd Art 102 (3) a) und Art 113 (2) liegt nach **G 1/88**) nicht nur dann vor, wenn der Patentinhaber dieses als Antwort auf eine Mitteilung der Einspruchsabteilung nach R 58 (4) erklärt hat, sondern auch dann, wenn er die Fassung, in der das Patent beschränkt aufrechterhalten werden soll, zumindest hilfsweise selbst beantragt hat.⁴² Hatte in diesem Fall, zB durch einen Zwischenbescheid, der Einsprechende in nach den Umständen ausreichender Weise Gelegenheit, zum Text einer beabsichtigten Neufassung des Patents Stellung zu nehmen, so ist eine Mitteilung nach R 58 (4) nicht erforderlich, weil ihr Normzweck bereits erfüllt ist.⁴³ Ob eine nach den Umständen ausreichende Gelegenheit gegeben wurde, richtet sich nach Art 113 (siehe dort). Nach **T 219/83** und **T 185/84** ist eine Mitteilung nicht mehr erforderlich, wenn eine Stellungnahme bereits in einer mündlichen Verhandlung möglich und zumutbar war.⁴⁴ Daran ändert sich nichts, wenn der Einsprechende freiwillig der Verhandlung fernbleibt.⁴⁵ **44**

---

40 **G 9/91** und **G 10/91**, ABl 1993, 408 und 420, Nr 19; **T 227/88** ABl 1990, 292, Nr 3; **T 301/87**, ABl 1990, 335, Nr 3.8; **T 337/88** vom 21.3.1990, Nr 2.2; **T 169/93** vom 10.7.1996, Nr 2.3; **T 922/94** vom 30.10.1997, Nr 2.2; **T 27/95** vom 25.6.1996, Nr 3.2, **T 1086/99** vom 10.11.2004, Nr 3, a.A. möglicherweise **T 115/03** vom 19.10.2004, Nr 1.2.
41 **T 496/02** vom 11.1.2005, Nr 3, hier: Einwand nach Art 83.
42 **G 1/88**, ABl 1989, 189.
43 **G 1/88**, ABl 1989, 189, Nr 5.2.3.
44 **T 219/83**, ABl 1986, 211, Nr 14; **T 185/84**, ABl 1986, 373, Nr 10.
45 **T 205/88** vom 1.6.1989, Nr 7; **T 561/89** vom 29.4.1991, Nr 7; **T 210/90** vom 25.5.1993, Nr 9.

Artikel 102 Widerruf oder Aufrechterhaltung des Patents

Das gilt auch bei beschränkter Aufrechterhaltung durch die Beschwerdekammern. Siehe dazu die genannten Entscheidungen.

Eine Mitteilung nach R 58 (4) ist auch nicht verfahrensökonomisch, weil nach **G 1/88** das Beschwerderecht des Einsprechenden nach Art 106 und 107 durch die Anwendung von R 58 (4) nicht beeinträchtigt wird;[46] deshalb berührt selbst das Schweigen des Einsprechenden zum geänderten Text nicht sein Recht, gegen die Entscheidung über die Aufrechterhaltung in geändertem Umfang Beschwerde einzulegen. Hat der Einsprechende andererseits der Aufrechterhaltung in geändertem Umfang bereits widersprochen, zB als Reaktion auf einen Bescheid, ist eine Mitteilung nach R 58 (4) erst recht sinnlos und führt in der Regel lediglich zu Verfahrensverzögerungen. Die Mitteilung nach R 58 (4) selbst ist keine beschwerdefähige Entscheidung, sondern lediglich eine vorbereitende Handlung.[47]

45 Nach den PrüfRichtl D-VI, 7.2.1, ist eine Mitteilung nach R 58 (4) deshalb in der Regel nur zweckmäßig, wenn die Einspruchsabteilung noch Änderungen in der vom Patentinhaber konkret gebilligten (oder beantragten) Fassung der vollständigen Unterlagen, zu der der Einsprechende Stellung nehmen konnte, für erforderlich hält. Solche Änderungsvorschläge der Einspruchsabteilung dürfen jedoch nur unbedingt notwendig erscheinende redaktionelle Änderungen aufweisen.

46 Anderenfalls erlässt die Einspruchsabteilung in ständiger Praxis) unmittelbar eine Zwischenentscheidung nach Art 106 (3), in der festgestellt wird, dass das geänderte Patent und die Erfindung, die es zum Gegenstand hat, den Erfordernissen des EPÜ genügt.[48] Gegen die Entscheidung wird die gesonderte Beschwerde zugelassen. Die Einspruchsabteilung ist an diese Entscheidung gebunden. Sie ist nicht mehr befugt, die Prüfung des Einspruchs im Zusammenhang mit Fragen fortzusetzen, die Gegenstand dieser Entscheidung waren;[49] ein etwa vom Einsprechenden nach der Entscheidung neu eingeführter Stand der Technik kann deshalb nur noch im Wege einer Beschwerde gegen die Zwischenentscheidung überprüft werden. Die Unanfechtbarkeit der Zwischenentscheidung oder die Beschwerdeentscheidung muss abgewartet werden, bevor die Aufforderung nach R 58 (5) zur Zahlung der Druckkostengebühr und zur Vorlage der Übersetzungen ergehen kann (zum weiteren Verfahren siehe PrüfRichtl D-VI, 7.2.3 und VIII, 1.2.2).

Dieses Verfahren vermeidet, dass der Patentinhaber die Aufwendungen für das neugefasste Patent unter Umständen umsonst oder (im Fall der Übersetzungskosten) mehrfach erbringen muss, bevor unanfechtbar feststeht, dass das

---

46 **G 1/88**, ABl 1989, 189, Nr 4.
47 **T 520/89** vom 19.2.1990, Nr 1.1.
48 **G 1/88**, ABl 1989, 189; **T 390/86**, ABl 1989, 30, Nr 3 ff; **T 89/90**, ABl 1992, 456, Nr 2 ff und **T 55/90** vom 5.5.1992, Nr 2 ff.
49 **T 390/86**, Nr 4 am Ende; **T 55/90**, Nr 2.2.

europäische Patent in der betreffenden Fassung aufrechterhalten werden kann. Die Endentscheidung über die Aufrechterhaltung des Patents in geändertem Umfang ergeht nach Erfüllung der Erfordernisse gemäß R 58 (5) und (6) durch den Formalsachbearbeiter der Einspruchsabteilung (Mitteilung des EPA vom 28.4.1999, ABl 1999, 506). Die in der Zwischenentscheidung entschiedenen Fragen können nicht mehr mit der Beschwerde angegriffen werden.[50]

9 Wirkung des Widerrufs eines europäischen Patents

Art 68 bestimmt ausdrücklich, dass der Widerruf eines europäischen Patents stets zurückwirkt. Sowohl die Wirkungen des erteilten europäischen Patents nach Art 64 als auch die der veröffentlichten europäischen Patentanmeldung nach Art 67 gelten als von Anfang an nicht eingetreten. 47

Wenn das europäische Patent in geändertem Umfang aufrechterhalten wird, fällt die Wirkung nur in dem Umfang weg, in dem das Patent nicht aufrechterhalten wird. Art 68 erfasst nicht nur den formellen Widerruf des gesamten Patents, sondern auch sinngemäß den Widerruf, der darin liegt, dass das Patent nur teilweise oder in geänderter Form aufrechterhalten wird. 48

Artikel 103 Veröffentlichung einer neuen europäischen Patentschrift

Ist das europäische Patent nach Artikel 102 Absatz 3 geändert worden, so gibt das Europäische Patentamt gleichzeitig mit der Bekanntmachung des Hinweises auf die Entscheidung über den Einspruch eine neue europäische Patentschrift heraus, in der die Beschreibung, die Patentansprüche und gegebenenfalls die Zeichnungen in der geänderten Form enthalten sind.

Brigitte Günzel

Übersicht
1	Allgemeines	1
2	Umfang der Veröffentlichung	2-3
3	Veröffentlichung von Entscheidungsdaten	4
4	Neue Urkunde über das europäische Patent	5-7

1 Allgemeines

Wird das europäische Patent als Ergebnis des Einspruchsverfahrens in geändertem Umfang aufrechterhalten, so muss nach dieser Vorschrift eine neue europäische Patentschrift herausgegeben werden. 1

---

50 T 55/90 vom 5.5.1992, Nr 2.3 am Ende.

Einzelheiten sind festgelegt in R 62 (Form der neuen europäischen Patentschrift im Einspruchsverfahren) und R 62a (Neue Urkunde über das europäische Patent).

2 Umfang der Veröffentlichung

2 Die Veröffentlichung der neuen europäischen Patentschrift enthält die gleichen Bestandteile wie die ursprüngliche Veröffentlichung. Dies wird auch durch R 62 klargestellt, die wie R 53 die Vorschriften der R 49 (1) und (2) über die Form der Veröffentlichung der europäischen Patentanmeldung für entsprechend anwendbar erklärt. Sie ist auf die gleiche Weise verfügbar wie die ursprüngliche Schrift und die veröffentlichte Patentanmeldung

3 Sind einzelne der ursprünglich benannten Staaten weggefallen, weil zB der Patentinhaber die erforderlichen Übersetzungen nicht eingereicht oder die Jahresgebühren nicht gezahlt hat, so werden diese Staaten nicht mehr in der neuen Patentschrift aufgeführt, sofern das EPA hiervon Kenntnis hat.

3 Veröffentlichung von Entscheidungsdaten

4 Nach den Art 129 a), 127 und R 92 (1) r) werden im Europäischen Patentblatt Tag und Art der Entscheidung über den Einspruch veröffentlicht. Gleichzeitig wird gegebenenfalls die neue europäische Patentschrift herausgegeben; hierbei wurde das für die Veröffentlichung des erteilten europäischen Patents festgelegte System übernommen.

4 Neue Urkunde über das europäische Patent

5 R 62a bestimmt, dass R 54 (Urkunde über das europäische Patent) auf die neue europäische Patentschrift entsprechend anzuwenden ist. Es wird also nach Herausgabe der neuen Patentschrift eine neue Urkunde über das in geändertem Umfang aufrechterhaltene europäische Patent ausgestellt, die als Anlage die neue Patentschrift enthält.

6 Der Tag der Patenterteilung wird durch die neue Veröffentlichung nicht verändert. Dies ist insbesondere bei der Zahlung der Jahresgebühren zu beachten.

7 Die Tatsache der Herausgabe einer neuen Patentschrift wird den betroffenen nationalen Ämtern im Rahmen des Datenaustausches übermittelt.

Artikel 104 Kosten

(1) Im Einspruchsverfahren trägt jeder Beteiligte die ihm erwachsenen Kosten selbst, soweit nicht die Einspruchsabteilung oder die Beschwerdekammer, wenn und soweit dies der Billigkeit entspricht, über eine Verteilung der Kosten, die durch eine mündliche Verhandlung oder eine Beweis-

aufnahme verursacht worden sind, nach Maßgabe der Ausführungsordnung anders entschieden.

(2) Die Geschäftsstelle der Einspruchsabteilung setzt auf Antrag den Betrag der Kosten fest, die auf Grund einer Entscheidung über die Verteilung zu erstatten sind. Gegen die Kostenfestsetzung der Geschäftsstelle ist der Antrag auf Entscheidung durch die Einspruchsabteilung innerhalb einer in der Ausführungsordnung vorgeschriebenen Frist zulässig.

(3) Jede unanfechtbare Entscheidung des Europäischen Patentamts über die Festsetzung der Kosten wird in jedem Vertragsstaat in Bezug auf die Vollstreckung wie ein rechtskräftiges Urteil eines Zivilgerichts des Staats behandelt, in dessen Hoheitsgebiet die Vollstreckung stattfindet. Eine Überprüfung dieser Entscheidung darf sich lediglich auf ihre Echtheit beziehen.

Margarete Singer

Übersicht

1	Allgemeines	1-4
2	Grundsatz der Kostentragung	5-6
3	Verteilung der Kosten im Einspruchsverfahren	7-13
4	Kosten der mündlichen Verhandlung	14-16
5	Kosten der Beweisaufnahme	17-21
6	Billigkeit und Kausalität	22-45
7	Zuständigkeit für die Kostenfestsetzung	46-49
8	Verfahren der Kostenfestsetzung	50-56
9	Vollstreckung von Kostenfestsetzungsentscheidungen	57-58

1 Allgemeines

Mit dieser Bestimmung wird auch für das Einspruchsverfahren der Grundsatz bestätigt, dass jeder am patentamtlichen Verfahren Beteiligte seine Kosten selbst trägt; zwischen den Beteiligten kann aber aus Billigkeitsgründen eine **andere** Kostenverteilung angeordnet werden. Ihr unterliegt auch ein Einsprechender, der mit der Rücknahme seines Rechtsmittels aus dem Verfahren zwar ausscheidet, am Kostenverfahren aber beteiligt bleibt.[1]

Eine Kostenhaftung des EPA ist bisher nicht festgestellt worden. Der Antrag eines Einsprechenden in **T 951/91**, dem EPA Kosten wegen eines angeblichen Verfahrensfehlers aufzuerlegen, wurde unter Hinweis auf Art 3 (1) ImmunProt abgelehnt.[2] Eine Amtshaftung nach Art 9 (2) iVm § 839 BGB wurde nicht erwogen.

---

1 **T 789/89**, ABl 1994, 482.
2 **T 951/91**, ABl 1995, 202 Nr 16 der Gründe, nicht veröffentlicht.

Artikel 104 *Kosten*

3   Vorschriften über die Kostenverteilung, über die Festsetzung der einzelnen erstattungsfähigen Kosten und über das Verfahren der Kostenfestsetzung finden sich in R 9 (4) (Geschäftsstelle für die Kostenfestsetzung), in R 63 (Kosten), in Art 106 (4) und (5) (Beschwerdefähige Entscheidungen) sowie in Art 2 Nr 16 GebO (Kostenfestsetzungsgebühr) und Art 11 GebO (Beschwerdefähige Kostenfestsetzungsentscheidungen).

4   Es ist klar zu unterscheiden zwischen der Entscheidung über eine Verteilung der Kosten und über die Festsetzung ihrer Höhe. Erstere ist Teil der Einspruchsentscheidung und wird von der Einspruchsabteilung und im Beschwerdeverfahren von der Beschwerdekammer getroffen. Die Kostenfestsetzung wird dagegen im Regelfall nach Abs 2 von der Geschäftsstelle der Einspruchsabteilung vorgenommen. Zu Einzelheiten und zum Verfahren siehe Rdn 46–58.

Die PrüfRichtl befassen sich unter D-IX mit der Kostenverteilung und dem Kostenfestsetzungsverfahren, unter E-IV mit der Beweisaufnahme und der Beweissicherung. In den Mitteilungen des EPA zum Einspruchsverfahren im EPA werden die Kosten unter Nr 12 behandelt.[3] Ausführlicher sind die Hinweise für die Parteien und ihre Vertreter im Beschwerdeverfahren (Nr 5).[4] Sie verweisen unter Nr 5.2 auf Art 11a VerfOBK, der die Hauptfälle aufzählt, in denen eine Kostenverteilung möglich ist.

EPÜ 2000

Das Verfahren zur Kostenfestsetzung wird nach Art 104 (2) in der Ausführungsordnung geregelt, und zwar in R 63. Im übrigen ist der Artikel nur redaktionell geändert: In Abs 1 wird die Beschwerdekammer als Entscheidungsorgan nicht mehr ausdrücklich genannt.

2 Grundsatz der Kostentragung

5   Jeder Beteiligte trägt seine Kosten grundsätzlich selbst. Der Aufwand des EPA wird pauschal durch die Gebühren gedeckt, die jeder Beteiligte für die von ihm veranlassten Verfahrensschritte selbst zu tragen hat.

6   Diese Kosten kann er im voraus berechnen (eigenes Kostenrisiko). Dabei kann er von seinen Rechten im Verfahren Gebrauch machen, ohne im Falle der Erfolglosigkeit die Kosten **auch** des Gegners tragen zu müssen (kein Erfolgsrisiko). Jede Partei muss aber vermeiden, dem Gegner unnötige Kosten zu verursachen (Sorgfaltspflicht, Fairness).

---

3   Mitteilungen des EPA zum Einspruchsverfahren im EPA, ABl 2001, 148.
4   Hinweise für die Parteien und ihre Vertreter im Beschwerdeverfahren, ABl 2003, 419 (428 ff).

3 Verteilung der Kosten im Einspruchsverfahren

Für Kosten, die durch mündliche Verhandlung oder Beweisaufnahme im Einspruchsverfahren entstanden sind, durchbricht Abs 1 2. Satzteil die allgemeine Regel: Sie können, soweit es der Billigkeit entspricht, anders verteilt und ganz oder teilweise einem anderen Beteiligten auferlegt werden. Dies geschieht nach R 63 (1) Satz 1 in der Einspruchsentscheidung.

Die entsprechende Entscheidungsformel lautet in Anlehnung an **T 10/82** etwa wie folgt:[5] »Die Einsprechenden haben der Patentinhaberin die ihr durch die mündliche Verhandlung vom ... entstandenen Kosten zu ersetzen«. Wird ein fester Betrag zugestanden, was nicht die Regel ist, so heißt es: »Die Beschwerdeführerin zahlt an ... den Betrag von ...«.[6] Bei der Rückverweisung an die Einspruchsabteilung kann es zweckmäßig sein, die Einspruchsabteilung auf eine andere Kostenverteilung hinzuweisen, ihr aber die Entscheidung darüber zu überlassen.[7]

Art 104 gilt auch im Beschwerdeverfahren.[8] Das folgt aus Art 111 (1) Satz 2 iVm R 66 (1), ist aber eigentlich selbstverständlich, denn die Kammern müssen, wenn sie eine Einspruchsentscheidung aufheben, auch über die Kostenverteilung neu entscheiden können.[9]

Im allgemeinen prüft die Einspruchsabteilung bei der Kostenverteilung nicht, in welchem Umfang Kosten tatsächlich entstanden sind und zur zweckentsprechenden Wahrung der Rechte notwendig waren (R 63 (1) Satz 2); diese Feststellungen werden bei der Kostenfestsetzung von der Geschäftsstelle der Einspruchsabteilung nach Art 104 (2) iVm R 63 (1) Satz 2 und 3, (2) getroffen (vgl Rdn 46–49). Zum Verfahren der Kostenfestsetzung siehe Rdn 50–58. Stehen die Kosten allerdings schon fest, so kann bereits in der Entscheidung, mit der die Kosten auferlegt werden, ein bestimmter Betrag festgesetzt werden.[10]

Die Kostenauferlegung kann auch ohne Antrag angeordnet werden.[11] Nach **G 9/91**, ABl 1993, 408 und **G 10/91** ist es aber geboten, Kostenantrag zu stellen.[12] Das muss vor der Verkündung der Entscheidung in der mündlichen Verhandlung geschehen.[13]

---

5 **T 10/82**, ABl 1983, 407.
6 **T 323/89**, ABl 1992, 169; ähnlich auch **T 930/92**, ABl 1996, 191 und **T 548/92** vom 5.8.1993.
7 **T 43/85** vom 3.2.1987; **T 110/91** vom 24.4.1992.
8 Vgl zB **T 323/89**, ABl 1992, 169.
9 Siehe auch Art 11a VerfOBK.
10 **T 323/89**, ABl 1992, 169.
11 Siehe zB **T 10/82**, ABl 1983, 407.
12 **G 9/91**, ABl 1993, 408 und **G 10/91**, ABl 1993, 420.
13 **T 212/88**, ABl 1992, 28.

12 Nach Art 106 (4) kann die Kostenverteilung nicht der einzige Gegenstand einer Beschwerde sein (vgl auch Art 106 Rdn 38–40); sie kann nur zusammen mit der Entscheidung, zu der sie gehört, angefochten werden.

13 Beispiele für in der Beschwerdeinstanz geänderte Kostenentscheidungen sind **T 81/92** und **T 596/89**.[14]

4 Kosten der mündlichen Verhandlung

14 Die Kosten einer mündlichen Verhandlung können einem Beteiligten unabhängig davon auferlegt werden, ob die Verhandlung von Amts wegen oder auf Antrag eines Beteiligten anberaumt worden ist.

15 Zu diesen Kosten gehören die unmittelbar durch die Wahrung des Verhandlungstermins entstandenen Kosten wie Auslagen und Verdienstausfall für Zeugen und Sachverständige,[15] Vergütungen für die Vertreter der Beteiligten (R 63 (1) Satz 3) und andere Kosten, die ihnen durch die mündliche Verhandlung entstanden sind, außerdem die unmittelbaren Aufwendungen der Beteiligten selbst wie Reisekosten.[16] Kosten für die Vorbereitung der mündlichen Verhandlung können auch auferlegt werden, wenn die mündliche Verhandlung nicht stattgefunden hat.[17]

16 Beispiele für eine anderweitige Verteilung der Kosten, die durch eine mündliche Verhandlung entstanden sind, finden sich in **T 326/87**, **T 154/90**, **T 909/90** vom 3.6.1992 (siehe Rdn 38) und **T 753/99**.[18]

5 Kosten der Beweisaufnahme

17 Unter Beweisaufnahme ist nicht nur ein Termin für die Beweiserhebung auf Grund eines Beweisbeschlusses zu verstehen, sondern jede Vorlage von Beweismitteln, die der Beweiswürdigung durch das EPA bedürfen.[19] So ist die Angabe des Standes der Technik durch Vorlage von Dokumenten ein Beweismittel und damit Gegenstand einer Beweisaufnahme.[20] Auch die Feststellung von Recht, zB nationale Rechtsprechung, kann Gegenstand der Beweisaufnahme sein.

18 Die Beweisaufnahme bezieht sich auf alle Beweismittel, die in dem sehr weit gefassten Art 117 (1) nur beispielhaft aufgezählt sind. Sie betrifft im Ein-

---

14 **T 81/92** vom 5.7.1993; **T 596/89** vom 15.12.1992.
15 VO des Verwaltungsrats vom 21.10.1977, ABl 1983, 102 und Mitteilung des EPA, ABl 1983, 100.
16 **T 314/90** vom 15.11.1991.
17 **T 117/86**, ABl 1989, 401.
18 **T 326/87**, ABl 1992, 522; **T 154/90**, ABl 1993, 505; **T 909/90** vom 3.6.1992; T 753/99 vom 30.1.2002.
19 **T 117/86**, ABl 1989, 401 mit weiteren Einzelheiten; **T 416/87**, ABl 1990, 415.
20 **T 323/89**, ABl 1992, 169; **T 596/89** vom 15.12.1992.

spruchs- und Beschwerdeverfahren alle Beweismittel, also die Vorlage neuer Urkunden, die Abgabe einer schriftlichen Erklärung unter Eid und die Einreichung einer schriftlichen Stellungnahme der Gegenpartei. Für die weite Auslegung des Begriffs *Beweismittel* spricht die englische und französische Fassung des Art 117 (1) *means of giving or obtaining evidence* und *mesures d'instruction*. Ein Missbrauch wird durch R 63 (2) vermieden, denn es dürfen nur die zur Wahrung der Rechte **notwendigen** Kosten berücksichtigt werden (siehe auch R 72 ff).

So wurde in **T 755/90** vom 1.9.1992 durch einen neuen unerwarteten Sachvortrag und -antrag des Patentinhabers in der mündlichen Verhandlung, der sowohl den Einsprechenden als auch die Beschwerdekammer völlig überraschte, eine neue Stellungnahme des Einsprechenden nötig. Die Kosten, die dem Einsprechenden hierdurch entstanden waren, wurden dem Patentinhaber auferlegt. Denn zu den durch eine Beweisaufnahme verursachten Kosten können auch die Kosten für ihre Vorbereitung und Auswertung gehören. 19

Den Verfahrensbeteiligten, die nach R 72 (4) an der Beweisaufnahme teilnehmen, entstehen zusätzliche Kosten, die bei einer Kostenentscheidung gleichfalls erstattungsfähig sind. 20

Meist wird die Beweisaufnahme davon abhängig gemacht, dass der Antragsteller einen von der Geschäftsstelle geschätzten Vorschuss hinterlegt (R 74). 21

6 Billigkeit und Kausalität

Die Kostenbelastung eines Beteiligten mit Kosten, die einem anderen Beteiligten entstanden sind, muss der Billigkeit entsprechen. Das EPÜ knüpft diese Folge nicht an bestimmte, fest umrissene Tatbestandsmerkmale, sondern an die Bewertung eines Gesamtsachverhalts durch die entscheidende Instanz. Entscheidend für die Kostenauferlegung ist nicht, ob der betreffende Beteiligte im Einspruchsverfahren unterliegt oder obsiegt. 22

Eine solche Ermessensentscheidung ist möglich, wenn die Kosten eines Beteiligten ganz oder teilweise dadurch entstanden sind, dass der andere Beteiligte seine im Verfahren erforderliche Sorgfalt verletzt hat, besonders wenn er durch Säumnis oder anderes schuldhaftes Verhalten Kosten verursacht hat, die durch entsprechende Sorgfalt hätten vermieden werden können. Die Verletzung der prozessualen Sorgfaltspflicht muss für die Entstehung der Kosten kausal gewesen sein.[21] Das ist insbesondere der Fall, wenn die Kosten durch leichtfertiges oder gar böswilliges Verhalten entstanden sind.[22] 23

In **T 1171/97** nahm die Kammer kein Fehlverhalten des Beschwerdeführers an:[23] Er hatte nachträglich neue Dokumente vorgelegt, aus denen sich Ge-

---

21 Vgl Singer, Das neue europäische Patentsystem, S 79.
22 PrüfRichtl D-IX, 1.4 mit Beispielen.
23 **T 1171/97** vom 17.9.1999.

sichtspunkte ergaben, die die Einspruchsabteilung in den bereits vorliegenden Unterlagen nicht gefunden hatte. Die neuen Unterlagen dienten nur zur Unterstützung seines bisherigen Vortrags.

24 In den Entscheidungen der Beschwerdekammern wird die Notwendigkeit der Kausalität nicht besonders hervorgehoben. Sie klingt an in **T 212/88, T 330/88** und **T 591/88**.[24] Wären die Kosten auch bei Wahrung der Sorgfalt entstanden, kommt eine Kostenentscheidung nicht in Betracht.

25 Die Kausalität wird aber deutlich in Art 11a VerfOBK (siehe Anhang 8): Unbeschadet ihres Ermessens kann die Kammer einer Partei die Kosten ganz oder teilweise auferlegen, die diese verursacht hat entweder

a) durch nachträgliche Änderungen ihres Vortrags,
b) durch Fristverlängerungen, die sie erwirkt hat,
c) wenn sie die effiziente Durchführung der mündlichen Verhandlung beeinträchtigt hat,
d) wenn sie Anweisungen der Kammer nicht beachtet hat, oder
e) wenn ein Verfahrensmissbrauch vorliegt.

26 Das Recht auf mündliche Verhandlung und auf Beweisaufnahme soll durch die Kostenauferlegung nicht beeinträchtigt werden; eine leichtfertige oder gar missbräuchliche Ausübung dieses Rechts soll aber dem anderen Beteiligten keine unnötigen Kosten verursachen.

27 a) Einen großen Raum nehmen die Fälle ein, in denen Tatsachen und Beweise verspätet vorgelegt worden sind. Das muss nicht immer missbräuchlich und mit Verzögerungsabsicht geschehen. Entstehen aber der anderen Partei durch die Verspätung zusätzliche Kosten, sind sie dem Verursacher aufzuerlegen, wenn keine triftigen Gründe für die Verspätung vorliegen.[25] Die Verspätung als solche ist die Verfahrensverletzung. In der Entscheidung **T 534/89** spricht die Kammer in diesem Zusammenhang von einem »ausgleichenden Rechtsbehelf der Kostenverteilung«.[26]

28 Einzelfälle zum verspäteten Vorbringen:

29 Tatsachen und Beweise, die im Einspruchsverfahren erst nach Ablauf der 9-monatigen Einspruchsfrist vorgebracht werden, können, auch wenn sie nicht im Verfahren zugelassen werden, dem Gegner zusätzliche Kosten verursachen und daher eine andere Kostenverteilung rechtfertigen.[27]

30 Wird in der Beschwerdeschrift unter Vorlage neuer Dokumente erstmals die Neuheit in Frage gestellt, so handelt es sich praktisch um einen neuen Einspruch in der Beschwerdephase. In **T 416/87** bezeichnete die Kammer das als

---

24 **T 212/88** vom 8.5.1990; **T 330/88** vom 22.3.1990; **T 591/88** vom 12.12.1989.
25 **T 611/90**, ABl 1993, 50.
26 **T 534/89**, ABl 1994, 464, Nr 2.1.
27 **T 117/86**, ABl 1989, 401.

Verfahrensmissbrauch und erlegte der Einsprechenden die Kosten auf, die der Patentinhaberin durch die verspätete Vorlage entstanden sind.[28]

In T 622/89 waren relevante Dokumente mehr als 3 Jahre nach Ablauf der Einspruchsfrist ohne triftigen Grund für die Verspätung vorgelegt worden.[29] Die Beschwerdekammer bestimmte unter Aufhebung der Einspruchsentscheidung, dass der Einsprechende alle Kosten tragen solle, die dem Patentinhaber im Lauf des weiteren Einspruchsverfahrens einschließlich eines etwaigen Beschwerdeverfahrens erwachsen würden. Eine Entscheidung über die Kosten künftiger mündlicher Verhandlungen und einer künftigen Beweisaufnahme wird auch in T 847/93 getroffen.[30] 31

Einem Einsprechenden, der erst 2 Wochen vor der mündlichen Verhandlung einen neuen Stand der Technik vorlegte, zu dem zwei Fachleute gehört werden mußten, wurden die Reise- und Übernachtungskosten für diese beiden Fachleute auferlegt.[31] 32

In T 867/92 legte der Einsprechende einen neuen Stand der Technik vor, nachdem der Patentinhaber die Ansprüche geändert hatte.[32] Da dies ohne triftigen Grund erst mehr als 9 Monate nach der Anspruchsänderung geschah, musste der Einsprechende 50% der Kosten tragen, die dem Patentinhaber durch die Wahrnehmung der mündlichen Verhandlung entstanden waren. 33

In T 1022/93 hatte der Patentinhaber, dessen Patent aufgrund des Einspruchs widerrufen worden war, erst in der von ihm beantragten mündlichen Verhandlung mit neuen Argumenten vorgetragen, warum das von ihm beanspruchte Verfahren erfinderisch war.[33] Die Sache musste deshalb nach der mündlichen Verhandlung für das weitere Verfahren an die Einspruchsabteilung zurückverwiesen werden. Da dieses Ergebnis genau so hätte schriftlich erzielt werden können, erlegte die Beschwerdekammer dem Patentinhaber die Kosten auf, die dem Einsprechenden durch die Teilnahme an der mündlichen Verhandlung entstanden waren. 34

Mildernde Umstände können berücksichtigt werden. In T 326/87 und T 847/93 wurde die verspätete Vorlage eines schwer auffindbaren Dokuments, das nicht zum regelmäßigen Prüfstoff gehört (DDR-Schrift), als nicht missbräuchlich angesehen;[34] die Beschwerdeführerin musste daher der Patentinhaberin nur 50% der dieser durch die mündliche Verhandlung entstandenen Kosten erstatten. Auch hier wich die Beschwerdekammer vom strengen Verursacher- 35

---

28 T 416/87, ABl 1990, 415.
29 T 622/89 vom 17.9.1992.
30 T 847/93 vom 31.1.1995.
31 T 314/90 vom 15.11.1991.
32 T 867/92, ABl 1995, 126.
33 T 1022/93 vom 5.10.1995.
34 T 326/87, ABl 1992, 522; T 847/93 vom 31.1.1995.

prinzip ab und hielt im Rahmen ihres Ermessens die Teilung der Kosten für billig.[35]

36   Dass der Patentinhaber den Gegenstand des Patents schließlich einschränkt, entschuldigt nicht die verspätete Einreichung von Dokumenten.[36]

37   b) Aber auch **sonstige Verletzungen der Sorgfaltspflicht** können zu einer Kostenverteilung führen. Anders als in den Fällen verspäteten Vorbringens haben hier den Beschwerdekammern sehr unterschiedliche Sachverhalte zur Beurteilung vorgelegen. Hierbei kam es zu widersprüchlichen Entscheidungen.

38   Ein klarer Fall von Verletzung der prozessualen Sorgfaltspflicht lag in **T 10/82** vor:[37] Der Patentinhaber beantragte im Beschwerdeverfahren mündliche Verhandlung, weil er die Berechtigung von zwei gemeinsam Einsprechenden, die auch zugelassene Vertreter waren, mit der Behauptung bestritt, sie handelten für einen anonymen Auftraggeber. Kurz vor der mündlichen Verhandlung teilten die Einsprechenden mit, ihr Auftraggeber wünsche nicht, dass sie an der mündlichen Verhandlung teilnähmen. Die Kammer erlegte den Einsprechenden die Kosten auf, die dem Patentinhaber durch die Wahrnehmung des Termins entstanden waren. Auch in **T 909/90** lag eindeutig ein prozessualer Verstoß vor:[38] Der Beschwerdeführer hatte mündliche Verhandlung beantragt, war aber dann ohne Erklärung nicht erschienen, so dass die Verhandlung sich als nutzlos erwies.

39   In **T 170/83** war dem Vertreter der Einsprechenden ein Büroversehen unterlaufen;[39] der dadurch drohende Rechtsverlust konnte nur durch die Beschwerde abgewendet werden. Eine anderweitige Verteilung der durch die Beschwerdeverhandlung entstandenen Kosten lehnte die Beschwerdekammer ab, weil sie in der Einlegung der Beschwerde kein vorwerfbares Verhalten sah. Auf die Tatsache, dass die Mehrkosten durch ein Versehen im Büro des Vertreters verursacht worden waren, für das er verantwortlich ist, ging die Kammer nicht ein. Ebenso wenig überzeugend wurde in **T 85/84** unter Bezugnahme auf **T 170/83** eine Kostenverteilung abgelehnt:[40] Die Beschwerde war 48 Stunden vor der mündlichen Verhandlung zurückgenommen worden; diese Mitteilung hatte aber den Beschwerdegegner nicht mehr erreicht. Die späte Rücknahme der Beschwerde sah die Beschwerdekammer nicht als ausreichend für eine Kostenauferlegung an. Ob der Beschwerdeführer wenigstens **versucht** hat, den Gegner zu informieren, ergibt sich nicht aus der Entscheidung. Auch **T 582/88** bezieht sich auf **T 170/83** und betont, dass nur ganz besondere Umstände wie unange-

---

35 Ähnlich auch **T 101/87** vom 25.1.1990.
36 **T 110/91** vom 24.4.1992.
37 **T 10/82**, ABl 1983, 107.
38 **T 909/90** vom 3.6.1992; ähnlich auch T 753/99 vom 30.1.2002.
39 **T 170/83**, ABl 1984, 605 (612).
40 **T 85/84** vom 14.1.1986.

messenes Verhalten (improper behaviour) eine andere Kostenverteilung billig erscheinen lassen.⁴¹

c) Eine besondere Gruppe bilden die Fälle, in denen ein **Beteiligter seine normalen ihm zustehenden prozessualen Rechte ausübt**. Nur ein eindeutiger Missbrauch dieser Rechte kann eine andere Kostenverteilung billig erscheinen lassen. Dementsprechend wird in **T 383/87**, **T 79/88**, **T 125/89** und **T 81/92** klargestellt, dass die Ausübung des in Art 116 (1) garantierten Rechts auf mündliche Verhandlung kein Missbrauch ist.⁴² Auch ein hilfsweiser Antrag auf mündliche Verhandlung ist kein Missbrauch.⁴³

Daß ein Rechtsmittel erfolglos ist, macht seine Ausübung nicht missbräuchlich.⁴⁴ Auch auf einer erfolglosen Zeugenvernehmung zu beharren, durch die eine Vorbenutzung durchaus hätte bewiesen werden können, stellt keinen Missbrauch dar.⁴⁵ Auch in **T 614/89** lehnte die Beschwerdekammer eine Kostenverteilung ab:⁴⁶ Die Patentinhaberin hatte gegen den Widerruf ihres Patents Beschwerde eingelegt, diese aber auf Grund einer verfahrensleitenden Mitteilung der Beschwerdekammer noch vor der mündlichen Verhandlung zurückgenommen.

Nach **T 305/86** kommt eine Kostenverteilung nicht in Betracht, wenn eine Beschwerdeführerin lediglich von ihrem Recht Gebrauch macht, eine ihrer Ansicht nach unrichtige Entscheidung der Einspruchsabteilung von der Beschwerdekammer überprüfen zu lassen.⁴⁷

Im Gegensatz dazu sah eine Beschwerdekammer in **T 167/84** eine Verletzung der Sorgfaltspflicht darin, dass in der mündlichen Verhandlung kein neuer Sachverhalt vorgebracht wurde, so dass nach Meinung der Beschwerdekammer die Sache auch ohne die Verhandlung hätte entschieden werden können;⁴⁸ sie erlegte daher der Beschwerdeführerin die Kosten für die mündliche Verhandlung auf.

Hier fragt sich allerdings, ob die Gefahr einer Belastung auch mit den Kosten des Gegners nicht das Recht auf mündliche Erörterung der Einspruchsentscheidung in der höheren Instanz beeinträchtigt.

In **T 303/86** sah eine andere Beschwerdekammer dagegen von einer Kostenverteilung ab:⁴⁹ Die **unterlegenen** Patentinhaber hatten die Erstattung der

---

41 **T 582/88** vom 17.5.1990.
42 **T 383/87** vom 26.4.1989; **T 79/88** vom 25.7.1991; **T 125/89** vom 10.1.1991; **T 81/92** vom 5.7.1993.
43 **T 79/88** vom 25.7.1991.
44 **T 305/86** vom 22.11.1988.
45 **T 461/88**, ABl 1993, 295.
46 **T 614/89** vom 11.6.1992.
47 **T 305/86** vom 22.11.1988.
48 **T 167/84**, ABl 1987, 369.
49 **T 303/86** vom 8.11.1988.

Kosten für die auf Antrag des Beschwerdeführers durchgeführte mündliche Verhandlung beantragt, weil dieser in der Verhandlung keine neuen Argumente vorgebracht hatte. Die Kammer sah jedoch hierin allein keinen Grund, dem Beschwerdeführer die Kosten aufzuerlegen, zumal dieser mit seiner Beschwerde Erfolg hatte.

45 Eine Kostenverteilung kommt dann nicht in Betracht, wenn beide Parteien ihre prozessuale Sorgfaltspflichten verletzt haben: In der mündlichen Verhandlung zu **T 336/86** hatte der Einsprechende ein früher veröffentlichtes spanisches Patent vorgelegt, das den gleichen Gegenstand wie das im Streit befindliche Patent offenbarte.[50] Der Antrag des Patentinhabers, die Kosten der mündlichen Verhandlung dem Einsprechenden aufzuerlegen, da diese Verhandlung unnötig gewesen wäre, wenn das spanische Patent eher vorgelegt worden wäre, wurde abgelehnt, weil der Patentinhaber selbst Inhaber des verspätet vorgelegten spanischen Patents war. Aber auch der Antrag des Einsprechenden, dem Patentinhaber die Kosten aufzuerlegen, wurde abgelehnt: beide Parteien hätten es an der nötigen Sorgfalt fehlen lassen.

7 Zuständigkeit für die Kostenfestsetzung

46 Während für die Entscheidung über die **Verteilung** der Kosten nach Art 104 (1) im Einspruchsverfahren die Einspruchsabteilung und im Beschwerdeverfahren die Beschwerdekammer zuständig sind, ist nach Abs 2 für die **Festsetzung** der Kosten die Geschäftsstelle der Einspruchsabteilung zuständig. Diese Zuständigkeit wird im Rahmen der Geschäftsverteilung von einigen Formalprüfern der drei technischen Hauptdirektionen Chemie, Physik/Elektrotechnik und Mechanik/Allgemeine Technologie wahrgenommen. Dieselben Formalprüfer sind auch dann zuständig, wenn eine Kammer in der Beschwerdeentscheidung die Kostenauferlegung angeordnet hat. Diese Handhabung sorgt für eine gewisse Einheitlichkeit der Kostenfestsetzungen.

47 Stehen die Kosten im Verlaufe des Verfahrens bereits fest, so können die Beschwerdekammern die Kosten in ihrer Beschwerdeentscheidung der Höhe nach festsetzen.[51] Das Verfahren wird damit vereinfacht und die sonst erforderliche Glaubhaftmachung überflüssig. Auch bei höheren Summen haben die Beschwerdekammern in einzelnen Fällen die Kosten selbst festgesetzt.[52]

48 Diese Kompetenz stellt **T 934/91** ausdrücklich fest.[53] Zwar geht der Partei durch diese letztinstanzliche Entscheidung der Beschwerdekammer eine Instanz verloren; das aber ist häufig so, wenn eine Beschwerdekammer nach Art 111 (1) die Sache nicht zurückverweist, sondern selbst entscheidet.

---

50 **T 336/86** vom 28.9.1988.
51 **T 323/89**, ABl 1992, 169.
52 Vgl **T 930/92**, ABl 1996, 191.
53 **T 934/91**, ABl 1994, 184, Nr 4.

Hat die Beschwerdekammer die Sache zurückverwiesen und gleichzeitig eine 49
Kostenverteilung angeordnet, so kann die Einspruchsabteilung nur in der Sache weiterverhandeln, ist aber an die Kostenentscheidung der Beschwerdekammer gebunden, da dieser Teil der Entscheidung bereits res judicata ist.

8 Verfahren der Kostenfestsetzung

Ein Antrag auf Kostenfestsetzung (Art 104 (2) Satz 1) ist erst nach Rechtskraft 50
der zugrunde liegenden Entscheidung zulässig (R 63 (2) Satz 2). Einspruchsentscheidungen werden nach fruchtlosem Ablauf der Beschwerdefrist, also zwei Monate nach ihrer Zustellung (Art 108) rechtskräftig. Entscheidungen der Beschwerdekammern, die im Anschluss an die mündliche Verhandlung erlassen werden, erlangen Rechtskraft mit ihrer Verkündung, im schriftlichen Verfahren erlassene Entscheidungen mit ihrer Zustellung.

Dem Antrag auf Kostenfestsetzung sind nach R 63 (2) eine Kostenberechnung und die Belege beizufügen. Nach R 63 (2) Satz 2 müssen die Aufwendungen nicht nachgewiesen werden; es genügt, wenn sie glaubhaft gemacht sind (once their credibility is established; que leur présomption soit établie). 51

Innerhalb eines Monats nach Zustellung der vom Formalprüfer getroffenen 52
Kostenfestsetzung kann die Überprüfung durch die Einspruchsabteilung beantragt werden (Art 104 (2) Satz 2 iVm R 63 (3)). Der gebührenpflichtige Antrag ist zu begründen und gilt erst als gestellt, wenn die Kostenfestsetzungsgebühr (Art 2 Nr 16 GebO) entrichtet ist (R 63 (3) Satz 2).

Abweichend von Art 116 (Mündliche Verhandlung) entscheidet die Einspruchsabteilung über den Antrag ohne mündliche Verhandlung (R 63 (4)). 53

Gegen diese Entscheidung ist eine Beschwerde nur zulässig, wenn die festgesetzten Kosten höher sind als die Beschwerdegebühr (Art 106 (5) iVm Art 11 GebO). Aus dem Zusammenhang und dem Sinn des Art 106 (5) ergibt sich, dass es nur auf den im Streit befindlichen Betrag und nicht auf den Betrag der festgesetzten einschließlich der unstreitigen Kosten ankommt; sonst würden die Beschwerdekammern nicht davor geschützt, sich mit geringfügigen Beträgen befassen zu müssen (siehe auch Art 106 Rdn 41). 54

Da die Beschwerde sich gegen die Entscheidung einer Einspruchsabteilung 55
richtet, ist die Technische und nicht die Juristische Beschwerdekammer zuständig (Art 21 (4)).

Auch die Beschwerdekammer entscheidet im Kostenfestsetzungsverfahren 56
ohne mündliche Verhandlung (R 66 (1) iVm R 63 (4)).

9 Vollstreckung von Kostenfestsetzungsentscheidungen

Nach Art 104 (3) kann die rechtskräftige Kostenfestsetzungsentscheidung des 57
EPA in den einzelnen Vertragsstaaten vollstreckt werden wie das rechtskräftige
Urteil eines Zivilgerichts in dem betreffenden Vertragsstaat. Die Richtigkeit der

Entscheidung kann nicht überprüft werden, lediglich ihre Echtheit, dh ob sie keine Fälschung ist.

58 Für die Vollstreckung der Kostenentscheidung bedarf es keines besonderen Anerkennungsverfahrens. Aus der Entscheidung kann unmittelbar vollstreckt werden. Ist die Verfahrenssprache nicht Amtssprache in dem betreffenden Land, so muss dem Vollstreckungsgericht oder dem Gerichtsvollzieher eine beglaubigte Übersetzung der Kostenentscheidung vorgelegt werden.

Artikel 105 Beitritt des vermeintlichen Patentverletzers

(1) Ist gegen ein europäisches Patent Einspruch eingelegt worden, so kann jeder Dritte, der nachweist, dass gegen ihn Klage wegen Verletzung dieses Patents erhoben worden ist, nach Ablauf der Einspruchsfrist dem Einspruchsverfahren beitreten, wenn er den Beitritt innerhalb von drei Monaten nach dem Tag erklärt, an dem die Verletzungsklage erhoben worden ist. Das Gleiche gilt für jeden Dritten, der nachweist, dass er nach einer Aufforderung des Patentinhabers, eine angebliche Patentverletzung zu unterlassen, gegen diesen Klage auf gerichtliche Feststellung erhoben hat, dass er das Patent nicht verletze.

(2) Der Beitritt ist schriftlich zu erklären und zu begründen. Er ist erst wirksam, wenn die Einspruchsgebühr entrichtet worden ist. Im Übrigen wird der Beitritt als Einspruch behandelt, soweit in der Ausführungsordnung nichts anderes bestimmt ist.

Brigitte Günzel

Übersicht

1	Allgemeines	1
2	Die sachlichen Voraussetzungen	2-6
3	Frist für den Beitritt	7-13
4	Die Voraussetzung des anhängigen Einspruchsverfahrens	14-17
5	Form des Beitritts und weiteres Verfahren	18-21

1 Allgemeines

1 Dieser Artikel ermöglicht es dem in einem nationalen Verletzungsprozess belangten vermeintlichen Patentverletzer oder einem wegen Patentverletzung Verwarnten, der negative Feststellungsklage erhoben hat, am europäischen Einspruchsverfahren teilzunehmen.

Um zu vermeiden, dass parallel zum europäischen Einspruchsverfahren nationale Nichtigkeitsverfahren durchgeführt werden müssen, kann der vermeintliche Verletzer des europäischen Patents einem anhängigen Einspruchsverfahren beitreten. Eine entsprechende Möglichkeit wurde auch für das nationale deutsche Verfahren in § 59 (2) DE-PatG vorgesehen.

Da bei der Erhebung einer Verletzungsklage oder bei einer negativen Feststellungsklage nach Verwarnung sehr oft die 9monatige Einspruchsfrist des Art 99 (1) abgelaufen sein wird, räumt Art 105 dem vermeintlichen Verletzer eine eigene Frist zum Beitritt ein.

EPÜ 2000

Artikel 105 ist klarer und übersichtlicher formuliert. Die Formalien werden in die AO übernommen. Sachlich ist der Artikel im Wesentlichen unverändert.

2 Die sachlichen Voraussetzungen

Der Beitritt ist nur unter folgenden sachlichen Voraussetzungen möglich: 2

– Der Patentinhaber oder der dazu berechtigte Lizenznehmer[1] hat gegen einen vermeintlichen Patentverletzer Klage wegen Verletzung seines europäischen Patents erhoben.
– Der Patentinhaber hat den vermeintlichen Patentverletzer aufgefordert, die Verletzung seines europäischen Patents zu unterlassen, und dieser hat dagegen eine negative Feststellungsklage erhoben.

Die zuletzt genannte Möglichkeit wurde erst während der Münchner Diplomatischen Konferenz unter Hinweis darauf in das EPÜ eingeführt, dass nationale Rechtsordnungen solche negativen Feststellungsklagen zulassen (M/PR/I, 8 am Ende, S 202). 3

Die Tatbestandsvoraussetzungen für den Beitritt sollen an Möglichkeiten der Rechtsverfolgung anknüpfen, die im nationalen Recht gegeben sind. Daher können diese Vorschriften, auch wenn ihre Auslegung grundsätzlich Sache des EPA ist, nicht ohne Blick auf das nationale Verfahrensrecht ausgelegt werden. Dies gilt sowohl für den Begriff der *erhobenen Klage*, als vor allem auch für das Erfordernis einer vorangegangenen Aufforderung zur Unterlassung. Dieses Erfordernis dient offensichtlich dem Zweck, von der Möglichkeit des Beitritts die Fälle auszuschließen, in denen der Patentinhaber ohne hinreichende Rechtfertigung nach nationalem Recht mit einer negativen Feststellungsklage überzogen wird. Deshalb muss der aufgrund einer negativen Feststellungsklage Beitretende im Verfahren vor dem EPA zwar dartun, dass eine Unterlassungsaufforderung iSd Art 105 an ihn gerichtet wurde; im Zweifel sollte sich das EPA jedoch daran orientieren, ob das nationale Gericht die konkrete negative Feststellungsklage als zulässig ansieht.[2]

---

1 **T 1007/01**, ABl 2005, 240, Nr II.
2 **T 338/89** vom 10.12.1990, Nr 4.3.3.

Artikel 105 *Beitritt des vermeintlichen Patentverletzers*

4 Ob eine Klage als erhoben anzusehen ist, richtet sich nach dem auf die Klage anwendbaren nationalen Verfahrensrecht.[3] Nach § 253 DE-ZPO ist Klage erhoben durch Zustellung der Klageschrift, nach britischem Recht (RSC Order 6, Rule 8), wenn der Kläger die Klageschrift dem Beklagten innerhalb bestimmter Fristen nach ihrer Einreichung bei Gericht zugestellt hat.[4] Eine bloße Verwarnung (Unterlassungsaufforderung) allein berechtigt auch dann nicht zum Beitritt, wenn sie nach nationalem Recht einen Schadensersatzanspruch auslöst.[5]

5 Beitrittsberechtigt ist nur die natürliche oder juristische Person, die Verletzungsbeklagte oder Klägerin der negativen Feststellungsklage ist. Dies ist besonders bei Konzerngesellschaften zu beachten, die je eigene Rechtspersönlichkeit haben.[6]

6 Das Verletzungsverfahren oder die negative Feststellungsklage müssen das Patent betreffen, zu dessen Einspruchsverfahren beigetreten werden soll:[7] Der Beitritt ist unzulässig, wenn die Verletzungsklage auf die Prioritätsanmeldung des europäischen Patents gestützt ist.

Nur diejenige juristische Person, an die die Unterlassungsaufforderung gerichtet war und die die negative Feststellungsklage erhoben hat, ist zum Beitritt berechtigt.[8]

Auch ein der eigentlichen Verletzungsklage vorgelagertes Verfahren kann uU bereits eine Verletzungsklage im Sinne von Art 105 (1), Satz 1 darstellen.[9]

3 Frist für den Beitritt

7 Ein Beitritt ist erst nach Ablauf der Einspruchsfrist möglich. Die Frist für die Erklärung des Beitritts beträgt 3 Monate und beginnt im Anschluss an den Tag zu laufen, an dem eine der unter Rdn 2 aufgeführten Klagen erhoben worden ist.

8 Wird sowohl eine Verletzungsklage als auch eine negative Feststellungsklage erhoben, so beginnt die Frist mit der ersten Klageerhebung zu laufen, die zum Beitritt berechtigt:[10] Das gleiche gilt, wenn mehrere Verletzungsklagen erho-

---

3 **T 694/01**, ABl 2003, 250, Nr 2.3.
4 Zur Frage, ob nach Art 105 (1) in jedem Fall auf die Zustellung abzustellen sein würde, **T 694/01**, ABl 2003, 250, Nr 2.3, m.w. Nachw; ebenso bereits **T 1001/97** vom 25.1.2000, Nr 2.4 ff; siehe auch **T 1149/98** vom 8.3.2000, Nr 2: Erörterungen zur Zulässigkeit der Verletzungswiderklage infolge Wiedereinsetzung.
5 **T 195/93** vom 4.5.1995, Nr 3.
6 **T 338/89** vom 10.12.1990, Nr 4.2 ff.
7 **T 338/89**, Nr 4.1.2 und 4.3.1 ff.
8 **T 18/98** vom 21.11.2000, Nr 2.1 ff.
9 **T 188/97** vom 8.2.2001, Nr 1 ff, hier: Beschlagnahmeverfahren nach belgischem Recht, in dem eine Unterlassungsanordnung ergangen war.
10 **T 296/93**, ABl 1995, 627, LS und Nr 2.3 f.

ben werden.[11] Ein Beitritt nach Ablauf von 3 Monaten ab erhobener Verletzungsklage, aber vor Ablauf von 3 Monaten nach erhobener negativer Feststellungswiderklage ist unzulässig, weil verspätet.

Die Tatsache der Klagerhebung und der Tag, an dem die Klage gemäß den jeweiligen nationalen Bestimmungen als erhoben gilt, sind nachzuweisen (zB durch Vorlage der Zustellungsurkunde, eines writ of summons usw). Erklärt ein Dritter den Beitritt, ohne dass die eingereichte Klage schon als erhoben gelten kann (zB wegen eines noch nicht abgeschlossenen langwierigen internationalen Zustellungsverfahrens), so muss der Beitritt zur Wahrung der Rechte des Beitretenden vorläufig zugelassen werden. 9

Läuft die Beitrittsfrist bereits vor dem Ende der 9-monatigen Einspruchsfrist ab, so wirkt sie sich nicht aus und kann das Fristgefüge nicht verändern. Der angebliche Patentverletzer kann in diesem Fall nur Einspruch nach Art 99 einlegen. Erklärt er gleichwohl den Beitritt, so dürfte dieser wegen seiner Gleichbehandlung mit dem Einspruch in einen Einspruch umzudeuten sein. 10

Nur wenn die Beitrittsfrist später abläuft als die 9monatige Einspruchsfrist, kann während dieser späteren Frist der Beitritt erklärt werden. Ist während der Einspruchsfrist der Beitritt erklärt worden, die Gebühr jedoch erst nach Ablauf der Einspruchsfrist, aber vor Ablauf der Beitrittsfrist entrichtet worden, so ist mit der Zahlung der Gebühr ein wirksamer Beitritt erklärt. 11

Da die Erklärung nach Art 105 (2) erst dann wirksam wird, wenn die Einspruchsgebühr entrichtet worden ist, muss darauf geachtet werden, dass sowohl die Beitrittserklärung als auch die Gebührenzahlung zu dem maßgeblichen Zeitpunkt vorliegen. 12

Eine Wiedereinsetzung nach Art 122 in die Frist für den Beitritt scheidet deshalb aus, weil Wiedereinsetzung nur dem Anmelder oder Patentinhaber, nicht jedoch einem Einsprechenden oder sonstigen Beteiligten gewährt werden kann. 13

4 Die Voraussetzung des anhängigen Einspruchsverfahrens

Der Beitritt ist nur möglich, wenn ein zulässiger Einspruch vorliegt; andernfalls ist kein Einspruchsverfahren anhängig, durch das ein Verfahren zur Überprüfung in der Sache eröffnet wird; der Beitritt ist dann unzulässig. 14

Der Beitritt kann nur zu einem anhängigen Einspruchsverfahren erklärt werden, dies allerdings auch noch in der Beschwerdeinstanz.[12] Er kann auch im Zeitraum nach der Entscheidung der Einspruchsabteilung vor deren Rechtskraft erklärt werden.[13] Jedoch erlangt der Beitretende in diesem Fall kein 15

---

11 **T 1143/00** vom 7.11.2002, Nr 2.2.
12 **G 1/94**, ABl 1994, 787, in Bestätigung von **T 338/89** vom 10.12.1990 und **T 27/92**, ABl 1994, 853, Nr 7 f, entgegen **T 390/90**, ABl 1994, 808, seither stRspr.
13 **T 202/89**, ABl 1992, 223, Nr 4; **T 296/93**, ABl 1995, 627, Nr 2.1.

selbständiges Beschwerderecht, da der Beitritt nicht zurückwirkt und der Beitretende nicht Partei im Verfahren war, das zu der Entscheidung der Einspruchsabteilung geführt hat.[14] Der Beitretende muss das Verfahren in der Lage annehmen, in der es sich zum Zeitpunkt des Beitritts befindet. Das bedeutet, dass der Beitritt gegenstandslos (wirkungslos) wird, wenn gegen die Entscheidung der Einspruchsabteilung keine zulässige, das Beschwerdeverfahren in der Sache eröffnende Beschwerde eines anderen Verfahrensbeteiligten eingelegt wird,[15] und zwar selbst dann, wenn der Beitretende nicht nur den Beitritt erklärt, sondern auch ausdrücklich Beschwerde einlegt und auch die Beschwerdegebühr zahlt.[16] Das Gleiche gilt, wenn nur eine einzige Beschwerde eingelegt worden ist und diese Beschwerde zurückgenommen wird: Das Verfahren kann nicht mit dem während des Beschwerdeverfahrens Beigetretenen fortgesetzt werden.

16 Beim Beitritt in der Beschwerdeinstanz oder nach Erlass der Entscheidung der Einspruchsabteilung ist nur eine Beitritts- (Einspruchs-), aber keine Beschwerdegebühr zu zahlen.[17] Der im Beschwerdeverfahren Beitretende kann auch durch Zahlung einer Beschwerdegebühr nicht die Stellung eines unabhängigen Beschwerdeführers erlangen; wird die einzige eingelegte Beschwerde zurückgenommen, so ist das Verfahren beendet und die Entscheidung der Einspruchsabteilung wird rechtskräftig.[18]

17 Bei vorsorglicher Zahlung für den Fall, dass die Zahlung der Beschwerdegebühr für einen wirksamen Beitritt im Beschwerdeverfahren erforderlich sei, ist die Beschwerdegebühr zurückzuzahlen.[19]

17.1 Im Einspruchsbeschwerdeverfahren ist ein Beitritt darüber hinaus vom Umfang der Anhängigkeit eines Einspruchsbeschwerdeverfahrens abhängig.

Ist nach vorausgegangenen Beschwerdeverfahren und Zurückweisung an die Einspruchsabteilung im Zeitpunkt des Beitritts wieder ein Beschwerdeverfahren vor der Kammer anhängig, so kann der Beitretende die Rechtskraft der vo-

---

14 **T 202/89**, ABl 1992, 223 (Vorlageentscheidung zu **G 4/91**, ABl 1993, 707); **T 338/89** vom 10.12.1990, Nr 3; **T 631/94**, ABl 1996, 67, Nr 6 und 10.
15 **G 4/91**, ABl 1993, 707, LS IV und Nr 7 am Ende.
16 **T 631/94**, Nr 6 und 10.
17 Das war schon vor G 3/04, ABl 2006, 118 ständige Rechtsprechung, siehe **T 27/92**, ABl 1994, 853, Nr 5; **T 684/92** vom 25.7.1995, Nr 2; **T 467/93** vom 13.6.1995, Nr 2; **T 471/93** vom 5.12.1995, Nr 2.4 und 2.5; **T 590/94** vom 3.5.1996, Nr 2.3.
18 G 3/04, ABl 2006, 118; Vorlageentscheidung war **T 1007/01**, ABl 2005, 240 mit zahlreichen Nachweisen aus der vorausgegangenen Rechtsprechung.
19 **T 471/93** vom 5.12.1995, Nr 2.4; **T 590/94** vom 3.5.1996, LS 2.

rausgegangenen Beschwerdeentscheidung nicht anfechten und deshalb, soweit die Rechtskraft reicht, auch keine neuen Einspruchsgründe vortragen.[20]

5 Form des Beitritts und weiteres Verfahren

Wie der Einspruch nach Art 99 (1) Satz 2 ist auch der Beitritt nach Art 105 (2) Satz 1 schriftlich zu erklären und zu begründen. In dieser Beziehung gelten die Ausführungen zur Einlegung des Einspruchs entsprechend. **18**

Nach Art 105 (2) Satz 3 wird auch sonst der Beitritt als Einspruch behandelt, soweit in der AO nichts anderes bestimmt ist. Auch bei der Erklärung des Beitritts ist also zuerst seine Zulässigkeit nach den für die Zulässigkeit des Einspruchs geltenden Grundsätzen zu prüfen.

Der Beitretende kann jeden der Einspruchsgründe des Art 100 geltend machen, auch wenn dieser von der Einspruchsabteilung bisher noch nicht geprüft wurde und auch dann, wenn der Beitritt erst in der Beschwerdeinstanz erfolgt. Das Verfahren ist dann allerdings in der Regel zurückzuverweisen, es sei denn, dass der Patentinhaber eine Entscheidung durch die Kammer wünscht; siehe aber auch Rdn 17.1.[21] **19**

Abweichend von der Behandlung als Einspruch bestimmt die AO lediglich in R 57 (4), dass die Einspruchsabteilung gegenüber dem Beitretenden von den in R 57 (1)–(3) vorgesehenen Maßnahmen zur Vorbereitung der Einspruchsprüfung absehen kann; das sind die Übersendung von Einsprüchen und Stellungnahmen, die Aufforderung zu Stellungnahmen oder zur Einreichung von Änderungen. **20**

Nach **T 27/92** ist diese Vorschrift auslegungsbedürftig.[22] Da der Beitretende eine volle Beteiligtenstellung erlangt und der Beitritt nicht bloß eine Intervention zur Stützung eines bereits Beteiligten darstellt, kann der Sinn der Vorschrift nicht darin liegen, den Beitretenden nicht am Verfahren zu beteiligen, bzw ihm das Vorbringen der übrigen Verfahrensbeteiligten nicht mitzuteilen, sondern lediglich darin, dass dies nicht innerhalb der in R 57 (1)–(3) vorgesehenen Fristen geschehen muss. R 57 (4) bedeutet nach dieser Entscheidung also keine Abweichung von den üblichen Erfordernissen zur Wahrung des rechtlichen Gehörs. **21**

Artikel 105a/b/c

---

20 **T 694/01**, ABl 2003, 250, LS und Nr 2.8 ff, hier Zurückverweisung nach Feststellung des gewährbaren Anspruchsatzes durch die Beschwerdekammer, mit eingehender Begründung.
21 **G 1/94**, ABl 1994, 787, Nr 13. Siehe jedoch auch zuvor Rdn 17.
22 **T 27/92**, ABl 1994, 853.

Artikel 105a
EPÜ 2000 — Beschränkungs- und Widerspruchsverfahren

EPÜ 2000

In Art 105a, 105b und 105c ist das durch EPÜ 2000 neu eingeführte Beschränkungs- und Widerrufsverfahren geregelt.

Artikel 105a Antrag auf Beschränkung oder Widerruf

(1) Auf Antrag des Patentinhabers kann das europäische Patent widerrufen oder durch Änderung der Patentansprüche beschränkt werden. Der Antrag ist beim Europäischen Patentamt nach Maßgabe der Ausführungsordnung zu stellen. Er gilt erst als gestellt, wenn die Beschränkungs- oder Widerrufsgebühr entrichtet worden ist.

(2) Der Antrag kann nicht gestellt werden, solange ein Einspruchsverfahren in Bezug auf das europäische Patent anhängig ist.

Brigitte Günzel

1 Nach Art 105a kann der Patentinhaber auf Antrag sein erteiltes Patent beschränken oder widerrufen lassen. Der Antrag ist nur zulässig, wenn kein Einspruchsverfahren wegen des Patents anhängig ist.

Artikel 105b Beschränkung oder Widerruf des europäischen Patents

(1) Das Europäische Patentamt prüft, ob die in der Ausführungsordnung festgelegten Erfordernisse für eine Beschränkung oder den Widerruf des europäischen Patents erfüllt sind.

(2) Ist das Europäische Patentamt der Auffassung, dass der Antrag auf Beschränkung oder Widerruf des europäischen Patents diesen Erfordernissen genügt, so beschließt es nach Maßgabe der Ausführungsordnung die Beschränkung oder den Widerruf des europäischen Patents. Andernfalls weist es den Antrag zurück.

(3) Die Entscheidung über die Beschränkung oder den Widerruf erfasst das europäische Patent mit Wirkung für alle Vertragsstaaten, für die es erteilt worden ist. Sie wird an dem Tag wirksam, an dem der Hinweis auf die Entscheidung im Europäischen Patentblatt bekannt gemacht wird.

Brigitte Günzel

1 Art 105b betrifft die Prüfung der Anträge auf Beschränkung oder Widerruf des europäischen Patents und die Entscheidung darüber. Hinsichtlich der Einzelheiten der Voraussetzungen für eine Beschränkung oder einen Widerruf des europäischen Patents sowie des Verfahrens ihrer Prüfung und der Entscheidung darüber verweist die Vorschrift umfassend auf die AO.

Artikel 105c Veröffentlichung der geänderten europäischen Patentschrift

Ist das europäische Patent nach Artikel 105b Absatz 2 beschränkt worden, so veröffentlicht das Europäische Patentamt die geänderte europäische Patentschrift so bald wie möglich nach Bekanntmachung des Hinweises auf die Beschränkung im Europäischen Patentblatt.

Brigitte Günzel

Art 105c ordnet die Veröffentlichung der auf Grund der Beschränkung geänderten Patentschrift oder die Veröffentlichung des Widerrufs an. 1

Sechster Teil Beschwerdeverfahren

Vorbemerkung zu Art 106–112

Ulrich Joos

1   a) Das EPÜ eröffnet die Möglichkeit, gegen erstinstanzliche Entscheidungen Beschwerde einzulegen. Zuständig für die Entscheidung über Beschwerden sind die Beschwerdekammern (Art 21). Art 23 (3) garantiert die richterliche Unabhängigkeit ihrer Mitglieder: sie sind bei ihren Entscheidungen nicht an Weisungen gebunden, sondern nur den Vorschriften des EPÜ unterworfen (zu dessen Bestandteilen siehe Art 164 (1)).

2   b) Die Beschwerdekammern sind das gerichtliche Organ des EPA. Dass die Beschwerdekammern und die Große Beschwerdekammer Gerichte sind, wurde auch schon vom englischen House of Lords anerkannt.[1] Die Große Beschwerdekammer hat in einer Reihe von Entscheidungen betont, dass insbesondere das zweiseitige Beschwerdeverfahren als gerichtliches Verfahren angesehen werden muss, das vom Verwaltungsverfahren vor den erstinstanzlichen Organen unabhängig ist (siehe Art 110 Rdn 3–5). Da im Beschwerdeverfahren der Amtsermittlungsgrundsatz gilt – wenn auch in eingeschränktem Umfang (siehe Art 110 Rdn 39–63) –, spricht die Große Beschwerdekammer von einem verwaltungsgerichtlichen Verfahren.[2] Wie in anderen gerichtlichen Verfahren gilt auch im Verfahren vor den Beschwerdekammern der Verfügungsgrundsatz (dazu Art 110 Rdn 5) und der Grundsatz, dass der verfahrenseinleitende Antrag des Beschwerdeführers den Gegenstand des Verfahrens bestimmt (dazu Art 110 Rdn 45).

3   c) Die Beschwerdekammern sind letzte Instanz im europäischen Patenterteilungs- und Einspruchsverfahren nach dem EPÜ. Gegen ihre Entscheidungen gibt es keine Rechtsmittel. Die Große Beschwerdekammer bestätigte das in **G 1/97**.[3] Jedoch wird die Große Beschwerdekammer nach Art 22 (1) c), Art 112a **EPÜ 2000** zuständig sein, über Anträge auf Überprüfung von Entscheidungen der Beschwerdekammern zu entscheiden. Solche Anträge können darauf gestützt werden, dass das Beschwerdeverfahren mit einem schwerwie-

---

1   Urteil vom 26.10.1995, GRUR Int 1996, 825, 826 – »Terfenadin«.
2   **G 7/91**, ABl 1993, 356 – »Rücknahme der Beschwerde/BASF«; **G 8/91**, ABl 1993, 346 – »Rücknahme der Beschwerde/BELL«.
3   **G 1/97**, ABl 2000, 322 – »Antrag auf Überprüfung/ETA«.

genden Verfahrensmangel behaftet war oder dass eine Straftat die Entscheidung beeinflusst haben könnte.

Die Überprüfung einer Entscheidung, mit der eine Beschwerdekammer ein europäisches Patent erteilt oder aufrechterhalten hat, ist jedoch im Rahmen nationaler Nichtigkeitsverfahren nach Art 138 möglich, allerdings beschränkt auf den betreffenden Staat. Entscheidungen des EPA oder seiner Beschwerdekammern entfalten zumindest in Deutschland und England keine Rechtskraftwirkung, die eine erneute Überprüfung von Entgegenhaltungen, die schon Gegenstand des europäischen Einspruchsverfahrens waren, im nationalen Nichtigkeitsverfahren ausschließen würde.[4] Entscheidungen der Beschwerdekammern, mit denen der Verlust der europäischen Patentanmeldung oder des europäischen Patents festgestellt wird, unterliegen keiner Nachprüfung. Zu diesem Schluss gelangte auch Richter Jacob aus Großbritannien in ex parte **Lenzing**.[5] Nach Art 135 (1) b) kann jedoch der nationale Gesetzgeber vorsehen, dass eine unwirksam gewordene europäische Patentanmeldung oder ein widerrufenes europäisches Patents auf Antrag in eine nationale Anmeldung umgewandelt werden kann. Die Vertragsstaaten haben von dieser Ermächtigung aber nur selten Gebrauch gemacht.[6] 4

d) Die Entscheidungen der Beschwerdekammern binden die erste Instanz nur im anhängigen Fall hinsichtlich der ratio decidendi (Art 111 (2)); für spätere Fälle entfalten sie keine unmittelbare Bindungswirkung (siehe Art 111 Rdn 25; Art 112 Rdn 28–33). Eine faktische Bindungswirkung der Entscheidungen ergibt sich jedoch daraus, dass die erstinstanzlichen Organe wegen der Anfechtbarkeit ihrer Entscheidungen eine **ständige** Rechtsprechung der Beschwerdekammern nicht ignorieren können. 5

e) Um ein Auseinanderfallen der Entscheidungspraxis der Beschwerdekammern (2006 gibt es 24 Technische Beschwerdekammern) zu verhindern, ist im EPÜ die Große Beschwerdekammer vorgesehen (Art 22, Art 112). Sie kann zur Sicherung einer einheitlichen Rechtsanwendung mit einer Rechtsfrage befasst werden oder wenn eine Rechtsfrage von grundsätzlicher Bedeutung zu klären ist: Eine Beschwerdekammer kann eine Rechtsfrage vorlegen, wenn sie aus diesen Gründen eine Entscheidung der Großen Beschwerdekammer für erforderlich hält (Art 112 (1) a); siehe Art 112 Rdn 9–18); der Präsident des EPA kann der Großen Beschwerdekammer eine Rechtsfrage zur Stellungnahme vorlegen, sofern zwei Beschwerdekammern voneinander abweichende Entscheidungen getroffen haben (Art 112 (1) b); siehe Art 112 Rdn 24–25). 6

---

4   BGH, GRUR 1996, 757, 759 – »Zahnkranzfräser«; Buehler AG v. Chronos Richardson Ltd., Court of Appeal, 20.3.1998, Aldous und Roch L.JJ., [1998] R.P.C. 609, 617 ff.
5   Patents Court vom 20.12.1996, BlPMZ 1997, 210; ebenso VG München GRUR Int. 2000, 77.
6   Siehe Art 135 sowie die Broschüre *Nationales Recht zum EPÜ*, Tabelle VII.

Vor Artikel 106–112

7   Die Große Beschwerdekammer entscheidet nur über die von der Beschwerdekammer vorgelegte Rechtsfrage; die Sachentscheidung über die anhängige Beschwerde obliegt nach Klärung der Rechtsfrage durch die Große Beschwerdekammer der im Einzelfall zuständigen Beschwerdekammer, die dabei an die Entscheidung der Großen Beschwerdekammer gebunden ist (Art 112 (3)). Hat der Präsident des EPA der Großen Beschwerdekammer eine Rechtsfrage vorgelegt, so kann deren Stellungnahme die beiden einander widersprechenden Entscheidungen, die den Anlass der Vorlage bildeten, nicht mehr ändern.

8   Die Harmonisierung der Rechtsprechung durch Entscheidungen und Stellungnahmen der Großen Beschwerdekammer wird dadurch erreicht, dass eine Beschwerdekammer eine Rechtsfrage erneut vorlegen muss, wenn sie von der Auffassung der Großen Beschwerdekammer abweichen will (Art 16 VerfOBK).

9   f) Für die Praxis des EPA sind die Entscheidungen der Großen Beschwerdekammer und häufig die der Technischen und der Juristischen Beschwerdekammer richtungsweisend. Die vom Präsidenten des EPA herausgegebenen Richtlinien für die Prüfung im EPA (PrüfRichtl), die in Bezug auf Verfahrensfragen und Probleme des materiellen Patentrechts die Praxis der erstinstanzlichen Organe bestimmen,[7] binden die Beschwerdekammern nicht. Vielmehr werden die PrüfRichtl, wenn notwendig, den Entscheidungen der Beschwerdekammern und der Großen Beschwerdekammer angepasst.

10 g) Die wichtigsten Bestimmungen über die Beschwerde und das Beschwerdeverfahren enthalten die Art 21–24, 106–112, die R 64–67, die Verfahrensordnung der Beschwerdekammern (VerfOBK, ABl 2003, 89,[8] Änderung siehe ABl 2004, 541), die Verfahrensordnung der Großen Beschwerdekammer (VerfOGrBK, ABl 2003, 83), der Beschluss des Präsidiums der Beschwerdekammern vom 31.5.1985 über die Übertragung von Aufgaben auf die Geschäftsstellenbeamten der Beschwerdekammern (ABl 1985, 249; Änderung siehe ABl 2002, 590). Die Höhe der Beschwerdegebühr ergibt sich aus Art 2 Nr 11 GebO. Außerdem wurde eine Neufassung der Hinweise für die Parteien und ihre Vertreter im Beschwerdeverfahren veröffentlicht (ABl 2003, 419). Die PrüfRichtl geben in Teil E-XI der ersten Instanz Hinweise für die Behandlung eingehender Beschwerden bezüglich der Abhilfe nach Art 109. Das **EPÜ 2000** hat einige Details des Beschwerdeverfahrens vom Übereinkommen in die Ausführungsordnung überführt; dies gilt insbesondere für die Art 106, 108 und 110.

11 h) Zur Zuständigkeit der Beschwerdekammern im PCT-Widerspruchsverfahren siehe Art 154 Rdn 25 und Art 155, Rdn 48. Nach dem **EPÜ 2000** entscheiden nicht mehr die Beschwerdekammern über diese Widersprüche.

---

7   **T 647/93**, ABl 1995, 132; **T 162/82**, ABl 1987, 533.
8   Hinweis auf das Inkrafttreten der Änderungen vom 28.10.2002: ABl 2003, 98.

Artikel 106 Beschwerdefähige Entscheidungen

(1) Die Entscheidungen der Eingangsstelle, der Prüfungsabteilungen, der Einspruchsabteilungen und der Rechtsabteilung sind mit der Beschwerde anfechtbar. Die Beschwerde hat aufschiebende Wirkung.

(2) Beschwerde gegen die Entscheidung der Einspruchsabteilung kann auch eingelegt werden, wenn für alle benannten Vertragsstaaten auf das europäische Patent verzichtet worden ist oder wenn das europäische Patent für alle diese Staaten erloschen ist.

(3) Eine Entscheidung, die ein Verfahren gegenüber einem Beteiligten nicht abschließt, ist nur zusammen mit der Endentscheidung anfechtbar, sofern nicht in der Entscheidung die gesonderte Beschwerde zugelassen ist.

(4) Die Verteilung der Kosten des Einspruchsverfahrens kann nicht einziger Gegenstand einer Beschwerde sein.

(5) Eine Entscheidung über die Festsetzung des Betrags der Kosten des Einspruchsverfahrens ist mit der Beschwerde nur anfechtbar, wenn der Betrag eine in der Gebührenordnung bestimmte Höhe übersteigt.

Ulrich Joos

Übersicht

1	Allgemeines	1
2	Organe, deren Entscheidungen beschwerdefähig sind	2-5
3	Zuständige Beschwerdekammer	6
4	Feststellung eines Rechtsverlusts nach R 69	7-14
5	Entscheidungen	15-19
6	Aufschiebende Wirkung der Beschwerde	20-26
7	Beschwerde nach Wegfall des europäischen Patents	27-28
8	Zwischenentscheidungen	29-37
9	Entscheidung über die Kostenverteilung im Einspruchsverfahren	38-40
10	Kostenfestsetzungsentscheidung	41

1 Allgemeines

Nur Entscheidungen der in Art 106 (1) genannten Organe sind mit der Beschwerde anfechtbar, und zwar grundsätzlich nur Entscheidungen, mit denen ein Verfahren gegenüber einem Beteiligten abgeschlossen wird (Endentscheidungen). Bei nicht abschließenden Zwischenentscheidungen muss die Beschwerde gesondert zugelassen werden. Die Große Beschwerdekammer hat die Unanfechtbarkeit von Beschwerdekammerentscheidungen bestätigt: ein Antrag, der sich auf die Verletzung eines wesentlichen Verfahrensgrundsatzes stützt und auf die Überprüfung einer rechtskräftigen Entscheidung einer Beschwerdekammer abzielt, ist in einem gerichtlichen Verfahren als unzulässig zu verwerfen;[1] zuständig dafür ist die Beschwerdekammer, die die so angefochtene Entscheidung erlassen hat.[2] Die Beschwerde hat **Devolutiveffekt**, dh dass mit der Einlegung der Beschwerde gegen die von der ersten Instanz erlassene Entscheidung grundsätzlich nur noch die Beschwerdekammer über die Sache entscheiden darf;[3] Abhilfe durch das erstinstanzliche Organ ist nur in begrenztem Umfang zulässig.[4] Die Beschwerde hat **aufschiebende Wirkung** (Art 106 (1) Satz 2). Nach dem **EPÜ 2000** sind die Regelungen der Absätze 2, 4 und 5 des jetzigen Art 106 in die Ausführungsordnung überführt.

2 Organe, deren Entscheidungen beschwerdefähig sind

2 Nach Art 106 (1) sind die Entscheidungen aller erstinstanzlichen Organe des EPA (siehe Art 16–20) mit Ausnahme der Recherchenabteilung mit der Beschwerde anfechtbar. Man ging davon aus, die Recherchenabteilungen grundsätzlich nur Recherchenberichte anfertigen, aber keine Entscheidungen treffen (siehe Art 21 Rdn 5).

3 Bevor Beschwerde eingelegt werden kann, muss die erste Instanz eine Entscheidung über den Antrag gefällt haben.[5] Entscheiden kann nur das zuständige Organ. Die Zuständigkeit des Organs für den Erlass der Entscheidung ist Voraussetzung für deren Rechtmäßigkeit und daher ex officio zu prüfen.[6] So stellen Schriftliche Mitteilungen des mit der Leitung der GD 5 beauftragten Vizepräsidenten des EPA stellen keine Entscheidung der Rechtsabteilung dar, obwohl dieses Organ verwaltungsmäßig in die GD 5 eingegliedert ist.[7]

4 Eine vom unzuständigen Organteil erlassene Entscheidung ist mit der Beschwerde anfechtbar: Formalsachbearbeiter können nicht über Anträge nach R 88 auf Berichtigung der Beschreibung, der Ansprüche oder der Zeichnungen entscheiden; das obliegt der Prüfungsabteilung selbst (vgl Mitteilungen des Vizepräsidenten der GD 2 über die Aufgaben der Formalsachbearbeiter der Prüfungsabteilungen, ABl 1999, 504). Geschieht dies trotzdem, wird die Entscheidung wegen eines schweren Verfahrensfehlers aufgehoben,[8] der die Rück-

---

1   G 1/97, ABl 2000, 322 – »Antrag auf Überprüfung/ETA«.
2   Siehe zB **T 315/97** vom 2.10.2002.
3   **T 830/03** vom 21.9.2004.
4   Siehe Art 109.
5   **J 12/85**, ABl 1986, 155 für einen Antrag nach R 89.
6   **J 13/02** vom 26.6.2003, Nr 2.
7   **J 2/93**, ABl 1995, 675.
8   **T 790/93** vom 15.7.1994.

zahlung der Beschwerdegebühr rechtfertigt.[9] Formalsachbearbeiter der Einspruchsabteilung können nicht mit einer anfechtbaren Zwischenentscheidung nach Art 106 (3) einen Einspruch für zulässig erklären.[10] Es widerspricht jedoch nicht höherrangigen Vorschriften, dass Formalprüfer Mitteilungen, Entscheidungen und Unterrichtungen nach R 69 erlassen und über die Unzulässigkeit eines Einspruchs – außer im Fall der R 55 c) – entscheiden können.[11]

Nach R 9 (1) Satz 2 entscheidet der Präsident des EPA über die Klassifikation einer europäischen Patentanmeldung, wenn diese Frage strittig ist. Da Entscheidungen des Präsidenten in Art 106 (1) nicht genannt sind, unterliegen diese nicht der Beschwerde. Ist der Betroffene anderer Auffassung, so kann er sie im Wege einer im Verwaltungsrecht wohl allgemein üblichen Gegenvorstellung geltend machen, für die keine besonderen formellen Voraussetzungen vorgesehen sind.

3 Zuständige Beschwerdekammer

Zuständigkeit und Zusammensetzung der Beschwerdekammern sind in Art 21 geregelt (siehe dort). Die Große Beschwerdekammer hat entschieden, dass die Juristische Beschwerdekammer (Art 21 (3) c)) nur zuständig ist, wenn die Beschwerde sich gegen eine Entscheidung richtet, die von einer aus weniger als vier Mitgliedern bestehenden Prüfungsabteilung erlassen ist und weder die Zurückweisung einer europäischen Patentanmeldung noch die Erteilung eines europäischen Patents betrifft; sonst ist immer die Technische Beschwerdekammer zuständig.[12] Wird Beschwerde erhoben, weil die Berichtigung (R 89) einer Patenterteilungsentscheidung abgelehnt worden ist, so hat darüber eine Technische Beschwerdekammer, nicht die Juristische Beschwerdekammer zu entscheiden.[13] Zur Zuständigkeit der Juristischen Beschwerdekammer: Schulte in: 10 Jahre Rechtsprechung der Großen Beschwerdekammer im EPA, S 73 ff.

4 Feststellung eines Rechtsverlusts nach R 69

Im Erteilungsverfahren nach dem EPÜ treten infolge der Fiktion der Zurücknahme der europäischen Patentanmeldung, die in vielen Vorschriften als Folge der nicht rechtzeitigen Vornahme von Verfahrenshandlungen vorgesehen ist, häufig Rechtsverluste ein, ohne dass das EPA hierüber eine Entscheidung

---

9   J 10/82, ABl 1983, 94.
10 T 114/82, T 115/82, ABl 1983, 323; Mitteilungen des Vizepräsidenten der GD 2 über die Aufgaben der Formalsachbearbeiter der Einspruchsabteilung, ABl 1999, 506).
11 G 1/02, ABl 2003, 165 – »Zuständigkeit der Formalsachbearbeiter«.
12 G 2/90, ABl 1992, 10 – »Zuständigkeit der Juristischen Beschwerdekammer/KOLBENSCHMIDT«.
13 G 8/95, ABl 1996, 481 – »Berichtigung des Erteilungsbeschlusses/US GYPSUM II«.

trifft.[14] Der Rechtsverlust tritt hier aufgrund einer Handlung oder Nichthandlung automatisch ein. Nach Art 106 (1) sind aber nur Entscheidungen mit der Beschwerde anfechtbar. Die verfahrensmäßige Behandlung solcher Rechtsverluste regelt R 69.

8   Nach R 69 (1) teilt das EPA dem Betroffenen mit, es habe festgestellt, dass aufgrund des EPÜ ohne eine Entscheidung des EPA ein **Rechtsverlust** (zum Begriff des *Rechts*verlusts **J 43/92** vom 28.11.1995) eingetreten sei. Diese Feststellung des zuständigen Organs, dass zB eine Handlung vor dem EPA als nicht vorgenommen oder eine europäische Patentanmeldung als zurückgenommen gelte, ist **lediglich eine Information** des Amtes, und noch keine Entscheidung, gegen die eine Beschwerde statthaft wäre.[15] Das EPA stellt nur den Rechtsverlust fest und teilt dies dem Anmelder nach R 78 durch eingeschriebenen Brief mit. Der Anmelder kann jedoch, wenn er die Auffassung des Amtes nicht teilt, die Richtigkeit einer solchen Feststellung überprüfen lassen, indem er nach R 69 (2) innerhalb von zwei Monaten nach Zustellung der Rechtsverlustmitteilung eine **Entscheidung des EPA** beantragt. Der Antrag ist nach den allgemeinen Grundsätzen schriftlich zu stellen.

9   Durch einen Antrag nach R 69 (2) wird jedoch die Frist, deren Versäumung zu dem Rechtsverlust geführt hat, nicht erneut in Gang gesetzt, sondern es wird nur überprüft, ob der Rechtsverlust tatsächlich eingetreten ist. War die Frist tatsächlich versäumt worden, so kann dieses Versäumnis nur im Wege der **Weiterbehandlung** nach Art 121 oder der **Wiedereinsetzung** in den vorigen Stand nach Art 122, in Ausnahmefällen nach den Grundsätzen des Vertrauensschutzes[16] geheilt werden.

10 Die Anträge nach R 69 (2) und Art 121 müssen innerhalb von zwei Monaten nach Zustellung der Mitteilung über den Rechtsverlust gestellt werden. Diese Fristen beginnen nach R 78 (3) mit dem 10. Tag nach Abgabe der Mitteilung zur Post zu laufen.[17] Die für den Antrag auf Wiedereinsetzung in den vorigen Stand geltende 2-Monatsfrist nach Art 122 (2) beginnt dagegen mit der tatsächlichen Kenntnis von der Versäumung zu laufen, also unabhängig vom Tag der Abgabe zur Post.[18]

11 Bei unklarer Rechtslage empfiehlt es sich, hilfsweise einen Antrag auf Weiterbehandlung oder Wiedereinsetzung zu stellen, und zwar so rechtzeitig, dass die 2-Monatsfrist der Art 121 (2) oder 122 (2) gewahrt ist. Auch die Weiterbehandlungs- oder Wiedereinsetzungsgebühr muss innerhalb dieser Frist entrichtet

---

14 dazu Strebel in MünchGemKomm, Art 90, Rn 53–68.
15 Siehe **J 13/83** vom 3.12.1984.
16 Vgl **J 14/94**, ABl 1995, 825, wo das EPA trotz Nichtzahlung einer Jahresgebühr das Erteilungsverfahren über mehrere Jahre hin ohne Einwände fortgesetzt hatte.
17 aufgestempeltes Datum; zum verwaltungsorganisatorischen Verfahren vgl **G 12/91**, ABl 1994, 285, Nr 9.1.
18 **J 22/92** vom 15.12.1994; **T 900/90** vom 18.5.1994.

werden. Ist die Mitteilung nach R 69 (1) zu Unrecht ergangen, werden diese Gebühren zurückerstattet.

Wird kein Antrag nach R 69 (2) gestellt und auch kein sonstiger Rechtsbehelf eingelegt, so wird die Feststellung des Rechtsverlusts nach Ablauf der 2-Monatsfrist rechtskräftig, selbst wenn die Feststellung unrichtig war. 12

Beschwerde kann **nur gegen die Entscheidung nach R 69 (2)** eingelegt werden. Eine solche Entscheidung ergeht nur, wenn das EPA die Feststellung über den Rechtsverlust bestätigt. Ist tatsächlich kein Rechtsverlust eingetreten, so wird das Verfahren aufgrund des Antrags auf Entscheidung fortgesetzt. 13

Wird eine den **Rechtsverlust feststellende Entscheidung von einer Beschwerdekammer** getroffen, zB nach Art 110 (3), so gibt es hiergegen keine Beschwerde, da diese Entscheidung von keinem der in Art 106 (1) aufgeführten Organe getroffen wurde. 14

5 Entscheidungen

Allein **Entscheidungen** sind mit der Beschwerde anfechtbar, also nicht Mitteilungen, die eine vorläufige Auffassung der zuständigen Stelle wiedergeben oder nur die Rechtslage darlegen. Beschwerdefähige Entscheidungen sind nach R 68 (2) zu begründen und müssen eine Rechtsmittelbelehrung enthalten, in der auf die Art 106–108 hinzuweisen ist. Fehlt die Rechtsmittelbelehrung, so können die Beteiligten daraus jedoch keine Ansprüche herleiten, R 68 (2) Satz 4.[19] 15

Ob ein Dokument eine Entscheidung oder nur eine Mitteilung darstellt, wird nach seinem im verfahrensrechtlichen Zusammenhang zu würdigenden[20] Inhalt beurteilt, nicht nach seiner Form oder Überschrift,[21] und zwar von der Beschwerdekammer.[22] Lässt der Formalprüfer während der Sachprüfung der Anmeldung die Hinzufügung einer (ältesten) Priorität im Wege der Berichtigung nach R 88 zu, so ist das keine endgültige und für den Fortgang des Verfahrens bindende Entscheidung; vielmehr kann sie von der Prüfungsabteilung oder Beschwerdekammer im Rahmen der Endentscheidung über Erteilung oder Zurückweisung der Anmeldung revidiert werden. Es sei im Prüfungsverfahren nicht notwendig, über einen solchen Berichtigungsantrag vor der Endentscheidung mit Bindungswirkung zu entscheiden.[23] 16

---

19 Vgl **T 42/84**, ABl 1988, 251.
20 **T 713/02** vom 12.4.2005, ABl 2006, 267, Nr 2.1.4.
21 **J 8/81** ABl 1982, 10; **J 2/93**, ABl 1995, 4; **J 13/92** vom 18.10.1993.
22 **J 37/97** vom 15.10.1998.
23 **T 713/02** vom 12.4.2005, ABl 2006, 267, Nr 2; siehe dazu auch die Mitteilung des EPA betreffend **T 713/02**, ABl 2006, 285.

Beispiele:

17 Als beschwerdefähige Entscheidung behandelt wurde ein nicht als Entscheidung gekennzeichneter Bescheid des EPA ohne Rechtsmittelbelehrung, mit dem der Antrag abgelehnt wurde, Italien als in der Euro-PCT-Anmeldung benannten Staat anzuerkennen, obgleich es bei Veröffentlichung der Anmeldung nicht als benannter Staat aufgeführt war.[24]

18 Eine Mitteilung nach R 69 (1) ist keine anfechtbare Entscheidung.[25] Das Protokoll einer mündlichen Verhandlung ist nicht mit der Beschwerde anfechtbar.[26] Selbst dann, wenn Beschwerde eingelegt ist, ist allein die Abteilung, vor der die mündliche Verhandlung stattgefunden hat, zuständig und verpflichtet, über Anträge zu entscheiden, die den Inhalt des Protokolls der mündlichen Verhandlung betreffen.[27] Ein Brief der Rechtsabteilung, der lediglich den Adressaten über den Vollzug einer rechtskräftigen Entscheidung der Juristischen Beschwerdekammer informiert, ist keine beschwerdefähige Entscheidung.[28] Es liegt keine »Entscheidung« vor, wenn infolge der Bindung an eine rechtskräftige, endgültige frühere Entscheidung rechtlich keine Auswahl zwischen verschiedenen Alternativen bleibt.[29]

19 Beschlüsse und Vorabentscheidungen, insbesondere verfahrensleitender Art, die einer Sachentscheidung vorausgehen, sind grundsätzlich nicht selbständig mit der Beschwerde angreifbar. Vorbereitende Handlungen nach Art 96 (2) und R 51 (3)[30] oder die Ablehnung eines Mitglieds einer Einspruchsabteilung wegen der Besorgnis der Befangenheit[31] sind nur zusammen mit der Endentscheidung anfechtbar. Mit der Beschwerde anfechtbar sind dagegen Entscheidungen eines erstinstanzlichen Organs über Anträge auf Berichtigung nach R 89.[32] Zur Frage der Anfechtbarkeit von Zwischenentscheidungen siehe Rdn 30–36.

6 Aufschiebende Wirkung der Beschwerde

20 Die aufschiebende Wirkung der Beschwerde (Art 106 (1) Satz 2) soll sicherstellen, dass die angefochtene Entscheidung bis zur Entscheidung über die Beschwerde in der Schwebe gehalten wird, indem deren Wirksamkeit solange gehemmt ist. Diese Regelung deckt sich mit § 75 (1) DE-PatG. Die aufschiebende Wirkung gilt sowohl für rechtsgestaltende Entscheidungen als auch für

---

24 **J 26/87**, ABl 1989, 329.
25 **J 13/83** vom 3.12.1984.
26 **T 838/92** vom 10.1.1995.
27 **T 1198/97** vom 5.3.2001.
28 **J 24/94** vom 5.7.1994.
29 **T 934/91**, ABl 1994, 184.
30 Vgl **T 5/81**, ABl 1982, 249.
31 **G 5/91**, ABl 1992, 617 – »beschwerdefähige Entscheidung/DISCOVISION«.
32 **G 8/95**, ABl 1996, 481 – »Berichtigung des Erteilungsbeschlusses/US GYPSUM II«; **T 1063/02** vom 16.6.2004, Nr 1.

rein feststellende, wie zB, dass die europäische Patentanmeldung als zurückgenommen gilt, weil bestimmte Voraussetzungen nicht erfüllt worden sind.

Der mit dem Wirkungsaufschub verbundene Zweck der Vorschrift kann nur erreicht werden, wenn während der Beschwerdefrist keine Maßnahmen zur Durchführung der erstinstanzlichen Entscheidung getroffen werden. Solche Maßnahmen werden demgemäß vom EPA erst nach Eintritt der formellen Rechtskraft der Entscheidung getroffen. ZB wird bei der Zurückweisung einer europäischen Patentanmeldung die Tatsache der Zurückweisung erst nach Eintritt der Rechtskraft ins europäische Patentregister eingetragen. 21

Infolge der aufschiebenden Wirkung besteht eine europäische Patentanmeldung trotz der Entscheidung, dass sie als zurückgenommen gilt oder zurückgewiesen wurde, während des Beschwerdeverfahrens noch fort. Daher muss sie grundsätzlich nach Art 93 veröffentlicht werden; sie hat noch die nach Art 67 vorgesehene Schutzwirkung und es müssen die in Art 86 vorgeschriebenen Jahresgebühren entrichtet werden. 22

Für den Fall der Veröffentlichung der europäischen Patentanmeldung nach Art 93 ist zu beachten, dass bei der Veröffentlichung gegebenenfalls auf noch nicht entschiedene Fragen hinzuweisen ist,[33] zB im Falle der Ablehnung des Antrags auf Berichtigung der Prioritätsangaben.[34] 23

Die Missachtung der aufschiebenden Wirkung ist ein wesentlicher Verfahrensfehler, der die Rückzahlung der Beschwerdegebühr rechtfertigt und mit geeigneten Mitteln korrigiert werden muss. Ist zB ein Beschwerdeverfahren über die Ablehnung der Aussetzung des Patenterteilungsverfahrens nach R 13 (1) anhängig, so ist das EPA wegen der aufschiebenden Wirkung der Beschwerde verpflichtet, den Hinweis auf die Erteilung des europäischen Patents im Europäischen Patentblatt zu unterlassen; wird er trotzdem veröffentlicht, so muss im Europäischen Patentblatt unverzüglich die Berichtigung erfolgen, dass der Erteilungshinweis wegen der anhängigen Beschwerde unwirksam ist.[35] Das Gleiche gilt, falls trotz einer anhängigen Beschwerde gegen den Erteilungsbeschluss der Hinweis auf die Patenterteilung bekanntgemacht worden ist.[36] 24

Die aufschiebende Wirkung tritt freilich nur ein, wenn die Beschwerde rechtswirksam eingelegt wurde, also nicht, wenn sie mangels rechtzeitiger Entrichtung der Beschwerdegebühr oder Nichteinreichung einer Übersetzung in eine EPA-Amtssprache (siehe Art 108 Rdn 27) als nicht eingelegt gilt. Die aufschiebende Wirkung dürfte aber im allgemeinen nicht davon abhängen, dass alle Zulässigkeitsvoraussetzungen erfüllt sind. Nur einer offensichtlich unzulässigen, zB einer eindeutig verspätet eingelegten Beschwerde wird die auf- 25

---

[33] **J 3/81**, ABl 1982, 100.
[34] **J 3/82**, ABl 1983, 171.
[35] **J 28/94**, ABl 1995, 742.
[36] **T 1/92**, ABl 1993, 685, Nr 3.1; **T 790/93** vom 15.7.1994.

schiebende Wirkung nicht zuzuerkennen sein, da die aufschiebende Wirkung nicht zu einer ungerechtfertigten Verschleppung des Wirksamwerdens und der Durchführung der Entscheidung führen soll.[37]

25.1 Das bisher Gesagte darf nicht dazu verleiten, der aufschiebenden Wirkung schon die Effekte zuzuschreiben, die mit der Entscheidung der Beschwerdekammer verbunden sind: Die von der aufschiebenden Wirkung ausgehenden Rechtsfolgen können keinesfalls mit der Aufhebung oder Bestätigung einer Entscheidung durch eine höhere Instanz gleichgesetzt werden. Die Wirkung des Suspensiveffekts besteht nur darin, dass die Folgen einer Entscheidung, gegen die Beschwerde eingelegt wurde, nicht unmittelbar nach Ergehen der Entscheidung eintreten, sondern dass jede weitere Handlung ausgesetzt wird, bis endgültig über die Beschwerde entschieden und die Entscheidung der ersten Instanz entweder bestätigt oder aufgehoben worden ist. Im Zeitraum zwischen der Einreichung einer Beschwerde und der endgültigen Entscheidung der Beschwerdekammer ist das Schicksal der angefochtenen Entscheidung in der Schwebe.[38]

Das wirkt sich auf die Einreichung von **Teilanmeldungen während des Beschwerdeverfahrens** aus. Bei der Teilanmeldung ist die Anhängigkeit der Stammanmeldung Voraussetzung für die Zulässigkeit der Eröffnung des neuen Erteilungsverfahrens. Der durch den Suspensiveffekt einer Beschwerde bewirkte Schwebezustand hinsichtlich der Anmeldung, die als Stammanmeldung dienen soll, reicht nicht aus. Vielmehr muss die Stammanmeldung wieder tatsächlich Gegenstand der Prüfung durch das EPA geworden sein. Erst eine zulässige Beschwerde begründet erneut die Anhängigkeit der Anmeldung. Dies gilt sowohl für Beschwerden gegen die Zurückweisung wie auch gegen die Erteilung der »Stammanmeldung«. Ist eine Zurückweisungsentscheidung formell rechtkräftig geworden, kann nicht durch Einlegung einer verfristeten Beschwerde die erneute Anhängigkeit der Anmeldung in der Weise begründet werden, dass die wirksame Einreichung einer Teilanmeldung möglich wäre; dasselbe gilt, wenn sich die Beschwerde aus anderen Gründen als unzulässig erweist. Wurde der Hinweis auf die antragsgemäße Erteilung der »Stammanmeldung« veröffentlicht und ist sie daher nicht mehr vor dem EPA anhängig, ist eine Beschwerde gegen die Patenterteilung schon mangels Beschwer unzulässig (eine Beschwer kann nur bei Verletzung Art 113 (2) vorliegen). Die in der End- oder einer Zwischenentscheidung der Beschwerdekammer enthaltene Feststellung der Zulässigkeit der Beschwerde hebt den Schwebezustand bzgl der Anhängigkeit der Stammanmeldung auf und klärt, ob die Stammanmeldung wieder anhängig geworden ist (im Fall einer zulässigen Beschwerde) oder nicht

---

37 Ähnlich für das DE-PatG Benkard/Schäfers, § 75 Rn 3; Schulte, PatG, 7. Aufl., § 75 Rn 6.
38 **J 28/03**, ABl 2005, 597, Nr 12.

(wenn die Beschwerde unzulässig war).[39] Wurde während des Schwebezustands eine Teilanmeldung eingereicht, ist diese nur wirksam, wenn die Beschwerde bzgl der Stammanmeldung zulässig war. Nur auf Grund einer zulässigen Beschwerde kann im Rahmen der Begründetheitsprüfung erneut untersucht werden, ob die Zurückweisung bzw Erteilung der Stammanmeldung den Vorschriften des EPÜ entsprochen hat.

Wird für eine **verspätet eingelegte Beschwerde Wiedereinsetzung** nach Art 122 gewährt, so tritt die aufschiebende Wirkung mit der Gewährung der Wiedereinsetzung ein.[40]

7 Beschwerde nach Wegfall des europäischen Patents

Art 106 (2) lässt die Beschwerde gegen Entscheidungen der Einspruchsabteilung auch dann zu, wenn das europäische Patent für alle benannten Vertragsstaaten durch Verzicht oder durch Nichtzahlung der Jahresgebühren erloschen ist.

Diese Bestimmung wurde auf Vorschlag der Mitgliedstaaten der EG auf der Münchner Diplomatischen Konferenz in das EPÜ aufgenommen.[41] Sie ergänzt Art 99 (3), der ebenfalls auf der Konferenz eingefügt worden ist, und stellt klar, dass nicht etwa aus dem Fehlen einer solchen Bestimmung im Beschwerdeverfahren geschlossen werden kann, dass bei Wegfall des europäischen Patents keine Beschwerde möglich sei.

Das Beschwerdeverfahren erledigt sich analog R 60 (1), wenn das Patent in allen benannten Vertragsstaaten erloschen ist und der Einsprechende und Beschwerdeführer die Fortsetzung des Beschwerdeverfahrens nicht beantragt.[42]

8 Zwischenentscheidungen

a) Eine Entscheidung, die ein Verfahren gegenüber einem Beteiligten nicht abschließt (Zwischenentscheidung), ist grundsätzlich nicht selbständig anfechtbar, sondern nur zusammen mit der Endentscheidung. Das gilt auch für verfahrensleitende Verfügungen, wie Beweisbeschlüsse, Ablehnung von Befangenheitsanträgen,[43] Fristgesuche[44] und Beschleunigungsanträge.

Die Möglichkeit, gegen eine Zwischenentscheidung die **gesonderte Beschwerde** zuzulassen (Art 106 (3) 2. Halbsatz), wurde erst kurz vor der

---

39   Siehe **J 28/03**, ABl 2005, 597, Nr 13, 17 mit Verweis auf **T 1187/02** vom 16.7.2003.
40   Für das deutsche Recht: Benkard/Schäfers, § 75 Rn 3; Schulte, PatG, 7. Aufl., § 75 Rn 6.
41   Berichte der MDK M/PR/I, S 50 Nr 407.
42   **T 329/88** vom 22.6.1993; **T 762/89** vom 28.9.1992; **T 714/93** vom 20.11.1995.
43   **G 5/91**, ABl 1992, 617 – »beschwerdefähige Entscheidung/DISCOVISION«; **T 843/91**, ABl 1994, 818.
44   **J 37/89**, ABl 1993, 201.

Münchner Diplomatischen Konferenz (auf der 2. Sitzung des Koordinierungsausschusses im Mai 1972) auf Drängen der interessierten Kreise in den Entwurf aufgenommen.

31 b) Es gibt im EPÜ keine generellen Vorschriften, wann solche Zwischenentscheidungen erlassen werden können oder sollen. Es ist somit eine Ermessensfrage der zuständigen Instanz, ob in Einzelfällen eine Zwischenentscheidung angemessen ist oder ob die anstehende Frage nur in einer das Verfahren abschließenden Endentscheidung geregelt werden soll.[45] Eine Zwischenentscheidung wird vor allem dann erlassen, wenn der fragliche Punkt die Grundlage für ein noch länger andauerndes Verfahren bildet. Ist zB im **einseitigen Verfahren** streitig, ob eine Priorität zu Recht beansprucht wird, und kommt es für die Patenterteilung entscheidend auf den Stand der Technik zum Prioritätszeitpunkt an, so kann es sinnvoll sein, über den Prioritätsanspruch vorab zu entscheiden und die gesonderte Beschwerde zuzulassen. Jedoch ist es nicht angemessen, im Prüfungsverfahren über alternative Fassungen des beantragten Patents in einer gesondert anfechtbaren Zwischenentscheidung zu befinden, anstatt nach Art 97 eine endgültige Entscheidung zu erlassen.[46]

32 c) Der wichtigste und häufigste Fall der gesondert anfechtbaren Zwischenentscheidung ist die **Aufrechterhaltung des europäischen Patents in geändertem Umfang durch die Einspruchsabteilung** (Art 102 (3)): In diesem Fall bedarf es der Veröffentlichung einer neuen europäischen Patentschrift; die Zahlung der Druckkostengebühr nach Art 102 (3) b) und die Übersetzung der geänderten Patentansprüche in die anderen Amtssprachen (R 58 (5)) sind formale Voraussetzungen für die Aufrechterhaltung in geändertem Umfang.

33 Um dem Patentinhaber weitere Aufwendungen zu ersparen, falls in einem anschließenden Beschwerdeverfahren das Patent erneut geändert wird, erlässt die Einspruchsabteilung eine anfechtbare Zwischenentscheidung. Diese wird rechtskräftig, wenn nicht bis zum Ablauf von zwei Monaten nach ihrer Zustellung Beschwerde erhoben und innerhalb von vier Monaten die Beschwerdebegründung eingereicht wird.[47] Erst nach Eintritt der Rechtskraft werden die in Art 102 (3) und R 58 (5) vorgeschriebenen Handlungen verlangt. Wird Beschwerde eingelegt, so ist die Entrichtung der Druckkostengebühr und die Übersetzung der Ansprüche erst nach Durchführung des Beschwerdeverfahrens nur bezüglich der von der Beschwerdekammer für gewährbar erachteten Fassung nötig. Nach Erfüllung dieser Erfordernisse erlässt die Einspruchsabteilung die Entscheidung über die Aufrechterhaltung des Patents in geändertem Umfang (Art 102 (3), R 58 (5), (6)); anschließend wird die neue Patentschrift herausgegeben.

---

45 **T 89/90**, ABl 1992, 456, Nr 2.4.
46 **T 839/95** vom 23.6.1998; siehe auch Art 107 Rdn 22 f.
47 **T 247/85** vom 16.9.1986.

Die rechtskräftig gewordene Zwischenentscheidung oder – im Falle der Beschwerde gegen sie – die Entscheidung der Beschwerdekammer kann nicht zusammen mit der endgültigen Entscheidung über die Aufrechterhaltung des Patents nach Art 102 (3) noch einmal angefochten werden. Hat die Beschwerdekammer bestimmte Ansprüche für gewährbar erachtet, so erlangt diese Entscheidung Rechtskraft und kann nicht durch eine erneute Beschwerde gegen die auf der Grundlage dieser Ansprüche ergehende Endentscheidung der Einspruchsabteilung wieder in Frage gestellt werden. War nach der Zurückverweisung an die Einspruchsabteilung noch die Beschreibung an die geänderten Ansprüche anzupassen, so kann nur die Anpassung der Beschreibung mit einer erneuten Beschwerde angegriffen werden, nicht aber die im ersten Beschwerdeverfahren bindend (Art 111 (2)) festgelegte Fassung der Ansprüche.[48] 34

Diese Praxis, die in Mitteilungen des EPA[49] erklärt und in die PrüfRichtl[50] übernommen wurde, wurde durch die Rechtsprechung der Beschwerdekammern bestätigt[51] (siehe auch Art 102 Rdn 46). Zu den Auswirkungen dieses Verfahrens auf den Verletzungsstreit vor nationalen Gerichten siehe Straus, Die Aufrechterhaltung eines europäischen Patents in geändertem Umfang im Einspruchsverfahren und ihre Folgen, in: Straus (Hrsg), Aktuelle Herausforderungen des geistigen Eigentums, Festgabe für F.K. Beier, Köln etc 1996, S 171. 35

d) Auch über die Zulässigkeit eines Einspruchs kann eine gesondert anfechtbare Zwischenentscheidung ergehen.[52] Bei einer Beschwerde gegen eine Entscheidung, mit der einer von mehreren Einsprüchen als unzulässig abgewiesen oder mit der festgestellt wurde, dass der Einspruch wegen Nichtzahlung der Einspruchsgebühr als nicht eingelegt gilt, empfiehlt die Beschwerdekammer in **T 290/90** im Interesse der Verfahrensbeschleunigung und im Hinblick auf die aufschiebende Wirkung der Beschwerde, das Einspruchsverfahren unter Beteiligung des möglicherweise unzulässig Einsprechenden parallel zum Beschwerdeverfahren fortzusetzen, so dass unverzüglich nach Abschluss des Beschwerdeverfahrens eine Endentscheidung ergehen kann.[53] Es ist jedoch fraglich, ob dieser Weg gangbar ist; denn bei einer Beschwerde gegen die Verwerfung eines Einspruchs als unzulässig bewirkt der Devolutiveffekt der Beschwerde, dass die Einspruchsabteilung die Befugnis verliert, sich mit der Sache zu befassen.[54] 36

---

48 **T 843/91**, ABl 1994, 832; **T 757/91** vom 10.3.1992; **T 1063/92** vom 13.10.1993; **T 153/93** vom 21.2.1994; siehe auch Art 111 Rdn 8.
49 ABl 1981, 74, 77 und 1985, 272, 275 f.
50 Teil D-VI, 7.2.2.
51 **G 1/88**, ABl 1989, 189 – »Schweigen des Einsprechenden/HOECHST«; **T 89/90**, ABl 1992, 456.
52 **T 10/82**, ABl 1983, 407; **T 376/90**, ABl 1994, 906.
53 **T 290/90**, ABl 1992, 368.
54 Siehe Art 101 Rdn 32–34.

Ist einer von mehreren Einsprüchen unzulässig, liegt die Zulassung der gesonderten Beschwerde im Ermessen der Einspruchsabteilung.

37 e) Im **Beschwerdeverfahren** erlassen die Beschwerdekammern Zwischenentscheidungen über die Zulässigkeit der Beschwerde[55] und über die Gewährung der Wiedereinsetzung in den vorigen Stand.[56] Diese Zwischenentscheidungen sind selbstverständlich nicht anfechtbar und erwachsen in Rechtskraft; auch die Beschwerdekammer kann das Ergebnis ihrer Zwischenentscheidung nicht mehr in Frage stellen.

9 Entscheidung über die Kostenverteilung im Einspruchsverfahren

38 Für das Einspruchsverfahren sieht Art 104 (siehe Art 104 Rdn 7–13) in Abweichung vom allgemeinen Grundsatz, dass jeder Beteiligte die ihm erwachsenen Kosten selbst trägt, vor, dass die Einspruchsabteilung die durch eine mündliche Verhandlung oder Beweisaufnahme verursachten Kosten nach Billigkeit verteilen kann.[57] Nach Art 106 (4) kann die Entscheidung über die Kostenverteilung nur zusammen mit einem anderen Ausspruch der Einspruchsabteilung angefochten werden. In **T 154/90** griff der Einsprechende die Aufrechterhaltung des Patents und die Kostenverteilungsentscheidung an. Obwohl sich die Beschwerde gegen die Aufrechterhaltung als unzulässig erwies, wurde die Entscheidung über die Kostenverteilung aufgehoben, weil sie auf einem wesentlichen Verfahrensfehler beruhte.[58]

39 Ergeht eine Entscheidung nur über die Kostenverteilung, weil der Einspruch zurückgenommen oder auf das europäische Patent verzichtet worden ist, so ist keine Beschwerde gegen die isolierte Kostenentscheidung möglich. Das gleiche gilt, wenn der in der Sache obsiegenden Partei ein Teil der Kosten auferlegt wird: Diese müsste, wenn sie sich gegen die Kostenentscheidung wehren wollte, zugleich die Sachentscheidung angreifen; da sie durch letztere aber nicht beschwert ist, fehlt ihr die Beschwerdeberechtigung (Art 107 Satz 1). Ist der jetzige Beschwerde*gegner* (der nur nach Art 107 Satz 2 am Beschwerdeverfahren beteiligt ist) durch die erstinstanzliche Entscheidung nur insoweit beschwert, als die Einspruchsabteilung seinen Kostenverteilungsantrag abgelehnt hat, so würde es dem Gleichheitsgrundsatz widersprechen, einen Kostenverteilungsantrag zuzulassen, den er in dem von der anderen Partei angestrengten Beschwerdeverfahren gestellt hat; denn der Beschwerdegegner hätte wegen Art 106 (4) keine Möglichkeit gehabt, gegen die Ablehnung vorzugehen.[59]

---

55 **T 152/82**, ABl 1984, 301.
56 **T 369/91**, ABl 1993, 561.
57 Siehe zB **T 10/82**, ABl 1983, 407.
58 **T 154/90**, ABl 1993, 505.
59 **T 753/92** vom 4.4.1995.

Im Beschwerdeverfahren kann auch die Beschwerdekammer eine Kostenverteilung vornehmen.[60] Dies kann auch durch Festsetzung eines Betrags geschehen;[61] damit ist die Frage rechtskräftig durch das zuständige letztinstanzliche Gericht geregelt.[62]

10 Kostenfestsetzungsentscheidung

Den Betrag der Kosten, die aufgrund einer Entscheidung über die Kostenverteilung zu erstatten sind, setzt nach Art 104 (2) die Geschäftsstelle der Einspruchsabteilung auf Antrag fest. Hiergegen gibt es den Antrag auf Entscheidung durch die Einspruchsabteilung (Art 104 (2) Satz 2 iVm R 63 (3) und Art 2 Nr 16 GebO). Diese Entscheidung ist mit der Beschwerde nur anfechtbar, wenn der Betrag höher ist als die Beschwerdegebühr (Art 106 (5) iVm Art 11 GebO und Art 2 Nr 11 GebO). Siehe im einzelnen Art 104 Rdn 50–56.

Artikel 107 Beschwerdeberechtigte und Verfahrensbeteiligte

Die Beschwerde steht denjenigen zu, die an dem Verfahren beteiligt waren, das zu der Entscheidung geführt hat, soweit sie durch die Entscheidung beschwert sind. Die übrigen an diesem Verfahren Beteiligten sind am Beschwerdeverfahren beteiligt.

Ulrich Joos

Übersicht

1	Allgemeines	1-3
2	Die Verfahrensbeteiligten	4-14
3	Mehrere Verfahrensbeteiligte auf Seiten einer Partei	15
4	Die Beschwer	16-33
5	Beteiligung der übrigen Verfahrensbeteiligten	34-35
6	Rechte der Verfahrensbeteiligten	36-50

1 Allgemeines

Die Beschwerde steht den am bisherigen Verfahren Beteiligten zu, und zwar nur in dem Umfang, in dem sie durch die erstinstanzliche Entscheidung beschwert sind. Alle am erstinstanzlichen Verfahren Beteiligten sind automatisch auch am Beschwerdeverfahren beteiligt. Jeder beschwerte Beteiligte kann aber unabhängig vom anderen Beschwerde einlegen; nur wenn er das getan hat, kann er das Beschwerdeverfahren auch im Falle der Rücknahme der anderen Be-

---

60 **T 611/90**, ABl 1993, 50; **T 867/92**, ABl 1995, 126.
61 **T 323/89**, ABl 1992, 169; **T 930/92**, ABl 1996, 191.
62 **T 934/91**, ABl 1994, 184, Nr 3 und 4.

schwerde fortsetzen. Jede Partei, die im Beschwerdeverfahren mehr erreichen will, als sie in der ersten Instanz erreicht hat, kann dies nur als Beschwerdeführer, nicht aber als Beteiligter nach Art 107 Satz 2; dh sie muss eine eigene zulässige Beschwerde einlegen und die Beschwerdegebühr rechtzeitig entrichten. Denn der Prüfungsumfang im Beschwerdeverfahren wird durch den Antrag des Beschwerdeführers bestimmt (vgl Rdn 41).

2 Der vermeintliche Patentverletzer kann dem Einspruchsverfahren gegen das Patent auch noch während eines anhängigen Beschwerdeverfahrens über die Entscheidung der Einspruchsabteilung nach Art 105 beitreten und damit die Stellung eines Einsprechenden erwerben.[1]

3 Die in Art 107 festgelegten Voraussetzungen sind von Amts wegen zu berücksichtigen. Liegen sie nicht vor, so ist die Beschwerde nach R 65 (1) als unzulässig zu verwerfen.

2 Die Verfahrensbeteiligten

4 a) Im Einspruchsverfahren gegen ein erteiltes Patent und somit auch im **Einspruchsbeschwerdeverfahren** sind neben dem Patentinhaber die Einsprechenden beteiligt (mehrseitiges oder Inter-partes-Verfahren). Einsprechende, die noch in der ersten Instanz ihren Einspruch zurückgenommen haben, verlieren ihre Beteiligtenstellung und sind nicht mehr am Beschwerdeverfahren beteiligt. Dasselbe gilt, wenn die Entscheidung der Einspruchsabteilung, einer von mehreren Einsprüchen sei unzulässig, nicht angefochten und daher rechtskräftig wird.[2] Einsprechende, die nicht Beschwerdeführer sind, und ihren Einspruch während des Beschwerdeverfahrens zurücknehmen, bleiben zwar nach Art 107 Satz 2 am Beschwerdeverfahren beteiligt, jedoch ist diese Beteiligung nur hinsichtlich einer eventuellen Kostentragungspflicht relevant,[3] eine aktive Beteiligung hinsichtlich der Sachfragen findet nicht mehr statt.

5 Wer vor Abschluss des Verfahrens vor der Einspruchsabteilung[4] dem Einspruchsverfahren nach Art 105 beitritt, ist ebenfalls am Beschwerdeverfahren beteiligt; der Beitritt ist auch noch in der Beschwerdephase möglich, sofern einer der ursprünglich Beteiligten eine zulässig Beschwerde eingelegt hat.[5]

6 Das Einspruchsverfahren kann in ein einseitiges Verfahren münden, weil der Einsprechende nach Abschluss des Einspruchsverfahrens an einem nur den Patentinhaber betreffenden Folgeverfahren nicht beteiligt ist.[6]

---

1 **G 3/04**, ABl 2006, 118 – »Beitritt/EOS«. Siehe Art 105 Rdn 16; Rdn 49 f.
2 **T 898/91** vom 18.7.1997.
3 **T 789/89**, ABl 1994, 482.
4 **T 631/94**, ABl 1996, 67.
5 **G 4/91**, ABl 1993, 707 – »Beitritt/DOLEZYCH II«; **G 1/94**, ABl 1994, 787 – »Beitritt/ALLIED COLLOIDS«. Siehe auch Rdn 47.
6 **T 811/90**, ABl 1993, 728.

b) Im Erteilungsverfahren sind insbesondere Entscheidungen der Prüfungsabteilung Gegenstand von Beschwerden; an solchen Beschwerdeverfahren sind in der Regel nur der oder die Anmelder beteiligt (einseitiges oder Ex-parte-Verfahren). 7

Jedoch kann es auch im Verfahren bis zur Patenterteilung zu mehrseitigen Verfahren kommen, zB bei Anträgen auf Berichtigung der Erfindernennung (R 19), bei Anträgen auf die Eintragung eines Rechtsübergangs nach R 20, 21,[7] bei Anträgen auf Akteneinsicht in eine noch unveröffentlichte europäische Patentanmeldung ,[8] bei Anträgen auf Aussetzung des Prüfungsverfahrens nach R 13 zwischen dem Anmelder und dem, der einen Anspruch auf Erteilung des europäischen Patents geltend macht.[9] 8

J 28/94 vom 4.12.1996 analysiert die Konstellationen bei R 13 und legt dar, dass bei einer Beschwerde des Dritten gegen die Ablehnung seines Aussetzungsantrags oder wenn die Einwände des Anmelders gegen die Aussetzung von der Rechtsabteilung verworfen werden, der jeweils andere nach Art 107 Satz 2 am Beschwerdeverfahren beteiligt ist.[10] 9

c) Die **Beschwerde** steht nur den **am erstinstanzlichen Verfahren Beteiligten** zu. Eine Beschwerde ist unzulässig, wenn sie nur im Namen des Vertreters des durch die angefochtene Entscheidung Beschwerten eingelegt wird.[11] Wird aufgrund eines offensichtlichen Irrtums statt des einzig beschwerten einsprechenden Unternehmens dessen Muttergesellschaft als Beschwerdeführer genannt, so kann dieser Mangel nach R 65 (2) geheilt werden.[12] Eine Beschwerde ist unzulässig, wenn die Beschwerdeschrift von dem beschwerten Verfahrensbeteiligten eingereicht wird, die Beschwerdebegründung aber von einer natürlichen oder juristischen Person, die nicht selbst die beschwerte Beteiligte ist.[13] Die Beschwerde einer zwischenzeitlich liquidierten, nicht mehr existenten juristischen Person wird unzulässig.[14] 10

Der im Patentregister Eingetragene gilt im Prüfungs- und Einspruchsverfahren und den nachfolgenden Beschwerdeverfahren als legitimiert. Wird die europäische Patentanmeldung oder das europäische Patent während dieser Verfahren wegen einer Übertragung umgeschrieben, so tritt der neu Eingetragene an die Stelle des bisherigen Rechtsinhabers.[15] Wer vorträgt, das Recht auf die europäische Patentanmeldung sei auf ihn übergegangen, wird nur bei zweifels- 11

---

7   **J 18/84**, ABl 1987, 215.
8   **J 14/91**, ABl 1993, 479.
9   ZB **T 146/82**, ABl 1985, 267; **J 33/95** vom 18.12.1995.
10 **J 28/94** vom 4.12.1996, ABl 1997, 400.
11 **J 1/92** vom 15.7.1992.
12 **T 340/92** vom 5.10.1994; Art 110 Rdn 31.
13 **T 298/97**, ABl 2002, 83.
14 **T 525/94** vom 17.6.1998.
15 **T 553/90**, ABl 1993, 666.

frei gegebenem Rechtsübergang schon aufgrund R 20 (3) der neue Beteiligte am Beschwerdeverfahren; da die Auslegung der nach R 20 (1) vorzulegenden Beweismittel und der anzuwendenden Rechtsvorschriften zunächst Aufgabe des zuständigen erstinstanzlichen Organs ist, erwirbt er diese Stellung grundsätzlich erst mit seinem Eintrag ins Register.[16] Der Übertragungsempfänger eines Patents muss, um beschwerdeberechtigt zu sein, die Erfordernisse der R 20 vor Ablauf der Beschwerdefrist erfüllen.[17] Das gilt nicht fü den Gesamtrechtsnachfolger eines Patentanmelders oder -inhabers, weil er automatisch die Beteiligtenstellung in dem vor dem EPA anhängigen Verfahren erwirbt.[18]

12 Im Fall einer Unternehmensveräußerung kann – analog zur Übertragung der Einsprechendenstellung nach G 4/88[19] – das Recht, Beschwerde einzulegen, zusammen mit dem Geschäftsbetrieb auf die Rechtsnachfolgerin der in erster Instanz beteiligten Gesellschaft übergehen.[20] Die **Übertragung einer Beteiligtenstellung** ist in jeder Lage eines anhängigen Einspruchsbeschwerdeverfahrens zulässig, wenn sie zusammen mit der Übertragung des Geschäftsbetriebs oder Unternehmensteils erfolgt, in dessen Interesse die Beschwerde eingelegt worden ist.[21] Die Große Beschwerdekammer bestätigte diese Rechtsprechung und verneinte die freie Übertragbarkeit der Einsprechendenstellung.[22] Die Tatsachen, aus denen sich eine den Übergang der Beteiligtenstellung rechtfertigende Rechtsnachfolge ergibt, müssen vorgetragen und nachgewiesen werden.[23] Bis der Nachweis erbracht ist, bleibt der ursprüngliche Einsprechende am Verfahren beteiligt.[24]

13 d) Ein Beteiligter kann nicht vom Verfahren ausgeschlossen werden.[25]

14 e) Wie in Art 115 (1) Satz 3 ausdrücklich festgestellt, sind Personen, die Einwendungen gegen die Patentierbarkeit der angemeldeten Erfindung erhoben haben, nicht am Verfahren beteiligt.

3 Mehrere Verfahrensbeteiligte auf Seiten einer Partei

15 Gemeinsame Anmelder nach Art 59 handeln gegenüber dem EPA durch den nach R 100 bestimmten gemeinsamen Vertreter. Daher ist es grundsätzlich Sa-

---

16 **J 26/95**, ABl 1999, 667.
17 **T 656/98**, ABl 2003, 385.
18 **T 15/01**, ABl 2006, 153.
19 **G 4/88**, ABl 1989, 480 – »Übertragung des Einspruchs/MAN«.
20 **T 563/89** vom 3.9.1991.
21 **T 659/92**, ABl 1995, 519.
22 **G 2/04**, ABl 2005, 547, – »Übertragung des Einspruchs/HOFFMAN-LA ROCHE«, Nrn 2.1–2.2.
23 **T 670/95** vom 9.6.1998.
24 **T 413/02** vom 5.5.2005; **T 1137/97** vom 14.10.2002, [2004] EPOR 180.
25 **T 838/92** vom 10.1.1995, wo der Patentinhaber den Ausschluss des Einsprechenden beantragt hatte, weil dieser ein gefälschtes Dokument vorgelegt habe.

che des gemeinsamen Vertreters, Beschwerde einzulegen. Ob auch ein Mitanmelder, der nicht gemeinsamer Vertreter ist, das Recht hat, Beschwerde einzulegen, wurde noch nicht entschieden. Hier besteht ein Konflikt zwischen dem verfahrensrechtlichen Erfordernis der gemeinsamen Vertretung nach Art 133 (4), R 100 und der Rechtsstellung als Anmelder, die auch ein Mitanmelder hat, der nicht gemeinsamer Vertreter ist. Dieser Konflikt sollte nicht zu Lasten des Letzteren gelöst werden, wenn der gemeinsame Vertreter zu rechtzeitigem Handeln nicht bereit oder in der Lage ist; in diesem Rahmen dürfte daher jeder der Anmelder das Recht zur Beschwerde haben, da jeder am Verfahren beteiligt war und jeder durch die Entscheidung beschwert ist.[26] Auch wenn die übrigen Mitanmelder nicht an der Beschwerde interessiert sind, sind sie aufgrund Art 107 Satz 2 automatisch am Beschwerdeverfahren beteiligt.

Bedarf einer dieser gemeinsamen Anmelder nach Art 133 (2) eines Vertreters und ist der bisherige Vertreter weggefallen, so wird dieser Anmelder zur Bestellung eines Vertreters aufgefordert, da er nur auf diese Weise am Verfahren teilnehmen kann.

Wird ein Einspruch von zwei oder mehr Personen eingereicht, so muss eine Beschwerde gegen die Entscheidung der Einspruchsabteilung durch den gemeinsamen Vertreter eingereicht werden.[27] Anders als im oben angesprochenen Fall gemeinsamer Anmelder besteht bei einem Einspruch durch eine Personengruppe keine Notwendigkeit, jedem Gruppenmitglied ein eigenes Beschwerderecht einzuräumen, da jedes einen eigenen Einspruch hätte einlegen können; dagegen kann im Fall der Miterfinderschaft oder der Anmeldermehrheit nicht jeder eine gesonderte Anmeldung einreichen.

4 Die Beschwer

Die Beschwerde steht nach Art 107 Satz 1 den Beteiligten der ersten Instanz nur zu, *soweit sie durch die Entscheidung beschwert sind* (englisch: *adversely affected*; französisch: *pour autant que [la décision] n'ait pas fait droit à ses prétentions*). Im **EPÜ 2000** ist die deutsche und die französische Fassung des Artikel 107 Satz 1 neu redigiert, ohne dass damit eine inhaltliche Änderung verbunden wäre: »Jeder Verfahrensbeteiligte, der durch eine Entscheidung beschwert ist, kann Beschwerde einlegen.« »Toute partie à la procédure aux prétentions de laquelle une décision n'a pas fait droit peut former un recours contre cette décision.« 16

Insbesondere der französische Text macht deutlich, dass der im erstinstanzlichen Verfahren gestellte Antrag des jetzigen Beschwerdeführers mit der Entscheidungsformel der erstinstanzlichen Entscheidung zu vergleichen ist: Eine 17

---

26 So im Ergebnis auch Günzel in Benkard/EPÜ, Art 107, Rn 12.
27 **G 3/99**, ABl 2002, 347 – »Zulässigkeit eines gemeinsamen Einspruchs bzw einer gemeinsamen Beschwerde/HOWARD FLOREY«.

Beschwer liegt vor, wenn die Entscheidung hinter dem Begehren dieses Verfahrensbeteiligten zurückbleibt[28] und nicht dem Antrag entspricht.[29] Das durch die Entscheidungsformel definierte Ergebnis der Entscheidung ist mit dem zuletzt geltenden Hauptantrag zu vergleichen: Wurde ein früherer weiterreichender Antrag zurückgenommen und durch einen engeren ersetzt, dem stattgegeben wird, so liegt keine Beschwer vor.[30] Ein unabhängiger Anspruch, der im Verfahren vor der Einspruchsabteilung aber wieder zurückgezogen wurde, kann im Beschwerdeverfahren nicht wieder aufgegriffen werden. Denn der Beschwerdeführer ist insoweit nicht beschwert, weil dieser Anspruch gar nicht Gegenstand der angefochtenen Entscheidung war.[31] Gibt die erstinstanzliche Entscheidung den Schlussanträgen eines Beteiligten statt, kann dieser nicht dadurch nachträglich eine Beschwer iSd Art 107 herbeiführen, dass er eine solche Berichtigung seiner Schlussanträge nach R 88 beantragt, dass er beschwert wäre, wenn die Berichtigung zugelassen würde.[32]

18 Da die Zulässigkeitsvorausetzungen während des gesamten Verfahrens gegeben sein müssen (siehe Art 110 Rdn 6), muss die Beschwer bei Einlegung der Beschwerde und bei Erlass der Beschwerdekammerentscheidung noch bestehen. Die Beschwer kann zB entfallen, wenn der Beteiligte der gegen ihn ergehenden Entscheidung zustimmt.[33]

19 Ein Verfahrensbeteiligter, der sich mit einer **vorgeschlagenen** Entscheidung einverstanden erklärt hat, kann diese Entscheidung nicht mehr anfechten, weil er mit dieser Zustimmung sein ursprüngliches Begehren aufgegeben hat. Er ist dann nicht mehr beschwert iSd Art 107 Satz 1. Dieses Einverständnis muss freilich zweifelsfrei feststehen. ZB ist Schweigen des Einsprechenden auf eine Mitteilung nach R 58 (4) nicht mit einer Zustimmung zur vorgeschlagenen Fassung des Patents gleichzusetzen: Nach **G 1/88**[34] kann R 58 (4) nicht so interpretiert werden, dass sie den Widerspruch zu einer Obliegenheit des Einsprechenden mache. Andererseits ist ein Einsprechender nicht beschwert, der seinen Einspruch bezüglich des (Hilfs-)Antrags zurücknimmt, gemäß dem das Patent aufrechterhalten wird.[35] Auch ein Rechtsmittelverzicht, dh der **nach** Ergehen der erstinstanzlichen Entscheidung ausgesprochene Verzicht auf eine Beschwerde würde eine dennoch eingelegte Beschwerde unzulässig machen.

---

28 **T 244/85**, ABl 1988, 216, Nr 3.
29 **T 114/82, T 115/82**, ABl 1983, 323.
30 **T 506/91** vom 3.4.1992.
31 **T 528/93** vom 23.10.1996.
32 **T 824/00**, ABl 2004, 5.
33 insoweit noch zutreffend **T 244/85**, ABl 1988, 216, Nr 4; siehe auch **T 156/90** vom 9.9.1991; **T 548/91** vom 7.2.1994, Nr 1.1.
34 **G 1/88**, ABl 1988, 189 – »Schweigen des Einsprechenden/HOECHST«.
35 **T 562/94** vom 29.5.1995.

Ist das Einverständnis nicht zweifelsfrei feststellbar, ist von der Zulässigkeit der Beschwerde auszugehen.[36]

Wird nur einem **Hilfsantrag**, nicht aber dem Hauptantrag eines Verfahrensbeteiligten **stattgegeben**, ist dieser beschwert iSd Art 107 Satz 1. 20

Insbesondere im **Einspruchsverfahren** legen die Patentinhaber oft neben 21 dem Hauptantrag hilfsweise weitere Anspruchssätze vor. Hält die Einspruchsabteilung nur hilfsweise vorgelegte Ansprüche für gewährbar, so hat sie die Ablehnung der vorrangigen Anträge und die Stattgabe des Hilfsantrags in ihrer mit der Beschwerde anfechtbaren Zwischenentscheidung zu begründen. In diesen Fällen ist der Patentinhaber durch die Ablehnung seiner vorrangigen Anträge beschwert,[37] aber auch ein Einsprechender, der den Widerruf des Patents beantragt hatte. Die Einspruchsabteilung muss in ihrer Entscheidung die Zurückweisung des Hauptantrags und eventueller vorrangiger Hilfsanträge nicht begründen, sofern diese klar und eindeutig zurückgenommen wurden. Auf die Ablehnung des Hauptantrags kann sie sich nur beschränken, wenn alle nachrangigen Anträge zurückgenommen worden sind.[38]

Die in R 51 vorgezeichnete Konzeption des **Prüfungsverfahrens** lässt – an- 22 ders als das Einspruchsverfahren oder das deutsche Erteilungsverfahren – keinen Raum für eine Zwischenentscheidung, in der eine europäische Patentanmeldung in der Fassung nach dem Hauptantrag oder vorrangigen Hilfsanträgen zurückgewiesen und gleichzeitig ein europäisches Patent in der Fassung gemäß einem Hilfsantrag erteilt wird. Bevor ein europäisches Patent erteilt werden kann, muss der Anmelder mit der von der Prüfungsabteilung in der Mitteilung nach R 51 (4) für gewährbar erachteten Fassung einverstanden sein.

Allerdings kann der Anmelder während des Prüfungsverfahrens neben dem 23 Hauptantrag hilfsweise weitere Anspruchssätze vorlegen. Wenn weder der Hauptantrag noch einer der Hilfsanträge gewährbar ist, wird die europäische Patentanmeldung durch eine Sachentscheidung nach Art 97 (1) zurückgewiesen. Liegt aber ein gewährbarer Hilfsantrag vor, so teilt die Prüfungsabteilung nach R 51 (4) mit, dass sie das europäische Patent gemäß diesem Hilfsantrag zu erteilen beabsichtigt und erläutert – gegebenenfalls durch Verweis auf frühere Mitteilungen – die Gründe für die Nichtgewährbarkeit der vorrangigen Anträge. Stimmt der Anmelder zu, indem er die in R 51 (4) oder (5) vorgeschriebenen Handlungen vornimmt, wird das europäische Patent in dieser Fassung erteilt. Wenn dagegen der Anmelder nicht zustimmt und an seinen vorrangigen Anträgen festhält, muss die Prüfungsabteilung bezüglich dieser Anträge eine Sachentscheidung nach Art 97 (1) erlassen. Die Praxis des EPA erläutert die Rechtsauskunft Nr 15/05 (rev 2), ABl 2005, 357. Mehrere Entscheidungen der Be-

---

36 **T 833/90** vom 19.5.1994.
37 **T 234/86**, ABl 1989, 79; **T 392/91** vom 24.6.1993.
38 **T 5/89**, ABl 1992, 348.

schwerdekammern, die zur R 51 (4) iFv 1.7.2002 ergingen, haben bekräftigt, dass dem Anmelder Gelegenheit gegeben werden müsse, sein Nichteinverständnis mit der Fassung zu erklären, die die Prüfungsabteilung in der Mitteilung nach R 51 (4) vorschlägt, und eine beschwerdefähige Entscheidung über die Zurückweisung seiner Anträge zu erwirken.[39]

24 Für das Vorliegen einer Beschwer und damit für die Zulässigkeit der Beschwerde gegen die Zurückweisung ist es unerheblich, wenn der Anmelder in der Beschwerde nicht an seinem früheren Hauptantrag festhält, sondern den Einwänden der Vorinstanz Rechnung trägt. Darin kann keine Zustimmung gesehen werden, da sich der Anmelder im Beschwerdeverfahren auf engere Anträge zurückziehen kann, so dass es reiner Formalismus wäre, ein Festhalten am vormaligen Hauptantrag zu verlangen.[40]

25 Der Anmelder ist **durch die Entscheidung, das Patent zu erteilen, nur beschwert**, wenn das Patent in einer Fassung (dh mit Ansprüchen oder einer Beschreibung oder mit Zeichnungen) erteilt wurde, mit der er sich nicht gemäß Art 97 (2) a) und R 51 (4) einverstanden erklärt hat.[41]

26 Weitere Einzelfragen:

27 – Wer mit dem Einspruch nur einen Teilwiderruf angestrebt hat, kann nicht mit der Beschwerde ein darüber hinausgehendes Beschränkungsbegehren verfolgen.[42]

28 – Ist die Beschwerde nur gegen einen Teil der Entscheidung gerichtet, so erlangt der andere Teil mit Ablauf der Beschwerdefrist Rechtskraft.[43] Auch wenn eine Anmeldung rechtskräftig als zurückgenommen gilt, liegt eine Beschwer vor, wenn die Zuerkennung eines Anmeldetages und die Ausstellung eines Prioritätsbelegs verweigert wird.[44]

29 – Ein Einsprechender, der den Widerruf des Patents beantragt hatte, dessen Einspruch aber von der Einspruchsabteilung zurückgewiesen wurde, und der, anders als ein zweiter Einsprechender, keine Beschwerde eingelegt hat, kann dennoch durch die zweite Entscheidung der Einspruchsabteilung beschwert sein, mit der diese das Patent in beschränkter Form aufrechterhalten hat, nachdem die Sache von der Beschwerdekammer zur Fortsetzung der Prüfung zurückverwiesen worden war.[45]

---

39 T 1181/04, ABl 2005, 312; **T 1255/04**, ABl 2005, 323, 424; **T 1395/05** vom 20.1.2006.
40 **T 793/91** vom 13.3.1992.
41 **J 12/83**, ABl 1985, 6 noch zu R 51 (4) aF, nach der das *Nicht*einverständnis erklärt werden musste; **T 1/92**, ABl 1993, 685 zu einer späteren Fassung von R 51 (4).
42 **T 299/89** vom 31.1.1991; **T 548/91** vom 7.2.1994.
43 **J 27/86** vom 13. 10. 87.
44 **J 18/96**, ABl 1998, 403.
45 **T 227/95** vom 11.4.1996.

– Eine Beschwer kann sich aus der Rechtsunsicherheit ergeben, die eine an die Ansprüche unzureichend angepasste Beschreibung verursacht.[46]

– Aus belastenden Feststellungen (hier: bezüglich des Prioritätsanspruchs), die nur in den Gründen einer Entscheidung enthalten sind, mit der das Patent entsprechend dem Antrag des Patentinhabers aufrechterhalten wurde,[47] oder obiter dicta[48] ergibt sich keine Beschwer des Patentinhabers. In Ausnahmefällen kann es jedoch nötig sein, nicht nur den Tenor mit dem Antrag zu vergleichen, sondern auch die Entscheidungsgründe: zB wenn sich aus den Gründen eine Beschränkung des Schutzbereichs ergibt, oder wenn eine Entscheidung sich nur aus den Gründen ergibt.

Hat die **Beschwerde** offensichtlich ihren **Zweck verloren**, so bleibt sie zwar zulässig, jedoch wird die Kammer das Verfahren nicht fortsetzen: So erledigte sich in **J 27/87** vom 3.3.1988 die Beschwerde gegen die Ablehnung des Antrags auf Akteneinsicht in eine noch unveröffentlichte Anmeldung durch deren zwischenzeitliche Veröffentlichung; die Kammer prüfte allerdings noch, ob die Ablehnung des Antrags rechtmäßig war. Der Frage, ob der Beschwerdeführer ein rechtliches Interesse an einer solchen Feststellung haben muss, wurde nicht nachgegangen.

In **J 28/94** vom 4.12.1996[49] wurde die Beschwerde zurückgewiesen, weil der von der Rechtsabteilung abgelehnte Antrag auf Aussetzung des Prüfungsverfahrens nach R 13 gegenstandslos wurde: der Beschwerdeführer wurde während des Beschwerdeverfahrens durch Vertrag mit dem Anmelder Mitinhaber der europäische Patentanmeldung.

5 Beteiligung der übrigen Verfahrensbeteiligten

Diejenigen am erstinstanzlichen Verfahren Beteiligten, die keine Beschwerde einlegen oder mangels Beschwer nicht einlegen können, sind nach Art 107 Satz 2 ebenfalls am Beschwerdeverfahren beteiligt (automatisch am Verfahren Beteiligte, Beteiligte von Gesetzes wegen). Das ist in allen Inter-partes-Beschwerdeverfahren, also insbesondere in Einspruchsbeschwerdeverfahren von Bedeutung. Am Beschwerdeverfahren nach Art 107 Satz 2 beteiligt ist auch ein Einsprechender, dessen Beschwerde unzulässig ist, sofern ein anderer Einsprechender eine zulässige Beschwerde eingereicht hat.[50] Die nach Art 107 Satz 2 Beteiligten haben nicht die gleichen Rechte im Verfahren wie Beschwerdeführer (siehe Rdn 36–50).

---

46 **T 273/90** vom 10.6.1991; **T 996/92** vom 23.3.1993.
47 **T 73/88**, ABl 1992, 557, Nr 1.3.
48 **T 981/01** vom 24.11.2004.
49 **J 28/94** vom 4.12.1996, ABl 1997, 400.
50 **T 643/91** vom 18.9.1996.

35 Im ersten Vorentwurf von 1970 war in Art 110 vorgesehen, dass ein am erstinstanzlichen Verfahren Beteiligter auf seine Beteiligung am Beschwerdeverfahren verzichten können sollte. Diese Möglichkeit wurde jedoch aufgrund eines Vorschlags der Mitgliedstaaten auf der Münchner Diplomatischen Konferenz wieder beseitigt.[51] Es wurde bekräftigt, dass die automatische Beteiligung am Beschwerdeverfahren nicht zu einer aktiven Beteiligung am Verfahren verpflichte, andererseits aber Bedeutung für die Kostenverteilung im zweiseitigen Verfahren haben könne.[52] Ist einer von mehreren am Einspruchsverfahren Beteiligten nur aufgrund Art 107 Satz 2 am Beschwerdeverfahren beteiligt, so kann er zwar nach Art 104 (1) möglicherweise zur Kostentragung verpflichtet werden. Da jedoch eine Kostenverteilung ausdrücklich nur stattfindet, wenn dies der Billigkeit entspricht, hängt es vor allem vom Verhalten des betreffenden Beteiligten im Beschwerdeverfahren ab, ob er zur Kostentragung herangezogen wird. Die im EPÜ vorgeschriebene automatische Einbeziehung auch der nicht beschwerdeführenden Beteiligten in das Beschwerdeverfahren wird daher kaum zu unbilligen Ergebnissen führen.

6 Rechte der Verfahrensbeteiligten

36 a) In **G 1/86**[53] entschied die Große Beschwerdekammer, im Beschwerdeverfahren nach dem EPÜ seien, soweit die Sachverhalte vergleichbar seien, alle Verfahrensbeteiligten gleich zu behandeln. Sie stützte sich auf den in allen Mitgliedstaaten des EPÜ anerkannten Grundsatz, dass allen Beteiligten an einem Verfahren vor Gericht dieselben Verfahrensrechte eingeräumt werden müssen. Dies folge aus dem allgemeinen **Grundsatz der Gleichheit** aller vor dem Gesetz und damit auch vor den Gerichten, die das Gesetz anwenden. Da die Beschwerdekammern Gerichte seien, gelte er auch für sie. Die Große Beschwerdekammer folgerte daraus, dass – obwohl der Wortlaut des Art 122 dem entgegenzustehen scheint – der Einsprechende in die versäumte 4-monatige Beschwerdebegründungsfrist wiedereingesetzt werden kann.

37 In **G 1/86** wurde gleichzeitig festgehalten, dass es sachliche Gründe für eine ungleiche Behandlung von Anmeldern oder Patentinhabern und Einsprechenden geben könne. So ist die Wiedereinsetzung eines Einsprechenden in die zweimonatige Beschwerdefrist nicht möglich; dasselbe gilt für die Einspruchsfrist.[54] Denn hier handelt es sich um versäumte Fristen für Handlungen, die ein neues Verfahren vor dem EPA einleiten. Der Einsprechende hat – anders als ein Anmelder oder Patentinhaber, der durch eine Entscheidung des EPA be-

---

51 Berichte der MDK, M/PR/I, S 52, Nr 433–466.
52 So auch **T 789/89**, ABl 1994, 482.
53 **G 1/86**, ABl 1987, 447 – »Wiedereinsetzung des Einsprechenden/VOEST ALPINE«.
54 **T 702/89**, ABl 1994, 472.

schwert ist – immer noch die Möglichkeit, vor den nationalen Gerichten gegen ein erteiltes Patent vorzugehen.

b) Sachnotwendige **Differenzierungen** ergeben sich insbesondere aus der 38 unterschiedlichen verfahrensrechtlichen Stellung von Beschwerdeführern und den von Gesetzes wegen am Beschwerdeverfahren Beteiligten nach Art 107 Satz 2.

aa) Im Beschwerdeverfahren nach dem EPÜ gilt der **Verfügungsgrundsatz**. 39 Wer durch eine erstinstanzliche Entscheidung beschwert ist, kann gegen sie Beschwerde einlegen. Nach allgemein anerkannten Grundsätzen des Verfahrensrechts (Verfügungsgrundsatz) kann allein der Beschwerdeführer über die Anhängigkeit der von ihm eingelegten Beschwerde verfügen:[55] Der Befugnis zur Einleitung eines Beschwerdeverfahrens entspricht die Befugnis, durch Rücknahme der Beschwerde das Ende des Verfahrens herbeizuführen, falls nicht noch andere Beschwerdeführer vorhanden sind, die das Verfahren fortsetzen wollen.[56] Jedoch hat nur der dieses Recht, der selbst eine eigene zulässige Beschwerde eingelegt und auch die Beschwerdegebühr bezahlt hat.

Dagegen garantiert Art 107 Satz 2 nur das Recht auf Beteiligung an einem an- 40 hängigen Beschwerdeverfahren, nicht aber ein selbständiges Recht, das Verfahren nach Rücknahme der Beschwerde fortzusetzen; das gilt auch für einen Beteiligten, der als Beschwerter Beschwerde hätte einlegen können, es aber nicht getan hat.

bb) Ein Ausfluss des Verfügungsgrundsatzes ist das Prinzip des »**ne ultra petita**«, der Antragsbindung: Durch den das Beschwerdeverfahren einleitenden 41 Sachantrag des Beschwerdeführers wird der **Gegenstand des Beschwerdeverfahrens** bestimmt und der Rahmen für die Überprüfung der erstinstanzlichen Entscheidung durch die Beschwerdekammer vorgegeben (dazu Art 110 Rdn 45). Das bedeutet, dass die Beschwerdekammer dem Beschwerdeführer zwar weniger, aber nicht mehr zusprechen kann, als er beantragt hat. Freilich ermittelt die Beschwerdekammer innerhalb des vom Beschwerdeantrag vorgegebenen Prüfungsrahmens den entscheidungserheblichen Sachverhalt von Amts wegen (Art 114 (1)), wenn auch in den Grenzen, die in **G 9/91**, **G 10/91** und **G 10/93** gezogen werden.[57]

Die am Sachantrag des Beschwerdeführers orientierte Überprüfung durch 42 die Beschwerdekammer hat andererseits für einen nur nach Art 107 Satz 2 beteiligten Beschwerdegegner zur Folge, dass die Beschwerdekammer keinem

---

55 **G 2/91**, ABl 1992, 206 – »Beschwerdegebühren/KROHNE«.
56 **G 8/91**, ABl 1993, 346 – »Rücknahme der Beschwerde/BELL« und **G 7/91**, ABl 1993, 356 – »Rücknahme der Beschwerde/BASF«; **G 8/93**, ABl 1994, 887 – »Rücknahme des Einspruchs/SERVANE II«.
57 **G 9/91**, ABl 1993, 408 – »Prüfungsbefugnis/ROHM UND HAAS« und **G 10/91**, ABl 1993,420 – »Prüfung von Einsprüchen/Beschwerden«; **G 10/93**, ABl 1995, 172 – »Umfang der Prüfung bei ex-parte Beschwerde/SIEMENS«.

seiner Anträge stattgeben kann, die über den Rahmen des Beschwerdeantrags hinausgehen: Wer keine Beschwerde einlegt, kann im Beschwerdeverfahren nicht mehr erreichen als er in der erstinstanzlichen Entscheidung erreicht hat. Für den (alleinigen) Beschwerdeführer hat das die Konsequenz, dass er durch die Beschwerdeentscheidung allenfalls gleich, nicht aber schlechter gestellt werden kann als in der erstinstanzlichen Entscheidung: Es gibt **keine reformatio in peius** zu Lasten des Beschwerdeführers. Die abweichende Rechtsprechung, die davon ausging, dass Gegenstand des Beschwerdeverfahrens das Patent bzw die Patentanmeldung ist,[58] ist durch die Entscheidungen der Großen Beschwerdekammer überholt.

43 In **G 9/92** und **G 4/93**[59] werden die praktischen Konsequenzen der Bindung an den Beschwerdeantrag aufgezeigt für den Fall, dass die Einspruchsabteilung in ihrer Zwischenentscheidung ein Patent gemäß einem Hilfsantrag des Patentinhabers aufrechterhält:

44 Legt **allein** der **Patentinhaber Beschwerde** ein, so kann die Beschwerdekammer weder auf Antrag des nach Art 107 Satz 2 beteiligten Einsprechenden noch aufgrund einer Überprüfung von Amts wegen die Fassung des Patents gemäß der Zwischenentscheidung in Frage stellen, dh nur eine engere Fassung gewähren oder das Patent ganz widerrufen. Der Einsprechende kann also höchstens die Zurückweisung der Beschwerde erreichen, nicht aber eine weitere Beschränkung oder den Widerruf des Patents.

45 Ist der **Einsprechende** der **alleinige Beschwerdeführer**, so ist der Patentinhaber primär darauf beschränkt, das Patent in der Fassung zu verteidigen, die die Einspruchsabteilung für gewährbar erachtet hat; die Beschwerdekammer lehnt Änderungen ab, die er als Beteiligter nach Art 107 Satz 2 vorschlägt, wenn sie nicht sachdienlich oder erforderlich (von der Beschwerde veranlasst) sind. Aufgrund einer Vorlage durch eine Beschwerdekammer[60] musste die Große Beschwerdekammer klären, ob der Patentinhaber als Beschwerdegegner einschränkende, jedoch nach Art 123 (2) unzulässige, Merkmale wieder streichen darf, die in der von der Einspruchsabteilung für gewährbar erachteten Fassung enthalten sind, sofern das sachdienlich und von der Beschwerde veranlasst ist.[61] Sie gelangte zu dem Ergebnis, dass ein Patentinhaber, der Beschwerdegegner ist, eine solche Änderung nicht vornehmen darf, da der Schutzbereich erweitert würde und das den Einsprechenden und Beschwerdeführer schlechter stellen

---

58 **T 576/89**, ABl 1993, 543.
59 **G 9/92** und **G 4/93**, beide ABl 1994, 875 – »Nicht-beschwerdeführender Beteiligter/BMW« und »Nicht-beschwerdeführender Beteiligter/MOTOROLA«.
60 **T 315/97**, ABl 1999, 554.
61 Bejahend: **T 752/93** vom 16.7.1996, Nr 2.4; noch weitergehend **T 1002/95** vom 10.2.1998, Nr 3.1–3.5. Die Position, dass keine Schutzbereichserweiterung gegenüber den von der ersten Instanz für patentierbar erachteten Ansprüchen eintreten darf, vertrat **T 579/94** vom 18.8.1998, Nr 2.1.

würde. Allerdings gebe es Ausnahmen von diesem Grundsatz, nämlich dann, wenn die Einspruchsabteilung die nach Art 123 (2) unzulässige Änderung gestattet habe und keine andere Möglichkeit bestehe, den Fehler zu korrigieren.[62]

Haben dagegen der **Patentinhaber und der Einsprechende** eine zulässige **Beschwerde** eingelegt, so können beide Beschwerdeführer im Beschwerdeverfahren eine Verbesserung ihrer Position erreichen: Der Patentinhaber kann in seiner Beschwerde seinen Hauptantrag weiterverfolgen, der Einsprechende mit seiner Beschwerde weiterhin den Widerruf des Patents anstreben. Beide der gegenseitigen Beschwerden müssen fristgemäß eingelegt und begründet werden, und für beide sind die Beschwerdegebühren zu entrichten (siehe Art 110 Rdn 45, am Ende). 46

c) Die Rechtsstellung des nach Art 105 dem Einspruchsbeschwerdeverfahren Beitretenden ist Gegenstand zahlreicher Entscheidungen. 47

aa) Ein **Beitritt** nach Abschluss des Verfahrens vor der Einspruchsabteilung ist nicht wirksam, wenn nicht einer der ursprünglich Beteiligten eine zulässige Beschwerde einreicht.[63,64] Art 105 gebe keinen Hinweis, dass der Beitretende ein Verfahren einleiten könne. Nach Auffassung der Großen Beschwerdekammer ist das erstinstanzliche Einspruchsverfahren im Moment des Erlasses der Sachentscheidung abgeschlossen, weil die Einspruchsabteilung die Befugnis zur Änderung ihrer Entscheidung verliere. Sieht man diesen Zeitpunkt des Erlasses der Entscheidung als den Abschluss des Verfahrens vor der Einspruchsabteilung an, so ist ab mündlicher Verkündung der Entscheidung bzw ab Aufgabe der begründeten Entscheidung zur Post[65] kein Verfahren vor dem EPA mehr anhängig, zu dem der Beitritt möglich wäre. Erst wenn einer der ursprünglich Beteiligten eine Beschwerde einlegt, ist wieder ein Verfahren anhängig. Der Beitritt zu einem anhängigen Einspruchsbeschwerdeverfahren ist möglich, ein schon während der zweimonatigen Beschwerdefrist erklärter Beitritt wird mit dem Einlegen einer Beschwerde durch einen der ursprünglich Beteiligten wirksam.[66] 48

bb) Ein dem Einspruchsbeschwerdeverfahren Beitretender hat nach Art 105 eine Einspruchsgebühr zu entrichten; damit erwirbt der Beitretende die Stellung eines Beteiligten nach Art 107 Satz 2. 49

cc) Es war lange zweifelhaft, ob ein erst während des Beschwerdeverfahrens Beitretender durch Zahlung einer Beschwerdegebühr und Einlegung einer Beschwerde die Stellung eines selbständigen Beschwerdeführers erwerben kann, 50

---

[62] **G 1/99**, ABl 2001, 381 – »reformatio in peius/3M«.
[63] **G 4/91**, ABl 1993, 707 – »Beitritt/DOLEZYCH II«.
[64] Anders die deutsche Rechtslage, siehe Bundespatentgericht vom 15.11.1988, BPatGE 30, 109, 110.
[65] Siehe **G 12/91**, ABl 1994, 285 – »Endgültige Entscheidung/NOVATOME I«; **T 631/94**, ABl 1996, 67.
[66] **G 1/94**, ABl 1994, 787 – »Beitritt/ALLIED COLLOIDS«.

was die Möglichkeit eröffnen würde, das Beschwerdeverfahren fortzusetzen, falls der andere Beschwerdeführer seine Beschwerde zurücknimmt.[67] Die Große Beschwerdekammer klärte diese Frage,[68] indem sie feststellte, dass ein erst während des Beschwerdeverfahrens Beitretender am erstinstanzlichen Verfahren nicht beteiligt gewesen sei und daher nach Art 107 Satz 1 kein Beschwerderecht habe; er könne es auch nicht durch Zahlung der Beschwerdegebühr erwerben. Er erlange die Stellung eines Einsprechenden und damit die eines nach Art 107 Satz 2 am Verfahren Beteiligten, weshalb er das Beschwerdeverfahren nicht fortsetzen könne, wenn durch die Rücknahme der Beschwerde(n) das Verfahren beendet sei.[69]

Artikel 108 Frist und Form

Die Beschwerde ist innerhalb von zwei Monaten nach Zustellung der Entscheidung schriftlich beim Europäischen Patentamt einzulegen. Die Beschwerde gilt erst als eingelegt, wenn die Beschwerdegebühr entrichtet worden ist. Innerhalb von vier Monaten nach Zustellung der Entscheidung ist die Beschwerde schriftlich zu begründen.

Ulrich Joos

Übersicht

1	Allgemeines	1-4
2	Fristen für die Einlegung und Begründung der Beschwerde	5-8
3	Form und Sprache der Beschwerdeschrift und der Beschwerdebegründung	9-12
4	Inhalt der Beschwerdeschrift und der Beschwerdebegründung	13-22
5	Entrichtung der Beschwerdegebühr	23-26
6	Gebührenermäßigung bei Beschwerde in einer zugelassenen Nichtamtssprache	27-29
7	Feststellung der Nichtzahlung der Beschwerdegebühr	30-31
8	Rücknahme der Beschwerde	32-40

---

67 Zu den voneinander abweichenden Entscheidungen siehe 2. und 3. (englische) Auflage, Art 107, Rn 56.
68 G 3/04, ABl 2006, 118 – »Beitritt/EOS«.
69 Zur Verfahrensbeendigung durch Rücknahme der Beschwerde siehe Art 107 Rdn 39, Art 108, Rdn 32–40; G 8/91, ABl 1993, 346 – »Rücknahme der Beschwerde/BELL« und G 7/91, ABl 1993, 356 – »Rücknahme der Beschwerde/BASF«; G 8/93, ABl 1994, 887 – »Rücknahme des Einspruchs/SERVANE II«.

1 Allgemeines

Erst auf der Münchner Diplomatischen Konferenz konnten sich die Staaten auf 1 die Frist von zwei Monaten für die Einlegung der Beschwerde und von vier Monaten für die Einreichung der Beschwerdebegründung einigen. Wie andere vom Übereinkommen festgelegte (und nicht vom EPA gesetzte) Fristen, können die Fristen für die Beschwerde nicht vom EPA verlängert werden; jedoch ist Wiedereinsetzung nach Art 122 möglich. Nach Art 108 **EPÜ 2000** werden die Details formaler Anforderungen, zB der Gebrauch elektronischer Kommunikationsmittel, in der Ausführungsordnung geregelt.

Die Beschwerde gilt nur dann als eingelegt, wenn die Beschwerdegebühr 2 rechtzeitig bezahlt wurde (siehe Rdn 23–26). Das entspricht der im EPÜ häufigen Fiktion, dass eine Verfahrenshandlung als nicht vorgenommen gilt, wenn die anfallende Gebühr nicht rechtzeitig gezahlt worden ist.

Bei parallelen Beschwerden (zB mehrere Einsprechende legen Beschwerde 3 ein) oder bei gegenseitigen Beschwerden (Patentinhaber und Einsprechender legen Beschwerde ein gegen die Aufrechterhaltung des Patents nach einem Hilfsantrag) muss jeder Beschwerdeführer eine Beschwerdegebühr entrichten;[1] zur Notwendigkeit paralleler und gegenseitiger Beschwerden: siehe Art 107 Rdn 46; Rdn 35. Nach Ablauf der Beschwerdefrist kann keine weitere Beschwerde mehr eingelegt werden; eine der deutschen unselbständigen Anschlussberufung (§§ 521 ff deutsche ZPO) entsprechende Anschlussbeschwerde ist im EPÜ nicht vorgesehen.[2]

Eine Beschwerde kann nicht bedingt eingelegt werden. Die Absicht, ein 4 Rechtsmittel gegen eine Entscheidung einzulegen, muss definitiv feststehen. Daher ist eine hilfsweise, zB unter der Bedingung, dass die erste Instanz dem Hauptantrag, etwa auf Wiedereinsetzung, nicht stattgibt, eingelegte Beschwerde unzulässig.[3] Jedoch kann eine Beschwerde im Namen des A, hilfsweise im Namen des B eingelegt werden, wenn etwa bei Übertragung der Einsprechendenstellung zweifelhaft ist, wer der richtige Beschwerdeführer ist.[4] Das Einlegen einer Beschwerde kann nicht im Wege der Berichtigung nach R 88 ungeschehen gemacht werden: Legt ein Vertreter Beschwerde ein, weil er die gegenteilige Anweisung des Anmelders nicht kennt, so rechtfertigt das nicht, das eingereichte Schriftstück dahingehend zu berichtigen, dass keine Beschwerde einlegt werde.[5]

---

1 **G 2/91**, ABl 1992, 206 – »Beschwerdegebühren/KROHNE«.
2 In **T 239/96** vom 23.10.1998 wird das bedauert.
3 **J 16/94**, ABl 1997, 331; **T 460/95** ABl 1998, 587.
4 **G 2/04**, ABl 2005, 547 – »Übertragung des Einspruchs/HOFFMANN-LA ROCHE«, Nr 2.
5 **T 309/03**, ABl 2004, 91.

2 Fristen für die Einlegung und Begründung der Beschwerde

5 Nach Art 108 Satz 1 beträgt die Frist für die Einlegung der Beschwerde zwei Monate nach Zustellung der Entscheidung. Die Beschwerdebegründungsfrist endet vier Monate nach Zustellung der Entscheidung. Ist die Beschwerdefrist oder die Beschwerdebegründungsfrist versäumt, wird die Beschwerde nach R 65 (1) als unzulässig verworfen.[6] Auf Grund einer unzulässigen Beschwerde kann keine Teilanmeldung eingereicht werden.[7]

6 Obwohl die Beschwerdefrist erst mit der Zustellung der Entscheidung zu laufen beginnt, ist eine Beschwerde auch dann zulässig, wenn sie nach Verkündung einer Entscheidung in der mündlichen Verhandlung, aber vor Zustellung der schriftlich begründeten Entscheidung eingelegt wird.[8]

7 Die erste Instanz kann bei einer Berichtigung ihrer Entscheidung die Beschwerdefrist nicht neu festlegen. Nach einem obiter dictum in **T 313/86** vom 12.1.1988 habe allerdings die Beschwerdekammer die Befugnis zu entscheiden, ab wann die Beschwerdefrist laufe; dabei dürfte es darauf ankommen, ob der Berichtigungsbeschluss eine über die berichtigte Entscheidung hinausgehende Beschwer enthalte. Entscheidend ist die Sachlage im jeweiligen Fall; je nach Sachverhalt kann es unterschiedliche Lösungen geben.[9]

8 Bei Versäumung der Fristen nach Art 108 ist **Wiedereinsetzung** in den vorigen Stand nach Art 122 möglich.[10] Durch die Wiedereinsetzung wird eine bereits ausgesprochene Verwerfung als unzulässig gegenstandslos. Ein Einsprechender kann zwar in die versäumte Beschwerdebegründungsfrist wiedereingesetzt werden,[11] nicht jedoch in die Frist für die Einlegung der Beschwerde.[12]

3 Form und Sprache der Beschwerdeschrift und der Beschwerdebegründung

9 Die Beschwerde ist schriftlich einzureichen (Art 108 Satz 1). Ein Formblatt ist hierfür nicht vorgesehen. Die Beschwerde kann nach der Neufassung der R 1 (1) in jeder Amtssprache des EPA abgefasst werden (zur Einreichung in einer anderen Sprache siehe Rdn 27–29). In Schriftsätzen darf jedoch aus der (deut-

---

6 ZB **T 1187/02** vom 16.7.2003.
7 **J 28/03**, ABl 2005, 597, Nr 17, 18; Art 106 Rdn 25.1.
8 **T 389/86**, ABl 1988, 87.
9 Vgl. etwa **T 75/84** vom 22.2.1988 und **T 830/03** vom 21.9.2004.
10 **T 13/82**, ABl 1983, 411.
11 **G 1/86**, ABl 1987, 447 – »Wiedereinsetzung des Einsprechenden/VOEST ALPINE«.
12 **T 210/89**, ABl 1991, 433 im Anschluss an **G 1/86**; siehe auch Art 122 Rdn 40.

schen) Übersetzung eines in einer anderen Amtssprache (Französisch) abgefassten Patents zitiert werden.[13]

10 Die Beschwerde ist beim EPA einzureichen (Art 108 Satz 1), also am Sitz des EPA in München, bei der Zweigstelle in Den Haag oder bei der Dienststelle in Berlin; München ist im Interesse eines zügigen Verfahrens vorzuziehen.[14] Die Dienststelle Wien des EPA ist keine Annahmestelle im Sinne des Art 75 (1) a) EPÜ.[15] Anders als die Einreichung einer europäischen Patentanmeldung ist – mangels einer besonderen Bestimmung – die Einlegung einer Beschwerde über die nationalen Behörden eines Vertragsstaats nicht möglich.

11 Da es sich um *Unterlagen nach Einreichung der europäischen Patentanmeldung* iSd R 36 handelt, richten sich die formalen Anforderungen nach R 36 (2) ff. Hierzu sind der Beschluss des Präsidenten vom 6.12.2004 über die Einreichung von Patentanmeldungen und anderen Unterlagen durch Telefax und die Mitteilung des EPA vom 6.12.2004 über die Einreichung von Patentanmeldungen und anderen Unterlagen ergangen.[16] Danach kann eine Beschwerde auch durch Telefax eingereicht werden.[17] Ein Bestätigungsschreiben ist in der Regel nicht erforderlich und nur auf Aufforderung des zuständigen Organs, zB bei mangelhafter Qualität des Telefax,[18] innerhalb einer nicht verlängerbaren Frist von einem Monat nachzureichen;[19] kommt der Absender dieser Aufforderung nicht rechtzeitig nach, gilt das Telefax als nicht eingegangen.[20] Ist das auf diesem Wege eingereichte Schriftstück unleserlich oder unvollständig übermittelt worden, gilt es insoweit als nicht eingegangen, als es unleserlich oder der Übermittlungsversuch gescheitert ist.[21] Eine Beschwerde kann noch nicht über *epoline*® eingereicht werden;[22] eine auf diesem Weg ans EPA gelangte Beschwerde gilt als nicht eingereicht und entfaltet keine rechtliche Wirkung.[23]

---

13 **T 706/91** vom 15.12.1992.
14 Vgl Mitteilung des EPA vom 2.6.1992 über die Einreichung von Patentanmeldungen und anderen Unterlagen, ABl 1992, 306, Nr 2.2; Hinweise für die Parteien und ihre Vertreter im Beschwerdeverfahren siehe ABl 2003, 419, Nr 1.7. Siehe auch die Mitteilung des EPA über die Adressierung von Postsendungen an das EPA, ABl 2002, 374.
15 Siehe MittEPA vom 18.6.2002, ABl 2002, 374.
16 ABl 2005, 41 und 44.
17 PräsBeschl, ABl 2005, 41, Art 2, und MittEPA, ABl 2005, 44, Nr 2.
18 MittEPA ABl, 2005, 44, Nr 4.2.
19 PräsBeschl, ABl 2005, 41, Art4 (2). .
20 R 36 (5) EPÜ; PräsBeschl ABl 2005, 41, Art 4 (2)).
21 PräsBeschl, ABl 2005, 41, Art 3; MittEPA, ABl 2005, 44, Nr 5.3).
22 Siehe MittEPA, ABl 2003, 609, Nr 1.
23 **T 514/05** vom 8.9.2005, ABl 2006, 526; **T 991/04** vom 22.11.2005; **T 781/04** vom 30.11.2005. Jedoch wurde in den beiden zuletzt genannten Entscheidungen die Beschwerde wegen besonderer Umstände (Anwendung des Grundsatzes des Vertrauensschutzes, Wiedereinsetzung) letztlich doch für zulässig erachtet.

Artikel 108 *Frist und Form*

12 Auch für die Begründung der Beschwerde schreibt Art 108 Satz 3 die Schriftform vor; insoweit gelten die gleichen Grundsätze wie für die Einlegung der Beschwerde.

4 Inhalt der Beschwerdeschrift und der Beschwerdebegründung

13 a) In R 64 wird der Mindestinhalt der **Beschwerdeschrift** festgelegt.

14 R 64 a) schreibt die Angaben vor, die zur Identifizierung des Beschwerdeführers notwendig sind. Die Vorschrift deckt sich inhaltlich weitgehend mit R 55 a). Der Sitzstaat des Beschwerdeführers muss jedoch in der Beschwerdeschrift nicht angegeben werden; denn er war bereits im Verfahren vor der ersten Instanz für die Prüfung festzustellen, ob der Beteiligte nach Art 133 (2) einen Vertreter benötigt.

15 R 64 b) schreibt vor, dass die Beschwerdeschrift einen Antrag enthalten muss, der die angefochtene Entscheidung und den Umfang angibt, in dem ihre Änderung oder Aufhebung begehrt wird. Ist der Umfang des Antrags nicht ausdrücklich angegeben, so wird geprüft, ob er sich aus dem gesamten Vorbringen des Beschwerdeführers ergibt.[24] Da der Beschwerdeantrag den Gegenstand des Beschwerdeverfahrens definiert,[25] empfiehlt sich eine sorgfältige Formulierung. Aus der Beschwerdeschrift muss sich die definitive Absicht ergeben, die Entscheidung anzufechten; wird sie nur unter einer Bedingung eingelegt, zB dass einem anderen Antrag, zB auf Wiedereinsetzung, nicht stattgegeben wird, so ist die Beschwerde unzulässig.[26]

16 Betrifft eine Entscheidung mehrere Gegenstände (zB verschiedene selbständige Teilgegenstände einer Anmeldung), so erlangen die Teile der Entscheidung Rechtskraft, die nicht mit der Beschwerde angegriffen worden sind.[27]

17 Die Nichtbefolgung der R 64 a) einerseits und R 64 b) andererseits führt nach R 65 zu unterschiedlichen Rechtsfolgen (siehe Art 110 Rdn 31 f).

18 b) Die Beschwerdebegründung und die Erwiderung müssen den vollständigen Sachvortrag eines Beteiligten enthalten. Sie müssen deutlich und knapp angeben, aus welchen Gründen die Entscheidung angefochten oder verteidigt wird, und sollen ausdrücklich oder durch eine genaue Bezugnahme auf im erstinstanzlichen Verfahren eingereichte Unterlagen alle Tatsachen, Argumente und Beweismittel sowie alle Anträge enthalten.[28] Die Beschwerdebegründung darf sich inhaltlich nicht darin erschöpfen, die Unrichtigkeit der angegriffenen Entscheidung zu behaupten. Diesen Anforderungen genügt sie zB nicht, wenn

---

24 **T 32/81**, ABl 1982, 225; **T 7/81**, ABl 1983, 98; **T 925/91**, ABl 1995, 469; **T 708/00**, ABl 2004, 160; **T 89/85** vom 7.12.1985.
25 Vgl **G 9/92**, ABl 1994, 875 – »Nicht-beschwerdeführender Beteiligter/BMW«.
26 **J 16/94**, ABl 1997, 331.
27 **J 27/86** vom 13.10.1987.
28 Art 10a (2) VerfOBK, ABl 2003, 89.

lediglich pauschal auf Stellen aus dem Stand der Technik oder auf die Prüfungsrichtlinien verwiesen wird, ohne dass hinreichend ersichtlich ist, was der Beschwerdeführer daraus herleiten will.[29] Auch ein pauschaler Verweis auf Vorbringen in der ersten Instanz ist grundsätzlich nicht ausreichend.[30]

In Ausnahmefällen kann schon eine sehr knappe, aus der Beschwerdeschrift und der Fallkonstellation ableitbare Begründung ausreichen.[31] 19

Wurde ein Einspruch wegen ungenügender Substantiierung als unzulässig verworfen, setzt sich aber die Beschwerdebegründung nur mit der Patentierbarkeit auseinander, ohne die Zulässigkeit des Einspruchs darzulegen, so ist die Beschwerde mangels ausreichender Begründung unzulässig.[32] Hat die Einspruchsabteilung eine Prüfung in der Sache vorgenommen, obwohl der Einspruch als unzulässig verworfen wurde, so ist eine Beschwerdebegründung, die nur auf die sachlichen Probleme, nicht aber auf die Zulässigkeit des Einspruchs eingeht, eigentlich ungenügend; wegen des widersprüchlichen Verhaltens der Einspruchsabteilung gebietet jedoch der Grundsatz des Vertrauensschutzes, die Beschwerde trotzdem zuzulassen.[33] 20

In **T 147/95** vom 14.11.1995 wird ausgeführt, es sei nicht notwendig, dass sich die Beschwerdebegründung mit den Argumenten der angefochtenen Entscheidung auseinandersetze; es sei nur erforderlich, dass die Beschwerdebegründung rechtliche und tatsächliche Gründe angebe, aus denen sich die Unrichtigkeit der angefochtenen Entscheidung ergeben soll, dh die Beschwerdebegründung muss die Entscheidung anfechten und nicht unbedingt die Argumente, die zur Entscheidung führten. Nach **J xx/87** gilt eine Beschwerde als ausreichend begründet, wenn sie sich auf eine neue Tatsache bezieht, die, wenn sie sich bestätigt, der angegriffenen Entscheidung ihre rechtliche Grundlage entzieht.[34] Die Beschwerde eines Pateninhabers ist ausreichend begründet, wenn mit ihr geänderte Ansprüche eingereicht werden, die der angefochtenen Entscheidung die Grundlage entziehen, auch wenn nicht ausgeführt wird, warum die erstinstanzliche Entscheidung falsch sei, da es wäre sinnlos, vom Patentinhaber Ausführungen zur Stützung von Ansprüchen zu verlangen, die er nicht länger verteidigt.[35] Wird in der Beschwerdebegründung ein völlig neuer Sachverhalt präsentiert, so wird die Sache in der Regel an die erste Instanz zurückver- 21

---

29 **T 220/83**, ABl 1986, 249; **T 250/89**, ABl 1992, 355.
30 ZB **T 154/90**, ABl 1993, 505, Nr 1.2. **T 188/92** vom 15.12.1992 und **T 646/92** vom 13.9.1994 fassen die bisherige Rechtsprechung zusammen.
31 **J 22/86**, ABl 1987, 280; **T 257/86** vom 19.4.1988; in **T 250/89**, ABl 1992, 355 war keine Begründung ableitbar.
32 **T 213/85**, ABl 1987, 482.
33 **T 925/91**, ABl 1995, 469.
34 **J xx/87**, ABl 1988, 323.
35 **T 934/02** vom 29. 4.2004.

wiesen.[36] Da nach **G 9/91, G 10/91** das Beschwerdeverfahren sich in demselben rechtlichen und tatsächlichen Rahmen bewegen soll wie das Verfahren vor der Einspruchsabteilung,[37] wurden die Grenzen für völlig neuen Sachvortrag jetzt eng gezogen. Im Fall **T 1007/95** war der zurückgewiesene Einspruch nur auf das Fehlen erfinderischer Tätigkeit gestützt. Seine Beschwerde begründete der Einsprechende anhand eines neuen Dokuments, das neuheitsschädlich sei. Da zwischen der erstinstanzlichen Entscheidung und der Beschwerdebegründung keinerlei Beziehung mehr bestand – weder in Gestalt desselben Einspruchsgrundes noch durch dieselben technischen Elemente – handelte es sich praktisch um einen neuen Einspruch und die Kammer entschied, die Beschwerde sei unzulässig.[38]

22   Die Mindesterfordernisse des Art 108 EPÜ sind erfüllt, wenn die Beschwerdeschrift so aufgefasst werden kann, dass sie einen Antrag auf Aufhebung der betreffenden Entscheidung mit der Begründung enthält, diese sei nicht mehr gerechtfertigt, weil die in einer früheren Mitteilung des EPA genannten Bedingungen inzwischen erfüllt worden seien.[39]

5 Entrichtung der Beschwerdegebühr

23   Die Beschwerde gilt erst als eingelegt, wenn die Beschwerdegebühr entrichtet worden ist (Art 108 Satz 2). Diese bereits im ersten Arbeitsentwurf von 1961 enthaltene Regelung bedeutet, dass die Beschwerdeschrift ohne Zahlung der Beschwerdegebühr lediglich ein Stück Papier ohne rechtliche Wirkung ist. Die Höhe der Beschwerdegebühr legt Art 2 Nr 11 GebO fest.

24   Wird die **Beschwerdegebühr nicht rechtzeitig entrichtet,** so ist die Beschwerde nicht unzulässig (wie bei anderen formalen Mängeln), sondern gemäß der Sondervorschrift des Art 108 Satz 2 rechtlich nicht existent. Sie wird daher nicht als unzulässig verworfen; vielmehr wird in der Entscheidungsformel festgestellt, dass sie als nicht eingelegt gilt. Eine verspätet bezahlte Beschwerdegebühr wird auch ohne Antrag von Amts wegen zurückerstattet, weil die Einlegung der Beschwerde nicht rechtswirksam wurde und daher die Beschwerdegebühr grundlos entrichtet worden ist.[40] Ist dagegen die Beschwerde unzulässig, oder wird sie zurückgenommen, ist die Beschwerdegebühr nicht zurückzuzahlen (siehe unter Art 111 Rdn 36).

25   Wird die Beschwerdegebühr nicht voll bezahlt, so kann ein geringfügiger Fehlbetrag aus Billigkeitsgründen nach Art 9 (1) GebO unbeachtlich sein. Zur

---

36 **T 611/90**, ABl 1993, 50: die Beschwerde wurde zugelassen, weil der neue Vortrag des Einsprechenden noch unter denselben Einspruchsgrund falle.
37 **G 9/91**, ABl 1993, 408 – »Prüfungsbefugnis/ROHM und HAAS« und **G 10/91**, ABl 1993, 420 – »Prüfung von Einsprüchen/Beschwerden«.
38 **T 1007/95**, ABl 1999, 733.
39 **J 2/87**, ABl 1988, 330.
40 **J 21/80**, ABl 1981, 101; **J 16/82**, ABl 1983, 262; **T 324/90**, ABl 1993, 33.

Klarstellung sei bemerkt, dass Fehlbeträge grundsätzlich nachbezahlt werden müssen; jedoch kann nach R 91 auf die Beitreibung geringfügiger Beträge verzichtet werden.

Andererseits stellt die Zahlung der **Beschwerdegebühr allein** noch **keine wirksame Einlegung einer Beschwerde** dar; wird eine Beschwerdeschrift nicht rechtzeitig eingereicht, existiert die Beschwerde nicht und die im voraus entrichtete Beschwerdegebühr ist zurückzuerstatten.[41] 26

6 Gebührenermäßigung bei Beschwerde in einer zugelassenen Nichtamtssprache

Unter den Voraussetzungen des Art 14 (2) und (4) kann eine Beschwerde in einer zugelassenen Nichtamtssprache des EPA eingereicht werden. Es muss aber eine Übersetzung in eine Amtssprache des EPA nachgereicht werden; geschieht dies nicht innerhalb eines Monats (R 6 (2)) bzw bis zum Ablauf der Beschwerdefrist, so gilt die Beschwerde als nicht eingelegt (Art 14 (5)), und die Beschwerdegebühr ist (ebenso wie bei ihrer nicht rechtzeitigen Zahlung, siehe Rdn 24) zurückzuerstatten.[42] Werden die Übersetzungserfordernisse bzgl der Beschwerdeschrift, nicht aber bzgl der Beschwerdebegründung erfüllt, ist die Beschwerde unzulässig und die Beschwerdegebühr wird nicht zurückerstattet; denn durch die Einreichung der Beschwerdeschrift in einer zugelassenen Nichtamtssprache, Zahlung der Gebühr und Einreichung der Übersetzung ist ein Beschwerdeverfahren anhängig geworden. 27

Nach R 6 (3) iVm Art 12 (1) GebO kann bei Einreichung eines fristgebundenen Schriftstücks in einer zugelassenen Nichtamtssprache eine Gebührenermäßigung um 20% erlangt werden. Voraussetzung ist, dass zumindest das wesentliche Schriftstück der Verfahrenshandlung,[43] in diesem Fall die Beschwerdeschrift, spätestens gleichzeitig[44] mit der notwendigen Übersetzung in eine Amtssprache eingereicht wird.[45] 28

Im Falle unberechtigter Inanspruchnahme dieser Gebührenermäßigung fragt sich, ob der Fehlbetrag von 20% noch als geringfügig im Sinne von Art 9 (1) GebO angesehen werden und daher unberücksichtigt bleiben kann.[46] 29

---

41 **T 371/92**, ABl 1995, 324; **T 696/95** vom 16.11.1995.
42 **T 323/87**, ABl 1989, 343; a.A. **T 126/04** vom 29. 6. 2004: Beschwerde unzulässig.
43 So schon **T 290/90**, ABl 1992, 368.
44 Vgl schon **J 4/88**, ABl 1989, 483.
45 **G 6/91**, ABl 1992, 491 – »Gebührenermäßigung/ASULAB II«; siehe auch Art 14 Rdn 38–43.
46 Bejahend: **T 290/90**, ABl 1992, 368 und **J 27/92**, ABl 1995, 288; ablehnend: **T 905/90**, ABl 1994, 306, Korrigendum 556.

7 Feststellung der Nichtzahlung der Beschwerdegebühr

30 Die Feststellung, dass die Beschwerdegebühr nicht oder verspätet entrichtet worden ist und dass daher die Beschwerde als nicht eingelegt gilt, wird dem Beschwerdeführer nach R 69 (1) mitgeteilt. Das geschieht durch Geschäftsstellenbeamte, denen diese Aufgabe nach dem Beschluss des Präsidiums der Beschwerdekammern vom 31.3.1985 übertragen worden ist.[47]

31 Verlangt der Beschwerdeführer nach R 69 (2) innerhalb von zwei Monaten eine Entscheidung des EPA, so erlässt diese Entscheidung die zuständige Beschwerdekammer.[48] Bei Versäumung der 2-Monatsfrist kann Wiedereinsetzung nach Art 122 gewährt werden. Aus Art 106 (1) ergibt sich, dass gegen die Entscheidung der Beschwerdekammer nach R 69 (2) kein Rechtsmittel zur Verfügung steht.

8 Rücknahme der Beschwerde

32 a) Eine gültig eingelegte Beschwerde kann zurückgenommen werden. Die Zustimmung der Beschwerdekammer ist hierzu nicht erforderlich. Das ergibt sich aus dem EPÜ, in dem ausdrücklich angegeben ist, in welchen Fällen es nicht zulässig ist, einen Antrag zurückzunehmen (zB Verbot der Zurücknahme des Prüfungsantrags nach Art 94 (2) Satz 3); beim Einspruchsverfahren bestimmt R 60 (2) Satz 2, welche Folgen die Zurücknahme des Einspruchs haben kann – auch wenn die Zurücknahme des Einspruchs selbst nicht ausdrücklich geregelt ist.[49]

33 Die Rücknahme der Beschwerde des einzigen Beschwerdeführers **beendet** im einseitigen und im zweiseitigen Verfahren das **Beschwerdeverfahren**, was die Sachfragen angeht.[50] Das folgt aus dem Verfügungsgrundsatz (Dispositionsmaxime), der im Verfahren vor den Beschwerdekammern ebenso gilt wie in anderen gerichtlichen Verfahren.

34 Eine Beschwerdekammer kann, soweit es die durch die angefochtene Entscheidung der ersten Instanz entschiedenen Sachfragen angeht, das Einspruchsbeschwerdeverfahren nicht fortsetzen, nachdem der einzige Beschwerdeführer, der in erster Instanz Einsprechender war, seine Beschwerde zurückgenommen hat.[51] R 60 (2) Satz 2 findet im Einspruchsbeschwerdeverfahren keine analoge Anwendung. Denn im Unterschied zum Verwaltungsverfahren vor der Einspruchsabteilung, die nach dieser Regel ein Einspruchsverfahren von Amts wegen auch nach Rücknahme des Einspruchs fortsetzen kann, ist das Einspruchsbeschwerdeverfahren ein verwaltungs*gerichtliches* Verfahren, in dem eine sol-

---

47 ABl 1985, 249 und 2002, 590, Nr 10, Anhang 10.
48 **J 2/78**, ABl 1979, 283; **J 21/80**, ABl 1981, 101.
49 **J 19/82**, ABl 1984, 6.
50 **G 8/91**, ABl 1993, 346 – »Rücknahme der Beschwerde/BELL«.
51 **G 7/91**, ABl 1993, 356 – »Rücknahme der Beschwerde/BASF«.

che Ausnahme vom Verfügungsgrundsatz viel stärker begründet werden müsste.

Nur wenn noch mindestens ein weiterer Beteiligter vorhanden ist, der eine 35 (zulässige) Beschwerde eingelegt und die Beschwerdegebühr bezahlt hat,[52] wird das Beschwerdeverfahren auch nach Rücknahme der Beschwerde durch den anderen Beschwerdeführer fortgesetzt. Wer nur nach Art 107 Satz 2 am Beschwerdeverfahren beteiligt ist, kann nach Rücknahme aller Beschwerden das Beschwerdeverfahren nicht fortsetzen[53] – selbst wenn er, weil beschwert, Beschwerde hätte einlegen können.

Ist die Beschwerde zurückgenommen, so kann noch über die Frage entschie- 36 den werden, ob die Rücknahme der Beschwerde rechtswirksam erfolgt ist, oder ob infolge einer Übertragung der Beteiligtenstellung die Befugnis zur Rücknahme des Rechtsmittels fehlte.[54] Auch über **Nebenfragen** wie Anträge auf Rückzahlung der Beschwerdegebühr[55] oder Anträge auf Kostenverteilung nach Art 104[56] kann noch entschieden werden.

b) **J 19/82** hat die **teilweise Zurücknahme** der Beschwerde zugelassen, wenn 37 sich der betreffende Teil auf einen besonderen Punkt bezieht, auf den in der angefochtenen Entscheidung gesondert eingegangen worden ist (in diesem Fall auf einen Wiedereinsetzungsantrag, der neben einem Berichtigungsantrag gestellt war). Da es möglich ist, durch einen begrenzten Beschwerdeantrag die Beschwerde auf bestimmte Gegenstände zu begrenzen, muss auch die Teilrücknahme möglich sein.[57]

In **T 6/92** vom 26.10.1993 hatte der Einsprechende seine Beschwerde unter 38 der Bedingung zurückgenommen, dass der Patentinhaber seinen Anspruch beschränkt. Nach erfolgter und nach Art 123 zulässiger Beschränkung des Patentgegenstandes erklärte die Beschwerdekammer, sie sei infolge der Teilrücknahme der Beschwerde zur materiell-rechtlichen Überprüfung des verbleibenden, beschränkten Gegenstandes nicht mehr befugt; nach Wegfall der Beschwerde gegen die Aufrechterhaltung des Patents in der so beschränkten Fassung sei dieses daher im vom Patentinhaber beantragten geänderten Umfang ohne weitere Prüfung aufrechtzuerhalten.

c) Die **Rücknahme des Einspruchs im Beschwerdeverfahren** ist, wenn der 39 **Einsprechende einziger Beschwerdeführer** ist, gleichbedeutend mit einer Rücknahme der Beschwerde: Das Verfahren wird für die Sachfragen unmittelbar beendet, unabhängig davon, ob der Patentinhaber der Verfahrensbeendi-

---

52 **G 2/91**, ABl 1992, 206 – »Beschwerdegebühren/KROHNE«.
53 **G 2/91**; **G 8/91**, ABl 1993, 346 – »Rücknahme der Beschwerde/BELL«.
54 **T 659/92**, ABl 1995, 519.
55 **T 41/82**, ABl 1982, 256, Nr 6; **J 12/86**, ABl 1988, 83.
56 **T 117/86**, ABl 1989, 401; **T 323/89**, ABl 1992, 169; **T 614/89** vom 11.6.1992; **T 765/89** vom 8.7.1993; **T 719/93** vom 22.9.1994.
57 **J 19/82**, ABl 1984, 6.

gung zustimmt, oder ob die Beschwerdekammer der Auffassung ist, die Voraussetzungen für eine Aufrechterhaltung des europäischen Patents seien nicht erfüllt;[58] Erklärungen nach Rücknahme des Einspruchs sind unbeachtlich.[59]

40 Ist dagegen der **Einsprechende Beschwerdegegner**, hat die Rücknahme des Einspruchs keinen Einfluss auf das Beschwerdeverfahren.[60] In **T 789/89** wird in einem ausführlichen obiter dictum dargelegt, dass der Beschwerdegegner zwar hinsichtlich der Sachfragen nicht mehr am Beschwerdeverfahren beteiligt sei, es jedoch für die Frage der Kostenverteilung bleibe.[61]

Artikel 109 Abhilfe

(1) Erachtet das Organ, dessen Entscheidung angefochten wird, die Beschwerde für zulässig und begründet, so hat es ihr abzuhelfen. Dies gilt nicht, wenn dem Beschwerdeführer ein anderer an dem Verfahren Beteiligter gegenübersteht.

(2) Wird der Beschwerde innerhalb von drei Monaten nach Eingang der Begründung nicht abgeholfen, so ist sie unverzüglich ohne sachliche Stellungnahme der Beschwerdekammer vorzulegen.

Ulrich Joos

Übersicht

1	Allgemeines	1
2	Zuständigkeit	2-4
3	Zulässigkeit der Abhilfe	5-9
4	Fälle der Abhilfe	10-11
5	Rückzahlung der Beschwerdegebühr	12-13
6	Weiterleitung der Beschwerde an die Beschwerdekammer	14-16

1 Allgemeines

1 Im Interesse der Verfahrensökonomie soll in eindeutigen Fällen nicht gleich eine Beschwerdekammer mit der Beschwerde befasst werden, vielmehr soll die Stelle, die die Entscheidung erlassen hat, sie auch wieder aufheben können. Für Beschwerden, die nach dem 1.1.1999 eingereicht wurden, ist die Abhilfefrist

---

58 **G 8/93**, ABl 1994, 887 – »Rücknahme des Einspruchs/SERVANE II«; **T 117/86**, ABl 1989, 401; **T 323/89**, ABl 1992, 169.
59 **T 381/89** vom 22.2.1993.
60 So insbesondere **T 629/90**, ABl 1992, 654.
61 **T 789/89**, ABl 1994, 482; bestätigt in **T 82/92** vom 4.5.1994 und **T 884/91** vom 8.2.1994.

von einem auf drei Monate verlängert worden.[1] Art 109 wird ergänzt durch die im Abhilfeverfahren ebenfalls anzuwendende R 67 über die Rückzahlung der Beschwerdegebühr. In den PrüfRichtl, E-XI, 7, sind weitere Einzelheiten enthalten. Das Institut der Abhilfe wurde aus dem schweizerischen und deutschen Patentrecht übernommen.

2 Zuständigkeit

Die beim EPA einzureichende Beschwerde wird zuerst der Stelle zugeleitet, die die angegriffene Entscheidung erlassen hat. Sofern dem Beschwerdeführer kein anderer Beteiligter gegenübersteht (Art 109 (1) Satz 2), hat diese Stelle zu prüfen, ob die Beschwerde zulässig und begründet ist.

Handelt es sich also um die Entscheidung der Eingangsstelle oder der Rechtsabteilung, so befindet über die Abhilfe ein Bediensteter des betreffenden Organs; bei einer Entscheidung der Prüfungsabteilung ist die aus 3 oder 4 Prüfern bestehende Prüfungsabteilung zuständig.

Hat ein Formalsachbearbeiter aufgrund der Übertragung von Geschäften auf die Formalsachbearbeiter (ABl 1999, 504) die Entscheidung erlassen, so ist er auch für das Abhilfeverfahren zuständig. Aber auch die an sich zuständige Prüfungsabteilung kann sich mit der Abhilfe beschäftigen (vgl Abschnitt III der Mitteilung im ABl 1999, 504, 509).

3 Zulässigkeit der Abhilfe

Die Abhilfe ist nach Art 109 (1) Satz 2 nur zulässig, wenn dem Beschwerdeführer kein anderer an dem Verfahren Beteiligter gegenübersteht, also in einseitigen Verfahren. In mehrseitigen Verfahren, wenn sich die Beteiligten gegenüberstehen, ist sie unzulässig.

In der Regel sind die Verfahren vor der Eingangsstelle, der Rechtsabteilung und der Prüfungsabteilung einseitige Verfahren; jedoch kann es auch hier zu mehrseitigen Verfahren kommen. Sind mehrere Anmelder als gemeinsame Anmelder am Verfahren beteiligt, so handelt es sich nicht um ein Gegenüberstehen, so dass eine Abhilfe grundsätzlich zulässig ist, es sei denn, die Anmelder streiten sich gerade untereinander.

Abhilfe ist nicht möglich, wenn es sich um Entscheidungen über Anträge Dritter zur Berichtigung der Erfindernennung (R 19), auf Aussetzung des Verfahrens (R 13), auf Eintragung im europäischen Patentregister (R 20 ff) und ähnliches handelt.

Im Einspruchsverfahren stehen sich Patentinhaber und Einsprechender gegenüber, weshalb Abhilfe unzulässig ist. Jedoch können sich auch im Zusammenhang mit Einspruchsverfahren Verfahrenskonstellationen ergeben, in denen Abhilfe möglich ist: Die Prüfungsrichtlinien nennen die Beschwerde des

---

1 ABl 1999, 301, 302; siehe Rdn 14–16.

Patentinhabers nach Zurücknahme aller Einsprüche (Teil E-XI, 7); die Einsprechenden sind dann nicht mehr am Beschwerdeverfahren beteiligt (siehe Art 107 Rdn 4). Wird ein Einspruch oder eine Beitrittserklärung als unzulässig verworfen, so führt die Beschwerde des Einsprechenden oder Beitretenden gegen diese Entscheidung nicht zu einem einseitigen, sondern zu einem mehrseitigen Verfahren.

9 Abhilfe ist nur zulässig, wenn die streitige Frage unmittelbar anhand des Vortrags in der Beschwerdeschrift und der Beschwerdebegründung entschieden werden kann. In manchen Fällen kann zwar eine Kontaktaufnahme mit dem Beschwerdeführer hilfreich sein. Allerdings darf sie nicht durch Schriftstücke aktenkundig gemacht werden, die eine sachliche Stellungnahme zur Begründetheit der Beschwerde enthalten und Dritten bei der Akteneinsicht oder (im Fall der Weiterleitung der Beschwerde) der Kammer zugänglich sind.[2]

Es ist eine Eigenheit des Verfahrensinstituts der Abhilfe, dass das erstinstanzliche Organ zwar befugt ist, einer Beschwerde stattzugeben, sie aber nicht als unzulässig verwerfen oder zurückweisen darf.[3] Ein Antrag auf Wiedereinsetzung in eine die Beschwerde selbst betreffende Frist fällt grundsätzlich nicht in die Zuständigkeit der ersten Instanz.[4] Jedoch sollte das Organ, das die angefochtene Entscheidung erlassen hat, auch eine solche Wiedereinsetzung prüfen, vorausgesetzt, es kann noch innerhalb der Abhilfefrist darüber positiv entscheiden und die Voraussetzungen für die Abhilfe sind gleichfalls gegeben (PrüfRichtl E-VIII, 2.2.7); denn in klaren Fällen ist die Einschaltung einer Beschwerdekammer nicht notwendig.

4 Fälle der Abhilfe

10 Die Abhilfemöglichkeit ist nur gedacht für Beschwerden, deren Zulässigkeit und Begründetheit sofort festgestellt werden kann. Die PrüfRichtl, E-XI, 7, nennen beispielhaft Situationen, in denen Abhilfe gewährt werden könnte:

- das zur Zeit der Entscheidung im Verfahren befindliche Material ist nicht gebührend berücksichtigt;
- rechtzeitig beim EPA eingereichtes Material gelangt aufgrund eines Versehens des Amtes nicht rechtzeitig vor Erlass der Entscheidung an das zuständige Organ;
- die Entscheidung erscheint zwar richtig, der Anmelder bringt aber neue Angaben oder Beweismittel vor;[5]

---

2 **T 1097/92** vom 27.9.1993.
3 **G 3/03**, ABl 2005, 344 – »Rückzahlung der Beschwerdegebühr/HIGHLAND«, Nr 2.
4 **T 473/91**, ABl 1993, 630.
5 **T 648/94** vom 26.10.1994.

- der Anmelder reicht Änderungen der Anmeldung ein, die die in der angefochtenen Entscheidung erhobenen Einwände ausräumen; in diesen Fällen hat die Prüfungsabteilung kein Ermessen, sondern muss abhelfen.[6]

Möglich ist eine »reformatorische« Abhilfe, dh dem Beschwerdeführer wird das gewährt, was ihm mit der angefochtenen Entscheidung abgeschlagen wurde. Möglich und häufig ist aber auch die »rein kassatorische« Abhilfe, dh die angefochtene Entscheidung wird wegen des begründeten Beschwerdevorbringens aufgehoben und das Prüfungsverfahren fortgesetzt: Das wiederaufgenommene Prüfungsverfahren kann zur Erteilung des Patents führen oder zu einer erneuten Zurückweisung mit anderer Begründung oder aufgrund einer neuen Sachlage.[7]

5 Rückzahlung der Beschwerdegebühr

Ebenso wie bei Stattgabe der Beschwerde durch die Beschwerdekammer (siehe Art 111 Rdn 32) wird auch im Fall der Abhilfe die Rückzahlung der Beschwerdegebühr nach R 67 angeordnet. Die Rückzahlung der Beschwerdegebühr erfolgt nicht automatisch, sondern nur, wenn sie wegen eines wesentlichen Verfahrensmangels der Billigkeit entspricht. Letzteres ist nicht der Fall, wenn der Beschwerdeführer erst in dem Beschwerdeschriftsatz den Vorschlägen der Prüfungsabteilung nachkommt. Für die Entscheidung, die Beschwerdegebühr trotz der Gewährung von Abhilfe **nicht** zurückzuzahlen, ist ausschließlich die Beschwerdekammer zuständig, die in der Sache für die Beschwerde zuständig wäre, wenn ihr nicht abgeholfen worden wäre. Denn die Entscheidung des erstinstanzlichen Organs, der Beschwerde abzuhelfen, darf den Beschwerdeführer nicht beschweren.[8] Daher muss die Prüfungsabteilung, die der Beschwerde abhilft, jedoch die Voraussetzungen für die Rückzahlung der Beschwerdegebühr nicht als erfüllt ansieht, die Sache wegen der Entscheidung über die Rückzahlung der Beschwerdekammer vorlegen.[9] Der Rückzahlungsantrag muss jedoch gestellt werden, solange die Beschwerde noch anhängig ist.[10] Ein **wesentlicher Verfahrensmangel** liegt vor, wenn die Prüfungsabteilung einer Beschwerde nicht abhilft, obwohl sie in der Beschwerdebegründung darauf hingewiesen wurde, dass sie das Patent nicht in der gebilligten Fassung erteilt hat.[11] Ein zweiter Verfahrensfehler liegt vor, wenn nach einem wesentlichen Verfahrensfehler keine Abhilfe gewährt wird.[12]

---

6   Ständige Rechtsprechung seit **T 139/87**, ABl 1990, 68; **T 47/90**, ABl 1991, 486.
7   **T 919/95** vom 16.1.1997.
8   **G 3/03**, ABl 2005, 344 – »Rückzahlung der Beschwerdegebühr/HIGHLAND«.
9   Siehe zB **T 1183/02**, ABl 2003, 404.
10 **T 21/02** vom 20.2.2006; **T 242/05** vom 20.9.2006.
11 **T 647/93**, ABl 1995, 132.
12 **T 685/98**, ABl 1999, 346.

13 In **T 252/91** vom 4.4.1995 wurde Rückzahlung der Beschwerdegebühr angeordnet, weil (wegen eines Verfahrensfehlers) entgegen Art 109 (1) Satz 1 ein Abhilfeverfahren durchgeführt wurde, ohne dass die Prüfungsabteilung die Beschwerde für begründet hielt; es blieb bei der Zurückweisung der europäischen Patentanmeldung. Der Anmelder musste deshalb ein zweites Mal Beschwerde einlegen und erneut die Beschwerdegebühr bezahlen. Nach **T 691/91** vom 10.12.1995 eröffnet Art 109 einer Prüfungsabteilung, die eine Zurückweisungsentscheidung erlassen hat, nur zwei Möglichkeiten: Die angefochtene Entscheidung wird aufrechterhalten und die zuständige Beschwerdekammer mit der Sache befasst, oder sie wird aufgehoben; hält die Prüfungsabteilung ihre Entscheidung – um einen Verfahrensfehler zu korrigieren – in geänderter Form aufrecht, so überschreitet sie ihre Befugnisse.

6 Weiterleitung der Beschwerde an die Beschwerdekammer

14 Ist **Abhilfe nicht zulässig** (siehe Rdn 5–9), so ist die Beschwerde unverzüglich nach Eingang der Beschwerdeschrift an die Beschwerdekammer weiterzuleiten. Im Entwurf von 1972 war dies in Art 108 (3) Satz 2 noch ausdrücklich vorgeschrieben, wurde aber wohl als selbstverständlich nicht in den endgültigen Text des EPÜ übernommen.

15 Ist **Abhilfe grundsätzlich zulässig**, so stehen der ersten Instanz gemäß Art 109 (2) für die Abhilfe drei Monate nach Eingang der Beschwerdebegründung zur Verfügung. Wird der Beschwerde nicht innerhalb dieser Zeit abgeholfen, so hat das erstinstanzliche Organ die Beschwerde unverzüglich und ohne sachliche Stellungnahme an die Beschwerdekammer weiterzuleiten.

16 Die nicht rechtzeitige Weiterleitung an die Beschwerdekammer hat keine rechtlichen Folgen.[13] Die Abhilfefrist hat administrativen Charakter. Diese Charakterisierung trägt dem Zwecke des Abhilfeverfahrens – Beschleunigung und Vermeidung des aufwendigen Verfahrens vor der Beschwerdekammer bei klaren Fällen – am besten Rechnung. Nach einer abweichenden Auffassung verliert die Prüfungsabteilung nach Ablauf der Abhilfefrist ihre Entscheidungsbefugnis.[14] Wegen dieser Rechtsprechung wurde diese Frist von einem auf drei Monate verlängert, um der ersten Instanz genügend Zeit für die Prüfung der Abhilfe zu geben.

Artikel 110 Prüfung der Beschwerde

(1) Ist die Beschwerde zulässig, so prüft die Beschwerdekammer, ob die Beschwerde begründet ist.

---

13 Ebenso das deutsche Recht; siehe Benkard/Schäfers, PatG, 10. Aufl., § 73 Rn 55a; Busse/Keukenschrijver, PatG, 6. Aufl., § 73 Rn 137; jeweils m.w.N.
14 **T 939/95**, ABl 1998, 481.

(2) Bei der Prüfung der Beschwerde, die nach Maßgabe der Ausführungsordnung durchzuführen ist, fordert die Beschwerdekammer die Beteiligten so oft wie erforderlich auf, innerhalb einer von ihr zu bestimmenden Frist eine Stellungnahme zu ihren Bescheiden oder zu den Schriftsätzen anderer Beteiligter einzureichen.

(3) Unterlässt es der Anmelder, auf eine Aufforderung nach Absatz 2 rechtzeitig zu antworten, so gilt die europäische Patentanmeldung als zurückgenommen, es sei denn, dass die mit der Beschwerde angefochtene Entscheidung von der Rechtsabteilung erlassen worden ist.

Ulrich Joos

Übersicht

1	Allgemeines	1-2
2	Das Beschwerdeverfahren als gerichtliches Verfahren	3-5
3	Prüfung der Zulässigkeit	6-34
4	Prüfung der Begründetheit der Beschwerde	35-38
5	Umfang der sachlichen Prüfung im Einspruchsbeschwerdeverfahren	39-63
6	Überprüfung von Entscheidungen der Prüfungsabteilungen.	64
7	Überprüfung von Ermessensentscheidungen der ersten Instanz	65-66
8	Anwendung der für die erste Instanz geltenden Vorschriften	67-81
9	Weitere Einzelheiten des Beschwerdeverfahrens . .	82-86

1 Allgemeines

Art 110 stellt Grundsätze für die Prüfung der Beschwerde auf. Allgemein dazu Teschemacher.[1]

Gegenstand der Prüfung ist zuerst die Zulässigkeit der Beschwerde und sodann ihre Begründetheit. Im Gegensatz zum deutschen Recht wird im EPÜ grundsätzlich nicht zwischen Statthaftigkeit und Zulässigkeit der Beschwerde unterschieden.

Nach Art 110 (2) ist die Prüfung der Beschwerde nach Maßgabe der AO durchzuführen. Für die Zulässigkeitsprüfung ist R 65 heranzuziehen. Nach R 66 (1) gelten die Vorschriften für das erstinstanzliche Verfahren im Beschwerdeverfahren entsprechend, soweit nichts anderes bestimmt ist. Einige der für das erstinstanzliche Verfahren geltenden Vorschriften sind nach der

---

[1] Prozessuale Aspekte der Beschwerde, in »... und sie bewegt sich doch!« – Patent Law on the Move, FS für Gert Kolle und Dieter Stauder, hrsg von Kur, Luginbühl, Waage, Köln etc 2005, Seite 455 ff.

Rechtsprechung der Großen Beschwerdekammer im Beschwerdeverfahren nicht oder nur eingeschränkt anwendbar (siehe Rdn 67–81). R 66 (2) regelt die Form der Entscheidungen. Verfahrensbeteiligte oder nationale Gerichte können eine beschleunigte Behandlung der Beschwerde beantragen, zB wenn Verletzungsverfahren anhängig sind.[2]

2 In Art 110 (2) wird der in Art 113 (1) verankerte Grundsatz des rechtlichen Gehörs, den Art 96 (2) für das Prüfungsverfahren und Art 101 (2) für das Einspruchsverfahren betonen, wegen seiner Bedeutung für das Beschwerdeverfahren wiederholt (siehe Rdn 68). Ist die Entscheidung einer Prüfungsabteilung oder der Eingangsstelle Gegenstand der Beschwerde, so hat das Schweigen auf eine Aufforderung der Beschwerdekammer die Folge, dass – wie im Prüfungsverfahren nach Art 96 (3) – die europäische Patentanmeldung als zurückgenommen gilt (Art 110 (3)). Die Beschwerdekammern können die Beteiligten in Mitteilungen nach Art 11 (1) oder 12 VerfOBK formlos auffordern, zu Punkten Stellung zu nehmen, die die Kammer noch für klärungsbedürftig erachtet; in diesem Fall kommt Art 110 (3) auch bei Beschwerden im Prüfungsverfahren nicht zur Anwendung. Art 110 **EPÜ 2000** bestimmt, dass eine zulässige Beschwerde auf ihre Begründetheit geprüft wird und dass die Prüfung der Beschwerde nach Maßgabe der Ausführungsordnung durchgeführt wird. Dementsprechend übernimmt die Ausführungsordnung den Gehalt der gegenwärtigen Absätze 2 und 3 des Art 110.

2 Das Beschwerdeverfahren als gerichtliches Verfahren

3 Zweck des Beschwerdeverfahrens ist die Überprüfung der erstinstanzlichen Entscheidung in einem gerichtlichen Verfahren, nicht eine erneute Überprüfung der Anmeldung oder des Patents.[3] Das gerichtliche Beschwerdeverfahren ist unabhängig von den Verwaltungsverfahren vor den erstinstanzlichen Organen. Daher haben Verfahrensanträge, die im erstinstanzlichen Verfahren gestellt wurden, keine Wirkung im nachfolgenden Beschwerdeverfahren und müssen neu gestellt werden.[4]

4 Um dem gerichtlichen Charakter des Beschwerdeverfahrens Rechnung zu tragen, räumt Art 23 (3) den Mitgliedern der Beschwerdekammern richterliche Unabhängigkeit in ihren Entscheidungen ein (siehe Art 23 Rdn 6–7).

5 Die Große Beschwerdekammer hat erstmals in **G 1/86**[5] festgestellt, dass das Beschwerdeverfahren den Charakter eines gerichtlichen Verfahrens hat. Da-

---

[2] Vgl Mitteilung des Vizepräsidenten GD 3, ABl 1998, 362.
[3] **T 534/89**, ABl 1994, 464, Nr 3.1.
[4] **T 34/90**, ABl 1992, 454: Antrag auf Übersetzung in der mündlichen Verhandlung; **T 501/92**, ABl 1996, 261: Antrag auf Aufrechterhaltung des europäischen Patents.
[5] **G 1/86**, ABl 1987, 447 – »Wiedereinsetzung des Einsprechenden/VOEST ALPINE«.

raus folge, dass die Parteien, insbesondere Patentinhaber und Einsprechender, in einem anhängigen Beschwerdeverfahren gleich zu behandeln seien. **G 7/91** und **G 8/91**[6] präzisieren, dass das Verfahren vor den Beschwerdekammern ein *verwaltungs*gerichtliches Verfahren ist. Damit wird dem Umstand Rechnung getragen, dass – wie zB im deutschen Verwaltungsgerichtsverfahren nach der VwGO – auch im Beschwerdeverfahren nach dem EPÜ der Amtsermittlungsgrundsatz gilt (wenn auch mit Einschränkungen, siehe Rdn 80). Dagegen werden streitige Verfahren vor den Zivilgerichten vom Verhandlungsgrundsatz beherrscht, dh die Prozessparteien haben dem Gericht den gesamten Streitstoff zu unterbreiten und Beweis für ihre Behauptungen anzutreten; das Gericht stellt grundsätzlich keine eigenen Ermittlungen an. Ein weiteres Merkmal gerichtlicher Verfahren ist die Geltung des Verfügungsgrundsatzes (Dispositionsmaxime), dh ein Verfahren wird nicht von Amts wegen eingeleitet oder beendet, sondern aufgrund eines Antrags.[7]

3 Prüfung der Zulässigkeit

a) Nach Art 110 (1) muss zuerst die Zulässigkeit der Beschwerde geprüft werden. Die Zulässigkeitsvoraussetzungen müssen während des gesamten Verfahrens gegeben sein. Die Verweisung auf die AO in Art 110 (2) führt zu R 65, die die Zulässigkeitsvoraussetzungen nennt und vorschreibt, die Beschwerde als unzulässig zu verwerfen, wenn Mängel nicht rechtzeitig behoben werden. Vor der Verwerfung der Beschwerde als unzulässig ist der Beschwerdeführer nach Art 113 zu einer Stellungnahme aufzufordern. 6

b) Die Zulässigkeitsvoraussetzungen nach R 65 (1): 7

Die Beschwerde ist nach R 65 (1) als unzulässig zu verwerfen, wenn sie den Art 106–108 sowie R 1 (1) und 64 b) nicht entspricht. Das trifft vor allem in folgenden Fällen zu: 8

Art 106 (beschwerdefähige Entscheidungen): 9

– Die Entscheidung ist nicht von einem der in Art 106 (1) aufgeführten Organe erlassen worden, sondern zB von einer Recherchenabteilung, oder vom Präsidenten des EPA (siehe Art 106 Rdn 2–5). 10

– Es handelte sich nicht um eine Entscheidung, sondern um eine Mitteilung, Auskunft, Darlegung der Rechtslage usw (siehe Art 106 Rdn 15–19). 11

– Es wird Beschwerde gegen eine Zwischenentscheidung eingelegt, in der eine gesonderte Beschwerde nicht zugelassen ist (Art 106 (3)). 12

---

[6] **G 7/91**, ABl 1993, 356 – »Rücknahme der Beschwerde/BASF« und **G 8/91**, ABl 1993, 346 – »Rücknahme der Beschwerde/BELL«.

[7] Zu den Konsequenzen: Art 107 Rdn 39 ff, Art 108 Rdn 33, Art 110 Rdn 47 f; näher dazu Gori, Remarks on the Legal Nature of Proceedings before the Boards of Appeal ..., in: 10 Jahre Rechtsprechung der Großen Beschwerdekammer im EPA, S 57 ff.

13 – Es wird Beschwerde nur gegen eine Kostenverteilung im Einspruchsverfahren eingelegt (Art 106 (4)); zu einem Ausnahmefall siehe **T 154/90**, ABl 1993, 505 (dazu Art 106 Rdn 38).

14 – Es wird Beschwerde gegen eine Kostenfestsetzungsentscheidung eingelegt, ohne dass der streitige Betrag die in Art 11 GebO bestimmte Höhe erreicht (Art 106 (5)).

15 Art 107 (Beschwer):

16 – Die Beschwerde des Patentinhabers richtet sich gegen die Entscheidung einer Einspruchsabteilung, mit der das Patent entsprechend seinem Hauptantrag aufrechterhalten wurde; dagegen ist der Patentinhaber beschwert, wenn nur seinem Hilfsantrag, nicht aber seinem Hauptantrag stattgegeben wurde (Art 107 Rdn 20 ff).

17 – Ein Dritter, der Einwendungen nach Art 115 erhoben hatte, beschwert sich gegen die Aufrechterhaltung des Patents durch die Einspruchsabteilung (Art 115 (1) Satz 3 iVm Art 107 Satz 1).

18 – Die Beschwer fehlt bei einem Beschwerdebegehren, das über den Umfang des Antrags im erstinstanzlichen Einspruchsverfahren hinausgeht: Wer im Einspruch nur einen Teilwiderruf angestrebt hat, kann nicht mit der Beschwerde einen Widerruf des Patents in vollem Umfang begehren.[8]

19 – Die Beschwerde ist nicht im Namen des durch die angefochtene Entscheidung beschwerten Beteiligten eingelegt, sondern im Namen seines Vertreters.[9]

20 Art 108 (Frist, Form, Gebühr):

21 – Die Beschwerdefrist wurde versäumt (Art 108 Satz 1).

22 – Die Beschwerdebegründungsfrist wurde versäumt (Art 108 Satz 3).

23 – Die Beschwerde ist nicht schriftlich eingereicht worden, sondern zB als Tonbandaufzeichnung.

24 – Wurde dagegen die Beschwerdegebühr nicht oder zu spät entrichtet, so wird die Beschwerde nicht als unzulässig verworfen, sondern gilt als nicht eingelegt (siehe Art 108 Rdn 24).

25 R 1 (1) (Sprache der Beschwerde):

26 – Die Beschwerde wird weder in einer Amtssprache des EPA noch in einer zugelassenen Nichtamtssprache des EPA eingereicht, sondern zB auf Russisch oder Japanisch. Dagegen ist eine Beschwerde zulässig, die von einer der in Art 14 (2) genannten Personen in einer zugelassenen Nichtamtssprache des EPA eingereicht wird: in diesen Sprachen können Schriftstücke nach Art 14 (4) fristwahrend eingereicht werden, sofern innerhalb der Frist

---

8 **T 299/89** vom 31.1.1991; **T 548/91** vom 7.2.1994.
9 **J 1/92** vom 15.7.1992.

der R 6 (2) eine Übersetzung in eine der Amtssprachen des EPA nachgereicht wird. Wenn eine Beschwerde in einer zugelassenen Nichtamtssprache eingereicht und die Übersetzung in eine EPA-Amtssprache nicht rechtzeitig eingereicht wird, so ist die Beschwerde nach Art 14 (5) rechtlich nicht existent.[10] Zugelassene Nichtamtssprachen sind zB Niederländisch oder Spanisch; Voraussetzung ist, dass dem EPA die Sprache vom entsprechenden Mitgliedstaat notifiziert wird; daher kann eine Beschwerde zB nicht auf Gälisch oder Katalanisch eingereicht werden.

– Die Beschwerde ist entgegen Art 14 (2), (4) zB von einem Deutschen, der in München wohnt, in italienischer Sprache eingereicht. 27

R 64 b) (Beschwerdeantrag): 28

– Der Beschwerdeführer hat den Umfang nicht angegeben, in dem er die Änderung oder Aufhebung der angefochtenen Entscheidung begehrt. Nach ständiger Rechtsprechung der Beschwerdekammern genügt es aber, wenn sich der Umfang des Beschwerdebegehrens eindeutig der Beschwerdeschrift und der Beschwerdebegründung ergibt (siehe Art 108 Rdn 15). 29

c) **R 65 (2)** verweist auf R 64 a), nach der **Name und Anschrift des Beschwerdeführers** entsprechend R 26 (2) c) anzugeben sind. Aus R 64 a) kann nicht abgeleitet werden, dass auch die Staatsangehörigkeit des Beschwerdeführers und der Staat seines Wohnsitzes oder Sitzes angegeben werden müssen.[11] 30

Ist R 64 a) nicht erfüllt, weil **Name und Anschrift des Beschwerdeführers** fehlen, so setzt die Beschwerdekammer nach R 65 (2) eine **Frist für die Mängelbeseitigung**; erst wenn der Beschwerdeführer dieser Aufforderung nicht rechtzeitig nachkommt, wird seine Beschwerde als unzulässig verworfen. Gestützt auf R 64 a), 65 (2) wurde auch nach Ablauf der Beschwerdefrist die Berichtigung des Namens des Beschwerdeführers zugelassen, vorausgesetzt, aus der Beschwerdeschrift, ggf zusammen mit sonstigen aktenkundigen Informationen, ergab sich mit hinreichender Wahrscheinlichkeit, dass die wirkliche Absicht darin bestand, Beschwerde im Namen der im Berichtigungsantrag genannten Person einzulegen.[12] Mit gleichen Überlegungen wurde auch die Berichtigung des Namens des Beschwerdeführers nach R 88 Satz 1 zugelassen.[13] 31

d) Entspricht die Beschwerde den in **R 65 (1)** genannten Voraussetzungen nicht, so können solche **Mängel nur innerhalb der Fristen des Art 108 beseitigt** werden. Aus den Worten der R 65 (1) »bis zum Ablauf der nach Art 108 maßgeblichen Fristen« ergibt sich, dass diese Zulässigkeitsvoraussetzungen innerhalb der 2-Monatsfrist des Art 108 vorliegen müssen; lediglich für die Ein- 32

---

10 A.A. **T 126/04** vom 29.6.2004: Beschwerde ist unzulässig.
11 **T 146/86** vom 9.5.1988.
12 **T 97/98**, ABl 2002, 183; **T 867/91** vom 12.10.1993, Nr 1; **T 340/92** vom 5.10.1994, Nr 1; **T 1/97** vom 30.3.1999.
13 **T 814/98** vom 8.11.2000.

reichung der schriftlichen Beschwerdebegründung stehen die 4 Monate des Art 108 Satz 3 zur Verfügung. Bei Fristversäumung ist Wiedereinsetzung nach Art 122 zulässig, soweit es sich um die Beschwerde des Anmelders oder des Patentinhabers handelt. Ein Einsprechender kann nur in die Beschwerdebegründungsfrist wiedereingesetzt werden.[14]

33 Stellt das erstinstanzliche Organ bei Eingang der Beschwerde vor Ablauf der 2-Monatsfrist des Art 108 fest, dass behebbare Mängel vorliegen, so weist es den Beschwerdeführer darauf hin; dies entspricht dem Grundsatz des Vertrauensschutzes; es bedeutet aber keinesfalls, dass die dem Beschwerdeführer obliegende Verantwortung für die rechtzeitige und vollständige Vornahme der notwendigen Verfahrenshandlungen der Beschwerdekammer aufgebürdet werden kann.[15] Da die Mehrzahl der Beschwerden erst gegen Ende der Frist eingelegt wird, ist aus Zeitgründen ein rechtzeitiger Hinweis auf Mängel meist ohnehin unmöglich.

34 e) Wie im Einspruchsverfahren nach Art 101 (1) muss die Zulässigkeit des Einspruchs auch im Beschwerdeverfahren nach Art 110 (1) während des gesamten Verfahrensabschnitts gegeben sein.[16] Entsprechend der für das Einspruchsverfahren erlassenen Entscheidung **T 222/85**,[17] ist die **Mitteilung** einer Beschwerdekammer, dass die Beschwerde zulässig sei, keine bindende Entscheidung der Kammer; eine Zwischenentscheidung darüber wäre dagegen bindend. Im Einspruchsbeschwerdeverfahren ist die auch im Beschwerdestadium von Amts wegen zu prüfende Zulässigkeit des Einspruchs prozessuale Voraussetzung für die sachliche Prüfung des Einspruchsvorbringens.[18]

4 Prüfung der Begründetheit der Beschwerde

35 Nur wenn die Beschwerde zulässig ist, wird geprüft, ob sie begründet ist.

36 Der Beschwerdeführer kann neben seinem Hauptantrag Hilfsanträge stellen. Das war schon auf der Münchner Diplomatischen Konferenz einhellige Meinung[19] und auch die Beschwerdekammern haben die (rechtzeitige) Einreichung von Hilfsanträgen zugelassen.[20] Hilfsanträge müssen ausformuliert und argumentativ substantiiert sein.[21] Die Beschwerdekammer prüft die Hilfsanträge in der vom Antragsteller bestimmten Rangfolge, wenn dem Hauptantrag

---

14 **G 1/86**, ABl 1987, 447 – »Wiedereinsetzung des Einsprechenden/VOEST ALPINE«.
15 **G 2/97** ABl 1999, 123 – »Vertrauensschutz/UNILEVER«.
16 **T 522/94**, ABl 1998, 421.
17 **T 222/85**, ABl 1988, 128.
18 **T 289/91**, ABl 1994, 649; **T 541/92**, EPOR 1996, 395, Nr 2; **T 199/92** vom 11.1.1994; **T 590/94** vom 3.5.1996.
19 M/PR/I Nr 509 f.
20 **T 234/86**, ABl 1989, 79, Nr 5.5.1.
21 **T 382/96** vom 7.7.1996, Nr 5.

nicht stattgegeben werden kann; die Ablehnung der vorrangigen, nicht gewährbaren Anträge wird in der Entscheidung begründet.

Stellt der Beschwerdegegner keinen dem Beschwerdeantrag entgegengesetzten Antrag oder äußert er sich nicht zur Beschwerde, so führt dies nicht dazu, dass der Beschwerde automatisch stattgeben wird. Hat der Beschwerdeführer den Widerruf des europäischen Patents beantragt, und der Beschwerdegegner keinen Antrag auf Zurückweisung der Beschwerde, Aufrechterhaltung seines europäischen Patents oder auf Nichtabänderung der Entscheidung der Einspruchsabteilung gestellt, so ist die Beschwerdekammer dennoch verpflichtet zu prüfen, ob die Beschwerde begründet ist, und entsprechend dem Ergebnis dieser Prüfung zu entscheiden.[22] 37

Erklärt der Anmelder während des Beschwerdeverfahrens, er billige den vorliegenden Text nicht mehr und werde auch keinen geänderten vorlegen, so wird eine Beschwerde gegen eine Zurückweisungsentscheidung der Prüfungsabteilung zurückgewiesen. Da ein Patent nur in einer vom Anmelder gebilligten Fassung erteilt werden darf, kann auch die **Prüfung der Beschwerde nur auf der Grundlage eines gebilligten Textes** erfolgen.[23] Im Einspruchsbeschwerdeverfahren führt ein entsprechendes Verhalten zur Zurückweisung der Beschwerde (falls das Patent von der Einspruchsabteilung widerrufen wurde) oder zum Widerruf des Patents (falls es von der Einspruchsabteilung wie erteilt oder in geändertem Umfang aufrechterhalten wurde).[24] 38

5 Umfang der sachlichen Prüfung im Einspruchsbeschwerdeverfahren

a) Der Amtsermittlungsgrundsatz nach Art 114 (1) gilt auch im Beschwerdeverfahren. Jedoch kann daraus keine Befugnis oder Verpflichtung zu unbeschränkter Überprüfung abgeleitet werden. Vielmehr ist der Umfang der Überprüfung im Beschwerdeverfahren in mehrfacher Hinsicht begrenzt. Das gilt insbesondere für ein zweiseitiges Beschwerdeverfahren, in dem die Entscheidung einer Einspruchsabteilung überprüft wird, mit der ein Patent aufrechterhalten oder widerrufen wurde. Diese Einschränkungen ergeben sich aus der beschränkten Prüfungskompetenz des EPA im Einspruchsverfahren, aus der Anwendung der im gerichtlichen Beschwerdeverfahren geltenden Prozessmaximen, sowie aus Überlegungen zu Sinn und Zweck des Beschwerdeverfahrens und zur Verfahrensökonomie. Im **Einspruchsbeschwerdeverfahren** gilt daher für die Sachprüfung: 39

---

22 **T 501/92**, ABl 1996, 261.
23 **T 913/93** vom 26.3.1996.
24 **T 73/84**, ABl 1985, 241.

Artikel 110   *Prüfung der Beschwerde*

40 – Wie die Einspruchsabteilung darf auch die Beschwerdekammer nur die Teile des Patents überprüfen, gegen die ein zulässiger (insbesondere ausreichend substantiierter) Einspruch eingelegt wurde.[25]

41 – Der Gegenstand des Beschwerdeverfahrens und damit dessen rechtlicher Rahmen wird durch den verfahrenseinleitenden Antrag des Beschwerdeführers (im Falle mehrerer Beschwerden durch die Beschwerdeanträge) bestimmt; nur innerhalb dieses Rahmens ist die Beschwerdekammer zur Abänderung der erstinstanzlichen Entscheidung befugt.[26]

42 – Durch die Rücknahme der Beschwerde oder des Einspruchs des Beschwerdeführers wird das Beschwerdeverfahren hinsichtlich der Sachfragen beendet.[27]

43 – Neue Einspruchsgründe können im Beschwerdeverfahren nur noch mit Zustimmung des Patentinhabers berücksichtigt werden.[28]

44 b) **Überprüft** werden können **nur die mit einem zulässigen Einspruch angefochtenen Ansprüche**: Im Einspruchsverfahren und Einspruchsbeschwerdeverfahren wird der Umfang der Sachprüfung durch den Umfang des Angriffs auf das Patent begrenzt. Für die Überprüfung nicht angegriffener Ansprüche mit Ausnahme von prima facie ungültigen abhängigen Ansprüchen haben das EPA und die Beschwerdekammern keine formale Kompetenz, weil insoweit kein zulässiger Einspruch die Befugnis des EPA zur Überprüfung eines erteilten, in die nationale Phase eingetretenen europäischen Patents begründet hat. Es widerspräche den Grundgedanken der *post grant opposition*, wenn ohne weiteres Teile des Patents in ein Einspruchsverfahren einbezogen werden könnten, die nicht entsprechend den in R 55 c) festgelegten Erfordernissen für einen zulässigen Einspruch, insbesondere nicht hinreichend substantiiert, angegriffen wurden. Dieser in **G 9/91**[29] entwickelte Grundsatz kam oft zur Anwendung.[30]

---

25 **G 9/91**, ABl 1993, 408 – »Prüfungsbefugnis/ROHM und HAAS«; siehe Rdn 44.
26 **G 9/92**, **G 4/93**, beide ABl 1994, 875 – »Nichtbeschwerdeführender Beteiligter/BMW« und »Nicht-beschwerdeführender Beteiligter/MOTOROLA«; siehe Rdn 45 f.
27 **G 7/91**, ABl 1993, 356 – »Rücknahme der Beschwerde/BASF« und **G 8/91**, ABl 1993, 346 – »Rücknahme der Beschwerde/BELL«; siehe Rdn 47 f.
28 **G 10/91**, ABl 1993, 420 – »Prüfung von Einsprüchen/Beschwerden«; siehe Rdn 48 ff.
29 **G 9/91**, ABl 1993, 408, – »Prüfungsbefugnis/ROHM und HAAS«, Nr 10–12.
30 **T 588/90** vom 4.5.1993; **T 737/92** vom 12.6.1995; **T 1066/92** vom 5.7.1995, Nr 2. In **T 653/02** vom 9.7.2004 wurde ein ausdrücklich nicht angegriffener abhängiger Anspruch nicht überprüft. In **T 646/02** 21.9.2004 wurde festgestellt, dass die eine der beiden im Anspruch enthaltenen Varianten der Erfindung, die nicht angegriffen wurde, auch nicht Prüfungsgegenstand sei.

c) Im Beschwerdeverfahren definiert der verfahrenseinleitende Antrag des 45
Beschwerdeführers den **Gegenstand des Beschwerdeverfahrens** und damit
den Umfang der Überprüfungsbefugnis der Beschwerdekammer:[31] Gegenstand des Beschwerdeverfahrens ist nicht mehr das Patent (bzw dessen angegriffenen Teile), sondern die Beschwerde. Der Antrag nach R 64 b), in dem der
Umfang anzugeben ist, in dem die Änderung oder Aufhebung der angefochtenen Entscheidung begehrt wird, bestimmt somit den rechtlichen Rahmen des
Beschwerdeverfahrens.[32] Hat die Einspruchsabteilung ein Patent nur für die
Staaten A und B, nicht aber für die Staaten C, D und E in geändertem Umfang
aufrechterhalten, und strebt der Patentinhaber mit seiner Beschwerde die Aufrechterhaltung auch in C, D und E an, so ist die Beschwerde in der Weise beschränkt, dass die Kammer die Aufrechterhaltung in A und B nicht überprüfen
kann.[33] Dadurch, dass die Beschwerdekammer nur im Rahmen des Beschwerdeantrags zur Änderung der erstinstanzlichen Entscheidung befugt ist, muss
der alleinige Beschwerdeführer maximal mit der Zurückweisung seiner Beschwerde rechnen, nicht aber mit einer *reformatio in peius* zu seinen Lasten.
Wurde zB in der Zwischenentscheidung der Einspruchsabteilung das Patent
gemäß einem Hilfsantrag des Patentinhabers aufrechterhalten, so kann die Beschwerdekammer das Patent nicht aufgrund eigener Ermittlungen nach
Art 114 (1) widerrufen oder der Einsprechende den Widerruf erreichen, wenn
allein der **Patentinhaber Beschwerde** eingelegt hat. Umgekehrt ist im Falle einer **alleinigen Beschwerde des Einsprechenden** der Patentinhaber als Beschwerdegegner primär darauf beschränkt, das Patent in der Fassung zu verteidigen, die die Einspruchsabteilung für gewährbar erachtet hat; Änderungen des
Patents müssen sachgerecht, dh von der Beschwerde veranlasst sein.[34] Jedoch
kann ausnahmsweise ein Einsprechender, der einziger Beschwerdeführer ist, in
gewissen Situationen letztendlich mit einem breiteren Patent konfrontiert
sein.[35] Ansonsten gilt: Nur wenn beide Parteien **gegenseitig** eine zulässige **Beschwerde** eingelegt haben, besteht die Möglichkeit, dass sich für einen der Beschwerdeführer das in erster Instanz erreichte Ergebnis verschlechtert, weil die
andere Beschwerde Erfolg hat.

Überprüfung im Rahmen des Beschwerdeantrags bedeutet jedoch nicht, dass 46
nur die für den Beschwerdeführer ungünstigen Feststellungen der ersten Instanz Gegenstand des Beschwerdeverfahrens sind, nicht aber die für ihn günsti-

---

31 G 9/92, G 4/93, ABl 1994, 875.
32 T 501/92, ABl 1996, 261.
33 T 92/01 vom 20.6.2002.
34 G 9/92, G 4/93, beide ABl 1994, 875 – »Nicht-beschwerdeführender Beteiligter/
BMW« und »Nicht-beschwerdeführender Beteiligter/MOTOROLA«; dazu
Art 107 Rdn 45.
35 G 1/99, ABl 2001, 381 – »reformatio in peius/3M«, näher Art 107 Rdn 45.

Artikel 110 *Prüfung der Beschwerde*

gen.[36] Daher kann eine Beschwerdekammer, wenn das europäische Patent von der Einspruchsabteilung wegen Fehlens der erfinderischen Tätigkeit widerrufen worden war, auch Neuheit und Ausführbarkeit prüfen, die die erste Instanz als gegeben angesehen hatte, der Beschwerdegegner jedoch erneut in Frage stellte.[37]

47 d) Aus dem Verfügungsgrundsatz folgt, dass die Beschwerdekammer keine Befugnis mehr hat, das Verfahren bezüglich der Sachfragen fortzusetzen, wenn es durch **Rücknahme der Beschwerde** oder des Einspruchs durch den Beschwerdeführer beendet wurde.[38] Der gerichtliche Charakter des Beschwerdeverfahrens steht einer Fortsetzung des Verfahrens von Amts wegen entgegen. Eine analoge Anwendung der R 60 (2) Satz 2 kommt daher nicht in Betracht (siehe auch Art 107 Rdn 39 und Art 108 Rdn 34).

48 Bei zwei parallelen Beschwerden von Einsprechenden führt die Rücknahme einer Beschwerde dazu, dass der betreffende Beschwerdeführer nur noch nach Art 107 Satz 2 am weiteren Verfahren beteiligt ist und das Patent nur noch in dem Umfang überprüft werden kann, in dem es vom anderen Einsprechenden/Beschwerdeführer angegriffen worden ist.[39]

49 e) Im Einspruchsverfahren und Einspruchsbeschwerdeverfahren wird der Umfang der Sachprüfung durch die in der Einspruchsschrift geltend gemachten und gemäß R 55 c) substantiiert vorgetragenen **Einspruchsgründe** bestimmt. Für die spätere Einbeziehung von Einspruchsgründen, die in der Einspruchsschrift nicht substantiiert vorgetragen sind, gelten vor der Einspruchsabteilung und der Beschwerdekammer unterschiedliche Regeln.

50 Während im administrativen erstinstanzlichen Verfahren vor der Einspruchsabteilung neue Einspruchsgründe auf der Basis des Amtsermittlungsgrundsatzes (Art 114 (1)) berücksichtigt werden können, weil hier das europäische Patent, soweit es mit einem zulässigen Einspruch angegriffen ist, Gegenstand der Überprüfung ist, dürfen **im Beschwerdeverfahren neue Einspruchsgründe nur mit Zustimmung des Patentinhabers** in das Verfahren einbezogen werden.[40] Das ergibt sich aus dem gerichtlichen Charakter des Einspruchsbeschwerdeverfahrens: Es zielt nicht auf eine erneute Überprüfung des Patents (re-examination), sondern auf eine Prüfung der Beschwerde. Die Beschwerde dient grundsätzlich nur einer Überprüfung der erstinstanzlichen Entscheidung aufgrund der schon dort geltend gemachten Tatsachen und Argumente. Das Beschwerdeverfahren ist daher weniger auf Ermittlungen ausgerichtet als das

---

36 **T 327/92** vom 22.4.1997.
37 Vgl. **T 169/93** vom 10.7.1996.
38 **G 7/91**, ABl 1993, 356 – »Rücknahme der Beschwerde/BASF« und **G 8/91**, ABl 1993, 346 – »Rücknahme der Beschwerde/BELL«; **G 8/93**, ABl 1994, 887 – »Rücknahme des Einspruchs/SERVANE II«.
39 **T 233/93** vom 28.2.1996.
40 **G 10/91**, ABl 1993, 420 –, Nr 16.

Verwaltungsverfahren vor der ersten Instanz. Außerdem bewahrt diese Einschränkung den Patentinhaber vor überraschenden Wendungen des Verfahrens in einem späten Stadium. Diese Überlegungen wurden auf die Situation ausgedehnt, dass die Beschwerdebegründung des Einsprechenden sich nur auf einen einzigen Widerrufsgrund stützte ohne auf die anderen von der ersten Instanz behandelten Patentierungshindernisse einzugehen; dann liege die Einführung weiterer Gründe in das Beschwerdeverfahren im Ermessen der Kammer, ggf mit Zustimmung des Patentinhabers.[41]

Fehlt die Zustimmung des Patentinhabers, so wird das neue Vorbringen in der Entscheidung der Beschwerdekammer lediglich ohne sachliche Stellungnahme erwähnt.[42] Eine Zurückverweisung des Falls an die Einspruchsabteilung, um letzterer die Möglichkeit zu geben, erst während des Beschwerdeverfahrens vorgebrachte Einspruchsgründe einzubeziehen, widerspricht den Grundgedanken von G 10/91; in T 1066/92 vom 5.7.1995, Nr 4, erfolgte jedoch eine solche Zurückverweisung, weil erst spätes Vorbringen des Patentinhabers Anlass zu einem hochrelevanten Einwand gab. 51

Eine Ausnahme vom Zustimmungserfordernis gilt aus praktischen Gründen für den **Beitritt** zum Einspruchsverfahren **während des Einspruchsbeschwerdeverfahrens**: Der Beitretende kann neue, bisher noch nicht vorgetragene Einspruchsgründe geltend machen, was in der Regel zur Zurückverweisung an die erste Instanz führen sollte, sofern nicht zB der Patentinhaber eine sofortige Entscheidung der Kammer wünscht.[43] Das bedeutet jedoch nicht, dass der Beitretende die Rechtskraft einer Entscheidung der Beschwerdekammer überwinden könnte, wenn er erst im zweiten Beschwerdeverfahren beitritt, in dem es nur noch um die Anpassung der Beschreibung an die Ansprüche geht, die eine Beschwerdekammer in einem ersten Verfahren für gewährbar erachtet hat.[44] 52

Nach ständiger Praxis liegt ein **neuer Einspruchsgrund** vor, wenn zB statt des ursprünglichen Einwands nach Art 100 a) nunmehr ein Einwand nach Art 100 b) oder c) geltend gemacht wird.[45] 53

Art 100 a) umfasst nach zwei Entscheidungen der Großen Beschwerdekammer **mehrere Einspruchsgründe**: die einzelnen Patentierbarkeitsvoraussetzungen der Art 52 (2) bis Art 57 bilden danach jeweils selbständige Rechtsgrundlagen für Einwände gegen die Aufrechterhaltung eines europäischen Patents. In **G 1/95**[46] wurde das für den Fall entschieden, dass Einwände gegen die Patentierbarkeit der beanspruchten Erfindung erstmals im Beschwerdeverfah- 54

---

41 T 470/97 vom 10.7.2001.
42 G 10/91, ABl 1993, 420 – »Prüfung von Einsprüchen/Beschwerden«; Schulte, PatG, 7. Aufl., § 59 Rn 195.
43 G 1/94, ABl 1994, 787 – »Beitritt/ALLIED COLLOIDS«, Nr 13.
44 T 694/01, ABl 2003, 250.
45 So zB **T 166/91** vom 15.6.1993; **T 381/91** vom 17.12.1993; **T 18/93** vom 7.11.1994.
46 **G 1/95**, ABl 1996, 615 – »Neue Einspruchsgründe/DE LA RUE«.

ren auf Art 52 (2) gegründet wurden und nicht mehr auf Fehlen der Neuheit oder erfinderischer Tätigkeit. In **T 514/92**[47] hatte der Beschwerdeführer, der seinen Einspruch auf Fehlen erfinderischer Tätigkeit gestützt hatte, erstmals im Beschwerdeverfahren den Einwand mangelnder Neuheit erhoben. Die Große Beschwerdekammer sah sogar darin einen neuen Einspruchsgrund, der nicht ohne das Einverständnis des Patentinhabers in das Beschwerdeverfahren eingeführt werden kann. Gleichzeitig ging aber die Große Beschwerdekammer davon aus, dass ein Gegenstand nicht erfinderisch sein könne, wenn der nächstliegende Stand der Technik für ihn neuheitsschädlich sei; in diesem Fall habe mangelnde Neuheit unweigerlich zur Folge, dass der Gegenstand mangels erfinderischer Tätigkeit nicht schutzwürdig sei.[48]

55   Diese Rechtsprechung vermag aber in der Praxis nicht immer zu überzeugen. So scheiterte in **T 928/93** vom 23.1.1997 der bisherige Einwand neuheitsschädlicher Vorbenutzung, weil die Beschwerdekammer zu dem Schluss kam, deren Gegenstand weise nicht dieselben Merkmale auf wie die beanspruchte Erfindung, sondern nur dieselbe Wirkung – sei also ein Äquivalent. Den vom beschwerdeführenden Einsprechenden daraufhin erhobenen Einwand des Fehlens erfinderischer Tätigkeit konnte die Beschwerdekammer nicht prüfen, da es sich nach **G 7/95** um einen neuen Einspruchsgrund handelte. Praxisgerecht wurde in **T 131/01**[49] festgestellt, der Einwand des Fehlens erfinderischer Tätigkeit sei kein neuer Einspruchsgrund, da er auf dasselbe Dokument gestützt sei wie der ursprüngliche (erfolglose) Einwand fehlender Neuheit. In einem solchen Fall werde der Einsprechende, wenn er den Einwand fehlender Neuheit nach R 55 c) substantiiert vorgetragen habe, kaum noch das Fehlen erfinderischer Tätigkeit begründen können, ohne Gefahr zu laufen, in der Einspruchsschrift zwei widersprüchliche Argumentationslinien zu präsentieren. In **T 455/94**[50] hatte der Einsprechende, der expressis verbis nur das Vorliegen erfinderischer Tätigkeit bestritten hatte, auch ein älteres Recht erörtert, das nur im Rahmen der Neuheitsprüfung relevant sein kann (Art 54 (3), 56 Satz 2); darin wurde ein impliziter Angriff auf die Neuheit gesehen. **G 7/95** führt durch die Fokussierung auf die *Rechts*grundlagen für den Widerruf eines Patents auch dazu, dass im Beschwerdeverfahren zwar das Fehlen erfinderischer Tätigkeit nicht mehr gerügt werden kann, wenn ursprünglich die Neuheit angegriffen wurde, wohl aber ein völlig neuer Sachvortrag möglich ist, wie in **T 611/90**, wo ein Neuheitseinwand vor der Einspruchsabteilung ausschließlich mit schriftlichem Stand der Technik begründet wurde, im Beschwerdeverfahren jedoch mit Vorbenutzung.[51]

---

47   **T 514/92**, ABl 1996, 270.
48   **G 7/95**, ABl 1996, 626 – »Neue Einspruchsgründe/ETHICON«, Nr 7, 7.1 und 7.2.
49   **T 131/01**, ABl 2003, 113.
50   **T 455/94** vom 10.12.1996.
51   **T 611/90**, ABl 1993, 50.

Kein neuer Einspruchsgrund liegt vor, wenn im Beschwerdeverfahren ein **56** Einwand wieder aufgegriffen wird, der in der Einspruchsschrift substantiiert vorgetragen, in der mündlichen Verhandlung vor der Einspruchsabteilung aber nicht mehr geltend gemacht wurde; ein solcher Grund könne von der Beschwerdekammer ohne Zustimmung des Patentinhabers aufgegriffen werden, wobei eine Zurückverweisung angebracht sei, wenn der Einwand den Bestand des Patents in Frage stelle.[52]

Änderungen, die **im Beschwerdeverfahren** gemacht werden, sind jedoch **57** voll überprüfbar, da sie den Erfordernissen des EPÜ entsprechen müssen.[53]

f) Die **Ermittlung von Amts** wegen geht im Verfahren vor den Beschwerde- **58** kammern weniger weit als vor den erstinstanzlichen Organen.

Es ist zu unterscheiden zwischen einerseits der Befugnis des Beschwerdefüh- **59** rers, das Verfahren einzuleiten (und zu beenden) und durch den einleitenden Antrag den Gegenstand des Beschwerdeverfahrens zu bestimmen, und andererseits der Befugnis der Beschwerdekammer, nach Art 114 (1) unter Mitwirkung der Partei(en) (siehe Rdn 61) den Sachverhalt zu ermitteln.

Bei den oben genannten Beschränkungen des Prüfungsumfangs im Be- **60** schwerdeverfahren handelt es sich nicht eigentlich um Einschränkungen des Amtsermittlungsgrundsatzes. Vielmehr ergeben sie sich aus dem gerichtlichen Charakter des Beschwerdeverfahrens; sie folgen aus der Anwendung der Prozessmaximen für gerichtliche Verfahren: Wenn, solange und soweit ein Beschwerdeverfahren anhängig ist, können die Beschwerdekammern den Sachverhalt von Amts wegen erforschen. Im Rahmen des Beschwerdegegenstands ist die Ermittlung von Amts wegen nicht eingeschränkt.[54] Die Beschränkung für neue Einspruchsgründe trägt dem Umstand Rechnung, dass die Einbeziehung neuen Tatsachenstoffes zwar nicht ausgeschlossen ist, das Beschwerdeverfahren jedoch primär der Überprüfung der erstinstanzlichen Entscheidung auf der Grundlage des dort ermittelten Sachverhalts dient.

Es ist zu beachten, dass auch bei Verfahren, die vom Amtsermittlungsgrund- **61** satz geprägt sind, die Parteien eine Mitwirkungspflicht bei der Ermittlung des Sachverhalts haben. Oft können allein die Beteiligten die entscheidungserheblichen Fakten beibringen. Anders als die Zivilgerichte, deren Verfahren dem Verhandlungsgrundsatz unterliegen, ist aber eine Beschwerdekammer infolge der Geltung des Amtsermittlungsgrundsatzes selbst an übereinstimmenden Vortrag der gegnerischen Parteien nicht gebunden und kann daher ihre Entscheidung abweichend vom Parteivortrag auf jene Tatsachen stützen, die sie aufgrund der erhobenen Beweise für geben erachtet. Außerdem gebietet es die Verfahrensökonomie, den Sachverhalt nicht um jeden Preis und mit unvertret-

---

52 **T 274/95**, ABl 1997, 99.
53 **G 10/91**, ABl 1993, 420, Nr 19; **T 27/95** vom 25.6.1996, Nr 3.2.
54 Vgl. **T 1124/02** vom 20.1.2005.

Artikel 110 *Prüfung der Beschwerde*

barem Aufwand von Amts wegen zu erforschen. Das betrifft insbesondere spät vorgebrachtes Material. Die Beschwerdekammern können nach Art 114 (2) verspätet eingereichtes Beweismaterial unberücksichtigt lassen.

62 Die in G 10/91[55] entwickelten Grundsätze zur Behandlung neuer, dh in der Einspruchsschrift nicht substantiiert vorgetragener Einspruchsgründe wurden übertragen auf die Relevanzprüfung bei der späten Einreichung neuer Tatsachen und Beweismittel zur weiteren Stützung von Einspruchsgründen, die schon in der Einspruchsschrift geltend gemacht worden waren. Danach soll die Beschwerdekammer spät vorgelegtes Beweismaterial nur in ausgesprochenen Ausnahmefällen zum Verfahren zulassen, wenn es prima facie hochrelevant ist, dh der Aufrechterhaltung des Patents höchstwahrscheinlich entgegensteht und auch andere verfahrensrelevante Faktoren nicht gegen die Einbeziehung sprechen. Weniger strenge Voraussetzungen gelten nach dieser Entscheidung für die Einbeziehung spät vorgebrachter Tatsachen und Beweismittel durch die Einspruchsabteilung.[56] Die VerfOBK in ihrer seit 2002 geltenden Fassung[57] sieht in Art 10b vor, dass die Zulassung von Änderungen des Vorbringens nach Einreichung der Beschwerdebegründung oder der Erwiderung darauf im Ermessen der Kammer liegt, bei dessen Ausübung sie zB die Komplexität des neuen Sachvortrags, den Stand des Verfahrens und die gebotene Verfahrensökonomie berücksichtigt.

63 Es besteht keine Ermittlungspflicht für die Umstände einer öffentlichen Vorbenutzung, die nach Rücknahme des Einspruchs angesichts fehlender Mitwirkung des Einsprechenden nur sehr schwer zu ermitteln sind.[58] Das Gleiche wurde angenommen für nicht substantiiert vorgetragene, lange zurückliegende und von den Parteien nicht weiterverfolgte neuheitsschädliche Tatsachen.[59] Diese Entscheidungen liegen jedoch im Ermessen der Beschwerdekammer und hängen stark von den Umständen des Einzelfalls ab. Es sind tatsächliche, nicht rechtliche Schranken, die der Überprüfung Grenzen setzen.

6 Überprüfung von Entscheidungen der Prüfungsabteilungen

64 Die verwaltungsgerichtliche Überprüfung im **einseitigen Beschwerdeverfahren** lässt einen streitigen Charakter vermissen. Die zuständigen Instanzen einschließlich der Beschwerdekammern haben sicherzustellen, dass die Voraussetzungen für die Erteilung eines europäischen Patents vorliegen. Im Fall einer Beschwerde gegen die Zurückweisungsentscheidung einer Prüfungsabteilung kann die Beschwerdekammer daher auch Zurückweisungsgründe prüfen, die

---

55 **G 10/91**, ABl 1993, 420 – »Prüfung von Einsprüchen/Beschwerden«.
56 **T 1002/92**, ABl 1995, 605.
57 ABl 2003, 89 und 98.
58 **T 129/88**, ABl 1993, 598; **T 830/90**, ABl 1994, 713; **T 34/94** vom 22.3.1994.
59 **T 60/89**, ABl 1992, 268, Nr 3.1.1.

die Prüfungsabteilung noch nicht in Betracht gezogen hat. Obwohl auch das einseitige Beschwerdeverfahren primär die Überprüfung der angefochtenen Entscheidung bezweckt, sind die Beschwerdekammern weder auf die Überprüfung der Gründe der angefochtenen Entscheidung noch auf die dieser Entscheidung zugrundeliegenden Tatsachen und Beweismittel beschränkt. Es liegt im pflichtgemäßen Ermessen der Beschwerdekammer, ob sie diese Fragen selbst entscheidet oder zur weiteren Prüfung an die erste Instanz zurückverweist.[60]

7 Überprüfung von Ermessensentscheidungen der ersten Instanz

Die Beschwerdekammern sind zurückhaltend bei der Überprüfung von Ermessensentscheidungen erstinstanzlicher Organe. Eine Beschwerdekammer sollte sich über die Art und Weise, in der ein erstinstanzliches Organ sein Ermessen ausgeübt hat, nur dann hinwegsetzen, wenn sie zu der Überzeugung gelangt, dass das Ermessen nach falschen Grundsätzen, unter Missachtung der richtigen Grundsätze oder in unangemessener Weise ausgeübt wurde.[61] Andererseits ist auch die Nichtausübung eines eingeräumten Ermessens fehlerhaft.[62]

Die Ausübung des in Art 114 (2) eingeräumten Ermessens durch die Einspruchsabteilung überprüfte die Beschwerdekammer in **T 986/93**. Sie gelangte zu dem Schluss, dass sie einen Einspruchsgrund, den die Einspruchsabteilung wegen verspäteter Geltendmachung nach Art 114 (2) unberücksichtigt gelassen hatte, auch ohne Zustimmung des Patentinhabers prüfen könne, wenn sie zu der Auffassung gelange, die Einspruchsabteilung habe das ihr in Art 114 (2) eingeräumte Ermessen falsch ausgeübt.[63]

8 Anwendung der für die erste Instanz geltenden Vorschriften

a) Nach R 66 (1) sind die Vorschriften für das Verfahren vor der Stelle, die die angefochtene Entscheidung erlassen hat, im Beschwerdeverfahren entsprechend anzuwenden, soweit nichts anderes bestimmt ist. Entsprechend anzuwenden sind die in den Art 113 ff festgelegten allgemeinen Vorschriften für das Verfahren wie das rechtliche Gehör, die mündliche Verhandlung, die Beweisaufnahme.

b) Wegen der besonderen Bedeutung des **rechtlichen Gehörs** wird in Art 110 (2) ausdrücklich festgelegt, dass die Beteiligten am Beschwerdeverfahren so oft wie erforderlich aufzufordern sind, zu Bescheiden der Beschwerdekammer und Schriftsätzen der Beteiligten Stellung zu nehmen.

---

60 **G 10/93**, ABl 1995, 172 – »Umfang der Prüfung bei ex-parte Beschwerden/SIEMENS«.
61 So **T 640/91**, ABl 1994, 918; **T 986/93**, ABl 1996, 215.
62 **T 510/95** vom 19.10.1995.
63 **T 986/93**, ABl 1996, 215.

69 Entsprechend Art 11 (1) und 12 VerfOBK teilen die Kammern den Beteiligten häufig ihre Ansicht über die Beurteilung sachlicher oder rechtlicher Fragen mit, wobei zu betonen ist, dass diese Mitteilung nicht als bindend für die Kammer verstanden werden kann.

70 Unterlässt es der Anmelder in einem **Beschwerdeverfahren, das eine europäische Patentanmeldung betrifft**, auf eine Aufforderung der Kammer hin rechtzeitig zu antworten, gilt nach Art 110 (3) die europäische Patentanmeldung als zurückgenommen. Die Rücknahmefiktion gilt auch dann, wenn die angefochtene Entscheidung nicht die Zurückweisung der europäischen Patentanmeldung ist, sondern die Ablehnung eines besonderen Antrags, zB auf Berichtigung der Staatenbenennung.[64]

71 Diese Rechtsfolge tritt bei Beschwerden gegen Entscheidungen der Rechtsabteilung (Art 20) nicht ein, da diese Entscheidungen nichts damit zu tun haben, ob die europäische Patentanmeldung oder die ihr zugrundeliegende Erfindung den Erfordernissen des EPÜ entspricht. Wie im Prüfungsverfahren wird dem Anmelder auch im Beschwerdeverfahren nach R 69 (1) der Eintritt der Rücknahmefiktion mitgeteilt, und zwar vom Geschäftsstellenbeamten nach Art 2 Nr 10 der Übertragungsverfügung (ABl 1985, 249; Änderung: ABl 2002, 590). Nach R 69 (2) hat der Anmelder Anspruch auf eine Entscheidung der Beschwerdekammer, gegen die es allerdings keine weitere Beschwerde mehr gibt. Diese Entscheidung zu beantragen ist sinnvoll, wenn die Mitteilung falsch war, zB weil der Beschwerdeführer rechtzeitig geantwortet hat, und ein entsprechender Nachweis erbracht werden kann. Die Rechtsfolge, dass die europäische Patentanmeldung nach Art 110 (3) als zurückgenommen gilt, kann jedoch durch einen Antrag auf Weiterbehandlung nach Art 121 beseitigt werden. Daher sollte wenigstens hilfsweise Weiterbehandlung beantragt werden, gegebenenfalls Wiedereinsetzung.

72 Benötigt die Beschwerdekammer zu ihrer Rechtsfindung keine Stellungnahme des Beschwerdeführers, möchte sie ihm jedoch die Möglichkeit zur Stellungnahme geben, so weist sie hierauf besonders hin; die Zurücknahmefiktion tritt dann nicht ein.

73 c) Das Beschwerdeverfahren ist im Prinzip schriftlich. Eine **mündliche Verhandlung** findet jedoch auf Antrag eines Beteiligten statt oder von Amts wegen, wenn die Beschwerdekammer das für sachdienlich erachtet (Art 116 (1)). Nach Art 116 (2) kann ein Antrag auf mündliche Verhandlung vor der Beschwerdekammer abgelehnt werden, wenn die angegriffene Entscheidung von der Eingangsstelle erlassen worden ist und die Beschwerdekammer eine mündliche Verhandlung nicht für sachdienlich erachtet, sofern sie nicht die Zurückweisung der europäischen Patentanmeldung beabsichtigt.

---

[64] **J 29/94**, ABl 1998, 147.

Die mündliche Verhandlung soll grundsätzlich den Abschluss des Verfahrens 74
bilden, und in der Regel sollte die Entscheidung am Ende der mündlichen Verhandlung verkündet werden, wenn nicht besondere Gründe dagegen sprechen.

Einzelheiten über die Vorbereitung und Durchführung der mündlichen Ver- 75
handlung finden sich in Art 11 VerfOBK; nach Art 11 (1) VerfOBK weisen die Kammern häufig auf Punkte hin, die für die Entscheidung von Bedeutung sind oder auf die Tatsache, dass bestimmte Fragen nicht mehr strittig sind. R 71a (1) über die Vorbereitung der mündlichen Verhandlung ist im Beschwerdeverfahren nicht anwendbar.[65]

Die Gewährung rechtlichen Gehörs im zweiseitigen Beschwerdeverfahren 76
stellte die Große Beschwerdekammer auch für den Fall in den Vordergrund, dass ein ordnungsgemäß geladener Beteiligter der mündlichen Verhandlung fernbleibt.[66] Die Technischen Beschwerdekammern gaben dieser Entscheidung durch eine enge Auslegung praxisgerechte Konturen.[67] Art 11 (3) VerfOBK in der Fassung von 2002[68] bestimmt nun, dass eine Beschwerdekammer nicht verpflichtet ist, einen Schritt im Verfahren – einschließlich der Entscheidung – aufzuschieben, wenn ein ordnungsgemäß geladener Beteiligter in der mündlichen Verhandlung nicht anwesend ist; letzterer wird dann so behandelt, als beschränke er sich auf seinen schriftlichen Vortrag.

d) Die Zulässigkeit der **Änderung von Patentansprüchen** wird auch im Be- 77
schwerdeverfahren nach R 86 (3) Satz 2 beurteilt. Im Einspruchs- und Einspruchsbeschwerdeverfahren werden Beschränkungen des Änderungsrechts über R 57 (1) und 58 (2), eine analoge Anwendung der R 86 (3) Satz 2 und den Sinn des Einspruchsverfahrens begründet. Nach der in der neuen R 57a enthaltenen materiell-rechtlichen Regelung sind im Einspruchsverfahren Änderungen des Patents möglich, wenn sie durch Einspruchsgründe nach Art 100 veranlasst sind, auch wenn der betreffende Grund nicht vom Einsprechenden geltend gemacht worden ist; der Verweis auf R 87 stellt klar, dass auch Änderungen, die durch ältere nationale Rechte veranlasst sind, zulässig sind.[69]

Wesentliche Änderungen der Patentunterlagen führen in der Regel zur Zu- 78
rückverweisung und Fortsetzung des Verfahrens.[70]

Änderungen sollten so früh wie möglich eingereicht werden (mit der Be- 79
schwerdebegründung, mindestens aber vier Wochen vor der mündlichen Verhandlung), um der anderen Seite ausreichend Gelegenheit zur Stellungnahme zu geben (Art 113 (1)). Ohne triftigen Grund verspätet, insbesondere kurz vor

---

65 **G 6/95**, ABl 1996, 649 – »Auslegung der Regel 71a (1)/GE CHEMICALS«; siehe auch Art 116 Rdn 53.
66 **G 4/92**, ABl 1994, 149 – »Rechtliches Gehör«.
67 **T 341/92**, ABl 1995, 373; **T 133/92** vom 18.10.1994; **T 501/92**, ABl 1996, 261, Nr 1.
68 ABl 2003, 89.
69 Siehe Begründung zu R 57a, ABl 1995, 409, 416 f.
70 **T 63/86**, ABl 1988, 224; **T 746/91** vom 20.10.1993.

Artikel 110 *Prüfung der Beschwerde*

oder in der mündlichen Verhandlung eingereichte Ansprüche können nach ständiger Praxis der Beschwerdekammern unberücksichtigt bleiben, wenn sie nicht eindeutig gewährbar sind und ihre Zulassung zu unangemessenen Verfahrensverzögerungen führen würde.[71] Es ist zu erwarten, dass in Zukunft strenge Maßstäbe angelegt werden. Die VerfOBK sieht jetzt vor, dass die Beteiligten grundsätzlich in ihren einleitenden Schriftsätzen (Beschwerdebegründung, Erwiderung des Beschwerdegegners) vollständig vortragen sollen; die Zulassung späterer Änderungen des Vorbringens liegt im Ermessen der Kammer.[72]
Allgemein zu Änderungen siehe Art 123 Rdn 6–23.

80 e) Der Grundsatz der **Amtsermittlung** gilt im Beschwerdeverfahren mit den oben, Rdn 39–63, erläuterten Einschränkungen für den Prüfungsumfang und für die Berücksichtigung von Einspruchsgründen, die erst im Beschwerdeverfahren substantiiert vorgetragen worden sind, sowie für spät vorgebrachte Tatsachen und Beweismittel.

81 f) Wegen der ausnahmslosen Geltung des Verfügungsgrundsatzes im Beschwerdeverfahren ist **R 60 (2)**, die die Fortsetzung des Einspruchsverfahrens von Amts wegen nach Rücknahme des Einspruchs erlaubt, im Einspruchsbeschwerdeverfahren **nicht anwendbar**; diese Regel gilt also nur für die Einspruchsabteilung.

9 Weitere Einzelheiten des Beschwerdeverfahrens

82 Weitere Regeln für das Beschwerdeverfahren sind in der VerfOBK in der Fassung von 2002 mit einer Änderung im Jahr 2004 enthalten.[73]

83 Nach Art 4 VerfOBK wird vom Vorsitzenden der Beschwerdekammer ein Berichterstatter ernannt, der eine vorläufige Untersuchung der Beschwerde durchführt, Bescheide an die Beteiligten im Auftrag der Kammer abfasst, die Sitzungen und mündlichen Verhandlungen der Beschwerdekammer vorbereitet sowie die Entscheidung entwirft.

84 Art 5 führt bestimmte Aufgaben der Geschäftsstellenbeamten der Beschwerdekammern auf und enthält die Ermächtigung für das Präsidium (R 10 (2)), ihnen weitere Aufgaben zu übertragen (ähnlich wie die Aufgabenübertragung auf die Formalsachbearbeiter der Prüfungs- und Einspruchsabteilungen). Das Präsidium der Beschwerdekammern hat in einem Beschluss vom 31.5.1985 (ABl 1985, 249; Änderung siehe ABl 2002, 590) von dieser Ermächtigung Gebrauch gemacht und den **Geschäftsstellenbeamten** verschiedene sonst den Beschwerdekammern obliegende **Aufgaben übertragen**, wie zB Mitteilungen

---

71 **T 95/83**, ABl 1985, 75; **T 153/85**, ABl 1988, 1; **T 63/86**, ABl 1988, 224; **T 381/87**, ABl 1990, 213; **T 270/90** vom 21.3.1991, Nr 3; **T 840/93**, ABl 1996, 335; **T 583/93** vom 4.1.1996, ABl 1996, 496.
72 Art 10a und 10b VerfOBK (ABl 2003, 89; 2004, 541); dazu Teschemacher, siehe Rn 1, S 455, 465 ff.
73 ABl 2003, 60, 89; 2004, 541.

über die Unzulässigkeit der Beschwerde und Aufforderungen zur Mängelbeseitigung, die Durchführung der Akteneinsicht, Auskünfte aus der Akte, Mitteilung von Rechtsverlusten, Fristen zu setzen zur Einreichung der Erwiderung auf die Beschwerdebegründung, die Weiterbehandlung zu gewähren, die Vertreterbestellung zu prüfen.

Ferner regelt die VerfOBK in Art 7 das Verfahren, wenn die Zusammensetzung der Kammer sich während des Verfahrens ändert. Art 8 betrifft die Erweiterung der Kammer auf drei technisch vorgebildete und zwei rechtskundige Mitglieder nach Art 21 (4) b) 2. Alternative. Die Verbindung von Beschwerdeverfahren ist in Art 9 geregelt, die Beratung vor der Entscheidung in Art 13. In Wahrung der richterlichen Unabhängigkeit regelt Art 15, wie eine Beschwerdekammer vorzugehen hat, wenn sie es bei der Auslegung des EPÜ für notwendig hält, von einer früheren Entscheidung einer Beschwerdekammer oder von den PrüfRichtl abzuweichen. Will sie anders entscheiden, als es einer Entscheidung oder Stellungnahme der Großen Beschwerdekammer entspricht, so legt sie nach Art 16 diese Frage der Großen Beschwerdekammer vor. 85

Schließlich wird die VerfOBK für verbindlich erklärt, soweit sie nicht zu einem mit dem Geist und Ziel des EPÜ unvereinbaren Ergebnis führt (Art 18 VerfOBK). 86

Artikel 111 Entscheidung über die Beschwerde

(1) Nach der Prüfung, ob die Beschwerde begründet ist, entscheidet die Beschwerdekammer über die Beschwerde. Die Beschwerdekammer wird entweder im Rahmen der Zuständigkeit des Organs tätig, das die angefochtene Entscheidung erlassen hat, oder verweist die Angelegenheit zur weiteren Entscheidung an dieses Organ zurück.

(2) Verweist die Beschwerdekammer die Angelegenheit zur weiteren Entscheidung an das Organ zurück, das die angefochtene Entscheidung erlassen hat, so ist dieses Organ durch die rechtliche Beurteilung der Beschwerdekammer, die der Entscheidung zu Grunde gelegt ist, gebunden, soweit der Tatbestand derselbe ist. Ist die angefochtene Entscheidung von der Eingangsstelle erlassen worden, so ist die Prüfungsabteilung ebenfalls an die rechtliche Beurteilung der Beschwerdekammer gebunden.

Ulrich Joos

Übersicht
1	Allgemeines	1–2
2	Die Sachentscheidung durch die Beschwerdekammer	3–15
3	Zurückverweisung zur Fortsetzung der Prüfung	16–23

4	Bindung der übrigen Organe des EPA bei einer Zurückverweisung	24-30
5	Rückzahlung der Beschwerdegebühr	31-57
6	Abschluss des Entscheidungsfindungsprozesses	58-62
7	Form und Sprache der Entscheidung der Beschwerdekammer	63-65
8	Veröffentlichung von Entscheidungsdaten	66
9	Veröffentlichung der Beschwerdekammerentscheidungen	67-69

1 Allgemeines

1   Nach Art 111 (1) sind die Beschwerdekammern bei ihrer Entscheidung, die sich an die Prüfung der Beschwerde auf ihre Begründetheit anschließt, nicht darauf beschränkt, die angegriffene Entscheidung nur zu überprüfen und die Sache zurückzuverweisen, sondern sie können auch selbst in der Sache entscheiden. Die Entscheidung der Beschwerdekammer bindet die erste Instanz nur im entschiedenen Fall (Art 111 (2)); eine unmittelbare Bindungswirkung über den entschiedenen Fall hinaus ist nicht beabsichtigt.

In der Entscheidung über die Beschwerde ist gegebenenfalls auch über die Rückzahlung der Beschwerdegebühr nach R 67 zu entscheiden.

2   Form und Inhalt der Entscheidung, zB hinsichtlich der Begründungspflicht, regelt R 66 (2). Anwendbar ist auch R 68 (1), nach der im Falle einer mündlichen Verhandlung die Entscheidung verkündet und den Beteiligten später schriftlich abgefasst zugestellt werden kann.

Weitere Vorschriften über die Vorbereitung der Entscheidung und Einzelheiten der Entscheidungsfindung enthält die VerfOBK in Art 4, 11–14 (ABl 2003, 89; 2004, 541). Die im folgenden verwendeten Musterentscheidungsformeln beruhen im wesentlichen auf einer Empfehlung der Vorsitzenden der Beschwerdekammern vom 1.10.1993.

2 Die Sachentscheidung durch die Beschwerdekammer

3   a) Art 111 (1) Satz 2 sieht an erster Stelle vor, dass die Beschwerdekammer »im Rahmen der Zuständigkeit« des erstinstanzlichen Organs tätig wird. Nach R 66 (1) sind die einschlägigen erstinstanzlichen Verfahrensvorschriften für die erste Instanz entsprechend anzuwenden (siehe Art 110 Rdn 67–81).

4   b) Ist zB eine europäische Patentanmeldung wegen mangelnder erfinderischer Tätigkeit von der **Prüfungsabteilung zurückgewiesen** worden und hält die Beschwerdekammer (meist nach Änderung der Patentansprüche) die Beschwerde für begründet, so hebt sie die Entscheidung der Prüfungsabteilung auf und ordnet die **Erteilung** des europäischen Patents in genau festgelegtem Umfang an. Die Entscheidungsformel lautet in solchen Fällen etwa wie folgt:

»Die angefochtene Entscheidung wird aufgehoben. Die Angelegenheit wird an die Prüfungsabteilung mit der Anordnung zurückverwiesen, ein Patent mit folgenden Unterlagen zu erteilen:

Beschreibung:
    Spalten ... der Patentschrift,
    Spalten ... eingereicht mit Schriftsatz vom ...
    Spalten ... eingereicht während der mündlichen Verhandlung vom ...
Ansprüche:
    Nr ... der Patentschrift,
    Nr ... eingereicht mit Schriftsatz vom ...
    Nr ... eingereicht während der mündlichen Verhandlung vom ...
Zeichnungen:
    Blatt ... der Patentschrift,
    Blatt ... eingereicht mit Schriftsatz vom ...
    Blatt ... eingereicht während der mündlichen Verhandlung vom ...«

Hat die **Einspruchsabteilung** das europäische Patent wegen mangelnder erfinderischer Tätigkeit **widerrufen**, ist aber die Beschwerdekammer der Auffassung, es könne mit der im Beschwerdeverfahren vorgelegten Fassung **aufrechterhalten** werden, lautet die Entscheidungsformel entsprechend:

»Die angefochtene Entscheidung wird aufgehoben. Die Angelegenheit wird an die Einspruchsabteilung mit der Anordnung zurückverwiesen, ein Patent in geändertem Umfang mit folgenden Unterlagen aufrechtzuerhalten:

Beschreibung: ...
Ansprüche: ...
Zeichnungen: ...«

c) Stehen die gewährbaren Ansprüche fest, müssen jedoch die **Beschreibung** und gegebenenfalls die Zeichnungen **noch angepasst** werden, wird das in der Entscheidungsformel zum Ausdruck gebracht:

»Die angefochtene Entscheidung wird aufgehoben. Die Angelegenheit wird an die Prüfungsabteilung mit der Anordnung zurückverwiesen, ein Patent mit folgenden Ansprüchen und einer noch anzupassenden Beschreibung zu erteilen ...«

oder:

»Die angefochtene Entscheidung wird aufgehoben. Die Angelegenheit wird an die Einspruchsabteilung mit der Anordnung zurückverwiesen, ein Patent in geändertem Umfang mit folgenden Ansprüchen und einer noch anzupassenden Beschreibung aufrechtzuerhalten ...«

In diesem Fall sind die Ansprüche res judicata im Sinne von Art 111 (2). Im Einspruchsverfahren kann jedoch mit einer erneuten Beschwerde die nach der

Artikel 111 *Entscheidung über die Beschwerde*

Zurückverweisung erfolgte Anpassung der Beschreibung angegriffen werden.[1] Das gilt auch dann, wenn die Anpassung der Beschreibung während des Beschwerdeverfahrens gar nicht erörtert wurde, und die Einspruchsabteilung nach der Zurückverweisung entscheidet, dass das Patent nur mit einer an die geänderten Ansprüche angepassten Beschreibung aufrechterhalten werden könne.[2] Zu den Auswirkungen der Zurückverweisung zur Anpassung der Beschreibung im nationalen Bereich siehe die kritischen Anmerkungen von Richter Pumfrey in der Entscheidung des englischen Patents Court (High Court) **Boston Scientific v. Palmaz**.[3] Verfahren vor dem EPA sollten innerhalb angemessener Frist zum Abschluss gebracht werden; das spricht dafür, insbesondere im Einspruchsbeschwerdeverfahren zusammen mit der Entscheidung über die Ansprüche auch über eine eventuell nötige Anpassung der Beschreibung zu entscheiden.[4]

9 d) Auch wenn in den Fällen b) und c) die Sache an die Prüfungs- oder die Einspruchsabteilung zur Erteilung des europäischen Patents oder zur Aufrechterhaltung des Patents in geändertem Umfang »zurückverwiesen« wird, handelt es sich um eine **echte Sachentscheidung** der Beschwerdekammer. Denn es wird der ersten Instanz zur Auflage gemacht, das europäische Patent in genau festgelegtem Umfang zu gewähren. Diese Lösung, die im übrigen Art 113 der deutschen VwGO entspricht, wird gewählt, weil vor der eigentlichen formellen Erteilung noch verschiedene administrative Maßnahmen durchzuführen sind. Insbesondere müssen die Mitteilungen und Aufforderungen nach R 51 an den Anmelder ergehen, und dieser muss die entsprechenden Handlungen vornehmen, bevor das europäische Patent formell erteilt werden kann. Diese Maßnahmen einschließlich der formellen Erteilung führt auch nicht die Prüfungsabteilung in ihrer vollen Besetzung durch, sondern der Formalsachbearbeiter, auf den diese Tätigkeiten übertragen worden sind.[5] Entsprechendes gilt im Einspruchsbeschwerdeverfahren für die Erfüllung der in R 58 (5) genannten Voraussetzungen durch den Patentinhaber im Falle der Aufrechterhaltung in geändertem Umfang.[6]

10 e) Hat der Beschwerdeführer mit seiner Beschwerde **Hilfsanträge** eingereicht, so wird in der Entscheidung zuerst über die im Hauptantrag enthaltenen Ansprüche entschieden, und erst dann, wenn diesem nicht stattgegeben wird, über die Hilfsanträge in der vom Beschwerdeführer vorgegebenen Reihenfolge. Ist die Beschwerdekammer der Auffassung, dass ein Patent nur gemäß ei-

---

1 Siehe zB **T 843/91**, ABl 1994, 832; **T 757/91** vom 10.3.1992; **T 113/92** vom 17.12.1992.
2 **T 636/97** vom 26.3.1998.
3 Entscheidung vom 26.6.1998, [1999] R.P.C. 47, 57f.
4 So auch **T 977/94** vom 18.12.1997.
5 Vgl Übertragungsverfügung, ABl 1999, 504.
6 Vgl Übertragungsverfügung, ABl 1999, 506, 507.

nem Hilfsantrag erteilt oder aufrechterhalten werden kann, so muss die Zurückweisung der vorrangigen Anträge nicht unbedingt in der Entscheidungsformel ausgesprochen werden. Will zB die Beschwerdekammer das von der Einspruchsabteilung widerrufene Patent gemäß einem Hilfsantrag C aufrechterhalten, so kann die Entscheidungsformel etwa lauten:

»Die angefochtene Entscheidung wird aufgehoben. Die Angelegenheit wird an die Einspruchsabteilung mit der Anordnung zurückverwiesen, das Patent in geändertem Umfang mit folgender Fassung aufrechtzuerhalten: 11

Beschreibung: …

Ansprüche: Nr 1–5 des Hilfsantrags C, eingereicht mit Schriftsatz vom 15. Mai 1996.

Zeichnungen: …«

f) Im **Einspruchsbeschwerdeverfahren** kann eine **begründete Beschwerde** zum **Widerruf des Patents** durch die Beschwerdekammer oder zur **Zurückweisung des Einspruchs** (und damit zur Aufrechterhaltung des Patents wie erteilt) führen. Diese Entscheidungen werden mit ihrem Erlass rechtskräftig. 12

Wurde das mit dem Einspruch angegriffene europäische Patent von der Einspruchsabteilung aufrechterhalten, hält aber die Beschwerdekammer die Beschwerde des Einsprechenden, mit der er den Widerruf des europäischen Patents anstrebt, für begründet, so entscheidet sie: 13

»Die angefochtene Entscheidung wird aufgehoben. Das Patent wird widerrufen.«

Wurde das europäische Patent von der Einspruchsabteilung widerrufen oder in geändertem Umfang aufrechterhalten und hält die Beschwerdekammer die Beschwerde des Patentinhabers mit dem Antrag auf Zurückweisung des Einspruchs für begründet, so kann sie mit folgender Entscheidungsformel die Entscheidung der Einspruchsabteilung aufheben und den Einspruch zurückweisen: 14

»Die angefochtene Entscheidung wird aufgehoben. Das Patent wird in unveränderter Form aufrechterhalten.«

g) Hält eine Beschwerdekammer die **Beschwerde** für **nicht begründet**, weist sie sie zurück. Die Entscheidungsformel lautet in aller Regel: 15

»Die Beschwerde wird zurückgewiesen.«

Mit der Zurückweisung der Beschwerde als unbegründet wird die Entscheidung des erstinstanzlichen Organs rechtskräftig.

3 Zurückverweisung zur Fortsetzung der Prüfung

a) Art 111 (1) Satz 2 sieht als Alternative die echte **Zurückverweisung** der Sache an die erste Instanz **zur weiteren Entscheidung** vor. Das bedeutet, dass die Beschwerdekammer das erstinstanzliche Organ (Prüfungsabteilung, Einspruchsabteilung, Eingangsstelle, Rechtsabteilung) nicht anweist, welche Ent- 16

scheidung sie zu treffen hat, vielmehr muss die erste Instanz die Angelegenheit sachlich weiter prüfen, allerdings auf der Grundlage der Entscheidung der Beschwerdekammer. In Art 111 (2) Satz 2 ist ausdrücklich festgelegt, dass die erste Instanz an die rechtliche Beurteilung durch die Beschwerdekammer gebunden ist, soweit der Tatbestand derselbe ist (zur Bindung an die ratio decidendi siehe Rdn 24). Die Entscheidungsformel kann in solchen Fällen lauten:
»Die angefochtene Entscheidung wird aufgehoben. Die Angelegenheit wird an die erste Instanz zur weiteren Entscheidung zurückverwiesen.«

17 b) Ein Grund für eine Zurückverweisung ist, dass das **Verfahren vor der ersten Instanz wesentliche Mängel** aufweist (Art 10 VerfOBK). Das ist zB der Fall, wenn der Grundsatz des rechtlichen Gehörs verletzt,[7] eine beantragte mündliche Verhandlung nicht durchgeführt[8] oder über wesentliche Punkte nicht entschieden wurde.

18 c) Eine Zurückverweisung kommt auch in Frage bei neuen Tatsachen und Beweismitteln, wenn zB eine **neue wesentliche Entgegenhaltung** bekannt geworden ist, die noch nicht in die Prüfung mit einbezogen worden war und die die Patentierbarkeit der streitgegenständlichen Erfindung in Frage stellt. Damit soll die Nachprüfung der bisher noch nicht behandelten Punkte durch zwei Instanzen möglich bleiben.[9] Eine Zurückverweisung ist insbesondere dann angebracht, wenn die neue Entgegenhaltung den Bestand des Patents gefährdet.[10]

19 Eine Zurückverweisung erfolgt laut etlichen Entscheidungen, wenn dem Beschwerdeverfahren ein völlig neuer Sachvortrag zugrunde gelegt wird, zB wenn ein bisher nur mit schriftlichen Entgegenhaltungen begründeter Einwand fehlender Neuheit nun auf eine öffentliche Vorbenutzung gestützt wird.[11] Eine Zurückverweisung wurde in einem Fall für erforderlich angesehen, in dem in der Beschwerdebegründung rechtliche und faktische Gründe genannt wurden, die unter den in erster Instanz behandelten Einspruchsgrund fielen, aber grundlegend neu und zugleich relevant waren.[12] In T 852/90 vom 2.6.1992 erachtete die Beschwerdekammer eine Zurückverweisung nicht für erforderlich, weil die neuen Beweismittel zwar bedeutende, jedoch nur den bisherigen Sachvortrag erweiternde Informationen enthielten.

20 Art 111 gewährt den Parteien aber **keinen absoluten Anspruch auf** Prüfung jedes im Beschwerdeverfahren neu vorgebrachten Punktes durch **zwei Instanzen**.[13] Art 111 überlässt es vielmehr dem Ermessen der Beschwerdekammer, unter Würdigung der Umstände des Falles über die Zurückverweisung an die

---

7 **T 125/91** vom 3.2.1992.
8 **T 808/94** vom 26.1.1995.
9 **T 273/84**, ABl 1986, 346; **T 258/84**, ABl 1987, 119.
10 **T 326/87**, ABl 1992, 522.
11 **T 611/90**, ABl 1993, 50; **T 97/90**, ABl 1993, 719.
12 **T 147/95** vom 14.11.1995.
13 **T 133/87** vom 23.6.1988.

erste Instanz zu entscheiden. Auch der Gesichtspunkt, die Verfahren vor dem EPA innerhalb angemessener Zeit zum Abschluss zu bringen, sollte hier eine Rolle spielen. Die Kammer kann insbesondere dann selbst in der Sache entscheiden, wenn die neu vorgebrachten Tatsachen und Beweismittel nicht relevant sind, oder zwar wichtigen Stand der Technik darstellen, der Aufrechterhaltung des Patents aber nicht entgegenstehen.[14] Auch wenn die Beschwerdekammer erstmals den Widerruf eines europäischen Patents für erforderlich erachtet, kann aus Art 111 EPÜ iVm Art 32 TRIPS-Abkommen keine Pflicht zur Zurückverweisung abgeleitet werden.[15]

d) Zurückverwiesen wird grundsätzlich auch dann, wenn eine Entscheidung der **Prüfungsabteilung** aufgehoben wird, in der noch **nicht alle Fragen der Patentierbarkeit erörtert** wurden, wenn zB die Zurückweisung wegen mangelnder Neuheit erfolgte und die Frage der erfinderischen Tätigkeit noch nicht geprüft worden ist und auch nicht sofort positiv beantwortet werden kann.[16] Ferner erfolgt eine Zurückverweisung, wenn Aufgabe und Lösung nicht objektiv festgestellt worden sind, weil zB der nächstliegende Stand der Technik nicht überprüft und deshalb die erfinderische Tätigkeit nicht ordnungsgemäß beurteilt worden ist.[17]

e) Auch **wesentliche Änderungen der Patentansprüche** (siehe Art 123) können zu einer Zurückverweisung führen, insbesondere dann, wenn die Änderungen so wesentlich sind, dass eine neue Prüfung, unter Umständen auf der Grundlage einer neuen Recherche in anderen Klassifikationseinheiten, erforderlich wird.[18]

Eine Zurückverweisung zur weiteren Entscheidung kann unterbleiben, wenn die Erteilung oder Aufrechterhaltung eines Patents aufgrund von Ansprüchen beantragt wird, denen schon die erste Instanz positiv gegenüberstand,[19] und wenn in einem Ex-parte-Verfahren der Beschwerdeführer ausdrücklich auf eine Zurückverweisung verzichtet.[20]

4 Bindung der übrigen Organe des EPA bei einer Zurückverweisung

Die Bindung an die rechtliche Beurteilung der Beschwerdekammer nach Art 111 (2) bezieht sich auf die die Entscheidung tragenden Gründe (englisch: ratio decidendi, im Französischen weniger klar: les motifs et le dispositif); das sind die Sachverhalts- und Begründungselemente, die für das Ergebnis der Ent-

---

14 **T 416/87**, ABl 1990, 415; **T 253/85** vom 10.2.1987.
15 **T 557/94** vom 12.12.1996.
16 **T 153/89** vom 17.11.1992; **T 33/93** vom 5.5.1993; **T 819/91** vom 26.3.1996.
17 **T 248/85**, ABl 1986, 261.
18 **T 63/86**, ABl 1988, 224; **T 47/90**, ABl 1991, 486; **T 125/94** vom 29.5.1996.
19 **T 5/89**, ABl 1992, 348.
20 **T 274/88** vom 6.6.1989.

scheidung ausschlaggebend sind.[21] Sie erstreckt sich nicht auf zusätzliche Überlegungen der Beschwerdekammer, die sich auf Punkte beziehen, die im anhängigen Fall nicht unmittelbar zu entscheiden waren (obiter dicta). Und sie besteht nur, soweit der Tatbestand derselbe ist.

25 Die Bindungswirkung bezieht sich nur auf den von der Beschwerdekammer entschiedenen Fall; in einer anderen Sache ist die erste Instanz nicht gebunden.[22] Die Bindungswirkung erstreckt sich grundsätzlich nur auf das Organ, an das zurückverwiesen wird, nicht auf die Organe in weiteren, unabhängigen Verfahren. Hat zB die Beschwerdekammer die Entscheidung der Prüfungsabteilung wegen der Beurteilung der erfinderischen Tätigkeit aufgehoben, so ist die Einspruchsabteilung nicht gehindert, die gleiche Frage anders zu entscheiden als die Beschwerdekammer.[23] In **T 386/94** wurden allerdings die Feststellungen in einer früheren Beschwerdekammer-Entscheidung, mit denen der Prioritätsanspruch für eine europäische Patentanmeldung verneint wurde, als *res judicata* auch im Rahmen eines späteren Beschwerdeverfahrens angesehen; dessen Gegenstand war ein auf eine andere europäische Patentanmeldung hin erteiltes europäisches Patent, dem die erstgenannte europäische Patentanmeldung mit der damals beanspruchten Priorität neuheitsschädlich entgegengestanden hätte; die Frage des Zeitrangs dieser Entgegenhaltung sei keiner erneuten Überprüfung zugänglich.[24] Zu Recht gegen diese Ausdehnung des res judicata-Prinzips **T 167/93**.[25]

26 Eine Erweiterung der Bindungswirkung wurde jedoch aus Zweckmäßigkeitsgründen in Art 111 (2) Satz 2 aufgenommen: An eine Entscheidung der Juristischen Beschwerdekammer, die auf eine Beschwerde gegen eine Entscheidung der Eingangsstelle ergangen ist, ist nicht nur diese, sondern auch die Prüfungsabteilung gebunden. Damit soll verhindert werden, dass insbesondere verfahrensrechtliche Probleme, mit denen sich die Juristische Beschwerdekammer hauptsächlich zu befassen hat, von der Prüfungsabteilung noch einmal aufgeworfen werden; denn nach Art 94 (1) und 96 (2) unterliegen auch solche Erfordernisse der Prüfung durch die Prüfungsabteilung. Die Einspruchsabteilung ist dagegen nicht an die Entscheidung der Juristischen Beschwerdekammer gebunden. Das ist auch nicht notwendig, weil diese formellen Mängel weitgehend durch die Patenterteilung erledigt und etwaige Mängel geheilt sind. Außerdem hat die Einspruchsabteilung nur zu prüfen, ob die Einspruchsgründe des Art 100, die materiell-rechtlicher Art sind, der Aufrechterhaltung des europäischen Patents entgegenstehen.

---

21 **T 934/91**, ABl 1994, 184; **T 843/91**, ABl 1994, 832.
22 **J 27/94**, ABl 1995, 831; **T 288/92** vom 18.11.1993.
23 **T 167/93**, ABl 1997, 229; **T 26/93** vom 16.12.1994.
24 **T 386/94**, ABl 1996, 658, Nr 21.
25 **T 167/93** ABl 1997, 229, Nr 2.9.2.

Soweit die Bindung einer Entscheidung reicht, sind die von einer Beschwerdekammer entschiedenen Fragen abschließend und endgültig geklärt, sind *res judicata* und binden auch eine Beschwerdekammer.[26] Eine solche endgültige Entscheidung bildet ein absolutes Hindernis für ein neues Verfahren betreffend dieselben Ansprüche, dieselben Anträge, denselben Sachverhalt und dieselben Parteien (oder ihre Rechtsnachfolger). Insoweit ist auch der Vortrag neuer Tatsachen ausgeschlossen.[27]

Ist jedoch der Sachverhalt nicht derselbe, weil zB statt der von der Beschwerdekammer nicht gewährten Vorrichtungsansprüche noch nicht vollständig geprüfte Verfahrensansprüche zum Gegenstand des weiteren Verfahrens wurden[28] oder weil ein neuer Stand der Technik ermittelt wurde,[29] so besteht insoweit keine Bindung. Daher müssen bei einer Zurückverweisung zur Fortsetzung der Prüfung die bindenden Elemente einer Beschwerdekammer-Entscheidung sorgfältig festgestellt werden:

– Wurden von einer Beschwerdekammer zwar die Ansprüche festgelegt, war aber nach der Zurückverweisung im Verfahren vor der ersten Instanz noch die Beschreibung anzupassen, so kann nur noch die **Anpassung der Beschreibung** mit einer weiteren Beschwerde angegriffen werden; an die im früheren Beschwerdeverfahren festgelegten Ansprüche ist auch die Beschwerdekammer gebunden, vor der das zweite Verfahren anhängig ist.[30]

– Wurden die **Ansprüche noch nicht endgültig festgelegt** und nur Einzelfragen der Patenterteilung entschieden, so sind diese rechtlichen Beurteilungen und die ihnen zugrundeliegenden Tatsachen bindend: zB die Feststellung, dass einer Erfindung die beanspruchte Priorität nicht zukommt,[31] dass ein Anspruch Art 123 (2) und (3) nicht verletzt und neu ist gegenüber den bisher im Verfahren genannten Entgegenhaltungen.[32] Über die übrigen Patentierungsvoraussetzungen ist dann erst noch zu entscheiden. Dabei können die Ansprüche geändert werden, um den im weiteren Verfahren erhobenen Einwänden zu begegnen, sofern die Änderungen nicht mit der ratio decidendi der zurückverweisenden Entscheidung in Widerspruch stehen.[33]

---

26 **T 934/91**, ABl 1994, 184; **T 690/91** vom 10.1.1996.
27 **T 843/91**, ABl 1994, 832; **T 694/01**, ABl 2003, 250; **T 1063/92** 15.10.1993; **T 153/93** vom 21.2.1994.
28 **T 720/93** vom 19.9.1995.
29 **T 27/94** vom 14.5.1996.
30 **T 843/91**, ABl 1994, 818; **T 694/01**, ABl 2003, 250; **T 113/92** vom 17.12.1992.
31 **T 690/91** vom 10.1.1996.
32 **T 720/93** vom 19.9.1995; **T 27/94** vom 14.5.1996.
33 **T 609/94** vom 27.2.1997; **T 27/94** vom 14.5.1996.

5 Rückzahlung der Beschwerdegebühr

31 a) Die Rückzahlung der Beschwerdegebühr war bereits im ersten Arbeitsentwurf von 1961 (Art 98 (4)) als reine Ermessensentscheidung vorgesehen. Nach den Bemerkungen dazu sollte die Gebühr nur bei offensichtlichen Fehlentscheidungen zurückgezahlt werden. Aus der Ermessensentscheidung wurde im Laufe der Arbeiten am EPÜ eine zwingende Vorschrift, die auch unabhängig von einem Antrag anzuwenden ist (»wird angeordnet«, »shall be ordered«, »est ordonné«).

32 b) Die Rückzahlung der Beschwerdegebühr nach R 67 wird angeordnet, wenn

- der Beschwerde **abgeholfen** oder durch die Beschwerdekammer **stattgegeben** wird und
- die Rückzahlung wegen eines **wesentlichen Verfahrensmangels**
- der **Billigkeit** entspricht.

33 Sind nicht alle diese Voraussetzungen erfüllt, so können die Beschwerdekammern grundsätzlich nicht die Rückzahlung anordnen.[34] Das Verfahren vor dem Organ, das die angefochtene Entscheidung erlassen hat, muss fehlerhaft gewesen sein; im Einspruchsbeschwerdeverfahren kann nicht mehr die Rückzahlung wegen eines wesentlichen Verfahrensmangels im Prüfungsverfahren angeordnet werden.[35]

34 Ein **Antrag** auf Rückzahlung wird in geeigneten Fällen meist gestellt, er ist aber nicht erforderlich.[36]

35 Die Rückzahlung der Beschwerdegebühr wird nach R 67 Satz 2 nur im Fall der Abhilfe von dem Organ angeordnet, das die angefochtene Entscheidung erlassen hat, sonst von der für die Sachentscheidung zuständigen Beschwerdekammer.

36 c) Wird eine Beschwerde als **unzulässig** verworfen oder **zurückgenommen**, so kann die Beschwerdegebühr nicht zurückgezahlt werden.[37] Die Billigkeitserwägung, dass bei Zurücknahme der Beschwerde zu einem frühen Zeitpunkt noch kein größerer Arbeitsaufwand entstanden ist, kann angesichts der eindeutigen Formulierung der R 67 nicht berücksichtigt werden.[38]

---

34 **T 41/82**, ABl 1982, 256.
35 **T 469/92** vom 9.9.1994.
36 **J 7/82**, ABl 1982, 391; **T 484/90**, ABl 1993, 448.
37 Für die nicht rechtzeitige Einreichung der Beschwerdebegründung: **T 13/82**, ABl 1983, 411, Nr 7 zur Diskussion auf der Münchener Diplomatischen Konferenz; **T 324/90**, ABl 1993, 33; **T 89/84**, ABl 1984, 562; für die Rücknahme der Beschwerde: **T 41/82**, ABl 1982, 256; **J 12/86**, ABl 1988, 83; **T 773/91** vom 25.3.1992; **J 37/97** vom 15.10.1998.
38 **T 41/82**, ABl 1982, 256.

Gilt eine Beschwerde aufgrund einer Rechtsvorschrift als nicht eingelegt (zB 37
wegen verspäteter Zahlung der Beschwerdegebühr, Nichteinreichung einer
Übersetzung in eine Amtssprache, siehe Art 108 Rdn 24, 27), so erfolgt die
Rückzahlung der Beschwerdegebühr nicht nach R 67, sondern weil sie ohne
Rechtsgrund entrichtet wurde.

d) **Stattgabe** bedeutet, dass die Beschwerdekammer zumindest im wesentli- 38
chen dem Rechtsbegehren des Beschwerdeführers folgt, also seinen Anträgen
stattgibt.[39] Dass der Beschwerde in der Sache nur beschränkt stattgegeben
wird, steht der Rückzahlung der Beschwerdegebühr nicht entgegen.[40]

e) Ein **wesentlicher Verfahrensmangel** ist ein das gesamte Verfahren beein- 39
trächtigender objektiver Fehler.[41] Ein solcher Mangel liegt nicht nur vor, wenn
Verfahrensregeln nicht in der im Übereinkommen vorgeschriebenen Weise angewendet werden, sondern auch, wenn das EPA eine falsche Information über
die Anwendung von Verfahrensregeln gibt, und ein Befolgen dieser Information die gleichen Folgen hat wie die falsche Anwendung dieser Regeln.[42] Ein Verfahrensmangel, der niemanden beschwert, ist offensichtlich nicht wesentlich.[43]
Eine falsche Verfahrensweise rechtfertigt grundsätzlich nicht die Rückzahlung
der Gebühr, wenn weder im EPÜ eindeutig vorgeschrieben ist, wie in einer bestimmten Situation zu verfahren ist, noch eine gefestigte Rechtsprechung vorliegt.[44] Das Abweichen von einer vereinzelt dastehenden Entscheidung einer
Beschwerdekammer ist – im Gegensatz zum Abweichen von gefestigter Rechtsprechung der Beschwerdeinstanz – nicht als wesentlicher Verfahrensmangel
anzusehen.[45]

f) Das Kriterium der **Billigkeit** konkretisiert sich nur im Einzelfall. So wurde 40
entschieden, dass die Rückzahlung der Beschwerdegebühr nicht der Billigkeit
entspricht, wenn zwar ein Verfahrensverstoß vorliegt, dieser aber nicht entscheidungserheblich ist.[46] Das kann auch der Fall sein, wenn sich die Zurückweisung der europäischen Patentanmeldung unter anderem auf eine Entgegenhaltung stützt, zu der der Anmelder nicht ausreichend Stellung nehmen konnte, aber der auf eine andere Entgegenhaltung gestützte Rest der Begründung
genügt, um die Zurückweisung zu rechtfertigen, sofern zu dieser anderen Entgegenhaltung rechtliches Gehör gewährt wurde.[47] Das gleiche gilt, wenn sich
ein Beteiligter zu einer technischen Tatsache, die für die Entscheidung nur von

---

39 **J 37/89**, ABl 1993, 201.
40 **J 18/84**, ABl 1987, 215.
41 **J 7/83**, ABl 1984, 211.
42 **J 6/79**, ABl 1980, 225.
43 **T 682/91** vom 22.9.1992.
44 **T 234/86**, ABl 1989, 79.
45 **T 208/88**, ABl 1992, 22.
46 **T 5/81**, ABl 1982, 249.
47 **T 893/90** vom 22.7.1993.

Artikel 111 *Entscheidung über die Beschwerde*

untergeordneter Bedeutung war, nicht äußern konnte[48] oder wenn das Übergehen eines Hilfsantrags letztlich folgenlos blieb.[49] Gibt es mehrere Beschwerdeführer, kann es der Billigkeit entsprechen, mehrere Beschwerdegebühren zurückzuzahlen, zB wenn auf die Beschwerde des Patentinhabers hin wegen eines wesentlichen Verfahrensmangels zurückverwiesen wird und deshalb die Beschwerde des Einsprechenden nicht mehr gehört werden kann.[50]

41 g) **Beispiele** für Verfahrensmängel, die die Rückzahlung der Beschwerdegebühr rechtfertigen:

42 **Nichtgewährung des rechtlichen Gehörs:** Art 113 (1) ist verletzt, wenn eine Entscheidung auf Gründe gestützt wird, zu denen der durch die Entscheidung Beschwerte nicht oder nicht ausreichend hat Stellung nehmen können,[51] oder wenn die vom Anmelder zu seinen Gunsten herangezogenen Dokumente zu seinen Lasten verwendet werden, ohne dass ihm Gelegenheit zur Äußerung gegeben worden ist.[52] Ein Beteiligter darf durch eine Entscheidung nicht überrumpelt werden; daher ordnete die Beschwerdekammer die Rückzahlung der Beschwerdegebühr an, als eine Einspruchsabteilung dem Patentinhaber nach Zurücknahme des Einspruchs durch den Einsprechenden nicht mitgeteilt hatte, dass sie nicht beabsichtigte, das Verfahren nach R 60 (2) Satz 2 fortzusetzen, obwohl der Patentinhaber im Einspruchsverfahren seine Patentansprüche und die Beschreibung im Hinblick auf ein älteres Recht beschränkt hatte;[53] ebenso wurde in einem Fall entschieden, in dem eine Zurückweisung überraschend auf erledigt geglaubte Einwände gestützt wurde.[54]

43 Wird jedoch nur ein zusätzliches Argument hinzugenommen, zB eine Entscheidung zur weiteren Stützung der ausführlich erörterten Argumentation zitiert,[55] oder ein zusätzliches, für das Ergebnis der Entscheidung nicht mehr maßgebliches Argument gebraucht,[56] stellt das keinen wesentlichen Verfahrensfehler dar.

44 Der Grundsatz des rechtlichen Gehörs gebietet, dass den Beteiligten vor Erlass einer Entscheidung eine **angemessene** Gelegenheit zur Stellungnahme geboten wird; das ist nicht der Fall, wenn zur Prüfung geänderter Ansprüche die mündliche Verhandlung nur für zehn Minuten unterbrochen wird[57] oder wenn eine europäische Patentanmeldung unmittelbar nach der Antwort auf den ers-

---

48 **T 299/85** vom 15.6.1988.
49 **T 601/92** vom 20.4.1995.
50 **T 552/97** vom 4.11.1997.
51 **J 7/82**, ABl 1982, 391.
52 **T 18/81**, ABl 1985, 166.
53 **T 197/88**, ABl 1989, 412.
54 **T 220/93** vom 30.11.1993.
55 **T 33/93** vom 5.5.1993.
56 **T 990/91** vom 25.5.1992.
57 **T 783/89** vom 19.2.1991.

ten Prüfungsbescheid mit der Begründung mangelnder Kooperationsbereitschaft des Anmelders zurückgewiesen wird.[58] Gelegenheit zur Stellungnahme ist nach der Zurückverweisung an die erste Instanz zur weiteren Entscheidung zu geben[59] oder vor Widerruf des Patents durch Mitteilung des Einspruchs an den Patentinhaber.[60]

Das Prinzip des rechtlichen Gehörs gebietet es auch, dass eine Stellungnahme zur Kenntnis genommen wird[61] und rechtzeitig vorgelegte, geeignete Beweismittel berücksichtigt werden.[62]

45

Wird die **von einem Beteiligten beantragte mündliche Verhandlung** nicht anberaumt, so stellt das grundsätzlich eine Verweigerung des rechtlichen Gehörs dar, welche die Rückzahlung der Beschwerdegebühr rechtfertigt.[63] In **T 19/87** wurde das bestätigt, die Rückzahlung aber abgelehnt, weil die mündliche Verhandlung infolge einer Fehleinschätzung durch die Prüfungsabteilung, nicht wegen eines Verfahrensmangels unterblieben war.[64] Hingegen stellt es **keinen Verfahrensmangel** dar, wenn ein Prüfer einen Antrag auf ein persönliches oder telefonisches Gespräch (**Interview**) übergeht, weil er es nicht für sachdienlich hält;[65] die Praxis hierzu ist in den PrüfRichtl C-VI, 4.3 und 6 erläutert.

46

Nichtberücksichtigung von eingereichten Ansprüchen oder Anträgen: Veröffentlichung trotz Zurücknahme der europäischen Patentanmeldung,[66] Übergehen geänderter Ansprüche[67] oder vorrangiger Anträge,[68] Patenterteilung auf der Grundlage einer vom Anmelder nicht gebilligten Fassung[69] sind wesentliche Verfahrensmängel.

47

---

58 **T 640/91**, ABl 1994, 918.
59 **T 892/92**, ABl 1994, 664.
60 **T 716/89**, ABl 1992, 132, für den Fall des heute nicht mehr zulässigen Einspruchs gegen das eigene Patent.
61 Vgl **T 94/84**, ABl 1986, 337, wo eine wichtige Entgegenhaltung entgegen Art 113 (1) nicht berücksichtigt wurde.
62 **T 1110/03**, ABl 2005, 302, Nr 2.4.
63 **T 93/88** vom 11.8.1988; **T 209/88** vom 20.12.1989; **T 283/88** vom 7.9.1988; **T 560/88** vom 19.2.1990; **T 598/88** vom 7.8.1989; **T 668/89** vom 19.6.1990; **T 663/90** vom 13.8.1991; **T 35/92** vom 28.10.1992; **T 879/92** vom 16.3.1994.
64 **T 19/87**, ABl 1988, 268.
65 **T 300/89**, ABl 1991, 480; **T 235/85** vom 22.11.1988.
66 **J 5/81**, ABl 1982, 155.
67 **T 543/92** vom 13.6.1994; **T 89/94** vom 5.7.1994.
68 **T 999/93** vom 9.3.1995.
69 **T 647/93**, ABl 1995, 132.

Artikel 111 — Entscheidung über die Beschwerde

48 **Verzögerungen des EPA-internen Postlaufs:** Es ist ein wesentlicher Verfahrensmangel, wenn entscheidungserhebliche Schriftstücke, die rechtzeitig beim EPA eingehen, zu spät an die zuständige Abteilung gelangen.[70]

Das Gleiche gilt:

49 für die **Nichtausführung der Entscheidung der Beschwerdekammer** durch die erste Instanz, zB wenn eine Zurückverweisung zur weiteren Entscheidung, also zur Fortsetzung der Prüfung, wie eine Zurückverweisung zur Aufrechterhaltung des Patents in der von der Beschwerdekammer gebilligten Fassung behandelt wird,[71]

50 für die **Missachtung der aufschiebenden Wirkung der Beschwerde**,[72]

51 für **Fehler in der Besetzung des erstinstanzlichen Organs**, insbesondere Verstöße gegen Art 19 (2)[73] oder den Erlass der Entscheidung durch den unzuständigen Formalsachbearbeiter,[74]

52 für das **Nichtabwarten des Fristablaufs**, zB die (Zurückweisung eines Einspruchs vor Ablauf der gesetzten Antwortfrist,[75] die Rüge der Nichteinreichung von Prioritätsunterlagen vor Ablauf der 16-Monatsfrist,[76] das Nichtabwarten angekündigter Ausführungen oder Beweise, und das Unterlassen einer entsprechenden Fristsetzung.[77]

53 **Fehlt** der erstinstanzlichen Entscheidung eine **Begründung**, so ist das ein wesentlicher Verfahrensmangel, der zur Rückzahlung der Beschwerdegebühr führt.[78] Eine vorhandene, aber nicht überzeugende[79] oder mangelhafte[80] Begründung wurde dagegen nicht als wesentlicher Verfahrensfehler angesehen. In **T 103/86** vom 20.3.1987, Nr 4, wird erläutert, wie die Gründe für und gegen das Vorliegen von Neuheit und erfinderischer Tätigkeit darzulegen sind. In **T 278/00** wurde die Beschwerdegebühr zurückgezahlt, weil die Ausführungen der Prüfungsabteilung bzgl der erfinderischen Tätigkeit nicht logisch nachvollziehbar waren.[81]

---

70 **T 231/85**, ABl 1989, 74; **T 154/90**, ABl 1993, 505; **T 35/88** vom 9.12.1988; **T 598/88** vom 7.8.1989.
71 **T 227/95** vom 11.4.1996.
72 **J 5/81**, ABl 1982, 155; **T 1/92**, ABl 1993, 685.
73 **T 382/92** vom 26.11.1992; **T 939/91** vom 5.12.1994.
74 **J 10/82**, ABl 1983, 94; **T 114/82**, ABl 1983, 323; **T 790/93** vom 15.7.1994.
75 **T 804/94** vom 10.7.1995.
76 **J 1/80**, ABl 1980, 289.
77 **J 1/80**, ABl 1980, 289.
78 **J 27/86** vom 13.10.1987; ebenso **T 493/88**, ABl 1991, 380 und **T 740/93** vom 10.1.1996 für den Fall, dass ein wesentlicher Punkt nicht begründet wurde.
79 **T 75/91** vom 11.1.1993.
80 **T 856/91** vom 8.10.1992.
81 **T 278/00**, ABl 2003, 546.

Fehlbeurteilungen durch die erste Instanz stellen dagegen **keinen Verfahrensmangel** dar. Beispiele: die unrichtige Auslegung eines Anspruchs[82] oder die falsche Auslegung einer Entgegenhaltung,[83] die unzutreffende Würdigung des Standes der Technik,[84] die unrichtige Beurteilung der Klarheit,[85] oder eine falsche Auslegung eines Schreibens des Anmelders an die Prüfungsabteilung.[86] 54

Auch ein **unklarer Bescheid** kann Anlass zur Rückzahlung der Beschwerdegebühr geben.[87] Das Gleiche gilt, wenn eine nach R 69 (2) beantragte **Entscheidung nicht innerhalb einer angemessenen Frist** erlassen wird, obgleich das EPA die Auffassung des Antragstellers nicht teilt.[88] 55

h) Dagegen stellt die **Nichtbeachtung der PrüfRichtl keinen Verfahrensmangel** iSd R 67 dar, wenn damit nicht gleichzeitig gegen eine Verfahrensregel oder einen Verfahrensgrundsatz verstoßen wurde, der im EPÜ verankert ist.[89] Das Gleiche gilt für das Versäumnis, der Entscheidung den Wortlaut der Art 106–108 beizufügen,[90] oder einen etwaigen Verstoß gegen den Grundsatz der Verfahrensökonomie.[91] Es ist auch nicht Aufgabe der Kammer, eine Entscheidung der Prüfungsabteilung nach den Gesichtspunkten der Billigkeit und Verfahrensökonomie zu untersuchen.[92] Eine **falsche Rechtsanwendung** ist für sich allein noch kein wesentlicher Verfahrensmangel.[93] 56

i) Zur Rückzahlung der Beschwerdegebühr im Falle der Abhilfe: siehe Art 109 Rdn 12–13. 57

6 Abschluss des Entscheidungsfindungsprozesses

a) Der in Art 11 (5) VerfOBK[94] geregelte **Schluss der sachlichen Debatte** in der mündlichen Verhandlung vor der Beschwerdekammer ist grundsätzlich der späteste Zeitpunkt, bis zu dem Schriftsätze, die bei der Entscheidung berücksichtigt werden, eingereicht oder Anträge gestellt werden können. Dies ist vor allem von Bedeutung, wenn eine mündliche Verhandlung nicht mit der Verkündung der Entscheidung endet. 58

---

82 **T 153/84** vom 15.10.1984.
83 **T 162/82**, ABl 1987, 533, Nr 15; **T 588/92** vom 18.3.1994; **T 1049/92** vom 10.11.1994.
84 **T 367/91** vom 14.12.1992; **T 182/92** vom 6.4.1993.
85 **T 860/93**, ABl 1995, 47; **T 680/89** vom 8.5.1990.
86 **T 19/87**, ABl 1988, 268.
87 **J 3/87**, ABl 1989, 3.
88 **J 29/86**, ABl 1988, 84.
89 **T 42/84**, ABl 1988, 251.
90 **T 42/84**, ABl 1988, 251.
91 **T 83/85** vom 28.8.1986.
92 **T 398/86** vom 16.3.1987.
93 **J 29/95**, ABl 1996, 489.
94 ABl 2003, 89.

Artikel 111 — Entscheidung über die Beschwerde

59 Erklärt die Beschwerdekammer die sachliche Debatte für beendet, so können hinterher eingehende Schriftsätze nur berücksichtigt werden, wenn die Beschwerdekammer die Debatte wieder eröffnet – was in ihrem Ermessen liegt.[95]

60 Behält sich die Beschwerdekammer vor, später schriftlich zu entscheiden und erklärt sie die sachliche Debatte nicht ausdrücklich für beendet, so werden hinterher eingehende Schriftsätze oder Beweismittel nach Art 114 (2) als verspätet gewertet und nur noch berücksichtigt, wenn sie sachdienlich sind.[96]

61 b) Es wird als Einverständnis mit einer **Entscheidung nach Lage der Akten** gewertet, wenn der Beschwerdeführer in einem Ex-parte-Verfahren erklärt, er wolle sich nicht zur Sache äußern.[97]

62 c) Nach **Verkündung der Entscheidung am Ende der mündlichen Verhandlung** ist die Beschwerdekammer nur noch zur schriftlichen Abfassung der Entscheidung befugt und kann nicht mehr darüber hinaus tätig werden.[98] Hinterher eingereichte Ansprüche[99] oder sachliche Stellungnahmen[100] können nicht mehr berücksichtigt werden. Lediglich ein Fehlerberichtigungsantrag wird noch berücksichtigt.[101]

7 Form und Sprache der Entscheidung der Beschwerdekammer

63 Abfassung, Form und Zustellung von Entscheidungen des EPA sind in R 68 allgemein geregelt; R 66 (2) legt fest, welche Bestandteile eine Entscheidung einer Beschwerdekammer enthalten muss.

64 Folgende Standardform hat sich entwickelt:
- die erste Seite (das Rubrum) enthält die in R 66 (2) Satz 2 a) bis d) vorgeschriebenen Angaben;
- unter der Überschrift »Sachverhalt und Anträge« folgt entsprechend den Anforderungen von R 66 (2) Satz 2 e) und f) eine Darstellung des Sachverhalts und der Anträge der Beteiligten (französisch: conclusions, englisch: a statement of the issues to be decided) deren Abschnitte in der Regel mit römischen Ziffern bezeichnet werden;
- es schließen sich die Entscheidungsgründe (R 66 (2) Satz 2 g)) an, gegliedert nach arabischen Ziffern;
- den Abschluss bildet die Entscheidungsformel, die mit arabischen Ziffern unterteilt wird (R 66 (2) Satz 2 h));

---

95 Art 11 (5) VerfOBK; **T 595/90**, ABl 1994, 695; **T 762/90** vom 29.11.1991; **T 411/91** vom 10.11.1993.
96 **T 456/90** vom 25.11.1991; **T 253/92** vom 22.10.1993.
97 **T 784/91** vom 22.9.1993.
98 **T 843/91**, ABl 1994, 818.
99 **T 304/92** vom 23.6.1993.
100 **T 296/93**, ABl 1995, 627.
101 **T 598/92** vom 7.12.1993.

– die Entscheidung ist vom Vorsitzenden und vom Geschäftsstellenbeamten durch ihre Unterschrift oder durch andere geeignete Mittel (zB digitale Signatur bei elektronisch erstellten Dokumenten) als authentisch zu bestätigen (R 66 (2) Satz 1).

Die Entscheidung der Beschwerdekammer ist grundsätzlich in der Verfahrenssprache abzufassen; jedoch stellte die Juristische Beschwerdekammer fest, dass Organe des EPA in ihren Entscheidungen auch eine andere Amtssprache verwenden können, sofern alle Beteiligten ihr Einverständnis erklären.[102]

8 Veröffentlichung von Entscheidungsdaten

Wird eine europäische Patentanmeldung durch die Beschwerdeentscheidung endgültig zurückgewiesen, so wird der Tag der Zurückweisung ins Patentregister eingetragen und nach Art 127, 129, R 92 (1) n) im Europäischen Patentblatt bekanntgemacht. Die Erteilung wird nach R 92 (1) o) ins Patentregister eingetragen; im Patentblatt wird darauf nach Art 97 (4) hingewiesen. Nach R 92 (1) r) wird Tag und Art der Entscheidung über den Einspruch ins Register eingetragen.

9 Veröffentlichung der Beschwerdekammerentscheidungen

Soweit die Entscheidung einer Beschwerdekammer nach Auffassung der Beschwerdekammer von allgemeinem Interesse ist, wird sie im Amtsblatt des EPA ganz oder gekürzt in den drei Amtssprachen des EPA veröffentlicht. Maßgebend für die Auslegung ist freilich allein der Text in der Verfahrenssprache.[103] Die Übersetzung ist als solche gekennzeichnet.

Die **Leitsätze** veröffentlichter Entscheidungen sind nicht Teil der Entscheidung selbst und binden weder die entscheidende Kammer noch andere Kammern oder die erste Instanz. Sie sollen lediglich die von der Kammer aufgezeigte Lösung kurz und in allgemeiner Form darstellen. Das Verständnis des Leitsatzes und die Anwendung des in ihm ausgedrückten Gedankens auf andere Fälle erfordert gewöhnlich das genaue Studium der gesamten Entscheidung.

Alle Entscheidungen der Beschwerdekammern und der Großen Beschwerdekammer werden, soweit nicht die Akteneinsicht ausgeschlossen ist oder aus persönlichkeitsrechtlichen oder ähnlichen Gründen die Nichtzugänglichkeit angezeigt erscheint, auf der Website des EPA in der Verfahrenssprache veröffentlicht; bei im Amtsblatt veröffentlichten Entscheidungen werden auch die Übersetzungen auf diesem Weg der Öffentlichkeit zugänglich gemacht. Denselben Datenbestand enthält die vom EPA (Dienststelle Wien) zu beziehende CD-ROM ESPACE-Legal.

---

102 **J 18/90**, ABl 1992, 511. Ebenso **T 788/91** vom 25.11.1994; **J 8/94**, ABl 1997, 17.
103 **T 952/92**, ABl 1995, 755.

Artikel 112 Entscheidung oder Stellungnahme der Großen Beschwerdekammer

(1) Zur Sicherung einer einheitlichen Rechtsanwendung oder wenn sich eine Rechtsfrage von grundsätzlicher Bedeutung stellt,

a) befasst die Beschwerdekammer, bei der ein Verfahren anhängig ist, von Amts wegen oder auf Antrag eines Beteiligten die Große Beschwerdekammer, wenn sie hierzu eine Entscheidung für erforderlich hält. Weist die Beschwerdekammer den Antrag zurück, so hat sie die Zurückweisung in der Endentscheidung zu begründen;

b) kann der Präsident des Europäischen Patentamts der Großen Beschwerdekammer eine Rechtsfrage vorlegen, wenn zwei Beschwerdekammern über diese Frage voneinander abweichende Entscheidungen getroffen haben.

(2) In den Fällen des Absatzes 1 Buchstabe a sind die am Beschwerdeverfahren Beteiligten am Verfahren vor der Großen Beschwerdekammer beteiligt.

(3) Die in Absatz 1 Buchstabe a vorgesehene Entscheidung der Großen Beschwerdekammer ist für die Entscheidung der Beschwerdekammer über die anhängige Beschwerde bindend.

Ulrich Joos

Übersicht

1	Allgemeines	1-4
2	Zusammensetzung der Großen Beschwerdekammer	5-8
3	Vorlage einer Rechtsfrage durch eine Beschwerdekammer	9-18
4	Verfahren vor der Großen Beschwerdekammer bei Vorlage einer Rechtsfrage durch eine Beschwerdekammer	19-23
5	Vorlage einer Rechtsfrage durch den Präsidenten des EPA	24-25
6	Verfahren vor der Großen Beschwerdekammer bei Vorlage einer Rechtsfrage durch den Präsidenten des EPA	26-27
7	Bindungswirkung	28-33

1 Allgemeines

1 Die Große Beschwerdekammer hat die Funktion, durch richterliche Rechtsfortbildung für eine **einheitliche Auslegung** des EPÜ zu sorgen. Damit wird der Tatsache Rechnung getragen, dass die (2006: 25) Beschwerdekammern des

EPA im europäischen Patenterteilungs- und Einspruchsverfahren in letzter Instanz entscheiden. Als in den frühen 60er Jahren mit den Arbeiten an einem europäischen Patent für den Gemeinsamen Markt begonnen wurde, war die Einschaltung des EuGH vorgesehen; das kam im EPÜ-System wegen der Beteiligung von Nicht-EG-Staaten nicht mehr in Betracht.

Bei der Großen Beschwerdekammer handelt es sich **nicht** um eine **weitere Instanz**, die nach der Entscheidung durch die Beschwerdekammer angerufen werden könnte. Vielmehr entscheidet die Große Beschwerdekammer im Rahmen eines Vorlageverfahrens über abstrakte Rechtsfragen. Diese Rechtsfragen werden ihr entweder im Laufe eines vor einer Beschwerdekammer anhängigen Verfahrens von der Beschwerdekammer vorgelegt, die dann die Antwort der Großen Beschwerdekammer ihrer Sachentscheidung zugrundelegt, oder sie hat eine Stellungnahme zu einer vom Präsidenten des EPA vorgelegten Rechtsfrage abzugeben, die nur für die Zukunft Wirkung entfalten kann. Nach Art 22, 112a **EPÜ 2000** erhält die Große Beschwerdekammer auch die Zuständigkeit, über Anträge auf Überprüfung von Entscheidungen der Beschwerdekammern zu entscheiden (siehe Art 112a).

Die Große Beschwerdekammer ist nach Art 15 g) ein Organ für die Durchführung der im EPÜ vorgesehenen Verfahren. Ihre Zuständigkeit ist in Art 22 (1) geregelt. Für das Verfahren vor der Großen Beschwerdekammer gelten die allgemein für das Beschwerdeverfahren geltenden Vorschriften. Nach R 11 (2) in Verbindung mit Art 23 (4) hat sie eine Verfahrensordnung erlassen, die vom Verwaltungsrat der Europäischen Patentorganisation genehmigt wurde.[1] Der in Art 1 (1) VerfOGrBK vorgesehene Geschäftsverteilungsplan regelt im einzelnen die Zusammensetzung der Großen Beschwerdekammer. Ihre Besetzung wird jährlich im ABl des EPA veröffentlicht.

Hängt der Ausgang eines Verfahrens vor dem EPA von einer Rechtsfrage ab, die der Großen Beschwerdekammer zur Klärung vorgelegt wurde, wurde bisher die Weiterbearbeitung bis zur Entscheidung oder Stellungnahme der Großen Beschwerdekammer ausgesetzt.[2] In Abkehr von dieser Praxis hat das EPA in Bezug auf zwei vor der Großen Beschwerdekammer anhängige Verfahren mitgeteilt, dass das Verfahren vor den erstinstanzlichen Organen nur ausgesetzt wird, wenn mindestens ein Beteiligter das beantragt und der Ausgang des Verfahrens völlig von der Entscheidung der Großen Beschwerdekammer abhängt.[3] Verschiedentlich haben Beschwerdekammern vor der Großen Beschwerdekammer gerade anhängige Rechtsfragen erneut vorgelegt, weil sich in

---

1   ABl EPA 2003, 83.
2   **T 166/84**, ABl 1984, 489.
3   Vgl die Mitteilungen des EPA vom 4.7. und 1.9.2006, ABl 2006, 543 und 538.

Artikel 112 *Entscheidung der Großen Beschwerdekammer*

dem neuen Fall neue Aspekte des Problems ergaben,[4] oder um im Falle einer durch den Präsidenten des EPA vorgelegten Frage den Beteiligten an einem Prüfungs- oder Einspruchsverfahren Gelegenheit zur Stellungnahme zu geben.[5]

2 Zusammensetzung der Großen Beschwerdekammer

5   Die Kammer setzt sich aus sieben Mitgliedern zusammen, fünf rechtskundigen und zwei technisch vorgebildeten. Den Vorsitz führt, da letztlich Rechtsfragen zu entscheiden sind, ein rechtskundiges Mitglied (Art 22 (2) Satz 2); nach derzeitiger Praxis kommt diese Aufgabe dem mit der Leitung der Generaldirektion 3 beauftragten Vizepräsidenten des EPA zu. Im EPÜ ist nicht vorgeschrieben, dass die Mitglieder der Großen Beschwerdekammer einer anderen Beschwerdekammer angehören müssen. Jedoch werden derzeit nur Mitglieder der anderen Beschwerdekammern und nationale Richter zu Mitgliedern der Großen Beschwerdekammer ernannt. Die Ernennung nationaler Richter zu ad hoc-Mitgliedern der Großen Beschwerdekammer nach Art 160 (2) ist schon seit den 90er Jahren üblich; in den letzten fünf Jahren wurde verstärkt von dieser Möglichkeit Gebrauch gemacht, so dass es zur Zeit (2006) 16 nationale Richter in der Großen Beschwerdekammer gibt. Die Mitwirkung nationaler Richter in Verfahren vor der Großen Beschwerdekammer soll die Harmonisierung der Patentrechtsprechung in Europa fördern.

6   Die Große Beschwerdekammer gibt sich einen Geschäftsverteilungsplan, in dem ihre Mitglieder aufgezählt, die sieben Mitglieder der regelmäßigen Spruchbesetzung und deren Stellvertreter festgelegt, sowie weitere Regeln für eine sachgerechte Besetzung enthalten sind (zB Nationalitätenverteilung, Beteiligung nationaler Richter, eventuell erforderliche technische Spezialkenntnisse, sachlicher Zusammenhang von anhängigen Rechtsfragen). Für den konkreten Fall schreibt Art 1 (2) VerfOGrBK vor, dass im Verfahren vor der Großen Beschwerdekammer mindestens vier Mitglieder nicht an dem Verfahren vor der Kammer mitgewirkt haben dürfen, die die Rechtsfrage vorlegte.

7   Die Regeln des Art 24 über Ausschließung und Ablehnung gelten ausdrücklich auch für die Große Beschwerdekammer. Nach Art 24 (1) dürfen ihre Mitglieder nicht an der Erledigung einer Sache mitwirken, an der sie ein persönliches Interesse haben, in der sie vorher als Vertreter eines Beteiligten tätig gewesen sind, oder an deren abschließender Entscheidung in der Vorinstanz sie mitgewirkt haben. Auch Mitglieder der Großen Beschwerdekammer können

---

4   ZB in den Verfahren **G 2/94**, ABl 1996, 390 – »Vertretung/HAUTAU II« und **G 4/95**, ABl 1996, 401 – »Vertretung/BOGASKY«, oder mit **T 208/88** vom 20.7.1988 – zu **G 2/88**, ABl 1990, 93 – »Reibungsverringernder Zusatz/MOBIL OIL« und **G 6/88**, ABl 1990, 114 – »Mittel zur Regulierung des Pflanzenwachstums/BAYER«.

5   **G 3/89**, ABl 1993, 117 – »Berichtigung nach Regel 88 Satz 2 EPÜ«, **G 11/91**, ABl 1993, 125 – »Glu-Gln/CELTRIX«.

von einem Beteiligten nach Art 24 (3) aus den eben genannten Gründen oder wegen der Besorgnis der Befangenheit abgelehnt werden.

Nach Art 24 (2) teilt ein Mitglied, das an einem Verfahren nicht mitwirken zu können glaubt, dies der Großen Beschwerdekammer mit; letztere entscheidet darüber ohne dieses Mitglied (Art 24 (4)). Nach Art 3 VerfOGrBK wird das Verfahren des Art 24 (4) auch angewandt, wenn die Große Beschwerdekammer von einem möglichen Ausschließungsgrund auf eine andere Weise als von dem Mitglied oder einem Beteiligten Kenntnis erhält.

3 Vorlage einer Rechtsfrage durch eine Beschwerdekammer

Die Zuständigkeit der Großen Beschwerdekammer für Entscheidungen über Rechtsfragen, die ihr von den Beschwerdekammern vorgelegt werden, gründet sich auf Art 22 (1) a). Die Voraussetzungen für die Vorlage durch eine Beschwerdekammer ergeben sich aus Art 112 (1) a).

Eine Beschwerdekammer befasst die Große Beschwerdekammer mit einer Rechtsfrage, die sich in einem bei ihr anhängigen Beschwerdeverfahren stellt:

– zur Sicherung einer einheitlichen Rechtsanwendung oder
– im Falle einer Rechtsfrage von grundsätzlicher Bedeutung,
– wenn sie eine Entscheidung der Großen Beschwerdekammer für erforderlich hält.

Die Vorlage erfolgt von Amts wegen oder auf Antrag eines Beteiligten. Die Ablehnung eines solchen Antrags hat die Beschwerdekammer in der Endentscheidung zu begründen (Art 112 (1) a) letzter Satz). Die Art 15–17 VerfOBK geben einige Regeln vor, wann eine Vorlage zu erfolgen hat.

Eine **Rechtsfrage grundsätzlicher Bedeutung** war der Anlass zB zu den Entscheidungen der Großen Beschwerdekammer zur zweiten medizinischen Indikation, unter anderem G 1/83[6] sowie zur Entscheidung G 1/88[7] über die Bedeutung des Schweigens des Einsprechenden auf eine Mitteilung nach R 58 (4) (diese Rechtsfrage wurde vorgelegt durch T 271/85,[8] während T 244/85[9] eine Vorlage noch abgelehnt hatte).

Hält es eine Beschwerdekammer für notwendig, von einer Auslegung oder Erläuterung des EPÜ **abzuweichen**, die in einer **früheren Entscheidung einer Beschwerdekammer** enthalten ist, so muss sie dies nach Art 15 (1) VerfOBK begründen, es sei denn, diese Begründung steht mit einer früheren Entscheidung oder Stellungnahme der Großen Beschwerdekammer in Einklang. Eine Beschwerdekammer, die von einer früheren Entscheidung abweichen will, be-

---

[6] **G 1/83**, ABl 1985, 60 – »2. medizinische Indikation«.
[7] **G 1/88**, ABl 1989, 189 – »Schweigen des Einsprechenden/HOECHST«.
[8] **T 271/85**, ABl 1988, 341.
[9] **T 244/85**, ABl 1988, 216.

Artikel 112 *Entscheidung der Großen Beschwerdekammer*

fasst jedoch im Interesse der Einheitlichkeit der Rechtsanwendung gerne die Große Beschwerdekammer mit der Frage.[10] Vorgeschrieben ist die Vorlage bei einer **beabsichtigten Abweichung von** einer Entscheidung oder Stellungnahme der **Großen Beschwerdekammer** (Art 16 VerfOBK).

14   Die Aspekte der einheitlichen Rechtsanwendung und der Klärung grundsätzlicher Rechtsfragen können auch verbunden sein.[11]

15   Eine Vorlage zur Sicherung der einheitlichen Rechtsanwendung oder zur Klärung einer Rechtsfrage grundsätzlicher Bedeutung erfolgt, sofern die Beschwerdekammer eine Entscheidung der Großen Beschwerdekammer für **erforderlich** hält. Sie ist zB nicht erforderlich, wenn sich die Antwort in zweifelsfreier Weise aus dem EPÜ ergibt,[12] oder wenn die Beschwerdekammer keinen Grund sieht, von der Linie der bisherigen Rechtsprechung abzugehen[13] oder die abweichende Entscheidung isoliert dasteht.[14]

16   Auch rechtliche Ausführungen in einem obiter dictum, die von Rechtsausführungen in einer anderen Entscheidung abweichen, können zu Rechtsunsicherheit führen, so dass eine Entscheidung der Großen Beschwerdekammer zweckmäßig ist.[15]

17   Es muss eine **Rechtsfrage** vorgelegt werden, nicht eine tatsächliche, insbesondere technische Frage (zB wie oder ob der Fachmann den technischen Inhalt einer bestimmten Entgegenhaltung versteht[16]).

18   Die Vorlage durch die Beschwerdekammer erfolgt in Form einer begründeten Entscheidung, die die Rechtsfrage und den Zusammenhang angibt, in dem sie sich stellt.[17] Letzteres geschieht insbesondere dadurch, dass ausgeführt wird, dass die Entscheidung je nach Antwort der Großen Beschwerdekammer auf die vorgelegte Rechtsfrage anders ausfallen würde.[18] Die Vorlage einer Rechtsfrage, die im anhängigen Beschwerdeverfahren nicht entscheidungserheblich ist, wäre unzulässig, selbst wenn sie sich auf eine wichtige Rechtsfrage von allgemeinem Interesse beziehen würde – eine Sichtweise, die durch Art 112 (3)

---

10   **T 815/90**, ABl 1994, 389 zu **G 2/93**, ABl 1995, 275 – »Hepatitis-A-Virus/UNITED STATES OF AMERICA II«; **T 60/91**, ABl 1993, 551 zu **G 9/92**, ABl 1994, 875 – »Nichtbeschwerdeführender Beteiligter/BMW«.
11   ZB **T 60/91**, ABl 1993, 551; **T 1091/02**, ABl 2005, 14; **G 2/04**, ABl 2005, 547 – »Übertragung des Einspruchs/HOFFMANN-LA ROCHE«, Nr 1.3.
12   **J 5/81**, ABl 1982, 155; **T 162/82**, ABl 1987, 533.
13   ZB **T 219/83**, ABl 1986, 211; **J 47/92**, ABl 1995, 180; **T 82/93**, ABl 1996, 274.
14   **T 15/01** vom 17.6.2004, ABl 2006, 153, Mitt. 2005, 508, Entscheidungsgründe Nr 40.
15   **G 3/93**, ABl 1995, 18 – »Prioritätsintervall«, Nr 2.
16   Siehe zB **T 181/82**, ABl 1984, 401, **T 939/92**, ABl 1996, 309.
17   Art 17 VerOBK
18   Vgl. **J 16/90**, ABl 1992, 260, Nr 1.2; **G 3/98**, ABl 2001, 62 – »Sechsmonatsfrist/UNIVERSITY PATENTS«, Nr 1.2.

bestätigt wird. Die Vorlage setzt auch eine zulässige Beschwerde voraus, es sei denn, die Zulässigkeit selbst ist Gegenstand der Vorlage.[19]

4 Verfahren vor der Großen Beschwerdekammer bei Vorlage einer Rechtsfrage durch eine Beschwerdekammer

Für das Verfahren vor der Großen Beschwerdekammer gelten die üblichen Verfahrensgrundsätze, insbesondere die Vorschriften über das rechtliche Gehör (Art 113), die mündliche Verhandlung (Art 116), die Ermittlung von Amts wegen (Art 114), die Beweisaufnahme über Rechtsfragen (Art 117). Dies ergibt sich auch aus der VerfOGrBK, die mit der VerfOBK weitgehend übereinstimmt. 19

Nach Art 112 (2) sind die am noch schwebenden Beschwerdeverfahren Beteiligten auch am Verfahren vor der Großen Beschwerdekammer beteiligt. Der Präsident des EPA kann sich nach Art 11a VerfOGrBK (eingefügt 1989[20]) auf Einladung der Großen Beschwerdekammer oder auf eigenen Antrag hin zu den anhängigen Fragen äußern. Dritte haben seit einer Änderung der VerfOGrBK im Jahr 1994 die Möglichkeit, Stellungnahmen zu den vor der Großen Beschwerdekammer anhängigen Fragen einzureichen, sogenannte *amicus curiae briefs* (Art 11b VerfOGrBK).[21] 20

Die Große Beschwerdekammer beschränkt ihr Verfahren auf die Rechtsfrage, die die vorlegende Beschwerdekammer in der Vorlageentscheidung gemäß Art 17 VerfOBK formuliert hat; der übrige Prozessstoff bleibt vor der Großen Beschwerdekammer außer Betracht. 21

Nach Art 8 VerfOGrBK besteht die Möglichkeit der Verbindung von Verfahren, die gleiche oder ähnliche Rechtsfragen betreffen. Während bei der Frage der Patentierbarkeit der zweiten medizinischen Indikation trotz gemeinsamer Entscheidung über die sechs anhängigen Fälle von einer Verfahrensverbindung noch Abstand genommen worden war, hat die Große Beschwerdekammer später von dieser Möglichkeit Gebrauch gemacht[22] 22

Seit der Änderung der VerfOGrBK im Jahr 1994[23] können in die Begründung einer Entscheidung der Großen Beschwerdekammer auch die Erwägungen einer überstimmten Minderheit der Kammermitglieder aufgenommen werden, wenn die Mehrheit dem zustimmt (Art 12a VerfOGrBK). 23

---

19 **G 2/04**, ABl 2005, 547 – »Übertragung des Einspruchs/HOFFMANN-LA ROCHE«, Nr 1.2).
20 ABl 1989, 362.
21 ABl 1994, 443.
22 ZB **G 9/91**, ABl 1993, 408 – »Prüfungsbefugnis/ROHM und HAAS«, **G 10/91**, ABl 1993, 420 – »Prüfungs von Einsprüchen/Beschwerden«; **G 1/89**, ABl 1991, 155 – »Polysuccinatester/Nichteinheitlichkeit a posteriori«. **G 2/89**, ABl 1991, 166 – »Nichteinheitlichkeit a posterior«.
23 ABl 1994, 443.

5 Vorlage einer Rechtsfrage durch den Präsidenten des EPA

24 Nach Art 112 (1) b) kann auch der Präsident des EPA zur Sicherung einer einheitlichen Rechtsprechung oder wenn sich eine Rechtsfrage von grundsätzlicher Bedeutung stellt, der Großen Beschwerdekammer eine Rechtsfrage vorlegen. Anders als eine Beschwerdekammer kann er dies aber nur, wenn **zwei Beschwerdekammern voneinander abweichende Entscheidungen** getroffen haben. Entscheidend für die Auslegung dieser Bestimmung sollte die Widersprüchlichkeit der Rechtsprechung sein, und nicht, ob die voneinander abweichenden Entscheidungen von zwei verschiedenen Beschwerdekammern stammen, dh von Kammern mit unterschiedlicher organisatorischer Bezeichnung. Sonst könnte der Präsident nie zB widersprüchliche Entscheidungen der Juristischen Beschwerdekammer zur Eingangs- und Formalprüfung zum Gegenstand einer Vorlage machen.[24] Andererseits ist eine Abgrenzung zur Weiterentwicklung der Rechtsprechung nötig. Letzteres ist anzunehmen, wenn dieselbe Organisationseinheit (zB die Technische Beschwerdekammer 3.4.5) in derselben Besetzung von ihrer früheren Entscheidung abweicht. In allen anderen Fällen kann Indiz für eine beabsichtigte Weiterentwicklung der Rechtsprechung sein, wenn sich die Beschwerdekammer in neuer Besetzung oder eine andere Beschwerdekammer mit der oder den früheren Entscheidungen eingehend auseinandersetzt. Jedoch muss auch dann der Präsident die Rechtsfrage vorlegen können, wenn nur so eine einheitliche Rechtsanwendung erreichbar scheint. Die Große Beschwerdekammer hat erstmals im Verfahren **G 3/95**[25] eine Vorlage des Präsidenten für unzulässig erklärt, weil zwischen den vom Präsidenten genannten Entscheidungen zweier Beschwerdekammern kein Widerspruch bestehe.

25 Die Große Beschwerdekammer trifft im Fall der Vorlage einer Rechtsfrage durch den Präsidenten des EPA keine Entscheidung, da ja die sich widersprechenden Entscheidungen bereits abgeschlossen sind, sondern gibt eine *Stellungnahme* ab (englisch: *opinion*, französisch: *avis*), Art 22 (1) b).

6 Verfahren vor der Großen Beschwerdekammer bei Vorlage einer Rechtsfrage durch den Präsidenten des EPA

26 Bei der Behandlung einer vom Präsidenten des EPA vorgelegten Rechtsfrage werden die üblichen Verfahrensregeln angewendet, soweit dies der Sache nach überhaupt möglich ist (Art 13 VerfOGrBK). Das kann zB für eine Beweisaufnahme (Art 117) zutreffen, oder eine mündliche Verhandlung (Art 116), die nach Art 116 (4) öffentlich sein muss.

---

24 Vgl **G 4/98**, ABl 2001, 131 – »Benennungsgebühren«, Nr 1.2; **G 1/04**, ABl 2006, 334 »Diagnostizierverfahren«, Nr 1.
25 **G 3/95**, ABl 1996, 169 – »Vorlage unzulässig«.

Jedoch gibt es im Verfahren zur Abgabe einer Stellungnahme keine Verfahrensbeteiligten im Sinn von unmittelbar betroffenen Beteiligten. Art 112 (2) macht deutlich, dass eine *Beteiligung* nur in Betracht kommt, wenn eine Rechtsfrage von einer Beschwerdekammer vorgelegt wird. Jedoch können Dritte ihre Argumente zur vorgelegten Rechtsfrage jetzt durch das Einreichen eines *amicus curiae briefs* vortragen (siehe Rdn 20). 27

7 Bindungswirkung

Bei der Bindungswirkung von Entscheidungen der Großen Beschwerdekammer sind vier Aspekte zu unterscheiden: 28

– Die Beschwerdekammer, die der Großen Beschwerdekammer im Verlauf eines anhängigen Beschwerdeverfahrens die Rechtsfrage vorgelegt hat, ist nach Art 112 (3) bei ihrer Entscheidung über die anhängige Beschwerde an die Rechtsauffassung der Großen Beschwerdekammer gebunden, die in der Entscheidungsformel und den sie tragenden Gründen zum Ausdruck kommt. Obiter dicta der Großen Beschwerdekammer sind nicht bindend. 29

– Eine weitergehende, auch zukünftige Fälle und die anderen Beschwerdekammern umfassende indirekte Bindungswirkung ergibt sich aus Art 16 VerfOBK: Nach dieser Vorschrift befasst eine Beschwerdekammer, die von einer Auslegung oder Erläuterung des EPÜ abweichen will, die in einer Entscheidung oder Stellungnahme der Großen Beschwerdekammer enthalten ist, diese erneut mit der Frage. Ein Verstoß gegen Art 16 VerfOBK ist jedoch sanktionslos. 30

– Stellungnahmen, die auf eine Vorlage des Präsidenten hin ergehen, haben selbstverständlich keinerlei Rückwirkungen auf die einander widersprechenden Entscheidungen, die zu der Vorlage Anlass gaben. Eine indirekte Bindungswirkung für zukünftige Fälle vor den Beschwerdekammer ergibt sich wiederum aus Art 16 VerfOBK. 31

– Die erstinstanzlichen Organe sind an Entscheidungen der Großen Beschwerdekammer nicht direkt gebunden, sondern nur in einem anhängigen Fall gemäß Art 111 (2) an die Entscheidung der Beschwerdekammer. Da jedoch die Beschwerdekammern aufgrund Art 16 VerfOBK verpflichtet sind, die von der Großen Beschwerdekammer vorgegebene Linie nicht ohne erneute Vorlage und ohne eine anderweitige Entscheidung der Großen Beschwerdekammer zu verlassen, ergibt sich auch für die erstinstanzlichen Organe eine faktische Bindung, da die Beschwerdekammern auf eine Beschwerde hin abweichende Entscheidungen aufheben würden. Eine ständige Rechtsprechung der Beschwerdekammern kann die erste Instanz nicht ignorieren. 32

Die Große Beschwerdekammer kann ihre Rechtsprechung ändern und hat dies in einem Fall getan bezüglich der Zulässigkeit des Einspruchs gegen das 33

Artikel 112a *Überprüfung durch die Große*
EPÜ 2000 *Beschwerdekammer*

eigene Patent,[26] wobei unter Umständen für eine Übergangsfrist schutzwürdiges Vertrauen auf den Fortbestand der bisherigen Rechtsauffassung zu berücksichtigen ist.[27] Gesichtspunkte des Vertrauensschutzes können auch eine Rolle spielen, wenn die Entscheidung der Großen Beschwerdekammer zu einem Abgehen von einer etablierten Praxis des EPA und seiner Beschwerdekammern zwingt.[28]

EPÜ 2000

Artikel 112a Antrag auf Überprüfung durch die Große Beschwerdekammer

(1) Jeder Beteiligte an einem Beschwerdeverfahren, der durch die Entscheidung einer Beschwerdekammer beschwert ist, kann einen Antrag auf Überprüfung der Entscheidung durch die Große Beschwerdekammer stellen.

(2) Der Antrag kann nur darauf gestützt werden, dass

a) ein Mitglied der Beschwerdekammer unter Verstoß gegen Artikel 24 Absatz 1 oder trotz einer Ausschlussentscheidung nach Artikel 24 Absatz 4 an der Entscheidung mitgewirkt hat;

b) der Beschwerdekammer eine Person angehörte, die nicht zum Beschwerdekammermitglied ernannt war;

c) ein schwerwiegender Verstoß gegen Artikel 113 vorliegt;

d) das Beschwerdeverfahren mit einem sonstigen, in der Ausführungsordnung genannten schwerwiegenden Verfahrensmangel behaftet war oder

e) eine nach Maßgabe der Ausführungsordnung festgestellte Straftat die Entscheidung beeinflusst haben könnte.

(3) Der Antrag auf Überprüfung hat keine aufschiebende Wirkung.

(4) Der Antrag ist nach Maßgabe der Ausführungsordnung einzureichen und zu begründen. Wird der Antrag auf Absatz 2 a) bis d) gestützt, so ist er innerhalb von zwei Monaten nach Zustellung der Beschwerdekammerentscheidung zu stellen. Wird er auf Absatz 2 e) gestützt, so ist er innerhalb von zwei Monaten nach Feststellung der Straftat, spätestens aber fünf Jahre nach Zustellung der Beschwerdekammerentscheidung zu stellen. Der Überprü-

---

26 **G 1/84**, ABl 1985, 299 – »Einspruch des Patentinhabers/MOBIL OIL« und **G 9/93**, ABl 1994, 891 – »Einspruch der Patentinhaber/PEUGOT und CITROEN«.

27 **G 9/93**, ABl 1994, 891 – »Einspruch der Patentinhaber/PEUGOT und CITROEN«.

28 Vgl **G 5/93**, ABl 1994, 447 – »Wiedereinsetzung bei PCT-Anmeldungen«; **G 5/88**, ABl 1991, 137 – »Einreichen von Einsprüchen über das DPMA in Berlin«; siehe auch **T 739/05**, Mitt. 2006, 319.

fungsantrag gilt erst als gestellt, wenn die vorgeschriebene Gebühr entrichtet worden ist.

(5) Die Große Beschwerdekammer prüft den Antrag nach Maßgabe der Ausführungsordnung. Ist der Antrag begründet, so hebt die Große Beschwerdekammer die Entscheidung auf und ordnet nach Maßgabe der Ausführungsordnung die Wiederaufnahme des Verfahrens vor den Beschwerdekammern an.

(6) Wer in einem benannten Vertragsstaat in gutem Glauben die Erfindung, die Gegenstand einer veröffentlichten europäischen Patentanmeldung oder eines europäischen Patents ist, in der Zeit zwischen dem Erlass der Beschwerdekammerentscheidung und der Bekanntmachung des Hinweises auf die Entscheidung der Großen Beschwerdekammer über den Überprüfungsantrag im Europäischen Patentblatt in Benutzung genommen oder wirkliche und ernsthafte Veranstaltungen zur Benutzung getroffen hat, darf die Benutzung in seinem Betrieb oder für die Bedürfnisse seines Betriebs unentgeltlich fortsetzen.

Ulrich Joos

Übersicht

1	Allgemeines	1-3
2	Übergangsrecht	4
3	Außerordentlicher Rechtsbehelf.............	5
4	Anfechtungsgründe	6-7
5	Zulässigkeit	8-13
6	Verfahren bei Anträgen auf Überprüfung	14-17
7	Weiterbenutzungsrecht Dritter	18

1 Allgemeines

Art 112a wurde durch die Revisionsakte vom 29.11.2000 ins EPÜ eingefügt, um eine begrenzte gerichtliche Überprüfung von Beschwerdekammerentscheidungen zu ermöglichen. Wenn ein Beschwerdeverfahren mit einem schwerwiegenden Verfahrensmangel behaftet oder durch eine Straftat beeinflusst ist, kann die Große Beschwerdekammer auf Grund eines Antrags auf Überprüfung die Entscheidung der Beschwerdekammer aufheben und die Wiederaufnahme des Beschwerdeverfahrens anordnen. 1

Art 112a wird ergänzt durch Art 22 (1) c) und (2) Satz 2 EPÜ 2000 betreffend die Zuständigkeit und die Besetzung der Großen Beschwerdekammer bei Überprüfungsanträgen sowie durch die Regeln in Kapitel II des sechsten Teils der Ausführungsordnung zum EPÜ 2000. 2

Durch das Überprüfungsverfahren wird keine dritte Instanz eröffnet. Es dient nicht dazu, die Anwendung des materiellen Rechts überprüfen zu lassen. 3

Artikel 112a *Überprüfung durch die Große*
EPÜ 2000 *Beschwerdekammer*

Seine Funktion besteht darin, nicht hinnehmbare Fehler in einzelnen Beschwerdeverfahren zu beseitigen, und nicht darin, die Verfahrenspraxis vor dem EPA weiterzuentwickeln oder eine einheitliche Rechtsanwendung zu sichern.

2 Übergangsrecht

4 Art 112a ist auf Entscheidungen der Beschwerdekammern anwendbar, die ab dem Inkrafttreten des EPÜ 2000 ergehen (Art 1 Nr 4 des Beschlusses des Verwaltungsrats vom 28.6.2001 über die Übergangsbestimmungen nach Artikel 7 der Akte zur Revision des EPÜ, ABl 2003, Sonderausgabe Nr 1, S 202).

3 Außerordentlicher Rechtsbehelf

5 Der Überprüfungsantrag ist ein außerordentlicher Rechtsbehelf, dessen Einlegung keine aufschiebende Wirkung hat (Art 112a (3) EPÜ 2000), der also die Rechtskraft der angefochtenen Entscheidung nicht berührt. Ein erfolgreicher Antrag führt zu einer Entscheidung der Großen Beschwerdekammer, die die Beschwerdekammerentscheidung aufhebt (kassatorische Entscheidung), dh deren Rechtskraft durchbricht, und zur Wiedereröffnung des Beschwerdeverfahrens, wie dies in Artikel 112a (5) EPÜ 2000 und in der Ausführungsordnung näher ausgeführt wird.

4 Anfechtungsgründe

6 a) Die Zahl der Anfechtungsgründe ist auf wenige schwerwiegende, in Art 112a (2) und der Ausführungsordnung erschöpfend aufgezählte Fälle beschränkt. In der Praxis wird voraussichtlich vor allem auf die Behauptung einer Verletzung des rechtliches Gehörs Bedeutung erlangen. Nach der Ausführungsordnung *kann* ein schwerwiegender Verfahrensmangel auch *vorliegen*, wenn entgegen Art 116 EPÜ eine beantragte mündliche Verhandlung nicht anberaumt wird, oder wenn über die Beschwerde entschieden wird ohne über einen hierfür relevanten Antrag zu entscheiden. Die Große Beschwerdekammer hat die Schwere der Verfahrensverletzung zu beurteilen, wobei sie die Begriffe »schwerwiegend« und »relevant« wird auslegen müssen. Es ist davon auszugehen, dass nur Anträge, die schriftlich gestellt oder von der Partei in der mündlichen Verhandlung zu Protokoll gegeben wurden, berücksichtigt werden. Der schwerwiegende Verfahrensmangel muss mit der Beschwerde zu tun haben; Anträge auf Kostenverteilung bzw. Rückzahlung der Beschwerdegebühr oder sonstige Anträge betreffend Nebenverfahren werden daher nicht erfasst. Denn eine Teilwiederaufnahme des Beschwerdeverfahrens nur im Hinblick auf Nebenfragen ist nicht wünschenswert.

7 b) Ein Antrag auf Überprüfung kann auch darauf gestützt werden, dass eine Straftat die Entscheidung beeinflusst haben könnte (Art 112a (2) e) EPÜ 2000).

Das EPA ist jedoch nicht befugt festzustellen, ob ein bestimmtes Verhalten einen strafrechtlich relevanten Rechtsbruch darstellt. Die Ausführungsordnung sieht daher vor, dass die Straftat durch ein zuständiges Gericht oder eine zuständige Behörde rechtskräftig festgestellt sein muss. Einer Verurteilung bedarf es nicht, so dass auch Fälle, in denen der Täter schuldlos handelt oder verstorben ist, erfasst werden können. Entscheidend ist, dass der objektive Tatbestand einer Strafnorm verwirklicht und dies durch ein zuständiges Gericht oder eine zuständige Behörde rechtskräftig festgestellt wurde. Da ein im strafrechtlichen Sinne »kriminelles« oder anderweitig mit vergleichbaren Sanktionen belegtes Verhalten von Land zu Land unterschiedlich definiert wird, muss es der Großen Beschwerdekammer überlassen werden, in ihrer Rechtsprechung festzulegen, was eine »Straftat« im Sinne des Artikels 112a (1) b) EPÜ darstellt.

5 Zulässigkeit

a) Beschwer: Ein Antrag auf Überprüfung steht einem Verfahrensbeteiligten nur zu, wenn er durch die angefochtene Entscheidung beschwert ist (Art 112a (1) EPÜ 2000). Er wird als unzulässig verworfen, wenn er nicht von einem durch die angefochtene Entscheidung beschwerten Beteiligten gestellt wird.

b) Rügepflicht: In der Ausführungsordnung ist vorgesehen, dass ein Überprüfungsantrag nur zulässig ist, wenn der Mangel während des Beschwerdeverfahrens beanstandet und der Einwand von der Beschwerdekammer zurückgewiesen wurde, es sei denn, der Einwand konnte im Beschwerdeverfahren nicht erhoben werden.

c) Fristen: Durch die Möglichkeit eines Überprüfungsantrags darf keine lange Rechtsunsicherheit für Dritte entstehen. Das einem erfolgreichen Überprüfungsverfahren folgende neue Beschwerdeverfahren kann schließlich damit enden, dass ein widerrufenes Patent bzw. eine zurückgewiesene Anmeldung wiederauflebt und bereits verlorener Schutz erneut wirksam wird. Art 112a (4) Satz 2 EPÜ 2000 sieht deshalb eine kurze Frist von zwei Monaten nach Zustellung der Entscheidung der Beschwerdekammer vor.

Wird ein Überprüfungsantrag auf das Vorliegen einer Straftat gestützt, beginnt die Zweimonatsfrist erst, wenn die gerichtliche Feststellung des Vorliegens einer Straftat rechtskräftig ist. Der Schutz einer Partei, die Opfer einer kriminellen Handlung ist, muss in diesen Ausnahmefällen Vorrang haben vor der Rechtssicherheit für Dritte. Allerdings wird diese Regelung durch eine absolute Ausschlussfrist von fünf Jahren nach Zustellung der Beschwerdekammerentscheidung ergänzt, nach deren Ablauf ein auf Art 112a (2) e) EPÜ 2000 gestützter Überprüfungsantrag nicht mehr zulässig ist.

d) Inhaltliche Anforderungen: Der Überprüfungsantrag muss den Namen und die Anschrift des Antragstellers enthalten, die zu überprüfende Entscheidung bezeichnen und darlegen, aus welchen Gründen die Entscheidung der Beschwerdekammer aufzuheben ist, und auf welche Tatsachen und Beweismittel

Artikel 112a EPÜ 2000 *Überprüfung durch die Große Beschwerdekammer*

der Antrag gestützt wird. Die substantiierte Begründung des Überprüfungsantrag muss innerhalb der Fristen des Art 112a (4) EPÜ 2000 eingereicht werden.

13 e) Gebühr: Der Antrag gilt erst als eingelegt, wenn die vorgeschriebene Gebühr entrichtet wird, die aber im Fall der Wiedereröffnung des Verfahrens vor der Beschwerdekammer zurückgezahlt wird.

6 Verfahren bei Anträgen auf Überprüfung

14 a) Im Verfahren nach Art 112a sind die Vorschriften für das Verfahren vor der Beschwerdekammer anzuwenden, sofern nichts anderes bestimmt ist. Insbesondere Ladungsfristen können abgekürzt werden.

15 b) Um eine nicht vertretbare anhaltende Rechtsunsicherheit für Dritte zu vermeiden, werden Anträge, die offensichtlich nicht zum Erfolg führen können, durch eine zügige **Vorprüfung** zu Beginn des Überprüfungsverfahrens ausgesondert. Ebenso soll auf diese Weise einer mit dem Überprüfungsantrag womöglich beabsichtigten Verfahrensverlängerung wirksam begegnet werden. Diese Aufgabe fällt einem Dreiergremium, bestehend aus zwei rechtskundigen und einem technisch vorgebildeten Mitglied zu (Art 22 (2) Satz 2 EPÜ 2000 in Verbindung mit der Ausführungsordnung), das alle Anträge auf Überprüfung prüft und offensichtlich unzulässige oder unbegründete verwirft. Dieses Gremium entscheidet ohne die Mitwirkung anderer Beteiligter auf der Grundlage des Antrags, d. h. auf der Grundlage der fristgemäß dargelegten und durch Tatsachenvortrag und Beweismittel gestützten Gründe für eine Aufhebung der Entscheidung. Die Mitwirkung anderer Beteiligter erübrigt sich in diesem Stadium, da es ohnehin zu einem vollständigen Verfahren kommt, wenn der Antrag nicht als offensichtlich unzulässig oder unbegründet verworfen wird. Wird der Antrag als offensichtlich unzulässig oder unbegründet verworfen, so beschwert dies die übrigen Beteiligten nicht, denn das Überprüfungsverfahren wird beendet und die Rechtslage bleibt so, wie von der Beschwerdekammer festgestellt. Auch in diesem Verfahrensstadium wird der Antragsteller, sofern er dies beantragt hat, oder, wenn die Große Beschwerdekammer das für sachdienlich erachten sollte, von Amts wegen, zu einer mündlichen Verhandlung geladen; gegebenenfalls wird die Ladungsfrist verkürzt. Am Ende der mündlichen Verhandlung verwirft die Große Beschwerdekammer den Antrag auf Überprüfung als offensichtlich unzulässig oder unbegründet, oder sie setzt das Verfahren vor der mit fünf Mitgliedern besetzten Großen Beschwerdekammer unter Hinzuziehen auch der anderen am Beschwerdeverfahren Beteiligten fort.

16 c) Über die Anträge, die die Vorprüfung passiert haben, entscheidet die Große Beschwerdekammer in einer Besetzung mit vier rechtskundigen Richtern und einem technisch vorgebildeten Richter (Art 22 (2) Satz 2 EPÜ 2000 in Verbindung mit der Ausführungsordnung). Wird dem Überprüfungsantrag stattgegeben, d. h. der behauptete Mangel bewiesen, so wird die Beschwerdekammerentscheidung aufgehoben und die Wiederaufnahme des Verfahrens vor der

Beschwerdekammer angeordnet, die die Entscheidung erlassen hat. Gegebenenfalls ordnet die Große Beschwerdekammer eine andere Besetzung der Beschwerdekammer an. Das zweite Beschwerdeverfahren kann zum selben Ergebnis wie das erste oder zu einem anderen Ergebnis führen.

d) Aus den Artikeln 106 und 112a EPÜ ergibt sich, dass die Entscheidung der Großen Beschwerdekammer über den Antrag auf Überprüfung nicht mit einem weiteren Rechtsbehelf anfechtbar ist. **17**

7 Weiterbenutzungsrecht Dritter

Da das Wiederaufleben eines einmal verlorenen Patentschutzes die Interessen Dritter beeinträchtigen kann, ist die Frage der Weiterbenutzungsrechte in Art 112a (6) EPÜ 2000 ähnlich wie im geltenden Art 122 (6) geregelt. Das Erfordernis des guten Glaubens garantiert, dass diese Rechte nicht missbräuchlich erworben werden können. **18**

Siebenter Teil Gemeinsame Vorschriften

Vorbemerkung zu Art 113–134
Beat Schachenmann

1 Der siebente Teil enthält die allgemeinen Vorschriften für die Verfahren vor dem EPA (Kapitel I), die Bestimmungen über die Unterrichtung der Öffentlichkeit und der Behörden (Kapitel II) sowie die Grundsätze, die für die Vertretung vor dem EPA und für die Zulassung zur Vertretung gelten (Kapitel III).

Kapitel I Allgemeine Vorschriften für das Verfahren

Vorbemerkung zu Art 113–126
Beat Schachenmann

In Kapitel I sind die allgemeinen Vorschriften für alle Abschnitte des Patenterteilungsverfahrens zusammengefasst, und zwar vom Verfahren vor der Eingangsstelle bis zum Verfahren vor der Großen Beschwerdekammer. Bei der Ausarbeitung des Übereinkommens hatte es sich als zweckmäßig erwiesen, für alle Verfahrensschritte gemeinsame allgemeine Grundsätze[1] aufzustellen und diese auch gemeinsam und nicht bei den einzelnen Verfahren aufzuführen. Bei den einzelnen Verfahrensschritten werden besonders wichtige Grundsätze im EPÜ zT wiederholt und näher ausgestaltet, zB das rechtliche Gehör (Art 113) in den Art 96 (2), 101 (2), 110 (2) und 116.

Artikel 113 Rechtliches Gehör

(1) Entscheidungen des Europäischen Patentamts dürfen nur auf Gründe gestützt werden, zu denen die Beteiligten sich äußern konnten.

(2) Bei der Prüfung der europäischen Patentanmeldung oder des europäischen Patents und bei den Entscheidungen darüber hat sich das Europäische Patentamt an die vom Anmelder oder Patentinhaber vorgelegte oder gebilligte Fassung zu halten.

Beat Schachenmann

Übersicht
1	Allgemeines	1-8
2	Entscheidungen des EPA	9-10
3	Die Gründe	11-19
4	Die Äußerung	20-28
5	Pflicht zur Kenntnisnahme und Berücksichtigung der Äußerung	29
6	Nichterscheinen in der mündlichen Verhandlung	30-34
7	Besonderheiten im Einspruchsverfahren	35-40
8	Zeitliche Grenzen und Anzahl der Äußerungsmöglichkeiten	41-47
9	Die Antragsbindung gemäß Art 113 (2) im Erteilungsverfahren	48-53
10	Die Antragsbindung nach der Patenterteilung	54-62

---

[1] Eine ausführliche Darstellung dieser Grundsätze findet sich bei E. Waage, Principles of Procedure in European Patent Law, EPOscript Vol. 5, München 2002.

Artikel 113 — *Rechtliches Gehör*

1 Allgemeines

1 Der **Grundsatz des rechtlichen Gehörs** gemäß der Überschrift von Art 113 in der deutschen Fassung findet sich in unterschiedlicher Form in den Verfahren aller Vertragsstaaten und gehört zu den Grundpfeilern eines rechtsstaatlichen Verfahrens. Diese am Beginn der allgemeinen Verfahrensvorschriften stehende Bestimmung ist eine der wichtigen Garantien für die Verfahrensbeteiligten, dass das Verfahren vor dem EPA **offen und fair** durchgeführt wird. Sie ist von größter Bedeutung für die Wahrung der Gerechtigkeit im Verfahren zwischen dem EPA und den Verfahrensbeteiligten.[1]

EPÜ 2000
Die Bedeutung des rechtlichen Gehörs wird im EPÜ 2000 dadurch unterstrichen, dass nach Art 112a schwerwiegende Verstöße gegen Art 113 als **Grund für die Überprüfung von Entscheidungen der Beschwerdekammern** durch die Große Beschwerdekammer geltend gemacht werden können.[2] Ferner hat Art 113 im EPÜ 2000 in allen Amtssprachen inhaltlich die gleiche Überschrift, die sich aus den bisher unterschiedlichen Überschriften zusammensetzt und lautet: »Rechtliches Gehör und Grundlage der Entscheidungen« (vgl Rdn 2).

2 Während sich die deutsche Überschrift »Rechtliches Gehör« unmittelbar nur auf Art 113 (1) bezieht, gehen die englische und französische Fassung weiter (»Basis of decisions«, »Fondement des décisions«) und beziehen Art 113 (2) ein. In der Tat enthält Art 113 neben dem Grundsatz des rechtlichen Gehörs im engeren Sinn, wie er im ersten Absatz von Art 113 statuiert ist, auch den Grundsatz der Antragsbindung gemäß Absatz 2 als weitere Grundlage für die Entscheidungen des EPA. Die Diskrepanz der Überschriften wird im EPÜ 2000 behoben.

3 **Das rechtliche Gehör** im Sinne von **Art 113 (1)** gilt für **alle Verfahren** vor dem EPA und für **alle Verfahrensbeteiligten**. Dritte, die nicht am Verfahren beteiligt sind, haben somit keinen Anspruch auf rechtliches Gehör (vgl Rdn 16 zu Art 115). Erklärt ein Beteiligter, dass er an einem Verfahren nicht mehr teilnehme, begibt er sich des Anspruchs auf rechtliches Gehör.[3] Wird das Verfahren mit einem Dritten, statt mit den von der Entscheidung Betroffenen geführt, verletzt dies Art 113 (1).[4]

---

1 G 4/92, ABl 1994, 149; J 20/85, ABl 1987, 102; J 3/90, ABl 1991, 550.
2 Nach Art 112a (2) c kann ein Antrag auf Überprüfung durch die Beschwerdekammer ua darauf gestützt werden, dass »ein schwerwiegender Verstoß gegen Artikel 113 vorliegt«. Nach R 104 (EPÜ 2000) kann ein schwerwiegender Verfahrensmangel auch vorliegen, wenn a) entgegen Art 116 eine beantragte mündliche Verhandlung nicht anberaumt wurde und b) über eine Beschwerde entschieden wurde, ohne über einen hierfür relevanten Antrag zu entscheiden.
3 T 892/94, ABl 2000, 1.
4 J 9/99, ABl 2004, 309, Nr 2.4.

Rechtliches Gehör **Artikel 113**

In der Ausprägung dieses Grundsatzes nach der Formulierung von Art 113 (1) geht es darum, dass die Verfahrensbeteiligten vom Zeitpunkt[5] und von den Gründen[6] einer gegen sie gerichteten Entscheidung **nicht überrascht** werden, ohne dass sie sich haben äußern können (siehe auch Rdn 40 ff). **4**

Art 113 (1) beschränkt sich aber nicht auf das Recht der Beteiligten, sich vor einer Entscheidung angemessen äußern zu können, sondern wird von der Rechtsprechung auch als **Garantie für ein faires Verfahren** (fair trial) verstanden.[7] Art 113 (1) bildet deshalb auch eine Garantie dafür, dass **5**

– die Äußerungen der Verfahrensbeteiligten gebührend gewürdigt werden[8] (s Rdn 29),
– die Beteiligten über den Zeitpunkt des Erlasses einer Entscheidung nicht getäuscht werden[9] (siehe Rdn 23),
– den Beteiligten in inter partes Verfahren die gleichen Äußerungsmöglichkeiten gewährt werden[10] (siehe Rdn 35),
– den Beteiligten die freie Wahl der Beweismittel zusteht und ihre Beweisangebote somit nicht unbegründet zurückgewiesen werden[11] (siehe Rdn 4 zu Art 117), und
– die Beteiligten durch Beweisaufnahmen nicht überrascht werden.[12]

Die nähere Ausgestaltung des allgemeinen Prinzips findet sich außerdem bei den einzelnen Vorschriften, wie die Beteiligten sich äußern können (zB in einer mündlichen Verhandlung nach Art 116), oder wie verspätetes Vorbringen zu behandeln ist (Art 114 (2)). Ferner gehören dazu die diversen Spezialvorschriften über das Recht zur Äußerung in den einzelnen Abschnitten des Verfahrens (s Rdn 20), die Vorschriften über die Begründung von Entscheidungen (R 66 (2) und R 68(2)) sowie die Vorschriften über Beweismittel und die Beweisaufnahme (Art 117 und R 71 ff). Auch das Recht auf Akteneinsicht (Art 128) ist Bestandteil des rechtlichen Gehörs, da es der Transparenz der Verfahren für die Beteiligten dient.[13] Die PrüfRichtl behandeln das rechtliche Gehör in Teil E-X, 1. **6**

---

5   **T 1022/98** vom 10.11.1999, Nr 1.
6   **T 892/92**, ABl 1994, 664; **T 988/05** vom 14.2.2006, Nr 7; **T 281/03** vom 17.5.2006, Nr 13.
7   **T 669/90**, ABl 1992, 739, Nr 2.3; **T 892/92**, aaO, Nr 4.
8   **T 508/01** vom 9.10.2001, Nr 4; **T 604/01** vom 12.8.2004, Nr 6.2.
9   **T 849/03** vom 19.8.2004; **T 611/01** vom 23.8.2004, Nr 5.
10 **T 190/90** vom 16.1.1992, Nr 8.2.
11 **T 142/97**, ABl 2000, 358; **T 474/04**, ABl 2006, 129; **T 1110/03**, ABl 2005, 302.
12 **T 264/03** vom 12.3.2004.
13 Vgl Wolfram Waldner, Der Anspruch auf rechtliches Gehör, Köln 2000, Rn 50, S 21.

7   **Die Antragsbindung** im Sinne von **Art 113 (2)** gilt dagegen nur die Anmelder und Patentinhaber. Diesem sog Antragsprinzip[14] kommt als Bestandteil des rechtlichen Gehörs im weiteren Sinne ebenfalls **grundlegende Bedeutung** zu.[15] Es bringt zum Ausdruck, dass es Parteiinteressen sind, welche die Verfahren vor dem EPA auslösen und ihre Voraussetzung bilden.[16] Daher hat das zuständige Organ seine Entscheidung auf der Grundlage der (Schluss-)Anträge der Beteiligten zu treffen, die anhand ihrer Eingaben zu ermitteln sind.[17] Dies bedeutet, dass das EPA der Prüfung einer Anmeldung bzw eines Patents und der Entscheidung darüber keine andere Fassung zugrunde legen darf, als die vom Anmelder oder Patentinhaber beantragte oder gebilligte.[18] Näheres s Rdn 48 und 54.

8   Eine Verletzung des rechtlichen Gehörs iSd Art 113 (1) und (2) ist ein **wesentlicher Verfahrensmangel**, der zur Rückzahlung der Beschwerdegebühr (R 67) führen kann.[19] Siehe dazu Art 111 Rdn 41–55. Die Beschwerdekammern überprüfen die Einhaltung dieses Grundsatzes von Amts wegen.[20]

2 Entscheidungen des EPA

9   Die Bestimmungen von Art 113 (1) und (2) sprechen generell von »Entscheidungen«. Die Vorschriften gelten aber auch für Zwischenentscheidungen der ersten Instanz nach Art 106 (3) und zwar auch dann, wenn in dieser Entscheidung die gesonderte Beschwerde nicht zugelassen wird; auch eine solche Entscheidung ist in jedem Fall nach R 68 (2) zu begründen.

10 Dagegen sind verfahrensleitende Entscheidungen und Verfügungen, wie zB ein Beweisbeschluss nach R 72(1)[21] oder eine Entscheidung über einen Beweissicherungsantrag nach R 75,[22] die nicht in Rechtskraft erwachsen, nicht als Entscheidungen im Sinne dieser Vorschriften zu verstehen und können ohne vorherige Äußerung der Parteien ergehen. Keine förmliche Entscheidung ist auch die Aussetzung des Erteilungsverfahrens auf Antrag eines Dritten nach R 13. Dem Patentinhaber steht deshalb vor der Aussetzung kein rechtliches Gehör

---

14 Vgl Rechtsauskunft Nr 11/82, ABl 1982, 57.
15 **T 647/93**, ABl 1995, 132, Nr 2.6; nach R 104 (b) EPÜ 2000 ist ein entsprechender Mangel Grund für eine Überprüfung durch die Große Beschwerdekammer nach Art 112a EPÜ 2000.
16 **T 60/91**, ABl 1993, 551, Nr 9.3.
17 **T 824/00**, ABl 2004, 5, Nr 6.
18 **G 7/93**, ABl 1994, 775, Nr 2.1; **T 986/00**, ABl 2003, 554, Nr 3.3.
19 Zu Art 113 (1): **J 7/82**, ABl 1982, 391 und **T 892/92**, ABl 1994, 664; zu Art 113 (2): **T 647/93**, ABl 1995, 132.
20 Statt vieler **T 186/02** vom 29.6.2004.
21 S Rdn 70–72 zu Art 117.
22 S Rdn 101–111 zu Art 117.

zu.²³ Er muss allerdings nachher davon unterrichtet werden (R 69 (1)) und kann dann eine beschwerdefähige Entscheidung verlangen (R 69 (2)). Dasselbe gilt bei der Feststellung eines Rechtsverlusts durch das EPA.

3 Die Gründe

Art 113 (1) stellt sicher, dass die Beteiligten sich im Verfahren zu den Gründen 11
äußern können, auf die die spätere Entscheidung gestützt wird. In der deutschen und französischen Fassung heißt es »Gründe« und »motifs«, während die englische Fassung von »grounds or evidence« spricht; daraus ergibt sich, dass auch das Beweismaterial zu den Gründen gehört (vgl Rdn 18, 27 und 39).

Damit in Zusammenhang steht, dass die Entscheidungen des EPA in der Regel zu begründen sind. Dies ist in R 68(2) und R 66(2) ausdrücklich statuiert 12
für Entscheidungen, die mit der Beschwerde angefochten werden können sowie für die Entscheidungen der Beschwerdekammern selbst. Die Begründung sollte zusätzlich zu den Tatsachen und Gründen, auf die sich jede Entscheidung stützt, auch zu den strittigen Schlüsselfragen Stellung nehmen, damit die Parteien erkennen können, weshalb ihr Vorbringen allenfalls nicht überzeugt haben.²⁴ Je weniger ein Einwand auf der Hand liegt, desto eingehender ist er zu begründen.²⁵ Das **Begründungserfordernis** ist nicht erfüllt, wenn eine Entscheidung widersprüchliche Feststellungen enthält.²⁶ Erschöpft sich die Begründung in Behauptungen, ist dadurch auch Art 113 (1) verletzt.²⁷

Unter dem Begriff »Gründe« in Art 113 (1) sind demnach **die Tatsachen und** 13
Beweismittel sowie die rechtlichen Erwägungen zu verstehen, die einer Entscheidung zugrunde liegen; sie umfassen somit auch die rechtliche Würdigung der vorgebrachten Tatsachen.²⁸ Das bedeutet aber nicht, dass sich das Entscheidungsorgan mit jedem von den Beteiligten vorgebrachten Argument auseinandersetzen muss, soweit es nicht entscheidungserheblich ist.

Insbesondere leitet sich aus Art 113 (1) **kein Anspruch** ab, die Rechtsauffas- 14
sung des EPA in ihren **Einzelheiten vorweg zu kennen**. Dies ergibt sich schon daraus, dass diese erst aufgrund der letzten Äußerungen der Beteiligten gebildet und dann in der Entscheidung niedergelegt wird. Die Parteien haben aber ein Recht darauf, sich zu den Rechtsfragen zu äußern, die für die Begründung der späteren Entscheidung relevant werden.²⁹

---

23 **J 28/94**, ABl 1997, 400, Nr 2.2.1.
24 **T 740/93** vom 10.1.1996; **T 642/97** vom 15.2.2001, Nr 9.5.
25 **T 186/02** vom 29.6.2004.
26 **T 278/00**, ABl 2003, 546, LS.
27 **T 596/97** vom 10.6.1998.
28 **T 187/95** vom 3.2.1997; **T 988/05** vom 14.2.2006, Nr 4.
29 Siehe auch die Ausführungen in den PrüfRichtl E-X, 5 »Begründung«.

15 Die **Form**, in der die Gründe für eine spätere Entscheidung den Beteiligten zur Äußerung mitgeteilt werden, ob als schriftlicher Bescheid oder mündlich in einer Verhandlung oder einer Rücksprache, ist ohne Bedeutung. Das Erfordernis von Art 113 (1) kann zB auch durch eine Verweisung auf einen internationalen vorläufigen Prüfungsbericht erfüllt werden, sofern dieser eine Begründung im Sinne von Regel 51(3) in einer der Sprachen des EPÜ enthält.[30] Eine ausdrückliche Warnung vor einer Zurückweisung der Anmeldung ist nicht erforderlich.[31]

16 Die **Rechtsprechung** der Beschwerdekammern hat zu den vorab mitzuteilenden »Gründen« folgende Maßstäbe aufgestellt: Der Anmelder muss vor der Zurückweisung seiner Anmeldung klar über die wesentlichen Gründe sowohl rechtlicher als auch faktischer Art informiert werden, auf welche die Zurückweisung gestützt werden soll, damit er von vornherein nicht nur weiß, dass die Anmeldung möglicherweise zurückgewiesen wird, sondern auch, warum dies geschieht, und damit die Möglichkeit hat, sich zu den Gründen zu äußern bzw. Änderungen vorzuschlagen, um die Zurückweisung der Anmeldung zu vermeiden.[32] Daher sollte der Begriff **»Gründe«** in Artikel 113 (1) EPÜ **nicht eng ausgelegt** werden.[33] Sie umfassen zB auch eine bestimmte Auslegung eines Patentanspruchs, die einer Entscheidung zugrunde gelegt werden soll.[34] Bevor ein Haupt- und ein Hilfsantrag zurückgewiesen wird, genügt es nicht, in einer Mitteilung nur die Gründe anzugeben, die gegen den Hauptantrag sprechen.[35] Nennt die Prüfungsabteilung erstmals in der Zurückweisungsentscheidung die Gründe, weshalb ein Hilfsantrag trotz weiterer Beschränkungen nicht gewährbar ist, so verletzt sie ebenfalls Art 113 (1).[36] Stützt sich eine Entscheidung auf mehrere Gründe, so muss das rechtliche Gehör für jeden Grund gewährt werden.[37]

17 Ebenso ist Art 113 (1) verletzt, wenn sich eine Zurückweisungsentscheidung auf Druckschriften (dh **Beweismittel**) stützt, die vom Anmelder zu seinen Gunsten angezogen wurden, in der Entscheidung aber plötzlich gegen ihn verwendet werden, ohne dass er die Gelegenheit zur Äußerung hatte.[38] Im Zusammenhang mit einem Antrag auf Wiedereinsetzung in den vorigen Stand nach Art 122 wurde gegen Art 113 (1) verstoßen, indem die angefochtene Entschei-

---

30 **T 587/02** vom 12.9.2002.
31 **T 389/03** vom 6.7.2004.
32 **T 951/92**, ABl 1996, 53; **T 1379/05** vom 20. 2. 2006, Nr 8, mit weiteren Hinweisen.
33 **J 7/82**, ABl 1982, 391; **T 275/89**, ABl 1992, 126; **T 187/95** vom 3.2.1997; **T 912/02** vom 10.1.2005; **T 353/03** vom 25.8.2003.
34 **T 97/02** vom 6.5.2005, Nr 2.3.
35 **T 488/94** vom 2.7.1997.
36 **T 121/95** vom 3.2.1998.
37 **T 802/97** vom 24.7.1998; **J 32/95**, ABl 1999, 713, Nr 3.5.
38 **T 18/81**, ABl 1985, 166, Nr 10.

dung keines der **Argumente** des Beschwerdeführers für die Wiedereinsetzung berücksichtigt hatte und die Entscheidung auf einen Grund gestützt war, zu dem der Anmelder sich nicht hatte äußern können.[39] Art 113 (1) war auch verletzt, als nach einer Entscheidung gegen einen Verfahrensbeteiligten amtlicherseits nicht nachgewiesen werden konnte, dass er den vorgängigen Bescheid tatsächlich erhalten hatte.[40] Andererseits bewirken neue Argumente, zu denen sich eine Partei nicht hat äußern können, dann keine Verletzung von Art 113 (1), wenn sie sich auf bekannte Tatsachen stützen und an den zuvor mitgeteilten Gründen der Entscheidung nichts ändern[41] (vgl Rdn 30–34).

Ermittelt das EPA einen Sachverhalt **von Amtes wegen**, so hat es die Beteiligten über die von ihm angestellten Ermittlungen sowie ihre Ergebnisse zu unterrichten und ihnen vor der Entscheidung Gelegenheit zur Stellungnahme zu geben[42] (s Rdn 27). Das Gleiche trifft zu für die Ergebnisse und Würdigung einer **Zeugenvernehmung**[43] und für interne Rückfragen bei Bediensteten des EPA.[44] 18

Entsprechende Grundsätze sind im **Einspruchsverfahren**[45] zu beachten (siehe Rdn 35–40). Stützt sich etwa ein Einspruch auf mangelnde erfinderische Tätigkeit, beabsichtigt die Einspruchsabteilung jedoch, das Patent wegen mangelnder Neuheit zu widerrufen, so muss sie den Beteiligten zuvor Gelegenheit geben, sich zu dem **neuen Grund** zu äußern.[46] Das Gleiche gilt, wenn die Einspruchsabteilung in den Ansprüchen noch gewährbare Gegenstände sieht[47] oder wenn sie beabsichtigt, einen Einspruch von Amtes wegen als unzulässig zurückzuweisen.[48] 19

4 Die Äußerung

Das **Recht** der Beteiligten **zur Äußerung** ist im EPÜ ausdrücklich vorgesehen im Zusammenhang mit der Eingangs- und Formalprüfung (Art 90 (2), R 39 und Art 91 (2), R 41 ff); dem Prüfungsverfahren (Art 96 (2), R 51 (2)), dem Einspruchsverfahren (Art 101 (2), R 56 (2) und (3), R 57 ff), und dem Beschwerdeverfahren (Art 110 (2), R 65 und R 66 (1)). Das Äußerungsrecht besteht aber 20

---

39 **J 7/82**, ABl 1982, 391.
40 **T 468/04** vom 30.9.2004.
41 **G 4/92**, ABl 1994, 149, Nr 10.
42 **J 3/90**, ABl 1991, 550, Nr 11; **T 1198/97** vom 5.3.2001, Nr 6; **T 1359/04** vom 26.4.2005, Nr 2.4.
43 **T 838/92** vom 10.1.1995, Nr 5.4.
44 **J 20/85**, ABl 1987, 102.
45 **T 951/92**, ABl 1996, 53.
46 **T 622/90** vom 13.11.1991; entsprechend in **T 281/03** vom 17.5.2006, LS 3, wo der Einsprechende nicht zu allen Gründen gehört wurde.
47 **T 103/97** vom 6.11.1998.
48 **T 1056/98** vom 2.2.2000.

nach Art 113 (1) ganz generell im Zusammenhang mit »Entscheidungen des EPA« (s Rdn 9–10). Äußern können sich die Beteiligten schriftlich, zB in Erwiderungen und Stellungnahmen, oder mündlich während einer mündlichen Verhandlung (s Rdn 2 zu Art 116) oder einer Rücksprache (siehe Rdn 26).

21 Es besteht grundsätzlich **keine Pflicht zur Äußerung**. Sie kann sich für die Anmelder aber aus ihrer Mitwirkungspflicht im Prüfungsverfahren nach Art 96 (3) bzw Art 110 (3) ergeben. Will sich ein Anmelder nicht zur Sache äußern, aber seine Anmeldung weiterverfolgen, so kann er um eine **Entscheidung nach Aktenlage** ersuchen.[49] Das EPA erlässt dann eine Entscheidung, die sich auf Gründe stützt, die dem Anmelder bereits mitgeteilt wurden und zu denen er hätte Stellung nehmen können, auch wenn er mit diesem Antrag sein Äußerungsrecht nicht wahrnimmt. Ein solcher Antrag ist nicht als Verzicht auf das rechtliche Gehör, insbesondere auf eine vollständig begründete Entscheidung zu verstehen,[50] welche allerdings unter Umständen durch Bezugnahme auf frühere Bescheide erfolgen kann.[51] Überhaupt darf ein **Verzicht auf das rechtliche Gehör** nicht ohne weiteres vermutet werden,[52] sondern setzt eine eindeutige Erklärung voraus.[53]

22 Das in Art 116 enthaltene ausdrückliche Recht der Beteiligten auf eine mündliche Verhandlung zeigt, dass das Verfahren vor dem EPA grundsätzlich schriftlich sein soll (in einem grundsätzlich mündlichen Verfahren bedürfte das Recht auf eine mündliche Verhandlung keiner besonderen Erwähnung). Die Unterrichtung des Anmelders oder eines sonstigen Beteiligten darüber, dass einem Antrag möglicherweise nicht stattgegeben werden kann, erfolgt daher in der Regel schriftlich. Entsprechend muss ihm **ausreichend Gelegenheit** gegeben werden, sich dazu **schriftlich zu äußern**, bevor eine Entscheidung getroffen wird (vgl Rdn 45 ff).

23 Dabei muss entsprechend den Umständen des Einzelfalls eine echte und **realistische Äußerungsmöglichkeit** gewährleistet sein, nicht nur eine theoretische.[54] Den Verfahrensbeteiligten ist somit eine **ausreichende Zeit** zur Äußerung einzuräumen (siehe Rdn 41–44). Eine Verletzung des rechtlichen Gehörs liegt deshalb vor, wenn die Prüfungsabteilung eine Anmeldung zu einem Zeitpunkt zurückweist, an dem der Anmelder mit einer solchen Entscheidung nicht rechnen konnte.[55] Das EPA verfügt aber bezüglich der Anzahl der zu er-

---

49 **J 29/94**, ABl 1998, 147, Nr 1.1.2; **T 1356/05** vom 16.2.2006, Nr 6, mit weiteren Hinweisen.
50 **T 1309/05** vom 10.1.2006, Nr 3.7.
51 **T 1356/05** vom 16.2.2006, Nr 5.
52 **T 685/98**, ABl 1999, 346, Nr 3.3; **T 861/03** vom 28.11.2003.
53 **J 17/04** vom 9.4.2005, Nr 13.
54 **T 914/98** vom 22.12.2000; **T 951/92**, ABl 1996, 53, Nr 3; siehe auch Rdn 44.
55 **T 849/03** vom 19.8.2004, mit weiteren Hinweisen; **T 611/01** vom 23.8.2004; für das Einspruchsverfahren: **T 48/00** vom 12.6.2002.

lassenden Bescheide über einen Ermessensspielraum, der unter Berücksichtigung der Umstände des jeweiligen Falls auszuüben ist[56] (s Rdn 46).

Auf Antrag kann die Äußerung nach Art 116 in einem **mündlichen Verfahren** erfolgen. Eine mündliche Verhandlung kann auch von Amts wegen anberaumt werden, wenn sie dem EPA sachdienlich erscheint. Aus dem Umstand, dass eine Partei keine mündliche Verhandlung beantragt, darf aber nicht geschlossen werden, dass sie auf ihr rechtliches Gehör verzichtet, da dieses Recht nicht an eine bestimmte Form gebunden ist.[57]

Die **Nichtbeachtung eines Antrags auf mündliche Verhandlung** verstößt gegen Art 113 (1) und ist ein schwerer Verfahrensfehler, weil damit dem Beteiligten die Möglichkeit genommen wird, seine Sache in der von ihm beabsichtigten Weise vorzubringen.[58] S Rdn 9–25 zu Art 116.

Darüber hinaus finden im Verfahren vor den Prüfungsabteilungen häufig **Rücksprachen** mit dem beauftragten Prüfer statt, die allerdings nicht ausdrücklich im Übereinkommen vorgesehen sind (PrüfRichtl C-VI, 6; siehe auch Art 96 Rdn 20, 21 und 22). Auch diese formlosen Rücksprachen sind Äußerungen nach Art 113 (1).[59] Sie sind im Einspruchsverfahren mit mehreren Beteiligten wegen der Chancengleichheit der Parteien in der Regel unzulässig (PrüfRichtl E-III, 1).

Ferner stellt Art 113 (1) sicher, dass sich die Verfahrensbeteiligten zu dem **Ergebnis von Amtsermittlungen** nach Art 114 (1) äußern können.[60] Wenn sich der bisher zugrunde gelegte Sachverhalt aufgrund der amtlichen Ermittlungen als unrichtig herausstellt, hat das EPA die Beteiligten nach Art 113 (1) zu einer Stellungnahme aufzufordern.[61] Unterlässt es dies, so liegt ein Verfahrensfehler vor, der die Rückzahlung der Beschwerdegebühr rechtfertigt (R 67).

Ist ein **geschäftsunfähiger Vertreter** nicht in der Lage, rechtsverbindlich zu den Gründen für seine Löschung aus der Liste der zugelassenen Vertreter Stellung zu nehmen, muss ihm in dem Verfahren ein zu diesem Zweck bestellter **Beistand** zur Seite stehen. Eine Entscheidung ohne eine solche Anhörung oder nur auf Grund der Anhörung des geschäftsunfähigen Vertreters[62] verstößt gegen Art 113 (1).

24

25

26

27

28

---

56 **T 975/02** vom 26.1.2005.
57 **T 468/04** vom 30.9.2004, Nr 3.3.
58 **T 209/88** vom 20.12.1989.
59 **T 861/03** vom 28.11.2003, Nr 6.2.
60 **J 3/90**, ABl 1991, 550; **T 1359/04** vom 26.4.2005, Nr 2.4.
61 **T 185/82**, ABl 1984, 174.
62 **J xx/86**, ABl 1987, 528.

5 Pflicht zur Kenntnisnahme und Berücksichtigung der Äußerung

29 Der Anspruch auf rechtliches Gehör garantiert insbesondere die Bereitschaft des EPA zur Kenntnisnahme von Vorbringen der Beteiligten[63] und ihre Berücksichtigung im Entscheidungsprozess.[64] Er ist daher verletzt, wenn sich die Prüfungsabteilung in ihren Bescheiden und ihrer Entscheidung darauf beschränkt, allgemeine Behauptungen zu wiederholen, ohne auf die begründeten Gegenargumente eines Anmelders einzugehen. Ebenso, wenn das EPA sich weigert, die später eingereichte Übersetzung einer fristgerecht genannten japanischen Druckschrift in eine Amtssprache des EPA zur Kenntnis zu nehmen.[65] Die Pflicht zur Kenntnisnahme und Berücksichtigung der Argumente des Anmelders bezieht sich auch auf frühere Eingaben im Verfahren vor dem EPA als IPEA (vgl Art 155 Rdn 73), auf die der Anmelder im Prüfungsverfahren verweist.[66]

6 Nichterscheinen in der mündlichen Verhandlung

30 Der Anspruch auf rechtliches Gehör bleibt in bestimmtem Umfang auch dann bestehen, wenn eine Partei trotz ordnungsgemäßer Ladung einer mündlichen Verhandlung fernbleibt. Die Große Beschwerdekammer nennt in ihrer Entscheidung G 4/92[67] dazu folgende Grundsätze:

– Die Entscheidung darf nicht zu Ungunsten des nicht Erschienenen auf Tatsachen gestützt werden, die in dieser mündlichen Verhandlung neu vorgebracht worden sind;

– neue Beweismittel dürfen nur berücksichtigt werden, wenn sie vorher angekündigt waren und die Behauptungen des Beteiligten bestätigen, der sich auf sie beruft; neue rechtliche Argumente in der Begründung der Entscheidung sind zulässig;

– erscheint es der entscheidenden Instanz erforderlich, neue Tatsachen und Beweismittel von Amtes wegen zu berücksichtigen, so muss sie den Parteien erneut Gelegenheit zur Stellungnahme geben, auch wenn sich das Verfahren dadurch verzögert.

31 Die Rechtsprechung der Beschwerdekammern hat die genannten Grundsätze fortentwickelt. Sie gelten nach der gegenwärtigen Rechtslage im wesentlichen nur noch für **erstinstanzliche Verfahren** (für das Beschwerdeverfahren siehe Rdn 34): Eine Entscheidung zu Ungunsten des Patentinhabers kann trotz sei-

---

63 **T 94/84**, ABl 1986, 337; siehe auch **J 7/82**, ABl 1982, 391.
64 **T 1309/05** vom 10.1.2006, Nr 2.2.4.
65 **T 571/03** vom 22.3.2006, Leitsatz und Nr 15 ff; **T 94/84**, ABl 1986, 337.
66 **T 508/01** vom 9.10.2001, Nr 4.
67 **G 4/92**, ABl 1994, 149, worin **T 484/90**, ABl 1993, 448 im wesentlichen bestätigt wird.

nes Nichterscheinens auf einen in der mündlichen Verhandlung erstmals erörterten Grund gestützt werden, wenn die Erörterung der Frage zu erwarten war und dem nicht erschienenen Patentinhaber die tatsächlichen Grundlagen für ihre Beurteilung aus dem bisherigen Verfahren bekannt waren.[68] Ein solcher Fall liegt nicht vor, wenn der Einsprechende ein Argument als neuen Rechtsgrund für den Widerruf zum ersten Mal in der mündlichen Verhandlung vorbringt, selbst wenn er sich auf aktenkundige Tatsachen stützt.[69] Neue Argumente dürfen aber trotz Abwesenheit einer Partei berücksichtigt werden, sofern sie die Gründe, auf die sich die Entscheidung stützt, nicht wesentlich ändern.[70] Das rechtliche Gehör des abwesenden Patentinhabers wird zB nicht verletzt durch den Wechsel des mitgeteilten Widerrufsgrunds von fehlender Neuheit zu fehlender erfinderischer Tätigkeit bezüglich des gleichen Dokuments.[71]

Eine **Zeugenvernehmung** kann ohne Anwesenheit eines Beteiligten stattfinden, wenn lediglich ein diesem bereits bekannter Sachverhalt bestätigt wird.[72] **32**

Änderungen in Patentansprüchen verstoßen nicht gegen den Sinn der oben genannten Grundsätze (Rdn 30), wenn sie von der ferngebliebenen Partei vernünftigerweise haben erwartet werden können.[73] Die Einreichung von neuen Hilfsanträgen in der mündlichen Verhandlung, mit denen der Patentinhaber einen vom Beschwerdeführer erhobenen Neuheitseinwand ausräumen will, ist daher keine neue Tatsache, die bei Fernbleiben des Beschwerdeführers unberücksichtigt zu bleiben hätte.[74] In der mündlichen Verhandlung kann entgegen dem Antrag des ferngebliebenen Beschwerdegegners eine **klärende Einschränkung** des Patentanspruchs zugelassen werden.[75] Hat der abwesende Patentinhaber im Hinblick auf die mündliche Verhandlung geänderte Ansprüche eingereicht, so muss er mit deren Prüfung in Bezug auf die Erfordernisse des EPÜ rechnen.[76] **33**

Für das **Beschwerdeverfahren** wurden die von der Großen Beschwerdekammer auferlegten Einschränkungen (vgl Rdn 30) durch eine Änderung von Art 11 (3) der VerfOBK[77] im Jahr 2003 aufgehoben. Danach besteht im Be- **34**

---

68 **T 341/92**, ABl 1995, 373; **T 915/02** vom 24.9.2005, Nr 3.3.
69 **T 501/92**, ABl 1996, 261.
70 **T 56/97** vom 30.8.2001, Nr 7.
71 **T 191/98** vom 4.3.2003.
72 **T 768/91** vom 14.6.1994, Nr 5.
73 **T 682/98** vom 11.1.2002.
74 **T 133/92** vom 18.10.1994; **T 912/91** vom 25.10.1994.
75 **T 202/92** vom 19.7.1994; vgl auch **T 446/92** vom 28.3.1995; **T 426/94** vom 22.5.1996.
76 **T 522/02** vom 20.7.2004.
77 Verfahrensordnung der Beschwerdekammern, ABl 2003, 89, in Kraft getreten am 1. Mai 2003, Anhang 8.

schwerdeverfahren keine Verpflichtung, bei Abwesenheit einer Partei in der mündlichen Verhandlung einen Verfahrensschritt, einschließlich der Entscheidung, aufzuschieben. Eine nicht anwesende Partei kann so behandelt werden, als stütze sie sich lediglich auf ihr schriftliches Vorbringen.[78] Dabei verfügt die Kammer über einen Ermessensspielraum, wobei sie alle für das Fernbleiben vorgebrachten Gründe berücksichtigt. Die Bestimmung ist im Zusammenhang mit Art 10a und 10b VerfOBK zu sehen, wonach schon die Beschwerdebegründung bzw Erwiderung den vollständigen Sachvortrag der Beteiligten enthalten müssen. Sie steht insofern nicht im Gegensatz zu Art 113 (1), als diese Bestimmung lediglich die Möglichkeit der Anhörung eröffnet und ein Beteiligter durch sein freiwilliges Fernbleiben darauf verzichtet.[79]

7 Besonderheiten im Einspruchsverfahren

35 Im Einspruchsverfahren (siehe Vorbemerkung zu Art 99 ff) ist der **Anspruch auf rechtliches Gehör** eng mit dem Prinzip der **Gleichbehandlung der Parteien** im Verfahren verbunden.[80] Daher muss beiden Parteien gleich oft Gelegenheit zur Äußerung eingeräumt werden. Der Gleichbehandlungsgrundsatz ist verletzt, wenn eine Eingabe der Einsprechenden nicht der Patentinhaberin mitgeteilt wurde, und zwar unabhängig davon, ob ihr das rechtliche Gehör in der mündlichen Verhandlung noch gewährt wird.[81]

36 Das EPÜ enthält mit den R 57 und 58 (1) bis (4) Spezialvorschriften, welche diese Grundsätze für das Einspruchsverfahren sicherstellen. Insbesondere hat die Einspruchsabteilung nach diesen Bestimmungen allen Beteiligten die Gelegenheit zu geben, zu den Äußerungen der Gegenseite und zu den amtlichen Bescheiden Stellung zu nehmen.

37 **Ohne vorgängigen Bescheid** kann das EPA eine Entscheidung erlassen, wenn die Gründe schon im Einspruchsschriftsatz enthalten sind, zu dem die Beteiligten Stellung nehmen konnten.[82] Die Einspruchsabteilung kann daher ihre Entscheidung nach Ablauf der Frist für die Stellungnahme des Patentinhabers treffen, wenn sie sich auf Gründe stützt, zu denen sich die Beteiligten äußern konnten[83] oder die für die Beteiligten nicht unvorhersehbar und überraschend sind.[84] Will sie jedoch von Amts wegen oder auf Antrag einen weiteren

---

78 **T 522/02** vom 20.7.2004, Nr 2; **T 137/02** vom 19.2.2004, Nr 1; **T 1059/04** vom 17.6.2005, Nr 1.
79 Vgl vorbereitende Arbeiten: Dok CA/133/02 vom 12. 11. 2002; **T 137/02** vom 19.2.2004, Nr 1.3; **T 915/02** vom 29.4.2005, Nr 3; **T 823/04** vom 5. 8. 2005, Nr 1.
80 **T 190/90** vom 16.1.1992, Nr 8.2; **T 253/95** vom 17.12.1997, Nr 3, wohl zu weit gehend; **T 394/03** vom 4.3.2005, LS 1; **T 402/01** vom 21.2.2005, Nr 11.
81 **T 789/95** vom 13.3.1997.
82 **T 275/89**, ABl 1992, 126.
83 **T 94/95** vom 30.6.1997.
84 **T 966/02** vom 1.12.2004, Nr 6.

Einspruchsgrund in das Verfahren einführen, muss sie die Parteien vor der Entscheidung informieren.[85]

Stützt sich die Einspruchsentscheidung auf einen Schriftsatz des Einsprechenden, so muss der Patentinhaber vor Erlass der Entscheidung **ausreichend Zeit für eine Stellungnahme** zu diesem Schriftsatz gehabt haben, auch wenn ihm dafür keine Frist gesetzt wird.[86] Dabei wurde ein Monat als in der Regel zu kurz, zwei Monate als angemessen angesehen (siehe Rdn 44).

Will das EPA **neues Beweismaterial**, das ein Einsprechender verspätet eingereicht hat, wegen seiner Relevanz berücksichtigen, muss es nach Art 113 (1) den Patentinhaber zur Stellungnahme auffordern, bevor es über die Sache entscheidet.[87] Hat ein Einsprechender in Erwiderung auf einen vom Patentinhaber nach R 71a eingereichten Versuchsbericht ebenfalls einen Versuchsbericht eingereicht, muss die Einspruchsabteilung diesen im Verfahren zulassen.[88] Berücksichtigt das EPA Vergleichsversuche, die erst am Tage der mündlichen Verhandlung eingereicht wurden, so verletzt es den Anspruch auf das rechtliche Gehör der anderen Partei.[89] Veranlasst das EPA einen Beteiligten in einer Mitteilung zur Annahme, er brauche zu den von der Gegenpartei eingereichten Beweismitteln und Argumenten nicht Stellung zu nehmen, und bilden diese später die Grundlage für eine ihn beschwerende Entscheidung, so hatte der Beteiligte keine Gelegenheit, sich dazu zu äußern.[90]

Nach der Zurückverweisung einer Sache durch die Beschwerdekammer an die erste Instanz zur weiteren Prüfung auf Grund neuer Beweismittel, verlangt der Grundsatz des rechtlichen Gehörs, dass die erste Instanz den Parteien ausdrücklich Gelegenheit zu einer weiteren Stellungnahme gibt, bevor sie entscheidet. Das gilt selbst dann, wenn sich die Parteien im Beschwerdeverfahren bereits zu den neuen Beweismitteln geäußert haben.[91] Nur so lässt sich verhindern, dass sie nach der Zurückverweisung von einer Entscheidung überrascht werden, ohne ihre Argumente und Anträge noch anpassen zu können.[92]

8 Zeitliche Grenzen und Anzahl der Äußerungsmöglichkeiten

Den Beteiligten muss eine **ausreichende Frist für die Vorbereitung ihrer Äußerung** gegeben werden, andernfalls liegt ein Verstoß gegen Art 113 (1) vor. Das Übereinkommen sieht bestimmte Fristen vor, bei welchen es sich meist

---

85 **T 433/93**, ABl 1997, 509.
86 **T 263/93** vom 12.1.1994.
87 **T 669/90**, ABl 1992, 739.
88 **T 712/97** vom 27.1.2002.
89 **T 356/94** vom 30.6.1995.
90 **T 669/90**, ABl 1992, 739.
91 **T 892/92**, ABl 1994, 664; **T 120/86** vom 6.2.1997, Nr 2.2; **T 742/04** vom 14.7.2005, Nr 3.
92 **T 922/02** vom 10.3.2004, Nr 4; hier in einem ex parte Verfahren.

Artikel 113   *Rechtliches Gehör*

Mindestfristen handelt: zB bei der Eingangsprüfung einen Monat (R 39), für die Ladung zur mündlichen Verhandlung zwei Monate (R 71), sonst zwei bis vier Monate (Art 120, R 84) mit Verlängerungsmöglichkeiten.

42 Ganz generell gilt es zu vermeiden, dass die Parteien durch den Zeitpunkt einer gegen sie gerichteten Entscheidung überrascht werden.[93] In der Regel darf das EPA seine Entscheidung deshalb nicht vor Ablauf der von ihm angesetzten Frist für eine Stellungnahme des Verfahrensbeteiligten treffen.[94] Es stellt daher einen schweren Verfahrensfehler dar, wenn dem Beschwerdeführer, der weitere Angaben und Beweismittel (aus Japan) in einem Schriftsatz angekündigt hat, keine Frist für deren Vorlage gesetzt und auch keine angemessene Zeit für den Eingang der angekündigten Informationen abgewartet wird, sondern einige Tage nach Eingang des Schriftsatzes die negative Entscheidung getroffen wird.[95]

43 Das Einführen **neuer Dokumente** von Seiten der Prüfungsabteilung **in der mündlichen Verhandlung** stellt einen außergewöhnlichen Vorgang dar, bei dem äußerste Sorgfalt zur Gewährleistung des rechtlichen Gehörs geboten ist. In der Regel ist daher die Verhandlung für eine angemessene Dauer zu unterbrechen, um der Partei **ausreichend Zeit zum Studium** des neuen Materials und zum Überdenken des Vortrags zu geben.[96] Eine Verletzung von Art 113 (1) liegt vor, wenn die Prüfungsabteilung während der mündlichen Verhandlung einen wissenschaftlichen Artikel als neuen Stand der Technik einführt und dem Anmelder nur eine halbe Stunde zum Studium und zur Vorbereitung seiner Äußerung dazu gibt.[97] Andererseits können in der mündlichen Verhandlung ohne Verletzung von Art 113 (1) neue Einzelheiten aus einem Dokument aufgegriffen werden, das schon im schriftlichen Verfahren als insgesamt relevant eingestuft wurde.[98]

44 Entsprechendes gilt im inter-partes Verfahren: den Beteiligten muss für eine Stellungnahme zu **neuen Beweismitteln** der Gegenseite eine den jeweiligen Umständen **angemessene Frist** eingeräumt werden.[99] Dazu befand eine Kammer, es sei angemessen, wenn nach der Zustellung eines Schriftsatzes der anderen Partei mindestens ein Monat für das Einreichen einer Erwiderung zur Verfügung stand;[100] in einem anderen Fall wurden zwei Monate als minimaler

---

93 **T 1022/98** vom 10.2.1999, Nr 1; **T 966/02** vom 1.12.2004, Nr 6.4.
94 **T 804/94** vom 10.7.1995; **T 685/98**, ABl 1999, 346; **T 1081/02** vom 13.1.2004, Nr 4.1.
95 **J 4/82**, ABl 1982, 385; s auch **T 663/99** vom 6.2.2002; **T 1359/04** vom 26.4.2005, Nr 2.4.
96 **T 1359/04** vom 26.4.2005, Nr 2.4.
97 **T 951/97**, ABl 1998, 440.
98 **T 327/00** vom 13.3.2003, Nr 5.
99 **T 1071/93** vom 22.12.1994, Nr 4; **T 356/94** vom 30.6.1995; s Rdn 39.
100 **T 275/89**, ABl 1992, 126.

Zeitraum angesehen.[101] 17 Tage waren deshalb offensichtlich zu kurz, um einer Partei eine angemessene Gelegenheit zur Antwort zu geben.[102] Auch wenn eine Einspruchabteilung von sich aus während der mündlichen Verhandlung ein neues Dokument zum Stand der Technik einführt, muss den Parteien ausreichend Zeit zum Studium und zur Vorbereitung ihrer mündlichen Stellungnahmen eingeräumt werden.[103]

Nach Art 96 (2) hat die Prüfungsabteilung den Anmelder »so oft, wie erforderlich« aufzufordern, eine Stellungnahme einzureichen. Das EPA braucht dem Anmelder allerdings **nicht wiederholt Gelegenheit** zu geben, sich zu äußern, wenn die entscheidenden Einwände gegen die Erteilung des europäischen Patents unerörtert bestehen bleiben.[104] In diesem Fall kann die Zurückweisungsentscheidung bereits nach einem Bescheid ergehen, ohne dass dadurch Art 113 (1) verletzt wird. **45**

Die Prüfungsabteilung hat im übrigen einen **Ermessensspielraum, wie oft sie die Beteiligten anhört**; sie braucht immer dann keinen Bescheid mehr zu erlassen, wenn er bei vernünftiger und objektiver Betrachtung überflüssig ist und aller Voraussicht nach nicht zu einem anderen Ergebnis führt.[105] Für die Beantwortung der Ermessensfrage, ob der Anmelder zu einer weiteren Stellungnahme eingeladen werden soll, ist nicht dessen Bereitschaft zur Zusammenarbeit maßgebend, sondern ob eine vernünftige Aussicht besteht, dass die Stellungnahme zur Erteilung des Patents führt.[106] Ein weiterer Bescheid ist aber dann nötig, wenn sich die Situation durch die Antwort des Anmelders wesentlich geändert hat.[107] Ebenso ist ein weiterer Bescheid zu erlassen, nachdem eine Sache gemäß Art 111 (1) zur weiteren Entscheidung **an die Prüfungsabteilung zurückverwiesen** wurde und diese dem Verfahren einen Zurückweisungsgrund zu Grund legen will, zu dem der Anmelder bisher keine Veranlassung hatte, sich zu äußern[108] (vgl Rdn 40). **46**

Die Frage, **bis zu welchem Zeitpunkt** im Verfahren vor der ersten Instanz Äußerungen der Parteien noch zu berücksichtigen sind, hat die Große Beschwerdekammer beantwortet:[109] Wird eine Entscheidung im schriftlichen Verfahren getroffen, so ist dieses abgeschlossen, sobald die Entscheidung an die **47**

---

101 **T 263/93** vom 12.1.1994.
102 **T 914/98** vom 22.9.2000.
103 **T 1235/01** vom 26.2.2004.
104 **T 84/82**, ABl 1983, 451, Nr 7; **T 161/82**, ABl 1984, 551; **T 243/89** vom 2.7.1991; **T 63/93** vom 28.7.1993, Nr 1.1; **T 487/93** vom 6.2.1996, Nr 10(i); **J 32/95**, ABl 1999, 713; **T 1259/04** vom 10.1.2006, Nr 6.
105 **T 162/82**, ABl 1987, 533.
106 **T 640/91**, ABl 1994, 918; **T 1379/05** vom 20.2.2006, Nr 15.
107 **T 921/94** vom 30.10.1998.
108 **T 922/02** vom 10.3.2004, Nr 4.
109 **G 12/91**, ABl 1994, 285.

interne Poststelle des EPA zur Zustellung abgegeben worden ist. Im Verfahren mit mündlicher Verhandlung ist es abgeschlossen, wenn die zuständige Stelle die sachliche Debatte für beendet erklärt. Späteres Vorbringen der Parteien kann nicht mehr berücksichtigt werden, es sei denn, die erlassende Stelle gestattet dies unter Fristsetzung, oder sie beschließt, die mündliche Verhandlung wieder zu eröffnen. Solange das Verfahren aber **noch anhängig** ist, bleibt das Recht auf Anhörung in einer mündlichen Verhandlung bestehen, auch nach Erlass einer Mitteilung nach R 51 (6).[110]

9 Die Antragsbindung gemäß Art 113 (2) im Erteilungsverfahren

48 Nach Art 113 (2) ist der Anmelder bezüglich des Inhalts seiner Patentanmeldung **Herr des Verfahrens** (vgl Rdn 7): er legt im gesamten Verfahren vor dem EPA den Text seiner Patentanmeldung fest, der nur mit seiner Zustimmung geändert werden kann.[111] Es ist ein Grundprinzip des Europäischen Patentrechts, dass der Anmelder, im Einspruchsverfahren der Patentinhaber, die Verantwortung für die Festlegung des Patentgegenstandes hat. Diese Verantwortung kann nicht auf das EPA abgewälzt werden.[112] Es ist nicht die Aufgabe des EPA, eine möglicherweise gewährbare Anspruchsfassung zu finden und vorzuschlagen.[113]

49 Art 113 (2) besagt lediglich, dass das EPA bei der Entscheidung **keine andere Fassung** zugrunde legen darf, als die vom Anmelder oder Patentinhaber vorgelegte oder gebilligte Fassung (s Rdn 57). Es leiten sich aus dieser Bestimmung des EPÜ keinerlei Rechte des Anmelders ab, die das EPA verpflichten würden, einen vom Anmelder zB verspätet gestellten Änderungsantrag zu berücksichtigen (vgl Rdn 52).[114]

50 Die **Bindung des EPA** an die vom Patentanmelder vorgelegte bzw an die von ihm oder dem Patentinhaber gebilligte Fassung ist ein **wesentlicher Verfahrensgrundsatz** von so grundlegender Bedeutung, dass jede – auch auf eine falsche Auslegung eines Änderungsantrags zurückzuführende – Verletzung dieses Grundsatzes ein wesentlicher Verfahrensmangel ist.[115] Die Beschwerdekammern – und natürlich auch die erste Instanz – dürfen nicht die Erteilung eines europäischen Patents anordnen, dessen Patentansprüche sich inhaltlich oder in ihrer Abhängigkeit voneinander von den vom Anmelder eingereichten

---

110 **T 556/95**, ABl 1997, 205; man beachte, dass die damalige R 51(6) inzwischen geändert wurde.
111 **J 12/83**, ABl 1985, 6.
112 **T 382/96** vom 7.7.1999, Nr 5.2.
113 **T 975/02** vom 26.1.2004; **T 455/03** vom 5.7.2005, Nr 3.3.1; vgl Art 114 Rdn 34.
114 **G 7/93**, ABl 1994, 775, Nr 2.1; vgl dazu Kern, Regel 86 (3) und Artikel 113 (2) des EPÜ, Mitt. 1994, 169; Liesegang, Späte Anträge im europäischen Erteilungs-, Einspruchs- und Beschwerdeverfahren, Mitt. 1997, 290.
115 **T 647/93**, ABl 1995, 132; **J 19/84** vom 12.11.1984.

Ansprüchen unterscheiden.[116] Die Prüfungsabteilung darf eine Anmeldung auch nicht zurückweisen auf Grund von Patentansprüchen, die der Anmelder nicht aufrechterhalten hat[117] oder die seinem Antrag nicht entsprechen.[118] Sie ist in ihren Entscheidungen an die Reihenfolge der Anträge in Form eines Hauptantrags und rangmäßig nachfolgender Hilfsanträge gebunden.[119] Aus der Begründung der Entscheidung muss zu entnehmen sein, über welche Patentansprüche entschieden wurde.[120]

Es kann nur über den jeweiligen **Antrag als Ganzes** entschieden werden.[121] 51 Daher besteht für das EPA keine Verpflichtung, alle Ansprüche eines Antrags zu prüfen, wenn schon ein Anspruch den Erfordernissen des EPÜ nicht entspricht.[122] Fordert das EPA den Anmelder im Rahmen der Formalprüfung und der Sachprüfung zur Änderung seiner Anmeldung auf und folgt der Anmelder einer solchen Aufforderung nicht, so kann das EPA nicht von sich aus die Fassung der Anmeldung ändern, sondern hat lediglich die Möglichkeit, die Anmeldung zurückzuweisen.[123] Daher nimmt der Anmelder mit dem Nichterscheinen in einer mündlichen Verhandlung auch bei an sich leicht behebbaren Mängeln das Risiko einer Zurückweisung der Anmeldung aufgrund der bestehenden Unterlagen in Kauf.[124]

Das **Recht** des Anmelders **zur Änderung** der europäischen Patentanmel- 52 dung oder des europäischen Patents bestimmt sich nach Art 123 und den dazugehörigen Regeln.[125] Die Voraussetzung für die Berücksichtigung von Änderungsanträgen ergibt sich aus diesen Vorschriften, nicht aus Art 113 (2).

Beim **Abschluss der Prüfung** stellen die Bestimmungen von R 51 (4) bis (6) 53 und die Praxis des EPA gemäß Ziff. 1 der Rechtsauskunft des EPA Nr 15/05 (rev.2)[126] sicher, dass das europäische Patent nur in einer vom Anmelder gebilligten Fassung erteilt wird. Dabei muss dem Anmelder vor der Erteilung mitgeteilt werden, in welcher Fassung das EPA beabsichtigt, das Patent zu erteilen, damit er sein Einverständnis dazu geben kann. Entspricht die mitgeteilte Fassung nur einem Hilfsantrag des Anmelders, ist in der Mitteilung sachlich zu begründen, weshalb die rangmäßig vorangehenden Anträge nicht gewährbar

---

116 **T 32/82**, ABl 1984, 354.
117 **T 946/96** vom 23.6.1997.
118 **T 97/02** vom 6.5.2005, Nr 2.2.
119 **T 169/96** vom 30.6.1996; **T 540/02** vom 19.10.2004.
120 **T 701/01** vom 29.10.2003, Nr 2.
121 **T 961/98** vom 12.3.1999, Nr 8.2.
122 **T 228/89** vom 25.11.1991, Nr 4.2.
123 **T 5/81**, ABl 1982, 249.
124 **T 1000/03** vom 3.8.2005.
125 **T 951/97**, ABl 1998, 440.
126 ABl 2005, 357.

sind.[127] Stimmt der Anmelder der mitgeteilten Fassung dann nicht zu, hat entgegen der Bestimmung von R 51(8) eine entsprechend begründete, beschwerdefähige Zurückweisungsentscheidung zu ergehen[128] (für weiteres siehe Rdn 12 zu Art 97).

10 Die Antragsbindung nach der Patenterteilung

54 Bevor eine Entscheidung über die Aufrechterhaltung eines Patents im **Einspruchsverfahren** getroffen wird, muss klargestellt sein, welche Fassung der Patentinhaber billigt (vgl Rdn 7). Geschieht das nicht, so liegt ein Verstoß gegen Artikel 113 (2) und ein wesentlicher Verfahrensmangel vor.[129] Deshalb hat das entscheidende Organ die Antragslage vor der Entscheidung zu klären.[130] Das formelle Verfahren nach R 58 (4) ist hierbei nicht nötig, wenn das ausdrückliche Einverständnis des Patentinhabers bereits vorliegt[131] oder wenn die geänderte Fassung in der mündlichen Verhandlung vorgelegt wurde und die Beteiligten sie ausreichend würdigen konnten.[132] Ein Patentinhaber, welcher der mündlichen Verhandlung fernbleibt, muss daher sicherstellen, dass er vor der Verhandlung alle Änderungen eingereicht hat, die er berücksichtigt haben möchte.[133]

55 Auf jeden Fall muss sich die in der mündlichen Verhandlung verkündete Entscheidung auf die gleichen Patentunterlagen stützen wie die schriftliche Entscheidung.[134] Ergeben sich aus der mündlich verkündeten Entscheidung gemäß Niederschrift der Verhandlung und der schriftlich begründeten Entscheidung **Diskrepanzen bezüglich der aufrechterhaltenen Fassung**, liegt eine Verletzung von Art 113 (2) vor, die eine Zurückverweisung an die Einspruchsabteilung zur Folge hat.[135]

56 Keine Verletzung von Art 113 (2) stellt die Aufrechterhaltung des Patents aufgrund eines nachrangigen Hilfsantrags des Patentinhabers dar, auch wenn dieser an seinem Hauptantrag festhält, dem nicht stattgegeben werden kann.[136]

57 Der Patentinhaber hat allerdings im Einspruchs-(Beschwerde-)verfahren keinen Rechtsanspruch auf die **Berücksichtigung von Änderungsvorschlägen im europäischen Patent**, soweit sie für die Aufrechterhaltung des europäischen Patents »weder sachdienlich noch erforderlich sind«, insbesondere

---

127 **T 1181/04**, ABl 2005, 312; **T 1255/04**, ABl 2005, 424.
128 **T 1395/05** vom 20.1.2006, Nr 2; **T 308/05** vom 27.2.2006, Nr 8 ff.
129 **T 666/90** vom 28.2.1994.
130 **T 552/97** vom 4.11.1997.
131 **G 1/88**, ABl 1989, 189.
132 **T 219/83**, ABl 1986, 211.
133 **T 986/00**, ABl 2003, 554, LS.
134 **T 740/00** vom 10.10.2001.
135 **T 425/97** vom 8.5.1998; **T 318/01** vom 18.11.2004.
136 **T 234/86**, ABl 1989, 79; vgl Rechtsauskunft des EPA Nr 15/05 (rev.2), ABl 2005, 357.

wenn sie zu spät vorgebracht werden, dh wenn die Prüfung des Einspruchs und der Beschwerde schon weitgehend abschlossen ist.[137] Diese Grundsätze finden ihren Ausdruck in R 57a (Sachdienlichkeit) und 71a (2) (Zeitgrenze). Entsprechend diesen Bestimmungen ist zu unterscheiden zwischen Änderungen, die nicht durch Einspruchsgründe gerechtfertigt sind (R 57 a) und solchen, die wegen Verspätung unzulässig sind (R 71a (2)).[138] Letzteres ist der Fall, wenn die verspätet vorgelegte Fassung nicht eindeutig gewährbar ist.[139] Dagegen sollte sich das Ermessen, nach Art 57a gerechtfertigte Hilfsanträge nicht zuzulassen, auf Ausnahmefälle beschränken, bei denen die Einreichung solcher Anträge einem Missbrauch von Verfahrensrechten gleichkommt.[140] Verspätete Änderungsanträge im Einspruchsbeschwerdeverfahren sind mit besonderer Zurückhaltung zu behandeln, wenn noch **Teilanmeldungen anhängig** sind. Ist die Abgrenzung zwischen den Gegenständen der Teilanmeldungen nicht eindeutig, können solche verspäteten Anträge zurückgewiesen werden.[141]

Andererseits ist das europäische Patent in seiner Gesamtheit zu widerrufen, 58 wenn die Einspruchsgründe auch nur zum Teil der Aufrechterhaltung des europäischen Patents entgegenstehen und der Patentinhaber sein Patent nicht entsprechend ändert (siehe Rdn 51).

Erklärt der Inhaber eines europäischen Patents im Einspruchs- oder Be- 59 schwerdeverfahren, dass er der Aufrechterhaltung des Patents in **der erteilten Fassung nicht mehr zustimme** und deren Billigung widerrufe, aber auch keine geänderte Fassung vorlegen werde, so ist das Patent gemäß der ständigen Praxis des EPA zu widerrufen.[142] Die gleiche Folge tritt – ohne sachliche Prüfung – ein, wenn der Patentinhaber selbst im Einspruchsverfahren den Widerruf seines Patents beantragt,[143] nicht jedoch, wenn er gegenüber dem EPA erklärt, er »verzichte« auf sein Patent. Verzichterklärungen sind in dieser Phase an die nationalen Behörden in den Vertragsstaaten zu richten.[144]

Nimmt der einzige Einsprechende seine Beschwerde zurück, so wird die Ent- 60 scheidung der Einspruchsabteilung rechtskräftig.[145] Die Beschwerdekammer hat dann keine Befugnis mehr, nach Art 113 (2) über die Billigung der Fassung durch den Patentinhaber zu befinden.

---

137 **T 406/86**, ABl 1989, 302, LS I.
138 **T 829/93** vom 24.5.1996.
139 **T 153/85**, ABl 1988, 1.
140 **T 577/97** vom 5.4.2000.
141 **T 840/93**, ABl 1996, 335.
142 **T 73/84**, ABl 1985, 241; Rechtsauskunft EPA Nr 11/82, ABl 1982, 57.
143 **T 186/84**, ABl 1986, 79.
144 **G 1/90**, ABl 1991, 275, Nr 8; **T 386/01** vom 24.7.2003.
145 **G 8/91**, ABl 1993, 346; **G 7/91**, ABl 1993, 356.

61 Der **Prüfungsabschluss im Einspruchsverfahren** erfolgt im Übrigen nach den Bestimmungen von R 58(4) und (5) und der Praxis des EPA gemäß Ziff. 2 der Rechtsauskunft des EPA Nr 15/05 (rev.2).[146]

62 In den **nationalen Nichtigkeitsverfahren** gegen ein europäisches Patent ist nach Art 138 (2) im Falle nur teilweiser Nichtigkeit das daraus abgeleitete nationale Schutzrecht auch **ohne Zustimmung** des Patentinhabers entsprechend zu beschränken und nicht etwa insgesamt zu vernichten.

Artikel 114 Ermittlung von Amts wegen

(1) In den Verfahren vor dem Europäischen Patentamt ermittelt das Europäische Patentamt den Sachverhalt von Amts wegen; es ist dabei weder auf das Vorbringen noch auf die Anträge der Beteiligten beschränkt.

(2) Das Europäische Patentamt braucht Tatsachen und Beweismittel, die von den Beteiligten verspätet vorgebracht werden, nicht zu berücksichtigen.

Beat Schachenmann

Übersicht

1	Allgemeines	1-6
2	Verfahren vor dem EPA	7-12
3	Beschränkungen im Einspruchs- und Beschwerdeverfahren	13-24
4	Der zu ermittelnde Sachverhalt	25-31
5	Amtsermittlung und Umfang der Mitwirkungspflicht der Beteiligten	32-40
6	Verspätetes Vorbringen im allgemeinen (Art 114 (2))	41-49
7	Verspätetes Vorbringen im Einspruchs- und Beschwerdeverfahren	50-56
8	Relevanzprüfung	57-66

1 Allgemeines

1 Art 114 (1) statuiert für das gesamte Verfahren vor dem EPA den Grundsatz der Ermittlung von Amts wegen (Amtsermittlung, Untersuchungsgrundsatz). Die Amtsermittlung besagt, dass der für die Entscheidung **maßgebende Sachverhalt** (siehe Rdn 25–31) von Amts wegen ermittelt wird und es nicht dem Anmelder oder Patentinhaber überlassen bleibt, welchen Sachverhalt er zur Entscheidung vorlegt. Er hat nach Art 113 (2) zwar die Verfügung über seine europäische Patentanmeldung und sein europäisches Patent, aber bei ihrer Prüfung ist das Amt bezüglich des Sachverhalts nicht an sein Vorbringen oder an

---

146 ABl 2005, 357.

seine diesbezüglichen Anträge gebunden (Art 114 (1) 2. Halbsatz). Die Amtsermittlung dient somit der **Wahrung des öffentlichen Interesses** in den Verfahren vor dem EPA.

Der **Grundsatz der Amtsermittlung** gilt in den meisten nationalen Patenterteilungsverfahren, bei denen die Patentämter die Patentfähigkeit der beanspruchten Erfindung prüfen. Das EPÜ hat dies klarer als verschiedene nationale Patentgesetze zu einem der **tragenden Grundsätze** in den Verfahren vor dem EPA erklärt.

Die PrüfRichtl behandeln die Ermittlung von Amts wegen in Teil E-VI.1 und 2.

Die Pflicht zur Amtsermittlung bedeutet auch, dass das EPA bei der Ermittlung des Sachverhalts und seiner Beurteilung **objektiv** vorzugehen hat.[1] So ist ein Irrtum eines Anmelders über einen Sachverhalt von Amts wegen aufzuklären und kann nicht gegen ihn verwendet werden.[2] Im Einspruchsverfahren soll durch die Amtsermittlung nicht einseitig einer Partei geholfen werden (siehe Rdn 14).

Im Gegensatz zum deutschen Patentrecht[3] sieht die europäische Regelung in Art 114 (2) ausdrücklich eine **zeitliche Grenze** für die Pflicht zur Ermittlung von Amts wegen vor: Verspätet vorgebrachte Tatsachen und Beweismittel kann das EPA außer Acht lassen (siehe Rdn 41 und 50).

Die Pflicht zur Amtsermittlung gilt natürlich nur insoweit, als ein Verfahrensbeteiligter nicht selbst verpflichtet ist, einen Sachverhalt glaubhaft darzulegen, wie dies zB bei der Wiedereinsetzung in den vorigen Stand gemäß Art 122 (3) oder bei einem Antrag auf Akteneinsicht gemäß Art 128 (2)[4] vorgesehen ist. Es besteht insofern eine **Mitwirkungspflicht** der Beteiligten (siehe Rdn 32–40).

Insbesondere in den **Mehrparteien-Verfahren** nach der Patenterteilung besteht nur eine beschränkte Pflicht des EPA zur Amtsermittlung (siehe Rdn 14). Im Einspruchs-(Beschwerde)-verfahren tragen die Parteien die **Beweislast**[5] für die von ihnen geltend gemachten Tatsachen.[6] Im Beschwerdeverfahren kann eine mangelhafte Begründung (Art 108) nicht durch Amtsermittlung geheilt werden.[7]

Auch durch die gebotene **Verfahrensökonomie** sind der Ermittlungspflicht des Amts Grenzen gesetzt (siehe Rdn 23, 36 und 38).

1　**J 3/90**, ABl 1991, 550; **T 76/82** vom 23.2.1983, Nr 4.
2　**T 185/82**, ABl 1984, 174.
3　Schulte, Patentgesetz, vor § 34, Rn 166.
4　**J 27/87** vom 3.3.1988.
5　Siehe zur Beweislast Art 117, Rdn 15.
6　**T 270/90**, ABl 1993, 725, Nr 2.1.
7　**T 253/90** vom 10.6.1991, Nr 4.

2 Verfahren vor dem EPA

7 Die Amtsermittlung gilt im Grundsatz für **alle Verfahren** vor dem EPA, also für die Eingangs- und Formalprüfung ebenso wie für das Einspruchsverfahren bis zum Beschwerdeverfahren, einschließlich des Verfahrens vor der Großen Beschwerdekammer. Sie ist von den zuständigen Stellen des EPA in allen vor ihnen stattfindenden Verfahren zu beachten[8] (zu den Beschränkungen im Einspruchs- und Beschwerdeverfahren siehe Rdn 13–24).

8 Die Verpflichtung zur Amtsermittlung gilt nur in **anhängigen Verfahren**, also nicht in Zeitabschnitten, die zwischen den einzelnen Verfahren liegen, zB bei formellen Fragen nach Veröffentlichung der europäischen Patentanmeldung und vor Einleitung des Prüfungsverfahrens sowie nach Erteilung des europäischen Patents und vor Eröffnung eines Einspruchsverfahrens. Werden von Dritten nach der Patenterteilung Einwendungen gemäß Art 115 eingereicht, so können diese nur berücksichtigt werden, falls ein Einspruch eingelegt wird (siehe Rdn 6 zu Art 115).

9 Für das **Formalprüfungsverfahren** hat die Juristische Beschwerdekammer festgestellt, dass es bei der Prüfung der Rechtzeitigkeit einer Zahlung nicht ausreicht, sich auf den EDV-Ausdruck zu verlassen; vielmehr sind die Unterlagen, die Grundlage für die Codierung der EDV-Anlage waren, von Amts wegen zu überprüfen.[9]

10 Im **Erteilungsverfahren** ist von Amts wegen ein **europäischer Recherchenbericht** nach Art 92 zu erstellen. Damit soll der Prüfung der Anmeldung ein möglichst vollständiger, objektiv ermittelter Stand der Technik zugrunde gelegt werden. Der Recherchenbericht nennt dazu die von Amts wegen ermittelten Schriftstücke, welche zur Beurteilung der Neuheit und der erfinderischen Tätigkeit der beanspruchten Erfindung im Prüfungsverfahren in Betracht gezogen werden können (R 44(1)).

11 Darüber hinaus können und müssen die Prüfungsabteilungen im Lauf der Prüfung noch weitere Dokumente über den Stand der Technik von Amts wegen ermitteln, wenn sie der Ansicht sind, dass die Umstände des Falls dies erforderlich machen. Für die Gründe einer **zusätzlichen Recherche** siehe Prüf-Richtl B-III, 4.2 sowie C-VI, 8.5.

12 Auch wenn der Anmelder in der Anmeldung den ihm bekannten Stand der Technik anzugeben hat, soweit dieser nach seiner Kenntnis für das Verständnis der Erfindung, die Erstellung des europäischen Recherchenberichts und die Prüfung als nützlich angesehen werden kann (R 27(1) b)), ist das EPA gemäß Art 114 (2) 2. Halbsatz keinesfalls an diese Angaben gebunden.

---

8   **T 273/84**, ABl 1986, 346.
9   **J 23/82**, ABl 1983, 127.

3 Beschränkungen im Einspruchs- und Beschwerdeverfahren

Die Amtsermittlung nach Art 114 (1) unterliegt im Einspruchsverfahren und noch mehr im Einspruchsbeschwerdeverfahren gewissen Beschränkungen.[10] 13

Für das **Einspruchsverfahren** ist zu berücksichtigen, dass es erst nach der Erteilung des europäischen Patents einsetzt (post-grant-opposition). Die **Einspruchsschrift** legt dabei den **rechtlichen und tatsächlichen Rahmen** für die materiellrechtliche Prüfung fest.[11] Der nachgeschaltete Einspruch ist ein inter-partes-Verfahren und weist in wichtigen Punkten größere Gemeinsamkeiten mit dem traditionellen Nichtigkeitsverfahren zwischen Parteien auf, die gegenteilige Interessen vertreten, aber Anspruch auf die **gleiche Behandlung** haben.[12] Die Pflicht zur Unparteilichkeit auferlegt dem EPA im Einspruchsverfahren insofern Zurückhaltung bei der Amtsermittlung, als nicht einseitig einer Partei geholfen werden soll.[13] 14

Das **Einspruchsbeschwerdeverfahren** soll der unterlegenen Partei eine Möglichkeit geben, die Entscheidung der Einspruchsabteilung anzufechten und überprüfen zu lassen. Es ist – anders als das administrative Einspruchsverfahren – ein verwaltungs**gerichtliches** Verfahren. Als solches ist es seiner Natur nach noch weniger auf Ermittlungen von Amts wegen ausgerichtet als das Einspruchsverfahren. Deshalb ist Art 114 (1) im Beschwerdeverfahren generell restriktiver anzuwenden als im Einspruchsverfahren.[14] 15

Im einzelnen ergeben sich aus diesen Überlegungen folgende Beschränkungen bei der Amtsermittlung: 16

Im Verfahren vor der Einspruchsabteilung hängt die materiell rechtliche Prüfung des Einspruchs vom Umfang ab, in dem gemäß R 55 c) in der Einspruchsschrift gegen das Patent Einspruch eingelegt worden ist. **Nicht angegriffene Patentansprüche** unterliegen im Einspruchsverfahren deshalb keiner Überprüfung. Eine Ausnahme von diesem Grundsatz bilden Patentansprüche, die von einem im Einspruchs- oder Beschwerdeverfahren vernichteten Patentanspruch abhängig sind und deren Gültigkeit prima facie in Frage steht.[15] 17

Neue Einspruchsgründe, die nicht durch die Erklärung nach R 55 c) gedeckt sind, brauchen **nicht von Amts wegen berücksichtigt** zu werden.[16] Es liegt aber wegen Art 114 (1) im Ermessen der Einspruchsabteilung, ausnahmsweise auch andere Einspruchsgründe zu prüfen, die prima facie der Aufrechterhaltung des europäischen Patents ganz oder teilweise entgegenzustehen schei- 18

---

10 Grundlegend **G 9/91**, ABl 1993, 408 und **G 10/91**, ABl 1993, 420.
11 **G 9/91**, aaO, Nr 6.
12 **G 9/91**, aaO, Nr 2.
13 **T 173/89** vom 29.8.1990, Nr 2; **T 223/95** vom 4.3.1997, Nr 4.
14 **G 9/91**, aaO, Nr 18.
15 **G 9/91**, aaO, Nr 11.
16 **G 10/91**, aaO, LS I.

nen.[17] Deshalb muss die Einspruchsabteilung einen neuen Einspruchsgrund zumindest auf seine Relevanz hin prüfen, bevor sie ihn zurückweist.[18] Keine Beschränkungen der Amtsermittlung bestehen für **Änderungen der Ansprüche** oder anderer Teile eines Patents, die im Einspruchs- oder Beschwerdeverfahren vorgenommen werden: sie sind in vollem Umfang auf die Erfüllung der Erfordernisse des EPÜ (zB der Art 123 (2) und (3)) zu prüfen.[19]

19   Im **Beschwerdeverfahren** ist das Ermessen, weitere Einspruchsgründe zu berücksichtigen, noch stärker eingeschränkt: **neue Einspruchsgründe** dürfen nur mit dem Einverständnis des Patentinhabers geprüft werden.[20] Kommt eine Beschwerdekammer während des Beschwerdeverfahrens aber zu dem Schluss, die Einspruchsabteilung habe ihr Ermessen bei der Nichtzulassung eines neuen Einspruchsgrunds falsch ausgeübt, so kann sie diesen Einspruchsgrund von Amts wegen berücksichtigen.[21]

20   Was als »**neuer Einspruchsgrund**« anzusehen ist, hat die Große Beschwerdekammer weiter präzisiert.[22] Danach stellen die Art 52 bis 57 nicht einen einzigen Einspruchsgrund iSd Art 100 a) dar, sondern gelten als unterschiedliche Gründe; ist zB wegen mangelnder erfinderischer Tätigkeit Einspruch eingelegt worden, so kann im Einspruchsbeschwerdeverfahren über die Neuheit nicht ohne Zustimmung des Patentinhabers entschieden werden (siehe auch Art 110 Rdn 54).

21   Alle diese Einschränkungen gelten nur für mehrseitige Verfahren, wie die Große Beschwerdekammer ausdrücklich festgestellt hat.[23] **In einseitigen Verfahren** sind die Beschwerdekammern weder auf die Überprüfung der Gründe der angefochtenen Entscheidung, noch auf die dieser Entscheidung zugrunde liegenden Tatsachen und Beweismittel beschränkt. Besteht Anlass zur Annahme, dass ein Patentierungserfordernis nicht erfüllt sein könnte, so beziehen die Beschwerdekammern diesen Grund von Amts wegen in das Verfahren ein, auch wenn er im Prüfungsverfahren nicht in Betracht gezogen oder als erfüllt angesehen wurde.

22   **Im Beschwerdeverfahren** ergibt sich eine **weitere Einschränkung** der Amtsermittlung aus dem so genannten **Verfügungsgrundsatz**. Als Folge davon wird das Beschwerdeverfahren, sei es im einseitigen oder zweiseitigen Verfahren, durch die Rücknahme der Beschwerde des einzigen Beschwerdeführers unmittelbar beendet; die Sache ist damit auf dem Stand der Einspruchsentschei-

---

17   **G 10/91**, aaO, LS II.
18   **T 736/95**, ABl 2001, 191; kritisch zu dieser Praxis: Persson et al., Late-Filed Fresh Grounds in EPO Oppositions, [2001] E.I.P.R. 501.
19   **G 9/91, aaO**, Nr 19.
20   **G 10/91**, aaO, LS III.
21   **T 986/93**, ABl 1996, 215; **T 891/94** vom 2.3.1999; **T 165/99** vom 3.3.2003.
22   **G 1/95** und **G 7/95**, ABl 1996, 615 und 626.
23   **G 10/93**, ABl 1995, 172.

dung rechtskräftig.[24] Dies hängt wiederum damit zusammen, dass das Beschwerdeverfahren ein verwaltungsgerichtliches Verfahren ist, in welchem eine Ausnahme vom Verfügungsgrundsatz (Dispositionsmaxime) viel stärker begründet sein muss, als im reinen Verwaltungsverfahren vor der Einspruchsabteilung.[25] Denn eine Beschwerdekammer kann das Einspruchsbeschwerdeverfahren nicht fortsetzen, nachdem der einzige Beschwerdeführer, der in erster Instanz Einsprechender war, seine Beschwerde zurückgenommen hat.[26] Das Gleiche gilt, wenn dieser im Beschwerdeverfahren den Einspruch zurücknimmt und zwar auch dann, wenn die Beschwerdekammer der Auffassung ist, dass die Voraussetzungen für die Aufrechterhaltung des Patents nicht erfüllt sind.[27] Dies ist anders als im Einspruchsverfahren, das nach R 60 von Amts wegen fortgesetzt werden kann.

Ist der **Einsprechende der Beschwerdegegner**, so kann die Beschwerdekammer trotz der **Rücknahme des Einspruchs** von Amts wegen Beweismittel berücksichtigen, die vom Einsprechenden vor der Rücknahme vorgebracht worden sind.[28] Die Amtsermittlung geht aber in diesem Fall aus Gründen der Verfahrensökonomie nicht so weit, dass eine vom Einsprechenden geltend gemachte frühere mündliche Offenbarung geprüft werden muss, wenn die maßgeblichen Tatsachen ohne seine Mitwirkung schwer zu ermitteln sind.[29] Die Beschwerdekammer braucht auch nicht von Amtes wegen zu ermitteln in Fällen, in denen umstrittene, als neuheitsschädlich vorgetragene Tatsachen lange zurückliegen, das Verfahren schon seit mehreren Jahren läuft und die Parteien den Nachweis nicht weiterverfolgt haben[30] (siehe Rdn 36). 23

Schließlich wird die Amtsermittlung im Beschwerdeverfahren auch beschränkt durch das sog **Verschlechterungsverbot** (reformatio in peius).[31] Ist ein europäisches Patent im Einspruchsverfahren in geändertem Umfang aufrechterhalten worden, so kann die Beschwerdekammer von der Entscheidung der Einspruchsabteilung nur in dem Umfang abweichen, in dem in der Beschwerdeschrift ihre Änderung oder Aufhebung begehrt wird. Hat nur der Patentinhaber Beschwerde erhoben, so kann deshalb zumindest die Aufrechterhaltung des europäischen Patents in geändertem Umfang nicht mehr in Frage gestellt werden. Hat dagegen nur der Einsprechende Beschwerde erhoben, so ist der Patentinhaber in erster Linie darauf beschränkt, das Patent in der Form 24

---

24 **G 8/91**, aaO, Nr 11.2.
25 **G 8/91**, ABl 1993, 346.
26 **G 7/91**, ABl 1993, 356.
27 **G 8/91**, aaO, Nr 10.2; **G 8/93**, ABl 1994, 887.
28 **T 460/01** vom 21.10.2004, Nr 2.
29 **T 34/94** vom 22.3.1994; PrüfRichtl Teil E-VI. 1.2.
30 **T 60/89**, ABl 1992, 268.
31 **G 9/92**, ABl 1994, 875.

zu verteidigen, wie es in der Entscheidung der Einspruchsabteilung aufrecht erhalten wurde.

4 Der zu ermittelnde Sachverhalt

25 Nach Art 114 (1) 2. Halbsatz ist das EPA bei der **Ermittlung des Sachverhalts** weder auf das Vorbringen noch auf die Anträge der Beteiligten beschränkt. Der englische Text spricht leicht abweichend von *not restricted ...to the facts, evidence and arguments provided by the parties*, während sich der französische mit *moyens invoqués* und *demandes présentées* weitgehend mit dem deutschen deckt.

26 Zwar bestimmt der Anmelder nach dem Antragsgrundsatz weitgehend den Gang des Verfahrens dadurch, dass er den Inhalt der Anmeldung mit der Einreichung der Anmeldung festlegt und später ändern kann (s Rdn 48–53 zu Art 113). Er kann auch die Anmeldung zurücknehmen oder auf einzelne benannte Staaten verzichten. In diesem Sinne besteht ein Verfügungsrecht über die Anmeldung oder das Patent (Verfügungsgrundsatz oder Dispositionsmaxime). Diese Grundsätze gelten aber nicht für den Sachverhalt, auf dessen Grundlage das EPA seine Entscheidungen über die Anträge der Parteien trifft. Auf den Sachverhalt ist der **Antragsgrundsatz nicht anwendbar**, wie Art 114 (1) 2. Halbsatz klarstellt. Anträge der Parteien, die sich auf die Ermittlung des Sachverhalts richten, sind deshalb für das EPA nicht bindend.

27 Unter dem von Amts wegen zu ermittelnden Sachverhalt sind die **Tatsachen** zu verstehen, die für die beantragte Entscheidung (Patenterteilung, Einspruch, Beschwerde) **entscheidungserheblich** sind. Der deutsche Ausdruck *Sachverhalt* wird in der englischen und französischen Fassung des Abs 1 denn auch durch die Ausdrücke *facts* und *faits* wiedergegeben. Da nach Art 94 (1) geprüft wird, ob die europäische Patentanmeldung und die Erfindung, die sie zum Gegenstand hat, den Erfordernissen des EPÜ genügen, gehören zum Sachverhalt vor allem die **tatsächlichen Voraussetzungen der Patenterteilung**.

28 Grundsätzlich liegt die Zuständigkeit für die Ermittlung eines Sachverhalts bei der Stelle, bei der das jeweilige Verfahren anhängig ist. Die verschiedenen Verfahrensorgane des EPA (Prüfungs- und Einspruchsabteilungen, Beschwerdekammern) können sich der Hilfe der Recherchenabteilung bedienen, falls eine ergänzende Recherche erforderlich wird (PrüfRichtl C-VI, 8.5–8.9) (s Rdn 11). Im übrigen dient insbesondere die **Beweisaufnahme** nach Art 117 der Sachverhaltsfeststellung. Wenn nötig, kann das EPA dazu die Gerichte oder andere zuständige Behörden der Vertragsstaaten um Amts- oder Rechtshilfe ersuchen (Art 131).

29 Ist eine Tatfrage zwischen dem EPA und einer Partei strittig, so ist das EPA verpflichtet, den Sachverhalt unmittelbar nach dem Auftreten der Streitfrage

von Amts wegen, dh durch **eigene Nachforschungen**, zu ermitteln.[32] Dabei hat das EPA völlig objektiv vorzugehen.[33]

Für die **Ermittlung des Sachverhalts im Einspruchsverfahren** und im anschließenden Beschwerdeverfahren besteht nur eine beschränkte Amtsermittlungspflicht. Ein Dokument zum Stand der Technik ist nicht schon deshalb von Amtes wegen zu berücksichtigen, weil es im angefochtenen europäischen Patent zitiert und gewürdigt ist. Dies folgt daraus, dass das Einspruchsverfahren sich an das Erteilungsverfahren als selbständiges Verfahren anschließt[34] (siehe dazu Rdn 14). Aus diesem Grund sind die Einspruchsabteilungen und die Beschwerdekammern nicht verpflichtet, die Relevanz von Dokumenten erneut zu beurteilen, die zwar im europäischen Recherchenbericht aufgeführt sind, auf die sich aber der Einsprechende in seiner Einspruchsschrift nicht gestützt hat.[35] Nur wenn diese so relevant erscheinen, dass sie das Einspruchsverfahren beeinflussen könnten, sind sie von Amtes wegen ins Verfahren einzuführen. Dies gilt insbesondere für ein Dokument, das im europäischen Patent als nächstkommender oder wesentlicher Stand der Technik angegeben ist, von dem ausgehend die technische Aufgabe verständlich wird.[36] Für offenkundige Vorbenutzungen trägt die behauptende Partei die Beweislast (siehe Rdn 39). 30

Nach ständiger Rechtsprechung entscheiden die Beschwerdekammern über die **Rückzahlung der Beschwerdegebühr** nach R 67 ohne besonderen Antrag, dh sie ermitteln Verfahrensmängel **von Amts wegen**.[37] 31

5 Amtsermittlung und Umfang der Mitwirkungspflicht der Beteiligten

Die Verpflichtung des EPA zur Ermittlung des Sachverhalts ist sehr generell gefasst. Dies bedeutet jedoch nicht, dass der Anmelder es völlig dem EPA überlassen kann, den Sachverhalt zu ermitteln. Er muss seine Anmeldung entsprechend den Vorschriften der Art 78 ff iVm R 26 ff abfassen und im Verfahren vor den verschiedenen Organen zu Beanstandungen des EPA Stellung nehmen, andernfalls droht ihm ein Rechtsverlust (vgl Art 96 (3) und 110 (3)). Es besteht also eine **Pflicht zur Mitwirkung am Verfahren**. Diese Mitwirkungspflicht ist die natürliche Folge der Tatsache, dass der Anmelder durch die Patenterteilung eine gesicherte Rechtsposition erhalten will. 32

---

32   **J 20/85**, ABl 1987, 102; **J 27/92**, ABl 1995, 288, Nr 2.2; vgl auch **T 444/03** vom 5.7.2004, bezüglich eines im Amt nicht auffindbaren Antrags auf mündliche Verhandlung.
33   **J 3/90**, ABl 1991, 550, Nr 11; hier hatte die Eingangsstelle den britischen Assistent Comptroller unzulässigerweise um eine Bestätigung der eigenen, von der Partei abweichenden Vorstellung über einen Sachverhalt gebeten.
34   **T 198/88**, ABl 1991, 254.
35   **T 387/89**, ABl 1992, 583.
36   **T 536/88**, ABl 1992, 638.
37   Vgl zB **J 7/82**, ABl 1982, 391.

33 Die Mitwirkungspflicht auferlegt zB dem Anmelder die Ergänzung der Anmeldung mit Rücksicht auf den in der Recherche ermittelten Stand der Technik.[38] Auch im Einspruchsverfahren kann eine Mitwirkungspflicht des Patentinhabers insoweit gefordert werden, als es um Angaben über seine Erfindung geht.[39]

34 Die Verpflichtung zur Ermittlung von Amts wegen beschränkt sich auf das jeweilige **Schutzbegehren**. Sein Umfang, also die Formulierung der Ansprüche, liegt nach Art 113 (2) in der alleinigen Verantwortung des Anmelders. Die Amtsmaxime gibt dem Anmelder keinen Rechtsanspruch darauf, dass das EPA feststellen muss, ob eine Anmeldung über die Anträge und Hilfsanträge hinaus schutzfähige Bestandteile enthält. Deshalb besteht nach Art 114 (1) keinerlei Verpflichtung des EPA zu Formulierungsvorschlägen für zulässige Ansprüche, wie sie von den Prüfungsabteilungen gelegentlich auf freiwilliger Basis gemacht werden.

35 Die Ermittlung von Amts wegen beschränkt sich auf die **entscheidungserheblichen Tatsachen** und umfasst nicht Tatsachen, die von einem Beteiligten geltend gemacht werden, aber für die Entscheidung unerheblich sind (siehe Rdn 4 und 39 zu Art 117 betreffend Beweisaufnahme).

36 Die Pflicht zur Ermittlung von Amts wegen findet dort ihre Grenzen, wo es an der **notwendigen Mitwirkung** eines Beteiligten **fehlt**. So ist das EPA nicht verpflichtet, auf Grund bloßer Behauptungen und Verdächtigungen die wahre Identität eines Einsprechenden von Amts wegen zu untersuchen.[40] Die Amtsermittlungspflicht verlangt aus Gründen der Verfahrensökonomie auch nicht die Prüfung einer **behaupteten** offenkundigen **Vorbenutzung**, wenn die Partei, die diese Behauptung aufgestellt hat, aus dem Verfahren ausgeschieden ist und alle maßgeblichen Tatsachen ohne ihre Mitwirkung schwer zu ermitteln sind.[41] Ebenso brauchen die Beschwerdekammern nicht von Amts wegen zu ermitteln in Fällen, in denen umstrittene Tatsachen lange zurückliegen, das Verfahren schon seit mehreren Jahren läuft und die Parteien selbst den Nachweis nicht weiter verfolgt haben.[42] Insbesondere im Einspruchsverfahren ist es Sache des Einsprechenden, der Einspruchsabteilung die Tatsachen und Beweismittel (zB zum Wissen des Fachmanns) vorzulegen, auf die er seinen Einspruch stützt.[43]

37 Auch für das Prüfungsverfahren lehnen die Beschwerdekammern die Ermittlung von Amts wegen ab, wenn der Anmelder wegen eines von der Prüfungsab-

---

38 **T 11/82**, ABl 1983, 479.
39 **T 186/99** vom 22.12.2000, Nr 3.
40 **T 590/93**, ABl 1995, 337 und 387; siehe auch **G 4/97**, ABl 1999, 270.
41 **T 129/88**, ABl 1993, 598; **T 830/90**, ABl 1994, 713; vgl auch **T 34/94** vom 22.3.1994; **T 558/95** vom 10.2.1997.
42 **T 60/89**, ABl 1992, 268.
43 **T 223/95** vom 4.3.1997.

teilung beanstandeten Mangels an erfinderischer Tätigkeit Beweisanzeichen geltend macht, wie zB ein lange bestehendes Bedürfnis oder Vorurteil der Fachwelt (siehe Art 56 Rdn 68, 80, 84, 88 und 108). In diesen Fällen obliegt es dem Anmelder, seine **Behauptungen zu substantiieren** und auf ihnen aufbauend das Vorliegen der erfinderischen Tätigkeit darzulegen.[44]

Die Verpflichtung zur Ermittlung von Amts wegen endet dort, wo das zu erwartende Ergebnis den **Aufwand an Zeit und Kosten** nicht mehr rechtfertigt. Dies ist zB dann der Fall, wenn bei Einwendungen Dritter oder bei einem Einspruch eine nicht näher spezifizierte Veröffentlichung oder eine öffentliche Vorbenutzung, wenn überhaupt, nur mit unverhältnismäßigen Schwierigkeiten zu ermitteln wäre.[45] 38

Die Beschwerdekammern üben im Einspruchsverfahren nicht nur ihre Ermittlungsbefugnis aus, sondern entscheiden auch auf der Grundlage der von den Verfahrensbeteiligten beigebrachten Beweise. Dabei tragen die Verfahrensbeteiligten jeweils die **Beweislast** für die von ihnen geltend gemachten Tatsachen. Die Entscheidung über die beigebrachten Beweise erfolgt nach dem Grundsatz der freien Beweiswürdigung (siehe Rdn 14 zu Art 117). 39

Stellen die Beteiligten in einem Einspruchsverfahren sich widersprechende Tatsachenbehauptungen auf, ohne sie belegen zu können, und kann das EPA den Sachverhalt von Amts wegen nicht ermitteln, so geht dieser Nachteil in der Regel **zu Lasten des Einsprechenden**[46] (siehe Rdn 15 zu Art 117). 40

6 Verspätetes Vorbringen im allgemeinen (Art 114 (2))

Eine ausdrückliche Ausnahme vom Grundsatz der Amtsermittlung sieht Art 114 (2) vor: Tatsachen und Beweismittel, die von den Beteiligten verspätet vorgebracht werden, brauchen nicht berücksichtigt zu werden.[47] 41

Das EPÜ will durch diese Bestimmung die allgemein erstrebte **Straffung des Verfahrens** fördern und **Missbräuche verhindern**. Diese Vorschrift verfolgt damit einen ähnlichen Zweck wie R 86 (3) Satz 2, wonach weitere Änderungen der europäischen Patentanmeldung nur mit Zustimmung der Prüfungsabteilung vorgenommen werden können. Bei Art 114 (2) handelt es sich um eine Kann-Vorschrift, deren **Ermessensspielraum** mit dem Ziel ausgeübt werden soll, »einen normalen Verfahrensablauf zu ermöglichen und taktische Missbräuche auszuschalten«.[48] 42

---

44 **T 109/82**, ABl 1984, 473; **T 119/82**, ABl 1984, 217.
45 **T 129/88**, ABl 1993, 598; **T 830/90**, ABl 1994, 713.
46 **T 219/83**, ABl 1986, 211.
47 Vgl dazu Schulte, Die Behandlung verspäteten Vorbringens im Verfahren vor dem EPA, GRUR 1993, 300; Koch, Verspätetes Vorbringen im Verfahren vor dem EPA (R 71a, Art 114), Mitt. 1997, 286.
48 **T 273/84**, ABl 1986, 346, Nr 2; **T 951/91** ABl 1995, 202, LS.

Die PrüfRichtl behandeln verspätet vorgebrachte Tatsachen und Beweismittel in Teil E-VI. 2.

43 Art 114 (2) regelt das verspätete Vorbringen der Beteiligten. Er bezieht sich also auf Anmelder, Patentinhaber und Einsprechende. Dritte, die Einwendungen nach Art 115 erheben, sind davon nicht unmittelbar betroffen (s aber Rdn 5 zu Art 115).

44 Art 114 (2) bezieht sich auf das verspätete Vorbringen von *Tatsachen und Beweismitteln*. Tatsachen sind behauptete Sachverhalte, die gegebenenfalls durch Beweismittel zu belegen sind. Die Bestimmung bezieht sich dagegen **nicht auf Rechtsausführungen und neue Argumente,** die während des gesamten Verfahrens vorgebracht werden können.[49] Diese Unterscheidung ergibt sich schon aus einem Textvergleich mit der englischen Fassung der Absätze 1 und 2: Im Absatz 1 sind neben den Tatsachen und Beweismitteln auch Rechtsausführungen (arguments) erwähnt, nicht jedoch in Absatz 2, der das verspätete Vorbringen behandelt. Dies ist auch logisch, da sonst mündliche Verhandlungen, die weitgehend ergänzende und neue rechtliche Überlegungen zum Gegenstand haben, ihren Zweck verfehlen würden.

45 Auch die Große Beschwerdekammer geht davon aus, dass es sich bei neuen Argumenten nicht um neues Vorbringen als solches, sondern um eine Untermauerung von bereits vorgebrachten Tatsachen handelt.[50] Dementsprechend sind Argumente, denen rechtzeitig vorgebrachte Tatsachen zugrunde liegen, in jeder Phase des Einspruchs- oder Einspruchsbeschwerdeverfahrens zuzulassen.

46 Nicht immer fällt allerdings die Unterscheidung zwischen Argumenten und Tatsachen bzw Beweismitteln leicht. Dies zeigt sich an vereinzelten Fällen, in denen ein erstmals in der mündlichen Verhandlung vorgebrachtes Argument auf der Grundlage von Art 114 (2) als verspätet bezeichnet und unberücksichtigt gelassen wurde.[51] Als neue Beweismittel wurden zB auch Nachweise für das allgemeine Fachwissen auf einem technischen Gebiet angesehen.[52]

47 Von Art 114 (2) ebenfalls nicht erfasst werden **neue Anträge sowie Änderungen** der europäischen Patentanmeldung oder des europäischen Patents; die Zulassung solcher Änderungen ist in Art 123 iVm R 86 und R 71a(2) geregelt.[53]

---

49 **T 186/83**, Nr 5.2.4, EPOR 86, 11; **T 92/92** vom 21.9.1993; **T 861/93** vom 29.4.1994; **T 131/01**, ABl 2003, 114, Nr 4.2; **T 386/01** vom 24.7.2003, Nr 2; **T 604/01** vom 12.8.2004, Nr 6.1; anders noch **T 598/88** vom 7.8.1989, Nr 5.

50 **G 4/92**, ABl 1994, 149, Nr 10.

51 **T 124/87**, ABl 1989, 491; hier handelte es sich faktisch um die Einführung eines neuen Beweismittels, da sich das »neue Argument« auf ein Beweismittel stützte, das im Einspruchsverfahren in einem ganz anderen Zusammenhang eingereicht worden war.

52 **T 85/93**, ABl 1998, 183.

53 **T 367/01** vom 30.7.2003, Nr 18.

Für die Vorbereitung mündlicher Verhandlungen setzt R 71a(1) in Verbindung mit (2) allerdings auch eine Zeitgrenze für das Vorbringen neuer Anträge.[54]

Wann ein Vorbringen verspätet ist, hängt vom Einzelfall ab. Es ist rechtzeitig, wenn der beauftragte Prüfer etwas beanstandet (zB Mangel an erfinderischer Tätigkeit) und der Anmelder in seinem Antwortschriftsatz neue Tatsachen und Beweismittel vorbringt, um diese Beanstandung zu entkräften; in diesem Fall ist der Anmelder der Aufforderung des EPA nachgekommen und hat sich ordnungsgemäß verhalten. Siehe dazu Rdn 51 und 52. 48

R 71a(1) konkretisiert das in Art 114 (2) eingeräumte Ermessen für den Fall einer **mündlichen Verhandlung**: Was nach einem in der Ladung festgesetzten Zeitpunkt eingereicht wird, gilt grundsätzlich als verspätet, es sei denn, der Sachverhalt habe sich inzwischen geändert, wenn zB die Prüfungsabteilung ein neues Dokument zum Stand der Technik eingeführt hat.[55] Siehe dazu auch Rdn 53 sowie Rdn 47 zu Art 116. 49

In den PrüfRichtl wird die Zulassung der verspätet vorgebrachten Tatsachen und Beweismittel unter E-VI, 2 behandelt.

7 Verspätetes Vorbringen im Einspruchs- und Beschwerdeverfahren

Zahlreiche Entscheidungen befassen sich mit der Frage, wann im Einspruchs- und insbesondere im Einspruchsbeschwerdeverfahren ein Vorbringen als verspätet nicht berücksichtigt zu werden braucht. Es geht dabei um verspätet vorgebrachte Tatsachen und Beweismittel, nicht um verspätet geltend gemachte Einspruchsgründe (s Rdn 18). Bereits unter Rdn 44 wurde auch ausgeführt, dass Rechtsausführungen nicht unter den Begriff *Tatsachen und Beweismittel* fallen. 50

Erste Voraussetzung für die Anwendung von Art 114 (2) ist die **Verspätung eines Vorbringens**. Nachgereichte Unterlagen gelten nicht allein schon deshalb als verspätet, weil sie nicht während der Einspruchsfrist eingereicht worden sind.[56] 51

Keine Verspätung im Sinne von Art 114 (2) liegt vor, wenn die nachträgliche Einreichung durch objektive Gründe gerechtfertigt werden kann, wozu zB ein Vertreterwechsel nicht ausreicht.[57] Als nicht verspätet gilt etwa ein Beweismittel (zB Vergleichsversuche), das vorgelegt wird, um einen Einwand der Beschwerdekammer zu entkräften[58] oder eine neue Entgegenhaltung, die zur Verstärkung eines bereits in erster Instanz vorgetragenen Angriffs eingereicht 52

---

54 **T 755/96**, ABl 2000, 174.
55 **T 951/97**, ABl 1998, 440.
56 **T 156/84**, ABl 1988, 372, Nr 3.11; **T 113/96** vom 19.12.1997, Nr 11; **T 426/97** vom 14. 12 .1999, Nr 2; **T 855/96** vom 10.11.1999, Nr 2.2.
57 **T 736/99** vom 20.6.2002, Nr 2.2.
58 **T 484/90**, ABl 1993, 448.

wird.[59] Ein neues Vorbringen erscheint also dann gerechtfertigt, wenn es sich als **angemessene und alsbaldige Reaktion** auf Vorgänge im bisherigen Verfahren darstellt.[60] Nicht verspätet ist aus diesem Grund die Einreichung einer neuen Entgegenhaltung, die als Antwort des Einsprechenden auf eine Anspruchsänderung durch den Patentinhaber erfolgt.[61] Für die Angabe eines neuen Standes der Technik im Anschluss an eine Änderung der Ansprüche sieht das EPÜ zwar keine Frist vor, eine Verspätung kann sich jedoch ergeben, wenn damit zu lange zugewartet wird.[62]

53 In Verfahren mit **mündlicher Verhandlung** bestimmt das EPA in der Ladung einen Zeitpunkt, bis zu dem Schriftsätze eingereicht werden können. Tatsachen und Beweismittel, die nach diesem Zeitpunkt vorgebracht werden, gelten als verspätet und brauchen nach **R 71a** nicht berücksichtigt zu werden, soweit sie nicht wegen einer Änderung des Sachverhalts zuzulassen sind. Diese Bestimmung ist aber nicht als Rechtfertigung oder gar als Einladung dafür auszulegen, neue Beweismittel geltend zu machen, die über den rechtlichen und faktischen Rahmen dessen hinausgehen, was im gesamten vorherigen Verfahren vorgebracht wurde.[63]

54 Sind Tatsachen und Beweismittel gemäß diesen Kriterien verspätet vorgebracht worden, brauchen sie nach Art 114 (2) nicht berücksichtigt zu werden. Dabei stellt sich die Frage, nach welchen Grundsätzen von dem **durch Art 114 (2) eingeräumten Ermessen** Gebrauch zu machen ist, das dem Zweck dient, einen normalen Verfahrensablauf zu ermöglichen und taktische Missbräuche auszuschalten. Der sich aus der Verfahrensverzögerung ergebende Nachteil ist dabei gegen die Verpflichtung zur Ermittlung von Amts wegen abzuwägen.[64]

55 Für das Beschwerdeverfahren ist speziell Art 10b der revidierten VerfOBK[65] zu beachten. Diese Bestimmung bezweckt eine besonders strikte Anwendung von Art 114 (2): Jede Änderung des Vorbringens eines Beteiligten nach der **Einreichung der Beschwerdebegründung** oder der Erwiderung darauf gilt ipso facto als verspätetet. Es steht im Ermessen der Kammer, solche Änderungen des Vorbringens nicht mehr zuzulassen und zu berücksichtigen. Kriterien dafür sind insbesondere die Komplexität des neuen Vorbringens, der fortgeschrittene Stand des Verfahrens und die gebotene Verfahrensökonomie. Neue Aspekte, die sehr spät im Verfahren vorgebracht werden und umfassend analysiert

---

59 **T 561/89** vom 29.4.1991; **T 113/96** vom 19.12.1997, Nr 11; **T 426/97** vom 14.12.1999, Nr 2.
60 **T 201/92** vom 18.7.1995, Nr 3.4; **T 389/95** vom 15.10.1997, Nr 2.2; **T 855/96** vom 10.11.1999, Nr 2.2.
61 **T 101/87** vom 25.1.1990; **T 238/92** vom 13.5.1993, Nr 2.2.
62 **T 867/92**, ABl 1995, 126.
63 **T 39/93**, ABl 1997, 134; **T 885/93** vom 15.2.1996.
64 **T 273/84**, ABl 1986, 346, Nr 2.
65 VerfOBK, ABl 2003, 89, Anhang 8.

werden müssten, können sogar ohne nähere Prüfung außer Acht gelassen werden. Änderungen, die zu einer Verlegung der mündlichen Verhandlung führen würden, werden in der Regel nicht zugelassen.[66] Es kann aber auch als verspätetes Vorbringen angesehen werden, wenn Entgegenhaltungen von einem Einsprechenden erstmals in der Beschwerdeschrift genannt werden, obwohl er schon beim Einspruch von ihrer Existenz gewusst haben musste.[67]

Zahlreiche Entscheidungen befassen sich bei der Ermessensausübung nach Art 114 (2) mit dem **Verhältnis von Amtsermittlung** nach Art 114 (1) **und verspätetem Vorbringen** nach Art 114 (2). Dabei sind in der Rechtsprechung zwei unterschiedliche Linien festzustellen: 56

Die eine Linie betont die grundsätzliche und **vorrangige Bedeutung der Amtsermittlung**.[68] Ein verspätet vorgelegtes Dokument sollte berücksichtigt werden, wenn immer es verfahrensoekonomisch vertretbar ist. Die möglichst **vollständige Berücksichtigung** des Streitstoffs dient dem Rechtsfrieden und entspricht dem zentralen Einspruchsverfahren des EPÜ.[69] Dabei macht es zB keinen Sinn, ein verspätet vorgelegtes Dokument, das von der Einspruchsabteilung und der Gegenpartei bereits inhaltlich diskutiert wurde, anschließend als verspätet aus dem Verfahren zu weisen[70] oder sich lange mit der Frage der Relevanz eines Dokuments aufzuhalten, statt es zu berücksichtigen.[71]

Nach der anderen Linie sollen neue Tatsachen und Beweismittel im Beschwerdeverfahren **nur in ausgesprochenen Ausnahmefällen** und nur dann zum Verfahren **zugelassen** werden, wenn sie **prima facie hochrelevant** sind, dh höchstwahrscheinlich der Aufrechterhaltung des europäischen Patents entgegenstehen.[72] Dies wird daraus geschlossen, dass die Grundsätze, die die Große Beschwerdekammer für die Zulässigkeit neuer Einspruchsgründe aufgestellt hat[73] (s Rdn 17 bis 23), auf verspätet vorgebrachte neue »Tatsachen und Beweismittel« anwendbar seien, auch wenn diese zur Stützung von schon in der Einspruchserklärung angegebenen Einspruchsgründen dienen.[74]

---

66 Siehe vorbereitende Dok CA/133/02 vom 12.11.2002, S 16; **T 874/03** vom 28.6.2005, LS 1.
67 **T 258/84**, ABl 1987, 119.
68 **T 156/84**, ABl 1988, 372; **T 855/96** vom 10.11.1999, Nr 2.3; **T 426/97** vom 14.12.1999, Nr 2; **T 562/02** vom 10.2.2005, Nr 2.
69 **T 855/96** vom 10.11.1999, Nr 2.3.
70 **T 68/02** vom 24.6.2004, Nr 4.2.
71 **T 562/02** vom 10.2.2005, Nr 2.
72 **T 1002/92**, ABl 1995, 605; **T 212/91** vom 16.5.1995, Nr 2; **T 459/94** vom 13.5.1997, Nr 2; **T 389/95** vom 15.10.1997; **T 874/03** vom 28.6.2005, LS 2.
73 In G 10/91, ABl 1993, 420.
74 **T 389/95** vom 15.10.1997, Nr 2.

8 Relevanzprüfung

57 Vor diesen Hintergrund lässt sich der erhebliche Spielraum der Rechtsprechung bei der Beurteilung des verspäteten Vorbringens verstehen. Ausgangspunkt bildet in der Regel die so genannte **Relevanzprüfung**:[75]

58 Danach muss sich das EPA bei der Prüfung der Zulässigkeit eines verspätet eingereichten Dokuments von dessen **Relevanz** leiten lassen, wobei die Beschwerdekammern unter diesem Begriff die **größere Beweiskraft** des Dokuments gegenüber anderen bereits im Verfahren befindlichen Unterlagen verstehen.[76] Sind verspätet eingereichte Dokumente nicht aufschlussreicher, als die rechtzeitig eingereichten Entgegenhaltungen und offenbaren sie nichts, was die Entscheidung in eine andere Richtung lenken könnte, können sie als nicht relevant außer Betracht bleiben.[77] Sind sie jedoch dazu geeignet, die Entscheidung zu beeinflussen, sollten sie unter keinen Umständen unberücksichtigt bleiben.[78] In der Regel sind verspätet vorgebrachte Tatsachen und Beweismittel, die über die Angaben in der Einspruchsschrift hinausgehen, sowie darauf gestützte Argumente im Einspruchsverfahren dann zuzulassen, wenn prima facie triftige Gründe dafür sprechen, dass sie die Aufrechterhaltung des Patents in Frage stellen. Im Beschwerdeverfahren wird dafür zT eine hohe Wahrscheinlichkeit verlangt.[79] Dagegen sollten Tatsachen, Beweismittel und Argumente, die im Beschwerdeverfahren einen völlig **neuen faktischen Fall** schaffen, in der Regel nach Art 114 (2) nicht berücksichtigt werden, da sie **keine Konvergenz der Debatte** sicherstellen.[80] Als weiteres Kriterium für die (Nicht-)Zulassung von neuen Tatsachen und Beweismitteln gilt die **Komplexität von Unterlagen**, wenn sie erst kurz vor der mündlichen Verhandlung eingereichten werden.[81] Dieses Kriterium hat sich auch in Art 10b VerfOBK[82] niedergeschlagen (siehe Rdn 55).

59 Beabsichtigt das EPA, ein verspätet eingereichtes Dokument wegen seiner Relevanz für die Entscheidungsfindung zu berücksichtigen, so hat es dem Patentinhaber vor der Entscheidung nach Art 113 (1) Gelegenheit zur Stellungnahme zu geben.[83]

60 Mehrere Entscheidungen der Beschwerdekammern befassen sich mit einer nachträglich, dh nach Ablauf der Einspruchsfrist oder erstmals im Beschwer-

---

75 **T 156/84**, ABl 1988, 372.
76 **T 326/87**, ABl 1992, 522.
77 **T 560/89**, ABl 1992, 725, Nr 3; **T 611/90**, ABl 1993, 50, Nr 3.
78 **T 164/89** vom 3.4.1990.
79 **T 1002/92**, ABl 1995, 605; **T 212/91** vom 16.5.1995, Nr 2.
80 **T 386/95** vom 15.10.1997.
81 **T 633/97** vom 19.7.2000; **T 787/00** vom 26.6.2003, Nr 1.
82 ABl 2003, 89.
83 **T 669/90**, ABl 1992, 739.

deverfahren, geltend gemachten **offenkundigen Vorbenutzung**.[84] Nach dieser Rechtsprechung hängt die Berücksichtigung einer verspätet vorgebrachten offenkundigen Vorbenutzung zunächst davon ab, ob sie **ausreichend substantiiert** worden ist. Dies setzt voraus, dass die konkreten Umstände angegeben sind, wo, wann, wie und was in öffentlich zugänglicher Weise benutzt wurde.[85] Andernfalls bleibt das Vorbringen nach Art 114 (2) unberücksichtigt. Ist die nachträglich geltend gemachte Vorbenützung ausreichend substantiiert, soll sie berücksichtigt werden, wenn sie prima facie so relevant ist, dass sie die Aufrechterhaltung des Patents in Frage stellt, ihre Geltendmachung nicht auf einem Verfahrensmissbrauch beruht und das rechtliche Gehör der Gegenpartei gewahrt ist.[86]

Liegt ein **offensichtlicher Verfahrensmissbrauch** vor, weil eine Partei eine Tatsache bewusst und ohne gute Gründe unerwähnt ließ, obwohl sie im Besitz des entsprechenden Beweismaterials war, so ist der verspätete Einwand der offenkundigen Vorbenutzung **ungeachtet seiner möglichen Relevanz** nicht zu berücksichtigen.[87] Ebenso, wenn eine Partei noch in der mündlichen Verhandlung im Beschwerdeverfahren eine Vielzahl neuer Dokumente (in casu im Umfang von etwa 450 Seiten) einreicht.[88] In solchen Fällen würde es gegen den Grundsatz von Treu und Glauben verstoßen, Art 114 (2) zugunsten der missbräuchlich handelnden Partei anzuwenden. Kann die Verspätung des substantiierten und relevanten Vorbringens einer offenkundigen Vorbenutzung aber sachlich gerechtfertigt werden, ist es zu berücksichtigen.[89] 61

Ungeachtet ihrer möglichen Relevanz bleiben Beweismittel unberücksichtigt, die erst zu einem Zeitpunkt angekündigt werden, wenn die Sache bereits entscheidungsreif ist. Die Zulassung dieser Beweismittel bewirkt dann nach Ansicht der Kammern eine **unzumutbare Verfahrensverzögerung**, wenn keine überzeugenden Gründe für die Verspätung vorliegen.[90] Aus diesem Grund müssen **verspätete Vergleichsversuche** unberücksichtigt bleiben, die erst kurz vor der mündlichen Verhandlung eingereicht werden.[91] 62

---

84   **T 93/89**, ABl 1992, 718; **T 441/91** vom 18.8.1992; **T 267/87** vom 9.3.1989; **T 262/85** vom 3.12.1987.
85   **T 93/89**, aaO, Nr 8.1.
86   **T 947/99** vom 27.11.2003, Nr 3 bis 5; **T 481/00** vom 13.8.2004, Nr 3.
87   **T 534/89**, ABl 1994, 464; **T 718/98** vom 26.11.2002; **T 17/91** vom 26. 8. 1992, LS in ABl 1993, Heft 9; **T 951/91**, ABl 1995, 202, Nr 5.14.
88   **T 215/03** vom 18.11.2005, Nr 1.3.
89   **T 947/99** vom 27.11.2003, Nr 3 und 4.
90   **T 951/91**, ABl 1995, 202; vgl auch **T 501/94**, ABl 1997, 193; **T 762/99** vom 24.6.2004, Nr 6.2.
91   **T 375/91** vom 17.11.1995, Nr 3.2; **T 342/98** vom 20.11.2001, Nr 2; **T 120/00** vom 18.2.2003, Nr 3; **T 569/02** vom 2.6.2004, Nr 5; **T 157/03** vom 4.1.2005, Nr 2; **T 692/04** vom 6.10.2005, Nr 2.

Artikel 114 *Ermittlung von Amts wegen*

63 Unberücksichtigt bleiben schließlich Vorbringen, die eingeführt werden, nachdem im Verfahren mit mündlicher Verhandlung die **sachliche Debatte** für **beendet** erklärt worden ist, oder nachdem im schriftlichen Verfahren die Entscheidung vom Formalprüfer zum Versand an die Poststelle des EPA gegeben worden ist. Beide Zeitpunkte markieren den Schlusspunkt des Verfahrens.[92]

64 Werden erstmals im Einspruchsbeschwerdeverfahren vorgelegte Dokumente wegen ihrer Relevanz berücksichtigt, so kann eine **Zurückverweisung an die erste Instanz** angezeigt sein, um die Prüfung der neuen Dokumente in zwei Instanzen zu ermöglichen.[93] Hat sich durch verspätet vorgebrachtes Material der Schwerpunkt in der Beschwerde gegenüber der ersten Instanz verlagert, so sollte die Sache an die erste Instanz zurückverwiesen werden, wenn der Grundsatz der Billigkeit gegenüber den Beteiligten dies erfordert.[94] An die erste Instanz ist insbesondere dann zurückzuverweisen, wenn die verspätet eingereichten Unterlagen die Aufrechterhaltung des Patents gefährden.[95] Dies gilt selbst dann, wenn der relevante Stand der Technik vom Patentinhaber selbst eingeführt wurde.[96]

65 **Keine Zurückverweisung** an die erste Instanz erfolgte dagegen in einem Fall, in dem ein neu vorgebrachtes Dokument von der Beschwerdekammer zwar als nächstliegender Stand der Technik für zulässig, jedoch nicht als bestandsgefährdend befunden wurde.[97] Ist das Patent durch einen verspätet vorgebrachten, neuen Einwand nicht in seinem Bestand gefährdet, so kann es die Kammer entweder ablehnen, diesen Einwand im Beschwerdeverfahren zuzulassen, oder sie kann ihn zulassen und gegen den Einsprechenden entscheiden, wobei letzteres vorzuziehen ist.[98] Auch in einem Fall, in dem der Patentinhaber und Beschwerdegegner weder die Relevanz der neuen Entgegenhaltungen bestritten noch ihre verspätete Vorlage beanstandet hatte, wurde von einer Zurückverweisung abgesehen.[99] Allgemein zur Frage der Zurückverweisung der Sache an die erste Instanz siehe Rdn 16–23 zu Art 111.

66 Die Zulassung von verspätet vorgebrachten Tatsachen und Beweismitteln führt in der Regel nach Art 104 und R 63 zu einer **Verteilung der Kosten** zu Lasten der verspätet einreichenden Partei.[100] Es handelt sich dabei um die

---

92 **G 12/91**, ABl 1994, 285; vgl auch **T 595/90**, ABl 1994, 695.
93 **T 273/84**, ABl 1986, 346.
94 **T 611/90**, ABl 1993, 50; **T 97/90**, ABl 1993, 719.
95 **T 326/87**, ABl 1992, 522, Nr 2.2; **T 97/90**, aaO.
96 **T 125/93** vom 4.12.1996.
97 **T 416/87**, ABl 1990, 415.
98 **T 97/90**, ABl 1993, 719; **T 96/00** vom 24.6.2004, Nr 2.
99 **T 258/84**, ABl 1987, 119.
100 **T 326/87**, ABl 1992, 522: **T 416/87**, aaO; **T 611/90**, ABl 1993, 50; PrüfRichtl D-IX, 1.4; siehe auch Art 104 Rdn 23.

Mehrkosten, die der Gegenpartei bei fristgerechter Einreichung nicht entstanden wären.[101]

Artikel 115 Einwendungen Dritter

(1) Nach der Veröffentlichung der europäischen Patentanmeldung kann jeder Dritte Einwendungen gegen die Patentierbarkeit der angemeldeten Erfindung erheben. Die Einwendungen sind schriftlich einzureichen und zu begründen. Der Dritte ist am Verfahren vor dem Europäischen Patentamt nicht beteiligt.

(2) Die Einwendungen werden dem Anmelder oder Patentinhaber mitgeteilt, der dazu Stellung nehmen kann.

Beat Schachenmann

Übersicht
1	Allgemeines	1-3
2	Zeitliche Grenzen	4-6
3	Berechtigung zur Erhebung von Einwendungen	7-9
4	Einwendungen gegen die Patentierbarkeit	10-11
5	Form der Einwendungen	12-14
6	Stellung des Dritten	15-16
7	Unterrichtung des Anmelders oder Patentinhabers und Prüfung der Einwendungen	17-20

1 Allgemeines

Wie verschiedene nationale Patentgesetze enthält auch das EPÜ eine Bestimmung, die Dritten ausdrücklich das Recht einräumt, Einwendungen gegen die Patentierbarkeit der angemeldeten Erfindung zu erheben.[1] Dadurch wird sichergestellt, dass solche Einwendungen bei der Prüfung der europäischen Patentanmeldung oder im Einspruchsverfahren berücksichtigt werden können. Diese Vorschrift soll mithelfen, dass keine ungültigen Patente erteilt oder im Einspruchsverfahren aufrechterhalten werden; sie soll Dritten die Möglichkeit geben, dem EPA Bedenken gegen die Schutzfähigkeit der angemeldeten Erfindung schon vor der Erteilung des europäischen Patents mitzuteilen. Die Bestimmung ist somit auf die **Berücksichtigung des öffentlichen Interesses** angelegt.[2] Für eine vertiefte Darstellung ihres Zwecks und ihrer Geschichte wird

1

---

101 **T 117/86**, ABl 1989, 401, Nr 5.
1 Siehe zB Sec. 21 GB-Patents Act 1977, wo diese Möglichkeit allerdings auf das Verfahren bis zur Erteilung des Patents beschränkt ist.
2 **T 60/91**, ABl 1993, 551, Nr 9.4.

auf die Kommentierung von Teschemacher im Münchner Gemeinschaftskommentar[3] verwiesen.

Die PrüfRichtl behandeln die Einwendungen Dritter in Teil E-VI.3.

2   Diese Bestimmung hat für das europäische Patenterteilungsverfahren eine größere Bedeutung als in manchen nationalen Patentgesetzen, da die Einwendungen **gebührenfrei und ohne Befristung** erhoben werden können. Im Gegensatz dazu ist bei Geltendmachung von Einwendungen im Wege eines Einspruchs gegen das erteilte europäische Patent eine Frist zu beachten und eine Gebühr zu entrichten (Art 99 (1) Satz 3, Art 2 Nr 10 GebO). Anders als beim Einspruch muss der Dritte für Einwendungen unter Art 115 auch nicht die Erteilung des Patents abwarten. Einwendungen können deshalb in gewissem Sinne als **Alternative zu einem Einspruch** angesehen werden, wobei der Dritte allerdings nicht am Verfahren beteiligt ist und somit keinerlei Einfluss darauf nehmen kann, insbesondere kein Recht auf Einlegung einer Beschwerde hat (s Rdn 15–16).

3   Einwendungen Dritter werden vom EPA in Ausübung seines Ermessens nach Art 114 (1) von Amtes wegen berücksichtigt[4] (s Rdn 18).

2 Zeitliche Grenzen

4   Gemäß Art 115 (1) können die Einwendungen erst **nach der Veröffentlichung** der europäischen Patentanmeldung erhoben werden. Dies ist der Zeitpunkt, von dem an die Dritten üblicherweise Kenntnis von der Anmeldung erhalten. Es spielt keine Rolle, ob auch der Recherchenbericht mit der Anmeldung veröffentlicht worden ist.

5   Art 115 setzt für die Einwendungen Dritter **keine Frist**. Die Einwendungen können also auch noch im Einspruchs- und im Beschwerdeverfahren erhoben werden.[5] Daraus schloss die Rechtsprechung zunächst, dass dabei Art 114 (2) über verspätetes Vorbringen auf Einwendungen Dritter nicht anzuwenden sei, da sich eine Verspätung nur auf Tatsachen beziehen könne, die innerhalb einer bestimmten Frist vorgebracht werden müssten.[6] Die Große Beschwerdekammer ging später aber davon aus, dass nach Ablauf der Einspruchsfrist vorgebrachte Einwendungen Dritter, die sich auf einen neuen Einspruchsgrund beziehen, unter den gleichen Voraussetzungen zu berücksichtigen sind, wie sie für Einsprechende gelten.[7] Dies entspricht der Ansicht, Art 115 sei so auszulegen, dass Dritten **keine weitergehenden Rechte** eingeräumt werden, als den

---

3   MünchGemKom, 27. Lieferung, April 2004, Art 115.
4   **G 9/91**, ABl 1993, 408, Nr 16; **T 793/90** vom 13.1.1992.
5   **T 390/90**, ABl 1994, 808, Nr 2.3.
6   **T 156/84**, ABl 1988, 372.
7   **G 9/91**, ABl 1993, 408, Nr 16.

Verfahrensbeteiligten.[8] Dementsprechend wurden Dokumente, die von einem Dritten erst im Beschwerdeverfahren vorgelegt wurden, als verspätet angesehen und der Relevanzprüfung unterzogen.[9] Auch dürfen im Beschwerdeverfahren Einwendungen Dritter, die sich auf einen neuen Einspruchsgrund beziehen, ohne Zustimmung des Patentinhabers nicht mehr berücksichtigt werden.[10]

Wird das Verfahren vor dem EPA mit einer Entscheidung beendet, so sind Einwendungen Dritter zu berücksichtigen bis zur Abgabe der Entscheidung an die interne Poststelle des EPA zum Zwecke der Zustellung und bei Verfahren mit mündlicher Verhandlung bis zur Beendigung der sachlichen Debatte.[11] Einwendungen, die nach Abschluss anhängiger Verfahren eingehen, bleiben unberücksichtigt.[12] Sie werden aber den Akten beigefügt.[13] Gehen Einwendungen Dritter dem EPA erst nach der Patenterteilung zu, so können sie nur berücksichtigt werden, falls ein Einspruch eingelegt wird. Einwendungen, die erst im Beschwerdestadium erhoben werden, sind bei unzulässiger Beschwerde nicht von Amts wegen zu berücksichtigen.[14]

3 Berechtigung zur Erhebung von Einwendungen

Nach dem Titel von Art 115 (1) und dem ersten Satz kann **jeder Dritte** Einwendungen erheben.[15] Ein irgendwie geartetes Interesse wird dafür nicht verlangt. Durch die Formulierung *jeder Dritte* statt *jedermann* ist sichergestellt, dass weder der Anmelder oder Patentinhaber, noch ein sonstiger Verfahrensbeteiligter (zB ein Einsprechender) Einwendungen erheben kann. Der Erfinder ist als solcher nach Art 60 (3) nicht am Verfahren beteiligt und darf somit als Dritter Einwendungen erheben.

Das Vorbringen einer Partei, deren Antrag auf Beitritt zum Einspruchsverfahren nach Art 105 abgelehnt wurde, kann immer noch als Einwendung eines Dritten unter Art 115 berücksichtigt werden.[16] Ebenso ist das frühere Vorbringen eines Einsprechenden zu behandeln in einem Beschwerdeverfahren, an dem er nicht mehr beteiligt ist.[17]

Offen ist die Frage, ob Dritte, die weder in einem der Vertragsstaaten ihren Sitz oder Wohnsitz haben, noch die Staatsangehörigkeit eines der Vertragsstaa-

---

8 **T 951/91**, ABl 1995, 202.
9 **T 580/89**, ABl 1993, 218,.
10 **T 667/92** vom 27.11.1996.
11 Vgl **G 12/91**, ABl 1994, 285.
12 **T 580/89**, ABl 1993, 218, Nr IV.
13 PrüfRichtl, Teil E-VI. 3.
14 **T 690/98** vom 22.6.1999.
15 **G 1/84**, ABl 1985, 299, Nr 6.
16 **T 338/89** vom 10.12.1990.
17 **T 811/90**, ABl 1993, 728, Nr 2.

ten besitzen, Einwendungen unter Art 115 erheben können, ohne durch einen **zugelassenen Vertreter** vertreten zu sein. Der Vertreterzwang nach Art 133 (2) bezieht sich zwar auf Handlungen »in jedem durch das EPÜ geschaffenen Verfahren«, soweit keine Ausnahme vorgesehen ist, dh auch auf Verfahren nach Art 115. Andererseits ist der Dritte nach Art 115 (1) Satz 3 nicht am Verfahren beteiligt, sodass das EPA mit ihm keine Korrespondenz führt (Rdn 15). Dies und die Tatsache, dass das zuständige Organ wegen der Amtsmaxime (Art 114 (1)) die in solchen Einwendungen enthaltenen Tatsachen ohnehin in Betracht ziehen kann (Rdn 18), lassen den Vertreterzwang im Zusammenhang mit Einwendungen Dritter als nicht angebracht erscheinen.[18]

4 Einwendungen gegen die Patentierbarkeit

10 Nach Art 115 (1) Satz 1 sind nur Einwendungen gegen die Patentierbarkeit der angemeldeten Erfindung zulässig. Unter *Patentierbarkeit* sind entsprechend der gleich lautenden Kapitelüberschrift die in Art 52 bis 57 aufgeführten materiellen Voraussetzungen zu verstehen, insbesondere **Neuheit**[19] und **erfinderische Tätigkeit**. Weitere Voraussetzungen, die im Sachprüfungsverfahren ohnehin von Amts wegen geprüft werden, wie die Einhaltung der Formerfordernisse, die Einheitlichkeit (Art 82) oder die ausreichende Offenbarung (Art 83), gehören nicht dazu.[20] Die **Praxis des EPA** im Prüfungsverfahren sieht dies allerdings weniger eng. So wird etwa auch auf Einwendungen Dritter zur fehlenden **Deutlichkeit der Patentansprüche** (Art 84) eingegangen.[21]

11 Für Einwendungen, die **im Einspruchsverfahren** erhoben werden, besteht jedoch auch für Dritte die Beschränkung auf die (geltend gemachten) **Einspruchsgründe nach Art 100**, da die verfahrensrechtliche Stellung der Dritten nicht über diejenige des Einsprechenden hinausgehen kann (s Rdn 5 und 16). Hat ein Einsprechender den Einspruchsgrund von Art 100 b) bzw Art 83 geltend gemacht, können entsprechende Einwendungen eines Dritten (in Form von Vergleichsversuchen) ebenfalls berücksichtigt werden.[22] Dagegen kann mangelndes Recht des Inhabers auf das europäische Patent und eine entsprechende Einwendung eines Dritten nur in den nationalen Nichtigkeitsverfahren (Art 138 (1) e)) geltend gemacht werden.

5 Form der Einwendungen

12 Art 115 (1) Satz 2 schreibt lediglich die **Schriftform** vor und verlangt eine Begründung. Gebühren sind nicht zu entrichten. Einwendungen können auch te-

---

18 So auch Teschemacher, MünchGemKom, Rn 28 zu Art 115.
19 Wie in **T 951/93** vom 17. 9. 93.
20 Teilweise anderer Ansicht Teschemacher, aaO, Rn 30 f.
21 Vgl die Sachverhalte in **T 598/97** vom 10.8.1998, Nr 3 und 5.3, sowie **T 51/87** vom 8.12.1988, Nr 7.
22 **T 918/94** vom 6. 6. 1995.

legrafisch, fernschriftlich oder mittels Telekopie (Telefax) eingereicht werden (R 36 (5), siehe Art 78 Rdn 64–72). Sie sind in einer Amtssprache des EPA (Deutsch, Englisch, Französisch) einzureichen (Art 14 (1); PrüfRichtl E-VI.3). Mündliche oder fernmündliche Einwendungen sind unzulässig und werden nicht behandelt. Das gleiche gilt für Einwendungen, die ohne Begründung eingereicht werden. Die Amtspraxis, anonyme Eingaben als Einwendungen zu berücksichtigen,[23] steht zum **Unterschriftserfordernis** der Schriftform nach R 36(3) in Widerspruch und erlaubt insbesondere nicht die Feststellung, ob die Einwendungen tatsächlich von einem Dritten stammen (vgl Rdn 7). In einem Fall wurde denn auch die Ordnungsmäßigkeit einer nicht unterschriebenen Einwendung eines Dritten bestritten, ohne dass die Kammer allerdings darüber entscheiden musste.[24]

Es obliegt dem Dritten, dafür zu sorgen, dass die mit seinen Einwendungen eingereichten **Tatsachen und Beweismittel** nicht nur eindeutig und klar, sondern auch so **vollständig** sind, dass sich die zuständige Instanz direkt und ohne weitere Nachfrage mit ihnen befassen kann.[25] Insbesondere müssen Übersetzungen beigelegt sein, wenn Dokumente in einer Nicht-Amtssprache eingereicht werden. Bestehen Zweifel über das Veröffentlichungsdatum eines Dokuments zum Stand der Technik, so braucht das Dokument nicht von Amts wegen berücksichtigt zu werden. Andererseits wurde in einem Fall die Sache an die Prüfungsabteilung zurückverwiesen zur Abklärung, ob ein unter Art 115 eingereichtes relevantes Dokument am Prioritätstag der Anmeldung der Öffentlichkeit zugänglich gemacht worden war.[26]

Eine Einwendung im Beschwerdeverfahren betreffend eine **offenkundige Vorbenutzung** hat unberücksichtigt zu bleiben, wenn sie nicht ausreichend substantiiert ist, so dass weitere Untersuchungen nötig sind, die ohne den Dritten, der ja nicht an dem Verfahren beteiligt ist, nicht durchgeführt werden könnten.[27]

6 Stellung des Dritten

Der Dritte ist nach Art 115 (1) Satz 3 am Verfahren nicht beteiligt und wird von den entscheidenden Organen des EPA nicht gehört; die vorgebrachten Einwendungen sind so zu prüfen, wie sie vorgetragen wurden, und auf ihre Überzeugungskraft zu untersuchen.[28] Zwar wird dem Dritten der Eingang seiner Einwendungen bestätigt, über ihre weiteren Folgen für das Verfahren wird er

---

23 Teschemacher, aaO, Rn 36.
24 **T 953/02** vom 8.6.2005.
25 **T 189/92** vom 7.10.1992.
26 **T 41/00** vom 19.12.2001.
27 **T 908/95** vom 21.7.1997.
28 **T 951/93** vom 17.9.1997, Nr 4.

aber nicht unterrichtet.[29] Er erhält auch **keine Mitteilung des EPA** über den Ausgang des Patenterteilungsverfahrens. Da er kein Verfahrensbeteiligter ist, hat er kein Recht zur Beschwerde (Art 107). Will sich der Dritte über den Gang des Verfahrens und die Berücksichtigung seiner Einwendungen unterrichten, so muss er dies im Wege der Akteneinsicht tun (Art 128 (4), R 93 ff).

16 Dem Dritten stehen somit auch **nicht die Verfahrensrechte eines am Verfahren Beteiligten** zu, wie der Anspruch auf rechtliches Gehör und das Recht auf eine mündliche Verhandlung.[30] Es stellt keinen Verfahrensfehler dar, wenn die Einspruchsabteilung die Einwendungen eines Dritten in ihrer Entscheidung nicht erwähnt.[31] Art 115 muss so ausgelegt werden, dass er ausschließlich der **Einschränkung**, nicht aber der Ausweitung der Rechte Dritter über die Rechte der am Verfahren vor dem EPA Beteiligten hinaus dienen soll.[32]

7 Unterrichtung des Anmelders oder Patentinhabers und Prüfung der Einwendungen

17 Nach Art 115 (2) werden die Einwendungen dem Anmelder oder Patentinhaber mitgeteilt. Diese Mitteilung erfolgt sofort nach Eingang der Einwendungen unabhängig vom Stand des Verfahrens, also auch vor Beginn des Prüfungsverfahrens oder Einspruchsverfahrens.

18 Der Anmelder oder Patentinhaber kann zu den Einwendungen **Stellung nehmen**, ist aber nicht dazu verpflichtet. Hält die mit der Durchführung des Verfahrens befasste Stelle, zB die Prüfungsabteilung, die Einwendungen für entscheidungserheblich, so führt sie dieses Material vom Amts wegen in das Prüfungsverfahren ein und fordert den Anmelder zu einer Stellungnahme auf (Art 96 (2)).

19 Beziehen sich die Einwendungen auf einen Stand der Technik, der nicht schriftlich dokumentiert ist, zB auf eine Vorbenutzung, so werden sie nur soweit berücksichtigt, als die behaupteten Tatsachen vom Anmelder **nicht bestritten** werden oder mit an Sicherheit grenzender Wahrscheinlichkeit nachgewiesen sind[33] (s Rdn 13).

20 Einwendungen Dritter **im Beschwerdeverfahren** können zur **Zurückverweisung** der Sache an die Vorinstanz nach Art 111 führen, um dem Patentinhaber das Recht auf die Beurteilung durch zwei Instanzen zu sichern.[34]

---

29 PrüfRichtl, Teil E-VI. 3.
30 **G 4/88**, ABl 1989, 480, Nr 2.
31 **T 283/02** vom 9.4.2003.
32 **T 951/91**, ABl 1995, 202.
33 **T 301/95**, ABl 1997, 519, Nr III; PrüfRichtl, Teil E-VI, 3.
34 **T 249/84** vom 21.1.1985; T 929/94 vom 7.7.1998; T 41/00 vom 19. 12 2001.

Artikel 116 Mündliche Verhandlung

(1) Eine mündliche Verhandlung findet entweder auf Antrag eines Beteiligten oder, sofern das Europäische Patentamt dies für sachdienlich erachtet, von Amts wegen statt. Das Europäische Patentamt kann jedoch einen Antrag auf erneute mündliche Verhandlung vor demselben Organ ablehnen, wenn die Parteien und der dem Verfahren zu Grunde liegende Sachverhalt unverändert geblieben sind.

(2) Vor der Eingangsstelle findet eine mündliche Verhandlung auf Antrag des Anmelders nur statt, wenn die Eingangsstelle dies für sachdienlich erachtet oder beabsichtigt, die europäische Patentanmeldung zurückzuweisen.

(3) Die mündliche Verhandlung vor der Eingangsstelle, den Prüfungsabteilungen und der Rechtsabteilung ist nicht öffentlich.

(4) Die mündliche Verhandlung, einschließlich der Verkündung der Entscheidung, ist vor den Beschwerdekammern und der Großen Beschwerdekammer nach Veröffentlichung der europäischen Patentanmeldung sowie vor der Einspruchsabteilung öffentlich, sofern das angerufene Organ nicht in Fällen anderweitig entscheidet, in denen insbesondere für eine am Verfahren beteiligte Partei die Öffentlichkeit des Verfahrens schwerwiegende und ungerechtfertigte Nachteile zur Folge haben könnte.

Beat Schachenmann

Übersicht
1	Allgemeines	1-8
2	Voraussetzungen einer mündlichen Verhandlung, Antrag	9-25
3	Antrag auf erneute mündliche Verhandlung	26-30
4	Verhandlung vor der Eingangsstelle	31-36
5	Öffentlichkeit der mündlichen Verhandlung	37-39
6	Ladung zur mündlichen Verhandlung	40-44
7	Vorbereitung der mündlichen Verhandlung (R 71a)	45-53
8	Durchführung der mündlichen Verhandlung	54-62
9	Niederschrift über die mündliche Verhandlung	63-65
10	Die Entscheidung	66-72

1 Allgemeines

Das Verfahren vor dem EPA ist seinem Wesen nach schriftlich[1] (vgl Art 113 Rdn 22). Dies folgt schon aus dem Ziel des Patenterteilungsverfahrens, ein

---

1   G 4/95, ABl 1996, 412, Nr 4c.

schriftliches Dokument auszustellen, das den Schutz im einzelnen festlegt, der den Anmeldern zuerkannt wird.

2   Aber auch die mündliche Verhandlung hat als zusätzliches Verfahrenselement maßgebliche Bedeutung,[2] weil man durch sie oft schneller zu einer Entscheidung gelangen kann, als in einem rein schriftlichen Verfahren. Anders als in manchen nationalen Patenterteilungsverfahren gibt das EPÜ den Beteiligten einen **Rechtsanspruch auf eine mündliche Verhandlung** in Prüfungs-, Einspruchs- und Beschwerdeverfahren. Dieser Anspruch setzt einen entsprechenden Antrag voraus und ist Bestandteil des rechtlichen Gehörs der Verfahrensbeteiligten (vgl Art 113 Rdn 25).

3   Der Anspruch auf eine beantragte mündliche Verhandlung nach Art 116 (1) stellt somit ein **grundlegendes**, absolutes und zwingendes **Verfahrensrecht** dar[3] (s Rdn 5). Es steht einer Partei frei, eine mündliche Verhandlung auch dann zu beantragen, wenn sie keine wesentlichen, neuen Argumente vorzubringen hat. Sie muss nicht allein schon deshalb eine Verteilung der Kosten nach Art 104 und R 63 zu ihren Lasten befürchten.[4]

4   Die mündliche Verhandlung muss eigens beantragt werden. Andernfalls kann das EPA eine abschlägige Entscheidung auch ohne mündliche Verhandlung treffen.[5] Liegt ein **eindeutiger Antrag** vor (s Rdn 9–25), so darf das betreffende Organ ohne vorherige Anberaumung einer mündlichen Verhandlung keine Entscheidung erlassen, die gegen die antragstellende Partei gerichtet ist.[6]

5   Die **Nichtbeachtung eines Antrags** auf mündliche Verhandlung gilt nach ständiger Rechtsprechung der Beschwerdekammern als wesentlicher Verfahrensmangel nach R 67 und führt zur Aufhebung der so zustande gekommenen Entscheidung und zur Rückzahlung der Beschwerdegebühr,[7] falls nicht bloß ein unklarer Antrag falsch interpretiert worden ist.[8]

EPÜ 2000

Nach R 104 **EPÜ 2000** gilt der Umstand, dass entgegen Art 116 eine beantragte mündliche Verhandlung nicht anberaumt wurde, sogar als Anlass für eine Überprüfung durch die Große Beschwerdekammer nach Art 112a EPÜ.

6   Im Verfahren vor der **Eingangsstelle** ist der Anspruch auf eine mündliche Verhandlung allerdings durch Art 116 (2) beschränkt (vgl Rdn 31–36). Für die

---

2   G 4/95, ABl 1996, 412, Nr 4c.
3   T 19/87, ABl 1988, 268; **T 125/89** vom 10.1.1991; **T 663/90** vom 13.8.1991.
4   T 383/87 vom 26.4.1989; **T 125/89** vom 10.1.1991.
5   T 299/86, LS in ABl 1988, 88; **T 300/89**, ABl 1991, 480; **T 251/90** vom 7.11.1990.
6   **T 663/90** vom 13.8.1991.
7   T 93/88 vom 11.8.1988; **T 283/88**, EPOR 1989, 225; **T 668/89** vom 19.6.1990; **T 686/92** vom 28.10.1993; **T 808/94** vom 26.1.1995; **T 911/04** vom 10.2.2005.
8   Wie in **T 19/87**, ABl 1988, 268.

Verfahren vor dem **EPA als PCT–Behörde** in der internationalen Phase gibt es keine Bestimmungen, die mündliche Verhandlungen zulassen.[9]

Zur praktischen Handhabung der Terminierung der mündlichen Verhandlung siehe die Mitteilung der Vizepräsidenten der GD 2 und 3 vom 1.9.2000 über mündliche Verhandlungen vor dem EPA.[10] Für mündliche Verhandlungen vor den Beschwerdekammern ist Art 11 der VerfOBK[11] zu beachten.

Mit mündlichen Verhandlungen nicht zu verwechseln sind **formlose Rücksprachen** mit dem Prüfer.[12] Diese können ordnungsgemäß beantragte mündliche Verhandlungen aber nicht ersetzen und sind klar von solchen zu unterscheiden.[13] Insbesondere besteht kein Anspruch auf die Gewährung einer Rücksprache (vgl Art 96 Rdn 21). Ihre Anberaumung steht im Ermessen des Prüfers.[14] Es empfiehlt sich daher, zugleich mit dem Wunsch nach einer Rücksprache hilfsweise eine mündliche Verhandlung zu beantragen.

2 Voraussetzungen einer mündlichen Verhandlung, Antrag

Nach Art 116 (1) Satz 1 finden mündliche Verhandlungen entweder **auf Antrag** eines Beteiligten statt **oder von Amts wegen**, wenn das EPA dies für sachdienlich erachtet. Für die Beurteilung der Sachdienlichkeit besteht ein Ermessensspielraum.[15] Jedoch ergibt sich aus der Fassung dieses Satzes in allen drei Amtssprachen, dass das EPA, falls ein Beteiligter eine mündliche Verhandlung beantragt, deren Sachdienlichkeit nicht zu prüfen hat. Insbesondere können Erwägungen hinsichtlich zügiger Verfahrensführung, Billigkeit und Verfahrensökonomie nicht durchgreifen. Zu fragen ist allein, ob vor dem Datum der angefochtenen Entscheidung ein Antrag auf mündliche Verhandlung vorlag.[16] Der Beteiligte wird aber auf sein Recht, eine mündliche Verhandlung zu beantragen, nicht hingewiesen.

Das Recht der Beteiligten auf mündliche Verhandlung geht jedoch nicht so weit, dass sie auch deren **Zeitpunkt** bestimmen könnten. So kann das zuständige Organ im Sinne der Verfahrensökonomie verlangen, dass vor der mündlichen Verhandlung die zu entscheidenden Fragen vorgeklärt und herausgearbeitet sind.[17] Wann dies der Fall ist, hat das EPA nach pflichtgemäßem Ermessen zu entscheiden.[18]

---

9   **W 15/00** vom 11.1.2001.
10 ABl 2000, 456, s auch PrüfRichtl E-III.
11 ABl 2003, 89; s Anhang 8.
12 Vgl PrüfRichtl C-VI, 6.
13 **T 808/94** vom 26.1.1995.
14 **T 300/89**, ABl 1991, 480.
15 **T 132/03** vom 5.3.2004, Nr 3.3.
16 **T 598/88** vom 7.8.1989.
17 PrüfRichtl E – III, 4 und 5.
18 Vgl **T 611/01** vom 23.8.2004.

Artikel 116 *Mündliche Verhandlung*

11   Der **Antrag auf eine mündliche Verhandlung** kann **jederzeit** im Verfahren gestellt werden[19] und darf nicht als zu spät gestellt übergangen werden, solange die Entscheidung noch nicht ergangen ist. Das Recht auf mündliche Verhandlung besteht, solange ein Verfahren vor dem EPA anhängig ist, insbesondere auch noch nach Erlass der Mitteilung nach R 51 (4) im Prüfungsverfahren.[20] Will ein Anmelder aber vermeiden, dass gegen ihn entschieden wird ohne eine mündliche Verhandlung, so sollte er diese spätestens in seiner Erwiderung auf den ersten Bescheid nach Art 96 (2) beantragen.[21] Ist der entsprechende Antrag im EPA nicht aufzufinden, muss der Sachverhalt von Amts wegen aufgeklärt werden.[22]

12   Viele Entscheidungen der Beschwerdekammern befassen sich mit der Frage, ob ein Antrag eines Beteiligten im Einzelfall wirklich als Antrag auf eine mündliche Verhandlung im Sinne von Art 116 (1) Satz 1 zu verstehen ist. Die Beurteilung hängt vom **Wortlaut des Antrags** ab und kann subtil sein, wie die folgenden Beispiele zeigen (siehe Rdn 14 f).

13   Dabei hat das entscheidende Organ die Pflicht, **allfällige Zweifel**, ob ein Antrag eines Beteiligten auf mündliche Verhandlung vorliegt, durch Rückfrage aufzuklären, bevor es eine Entscheidung erlässt.[23] Es gelten dabei die Grundsätze des **Vertrauensschutzes**.[24]

14   Die Erklärung, sich das Recht auf eine mündliche Verhandlung vorzubehalten, ist kein Antrag auf mündliche Verhandlung.[25] Ebenso liegt kein Antrag auf mündliche Verhandlung vor, wenn um eine mündliche Verhandlung »bei Erfordernis« ersucht wird.[26] Ein Antrag auf eine Rücksprache ist eindeutig nicht als Antrag auf eine mündliche Verhandlung zu verstehen.[27] So etwa, wenn ein Anmelder beantragt: »If there are any outstanding problems, the writer would welcome the opportunity to discuss the case with the Examiner«.[28]

15   Stellt ein Anmelder aber den Antrag, ihm eine »Rücksprache zur Vorbereitung einer mündlichen Verhandlung« zu gewähren, so liegt darin zugleich ein Antrag auf mündliche Verhandlung, dem die Prüfungsabteilung nachkommen

---

19   **T 598/88** vom 7.8.1989.
20   **T 556/95**, ABl 1997, 205. Die Entscheidung bezieht sich auf die damalige R 51(6), nun R 51(4).
21   **T 300/89**, ABl 1991, 480.
22   **T 444/03** vom 5.7.2004.
23   **T 19/87**, ABl 1988, 268; **T 283/88**, vom 7.9.1988, EPOR 1989, 225, Nr 2; **T 494/90** vom 14.6.1991; **T 352/89**, vom 15.1.1991, EPOR 1991, 249.
24   **T 903/00** vom 27.10.2004.
25   **T 299/86**, ABl 1988, 88, nur Leitsätze; **T 263/91** vom 4.12.1992.
26   **T 433/87** vom 17.8.1989.
27   **T 19/87**, ABl 1988, 268; **T 409/87** vom 3.5.1988; **T 861/03** vom 28.11.2003, Nr 4.4.
28   **T 88/87** vom 18.4.1989; ähnlich **T 454/93** vom 6.11.1995.

muss.²⁹ Auch der Hinweis: »... in the event that the Examiner still finds himself unable to allow the case, applicant's representative claims his right to appear and argue the case orally«, ist eindeutig ein Antrag auf mündliche Verhandlung.³⁰ Das Gleiche gilt für das Begehren: »We request that we will be given the opportunity to attend an oral hearing which may be appointed«³¹ oder für den Antrag: »It is, in any event, requested that no adverse dispositions are taken ... without providing the applicant with an opportunity of being heard«.³²

Insgesamt steht hinter dieser Rechtsprechung der Grundgedanke einer **nicht zu formalistischen Auslegung** des Begriffs *Antrag*. Unter Berücksichtigung der besonderen Umstände des zu entscheidenden Falls legte zB eine Beschwerdekammer eine Anregung (suggestion) als Antrag auf eine mündliche Verhandlung aus.³³ 16

Hat der Patentinhaber als Beschwerdegegner einen Antrag auf mündliche Verhandlung gestellt, und hat er im Laufe des Beschwerdeverfahrens seine Patentansprüche beschränkt, so ist es nicht nötig, diesem Antrag zu entsprechen, wenn die Sache an die erste Instanz zurückverwiesen wird, da der Patentinhaber **durch die Zurückverweisung nicht beschwert** wird.³⁴ 17

Andererseits lebt **nach Zurückverweisung** einer Sache durch die Beschwerdekammer an die Einspruchsabteilung ein im ursprünglichen Einspruchsverfahren gestellter, aber bisher nicht beachteter Antrag auf mündliche Verhandlung wieder auf.³⁵ 18

Ist ein Antrag auf mündliche Verhandlung ohne Vorbehalt gestellt worden, beabsichtigt jedoch das zuständige Organ, die Anmeldung zu veröffentlichen oder das Patent in dem gewünschten Umfang zu erteilen, so sollte bei dem Anmelder zurückgefragt werden, ob er trotzdem auf der mündlichen Verhandlung besteht. Um dies zu vermeiden, ist es zweckmäßig, die **mündliche Verhandlung nur hilfsweise** für den Fall zu beantragen, dass dem Sachantrag nicht voll stattgegeben wird. 19

Wird eine mündliche Verhandlung hilfsweise beantragt für den Fall einer drohenden Zurückweisung, so braucht sie nicht anberaumt zu werden, wenn nur einem Antrag auf Rückzahlung der Beschwerdegebühr nicht stattgegeben wird.³⁶ Stellt ein Einsprechender den Hilfsantrag auf mündliche Verhandlung für den Fall der Aufrechterhaltung eines europäischen Patents, so ist bei ver- 20

---

29 **T 19/87**, ABl 1988, 268.
30 **T 668/89** vom 19.6.1990.
31 **T 494/90** vom 14.6.1991.
32 **T 95/04** vom 29.9.2004.
33 **T 283/88**, vom 7.9.1988, EPOR 1989, 225.
34 **T 147/84** vom 4.3.1987; **T 47/94** vom 16.1.1995.
35 **T 892/92**, ABl 1994, 664; **T 120/96** vom 6.2.1997, Nr 2.3; **T 742/04** vom 14.7.2005, Nr 3.
36 **J 25/89** vom 19.3.1990.

Artikel 116 — *Mündliche Verhandlung*

nünftiger Würdigung des Antrags anzunehmen, dass auch zur Erörterung der Zulässigkeit des Einspruchs eine mündliche Verhandlung begehrt wird.[37]

21 Eine **Zurücknahme des Antrags** auf mündliche Verhandlung ist jederzeit möglich. In Anbetracht der Bedeutung dieses Rechts gilt ein Antrag auf mündliche Verhandlung aber nur dann als zurückgenommen, wenn eine eindeutige schriftliche Erklärung zu den Akten gelangt. Fehlt ein **zweifelsfreier Nachweis** der Rücknahme, so muss davon ausgegangen werden, dass der einmal gestellte Antrag weiter besteht.[38] Das Schweigen eines Verfahrensbeteiligten auf die Anfrage des EPA, ob am Antrag auf eine mündliche Verhandlung festgehalten werde, ist nicht als Rücknahme eines Hilfsantrags auf mündliche Verhandlung zu werten.[39] Erklärt aber ein Beteiligter nach der Anberaumung einer von ihm beantragten mündlichen Verhandlung, dass er dort nicht vertreten sein werde, so ist diese Erklärung als Rücknahme des Antrags auf mündliche Verhandlung zu behandeln.[40]

22 Ist eine **mündliche Verhandlung** nach Art 116 (1) zweiter Halbsatz **von Amts wegen** anberaumt worden und beantragt eine Partei, den Verhandlungstermin aufzuheben und das Verfahren schriftlich fortzusetzen, kann dieser Antrag aus Gründen der Verfahrensökonomie abgelehnt und die Verhandlung ohne die Partei durchgeführt werden.[41] Ebenso, wenn der Anmelder seinen Antrag auf mündliche Verhandlung zurücknimmt und eine Entscheidung nach Lage der Akte verlangt.[42] Es stellt aber einen wesentlichen Verfahrensmangel dar, wenn die Verhandlung in einem solchen Fall trotz der Ankündigung einer schriftlichen Stellungnahme in Abwesenheit des Anmelders und ohne seine Stellungnahme abzuwarten durchgeführt wird.[43] Andererseits bedarf eine von Amts wegen erfolgte Ladung zu einer mündlichen Verhandlung keiner Bestätigung, wenn der Anmelder danach geänderte Unterlagen einreicht und um eine Bestätigung bittet, dass eine Verhandlung nun nicht mehr erforderlich sei.[44]

23 Jeder Verfahrensbeteiligte hat die Pflicht, das Amt **unverzüglich zu benachrichtigen**, wenn er nicht an der mündlichen Verhandlung teilnimmt, und zwar auch dann, wenn er sie nicht selbst beantragt hat.[45] Andernfalls kann eine Kostenverteilung zugunsten der vergeblich erschienenen Beteiligten gerechtfertigt sein.

---

37 **T 344/88** vom 16.5.1991.
38 **T 663/90** vom 13.8.1991.
39 **T 766/90** vom 15.7.1992; **T 35/92** vom 28.10.1992; **T 686/92** vom 28.10.1993.
40 **T 3/90**, ABl 1992, 737.
41 **T 823/04** vom 5.8.2005, Nr 1; **T 831/02** vom 24.11.2005, Nr 1.
42 **T 362/04** vom 12.1.2006, Nr 1.
43 **T 1109/01** vom 4.2.2002.
44 **T 1183/02**, ABl 2002, 404.
45 **T 930/92**, ABl 1996, 191; **T 556/96** vom 24.3.2000.

Nimmt ein Einsprechender den Antrag auf mündliche Verhandlung sechs 24
Arbeitstage vor dem angesetzten Termin zurück und sagt die Einspruchsabteilung die Verhandlung daraufhin nicht ab, so dass sie unnötigerweise stattfindet, ist dies ein Fehler des EPA und führt deshalb nicht zu einer **Kostenverteilung** zu Lasten des Einsprechenden.[46] Andererseits wurden die Kosten einer Partei auferlegt, die die Teilnahme an der von ihr beantragten mündlichen Verhandlung zwei Wochen vor dem angesetzten Termin absagte und zugleich neue Tatsachen mitteilte, die – wären sie früher vorgebracht worden – die mündliche Verhandlung überflüssig gemacht hätten.[47]

Beabsichtigt die Einspruchsabteilung nach der Rücknahme eines Antrags auf 25
mündliche Verhandlung durch den Einsprechenden, diese nicht abzuhalten, so hat sie **den Patentinhaber so früh wie möglich** davon in Kenntnis zu setzen. Andernfalls kann der Patentinhaber verlangen, dass Unterlagen, die im Hinblick auf die mündliche Verhandlung in der Zwischenzeit eingereicht wurden, aus dem öffentlich zugänglichen Teil der Akte entfernt und ihm zurückgesandt werden.[48]

3 Antrag auf erneute mündliche Verhandlung

Entsprechend dem Ausnahmecharakter der mündlichen Verhandlung und im 26
Interesse der Verfahrensökonomie hat der Beteiligte nach Art 116 (1) Satz 2 nur Anspruch auf *eine* mündliche Verhandlung, dh es steht im Ermessen des zuständigen Organs, ob es eine weitere mündliche Verhandlung anberaumt. Der Wunsch, den bereits bekannten und der ersten Verhandlung zugrunde liegenden Sachverhalt nochmals unter anderen rechtlichen Gesichtspunkten zu erörtern, dürfte keine erneute mündliche Verhandlung rechtfertigen.

So lehnte eine Beschwerdekammer den Antrag beider Parteien auf erneute 27
mündliche Verhandlung zur weiteren Klärung eines **unverändert gebliebenen Sachverhalts** ab (hier: umstrittene Vergleichsversuche), weil die Parteien ausreichend Gelegenheit zur Darlegung ihrer Standpunkte gehabt hatten.[49] Auch wurde ein Antrag auf eine erneute mündliche Verhandlung zurückgewiesen, weil vor derselben Beschwerdekammer bereits eine mündliche Verhandlung mit denselben Parteien stattgefunden hatte und deren Anträge, soweit sie zulässig waren, bereits Gegenstand der ersten Verhandlung gewesen waren.[50]

Haben die Beteiligten gewechselt oder hat sich der **Sachverhalt nach der ers-** 28
ten mündlichen Verhandlung geändert, so besteht jedoch ein Anspruch auf

---

46 **T 154/90**, ABl 1993, 505.
47 **T 10/82**, ABl 1983, 407.
48 **T 811/90**, ABl 1993, 728.
49 **T 547/88**, vom 19.11.1993, Nr 2, EPOR 1994, 349; ähnlich in **T 298/97**, ABl 2002, 83.
50 **T 614/90** vom 25.2.1994.

erneute mündliche Verhandlung. Unter »Sachverhalt« sind in diesem Zusammenhang, wie sich auch aus dem französischen Text ergibt, die Tatsachen zu verstehen, und nicht deren rechtliche Würdigung. Ein solcher veränderter Sachverhalt liegt vor, wenn nach einer ersten mündlichen Verhandlung ein Dritter ein neues Dokument zum Stand der Technik einreicht, das die Prüfungsabteilung als sehr relevant einstuft.[51] Ebenfalls ein veränderter Sachverhalt kann nach Einreichung geänderter Patentansprüche vorliegen, jedoch nur dann, wenn diese im Verfahren noch zugelassen werden.[52]

29 Für das **Beschwerdeverfahren** sieht Art 7 VerfOBK[53] eine erneute mündliche Verhandlung für den Fall vor, dass sich während des Verfahrens die **Zusammensetzung der Kammer** ändert. Abs 2 stellt klar, dass das neue Mitglied »an bereits getroffene Zwischenentscheidungen wie die übrigen Mitglieder gebunden« ist.

30 Für das **Verfahren vor der ersten Instanz**, das nicht von den Grundsätzen eines gerichtlichen Verfahrens beherrscht wird, gibt es keine entsprechende Vorschrift. Dennoch kann sich durch eine neue Zusammensetzung der Einspruchsabteilung das Recht auf eine erneute Verhandlung ergeben,[54] zB wenn in der neuen Zusammensetzung über die Anpassung der Beschreibung an die in ursprünglicher Zusammensetzung akzeptierten Ansprüche zu entscheiden ist. Verkündet die Einspruchsabteilung in einer ersten mündlichen Verhandlungen eine Zwischenentscheidung und in einer weiteren Verhandlung in geänderter Zusammensetzung die Endentscheidung, so sind die Entscheidungen von den jeweils beteiligten Mitgliedern separat schriftlich zu begründen und zu unterzeichnen.[55]

4 Verhandlung vor der Eingangsstelle

31 Der Grundsatz, dass mündliche Verhandlungen auf Antrag durchzuführen sind, wird für das Verfahren vor der Eingangsstelle im Interesse der Verfahrensökonomie eingeschränkt (Art 116 Abs 2):

Das Recht auf mündliche Verhandlung besteht aber, wenn die Eingangsstelle beabsichtigt, die europäische **Patentanmeldung zurückzuweisen**. Das kann sie, wenn sie im Rahmen der Formalprüfung Mängel feststellt, die trotz der Mängelrüge nicht beseitigt worden sind (Art 91 (3), R 41).

---

51 **T 194/96** vom 10.10.1996; **T 731/93** vom 1.12.1994.
52 **T 367/01** vom 30.7.2003, Nr 22.
53 ABl 2003, 89, Anhang 8.
54 **T 900/02** vom 28.4.2004, LS 2.
55 **T 42/02** vom 28.2.2003.

Die Mitteilung eines Rechtsverlusts durch die Eingangsstelle nach R 69(2) ist aber keine Zurückweisung der Anmeldung und gibt somit kein absolutes Recht auf eine mündliche Verhandlung.[56] 32

Beantragt der Anmelder in anderen Fällen als einer bevorstehenden Zurückweisung eine mündliche Verhandlung vor der Eingangsstelle, so findet sie nur statt, wenn die Eingangsstelle es für »**sachdienlich**« erachtet. Dies hat sie nach pflichtgemäßem Ermessen zu entscheiden. Das Ermessen ist nicht überschritten, wenn die Eingangsstelle einen Antrag auf mündliche Verhandlung ablehnt, nachdem sie dem Anmelder mehrere Gelegenheiten zur schriftlichen Stellungnahme gegeben hat.[57] Sachdienlich ist eine mündliche Verhandlung im Prinzip dann, wenn sie aufgrund des mündlichen Dialogs eine **bessere und schnellere Klärung** der entscheidungserheblichen Frage verspricht (s Rdn 36). Sachdienlich ist sie dagegen nicht, wenn sie nur das Verfahren verzögert, ohne eine weitere Klärung zu versprechen, weil zB ein nicht zu beseitigender Mangel vorliegt und die Rechtslage klar ist. 33

Unter diesen Voraussetzungen kommt eine mündliche Verhandlung vor der Eingangsstelle insbesondere dann in Frage, wenn zu erwarten ist, dass aufgrund eines Mangels ein Rechtsverlust eintritt, zB wenn die europäische Patentanmeldung in der Eingangsprüfung nach Art 90 (3) oder in der Formalprüfung nach Art 91 (5) oder Art 77 (5) als zurückgenommen gilt; ebenso, wenn der Prioritätsanspruch der europäischen Patentanmeldung nach Art 91 (3) erlischt, die Benennung eines Staates nach Art 91 (4) als zurückgenommen gilt oder nach Art 91 (6) und R 43 die Bezugnahme auf die Zeichnung als gestrichen gilt. 34

Wird **die juristische Beschwerdekammer** nach Art 111 (1) Satz 2 im Rahmen der Zuständigkeit der Eingangsstelle tätig, die die angefochtene Entscheidung erlassen hat, so hat auch sie die Vorschrift des Art 116 (2) anzuwenden.[58] 35

Die juristische Beschwerdekammer, die über einen Antrag an die Eingangsstelle auf Akteneinsicht zu entscheiden hatte, hielt eine mündliche Verhandlung für sachdienlich, obwohl der Sachverhalt klar und einfach war. Die mündliche Verhandlung war hier das beste Mittel, um den Beteiligten umfassend rechtliches Gehör zu gewähren und diente gleichzeitig der Beschleunigung des Verfahrens.[59] 36

5 Öffentlichkeit der mündlichen Verhandlung

Art 116 (4) sieht vor, dass mündliche Verhandlungen, einschließlich der Verkündung der Entscheidung (siehe Rdn 66–72), in folgenden Fällen grundsätzlich öffentlich sind: 37

---

56 **J 9/97** vom 9.6.1999, Nr 9; J xx/xx, ABl 1985, 159.
57 **J 17/03** vom 18.6.2004, Nr 2.
58 Dies wird in der Entscheidung **J 20/87**, ABl 1989, 67 ausdrücklich bestätigt; vgl auch **J 14/91**, ABl 1993, 479.
59 **J 14/91**, ABl 1993, 479.

Artikel 116 *Mündliche Verhandlung*

- Alle mündlichen Verhandlungen **nach Erteilung** des europäischen Patents, also Verhandlungen vor den Einspruchsabteilungen und den Beschwerdekammern im Einspruchsbeschwerdeverfahren.
- Alle mündlichen Verhandlungen vor den Beschwerdekammern, soweit sie **veröffentlichte** europäische Patentanmeldungen betreffen. Dabei kommt es darauf an, ob eine Anmeldung tatsächlich veröffentlicht worden ist, nicht ob die Veröffentlichung gemäß dem EPÜ hätte erfolgen sollen.[60]

38 Ausnahmsweise kann nach Art 116 (4) in diesen Fällen das Entscheidungsorgan die Öffentlichkeit ausschließen, insbesondere wenn die Öffentlichkeit des Verfahrens für eine am Verfahren beteiligte Person schwerwiegende und ungerechtfertigte Nachteile zur Folge haben könnte. Das kann der Fall sein, wenn eine Partei zur Stützung ihres Vorbringens Angaben über Verkaufszahlen und andere innerbetriebliche Geheimnisse vortragen will oder, in Entsprechung zu R 93 a, wenn es um die Ausschließung oder Ablehnung von Mitgliedern einer Beschwerdekammer geht.[61] Der Ausschluss der Öffentlichkeit wird in solchen Fällen jedoch nicht für die gesamte mündliche Verhandlung verfügt, sondern nur für den Vortrag der nicht für die Öffentlichkeit bestimmten Angaben. Insbesondere die Verkündung der Entscheidung bleibt öffentlich.[62]

39 Mündliche Verhandlungen vor der **Eingangsstelle** und der **Prüfungsabteilung**, also im Verfahren vor der ersten Instanz bis zur Erteilung eines europäischen Patents, sowie – unabhängig vom Verfahrensstand – vor der Rechtsabteilung sind **nicht öffentlich** (Art 116 (3)).

6 Ladung zur mündlichen Verhandlung

40 Soll eine mündliche Verhandlung stattfinden, sind die Beteiligten gemäß R 71 zur mündlichen Verhandlung zu laden. Sie wird anberaumt, wenn die Schriftsätze der Beteiligten vollständig sind.[63] Die **Ladungsfrist** beträgt mindestens 2 Monate, sie kann mit Zustimmung der Beteiligten verkürzt werden. Kann das EPA die Zustimmung nicht nachweisen, so ist die Ladung mit verkürzter Frist nichtig.[64]

41 In besonderen Konfliktfällen kann die Ladungsfrist auch ohne Zustimmung eines der Beteiligten verkürzt werden, wie zB im Fall einer strittige Akteneinsicht in eine noch unveröffentlichte europäische Patentanmeldung[65] (siehe Rdn 9 zu Art 128). Ohne Verkürzung der Ladungsfrist könnte das Recht auf eine solche Akteneinsicht in den seltensten Fällen vor Veröffentlichung der An-

---

60 **J 2/01** vom 4.2.2004, Nr V.
61 **T 190/03** vom 18.3.2005, Nr VII.
62 **T 190/03**, aaO.
63 **G 4/95**, ABl 1996, 412, Nr 4 c.
64 **T 111/95** vom 13.3.1996.
65 **J 14/91**, ABl 1993, 479.

meldung verwirklicht werden. Das Ausmaß der Verkürzung hat sich am Einzelfall zu orientieren und muss den Beteiligten eine ausreichende Vorbereitung erlauben.

Die Ladung erfolgt nach R 78 (1) durch eingeschriebenen Brief mit Rückschein. In der Ladung werden die Beteiligten darauf hingewiesen, dass die mündliche Verhandlung auch ohne sie durchgeführt und damit das Verfahren fortgesetzt (und abgeschlossen) werden kann. 42

Gemäß der Mitteilung vom 1.9.2000 über mündliche Verhandlungen[66] beraumt das EPA nur einen einzigen Termin an. Auf Antrag eines Verfahrensbeteiligten kann der Termin nach Ermessen des entscheidenden Organs **ausnahmsweise** abgesagt und neu anberaumt werden, wenn der Beteiligte **schwerwiegende Gründe** (zB Unabkömmlichkeit wegen eines anderen Verfahrens, schwere Erkrankung, Todesfall in der Familie, bereits gebuchter Urlaub; nicht jedoch übermäßige Arbeitsbelastung) vorbringen kann, die die Festlegung eines neuen Termins rechtfertigen. Der Antrag muss auch eine Begründung enthalten, warum der verhinderte Vertreter nicht durch einen anderen Vertreter ersetzt werden kann.[67] Der allgemeine Wunsch einer Partei, von einem bestimmten Mitglied einer Kanzlei vertreten zu werden, genügt dafür nicht.[68] Der **Antrag ist so bald wie möglich** nach dem Eintreten der Gründe zu stellen.[69] Erfolgt eine verlangte Ergänzung der Begründung des Antrags erst eine Woche vor dem Ladungstermin, kann der Termin aus Gründen der Verfahrensökonomie und im Hinblick auf die anderen geladenen Beteiligten nicht mehr verschoben werden.[70] In mehrseitigen Beschwerdeverfahren hat der Antragsteller seinen Antrag den anderen Beteiligten zu übersenden, die dann der Kammer mitzuteilen haben, ob sie einverstanden sind. 43

Deshalb wird nach der Rechtsprechung der Beschwerdekammern einem Antrag auf Änderung des festgesetzten Termins nur ausnahmsweise stattgegeben, wenn unvorhergesehene, **außergewöhnliche Umstände** eintreten, die eine Verhandlung unmöglich machen[71] (zB akute Krankheit des Vertreters[72]) oder wesentliche Folgen für die Entscheidung nach sich ziehen (zB Verhinderung eines wichtigen Zeugen oder Sachverständigen). Die Erklärung des Vertreters, der vertretene Beteiligte sei akut erkrankt, seine Teilnahme jedoch erforderlich, 44

---

66 Mitteilung des EPA vom 1.9.2000, ABl 2000, 456; siehe auch Art 11 (2) VerfOBK, ABl 2003, 89, Anhang 8.
67 **T 1067/03** vom 4.5.2005, Nr 12.1.
68 **T 300/04** vom 21.4.2005, Nr 15.4.
69 **T 1080/99**, ABl 2002, 568.
70 **T 1080/99**, ABl 2002, 568, Leitsatz I.
71 **T 275/89**, ABl 1992, 126.
72 **T 1067/03** vom 4.5.2005, Nr 12.

reicht nicht aus ohne Darlegung der näheren Umstände, warum dessen Teilnahme nötig sei.[73]

7 Vorbereitung der mündlichen Verhandlung (R 71a)

45 Das Verfahren zur Vorbereitung der mündlichen Verhandlung ist in R 71a geregelt. Nach Abs 1 weist das zuständige Organ des EPA mit der Ladung auf die Fragen hin, die es für die zu treffende Entscheidung als erörterungsbedürftig ansieht. Im zweiseitigen Verfahren hat das zuständige Organ bei seinen Hinweisen strikt unparteiisch zu bleiben.[74]

46 Gleichzeitig wird ein Zeitpunkt bestimmt, bis zu dem die Beteiligten Schriftsätze zur Vorbereitung der mündlichen Verhandlung einreichen können.[75] Die Anwendung der R 84 (Mindestdauer und Verlängerbarkeit von Fristen) ist dabei ausdrücklich ausgeschlossen. Das EPA kann den Beteiligten deshalb eine Frist setzen, die kürzer ist als zwei Monate. Ferner entfällt die Möglichkeit, die entsprechende Frist auf Antrag zu verlängern.

47 **Neue Tatsachen und Beweismittel,** die erst nach dem vom EPA bestimmten Zeitpunkt vorgebracht werden, brauchen nicht berücksichtigt zu werden, soweit sie nicht wegen einer Änderung des dem Verfahren zugrunde liegenden Sachverhalts zuzulassen sind (s Art 114 Rdn 53).

48 Jeder Umkehrschluss aus R 71a wäre jedoch verfehlt: Neue Tatsachen und Beweismittel können auch dann verspätet sein, wenn sie vor dem in der Ladung bestimmten Zeitpunkt vorgebracht worden sind.[76] R 71a darf somit nicht als Einladung ausgelegt werden, neue Tatsachen oder Beweismittel geltend zu machen, die über den rechtlichen Rahmen des bisherigen Verfahrens hinausgehen.[77] Für Vorbringen dieser Art geht Art 114 (2) vor, so dass sie nicht in jedem Fall zu berücksichtigen sind, selbst wenn sie innerhalb der Frist der R 71a eingereicht wurden.[78] Wird das Vorbringen neuer Tatsachen und Beweismittel jedoch erst durch die Hinweise des EPA in der Ladung veranlasst, so dürfte bei ihrer Einreichung gemäß R 71a der Vorwurf der Verspätung ausgeschlossen sein.

49 Für die **Einreichung geänderter Unterlagen** (Beschreibung, Ansprüche und Zeichnungen) auf Aufforderung des EPA gelten nach R 71a (2) die gleichen Bedingungen wie für das Vorbringen neuer Tatsachen und Beweismittel: Unterlagen, die nach dem vom EPA bestimmten Zeitpunkt, insbesondere erst in der mündlichen Verhandlung eingereicht werden, brauchen nicht berücksichtigt

---

73 T 664/00 vom 28.11.2002.
74 T 253/95 vom 17.12.1995.
75 Vgl dazu Koch, Verspätetes Vorbringen [R 71a, Art 114 EPÜ], Mitt. 1997, 286.
76 Verspätetes Vorbringen: siehe Rdn 41 und 50 zu Art 114.
77 **T 39/93,** ABl 1997, 134; **T 452/96** vom 5.4.2000.
78 **T 885/93** vom 15.2.1996.

zu werden, soweit sie nicht wegen einer Änderung des dem Verfahren zugrunde liegenden Sachverhalts zuzulassen sind.

Solche Änderungen müssen deshalb **zum frühest möglichen Zeitpunkt** vorgenommen werden.[79] Änderungen, die nicht rechtzeitig vor dem für die mündliche Verhandlung anberaumten Termin vorliegen, werden von den Beschwerdekammern in der Regel nur unter besonderen Umständen in der Verhandlung sachlich berücksichtigt, dh wenn sowohl für die Änderung als auch für ihre verspätete Einreichung ein triftiger Grund vorliegt.[80] Dies gilt besonders dann, wenn die späten Anträge nicht **eindeutig gewährbar** sind[81] (vgl Rdn 61). 50

In ihrer Entscheidung G 6/95[82] hat die Große Beschwerdekammer festgehalten, dass die zwingenden Bestimmungen von R 71a (1) nur für die erstinstanzlichen Verfahren, jedoch **nicht für das Beschwerdeverfahren** gelten, soweit sie im Widerspruch zu Art 11 der Verfahrensordnung der Beschwerdekammern[83] stehen. 51

Im Beschwerdeverfahren ist deshalb in erster Linie **Art 11 der VerfOBK maßgebend**. Darin ist vorgesehen, dass mit der Ladung in einer Mitteilung auf Punkte von besonderer Bedeutung hingewiesen werden *kann* sowie darauf, dass bestimmte Fragen nicht mehr strittig zu sein scheinen. Es besteht daher für die Beschwerdekammern keine Pflicht zu einer solchen Mitteilung. Auch weitere Hinweise der Kammer können dazu beitragen, dass die Verhandlung auf das Wesentliche konzentriert wird. Nach Art 12 VerfOBK kann die Kammer den Beteiligten zB ihre **vorläufige Ansicht über sachliche und rechtliche Fragen** mitteilen, wobei diese Mitteilung die Kammer nicht bindet. 52

Ziel dieser Vorbereitungen ist, dass die Sache am Ende der mündlichen Verhandlung entschieden werden kann, sofern nicht besondere Umstände vorliegen (Art 11 (6) VerfOBK). Aus diesem Grund werden im Beschwerdeverfahren Änderungen des Vorbringens der Beteiligten nach der Anberaumung der Verhandlung nicht zugelassen, wenn sie Fragen aufwerfen, deren Behandlung der Kammer oder den Beteiligten **ohne Verlegung** der Verhandlung nicht zuzumuten ist (Art 10b (3) VerfOBK). 53

8 Durchführung der mündlichen Verhandlung

Die mündliche Verhandlung findet vor dem zuständigen Organ in seiner vom EPÜ vorgesehenen Zusammensetzung statt (vgl Art 18 (2) und 19 (2)). Setzt sich das entscheidende Organ aus mehreren Prüfern oder Mitgliedern der Beschwerdekammern zusammen, so leitet der jeweilige Vorsitzende die mündli- 54

---

79 **T 95/83**, ABl 1985, 75.
80 **T 583/93**, ABl 1996, 496, Nr 2.
81 **T 153/85**, ABl 1988, 1; **T 251/90** vom 7.11.1990.
82 **G 6/95**, ABl 1996, 649, Nr 5.
83 VerfOBK, ABl 2003, 89; Anhang 8.

che Verhandlung; er stellt ihre **faire, ordnungsgemäße und effiziente Durchführung** sicher (vgl Art 11 (4) VerfOBK).[84] Bei Verhandlungen vor einer Prüfungs- oder Einspruchsabteilung hat der Vorsitzende den einzelnen Mitgliedern zu gestatten, Fragen an die Beteiligten zu stellen.[85] In den Beschwerdekammern besteht die gleiche Praxis.

55 Ist ein ordnungsgemäß Geladener **bei der mündlichen Verhandlung nicht anwesend**, so kann die mündliche Verhandlung nach R 71(2) ohne ihn stattfinden (s Rdn 72). Damit erlischt jedoch nicht sein **Anspruch auf rechtliches Gehör**.[86] Eine Entscheidung zu seinen Ungunsten darf deshalb nicht auf erstmals in dieser Verhandlung vorgebrachte Tatsachen gestützt werden, ohne dass ihm zuvor die Gelegenheit zur Stellungnahme gegeben worden ist. Jedoch dürfen in der mündlichen Verhandlung neu vorgebrachte **Argumente trotz Abwesenheit** einer geladenen Partei in der Entscheidung ohne weiteres berücksichtigt werden; ebenso neue Beweismittel, wenn sie vorher angekündigt wurden. Zum rechtlichen Gehör der ferngebliebenen Partei siehe näheres unter Art 113 Rdn 30–34. Für das Beschwerdeverfahren ist die Bestimmung von Art 11 (3) VerfOBK zu beachten, welche die Rechte ordnungsgemäß geladener Beteiligter, die der Verhandlung fernbleiben, weiter beschränkt (Rdn 72). Näheres dazu bei Art 113 Rdn 34.

56 Rechtzeitigen Anträgen auf Verlegung einer mündlichen Verhandlung, die eingehend zu begründen sind, wird nur in Ausnahmefällen stattgegeben (vgl Rdn 43 f). **Verspätet sich** jedoch **ein Verfahrensbeteiligter**, bei dem es klare Hinweise dafür gibt, dass er beabsichtigt an der Verhandlung teilzunehmen, so stellt es einen wesentlichen Verfahrensmangel dar, wenn mit der Eröffnung der Verhandlung nur 30 Minuten zugewartet und die Entscheidung bereits nach 15 Minuten in Abwesenheit des Beteiligten getroffen wird.[87] Teilt ein Verfahrensbeteiligter am Vorabend der Verhandlung mit, er sei wegen Flugstreiks **an der Teilnahme verhindert**, stellt dies allerdings keinen Hinderungsgrund für die Durchführung der Verhandlung dar, wenn eine alternative Reisemöglichkeit bestanden hätte.[88]

57 Nach der Einleitung der Verhandlung durch den Vorsitzenden, wobei die nach der Aktenlage wesentlichen strittigen Fragen hervorgehoben werden, erhalten die Beteiligten das Wort. Sie können sich dabei unter den Voraussetzungen der R 2 (1) **jeder Amtssprache** des EPA oder eines Vertragsstaats bedienen. Die Verwendung einer anderen Amtssprache als der Verfahrenssprache setzt die **rechtzeitige Unterrichtung des EPA** voraus, wenn der Beteiligte nicht selbst für die Übersetzung sorgt. Unterrichtet eine Partei das EPA zu spät über

---

84 ABl 2003, 89; Anhang 8.
85 PrüfRichtl E-III, 8.8.
86 **G 4/92**, ABl 1994, 149.
87 **T 1140/00** vom 30.1.2001.
88 **T 137/02** vom 19.2.2004, Nr 1.2.

die benötigte Übersetzung, so hat sie hierfür die Kosten entgegen R 2 (5) selbst zu tragen.[89] Im Verfahren vor den Beschwerdekammern besteht diese Mitteilungspflicht auch dann, wenn vor der ersten Instanz bereits rechtmäßig in einer anderen als der Verfahrenssprache vorgetragen wurde.[90]

Im **Einspruchsverfahren** trägt grundsätzlich zuerst der Einsprechende vor, worauf der Patentinhaber antwortet. Beiden wird jeweils Gelegenheit zu einer abschließenden Erwiderung gegeben. Im **Beschwerdeverfahren** erhält in der Regel der Beschwerdeführer zuerst das Wort. Begleitpersonen kann es unter den von der Großen Beschwerdekammer genannten Bedingungen[91] gestattet werden, unter der Aufsicht der Partei oder ihres zugelassenen Vertreters mündliche Ausführungen zu konkreten rechtlichen oder technischen Fragen zu machen. Siehe dazu Art 134 Rdn 20–23. 58

Die Parteien sind nicht verpflichtet, in der mündlichen Verhandlung neue und wesentliche Argumente vorzutragen. Auch wenn eine Partei lediglich bereits schriftlich vorgebrachte **Argumente wiederholt oder neu gewichtet**, stellt dies **keinen Missbrauch** des Verfahrens dar, der eine Verteilung der Kosten zu Lasten dieser Partei rechtfertigen würde[92] (vgl Art 104 Rdn 40–44). Auch wenn die in der mündlichen Verhandlung diskutierten Fragen so einfach sind, dass das Verfahren schriftlich hätte geführt werden können, liegt in dem Antrag auf mündliche Verhandlung kein Verfahrensmissbrauch, selbst wenn die andere Partei eine lange Anreise hatte.[93] In der Wahl der **technischen Hilfsmittel** für ihre Präsentation sind die Beteiligten grundsätzlich frei, solange sie nicht vom eigentlichen Zweck der mündlichen Verhandlung abweichen, die Argumente mündlich vorzutragen.[94] Dieser Zweck kann gefährdet sein durch computer-generierte Bildvorführungen (zB vorbereitete **Power-Point Präsentationen**), wenn diese mehr als nur ein Hilfsmittel darstellen.[95] Eine Partei, die eine solche Präsentation verwenden will, sollte dies ankündigen und sowohl dem Entscheidungsorgan als auch den anderen Parteien entsprechende Kopien zukommen lassen. 59

Bei **Tatsachen oder Beweismitteln**, die erst kurz vor oder während der mündlichen Verhandlung neu vorgebracht werden, ist zu prüfen, ob sie nach Art 114 (2) **verspätet vorgebracht** sind. Dies ist in der Regel dann der Fall, wenn Dokumente zum Stand der Technik erstmals in der mündlichen Verhandlung vorgelegt werden. Im Einspruchsbeschwerdeverfahren können solche 60

---

89 T 473/92 vom 10.3.1995.
90 Mitteilung des Vizepräsidenten der Generaldirektion 3, ABl 1995, 489; **T 34/90**, ABl 1992, 454.
91 **G 4/95**, ABl 1996, 412.
92 T 125/89 vom 10.1.1991.
93 **T 79/88** vom 25.7.1991; anders noch **T 167/84**, ABl 1987, 369.
94 **T 1110/03**, ABl 2005, 302, Nr 3.
95 **T 1122/01** vom 6. 5. 2004, Nr 2.

Dokumente ausnahmsweise noch berücksichtigt werden, wenn sie hochrelevant sind und der Patentinhaber zustimmt.[96] Aus Gründen der Verfahrensökonomie ist besondere Zurückhaltung angebracht, wenn im Falle ihrer Zulassung die Verhandlung vertagt werden müsste, weil ihre unmittelbare Behandlung den Beteiligten nicht zuzumuten ist.[97] Siehe Art 114 Rdn 41 und 50.

61 Werden **geänderte Patentansprüche** kurz vor oder erst während der mündlichen Verhandlung vorgelegt, so kann die Beschwerdekammer ablehnen, sie zu berücksichtigen, wenn sie nicht eindeutig gewährbar sind[98] und keine triftigen Gründe für die Verspätung vorliegen.[99] Näheres dazu unter Art 123 Rdn 18–23.

62 Die Erklärung, dass die **sachliche Debatte beendet** ist, markiert das Ende der Verhandlung (vgl Art 11 (5) VerfOBK). Diese Erklärung bestimmt den Zeitpunkt, bis zu dem die Beteiligten mit der Berücksichtigung etwaigen Vorbringens rechnen können, sofern dieses Vorbringen nicht nach den einschlägigen Bestimmungen von Art 114 (2) und R 86 (3) als verspätet zurückgewiesen wird.[100] Danach besteht in der Regel keine Möglichkeit mehr zur Einreichung weiterer Schriftsätze;[101] das gleiche gilt, wenn am Ende der mündlichen Verhandlung erklärt wird, die Entscheidung erfolge schriftlich.[102] Spätere Vorbringen können nur berücksichtigt werden, wenn das zuständige Organ die Debatte wieder eröffnet, was in seinem Ermessen liegt.[103]

9 Niederschrift über die mündliche Verhandlung

63 Nach R 76 ist über die mündliche Verhandlung eine Niederschrift aufzunehmen, die den **wesentlichen Gang** der mündlichen Verhandlung und die **rechtserheblichen Erklärungen** der Beteiligten enthält. Zu protokollieren sind auch Verfahrenshandlung des EPA: Werden in der mündlichen Verhandlung von Amtes wegen neue Dokumente eingeführt, so entspricht es dem Zweck des Protokolls, den ordnungsgemäßen Ablauf dieser Vorgänge darzustellen und zu dokumentieren.[104] Es unterliegt der Beurteilung des Protokollführers, was im einzelnen als wesentlich oder relevant anzusehen ist.[105] Entsprechend ist die

---

96 **T 874/03** vom 28.6.2005, Nr 3.
97 Art 10b (3) VerfOBK; PrüfRichtl E-III, 8.6.
98 **T 153/85**, ABl 1988, 1; **T 251/90** vom 7.11.1990.
99 **T 95/83**, ABl 1985, 75; **T 583/93**, ABl 1996, 496, Nr 2; **T 455/03** vom 5.7.2005, Nr 2.1 mit weiteren Hinweisen.
100 **G 12/91**, ABl 1994, 285, Nr 9.2.
101 **T 595/90**, ABl 1994, 695.
102 **J 42/89** vom 30.10.1991.
103 **T 595/90**, aaO; **T 455/03** vom 5.7.2005, Nr 3.3.
104 **T 1359/04** vom 26.4.2005, Nr 2.3 f.
105 **T 642/97** vom 15.2.2001.

Nichterwähnung einer bestimmten umstrittenen Äußerung zu würdigen.[106] Die Niederschrift wird gewöhnlich von einem Mitglied des entscheidenden Organs, im Beschwerdeverfahren von einem Kammermitglied aufgenommen. Sie ist nach R 76 (3) vom Protokollführer und vom Vorsitzenden zu unterzeichnen. Ein entsprechender Mangel kann in analoger Anwendung von R 89 berichtigt werden.[107] Unterrichtet ein Verfahrensbeteiligter die Einspruchsabteilung darüber, dass die Niederschrift nicht den tatsächlichen Verlauf der Verhandlung wiedergibt, sollte die Abteilung rasch darauf reagieren, dh zu einem Zeitpunkt, zu dem die Erinnerung ihrer Mitglieder noch frisch ist.[108] Da eine Niederschrift nicht in Rechtskraft erwächst, ist eine entsprechende Korrektur möglich. Die Niederschrift wird in Abschrift den Beteiligten übersandt.

Die **Niederschrift** über eine mündliche Verhandlung ist **keine Entscheidung** und kann deshalb nicht nach Art 106 mit einer Beschwerde angefochten werden.[109] Besteht eine Diskrepanz zwischen der Niederschrift über die mündliche Verhandlung und der schriftlich abgefassten Entscheidung über die angewandten Bestimmungen des EPÜ, so stellt dies keinen wesentlichen Verfahrensmangel dar, der die Rückzahlung der Beschwerdegebühr rechtfertigen würde.[110] Kann wegen der Lückenhaftigkeit des Protokolls nicht aufgeklärt werden, ob einem Anmelder in der mündlichen Verhandlung vor der Prüfungsabteilung das rechtliche Gehör zu einem Entscheidungsgrund gewährt wurde, ist zu seinen Gunsten zu vermuten, dass dies nicht der Fall war.[111]

64

Die mündliche Verhandlung kann nach Unterrichtung der Beteiligten auch **auf Tonträger aufgezeichnet** werden, allerdings nur von Amtsangehörigen.[112]

65

10 Die Entscheidung

Ist die Sache ausreichend erörtert, so kann am Schluss der Verhandlung eine **Entscheidung verkündet** werden[113] (vgl VerfOBK Art 11 (6)). Alle Anträge, auch Anträge auf Kostenverteilung, sind vor der Verkündung der Entscheidung zu stellen.[114] Dabei ist zu vermeiden, dass die Beteiligten von der Verkündung überrascht werden, bevor sie alle ihre Anträge stellen konnten.[115] Mit ihrer Verkündung wird die Entscheidung wirksam und kann von der Stelle, die

66

---

106 T 594/00 vom 6.5.2004.
107 T 212/88, ABl 1992, 28.
108 T 740/00 vom 10.10.2001, Nr 5.3.
109 T 838/92 vom 10.1.1995, Nr 3.
110 T 337/90 vom 16.12.1992.
111 T 1359/04 vom 26.04.2005, Nr 2.5.
112 Mitteilung (…) vom 25.2.1986 betreffend Tonaufzeichnungen während der mündlichen Verhandlung, ABl 1986, 63; siehe PrüfRichtl E-III, 10.
113 G 4/95, ABl 1996, 412, Nr 4 c, mit Hinweisen.
114 T 212/88, ABl 1992, 28.
115 T 48/00 vom 12.6.2002.

sie erlassen hat, von sich aus nicht mehr geändert werden.[116] Wird die Entscheidung im Einspruchsverfahren mündlich verkündet, so müssen alle Mitglieder der Einspruchsabteilung, vor der die mündliche Verhandlung stattgefunden hat, anwesend sein.[117]

67 Später ist die **Entscheidung schriftlich abzufassen** und den Beteiligten zuzustellen (R 68). Der schriftlichen Entscheidung, die die Begründung der mündlich verkündeten Entscheidung enthält, muss zu entnehmen sein, dass sie von den Mitgliedern der Einspruchsabteilung getroffen wurde, mit denen die zuständige Einspruchsabteilung besetzt war.[118] Ist ein Mitglied, das mit entschieden hat, später durch Krankheit gehindert, die Entscheidung selbst zu unterschreiben, so kann eines der anderen Mitglieder zugleich im Namen des verhinderten Mitglieds unterschreiben.[119]

68 Zu der Frage, inwieweit mündlich verkündete Entscheidungen des EPA eine Unterschrift tragen müssen, um **nach außen hin Wirkung** zu entfalten, siehe Art 19 Rdn 6. Für die Entscheidungen der Beschwerdekammern bestimmt R 66 (2), dass sie vom Vorsitzenden der Kammer und vom zuständigen Geschäftsstellenbeamten durch ihre Unterschrift oder andere geeignete Mittel als authentisch zu bestätigen sind.

69 Wird eine beschwerdefähige Entscheidung am Ende der mündlichen Verhandlung verkündet, so beginnt die **Beschwerdefrist** erst mit der Zustellung der schriftlich abgefassten Entscheidung zu laufen (Art 108). Eine zwischen Verkündung und Zustellung eingereichte Beschwerde ist jedoch nicht unzulässig.[120]

70 Die Entscheidung kann auch erst nach der Verhandlung **auf schriftlichem Weg** erlassen und zugestellt werden. In diesem Fall wird das Verfahren definitiv beendet mit der Erklärung in der mündlichen Verhandlung, die Entscheidung erfolge schriftlich, es sei denn, das zuständige Organ beschließt, die Debatte erneut zu eröffnen (vgl Rdn 62). Ein eigener Verkündungstermin – wie im deutschen Recht – ist im europäischen Verfahren nicht vorgesehen.

71 Anträgen von Beteiligten, wann oder auf welche Weise die Entscheidung erlassen werden soll, braucht das betreffende Organ nicht nachzukommen. Zieht die Beschwerdeführerin ihren Antrag auf eine mündliche Verhandlung nach erfolgter Ladung zurück und beantragt eine Entscheidung im schriftlichen Verfahren, kann trotzdem die mündliche Verhandlung einschließlich der Verkündung der Entscheidung stattfinden.[121]

---

116 **G 12/91**, ABl 1994, 285.
117 **T 390/86**, ABl 1989, 30.
118 **T 390/86**, aaO; **T 42/02** vom 28.2.2003.
119 **T 243/87** vom 30.8.1989.
120 **T 389/86**, ABl 1988, 87, nur Leitsatz.
121 **T 180/85** vom 26.5.1988, Nr 7.

In mündlichen Verhandlungen vor den Beschwerdekammern besteht nach Art 11 (3) VerfOBK **keine Verpflichtung,** einen Verfahrensschritt, insbesondere die **Entscheidung, aufzuschieben,** nur weil ein ordnungsgemäß geladener Beteiligter nicht anwesend ist;[122] dieser kann so behandelt werden, als stütze er sich lediglich auf sein schriftliches Vorbringen[123] (vgl Art 113 Rdn 34).

Artikel 117 Beweisaufnahme

(1) In den Verfahren vor einer Prüfungsabteilung, einer Einspruchsabteilung, der Rechtsabteilung oder einer Beschwerdekammer sind insbesondere folgende Beweismittel zulässig:
a) Vernehmung der Beteiligten;
b) Einholung von Auskünften;
c) Vorlegung von Urkunden;
d) Vernehmung von Zeugen;
e) Begutachtung durch Sachverständige;
f) Einnahme des Augenscheins;
g) Abgabe einer schriftlichen Erklärung unter Eid.

(2) Die Prüfungsabteilung, die Einspruchsabteilung und die Beschwerdekammer können eines ihrer Mitglieder mit der Durchführung der Beweisaufnahme beauftragen.

(3) Hält das Europäische Patentamt die mündliche Vernehmung eines Beteiligten, Zeugen oder Sachverständigen für erforderlich, so wird
a) der Betroffene zu einer Vernehmung vor dem Europäischen Patentamt geladen oder
b) das zuständige Gericht des Staats, in dem der Betroffene seinen Wohnsitz hat, nach Artikel 131 Absatz 2 ersucht, den Betroffenen zu vernehmen.

(4) Ein vor das Europäische Patentamt geladener Beteiligter, Zeuge oder Sachverständiger kann beim Europäischen Patentamt beantragen, dass er vor einem zuständigen Gericht in seinem Wohnsitzstaat vernommen wird. Nach Erhalt eines solchen Antrags oder in dem Fall, dass innerhalb der vom Europäischen Patentamt in der Ladung festgesetzten Frist keine Äußerung auf die Ladung erfolgt ist, kann das Europäische Patentamt nach Artikel 131 Absatz 2 das zuständige Gericht ersuchen, den Betroffenen zu vernehmen.

---

122 **T 137/02** vom 19.2.2004, Nr 1; **T 823/04** vom 5.8.2005, Nr 1.
123 **T 1059/04** vom 17.6.2005, Nr 1.

(5) Hält das Europäische Patentamt die erneute Vernehmung eines von ihm vernommenen Beteiligten, Zeugen oder Sachverständigen unter Eid oder in gleichermaßen verbindlicher Form für zweckmäßig, so kann es das zuständige Gericht im Wohnsitzstaat des Betroffenen hierum ersuchen.

(6) Ersucht das Europäische Patentamt das zuständige Gericht um die Vernehmung, so kann es das Gericht ersuchen, die Vernehmung unter Eid oder in gleichermaßen verbindlicher Form vorzunehmen und es einem Mitglied des betreffenden Organs zu gestatten, der Vernehmung beizuwohnen und über das Gericht oder unmittelbar Fragen an die Beteiligten, Zeugen oder Sachverständigen zu richten.

Beat Schachenmann

Übersicht

A	**Die Bestimmungen von Art 117**	1-68
1	Allgemeines	1-9
2	Allgemeines zur Beweisregelung und zur Beweiswürdigung	10-17
3	Die in Betracht kommenden Organe	18-21
4	Besonders aufgeführte Beweismittel	22-23
5	Vernehmung der Beteiligten (Art 117 (1) a))	24-27
6	Einholung von Auskünften (Art 117 (1) b))	28-30
7	Vorlegung von Urkunden (Art 117 (1) c))	31-35
8	Vernehmung von Zeugen (Art 117 (1) d))	36-44
9	Begutachtung durch Sachverständige (Art 117 (1) e))	45-49
10	Einnahme des Augenscheins (Art 117 (1) f))	50-52
11	Abgabe einer schriftlichen Erklärung unter Eid (Art 117 (1) g))	53-57
12	Abgabe eidesstattlicher Erklärungen oder Versicherungen	58-60
13	Beweisaufnahme durch Mitglieder (Art 117 (2))	61
14	Zuständigkeit für mündliche Vernehmungen (Art 117 (3))	62
15	Wahlweise Vernehmung durch Gerichte (Art 117 (4))	63-65
16	Erneute Vernehmung durch ein Gericht unter Eid (Art 117 (5))	66
17	Ersuchen des EPA an ein Gericht um Vernehmung (Art 117 (6))	67-68
B	**Beweisaufnahme durch das EPA (R 72, 73, 76)**	69-90
18	Allgemeines	69
19	Beweisbeschluss	70-72
20	Ladung zur Beweisaufnahme	73-75
21	Vernehmung	76-80

22	Niederschrift über die Beweisaufnahme	81-85
23	Die Sprachen der Beweisaufnahme	86-90
C	**Kosten der Beweisaufnahme (R 74)**	91-100
24	Hinterlegung eines Vorschusses	91-93
25	Ansprüche der Zeugen und Sachverständigen auf Reise- und Aufenthaltskosten	94-96
26	Ansprüche der Zeugen auf Entschädigung für Verdienstausfall	97-98
27	Ansprüche von Sachverständigen auf Vergütung ihrer Tätigkeit	99
28	Ansprüche von nicht geladenen Zeugen und Sachverständigen	100
D	**Die Beweissicherung (R 75)**	101-111
29	Allgemeines zu R 75	101-102
30	Voraussetzungen der Beweissicherung	103
31	Antrag auf Beweissicherung	104-106
32	Zeitpunkt der Beweisaufnahme	107
33	Zuständigkeit und Durchführung der Beweisaufnahme	108-110
34	Durchführung der Beweisaufnahme durch ein Gericht der Vertragsstaaten	111

A Die Bestimmungen von Art 117

1 Allgemeines

Damit die Organe des EPA in der Lage sind, die Bestimmungen des EPÜ im Einzelfall anzuwenden, müssen sie von einem bestimmten Sachverhalt ausgehen können, der in der Regel vom Amts wegen zu ermitteln ist (Art 114 (1)). Der Feststellung dieses Sachverhalts dient die Beweisaufnahme. 1

Gegenstand des Beweises sind somit in erster Linie **Tatsachen**, welche den Tatbestandsmerkmalen einer anzuwendenden Rechtsnorm entsprechen, ferner auch **Indizien**, mit deren Hilfe das Vorhandensein solcher Tatsachen auf indirekte Weise belegt werden kann,[1] **Hilfstatsachen**, welche Aussagen über den Beweiswert von Beweismitteln zulassen,[2] **Erfahrungssätze**, soweit sie dem Entscheidungsorgan nicht bekannt sind,[3] und **Rechtsnormen** des nationalen Rechts, falls nötig.[4]

Art 117 beschränkt sich entgegen dem Titel nicht auf die Beweisaufnahme 2 selbst (Abs 2; s Rdn 69–90), sondern betrifft auch die **Beweismittel** (Abs 1) und die **Ladung** von Beteiligten, Zeugen und Sachverständigen zu einer Verneh-

---

[1] **T 1110/03**, ABl 2005, 302, Nr 2.
[2] Vgl **T 750/94**, ABl 1998, 32, Nr 8.
[3] Dazu dient das Beweismittel der Begutachtung durch Sachverständige, s Rdn 46.
[4] In **T 74/00** vom 15.3.2005, Nr 10, ging es zB um den Nachweis japanischen Erbrechts.

mung vor dem EPA (Abs 3). Die Absätze 4 bis 6 behandeln schließlich das Verfahren für deren Vernehmung vor einem nationalen Gericht (siehe Rdn 63–65).[5]

3   *Beweisaufnahme* iSv Art 117 bedeutet die förmliche Erhebung von Beweisen in den Verfahren vor dem EPA, die damit Teil der Akte werden (siehe Rdn 7). Der Wortlaut des Artikels 117 EPÜ macht deutlich, dass der Begriff *Beweisaufnahme* ganz allgemein die Vorlage und die Entgegennahme von Beweismitteln aller Art, insbesondere auch die »Vorlegung von Urkunden« und von »schriftlichen Erklärungen unter Eid« umfasst.[6]

Für einzelne Beweismittel schreibt das EPÜ besondere Verfahren für die Beweisaufnahme vor, wie zB in R 72 für die Vernehmung von Beteiligten, Zeugen oder Sachverständigen und für die Augenscheinseinnahme sowie in R 73 für die Beauftragung von Sachverständigen (siehe Rdn 69–90).

4   Für die Verfahrensbeteiligten besteht das Recht auf **freie Wahl der Beweismittel**,[7] dessen Verletzung einen Verstoß gegen das rechtliche Gehör nach Art 113 (1) darstellt.[8] Die Organe des EPA besitzen andererseits einen **Ermessensspielraum für die Zulassung** eines angebotenen Beweismittels. Sie sind aber verpflichtet, sich zuerst von der Relevanz eines angebotenen Beweises bezüglich einer bestimmten Behauptung zu überzeugen, bevor sie über dessen Annahme oder Ablehnung entscheiden[9] (siehe Rdn 39 betreffend Zeugenvernehmung). Ein angebotenes Beweismittel kann zB dann (unter entsprechender Begründung) abgelehnt werden, wenn es ohnehin nicht mehr erforderlich ist, da die zu beweisende Tatsache von der Gegenpartei nicht bestritten wird, wenn im Sinne der Beweis anbietenden Partei entschieden wird, wenn das Beweismittel in einem sehr späten Stadium des Verfahrens vorgelegt wurde und nicht als entscheidungserheblich angesehen wird,[10] oder wenn es aus anderen Gründen das Ergebnis der zu treffenden Entscheidung keinesfalls beeinflussen kann.[11]

5   Für die zugelassenen Beweismittel besteht der **Grundsatz der freien Beweiswürdigung** (Rdn 14). Sie sind allen Beteiligten zu offenbaren, denen nach

---

5   Diese Vorschrift wurde zum Teil entsprechenden Bestimmungen des Gerichtshofs der Europäischen Gemeinschaften nachgebildet, zB dem Protokoll über die Satzung des Gerichtshofs der Europäischen Wirtschaftsgemeinschaft (Art 21–29) und der Verfahrensordnung des Gerichtshofs der Europäischen Gemeinschaften (Art 45–53).
6   **T 117/86**, ABl 1989, 401; **T 323/89**, ABl 1992, 169, mit weiteren Hinweisen.
7   **T 142/97**, ABl 2000, 358, LS.
8   **T 142/97**, aaO; **T 1110/03**, ABl 2005, 302, Nr 2.4; **T 474/04**, ABl 2006, 129, Nr 10.
9   **T 1110/03**, ABl 2005, 302, Nr 2.2.
10 **T 269/00** vom 16.3.2005, Nr 12 ff; **T 324/03** vom 8.9.2005, Nr 3.1.4.
11 **T 142/97**, aaO, Nr 2.2, mit weiteren Hinweisen; **T 860/01** vom 11. 9. 2002, Nr 4.

Art 113 (1) Gelegenheit zur Stellungnahme zu geben ist[12] (vgl auch Art 113 Rdn 11–19).

Es obliegt den Beteiligten, nicht nur die Tatsachenbehauptungen, sondern auch die dazu gehörenden **Beweismittel so frühzeitig wie möglich** ins Verfahren einzuführen, da diese sonst nach Art 114 (2) als verspätetes Vorbringen unberücksichtigt bleiben könnten (s Art 114 Rdn 41 und 50). Deshalb sollte ein Einsprechender die Beweismittel zur Begründung seines Einspruchs in der Regel innerhalb der neunmonatigen Einspruchsfrist oder innerhalb einer kurzen Nachfrist einreichen; der Patentinhaber sollte seine Gegenbeweise innerhalb eines bestimmten Zeitraums danach vorlegen.[13] Die Benennung von Zeugen eine Woche vor dem Verhandlungstermin kann als verspätet angesehen werden.[14]

6

Einmal unterbreitete Beweismittel sind aufgrund ihrer möglichen Relevanz **Bestandteil der Akte** und im Rahmen der freien Beweiswürdigung zu berücksichtigen (siehe Rdn 14). Sie werden der einreichenden Partei in der Regel weder vor Erlass einer Endentscheidung noch in den ersten fünf Jahren danach zurückgegeben (Regel 95a EPÜ). Ausnahmsweise können Beweismittel außer Acht gelassen und zurückgegeben werden, wenn das Interesse der einreichenden Partei, diese unberücksichtigt zurückzuerhalten, eindeutig Vorrang hat gegenüber dem Interesse der Öffentlichkeit.[15]

7

Weitere **Einzelheiten der Beweisaufnahme** sind in der AO geregelt, nämlich in R 72 (Beweisaufnahme durch das EPA), R 73 (Beauftragung von Sachverständigen), R 74 (Kosten der Beweisaufnahme) und R 76 (Niederschrift über mündliche Verhandlungen und Beweisaufnahmen). In den PrüfRichtl wird die Beweisaufnahme in Teil E-IV behandelt. Unabhängig von einer in einem schwebenden Verfahren gerade notwendigen Beweisaufnahme sieht R 75 ein Beweissicherungsverfahren vor.

8

Die **Entschädigungen und Vergütungen für Zeugen** und Sachverständige bestimmen sich nach einer entsprechenden Bekanntmachung des EPA sowie einer gestützt auf R 74(4) erlassenen Verordnung des Verwaltungsrats über Entschädigungen und Vergütungen für Zeugen und Sachverständige vom 21.10.1977[16] (siehe Rdn 94, 97, 99 und 100).

9

EPÜ 2000

Im EPÜ 2000 wird der Titel von Art 117 ergänzt und lautet nun korrekterweise »Beweismittel und Beweisaufnahme«. Die Bestimmung von Art 117 (1) betreffend die zulässigen Beweismittel wird unverändert beibehalten. Dagegen werden die bisherigen Absätze 2 bis 6 durch eine Verweisung auf die Ausführungs-

---

12 **T 838/92** vom 10.1.1995.
13 **G 4/95**, ABl 1996, 412, Nr 4.
14 **T 97/94**, ABl 1998, 467.
15 **T 760/89**, ABl 1994, 797.
16 Zu finden im ABl 1983, 100 und 102.

ordnung ersetzt. Die neuen Regeln 118–120 enthalten dabei Bestimmungen zur Durchführung der Beweisaufnahme und entsprechen größtenteils der bisherigen R 72, implementieren aber auch die gestrichenen Bestimmungen von Art 117 (2) bis (6). Die bisherigen R 71 bis 75 sind entsprechend redaktionell überarbeitet worden. Inhaltlich hat sich dadurch nichts geändert.

2 Allgemeines zur Beweisregelung und zur Beweiswürdigung

10 Beweisbedürftig können sowohl Handlungen sein, die gegenüber dem EPA vorzunehmen sind, als auch Sachverhalte (dh Tatsachen), die von den Verfahrensbeteiligten im Erteilungs- und Einspruchsverfahren geltend gemacht bzw bestritten werden.

11 Die **Beweisanforderung**, dh die Frage, bis zu welchem Grad der Gewissheit eine Tatsache nachzuweisen ist, richtet nach den Vorschriften des EPÜ und der Rechtsprechung. Je nach dem zu beweisenden Sachverhalt reicht dieser Grad von bloßer **Glaubhaftmachung** (s zB in R 75(2); Rdn 106) bis zu **absoluter Gewissheit** (s Rdn 12 und 13). Je schwerwiegender eine umstrittene Tatfrage für eine Partei ist, umso stichhaltiger muss das gegen sie verwendete Beweismaterial sein. Führt die Entscheidung aufgrund der fraglichen Tatsache möglicherweise zur Zurückweisung einer Patentanmeldung oder zum Widerruf eines Patents, ist das **Beweismaterial** besonders **kritisch und genau zu prüfen**.[17]

12 Für die **Beweisanforderung bei Fristversäumungen** hat sich die folgende Praxis herausgebildet. Geht es um die Frage, ob ein Verfahrensbeteiligter gegenüber dem EPA eine Frist gewahrt hat, muss er die fristwahrende Handlung nachweisen, wobei eine **Abwägung der Wahrscheinlichkeiten** der Vornahme der behaupteten Handlung gegen den Verlust der entsprechenden Unterlagen im EPA vorgenommen wird. Bei einem **verloren gegangenen Schriftstück** genügt zB der Nachweis, dass für die Einreichung eine wesentlich höhere Wahrscheinlichkeit spricht als für die Nichteinreichung.[18] Unbeweisbarkeit geht zu Lasten des Einreichenden, der dafür die Beweislast hat.[19] Ist die Wahrscheinlichkeit des Verlusts eines Briefs im EPA oder bei der Post nach der Sachlage nicht größer als die Wahrscheinlichkeit, dass er vom Vertreter nicht abgesendet worden war, geht die unklare Sachlage zu Lasten der einreichenden Partei.[20] Jedoch verlagert sich der Beweis auf das EPA, wenn ein Beteiligter zB mit einer Empfangsbescheinigung glaubhaft machen kann, dass die unauffindbaren Unterlagen eingereicht wurden.[21] Besteht zwischen dem EPA und einem Verfah-

---

17 **T 750/94**, ABl 1998, 32, LS I und Nr 4; **T 665/00** vom 13.4.2005, Nr 2.2.
18 **T 128/87**, ABl 1989, 406.
19 **T 1200/01** vom 6.11.2002, Nr 4.
20 **J 10/91** vom 11.12.1992; ähnlich **J 8/93** vom 13.3.1997.
21 **J 20/85**, ABl 1987, 102; vgl auch **T 69/86** vom 15.9.1987 und **T 243/86** vom 9.12.1986, wo im Amt ein leerer Briefumschlag gefunden wurde.

rensbeteiligten Uneinigkeit in einer Tatfrage, zB über den Eingang eines Schriftstücks, so muss das EPA unverzüglich eine Beweisaufnahme veranlassen.[22] Unterlässt es dies und kann der Sachverhalt später nicht mehr ermittelt werden, so darf nicht zu Ungunsten des Beteiligten entschieden werden. Für die **Wiedereinsetzung in eine versäumte Frist** wird nach der deutschen Fassung von Art 122 (3) die Glaubhaftmachung der Tatsachen verlangt, die für die Beachtung der gebotenen Sorgfalt sprechen. Dafür muss ein entsprechender Sachverhalt schlüssig dargelegt und glaubhaft gemacht werden.[23] Das eingereichte Beweismaterial muss geeignet sein, das EPA von dieser Tatsache zu überzeugen.[24]

Im **zweiseitigen Verfahren** muss das EPA bei umstrittenen Tatfragen anhand der vorliegenden Beweismittel feststellen, was aller Wahrscheinlichkeit nach geschehen ist und dementsprechend entscheiden.[25] Ein Tatsachenkomplex muss in der Regel nicht zweifelsfrei und mit absoluter Gewissheit nachgewiesen sein, vielmehr kann die Entscheidung nach **generellem Abwägen der Wahrscheinlichkeit** (balance of probability) getroffen werden.[26] Strengere Anforderungen werden allerdings an den Nachweis der offenkundigen Vorbenutzung gestellt. Unterliegen praktisch alle Beweismittel für eine offenkundige Vorbenutzung der Verfügungsmacht der Einsprechenden, wird ein gegenüber dem Abwägen der Wahrscheinlichkeit strengeres Kriterium angelegt, nämlich **absolute Gewissheit**.[27] Da der Patentinhaber außer dem Nachweis von Lücken in der Beweiskette keine Möglichkeiten des Gegenbeweises hat, muss der Einsprechende seine Behauptung **lückenlos** beweisen.[28]

13

Von den erläuterten Beweisanforderungen zu unterscheiden ist die **Frage der Beweiskraft** der einzelnen Beweismittel. Nach dem EPÜ besteht hierbei keinerlei Hierarchie. Es gilt vielmehr der **Grundsatz der freien Beweiswürdigung**.[29] Mit diesem Grundsatz stünde es in Widerspruch, formelle Beweisregeln aufzustellen, nach denen bestimmten Beweismitteln eine bestimmte Überzeugungskraft beigemessen oder abgesprochen wird. Es wird deshalb keinem der in Art 117 (1) aufgezählten Beweismittel gegenüber den anderen von vor-

14

---

22 T 770/91 vom 29.4.1992.
23 **T 13/82**, ABl 1983, 411, Nr 3.
24 **J 3/86**, ABl 1987, 362, Nr 4.
25 **T 381/87**, ABl 1990, 213.
26 T 270/90, ABl 1993, 725; T 109/91 vom 15.1.1995, LS; **T 472/92**, ABl 1998, 161, Nr 3.1.
27 **T 472/92**, ABl 1998, 191; **T 97/94**, ABl 1998, 467, Nr 5.1; **T 848/94** vom 3.6.1997; T 750/94, ABl 1998, 31.
28 T 472/92, ABl 1998, 161, Nr 3.1.
29 **G 3/97**, ABl 1999, 245, Nr 5; **T 482/89**, ABl 1992, 646; **T 760/89**, ABl 1994, 797; T 750/94, ABl 1998, 32, LS 2.

neherein eine stärkere Beweiskraft zuerkannt.[30] Dies bedeutet aber nicht, dass das Entscheidungsorgan frei ist, unter den angebotenen Beweisen diejenigen auszuwählen, die es für die Wahrheitsfindung als ausreichend erachtet. Vielmehr kann erst entschieden werden, ob eine Tatsache bewiesen ist, wenn alle relevanten Beweismittel gewürdigt worden sind.[31] Daher ist unter Berücksichtigung **aller relevanten Beweismittel** zu prüfen, ob eine Tatsache als bewiesen angesehen werden kann.[32] Das bedeutet, dass jedes relevante Beweismittel **angemessen gewichtet** werden muss.[33] Als Beweismittel zulässig ist jede wie auch immer geartete Urkunde, deren Beweiskraft nach den Umständen des Einzelfalls zu ermitteln ist (Rdn 31–35). Entsprechendes gilt für die Vernehmung von Zeugen, wobei auch ein Angestellter eines Verfahrensbeteiligten als Zeuge gehört werden kann (siehe Rdn 38).

15 Weiter zu beachten ist die Frage der **Verteilung der Beweislast** zwischen den Verfahrensbeteiligten. Nach allgemein anerkanntem Grundsatz trägt jeder Verfahrensbeteiligte jeweils die Beweislast für die von ihm geltend gemachten und für ihn günstigen Tatsachen.[34] Ist das Beweisergebnis nicht eindeutig genug, kann die Beweislast für die Entscheidung den Ausschlag geben.[35] Ist das EPA nicht in der Lage, den Sachverhalt im Wege der Amtsermittlung festzustellen, so trifft dieser Nachteil deshalb den Beteiligten, der sich auf die betreffende Tatsachenbehauptung stützt.[36] So obliegt im Einspruchsverfahren dem Einsprechenden der Beweis für den Einwand, dass ein fachkundiger Leser des Patents nicht in der Lage wäre, die Erfindung auszuführen.[37] Beruft sich ein Patentinhaber darauf, dass die beanspruchte Erfindung einen technischen Effekt verbessere, liegt die Beweislast für diese Behauptung bei ihm. Ebenso, wenn er sich zur Abgrenzung gegen den Stand der Technik auf einen im Fachgebiet völlig unüblichen Parameter beruft.[38]

16 In der Rechtsprechung wird bisweilen von **Anscheinsbeweis** oder »prima facie evidence« gesprochen, wenn ein Beweis schon dann zum Nachweis einer Behauptung ausreicht, wenn ihm kein **gleichwertiger Gegenbeweis** entgegen-

---

30 **T 1091/02**, ABl 2005, 14, Nr 3.3 aE.
31 **T 474/04**, ABl 2006, 129, Nr 8.
32 **G 3/97**, aaO.
33 **T 750/94**, ABl 1998, 32, Nr 8;.
34 Statt vieler **T 499/00** vom 28.1.2003, Nr 1.10.
35 **G 3/98**, ABl 2001, 62, Nr 1.2.4.
36 **T 219/83**, ABl 1986, 211; bestätigt in **T 34/94** vom 22.3.1994, wo der Einsprechende eine Behauptung, die die erfinderische Tätigkeit hätte erschüttern sollen, nicht belegen konnte.
37 **T 182/89**, ABl 1991, 391; **T 16/87**, ABl 1992, 212; **T 239/92** vom 23.2.1995; **T 499/00** vom 28.1.2003, Nr 1.10.
38 **T 131/03** vom 22.12.2004, LS.

gehalten wird.³⁹ Es handelt sich dabei um nach der Lebenserfahrung typische Geschehensabläufe, die durch Nachweis ihrer Grundelemente ausreichend bewiesen sind. Insofern kann sich die nicht beweisbelastete Partei nicht darauf beschränken, eine so bewiesene Tatsache zu bestreiten; es ergibt sich also eine **Umkehrung der Beweislast**.⁴⁰

Die genannten Grundsätze gelten auch für den Beweis einer behaupteten **offenkundigen Vorbenutzung**. Die Beweislast trägt der Einsprechende, der sich auf sie beruft.⁴¹ Dem Patentinhaber obliegt der Gegenbeweis einer allfälligen Geheimhaltungsverpflichtung.⁴² 17

3 Die in Betracht kommenden Organe

Art 117 (1) führt die Organe auf, vor denen die im Anschluss daran aufgezählten Beweismittel zulässig sind, nämlich die Prüfungsabteilungen, die Einspruchsabteilungen, die Rechtsabteilung und die Beschwerdekammern. 18

Nicht genannt ist die **Eingangsstelle**. Der Grund dürfte darin liegen, dass die Behandlung der Anmeldungen vor der Eingangsstelle im Prinzip als ein Verfahren angesehen wurde, das die Prüfung vorbereitet und einleitet. Es können jedoch auch vor der Eingangsstelle Sachverhalte strittig sein, wie zB die Frage der rechtzeitigen Zahlung einer Gebühr, die Anwendung der gebotenen Sorgfalt (Art 122) oder die Voraussetzungen für die Berichtigung eines Fehlers (R 88). Auch für die Klärung solcher Sachverhalte gilt das Prinzip der Amtsermittlung nach Art 114. Dementsprechend ist die Eingangsstelle befugt, Beweisaufnahmen durchzuführen, obwohl sie in Art 117 nicht ausdrücklich aufgeführt ist.⁴³ 19

Im Verfahren vor den ebenfalls nicht aufgeführten **Recherchenabteilungen** ist außer bei mangelnder Einheitlichkeit (R 46 (1); vgl Rdn 30–33 zu Art 92) keine Korrespondenz und Erörterung vorgesehen. Der Recherchenbericht wird ohne Kontakte mit dem Anmelder erstellt. Für den Anmelder besteht also weder die Notwendigkeit, noch hat er Gelegenheit, irgendwelche Sachverhalte zu beweisen. 20

Art 117 (2) befasst sich mit der Frage, welche **Personen** innerhalb der in Art 117 (1) genannten Organe die Beweisaufnahmen durchzuführen haben. Wo sich ein Organ aus mehreren Mitgliedern zusammensetzt, wie dies für die **Prüfungsabteilungen, Einspruchsabteilungen und Beschwerdekammern** 21

---

39 **T 743/89** vom 27.1.1992, Nr 3; **T 750/94**, ABl 1998, 32, Nr 6; **T 301/95**, ABl 1997, 519, Nr 6.2.2 f; **T 43/00** vom 9.5.2003, Nr 2.12.
40 In einigen Entscheidungen, zB **T 109/91** vom 15.1.1992, Nr 2.10, wird von »shift« oder »reversal of burden of proof« gesprochen. Gemeint ist damit eher die Abwägung von Beweis und Gegenbeweis, als eine Umkehrung der Beweislast.
41 **T 326/93** vom 29.11.1994.
42 **T 221/91** vom 8.12.1992.
43 **J 20/85**, ABl 1987, 102.

der Fall ist, reicht es nach dieser Bestimmung aus, wenn **eines der Mitglieder** mit der Durchführung der Beweisaufnahme beauftragt wird, was aus Gründen der Verfahrensökonomie und der Kosteneinsparung angezeigt sein kann (siehe Rdn 61). So ist in Art 117 (6) für die Vernehmung von Zeugen vor einem nationalen Gericht vorgesehen, dass ein Mitglied des betreffenden Organs der Vernehmung beiwohnen kann.

4 Besonders aufgeführte Beweismittel

22 Art 117 (1) führt sieben Beweismittel auf, die nach dieser Vorschrift *insbesondere* zulässig sind. Diese Aufzählung bringt **nur Beispiele**, wenn sie auch die wesentlichen Beweismittel enthält. Die Reihenfolge bei der Aufzählung der Beweismittel hat keinerlei Bedeutung für ihren Wert.[44] Es gilt der Grundsatz der freien Beweiswürdigung (Rdn 14). Auch andere Beweismittel, wie eidesstattliche Erklärungen, können vom EPA als zulässig anerkannt werden (siehe Rdn 58–60). Insbesondere dürfen auch von einem ausländischen Gericht erhaltene Beweismittel berücksichtigt werden.[45] Verschiedene Beweismittel können zu Beweisketten verbunden werden.[46]

23 Die Anhörung mündlicher **Ausführungen der Begleitperson** einer Partei unter den Bedingungen, wie sie von der Großen Beschwerdekammer[47] festgesetzt wurden, ist allerdings keine Beweisaufnahme nach Art 117, wenn kein förmlicher Beweisbeschluss erlassen worden ist (siehe Rdn 70–72).

5 Vernehmung der Beteiligten (Art 117 (1) a))

24 Dieses Beweismittel besteht in der förmlichen Vernehmung von Verfahrensbeteiligten, dh Anmeldern, Patentinhabern, Einsprechenden bzw ihren Vertretern.[48] Es ist zu unterscheiden von einer Anhörung im Rahmen einer mündlichen Rücksprache oder einer mündlichen Verhandlung. Während die Anhörung der Darlegung des Falles dient, ist es Aufgabe der Vernehmung, spezifische Tatsachen zu erhärten, von denen der Beteiligte Kenntnis hat. So kann zB ein Anmelder zu von ihm behaupteten Tatsachen zur Ausführbarkeit einer Erfindung vernommen werden, die den allgemein anerkannten Gesetzen der Physik und Thermodynamik widersprechen. Auf diese Weise konnte dem Antrag eines gebietsfremden Anmelders entsprochen werden, ihn trotz Vertretungszwang persönlich zu hören[49] (vgl Art 133 Rdn 15).

---

44 **T 1091/02**, ABl 2005, 14, Nr 3.3 am Ende.
45 **T 760/89**, ABl 1994, 797.
46 Vgl **T 750/94**, ABl 1998, 32, Nr 9.
47 **G 4/95**, ABl 1996, 412.
48 Vgl **T 583/93** vom 4.1.1996, Nr 2.2, wo der Vertreter zu den Abläufen vernommen wurde, die er als Rechtfertigung für verspätete Anträge geltend gemacht hatte.
49 **T 451/89** vom 1.4.1993.

Bei der Vernehmung von Beteiligten sind die Vorschriften über die Beweisaufnahme (R 72) anzuwenden (siehe Rdn 69–90). Vor allem gilt auch hier der Grundsatz der freien Beweiswürdigung; der Vernehmung der Beteiligten kommt also gegenüber anderen Beweismitteln nicht nur subsidiäre Bedeutung zu.[50] 25

Das EPA kann die Vernehmung eines Beteiligten nicht mit Zwangsmitteln durchsetzen. Die Weigerung eines Beteiligten, sich vernehmen zu lassen, kann sich jedoch aufgrund der freien Beweiswürdigung auch zu seinem Nachteil auswirken. 26

Inwieweit ein Beteiligter im Wege des Rechtshilfeersuchens nach Art 117 (6) iVm Art 131 vor einem nationalen Gericht zur Vernehmung gezwungen werden kann, hängt von dem anzuwendenden nationalen Recht ab.[51] 27

6 Einholung von Auskünften (Art 117 (1) b))

Mit diesem Beweismittel ist vor allem die Einholung von Auskünften von Behörden und Beamten im Wege der Amts- und Rechtshilfe nach Art 131 gemeint, aber auch von Firmen und Privatpersonen. Besondere Voraussetzungen für die Einholung einer Auskunft, zB das Einverständnis der Beteiligten oder die eidesstattliche Versicherung der Richtigkeit, sieht das EPÜ nicht vor. Die PrüfRichtl E-IV, 1.2 erwähnen als Beispiel die Einholung von Auskünften von einem Verlag über den Veröffentlichungstag eines Buches. 28

Führt die Einholung von Auskünften nicht zu der gewünschten Klärung, so kann das zuständige Organ des EPA erforderlichenfalls das zuständige nationale Gericht um Vernehmung des in Betracht kommenden Zeugen ersuchen. Die Vernehmung richtet sich nach nationalem Recht (siehe Art 131 (2), R 99 (3)). 29

Mündliche Ausführungen von Begleitpersonen, die im Einspruchs- oder Beschwerdeverfahren unter Aufsicht eines zugelassenen Vertreters im Namen eines Beteiligten Tatsachen und Beweismittel vorbringen,[52] stellen keine förmliche Beweisaufnahme nach Art 117 dar. 30

7 Vorlegung von Urkunden (Art 117 (1) c))

Der Begriff der Urkunde ist im EPÜ, anders als in nationalen Rechten, nicht festgelegt. Die in dieser Vorschrift verwendeten englischen und französischen Ausdrücke *documents* gehen über einen engen Urkundenbegriff hinaus.[53] 31

---

50 Zum deutschen Recht siehe § 448 ZPO.
51 Nach deutschem Recht ist dies nach §§ 453 (2), 446 DE-ZPO nicht möglich.
52 **G 4/95**, ABl 1996, 412.
53 Siehe zB Earl Jowitt, The Dictionary of English Law, S 658: »Document, any solid substance upon which matter has been expressed or described by conventional signs with the intention of recording or transmitting that matter«.

32 Urkunden sind alle **schriftlichen Unterlagen**, die einen gedanklichen Inhalt durch Schriftzeichen oder Zeichnungen verkörpern. Hierzu gehören auch öffentliche Druckschriften, die im patentamtlichen Verfahren häufig Verwendung finden.[54] Nach deutschem Recht[55] fallen diese Druckschriften nicht unter den Begriff der als Beweismittel heranzuziehenden Urkunden.[56]

33 In Verfahren vor dem EPA einschließlich des Beschwerdeverfahrens ist **jede wie auch immer geartete Urkunde** als Beweismittel zulässig.[57] Ihre Beweiskraft hängt von den Umständen des jeweiligen Falles ab und unterliegt der freien Beweiswürdigung[58] (siehe Rdn 14). Auch eine schriftlich festgehaltene Zeugenaussage aus einem ausländischen Verletzungsverfahren kann als Urkunde behandelt und als Beweismittel zugelassen werden.[59]

34 Die Weigerung, eine Urkunde vorzulegen, kann im Wege der freien Beweiswürdigung unter Berücksichtigung aller Umstände entsprechend gewertet werden.

35 Erzwungen werden kann die Vorlage von Urkunden nur im Wege der Rechtshilfe (Art 131) durch nationale Gerichte, soweit das nationale Recht entsprechende Bestimmungen enthält.

8 Vernehmung von Zeugen (Art 117 (1) d))

36 Zeugen können nur Personen sein, die nicht Verfahrensbeteiligte sind. Sie sollen ihr **persönliches Wissen über bestimmte Tatsachen** mitteilen, nicht jedoch ihre Bedeutung werten. Die Rolle des Zeugen beschränkt sich im wesentlichen darauf, behauptete Tatsachen zu bestätigen oder zu widerlegen, die im Beweisbeschluss und der Ladung angegeben sind (Rdn 70–72); darüber hinaus darf der Zeuge keine neuen Tatsachen in das Verfahren einzuführen, die zur weiteren Ermittlung des Sachverhalts dienen, um Lücken in einem Parteivortrag zu schliessen (Rdn 80).[60]

37 Zeugen werden stets **mündlich vernommen**. Erscheint dem EPA eine schriftliche Aussage ausreichend, so kann es sich darauf beschränken, nach Art 117 (1) b) die schriftliche Auskunft des Zeugen einzuholen (siehe Rdn 28), was dann rechtlich keine Zeugenvernehmung ist. Besondere Voraussetzungen

---

54 **T 951/97**, ABl 1998, 440.
55 § 88 (1) Satz 2 PatG.
56 Schulte, Patentgesetz, § 88, Rn 4 (3. e).
57 **T 482/89**, ABl 1992, 646.
58 **T 301/94** vom 28.11.1996 bestätigt dies im Zusammenhang mit einer notariell beglaubigten *déclaration sur l'honneur*.
59 **T 760/89**, ABl 1994, 797.
60 **T 264/03** vom 12.3.2004, Nr 7.2.3; **T 374/02** vom 13.10.2005, Nr 1.3.

hierfür, zB das Einverständnis der Beteiligten oder die eidesstattliche Versicherung der Richtigkeit,[61] sieht das EPÜ nicht vor.

Dass in Art 117 (1) d) nur die mündliche Vernehmung von Zeugen gemeint ist, zeigen die englische und die französische Fassung »hearing the witnesses« und »l'audition de témoins«. Dementsprechend behandelt auch Art 117 (3) die Vernehmung von Beteiligten, Zeugen und Sachverständigen nur unter dem Gesichtspunkt der mündlichen Vernehmung.

Der **Grundsatz der freien Beweiswürdigung** gilt insbesondere für die Vernehmung von Zeugen. Die Glaubwürdigkeit einer Zeugenaussage ist eine Frage der Beweiswürdigung, nicht der Zulässigkeit eines Beweismittels.[62] Das EPÜ schließt die Vernehmung eines Angestellten von Verfahrensbeteiligten als Zeuge nicht aus.[63] Das Gleiche gilt für Kunden eines Verfahrensbeteiligten[64] oder für einen angeblichen Verletzter eines Patents des Patentinhabers, gegen den eine offenkundige Vorbenutzung geltend gemacht wird.[65] Die **Glaubwürdigkeit der Zeugen** ist nicht allein deshalb in Zweifel zu ziehen, weil sie verwandtschaftlich untereinander und wirtschaftlich mit der Einsprechenden verbunden sind.[66] Es ist vielmehr im Licht der Begleitumstände zu prüfen, wie zuverlässig ein Zeuge und sein Erinnerungsvermögen sind, zumal wenn ein Ereignis lange Zeit zurückliegt.[67] Zur Erhärtung können andere Beweismittel aus jener Zeit, etwa schriftliche Unterlagen dienen.[68] 38

Ob die beantragte **Vernehmung eines Zeugen sachdienlich** ist, liegt im Ermessen des entscheidenden Organs. Es ist verpflichtet, sich von der Relevanz der Zeugenvernehmung zu überzeugen, bevor es über die Annahme oder Ablehnung des Antrags entscheidet.[69] Erscheint ein angebotener Zeugenbeweis für eine behauptete (und bestrittene) Tatsache grundsätzlich geeignet, ist das entscheidende Organ nicht befugt, dieses Angebot zu übergehen, weil es andere Beweismittel für geeigneter oder für »üblich« hält. Hierin läge eine unzulässige Vorwegnahme des Ergebnisses des nicht erhobenen Beweises.[70] Soll eine Entscheidung auf der Grundlage einer von der Gegenseite bestrittenen eidesstattlichen Erklärung getroffen werden, ist auf Antrag der Verfasser als Zeuge zu hören.[71] Ein Antrag auf Zeugenvernehmung kann aber nach Art 114 (2) ab- 39

---

61 Vgl § 377 (3) DE-ZPO.
62 **T 443/93** vom 22.3.1995.
63 **T 482/89**, ABl 1992, 646; **T 558/95** vom 10.2.1997.
64 **T 575/94** vom 11. 7. 1996.
65 **T 838/92** vom 10.1.1995, Nr 5.4.
66 **T 363/90** vom 25.2.1992.
67 **T 474/04**, ABl 2006, 129, Nr 8.
68 **T 750/94**, ABl 1998, 32 , Nr 6.
69 **T 142/97**, ABl 2000, 358, LS; vgl **T 75/90** vom 3. 5. 1993.
70 **T 927/98** vom 9.7.1999, Nr 2.3.5.
71 **T 474/04**, ABl 2006, 129, Nr 7.

Artikel 117 *Beweisaufnahme*

gelehnt werden, wenn er so spät gestellt wird, dass die Zeugen vor der bereits angesetzten mündlichen Verhandlung nicht mehr ordnungsgemäß geladen werden können.[72] Lehnt die Einspruchsabteilung die Vernehmung des angebotenen Zeugen ab, so hat sie nach R 68 (2) in der Entscheidung die Gründe hierfür anzugeben.[73]

40 Den Beteiligten muss nach Art 113 (1) Gelegenheit gegeben werden, **sich zu dem Ergebnis einer Zeugenvernehmung zu äußern.**[74] Sie sind deshalb über die Beweisaufnahme zu unterrichten (siehe Rdn 76). Dort ist ihnen zu gestatten, sachdienliche Fragen an die Zeugen zu richten (R 72 (4)). Dient eine Zeugenvernehmung allerdings nur dazu, die Verbindung zweier der Beschwerdeführerin bereits bekannter Dokumente festzustellen, und war diese über die Bedeutung der geltend gemachten offenkundigen Vorbenutzung informiert, so kann die Entscheidung in der mündlichen Verhandlung trotz Abwesenheit der ordnungsgemäß geladenen Beschwerdeführerin getroffen werden.[75] Siehe Rdn 30–34 zu Art 113.

41 Das EPÜ enthält keine ausdrückliche Verpflichtung, auf Ladung des Amts als Zeuge zu erscheinen und auszusagen, und kennt demzufolge auch **keine Sanktion für den Zeugen** oder die Verfahrensbeteiligten, wenn ein geladener Zeuge der Aufforderung des Amts nicht nachkommt.

42 Ist ein Zeuge nicht bereit, vor dem EPA auszusagen, so kann nach Art 117 (6) iVm Art 131 das zuständige Gericht im Wege der Rechtshilfe um die Vernehmung ersucht werden. In welchem Umfang eine **Verpflichtung zur Aussage vor einem nationalen Gericht** besteht, richtet sich ebenso nach nationalem Recht wie die Frage, ob dem Zeugen ein Zeugnisverweigerungsrecht zusteht.

43 Ob das Gericht die Vernehmung eidlich oder uneidlich durchführt, richtet sich ebenfalls nach nationalem Recht. Das EPA kann nach Art 117 (6) das zuständige Gericht jedoch ausdrücklich um die Vernehmung unter Eid oder in gleichermaßen verbindlicher Form ersuchen.

44 Nach deutschem Zivilprozessrecht sind Zeugen regelmäßig uneidlich zu vernehmen; sie sind nur zu beeidigen, wenn die Beeidigung mit Rücksicht auf die Bedeutung der Aussage zur Herbeiführung einer wahrheitsgemäßen Aussage geboten erscheint.[76] Nach französischem Prozessrecht erfolgt dagegen die Zeugenvernehmung grundsätzlich unter Eid; die Eidesleistung geht der Vernehmung voran.[77]

---

72 **T 97/94**, ABl 1998, 467.
73 **T 582/90** vom 11.12.1992.
74 **T 838/92** vom 10.1.1995, Nr 5.4.
75 **T 768/91** vom 14.6.1994.
76 § 391 DE-ZPO.
77 Art 211 Nouveau Code de Procédure Civile.

9 Begutachtung durch Sachverständige (Art 117 (1) e))

Während in Verletzungsprozessen vor den nationalen Gerichten Sachverständigengutachten eine bedeutende Rolle spielen, kommt ihnen im Verfahren vor dem EPA eine geringe Bedeutung zu, da sowohl die Organe der ersten Instanz als auch die Beschwerdekammern **mit sachkundigen Mitgliedern besetzt** sind. Die patentrechtliche Würdigung eines verständlichen technischen Sachverhalts ist Sache der Beschwerdekammern und nicht eines technischen Sachverständigen; ein Sachverständigengutachten holt das EPA nur dann ein, wenn es das für erforderlich hält[78] (R 72 (1)). Bietet eine Partei als Beweis die Begutachtung durch einen Sachverständigen an, ist es ihre Sache und nicht diejenige des EPA, einen solchen Sachverständigen zu finden.[79]

45

Der Sachverständige ist eine Person, die aufgrund ihrer Sachkunde über **Erfahrungssätze** aussagt und in der Regel mit ihrer Hilfe Schlussfolgerungen aus konkreten Tatsachen zieht. Sagt jemand über Tatsachen aus, zu deren Wahrnehmung eine besondere Sachkunde erforderlich ist, so ist er nicht Sachverständiger, sondern Zeuge, und zwar sachverständiger Zeuge.

46

Die Begutachtung durch einen Sachverständigen umfasst meistens zwei Stufen, zuerst die Abgabe des schriftlichen Gutachtens und dann die gewöhnlich im mündlichen Verfahren folgende Vernehmung des Sachverständigen.[80]

47

Hat ein Beteiligter einen Antrag auf Begutachtung durch einen Sachverständigen gestellt, so richtet sich das Verfahren nach R 72 und R 73. Die übrigen Beteiligten können den Sachverständigen auch ablehnen (R 73 (4)).

48

Keine Sachverständigengutachten im Sinne dieser Vorschrift sind die von den Parteien vorgelegten Gutachten eines von ihnen beauftragten Sachverständigen, wie sie im Verfahren vor dem EPA ohne entsprechenden Beschluss des EPA gelegentlich vorgelegt werden. Solche **Parteigutachten** sind Äußerungen möglicherweise sachkundiger Personen, die den Vortrag der Beteiligten stützen sollen.

49

10 Einnahme des Augenscheins (Art 117 (1) f))

Augenschein ist die **unmittelbare Wahrnehmung** von körperlichen Eigenschaften oder Zuständen von Sachen, Personen oder Vorgängen mit Hilfe der Sinne (Sehen, Hören, Fühlen, Schmecken, Riechen). Auf dem Gebiet des Patentrechts kommt insbesondere die Vorführung von Maschinen, Modellen oder Verfahren in Betracht, sofern dies entscheidungserheblich ist.[81] Der zuständige Bedienstete des EPA hat damit die Möglichkeit, gegenwärtige Tatsa-

50

---

78 **T 395/91** vom 7.12.1995, Nr 5.3; **T 230/92** vom 16.3.1993, Nr 5.3.
79 **T 375/00** vom 7.5.2002.
80 PrüfRichtl E-IV, 1.8.1.
81 **T 364/94** vom 4.3.1997.

chen selbst wahrzunehmen und festzustellen, während er sich mit Hilfe der übrigen Beweismittel nur über Vergangenes unterrichten kann.

51 Das EPÜ enthält keine Bestimmung, nach der die Einnahme des Augenscheins erzwungen werden kann, dh vom Inhaber des in Augenschein zu nehmenden Gegenstands geduldet werden müsste. Es können jedoch aus der Weigerung im Wege der freien Beweiswürdigung Schlüsse gezogen werden.

52 Nach Art 131 (2) kann das EPA auch Gerichte oder andere zuständige Behörden der Vertragsstaaten im Wege der Rechtshilfe um die Einnahme eines Augenscheins ersuchen. Dies ergibt sich aus der weiten Formulierung, dass diese Stellen auf Ersuchen um Rechtshilfe Beweisaufnahmen vornehmen.

Ob in solchen Fällen die Einnahme des Augenscheins erzwingbar ist, richtet sich nach dem nationalen Recht des betreffenden Vertragsstaats. Nach deutschem Recht ist dies nicht möglich.[82]

11 Abgabe einer schriftlichen Erklärung unter Eid (Art 117 (1) g))

53 Dieses Beweismittel ist vor allem im englischen Rechtskreis als *affidavit* bekannt. Ob ein solches Beweismittel gegeben ist, richtet sich nach dem nationalen Recht der betreffenden Person. Aus der klaren Formulierung »Abgabe einer schriftlichen Erklärung unter Eid«, »sworn statements in writing« und »les déclarations écrites faites sous la foi de serment« kann gefolgert werden, dass es sich dabei nicht um die eidesstattliche Versicherung oder Erklärung nach deutschem Recht handelt (s Rdn 58–60).

54 Die schriftlichen Erklärungen unter Eid (affidavit) werden zB nach britischem Recht in der Weise abgegeben, dass der Erklärende seine Aussage niederschreibt und sie im Anschluss daran vor einer hierfür zuständigen Person beeidet; diese weist ihn auf die Folgen einer falsch beeideten Erklärung ausdrücklich hin. Die Formulierung einer solchen Erklärung ist Sache des Erklärenden. Die Einspruchsabteilung oder eine andere Instanz sollte keine Erklärungen unter Eid verlangen, deren Inhalt von ihr vorgegeben wird.[83] Dies birgt die Gefahr der Zeugenbeeinflussung in sich und könnte ernstliche Zweifel an der Beweiskraft derartiger Erklärungen wecken.

55 Die Beschwerdekammern des EPA beurteilen den Inhalt auch dieses Beweismittels im Wege der freien Beweiswürdigung.[84] Dabei gilt es allerdings zu berücksichtigen, dass der Verfasser einer schriftlichen Erklärung unter Eid in der Regel unter einer Strafandrohung seines nationales Rechts steht, wenn er wis-

---

82 Benkard, Patentgesetz, § 88 Rn 3; Schulte, Patentgesetz, § 46 Rn 42.
83 **T 804/92**, ABl 1994, 862.
84 **T 44/86** vom 13.10.1987 betr eines *sworn affidavit* nach US-amerikanischem Recht; **T 91/85** vom 27.1.1987 betr einer *statutory declaration* nach britischem Recht.

sentlich falsche Erklärungen abgibt.[85] Bei Zweifeln sollte der Erklärende jedenfalls als Zeuge geladen werden.[86]

Ein affidavit, das subjektive rechtliche Schlüsse enthält, wie zB die Bejahung der erfinderischen Tätigkeit, kann nicht die objektive Entscheidung des EPA über das Vorliegen dieses Kriteriums ersetzen.[87] 56

Eine Erklärung unter Eid wurde jedoch als mögliches Beweismittel für den Nachweis der Identität eines Einsprechenden angesehen[88] (siehe aber Art 99 Rdn 10). 57

12 Abgabe eidesstattlicher Erklärungen oder Versicherungen

Solche Erklärungen, die nicht beeidet worden sind, sondern an Eides statt abgegeben werden, finden sich nicht ausdrücklich in dem Katalog der vor dem EPA zugelassenen Beweismittel. Nach deutschem Recht gehört die eidesstattliche Versicherung nicht zu den üblichen Beweismitteln, sie wird nur in bestimmten Fällen zugelassen und hat dort gegenüber einer Zeugenaussage einen geringeren Beweiswert.[89] 58

Das EPA lässt eidesstattliche Erklärungen in ständiger Praxis als Beweismittel zu, wie eine schriftliche Erklärung unter Eid.[90] Es beurteilt sie im Wege der freien Beweiswürdigung. Angesichts der Bedeutung schriftlicher Beweismittel ist eine mündlich vorgetragene Tatsache grundsätzlich nicht glaubwürdiger als eine eidesstattliche Erklärung.[91] Soll aber eine Entscheidung auf der Grundlage einer bestrittenen eidesstattlichen Erklärung erfolgen, ist auf Antrag in der Regel der Verfasser als Zeuge zu hören, um die Glaubwürdigkeit der Erklärung zu festzustellen.[92]

Im einseitigen Verfahren können eidesstattliche Erklärungen zur Erhärtung eines Parteivorbringens dienen, um Zweifel der zuständigen Stelle am vorgetragenen Sachverhalt zu beseitigen. Die Partei kann zB aufgefordert werden, einen unklaren Sachverhalt durch eine eidesstattliche Erklärung ihrer Angestellten klarzustellen.[93] 59

---

85 J 10/04 vom 5.7.2004, Nr 3 betr eines *sworn statement* nach US-amerikanischem Recht.
86 **T 474/04**, ABl 2006, 129, Nr 7; J 10/04 aaO.
87 **T 140/82** vom 28.7.1983; **T 151/82** vom 20.1.1984.
88 **T 590/93**, ABl 1995, 337.
89 **T 474/04**, ABl 2006, 129, Nr 6; Schulte, Patentgesetz, § 46 Rn 43.
90 **T 970/93** vom 15.3.1996; **T 803/94** vom 21.1.1997; **T 558/95** vom 10.2.1997; **T 43/00** vom 9.5.2003, Nr 2.15; **T 481/00** vom 13.8.2004, Nr 4.4; **T 474/04** vom 30.6.2005, Nr 6.
91 **T 473/93** vom 1.2.1994.
92 **T 474/04**, ABl 2006, 129, Nr 7.
93 J 16/92 vom 25.4.1994.

60 Im zweiseitigen Verfahren werden eidesstattliche Erklärungen oft für den Nachweis einer offenkundigen Vorbenutzung eingereicht.[94] Da an diesen Nachweis in der Regel hohe Anforderungen gestellt werden (s Rdn 13), reichen solche Erklärungen im Bestreitungsfall wohl in den seltensten Fällen dafür aus.[95]

13 Beweisaufnahme durch Mitglieder (Art 117 (2))

61 Art 117 (2) sieht vor, dass die Organe des EPA, die aus mehreren Mitgliedern bestehen, eines ihrer Mitglieder mit der Beweisaufnahme beauftragen können. Dies geschieht insbesondere bei Einnahme des **Augenscheins**, vor allem bei einem Augenschein in einem weit vom Sitz des EPA entfernten Betrieb. Nach den PrüfRichtl E-IV, 1.3 ist dies in der Regel das nach Art 18 (2) oder 19 (2) beauftragte Mitglied. Im Beschwerdeverfahren kommt hierfür in erster Linie der Berichterstatter in Betracht, zur Vernehmung eines Zeugen das juristische Mitglied.[96] Die Beauftragung erfolgt nach dem Wortlaut der Bestimmung nicht durch den Vorsitzenden, sondern durch die Abteilung bzw die Beschwerdekammer.

14 Zuständigkeit für mündliche Vernehmungen (Art 117 (3))

62 Nach Art 117 (3) gibt es für das EPA **zwei Möglichkeiten**, Beteiligte, Zeugen und Sachverständige zu vernehmen. Entweder wird der Betroffene zur Vernehmung vor dem EPA geladen oder das zuständige Gericht des Staats, in dem der Betroffene seinen Wohnsitz hat, wird nach Art 131 (2) um die Vernehmung ersucht. Diese letztere Bestimmung ist auf Gerichte und andere zuständige Behörden der Vertragsstaaten beschränkt.

15 Wahlweise Vernehmung durch Gerichte (Art 117 (4))

63 Beteiligte, Zeugen und Sachverständige mit Wohnsitz in einem Vertragsstaat können nach Art 117 (4) beantragen, dass sie nicht vom EPA vernommen werden, sondern von einem zuständigen Gericht ihres Wohnsitzstaates, so zB ein französischer Zeuge in Gegenwart des juristischen Mitglieds der Beschwerdekammer von dem zuständigen Gericht in Frankreich.[97]

64 Auch wenn ein solcher Antrag nicht gestellt wird, der zu Vernehmende einer Ladung zur Vernehmung vor dem EPA jedoch nicht folgt, kann das EPA ein zuständiges Gericht des Wohnsitzstaates um Rechtshilfe bei der Vernehmung ersuchen (Art 131 (2)).

---

94 Statt vieler **T 614/93** vom 13.6.1995.
95 **T 474/04**, aaO.
96 **T 582/90** vom 11.12.1992.
97 **T 582/90** vom 11.12.1992.

Das Verfahren bei Rechtshilfeersuchen ergibt sich aus Art 131 (2) und R 99. Insbesondere sieht R 99 (3) vor, dass das zuständige Gericht oder die zuständige Behörde geeignete Zwangsmittel nach Maßgabe ihrer Rechtsvorschriften anzuwenden hat, mit denen ein Zeuge zur Aussage gezwungen werden kann.

16 Erneute Vernehmung durch ein Gericht unter Eid (Art 117 (5))

Hat das EPA die Vernehmung eines Beteiligten, Zeugen oder Sachverständigen bereits durchgeführt und hält es dann doch dessen Beeidigung für zweckmäßig, so kann es das hierfür zuständige Wohnsitzgericht des Betroffenen um Rechtshilfe (Art 131 (2)) ersuchen. Die Rechtshilfe besteht hier nicht nur in der Beeidigung des bereits aufgenommenen Protokolls, sondern in einer erneuten Vernehmung, für die das vom EPA aufgenommene Protokoll natürlich eine wichtige Grundlage bildet. Entgegen früheren Entwürfen dieser Bestimmung wurde die Wiederholung der Vernehmung und nicht nur die bloße nachträgliche Beeidigung durch Gerichte vorgesehen, um eine unter dem Eindruck der Beeidigung erzielte Aussage zu erhalten, auf die die jeweiligen strafrechtlichen Sanktionen des nationalen Rechts eindeutig angewendet werden können. Diese Möglichkeit ist auch für den Fall vorgesehen, dass der Betroffene zwar nicht unter Eid, aber in *gleichermaßen verbindlicher Form* vernommen werden soll. Beteiligte, Zeugen und Sachverständige sind auf diese Bestimmungen hinzuweisen, bevor sie vernommen werden (R 72(3)).

17 Ersuchen des EPA an ein Gericht um Vernehmung (Art 117 (6))

Art 117 (3) b) gibt dem EPA die Rechtsgrundlage und damit die Möglichkeit dafür, einen Beteiligten, Zeugen oder Sachverständigen durch ein Gericht des Vertragsstaats vernehmen zu lassen, in dem er seinen Wohnsitz hat. Art 117 (6) sieht vor, dass das Gericht auf Ersuchen des EPA die Vernehmung unter Eid oder in gleichermaßen verbindlicher Form vornimmt. Im Gegensatz zu der Regelung in Art 117 (5) hat in diesem Fall noch keine Vernehmung vor dem EPA stattgefunden.

Der 2. Halbsatz von Art 117 (6) stellt sicher, dass ein Mitglied des mit der Sache befassten Organs des EPA, etwa der beauftragte Prüfer oder der Berichterstatter, der Vernehmung beiwohnen und Fragen an die zu vernehmenden Personen stellen kann; dies geschieht je nach dem Prozessrecht des betreffenden Staates entweder über das Gericht oder unmittelbar (vgl R 99 (6)).

B Beweisaufnahme durch das EPA (R 72, 73, 76)

18 Allgemeines

Die R 72, 73 und 76 enthalten Vorschriften über die Beweisaufnahme durch das EPA. Der Titel *Beweisaufnahme* von R 72 ist in diesem Zusammenhang enger zu verstehen als in Art 117 und Art 104 (1). Er bezeichnet in R 72 nur **das formelle Verfahren**, das in Gang gesetzt wird, wenn das EPA die Vernehmung von Beteiligten, Zeugen oder Sachverständigen oder eine Einnahme des Augenscheins für erforderlich hält.[98] Diese Vorschriften gelten deshalb nur für die Beweismittel nach Art 117 (1) a), d), e) und f), nämlich die Vernehmung von Beteiligten, Zeugen und Sachverständigen sowie für eine Augenscheinseinnahme. Für die übrigen Beweismittel sind sie nicht bestimmt und geeignet.

19 Beweisbeschluss

70 Hält das zuständige Organ eine Beweisaufnahme für eines der unter Rdn 69 aufgeführten Beweismittel für erforderlich, so hat es nach R 72 (1) einen *Beweisbeschluss* in Form einer (Zwischen)Entscheidung zu erlassen. Dieser kommt als verfahrensleitender Verfügung allerdings keine Rechtskraftwirkung zu. Sie kann damit vom zuständigen Organ nötigenfalls abgeändert werden. Darin sind das betreffende Beweismittel, die rechtserheblichen Tatsachen (relevant facts, les faits pertinents), der Zeitpunkt und der Ort der Beweisaufnahme anzugeben. In der Praxis enthält der Beweisbeschluss darüber hinaus auch Angaben über die Höhe des Vorschusses, von dessen Hinterlegung die Ladung abhängig gemacht werden kann (Rdn 91–93) sowie den Hinweis, dass die zu ladende Person ihre Vernehmung durch das zuständige Gericht in ihrem Wohnsitzstaat verlangen kann (siehe Rdn 74).

71 Bezieht sich der Beweisbeschluss auf die Vernehmung von Zeugen und Sachverständigen, die ein Beteiligter noch nicht genannt hat, so wird ihm in der Entscheidung eine Frist zur Benennung dieser Personen gesetzt; die Frist beträgt nach R 84 gewöhnlich zwei Monate. Kommt der Beteiligte dieser Aufforderung nicht nach, so kann das Organ in freier Beweiswürdigung Schlüsse aus der Nichtbenennung zu vernehmender Personen ziehen.

72 Der Beweisbeschluss ist den Beteiligten nach Art 119 zuzustellen. Er ist nur zusammen mit der Endentscheidung anfechtbar, sofern nicht in dem Beweisbeschluss die gesonderte Beschwerde zugelassen ist (Art 106 (3)).

20 Ladung zur Beweisaufnahme

73 Die zu vernehmenden Beteiligten, Zeugen und Sachverständigen werden **zum Beweistermin geladen**. Nach R 72 (2) beträgt die Ladungsfrist mindestens zwei Monate, sofern die zu vernehmende Person nicht mit einer kürzeren Frist einverstanden ist. Werden zu vernehmende Personen von Beteiligten zu einem Beweistermin mitgebracht, so entfällt selbstverständlich die Frist. Ob in Sonderfällen auch hier die Ladungsfrist **gegen den Willen** einer zu vernehmenden Person verkürzt werden kann, wie im Fall der Ladung zu einer mündlichen

---

98 **T 323/89**, ABl 1992, 169; **T 374/02** vom 13.10.2005, Nr 1.3.

Verhandlung,[99] ist noch nicht entschieden, jedoch zu bezweifeln. Der beweisbelasteten Partei könnten in diesem Fall wohl kaum die Rechtsfolgen des Umstands aufgebürdet werden, dass der Zeuge zu diesem Termin (erwartungsgemäß) nicht erscheint. Anders dürfte es in einem Fall von Beweissicherung nach R 75 sein, wenn andernfalls der Zeuge überhaupt nicht mehr vernommen werden könnte (s Rdn 101–111).

74 Die Ladung enthält neben einem Auszug aus dem Beweisbeschluss und den Namen der am Verfahren Beteiligten auch einen Hinweis auf die den zu vernehmenden Personen zustehenden finanziellen Ansprüche (siehe Rdn 94, 97, 99 und 100). Darüber hinaus wird der zu Vernehmende in der Ladung auf Art 117 (4) hingewiesen, wonach er seine Vernehmung durch das zuständige Gericht seines Wohnsitzstaats beantragen kann, und er wird aufgefordert, innerhalb einer vom Amt gesetzten Frist seine Bereitschaft zum Erscheinen vor dem EPA mitzuteilen.

75 Die Vernehmung von Zeugen **ohne Ladung** (R 74 (2) letzter Satz) dürfte nach den Grundsätzen des rechtlichen Gehörs **nur mit dem Einverständnis** des Zeugen sowie aller Verfahrensbeteiligten in Frage kommen, und zwar auch im Hinblick auf R 72 (4), vgl Rdn 76.

21 Vernehmung

76 Nach R 72 (4) können die Verfahrensbeteiligten an der Beweisaufnahme teilnehmen und sachdienliche Fragen stellen (siehe Rdn 79). Den nicht zur Vernehmung geladenen Beteiligten ist daher mindestens einen Monat vor der Beweisaufnahme eine Abschrift der Ladung mit dem Hinweis zu übersenden, dass sie an der Beweisaufnahme teilnehmen können.[100]

77 Um die zu vernehmenden Personen **zu einer wahrheitsgemäßen Aussage anzuhalten**, werden sie nach R 72 (3) vor ihrer Vernehmung darauf hingewiesen, dass das EPA das zuständige Gericht in ihrem Wohnsitzstaat um Wiederholung der Vernehmung unter Eid oder in gleichermaßen verbindlicher Form ersuchen kann.

78 Die Vernehmung von Zeugen erfolgt gewöhnlich einzeln, dh in Abwesenheit anderer zu vernehmender Zeugen. Sachverständige und Verfahrensbeteiligte werden nicht einzeln vernommen. Im Falle widersprechender Zeugenaussagen können die Zeugen einander gegenübergestellt und bei gemeinsamer Anwesenheit wechselweise vernommen werden; dies gilt auch für Sachverständige.[101] Die Vernehmung beginnt damit, dass der zu Vernehmende nach Vornamen, Namen, Alter, Beruf und Wohnort gefragt wird.[102] Zeugen und Sachverständi-

---

99 **J 14/91**, ABl 1993, 479; Art 116 Rdn 41.
100 PrüfRichtl E-IV, 1.5.
101 PrüfRichtl E-IV, 1.6.4.
102 PrüfRichtl E-IV, 1.6.5.

ge werden außerdem darüber befragt, ob sie mit einem der Beteiligten verwandt oder verschwägert sind und ob sie ein Interesse daran haben, dass ein Beteiligter in dem Verfahren obsiege. Ähnliche Fragen werden auch bei Vernehmungen von nationalen Gerichten gestellt und führen dort unter Umständen zu einem Zeugnisverweigerungsrecht. Ein solches ist im EPÜ aufgrund der unterschiedlichen nationalen Auffassungen und Vorschriften in den Vertragsstaaten nicht vorgesehen. Da vor dem EPA niemand zu einer Aussage gezwungen werden kann, bedarf es auch keines solchen Rechts. Das EPA wird jedoch die unbegründete Verweigerung der Aussage entsprechend würdigen. Allerdings dürfte eine Aussageverweigerung, die nach dem nationalen Recht eines Zeugen vor nationalen Gerichten zulässig wäre, grundsätzlich nicht zu Ungunsten des beweisführenden Beteiligten gewertet werden können.

79 Nach R 72 (4) können die Beteiligten **sachdienliche Fragen** an die vernommenen Beteiligten, Zeugen und Sachverständigen richten. Dies ist vor allem dann von besonderer Bedeutung, wenn zB im Einspruchsverfahren Zeugen und Sachverständige eines anderen Beteiligten vernommen worden sind. Der Zeitpunkt, zu dem solche Fragen gestellt werden können, wird vom Leiter der Beweisaufnahme bestimmt. Er bestimmt ebenso, ob eine Frage zulässig ist oder nicht. Diese Anordnung ist keine *Entscheidung* im Sinne des Art 106 und daher nicht mit der Beschwerde anfechtbar; sie hat lediglich verfahrensleitenden Charakter.

80 Eine **Frage an den Zeugen ist zB dann unzulässig**, wenn der ihr zugrunde liegende Sachverhalt nicht mehr erörterungsbedürftig ist, wenn die Frage in keinerlei Zusammenhang mit dem Gegenstand der europäischen Patentanmeldung oder des angegriffenen europäischen Patents steht, oder wenn mit der Frage versucht wird, Tatsachen zu ermitteln, für die kein Beweisangebot vorliegt.[103]

22 Niederschrift über die Beweisaufnahme

81 Über die Beweisaufnahme wird nach R 76 eine Niederschrift aufgenommen. Diese besteht aus zwei Teilen:

Einmal enthält sie den wesentlichen Gang der Beweisaufnahme und die rechtserheblichen Erklärungen der Beteiligten (etwa Beschränkungen der Patentansprüche).

Zum anderen sind in ihr die Aussagen der Beteiligten, Zeugen und Sachverständigen sowie das Ergebnis eines Augenscheins festgehalten.

82 Die Aussagen der zu vernehmenden Personen sollen **möglichst umfassend** (in den wesentlichen Punkten fast wörtlich) aufgeführt werden.[104] Umfangreiche Aussagen werden gewöhnlich von einem Mitglied des zuständigen Organs

---

103 PrüfRichtl E-IV, 1.6.7.
104 PrüfRichtl E-IV, 1.7.

aufgenommen, und zwar meistens als Diktat auf ein Diktiergerät. Dabei wird vor allem, wenn ein Beteiligter hierauf Wert legt, die Aussage durch den Vernehmenden, wenn nötig abschnittsweise unter Berücksichtigung von Einwendungen des Vernommenen formuliert und in dieser Fassung in das Diktiergerät gesprochen.

Am Ende der Vernehmung wird der Vernommene aufgefordert, das von ihm mit angehörte Diktatprotokoll nach R 76 (2) zu genehmigen. Die Genehmigung und eventuelle Einwendungen sind in das Diktat aufzunehmen. Von dem Diktatprotokoll wird eine Niederschrift angefertigt und den Beteiligten in Abschrift zugestellt.[105]

83

Entsprechend den PrüfRichtl[106] kann die mündliche Beweisaufnahme auf **Tonträger** aufgezeichnet werden. Der Tonträger ist den Beteiligten in der Weise zugänglich zu machen, dass ihnen entweder gestattet wird, ihn abzuhören, oder dass er ihnen gegen Entgelt in Kopie ausgehändigt wird. Der Tonträger ist bis zum Abschluss des Verfahrens aufzubewahren.[107]

84

Bei einer Beweisaufnahme durch Einnahme des Augenscheins hat die Niederschrift neben dem wesentlichen Gang dieser Beweisaufnahme das Ergebnis des Augenscheins zu enthalten. Die Niederschrift der Beweisaufnahme ist nach R 76 (3) vom Vorsitzenden und dem Bediensteten, der sie aufgenommen hat, zu unterzeichnen. Nach R 76 (4) erhalten die Beteiligten eine Abschrift der Niederschrift.

85

23 Die Sprachen der Beweisaufnahme

Hinsichtlich der zu verwendenden Sprachen sind Art 14 und die dazugehörigen Regeln, insbesondere R 1 (3), R 2 (3), (5) und (6) zu beachten (siehe auch unter Art 14 Rdn 28 und 34).

86

Bei der Vorlegung von Urkunden (Art 117 (1) c)) ist vor allem R 1 (3) anzuwenden. Danach können Schriftstücke als **Beweismittel in jeder Sprache** eingereicht werden. Das EPA kann jedoch eine Übersetzung in eine seiner Amtssprachen innerhalb einer Mindestfrist von einem Monat verlangen. Wird die Übersetzung nicht rechtzeitig vorgelegt, so gilt das Schriftstück nach Art 14 (5) als nicht eingegangen (siehe Art 14 Rdn 18). Als Rechtsbehelf kommt die Wiedereinsetzung in den vorigen Stand nach Art 122 in Betracht.

87

Bei der **Vernehmung von Beteiligten, Zeugen und Sachverständigen** können sich diese, wenn sie sich in einer der Amtssprachen oder der Sprachen eines der Vertragsstaaten nicht hinlänglich ausdrücken können, auch einer anderen Sprache bedienen (R 2 (3)).

88

---

105 PrüfRichtl E-IV, 1.7.
106 E-IV, 1.7, letzter Absatz.
107 PrüfRichtl E-III, 10.1.

89 Erfolgt die Beweisaufnahme jedoch auf Antrag eines Beteiligten und verwendet die zu vernehmende Person keine Amtssprache des EPA, so hat der betreffende Beteiligte selbst für die Übersetzung in die Verfahrenssprache zu sorgen; das EPA kann jedoch auch die Übersetzung in eine seiner anderen Amtssprachen zulassen (R 2 (3) Satz 2 letzter Halbsatz).

90 In der **Niederschrift** werden die in einer der Amtssprachen des EPA abgebenen Erklärungen der vernommenen Personen nach R 2 (6) in dieser Sprache aufgenommen. Erklärungen in einer anderen Sprache werden in der Amtssprache aufgenommen, in die sie übersetzt worden sind.

C Kosten der Beweisaufnahme (R 74)

24 Hinterlegung eines Vorschusses

91 Durch Beweisaufnahmen entstehen naturgemäß Kosten. Nach R 74 (1) kann eine von einem Beteiligten beantragte Beweisaufnahme von der Hinterlegung eines Vorschusses in Höhe der geschätzten Kosten abhängig gemacht werden. Es handelt sich dabei um eine Kann-Vorschrift.

Nach den PrüfRichtl[108] trägt das EPA die ihm durch Beweisaufnahmen entstehenden internen Kosten selbst, zB die Reisekosten seiner Bediensteten.

92 Anders ist es aber mit den Kosten, die den Zeugen und Sachverständigen zu erstatten sind, sowie den Vergütungen für die Sachverständigen und dem Verdienstausfall, der den Zeugen zu ersetzen ist (siehe Rdn 94, 97, 99 und 100). Hat der Zeuge oder Sachverständige nicht auf die Entschädigung verzichtet, so wird im Erteilungs- und Einspruchsverfahren für diese Kosten die Hinterlegung eines Vorschusses verlangt. Wird kein Vorschuss hinterlegt, so braucht die Beweisaufnahme nicht vorgenommen zu werden.[109] Im Beschwerdeverfahren liegt es im Ermessen der Beschwerdekammer, ob sie die Kann-Vorschrift anwenden will.

93 Ob ohne die Einforderung des Vorschusses einem Beteiligten nachträglich die Kosten einer Beweisaufnahme in Rechnung gestellt werden können, ist fraglich, da er in diesem Fall nicht mehr die Möglichkeit hat, wegen der Höhe der geschätzten Kosten auf das betreffende Beweismittel zu verzichten.

25 Ansprüche der Zeugen und Sachverständigen auf Reise- und Aufenthaltskosten

94 Nach R 74 (2) haben die vom EPA geladenen und erschienenen Zeugen und Sachverständigen (nicht die Beteiligten) Anspruch auf Erstattung angemessener Reise- und Aufenthaltskosten. Ob sie wirklich vernommen worden sind,

---

108 E-IV, 1.9.
109 PrüfRichtl E-IV, 1.9.

ist für die Kostenerstattung ohne Bedeutung.[110] Zur Erstattung dieser Kosten siehe auch die Mitteilung des EPA über Entschädigungen und Vergütungen für Zeugen und Sachverständige[111] und die VO über Entschädigungen und Vergütungen für Zeugen und Sachverständige des Verwaltungsrats vom 21.10.1977.[112]

Nach der Verordnung des Verwaltungsrats vom 21.10.1977 werden die Reise- und Aufenthaltskosten für Zeugen und Sachverständige anhand der Bestimmungen berechnet, die für Beamte des EPA der Besoldungsgruppe A4 (Hauptprüfer, Jurist in leitender Stellung, Hauptverwaltungsrat) bei Dienstreisen angewendet werden. Die entsprechenden Bestimmungen sind in den Art 78 ff des Statuts der Beamten des EPA enthalten. 95

Auf schriftlichen Antrag, der auf dem mit der Ladung übersandten Antragsformular gestellt werden soll, kann ein **Vorschuss** auf die Reise- und Aufenthaltskosten gewährt werden. Für die Anordnung der Vorschüsse ist nach Art 4 (2) der Verordnung des Verwaltungsrats vom 21.10.1977 grundsätzlich die Abteilung oder Beschwerdekammer zuständig, die die Beweiserhebung angeordnet hat. 96

26 Ansprüche der Zeugen auf Entschädigung für Verdienstausfall

Nach R 74 (3) haben geladene und erschienene Zeugen auch Anspruch auf eine angemessene Entschädigung für Verdienstausfall. Der Verwaltungsrat hat in Art 2 (1) der Verordnung vom 21.10.1977[113] diese Entschädigung auf 1/60 des Monatsgehalts eines Beamten des EPA der Besoldungsgruppe A4 in der niedrigsten Dienstaltersstufe festgelegt. 97

Übersteigt die Gesamtdauer der erforderlichen Reise des Zeugen 12 Stunden, so wird nach Art 2 (2) der Verordnung für jeden begonnenen Zeitraum von 12 Stunden eine zusätzliche Entschädigung in Höhe von 1/60 des erwähnten Grundgehalts gezahlt. 98

27 Ansprüche von Sachverständigen auf Vergütung ihrer Tätigkeit

Die Sachverständigen haben neben dem Anspruch auf angemessene Reise- und Aufenthaltskosten nach R 74 (3) Anspruch auf Vergütung ihrer Tätigkeit, die nach Erfüllung ihres Auftrags gezahlt wird. Nach Art 3 der Verordnung des Verwaltungsrats vom 21.10.1977 wird die Höhe der Vergütung von Fall zu Fall unter Berücksichtigung eines Vorschlags des betreffenden Sachverständigen und etwaiger Stellungnahmen der Beteiligten festgesetzt.[114] 99

---

110 PrüfRichtl E-IV, 1.10.1.
111 ABl 1983, 100.
112 ABl 1983, 102.
113 ABl 1983, 102.
114 Mitteilung des EPA, ABl 1983, 100 (101).

28 Ansprüche von nicht geladenen Zeugen und Sachverständigen

100 Nach R 74 (2) Satz 3 haben auch Zeugen und Sachverständige, die ohne Ladung vor dem EPA erschienen sind und vernommen werden, Anspruch auf Erstattung der angemessenen Reise- und Aufenthaltskosten sowie nach R 74 (3) Anspruch auf angemessene Entschädigung für Verdienstausfall. Dies gilt jedoch nur dann, wenn das zuständige Organ dem begründeten Antrag eines Beteiligten auf eine zusätzliche Beweisaufnahme stattgibt.[115] Diese Vorschrift findet daher keine Anwendung, wenn etwa der zur Verhandlung mitgebrachte Erfinder oder ein sonstiger Firmenangehöriger mit Genehmigung des zuständigen Organs durch seine Ausführungen zur Klärung der Sach- und Rechtslage beiträgt, ohne ausdrücklich als Zeuge vernommen zu werden.

D Die Beweissicherung (R 75)

29 Allgemeines zu R 75

101 Die Beweissicherung, die in R 75 festgelegt wurde, ist eine vorsorgliche Beweisaufnahme außerhalb eines schwebenden Verfahrens vor dem EPA oder auch während des Verfahrens zu einem früheren Zeitpunkt, als der Beweis im Verfahren erforderlich ist, zB sofort nach Einlegung eines Einspruchs. Sie hat, aus dem kanonischen Recht übernommen (probatio ad perpetuam rei memoriam), Eingang in verschiedene nationale Prozessordnungen gefunden.

102 Bei Uneinigkeit zwischen dem EPA und einem Verfahrensbeteiligten über Tatfragen, zB darüber, ob ein Schriftstück an einem bestimmten Tag eingereicht worden ist, sollte die Beweisaufnahme unmittelbar nach Auftreten der Uneinigkeit durchgeführt werden.[116] In solchen Fällen bietet sich ein Beweissicherungsverfahren an.

30 Voraussetzungen der Beweissicherung

103 Das Verfahren wird nur eingeleitet, wenn

a) ein Antrag mit genau vorgeschriebenem Inhalt vorliegt (siehe Rdn 104),
b) die Beweissicherungsgebühr nach Art 2 Nr 17 GebO entrichtet worden ist,
c) bestimmte Tatsachen für eine wahrscheinlich später vom EPA über eine europäische Patentanmeldung oder ein europäisches Patent zu treffende Entscheidung von Bedeutung sein können und
d) zu besorgen ist, dass die Beweisaufnahme über diese Tatsachen zu einem späteren Zeitpunkt erschwert oder unmöglich sein wird.

---

115 PrüfRichtl, E-IV, 1.6.2.
116 **J 20/85**, ABl 1987, 102, Nr 4 und 5.

31 Antrag auf Beweissicherung

Der Antrag muss nach R 75 (2) enthalten:

a) Name und Anschrift des Antragstellers sowie Angaben über den Wohnsitz- oder Sitzstaat des Antragstellers;
b) eine ausreichende Bezeichnung der europäischen Patentanmeldung oder des europäischen Patents;
c) die Bezeichnung der Tatsachen, über die Beweis erhoben werden soll, also zB mangelnde Neuheit aufgrund einer gegenwärtig noch existenten Vorbenutzung;
d) die Bezeichnung der Beweismittel. Obwohl im EPÜ die Beweismittel für die Beweissicherung nicht beschränkt sind,[117] dürfte es sich hier in erster Linie um Zeugenvernehmungen oder Augenscheinseinnahmen handeln;
e) die Darlegung und die Glaubhaftmachung des Grundes, der die Besorgnis rechtfertigt, dass die Beweisaufnahme zu einem späteren Zeitpunkt erschwert oder unmöglich sein wird.

Als Gründe der Besorgnis erwähnen die PrüfRichtl[118] die Fälle, dass ein wichtiger Zeuge im Begriff ist, in ein abgelegenes Land auszuwandern, oder dass eine leicht verderbliche Sache, zB ein Nahrungsmittel, untersucht werden muss.

Ausdrücklich wird nicht nur die Darlegung des Grundes für die Besorgnis verlangt, sondern auch dessen Glaubhaftmachung. Dies ergibt sich auch aus dem englischen und französischen Text: »A statement establishing a prima facie case ...«, »un exposé du motif justifiant la présomption ...«. Die Glaubhaftmachung könnte erfolgen durch die Vorlage von eidesstattlichen Erklärungen und Urkunden sowie das Angebot von Zeugenaussagen.

32 Zeitpunkt der Beweisaufnahme

Je nach Dringlichkeit kann die sofortige Beweisaufnahme angebracht sein. R 75 (1) Satz 1 gibt dem EPA das Recht, die Beweisaufnahme *unverzüglich* (without delay, sans délai) vorzunehmen. Deshalb ist auch im Gegensatz zur üblichen Beweisaufnahme durch das EPA, für die in R 72 (2) eine Ladungsfrist von mindestens zwei Monaten vorgesehen ist, in R 75 (1) Satz 2 lediglich vorgeschrieben, dass der Zeitpunkt der Beweisaufnahme dem Anmelder oder Patentinhaber so rechtzeitig mitzuteilen ist, dass er daran teilnehmen kann. Das Gleiche dürfte auch für alle anderen Verfahrensbeteiligten gelten (R 75 (4) iVm R 72 (4) sowie Art 113 (1)). Betreffend einer verkürzten Ladungsfrist für Zeugen s Rdn 73.

---

117 Im Gegensatz zB zum deutschen Zivilprozessrecht (§ 485).
118 E-IV, 2.1.

33 Zuständigkeit und Durchführung der Beweisaufnahme

108 Zuständig für die Entscheidung über den Antrag auf Beweissicherung und die daraufhin erfolgende Beweisaufnahme ist das Organ des EPA, das für die entsprechende Sachentscheidung zuständig wäre (R 75 (4)). Für die Zeit vom Anmeldetag bis zur Stellung des Prüfungsantrags ist demnach die Eingangsstelle zuständig (vgl Rdn 19), danach bis zur Entscheidung über die Patenterteilung die Prüfungsabteilung, von diesem Zeitpunkt an bis zur Entscheidung über den Einspruch die Einspruchsabteilung, nach dem Erlass einer erstinstanzlichen Entscheidung bis zu deren Rechtskraft oder während eines anhängigen Beschwerdeverfahrens die Beschwerdekammer.

109 Das zuständige Organ trifft so schnell wie möglich die Entscheidung über den Antrag. Gibt es dem Antrag statt, erlässt es den in R 72 (1) vorgesehenen Beweisbeschluss, da nach R 75 (4) Satz 2 die Vorschriften über die Beweisaufnahme entsprechend anzuwenden sind. Trotz dieser Bestimmung wurde in R 75 (1) als Satz 3 die Vorschrift aufgenommen, dass der Anmelder oder Patentinhaber sachdienliche Fragen stellen kann, was wohl auch für andere Verfahrensbeteiligte gilt (R 75 (4) iVm R 72 (4) sowie Art 113 (1)).

110 Entspricht der Antrag nicht den Voraussetzungen der R 75, hält zB das Organ es nicht für glaubhaft gemacht, dass die Beweisaufnahme zu einem späteren Zeitpunkt erschwert sein wird oder sind die zu beweisenden Tatsachen nicht rechtserheblich, so weist es den Antrag in einer begründeten Entscheidung zurück. Hiergegen ist die Beschwerde nach Art 106 zulässig. Ändert sich der Grund der Besorgnis, verschlechtert sich zB der Gesundheitszustand des zu vernehmenden Zeugen, so ist ein erneuter Antrag auf Beweissicherung zulässig, der erheblich billiger ist, als eine Beschwerde.

34 Durchführung der Beweisaufnahme durch ein Gericht der Vertragsstaaten

111 Aufgrund der Verweisung in R 75 (4) Satz 2 auf die Vorschriften des Übereinkommens wird sichergestellt, dass die Vorschriften des Art 117 und der ergänzenden Regeln der AO über die Vernehmung von Beteiligten, Zeugen und Sachverständigen durch Gerichte der Vertragsstaaten auch bei Vernehmungen im Beweissicherungsverfahren angewendet werden.

Artikel 118 Einheit der europäischen Patentanmeldung oder des europäischen Patents

Verschiedene Anmelder oder Inhaber eines europäischen Patents für verschiedene benannte Vertragsstaaten gelten im Verfahren vor dem Europäischen Patentamt als gemeinsame Anmelder oder gemeinsame Patentinhaber. Die Einheit der Anmeldung oder des Patents im Verfahren vor dem Europäischen Patentamt wird nicht beeinträchtigt; insbesondere ist die Fassung der Anmeldung oder des Patents für alle benannten Vertragsstaaten einheitlich, sofern in diesem Übereinkommen nichts anderes vorgeschrieben ist.

Jürgen Kroher

Übersicht

1	Allgemeines	1-3
2	Fiktion des gemeinsamen Anmelders und des gemeinsamen Patentinhabers	4
3	Einheitliche Fassung der europäischen Patentanmeldung und des europäischen Patents	5
4	Unterschiedliche Patentansprüche, Beschreibungen und Zeichnungen für verschiedene Staaten	6-15

1 Allgemeines

Art 118 steht in engem Zusammenhang mit Art 59, der eine Einreichung einer **1** europäischen Patentanmeldung durch mehrere Personen gemeinsam und eine Benennung verschiedener Vertragsstaaten durch mehrere Anmelder zulässt, und mit Art 71, der eine Übertragung der europäischen Patentanmeldung für einen oder mehrere der benannten Vertragsstaaten erlaubt. Die Tatsache, dass verschiedene Anmelder oder Patentinhaber verschiedene Vertragsstaaten benannt haben, berührt also die Einheit der Anmeldung oder des Patents nicht, und R 100 bestimmt, wer in solchen Fällen für das Erteilungs- und Einspruchsverfahren als Vertreter anzusehen ist (siehe Art 59 Rdn 7–8).

Allerdings folgt aus dem Erfordernis der Einheitlichkeit nach Art 118, dass zwei oder mehr Personen, die gemeinsam eine Anmeldung einreichen, keine andere verfahrensrechtliche Stellung erlangen dürfen als ein einzelner Anmelder. Deshalb steht das Recht zu einer Teilanmeldung nach Art 76 den eingetragenen Inhabern der Stammanmeldung nur gemeinsam zu, es sei denn es liegt ein Sonderfall nach Art 61 oder R 20 (3) vor.[1]

Im PCT legt Art 9 (3) iVm R 4.5 d) in ähnlicher Weise fest, dass in einer internationalen Anmeldung für verschiedene Bestimmungsstaaten unterschiedliche **2** Anmelder genannt werden können.

Eine europäische Patentanmeldung kann auf Antrag des Anmelders mit einer **3** Euro-PCT-Anmeldung verbunden werden, wenn die Einheit der europäischen Patentanmeldung und des europäischen Patents gewahrt bleibt und die Verbindung mit Rücksicht auf den Verfahrensstand der beiden Anmeldungen zweckmäßig ist. Dies setzt insbesondere voraus, dass

a) beide Anmeldungen denselben Anmeldetag haben,

---

1 **J 2/01**, ABl 2005, 88.

Artikel 118 — Einheit der Anmeldung oder des Patents

b) die Prioritätsansprüche identisch sind,
c) Beschreibungen, Patentansprüche und Zeichnungen identisch sind,
d) dieselbe Verfahrenssprache gilt und
e) sofern die Anmeldungen nicht in einer Amtssprache des EPA eingereicht sind, die ursprüngliche Sprache der Anmeldungen dieselbe ist.[2]

2 Fiktion des gemeinsamen Anmelders und des gemeinsamen Patentinhabers

4   Satz 1 der Vorschrift stellt die Fiktion auf, dass verschiedene Anmelder oder Patentinhaber für verschiedene benannte Vertragsstaaten im Verfahren vor dem EPA als gemeinsame Anmelder und gemeinsame Patentinhaber gelten. Sie werden daher den in Art 59 genannten *gemeinsamen Anmeldern* gleichgestellt, die alle die gleichen Vertragsstaaten benennen. Diese Fiktion stellt klar, dass ein gemeinsamer Anspruch auf die Erteilung eines europäischen Patents besteht und nicht ein individueller für jeden einzelnen Anmelder, dass also mehrere Anmelder, auch wenn sie verschiedene Staaten benannt haben, vom EPA als Einheit, also wie ein einziger Anmelder behandelt werden. Dementsprechend wirkt die Entscheidung über die Beschwerde nur eines Inhabers auch gegenüber dem nicht beschwerdeführenden Inhaber,[3] und die Beschwerdegebühr fällt nur einmal an, auch wenn jeder Patentinhaber selbst Beschwerde erhoben hat.[4] Zu beachten ist, dass eine Beschwerde nach dem Einheitsgrundsatz die Anmeldung insgesamt erfasst, auch wenn sie nur die Gültigkeit einer Länderbenennung betrifft. Die aufschiebende Wirkung der Beschwerde gilt für die Anmeldung insgesamt, die Anmeldung unterliegt nicht der Weiterbehandlung, und die Rücknahmefiktion nach Art 110 (3) erfasst die gesamte Anmeldung einschließlich der wirksam benannten Vertragsstaaten.[5] Die Einheit gilt fort, wenn die Anmeldung für verschiedene Staaten nach Art 71 übertragen worden ist.

3 Einheitliche Fassung der europäischen Patentanmeldung und des europäischen Patents

5   In Satz 2 des Artikels wird die Einheit der europäischen Patentanmeldung und des europäischen Patents durch die Vorschrift verdeutlicht, dass insbesondere die Fassung der Anmeldung und des Patents für alle Staaten grundsätzlich einheitlich zu sein hat, auch wenn verschiedene Anmelder oder Patentinhaber für die verschiedenen benannten Staaten berechtigt sind. Dass eine europäische Pa-

---

2   Rechtsauskunft 10/92, ABl 1992, 662, Nr 8, 9, siehe Anhang 14.
3   **T 119/99** vom 25.05.2000, Nr **5**.
4   **T 326/86** vom 6.6.1988, Nr 5.
5   **J 29/94**, ABl 1998, 147, Nr 1.2.1.

tentanmeldung und ein europäisches Patent auch bei einem einzelnen Anmelder einheitlich zu sein hat, ergibt sich aus allgemeinen Erwägungen.[6]

4 Unterschiedliche Patentansprüche, Beschreibungen und Zeichnungen für verschiedene Staaten

Art 118 Satz 2 letzter Halbsatz schreibt die Einheit vor, »sofern in diesem Übereinkommen nichts anderes bestimmt ist«. Diese Einschränkung gilt für alle europäischen Patentanmeldungen, unabhängig davon, ob sie von einem Anmelder, von mehreren Anmeldern oder von gemeinsamen Anmeldern eingereicht worden sind. 6

Gegenwärtig wird die Einheit aus Gründen der Zweckmäßigkeit in folgenden Fällen durchbrochen: 7

a) Werden im Prüfungsverfahren ältere europäische Patentanmeldungen als sogenannte ältere europäische Rechte iSd Art 54 (3) und (4) festgestellt, so können nach R 87 für die betreffenden Staaten unterschiedliche Ansprüche eingereicht werden und, wenn es das Amt für erforderlich hält, auch unterschiedliche Beschreibungen und Zeichnungen.[7] 8

b) Ältere nationale Rechte (Art 139 (2)) werden in gleicher Weise berücksichtigt, wenn sie dem Amt mitgeteilt werden.[8] 9

c) Verfolgt der wirklich Berechtigte nach Art 61 (1) a) die europäische Patentanmeldung für bestimmte Staaten selbst weiter, so kann er für diese Staaten unterschiedliche Patentansprüche, Beschreibungen und Zeichnungen als in den restlichen Staaten vorlegen. Der gleiche Grundsatz gilt auch im Fall eines Einspruchsverfahrens für das europäische Patent. 10

d) Eine Durchbrechung der Einheit kann sich nach Art 99 (5) auch dann ergeben, wenn durch rechtskräftige Entscheidung in einem Vertragsstaat ein Dritter anstelle des bisherigen Patentinhabers in das Patentregister eingetragen ist und die Patentinhaber in einem Einspruchsverfahren vor dem EPA das Schutzrecht nicht gemeinsam verteidigen. 11

e) Auch bei europäischen Patentanmeldungen, in denen Staaten benannt sind, die nach Art 167 (2) a) einen Vorbehalt gemacht hatten (Österreich, Spanien, Griechenland), konnten für diese Staaten unterschiedliche Patentansprüche vorgelegt werden, die sich auf das von dem Vorbehalt nicht erfasste Herstellungsverfahren bezogen.[9] Diese Vorbehalte sind inzwischen abgelaufen. 12

---

6   **J 21/82**, ABl 1984, 65.
7   Siehe unter Art 123 Rdn 102–117.
8   Siehe unter Art 123 Rdn 110; R 87, geändert seit 1.6.1995; Rechtsauskunft 9/81, ABl 1981, 68 ist aufgehoben, ABl 1998, 359.
9   Für Österreich siehe Rechtsauskunft 4/80, ABl 1980, 48; vgl Art 167 Rdn 8–13.

13 Zusätzliche Anspruchsgebühren nach R 31 werden für zusätzliche Ansprüche, die auf diese Weise zustande kommen, grundsätzlich nicht fällig.

14 Maßgeblich für die Gebührenpflicht nach R 31 ist derjenige Satz von Ansprüchen, der die meisten Ansprüche enthält.[10] Einzelheiten und Beispiele sind in der revidierten Fassung (November 1985) der Rechtsauskunft 3/85 aufgeführt.[11]

15 Nach dem noch nicht in Kraft getretenen GPÜ wird es beim Gemeinschaftspatent weder unterschiedliche Schutzterritorien mehrerer Inhaber des Schutzrechts noch einen unterschiedlichen Schutzumfang in einzelnen Mitgliedstaaten geben, da Art 2 GPÜ die Einheitlichkeit sowohl im Hinblick auf den Geltungsbereich als auch bezüglich des Schutzinhalts ausdrücklich vorsieht.

Artikel 119 Zustellung

Das Europäische Patentamt stellt von Amts wegen alle Entscheidungen und Ladungen sowie die Bescheide und Mitteilungen zu, durch die eine Frist in Lauf gesetzt wird oder die nach anderen Vorschriften des Übereinkommens zuzustellen sind oder für die der Präsident des Europäischen Patentamts die Zustellung vorgeschrieben hat. Die Zustellungen können, soweit dies außergewöhnliche Umstände erfordern, durch Vermittlung der Zentralbehörden für den gewerblichen Rechtsschutz der Vertragsstaaten bewirkt werden.

Jürgen Kroher

Übersicht

1	Allgemeines	1-2
2	Die zuzustellenden Schriftstücke	3
3	Zustellungen durch nationale Patentämter der Vertragsstaaten	4
A	**Allgemeine Vorschriften über Zustellungen (R 77)**	5-6
4	Zustellungen des Originals oder einer beglaubigten Abschrift	5
5	Die Zustellungsarten	6
B	**Zustellung durch die Post (R 78)**	7-18
6	Allgemeines zu R 78	7
7	Zustellung durch eingeschriebenen Brief mit Rückschein	8-9
8	Zustellung durch eingeschriebenen Brief (ohne Rückschein)	10-11

---

10 **J 8/84**, ABl 1985, 261.
11 ABl 1985, 347.

9	Wirksamwerden der Zustellung durch eingeschriebenen Brief (mit und ohne Rückschein)	12-17
10	Zustellung nach dem PCT in der internationalen Phase.	18
C	**Zustellung durch unmittelbare Übergabe (R 79)**	19-21
11	Allgemeines zu R 79	19
12	Art der Übergabe	20
13	Verweigerung der Annahme	21
D	**Öffentliche Zustellung (R 80)**	22-24
14	Allgemeines zu R 80	22
15	Voraussetzungen für die öffentliche Zustellung . . .	23
16	Durchführung der öffentlichen Zustellung	24
E	**Zustellung an Vertreter (R 81)**.	25-30
17	Allgemeines zu R 81	25
18	Zustellung bei Bestellung eines Vertreters	26-29
19	Zustellung bei mehreren Beteiligten	30
F	**Heilung von Zustellungsmängeln (R 82)**	31-36
20	Allgemeines zu R 82	31
21	Mangelnder Nachweis der formgerechten Zustellung	32-33
22	Verletzung von Zustellungsvorschriften	34-36

1 Allgemeines

Die Zustellung (englisch notification, französisch signification) ist der Akt, durch den dem Adressaten Gelegenheit zur Kenntnisnahme eines vom EPA zu übermittelnden Schriftstücks in der im Übereinkommen vorgeschriebenen Art und Weise verschafft werden soll. Der Zweck der Zustellung erfordert grundsätzlich auch, dass das EPA die erfolgte Zustellung nachweisen kann.

Die Bestimmungen über die Zustellung weichen in ihren Einzelheiten von den nationalen Zustellungsvorschriften der Vertragsstaaten ab. So sieht Art 119 nur Zustellungen von Amts wegen und nicht im Parteibetrieb (von Anwalt zu Anwalt) vor.

Der Artikel schreibt ferner vor, welche Schriftstücke zugestellt werden müssen und dass bei Vorliegen außergewöhnlicher Umstände die Zustellung durch Vermittlung der Zentralbehörden für den gewerblichen Rechtsschutz der Vertragsstaaten bewirkt werden kann. Die Zustellung ist besonders für die Fristberechnung von Bedeutung, da im Verfahren die Fristen häufig erst mit oder nach der erfolgten Zustellung zu laufen beginnen.

Einzelheiten über die Zustellung sind in den R 77–82 festgelegt. Die Prüf-Richtl behandeln die Zustellung in Teil E-I, 2.

Artikel 119 *Zustellung*

EPÜ 2000

Die Neufassung von Art 119 bringt keine inhaltlichen Änderungen. Sie bestätigt zum einen die bisherige Amtspraxis, dass nicht nur alle Entscheidungen und Ladungen, sondern auch alle Bescheide und Mitteilungen des EPA von Amts wegen zuzustellen sind, unabhängig davon, ob sie eine Frist in Lauf setzen oder ob ihre Zustellung in den Vorschriften des Übereinkommens oder des Präsidenten angeordnet ist. Zum anderen stellt der neue Text klar, dass die Einzelheiten der Zustellung in der AO geregelt sind, wie dies schon bisher der Fall ist.

2 Im PCT enthält R 92.3 (Postversand durch nationale Ämter oder zwischenstaatliche Organisationen) die generelle Regelung, dass Mitteilungen, die eine Frist in Gang setzen, grundsätzlich als Luftpostsendung aufzugeben sind; Aufgabe durch normale Post erfolgt, wenn normale Post regelmäßig zwei Tage nach der Aufgabe beim Empfänger eingeht, oder wenn kein Luftpostdienst zur Verfügung steht. Anders als im europäischen Verfahren ist im PCT nach R 80.6 (Datum von Schriftstücken) für die Fristberechnung das Datum der tatsächlichen Absendung des Schriftstücks maßgebend, es sei denn, es wird nachgewiesen, dass das Schriftstück später als 7 Tage nach der tatsächlichen Absendung zugegangen ist; in diesem Fall verlängert sich die Frist um die Anzahl von Tagen, die diese 7 Tage überschreiten.

2 Die zuzustellenden Schriftstücke

3 Zustellungsbedürftige Schriftstücke sind nach Satz 1:

- Entscheidungen; die Zustellung muss auch erfolgen, wenn die Entscheidung bereits verkündet worden ist (R 68 (1) Satz 2). Erst mit der Zustellung beginnt die Beschwerdefrist zu laufen (Art 108 Satz 1);
- Ladungen; geladen wird zB zur mündlichen Verhandlung nach R 71 (1) und zur Beweiserhebung nach Art 117 (3) a) iVm R 72 (2);
- Bescheide und Mitteilungen, durch die eine Frist in Lauf gesetzt wird; dies sind zB
  - im Verfahren vor der Eingangsstelle die Mitteilungen nach R 31 (1), Satz 3, R 39 (Mitteilung aufgrund der Eingangsprüfung), nach R 41 (Beseitigung von Mängeln in den Unterlagen), nach R 42 (Nachholung der Erfindernennung), nach R 43 (Verspätet oder nicht eingereichte Zeichnungen), oder nach R 85a (1) und R 85b (Hinweis auf Fristversäumnis);
  - im Verfahren vor den Rechercheabteilungen Mitteilungen nach R 46 (1) und die Übersendung des Recherchenberichts nach Art 92 (2);
  - im Verfahren vor den Prüfungsabteilungen die Bescheide und Mitteilungen nach Art 96 und R 51;

- im Verfahren vor den Einspruchsabteilungen die Bescheide und Mitteilungen nach den Art 101 ff und R 56 ff;
- im Verfahren vor den Beschwerdekammern die Bescheide und Mitteilungen nach Art 110 und den R 65 ff;
- in allen Instanzen des EPA die Mitteilungen über einen Rechtsverlust nach R 69 (1).

– Bescheide und Mitteilungen, die nach anderen Vorschriften des EPÜ zuzustellen sind;
– Bescheide und Mitteilungen, für die der Präsident des EPA die Zustellung vorgeschrieben hat; bisher hat der Präsident noch keine derartige Vorschrift erlassen.

3 Zustellungen durch nationale Patentämter der Vertragsstaaten

Nach Satz 2 kann die Zustellung in Vertragsstaaten auch durch Vermittlung der nationalen Patentämter erfolgen. Voraussetzung ist jedoch, dass außergewöhnliche Umstände dies erfordern. Dies könnte der Fall sein, wenn die Zustellung durch die Post in einer sehr wichtigen Angelegenheit auch nach Rückfragen bei nationalen Behörden zu keinem Erfolg geführt hat und andererseits nicht zu erwarten ist, dass mit Hilfe der öffentlichen Zustellung nach R 80 das Schriftstück den Adressaten tatsächlich erreicht.

Nach R 77 (3) erfolgt diese Art der Zustellung nach den nationalen Vorschriften des betreffenden Vertragsstaats. Bei der Prüfung, ob ein Schriftstück wirksam zugestellt ist, hat das EPA die für das nationale Amt geltenden Vorschriften anzuwenden.

A Allgemeine Vorschriften über Zustellungen (R 77)

4 Zustellungen des Originals oder einer beglaubigten Abschrift

Das EPA stellt gewöhnlich eine beglaubigte Abschrift des zuzustellenden Schriftstücks zu (vgl zu den Formerfordernissen an das zuzustellende Schriftstück auch R 70 und R 66 (2)).

Reicht ein Beteiligter Schriftstücke zur Weiterleitung an andere Personen trotz Aufforderung nicht in mehreren Stücken ein (R 36 (4)), so fertigt das EPA die erforderlichen Stücke auf Kosten des Absenders an. Die von Beteiligten eingereichten Abschriften bedürfen nach R 77 (1) Satz 2 keiner Beglaubigung.

5 Die Zustellungsarten

R 77 unterscheidet zwischen unmittelbarer Zustellung (R 77 (2)) und Zustellung durch Vermittlung der Zentralbehörden für den gewerblichen Rechtsschutz der Vertragsstaaten (R 77 (3)).

Artikel 119 *Zustellung*

Zu den bisherigen Zustellungsarten (R 77 (2) a), b) und c)) ist durch die Änderung der AO vom 1.6.1991 unter d) die Zustellung durch technische Einrichtungen zur Nachrichtenübermittlung hinzugekommen. Ihre Benutzung für Mitteilungen des EPA an die Anmelder und ihre Vertreter wird seit längerem vorbereitet, ist aber bislang nicht verwirklicht. Art 14 des Beschlusses des Präsidenten vom 7.12.2000 (Beilage zum ABl Nr 4/2001) enthielt eine Regelung über die Online-Zustellung von Mitteilungen des EPA, aber diese Vorschrift wurde zwischenzeitlich widerrufen (ABl 2002, 543, Art 6). Zustellungsbedürftige Mitteilungen des EPA können folglich nach wie vor nicht per Telefax wirksam zugestellt werden, und der Zustellungsmangel wird auch nicht durch den nachweisbaren Zugang des Telefax geheilt.[1]

B Zustellung durch die Post (R 78)

6 Allgemeines zu R 78

7 Die Zustellung durch die Post ist naturgemäß die häufigste Zustellungsart und erfolgt nach R 78 durch eingeschriebenen Brief mit Rückschein oder durch eingeschriebenen Brief ohne Rückschein.

7 Zustellung durch eingeschriebenen Brief mit Rückschein

8 Diese Zustellungsart ist nach R 78 (1) Satz 1 vorgeschrieben für Entscheidungen, die eine Beschwerdefrist in Lauf setzen, sowie für Ladungen. Sie ist also zB weder anzuwenden auf Zwischenentscheidungen nach Art 106 (3), für die eine gesonderte Beschwerde nicht ausdrücklich zugelassen worden ist, noch auf die Entscheidungen der Beschwerdekammern des EPA. Für Ladungen gilt ausnahmslos diese Zustellungsart, gleichgültig, ob es sich um eine Ladung zur mündlichen Verhandlung oder um eine Ladung von Beteiligten, Zeugen oder Sachverständigen zu einer Beweisaufnahme handelt.

Diese Zustellungsart hat den Vorteil, dass der Rückschein mit der vom Postbeamten bestätigten Übergabe der Sendung zu den Akten genommen wird. Dies erleichtert die Feststellung, ob die dem Betroffenen gesetzten Fristen eingehalten worden sind, zB ob eine Beschwerde rechtzeitig eingelegt worden ist. Auch die Frage, ob eine Ladung vom EPA rechtzeitig vor der Verhandlung zugestellt worden ist, lässt sich so überprüfen.

9 Da auch Rückscheine öfter nicht zum EPA zurückkommen oder keinen Zustellvermerk tragen, ist das EPA dazu übergegangen, bei allen Zustellungen nach R 78 (1) Satz 1 dem Rückschein zusätzlich eine vorbereitete Empfangserklärung beizulegen mit der Bitte an den Empfänger, auf ihr den Empfang zu bestätigen und sie anschließend an das EPA zurückzusenden.[2]

---

1 **J 27/97** vom 26.10.1998, Nr 5, Rspr. BK 1998, S. 57.
2 ABl 1991, 577.

Der Präsident des EPA hat von seinem Recht, die Zustellung durch eingeschriebenen Brief mit Rückschein auf weitere Schriftstücke zu erweitern, bisher nicht Gebrauch gemacht.

8 Zustellung durch eingeschriebenen Brief (ohne Rückschein)

Diese Zustellungsart gilt nach R 78 (1) Satz 2 für alle anderen Zustellungen. Insbesondere findet sie Anwendung bei den zahlreichen Bescheiden und Mitteilungen des Amtes, die den Beteiligten auffordern oder ihm Gelegenheit geben, eine Handlung innerhalb einer gesetzten Frist vorzunehmen. Bis zum 31.12.1998 gab es noch eine dritte Zustellungsart durch gewöhnlichen Brief nach R 78 (2) aF. Sie ist mit der Änderung der AO zum 1.1.1999 entfallen.[3]

Wenn es bei der Zustellung durch eingeschriebenen Brief von Bedeutung für das Verfahren ist, an welchem Tag das Schreiben tatsächlich zugestellt worden ist, müssen Nachforschungen bei der zuständigen nationalen Postverwaltung angestellt werden. Solche Nachforschungen sind jedoch nach Art 42 (1) des Weltpostvertrags nur innerhalb eines Jahres, vom Tag nach der Einlieferung einer Sendung an gerechnet, zulässig.[4]

9 Wirksamwerden der Zustellung durch eingeschriebenen Brief (mit und ohne Rückschein)

Zustellungen mittels eingeschriebenen Briefs (mit oder ohne Rückschein) gelten grundsätzlich mit dem 10. Tag nach der Abgabe zur Post als zugestellt (R 78 (2)).

Nach der Praxis des EPA tragen Mitteilungen und Entscheidungen des Amts als **Datum** des Schriftstücks den Tag seiner **Abgabe zur Post.** Dieses Datum wird auch der (EDV-unterstützten) Fristüberwachung des EPA zugrunde gelegt. Im Prinzip kann der Anmelder daher davon ausgehen, dass das Datum des Schriftstücks plus 10 Tage nach R 78 (2) als Tag der Zustellung anerkannt wird.[5]

Trägt das Schriftstück also das Datum des 10. eines Monats, so gilt als Tag der Zustellung der 20. dieses Monats. Dies ist auch dann der Fall, wenn der 20. ein Tag ist, an dem das EPA nicht zur Entgegennahme von Schriftstücken geöffnet ist und eine nach R 85 (1) zu berechnende Frist erst am nächsten Arbeitstag ablaufen würde. Denn bei der Festlegung des Tags der Zustellung handelt es sich um keine Frist, innerhalb der eine Handlung gegenüber dem EPA vorzunehmen ist, sondern um die fiktive Festlegung des Zustellungstags.

Die Zugangsvermutung nach R 78 (2) ist widerlegbar, wobei das bloße Fehlen des Rückscheins oder der Empfangsbescheinigung in der Akte des EPA noch

---

3   ABl 1999, 2.
4   **J 15/84** vom 4.6.1985; **J 13/93** vom 5.7.1995.
5   Gall, 6. Aufl, S 96 f, Antwort auf Frage 7, S 114.

keinen »Zweifel« im Sinne von R 78 (2), letzer Halbsatz begründet.[6] Sie gilt allerdings nicht, wenn das Schriftstück überhaupt nicht oder an einem späteren Tag als dem 10. Tag dem Empfänger zugegangen ist. Im letzteren Fall ist der Tag der Zustellung der Tag, an dem das Schriftstück dem Empfänger tatsächlich zugegangen ist. Dabei kommt es darauf an, ob und wann der richtige Zustellungsempfänger, im Falle der Vertreterbestellung der Vertreter (R 81 (1)), über das vollständige Schriftstück verfügen konnte.[7] Es obliegt jeweils dem Amt, wenn es Schlüsse aus einer nicht rechtzeitigen Handlung eines Beteiligten ziehen will, die Fristversäumnis nachzuweisen; dazu gehört es, den Zeitpunkt der tatsächlichen Zustellung zu ermitteln. Dabei ist jedoch die 1-Jahresfrist für Nachforschungsanträge zu beachten (siehe unter Rdn 11).

14   Die Fiktion ist in ihrer Wirkung auch insoweit beschränkt, als sie nicht die tatsächliche Kenntnis des Betroffenen vom Wegfall eines Hindernisses im Sinne von Art 122 (2) ersetzt, um die dort vorgesehene 2-Monatsfrist in Lauf zu setzen.[8]

Zur Heilung von Zustellungsmängeln (R 82) siehe unter Rdn 31–36.

15   Die Zustellung ist auch dann bewirkt, wenn die Annahme des Briefes verweigert wird (R 78 (3)). Nach der Formulierung dieser Regel kommt es dabei nicht darauf an, ob der Adressat selbst die Annahme verweigert hat oder eine andere nach den Postvorschriften zur Entgegennahme der Sendung berechtigte Person (zB erwachsene Familienangehörige, Postbevollmächtigter). Welche Personen zur Entgegennahme von Einschreibsendungen und Postsendungen im allgemeinen berechtigt und verpflichtet sind, richtet sich nach den nationalen Postordnungen. Diese sind nach R 78 (4) vom EPA anzuwenden.

16   Werden zur Entgegennahme berechtigte Personen unter der angegebenen Anschrift nicht angetroffen, so wird die Sendung beim Postamt hinterlegt, und der Empfänger erhält vom Postbediensteten eine entsprechende Information (Abholschein). Die Zustellung ist erst mit der Abholung der Einschreibsendung vollzogen.

17   Nach der deutschen Postordnung gilt folgendes: Weigert sich ein entfernterer Angehöriger oder der Wohnungsinhaber, eine eingeschriebene Sendung entgegenzunehmen, so kann sie nicht zugestellt werden; nach den einschlägigen Bestimmungen scheidet eine solche Person, die nicht zum Empfang bereit ist, aus dem Kreis der Zustellungsempfänger aus.

10 Zustellung nach dem PCT in der internationalen Phase

18   Wird in der internationalen Phase eine Frist gesetzt, so ist für die Fristberechnung Art 80.6 PCT zu beachten: Fristen, die mit dem Datum eines Schrift-

---

6   **T 247/98** vom 17.6.1999, Nr 2.1, 2.6.
7   **T 703/92** vom 14.9.1995, Rspr BK 1998 VI-M 4., S 410.
8   **J 15/84** vom 4.6.1985.

stücks beginnen, verlängern sich, wenn der Beteiligte nachweist, dass ihm das Schriftstück später als 7 Tage nach dem Datum des Schriftstücks zugegangen ist. Die 7 Tage überschreitende Zahl von Tagen verschiebt das Frist**ende** ihrer Zahl entsprechend.

Beginnt eine Frist am Tag des Datums eines Schriftstücks und kann ein Beteiligter nachweisen, dass das Schriftstück an einem späteren Tag als seinem Datum abgesandt worden ist, so ist das Datum seiner tatsächlichen Absendung für den Frist**beginn** maßgebend.[9]

C Zustellung durch unmittelbare Übergabe (R 79)

11 Allgemeines zu R 79

Diese Zustellungsart soll die mit dem Postweg verbundenen Verfahrensverzögerungen vermeiden. So kann zB bei der Vertagung einer mündlichen Verhandlung oder Verschiebung einer Beweisaufnahme die Mindestfrist von zwei Monaten für die Ladung (R 71 (1) Satz 2, R 72 (2)) leichter eingehalten werden.

12 Art der Übergabe

Das Schriftstück wird dem Adressaten unmittelbar übergeben. Dieser hat den Empfang des Schriftstücks zu bestätigen. Eine unmittelbare Übergabe an Bedienstete oder Familienangehörige des Adressaten ist nicht vorgesehen und stellt keine wirksame Zustellung dar. Zur Heilung eines solchen Zustellungsmangels siehe R 82 (Rdn 31–36).

13 Verweigerung der Annahme

Die Zustellung gilt auch dann als bewirkt, wenn der tatsächliche Adressat die Annahme oder die Bescheinigung des Empfangs verweigert (R 79 Satz 2).

D Öffentliche Zustellung (R 80)

14 Allgemeines zu R 80

Die öffentliche Zustellung ist in den meisten Zivilprozeßordnungen als letztes Hilfsmittel bekannt, um Verfahren weiterzuführen und abzuschließen, wenn ein Beteiligter ohne Angabe seiner neuen Anschrift verzogen ist. Es wird gewöhnlich nicht damit gerechnet, dass der Adressat auf dem Wege über die öffentliche Zustellung tatsächlich von dem zuzustellenden Schriftstück Kenntnis erlangt. Theoretisch erhält er jedoch diese Möglichkeit.

---

9   Siehe Gall, S 97, 6. Aufl, Vorbemerkung zu Art 151–152 Rn 46.

15 Voraussetzungen für die öffentliche Zustellung

23 Diese Zustellungsart ist nur zulässig, wenn der Aufenthaltsort des Empfängers nicht festgestellt werden kann oder wenn die Zustellung durch die Post zweimal vergeblich versucht worden ist (R 80 (1)). Aus einem Vergleich mit dem englischen und französischen Text (address, l'adresse) kann geschlossen werden, dass die öffentliche Zustellung auch dann möglich ist, wenn zwar die Stadt des Adressaten bekannt ist, seine Anschrift aber nicht ermittelt werden kann.

Die seit 1991 in R 80 (1) enthaltene Ermächtigung, nach zwei vergeblichen Zustellversuchen zur öffentlichen Zustellung überzugehen, dient der Verwaltungsvereinfachung. Für das EPA entfällt damit der Zwang zu weiteren Nachforschungen. Das Zustellungsrisiko wird auf diese Weise auf den Empfänger verlagert.

16 Durchführung der öffentlichen Zustellung

24 Der Präsident des EPA hat in einer Mitteilung vom 11.1.1980 von der in R 80 (2) festgelegten Ermächtigung Gebrauch gemacht und die Einzelheiten der öffentlichen Zustellung geregelt.[10]

Danach erfolgt die öffentliche Zustellung durch Bekanntmachung im Europäischen Patentblatt, das wöchentlich erscheint. Neben der Nummer der europäischen Patentanmeldung oder des europäischen Patents, dem Namen und der letzten bekannten Adresse des Empfängers sind die Art des Schriftstücks (Entscheidung, Ladung, Mitteilung usw), sein Datum und die Stelle, wo es eingesehen werden kann, anzugeben.

Das Schriftstück gilt einen Monat nach dem Tag der Bekanntmachung der öffentlichen Zustellung im Europäischen Patentblatt als zugestellt.

Für die Anordnung der öffentlichen Zustellung ist die Stelle zuständig, die für die Zustellung des betreffenden Schriftstücks verantwortlich ist.

E Zustellung an Vertreter (R 81)

17 Allgemeines zu R 81

25 Die Zustellung an Vertreter hat große Bedeutung, da Patentanmelder häufig durch einen zugelassenen Vertreter vertreten sind. Aber auch dann, wenn mehrere Personen Anmelder oder Patentinhaber sind oder gemeinsam einen Einspruch eingelegt haben, haben diese Personen nach R 100 (siehe Art 59) einen gemeinsamen Vertreter, der – je nach Lage des Falles – kein zugelassener Vertreter zu sein braucht.

---

10 ABl 1980, 36.

18 Zustellung bei Bestellung eines Vertreters

Ist ein Vertreter im Verfahren vor dem EPA bestellt worden, gleichgültig, ob von Anmeldern oder Beteiligten aus Vertragsstaaten oder aus Nichtvertragsstaaten, so wird stets an den Vertreter zugestellt (R 81 (1)). Dieser Vertreter kann nach Art 134 (1) nur ein *zugelassener Vertreter* sein; er muss also in der Liste der zugelassenen Vertreter eingetragen oder ein Rechtsanwalt iSd Art 134 (7) sein.

Zugestellt wird an den Vertreter, sobald er bestellt ist. Hierfür ist nicht erforderlich, dass die Vollmacht bereits dem EPA vorliegt (R 81 (1)). Hat der Vertreter das Mandat niedergelegt, so gilt die Zustellung an ihn als ordnungsgemäß erfolgt, wenn das EPA sie noch vor Eingang der Niederlegung abgesandt hat. Die Zustellung braucht nicht wiederholt zu werden, sondern der Vertreter ist verpflichtet, den Mandanten über die Zustellung zu unterrichten.[11]

Ist trotz der Bestellung eines Vertreters an den Anmelder selbst zugestellt worden, so ist diese Zustellung unwirksam.[12] Zur Heilung dieses Mangels siehe R 82 (Rdn 36). Hat ein Beteiligter mehrere Vertreter bestellt, so genügt die Zustellung an einen dieser Vertreter (R 81 (2)).

Hat der bestellte Vertreter dieselbe Anschrift wie der Vertretene und wird der Beschluss des EPA dem Vertretenen selbst oder einem von ihm Beauftragten übergeben, so ist nicht ordnungsgemäß zugestellt worden, es sei denn, es ist nachweisbar, dass die Zustellung zunächst beim Vertreter persönlich oder bei einem von ihm zum Postempfang Berechtigten erfolglos versucht worden ist.[13]

19 Zustellung bei mehreren Beteiligten

Haben mehrere Beteiligte einen gemeinsamen Vertreter, so genügt die Zustellung eines einzigen Schriftstückes an ihn (R 81 (3)). Dies ist nicht nur dann der Fall, wenn sie einen gemeinsamen Vertreter bestellt oder bezeichnet haben, sondern auch dann, wenn dies nicht geschehen ist und im Wege der Fiktion einer der Beteiligten als gemeinsamer Vertreter gilt (R 100, siehe auch Art 59).

F Heilung von Zustellungsmängeln (R 82)

20 Allgemeines zu R 82

Kann die Zustellung nicht ordnungsgemäß nachgewiesen werden oder wurden Zustellungsvorschriften verletzt, so tritt der tatsächliche Zugang an die Stelle der Zustellung, wenn das EPA den Zugang nachweisen kann.

---

[11] **J 19/92** vom 11.10.1993, Rspr BK 1998, VI-M 4., S 410; **T 247/98** vom 17.6.1999, Nr 1.

[12] Bericht der Münchner Diplomatischen Konferenz M/PR/I Nr 2348, 2349; **T 703/92** vom 14.9.1995, Rspr BK 1998 VI-M 4., S 410.

[13] **J 39/89** vom 22.5.1991.

21 Mangelnder Nachweis der formgerechten Zustellung

32 Da Fristen häufig mit der Zustellung eines Schriftstücks zu laufen beginnen, muss in diesen Fällen der Tag der Zustellung genau festgestellt werden können. Ist zum Beispiel bei der Zustellung einer Einschreibsendung mit Rückschein dieser Rückschein nicht bei den Akten und auch nicht mehr zu ermitteln, oder lässt sich bei einer Einschreibsendung (ohne Rückschein) der Zeitpunkt der Zustellung oder die Frage, wem tatsächlich zugestellt worden ist, nicht eindeutig klären, so gilt als Zustellungstag der Tag, den das EPA als Tag des Zugangs nachweist, frühestens jedoch der 10. Tag nach Abgabe zur Post.

33 Zuweilen ist es dem EPA unmöglich, den genauen Tag nachzuweisen, an dem das Schriftstück dem Adressaten tatsächlich zugegangen ist; dies weiß in den meisten Fällen nur der Adressat selbst.

Die Bestimmung wird daher ihrem Sinn nach so ausgelegt, dass das EPA als Tag des Zugangs den Tag ansieht, an dem der Zustellungsempfänger auf jeden Fall im Besitz des Schriftstückes war. Ist also in dem Rückschein ein offensichtlich unrichtiges Datum durch den Postbediensteten vermerkt, so wird als Tag des Zugangs der Tag angesehen, den der Empfänger als solchen angegeben hat oder spätestens der Tag, an dem er unter Bezugnahme auf das zugegangene Schriftstück ein Schreiben an das EPA gerichtet hat (PrüfRichtl, E-I, 2.4).

Kann weder die Zustellung noch der Zugang nachgewiesen werden, so wird die entsprechende Frist nicht in Gang gesetzt.[14]

22 Verletzung von Zustellungsvorschriften

34 Zustellungen, die unter Verletzung von Zustellungsvorschriften bewirkt wurden, sind fehlerhaft und setzen Fristen, die sonst mit der Zustellung zu laufen beginnen, nicht in Gang.

Dies gilt zB, wenn Entscheidungen, durch die eine Beschwerdefrist in Lauf gesetzt wird, nur mit einfachem Einschreibbrief oder Mitteilungen an den Anmelder mit gewöhnlichem Brief zugestellt werden, wenn die Zustellung an eine nicht zur Annahme berechtigte Person erfolgt, wenn öffentlich zugestellt wird, ohne dass die Voraussetzungen für eine öffentliche Zustellung vorliegen (Rdn 23), oder wenn das Schriftstück zunächst unvollständig übermittelt wurde.[15]

35 Verletzungen der Zustellungsvorschriften werden jedoch geheilt, wenn das Schriftstück dem Adressaten tatsächlich zugegangen ist. Auch hier gilt ohne Ausnahme, dass als Tag des Zugangs der Tag angesehen wird, an dem der Adressat nachweislich das Schriftstück tatsächlich in Händen gehabt hat (vgl Rdn 32–33). Voraussetzung ist allerdings, dass das zuzustellende Schriftstück, dh das Originalschriftstück, eine beglaubigte oder mit Dienstsiegel versehene

---

14 **J 39/89** vom 22.5.1991.
15 **T 703/92** vom 14.9.1995, Nr 1.1.2, Rspr BK 1998, VI-M 4., S 410.

Abschrift oder ein mit Dienstsiegel versehener Computerausdruck (R 77 (1)) zugegangen ist.[16]

Ist trotz Vertreterbestellung entgegen R 81 an den Anmelder selbst zugestellt worden (Rdn 28), so kommt es darauf an, ob und wann der Vertreter in den Besitz des Schriftstücks gekommen ist.[17]   36

Artikel 120 Fristen

In der Ausführungsordnung wird bestimmt:

a) die Art der Berechnung der Fristen sowie die Voraussetzungen, unter denen Fristen verlängert werden können, wenn das Europäische Patentamt oder die in Artikel 75 Absatz 1 Buchstabe b genannten Behörden zur Entgegennahme von Schriftstücken nicht geöffnet sind oder Postsendungen am Sitz des Europäischen Patentamts oder der genannten Behörden nicht zugestellt werden oder die Postzustellung allgemein unterbrochen oder im Anschluss an eine solche Unterbrechung gestört ist;

b) die Mindest- und die Höchstdauer der vom Europäischen Patentamt zu bestimmenden Fristen.

Jürgen Kroher

Übersicht

1	Vorbemerkung	1-2
2	Allgemeines zum europäischen Fristensystem	3-6
3	Inhalt des Art 120	7-8
A	**Berechnung der Fristen (R 83)**	9-33
4	Allgemeines zu R 83	9-10
5	Fristeinheiten	11
6	Fristbeginn und maßgebliches Ereignis	12-16
7	Fristende bei Jahres- und Monatsfristen	17-19
8	Fristende bei Wochenfristen	20
9	Fristende am Wochenende oder Feiertag	21
10	Berechnung zusammengesetzter Fristen	22-33
B	**Dauer der Fristen (R 84)**	34-44
11	Allgemeines zu R 84	34
12	Dauer der zu bestimmenden Fristen	35-39
13	Frei bestimmbare Fristen	40
14	Fristverlängerung auf Antrag	41-44
C	**Verspäteter Zugang von Schriftstücken (R 84a)**	45-48
15	Allgemeines zu R 84a	45-46

---

16 **J 27/97** vom 26.10.1998.
17 **T 703/92** vom 14.9.1995, Rspr BK 1998, VI-M 4., S 410.

16	Rechtzeitige Aufgabe und Nachweis; Übermittlungsdienste und Übersendungsarten	47-48
D	**Generelle Verlängerung von Fristen (R 85)**	49-65
17	Allgemeines zu R 85	49
18	Fristverlängerung am Wochenende oder Feiertag . .	50
19	Verlängerung aller laufenden Fristen	51
20	Fristverlängerung, wenn das EPA geschlossen, aber nationaler Arbeitstag ist	52
21	Keine Fristverlängerung, wenn ein Arbeitstag im EPA national ein Feiertag ist	53-54
22	Unterbrechung der Postzustellung	55-60
23	Beendigung der Unterbrechung	61
24	Anwendung auf nationale Patentämter	62
25	Unterbrechung des Dienstbetriebs des EPA	63-65
E	**Nachfristen für Gebührenzahlungen und für die Stellung des Prüfungsantrags (R 85a, R 85b)**	66-77
26	Allgemeines zu R 85a und R 85b	66-67
27	Dauer und Lauf der Nachfrist	68
28	Die Nachfrist der R 85a	69-74
29	Die Nachfrist der R 85b	75-77
F	**Unterbrechung des Verfahrens (R 90)**	78-96
30	Allgemeines zu R 90	78-80
31	Die Fälle der Unterbrechung	81-86
32	Fehlende Geschäftsfähigkeit des Vertreters	87-89
33	Weiterer Lauf der unterbrochenen Fristen	90-96

1 Vorbemerkung

1   Fristen sind nach allgemeinem Sprachgebrauch Zeiträume für die Vornahme von Handlungen, die bedeutsam sind für den Eintritt von bestimmten Rechtswirkungen. Das EPÜ hat ein eigenständiges Fristensystem entwickelt, das in verschiedener Hinsicht von den nationalen und anderen internationalen Fristensystemen abweicht. Einen Überblick über das Fristensystem des EPÜ gibt Gall, Berechnung von Fristen, Mitt. 1991, 137; Gall, 6. Aufl, S 86 ff.

Im europäischen System sind bestimmte zwingende Fristen länger als im nationalen Recht; sie bedürfen jedoch genauer Beachtung, und die Folgen ihrer Versäumnis sind härter als nach den nationalen Systemen der Vertragsstaaten. Andererseits sind aber die Folgen von Fristversäumungen in der Regel leichter zu beheben als zB nach deutschem Recht.

Die Grundlage der Fristenregelung bildet Art 120 (Fristen). Die Einzelheiten sind festgelegt in den R 83 (Berechnung der Fristen), 84 (Dauer der Fristen), 84a (Verspäteter Zugang von Schriftstücken), 85 (Verlängerung von Fristen), 85a (Nachfrist für Gebührenzahlungen), 85b (Nachfrist für die Stellung des Prüfungsantrags) und 90 (Unterbrechung des Verfahrens).

Die PrüfRichtl enthalten in Teil E-VIII, 1 weitere Ausführungen. Siehe im übrigen auch die einschlägigen Artikel der Gebührenordnung (Anhang 5).

Im PCT sind die Grundsätze für die Fristenregelung in Art 47, 48 und R 80 ff festgelegt. Die Fristenberechnung nach dem PCT deckt sich nicht in allen Einzelheiten mit der Fristenberechnung nach dem EPÜ.[1]

EPÜ 2000

Das **EPÜ 2000** sieht für Art 120 nur eine sprachliche Überarbeitung vor und stellt klar, dass Fristen, die in Verfahren vor dem EPA einzuhalten und nicht bereits im Übereinkommen festgelegt sind, in der Ausführungsordnung zu bestimmen sind. Dennoch wird die AO weiterhin das EPA ermächtigen, bestimmte Fristen selbst festzulegen.

Für die R 83 und R 84a bringt die dem EPÜ 2000 angepasste AO keine Änderungen. R 84, R 85 und R 90 wurden lediglich redaktionell angepasst, wobei die Neufassung von R 84 (1) klarstellt, dass die Bezugnahme im EPÜ oder in der AO auf eine »zu bestimmende Frist« bedeutet, dass diese Frist vom EPA bestimmt wird.

Die Nachfristen in R 85a, R 85b und R 108 (3) Satz 3, die eingeführt worden waren, um die strengen Folgen einer Säumnis bei den Fristen für Gebührenzahlungen und die Stellung des Prüfungsantrags abzumildern (siehe Rdn 66), werden durch den erweiterten Anwendungsbereich der Weiterbehandlung nach Art 121 EPÜ 2000 überflüssig. In ihrer neuen Fassung enthalten beide Regeln deshalb keine Nachfristen mehr, sondern R 85a befasst sich mit der Durchführung von Art 121 EPÜ 2000 und R 85b regelt Einzelheiten der Wiedereinsetzung nach Art 122 EPÜ 2000.

2 Allgemeines zum europäischen Fristensystem

Anwendbares Recht vor Inkrafttreten des EPÜ 2000: Das EPÜ unterscheidet zwischen Fristen, deren Dauer das EPÜ oder die AO festlegt (zB für die Zahlung der Anmelde-, Recherchen- und Benennungsgebühren sowie für die Einreichung des Prüfungsantrags, eines Einspruchs oder einer Beschwerde) und Fristen, die vom EPA in jedem Einzelfall bestimmt werden (zB für die Mängelbeseitigung im Formalprüfungsverfahren oder für die Beantwortung von Bescheiden der Prüfungs- und Einspruchsabteilungen sowie der Beschwerdekammern). Diese Unterscheidung ist insofern wichtig, als bei Fristen, deren Dauer im EPÜ und in der AO festgelegt ist, keine Verlängerung und bei Versäumung keine Weiterbehandlung nach Art 121 möglich ist, sondern nur die Wiedereinsetzung in den vorigen Stand nach Art 122, sofern diese nicht ausdrücklich ausgeschlossen ist. Hier ist also kein Raum für Ermessensentscheidungen des EPA.[2] Die Neufassung der Art 120 und 121 im **EPÜ 2000** sieht

---

1 Siehe auch Gall, 6. Aufl, S 88 ff; zu R 80.6 PCT siehe Art 119 Rdn 18.
2 Vgl **J 47/92**, ABl 1995, 180, für die Nachfrist nach R 85b.

vor, dass die Weiterbehandlung nicht mehr nur bei Fristen möglich ist, die das EPA bestimmt hat, sondern auch für Fristen gilt, die im EPÜ oder in der AO geregelt sind, und dass die Weiterbehandlung nur für die in Art 121 (4) ausdrücklich aufgeführten Fristen ausgeschlossen ist.

4 Von Bedeutung ist, dass für verschiedene Fristen, deren Länge weder im EPÜ noch in der AO vorgeschrieben ist, die Dauer einheitlich entweder vom Präsidenten des EPA durch Beschluss oder vom EPA generell in den PrüfRichtl festgelegt ist (siehe unter Rdn 34). Da dies vom EPA zu bestimmende Fristen sind, ist bei ihrer Versäumung die Weiterbehandlung nach Art 121 möglich.

5 Fristen, deren Länge das EPA bestimmen kann, können, sofern dies nicht ausdrücklich ausgeschlossen ist, in besonders gelagerten Fällen verlängert werden (R 84 Satz 2). Bei ihrer Versäumnis ist, wenn es sich um den Patentanmelder oder Patentinhaber handelt, grundsätzlich die Weiterbehandlung nach Art 121 und die Wiedereinsetzung in den vorigen Stand nach Art 122 unter den dort vorgesehenen Voraussetzungen möglich.

6 Für bestimmte Fristen, die es selbst festlegen kann, ist das EPA an einen bestimmten Zeitrahmen gebunden, zB in R 46 (1) (Entrichtung weiterer Recherchengebühren) oder in R 112 Satz 2 (Entrichtung zusätzlicher Recherchengebühren) an eine Fristspanne von zwei bis sechs Wochen.

3 Inhalt des Art 120

7 Die Vorschrift enthält nur die Ermächtigung, das Fristensystem des Übereinkommens in der AO näher zu regeln. Diese Ermächtigung ist nicht genereller Natur, vielmehr sind die in der AO zu regelnden Sachverhalte im einzelnen festgelegt.

So wurden die Folgen von Fristversäumungen nicht in den Katalog der Ermächtigung aufgenommen. Sie sind vielmehr im Übereinkommen selbst im Zusammenhang mit den betreffenden Bestimmungen geregelt. Je nach Lage können die Rechtsfolgen verschieden sein.

Beispiele: Die Anmeldung wird nicht als europäische Patentanmeldung behandelt (Art 90 (2)); die europäische Patentanmeldung gilt als zurückgenommen (Art 90 (3), 94 (3), 96 (3)); die europäische Patentanmeldung wird zurückgewiesen oder der Prioritätsanspruch erlischt (Art 91 (3)); das europäische Patent wird widerrufen (Art 102 (4)). Tritt durch die Fristversäumung ein unmittelbarer Rechtsverlust ein, so ist dies dem Betroffenen nach R 69 (1) mitzuteilen (zum Verfahren nach R 69 siehe Art 106 Rdn 7–14).

8 Ist für den Fall der Versäumung einer Frist eine bestimmte Rechtsfolge nicht vorgesehen, so sind auch Eingaben und Anträge, die nach Ablauf einer nicht mit Sanktionen belegten Frist, aber vor Beschlussfassung eingehen, zu berücksichtigten. Dies gilt insbesondere für das Einspruchsverfahren. Allerdings können neue Tatsachen und Beweismittel nach Art 114 (2) als verspätet behandelt werden und unberücksichtigt bleiben.

A Berechnung der Fristen (R 83)

4 Allgemeines zu R 83

Die in dieser Regel vorgeschriebene Berechnung der Fristen beruht auf den nationalen Regeln der Vertragsstaaten, ist jedoch eigenständig und entwickelt sich laufend weiter. Die Rechtsauskünfte des EPA und die Beschwerdeentscheidungen zeigen die Weiterentwicklung bei der Auslegung dieser Vorschriften.

Das System der Fristenberechnung ist durch zahlreiche Änderungen der AO geprägt.[3]

Folgende Grundsätze lassen sich jedoch festhalten:[4]

a) Fristen werden nach vollen Tagen, Wochen, Monaten oder Jahren gerechnet.
b) Der Fristbeginn wird stets durch ein maßgebliches *Ereignis* ausgelöst.
c) Alle Fristen beginnen an dem auf das Ereignis folgenden Tag um 0 Uhr und enden mit Ablauf des letzten Tages der Frist um 24 Uhr.
d) Das Ende der nach Wochen, Monaten oder Jahren bestimmten Frist wird durch die Benennung oder die Zahl des Ereignistages bestimmt.
e) Die Frist wird analog R 83 (2) Satz 2 durch den Zugang der erforderlichen Erklärung beim EPA gewahrt.

5 Fristeinheiten

Die Fristberechnung nach dem EPÜ erfolgt nach vollen Tagen, Wochen, Monaten oder Jahren (R 83 (1)). Stunden oder Bruchteile von Tagen, Monaten oder Jahren verwendet das EPÜ nicht.

6 Fristbeginn und maßgebliches Ereignis

Der Lauf jeder Frist wird durch ein *Ereignis* ausgelöst. Die Frist beginnt zwar unmittelbar mit dem maßgeblichen Ereignis,[5] aber für die Fristberechnung wird nach R 83 (2) mit dem Tag begonnen, der auf den Tag des maßgeblichen Ereignisses (relevant event) folgt. Der Tag nach dem Tag des maßgeblichen Ereignisses ist also der erste Tag der Frist. Zutreffend weist Gall[6] darauf hin, dass die Unterscheidung zwischen fristauslösendem Ereignis und Fristbeginn für die nach Wochen, Monaten oder Jahren bestimmten Fristen keine Bedeutung hat, sondern nur für die nach Tagen bestimmten Fristen relevant ist.[7] Das

---

3 Vgl die vorzügliche Darstellung von Gall, 6. Aufl, S 88 ff.
4 Vgl die grundlegende Entscheidung **J 14/86**, ABl 1988, 85.
5 **G 6/91**, ABl 1992, 505, Nr 9.
6 Mitt. 1991, 137.
7 Vgl auch **J 13/88** vom 23.9.1988, die eine Verbesserung der Formulierung von R 83 anregt.

EPÜ legt außer bei der Zustellungsfiktion der R 78 (2) keine Zeiten nach Tagen fest, aber Tagesfristen können in Verfügungen des EPA oder durch Absprachen zwischen den Parteien gesetzt werden. Hier ist klar, dass die Frist mit dem Tag beginnt, der auf den Tag des maßgeblichen Ereignisses folgt.

13   Das fristauslösende Ereignis kann nach dem Wortlaut der Bestimmung eine Handlung oder der Ablauf einer früheren Frist sein.

Aber auch andere Ereignisse, die eigentlich weder Handlungen noch Fristabläufe sind, können den Lauf einer Frist in Gang setzen. Das ergibt sich zB aus Art 122 (2) Satz 1, wonach die Frist für den Wiedereinsetzungsantrag mit dem Wegfall des Hindernisses zu laufen beginnt.

14   Die **Handlung** kann in der Einreichung von Schriftstücken bestehen, wie der Anmeldung (Art 78 (2)) oder der Prioritätsunterlagen (Art 88 (1), R 38 (3)), oder es kann sich um eine Veröffentlichung im Europäischen Patentblatt handeln, zB die Veröffentlichung des europäischen Recherchenberichts für den Prüfungsantrag (Art 94 (2)) oder den Hinweis auf die Erteilung des europäischen Patents für den Einspruch (Art 99). Auch die Offenbarung einer Erfindung nach Art 55 ist eine solche Handlung.

15   Ist die Handlung eine Zustellung, so ist das maßgebliche Ereignis grundsätzlich der Zugang des Schriftstücks, sofern nichts anderes bestimmt ist (R 83 (2) Satz 2).

Diese Grundsatzregelung, wonach der Zugang das fristauslösende Ereignis sein soll, ist jedoch im Verfahren vor dem EPA die Ausnahme. Sie gilt im wesentlichen nur bei der Zustellung durch Übergabe (R 79) und bei der Zustellung durch Vermittlung einer Zentralbehörde für den gewerblichen Rechtsschutz eines Vertragsstaats (R 77 (3)).

Im Verfahren vor dem EPA ist die übliche Zustellung die mit eingeschriebenem Brief mit oder ohne Rückschein (R 78 (1)). Für diese Zustellungsart schreibt R 78 (2) ausdrücklich vor, dass das Schreiben mit dem 10. Tag nach der Abgabe zur Post als zugestellt gilt. Dieser Tag ist auch dann für die Fristberechnung maßgebend, wenn er ein Samstag, Sonntag oder Feiertag ist.[8] Nur wenn das Schriftstück nach diesem Zeitpunkt eintrifft, ist maßgebliches Ereignis sein tatsächlicher Zugang.

16   Der **Ablauf einer früheren Frist** ist das fristauslösende Ereignis beispielsweise bei der Nachfrist nach R 85a (2).

7 Fristende bei Jahres- und Monatsfristen

17   Der letzte Tag einer nach Jahren oder Monaten bestimmten Frist trägt dieselbe Zahl wie der Tag, an dem das fristauslösende Ereignis eingetreten ist (Art 83 (3) und (4)).

---

[8] siehe Gall, 6. Aufl, S 99 ff.

Hat der Monat des Fristablaufs keinen Tag mit der entsprechenden Zahl (im 18
Schaltjahr oder am Monatsende), so läuft die Frist am letzten Tag dieses Monats
ab.
Beispiele:
- Tritt das maßgebliche Ereignis in einem Schaltjahr am 29. Februar ein, so läuft eine Jahresfrist im nächsten Jahr am 28. Februar ab. Beginnt die Frist jedoch am 28. Februar und ist das nächste Jahr ein Schaltjahr, so endet die Jahresfrist auch am 28. Februar, obwohl dieser Monat 29 Tage hat.
- Maßgebliches Ereignis war am 31. Mai; eine 4-Monatsfrist endet am 30. September.
- Maßgebliches Ereignis war am 31. Dezember; eine 2-Monatsfrist endet am 28. (oder 29.) Februar des Folgejahres.
- Maßgebliches Ereignis am 30. September; eine 4-Monatsfrist endet am 30. Januar des nächsten Jahres, obwohl dieser Monat 31 Tage hat.

Diese Grundsätze gelten nicht bei der Berechnung der Nachfrist für die Zah- 19
lung von Jahresgebühren nach Art 86 (2), weil hier Anknüpfungskriterium
letzter Tag des Monats ist.[9]

8 Fristende bei Wochenfristen

Für die Berechnung von Wochenfristen gilt das gleiche Prinzip wie für die Be- 20
rechnung der Jahres- und Monatsfristen. Die Frist endet nach der jeweiligen
Zahl der Wochen an dem Wochentag, der die gleiche Bezeichnung hat wie der
Tag des maßgeblichen Ereignisses (R 83 (5)).
Beispiel: Maßgebliches Ereignis war an einem Donnerstag im Februar; eine
4-Wochenfrist endet an dem Donnerstag nach 4 Wochen im März. Die Tatsache, dass die Kalendermonate verschieden lang sind, spielt bei der Berechnung
von Wochenfristen keine Rolle.

9 Fristende am Wochenende oder Feiertag

Fällt das Fristende auf einen Samstag oder Sonntag oder auf einen Feiertag, an 21
dem eine Annahmestelle des EPA in München, Den Haag oder Berlin nicht zur
Entgegennahme von Schriftstücken geöffnet ist, so erstreckt sich die Frist für
alle Annahmestellen auf den nächstfolgenden Werktag (R 85 (1); siehe auch unter Rdn 50).

10 Berechnung zusammengesetzter Fristen

Besondere Sorgfalt ist bei der Berechnung zusammengesetzter Fristen geboten. 22
Zur Berechnung zusammengesetzter Fristen siehe die ausführliche Rechtsaus-

---

9   **J 4/91**, ABl 1992, 402; siehe im einzelnen Gall, Mitt. 1993, 170 sowie Art 86 Rdn 10–12.

Artikel 120 Fristen

kunft 5/93 rev., ABl 1993, 229, sowie Gall in Mitt. 1991, 137 und in Mitt. 1993, 170.

23 Auf Grund der 1989 und 1991 in Kraft getretenen Änderungen der R 85a und 85b hat die Berechnung zusammengesetzter Fristen ihre große Bedeutung verloren. Sie ist aber zB noch maßgebend für R 85a (2), nämlich für den Fall, dass der Anmelder darauf verzichtet hat, nach R 85a (1) auf die Versäumung der Frist für die Zahlung der Benennungsgebühren hingewiesen zu werden.

24 Bei Euro-PCT-Anmeldungen ist zu beachten, dass im EPA-Formular Nr 1200 (Eintritt in die regionale Phase vor dem EPA) ein Ankreuzen der Erklärung 10.2, weniger als sieben Benennungsgebühren entrichten zu wollen, zugleich den Verzicht auf die Mitteilung nach R 108 (3) Satz 1, dass die Anmeldung wegen nicht rechtzeitiger Entrichtung der Benennungsgebührens als zurückgenommen gilt, bedeutet. Die zwischenzeitlich für Euro-PCT-Anmeldungen geltende eigenständige Nachfristregelung in R 108 (3) Satz 3 sieht keine Nachfrist bei Verzicht auf die Mitteilung nach R 108 (3) Satz 1 vor, wie dies bisher nach R 85a (2) der Fall war (siehe auch Rdn 73).

25 Die Regeln über zusammengesetzte Fristen gelten nach Art 39 (1) PCT bei Euro-PCT Anmeldungen auch für die Nachfrist nach Art 86 (2) EPÜ zur Zahlung der Jahresgebühr für das dritte Jahr mit Zuschlag, wenn die Gebühr nach R 37 (1) EPÜ vor Ablauf der Frist von 31 Monaten nach R 107 (1) g) EPÜ fällig geworden wäre.[10]

26 Nachfristen für die Zahlung von Jahresgebühren sind nach Art 86 (2) nicht als zusammengesetzte Fristen zu betrachten, da sie an einen Fälligkeitszeitpunkt und nicht an eine Frist anknüpfen. Sie sind im Hinblick auf R 37 (1) Satz 1 *von Ultimo zu Ultimo* zu berechnen, aber der für den Beginn der Nachfrist entscheidende Fälligkeitstag wird nicht auf den Beginn des nächsten Monats verschoben, auch wenn der Fälligkeitstag selbst ein Feiertag ist.[11] Dies gilt auch für die Berechnung der Fristen zur zuschlagsfreien (R 37 (3) Satz 2) bzw. zur zuschlagspflichtigen Zahlung (R 37 (3) Satz 3) *aufgelaufener Jahresgebühren* bei Teilanmeldungen.[12]

27 Keine zusammengesetzten Fristen sind auch die verlängerten Fristen in R 84 Satz 2 (siehe Rdn 41–44). In diesen Fällen wird lediglich eine vom EPA festgesetzte Frist durch eine andere längere Frist ersetzt.[13]

28 **Berechnungsbeispiele für zusammengesetzte Fristen:**

29 Bei einer Grundfrist von 12 Monaten (Art 79 (2)) und einer Nachfrist von 2 Monaten (R 85a (2)) ist zunächst das Ende der Grundfrist festzustellen und

---

10 Rechtsauskunft 5/93 rev., ABl 1993, 229, Ziff. II, 3.
11 **J 4/91**, ABl 1992, 402; die anderslautende Regelung in Rechtsauskunft 5/80, ABl 1980, 149 wurde inzwischen korrigiert in Rechtsauskunft 5/93 rev., ABl 1993, 229; vgl auch die Mitteilung in ABl 1992, 69.
12 Rechtsauskunft 5/93 rev., ABl 1993, 229, Ziff. II, 4; vgl auch Art 86 Rdn 10 und 24.
13 Vgl Rechtsauskunft 5/93 rev., ABl 1993, 229, Ziff III.

sodann ausgehend von diesem Fristende das Ende der weiteren Frist zu berechnen. Der Zeitpunkt des Beginns der Nachfrist spielt dabei keine Rolle.

Läuft die Grundfrist von 12 Monaten am Freitag, dem 6. Mai ab, so endet die Nachfrist von 2 Monaten am Mittwoch, dem 6. Juli. Hier beträgt die zusammengesetzte Frist genau 14 Monate. Dass die Nachfrist am Samstag, dem 7. Mai beginnt, ist ohne Bedeutung.

Fällt das Ende dieser Grundfrist aber auf Samstag, den 18. Mai, so verlängert sich diese Frist nach R 85 (1) bis Montag, den 20. Mai (24 Uhr). Eine sich anschließende Nachfrist von 2 Monaten endet an dem Tag in 2 Monaten, der das gleiche Tagesdatum trägt, wie der Tag, an dem die erste Frist abläuft, also am 20. Juli. Ist dieser Tag ein Samstag, so verlängert sich die Nachfrist bis zum Montag, den 22. Juli 24 Uhr. In diesem Fall beträgt die zusammengesetzte Frist also 14 Monate und 4 Tage.

Beginnt eine einmonatige Grundfrist, beispielsweise für die Entrichtung der Benennungsgebühren, am 31. Oktober, so endet sie am 30. November, und die anschließende Nachfrist von 2 Monaten läuft am 30. Januar ab, dh die Gesamtfrist beträgt weniger als 3 Monate.

In jedem Einzelfall ist zu beachten, dass die Gesamtfrist länger, aber auch kürzer sein kann als die rechnerische Summe der beiden Fristen.[14]

B Dauer der Fristen (R 84)

11 Allgemeines zu R 84

Verschiedene Fristen sind bereits im Übereinkommen ihrer Dauer nach festgelegt. Für Fristen, die von den zuständigen Stellen des EPA zu bestimmen sind, legt R 84 die normale Dauer fest. Die Länge einer Frist sollte sich grundsätzlich nach dem voraussichtlichen Arbeitsaufwand für die vorzunehmende Handlung richten.

In den PrüfRichtl (E-VIII,1.2) sind im Interesse einer einheitlichen Handhabung der Fristbestimmungen allgemeine Grundsätze über die Anwendung dieser Regel festgelegt.

Einzelne Fristen wurden in den PrüfRichtl ihrer Dauer nach ausdrücklich festgelegt, zB die Frist der R 51 (4) auf vier (verlängerbar bis auf sechs) Monate und die der R 51 (6) auf drei Monate (nicht verlängerbar) (C-VI, 15.1 und 2).

Im übrigen hat in einzelnen Fällen der Präsident die Dauer von Fristen ausdrücklich bestimmt. So hat er für die auf Anforderung einzureichenden Bestätigungsschreiben von telegrafisch, fernschriftlich oder durch Telekopie (Tele-

---

14 Weitere Beispiele siehe Rechtsauskunft 5/93 rev., ABl 1993, 229, Ziff. II sowie Gall, 6. Aufl, S 91.

fax) eingereichten Anmeldungen und Unterlagen eine nicht verlängerbare Frist von einem Monat vorgeschrieben.[15]

Bei Versäumung jeder dieser Fristen ist die Weiterbehandlung nach Art 121 möglich.

12 Dauer der zu bestimmenden Fristen

35 Nach R 84 beträgt die Mindestfrist, sofern in anderen Bestimmungen nichts anderes vorgesehen ist, zwei Monate. Kürzere Fristen sind zB vorgesehen in R 46 (1) für die Entrichtung weiterer Recherchengebühren (2–6 Wochen) und für die Einreichung einer Übersetzung eines als Beweismittel vorgelegten Schriftstückes nach R 1 (3) (1 Monat).

36 Die normal zu gewährende Frist darf nicht weniger als zwei und soll nicht mehr als vier Monate betragen. Nach den PrüfRichtl (E-VIII, 1.2) soll eine Frist von zwei Monaten bestimmt werden, wenn es um die Beseitigung rein formaler oder nur geringfügiger Mängel geht, wenn lediglich die Vornahme einfacher Handlungen verlangt wird, zB gemäß R 59 von einem Beteiligten genannte Unterlagen nachgereicht werden sollen, oder wenn zu geringfügigen Änderungen Stellung zu nehmen ist.

37 Die Frist soll vier Monate betragen bei Bescheiden einer Prüfungs- oder Einspruchsabteilung, in denen sachliche Einwände gegen die Anmeldung oder das Patent erhoben werden.

38 Bei Vorliegen besonderer Umstände kann die Frist nach R 84 bis zu sechs Monate betragen. Nach den PrüfRichtl soll eine solche Frist nur in Ausnahmefällen unter besonderer Berücksichtigung des jeweiligen Falles gewährt werden, wenn zB der Gegenstand der Anmeldung oder des Patents ungewöhnlich kompliziert ist.

39 Ferner kommt nach den PrüfRichtl eine 6-Monatsfrist ab Veröffentlichung des europäischen Recherchenberichts dann in Betracht, wenn der Anmelder, der vor Zugang des Recherchenberichts den Prüfungsantrag gestellt hat, nach Art 96 (1) zur Stellungnahme aufgefordert wird, ob er die europäische Patentanmeldung aufrechterhält.

13 Frei bestimmbare Fristen

40 In den bisher behandelten Fällen enthalten die einzelnen Vorschriften jeweils einen Hinweis auf die *vom EPA zu bestimmende Frist*. Ist in einer Bestimmung eine solche Fristsetzung nicht ausdrücklich vorgeschrieben, so ist das EPA nicht an R 84 hinsichtlich der Fristdauer gebunden, sondern kann nach freiem Ermessen entscheiden. Dies gilt zB für die Aufforderung an einen Beteiligten zur Nachreichung von Kopien seines eingereichten Schriftstücks nach R 36 (4).

---

15 Beschluss vom 5.5.1989, ABl 1989, 219.

Nach den PrüfRichtl (E-VIII, 1.3) kann in einem solchen Fall eine Frist von 2–4 Wochen angemessen sein.

14 Fristverlängerung auf Antrag

Nach R 84 Satz 2 kann in besonders gelagerten Fällen die Frist vor Ablauf auf Antrag verlängert werden. Dass diese Anträge begründet sein müssen, ergibt sich schon daraus, dass ohne eine Begründung normalerweise nicht beurteilt werden kann, ob ein besonders gelagerter Fall vorliegt. Eine Ausnahme vom Begründungserfordernis gilt nach R 51 (4) Satz 2 für die Verlängerung der Frist zur Mitteilung des Einverständnisses mit der zu erteilenden Fassung des europäischen Patents. Außerdem kann davon ausgegangen werden, dass eine Begründung auch in den Fällen entbehrlich ist, in denen das EPA eine Fristverlängerung »automatisch« gewährt.[16] In jedem Fall muss der Antrag vor Ablauf der zu verlängernden Frist eingereicht werden.[17] 41

Für die Beantwortung von Sachbescheiden wird begründeten Anträgen auf eine Fristverlängerung um höchstens zwei Monate regelmäßig stattgegeben. Durch eine solche Fristverlängerung entsteht keine zusammengesetzte Frist (siehe Rdn 27). Vielmehr wird die ursprünglich gesetzte Frist von zB vier Monaten durch eine längere von zB sechs Monaten ersetzt, für die der Tag der Zustellung des Sachbescheides maßgeblich ist. 42

Anträgen auf längere Frist oder auf nochmalige Fristverlängerung wird nur dann in Ausnahmefällen stattgegeben, wenn in der Begründung überzeugend dargelegt wird, dass eine Antwort in der bisher vorgesehenen Frist nicht möglich war. Ernstliche Erkrankungen des Anmelders oder Vertreters oder die Durchführung umfangreicher biologischer Versuche sind Beispiele hierfür. Arbeitsüberlastung an sich wird nicht als außergewöhnlicher Umstand anerkannt.[18] 43

Wird einem Gesuch um Fristverlängerung nicht stattgegeben, so kann diese verfahrensleitende Entscheidung, da sie das Verfahren nicht abschließt, nach Art 106 (3) mit der Beschwerde nur zusammen mit der Endentscheidung angefochten werden.[19] Die Ablehnung ist stets zu begründen, und das EPA hat deshalb ein Formular entwickelt, in dem der Ablehnungsgrund angekreuzt werden kann. Der Antragsteller ist auf die Rechtsfolge der nicht rechtzeitigen 44

---

16 Vgl Mitteilung des Vizepräsidenten der Generaldirektion 2 vom 13.2.1989, ABl 1989, 180.
17 **J 7/81**, ABl 1983, 89.
18 **T 79/99** vom 3.12.1999, Rspr BK 2000, ABl 2001, 49 ff mit einem guten Überblick zu den Interessen und Faktoren, die bei der Entscheidung über Fristverlängerungen zu berücksichtigen sind.
19 Siehe **J 37/89**, ABl 1993, 201 mit der Empfehlung, im Falle einer Ablehnung des Fristverlängerungsgesuchs die Weiterbehandlung und die Rückzahlung der Weiterbehandlungsgebühr zu beantragen; vgl auch Art 121 Rdn 31.

Handlung hinzuweisen. Soll die gesonderte Beschwerde zugelassen werden, so ist die Ablehnung nach R 68 (2) mit einer Beschwerdebelehrung zu versehen.

Zur Weiterbehandlung bei Ablehnung eines Fristgesuchs siehe Art 121 Rdn 31.

C Verspäteter Zugang von Schriftstücken (R 84a)

15 Allgemeines zu R 84a

45 Nach R 84a gilt ein verspätet beim EPA eingegangenes Schriftstück als rechtzeitig eingegangen, wenn es rechtzeitig vor Ablauf der Frist bei der Post oder einem anerkannten Postdienst aufgegeben wurde, es sei denn, das Schriftstück geht später als drei Monate nach Ablauf der Frist beim EPA ein.

Die Fiktion des rechtzeitigen Zugangs gilt nach R 84a (2) auch für fristwahrende Schriftstücke, die nach Art 75 (1) b) oder (2) b) bei einer der dort genannten zuständigen Behörden eines Vertragsstaats einzureichen sind.

46 R 84a wurde mit Wirkung zum 1.1.1999 durch Beschluss des Verwaltungsrats eingeführt[20] und gleicht die Zugangsregelung für fristgebundene Schriftstücke an Art 8 (3) und R 82.1 a) PCT an. R 84a enthält eine begrenzte Abkehr von der *Zugangs- oder Empfangstheorie* mit dem Ziel, das Risiko eines verzögerten Postlaufs für Absender einzuschränken, die nicht an einem Empfangsort des EPA ansässig sind und Schriftstücke nicht unmittelbar bei einer Annahmestelle des EPA übergeben können.

Eine über den Wortlaut hinausgehende Anwendung der Absendetheorie unter Berufung auf großzügigere nationale Regelungen ist nach der bisherigen Praxis der Beschwerdekammern nicht zu erwarten.[21]

16 Rechtzeitige Aufgabe und Nachweis; Übermittlungsdienste und Übersendungsarten

47 Der Präsident hat aufgrund der in R 84a enthaltenen Ermächtigung mit Beschluss vom 11.12.1998,[22] aktualisiert durch Beschluss vom 31.3.2003,[23] festgelegt, unter welchen Voraussetzungen ein Schriftstück als rechtzeitig aufgegeben anzusehen ist. Im Unterschied zu R 85 (2) handelt es sich hier nicht um eine Fristerstreckung oder -verlängerung, sondern um die Fiktion einer Fristwahrung.

Danach gilt ein Schriftstück, das innerhalb von 3 Monaten nach Fristablauf beim EPA eingeht, noch als rechtzeitig aufgegeben,

---

20 Beschluss des VR vom 10.12.1999, ABl 1999, 1 (4).
21 **T 702/89**, ABl 1994, 472, Nr 2.2 f.
22 Beschluss vom 11.2.1998, ABl 1999, 45.
23 Beschluss des Präsidenten vom 21.3.2003, ABl 2003, 283.

- wenn es 5 Tage vor Ablauf der maßgeblichen Frist[24] bei der Post oder einem anerkannten Übermittlungsdienst aufgegeben wurde und
- wenn es als Einschreiben und,
- falls außerhalb Europas aufgegeben, per Luftpost versandt wurde.

Auf Verlangen des EPA hat der Absender die rechtzeitige Aufgabe des Schriftstücks mit dem Einschreibbeleg der Post oder der Bestätigung des Übermittlungsdienstes nachzuweisen.

Neben der Post gelten derzeit Chronopost, Deutsche Post Express, DHL, Federal Express, LTA, SkyNet, TNT und UPS als anerkannte Übermittlungsdienste.[25]

D Generelle Verlängerung von Fristen (R 85)

17 Allgemeines zu R 85

Während R 84 Satz 2 die Fristverlängerung in individuellen Fällen behandelt, regelt R 85 Fristverlängerungen, die allgemein in Betracht kommen und automatisch, dh ohne Tätigwerden des einzelnen Betroffenen eintreten. Es handelt sich dabei einmal um die Verlängerung bis zum nächsten Arbeitstag nach R 85 (1), weil der letzte Tag der Frist auf einen Tag fällt, an dem das EPA nicht geöffnet[26] oder der ankommende Faxverkehr unterbrochen war,[27] und zum anderen um eine Verlängerung nach R 85 (2) wegen einer allgemeinen Unterbrechung des Postverkehrs, die je nach den Umständen auch einen mehrtägigen Zeitraum umfassen und für alle oder nur für bestimmte Personengruppen gelten kann.

18 Fristverlängerung am Wochenende oder Feiertag

Wie in den nationalen Systemen und in der PVÜ (Art 4 C (3)) für den Prioritätsanspruch niedergelegt, verlängert sich eine Frist automatisch dann auf den nächsten Arbeitstag, wenn die Frist an einem Tag abläuft, an dem das EPA zur Entgegennahme von Schriftstücken nicht geöffnet ist. Es sind dies Samstage und Sonntage sowie bestimmte sonstige Feiertage. Die Tage, an denen das EPA zur Entgegennahme von Schriftstücken nicht geöffnet ist, werden im Amtsblatt bekanntgemacht (gewöhnlich im Dezember- und Januarheft). Diese Liste enthält sowohl die in Betracht kommenden Tage des Amts in München als auch die für Den Haag und Berlin.

---

24 Auch dieser Zeitraum ist nach R 83 zu berechnen, dh die Aufgabe muss im Laufe des sechsten Tages vor dem Ablauftag erfolgen, vgl Schachenmann, MünchGemKom, Art 120 Rdn 82; ebenso für die Zuschlagsgebühr nach Art 8 (3) b) GebO; aA Benkard/Schäfers, EPÜ Art 120 Rdn 82.
25 Beschluss des Präsidenten vom 31.3.2003, ABl 2003, 283, Art 2.
26 ZB Mitteilung des Präsidenten vom 2.7.2004, ABl 2004, 449.
27 ZB Mitteilung des Präsidenten vom 5.9.2003, ABl 2003, 507.

Durch eine Änderung der R 85 (1) wurde klargestellt, dass sowohl die entsprechenden Tage in München als auch die in Den Haag und Berlin generell die Fristverlängerung für alle Annahmestellen auslösen (Grundsatz des einheitlichen Fristablaufs).

19 Verlängerung aller laufenden Fristen

51 Die Fristverlängerung erstreckt sich in einem solchen Fall nicht nur auf Fristen für die Einreichung von Schriftstücken, sondern auf jede Frist, also auch auf Zahlungsfristen und die Prioritätsfrist nach Art 87. Zwar knüpft die Vorschrift daran an, dass eine Annahmestelle des Amts nicht zur Entgegennahme von Schriftstücken geöffnet ist; die generelle Formulierung im ersten Teil des Satzes *eine Frist* stellt jedoch klar, dass jede laufende Frist verlängert wird.[28]

20 Fristverlängerung, wenn das EPA geschlossen, aber nationaler Arbeitstag ist

52 Im Zusammenhang mit der Gebührenzahlung stellt sich gelegentlich die Frage, ob die Fristverlängerung für eine Gebührenzahlung auch dann eintritt, wenn am letzten Tag der Frist zwar das EPA geschlossen ist, der betreffende Tag (zB ein Fronleichnamstag) in dem Vertragsstaat, in dem die Einzahlung auf ein Konto des EPA erfolgt, aber kein Feiertag ist, die Einzahlung also rechtzeitig hätte erfolgen können. Da die Fristverlängerung nach der R 85 (1) einheitlich gilt, ist es unerheblich, ob die Zahlung an dem ursprünglichen Fristende in einem bestimmten Vertragsstaat oder auch in dem Vertragsstaat, in dem die Zahlung verspätet erfolgt ist, hätte vorgenommen werden können; maßgebend bleibt, ob das EPA geschlossen ist.[29]

21 Keine Fristverlängerung, wenn ein Arbeitstag im EPA national ein Feiertag ist

53 Eine Fristverlängerung tritt nicht ein, wenn aufgrund eines nationalen Feiertags, der im EPA ein Arbeitstag ist, in einem der Vertragsstaaten eine Handlung, zB die Einzahlung einer Gebühr auf das Bank- oder Postscheckkonto des EPA in diesem Staat nicht möglich ist.[30] Aufgrund der klaren Formulierung der R 85 (1) ist eine entsprechende Anwendung des in dieser Vorschrift enthaltenen Gedankens auf nationale Feiertage nicht möglich.

54 Wenn eine Einzahlung an einem solchen Tag bei einer nationalen Stelle vergeblich versucht wird und die betreffende Person mit dem nationalen Feiertagssystem des betreffenden Staats nicht vertraut ist, kommt eine Wiedereinset-

---

28 J 1/81, ABl 1983, 53, Nr 6.
29 J 1/81, ABl 1983, 53, Nr 7.
30 J 5/98 vom 5.4.2000, Nr 3.1.

zung in den vorigen Stand nach Art 122 in Betracht, sofern sie nicht nach Art 122 (5) ausgeschlossen ist.

22 Unterbrechung der Postzustellung

R 85 (2) behandelt in erster Linie Fälle der allgemeinen Unterbrechung oder Störung der Postzustellung. In diesen Fällen läuft die Frist am ersten Tag nach Beendigung der Unterbrechung oder Störung ab. 55

Zu unterscheiden sind 3 Grundtatbestände:
– die allgemeine Unterbrechung der Postzustellung in einem Vertragsstaat,
– die allgemeine Unterbrechung der Postzustellung zwischen einem Vertragsstaat und dem EPA,
– die allgemeine Unterbrechung der Postzustellung am Sitzstaat des EPA.

In den beiden ersten Fällen gilt die Fristverlängerung nur für den Beteiligten (Anmelder, Patentinhaber und Einsprechenden), der selbst seinen Sitz oder Wohnsitz oder dessen Vertreter seinen Sitz in dem von der Unterbrechung der Postzustellung betroffenen Gebiet hat. Bei einer allgemeinen Unterbrechung der Postzustellung am Sitzstaat des EPA kommt die Fristverlängerung nach R 85 (2) Satz 3 dagegen allen Beteiligten zugute. Obwohl R 85 (2) Satz 3 anders als R 85 (1) nicht auf die Annahmestelle abhebt, sondern vom Sitzstaat spricht und Art 6 nur München als Sitz des EPA benennt, wird man im Hinblick auf die Bestimmung von Den Haag als Eingangsstelle nach Art 16 davon ausgehen müssen, dass ebenso wie bei der Feiertagsregelung auch für Unterbrechungen der Postzustellung eine allgemeine Unterbrechung in einem der beiden Annahmeländer ohne Rücksicht auf die konkret adressierte Annahmestelle für alle Beteiligten gilt.[31] 56

R 85 (2) Satz 2 stellt klar, dass eine Unterbrechung der Postzustellung auch die 14monatige Frist nach Art 77 (5) zur Weiterleitung einer europäischen Patentanmeldung an das EPA entsprechend verlängert.[32] 57

Nur eine **allgemeine** Unterbrechung der Postzustellung führt zur Fristverlängerung nach R 85 (2). Das EPA kann die Frist nicht verlängern, wenn sich lediglich in einem Einzelfall die Postzustellung verzögert hat,[33] denn das System des EPÜ geht mit Ausnahme der neuen R 84a vom Eingangsdatum und nicht wie die Regelungen einzelner Mitgliedstaaten (zB UK) vom Absendedatum aus.[34] Eine durch unbekannte Faktoren verursachte, unübliche Verzögerung der Postzustellung ist nicht bereits als allgemeine Unterbrechung anzuse- 58

---

31 Siehe auch Mitteilung des Präsidenten vom 20.5.1992, Nr 2; ABl 1992, 306.
32 Mitteilung des EPA vom 3.6.1991, ABl 1991, 300 (306).
33 **J 4/87**, ABl 1988, 172.
34 **T 702/89**, ABl 1994, 472.

hen.³⁵ Ob eine bloße Störung im Einzelfall oder eine allgemeine Unterbrechung vorliegt, muss als Tatfrage anhand aller verfügbaren, glaubwürdigen Informationen beantwortet werden, im Zweifel auch aufgrund einer Ermittlung von Amts wegen.³⁶ Eine allgemeine Unterbrechung setzt dabei nicht voraus, dass es sich um eine landesweite Unterbrechung, zB durch einen Streik der nationalen Postbediensteten, mit anschließender Störung des Postdienstes bis zur Erledigung der angesammelten Rückstände handelt. Auch regionale Unterbrechungen kommen in Betracht, wenn die Bewohner des betreffenden Gebietes dergestalt beeinträchtigt waren, dass von einer allgemeinen Unterbrechung gesprochen werden muss, und wenn die Unterbrechung die breite Öffentlichkeit in diesem Gebiet betraf.³⁷ Bei überlangen Postlaufzeiten, die nicht die Anforderungen an eine allgemeine Unterbrechung der Postzustellung erfüllen, bleibt grundsätzlich die Möglichkeit der Wiedereinsetzung.

59   Ist die Postzustellung nach R 85 (2) unterbrochen, so gilt diese Unterbrechung für alle Fristen, also auch dann, wenn die Versäumung einer Frist im Einzelfall auf eine andere Ursache zurückzuführen ist.³⁸

60   Der Präsident des EPA macht in einer Mitteilung im ABl Ursache und Zeitdauer der Fristverlängerung bekannt.³⁹ Diese Mitteilung hat rein deklaratorische Wirkung, denn die Fristverlängerung tritt auch ohne eine solche Mitteilung ein, wenn die sachlichen Voraussetzungen vorliegen.⁴⁰

23 Beendigung der Unterbrechung

61   Das Ende der Unterbrechung oder Störung ergibt sich ebenfalls aus der Mitteilung des Präsidenten, die nach Einholung der entsprechenden Informationen von den zuständigen nationalen Behörden im ABl bekanntgemacht wird.⁴¹

24 Anwendung auf nationale Patentämter

62   Nach R 85 (3) sind diese Grundsätze auch auf die Fälle entsprechend anzuwenden, in denen Handlungen bei den in Art 75 (1) b) oder (2) b) genannten zuständigen Behörden eines Vertragsstaats vorzunehmen sind. Das EPA veröffent-

---

35   **T 702/89**; ABl 1994, 472.
36   **J 11/88**, ABl 1989, 433, Nr 3; ausreichende Anhaltspunkte für eine allgemeine Unterbrechung verneinend: **J 14/03** vom 20.8.2004, Rspr BK 2004, Nr 14 ff.
37   **J 3/90**, ABl 1991, 550 Nr 9 und 10; vgl auch **J 1/93** vom 17.5.1994, Rspr BK 1994, VI A.4.1, S 86.
38   **T 192/84**, ABl 1985, 39.
39   ZB ABl 2003, 581.
40   **J 11/88**, ABl 1989, 433, Nr 5.
41   Vgl zB ABl 1994, 583 – Poststreik in Deutschland.

licht deshalb regelmäßig Übersichten mit den Tagen, an denen das EPA und die nationalen Zentralbehörden nicht geöffnet sind.[42]

25 Unterbrechung des Dienstbetriebs des EPA

Der 1985 eingefügte Abs 4 sieht Maßnahmen vor, die zB bei einem Streik im EPA helfen sollen, Rechtsverluste zu vermeiden. Verzögert sich durch einen solchen Streik die übliche amtliche Benachrichtigung über den Ablauf einer Frist, so können die entsprechenden Handlungen noch innerhalb einer Frist von einem Monat nach Zustellung der verzögerten Benachrichtigung ohne Rechtsverlust vorgenommen werden. Diese Regelung ist wichtig für den Fall, dass die Frist nicht erst mit der Zustellung des Schriftstücks, sondern von Amts wegen zu laufen beginnt. Häufigste Fälle waren bis zur Neufassung dieser Regeln die Fristverlängerungen nach R 85a und 85b, über deren Möglichkeit das EPA im Rahmen einer freiwilligen Dienstleistung die Anmelder unterrichtete. 63

R 85 (4) gilt für amtliche Benachrichtigungen, die eine Frist auslösen, auch wenn die Benachrichtigung selbst nicht vorgeschrieben ist, sondern als unverbindliche Serviceleistung erbracht wird. Dies folgt aus dem Grundgedanken dieser Regelung, dass das generelle Ausbleiben eines allgemein eingeführten Service eine erhebliche Gefahr darstellt, die nicht zu Lasten des Anmelders gehen soll. Entsprechendes gilt auch für die unverbindliche Benachrichtigung zur Zahlung der Jahresgebühr mit Zuschlag (Art 86 (2)). Verzögert sich diese Benachrichtigung aus den in R 85 (4) angeführten Gründen, so kann noch binnen eines Monats nach Zustellung der verzögerten Benachrichtigung wirksam gezahlt werden.[43] Auch mündliche Mitteilungen des EPA lösen den Vertrauensschutz zugunsten des Anmelders aus.[44] 64

Beginn und Ende der Unterbrechung oder der Störung werden vom Präsidenten des EPA bekanntgegeben. 65

Der Verwaltungsrat hat auf die Ereignisse des 11. September 2001 mit der Einführung von R 85 (5)[45] rasch reagiert und mit Rückwirkung auf den 11. September 2001 eine weitere Fallgruppe außergewöhnlicher Unterbrechungen geregelt. Wenn der Postdienst an einem der letzten zehn Tage vor Ablauf einer Frist als Folge eines Kriegs, einer Revolution, einer Störung der öffentlichen Ordnung, eines Streiks, einer Naturkatastrophe oder ähnlicher Ursachen (Terroranschlag) unterbrochen oder im Anschluss an eine solche Unterbrechung gestört war, gilt ein verspätet eingegangenes Schriftstück als rechtzeitig eingegangen, sofern der Versand innerhalb von fünf Tagen nach Wiederherstellung des Postdienstes vorgenommen wurde. R 85 (5) gilt nur für Beteiligte (Anmel-

---

42 ZB ABl 2004, 31 ff.
43 Vgl auch Gall, 6. Aufl, S 103.
44 **J 27/92**, ABl 1995, 288, Nr 3.1.
45 Beschluss des VR vom 18.10.2001, ABl 2001, 491.

der, Patentinhaber und Einsprechende), die selbst ihren Sitz oder Wohnsitz oder deren Vertreter seinen Sitz in dem von der Unterbrechung der Postzustellung betroffenen Gebiet hat, und setzt voraus, dass die maßgeblichen Umstände dem EPA nachgewiesen werden. Man kann jedoch davon ausgehen, dass das EPA die meisten der in R 85 (5) angesprochenen außergewöhnlichen Umstände von Amts wegen zur Kenntnis nehmen wird.

E Nachfristen für Gebührenzahlungen und für die Stellung des Prüfungsantrags (R 85a, R 85b)

26 Allgemeines zu R 85a und R 85b

66 Die R 85a und 85b ermöglichen es, auch nach Ablauf der vorgesehenen Grundfrist Zahlungen vorzunehmen und den Prüfungsantrag zu stellen. Sie wurden geschaffen, um den in Art 122 (5) vorgeschriebenen generellen Ausschluss der Wiedereinsetzung in diese Fristen (Art 122 Rdn 26–36) zu mildern. Hohe Zuschlagsgebühren sollen Missbräuche dieser Vorschriften in Grenzen halten.

Mit der Neufassung der R 85a und 85b vereinfachte sich die Berechnung dieser Fristen, weil die Nachfrist in der Mehrzahl der Fälle mit der Zustellung einer Mitteilung über die Fristversäumung beginnt. Eine zusammengesetzte Frist sieht lediglich noch R 85a (2) für den Fall vor, dass der Anmelder für die Benennungsgebühren auf den Hinweis nach R 85a (1) verzichtet hat. In diesem Fall beginnt die Nachfrist mit Ablauf der Grundfrist, und es ist besondere Vorsicht bei der Berechnung des Endes dieser zusammengesetzten Frist geboten (vgl Rdn 23).

67 Die Nachfristen der R 85a und 85b sind keine vom EPA bestimmten Fristen; sie sind deshalb einer Weiterbehandlung nach Art 121 nicht zugänglich.[46] Eine Wiedereinsetzung bei Versäumung dieser Nachfristen ist ebenfalls nicht möglich (vgl Art 122 Rdn 35 und 36). Vor Ablauf der Nachfrist können die möglichen Rechtsbehelfe alternativ genutzt werden, und sie unterliegen keiner bestimmten Rangfolge.[47]

EPÜ 2000

Im **EPÜ 2000** entfallen die bisher in den R 85a und R 85b vorgesehenen Nachfristen, weil die Weiterbehandlung nach Art 121 auf die Fristen zur Gebührenzahlung und zur Stellung des Prüfungsantrags ausgedehnt wird.[48]

27 Dauer und Lauf der Nachfrist

68 Die Nachfrist beträgt in den Fällen der R 85a (1) und 85b einen Monat nach Zustellung der Mitteilung des EPA, in der auf die Fristversäumung hingewie-

---

46 **J 47/92** vom 21.10.1993, ABl 10/1994, XV, nur Leitsätze, für die Nachfrist nach R 85b.
47 **J 11/85**, ABl 1986, 1, Nr 8; **J 27/92**, ABl 1995, 288, Nr 4.
48 Vgl Erläuterungen zur AO in Sonderausgabe Nr 1, ABl 2003, 190.

sen wird. Hat der Anmelder für die Benennungsgebühren auf einen solchen Hinweis verzichtet, so können diese nach R 85a (2) noch innerhalb einer Nachfrist von zwei Monaten nach Ablauf der Grundfrist entrichtet werden. In jedem Fall ist innerhalb der Nachfrist die versäumte Handlung (Gebührenzahlung, Stellung des Prüfungsantrags) vorzunehmen und eine Zuschlagsgebühr zu entrichten, deren Höhe Art 2 Nr 3b und Nr 7 GebO festlegt.

Ebenso wie bei anderen Fristen verlängert sich der Ablauf der Nachfrist nicht auf den nächsten Werktag, wenn der Ablauftag der Nachfrist auf einen nationalen Feiertag fällt.[49]

28 Die Nachfrist der R 85a

Nach dieser Regel können die nicht rechtzeitig entrichteten Anmeldegebühren, Recherchengebühren und Benennungsgebühren auch später, als in den Artikeln des Übereinkommens vorgesehen, entrichtet werden. Die Bezugnahme auf die R 15 (2) und 25 (2) stellt klar, dass diese Möglichkeit nicht nur für die ursprünglich eingereichte Anmeldung gilt, sondern auch für Neuanmeldungen im Falle der Erstanmeldung durch einen Nichtberechtigten (Art 61) und für Teilanmeldungen (Art 76). 69

Hat der Anmelder jedoch für Benennungsgebühren auf die Mitteilung über die Fristversäumung verzichtet, so verbleibt es nach R 85a (2) für diese Gebühren bei der alten Regelung, nach der sich eine Nachfrist von zwei Monaten unmittelbar an die Grundfrist anschließt. 70

Für die Berechnung des Nachfristendes nach R 85a (2) ist deshalb nach wie vor Vorsicht geboten (siehe Rdn 22–33); die bisherige Rechtsprechung zu R 85a und 85b alter Fassung behält insoweit Gültigkeit. Außerdem gilt die europäische Patentanmeldung mit Ablauf der Grundfrist und nicht erst mit Ablauf der Nachfrist als zurückgenommen, wenn von der Möglichkeit der Nachfrist nach R 85a (2) kein Gebrauch gemacht wird.[50] 71

Gelten bei einer europäischen Patentanmeldung sowohl die 1-Monatsfrist nach R 85a (1) für einzelne Benennungsgebühren als auch die 2-Monatsfrist nach R 85a (2) für die vorsorgliche Benennung weiterer Länder und laufen diese Fristen für die Nachzahlung von Benennungsgebühren zu verschiedenen Zeitpunkten ab, so können alle Benennungsgebühren noch bis zum späteren Zeitpunkt wirksam bezahlt werden.[51] 72

Bei Euro-PCT-Anmeldungen gilt für alle nach R 107 (1) a) und c) bis f) vorgeschriebenen Handlungen (Einreichen der Übersetzung, Einzahlung der nationalen Grundgebühr, der Benennungsgebühren und der Recherchengebühr sowie Stellung des Prüfungsantrags) nicht mehr die Nachfristregelung der R 85a. 73

---

49 **J 5/98** vom 7.4.2000, Nr 6 f zur Nachfrist nach R 85a (2).
50 **G 4/98**, ABl 2001, 131, Nr 7.2; **J 4/86**, ABl 1988, 119 für den Fall der R 85b aF.
51 **J 5/91**, ABl 1993, 657; siehe auch Art 79 Rdn 20.

Vielmehr räumt R 108 (3) Satz 3 eine zweimonatige Nachfrist mit Zuschlagsgebühr ein, die mit Zustellung der Mitteilung über den Rechtsverlust zu laufen beginnt.[52]

74 Die Zuschlagsgebühren für die Nachfristen sind in Art 2 Nr 3b und 3c GebO festgelegt.

29 Die Nachfrist der R 85b

75 Diese Vorschrift gewährt eine Nachfrist zu den in Art 94 (2) und R 107 (1) f) vorgesehenen Fristen für die Stellung des Prüfungsantrags. Sie ermöglicht es, nicht nur eine nicht entrichtete Prüfungsgebühr innerhalb der Nachfrist – allerdings mit Zuschlagsgebühr – zu zahlen, sondern auch den Prüfungsantrag selbst während dieser Frist zu stellen.

76 Auch die Nachfrist der R 85 b ist für Euro-PCT-Anmeldungen zwischenzeitlich durch die eigenständige Regelung in R 108 (3), Satz 3 ersetzt worden, die eine zweimonatige Nachfrist mit Zuschlagsgebühr ab Zustellung der Mitteilung über den Rechtsverlust einräumt (siehe Rdn 73).

77 Die Zuschlagsgebühren für die verspätete Stellung des Prüfungsantrags sind in Art 2 Nr 7 GebO und Nr 3c festgelegt.

F Unterbrechung des Verfahrens (R 90)

30 Allgemeines zu R 90

78 Neben den Rechtsbehelfen der Weiterbehandlung (Art 121) und der Wiedereinsetzung in den vorigen Stand (Art 122) gehört die Unterbrechung des Verfahrens zu den wichtigen Hilfen, die in Extremfällen eingetretene Fristversäumnisse ungeschehen machen. Rechtssystematisch unterscheidet sich diese Regelung von den anderen dadurch, dass bei den in R 90 aufgeführten Fällen überhaupt keine Fristversäumnis eintritt, da die laufenden Fristen mit Eintritt des Ereignisses automatisch unterbrochen werden und es einer Handlung des EPA oder eines Beteiligten bedarf, damit die Frist neu zu laufen beginnt oder weiterläuft.

79 Eine Unterbrechung des Verfahrens unterbricht alle Fristen, gleichgültig ob bei ihrer Versäumung Wiedereinsetzung zugelassen ist oder nicht. Die Unterbrechung gilt auch für die in Art 122 (2) vorgesehene Ausschlussfrist von einem Jahr.[53]

80 Zuständig für die Entscheidung über die Unterbrechung des Verfahrens ist innerhalb der ersten Instanz nach dem Beschluss des Präsidenten vom 10.3.1989 die Rechtsabteilung.[54]

---

52 Beschluss des Verwaltungsrats vom 28.6.2001, ABl 2001, 374.
53 J xx/87, ABl 1988, 323, Nr 2.5.
54 Beschluss des Präsidenten vom 10.3.1989, ABl 1989, 177.

31 Die Fälle der Unterbrechung

R 90 ist von Amts wegen anzuwenden und unterscheidet drei Fälle der Unterbrechung des Verfahrens: 81

a) Tod oder Fortfall der Geschäftsfähigkeit des Anmelders oder Patentinhabers oder ihrer gesetzlichen Vertreter. 82
Die Geschäftsfähigkeit dieser Personengruppe ist, weil das EPÜ dazu keine Definition enthält und weil europäische Patentanmeldungen und europäische Patente zu den Vermögensrechten gehören, nach nationalem Recht zu beurteilen.[55] Zur Geschäftsfähigkeit ist in jedem Fall ein zuverlässiges medizinisches Gutachten erforderlich, das Angaben über die Schwere und Dauer der Beeinträchtigung enthalten muss, die die Geschäftsunfähigkeit begründet.[56] Darüber hinaus sind auch alle übrigen Umstände des Einzelfalls zu berücksichtigen. Wenn der Anmelder trotz angeblicher Geschäftsunfähigkeit einen Überziehungskredit beantragen konnte und erhalten hat[57] oder wenn er die Gebührenüberweisung für die Anmeldung noch vorgenommen hat,[58] können dies gewichtige Indizien gegen die geltendgemachte Geschäftsunfähigkeit sein. Wenn der Anmelder oder Patentinhaber durch einen zugelassenen Vertreter nach Art 134 vertreten ist und die in R 90 (1) a) genannten Ereignisse die Vertretungsbefugnis nicht berühren, tritt nach R 90 (1) a) Satz 2 die Unterbrechung nur auf Antrag dieses Vertreters ein.

b) Insolvenz, Vergleichsverfahren oder ein ähnliches Verfahren, das die Handlungsbefugnis des Anmelders oder Patentinhabers einschränkt. Ein procédure de règlement judiciaire nach französischem Recht kann einen Unterbrechungsgrund darstellen.[59] Voraussetzung ist allerdings die rechtliche Identität des Anmelders und der vom Konkurs betroffenen Person.[60] Sofern keine besonderen Umstände vorliegen, wird das Sanierungsverfahren nach Chapter 11 US-Recht nicht als rechtliche Verhinderung an der Verfahrensfortsetzung betrachtet, weil im Verfahren nach Chapter 11 der Schuldner selbst weiterhin für sein Unternehmen tätig ist.[61] 83

---

55 J xx/87 vom 21.5.1987, ABl 1988, 177, Nr 5.
56 J xx/87 vom 21.5.1987, ABl 1988, 177, Nr 5; J xx/xx, ABl 1985, 159, Nr 12 ff.
57 J xx/87 vom 21.5.1987, ABl 1987, 177, Nr 5.
58 J 49/92 vom 29.5.1995, Rspr BK 1995, Sonderausgabe 1996, 62.
59 J 7/83, ABl 1984, 211.
60 J 9/90 vom 8.4.1992, Rspr BK 1992, Sonderausgabe 1993, 62 f.
61 J 26/95, ABl 1999, 668 und J 11/98 vom 15.6.2000, Rspr BK 2000, Sonderausgabe 2001, 51 ff.

84 c) wenn der Vertreter des Anmelders oder des Patentinhabers stirbt, seine Geschäftsfähigkeit verliert, insolvent wird oder ein Verfahren wie unter Buchst b einleiten muss.[62]

85 Nicht von R 90 erfasst sind die Fälle, in denen Anmelder, Patentinhaber oder Vertreter wegen höherer Gewalt an der Fortführung von Verfahren gehindert sind. Rechtsverluste, die dadurch entstehen, müssen nach Art 121 (Weiterbehandlung) oder Art 122 (Wiedereinsetzung in den vorigen Stand) für jede einzelne versäumte Frist vor dem EPA rückgängig gemacht werden.

86 Wird zB ein Vertreter durch Brand oder sonstige Zerstörung seiner Kanzlei zeitweilig an der Berufsausübung oder Weiterbearbeitung des Vorgangs gehindert, sind die Regeln über die Unterbrechung nicht anwendbar, aber es kann ein Wiedereinsetzungsgrund vorliegen.[63]

32 Fehlende Geschäftsfähigkeit des Vertreters

87 In einer Grundsatzentscheidung hat sich die juristische Beschwerdekammer eingehend mit der Verfahrensunterbrechung bei fehlender Geschäftsfähigkeit des zugelassenen Vertreters befasst.[64]

Anders als die Bewertung der Geschäftsfähigkeit des Anmelders (Rdn 82) unterliegt die Geschäftsfähigkeit der zugelassenen Vertreter nach R 90 (1) c) einer einheitlichen Beurteilung durch das EPA; so wird eine nach Staatsangehörigkeit oder Geschäftssitz des Vertreters unterschiedliche Anwendung dieser Regel vermieden. Dabei orientiert sich das Amt an seinen Erfahrungen und den nationalen Rechtsgrundsätzen der Vertragsstaaten. Die Kernfrage ist, ob der betreffende Vertreter zum fraglichen Zeitpunkt geistig in der Lage war, die an ihn gestellten Anforderungen zu erfüllen, oder ob er unfähig war, vernünftige Entscheidungen zu treffen und die erforderlichen Handlungen vorzunehmen.[65]

Wie beim Anmelder selbst ist auch hier zur Begründung der Geschäftsunfähigkeit ein zuverlässiges medizinisches Gutachten zu fordern, aus dem die Schwere und Dauer der Beeinträchtigung hervorgeht; dabei sind alle verfügbaren, zuverlässigen Informationen über das Verhalten des Vertreters für den betreffenden Zeitraum einzubeziehen.[66]

88 Sind neben dem im Erteilungsantrag (vgl EPA-Formblatt 1001.1) bestimmten Vertreter noch weitere Vertreter bestellt, so führt die Geschäftsunfähigkeit des im Erteilungsantrag bestimmten Vertreters zur Unterbrechung des Verfahrens, es sei denn, mindestens einer der anderen Vertreter hätte von der Geschäftsun-

---

62 J xx/xx vom 1.3.1985, ABl 1985, 159; siehe auch Rdn 87–89.
63 Schachenmann, MünchGemKom, Art 120 Rn 177.
64 J xx/xx vom 1.3.1985, ABl 1985, 159.
65 J xx/xx vom 1.3.1985, ABl 1985, 159, Nr 11.
66 J xx/xx, vom 1.3.1985, ABl 1985, 159, Nr 12 ff.

fähigkeit des bestimmten Vertreters gewusst oder unter den gegebenen Umständen davon wissen müssen.[67]

Auch bei einem Vertreter aus einem Nichtvertragsstaat kann der Fortfall der Geschäftsfähigkeit ausnahmsweise zur Unterbrechung des Verfahrens führen. Als Beispiel sei auf einen Fall verwiesen, in dem der US-Vertreter eines US-Anmelders beim Übergang einer PCT-Anmeldung in die europäische Phase die in R 104b (1), jetzt R 107, aufgeführten Gebühren nicht bezahlt hatte. Da er zu dieser Zeit nach Art 133 (2), 134 noch zur Vertretung (hier: Einreichung einer europäischen Patentanmeldung) berechtigt, aber nicht geschäftsfähig war, sah die Beschwerdekammer das Verfahren als unterbrochen an.[68]   89

33 Weiterer Lauf der unterbrochenen Fristen

Nach R 90 (4) beginnen die unterbrochenen Fristen grundsätzlich nach dem gemäß Abs 2 und 3 bestimmten Zeitpunkt neu zu laufen.   90

Die Fristen für die Stellung des Prüfungsantrags und die Nachfrist für die Zahlung der Jahresgebühren beginnen nach R 90 (4) Satz 1 nicht neu zu laufen. Sie werden jedoch gehemmt und laufen erst mit Ende der Unterbrechung für die verbliebene Zeit weiter (für die Jahresgebühr siehe Rdn 94 ff und Art 86 Rdn 22 und 23), wobei für den Prüfungsantrag mindestens die in R 90 (4) Satz 2 vorgesehene 2-Monatsfrist gilt.[69]   91

Bei der Wiederaufnahme des Verfahrens nach seiner Aussetzung oder Unterbrechung fällt der Tag des Ereignisses mit dem ersten Tag des Fristlaufs zusammen, so dass gegenüber dem normalen Verlauf der Frist nach R 83 ein Tag abzuziehen ist.[70]   92

Für die Frist zur Zahlung der Jahresgebühren ist eine solche Mindestfrist von zwei Monaten nicht vorgesehen.   93

Da die **Jahresgebühren** nicht innerhalb einer bestimmten Frist, sondern spätestens am Fälligkeitstag nach Art 86 (1) iVm R 37 (1) Satz 1 (letzter Tag des Monats, der dem der Einreichung der europäischen Patentanmeldung entspricht) zu zahlen sind, folgert die Beschwerdekammer für die Auslegung von R 90 (4), dass der Fälligkeitszeitpunkt für die Jahresgebühren durch eine Unterbrechung auf den Zeitpunkt der Wiederaufnahme des Verfahrens verschoben wird.[71]   94

Liegt also der Fälligkeitszeitpunkt der Jahresgebühr im Zeitraum der Unterbrechung, so muss der Anmelder die Gebühr mit Wegfall des Unterbrechungs-

---

67 J xx/xx, Nr 15 mit näherer Sachverhaltswürdigung.
68 J 23/88 vom 25.4.1989.
69 J 7/83, ABl 1984, 211.
70 Vgl Gall, Berechnung von Fristen, Mitt. 1991, 137; Gall, 6. Aufl, S 91, sowie das Berechnungsbeispiel für die Prüfungsantragsfrist in PrüfRichtl A-IV, 2.4.
71 J xx/87 vom 17.8.1987, ABl 1988, 323, Nr 3.5 ff.

grundes und rechtzeitig zum Tag der Wiederaufnahme zahlen,[72] will er nicht zuschlagspflichtig werden; denn nach dem Tage der Wiederaufnahme kann er nur noch mit Zuschlag zahlen. Allerdings kann er sich auf diese Lage einstellen, denn die Unterbrechungsgründe der R 90 (1) liegen in der Sphäre des Anmelders, und die Wiederaufnahme erfolgt jedenfalls in den Fällen der R 90 (2) und (3) a) erst nach Fristsetzung durch das EPA.

95 Verschiebt sich der Fälligkeitszeitpunkt für die Jahresgebühr wegen der Unterbrechung des Verfahrens auf den Zeitpunkt der Wiederaufnahme, so beginnt die in Art 86 (2) vorgesehene Frist von 6 Monaten für die Nachzahlung der Jahresgebühren mit Zuschlag erst mit der neuen Fälligkeit zu laufen, nämlich am Tag nach der Wiederaufnahme des Verfahrens.

96 Ist die Jahresgebühr dagegen schon fällig, wenn das Verfahren unterbrochen wird, und läuft die Frist für die Zahlung mit Zuschlag bereits, so wird diese Frist unterbrochen. Mit der Wiederaufnahme des Verfahrens läuft sie weiter, aber nur für den vor der Unterbrechung noch nicht abgelaufenen Teil der Frist. Eine Verlängerung auf zwei Monate nach der Unterbrechung wie beim Prüfungsantrag gewährt R 90 (4) Satz 2 nicht.

Artikel 121 Weiterbehandlung der europäischen Patentanmeldung

(1) Ist nach Versäumung einer vom Europäischen Patentamt bestimmten Frist die europäische Patentanmeldung zurückzuweisen oder zurückgewiesen worden oder gilt sie als zurückgenommen, so tritt die vorgesehene Rechtsfolge nicht ein oder wird, falls sie bereits eingetreten ist, rückgängig gemacht, wenn der Anmelder die Weiterbehandlung der Anmeldung beantragt.

(2) Der Antrag ist innerhalb von zwei Monaten nach dem Tag, an dem die Entscheidung über die Zurückweisung der europäischen Patentanmeldung oder an dem die Mitteilung, dass die Anmeldung als zurückgenommen gilt, zugestellt worden ist, schriftlich einzureichen. Die versäumte Handlung ist innerhalb dieser Frist nachzuholen. Der Antrag gilt erst als gestellt, wenn die Weiterbehandlungsgebühr entrichtet worden ist.

(3) Über den Antrag entscheidet das Organ, das über die versäumte Handlung zu entscheiden hat.

---

72 J xx/87, Nr 3.7.

Jürgen Kroher

Übersicht

1	Allgemeines	1-2
2	Der Anwendungsbereich der Weiterbehandlung	3
3	Die in Betracht kommenden Fristen nach dem EPÜ	4-7
4	Fristen für Euro-PCT-Anmeldungen vor dem EPA als Bestimmungsamt oder als ausgewähltes Amt	8-9
5	Fristen für PCT-Anmeldungen während der internationalen Phase	10-12
6	Die Antragsberechtigten	13-14
7	Durch die Fristversäumung eingetretene Rechtsfolgen	15-20
8	Teilrechtsverluste	21-23
9	Antrag auf Weiterbehandlung	24-25
10	Antragsfrist und andere Anträge	26-32
11	Nachholung der versäumten Handlung	33
12	Entrichtung der Weiterbehandlungsgebühr	34
13	Entscheidendes Organ und Rechtsmittel	35-37
14	Wirkung der Weiterbehandlung	38
15	Kein Weiterbenutzungsrecht	39-40

1 Allgemeines

Die Weiterbehandlung ermöglicht es dem Anmelder eines europäischen Patents, im Erteilungsverfahren bestimmte Folgen einer Fristversäumung, nämlich den Verlust der Anmeldung, schnell und einfach zu beseitigen und damit seine europäische Patentanmeldung aufrechtzuerhalten, ohne seine Fristversäumung rechtfertigen zu müssen. **1**

Eine weitere Vorschrift, nach der die Folgen von Fristversäumungen beseitigt werden können, ist Art 122 (Wiedereinsetzung in den vorigen Stand). Sie verlangt jedoch den Nachweis, dass die Säumnis trotz Beachtung aller nach den gegebenen Umständen gebotenen Sorgfalt eingetreten ist.

Art 121 steht in engem Zusammenhang mit R 69 (Feststellung eines Rechtsverlusts) und R 108 (Folgen der Nichterfüllung bestimmter Erfordernisse), die die Grundlage für die Mitteilung des EPA bilden, dass der Anmelder sein Recht wegen der Versäumung einer Frist verloren hat.

Für die Frage, ob tatsächlich eine Frist versäumt worden ist, sind die Art 120 (Fristen) iVm den R 83–85b, 90 und 108 sowie Art 119 (Zustellung) iVm den R 77–82 heranzuziehen.

Die Höhe der Weiterbehandlungsgebühr ist in Art 2 Nr 12 GebO festgelegt.

Artikel 121 *Weiterbehandlung*

EPÜ 2000

Die Revisionskonferenz hat sich auf einen grundlegenden Bedeutungswandel zwischen der Weiterbehandlung nach Art 121 und der Wiedereinsetzung nach Art 122 geeinigt. Aus Gründen der Prozessökonomie und der Rechtssicherheit soll künftig die Weiterbehandlung Vorrang vor der Wiedereinsetzung haben, die sich als zu komplex und schwerfällig für ein weitgehend standardisiertes »Massenverfahren« erwiesen hat. Der Anwendungsbereich der Weiterbehandlung wird deshalb in der Neufassung von Art 121 erheblich erweitert.

2 Einzelheiten zur Anwendung des Art 121 EPÜ 2000 legt R 85a (neu) fest. Insbesondere sind dort in Abs (2) die zukünftig von der Weiterbehandlung ausgeschlossenen Fristen aufgeführt. Der Text des EPÜ 2000, der neuen AO und der Erläuterungen zur AO sind in Sonderausgabe Nr 1, ABl 2003, 1–280 wiedergegeben (Art 121 auf S 51; R 85a (neu) auf S 140 f; Erläuterungen zu R 85a (neu) auf S 190 ff). Die nachfolgende Kommentierung nimmt auf die Änderungen an der jeweils einschlägigen Stelle Bezug.

2 Der Anwendungsbereich der Weiterbehandlung

3 Art 121 sieht die Weiterbehandlung von europäischen Patent*anmeldungen* vor, also nicht von europäischen Patenten und nicht von Einsprüchen gegen das europäische Patent. Die Fristen zur Anmeldung und zur Zahlung der Gebühr für die europäische Eignungsprüfung sind der Weiterbehandlung nach Art 121 ebenfalls nicht zugänglich.[1] Diese Grundregeln gelten nach dem EPÜ 2000 fort.

3 Die in Betracht kommenden Fristen nach dem EPÜ

4 Das EPÜ unterscheidet zwischen Fristen, deren Dauer im Übereinkommen und in der AO festgelegt ist, und Fristen, deren Dauer das EPA bestimmt. Die Weiterbehandlung ist bis zum Inkrafttreten des EPÜ 2000 nur bei diesen **vom EPA bestimmten Fristen** zulässig.[2]

Dass nur bei versäumten Amtsfristen die Weiterbehandlung möglich sein sollte, nicht dagegen bei Fristen, die im Übereinkommen festgelegt sind, ist bei der Ausarbeitung des EPÜ eindeutig zum Ausdruck gekommen (Berichte der MDK M/PR/I, S 57 Nr 543).

5 Die Nachfrist in R 85b ist keine vom EPA gesetzte Frist und damit nicht der Weiterbehandlung zugänglich;[3] das gleiche wird man auch für die Nachfristen nach R 85a und R 108 (3), Satz 3 annehmen müssen.

---

1 Vgl ABl 1994, 419, Nr 1.2 und 1.3.
2 Vgl Art 120 Rdn 3–6; J xx/87 vom 21.5.1987, ABl 1988, 177, Nr 7; zu den Auswirkungen dieser Unterscheidung zB bei fehlender oder mangelhafter Erfindernennung vgl Mitteilung des EPA vom 24.4.1995, ABl 1995, 435.
3 J 47/92, ABl 1995, 180.

Zu beachten ist, dass einzelne dieser vom EPA zu bestimmenden Fristen entweder vom Präsidenten des EPA durch Beschluss oder vom EPA generell in den PrüfRichtl festgelegt sind (vgl Art 120 Rdn 34). **6**

Im übrigen handelt es sich dabei meist um Fristen im Rahmen der Formalprüfung nach Art 91, R 41 (1), der Sachprüfung nach Art 96 und des Beschwerdeverfahrens nach Art 110, also um Fristen, die in Bescheiden gesetzt werden, in denen formelle oder materiell rechtliche Fragen aufgeworfen werden.

EPÜ 2000

Mit dem EPÜ 2000 wird die Weiterbehandlung nach Art 121 zum Standardrechtsbehelf für Fristversäumnisse im Anmelde- und im Anmelderbeschwerdeverfahren.

Die Weiterbehandlung gilt dann für alle Fristen, die gegenüber dem EPA einzuhalten sind, unabhängig davon, ob sie im Übereinkommen oder in der AO festgelegt sind oder vom EPA bestimmt werden. Die bisherige Unterscheidung nach der Rechtsgrundlage der jeweiligen Frist wird damit entbehrlich. Im Gegensatz zur gegenwärtigen Rechtslage kann nach dem EPÜ 2000 eine Versäumung von Zahlungsfristen für Anmelde-, Recherche- und Benennungsgebühren, der nationalen Grundgebühren und der Prüfungsgebühren sowie der Frist für den Prüfungsantrag durch Weiterbehandlung geheilt werden.

Nur die in Art 121 (4) EPÜ 2000 sowie in R 85a (2) (neu) explizit aufgeführten Fristen sind einer Weiterbehandlung nicht zugänglich.

Die in Art 121 (4) EPÜ 2000 geregelten Ausnahmen umfassen

– die Prioritätsfrist nach Art 87 (1),
– die Beschwerde- und die Beschwerdebegründungsfrist nach Art 108,
– die Fristen für Anträge auf Überprüfung durch die Große Beschwerdekammer nach Art 112a (4) EPÜ 2000
– und die Fristen für Anträge auf Weiterbehandlung oder auf Wiedereinsetzung.

Ausgenommen sind nach R 85a (2) (neu) auch die Fristen nach

– R 6 (1) (Einreichung einer Übersetzung nach Art 14 (2) EPÜ 2000),
– R 14a (1) a) (Durchsetzung von Rechten nach Art 61),
– R 25d (3) (Einreichen einer Abschrift der früheren Anmeldung, auf die Bezug genommen wird, oder einer Übersetzung),
– R 37 (2) (Zahlung von Jahresgebühren),
– R 38 (2) (nachgeholte Prioritätserklärung),
– R 39 (Eingangsprüfung),
– R 39a (fehlende Teile der Beschreibung oder fehlende Zeichnungen),
– R 41 (Beseitigung von Mängeln in den Anmeldungsunterlagen),
– R 41a (Beseitigung von Mängeln bei der Prioritätsbeanspruchung)
– sowie R 69 (2) (Antrag auf beschwerdefähige Entscheidung).

7   Die Erläuterungen (Sonderausgabe Nr 1 ABl 2003, S 191 f) geben die Gründe für den Ausschluss der jeweiligen Frist von der Weiterbehandlung an.

4 Fristen für Euro-PCT-Anmeldungen vor dem EPA als Bestimmungsamt oder als ausgewähltes Amt

8   Nach der Fiktion des Art 150 (3) (Art 153 (2) und (5) EPÜ 2000) findet Art 121 auf Euro-PCT-Anmeldungen unmittelbar Anwendung. Euro-PCT-Anmeldungen sind internationale Anmeldungen nach dem PCT, in denen für einen oder mehrere Bestimmungsstaaten ein europäisches Patent beantragt wird, so dass das EPA Bestimmungsamt ist. Das gleiche gilt, wenn das EPA als ausgewähltes Amt tätig wird (siehe auch Vor Art 151/152 Rdn 70 sowie Art 153 Rdn 70). Zu diesem Gesamtkomplex eingehend Gall, Der Rechtsschutz des Patentanmelders auf dem Euro-PCT-Weg, GRUR Int 1981, 417 und 491; Gruszow, European Patents via the Euro-PCT Route, Ind Prop 1985, 196; Gall, Die Entschuldigung von Fristversäumnissen vor dem Anmeldeamt nach der neuen Regel 82bis PCT, Mitt. 1986, 81; Parup, Die umfassenden Rechtsbehelfe für Euro-PCT-Anmeldungen, Mitt. 1986, 83.

9   Art 48 (2) PCT iVm der neuen R 82bis 2 PCT lässt ausdrücklich als Rechtsbehelf bei Fristüberschreitung die Weiterbehandlung zu. In Betracht kommt die Weiterbehandlung bei Versäumung der vom EPA bestimmten Fristen nach R 111 (1) für die nachträgliche Erfindernennung, nach R 111 (2) für die nachträgliche Einreichung bestimmter Prioritätsunterlagen und nach R 111 (3) für ein nachzureichendes Sequenzprotokoll.

5 Fristen für PCT-Anmeldungen während der internationalen Phase

10 Das EPA gewährt auch dann die Weiterbehandlung nach Art 121, wenn das Anmeldeamt in der sogenannten internationalen Phase die internationale Anmeldung nach Art 14 (1) b) PCT als zurückgenommen erklärt. Dies geschieht im Rahmen des Nachprüfungsverfahrens nach den Art 25 und 24 (2) PCT in Verbindung mit Art 48 (2) PCT.[4] Selbst wenn die Entscheidung des Anmeldeamtes nach Art 14 PCT zu Recht getroffen worden ist (Art 25 (2) PCT), kann die Anmeldung nach Art 24 (2) PCT und Art 48 (2) PCT durch Weiterbehandlung aufrechterhalten werden.

11 Dabei ist innerhalb einer Frist von zwei Monaten zum einen der Antrag nach Art 25 (1) a) PCT an WIPO zu stellen, und die Voraussetzungen des Art 25 (2) a) PCT müssen erfüllt sein; zum anderen müssen auch innerhalb der in Art 121 (2) EPÜ vorgeschriebenen 2-Monatsfrist die entsprechende Gebühr entrichtet und die sonstigen dort vorgeschriebenen Handlungen vorgenommen werden.[5]

---

4   Siehe Art 153 Rdn 45 ff, 64 ff und 68 ff.
5   Siehe Entscheidung der Prüfungsabteilung vom **5.6.1984**, ABl 1984, 565 und Rdn 24 und 26.

Das schweizerische Bundesamt für geistiges Eigentum hat in einem entsprechenden Fall in einer Entscheidung vom **14.3.1984**[6] ebenfalls die Anwendung der schweizerischen nationalen Weiterbehandlungsbestimmungen bejaht, aber den Zeitpunkt für die Einreichung des nationalen Weiterbehandlungsantrags auf später festgesetzt.

6 Die Antragsberechtigten

Da die Weiterbehandlung auf Fälle der Fristversäumung im Zusammenhang mit europäischen Patentanmeldungen beschränkt ist, wird nur dem Anmelder das Recht zuerkannt, die Weiterbehandlung der europäischen Patentanmeldung zu beantragen.

Ist die europäische Patentanmeldung übertragen worden, so kann der neue Inhaber der Anmeldung die Weiterbehandlung dann beantragen, wenn der Rechtsübergang dem EPA gegenüber wirksam geworden ist. Es müssen dem EPA gemäß R 20 (3) die Unterlagen vorliegen, aus denen sich der Rechtsübergang ergibt.

7 Durch die Fristversäumung eingetretene Rechtsfolgen

Die Weiterbehandlung soll den Eintritt der im Übereinkommen vorgesehenen Rechtsfolgen verhindern oder rückgängig machen, wenn die europäische Patentanmeldung wegen der Versäumung einer vom EPA bestimmten Frist (nach dem EPÜ 2000 erweitert sich der Anwendungsbereich allgemein auf »eine dem EPA gegenüber einzuhaltende Frist«) zurückzuweisen ist oder bereits zurückgewiesen wurde, oder wenn sie deshalb als zurückgenommen gilt.

Die **Zurückweisung der europäischen Patentanmeldung** ist vor allem im Formalprüfungsverfahren eine Sanktion für die Nichteinhaltung von Fristen.

Kommt der Anmelder einer Aufforderung der Eingangsstelle zur Beseitigung bestimmter Mängel nach Art 91 (2), R 41 (1) nicht rechtzeitig nach, so wird die europäische Patentanmeldung zurückgewiesen (Art 91 (3)). Im Erteilungsverfahren ist die Zurückweisung der europäischen Patentanmeldung wegen Nichteinhaltung von Formerfordernissen weitgehend den Formalsachbearbeitern übertragen.[7]

Die Eingangsstelle ist nicht verpflichtet, bei Nichteingang oder nicht rechtzeitigem Eingang einer Antwort auf einen Bescheid den Anmelder auf diese Tatsache hinzuweisen; sie kann vielmehr unverzüglich die Anmeldung zurückweisen. Da es für die Weiterbehandlung keinen Unterschied macht, ob die Anmeldung schon zurückgewiesen ist oder ob das erst geschehen soll, erwächst dem Anmelder hieraus auch kein Nachteil.

---

6 SchwPMMBl 1984, 30; GRUR Int 1984, 707.
7 Mitteilung (...) vom 28.4.1999, ABl 1999, 504.

Weiß der Anmelder, dass er eine Frist nicht eingehalten hat, so empfiehlt es sich, dass er nicht erst die Zurückweisungsentscheidung abwartet, sondern unverzüglich den Weiterbehandlungsantrag stellt, damit das Erteilungsverfahren nicht unnötig verzögert wird (siehe Rdn 32).

Ist die Zurückweisungsentscheidung jedoch bereits ergangen, so wird sie durch einen ordnungsgemäßen Weiterbehandlungsantrag gegenstandslos. Es bedarf in diesem Fall keiner Beschwerde und der damit verbundenen Beschwerdegebühr.

18 Die **Fiktion der Zurücknahme der europäischen Patentanmeldung** gilt im Sachprüfungsverfahren vor allem dann, wenn der Anmelder auf die Aufforderung zur Erklärung, ob er die europäische Patentanmeldung aufrechterhält, oder auf einen Prüfungsbescheid nicht rechtzeitig antwortet (Art 96 (3)), oder wenn eine beantragte Fristverlängerung versagt wird.[8] Die gleiche Sanktion ist nach Art 110 (3) auch im Beschwerdeverfahren vorgesehen.

19 Die Rechtsfolge wird dem Anmelder oder Beschwerdeführer gemäß R 69 (1) mitgeteilt; ist die Feststellung nach seiner Ansicht nicht unrichtig, so kann er innerhalb von 2 Monaten nach Zustellung der Mitteilung eine Entscheidung des EPA beantragen (R 69 (2)). Zu beachten ist, dass nach Art 121 (2) die 2-monatige Frist für den Antrag auf Weiterbehandlung und für die Nachholung der versäumten Handlung nicht etwa erst mit der Zustellung der beantragten **Entscheidung,** sondern bereits mit der Zustellung der **Mitteilung** nach R 69 (1) zu laufen beginnt. Zur Zweckmäßigkeit, parallele Anträge zu stellen, siehe unter Rdn 27–32.

20 Von der Fiktion der Zurücknahme der europäischen Patentanmeldung zu unterscheiden ist die Rechtsfolge, dass die Anmeldung nicht als europäische Patentanmeldung behandelt wird (Art 90 (2)), weil ein Anmeldetag nicht zuerkannt werden kann. Die Frist für die Beseitigung der zugrunde liegenden Mängel ist in R 39 auf einen Monat festgesetzt; sie ist also keine vom EPA bestimmte Frist. Bei Versäumung dieser Frist ist eine Weiterbehandlung nicht möglich und es kommt nur eine Wiedereinsetzung nach Art 122 in Betracht, wenn die dort niedergelegten Voraussetzungen erfüllt sind. Die Frist in R 39 bleibt auch nach dem EPÜ 2000, R 85a (2) (neu), von der Weiterbehandlung ausgeschlossen.

8 Teilrechtsverluste

21 Für die wichtigsten Fälle von Teilrechtsverlusten kommt eine Weiterbehandlung nicht in Betracht, da die Fristen für diese Fälle im EPÜ festgelegt sind (Prioritäten R 38, Benennungen Art 79, fehlende Zeichnungen R 43) und für diese Verluste Sonderregelungen getroffen worden sind.

22 Auch nach dem EPÜ 2000 R 85a (2) (neu) bleibt die Weiterbehandlung bei Teilrechtsverlusten hinsichtlich Prioritäten (R 38) und Anmeldetagverschie-

---

8 J 37/89, ABl 1993, 201.

bungen wegen fehlender Teile der Beschreibung oder fehlender Zeichnungen (R 39a (neu)) ausgeschlossen. Teilrechtsverluste hinsichtlich der Benennung von Vertragsstaaten können mit der Neufassung von Art 79 EPÜ 2000 nicht mehr entstehen, weil im Antrag auf Erteilung eines europäischen Patents alle Vertragsstaaten als benannt gelten.

Bei Fristversäumungen, die zu Teilrechtsverlusten führen, kann unter den Voraussetzungen des Art 122 die Wiedereinsetzung in den vorigen Stand in Betracht kommen. Siehe auch die Rechtsprechung zu R 88 unter Art 123 Rdn 118–165. 23

9 Antrag auf Weiterbehandlung

Der Antrag bedarf nach Art 121 (2) Satz 1 der **Schriftform**. Nach R 36 (5) iVm Art 2 des Beschlusses des Präsidenten vom 5.5.1989[9] kann der Antrag auf Weiterbehandlung auch telegrafisch, fernschriftlich oder durch Telekopie (Telefax) eingereicht werden. Nach Art 3 (2) des Beschlusses ist ein Bestätigungsschreiben nur auf Anforderung des zuständigen Organs des EPA nachzureichen. Die Einzelheiten dieses Verfahrens sind unter Art 78 Rdn 64–72 näher beschrieben. 24

Für den Antrag ist keine bestimmte Form vorgeschrieben. Er ist auf die Weiterbehandlung zu richten. Die Fristversäumung braucht nicht begründet oder entschuldigt zu werden; ihre Ursachen sind unerheblich.

Eine Erklärung, dass der Anmelder die Wiederherstellung seiner Rechte beantragt, ist nach den gegebenen Umständen als Antrag auf Weiterbehandlung zu verstehen. Im Zweifel ist davon auszugehen, dass der Anmelder seinen Wunsch, ein europäisches Patent zu erhalten, nicht durch Fristversäumung gefährden möchte. Für seinen Wunsch nach Weiterbehandlung spricht auch die Entrichtung der Weiterbehandlungsgebühr (zur Antragsauslegung vgl auch Art 122 Rdn 90 f). 25

Das Erfordernis eines schriftlichen Weiterbehandlungsantrags entfällt mit dem EPÜ 2000, weil dann auch eine Weiterbehandlung für Fristen zur Gebührenzahlung in Betracht kommt. Nach dem neuen System wird der Antrag einfach durch Zahlung den entsprechenden Gebühr gestellt (vgl R 85a (1) (neu) und die Erläuterung hierzu).

10 Antragsfrist und andere Anträge

Der Antrag ist innerhalb einer Frist von zwei Monaten nach der Zustellung der Entscheidung oder der Mitteilung über die eingetretene Rechtsfolge einzureichen. Im Gegensatz zum Fristbeginn für die Wiedereinsetzung in den vorigen Stand nach Art 122 kommt es hier nicht auf den Wegfall eines etwa vorhandenen Hindernisses an, sondern auf den Tag der Zustellung der Zurückwei- 26

---

[9] Beschluss des Präsidenten vom 5.8.1989, ABl 1989, 219.

sungsentscheidung bzw der Mitteilung, dass die Anmeldung als zurückgenommen gilt (Art 119 iVm R 77–82).

Mit der Erweiterung des Anwendungsbereichs der Weiterbehandlung im EPÜ 2000 beginnt die 2-Monatsfrist nach R 85a (1) (neu) durch die Mitteilung über die Fristversäumung oder einen Rechtsverlust.

27 a) Entscheidungen über die Zurückweisung der europäischen Patentanmeldung beruhen meist darauf, dass die Eingangsstelle die europäische Patentanmeldung im Formalprüfungsverfahren nach Art 91 (3) zurückgewiesen hat. In diesen Fällen kann der Anmelder auch innerhalb der 2-Monatsfrist gegen die Entscheidung Beschwerde nach Art 106 einlegen. Dies ist aber nur dann sinnvoll, wenn die Zurückweisung zu Unrecht erfolgt ist, weil die Frist nicht versäumt worden ist.

Ist sich der Anmelder über die Aussicht seiner Beschwerde nicht im klaren, weil zB der rechtzeitige Eingang seines Schreibens nur schwer zu beweisen ist, so empfiehlt sich der Antrag auf Weiterbehandlung, der zudem billiger und weniger zeitraubend ist.

Will der Anmelder jedoch Klarheit über die Rechtmäßigkeit der Zurückweisung seiner Anmeldung erhalten, so wird er Beschwerde einlegen; zugleich sollte er hilfsweise Antrag auf Weiterbehandlung stellen und die Gebühr zahlen. Wird der Beschwerde stattgegeben, so ist die Weiterbehandlungsgebühr zurückzuzahlen, da dieser Antrag dann gegenstandslos ist.

28 b) Für den Beginn der 2-Monatsfrist kann auch die Zustellung der Mitteilung in Betracht kommen, dass die Anmeldung als zurückgenommen gilt (siehe oben Rdn 15–20).

29 Die Feststellung erfolgt nach R 69 (1); ist der Anmelder der Auffassung, dass die Feststellung unrichtig ist, so kann er nach R 69 (2) innerhalb der 2-Monatsfrist ohne Zahlung einer Gebühr eine Entscheidung verlangen. Ist sich der Anmelder, zB wegen Beweisschwierigkeiten, nicht sicher über eine positive Entscheidung auf seinen Antrag nach R 69 (2), so empfiehlt es sich, hilfsweise Antrag auf Weiterbehandlung zu stellen. Ist die Feststellung nach R 69 (1) zu Unrecht erfolgt, so wird der Anmelder nach R 69 (2) hiervon unterrichtet. Die Weiterbehandlungsgebühr ist in diesem Fall zurückzuzahlen, da dieser Antrag dann gegenstandslos ist. Da über jeden Antrag zu entscheiden ist, kann das EPA die Frage des eingetretenen Vollrechtsverlustes nicht dahingestellt bleiben lassen und die Anmeldung nur aufgrund des Weiterbehandlungsantrags weiter behandeln. Der Anmelder hat einen Rechtsanspruch auf eine beschwerdefähige Entscheidung.

30 Stellt der Anmelder innerhalb der 2-Monatsfrist lediglich den Antrag nach R 69 (2) und einen Antrag auf Weiterbehandlung erst nach Erlass der Entscheidung, die nach Ablauf der 2-Monatsfrist ergangen ist, so ist der Antrag auf Weiterbehandlung verspätet. Liegen die Voraussetzungen des Art 122 vor, so ist

eine Wiedereinsetzung in die 2-Monatsfrist für den Weiterbehandlungsantrag möglich.[10]

Wird ein rechtzeitig eingelegtes Fristgesuch abgelehnt und nach R 69 (1) der Rechtsverlust mitgeteilt, so kann dieser Rechtsverlust nur mit dem Antrag auf Weiterbehandlung nach Art 121 überwunden und zugleich die Rückzahlung der Weiterbehandlungsgebühr beantragt werden. Die Rechtmäßigkeit der Fristablehnung wird bei der Entscheidung über das Kostenerstattungsgesuch überprüft. Diese Prüfung kann bei Zurückweisung der europäischen Patentanmeldung im Rahmen der Beschwerde herbeigeführt werden oder bei Erteilung des europäischen Patents durch isolierte Beschwerde gegen die Zurückweisung des Nebenantrags auf Erstattung der Weiterbehandlungsgebühr erfolgen. Eine Beschwerde allein gegen die Ablehnung der Fristverlängerung ist nicht zulässig, weil keine das Verfahren abschließende Entscheidung vorliegt (Art 106 (3)). Gegen die Ablehnung einer Fristverlängerung kann daher keine beschwerdefähige Entscheidung nach R 69 (2) herbeigeführt werden.[11]

Der Antrag kann auch vor **Beginn der 2-Monatsfrist** nach Art 121 (2) Satz 1 gestellt werden, also unmittelbar nach Versäumung der gesetzten Fristen.[12]

11 Nachholung der versäumten Handlung

Innerhalb der Antragsfrist ist nach Art 121 (2) Satz 2 (nach dem EPÜ 2000: R 85a (1) Satz 2 (neu)) die versäumte Handlung nachzuholen. Sie muss also nicht gleichzeitig mit dem Antrag, wohl aber innerhalb der Antragsfrist vorgenommen werden. Geschieht dies nicht, so ist der Antrag zurückzuweisen. Wiedereinsetzung in diese Frist ist nach Art 122 möglich, wobei davon auszugehen ist, dass das Hindernis spätestens mit der Zustellung des Zurückweisungsbeschlusses weggefallen ist.[13]

12 Entrichtung der Weiterbehandlungsgebühr

Der schriftlich eingereichte Antrag gilt erst als gestellt, wenn die Gebühr entrichtet worden ist (Art 121 (2) Satz 3). Diese Regelung entspricht dem allgemeinen Grundsatz des EPÜ für gebührenpflichtige Anträge. Die Höhe der Gebühr ist in Art 2 Nr 12 GebO festgelegt.

Wird die Gebühr nicht oder nicht rechtzeitig entrichtet, so gilt der Antrag als nicht gestellt. Dieser Rechtsverlust wird dem Antragsteller nach R 69 (1) mitgeteilt. Auf seinen Antrag wird eine Entscheidung nach R 69 (2) erlassen, die mit der Beschwerde angegriffen werden kann. Im Fall der nicht rechtzeiti-

---

10 **J 29/94**, ABl 1998, 147, Nr 3.
11 **J 37/89**, ABl 1993, 201; siehe auch Art 120 Rdn 44.
12 Rechtsauskunft Nr 13/82, ABl 1982, 196.
13 Art 122 (2); siehe auch **J 12/92** vom 30.4.1993, Rspr Bericht 1993, ABl 1994, 80; **J 29/94**, ABl 1998, 147, Nr 3.

Artikel 121 — Weiterbehandlung

gen Entrichtung der Gebühr ist die Wiedereinsetzung nach Art 122 unter den dort aufgeführten Voraussetzungen möglich.

13 Entscheidendes Organ und Rechtsmittel

35 Nach Art 121 (3) (R 85a (3) (neu) im EPÜ 2000) entscheidet über den Antrag auf Weiterbehandlung das Organ, das über die versäumte Handlung zu entscheiden hat; in den meisten Fällen also die Stelle, der gegenüber die Handlung vorzunehmen war. Wurde zB im Formalprüfungsverfahren eine Frist versäumt, so ist die Eingangsstelle für die Weiterbehandlung zuständig. Wurde im Prüfungsverfahren eine von der Prüfungsabteilung bestimmte Frist versäumt, so ist diese Prüfungsabteilung zuständig.

36 Allerdings sind bestimmte Entscheidungen über Anträge nach Art 121 auf die Formalsachbearbeiter der ersten Instanz übertragen.[14] Nach Nr 10 dieser Übertragungsverfügung sind dies Entscheidungen über die Weiterbehandlung, wenn die Anmeldung nach Art 96 (3) oder R 51 (8) (= R 51 (7) (neu) als zurückgenommen gilt oder wenn die Anmeldung nach Nr 6 oder 21 der Übertragungsverfügung zurückgewiesen wurde.

Nach Art 2 Nr 14 des Beschlusses des Präsidiums der Beschwerdekammern vom 31.5.1985[15] ist den Geschäftsstellenbeamten der Beschwerdekammern die Gewährung der Weiterbehandlung, also nicht deren Ablehnung übertragen worden. Ausnahmen vom Grundsatz der Identität der entscheidenden Stelle gibt es für PCT-Anmeldungen.

37 Wird einem Weiterbehandlungsantrag nicht stattgegeben, so ist gegen die Entscheidung nach Art 106 (1) die Beschwerde zulässig, soweit nicht eine Beschwerdekammer selbst entschieden hat.

14 Wirkung der Weiterbehandlung

38 Ist ein Weiterbehandlungsantrag vor Zurückweisung der europäischen Patentanmeldung gestellt worden, so bedarf es formalrechtlich keiner ausdrücklichen Entscheidung. Die bloße Weiterbehandlung der Anmeldung genügt für die Fortsetzung des Verfahrens. Die Verwendung des Wortes *entscheidet* in Abs 3 bedeutet nicht, dass eine förmliche Entscheidung getroffen werden muss, sondern soll nur festlegen, welche Stelle des Amtes für einen Weiterbehandlungsantrag zuständig ist. Der Klarheit wegen erlässt das EPA jedoch eine Entscheidung, in der die Weiterbehandlung angeordnet wird.

Der Wortlaut von Art 121 (2) EPÜ 2000 stellt klar, dass das EPA dem Antrag stattgeben muss, wenn alle in der AO festgelegten Erfordernisse erfüllt sind, oder den Antrag zurückweist, wenn dies nicht der Fall ist. Art 121 (3) EPÜ

---

14 Mitteilung des Vizepräsidenten der GD 2 vom 28.4.1999, ABl 1999, 503.
15 Beschluss der Präsidiums der BK vom 31.5.1985, ABl 1985, 249.

2000 regelt, dass die Rechtsfolgen der Fristversäumung als nicht eingetreten gelten, wenn dem Antrag auf Weiterbehandlung stattgegeben wird.

15 Kein Weiterbenutzungsrecht

Bei einer Wiedereinsetzung in den vorigen Stand sieht Art 122 (6) (= Art 122 (5) EPÜ 2000) zugunsten des gutgläubigen Benutzers der Erfindung ein unentgeltliches Weiterbenutzungsrecht vor. Für den Fall der Weiterbehandlung der europäischen Patentanmeldung nach Art 121 ist ein solches Recht nicht vorgesehen.

Eine entsprechende Anwendung des für die Wiedereinsetzung geregelten Weiterbenutzungsrechts auf Fälle der Weiterbehandlung scheidet aus. Sie war von den Vertragsstaaten nicht gewollt und ist auch nicht erforderlich, da Dritte im Prinzip grundsätzlich nur im Wege der Akteneinsicht von dem Rechtsverlust Kenntnis erlangen können und ihnen die zeitlich sehr beschränkte Möglichkeit der Weiterbehandlung bekannt sein müsste. Die in R 92 (1) n) vorgesehene Eintragung des Tages, an dem die europäische Patentanmeldung zurückgewiesen worden ist oder an dem sie als zurückgenommen gilt, erfolgt erst, wenn die entsprechende Feststellung rechtskräftig geworden ist. Es müssen in diesen Fällen also keine Rechte gutgläubiger Dritter geschützt werden.

Artikel 122 Wiedereinsetzung in den vorigen Stand

(1) Der Anmelder oder Patentinhaber, der trotz Beachtung aller nach den gegebenen Umständen gebotenen Sorgfalt verhindert worden ist, gegenüber dem Europäischen Patentamt eine Frist einzuhalten, wird auf Antrag wieder in den vorigen Stand eingesetzt, wenn die Verhinderung nach dem Übereinkommen zur unmittelbaren Folge hat, dass die europäische Patentanmeldung oder ein Antrag zurückgewiesen wird, die Anmeldung als zurückgenommen gilt, das europäische Patent widerrufen wird oder der Verlust eines sonstigen Rechts oder eines Rechtsmittels eintritt.

(2) Der Antrag ist innerhalb von zwei Monaten nach Wegfall des Hindernisses schriftlich einzureichen. Die versäumte Handlung ist innerhalb dieser Frist nachzuholen. Der Antrag ist nur innerhalb eines Jahres nach Ablauf der versäumten Frist zulässig. Im Fall der Nichtzahlung einer Jahresgebühr wird die in Artikel 86 Absatz 2 vorgesehene Frist in die Frist von einem Jahr eingerechnet.

(3) Der Antrag ist zu begründen, wobei die zur Begründung dienenden Tatsachen glaubhaft zu machen sind. Er gilt erst als gestellt, wenn die Wiedereinsetzungsgebühr entrichtet worden ist.

(4) Über den Antrag entscheidet das Organ, das über die versäumte Handlung zu entscheiden hat.

(5) Dieser Artikel ist nicht anzuwenden auf die Fristen des Absatzes 2 sowie der Artikel 61 Absatz 3, 76 Absatz 3, 78 Absatz 2, 79 Absatz 2, 87 Absatz 1 und 94 Absatz 2.

(6) Wer in einem benannten Vertragsstaat in gutem Glauben die Erfindung, die Gegenstand einer veröffentlichten europäischen Patentanmeldung oder eines europäischen Patents ist, in der Zeit zwischen dem Eintritt eines Rechtsverlusts nach Absatz 1 und der Bekanntmachung des Hinweises auf die Wiedereinsetzung in den vorigen Stand in Benutzung genommen oder wirkliche und ernsthafte Veranstaltungen zur Benutzung getroffen hat, darf die Benutzung in seinem Betrieb oder für die Bedürfnisse seines Betriebs unentgeltlich fortsetzen.

(7) Dieser Artikel lässt das Recht eines Vertragsstaats unberührt, Wiedereinsetzung in den vorigen Stand in Fristen zu gewähren, die in diesem Übereinkommen vorgesehen und den Behörden dieses Staats gegenüber einzuhalten sind.

Jürgen Kroher

Übersicht

1	Allgemeines	1-10
2	Die der Wiedereinsetzung zugänglichen Fristen	11-16
3	Wiedereinsetzung von Euro-PCT-Anmeldungen in Fristen vor dem EPA als Bestimmungsamt oder ausgewähltem Amt	17-19
4	Wiedereinsetzung von Euro-PCT-Anmeldungen in Fristen der internationalen Phase	20
5	Wiedereinsetzung in Nebenverfahren	21-25
6	Ausschluss bestimmter Fristen	26-36
7	Antragsberechtigte	37-46
8	Der unmittelbare Rechtsverlust	47-54
9	Verhinderung trotz der gebotenen Sorgfalt	55-64
10	Sorgfaltspflicht des Vertreters	65-70
11	Sorgfaltspflicht von Hilfskräften	71-79
12	Einzelfälle	80-87
13	Antrag auf Wiedereinsetzung	88-91
14	Antrags- und Ausschlussfrist	92-103
15	Begründungspflicht; Inhalt der Begründung	104-112
16	Entrichtung der Wiedereinsetzungsgebühr	113-119
17	Entscheidendes Organ	120-123
18	Wirkung der Wiedereinsetzung	124-125
19	Bindung an die Entscheidung	126
20	Wiedereinsetzung und Anwendung der R 31	127-130
21	Wiedereinsetzung und Feststellung eines Rechtsverlustes (R 69)	131-135
22	Weiterbenutzungsrecht	136-142

| 23 | Wiedereinsetzung in Fristen, die gegenüber nationalen Behörden einzuhalten sind . . . . 143-144 |

1 Allgemeines

Die Bedeutung der Wiedereinsetzung liegt darin, die im Erteilungsverfahren 1
des EPÜ angedrohten **automatischen** Rechtsverluste bei Nichteinhaltung von
Fristen auszugleichen. Bei Anwendung der Wiedereinsetzung sollte diese Ausgleichsfunktion – wegen der oft nicht einsehbar harten Konsequenzen durchaus eine Schwachstelle der Konvention – nicht vergessen werden. Unter diesem Gesichtspunkt sind die Anforderungen an die gebotene Sorgfalt zu beurteilen, die vom Anmelder oder Patentinhaber zu erfüllen sind. Die Rechtsprechung hat es mit Art 122 in der Hand, hier einen angemessenen Interessenausgleich zu schaffen. Die PrüfRichtl behandeln die Wiedereinsetzung in Teil E-VIII, 2.2.

EPÜ 2000

Mit dem **EPÜ 2000** wird die Gewichtung zwischen den beiden Möglichkeiten, eine Fristversäumung ungeschehen zu machen, deutlich zugunsten der Weiterbehandlung nach Art 121 verschoben und im Gegenzug der Anwendungsbereich der Wiedereinsetzung nach Art 122 eingeschränkt. Zugleich werden die bislang in Art 122 (2) bis (4) niedergelegten Verfahrensregeln für die Wiedereinsetzung in R 85b (neu) übernommen. Dort werden auch die weiteren Fristen aufgeführt, die neben der in Art 122 (4) angesprochenen Frist für die Wiedereinsetzung selbst künftig von einer Wiedereinsetzung ausgeschlossen sind. Wie in den Erläuterungen[1] angesprochen, wird es im Erteilungsverfahren in der Regel nur die Weiterbehandlung geben. Wiedereinsetzung kommt somit nur dort in Frage, wo eine bestimmte Frist von der Weiterbehandlung ausgeschlossen ist (siehe insbes. R 85a (2)). Die Weiterbehandlungsfrist selbst bleibt jedoch wiedereinsetzungsfähig, so dass die Beschränkung der Wiedereinsetzungsmöglichkeit im Eintragungsverfahren in gewissem Maße relativiert wird.

Der Anmelder oder Patentinhaber kann durch den Antrag auf Wiedereinset- 2
zung einen Rechtsverlust, den er wegen Versäumung einer Frist erlitten hat,
dann wieder rückgängig machen lassen, wenn er für die Einhaltung der Frist
alle nach den **gegebenen Umständen** gebotene **Sorgfalt** aufgewendet hat.

Wiedereinsetzung ist aber nicht auf den Anmelder oder Patentinhaber be- 3
schränkt, sondern kann entgegen dem Wortlaut der Bestimmung ausnahmsweise auch weiteren Personen zugute kommen.[2]

Der Rechtsbehelf der Weiterbehandlung der Anmeldung (Art 121) verfolgt 4
den gleichen Zweck wie die Wiedereinsetzung; er gilt jedoch derzeit

– nur für den Anmelder (also nicht für den Patentinhaber im Einspruchsverfahren),

---

1 Sonderausgabe Nr 1, ABl EPA 2003, 193.
2 **G 1/86**, ABl 1987, 447; vgl auch Rdn 37–46.

Artikel 122 — Wiedereinsetzung

- nur bei Fristen, deren Länge das EPA festgesetzt hat,
- nur für den Verlust der gesamten Anmeldung.

5   Die Vorschriften über die Wiedereinsetzung enthalten diese Einschränkung nicht; auch sie schließen aber bestimmte Fristen von der Wiedereinsetzung aus.[3]

6   Weitere Vorschriften, die sich mit Maßnahmen gegen Fristversäumnisse befassen oder die den Eintritt eines Fristversäumnisses hindern, sind in Art 86 (2), in den R 85, 85a, 85b und 90 sowie in Art 8 (3) und 9 (1) GebO enthalten.

Ist zB nach R 85 (2) die Postzustellung nach einer Mitteilung des Präsidenten des EPA allgemein unterbrochen, so bedarf es keiner Wiedereinsetzung für eine im Zeitraum der Unterbrechung versäumte Frist, selbst wenn die Versäumung auf eine andere Ursache als die Unterbrechung der Postzustellung zurückzuführen ist.[4]

7   Bei **Zahlungen** ist zu beachten, dass die Fristwahrung nicht immer einen tatsächlichen Eingang der Zahlung beim EPA innerhalb der Frist voraussetzt (ähnlich jetzt auch R 84a für die Fiktion des rechtzeitigen Zugangs verspätet eingetroffener Schriftstücke, vgl Art 120 Rdn 45–48). Grundsätzlich gilt zwar als Tag des Eingangs einer Zahlung beim EPA der Tag, an dem ein eingezahlter oder überwiesener Betrag beim Amt eingeht oder tatsächlich gutgeschrieben wird (Art 8 (1) GebO). Bei Scheckzahlung ist es der Tag, an dem der später eingelöste Scheck beim Amt eingeht. Die Unwägbarkeiten des internationalen Zahlungsverkehrs führten dazu, dass die Beschwerdekammern immer wieder über die Rechtzeitigkeit des Zahlungseingangs entscheiden mussten, und mündeten in eine Lockerung der für die Fristwahrung erforderlichen Voraussetzungen.[5] Der Verwaltungsrat hat Art 8 (3) GebO dieser Praxis angepasst.

Danach gilt die Zahlungsfrist trotz Zahlungseingang nach Fristablauf unter den folgenden Voraussetzungen als eingehalten, wenn der Einzahler in einem Vertragsstaat

a) die Zahlung des Betrages innerhalb der Frist bei einem Bankinstitut oder Postamt veranlasst hat oder

b) einen Auftrag zur Überweisung des zu entrichtenden Betrags einem Bankinstitut oder Postscheckamt formgerecht erteilt hat oder

c) einem Postamt einen an das Amt gerichteten Brief übergeben hat, in dem ein Scheck enthalten ist, der Art 5 (1) d) GebO entspricht, sofern dieser Scheck eingelöst wird.

---

3   Vgl Rdn 26–36.
4   **T 192/84**, ABl 1985, 39; vgl Art 120 Rdn 59.
5   Vgl dazu mit ausführlichen Nachweisen: Singer, EPÜ, 1. Aufl, unter Art 122, Punkt 1; **J 24/86**, ABl 1987, 399.

In jedem der genannten Fälle muss der Einzahler die rechtzeitige Vornahme der erforderlichen Handlung dem Amt nachweisen und, sofern er sie nicht spätestens 10 Tage vor Ablauf der Zahlungsfrist vorgenommen hat, eine Zuschlagsgebühr entrichten (Art 8 (3) Satz 1 a) und b) GebO). Um Streitfällen über die rechtzeitige Entrichtung der Zuschlagsgebühr vorzubeugen, sieht Art 8 (4) GebO vor, dass das Amt dem Anmelder eine Frist zum Nachweis der rechtzeitigen Vornahme der Handlung und zur Entrichtung der Zuschlagsgebühr setzen kann.

Die Höhe der Wiedereinsetzungsgebühr ist in Art 2 Nr 13 GebO festgelegt.[6]

Die Vorschriften über die Wiedereinsetzung gelten nach Art 48 (2) iVm R 82bis.2 PCT auch für Euro-PCT Anmeldungen. Dabei ist die Sonderregelung des PCT in R 82 (Störungen im Postdienst) zu beachten. Unter den dort angegebenen Voraussetzungen bedarf es zB bei Verlust eines Schriftstückes während der Postbeförderung keines Wiedereinsetzungsantrags nach Fristablauf, sondern nur des Ersatzes durch eine Kopie innerhalb einer bestimmten Frist. **8**

Allgemein zur Wiedereinsetzung siehe Singer, Die Wiedereinsetzung in den vorigen Stand im Verfahren vor dem EPA, GRUR Int 1981, 719, die Referate über die Wiedereinsetzung in den vorigen Stand in Patenterteilungsverfahren auf dem 3. Symposium europäischer Patentrichter in Wien 1986: Ford (nach dem EPÜ), Schubarth (nach Art 47 und 48 des schweizerischen Patentgesetzes), Persson (nach schwedischem Recht und schwedischer Rechtspraxis), GRUR Int 1987, 458, 461, 463 sowie zur Entstehungsgeschichte des Art 122 und den daraus abzuleitenden Maßstäben für seine Auslegung siehe Straus, Verhinderung trotz Beachtung der »gebotenen Sorgfalt« als Wiedereinsetzungsgrund bei Fristversäumnis im europäischen Patenterteilungsverfahren, Festschrift Vieregge, 1995, 835. Einen Überblick zum deutschen Recht gibt Joachim Beier, Wiederherstellung von Patenten und Rechten aus Patentanmeldungen, die wegen Fristversäumnissen nach der Einreichung der Anmeldung erloschen sind (Q 119), GRUR Int 1994, 164. **9**

Zum Vergleich mit den nationalen Wiedereinsetzungsvoraussetzungen in der Schweiz vgl die Entscheidungen des Schweizer Bundesgerichts vom 7.6.1990 – **Versäumte Gebührenzahlung** – , GRUR Int 1991, 377 und vom 4.10.1991 – **Diskettendefekt** – , SMI 1992, 318 sowie des Bundesamts für geistiges Eigentum vom 3.7.1992 – **Wiedereinsetzung/EP** –, ABl 1993, 181; zu den Wiedereinsetzungsvoraussetzungen nach österreichischem Recht siehe die Entscheidung des österreichischen Obersten Patent- und Markensenates vom **24.11.1993**, Österr Patentblatt 1994, 171; zum deutschen Recht vgl Benkard, Patentgesetz, 10. Auflage, § 123, Rn 11–46. **10**

---

6   Siehe Nr 1.1.13 des aktuellen Gebührenverzeichnisses, veröffentlicht als Beilage zum ABl.

2 Die der Wiedereinsetzung zugänglichen Fristen

11 Nach Art 122 (1) wird Wiedereinsetzung in Fristen gewährt, die vom **Anmelder** oder **Patentinhaber** gegenüber dem EPA einzuhalten sind. Eine Frist (Art 120) ist ein abgegrenzter Zeitraum mit bestimmtem oder bestimmbarem Anfang und Ende. Ein Termin, zB für eine mündliche Verhandlung, ist dagegen ein bestimmter Zeitpunkt und keine Frist; daran ändert auch die Bezeichnung als Ladungsfrist in R 71 (1) Satz 2 nichts. Keine wiedereinsetzungsfähigen Fristen sind weiterhin der Zeitpunkt der Benennung von Vertragsstaaten in Art 79 (1);[7] die »Zeitgrenze« für Berichtigungen nach R 88 Satz 1[8] und für Teilanmeldungen nach R 25 (1).[9]

12 Die Beschränkung auf den Anmelder oder Patentinhaber grenzt zum einen die Berechtigung zur Wiedereinsetzung dahingehend ab, dass zB Einsprechende[10] oder die dem Einspruch Beitretenden nicht Wiedereinsetzung verlangen können. Eine Ausnahme gilt für die 4-Monatsfrist zur Einreichung der Beschwerdebegründung durch einen Einsprechenden im Beschwerdeverfahren.[11]

13 Zum anderen ist daraus zu folgern, dass eine Wiedereinsetzung in Fristen, die von Dritten einzuhalten sind, nicht möglich ist. Demnach gibt es keine Wiedereinsetzung in die von Zentralbehörden der Vertragsstaaten für den gewerblichen Rechtsschutz nach Art 77 einzuhaltende Frist von 14 Monaten zur Weiterleitung der bei ihnen eingereichten europäischen Patentanmeldungen an das EPA.[12] Die Gefahr, dass eine Zentralbehörde die europäische Patentanmeldung verspätet an das EPA übermittelt, wurde bisher nur durch die Einfügung von Satz 2 in R 85 (2) vermindert; danach gilt bei unterbrochener oder gestörter Postzustellung die Fristerstreckung nach Art 77 (5) auf den ersten Tag nach Beendigung der Unterbrechung oder Störung auch für diese Übermittlung.[13]

14 Die Wiedereinsetzung erfasst außerdem keine Fristen, die gegenüber den nationalen Zentralbehörden der Vertragsstaaten und nicht gegenüber dem EPA einzuhalten sind. Eine Wiedereinsetzung in solche Fristen wird nach Art 122 (7) den einzelnen Vertragsstaaten überlassen.[14]

15 Eine Wiedereinsetzung in das Recht zur Einreichung einer Teilanmeldung findet nicht statt, weil der insoweit maßgebliche Tag der Entscheidung über die

---

7 **J 3/83** vom 2.11.1983.
8 **J 7/90**, ABl 1993, 133.
9 So für die bis Ende 2001 geltende Fassung **J 21/96** vom 6.5.1998 und für die seither gültige Fassung von R 25 (1) **J 24/03**, ABl 2004, 544 Nr 4 f.
10 Vgl **T 702/89**, ABl 1994, 472.
11 Siehe Rdn 39 und 40.
12 **J 3/80**, ABl 1980, 92.
13 Vgl Art 120 Rdn 57.
14 Siehe Rdn 143 f.

Erteilung nicht das Ende einer Frist ist.[15] Zur Frage, ob Wiedereinsetzung in Fristen gewährt werden kann, die nicht das Patenterteilungsverfahren selbst betreffen, siehe Rdn 21–25.

Zum Verhältnis zwischen Wiedereinsetzung und Weiterbehandlung vor Inkrafttreten des **EPÜ 2000**: Die Wiedereinsetzungsmöglichkeit besteht sowohl für Fristen, deren Dauer im Übereinkommen festgelegt ist, als auch für Fristen, deren Dauer das EPA bestimmt. Bei Versäumung dieser Amtsfristen ist im Patenterteilungsverfahren meist die einfachere Weiterbehandlung nach Art 121 zulässig, nicht jedoch bei den im EPÜ ihrer Dauer nach festgelegten Fristen. Alle Fristen, die der Weiterbehandlung zugänglich sind, sind auch wiedereinsetzungsfähig, wobei die Wiedereinsetzung im Gegensatz zur Weiterbehandlung nicht nur dem Anmelder, sondern auch dem Patentinhaber zur Verfügung steht.

3 Wiedereinsetzung von Euro-PCT-Anmeldungen in Fristen vor dem EPA als Bestimmungsamt oder ausgewähltem Amt

Auch auf Euro-PCT-Anmeldungen findet Art 122 nach der Fiktion des Art 150 (3) unmittelbar Anwendung. Unter Euro-PCT-Anmeldungen werden internationale Anmeldungen nach dem PCT verstanden, in denen für einen oder mehrere Bestimmungsstaaten ein europäisches Patent beantragt wird, so dass das EPA Bestimmungsamt ist. Das gleiche gilt, wenn das EPA als ausgewähltes Amt tätig wird.[16]

Art 48 (2) PCT iVm der geänderten R 82bis .2 PCT bestimmt ausdrücklich, dass zu den Rechtsbehelfen bei Fristüberschreitungen auch die Wiedereinsetzung gehört.

Die im EPÜ vorgesehene Wiedereinsetzung kann auch während des Übergangs der internationalen Anmeldung auf das EPA gewährt werden.[17] Nach der neueren Rechtsprechung sind Euro-PCT-Anmeldungen jedoch im gleichen Umfang von der Wiedereinsetzung ausgeschlossen (Art 122 (5)) wie europäische Direktanmeldungen.[18]

---

15 J 11/91 und J 16/91, ABl 1994, 28, Nr 3.3.
16 Siehe auch Vor Art 151/152 Rdn 70 sowie Art 153 Rdn 70; zu diesem Gesamtkomplex eingehend Gall, Der Rechtsschutz des Patentanmelders auf dem Euro-PCT-Weg, GRUR Int 1981, 417–429, 491–504; Gruszow, European Patents via the Euro-PCT Route, Ind Prop 1985, 196; Gall, Die Entschuldigung von Fristversäumnissen vor dem Anmeldeamt nach der neuen Regel 82bis PCT, Mitt. 1986, 81; Parup, Die umfassenden Rechtsbehelfe für Euro-PCT-Anmeldungen, Mitt. 1986, 83.
17 J 6/79, ABl 1980, 225.
18 Vgl Rdn 33.

4 Wiedereinsetzung von Euro-PCT-Anmeldungen in Fristen der internationalen Phase

20 Wie unter Art 121 Rdn 10–12 dargelegt, gewährt das EPA die Weiterbehandlung bei Fristversäumnissen in der internationalen Phase. Aus den gleichen Gründen wie die Weiterbehandlung findet in dieser Phase auch die Wiedereinsetzung in den vorigen Stand statt, wenn die entsprechenden Voraussetzungen vorliegen.[19] Auch in diesen Fällen sind die 2-Monatsfristen der Art 122 (2) EPÜ und R 51 PCT zu beachten.

Zwar ist zur Behebung von Fristversäumnissen in dieser Phase meist die einfachere Weiterbehandlung nach Art 121 EPÜ möglich, es sind aber auch Fälle denkbar, in denen auf die Anwendung des Art 122 EPÜ zurückgegriffen werden muss; dies wäre zB dann der Fall, wenn die 2-Monatsfristen der Art 121 (2) EPÜ und R 51 PCT versäumt worden sind.

5 Wiedereinsetzung in Nebenverfahren

21 Art 122 enthält eine **in sich geschlossene, eigenständige Regelung der Wiedereinsetzung für das Patenterteilungsverfahren**. Fraglich ist, inwieweit Wiedereinsetzung auch in denjenigen Verfahren vor dem EPA gewährt werden kann, die nicht unmittelbar zum Erteilungsverfahren gehören. So trifft das EPA in verschiedenen Nebenverfahren Entscheidungen, zB im Verfahren über die Eintragung von Rechtsübergängen, Lizenzen und anderen Rechten (Art 71 ff, R 20 ff), in Akteneinsichtsverfahren (Art 128) und auch im Verfahren über die Eintragung und Löschung in der Liste der zugelassenen Vertreter (Art 134). Auch in diesen Verfahren können Fristen versäumt werden, zB bei der Einlegung von Beschwerden, die auch in diesen Verfahren statthaft sind (Art 106).

22 Die generelle Formulierung der Wiedereinsetzungsregelung und ihre Stellung in den allgemeinen Verfahrensbestimmungen lassen den Schluss zu, dass die Wiedereinsetzung ein Rechtsbehelf ist, der vor dem EPA allgemein gelten soll, wenn aufgrund entschuldbarer Fristversäumnisse ein unmittelbarer Rechtsverlust eintritt. Dagegen spricht nicht der grundsätzliche Ausschluss des Einsprechenden, der bei der Ausarbeitung des EPÜ ausdrücklich beabsichtigt war. Benkard/*Schäfers*[20] befürwortet deshalb die Wiedereinsetzung auch für den Einsprechenden in Annexverfahren, die den Abschluss des Einspruchsverfahrens selbst nicht behindern. Inwieweit die einzelnen Bestimmungen entsprechend anzuwenden sind, muss im Einzelfall entschieden werden.

---

19 **W 4/87**, ABl 1988, 425; **W 3/93**, ABl 1994, 931 zur Wiedereinsetzung in die Frist nach R 40.3 PCT für den Widerspruch gegen zusätzliche Recherchengebühren; **T 227/97**, ABl 1999, 495 zur Wiedereinsetzung in die Frist nach R 13bis.4 PCT und R 28 (2) a) EPÜ zur Bezugnahme auf einen hinterlegten Mikroorganismus.

20 Schäfers in Benkard, EPÜ, Art 122, Rdn 106.

Die Vorschriften in Disziplinarangelegenheiten von zugelassenen Vertretern 23
vom 21.10.1977[21] enthalten in Art 24 (2) eine dem Art 122 EPÜ entsprechende
Regelung, allerdings mit dem Unterschied, dass die Antragsfrist nur einen Monat nach Wegfall des Hindernisses beträgt. Art 122 (2) Satz 2 und 3, (3) Satz 1
und (4) des EPÜ ist entsprechend anzuwenden.

Die Beschwerdekammer in Disziplinarangelegenheiten hat auf einen Wiedereinsetzungsantrag bei einer Beschwerde gegen eine Entscheidung der Prüfungskommission Art 24 (2) VDV angewandt.[22] Die Beschwerdekammer sah 24
diese Vorschrift als Spezialregel aus dem Bereich des Vertreterwesens an, zu
dem auch die europäische Eignungsprüfung gehört.

Demgegenüber weist das EPA zur europäischen Eignungsprüfung routinemäßig darauf hin, dass die Fristen zur Anmeldung für die Prüfung sowie zur 25
Zahlung der Prüfungsgebühr weder einer Weiterbehandlung noch einer Wiedereinsetzung zugänglich sein sollen.[23] Eine Beschwerdekammer hat über diese Frage bislang nicht entscheiden.

6 Ausschluss bestimmter Fristen

EPÜ 2000

Das **EPÜ 2000** wird die Wiedereinsetzungsfrist selbst (Art 122 (4) EPÜ 2000)
und alle zur Weiterbehandlung zugelassenen Fristen (R 85b (3) (**neu**)) von der
Wiedereinsetzung ausdrücklich ausschließen.

In der derzeit gültigen Fassung schließt Art 122 (5) folgende Fristen von der 26
Wiedereinsetzung aus.

a) Die **2-Monatsfrist für den Antrag auf Wiedereinsetzung** in den vorigen 27
   Stand und die **Ausschlussfrist von 1 Jahr** (Art 122 (2).[24]
   Die Wiedereinsetzung ist dagegen möglich in die 2-Monatsfrist für die Stellung eines Weiterbehandlungsantrags nach Art 121 (2).

b) Die **Fristen für die Zahlung der Anmeldegebühr, der Recherchengebühr und der Benennungsgebühren** bei Einreichung einer neuen Patentanmeldung **durch den wahren Berechtigten** (Art 61 (3), R 15 (2)) sowie 28
   bei der Einreichung einer **Teilanmeldung** (Art 76 (3), R 25 (2)). Nach R 85a
   ist für diese Fälle eine Nachfrist von 1 Monat vorgesehen.

c) Die **1-Monatsfrist für die Zahlung der Anmeldegebühr und der Recherchengebühr** nach Art 78 (2). Nach R 85a ist für diese Fälle eine Nachfrist 29
   von 1 Monat vorgesehen.

---

21 VDV, ABl 1978, 91.
22 **D 6/82**, ABl 1983, 337.
23 Vgl zB ABl 1994, 419, Nr 1.2 und 1.3.
24 **T 900/90** vom 18.5.1994.

30 d) Die **6-Monatsfrist für die Zahlung der Benennungsgebühren** nach Art 79 (2). Für diese Frist sieht R 85a (1) eine Nachfrist von 1 Monat vor, für die Fälle nach R 85a (2) eine Nachfrist von 2 Monaten (siehe Rdn 35).

31 e) Die **12-Monatsfrist für die Nachanmeldung** einer europäischen Patentanmeldung bei Geltendmachung der Priorität einer Erstanmeldung nach Art 87 (1). Für diese Frist gibt es keine Nachfrist. Zur Diskussion über das stets aktuelle und besonders praxisrelevante Thema der Wiedereinsetzung in die Prioritätsfrist vgl AIPPI-Jahrbuch 1992/II, 261 ff.

EPÜ 2000

Nach dem **EPÜ 2000** wird Wiedereinsetzung auch in die Prioritätsfrist des Art 87 (1) möglich sein. Wegen der zentralen Bedeutung des Anmelde- bzw. Prioritätstages muss über die Wirksamkeit der Inanspruchnahme einer Priorität rasch Klarheit bestehen, und R 85b (1) (**neu**) sieht deshalb vor, dass der Antrag auf Wiedereinsetzung in die Prioritätsfrist nur innerhalb von zwei Monaten nach Ablauf dieser Frist gestellt werden kann.

32 f) Die **6-Monatsfrist für die Stellung des Prüfungsantrags und die Zahlung der Prüfungsgebühr** nach Art 94 (2).[25] Ein Grund für den Ausschluss dieser Frist war die ursprünglich geplante lange Dauer dieser Frist. Für diese Frist sieht R 85b eine Nachfrist von 1 Monat vor (siehe Rdn 36). Der Ausschluss der Wiedereinsetzung in die Grundfristen ist durch die große Beschwerdekammer nachdrücklich bestätigt worden.[26]

33 g) Die **Fristen bei Euro-PCT-Anmeldungen für die Anmelde- und Benennungsgebühren** (R 107 (1) c) und d) iVm Art 158 (2)) und die **Recherchengebühren** (R 107 (1) e) iVm Art 157 (2) b)). Auch hierfür sind in R 85a Nachfristen vorgesehen (siehe Rdn 35).

Die Beschwerdekammern hatten in ständiger Spruchpraxis die Ausschlussbestimmung Art 122 (5) nicht auf Euro-PCT-Anmeldungen angewandt.[27] Diese Rechtsprechung mag im Hinblick auf die Schwierigkeiten, die die Anwendung des PCT den Anmeldern in den ersten Jahren bereitet hatte, zunächst berechtigt gewesen sein, sie führte jedoch zu einer Schlechterstellung der europäischen Direktanmelder gegenüber Euro-PCT-Anmeldern. 1992 hat die Große Beschwerdekammer diese Rechtsprechung aufgegeben und entschieden, dass Abs 5 sowohl auf den europäischen, als auch auf den Euro-PCT-Anmelder anzuwenden ist.[28] Damit sind nicht nur die Fristen nach Art 78 (2) und Art 79 (2) von der Wiedereinsetzung ausgeschlossen, sondern wegen dieser Gleichstellung der Euro-PCT-Anmeldungen mit

---

25 Siehe zB **J xx/87** vom 21.5.1987, ABl 1988, 177, Nr 6.
26 **G 5/92** und **G 6/92**, ABl 1994, 22 und 25; der Ausschluss gilt auch für Euro-PCT-Anmeldungen (Art 94 (2) iVm R 107 (1) f).
27 Vgl **J 6/79**, ABl 1980, 225; **J 12/87**, ABl 1989, 366; **J 32/86** vom 16.2.1987.
28 **G 3/91**, ABl 1993, 8; Vorlageentscheidung war **J 16/90**, ABl 1992, 260.

reinen europäischen Patentanmeldungen auch die Fristen nach R 107 (1) c), d) und e) iVm den Art 157 (2) b) und 158 (2).[29] Aus Gründen des Vertrauensschutzes hatte die Große Beschwerdekammer Wiedereinsetzungen, die **vor** der Veröffentlichung der Entscheidung **G 3/91** im Amtsblatt beantragt worden waren, als weiterhin zulässig bewertet.[30] Nicht ausgeschlossen ist die Frist zur Zahlung der **Anspruchsgebühren für Euro-PCT-Anmeldungen** (Art 48 (2) PCT iVm R 110 und R 31); bei ihrer Versäumung bleibt eine Wiedereinsetzung möglich, weil Art 122 (5) für europäische Direktanmelder die Wiedereinsetzung in die Frist nach R 31 ebenfalls nicht ausschließt.[31]

h) Die **Fristen bei Euro-PCT-Anmeldungen für den Prüfungsantrag** nach Art 150 (2) Satz 4.[32] Auf die Tatsache, dass die Fristversäumung hier in einem späten Verfahrensstadium besonders harte Folgen hat, weil der Anmelder infolge der immer bereits erfolgten Veröffentlichung die Anmeldung nicht mehr neu einreichen kann, ist die Große Beschwerdekammer nicht näher eingegangen. 34

i) Die **Nachfrist für Gebührenzahlungen** (R 85a). Da für die Nachfrist zu einer Grundfrist nichts anderes gelten kann als für die Grundfrist selbst, hat die Große Beschwerdekammer in einem obiter dictum auch für die Frist der R 85a die Wiedereinsetzung ausgeschlossen.[33] Die Gleichbehandlung von Grund- und Nachfrist war im übrigen bereits zur alten Fassung der R 85a geklärt.[34] 35

k) Für die **Nachfrist zur Stellung des Prüfungsantrags** (R 85b) ist die Wiedereinsetzung ebenfalls ausgeschlossen.[35] Beide Nachfristen sind analog ausgestaltet, daher gelten die Folgerungen aus **G 3/91** auch für die Nachfrist der R 85b. 36

7 Antragsberechtigte

Nach Art 122 (1) kann Wiedereinsetzung dem Anmelder sowie dem Inhaber eines europäischen Patents gewährt werden. 37

Aufgrund dieser eindeutigen Benennung der Berechtigten sind von der Wiedereinsetzung in Fristen sonstige Verfahrensbeteiligte, wie Einsprechende und dem Einspruch Beitretende, ausgeschlossen.[36] 38

---

29 Offen gelassen für die Frist nach R 4.9 (b) (ii) PCT in **J 1/03** vom 6.10.2004.
30 **G 5/93**, ABl 1994, 447, Nr 2.1–2.3.
31 **G 5/93**, ABl 1994, 447, Nr 1.1.4.
32 **G 5/92** und **G 6/92**, ABl 1994, 22 und 25.
33 **G 3/91**, ABl 1993, 8.
34 **J 12/82**, ABl 1983, 221 und **J 18/82**, ABl 1983, 441.
35 **J 8/94**, ABl 1997, 17.
36 Siehe auch **T 2/87**, ABl 1988, 264, Nr 10.

39 Eine Ausnahme gilt für den Fall, dass ein beschwerdeführender Einsprechender die Frist zur Einreichung der Beschwerdebegründung versäumt hat; hier ist die Wiedereinsetzung möglich.[37] Die Große Beschwerdekammer setzt sich eingehend mit der Geschichte der Vorschrift und ihrem Zweck auseinander. Unter Hinweis auf den von den Mitgliedstaaten des EPÜ allgemein anerkannten Rechtssatz, dass allen Beteiligten an einem Verfahren vor einem Gericht dieselben Verfahrensrechte eingeräumt werden müssen, wenn eine Differenzierung objektiv nicht gerechtfertigt ist, wird in diesem besonderen Fall der Versäumung der Frist für die Beschwerdebegründung dem Beschwerdeführer die Wiedereinsetzungsmöglichkeit eingeräumt.

40 Der sehr weit gefasste erste Absatz im Leitsatz zu **G 1/86**:[38] »Art 122 ist nicht so auszulegen, dass er nur auf den Patentanmelder anzuwenden ist« darf jedoch nicht als eine allgemeine Wiedereinsetzungsmöglichkeit für Einsprechende missverstanden werden. Eine Wiedereinsetzung des Einsprechenden kommt deshalb nur bei Fristen des rechtsgültig eröffneten Beschwerdeverfahrens in Betracht, wie beispielsweise der 2wöchigen Frist zur schriftlichen Bestätigung einer mit Telekopie eingelegten Einspruchsbeschwerde nach R 36 (5) aF.[39] Die Beschwerdekammer weist darauf hin, dass die Wiedereinsetzungsmöglichkeit des Anmelders/Patentinhabers diesen vor einem endgültigen Rechtsverlust bewahren soll, während der Einsprechende bei Versäumung der Beschwerdefrist sein Anliegen noch mit der Nichtigkeitsklage verfolgen kann und deshalb eine Gleichbehandlung bei der Wiedereinsetzung in die Beschwerdefrist selbst bzw in die Zahlungsfrist für die Beschwerdegebühr sachlich nicht gerechtfertigt ist (Nr 7–10 der Gründe). Andere Beschwerdekammern haben diese Rechtsprechung bestätigt und die Wiedereinsetzung des Einsprechenden in die Einspruchsfrist und in die Beschwerdefrist abgelehnt.[40]

41 Verschiedene nationale Gesetze, zB das deutsche Patentgesetz, beschränken die Möglichkeit der Wiedereinsetzung nicht so generell wie das EPÜ, kommen aber zu ähnlichen Ergebnissen durch einen ausdrücklichen Ausschluss der

---

37 **G 1/86**, ABl 1987, 447; so auch die Mitteilung des EPA in ABl 1996, 343, Nr 1.5 und die Hinweise für die Parteien und ihre Vertreter im Beschwerdeverfahren in ABl 2003, 419, Nr 1.10; Vorlageentscheidung für **G 1/86** war **T 110/85** vom 6.8.1986, ABl 1987, 157 gewesen; mit **T 110/85** vom 10.9.1987 wurde dem Beschwerdeführer aufgrund von **G 1/86** Wiedereinsetzung gewährt, so dass das Beschwerdeverfahren durchgeführt wurde; mit **T 110/85** vom 26.11.1987 widerrief dann die Kammer das Patent.
38 **G 1/86**, ABl 1987, 447.
39 **T 210/89**, ABl 1991, 433.
40 **T 702/89**, ABl 1994, 472, Nr 3 (Einspruchsfrist und Frist zur Zahlung der Einspruchsgebühr); **T 323/87**, ABl 1989, 343, Nr 5 als obiter dictum (verspätete Vorlage einer Übersetzung der in niederländischer Sprache eingereichten Beschwerde).

Wiedereinsetzung in bestimmten Fällen, zB in die Einspruchsfrist (§ 123 (1) Satz 2 DE-PatG).

Bei Fristversäumungen im Einspruchsverfahren sind vom Patentinhaber sowohl die einschlägigen Bestimmungen des EPÜ als auch die nationalen Vorschriften der vom Patentinhaber benannten Vertragsstaaten zu beachten. Dies ist zB dann der Fall, wenn der Patentinhaber eine dem EPA gegenüber einzuhaltende Frist und auch die Frist zur Zahlung der nationalen Jahresgebühren für sein europäisches Patent, die an die nationalen Patentämter zu entrichten sind, versäumt hat. 42

Bei Übertragungen von europäischen Patentanmeldungen ist zu beachten, dass der neue Inhaber der Anmeldung nur dann nach Art 122 in den vorigen Stand wiedereingesetzt werden kann, wenn der Rechtsübergang dem EPA gegenüber wirksam geworden ist. Dafür müssen dem EPA gemäß R 20 (3) die Unterlagen vorliegen, aus denen sich der Rechtsübergang ergibt. Antragsberechtigt ist also der formell Berechtigte. 43

Ist das Recht während der versäumten Frist übergegangen, so fragt sich, bei welchem Beteiligten die Wiedereinsetzungsgründe vorliegen müssen. 44

Die deutsche Patentrechtsprechung stellt darauf ab, wer zum maßgeblichen Zeitpunkt dem Patentamt gegenüber legitimiert (formell berechtigt) war und nicht, wer materiell berechtigt war.[41] Nach Benkard/*Schäfers*[42] soll beim Wiedereinsetzungsgrund auch ein Abstellen auf die Person des Rechtsnachfolgers in Betracht kommen, auch wenn er zum Zeitpunkt der Fristversäumung nur materiell Berechtigter war, während Schulte[43] nur eine »Berücksichtigung« von Ereignissen bei Dritten nicht ausschließen will. In Richtung auf eine großzügige Beurteilung weist eine Bewerdekammerentscheidung von 1992, wobei allerdings im konkreten Fall die Wiedereinsetzung abgelehnt wurde.[44] 45

Berücksichtigt man, dass die Übertragung trotz Eintritt der Rücknahmefiktion möglich ist, weil ein Bündel an Verfahrensrechten bestehen bleibt,[45] kann auch ein berechtigtes Interesse des Rechtsnachfolgers an einer Wiederherstellung der europäischen Patentanmeldung bestehen. Ein Wiedereinsetzungsantrag des Rechtsnachfolgers ist danach grundsätzlich zulässig, wenn die Jahresfrist des Art 122 (2) 3 gewahrt ist und gleichzeitig mit dem Wiedereinsetzungsantrag die Umschreibung beantragt und der Rechtsübergang nachgewiesen wird. 46

---

[41] Benkard/*Schäfers*, 10. Auflage, PatG, § 123 Rn 12–13; Schulte, Das Antragsrecht für die Wiedereinsetzung, GRUR 1961, 525.
[42] Schäfers in Benkard, EPÜ, Art 122 Rdn 106.
[43] 7. Aufl, § 123 DE-PatG Rdn 17.
[44] **J 9/90** vom 8.4.1992, Nr 3.
[45] **J 10/93**, ABl 1997, 91.

8 Der unmittelbare Rechtsverlust

47 Die Verhinderung (präziser in der Neufassung von Art 122 (1) **EPÜ 2000**: »*die Versäumung dieser Frist*«) muss **unmittelbar** zum **Verlust** der Anmeldung, des Patents oder eines sonstigen Rechts führen. Unter *sonstigen Rechten* sind zB das Prioritätsrecht und das Recht auf die Benennung eines Vertragsstaates zu verstehen. *Unmittelbarer Rechtsverlust* sind auch Folgen, die sich aus der Nichteinreichung von Zeichnungen ergeben.

Weiterhin sind in Abs 1 die Zurückweisung eines Antrags und der Verlust eines Rechtsmittels genannt.

48 Die Nichteinhaltung einer vom EPA gesetzten Frist im **Formal- und Sachprüfungsverfahren** zieht meist – im Gegensatz zum deutschen Patentrecht – einen unmittelbaren Rechtsverlust nach sich: Bei nicht rechtzeitiger Mängelbeseitigung ist nach R 41 (1) in den Fällen des Art 91 (1) a)–d) die Anmeldung gemäß Art 91 (3) zurückzuweisen; dies gilt auch dann, wenn die Frist nur um einen Tag versäumt wurde. In anderen Fällen des Art 91, zB Art 91 (1) d) letzter Satzteil (Prioritätsanspruch), e) (Benennungsgebühren), f) (Erfindernennung), g) (Zeichnungen) tritt der Rechtsverlust jeweils automatisch bei der nicht rechtzeitigen Erfüllung der Voraussetzungen ein (Art 91 (3)–(6)).

49 Ist der Rechtsverlust nur die **mittelbare** Folge der Fristversäumung, so gibt es keine Wiedereinsetzung. Wird zB die in Art 88 (1) iVm R 38 (3) für die Vorlage der Prioritätsunterlagen vorgeschriebene 16-Monatsfrist nicht eingehalten, so tritt der Verlust des Prioritätsrechts nach Art 91 (3) erst ein, wenn der Anmelder einer Aufforderung des EPA zur Behebung dieses Mangels nicht rechtzeitig nachgekommen ist (Art 91 (2), R 41 (1)).[46]

50 Eine Wiedereinsetzung kommt also nicht in Betracht, wenn der Anmelder noch nicht auf den Mangel hingewiesen und ihm auch noch keine Frist zur Behebung des Mangels gesetzt worden ist; denn hier ist noch kein Rechtsverlust eingetreten.

51 Die Beschwerdekammern wenden diesen Grundsatz auch auf die 16-Monatsfrist nach R 28 (2) a) für mikrobiologische Erfindungen zur Nachreichung der Angaben über die Hinterlegungsstelle und das Aktenzeichen (R 28 (1) c)) an;[47] mangels Rechtsverlusts sei eine Wiedereinsetzung nicht möglich, zumal die Eingangsstelle nach PrüfRichtl A-IV, 4.2 den Anmelder auf den Mangel hinweisen muss. Andererseits gehören die Angaben nach R 28 (1) zur Offenbarung nach Art 83 und können deshalb nicht nachgereicht werden.[48] Auch bei Versäumung der Frist in R 28 (2) EPÜ bzw R 13bis.4 PCT tritt ein unmittelba-

---

46 **J 1/80**, ABl 1980, 289.
47 **J 8/87** und **J 9/87**, ABl 1989, 9, Nr 2.4.
48 **G 2/93**, ABl 1995, 275.

rer Rechtsverlust ein, weil die Erfindung nicht als offenbart gilt, und deshalb soll die Wiedereinsetzung grundsätzlich zulässig sein.[49]

Das **Prüfungsverfahren** sowohl vor der Eingangsstelle als auch vor der Prüfungsabteilung ist von dem strengen Grundsatz beherrscht, dass die Anmeldung automatisch als zurückgenommen gilt, wenn eine Handlung nicht innerhalb der entweder im Übereinkommen vorgeschriebenen Frist (zB Art 94 (3) (Prüfungsantrag)) oder innerhalb der von der Prüfungsabteilung zu bestimmenden Frist (Art 96 (3)) vorgenommen wird.

Die gleichen Grundsätze gelten auch im **Beschwerdeverfahren** für den Fall, dass der Anmelder einer Aufforderung zu einer Stellungnahme nicht rechtzeitig nachgekommen ist (Art 110 (3)).

Um diese harte Sanktion zu vermeiden, fordern die Beschwerdekammern den Beschwerdeführer gelegentlich nicht zu einer Stellungnahme auf, sondern geben ihm nur Gelegenheit dazu.

Das **Einspruchsverfahren** kennt keine automatisch eintretenden Sanktionen in den Fällen, in denen ein Bescheid der Einspruchsabteilung nicht rechtzeitig beantwortet wird. Soweit hier ein Rechtsnachteil, bspw. durch die in R 59, Satz 2 angeordnete Nichtberücksichtigung verspätet eingereichter Unterlagen, entsteht, ist dies der Wiedereinsetzung nicht zugänglich.[50] Aber auch im Einspruchsverfahren muss das europäische Patent widerrufen werden, wenn bestimmte formelle Erfordernisse nicht innerhalb der in der AO vorgeschriebenen Frist erfüllt werden (Art 102 (4) und (5), R 58 (5) und (6)). Hier ist die Wiedereinsetzung anwendbar.

9 Verhinderung trotz der gebotenen Sorgfalt

a) **Allgemeines zur Sorgfalt:** Der Verfahrensbeteiligte, der wiedereingesetzt werden will, muss verhindert gewesen sein (was unable, n'a pas été en mesure), eine Frist einzuhalten, trotz Beachtung aller nach den gegebenen Umständen gebotenen Sorgfalt (in spite of all due care required by the circumstances, bien qu'ayant fait preuve de toute la vigilance nécessitée par les circonstances). Das ist dann der Fall, wenn bei objektiver Beurteilung das Ereignis geeignet war, ihm die Fristeinhaltung unmöglich zu machen.

Dieses Kriterium der gebotenen Sorgfalt findet sich in keinem nationalen Recht der Vertragsstaaten, die als Voraussetzung für die Wiedereinsetzung im Prinzip höhere Gewalt, unabwendbaren Zufall, excuse légitime und mangelndes Verschulden kennen. Das neue für das EPÜ auf der Münchner Diplomatischen Konferenz geschaffene Kriterium sollte nicht so strenge Anforderungen wie höhere Gewalt an die Sorgfalt des Beteiligten stellen, ihm jedoch eine über das mangelnde Verschulden hinausgehende besondere Sorgfaltspflicht

---

49 **T 227/97** vom 9.10.1998.
50 So wohl auch Benkard/*Schäfers*, EPÜ, Art 122, Rdn 106.

Artikel 122 *Wiedereinsetzung*

auferlegen. Die Auslegung und Weiterentwicklung dieses Begriffs obliegt der Rechtsprechung der Beschwerdekammern. Zur Geschichte des Art 122 siehe Singer, Die Wiedereinsetzung in den vorigen Stand im Verfahren vor dem EPA, GRUR Int 1981, 719; **G 1/86**, ABl 1987, 447, Nr 3 ff; Burt/Shortt, epi-info 1996, 15. Siehe auch die umfangreiche Darstellung zur Sorgfalt in den jährlichen Ausgaben der Rspr BK.

57 b) **Generelle Anforderungen an die Sorgfalt:** Bei der Beurteilung der vorgetragenen Wiedereinsetzungsgründe kommt dem Tatbestandsmerkmal, dass *alle* nach den gegebenen Umständen gebotene Sorgfalt eingehalten ist, besondere Bedeutung zu.[51] Der durch den Begriff *alle Sorgfalt* zunächst sehr hoch angesetzte Maßstab wird durch den Einschub *nach den gegebenen Umständen* etwas relativiert. Damit ist es möglich, die Verhältnismäßigkeit zwischen den für die Fristbeachtung erforderlichen Maßnahmen und dem drohenden Rechtsnachteil zu berücksichtigen, und es folgt zwingend, dass die Umstände des einzelnen Falls in ihrer Gesamtheit zu würdigen sind; zB kann das Verhalten des Vertreters im weiteren Verfahren herangezogen werden, um zu ermitteln, ob es sich bei seiner Fristversäumnis um ein einzelnes Versehen gehandelt hat.[52] Andererseits ist bei den Überlegungen zur Verhältnismäßigkeit nicht darauf abzustellen, wie lange die Frist überschritten wurde. Selbst wenn bei einer Falschberechnung die Frist nur um einen oder zwei Tage versäumt ist, kann die Wiedereinsetzung abzulehnen sein, wenn nicht alle gebotene Sorgfalt bei der Fristberechnung angewandt wurde.[53]

58 Im Zusammenspiel zwischen EPA und Anmelder gilt: Unverbindliche Mitteilungen oder Hinweise des EPA, zu denen dieses nicht verpflichtet ist, sind freiwillige Dienstleistungen des Amtes; der Antragsteller darf sich nicht darauf verlassen, sie zu bekommen.[54] Folglich kann eine Versäumung der Frist nicht damit gerechtfertigt werden, dass ein unverbindliches Hinweisschreiben des Amtes nicht ordnungsgemäß zugestellt wurde.[55] Der Anmelder hat die gebotene Sorgfalt nicht eingehalten, wenn er sich bei der Zahlung von Jahresgebühren auf den Erhalt eines (unverbindlichen) Hinweisschreibens des EPA verlässt, dass er die Gebühr unter Zahlung einer Zuschlagsgebühr noch rechtswirksam entrichten kann.[56] Die Eigenverantwortlichkeit gilt auch für die nicht einfachen Euro-PCT-Anmeldungen, so dass eine Wiedereinsetzung auch dann zu

---

51 **T 287/84**, ABl 1985, 333.
52 **T 287/84**, Nr 8 ff.
53 So **T 971/99** vom 19.4.2000 Nr 3 ff und **T 1070/97** vom 4.3.1999 Nr 4.6, während **T 869/90** vom 15.3.1991 und **T 111/92** vom 3.8.1992 unter ähnlichen Umständen aus Gründen der Verhältnismäßigkeit Wiedereinsetzung gewährten.
54 **J 5/83** vom 28.1.1984 für den Hinweis des Amtes auf Zusatzfristen nach R 85a und 85b aF sowie **J xx/87** vom 21.5.1987, ABl 1988, 177, Nr 4.
55 **J 40/89** vom 22.5.1991.
56 **J 12/84**, ABl 1985, 108; **J 34/92** vom 23.8.1994.

versagen ist, wenn der Anmelder zB die von den PCT-Behörden und dem EPA gewöhnlich gegebenen Informationen nicht erhalten hat und die in Art 158 (2) vorgeschriebene Übersetzung für eine Euro-PCT-Anmeldung dem EPA nicht rechtzeitig zuleitet.[57]

Der Nachweis, alle nach den Umständen gebotene Sorgfalt eingehalten zu haben, setzt eine umfassende Darlegung aller Umstände voraus, die zur Fristversäumung führten.[58] Bereitet der Nachweis der gebotenen Sorgfalt Schwierigkeiten, weil über einen Antrag auf Wiedereinsetzung erst nach drei Jahren entschieden wird, so darf dies nicht zu Lasten des Antragstellers gehen. Vielmehr muss seine schon im Wiedereinsetzungsantrag enthaltene Sachverhaltsdarstellung, wenn sie nicht widerlegt werden kann, als richtig unterstellt werden.[59] 59

c) **Die ordnungsgemäße Organisation der Fristenwahrung:** Dies ist eine wesentliche Voraussetzung für die Einhaltung aller gebotenen Sorgfalt. Sie umfasst die Struktur der Verwaltungsabläufe und – bei arbeitsteiliger Fristüberwachung – auch die Auswahl und Kontrolle von Hilfskräften, die zur Überwachung und Einhaltung von Fristen eingesetzt werden. Wenn dann trotz sorgfältiger Organisation ein unvorhergesehenes oder plötzliches Ereignis oder ein Ablauffehler im Einzelfall die Fristwahrung vereitelt, kann dies die Wiedereinsetzung rechtfertigen.[60] 60

Die gebotene Sorgfalt verlangt grundsätzlich ein wirkungsvolles System zur Fristenüberwachung, das im Wiedereinsetzungsantrag im einzelnen darzulegen ist.[61] Bearbeitungsabläufe, die vom üblichen abweichen, wie bspw die Auslagerung einzelner Tätigkeiten, erhöhen das Risiko der Fristwahrung und können einen einzelfallbezogenen Kontrollmechanismus erforderlich machen.[62] Die Anforderungen an die Einhaltung der gebotenen Sorgfalt hängen von den Umständen im Einzelfall ab, wobei die Betriebsgröße und die Zahl der zu überwachenden Fristen Einfluss auf die Organisationsanforderungen haben kann. So kann für größere Betriebe zumindest ein Überprüfungsmechanismus für die 61

---

57 **J 23/87** vom 9.11.1987; siehe auch **J 13/03** vom 23.2.2004.
58 Ein Beispiel für einen gut begründeten Antrag auf Wiedereinsetzung enthält **T 11/87** vom 14.4.1988.
59 **T 473/91**, ABl 1993, 630.
60 **T 14/89**, ABl 1990, 432, Nr 6 für die Fristversäumung wegen innerbetrieblicher Fehlleitung einer Fristmitteilung aufgrund Umorganisation und Umzug; **T 309/88** vom 28.2.1990 einmaliges Versehen.
61 **J 9/86**, vom 17.3.1987.
62 **T 283/01** vom 3.9.2002 Nr 3.

Fristbeachtung im System erforderlich sein,[63] während bei einer kleineren Patentabteilung, die gewöhnlich in persönlicher Weise wirkungsvoll zusammenarbeitet, ein besonderes Kontrollsystem für einmalige Zahlungen wie Beschwerdegebühren nicht erforderlich ist. Einer kleineren Firma wurde Wiedereinsetzung gewährt, weil eine Frist im Zusammenhang mit letztendlich gescheiterten Verhandlungen über eine Geschäftsübernahme und einem damit einhergehenden Vertreterwechsel versäumt worden war.[64]

62 Auch für die **Vertretung von Angestellten** im Fall der Abwesenheit aus Krankheits- oder sonstigen Gründen muss zumindest in großen Unternehmen ein wirksames System eingerichtet sein.[65] Ein unvorhergesehenes und plötzliches Ausscheiden des für die fristgerechte Zahlung verantwortlichen Abteilungsleiters und das dadurch bis zur Neuorganisation entstandene Vakuum kann dann jedoch die Wiedereinsetzung rechtfertigen.[66] Wiedereinsetzung wurde auch in einem Fall gewährt, in dem die Einarbeitung einer neuen Sachbearbeiterin infolge eines Mutterschaftsurlaubs der bisherigen Sachbearbeiterin, die dann unerwartet gestorben ist, nicht abgeschlossen war.[67]

63 Eine Fristenüberwachung mit Hilfe von **Datenverarbeitungssystemen** wird grundsätzlich als zulässig anzusehen sein. Allerdings ist in der Übergangsphase zu einem solchen System besondere Sorgfalt zu beachten. Ein Vertreter, der die Fristenüberwachung schrittweise auf die sicherere und einfachere Computerüberwachung umstellte und dabei Fristen zeitweise nach unterschiedlichen Systemen überwachen ließ, konnte sich nicht auf ein einmaliges und deshalb entschuldbares Versehen berufen, als er sich in einem Fall, der noch nach dem alten System hätte überwacht werden müssen, irrtümlich auf die Computerüberwachung verlassen hatte und deshalb die Beschwerdefrist versäumte.[68]

64 Vereitelt ein einmaliges Versehen trotz Vorhandensein eines funktionsfähigen Systems und trotz Befähigung der betrauten Personen die Fristwahrung, so kann die Wiedereinsetzung gerechtfertigt sein.[69] Die Wiedereinsetzungsmöglichkeit ist nicht auf einen bestimmten, konkreten Sachverhalt eines einmaligen Versehens nur einer Person beschränkt, sondern kann auch einen Folgefehler

---

63 **T 166/87** vom 16.5.1988; **T 428/98**, ABl 2001, 494, Nr 3.5 zum Erfordernis eines wirksamen Kontrollmechanismus in einer Kanzlei und **T 486/99** vom 23.9.1999, Nr 6 zum Kontrollmechanismus in der Patentabteilung eines größeren Unternehmens; siehe auch **T 223/88** vom 6.7.1989 zum »Cross-check« von Fristen bei größeren Firmen.
64 **J 13/90**, ABl 1994, 456, Nr 11.
65 **T 324/90**, ABl 1993, 33, Nr 7; **T 677/02** vom 22.4.2004: Kurzarbeit.
66 **J 26/88** vom 7.12.1989.
67 **T 110/85** vom 10.9.1987.
68 **T 369/91**, ABl 1993, 561, Nr 3 f.
69 **J 2/86** und **J 3/86**, ABl 1987, 362.

umfassen,⁷⁰ aber es ist dann zu prüfen, ob die Sorgfalt auch beim zweiten Vorgang, zB Prüfung der richtigen Fristnotierung aus Anlass eines Erinnerungsschreibens, eingehalten wurde⁷¹ und ob bei mehrmaliger Vorlage des Vorgangs nicht dem Vertreter selbst die unvollständige Fristnotierung hätte auffallen müssen.⁷² Wiedereinsetzung wurde in einem Fall gewährt, in dem bei einer Euro-PCT-Anmeldung aufgrund eines Schreibfehlers im Büro des US-Vertreters die Benennung Italiens und Deutschlands ausgelassen und der Fehler weder vom US-Vertreter noch vom europäischen Vertreter sofort bemerkt worden war.⁷³ Im Falle eines Vertreterwechsels müssen alle Beteiligten die gebotene Sorgfalt einhalten und die Aktenübergabe muss genau abgestimmt sein; andernfalls wird im Falle einer Fristversäumnis keine Wiedereinsetzung gewährt.⁷⁴

10 Sorgfaltspflicht des Vertreters

Art 122 (1) stellt seinem Wortlaut nach auf die Fristversäumung des Anmelders oder Patentinhabers ab. Der Anmelder oder Patentinhaber wird jedoch gegenüber dem EPA nicht immer selbst tätig, sondern er kann sich eines Vertreters bedienen und muss dies in einer ganzen Reihe von Fällen sogar tun (vgl Art 133, 134 und R 100 ff). Die in der Praxis häufigste Vertretung ist die durch einen zugelassenen Vertreter nach Art 134, aber auch die Vertretung durch Angestellte (Art 133 (3)) und die gesetzliche Vertretung, zB von Minderjährigen oder juristischen Personen, sowie die gemeinsame Vertretung nach R 100 (1) sind hier zu nennen. Die Vertretung kann ähnlich wie in verschiedenen nationalen Rechtssystemen auch durch Untervertreter, Sozien und Vertreter in einem Nichtvertragsstaat erfolgen.⁷⁵

Die Einhaltung der gebotenen Sorgfalt obliegt zunächst dem Anmelder oder dem Patentinhaber und erst auf Grund der Vollmachterteilung dem Vertreter. Macht der Berechtigte selbst einen Fehler, der zur Versäumung einer Frist führt, so kann die Einhaltung aller gebotenen Sorgfalt durch den Vertreter die Wiedereinsetzung nicht begründen.⁷⁶

---

70 **T 309/88** vom 28.2. 1990: Fehler bei der Übertragung einer zweiten Frist ins Fristenbuch, fehlende Überprüfung bei Wiedervorlage.
71 **T 808/03** vom 12.2.2004.
72 **T 719/03** vom 14.10.2004.
73 **J 27/88** vom 5.7.1989.
74 Vgl **T 338/98** vom 2.3.1999, Nr 4 ff.
75 So prüften die Beschwerdekammern in **J 3/88** vom 19.7.1988 und **J 27/88** vom 5.7.1989, ob der US-Patentanwalt eines amerikanischen Anmelders die gebotene Sorgfalt bei einer Euro-PCT-Anmeldung eingehalten hatte und wandten auf ihn die für einen Anmelder geltenden Sorgfaltsmaßstäbe an, siehe auch **J 25/96** vom 11.4.2000, Nr 3.2.
76 **J 3/93** vom 22.2.1994; vgl auch **T 840/94**, ABl 1996, 680 und **T 366/98** vom 30.6.1999.

67 Die Pflicht des Berechtigten zur sorgfältigen Auswahl und Überwachung seines Vertreters gilt nur für die Fälle einer Vertretung durch Angestellte. Der gebotenen Sorgfalt nicht gerecht wird die Bevollmächtigung eines Angestellten, der nicht über die erforderlichen Kenntnisse verfügt, um sachgerecht vor dem EPA zu handeln, wobei gewisse objektive Mindestanforderungen an die Fachkenntnisse eines solchen Vertreters zu stellen sind. Bei der Bestellung eines zugelassenen Vertreters kann der Vertretene davon ausgehen, dass die Zulassungsvoraussetzungen eine Gewähr für die Eignung des zugelassenen Vertreters geben.

68 Im zweiten Schritt ist zu bewerten, ob der Vertreter die gebotene Sorgfalt eingehalten hat. Diese Anforderung ergibt sich eindeutig aus der Gesamtdiskussion des Vertretungsthemas auf der Münchner Diplomatischen Konferenz[77] und wird von den Beschwerdekammern auf den zugelassenen Vertreter so angewandt.[78]

69 Nicht angesprochen haben die Beschwerdekammern bislang die Frage, ob an die Sorgfaltspflicht eines zugelassenen Vertreters, ähnlich wie im deutschen Recht,[79] strengere Anforderungen als an die Sorgfaltspflicht des Vertretenen selbst zu stellen sind. Zu den Sorgfaltspflichten eines Vertreters und insbesondere eines zugelassenen Vertreters wird es jedoch gehören, dass er sich eingehend mit dem EPÜ und seiner Auslegung anhand der zugänglichen Literatur, zB des Amtsblatts des EPA befasst. Er hat alle organisatorischen Maßnahmen zur ordnungsgemäßen Fristwahrung zu treffen, wozu auch die Vermeidung von Fristverlängerungen bei normalem Lauf der Geschäfte gehört; er muss sein Personal sorgfältig auswählen, es entsprechend unterweisen und die Einhaltung seiner Weisungen von Zeit zu Zeit überprüfen. Der Vertreter kann ebenso wie der Anmelder selbst seinem Büropersonal Routinearbeiten übertragen, wozu auch die Berechnung einfacher Fristen gehören kann, wenn das Prinzip der Fristenberechnung eindeutig geklärt und dem betrauten Angestellten bekannt ist.

70 Betreibt der Vertreter seine Kanzlei als Ein-Mann-Büro, so muss er rechtzeitig vorsorgen, dass im Falle einer plötzlichen Erkrankung andere Personen für ihn die Fristen einhalten. Die Beschwerdekammer erwähnt hierbei die Möglichkeit der Hilfe von Kollegen.[80] Im konkreten Fall hatte sich etwa 3 Monate niemand um die Fristenwahrung gekümmert. Die Beschwerdekammer meint zwar, dass in einem kleinen Büro die Anforderungen an eine effektive Fristen-

---

77 Siehe auch Mathély, Le Droit Européen des Brevets d'Invention, S 358, 359, der jedoch in Frage stellt, ob dieses Ergebnis gerecht ist.
78 **J 5/80**, ABl 1981, 343, siehe auch **J 16/82**, ABl 1983, 262 sowie **J 25/87** vom 23.3.1988.
79 Vgl J. Beier, GRUR Int 1994, S 165 f.
80 **J 41/92**, ABl 1995, 93, Nr 4.4.

überwachung weniger strikt sein könnten, hat aber gleichwohl Wiedereinsetzung versagt.

11 Sorgfaltspflicht von Hilfskräften

Weder der Anmelder oder Patentinhaber noch der Vertreter erledigen gewöhnlich selbst alle mit einem Schutzrecht zusammenhängenden Aufgaben. Sie bedienen sich zur Durchführung von Routinearbeiten der Hilfe von Angestellten, die nicht über die gleiche Qualifikation verfügen wie zB zugelassene Vertreter. 71

Auf der Münchner Diplomatischen Konferenz wurde die Frage, ob an Hilfskräfte die gleichen strengen Anforderungen gestellt werden müssten wie an die Verfahrensbeteiligten oder ihre Vertreter, verneint. Die Beschwerdekammern haben diese Auffassung in die ständige Praxis des EPA eingeführt.[81] Handelt es sich bei dem beauftragten Angestellten jedoch um einen technischen Sachbearbeiter, der *de facto* die Tätigkeit eines Patentanwalts ausübt, so sollen die gleichen strengen Anforderungen wie für den Vertreter selbst gelten.[82] 72

Entscheidend für die Frage der Wiedereinsetzung bei Fristversäumnissen aufgrund von Fehlern von Hilfspersonen bleibt stets, ob der Anmelder, Patentinhaber oder Vertreter die Tätigkeit im Wege einer sinnvollen Arbeitsteilung einer Hilfsperson übertragen durfte und ob die betreffende Person entsprechend ausgewählt, ausgebildet und überwacht worden ist. 73

Die Übertragung von Aufgaben auf Hilfspersonen findet ihre Grenzen, wenn es um die Klärung von Rechtsfragen geht. Dies gilt insbesondere für die Fristenüberwachung durch zugelassene Vertreter, denn die Vertretung vor dem EPA ist nach Art 134 den zugelassenen Vertretern vorbehalten worden, die aufgrund ihrer Qualifikation die Gewähr für sachkundiges und sorgfältiges Handeln bieten sollen. Dieses Ziel der Vorschrift soll nicht dadurch zunichte gemacht werden, dass die Bearbeitung von Angelegenheiten, die eigentlich vom Vertreter aufgrund seiner Sachkunde zu erledigen wären, einer nicht in diesem Umfang qualifizierten Hilfsperson übertragen wird.[83] Hätte das Missverständnis einer Sekretärin über die Bedeutung eines üblichen und geläufigen Bescheides des EPA und ein sich daraus ergebender Fehler in der Fristberechnung bei Überwachung durch den sachkundigen Vertreter vermieden werden können, so wird Wiedereinsetzung nicht gewährt.[84] Übertragen werden können jedoch Routinearbeiten, wozu auch die Berechnung einfacher Fristen gehören kann, 74

---

81 Grundsatzentscheidung **J 5/80**, ABl 1981, 343, bestätigt durch **J 16/82**, ABl 1983, 262.
82 **T 832/99** vom 17.9.2004, Nr 7.2.
83 **J 5/80**, ABl 1981, 343, Nr 8 ff; **J 25/96** vom 11.4.2000, Nr 3.1 zu Umständen, die der zugelassene Vertreter persönlich prüfen muss.
84 **T 489/93** vom 25.2.1994.

wenn der betraute Angestellte im Hinblick auf die notwendigen Qualifikationen sorgfältig ausgewählt und das Prinzip der Fristenberechnung eindeutig geklärt und dem betrauten Angestellten bekannt ist.

75 Instruktionsfehler, zB die Anweisung, während einer längeren Abwesenheit des Vertreters in allen Fällen mit drohendem Fristablauf eine Verlängerung der Fristen zu beantragen, obwohl darunter auch eine nicht verlängerbare Beschwerdebegründungsfrist ist, begründen keine Wiedereinsetzung.[85]

76 Auch bei der Überwachung von Hilfspersonen muss alle gebotene Sorgfalt eingehalten werden.[86] Sie kann aber unter Berücksichtigung der Zuverlässigkeit und Erfahrung der Hilfskraft stichprobenartig erfolgen.[87] Bei neu eingestellten Hilfskräften erfordert eine vernünftige Überwachung regelmäßige Überprüfungen zumindest während einer Ausbildungszeit von einigen Monaten.[88]

77 An eine Ersatzkraft für die Hilfskraft bei deren Urlaub, Krankheit oder sonstiger Verhinderung sind die gleichen Anforderungen wie an die normale Hilfskraft zu stellen, so dass mangelnde Qualifikation der Ersatzkraft die Wiedereinsetzung nicht rechtfertigt.[89] In unvorhersehbaren Notfällen in Kanzleien sollte allerdings ein weniger strenger Maßstab angelegt werden.

78 Bespiele für die Anwendung dieser Grundsätze in der Rechtsprechung der Beschwerdekammern sind: Irrtum der bewährten Büroleiterin und ihrer Vertreterin,[90] Fehler bei der Überwachung der Frist, die einer Angestellten übertragen werden kann,[91] Versehen eines Angestellten bei Beschwerdeeinlegung unter Darlegung des Fristenüberwachungssystems,[92] Versehen eines Telex-Operator, der eine falsche Jahresgebühr abbuchen ließ,[93] bei noch nicht abgeschlossene Einarbeitungszeit.[94]

79 Das Schweizerische Bundesgericht[95] vertritt zu den Anforderungen an Hilfskräfte eine andere Auffassung und stellt an ihre Sorgfaltspflicht die gleichen Anforderungen wie an die der Verfahrensbeteiligten und Vertreter. Obwohl

---

85 **T 73/89** vom 7.8.1989.
86 **T 105/85** vom 5.2.1987.
87 **T 309/88** vom 28.2.1990.
88 **J 3/88** vom 19.7.1988 für die Überwachung von Hilfskräften des US-amerikanischen Patentanwalts, dem der vor dem EPA zugelassene Vertreter zwei Aufforderungen zur Zahlung der dritten Jahresgebühr zugeleitet hatte.
89 **J 16/82**, ABl 1983, 262; **T 105/85** vom 5.2.1987.
90 **T 35/83** vom 22.12.1983.
91 **T 72/83** vom 21.12.1983.
92 **T 130/83** vom 8.5.1984.
93 **T 191/82**, ABl 1985, 189.
94 **T 110/85** vom 10.9.1987.
95 Entscheidung vom 4.6.1982 in SchwPMMBl 1982, 59.

diese Rechtsprechung auf Kritik gestoßen ist,[96] hält das Schweizerische Bundesgericht bislang an dieser Auffassung auch für europäische Patente fest,[97] während das Bundesamt für geistiges Eigentum in seiner Entscheidung vom 3.7.1992[98] im Hinblick auf die zunehmende Harmonisierung des Immaterialgüterrechts und im Vorgriff auf eine entsprechende Reform des Schweizer Patentgesetzes die Praxis des EPA zum Verschulden von Hilfspersonen übernahm und Wiedereinsetzung gewährte.

12 Einzelfälle

Naturereignisse und andere unabwendbare Ereignisse begründen in aller Regel eine Wiedereinsetzung nach Art 122, da ihre Folgen auch bei Anwendung aller nach den gegebenen Umständen gebotenen Sorgfalt nicht verhindert werden können. Darunter sind vor allem die Fälle zu verstehen, die in der nationalen Rechtsprechung unter den Begriffen der *höheren Gewalt* oder des *unabwendbaren Zufalls* die Wiedereinsetzung rechtfertigen, zB Verkehrs- und Transportbehinderungen, Streiks, Brand, Raub, plötzliche Krankheiten. 80

Überlange Beförderungszeiten bei Post und Bahn können Gründe für eine Wiedereinsetzung sein. Zur Beachtung der gebotenen Sorgfalt gehört, dass das zu befördernde Schriftstück so rechtzeitig aufgegeben worden ist, dass es bei der regelmäßigen Beförderungszeit rechtzeitig eingegangen wäre.[99] Die regelmäßige Beförderungszeit ist ein Erfahrungswert, wobei der Antragsteller auf Wiedereinsetzung überzeugend darlegen muss, dass die von ihm angenommene Beförderungszeit realistisch ist.[100] Keine Schlussfolgerungen lassen sich aus verschiedenen konkreten Postlaufzeiten im konkreten Verfahren ziehen.[101] Wenn nicht besondere Gründe vorliegen, brauchen zusätzliche Verzögerungen in der Beförderung nicht vorausschauend miteinbezogen zu werden. Ob im Sinne der gebotenen Sorgfalt zu berücksichtigen ist, dass die Post zB an Weihnachten erfahrungsgemäß längere Laufzeiten hat, ist bislang nicht entschieden worden; 81

---

96 Vgl Schubarth auf dem 3. Symposium europäischer Patentrichter 1986, GRUR Int 1987, 461.
97 Urteile vom 7.6.1990, GRUR Int 1991, 377 sowie vom 4.10.1991, SMI 1992, 318.
98 ABl 1993, 181, bestätigt durch die Rekurskommission für Geistiges Eigentum am 10.11.1995, SMI 1996,150.
99 Zu beachten ist insoweit die Fiktion der Fristwahrung in der neu eingefügten R 84a, ABl 1999, 45, die bei verspätet eingegangenen Schriftstücken eine Wiedereinsetzung überflüssig machen kann, vgl Art 120 Rdn 45–48.
100 **T 777/98**, ABl 2001, 509.
101 Dies zeigt bspw **T 473/91**, ABl 1993, 630, Nr 2.2 anhand der Analyse sehr unterschiedlicher Postlaufzeiten im Streitfall; im konkreten Fall wurde dem Antragsteller zugute gehalten, dass die erste Instanz auf den Wiedereinsetzungsantrag erst nach 3 Jahren reagierte und es damit nahezu unmöglich machte, den tatsächlichen Geschehensablauf aufzuklären.

das deutsche Bundesverfassungsgericht jedenfalls verlangt die Berücksichtigung dieses Umstandes nicht.[102]

82 **Berufliche Überlastung und längere Abwesenheit** (zB Urlaub oder Krankheit) sind gewöhnlich kein Grund für eine Wiedereinsetzung.[103] Es gehört im Rahmen der Organisationspflichten zur gebotenen Sorgfalt, Vorsorge zu treffen für die Erledigung aller anfallenden Geschäfte und für die Aufrechterhaltung des Bürobetriebs. Dies gilt auch für berufliche Mehrbelastung, für längere Abwesenheit, für die Urlaubszeit und für längere Krankheiten. Zur Einhaltung der gebotenen Sorgfalt ist es daher erforderlich, dass der zuständige Geschäftsführer, bevor er abreist, seinen Vertreter über fristgebundene Angelegenheiten unterrichtet, die sofort bearbeitet werden müssen.[104] Eine plötzlich auftretende Krankheit dagegen kann die Wiedereinsetzung rechtfertigen.[105]

83 **Rechtsirrtümer**, also eine unrichtige Auslegung der Bestimmungen des EPÜ, sind im allgemeinen bei Anwendung aller Sorgfalt zu vermeiden. Es gehört zu den Aufgaben des Anmelders und seines Vertreters, das Übereinkommen sorgfältig und verständig auszulegen. »Ein Rechtsirrtum, insbesondere ein solcher über die Vorschriften betreffend Zustellung und Fristberechnung, rechtfertigt in aller Regel die Wiedereinsetzung nicht«.[106]

84 Einen großzügigeren Standpunkt vertritt die Entscheidung **T 281/87**,[107] die einen »durch Mangel an Nachdenken im Augenblick« verursachten Rechtsirrtum bei Einreichung eines im EPÜ nicht vorgesehenen Antrags auf Verlängerung der Beschwerdebegründungsfrist anstelle der Einreichung einer fristgerechten Beschwerdebegründung als nicht vorwerfbar ansah und es genügen ließ, dass der Vertreter innerhalb der Frist überhaupt tätig wurde. Ob auf diese großzügige Linie Verlass ist, darf bezweifelt werden, denn dieselbe Beschwerdekammer hat in ihrer späteren Entscheidung **T 73/89** für einen ähnlich gelagerten Fall keine Wiedereinsetzung gewährt:[108] der Vertreter hatte wegen längerer Abwesenheit sein Büro angewiesen, in allen Fällen mit drohendem Fristablauf Fristverlängerung zu beantragen, ohne darauf zu achten, dass darunter auch eine nicht verlängerbare Beschwerdebegründungsfrist war. Auch in **T 881/98** wurde Wiedereinsetzung verweigert, obwohl der Sachverhalt ähnlich wie in **T 281/87** lag.[109]

---

102 DE-BVerfG **vom 25.9.2000**, NJW 2001, 1566.
103 Zu einer Ausnahme von dieser Regel siehe T 848/99 vom 3.5.2000.
104 **T 122/91** vom 9.7.1991.
105 **T 525/91** vom 25.3.1992.
106 D 6/82 ABl 1983, 337, Leitsatz IV.
107 **T 281/87** vom 14.7.1988, Mitt. 1989, 114.
108 **T 73/89** vom 7.8.1989.
109 **T 881/98** vom 23.5.2000; siehe auch T 493/95 vom 22.10.1996 Nr 3.3 und **J 31/89** vom 31.10.1989 Nr 3.

Ausnahmsweise kommt Wiedereinsetzung bei einem Rechtsirrtum auch 85
dann in Betracht und es wird nicht unverrückbar an dem Erfordernis festgehalten, dass der sicherste Weg zu wählen ist, wenn die Auslegung des EPÜ umstritten ist und Hinweise des EPA missverständlich sind.[110] In einem Einzelfall wurde Wiedereinsetzung ebenfalls gewährt, weil sich die Anmelderin in einem neuen, schwierigen Verfahrensabschnitt betreffend PCT/EPÜ an das EPA gewandt (adressé) und sich dann auf eine wegen eines Übersetzungsfehlers unrichtige Auskunft des Amtes verlassen hatte.[111] Sonst aber gilt gerade bei besonders wichtigen oder schwierigen Verfahrensabschnitten, zB der Benennung der Bestimmungsstaaten nach dem PCT, ein besonderer Sorgfaltsmaßstab.[112]

Finanzielle Schwierigkeiten eines Anmelders können bei den nicht unbe- 86
trächtlichen Kosten für die Erlangung eines europäischen Patents zur Nichtzahlung von Gebühren führen. Mittellosigkeit ist in aller Regel kein plötzlich eintretendes Ereignis, für das der Rechtsbehelf der Wiedereinsetzung von seiner Entstehungsgeschichte (Ausgangspunkt: höhere Gewalt) her vorgesehen ist. Außerdem wird in den Rechtssystemen der Vertragsstaaten in Fällen der Mittellosigkeit durch finanzielle Unterstützung oder durch Gewährung von Stundung geholfen. Dennoch schließt dies nach der Grundsatzentscheidung **J 22/88**[113] die Wiedereinsetzung bei ernsthaften finanziellen Schwierigkeiten des Antragstellers, die dieser nicht zu vertreten hat, nicht aus. Voraussetzung ist allerdings, dass der Antragsteller bei der Suche nach finanzieller Unterstützung die nach den Umständen gebotene Sorgfalt beachtet hat.[114] Darüber hinaus wird eine kurze Zahlungsunfähigkeit, verursacht durch plötzliche und unvorhersehbare Ereignisse, zB durch das Abbrennen der Bank, plötzliche Arbeitslosigkeit des Anmelders oder verspätete Gehaltszahlung, eine Wiedereinsetzung begründen können. Zu beachten ist, dass die Wiedereinsetzung für die Zahlung bestimmter Gebühren, wie zB der Anmelde-, Benennungs- und Recherchengebühren sowie der Prüfungsgebühr nach Art 122 (5) von vornherein ausgeschlossen ist.

Berechtigtes Abwarten wurde bislang nicht als Wiedereinsetzungsgrund an- 87
erkannt. Ein Antragsteller, der seine Beschwerdebegründung nicht rechtzeitig einreicht, weil er auf Grund von Verhandlungen erwartet, sich mit dem Patentinhaber über die Benutzung zu einigen, ist nicht »objektiv verhindert« und er-

---

110 **J 28/92** vom 11.5.1994, Nr 5.
111 **J 6/79**, ABl 1980, 225; ähnlich **T 460/95**, ABl 1998, 587.
112 **J 1/03** vom 6.10.2004 und ebenso DE-BPatG vom 13.11.2003 – 10 W (pat) 33/02.
113 **J 22/88**, ABl 1990, 244.
114 Siehe auch **J 9/89** vom 11.10.1989, Nr 3–5; **T 822/93** vom 23.5.1995, Nr 9; Wiedereinsetzung wird nicht gewährt, wenn die Nichtzahlung aus Gründen wirtschaftlicher Prioritätensetzung erfolgte und nicht auf eine absolute Zahlungsunfähigkeit zurückzuführen ist, **J 11/98** vom 15.6.2000.

hält deshalb keine Wiedereinsetzung.[115] Auch das Abwarten auf ein Dokument, dessen Zusendung allein vom guten Willen eines Dritten abhängt, rechtfertigt keine Wiedereinsetzung in die Beschwerdebegründungsfrist nach Art 108 Satz 3, wenn der Beschwerdeführer innerhalb der Frist ausreichendes Material für die Begründung zur Hand hatte.[116]

13 Antrag auf Wiedereinsetzung

88 Nach Abs 1 bedarf die Wiedereinsetzung eines Antrags. Die Einzelheiten für den schriftlich einzureichenden Antrag ergeben sich aus den Abs 2–4.

EPÜ 2000
Im EPÜ 2000 ergibt sich das Antragserfordernis ebenfalls aus Art 122 (1), während die weiteren Anforderungen und Fristen in R 85b (1) und (2) geregelt sein werden.

89 Nach R 36 (5) iVm Art 2 des Beschlusses des Präsidenten vom 5.5.1989[117] kann die Wiedereinsetzung auch telegrafisch, fernschriftlich oder durch Telekopie (Telefax) beantragt werden. Nach Art 3 (2) des Beschlusses ist ein Bestätigungsschreiben nur auf Anforderung des zuständigen Organs des EPA nachzureichen. Zu den Einzelheiten dieses Verfahrens siehe Art 78 Rdn 64–72.

90 Eine bestimmte Formulierung ist nicht ausdrücklich festgelegt. Entsprechend den allgemeinen Grundsätzen über die Auslegung von Willenserklärungen dürfte auch ein *Protest* gegen einen Hinweis des EPA auf ein Fristversäumnis als Wiedereinsetzungsantrag angesehen werden können, wenn die übrigen Voraussetzungen, zB Gebührenzahlung, gegeben sind.

91 So kann die Ankündigung eines baldigen schriftlichen Wiedereinsetzungsantrags als Antrag genügen, wenn dem Schreiben die unmissverständliche Erklärung zu entnehmen ist, dass die europäische Patentanmeldung weiterverfolgt bzw das europäische Patent aufrechterhalten werden solle und dies durch die Tatsache bekräftigt wird, dass die Wiedereinsetzungsgebühr wenige Tage später und innerhalb der Jahresfrist bezahlt wird.[118] Die bloße Entrichtung der Wiedereinsetzungsgebühr ohne jeden Antrag dürfte jedoch nicht genügen.[119]

14 Antrags- und Ausschlussfrist

92 Der Antrag ist innerhalb einer Frist von 2 Monaten zu stellen, die mit dem Wegfall des Hindernisses zu laufen beginnt. Dies ist der Zeitpunkt, zu dem der Be-

---

115 **T 413/91** vom 25.6.1992.
116 **T 250/89**, ABl 1992, 355.
117 ABl 1989, 219.
118 **J 6/90**, ABl 1993, 714, Nr 2.4 und 2.5.
119 Vgl als Parallele **J 19/90** vom 30.4.1992 und **T 371/92**, ABl 1995, 324, nach denen es für die Einreichung einer Beschwerde nicht ausreicht, die Beschwerdegebühr rechtzeitig zu entrichten.

troffene – bei der nach Abs 1 gebotenen Sorgfalt – nicht mehr an der Vornahme der Handlung gehindert ist. In aller Regel dürfte der späteste Zeitpunkt für den Beginn der 2-Monatsfrist der Tag sein, an dem der Betroffene die Mitteilung des EPA über den eingetretenen Rechtsverlust nach R 69 (1) erhält.

Der Wegfall des Hindernisses ist stets unter Berücksichtigung der jeweiligen Umstände zu ermitteln.[120] und muss nicht zwangsläufig mit dem Eingangstag der Mitteilung nach R 69 (1) zusammenfallen; mit Eingang dieser Mitteilung setzt aber jedenfalls die Pflicht zum Tätigwerden ein, auch wenn es um die Versäumung einer Jahresgebühr geht und diese von einer externen Gebührenabwicklungsfirma zu entrichten war. 93

Die tatsächliche Kenntnis des Wegfalls des Hindernisses kann nicht durch eine Fiktion ersetzt werden wie die Kenntnis der Zustellung nach R 78 (2) Satz 2 aF[121] oder nach R 78 (3),[122] wohl aber fällt das Hindernis an dem Tag weg, an dem das Versäumnis oder der Irrtum hätte bemerkt werden müssen.[123] 94

Andererseits kann sich auch der Anmelder nicht auf die bei der Fristberechnung zu seinen Gunsten wirkende 10-Tagesfrist berufen, wenn ihm das Schreiben zu einem früheren Zeitpunkt zugegangen ist.[124] 95

Hat der Vertreter des Anmelders eine Frist versäumt, so ist das Hindernis nicht bereits mit der Kenntnis einer Hilfskraft von der Fristversäumung weggefallen, sondern erst mit der Kenntnis des Vertreters selbst.[125] Allerdings gehört es zu den Obliegenheiten einer Hilfskraft, den Vertreter zu unterrichten. So nahm die Beschwerdekammer im Fall einer Euro-PCT-Anmeldung als Beginn für die Wiedereinsetzungsantragsfrist den Zeitpunkt an, zu dem der US-Vertreter darauf aufmerksam wurde, dass die Zahlungsfrist nicht eingehalten worden war.[126] 96

Die 2-Monatsfrist gilt auch für die Nachholung der versäumten Handlung. Wiedereinsetzung kommt nicht in Betracht, wenn die als nachzuholende Handlung eingereichte Beschwerdebegründung nicht die Mindesterfordernisse nach Art 108 Satz 3 erfüllt.[127] Wurde die Handlung vor Beginn der 2-Monatsfrist vorgenommen, so ist sie selbstverständlich nicht noch einmal innerhalb der 2-Monatsfrist zu wiederholen.[128] 97

---

120 **J 27/90**, ABl 1993, 422, Nr 2.4.
121 **J 7/82**, ABl 1982, 391.
122 **J 15/84** vom 4.6.1985.
123 **T 840/94**, ABl 1996, 680; **J 27/88** vom 5.7.1998; **J 27/01** vom 11.3.2004: Wegfall des Hindernisses an dem Tag, an dem der Anmelder bei ordnungsgemäßem Verhalten Kenntnis erlangt hätte.
124 **T 428/98**, ABl 2001, 494, Nr 2.2.
125 **T 191/82**, ABl 1985, 189.
126 **J 27/88** vom 5.7.1989.
127 **T 167/97**, ABl 1999, 488.
128 **J 1/80**, ABl 1980, 289.

98 Der Wiedereinsetzungsantrag ist nicht mehr zulässig, wenn seit Ablauf der versäumten Frist ein Jahr verstrichen ist. Diese Fristbegrenzung wurde im Interesse der Rechtssicherheit eingeführt. Sie läuft unabhängig davon ab, ob dem Betroffenen die Fristversäumung bekannt war oder nicht, und sie kann zu einer Verkürzung der 2-Monatsfrist nach Abs 2, Satz 1 führen, wenn das Hindernis erst kurz vor Ablauf der Jahresfrist wegfällt. Die Beschwerdekammern haben den absoluten Charakter dieser Ausschlussfrist mehrfach betont.[129]

99 Für die Zulässigkeit eines Antrags auf Wiedereinsetzung genügt es, wenn innerhalb der Ausschlussfrist von einem Jahr ein Antrag eingereicht wird, aus dem sich für Dritte unmissverständlich ergibt, dass der Antragsteller seine europäische Patentanmeldung weiterverfolgen bzw sein europäisches Patent aufrechterhalten will; damit ist dem Zweck der Jahresfrist, für Rechtssicherheit zu sorgen, Genüge getan. Die materiell-rechtlichen Erfordernisse für die Wiedereinsetzung, wie die Substantiierung des Antrags, können innerhalb der 2-Monatsfrist nach Art 122 (2) Satz 1, die im konkreten Fall erst nach der Jahresfrist ablief, erfüllt werden.[130]

100 Das EPA hat von Amts wegen die fehlende Geschäftsfähigkeit des Anmelders oder seines Vertreters und ihre Dauer nach R 90 festzustellen und zu bestimmen, welche Fristen gehemmt und bei Wiederaufnahme des Verfahrens weitergelaufen sind;[131] danach richtet sich der Beginn der Ausschlussfrist nach Art 122 (2).

101 Trotz des absoluten Charakters der Ausschlussfrist sollte eine Wiedereinsetzung in ganz besonderen Fällen auch nach Ablauf der Jahresfrist gewährbar sein, nämlich dann, wenn ein Ausschluss mit dem Zweck der Bestimmung nicht vereinbar ist. Dies kann unter dem Gesichtspunkt des Vertrauensschutzes der Fall sein, wenn der Antragsteller aufgrund ausschließlich beim EPA liegender Gründe damit rechnen konnte, dass eine Wiedereinsetzung nicht erforderlich ist.[132]

102 Gegen die Versäumung der Antrags- und der Ausschlussfrist gibt es nach Abs 5 (**EPÜ 2000**: Art 122 (4) und R 85b (3)) keine Wiedereinsetzung.

103 Ist die Frist zur Zahlung von Jahresgebühren für die europäische Patentanmeldung nach Art 86 versäumt, so wird nach Art 122 (2) Satz 4 die 6-Monatsfrist, innerhalb der die Jahresgebühren mit Zuschlag bezahlt werden können, in die Ausschlussfrist von 1 Jahr einbezogen.[133] Sie beginnt also mit der Fälligkeit der Jahresgebühren nach Art 86 (2) iVm R 37 (1), nämlich am letzten Tag

---

129 **J 16/86** vom 1.12.1986 sowie **J 2/87**, ABl 1988, 330 und **J 12/98** vom 8.10.2002.
130 **J 6/90**, ABl 1993, 714, Nr 2.4.
131 **J xx/87** vom 17.8.1987, ABl 1988, 323, Nr 2.6.
132 Mit ähnlichen Überlegungen zB Urteil des deutschen Bundesarbeitsgerichts vom **2.7.1981**, NJW 1982, S 1664 sowie BGH vom **7.7.2004**, NJW-RR 2004, S 1651, 1652.
133 Vgl auch **J 10/96** vom 15.7.1998.

des Monats, in den der Anmeldetag fällt, und endet nach R 83 (3) ein Jahr später am letzten Tag des entsprechenden Monats.[134]

EPÜ 2000

Das EPÜ 2000 vereinfacht dieses Fristenthema: die 6-monatige Nachfrist nach R 37 (2) (**neu**) gilt dann nicht mehr als von der Jahresfrist für die Wiedereinsetzung umfasst, sondern die Ausschlussfrist beginnt mit Ablauf der 6-Monatsfrist für die Zahlung der Jahresgebühren zu laufen.[135]

15 Begründungspflicht; Inhalt der Begründung

a) **Inhalt der Begründung.** Der nach Abs 2 Satz 1 schriftlich einzureichende Antrag muss nach Abs 3 eine Begründung enthalten (**EPÜ 2000**: R 85b (1), Satz 1 und (2)), dh es müssen neben der Tatsache der Fristversäumung, die sich häufig bereits aus den Bescheiden oder Entscheidungen des EPA ergibt, vor allem der Hinderungsgrund, der Zeitpunkt seines Wegfalls und alle Umstände, die eine Beachtung der gebotenen Sorgfalt belegen, vorgetragen und glaubhaft gemacht werden. Allgemeine Behauptungen hierzu genügen nicht. 104

Aus dem Sachvortrag muss außerdem eine Wahrscheinlichkeit dafür sprechen, dass der vorgebrachte Tatbestand, zB das Fehlverhalten einer Hilfskraft, die Ursache für das Versäumnis ist.[136] Kann der Anmelder trotz Einhaltung aller gebotenen Sorgfalt die Fristversäumung nicht erklären, so läuft er Gefahr, dass daraus ein Mangel im Überwachungssystem abgeleitet wird.[137] 105

b) **Nachweis der Sorgfalt.** Soweit in Verfahren vor dem EPA ein Beteiligter einen besonderen Sachverhalt zu seinen Gunsten geltend macht, wird gewöhnlich der Nachweis verlangt, dass die behaupteten Tatsachen der Wirklichkeit entsprechen. Art 117 (Beweisaufnahme) führt die wichtigsten Beweismittel auf, die vor dem EPA zur Stützung einer Tatsachenbehauptung zulässig sind.[138] 106

Zum Prüfungsmaßstab für die Frage, ob eine behauptete Tatsache als wahr anzuerkennen ist, enthält das europäische Patenterteilungsverfahren keine bestimmten Regeln. Es obliegt vielmehr der entscheidenden Stelle, ob sie den Ausführungen eines Beteiligten unter Berücksichtigung seiner Beweisführung 107

---

134 Zur Fristberechnung der Jahresgebühren siehe ABl 1980, 100.
135 Vgl Erläuterungen, Sonderausgabe Nr 1, ABl 2003, 192.
136 **T 13/82**, ABl 1983, 411.
137 **T 682/92** vom 4.10.1993, die mit dieser ungewöhnlich harten Schlussfolgerung jedoch aus dem Rahmen der bisher von den Beschwerdekammern entwickelten Rechtsprechung fällt; im Anschluss daran folgert **T 45/94** vom 2.11.1994, dass die Beschwerdekammer die Tatsachen und Begleitumstände kennen muss, um die Ursachen des Irrtums festzustellen; nur dann könne sie ermitteln, ob es sich um ein einmaliges Versehen »innerhalb eines ansonsten gut funktionierenden Systems« handelt (Nr 3.3.2 der Gründe).
138 Allgemein zur Frage der Beweislast, Beweisführung und Beweiswürdigung siehe Art 117 Rdn 10–17 sowie **T 128/87**, ABl 1989, 406.

und des gesamten Akteninhalts, Glauben schenkt oder nicht. Lücken in der Glaubhaftmachung oder Probleme bei der Aufklärung des Sachverhalts gehen zu Lasten des Antragsstellers, und es kann deshalb eine Rolle spielen, ob der Beteiligte einer Aufforderung zur weiteren Substantiierung oder zur Vorlage entsprechender Beweismittel nachkommt.[139] So wurde bspw die Behauptung, dass einem bei der Banque Nationale de Paris eingereichten Scheck eine Erklärung nach R 40.2 (c) PCT beigefügt gewesen sei, nicht als glaubhaft gemacht angesehen, weil der Anmelder trotz Aufforderung der Beschwerdekammer kein Beweismittel angegeben hatte, das seine Behauptung wahrscheinlich gemacht hätte.[140]

108 Das EPÜ verwendet in der deutschen Fassung des Art 122 (3)[141] den im allgemeinen deutschen Prozessrecht gebräuchlichen Begriff der Glaubhaftmachung. Bei der Auslegung der Nachweispflicht in Art 122 (3) Satz 1 müssen die drei Sprachfassungen dieser Vorschrift, die nach Art 177 (1) gleichermaßen verbindlich sind, berücksichtigt werden. Sie sind in ihrem Bedeutungsgehalt nicht identisch. Während der deutsche Text von »glaubhaft machen« der zur Begründung dienenden Tatsachen spricht, verlangt der englische Text die Angabe der Gründe und die Darlegung der Tatsachen, auf denen der Antrag beruht (»must state the grounds on which it is based, and must set out the facts on which it relies«). Nach dem französischen Text sind die Tatsachen und die zur Unterstützung des Antrags geltend gemachten Rechtfertigungsgründe anzugeben (»indiquer les faits et les justifications invoqués à son appui«; **EPÜ 2000:** R 85b (2), Satz 1: »doit etre motivèe et indiquer les faits invoqués à son appui«). Die deutsche Fassung sowie die Auslegung, die der aus dem prozessualen Beweisrecht stammende Begriff der »Glaubhaftmachung« im deutschen, österreichischen und schweizerischen Prozessrecht erfahren hat, scheinen für eine Verminderung der Nachweispflicht zu sprechen. Die englische und die französische Fassung geben dagegen keine Anhaltspunkte für die erforderliche Beweisqualität; sie unterteilen lediglich den Begriff *Begründung* in den Tatsachenvortrag und die für die Einhaltung der gebotenen Sorgfalt erforderlichen Rechtfertigungsgründe. Auf dieser Analyse beruht wohl auch die Schlussfolgerung, dass jedenfalls die Glaubhaftmachung nicht innerhalb der 2-monatigen Antragsfrist erfolgen muss.[142]

109 Ob wegen der deutschen Fassung von verminderten Nachweisanforderungen bei der Wiedereinsetzung auszugehen ist, wurde bislang nicht entschieden. Eine grundsätzliche Festlegung erscheint jedoch deshalb nicht erforderlich, weil das Amt allgemein den der deutschen Glaubhaftmachung entsprechenden

---

139 Vgl **T 428/98**, ABl 2001, 494, Nr 3.6.
140 **W 1/88** vom 24.10.1989.
141 **EPÜ 2000:** R 85b (2), Satz 1.
142 **T 324/90**, ABl 1993, 33, Nr 5.

Beweismaßstab einer hohen oder hinreichenden Wahrscheinlichkeit anwendet.[143] Auch eine der wesentlichen Beweiserleichterungen der deutschen Glaubhaftmachung, nämlich den Nachweis durch eidesstattliche Versicherung, wendet das EPA in Wiedereinsetzungsverfahren in ständiger Praxis an.[144]

c) **Zeitpunkt für den Nachweis.** Der Wiedereinsetzungsantrag sollte alle zur Begründung dienenden Tatsachen enthalten. Es ist jedoch zulässig, diese Tatsachen in einem anderen Schriftstück aufzuführen, sofern dieses vor Ablauf der Antragsfrist eingereicht wird.[145] Außerdem ist eine Ergänzung des bisherigen Sachvortrags möglich, soweit sich die Ergänzung im Rahmen der bisher vorgetragenen Tatsachen hält.[146] Was sich eindeutig aus den Akten ergibt, braucht wohl nicht im einzelnen dargelegt zu werden, sollte aber wenigstens kurz zusammengefasst werden.

Soweit ein Wiedereinsetzungsantrag offensichtliche und leicht behebbare Mängel aufweist, erfordert es der allgemeine Grundsatz des guten Glaubens, dass das Amt den Antragsteller darauf hinweist, wenn die Beseitigung noch innerhalb der 2-Monatsfrist erwartet werden kann.[147] Wird ein solcher Hinweis unterlassen, so ist er unter Fristsetzung nachzuholen und dem Antragsteller gleichzeitig eine Frist zur Mängelbeseitigung zu setzen; eine innerhalb der Frist erfolgte Mängelbeseitigung gilt als rechtzeitig. Diese Grundsätze gelten jedoch dann nicht, wenn die Vertreter durch die Geschäftsstelle auf die Möglichkeit der Wiedereinsetzung hingewiesen und dabei über alle Erfordernisse eines Wiedereinsetzungsantrags unterrichtet worden sind.[148]

Die Verbindung der Begründungspflicht mit der Pflicht zur Glaubhaftmachung in der deutschen Fassung von Art 122 (3) Satz 1 bedeutet nicht, dass auch die Glaubhaftmachung innerhalb der 2-Monatsfrist zu erfolgen hat. Aus dem Vergleich mit der englischen und französischen Fassung folgert die Beschwerdekammer, dass nur die Gründe und Tatsachen für die Wiedereinsetzung fristgerecht vorgebracht werden müssen.[149] Die Beweismittel selbst (ärztliche Atteste, eidesstattliche Versicherungen usw) können auch nach Fristablauf nachgereicht werden.

---

143 **T 128/87**, ABl 1989, 406.
144 Zur Glaubhaftmachung nach deutschem Recht vgl Baumbach/Lauterbach, ZPO, 61. Aufl, § 294.
145 **T 287/84**, ABl 1985, 333.
146 **J 5/94** vom 28.9.1994, Nr 2.3; erstmals in der Beschwerdebegründung vorgetragene Tatsachen, die eine Wiedereinsetzung rechtfertigen sollen, werden nach **J 18/98** vom 16.1.2004 nicht berücksichtigt.
147 **T 14/89**, ABl 1990, 432 für die Zahlung der Wiedereinsetzungsgebühr; vgl auch **J 13/90**, ABl 1994, 456 für die nicht rechtzeitige Zahlung einer Jahresgebühr als Nachholung der versäumten Handlung nach Art 122 (2) Satz 2.
148 **T 715/89** vom 16.3.1990.
149 **T 324/90**, ABl 1993, 33, Nr 5.

16 Entrichtung der Wiedereinsetzungsgebühr

113 Anders als in den meisten nationalen Rechtssystemen wird die Wiedereinsetzung von der Zahlung einer – nicht hohen – Gebühr abhängig gemacht, die verhindern soll, dass solche Anträge unüberlegt gestellt werden. Die Höhe der Gebühr ergibt sich aus Art 2 Nr 13 GebO.[150]

114 Wird Wiedereinsetzung in die Beschwerdefrist und die Beschwerdebegründungsfrist beantragt, so ist nur **eine** Wiedereinsetzungsgebühr zu zahlen, weil die Beschwerde ein einheitlicher Vorgang ist;[151] eine bereits entrichtete zweite Wiedereinsetzungsgebühr ist daher zurückzuzahlen. Hat der Anmelder zwei Fristen versäumt, die unabhängig voneinander abgelaufen sind, so muss für jede der Fristen ein Wiedereinsetzungsantrag eingereicht und begründet werden und es fallen zwei Wiedereinsetzungsgebühren an.[152]

115 Wie allgemein im EPÜ gilt der Wiedereinsetzungsantrag erst als gestellt, wenn die Gebühr entrichtet worden ist (Art 122 (3) Satz 2; **EPÜ 2000:** R 85b (1), Satz 3). Wird die Gebühr nicht oder nicht vollständig rechtzeitig entrichtet, so gilt der Antrag als nicht gestellt;[153] siehe auch Art 9 GebO (Nicht ausreichender Gebührenbetrag).

116 Dieser Rechtsverlust wird dem Antragsteller nach R 69 (1) mitgeteilt. Auf seinen Antrag wird eine Entscheidung nach R 69 (2) erlassen. Diese Entscheidung – und nicht bereits die Mitteilung – kann mit der Beschwerde angegriffen werden.

117 Im Fall der nicht rechtzeitigen Entrichtung der Gebühr gibt es nach Art 122 (5) keine Wiedereinsetzung in diese Frist. Eine Versäumung der Frist kann jedoch dann geheilt werden, wenn dieser Mangel des Antrags für das EPA offensichtlich war und bei entsprechendem Hinweis des Amts noch innerhalb der Antragsfrist hätte behoben werden können.[154]

118 Ist die Wiedereinsetzungsgebühr verspätet entrichtet und liegt somit kein wirksamer Antrag vor, so muss die zu spät gezahlte Gebühr zurückerstattet werden.

119 Die Gebühr wird auch zurückgezahlt, wenn sich herausstellt, dass die Frist nicht versäumt worden ist,[155] weil zB der die Beschwerdebegründung enthaltende Briefumschlag gefunden wurde[156] oder die Fristversäumung aufgrund ei-

---

150 Siehe aktuelles Gebührenverzeichnis, Beilage zum ABl, Nr 1.1.13.
151 **T 315/87** vom 14.2.1989; **T 848/99** vom 3.5.2000.
152 **J 26/95**, ABl 1999, 668.
153 **J 18/03** vom 3.9.2004.
154 **T 14/89**, ABl 1990, 432, Nr 5; **J 13/90**, ABl 1994, 456; **J 41/92** vom 27.10.1993, Nr 2; einschränkend für die Hinweispflichten einer Beschwerdekammer **T 690/93** vom 11.10.1994 unter Berufung auf die Neutralität der Beschwerdekammer.
155 **J 7/93** vom 23.8.1993; **T 192/84**, ABl 1985, 39.
156 **T 243/86** vom 9.12.1986.

ner Anwendung der R 85a oder 85b bereits vor Stellung des Antrags auf Wiedereinsetzung geheilt wurde.[157]

17 Entscheidendes Organ

Nach Abs 4 (**EPÜ 2000**: R 85b (4)) entscheidet über den Antrag auf Wiedereinsetzung das Organ, das über die versäumte Handlung zu entscheiden hat, in den meisten Fällen also die Stelle, der gegenüber die Handlung vorzunehmen war. Für die Entscheidung über den Antrag ist demnach in aller Regel die Stelle zuständig, bei der das Verfahren anhängig ist. Anders ist es zB, wenn zugleich Wiedereinsetzungsantrag und Antrag auf Eintragung eines Rechtsübergangs gestellt sind; hier darf die Rechtsabteilung nur über die Eintragung des Rechtsübergangs entscheiden, und für den Wiedereinsetzungsantrag ist die Prüfungsabteilung zuständig, vor der die Frist versäumt worden war. Dabei kann es zu einer getrennten Zuständigkeit kommen.[158]

Hat die erste Instanz einen Antrag auf Wiedereinsetzung zurückgewiesen und legt der Anmelder Beschwerde dagegen ein, so kann die erste Instanz im Rahmen der in Art 109 vorgesehenen Abhilfe die Wiedereinsetzung gewähren.

Tut sie das nicht, so entscheidet die Beschwerdekammer darüber, ob Wiedereinsetzung gewährt wird oder nicht, oder sie hebt die Entscheidung der ersten Instanz auf und verweist die Sache zur erneuten Entscheidung über die Wiedereinsetzung an die erste Instanz zurück.[159] Hält die Beschwerdekammer die Wiedereinsetzung für begründet, so kann sie diese Entscheidung selbst treffen.[160]

Wird Wiedereinsetzung gegen die Versäumung der Beschwerdefrist begehrt, so ist die Beschwerdekammer zuständig,[161] und dem Beschwerdegegner ist auch im Hinblick auf den Wiedereinsetzungsantrag rechtliches Gehör zu gewähren.[162] Nach den PrüfRichtl (E-VIII, 2.2.7) kann bei einer Versäumung der Beschwerdefrist auch das entscheidende Organ die Wiedereinsetzung gewähren, wenn die Voraussetzungen für eine Abhilfe und für die Wiedereinsetzung klar gegeben sind und wenn der Beschwerde innerhalb der 3-Monatsfrist nach Art 109 (2) abgeholfen wird.[163]

---

157 So zB in **J 12/87**, ABl 1989, 366, Nr 4.
158 **J 10/93**, ABl 1997, 91, Nr 1; siehe Art 20 Rdn 7.
159 Art 111 (1) Satz 2; Art 10 der Verfahrensordnung der Beschwerdekammern, ABl 1983, 7, Anhang 12.
160 **J 22/86**, ABl 1987, 280, Nr 15 ff.
161 **T 473/91**, ABl 1993, 630; siehe auch Art 109 Rdn 9.
162 **T 552/02** vom 15.10.2003.
163 **T 808/03** vom 12.2.2004; siehe auch Art 109 Rdn 9.

18 Wirkung der Wiedereinsetzung

124 Die Wiedereinsetzung hat nach der deutschen Fassung zur Folge, dass der Antragsteller wieder in den vorigen Stand eingesetzt wird, nach der englischen Fassung, dass seine Rechte wieder hergestellt werden (shall have his rights re-established) und nach der französischen Fassung, dass er in seine Rechte wieder eingesetzt wird (est rétabli dans ses droits). Die verspätete Handlung wird also nach allen drei Fassungen als rechtzeitig vorgenommen angesehen.

Damit gilt nach Abs 1 die zurückgewiesene Anmeldung nicht als zurückgewiesen, das widerrufene europäische Patent nicht als widerrufen usw. Zugleich entzieht die gewährte Wiedereinsetzung auch etwa ergangenen Entscheidungen, die diesen Rechtsverlust feststellen, den Boden, selbst wenn diese Entscheidungen rechtskräftig sind.[164] So wird zB eine Entscheidung der Eingangsstelle, nach der die europäische Patentanmeldung als zurückgenommen gilt, hinfällig, wenn nach ihrem Erlass Wiedereinsetzung in die Frist gewährt wird, deren Versäumung der Grund für die Entscheidung war.

125 Im Übereinkommen ist nicht ausdrücklich festgelegt, dass bei einer Wiedereinsetzung auch die Entscheidung, die den Rechtsverlust festgestellt hat, noch aufgehoben werden muss. Zur Klarstellung und im Interesse der Rechtssicherheit ist es jedoch Praxis des EPA, die Entscheidung ausdrücklich aufzuheben.

EPÜ 2000

In der Neufassung regelt Art 122 (2) **EPÜ 2000**, dass dem Wiedereinsetzungsantrag stattzugeben ist, wenn die Voraussetzungen der Wiedereinsetzung vorliegen, und dass andernfalls der Antrag zurückzuweisen ist. Wird dem Antrag stattgegeben, so gelten nach Art 122 (3) **EPÜ 2000** die Rechtsfolgen der Fristversäumung als nicht eingetreten.

19 Bindung an die Entscheidung

126 Eine weitere wichtige Frage ist, inwieweit in irgendeinem späteren Verfahren innerhalb und außerhalb des EPA die von einer zuständigen Stelle gewährte Wiedereinsetzung in Frage gestellt und aufgehoben werden kann. Man muss davon ausgehen, dass die weiter im Verfahren tätig werdenden Stellen und Instanzen des EPA wie auch die nationalen Gerichte in einem späteren Nichtigkeits- oder Verletzungsverfahren an die von einer **zuständigen** Stelle des EPA gewährte Wiedereinsetzung gebunden sind. Diese Bindungswirkung folgt aus dem Gebot der Rechtssicherheit und des Vertrauensschutzes zugunsten des in den vorigen Stand wieder eingesetzten Verfahrensbeteiligten. Eine Bindungs-

---

164 **W 3/93**, ABl 1994, 931, Nr 2.4.

wirkung tritt nicht ein, wenn die Wiedereinsetzung von einer unzuständigen Stelle gewährt wird.[165]

20 Wiedereinsetzung und Anwendung der R 31

Aufgrund der Gleichbehandlung von Euro-PCT-Anmeldern mit europäischen Direktanmeldern nach der neueren Rechtsprechung (siehe Rdn 33) überschneiden sich die Wiedereinsetzung und die anderen Heilungsmöglichkeiten bei Fristversäumnissen nur bei der wiedereinsetzungsfähigen Frist zur Zahlung der Anspruchsgebühren nach R 110, für die nach R 31 eine Nachfristregelung getroffen ist.

Für diese Nachfrist wird man entsprechend der Grundsatzentscheidung **J 4/86**[166] zu R 85b davon ausgehen können, dass sie keine echte Verlängerung der Grundfrist darstellt, sondern nur eine zusätzliche Frist ist, innerhalb der das Versäumnis geheilt werden kann; der Rechtsverlust tritt grundsätzlich mit dem Ablauf der Grundfrist ein.

Macht ein Verfahrensbeteiligter von seinem Recht Gebrauch, die in R 110 vorgesehenen Gebühren innerhalb der Nachfrist nach R 31 (1) S 3 (**EPÜ 2000:** R 31 (2), Satz 2) zu entrichten, so wird der Mangel der nicht rechtzeitigen Zahlung sofort geheilt. Es bleibt folglich kein Raum mehr für eine Wiedereinsetzung nach Art 122. Nachdem R 31 (1) S 3 eine gebührenfreie Nachzahlung zulässt, bedarf es der früheren Empfehlung,[167] den Wiedereinsetzungsantrag zuerst zu stellen, nicht mehr. Allerdings schadet ein gleichzeitig mit der Entrichtung der Gebühr eingereichter Wiedereinsetzungsantrag nicht, wenn sich zB der Antragsteller über den Eingang seiner Zahlung innerhalb der Nachfrist nicht sicher ist. Denn ist die Frist nicht versäumt, so wird die Wiedereinsetzungsgebühr zurückgezahlt.[168]

Die für europäische Direktanmelder mögliche Wiedereinsetzung in die Nachfrist für gebührenpflichtige Ansprüche[169] ist wegen Art 48 (2) a) PCT auch Euro-PCT-Anmeldern zugänglich.

21 Wiedereinsetzung und Feststellung eines Rechtsverlustes (R 69)

Für die Praxis wichtig ist die Frage nach dem Verhältnis zwischen Art 122, R 69 und Art 106.

---

165 **T 808/03** vom 12.2.2004 Nr 1.9 ff, wenn der Formalprüfer als Vertreter der Prüfungsabteilung im Rahmen des Abhilfeverfahrens Wiedereinsetzung in die Beschwerdefrist gewährt, der Beschwerde aber nicht innerhalb der 3-Monatsfrist nach Art 109 (2) abgeholfen wird.
166 ABl 1988, 119.
167 **J 12/87**, ABl 1989, 366.
168 Vgl Rdn 119.
169 Siehe oben Rdn 33 am Ende.

Artikel 122 — Wiedereinsetzung

132 Der Betroffene erfährt von seinem Rechtsverlust häufig durch die Mitteilung des EPA nach R 69 (1). In dieser Mitteilung wird er darauf hingewiesen, dass er eine beschwerdefähige Entscheidung nach R 69 (2) beantragen kann. Mit der Zustellung der Mitteilung nach R 69 (1) entfällt aber auch in den meisten Fällen das Hindernis, das den Betroffenen die Frist hat versäumen lassen. Das bedeutet, dass die in Art 122 (2) Satz 1 vorgeschriebene 2-Monatsfrist von diesem Zeitpunkt an zu laufen beginnt.

133 Glaubt der Betroffene, das EPA habe einen Fehler bei der Mitteilung nach R 69 (1) gemacht, so sollte er neben dem Antrag auf Feststellung nach R 69 (2) hilfsweise auch einen Antrag auf Wiedereinsetzung unter Zahlung der Wiedereinsetzungsgebühr stellen, sofern nicht hilfsweise ein Antrag auf Weiterbehandlung nach Art 121 gestellt werden kann, wie in den Fällen von Art 96 (3) und R 51 (8). Die zuständige Stelle wird dann prüfen, ob die Mitteilung zu Recht ergangen ist. War dies nicht der Fall, so wird der Betroffene davon unterrichtet, und das Verfahren wird fortgesetzt. Der Wiedereinsetzungsantrag ist damit gegenstandslos und die Gebühr zurückzuzahlen.

134 Ist dagegen die Feststellung nach Auffassung der zuständigen Stelle zu Recht getroffen worden, so wird dies in einer Entscheidung nach R 69 (2) festgestellt, gegen die der Betroffene Beschwerde einlegen kann. Über den Antrag auf Wiedereinsetzung sollte im Beschwerdeverfahren oder, wenn keine Beschwerde eingelegt wurde, nach Rechtskraft der Entscheidung nach R 69 (2) entschieden werden.[170]

135 Zu beachten ist, dass die beiden 2-Monatsfristen nach Art 122 (2) und R 69 (2) gewöhnlich zu verschiedenen Zeitpunkten zu laufen beginnen: Die Frist nach Art 122 (2) beginnt mit der Kenntnis vom Wegfall des Hindernisses, die Frist nach R 69 (2) und auch nach Art 121 (2) gemäß R 78 (2) erst mit dem 10. Tag nach der Abgabe der Mitteilung zur Post.[171]

22 Weiterbenutzungsrecht

136 Abs 6 (**EPÜ 2000**: Art 122 (5)) sieht ein kostenloses Weiterbenutzungsrecht des gutgläubigen Benutzers vor, wie es ähnlich auch nach Art 70 (4) b) vom nationalen Gesetzgeber für den Fall unrichtiger Übersetzungen vorgeschrieben werden kann. Entsprechende Regelungen wie in Abs 6 finden sich für die Wiedereinsetzung in den vorigen Stand in den nationalen Patentrechten der meisten Vertragsstaaten.

EPÜ 2000
Ein Weiterbenutzungsrecht wird es nach **EPÜ 2000** Art 112a (6) künftig auch im Falle der Überprüfung rechtskräftiger Entscheidungen der Beschwerdekammern durch die Große Beschwerdekammer geben.

---

170 **J 1/80**, ABl 1980, 289.
171 Siehe Art 119 Rdn 12–17.

Die Weiterbenutzung muss sich immer auf den Gegenstand einer veröffent- 137
lichten europäischen Patentanmeldung oder eines europäischen Patents beziehen, und die Benutzungsaufnahme muss in dem Zeitraum zwischen Eintritt des Rechtsverlusts und Bekanntmachung des Hinweises auf die Wiedereinsetzung erfolgt sein. Was unter *Benutzung* der Erfindung zu verstehen ist, richtet sich nach nationalem und künftig nach Gemeinschaftspatentrecht. Viele Vertragsstaaten haben in ihr nationales Recht die Benutzungstatbestände der Art 25 ff GPÜ übernommen und ihr Recht insoweit harmonisiert.

Zur Weiterbenutzung ist nicht nur berechtigt, wer die Erfindung bereits in 138
Benutzung genommen hat, sondern auch derjenige, der »wirkliche und ernsthafte Veranstaltungen« zur Benutzung getroffen hat. Damit dürften ähnliche Vorbereitungen für die Benutzung ausreichen, wie sie zB im deutschen Patentrecht unter dem Begriff »die dazu (dh für die Benutzung) erforderlichen Veranstaltungen« bekannt sind.[172]

Die Benutzung muss in gutem Glauben erfolgt sein. Bösgläubigkeit schließt 139
den Erwerb eines Weiterbenutzungsrechts aus. Nach deutscher Rechtsprechung fehlt der gute Glaube, wenn der Benutzer mit der Wiederherstellung der Rechte gerechnet hat oder rechnen musste.[173]

Zur Annahme des guten Glaubens ist nicht erforderlich, dass der Benutzer 140
die europäische Patentanmeldung oder das europäische Patent und den Wegfall kannte. Ähnlich wie das Vorbenutzungsrecht (§ 12 DE-PatG) entsteht das Weiterbenutzungsrecht unabhängig von dieser Kenntnis, allerdings mit der Einschränkung, dass der Benutzer nicht bösgläubig sein darf. Geschützt wird die Öffentlichkeit bei ihrer gewerblichen Tätigkeit in ihrem Vertrauen auf die ihr bekannt gewordene Tatsache, dass ein Schutz in dem veröffentlichten Umfang nicht mehr besteht; ein solches Vertrauen kann nicht entstehen, wenn Rechtsverlust und Wiedereinsetzung vor der Veröffentlichung der europäischen Patentanmeldung stattgefunden haben.[174]

Eine Benutzungsaufnahme vor Eintritt des Rechtsverlustes, die lediglich über 141
den Zeitpunkt des Rechtsverlustes hinaus fortgesetzt wird, führt ebenso wenig wie im deutschen Recht[175] zum Erwerb eines Weiterbenutzungsrechts. Die umgekehrte Frage, ob bei einer solchen Weiterbenutzung der Rechtsinhaber für den Benutzungszeitraum zwischen Eintritt des Rechtsverlustes und Bekanntmachung des Hinweises auf die Wiedereinsetzung eine Benutzungsentschädigung verlangen kann, ist nach nationalem Recht zu entscheiden und wurde vom BGH verneint.[176]

---

172 Siehe DE-PatG § 12 (Vorbenutzungsrecht) und § 123 (Wiedereinsetzung).
173 Siehe zB BGH vom 27.5.1952 – **Wäschepresse**, BlPMZ 1952, 409; GRUR 1952, 564.
174 **J 5/79**, ABl 1980, 71, Nr 4.
175 Siehe BGH vom 26.1.1993 – *Wandabstreifer*, Mitt. 1993, 325.
176 BGH vom 26.1.1993 – Wandabstreifer –, Mitt 1993, 325 (329).

142 Der bisherige Benutzer kann die Benutzung in seinem eigenen Betrieb oder für die Bedürfnisse seines Betriebes unentgeltlich fortsetzen. Dieses Weiterbenutzungsrecht ist also an den Betrieb gebunden. Auch hier wird parallel zum deutschen Recht davon auszugehen sein, dass eine Benutzungsaufnahme als Vertreter eines Dritten und allein in dessen Interesse kein Weiterbenutzungsrecht für eine eigene wirtschaftliche Betätigung begründet, die vom Betrieb des Dritten losgelöst ist und mit diesem in keinem Zusammenhang steht.[177] Andererseits kann das Weiterbenutzungsrecht nicht auf den Umfang während der Zwischenbenutzung beschränkt werden, was sich schon daraus ergibt, dass auch die bloße Vorbereitung der Benutzung ein Weiterbenutzungsrecht begründet.

Der räumliche Umfang des Weiterbenutzungsrechts ist in Abs 6 nicht geregelt. Entgegen Benkard/*Schäfers*[178] wird man davon ausgehen müssen, dass die Aufnahme der Benutzung in einem Vertragsstaat nicht zur Weiterbenutzung in anderen benannten Vertragsstaaten berechtigt, und zwar unabhängig davon, ob das Weiterbenutzungsrecht in einem EU Mitgliedstaat begründet wurde und ob es eine Benutzung in anderen benannten EU Mitgliedstaaten rechtfertigen soll. Das EPÜ ist kein Rechtsinstrument der EU. Es kann deshalb nicht mit einem harmonisierenden Rechtssetzungsakt der EU gleichgesetzt werden, und es ist auch zu berücksichtigen, dass Einschränkungen der Schutzwirkung grundsätzlich eng auszulegen sind. Die gegenteilige Schlussfolgerung kann überdies nicht aus dem Grundsatz des freien Warenverkehrs und einer Analogie zur Erschöpfung begründet werden, weil die Benutzung des Schutzgegenstands aufgrund eines Weiterbenutzungsrechts nicht mit einem Inverkehrbringen durch den Patentinhaber selbst oder mit seiner Zustimmung gleichzusetzen ist und auch der Erschöpfungsgrundsatz dann nicht greift, wenn die patentierte Sache ohne Zustimmung des Patentinhabers in einem Mitgliedstaat in den Verkehr gebracht wird, in dem der Patentinhaber kein Parallelpatent besitzt.[179] Ausnahmsweise wird eine Benutzungsaufnahme in einem benannten Vertragsstaat zur Weiterbenutzung oder zum Export in andere benannte Vertragsstaaten berechtigen, wenn die Benutzung von vorne herein auf eine solche territoriale Ausdehnung angelegt war, dh im Zeitraum der Entstehung des Weiterbenutzungsrechts wirkliche und ernsthafte Veranstaltungen für eine Benutzung in anderen benannten Vertragsstaaten oder für den Export dorthin getroffen wurden.

---

177 BGH – *Wandabstreifer*, Mitt. 1993, 325, 327.
178 Schäfers in Benkard, EPÜ, Art 122 Rdn 74.
179 Schulte/*Kühnen*, PatG, 7. Auf., § 123 Rdn 27.

23 Wiedereinsetzung in Fristen, die gegenüber nationalen Behörden einzuhalten sind

Die in Abs 1–6 getroffene Regelung gilt nur für Fristen, die von Verfahrensbeteiligten gegenüber dem EPA einzuhalten sind. Das EPÜ enthält jedoch auch Fristen oder die Ermächtigung, solche Fristen vorzuschreiben, die von Verfahrensbeteiligten gegenüber den Behörden der Vertragsstaaten einzuhalten sind, zB in Art 65 (Übersetzung der europäischen Patentschrift), Art 135 (2) betreffend die Einreichung und Übermittlung eines bestimmten Umwandlungsantrags und Art 141 (Jahresgebühren für das europäische Patent).

Art 122 (7) (**EPÜ 2000**: Art 122 (6)) stellt klar, dass es dem Recht jedes Vertragsstaats überlassen bleibt, wie er die Wiedereinsetzung in diese Fristen regelt. Allerdings weist Straus[180] zutreffend darauf hin, dass diese Regelungsfreiheit der Vertragsstaaten nach der Entstehungsgeschichte des Art 122 und dem dort dokumentierten Willen der Vertragsparteien Grenzen hat.

Griechenland, Monaco und die Slovakei haben bei Versäumung der Fristen für die Zahlung von Jahresgebühren für europäische Patente keine Wiedereinsetzung vorgesehen.[181]

Artikel 123 Änderungen

(1) Die Voraussetzungen, unter denen eine europäische Patentanmeldung oder ein europäisches Patent im Verfahren vor dem Europäischen Patentamt geändert werden kann, sind in der Ausführungsordnung geregelt. In jedem Fall ist dem Anmelder zumindest einmal Gelegenheit zu geben, von sich aus die Beschreibung, die Patentansprüche und die Zeichnungen zu ändern.

(2) Eine europäische Patentanmeldung und ein europäisches Patent dürfen nicht in der Weise geändert werden, dass ihr Gegenstand über den Inhalt der Anmeldung in der ursprünglich eingereichten Fassung hinausgeht.

(3) Im Einspruchsverfahren dürfen die Patentansprüche des europäischen Patents nicht in der Weise geändert werden, dass der Schutzbereich erweitert wird.

---

180 S 848, Zitat siehe Rdn 9.
181 Siehe Broschüre *Nationales Recht zum EPÜ*, Tabelle VI, Spalte 5.

Artikel 123 — Änderungen

Fritz Blumer

Übersicht

1	Allgemeines	1-5
A	**Zeitliche und verfahrensmäßige Einschränkungen des Änderungsrechts (Abs 1, R 86, 87)**	6-23
2	Grundsatz der Änderungsmöglichkeit	6
3	Beschränkung des Änderungsrechts bei nur teilweise recherchierten Anmeldungen	7
4	Zeitliche Beschränkung der Änderungsmöglichkeit	8-10
5	Änderung der Unterlagen *von sich aus*	11-13
6	Änderungen mit Zustimmung der Prüfungsabteilung	14-15
7	Änderungen im Einspruchsverfahren	16-17
8	Änderungen im Beschwerdeverfahren	18-23
B	**Beschränkung auf das in den ursprünglich eingereichten Anmeldungsunterlagen Offenbarte (Abs 2)**	24-52
9	Art 123 (2) als inhaltliche Beschränkung des Änderungsrechts von europäischen Patentanmeldungen und europäischen Patenten	24-28
10	Zu Art 123 (2) äquivalente Bestimmungen	29-31
11	Ursprüngliche Anmeldung als Grundlage späterer Änderungen	32-33
12	Das dem Fachmann unmittelbar und eindeutig Offenbarte als maßgebender Inhalt der ursprünglichen Anmeldung	34-38
13	Neuheitsprüfung und Prüfung von Änderungen auf ihre Zulässigkeit nach Art 123 (2)	39-42
14	Anpassungen an neu ermittelten Stand der Technik; ursprünglich nicht offenbarte Disclaimer	43-49
15	Nachgereichte Angaben über Vorteile und Beispiele	50-52
C	**Anwendungsbeispiele zum Erweiterungsverbot des Abs 2**	53-76
16	Allgemeines	53-55
17	Erweiterung von Patentansprüchen durch Streichung eines Merkmals	56-58
18	Erweiterung von Patentansprüchen durch Verallgemeinerung eines Merkmals	59-63
19	Engere Fassung von Patentansprüchen durch Aufnahme zusätzlicher Merkmale	64-66
20	Einschränkung von Patentansprüchen durch Auswahl	67
21	Wechsel der Anspruchskategorie	68-70
22	Änderung der Beschreibung und der Zeichnungen	71-73
23	Berichtigungen	74-76

D	**Verbot der Erweiterung des Schutzbereichs des europäischen Patents (Abs 3)**	77-101
24	Art 123 (3) als weitere Beschränkung des Änderungsrechts beim europäischen Patent	77-81
25	Bestimmung des Schutzbereichs durch das EPA	82-83
26	Anwendungsbeispiele zu Abs 3	84-95
27	Konflikt zwischen Abs 2 und Abs 3	96-101
E	**Unterschiedliche Patentansprüche, Beschreibungen und Zeichnungen für verschiedene Staaten (R 87)**	102-117
28	Allgemeines zu R 87	102-103
29	Unterschiedliche Fassungen bei älteren Rechten	104-112
30	Die übrigen Fälle unterschiedlicher Fassungen	113-115
31	Prüfung unterschiedlicher Fassungen unter Art 123 (2)	116-117
F	**Berichtigung von Mängeln in den beim EPA eingereichten Unterlagen (R 88)**	118-165
32	Allgemeines zu R 88	118-124
33	Die zu berichtigenden Unterlagen	125-127
34	Der Berichtigung zugängliche Mängel	128-130
35	Zuständigkeit für die Berichtigung	131
36	Erleichterte Berichtigung nach Satz 1 und ihre Grenzen	132-134
37	Zeitliche Grenzen für den Berichtigungsantrag nach Satz 1	135-147
38	Beispiele für eine Berichtigung nach Satz 1	148-152
39	Berichtigung von Beschreibung, Patentansprüchen und Zeichnungen (Satz 2)	153-161
40	Nachreichen und Korrigieren von Zeichnungen (R 43 und R 88)	162-163
41	Wirkung der Berichtigung	164
42	Berichtigung von Fehlern bei fehlerhaftem Druck der europäischen Patentschrift	165
G	**Berichtigung von Fehlern in Entscheidungen (R 89)**	166-170
43	Allgemeines zu R 89	166
44	Einzelheiten der Berichtigung	167-170

1 Allgemeines

Dieser Artikel legt fest, unter welchen Voraussetzungen Anmelder und Patentinhaber Ansprüche, Beschreibung und Zeichnungen der Anmeldung und des Patents ändern können. Die Änderungsmöglichkeit ist wichtig, da der Anmelder häufig bei Abfassung seiner Anmeldung noch nicht den gesamten Stand der

Technik kennt, sondern ihn in seinen Einzelheiten erst durch den Recherchenbericht und das Prüfungs- und Einspruchsverfahren erfährt.

2   Abs 1 regelt die verfahrensrechtlichen Aspekte der Änderungsmöglichkeit, Abs 2 und 3 bestimmen ihre sachlichen Grenzen. Ihre zeitlichen Grenzen legt R 86 (Änderung der europäischen Patentanmeldung) fest. Abs 4 der R 86 schreibt vor, dass nicht recherchierte Gegenstände nachträglich nur in die Patentansprüche aufgenommen werden dürfen, wenn zwischen ihnen und den ursprünglich beanspruchten Gegenständen Einheitlichkeit iSd Art 82 besteht. Der Sonderfall der Berücksichtigung älterer Rechte ist in R 87 behandelt, die Berichtigung von Mängeln in den beim EPA eingereichten Unterlagen in R 88. Mit der Berichtigung von Fehlern in Entscheidungen befasst sich R 89. R 57a bestimmt für die Änderung des europäischen Patents im Einspruchsverfahren, dass jede durch einen Einspruchsgrund nach Art 100 veranlasste Änderung zulässig ist, auch wenn der entsprechende Grund vom Einsprecher nicht geltend gemacht wurde.

Siehe auch PrüfRichtl A-V, 2; C-VI, 5; D-V, 5; D-V, 6 und E-II.

3   Der PCT enthält ebenfalls verschiedene Vorschriften über Änderungen der internationalen Anmeldung im Verfahren vor den beteiligten Behörden, dh vor dem Internationalen Büro (Art 19, R 46), vor dem Bestimmungsamt (Art 28, R 52), vor der Prüfungsbehörde gemäß Kapitel II PCT (Art 34, R 66, 70 PCT) sowie vor dem ausgewählten Amt (Art 41, R 78 PCT).

4   Die Verletzung des Erweiterungsverbots in Abs 2 gehört zu den Einspruchsgründen gegen das europäische Patent (Art 100 c)). Sowohl die nach Abs 2 unzulässige Erweiterung als auch die in einem Einspruchsverfahren entgegen Abs 3 erfolgte Erweiterung des Schutzbereichs gehören zu den in Art 138 aufgezählten Gründen, aus denen ein nationales Gericht ein europäisches Patent für nichtig erklären kann.

5   Aus der Literatur zu Art 123 siehe Kraßer, GRUR Int 1992, 699; van den Berg, Die Bedeutung des Neuheitstests für die Priorität und die Änderung von Patentanmeldungen und Patenten, GRUR Int 1993, 354; Blumer, Formulierung und Änderung der Patentansprüche im europäischen Patentrecht, Heymanns 1998.

EPÜ 2000

Die Fassung gemäß Basisvorschlag[1] für die Revision des EPÜ des EPO-Verwaltungsrats wurde unverändert übernommen. Die Umformulierung des ersten Satzes von Abs 1 soll klarstellen, dass nicht nur die Voraussetzungen, unter denen Änderungen vorgenommen werden können, sondern auch andere Fragen, wie etwa die Form der Änderungen, in der AO geregelt werden können.[2] Abs 2 bleibt unverändert bis auf eine sprachliche Anpassung an Abs 1. Abs 3

---

1   Dokument MR/2/00 vom 13.10.2000.
2   Basisvorschlag, Dokument MR/2/00 v. 13.10.2000, 165.

nimmt in der neuen Fassung keinen Bezug mehr auf das Einspruchsverfahren, und es werden nicht nur Änderungen der Patentansprüche, sondern Änderungen des europäischen Patents generell angesprochen: »Das europäische Patent darf nicht in der Weise geändert werden, dass sein Schutzbereich erweitert wird.«[3]

A Zeitliche und verfahrensmäßige Einschränkungen des Änderungsrechts (Abs 1, R 86, 87)

2 Grundsatz der Änderungsmöglichkeit

Abs 1 Satz 1 überlässt die Regelung der verfahrensmäßigen Voraussetzungen, unter denen eine europäische Patentanmeldung und ein europäisches Patent geändert werden können, der AO (R 57a und 86–88). Abs 1 Satz 2 garantiert dem Anmelder aber das Recht mindestens einmaliger Änderung der Beschreibung, der Patentansprüche und der Zeichnungen. Änderungen dürfen jedoch nicht gegen Abs 2 und 3 verstoßen.

3 Beschränkung des Änderungsrechts bei nur teilweise recherchierten Anmeldungen

Enthält eine Patentanmeldung mehrere uneinheitliche Gegenstände, so ist es nicht gestattet, während des Prüfungsverfahrens einen Gegenstand in einen Patentanspruch aufzunehmen, der mit dem recherchierten Gegenstand uneinheitlich ist und nicht recherchiert wurde, weil für ihn trotz Aufforderung nach R 46 keine weiteren Recherchengebühren bezahlt wurden.[4] Die 1995 in Kraft getretene R 86 (4) stellt klar, dass geänderte Patentansprüche sich nicht auf nicht recherchierte Gegenstände beziehen dürfen, die mit der ursprünglich beanspruchten Erfindung oder Gruppen von Erfindungen nicht durch eine einzige allgemeine erfinderische Idee verbunden sind. Diese Regel dient dem Zweck der Gebührengerechtigkeit, und sie ist nach der Praxis der BK eng auszulegen. Geänderte Ansprüche dürfen aufgrund dieser Regel nur dann zurückgewiesen werden, wenn der Gegenstand der ursprünglich eingereichten Ansprüche und derjenige der geänderten Ansprüche so geartet sind, dass im hypothetischen Fall der ursprünglich gleichzeitigen Einreichung all dieser Ansprüche neben einer Recherchengebühr für die ursprünglich tatsächlich eingereichten Ansprüche auch eine weitere Recherchengebühr für die geänderten Ansprüche, die einer weiteren Erfindung im Sinne der R 46 (1) entsprachen, zu entrichten gewesen wäre.[5] Uneinheitliche Gegenstände können in beiden Fällen in einer Teilanmeldung gemäß Art 76 weiterverfolgt werden.[6]

---

3 Vgl dazu Rdn 77, 78.
4 **G 2/92**, ABl 1993, 591.
5 **T 708/00**, ABl 2004, 160.
6 Vgl auch PrüfRichtl C-VI, 5.2 (ii).

4 Zeitliche Beschränkung der Änderungsmöglichkeit

8 Vom Zeitpunkt der Einreichung der Anmeldung bis zum Erhalt des europäischen Recherchenberichts darf der Anmelder die Beschreibung, die Patentansprüche oder die Zeichnungen nicht ändern, sofern nichts anderes vorgeschrieben ist (R 86 (1)). Die ausdrückliche Beschränkung des Änderungsverbots auf die für die Offenbarung der Erfindung maßgebenden Anmeldungsunterlagen (Beschreibung, Patentansprüche und Zeichnungen)[7] schließt die Änderung anderer Unterlagen, zB von Zusammenfassung, Erteilungsantrag, Erfindernennung, Prioritätsunterlagen, Vollmachten und dergleichen, nicht aus. Für einen Teil dieser übrigen Unterlagen bestehen Spezialvorschriften bezüglich der Änderung bzw Nachreichung wie R 19, 38, 41, 42 und 88 Satz 1.

9 Der Vorbehalt *soweit nichts anderes vorgeschrieben ist* (R 86 (1) aE) bezieht sich unter anderem auf R 43 (Zeichnungen) und R 88 Satz 2 (Berichtigung von Mängeln, vgl dazu Rdn 153–161) sowie auf die Berücksichtigung der Formerfordernisse bei der Anmeldung nach Art 91 (1) b) iVm R 40 und 41 im Rahmen der Formalprüfung.

10 Das Änderungsverbot während der Zeit bis zum Erhalt des Rechercheberichts steht im Zusammenhang mit R 86 (2). Diese Bestimmung soll dem Anmelder erlauben, mit einer Änderung dem Recherchenbericht Rechnung zu tragen.[8] Wird ein Antrag auf Änderung der Patentansprüche vor Erhalt des Rechercheberichts, und damit verfrüht, eingereicht und steht die gewünschte Änderung nicht im Zusammenhang mit dem zu erwartenden Recherchenergebnis, würde die Eingangsstelle gegen den Grundsatz von Treu und Glauben verstoßen, wenn sie den Antrag unberücksichtigt lassen würde.[9]

5 Änderung der Unterlagen *von sich aus*

11 Nach Art 123 (1) Satz 2 hat das EPA dem Anmelder mindestens einmal Gelegenheit zur Änderung der Beschreibung, der Patentansprüche und der Zeichnungen zu geben. Die AO geht über dieses Mindesterfordernis bzw *Grundrecht*[10] hinaus und regelt die Zeiträume, in denen inhaltlich nach Abs 2 und Abs 3 zulässige Änderungen *von sich aus* möglich sind:

12 Zwischen dem Erhalt des europäischen Recherchenberichts und dem Erhalt des ersten Prüfungsbescheids ist die Änderung nach R 86 (2) möglich. Werden die Patentansprüche vor Abschluss der technischen Vorbereitungen für die Veröffentlichung der Anmeldung geändert (also im Prinzip spätestens 7 Wochen vor Ablauf von 18 Monaten nach Einreichung der europäischen Patentan-

---

7 Zu dieser Abgrenzung vgl **G 3/89**, ABl 1993, 117, Nr 1.4.
8 **J 10/84**, ABl 1985, 71, Nr 4.
9 **J 10/84**, ABl 1985, 71.
10 So **T 708/00**, ABl 2004, 160, Nr 7.

meldung bzw ihrer Priorität[11]), so werden auch die neuen oder geänderten Patentansprüche in der Veröffentlichung aufgeführt (R 49 (3)).

Nach Erhalt des ersten Prüfungsbescheids können die Beschreibung, die Patentansprüche und die Zeichnungen nur noch einmal geändert werden, und zwar zusammen mit der Erwiderung auf den Prüfungsbescheid (R 86 (3)). Nach der Erwiderung kann der Anmelder nicht mehr von sich aus ändern, selbst wenn die Erwiderungsfrist noch nicht abgelaufen ist.[12]

6 Änderungen mit Zustimmung der Prüfungsabteilung

Weitere Änderungen der Beschreibung, der Patentansprüche und der Zeichnungen sind im Interesse eines zügigen Verfahrensabschlusses von der Zustimmung der Prüfungsabteilung abhängig (R 86 (3)). Durch das Zustimmungserfordernis sollen Verfahrensverzögerungen verhindert werden. Die Prüfungsabteilung kann Änderungen bis zum Erlass des Erteilungsbeschlusses zulassen.[13] Der Beschluss wird in der Regel bindend, wenn er an die interne Poststelle des EPA zur Zustellung an den Anmelder abgegeben ist, dh drei Tage vor dem auf der Entscheidung aufgestempelten Datum.[14]

Der Prüfungsabteilung steht bei der Zulassung von Änderungen unter R 86 (3) Satz 2 ein Ermessensspielraum zu. Sie hat dabei jeweils das Interesse der Öffentlichkeit an einem zügigen Verfahrensabschluss gegen das Interesse des Anmelders am Erwerb eines in allen benannten Staaten rechtsbeständigen Patents abzuwägen. Das Ermessen ist unter Berücksichtigung aller rechtlich maßgeblichen Faktoren und im Gesamtzusammenhang des EPÜ auszuüben, und die Ermessensentscheidung ist zu begründen. Die Umstände des Einzelfalls, die für die Änderung vorgebrachten Gründe und das Stadium des Verfahrens sind zu berücksichtigen. Nur wenn das Ermessen fehlerhaft ausgeübt oder der Ermessensspielraum überschritten wurde, kann auf Beschwerde die Entscheidung aufgehoben und korrigiert werden.[15] In einem späten Stadium, zB nach Absendung der Mitteilung nach R 51 (6), ist die Zustimmung zur Änderung die Ausnahme.[16] Kein Ermessensspielraum besteht bei den stets zulässigen Änderungen zur Beseitigung von Mängeln in der Anmeldung, welche gegen das EPÜ verstoßen.[17] Die Einreichung eines gesonderten Anspruchssatzes für Österreich nach Zustellung der Mitteilung nach R 51 (4) führte zu keiner nen-

---

11 Vgl Beschluss des Präsidenten vom 14.12.1992, ABl 1993, 55 und PrüfRichtl A-VI, 1.1 und 1.2.
12 Vgl PrüfRichtl C-VI, 4.7.
13 **G 7/93**, ABl 1994, 775, Nr 2.1.
14 **G 12/91**, ABl 1994, 285, Nr 9.1; **T 556/95** vom 8.8.1996, Nr 6; PrüfRichtl C-VI, 4.10.
15 **G 7/93**, ABl 1994, 775; **T 182/88**, ABl 1990, 287; **T 237/96** v. 22. 4. 1998; **T 749/02** v. 20. 1. 2004.
16 PrüfRichtl C-VI, 4.10.
17 **T 375/90** vom 21.5.1992.

nenswerten Verfahrensverzögerung und wurde wegen der Wesentlichkeit für den Anmelder zugelassen.[18]

7 Änderungen im Einspruchsverfahren

16 Im Einspruchsverfahren können nach R 57a »unbeschadet Regel 87 die Beschreibung, die Patentansprüche und die Zeichnungen geändert werden, soweit die Änderungen durch Einspruchsgründe nach Art 100 veranlasst sind, auch wenn der betreffende Grund vom Einsprechenden nicht geltend gemacht worden ist«. So kann der Patentinhaber zB im Rahmen eines auf mangelnde Patentfähigkeit gestützten Einspruchsverfahrens Änderungen zur Beseitigung einer unzulässigen Erweiterung beantragen. Das Gleiche gilt nach den PrüfRichtl[19] für eine Beschränkung des europäischen Patents wegen einer erst später bekannt gewordenen Entgegenhaltung. Die Bezugnahme auf R 87 stellt klar, dass im Einspruchsverfahren Änderungen statthaft sind, die durch ältere nationale Rechte bedingt sind, obwohl letztere keinen Einspruchsgrund nach Art 100 bilden können (vgl Rdn 110, 111 und 112). Solche Änderungen müssen analog auch zulässig sein, wenn sie ausnahmsweise nicht zu unterschiedlichen Ansprüchen führen.

17 R 57a ist eine seit dem 1. 6. 1995 in Kraft stehende Sonderregel für Änderungen im Einspruchsverfahren.[20] Nach dieser Bestimmung sind Änderungen der Beschreibung, der Patentansprüche und der Zeichnungen im Einspruchsverfahren zuzulassen, soweit die Änderungen durch Einspruchsgründe nach Artikel 100 veranlasst sind, auch wenn der betreffende Grund vom Einsprechenden nicht geltend gemacht wurde. Zulässig sind aber nur solche Änderungen, welche für die Ausräumung eines Einspruchsgrundes sachdienlich und erforderlich sind; dieses Kriterium wird in der Regel beim Einfügen neuer abhängiger Patentansprüche nicht erfüllt.[21] R 57a sagt nichts über den Zeitpunkt, bis zu dem eine Änderung beantragt werden kann. Insoweit gelten die allgemeinen Verfahrensbestimmungen für den Einspruch und insbesondere R 71a. Nach dieser 1995 in die AO eingefügten Bestimmung bestimmt das EPA gleichzeitig mit der Ladung zur mündlichen Verhandlung einen Zeitpunkt, bis zu dem Schriftsätze zur Vorbereitung der mündlichen Verhandlung eingereicht werden können. Änderungsanträge, welche erst nach Ablauf dieser Frist eingereicht werden, können nur noch berücksichtigt werden, wenn für die verspätete Einreichung gute Gründe geltend gemacht werden können.[22]

---

18 **T 166/86**, ABl 1987, 372.
19 PrüfRichtl D-V, 6.1.
20 Vgl Rspr BK 2001, VII.C.10.1.1, S 545.
21 **T 674/96** vom 29.4.1999, Nr 3.10 (mit Hinweisen auf frühere Praxis).
22 **T 382/97** vom 28.9.2000, Nr 6.6.

8 Änderungen im Beschwerdeverfahren

Der Verweis in R 66 (1) auf das Verfahren vor der ersten Instanz wird von den Beschwerdekammern so verstanden, dass er sich auch auf R 86 (3) bezieht und dass die Beschwerdekammern bei Änderungsanträgen R 86 (3) Satz 2 nach ihrem Ermessen anzuwenden haben.[23]

Werden im Beschwerdeverfahren Änderungen der Patentansprüche, der Beschreibung oder der Zeichnungen vorgeschlagen, sollte dies so frühzeitig wie möglich beantragt werden.[24] Alternative Anspruchssätze sind deshalb in der Regel zusammen mit der Beschwerdebegründung einzureichen oder später nachzureichen.[25]

Werden Änderungsanträge nicht rechtzeitig vor dem Termin der mündlichen Verhandlung gestellt, werden diese in der Verhandlung nur dann sachlich berücksichtigt, wenn sowohl für die Änderung als auch für ihre verspätete Einreichung triftige Gründe vorliegen.[26]

R 71a (hierzu Rdn 17 aE) ist im Verfahren vor den Beschwerdekammern nicht anwendbar.[27] Die Verfahrensordnung für die Beschwerdekammern regelt die mündlichen Verhandlungen in Art 11.[28] Nach dieser Bestimmung ist es in das Ermessen der Beschwerdekammern gestellt, bei der Ladung zur mündlichen Verhandlung bestimmte Verfahrenshandlungen vorzunehmen.[29]

Neben der Rechtzeitigkeit eines Änderungsantrags wird in der Praxis auch berücksichtigt, ob der Gegenstand der neuen Ansprüche so klar und einfach ist, dass er ohne weiteres verständlich und gewährbar ist.[30]

Werden im Beschwerdeverfahren wesentliche Änderungen der Patentansprüche vorgeschlagen, die eine weitere Sachprüfung erforderlich machen, ist die Sache an die Prüfungsabteilung zurückzuweisen, damit diese in Anwendung ihres eigenen Ermessens unter R 86 (3) die vorgeschlagenen Änderungen prüfen kann.[31]

---

23 **T 63/86**, ABl 1988, 224; **T 118/88** vom 14.11.1989.
24 **T 1/80**, ABl 1981, 206; Hinweise für die Parteien im Beschwerdeverfahren und ihre Vertreter (ABl 1984, 376, Nr 2.2).
25 **T 153/85**, ABl 1988, 1.
26 **T 95/83**, ABl 1985, 75; ebenso **T 331/89** vom 13.2.1992.
27 **G 6/95**, ABl 1996, 649.
28 Art 11 wurde mit Wirkung per 1. 5. 2003 geändert (ABl 2003, 60).
29 **G 6/95**, ABl 1996, 649, Nr 5.
30 So **T 922/03** vom 22.5.2005, Nr 7 (mit Hinweisen auf frühere Praxis).
31 **T 63/86**, ABl 1988, 224; vgl Rdn 15; Art 111 Rdn 22 f.

B Beschränkung auf das in den ursprünglich eingereichten Anmeldungsunterlagen Offenbarte (Abs 2)

9 Art 123 (2) als inhaltliche Beschränkung des Änderungsrechts von europäischen Patentanmeldungen und europäischen Patenten

24 Die europäische Patentanmeldung (und auch das europäische Patent) dürfen nicht in einer Weise geändert werden, dass ihr Gegenstand über den Inhalt der Anmeldung in der ursprünglich eingereichten Fassung hinausgeht (Art 123 (2)). Unter *Gegenstand der Anmeldung* ist die in der geänderten Anmeldung dargestellte Erfindung einschließlich der Merkmale aus dem Stand der Technik zu verstehen, die zur Erfindung gehören und zB im ersten Teil eines zweiteiligen Anspruchs enthalten sind (R 29 (1) a)). Dazu gehören die Sachverhalte, die nach R 27 (1) c) die Erfindung nach technischer Aufgabe und Lösung sowie die vorteilhaften Wirkungen darstellen. Der Ausdruck *Inhalt der europäischen Patentanmeldung* wird in der gleichen Bedeutung in Art 54 (3) gebraucht (vgl Art 54 Rdn 26–43). Zum Inhalt gehört die gesamte technische Information, soweit sie in den Anmeldungsunterlagen dem Fachmann als zur Erfindung gehörig offenbart wird. Elemente, auf die eindeutig verzichtet worden ist, gehören nicht mehr zum Inhalt oder zum Gegenstand der europäischen Anmeldung. Der technische Informationsgehalt der ursprünglich eingereichten Anmeldungsunterlagen bildet also nach Art 123 (2) die inhaltliche Schranke dessen, was nach dem Anmeldetag in die Anmeldung und insbesondere in die Patentansprüche aufgenommen werden darf.

25 Diese inhaltliche Beschränkung des Änderungsrechts ist in jedem Verfahrensstadium zu beachten und gilt unabhängig von zeitlichen und verfahrensmäßigen Beschränkungen des Änderungsrechts. Die nach R 86 (3) erklärte Zustimmung der Prüfungsabteilung zu einer Änderung bedeutet somit nicht, dass diese Änderung nach Art 123 (2) inhaltlich zulässig ist.

26 Das Erweiterungsverbot des Art 123 (2) dient hauptsächlich der Rechtssicherheit.[32] Der Konkurrent des Patentanmelders, der die ursprünglich eingereichten und in dieser Fassung auch veröffentlichten Anmeldungsunterlagen kennt, soll schon vor der Patenterteilung in der Lage sein, die Reichweite des Patentschutzes abzuschätzen, mit dem er möglicherweise konfrontiert wird.[33] Die Öffentlichkeit soll nicht durch Patentansprüche überrascht werden, welche aufgrund der ursprünglich eingereichten Anmeldung nicht unmittelbar und eindeutig zu erwarten waren,[34] und sie hat das Recht, nicht mit einem Schutzbereich des erteilten Patents konfrontiert zu werden, der nicht von ei-

---

32 Vgl Blumer (Rdn 5), S 260 ff.
33 **T 187/91**, ABl 1994, 572.
34 **T 746/94** vom 5.11.1998, Nr 7; **T 1118/98** vom 23.1.2002, Nr 8.

nem Fachmann nach Studium dieser Anmeldungsunterlagen hätte überblickt werden können.[35]

Art 123 (2) soll ausschließen, dass der Anmelder oder Patentinhaber Gegenstände beanspruchen könnte, die in der ursprünglich eingereichten Fassung der Anmeldung nicht offenbart sind.[36] Diese Argumentation beruht auf dem Belohnungsprinzip, das sicherstellen soll, dass der Anmelder mit der Erteilung eines europäischen Patents nur für das belohnt wird, was er am Anmeldetag offenbart hat. Es soll dem Patentanmelder verwehrt sein, nachträglich eine Meinungsänderung oder eine Weiterentwicklung seiner Gedanken in die Anmeldung einzubringen.[37]

Dem Anmelder steht zwar kein Schutz für das nachträglich in die Änderung Eingebrachte zu, es gebührt ihm aber Schutz für den gesamten schutzwürdigen Offenbarungsgehalt seiner ursprünglichen Anmeldung. Das Prüfungsverfahren gibt ihm Gelegenheit, die Ansprüche so zu fassen, dass das Patent diesen Offenbarungsgehalt möglichst vollständig umfasst.[38] Art 123 (2) sollte damit nicht nur negativ als Verbot der Erweiterung verstanden werden, sondern auch positiv als Gebot, das Ausschöpfen des in der ursprünglichen Anmeldung Offenbarten zu gestatten.[39]

10 Zu Art 123 (2) äquivalente Bestimmungen

Zwei weitere Bestimmungen des EPÜ sollen ebenso wie Art 123 (2) sicherstellen, dass in einem europäischen Patent nur das beansprucht werden darf, was schon in der ursprünglichen Anmeldung offenbart wurde, die dem europäischen Patent zugrunde liegt. Art 76 (1) bestimmt, dass eine Teilanmeldung nur für einen Gegenstand eingereicht werden kann, der nicht über den Inhalt der früheren Anmeldung in der ursprünglich eingereichten Fassung hinausgeht (vgl Art 76 Rdn 15, 16, 17 und 18). Diese Bestimmung ist nach den gleichen Grundsätzen auszulegen wie Art 123 (2).[40] Falls das Recht auf das europäische Patent einem anderen als dem Anmelder zugesprochen wird, kann der tatsächlich Berechtigte nach Art 61 (1) b) für *dieselbe Erfindung*, die Gegenstand der vom Unberechtigten eingereichten Anmeldung war, eine neue europäische Patentanmeldung einreichen. Auf diese neue Anmeldung ist Art 76 (1) entsprechend anzuwenden (Art 61 (2)). Auch für die neue Anmeldung nach Art 61 (1) b) gelten somit die gleichen Grundsätze wie bei Art 123 (2): Der Gegen-

---

35 **T 157/90** vom 12.9.1991; vgl auch **T 653/03** vom 8.4.2005, Nr 3.2.
36 **T 392/89** vom 3.7.1990.
37 **J 8/80**, ABl 1980, 293, für Berichtigungen nach R 88; **T 910/03** vom 7.7.2005; vgl Kraßer (Rdn 5), 702.
38 Kraßer (Rdn 5), 702.
39 Vgl Zeiler, Mitt. 1993, 353.
40 **T 514/88**, ABl 1992, 570; **T 276/97** vom 26.2.1999.

stand dieser neuen Anmeldung darf nicht über den Inhalt der ursprünglich vom Nichtberechtigten eingereichten europäischen Patentanmeldung hinausgehen.

30 Eine ähnliche Situation wie bei der Einreichung einer Teilanmeldung liegt vor, wenn für eine europäische Patentanmeldung nach Art 87 (1) die Priorität einer früheren Anmeldung für *dieselbe Erfindung* in Anspruch genommen wird. Auch in diesem Fall darf nur das beansprucht werden, was am maßgebenden Anmeldetag (hier am Prioritätstag) offenbart wurde. Der Verweis auf *dieselbe Erfindung* in Art 87 und das Erweiterungsverbot des Art 123 (2) haben einen sehr ähnlichen Zweck. In beiden Fällen geht es darum, dass der Anmelder nicht durch nachträgliches Einbringen von Gegenständen einen nicht gerechtfertigten Vorteil erlangt sowie die Rechtssicherheit zu Lasten von Dritten beeinträchtigt, welche sich auf den Inhalt der ursprünglichen Anmeldungsunterlagen verlassen.[41] Es ist daher gerechtfertigt, wenn bei der Beurteilung, ob der in der Nachanmeldung beanspruchte Gegenstand in der Prioritätsanmeldung offenbart wurde, derselbe Maßstab angelegt wird wie bei der Anwendung von Art 76 (1) bzw Art 123 (2).[42] Die Praxis des EPA war diesbezüglich nicht eindeutig. Die PrüfRichtl gingen zwar davon aus, dass die Prüfung, ob einem Patentanspruch der Prioritätstag einer Prioritätsanmeldung zukommt, identisch ist mit der Prüfung, ob eine Änderung einer Anmeldung das Erfordernis des Art 123 (2) erfüllt.[43] Die Rechtsprechung neigte aber gelegentlich dazu, bei der Prüfung, ob in der europäischen Patentanmeldung nur das beansprucht wird, was in der Prioritätsanmeldung offenbart ist, großzügiger zu sein als bei der Anwendung von Art 123 (2) (siehe Art 87 Rdn 6 und 21).[44]

31 Wegen der uneinheitlichen Praxis der Beschwerdekammern legte der Präsident des EPA die Frage der Auslegung des Begriffs *dieselbe Erfindung* der Großen Beschwerdekammer vor. In der Entscheidung G 2/98 hielt die Große Beschwerdekammer fest, dass das Erfordernis gemäß Art 87 (1), wonach die Priorität nur für eine frühere Anmeldung *derselben Erfindung* in Anspruch genommen werden kann, so auszulegen ist, dass die Priorität einer früheren Anmeldung in Bezug auf einen Anspruch in einer europäischen Patentanmeldung unter Art 88 nur dann anerkannt werden kann, wenn der Fachmann den Gegenstand dieses Anspruchs aus der Gesamtheit der früheren Anmeldung unter Inanspruchnahme seines allgemeinen Fachwissens unmittelbar und eindeutig entnehmen kann.[45] Diese enge bzw. strenge Auslegung des Konzepts derselben Erfindung ist nach Auffassung der Großen Beschwerdekammer in Einklang mit den einschlägigen Bestimmungen der PVÜ und korrekt im Hinblick

---

41 **T 910/03** vom 7. 7. 2005.
42 Vgl Blumer (Rdn 5), S 290.
43 PrüfRichtl C-V, 2.4 aF; vgl den Verweis in **T 73/88**, ABl 1992, 557, Nr 2.6.
44 Insbesondere **T 73/88**, ABl 1992, 557 (sog Snackfood-Entscheidung); **T 136/95**, ABl 1998, 480.
45 **G 2/98**, ABl 2001, 413, LS.

auf die Praxis zur Neuheit.⁴⁶ Obwohl die Große Beschwerdekammer sich nicht zur Notwendigkeit der Koordination mit der Praxis zu Art 123 (2) äußerte, bestätigte sie, dass der grundlegende Test zur Bestimmung, ob eine Priorität in Anspruch genommen werden kann, derselbe ist wie der Test, ob eine Änderung den Anforderungen von Art 123 (2) genügt (siehe Rdn 30).⁴⁷

11 Ursprüngliche Anmeldung als Grundlage späterer Änderungen

Die für den Offenbarungsgehalt der Anmeldung maßgeblichen Unterlagen umfassen die am Anmeldetag eingereichte Beschreibung der Erfindung, die Patentansprüche und die Zeichnungen (vgl Art 78 (1) b)–d)), nicht aber die Zusammenfassung, die ausschließlich der technischen Information dient (Art 85),⁴⁸ und auch nicht die (allenfalls mit der Anmeldung eingereichten) Prioritätsdokumente.⁴⁹ 32

Falls der Anmelder nach Art 14 (2) berechtigt ist, seine Anmeldung in einer zugelassenen Nichtamtssprache einzureichen, so hat er eine Übersetzung in einer Amtssprache des EPA nachzureichen. Maßgebend für den Inhalt der ursprünglich eingereichten Anmeldung ist aber nicht diese Übersetzung, sondern die ursprünglich eingereichte Fassung (Art 70 (2); siehe Art 70 Rdn 5).⁵⁰ 33

12 Das dem Fachmann unmittelbar und eindeutig Offenbarte als maßgebender Inhalt der ursprünglichen Anmeldung

Laut PrüfRichtl und ständiger Rechtsprechung der Beschwerdekammern darf die geänderte europäische Patentanmeldung nichts enthalten, was nicht unmittelbar und eindeutig (directly and unambiguously) aus den ursprünglich eingereichten Anmeldungsunterlagen hervorgeht.⁵¹ Nur das in der ursprünglichen Anmeldung unmittelbar und eindeutig Offenbarte darf nach dem Anmeldetag (zB in Form eines Patentanspruchs) in die europäische Patentanmeldung oder das europäische Patent einfließen. 34

Der von der Rechtsprechung geprägte Begriff der *unmittelbaren und eindeutigen Offenbarung* ist enger als der Begriff der deutlichen und vollständigen Offenbarung iSd Art 83. Zu dem in einer europäischen Patentanmeldung unmittelbar und eindeutig Offenbarten gehört nichts, was diesem Dokument gegenüber neu iSd Art 54 wäre (siehe Rdn 39–42). Damit das Erfordernis der deutlichen und vollständigen Offenbarung nach Art 83 erfüllt ist, genügt es, wenn der Fachmann für das Nacharbeiten der Erfindung keine zusätzlichen 35

---

46 **G 2/98**, ABl 2001, 413, Nr 5, 8.1.
47 Vgl auch PrüfRichtl C-V, 2.4 aF.
48 **T 246/86**, ABl 1989, 199.
49 **T 514/88**, ABl 1992, 570; **G 3/89**, ABl 1993, 117; PrüfRichtl C-VI, 5.3.1.
50 Vgl dazu **T 287/98** vom 5.12.2000.
51 PrüfRichtl C-VI, 5.3.1; vgl **T 339/89** vom 6.12.1990.

Angaben benötigt und nicht erfinderisch tätig werden muss.[52] Der Bereich des durch ein Dokument deutlich und vollständig Offenbarten geht also insofern über das von diesem Dokument unmittelbar und eindeutig Offenbarte hinaus, als auch technische Lehren bzw Ausführungsformen der Erfindung dazugehören, die gegenüber dem Dokument neu, aber nicht erfinderisch iSd Art 56 sind. Dieser Unterschied äußert sich beispielsweise darin, dass Merkmale, die zu den explizit genannten äquivalent sind, im Rahmen des unmittelbar und eindeutig Offenbarten nicht als mit offenbart gelten und daher auch nicht ohne Verletzung von Art 123 (2) nachträglich in die europäische Patentanmeldung aufgenommen werden dürfen.[53] Wenn es darum geht, ob eine Erfindung deutlich und vollständig iSd Art 83 offenbart ist, wird dem Fachmann hingegen durchaus zugemutet, bei der Ausführung der Erfindung neben den explizit offenbarten auch äquivalente Merkmale einzubeziehen.[54] Folgerichtig lehnen es die Beschwerdekammern daher ab, die Rechtsprechung zu Art 83 bei der Auslegung von Art 123 (2) beizuziehen.[55]

36 Die Bestimmung des in einer europäischen Patentanmeldung unmittelbar und eindeutig Offenbarten richtet sich nach dem Wissen des maßgeblichen Fachmanns, welcher derselbe ist wie bei der Beurteilung einer Erfindung nach Art 56 (siehe Art 56 Rdn 116–122). Der Fachmann ermittelt den Sinngehalt der europäischen Patentanmeldung vor dem Hintergrund seines allgemeinen Fachwissens und gelangt so zum unmittelbar und eindeutig Offenbarten – einschließlich dessen, was für den Fachmann implizit offenbart ist, weil es für ihn zwangsläufig aus der Patentanmeldung als Ganzes hervorgeht.[56] Hauptsächlich im Zusammenhang mit den Begriffen des Nichtnaheliegens (Art 56) und der deutlichen und vollständigen Offenbarung (Art 83) wurde in der Rechtsprechung der Begriff des *allgemeinen Fachwissens* entwickelt. Das allgemeine Fachwissen steht dem Fachmann zur Verfügung, wenn er ein Patentdokument liest oder wenn er nach neuen Lösungen sucht. Es wird im wesentlichen durch die sog Standardliteratur bestimmt, deren Inhalt dem Fachmann geläufig ist. Diese Standardliteratur umfasst allgemeine technische Literatur und gängige Nachschlagewerke des betreffenden Fachgebiets.[57]

37 Neben dem Inhalt der Standardliteratur umfasst das allgemeine Fachwissen des einschlägigen Fachmanns auch noch gewisse allgemeine Erfahrungssätze sowie Kenntnisse über den Markt für die vom ihm regelmäßig benötigten Produkte.[58]

---

52 **T 32/84**, ABl 1986, 9, LS II.
53 **T 685/90** vom 30.1.1992; Rspr BK 2001, III-A, 1.1, S 226 f.
54 Vgl **T 292/85**, ABl 1989, 275, Nr 3.1.5.
55 **T 931/01** vom 20.4.2005, Nr 14.
56 Vgl Blumer (Rdn 5), S 204 ff; **T 860/00** vom 28.9.2004, Nr 1.1.
57 **T 206/83**, ABl 1987, 5; **T 171/84**, ABl 1986, 95; **T 881/02** vom 16.12.2004, Nr 3.3.6.
58 Vgl **T 490/91** vom 26.11.1991, Nr 2.

Der Fachmann, der auf der Suche nach dem in einem Dokument unmittelbar und eindeutig Offenbarten ist, macht von seinem allgemeinen Fachwissen nicht unbegrenzt Gebrauch. Er beschränkt sich darauf, Lücken im Offenbarungsgehalt zu schließen, widersprüchliche oder fehlerhafte Angaben für sich zu korrigieren[59] oder für ein erfolgreiches Nacharbeiten der Erfindung erforderliche Angaben zu vervollständigen. Auch das, was sich erst beim Nacharbeiten der beschriebenen Erfindung zwangsläufig ergibt oder bei Versuchen, die für das Nacharbeiten nötig sind, kann zu dem gehören, was durch das betreffende Dokument unmittelbar und eindeutig offenbart wird. Dies gilt jedoch nur bei Experimenten, die keinen unverhältnismäßigen Aufwand bedingen, und nur für Resultate, die sich zwangsläufig einstellen und die für den Versuch repräsentativ sind; keinesfalls für bloß zufällige Resultate.[60]

13 Neuheitsprüfung und Prüfung von Änderungen auf ihre Zulässigkeit nach Art 123 (2)

Nicht nur bei der Anwendung von Art 123 (2) und Art 87 (Rdn 31) ist wesentlich, was durch ein Dokument unmittelbar und eindeutig offenbart wird. Auch bei der Prüfung auf Neuheit wird darauf abgestellt, ob die betreffende Lehre im Stand der Technik unmittelbar und eindeutig offenbart wird.[61] Für die Zwecke der Artikel 54, 87 und 123 ist dasselbe Offenbarungskonzept zugrunde zu legen.[62]

Bei der Entscheidung über die Zulassung von Änderungen im Verfahren werden daher auch die für die Beurteilung der Neuheit entwickelten Grundsätze herangezogen: Eine Änderung ist unter Art 123 (2) unzulässig, wenn sie gegenüber der ursprünglichen Anmeldung zu einem neuen Gegenstand führt.[63] Zu jedem Änderungsvorschlag sind ähnliche Überlegungen anzustellen wie zur Frage der Neuheit eines Patentanspruchs.[64] Das Konzept dieses *Neuheitstests* für Änderungen hat den Vorteil, dass bei der Beurteilung einer Änderung nach Art 123 (2) auch Entscheidungen der Beschwerdekammern zu Grundsätzen über die Beurteilung der Neuheit herangezogen werden können.[65] Andere Entscheidungen der Beschwerdekammern stehen dem Neuheitstest jedoch distanziert gegenüber; es wird darauf hingewiesen, dass er in vielen Fällen nicht sehr hilfreich sei und im Einzelfall immer darauf abgestellt werden müsse, ob durch die Änderung nichts in die europäische Patentanmeldung gelange, was

---

59 **T 56/87**, ABl 1990, 188; **T 77/87**, ABl 1990, 280.
60 **T 12/81**, ABl 1982, 296; **T 301/87**, ABl 1990, 335, Nr 6.3;.
61 PrüfRichtl C-IV, 7.2; siehe Art 54 Rdn 28.
62 **G 1/03**, ABl 2004, 413, Nr 2.2.2.
63 **T 201/83**, ABl 1984, 481; **T 17/86**, ABl 1989, 297.
64 **T 133/85**, ABl 1988, 441.
65 Vgl van den Berg (Rdn 5).

in den ursprünglich eingereichten Unterlagen nicht unmittelbar und eindeutig offenbart sei.[66]

41 Problematisch ist der Neuheitstest vor allem dann, wenn es um Verallgemeinerungen des beanspruchten Gegenstands geht. Da das Allgemeine gegenüber dem Speziellen meist nicht neu ist,[67] müssten die Verallgemeinerungen bei Anwendung des Neuheitstests nach Art 123 (2) zulässig sein. Sie werden jedoch mit dem Argument abgelehnt, durch die Verallgemeinerung gelangten andere spezielle Gegenstände als die ursprünglich offenbarten in die Anmeldung. Für diese Fälle wurde daher ein modifizierter Neuheitstest entwickelt. Dabei gilt es, den geänderten Inhalt der europäischen Patentanmeldung abzüglich des ursprünglichen Inhalts auf Neuheit gegenüber dem ursprünglichen Inhalt zu prüfen.[68] Der modifizierte Neuheitstest fragt also nach der Neuheit des Unterschieds zwischen dem erweiterten Gegenstand und dem ursprünglich offenbarten, engeren Gegenstand der Anmeldung.

42 Dasselbe Resultat wie mit dem modifizierten Neuheitstest lässt sich mit der Prüfung erzielen, ob die geänderte Anmeldung mehr neuheitsschädlich vorwegnimmt als die ursprünglich eingereichte Anmeldung. Eine Erweiterung des Merkmals *natürliche Cellulosefasern* in *Cellulosefasern* wurde nach Art 123 (2) abgelehnt, weil der Anspruch auf *Cellulosefasern, aber keine natürlichen Cellulosefasern* durch die geänderte europäische Patentanmeldung vorweggenommen würde, durch die ursprünglich eingereichten Anmeldungsunterlagen jedoch nicht.[69] Diese Prüfung, ob ein bestimmter Patentanspruch erst durch die geänderte europäische Patentanmeldung neuheitsschädlich vorweggenommen würde, könnte als *Vorwegnahmetest* bezeichnet werden.[70] Ihm liegen die gleichen Überlegungen zugrunde wie dem Neuheitstest. Die Nachteile des Neuheitstests, die eine Modifikation erfordern, entfallen jedoch beim *Vorwegnahmetest*. In der neueren Rechtsprechung beziehen sich die Beschwerdekammern auch gelegentlich auf einen *Offenbarungstest* (bzw *disclosure test*), wenn es um die Prüfung geht, was der Fachmann den ursprünglich eingereichten Anmeldungsunterlagen unter Beizug seines allgemeinen Fachwissens unmittelbar und eindeutig entnehmen konnte.[71]

---

66 **T 133/85**, ABl 1988, 441; **T 187/91**, ABl 1994, 572; **T 288/92** vom 18.11.1993; **T 873/94**, ABl 1997, 456.
67 Vgl PrüfRichtl C-IV, 7.4.
68 **T 194/84**, ABl 1990, 59; bestätigt in **T 748/89** vom 2.9.1991.
69 **T 194/84**, ABl 1990, 59 Nr 2.5.
70 Vgl Blumer (Rdn 5), S 410 ff.; **T 433/01** vom 4.6.2003, Nr 2.3.2.1.
71 Vgl **G 2/98**, ABl 2001, 413; **T 910/03** vom 7.7.2005, Nr 2.

14 Anpassungen an neu ermittelten Stand der Technik; ursprünglich nicht offenbarte Disclaimer

In der europäischen Patentanmeldung »ist der bisherige Stand der Technik anzugeben, soweit er nach der Kenntnis des Anmelders für das Verständnis der Erfindung, die Erstellung des europäischen Recherchenberichts und die Prüfung als nützlich angesehen werden kann« (R 27 (1) b)). Wird dem Anmelder eine Entgegenhaltung (oder die Relevanz einer bereits bekannten Entgegenhaltung) erst nach Einreichung der Patentanmeldung – zB aufgrund des Recherchenberichts oder eines Bescheids der Prüfungsabteilung – bekannt, so kann die europäische Patentanmeldung nach R 36 (1) iVm R 27 (1) b) durch Hinweise auf den noch nicht in die Beschreibung aufgenommenen Stand der Technik ergänzt werden, ohne dass dies gegen Art 123 (2) verstößt.[72]

Bezüglich der Einschränkung von Patentansprüchen mittels Aufnahme von Merkmalen, welche im Stand der Technik, aber nicht in der ursprünglichen Anmeldung offenbart waren, entwickelte sich eine uneinheitliche Rechtsprechung. Nach einer in T 170/87 als *ständig* bezeichneten Rechtsprechung war es in Fällen einer Überschneidung des generell Beanspruchten mit dem Stand der Technik zulässig, einen speziellen Stand der Technik durch Disclaimer von der beanspruchten Erfindung auszuschließen, auch wenn den ursprünglichen Unterlagen keine (konkreten) Anhaltspunkte für einen solchen Ausschluss zu entnehmen sind.[73] Ein solcher nachträglich eingefügter Disclaimer durfte allerdings nicht dazu beitragen, den Einwand fehlender erfinderischer Tätigkeit auszuräumen.[74]

Im Nachgang zur Entscheidung G 2/98 (Rdn 31) wurde diese Rechtsprechung zunehmend in Frage gestellt. Es wurde insbesondere argumentiert, die Beurteilung der Frage, ob und wie bestimmte Merkmale mit der Funktion und Wirkung einer Erfindung in Zusammenhang stehen, könne sich im Lauf des Verfahrens ändern.[75] Die restriktivere Rechtsprechung zur Zulässigkeit von Disclaimern kann so verstanden werden, dass entweder der Disclaimer selbst oder der durch ihn ausgeschlossene Gegenstand in der ursprünglich eingereichten Anmeldung offenbart sein muss.[76]

In zwei Vorlageentscheidungen[77] wurden der Großen Beschwerdekammer eine Reihe von Fragen vorgelegt, welche die Zulässigkeit von ursprünglich nicht offenbarten Disclaimern betreffen. In den gemeinsam ergangenen Ent-

---

72 **T 11/82**, ABl 1983, 479, Nr 17 ff; **T 51/87**, ABl 1991, 177; **T 450/97**, ABl 1999, 67.
73 **T 170/87**, ABl 1989, 441, Nr 8.4.1 (mit Hinweisen auf frühere Rspr); vgl auch **T 433/86** vom 11.12.1987, Nr 2.
74 **T 170/87**, ABl 1989, 441, Nr 8.4.4.
75 **T 323/97**, ABl 2002, 476, Nr 2.4.1, 2.4.2.
76 **T 507/99**, ABl 2003, 225, Nr 4.1.
77 **T 451/99**, ABl 2003, 334; **T 507/99**, ABl 2003, 225.

scheidungen **G 1/03** und **G 2/03** hielt die Große Beschwerdekammer zunächst fest, die Änderung eines Anspruchs durch die Aufnahme eines Disclaimers könne nicht schon deshalb nach Art 123 (2) abgelehnt werden, weil weder der Disclaimer noch der durch ihn aus dem beanspruchten Bereich ausgeschlossene Gegenstand aus der Anmeldung in der ursprünglich eingereichten Fassung herleitbar sei.[78] Nach Auffassung der Großen Beschwerdekammer kann ein ursprünglich nicht offenbarter Disclaimer zulässig sein, wenn er dazu dient:

- die Neuheit wiederherzustellen, indem er einen Anspruch gegenüber einem Stand der Technik nach Art 54 (3) oder 54 (4) abgrenzt;
- die Neuheit wiederherzustellen, indem er einen Anspruch gegenüber einer zufälligen Vorwegnahme nach Art 54 (2) abgrenzt; eine zufällige Vorwegnahme ist zufällig, wenn sie so unerheblich für die beanspruchte Erfindung ist und so weitab von ihr liegt, dass der Fachmann sie bei der Erfindung nicht berücksichtigt hätte; oder
- einen Gegenstand auszuklammern, der nach den Art 52 bis 57 aus nichttechnischen Gründen vom Patentschutz ausgeschlossen ist.[79]

47 Die Zulassung eines ursprünglich nicht offenbarten Disclaimers zur Abgrenzung von älteren, unveröffentlichten Anmeldungen sah die Große Beschwerdekammer als unproblematisch an, weil ein solcher Disclaimer lediglich die Gesamterfindung zwischen den beiden Anmeldungen aufteile und erforderlich sei, um Art 54 (3) umzusetzen.[80] Die Kollision mit einer zufälligen Vorwegnahme unter Art 54 (2) wurde mit der Kollision zweier Anmeldungen unter Art 54 (3) verglichen.[81] Ausschlaggebend ist, dass die fragliche Offenbarung aus technischer Sicht so unerheblich und weitab liegend sein muss, dass der Fachmann sie bei der Arbeit an der Erfindung nicht berücksichtigt hätte.[82] Die Zulassung des ursprünglich nicht offenbarten Disclaimers zur Ausklammerung eines aus nichttechnischen Gründen vom Patentschutz ausgeschlossenen Gegenstandes soll es dem Anmelder erlauben, von ihm ursprünglich nicht berücksichtigte oder erst während des Verfahrensverlaufs in Kraft tretende Ausschlüsse von der Patentierbarkeit zu berücksichtigen.[83] Die Große Beschwerdekammer hielt zugleich fest, dass ein ursprünglich nicht offenbarter Disclaimer nicht zu

---

78 **G 1/03**, ABl 2004, 413, LS I; **G 2/03**, ABl 2004, 448.
79 **G 1/03**, ABl 2004, 413, LS II.1.
80 **G 1/03**, ABl 2004, 413, Nr 2.1.3.
81 **G 1/03**, ABl 2004, 413, Nr 2.2.1 (»Ausschluss des unerheblichen Stands der Technik«).
82 **G 1/03**, ABl 2004, 413, Nr 2.2.2.
83 **G 1/03**, ABl 2004, 413, Nr 2.4.1 (mit Hinweis auf den Disclaimer »nichtmenschlich« in Bezug auf Lebewesen), 2.4.2.

jedem Zweck verwendet werden kann, insbesondere nicht zum Ausschluss nicht funktionsfähiger Ausführungsformen.[84]

Ein ursprünglicht nicht offenbarter Disclaimer darf jeweils nur zu dem beab- 48 sichtigten Zweck (dh zur Herstellung der Neuheit gegenüber einer zufälligen Vorwegnahme bzw einer früheren Anmeldung im Sinne von Art 54 (3) oder zum Ausschluss eines nicht patentfähigen Gegenstandes) eingesetzt werden.[85] Dies bedeutet, dass ein Disclaimer nicht mehr ausschließen sollte, als nötig ist, um die Neuheit wiederherzustellen oder einen Gegenstand auszuklammern, der aus nichttechnischen Gründen vom Patentschutz ausgeschlossen ist.[86] Es bedeutet ebenfalls, dass ein Disclaimer, der für die Beurteilung der erfinderischen Tätigkeit oder der ausreichenden Offenbarung iSv Art 83 relevant ist oder wird, eine nach Art 123 (2) unzulässige Erweiterung darstellt.[87]

Ein Anspruch, der einen Disclaimer enthält, muss die Erfordernisse der Klar- 49 heit und Knappheit nach Art 84 erfüllen (vgl dazu Art 84 Rdn 17 f). Aus Gründen der Transparenz sollte aus der Patentschrift klar hervorgehen, dass und warum sie einen ursprünglich nicht offenbarten Disclaimer enthält.[88]

15 Nachgereichte Angaben über Vorteile und Beispiele

Ist ein technisches Merkmal in der ursprünglichen Anmeldung eindeutig offen- 50 bart, wurde jedoch seine Wirkung nicht oder nicht vollständig genannt und kann diese ohne weiteres von einem Fachmann aus der Anmeldung in der ursprünglich eingereichten Fassung abgeleitet werden, so verstößt eine spätere Klarstellung nicht gegen Art 123 (2).[89]

Die gleichen Grundsätze gelten, wenn der Anmelder zur Stützung der erfin- 51 derischen Tätigkeit zusätzliche Vorteile angibt. Ein Beispiel aus den PrüfRichtl:[90] Bezieht sich die ursprünglich dargelegte Erfindung auf ein Verfahren zur Reinigung von Wollsachen, bei dem das Kleidungsstück mit einer besonderen Flüssigkeit behandelt wird, so kann der Anmelder später nicht in die Beschreibung die Angabe aufnehmen, dass das Verfahren den zusätzlichen Vorteil hat, das Kleidungsstück gegen Mottenfraß zu schützen.

Wenn später eingereichte Beispiele oder neue Wirkungen auch nicht in die 52 Beschreibung aufgenommen werden dürfen, so können sie doch als Beweismittel für das Vorliegen einer Erfindung von Bedeutung sein und akzeptiert werden. Können nachgereichte ergänzende technische Angaben und Beispiele

---

84 **G 1/03**, ABl 2004, 413, Nr 2.5.
85 **G 1/03**, ABl 2004, 413, Nr 2.6.5.
86 **G 1/03**, ABl 2004, 413, LS II.2.
87 **G 1/03**, ABl 2004, 413, LS II.3.
88 **G 1/03**, ABl 2004, 413, LS II.4, Nr 3.
89 PrüfRichtl C-VI, 5.3.3; zur Neuformulierung der Aufgabe vgl Rdn 73.
90 PrüfRichtl C-VI, 5.3.4.

nicht in die Beschreibung aufgenommen werden, so werden diese der Akte beigefügt, so dass sie der Öffentlichkeit zugänglich sind. Von diesem Tag an gehören sie zum Stand der Technik nach Art 54 (2). Um die Öffentlichkeit auf diesen Stand der Technik hinzuweisen, wie er nicht in der Patentschrift enthalten ist, wird ein entsprechender Vermerk auf dem Deckblatt der Patentschrift angebracht.[91]

C Anwendungsbeispiele zum Erweiterungsverbot des Abs 2

16 Allgemeines

53 Bei jeder Neu- oder Umformulierung eines Patentanspruchs und bei jeder Übernahme eines bestimmten Gegenstandes in die Beschreibung oder die Zeichnungen im Lauf des Verfahrens geht es darum, ob der Fachmann die betreffende Kombination von technischen Merkmalen schon der ursprünglichen Anmeldung unmittelbar und eindeutig entnehmen konnte. Jede ursprünglich in der Beschreibung, den Patentansprüchen oder in einer Zeichnung implizit oder explizit offenbarte Merkmalskombination, die mit der angemeldeten Erfindung im Zusammenhang steht, kann in die europäische Patentanmeldung einfließen und zB in Form eines Patentanspruchs formuliert werden.

54 Nach der nicht im ABl veröffentlichten, aber von Verfahrensbeteiligten gelegentlich zitierten Entscheidung **T 190/83** stellt der Inhalt der Anmeldung iSd Art 123 (2) ein Reservoir dar, aus dem der Anmelder bei der Änderung der europäischen Patentanmeldung schöpfen kann.[92] Daher soll laut dieser Entscheidung das Weglassen eines Merkmals in einem Patentanspruch keinen Verstoß gegen Art 123 (2) darstellen, weil dadurch das Reservoir der ursprünglichen Offenbarung nicht überschritten werde.[93] Diese Konsequenz der Reservoirtheorie lehnen die Beschwerdekammern in ihrer späteren Rechtsprechung eindeutig ab[94] (vgl auch Rdn 56–58). Eine Reservoirtheorie kann nach Art 123 (2) weder das Weglassen noch das künstliche Zusammensetzen von Merkmalen rechtfertigen, die in den Anmeldungsunterlagen verstreut (zB im Zusammenhang mit unterschiedlichen Beispielen) offenbart sind.[95]

Das Bild von der ursprünglich eingereichten Anmeldung als Reservoir ist nur dann zutreffend, wenn man berücksichtigt, dass nicht einzelne Merkmale, sondern Kombinationen von Merkmalen den Inhalt dieses Reservoirs bilden.

55 Bei der bloßen Änderung der Unterteilung eines Patentanspruchs in Oberbegriff und kennzeichnenden Teil (R 29 (1)) ändert sich die im Anspruch enthalte-

---

91 PrüfRichtl C-VI, 5.3.6.
92 **T 190/83** vom 24.7.1984 (Mitt. 1988, 173).
93 **T 190/83** vom 24.7.1984, Nr 3.
94 **T 118/89** vom 19.9.1990, Nr 4.
95 **T 296/96** vom 12.1.2000; vgl auch **T 305/87**, ABl 1991, 429 (Neuheitsschädlichkeit einer in einem Scherenkatalog verstreut offenbarten Merkmalskombination).

Änderungen **Artikel 123**

ne Merkmalskombination nicht. Es ist daher zulässig, Merkmale aus dem kennzeichnenden Teil in den Oberbegriff eines Anspruchs (sowie umgekehrt) zu verschieben.[96]

17 Erweiterung von Patentansprüchen durch Streichung eines Merkmals

Die Streichung eines Merkmals aus einem Patentanspruch ist idR unzulässig, weil dadurch neue Gegenstände in die europäische Patentanmeldung einfließen (vgl Rdn 39–42). Zulässig und sogar geboten sind hingegen Streichungen, die der Klarstellung und/oder Behebung eines Widerspruchs dienen.[97] Ein Merkmal kann auch dann gestrichen werden, wenn der ursprünglichen Anmeldung klar zu entnehmen ist, dass das betreffende Merkmal auch weggelassen werden kann (wenn also zB ein taugliches Ausführungsbeispiel ohne dieses Merkmal beschrieben wird[98]). Allerdings lässt nach T 170/87[99] die Tatsache, dass eine Figur, die lediglich das Prinzip des Patentgegenstandes schematisch erläutert und nicht dessen detaillierter Darstellung dient, keinen sicheren Schluss darauf zu, dass die offenbarte Lehre ein nicht dargestelltes Merkmal gezielt ausschließt. **56**

In den übrigen Fällen hängt die Zulässigkeit einer Streichung davon ab, ob das betreffende Merkmal *wesentlich* und mit den übrigen Merkmalen *verknüpft* ist. Nach T 260/85[100] ist es nicht zulässig, aus einem unabhängigen Anspruch Merkmale zu streichen, die in der ursprünglichen Anmeldung als wesentliche Merkmale dargestellt wurden. In der Grundsatzentscheidung **T 331/87**[101] wurde festgehalten, dass das Ersetzen oder Streichen eines Merkmals aus einem Anspruch dann nicht gegen Art 123 (2) verstößt, wenn der Fachmann aufgrund der ursprünglichen Anmeldung unmittelbar und eindeutig erkennen kann, dass **57**

1) das Merkmal in der Offenbarung als nicht wesentlich hingestellt worden ist;
2) es als solches für die Funktion der Erfindung unter Berücksichtigung der technischen Aufgabe, die es lösen soll, nicht unerlässlich ist und
3) das Ersetzen oder Streichen keine wesentliche Angleichung anderer Merkmale erfordert.

Die neueste Rechtsprechung scheint diese Kriterien teilweise nicht mehr anzuwenden. In **T 910/03** wollte die befasste Technische Beschwerdekammer die in **T 331/87** festgelegten Kriterien nicht mehr beiziehen, weil gemäß der Stellungnahme **G 2/98** (Rdn 31) der Großen Beschwerdekammer nicht mehr zwi- **58**

---

96 **T 16/86** vom 4.2.1988.
97 **T 172/82**, ABl 1983, 493.
98 Vgl zB **T 66/85**, ABl 1989, 167.
99 **T 170/87**, ABl 1989, 441.
100 **T 260/85**, ABl 1989, 105.
101 **T 331/87**, ABl 1991, 22 (bestätigt zB in **T 415/91** vom 13.5.1992, **T 1227/01** vom 12.10.2004).

schen wesentlichen und unwesentlichen Merkmalen unterschieden werden solle.[102] Andere Entscheidungen sowie die PrüfRichtl beziehen sich jedoch auch nach **G 2/98** ohne weiteren Kommentar auf die zitierten (Rdn 57) Kriterien aus **T 331/87**.[103]

18 Erweiterung von Patentansprüchen durch Verallgemeinerung eines Merkmals

59 Durch die Erweiterung eines einzelnen Merkmals in einem Patentanspruch werden ebenso wie bei seiner Weglassung zusätzliche spezifische Gegenstände erfasst; das führt zu einer nach Art 123 (2) unzulässigen Erweiterung, wenn der erweiterte Gegenstand der ursprünglichen Anmeldung nicht unmittelbar und eindeutig zu entnehmen ist.[104]

60 Ein spezielles Merkmal kann nicht durch einen umfassenden allgemeinen Ausdruck ersetzt werden (hier: die speziellen Strukturmerkmale einer Blende durch deren Funktion), wenn durch diesen allgemeinen Ausdruck erstmals neue spezielle Merkmale und insbesondere ursprünglich nicht offenbarte Äquivalente eingefügt werden.[105]

61 Es reicht nicht aus, wenn die Verallgemeinerung nur eine formale Stütze in den ursprünglichen Unterlagen findet, zB wenn nur besondere Ausführungsformen beschrieben sind, ohne dass ihre Verallgemeinerungsfähigkeit entnommen werden kann.[106]

62 Wird »im Oberbegriff eines Anspruchs ein allgemeinerer Ausdruck zur Bezeichnung eines Merkmals, das sowohl in dem in der eingereichten Anmeldung beschriebenen nächstliegenden Stand der Technik als auch in der Erfindung selbst vorkommt, an die Stelle eines spezifischeren Ausdrucks gesetzt, der nicht zur Bezeichnung des im Stand der Technik vorkommenden Merkmals geeignet ist, so stellt diese Änderung keine Erweiterung des Offenbarungsgehalts der Anmeldung in der eingereichten Fassung dar«.[107]

63 In **T 653/03** wurde nicht gestattet, den in der ursprünglichen Anmeldung verwendeten Begriff *Dieselmotor* durch den allgemeineren Begriff *Verbrennungsmotor* zu ersetzen, weil sich die in der ursprünglichen Anmeldung beschriebene Behandlung von Abgasen immer auf einen Dieselmotor bezog und der

---

102 **T 910/03** vom 7.7.2005, Nr 3.5.
103 **T 220/01** vom 28.2.2003; **T 1227/01** vom 12.10.2004; **T 958/04** vom 17.12.2004; PrüfRichtl (Juni 2005) C-VI, 5.3.10.
104 **T 194/84**, ABl 1990, 59.
105 **T 416/86**, ABl 1989, 308; **T 265/88** vom 7.11.1989; **T 284/94**, ABl 1999, 464, LS II.
106 **T 157/90** vom 12.9.1991; **T 397/89** vom 8.3.1991.
107 **T 52/82**, ABl 1983, 416, LS.

Fachmann daraus nicht unmittelbar und eindeutig ableiten konnte, dass ein für jede Art von Verbrennungsmotor geeignetes Verfahren abgedeckt wurde.[108]

19 Engere Fassung von Patentansprüchen durch Aufnahme zusätzlicher Merkmale

Das in einen Patentanspruch übernommene Merkmal muss nach der Rechtsprechung der Beschwerdekammern den ursprünglichen Anmeldungsunterlagen als *zur Erfindung gehörend* entnommen werden können.[109] Dabei spielt es keine Rolle, ob das betreffende Merkmal in der ursprünglichen Anmeldung als wesentlich und erfinderisch dargestellt wurde; es genügt, wenn das Merkmal dort in Verbindung mit anderen Merkmalen offenbart ist.[110] Durch welchen Teil der ursprünglichen Anmeldungsunterlagen diese Offenbarung erfolgt, ist unwesentlich; bezüglich des Offenbarungsgehalts stehen Patentansprüche, Beschreibung und Zeichnungen gleichwertig nebeneinander.[111]

Bei gemeinsam offenbarten Merkmalen (zB bei einem Ausführungsbeispiel) dürfen nicht willkürlich einzelne Merkmale herausgegriffen werden, vielmehr müssen die gemeinsam offenbarten Merkmale gemeinsam übernommen werden.[112] Von gemeinsam offenbarten Merkmalen darf nur dann eines isoliert übernommen werden, wenn es sich für den Fachmann ergibt, dass dieses keinen technischen Zusammenhang mit den anderen aufweist[113] bzw dass es nicht untrennbar mit den übrigen Merkmalen der offenbarten Kombination verbunden ist.[114] Ebenso ist es grundsätzlich nicht gestattet, in verschiedenen Teilen der ursprünglichen Anmeldungsunterlagen offenbarte Merkmale so miteinander zu kombinieren, dass dadurch ein gegenüber der ursprünglichen Anmeldung neuer Gegenstand entsteht (vgl Rdn 54). Die Kombination jeweils eines Mitglieds aus zwei Gruppen von Merkmalen resultierte nach Auffassung der Beschwerdekammer in T 727/00[115] in einem Gegenstand, der in dieser individualisierten Form ursprünglich nicht offenbart war. Unzulässig ist auch die Herstellung einer völlig neuen Beziehung zwischen zwei ursprünglich offenbarten Parametern, die zuvor nie miteinander verbunden gewesen waren.[116]

---

108 **T 653/03** vom 8.4.2005, Nr 3.3; **T 248/88** vom 14.11.1989.
109 **T 169/83**, ABl 1985, 193.
110 **T 560/89**, ABl 1992, 725, Nr 2.
111 **T 169/83**, ABl 1985, 193 mit eingehender Begründung; bestätigt zB in **T 443/89** vom 5.7.1991.
112 **T 6/84**, ABl 1985, 238; **T 25/03** vom 8.2.2005, Nr 3.3.
113 **T 582/91** vom 11.11.1992; **T 1067/97** vom 4.10.2000, Nr 2.1.3.
114 **T 714/00** vom 6.8.2002, Nr 3.3.
115 **T 727/00** vom 22.6.2001.
116 **T 931/00** vom 19.5.2003.

66 Wenn Merkmale aus Zeichnungen in die Beschreibung oder in Patentansprüche aufgenommen werden sollen, ist zu prüfen, welche Informationen der Fachmann den betreffenden Zeichnungen im Einzelfall entnehmen würde. Die Darstellungsweise eines bestimmten Merkmals in schematischen Zeichnungen kann zufällig sein.[117] In **T 850/03**[118] waren die mit einem dreidimensionalen CAD-Programm gefertigten Darstellungen so maßstabsgerecht und detailliert, dass der Fachmann wie bei üblichen technischen Zeichnungen bei einer Grenze zwischen zwei Komponenten eine Trennlinie erwarten würde. Da eine solche fehlte, war das Merkmal der Einstückigkeit unmittelbar und eindeutig offenbart. Kurven in einem kartesianischen Kartensystem können einzelne Zahlenwerte unmittelbar und eindeutig offenbaren, wenn die Achsen genau skaliert sind.[119]

20 Einschränkung von Patentansprüchen durch Auswahl

67 Eine Rolle spielen auch Änderungen von Ansprüchen, die ursprünglich auf einen generellen Begriff oder weiten Bereich gerichtet waren und im Laufe des Prüfungsverfahrens eingeschränkt werden sollen. Dies ist möglich, soweit die gewünschte Änderung nicht unter dem Gesichtspunkt der Neuheit über den Inhalt der Anmeldung in der ursprünglich eingereichten Fassung hinausgehen würde. Siehe hierzu die umfangreiche Rechtsprechung zu Art 54 (insbes unter Art 54 Rdn 61–75), die sich zum Teil mit Änderungen von Ansprüchen befasst oder die entsprechend anwendbar ist, wenn es sich um Auswahlerfindungen handelt. Jede Einschränkung durch Auswählen von Individuen aus einer Gruppe oder durch Beschränkung eines Zahlenbereichs ist nach Art 123 (2) unzulässig, wenn die entsprechende Auswahl nach Art 54 als neu gelten müsste.

21 Wechsel der Anspruchskategorie

68 Bei der Umformulierung eines Verfahrens- in einen Erzeugnisanspruch (und umgekehrt) sowie entsprechend bei der nachträglichen Formulierung eines Erzeugnisanspruchs, der allein aus Angaben über ein Verfahren in der ursprünglichen Anmeldung abgeleitet wird, stellt sich die Frage, ob damit nicht eine unzulässige Verallgemeinerung des ursprünglich Offenbarten verbunden ist.

69 In **T 784/89**[120] war ein computergesteuertes Verfahren zur Erzeugung von Kernresonanzbildern offenbart. Das entsprechende Gerät, welches – geeignet programmiert – zur Ausführung des Verfahrens verwendet wurde, wurde nur durch einen Hinweis auf eine zum Stand der Technik gehörende Patentschrift und durch die Nennung der Unterschiede des verwendeten Geräts zum Stand

---

117 Vgl PrüfRichtl C-VI, 5.3.2.
118 **T 850/03** vom 21.4.2005.
119 **T 398/92** vom 12.11.1996 mit Verweis auf **T 241/88** vom 20.2.1990.
120 **T 784/89**, ABl 1992, 438.

der Technik implizit beschrieben. Die Beanspruchung dieses Geräts wurde als unzulässige Erweiterung angesehen, da der entsprechende Anspruch auch Vorrichtungen umfasse, die bei anderen Verfahren und zur Erzielung anderer Effekte ebenfalls verwendbar seien. Gewährbar war somit nur ein Anspruch auf ein solches Gerät, dessen programmierbarer Teil in geeigneter Weise zur Ausführung des erfindungsgemäßen Verfahrens programmiert war.

Weniger problematisch ist die nachträgliche Formulierung eines Erzeugnisanspruchs, wenn das zwangsläufig zu diesem Erzeugnis führende Herstellungsverfahren in der ursprünglichen Anmeldung beschrieben bzw. beansprucht wurde. Das zwangsläufige Ergebnis des Herstellungsverfahrens kann in einem solchen Fall in Form eines Product-by-process-Anspruchs in die europäische Patentanmeldung aufgenommen werden.[121]

22 Änderung der Beschreibung und der Zeichnungen

In die Beschreibung und in die Zeichnungen dürfen ebenso wenig wie in die Patentansprüche Merkmalskombinationen übernommen werden, die in der ursprünglichen Anmeldung nicht unmittelbar und eindeutig (implizit oder explizit) offenbart wurden. Wenn eine technische Maßnahme in der ursprünglichen Anmeldung eindeutig offenbart, ihre Wirkung aber nicht oder nicht vollständig erwähnt wurde, so kann diese Wirkung nachträglich in die Beschreibung aufgenommen werden, wenn sie vom Fachmann mühelos der ursprünglichen Beschreibung entnommen werden kann.[122] Auch wenn ein Patentanspruch im Wesentlichen unverändert bleibt, kann eine Änderung der Definition eines Merkmals dieses Patentanspruchs in der Beschreibung eine unter Art 123 (2) unzulässige Erweiterung darstellen.[123]

Häufig verlangt das EPA Änderungen zur Anpassung an einen neu aufgefundenen Stand der Technik. Diese Änderungen werden im Hinblick auf Art 123 (2) differenziert behandelt (siehe Rdn 43 ff).

In der Praxis sind auch die Neuformulierungen der Aufgabe iSd R 27 (1) c) von Bedeutung. Die Aufgabe bemisst sich nach dem gegenüber dem Stand der Technik tatsächlich Erreichten. Wenn im Lauf des Verfahrens ein neuer Stand der Technik ermittelt wird, muss neben der nachträglichen Beschreibung dieses Standes der Technik auch die dadurch nötige Umformulierung der Aufgabe unter Art 123 (2) zulässig sein. Die neu formulierte Aufgabe muss jedoch vom Fachmann den ursprünglichen Anmeldungsunterlagen in Verbindung mit dem neu ermittelten Stand der Technik entnommen werden können.[124] Unzulässig

---

121 **T 12/81**, ABl 1982, 296; siehe Rdn 38.
122 **T 37/82**, ABl 1984, 71.
123 **T 500/01** vom 12.11.2003.
124 **T 13/84**, ABl 1984, 253; **T 344/89** vom 19.12.1991; **T 547/90** vom 17.1.1991.

sind daher Ergänzungen der technischen Funktionen und Wirkungen, die nicht den ursprünglichen Anmeldungsunterlagen zu entnehmen sind.[125]

23 Berichtigungen

74 Ein Fehler in den Ansprüchen oder in der Beschreibung, der auf eine falsche Berechnung zurückgeht und dessen Berichtigung nicht offensichtlich iSd R 88 Satz 2 ist (vgl hierzu Rdn 153–161), kann nach Art 123 (2) berichtigt werden, wenn die Änderung aus der Sicht des fachkundigen Lesers eindeutig aus der Offenbarung der Anmeldung in der eingereichten Fassung hervorgeht. Gibt es mehrere Möglichkeiten einer rechnerischen Berichtigung, so muss diejenige gewählt werden, die die Anmeldung als Ganzes eindeutig nahelegt.[126]

75 In **T 552/91**[127] war erstmals die Frage zu entscheiden, ob und in welcher Form chemische Stoffe geschützt werden können, wenn sich die ursprünglich offenbarte Strukturformel später als falsch erweist. Dabei hat die Beschwerdekammer festgestellt, es reiche – um die Zulässigkeit der Änderung gemäß Art 123 (2) zu begründen – nicht aus, dass kein anderer als der ursprünglich offenbarte Gegenstand beansprucht werde, vielmehr dürften der Anmeldung auch keine technisch relevanten Informationen (in casu die richtige Strukturformel der Stoffe) beigefügt werden. Ein Stoffanspruch mit berichtigter Formel wurde daher nicht zugelassen. Dagegen gestattete die Kammer die Aufstellung eines Product-by-process-Anspruchs, bei dem alle zum zwangsläufigen Erhalt der erfindungsgemäßen Verbindungen erforderlichen Maßnahmen (Ausgangsmaterialien, Reaktionsbedingungen, Abtrennung) angegeben waren.

76 Dagegen wurde in **T 990/91**[128] die Berichtigung der Definition des beanspruchten Salzes zugelassen. Ausgehend vom Offenbarungsgehalt der Anmeldung und dem in der ursprünglichen Anmeldung gewürdigten Stand der Technik sei die Berichtigung für den Fachmann sofort ersichtlich gewesen.

D Verbot der Erweiterung des Schutzbereichs des europäischen Patents (Abs 3)

24 Art 123 (3) als weitere Beschränkung des Änderungsrechts beim europäischen Patent

77 Für die Änderung eines europäischen Patents im Einspruchsverfahren gelten, wie der Hinweis in Abs 2 auf das europäische Patent besagt, zunächst die in diesem Absatz aufgestellten Erfordernisse. Der Bezug auf das Einspruchsver-

---

125 **T 514/88**, ABl 1992, 570; **T 532/00** vom 1.6.2005, Nr 3.3.3 mwNachw; PrüfRichtl C-VI, 5.7.
126 **T 13/83**, ABl 1984, 428.
127 **T 552/91**, ABl 1995, 100.
128 **T 990/91** vom 25.5.1992.

fahren ist im Rahmen der Neufassung der Bestimmung im EPÜ gestrichen worden (vgl nach Rdn 5). Damit wurde aber offenbar nicht beabsichtigt, die Wirkung des Verbots gemäß Abs 3 auch auf die nationalen Nichtigkeitsverfahren auszudehnen.[129]

Zusätzlich dürfen nach Abs 3 die Patentansprüche nicht in der Weise geändert werden, dass der Schutzbereich erweitert wird, und zwar auch dann nicht, wenn diese Änderung unter Abs 2 zulässig wäre. Hierunter fällt nicht nur die unmittelbare Erweiterung eines Anspruchs, zB durch Weglassen einzelner Merkmale, sondern auch das Aufstellen neuer Ansprüche aufgrund der Offenbarung in der ursprünglichen Anmeldung. Da bei der Bestimmung des Schutzbereichs nach Art 69 auch die Beschreibung und die Zeichnungen heranzuziehen sind (siehe Art 69 Rdn 23–27), muss auch bei Änderung der Beschreibung und der Zeichnungen darauf geachtet werden, dass der Schutzbereich nicht erweitert wird.[130] Obwohl sich der Wortlaut von Abs 3 nur auf Änderungen der Patentansprüche bezieht, gilt diese Bestimmung also auch für Änderungen der Zeichnungen und/oder der Beschreibung. Dies wurde im **EPÜ 2000** auch durch einen geänderten Wortlaut von Abs 3 klargestellt (vgl nach Rdn 5). 78

Der Schutzbereich, der nach Abs 3 nicht erweitert werden darf, betrifft den Schutz, der durch das erteilte europäische Patent gewährleistet würde, wenn man von dessen Rechtsbeständigkeit ausgeht.[131] 79

Die Bestimmung des Abs 3 wurde im Interesse der Rechtssicherheit geschaffen und hat hauptsächlich den Zweck, eine Änderung des europäischen Patents zu verhindern, wenn diese bewirkte, dass eine Handlung zur Patentverletzung würde, die vor der Änderung des europäischen Patents keine war.[132] Die Öffentlichkeit soll sich darauf verlassen können, dass Handlungen, die nicht in den Schutzbereich des erteilten und veröffentlichten europäischen Patents fallen, auch nach einer Änderung nicht das europäische Patent verletzen.[133] Das Verbot der Erweiterung des Schutzbereichs ist entsprechend verletzt, wenn eine bestimmte Ausführungsform nicht in den Schutzbereich des ursprünglich erteilten Patents fiel, aber nach der Änderung im Rahmen des Einspruchsverfahrens von dessen Schutzbereich erfasst wird.[134]

Wird der Schutzbereich des europäischen Patents entgegen Abs 3 im Einspruchsverfahren erweitert, so kann das in einem nationalen Nichtigkeitsverfahren als Nichtigkeitsgrund gegen das europäische Patent geltend gemacht 80

---

129 Vgl Basisvorschlag für die Revision des EPÜ, Dokument MR/2/00 v. 13.10.2000, 165.
130 **T 1149/97**, ABl 2000, 259, Nr 6.1.10 ff.; Blumer (Rdn 5), S 439 f.
131 **T 5/90** vom 27.11.1992; **T 325/95** vom 18.11.1997.
132 **T 59/87**, ABl 1988, 347.
133 Vgl Blumer (Rdn 5), S 433 ff; **T 1149/97**, ABl 2000, 259, Nr 6.1.8, zur »Zäsurwirkung der Patenterteilung« Nr 6.1.2 ff).
134 Vgl zB **T 1058/03** vom 25.8.2005.

werden (Art 138 (1) d)). Der Nichtigkeitsgrund des Art 138 (1) d) wurde allerdings nicht von allen Vertragsstaaten übernommen.

81 Da eine beschränkte Verteidigung des Patents im Einspruchsverfahren keinen Teilverzicht bildet, kann der Patentinhaber zur Verteidigung seines Patents in der erteilten Fassung zurückkehren, sofern in einer solchen nachträglichen Änderung seiner Anträge nicht ein verfahrensrechtlicher Missbrauch liegt.[135]

25 Bestimmung des Schutzbereichs durch das EPA

82 Bei der Beurteilung der Frage, ob sich durch eine Änderung des europäischen Patents nach der Erteilung eine Erweiterung des Schutzbereichs ergibt, ist auf den Schutzbereich gemäß Art 69 und dem dazu gehörenden Auslegungsprotokoll abzustellen. Dabei ist ein klarer Unterschied zwischen dem Schutzbereich und den Rechten aus dem europäischen Patent zu machen. Letztere ergeben sich nach Art 64 (1) aus den Rechtsvorschriften der Vertragsstaaten über die Patentverletzung. Der Schutzbereich wird dagegen einheitlich-europäisch nach Art 69 und dem Auslegungsprotokoll bestimmt, dh insbesondere durch die technischen Merkmale und die Kategorie der Patentansprüche.[136] Bei der Zulässigkeit einer Änderung nach Art 123 (3) werden die nationalen Verletzungsvorschriften nicht berücksichtigt.[137]

83 Die Bemessung des Schutzbereichs im Sinne des Art 69 ist in erster Linie im Verletzungsverfahren von Interesse und damit Sache des nationalen Richters. Die frühere Rechtsprechung der Beschwerdekammern war daher zurückhaltend bei der Bemessung des Schutzbereichs, zu der das EPA durch Art 123 (3) gezwungen wird. Teilweise wurde die nationale Rechtsprechung zu Art 69 berücksichtigt und jede Änderung zurückgewiesen, bei der die Gefahr bestand, dass sie in einem Vertragsstaat als Erweiterung des Schutzbereichs gelten könnte. In **G 2/88** lehnte die Große Beschwerdekammer eine solche Praxis ab und vertrat die Auffassung, nationale Traditionen bei der Bemessung des Schutzbereichs dürften vom EPA bei der Anwendung von Art 123 (3) nicht berücksichtigt werden.[138] Das EPA hat Art 69 somit selbständig anzuwenden; im Zusammenhang mit Art 123 (3) haben die Beschwerdekammern Gelegenheit, eine »europäische« Rechtsprechung zu Art 69 zu entwickeln.[139]

---

135 **T 123/85**, ABl 1989, 336.
136 **G 2/88**, ABl 1990, 93.
137 **G 2/88**, ABl 1990, 93, Nr 3.3.
138 **G 2/88**, ABl 1990, 93, Nr 4.
139 Vgl zB die Erläuterungen zur Bemessung des Schutzbereichs in **T 274/00** vom 16.6.2004.

26 Anwendungsbeispiele zu Abs 3

Berichtigungen eines Patentanspruchs (zB die Behebung von Widersprüchen) 84
sind nach Art 123 (3) zulässig, wenn der berichtigte Anspruch nichts anderes
zum Ausdruck bringt als die zutreffende Auslegung des nicht berichtigten Patentanspruchs im Sinne des Art 69.[140]

Das im Einspruchsverfahren erfolgte Ersetzen einer unrichtigen technischen 85
Aussage in einem erteilten Patentanspruch, welche mit der Gesamtoffenbarung
des Patents offensichtlich unvereinbar war, wurde in **T 108/91**[141] nicht als Verstoß gegen Art 123 (3) angesehen. Im Gegensatz zur Fassung des erteilten Anspruchs hatte die geänderte Fassung auch eine Grundlage in der ursprünglichen
Beschreibung. Zudem wurde durch die Änderung der Schutzbereich gegenüber demjenigen des erteilten Anspruchs bei fairer Auslegung vor dem Hintergrund der Gesamtoffenbarung nicht erweitert.

Die **Streichung eines einzelnen Merkmals** aus einem Patentanspruch ist 86
grundsätzlich nicht zulässig, da sie regelmäßig zu einer Erweiterung des
Schutzbereichs führt. Zulässig müsste sie ausnahmsweise dann sein, wenn der
Schutzbereich des erteilten Patents auch diejenigen Ausführungsformen umfasst, bei denen das fragliche Merkmal nicht verwirklicht ist (Schutz der Unterkombination bzw Teilschutz). In **T 231/89**[142] wurde die Streichung eines
Merkmals erlaubt, weil es technisch nicht relevant war und damit auch keinen
Einfluss auf den Schutzbereich hatte. Diese Entscheidung erging allerdings im
Zusammenhang mit dem Konflikt zwischen Art 123 (2) und (3); sie wurde
durch **G 1/93** teilweise hinfällig (vgl Rdn 96 ff). Der in ihr ausgesprochene
Grundsatz, dass Merkmale ohne technisch-funktionelle Bedeutung gestrichen
werden dürften, erscheint allerdings weiterhin als richtig; Art 123 (3) wird dadurch nicht verletzt.[143] Begriffe, welche als Beispiele zur Erläuterung eines allgemein gefassten Merkmals in einem Patentanspruch enthalten sind, dürfen gestrichen werden.[144]

Unproblematisch ist die Streichung eines Merkmals auch dann, wenn damit 87
ein Widerspruch behoben oder ein Fehler berichtigt wird.[145] Zulässig ist (wie
unter Abs 2) die **Verschiebung von Merkmalen** zwischen kennzeichnendem
Teil und Oberbegriff.[146]

---

140 Vgl **T 271/84**, ABl 1987, 405; **T 673/89** vom 8.9.1992; **T 214/91** vom 23.6.1992.
141 **T 108/91**, ABl 1994, 228.
142 **T 231/89**, ABl 1993, 13.
143 Ähnlich auch **T 112/95** vom 19.2.1998.
144 **T 1052/01** vom 1.7.2003.
145 **T 210/86** vom 14.2.1990; vgl Rdn 84 f.
146 16/86 vom 4.2.1988; **T 49/89** vom 10.7.1990; **T 96/89** vom 17.1.1991.

Artikel 123 — *Änderungen*

88 Eine große Bedeutung in der Praxis zu Art 123 (3) haben **Änderungen der Anspruchskategorie**. Nach der Grundsatzentscheidung **G 2/88**[147] sind solche Kategoriewechsel (in casu die Umwandlung eines Anspruchs auf einen Stoff in einen Anspruch auf die Verwendung dieses Stoffes in einem Stoffgemisch für einen bestimmten Zweck) zulässig, wenn sie bei zutreffender Auslegung des erteilten und des geänderten Patents nach Art 69 und dem Auslegungsprotokoll nicht zu einer Erweiterung des Schutzbereichs führen. Das nationale Verletzungsrecht der Vertragsstaaten bleibt dabei außer Betracht.

89 In der Folge von **G 2/88** hat sich eine breite Rechtsprechung zu den Änderungen der Anspruchskategorie im Einspruchsverfahren entwickelt. Der Wechsel von einem Erzeugnisanspruch zu einem Anspruch auf Verwendung des Erzeugnisses wird in der Regel als zulässig angesehen.[148] Auch der Ersatz eines Erzeugnisanspruchs durch einen Anspruch auf ein Verfahren zur Herstellung des Erzeugnisses ist gestattet, wenn das neu beanspruchte Verfahren nur zu dem ursprünglich beanspruchten Erzeugnis führt.[149]

90 Im Anschluss an **G 2/88** wurde in **T 912/91**[150] der Wechsel von einem Erzeugnisanspruch zu einem Anspruch auf Verwendung von Stoffen zum Erhalt des Erzeugnisses zugelassen. Da der geänderte Anspruch das Erzeugnis enger definierte als der ursprüngliche Erzeugnisanspruch, lag nach Auffassung der Beschwerdekammer selbst dann keine Erweiterung des Schutzbereichs vor, wenn man den neu formulierten Verwendungsanspruch als Verfahrensanspruch betrachtete, der nach Art 64 (2) auch den Schutz des unmittelbaren Verfahrenserzeugnisses gewährleistet.[151]

91 Kein Kategoriewechsel lag nach Auffassung der Beschwerdekammer in der Klarstellung eines Anspruchs, der zwar auf ein *Verfahren zum Betreiben eines Geräts* gerichtet war, dessen Merkmale aber nur die Wirkungsweise des Geräts beschrieben. Die nachträgliche Beanspruchung des Geräts wurde zugelassen.[152] Auch bei der Umwandlung eines Anspruchs nach dem Muster *Verfahren zur Herstellung von X unter Verwendung der Säure Y* in einen Anspruch der Form *Verwendung der Säure Y bei der Herstellung von X* lag kein wirklicher Wechsel der Anspruchskategorie vor.[153]

92 Ein Anspruch zur Verwendung einer Verbindung A in einem Verfahren zur Herstellung der Verbindung B hat keinen größeren Schutzbereich als ein An-

---

147 **G 2/88**, ABl 1990, 93.
148 Rspr BK 2001, III.B.4, S 257 mwNachw.
149 PrüfRichtl D-V, 6.3 ii) mwNachw.
150 **T 912/91** vom 25.10.1994.
151 **T 402/89** vom 12.8.1991; **T 938/90** vom 25.3.1992.
152 **T 426/89**, ABl 1992, 172; PrüfRichtl D-V, 6.3 iii).
153 **T 619/88** vom 1.3.1990.

spruch auf ein Verfahren zur Herstellung der Verbindung B aus der Verbindung A.[154]

Auch andere Änderungen, die den nach Art 69 bestimmten Schutzbereich nicht erweitern, sind nach Art 123 (3) zulässig. Maßgebend ist, ob nach der Änderung eines Patentanspruchs eine Handlung als Verletzung in Betracht kommt, die vor der Änderung nicht als Verletzung des erteilten Patentes angesehen werden konnte.[155] Wird ein Begriff im Oberbegriff eines Patentanspruchs zunächst erweitert und dann im kennzeichnenden Teil wieder auf den ursprünglich im Anspruch enthaltenen Begriff eingeschränkt, liegt darin kein Verstoß gegen Art 123 (3).[156] Der Begriff des Schutzbereichs in Art 123 (3) bezieht sich auf die Gesamtheit des durch die Ansprüche in der erteilten Fassung gewährten Schutzes und nicht auf den Schutzbereich jedes einzelnen Patentanspruchs. Der Patentinhaber darf somit die Ansprüche so umformulieren oder neue Ansprüche formulieren, dass Handlungen, welche vor der Änderung unter einen Patentanspruch fielen, nach der Änderung unter einen anderen Patentanspruch fallen.[157]

93

Ebenso wie die Streichung eines Merkmals (Rdn 86) ist auch die **Verallgemeinerung eines Merkmals** in einem Patentanspruch regelmässig mit einer Erweiterung des Schutzbereichs verbunden und daher unter Abs 3 nicht zulässig. In **T 371/88**[158] wurde die Ersetzung eines restriktiven Begriffs (parallel zum quer gestellten Motor angeordnetes Wechselgetriebe), der eine in der Beschreibung enthaltene weitere Ausführungsart (Wechselgetriebe in Linie mit dem Motor angeordnet) nicht eindeutig umfasst, durch einen weniger restriktiven Begriff (ebenfalls quer angeordnetes Wechselgetriebe), der eindeutig auch diese Ausführungsform einschließt, nach Art 123 (3) als zulässig erachtet, da der restriktive Begriff im erteilten Anspruch auslegungsbedürftig war und aus Beschreibung, Zeichnungen und Erteilungsverfahren eindeutig hervorging, dass die genannte weitere Ausführungsart zur Erfindung gehörte und nie beabsichtigt war, sie vom Schutzbereich des Patents auszuschließen.

94

In **T 166/90**[159] ließ die Beschwerdekammer die **Ersetzung** eines im erteilten Anspruch enthaltenen unzulässigen Merkmals **durch andere offenbarte Merkmale** zu, da der Schutzbereich nicht erweitert wurde. Die Erfindung betraf eine opake Folie. Im Einspruchsbeschwerdeverfahren wurde nur noch das entsprechende Herstellungsverfahren beansprucht. Das Merkmal im erteilten Erzeugnisanspruch »und dass die Dichte der Folie kleiner ist als die rechnerische Dichte aus Art und Anteil der Einzelkomponenten« durfte durch an-

95

---

154 **T 279/93** vom 12.12.1996.
155 **T 378/86**, ABl 1988, 386, Nr 3.1.3.
156 **T 96/89** vom 17.1.1991.
157 Vgl RsprBer 2004, S 65; **T 579/01** vom 30.6.2004 mwHinw.
158 **T 371/88**, ABl 1992, 157.
159 **T 166/90** vom 11.8.1992.

dere Merkmale ersetzt werden, die eine Grundlage in der ursprünglichen Beschreibung hatten. Die Beschwerdekammer gelangte zur Überzeugung, dass das nun beanspruchte Verfahren mit an Sicherheit grenzender Wahrscheinlichkeit eine opake Folie ergebe, deren Dichte kleiner sei als die rechnerische Dichte aus Art und Anteil der Einzelkomponenten und somit der Schutzbereich nicht erweitert werde.[160]

27 Konflikt zwischen Abs 2 und Abs 3

96 Im Prüfungsverfahren kommt es sehr häufig vor, dass ein Patentanspruch durch die Aufnahme zusätzlicher Merkmale eingeschränkt wird, zB um den Gegenstand eines Patentanspruchs gegenüber dem Stand der Technik abzugrenzen. Nach Erteilung des Patents kann sich herausstellen, dass die Aufnahme eines oder mehrerer zusätzlicher Merkmale unter Art 123 (2) unzulässig war. Eine Streichung des Merkmals im Einspruchsverfahren wäre dann im Hinblick auf Art 123 (2) geboten; wegen Art 123 (3) können aber in der Regel keine Merkmale aus einem erteilten Patentanspruch gestrichen werden (siehe Rdn 86).

97 Besonders unbefriedigend ist es für den Anmelder, wenn das Merkmal, das im Einspruchsverfahren wegen Art 123 (2) gestrichen werden muss, aber wegen Art 123 (3) nicht gestrichen werden darf, auf Anraten der Prüfungsabteilung eingefügt wurde (Fuchsfalle). Die Beschwerdekammern versuchten früher gelegentlich, der nach ihrer Auffassung unbilligen Konsequenz einer solchen Situation, dem Widerruf des Patents, dadurch auszuweichen, dass eine Bestimmung gegenüber der anderen als vorrangig bezeichnet wurde und die nachrangige Norm weniger streng ausgelegt wurde.[161]

Auch die Praxis des deutschen Bundespatentgerichts geht davon aus, dass das Verbot der unzulässigen Erweiterung dem Verbot der nachträglichen Schutzbereichserweiterung vorgeht.[162]

98 Die Große Beschwerdekammer befand aber in **G 1/93**, dass Abs 2 und 3 von Art 123 voneinander unabhängig und gleichrangig seien und daher auch unabhängig voneinander beachtet werden müssten.[163] Art 123 (2) solle verhindern, dass ein Anmelder Patentschutz erhält für etwas, das er in den ursprünglichen Unterlagen nicht offenbart hat; dadurch erhielte er einen ungerechtfertigten Vorteil (Nr 9 der Gründe). Wenn deshalb ein später hinzugefügtes, ursprünglich nicht offenbartes Merkmal zwar den Schutzbereich des Patents einschränkt, aber gleichzeitig einen technischen Beitrag zum Gegenstand der beanspruchten Erfindung leistet und der Patentinhaber so einen ungerechtfertig-

---

160 Vgl Rspr BK 2001, III-C, 3, S 261.
161 **T 231/89**, ABl 1993, 13.
162 DE-BPatG vom 25.8.1997 – »Steuerbare Filterschaltung« –, ABl 1998, 617.
163 **G 1/93**, ABl 1994, 541.

ten Vorteil erhielte, so müsste das Patent widerrufen werden; das trifft zB zu, wenn das beschränkende Merkmal zu einer erfinderischen Auswahl führt, die sich nicht aus den ursprünglichen Unterlagen ableiten lässt. Schließt jedoch das neue Merkmal lediglich den Schutz für einen Teil des Gegenstands der beanspruchten Erfindung aus, so verhilft seine Hinzufügung dem Anmelder nicht zu einem ungerechtfertigten Vorteil und beeinträchtigt auch nicht die Interessen Dritter. Ein solches Merkmal ist nicht als Gegenstand zu betrachten, der über den Inhalt der Anmeldung in der ursprünglichen Fassung hinausgeht. Deshalb liegt kein Verstoß gegen Art 123 (2) vor. Da das Merkmal beibehalten wird, bleibt es bei der Einschränkung des Schutzbereichs, so dass auch Art 123 (3) nicht verletzt wird (Nr 16 der Gründe).

Ein Ausweg aus einer solchen »unentrinnbaren Falle«[164] ist allenfalls möglich, wenn die Hinzufügung des fraglichen Merkmals keinen Verstoß gegen Abs 2 bedeutet, wenn dieses zB lediglich einen zulässigen Disclaimer (vgl Rdn 44 ff) darstellt und nicht zu einem gegenüber der ursprünglichen Anmeldung neuen Gegenstand führt wie zB zu einer erfinderischen Auswahl. In anderen Fällen kann es möglich sein, ein nicht offenbartes Merkmal ohne Verletzung mit einem ordnungsgemäß offenbarten Merkmal zu ergänzen, welches das ursprünglich nicht offenbarte Merkmal überflüssig macht.[165] In der Entscheidung **T 384/91**[166] wurde der Widerruf des Patents unter Verweis auf **G 1/93** von der Beschwerdekammer bestätigt, da der Patentinhaber das ursprünglich nicht offenbarte Merkmal nicht durch ein anderes, offenbartes ersetzen konnte, ohne den Schutzbereich zu erweitern, und da das beanstandete Merkmal zur funktionellen Definition des beanspruchten Verfahrens diente. Dieses Merkmal leistete daher einen technischen Beitrag zum Gegenstand der beanspruchten Erfindung und beschränkte nicht lediglich den Schutz.

99

Für den Anmelder (oder seinen Vertreter) bedeutet dies, dass er selbst aufpassen muss, nicht in eine ausweglose Situation zu geraten. Er darf keine Merkmale einfügen (auch nicht auf Anregung der Prüfungsabteilung), die nicht in den ursprünglichen Anmeldungsunterlagen offenbart sind. Die Verantwortung für Änderungen einer europäischen Patentanmeldung (eines europäischen Patents) trägt letztlich immer der Anmelder (Patentinhaber).[167]

100

Die Situation, in der eine unter Abs 2 unzulässige Erweiterung nur dadurch korrigiert werden könnte, indem sie unter Verletzung von Abs 3 wieder gestrichen wird, endet damit seit **G 1/93** regelmäßig mit einem Widerruf des Patents.[168] Diese Fälle könnten noch häufiger auftreten, wenn die Praxis des EPA zur Zulässigkeit von Änderungen unter Abs 2 in gewissen Bereichen strenger

101

---

164 **G 1/93**, ABl 1994, 541, Nr 13.
165 Vgl **T 553/99** vom 21.2.2001.
166 **T 384/91**, ABl 1995, 745.
167 **G 1/93**, ABl 1994, 541, Nr 13.
168 Vgl zB **T 1066/98** vom 2.10.2000; **T 657/01** vom 24.6.2003; **T 192/01** vom 22.6.2004.

wird (vgl zur Zulässigkeit von Disclaimern Rdn 44 ff) und Änderungen unter Abs 2 auch in den sog Konfliktfällen sämtlichen formellen Voraussetzungen unterliegen.[169] Eine von der sonstigen Praxis abweichende Auslegung der Abs 2 und 3 zur Vermeidung des Widerrufs des Patents in diesen Fällen scheint von den Beschwerdekammern nicht gestützt zu werden,[170] und sie wäre aus Gründen der Rechtssicherheit fragwürdig.[171]

E Unterschiedliche Patentansprüche, Beschreibungen und Zeichnungen für verschiedene Staaten (R 87)

28 Allgemeines zu R 87

102 R 87 enthält eine Ausnahme von dem wichtigen Grundsatz der in Art 118 festgelegten Einheit der europäischen Patentanmeldung und des europäischen Patents. Diese Regel lässt im Fall älterer Rechte verschiedene Fassungen in einer europäischen Patentanmeldung und auch in einem europäischen Patent zu.

103 Die Praxis des EPA hat jedoch auch in bestimmten anderen Fällen verschiedene Fassungen von europäischen Patentanmeldungen und europäischen Patenten zugelassen (Rdn 113–115).

29 Unterschiedliche Fassungen bei älteren Rechten

104 Die mit Wirkung vom 1.6.1995 geänderte R 87 sieht für den Fall, dass in oder mit Wirkung für einzelne benannte Vertragsstaaten ältere Rechte existieren, die Möglichkeit vor, für einen oder mehrere europäische Vertragsstaaten unterschiedliche Patentansprüche und nötigenfalls auch unterschiedliche Beschreibungen und Zeichnungen abzufassen. Bei den älteren Rechten sind zwei Fälle zu unterscheiden:

105 a) Ältere europäische Rechte:

106 Die Existenz älterer europäischer Rechte wird vom EPA im Prüfungsverfahren festgestellt (Rdn 108). Unter dem EPÜ 2000 werden ältere europäische Rechte als Stand der Technik für alle EPÜ-Vertragsstaaten gelten (Art 54 nach Rdn 7). Ältere europäische Rechte werden daher keinen Anlass zu unterschiedlichen Fassungen mehr geben; R 87 wird sich nur noch auf ältere nationale Rechte nach Art 139 Abs 2 beziehen.[172]

107 Nach **J 21/82**[173] ist die Aufnahme unterschiedlicher Ansprüche (und auch unterschiedlicher Beschreibungen und Zeichnungen) erst nach einer entsprechenden Prüfung durch das EPA zulässig. Die Entscheidung stellt klar,

---

169 Vgl **T 1066/00** vom 14.6.2005 mit Verweis auf R 57a.
170 Vgl zB **T 1066/98** vom 2.10.2000, Nr 3.6.
171 Zu den möglichen Lösungen des Konflikts vgl Schulte, PatG, 7. Aufl., § 21 Rdn 69 ff.
172 ABl Sonderausgabe 1/2003, 142.
173 **J 21/82**, ABl 1984, 65.

dass diese Feststellung nicht von der Eingangsstelle getroffen werden kann und dass die Aufnahme unterschiedlicher Ansprüche, Beschreibungen und Zeichnungen in der ursprünglichen Anmeldung unzulässig ist.

Voraussetzung ist in jedem Fall eine Feststellung des EPA, dass ein älteres europäisches Recht besteht. Ob das EPA zu dieser Feststellung aufgrund des Recherchenberichts, eigener Kenntnisse oder einer Mitteilung des Anmelders kommt, spielt keine Rolle. Ohne eine solche Feststellung ist eine unterschiedliche Fassung unzulässig.

Unterschiedliche Beschreibungen und Zeichnungen sind nur dann erforderlich, wenn in einer gemeinsamen Beschreibung nicht klar zum Ausdruck gebracht werden kann, was in den einzelnen Staaten, ausgehend vom jeweiligen Stand der Technik, unter Schutz gestellt werden soll.[174]

b) Ältere nationale Rechte

In diesem Fall konnten schon vor dem 1.6.1995 unterschiedliche Patentansprüche aufgestellt werden.[175] Ältere nationale Rechte werden bei der Prüfung der europäischen Patentanmeldung bzw des europäischen Patents nicht berücksichtigt, und sie bilden keinen Einspruchsgrund nach Art 100. Man kann deshalb keinen Einspruch auf ältere nationale Rechte stützen.[176] Hingegen ist es statthaft, im Rahmen eines zulässig eröffneten Einspruchsverfahrens Änderungen vorzunehmen, die durch ältere nationale Rechte veranlasst sind. Dies wird nun durch R 57a iVm R 87 im Hinblick auf **T 550/88** klargestellt.[177] Es besteht ein berechtigtes Interesse des Anmelders oder Patentinhabers (sowie auch ein Interesse der Allgemeinheit), durch gesonderte Patentansprüche die Erteilung eines in einzelnen Vertragsstaaten möglicherweise nichtigen Patents zu verhindern und damit etwaige nationale Nichtigkeitsverfahren zu vermeiden. Dazu soll dem Anmelder oder Patentinhaber auch noch im Einspruchsverfahren Gelegenheit gegeben werden, zumal ältere nationale Rechte sehr oft erst dann bekannt werden.

Beim Vorliegen von älteren nationalen Rechten wurden vor der Änderung der R 87, anders als bei der Behandlung älterer europäischer Rechte, keine unterschiedlichen Beschreibungen und Zeichnungen zugelassen. Durch die Aufnahme der nationalen älteren Rechte in die R 87 werden die beiden Fälle nun rechtlich gleichgestellt. Allerdings dürften unterschiedliche Beschreibungen und Zeichnungen in der Praxis bei älteren nationalen Rechten nicht erforderlich sein, da diese unter dem EPÜ keinen Stand der Technik bilden.[178] Der Anmelder oder Patentinhaber hat nachzuweisen, dass ein einschlägiges nationales

---

174 PrüfRichtl C-III, 8.1.
175 Rechtsauskunft Nr 9/81, ABl 1981, 68, nach der Neufassung der R 87 aufgehoben (ABl 1998, 359).
176 **T 550/88**, ABl 1992, 117.
177 Vgl Rspr BK 2001, VII.C.10.1.1, S 545.
178 PrüfRichtl C-III, 8.4.

Artikel 123 *Änderungen*

Recht besteht oder im Entstehen begriffen ist. In der Beschreibungseinleitung ist der Sachverhalt durch eine entsprechende Einfügungdarzulegen.[179]

30 Die übrigen Fälle unterschiedlicher Fassungen

113 Die Praxis des EPA hat aufgrund der sich aufdrängenden Notwendigkeiten auch noch eine Aufspaltung der europäischen Patentanmeldung in anderen Fällen zugelassen(Art 84 Rdn 53; vgl auch PrüfRichtl C-III, 8:

114 a) Unterschiedliche Patentansprüche während einer Übergangszeit, wenn ein Staat gestützt auf einen Vorbehalt nach Art 167 Abs 2 (a) keinen Schutz für chemische Erzeugnisse oder Nahrungs- oder Arzneimittel als solche zuließ und für diese Staaten nur Verfahrensansprüche eingereicht werden konnten.[180]

115 b) Unterschiedliche Patentansprüche, Beschreibungen und Zeichnungen im Fall eines teilweisen Rechtsübergangs nach Art 61 iVm R 16 (2) und (3) für verschiedene Staaten.[181]

31 Prüfung unterschiedlicher Fassungen unter Art 123 (2)

116 Auch bei gesonderten Patentansprüchen oder sonstigen Änderungen, welche nur für einen Teil der benannten Vertragsstaaten vorgenommen werden, ist zu prüfen, ob die Änderungen nicht gegen Art 123 (2) verstoßen.[182] Bei der Prüfung unterschiedlicher Fassungen bzw unterschiedlicher Anspruchssätze ist es laut den PrüfRichtl[183] im Allgemeinen zweckmässig, jeden von ihnen völlig getrennt zu behandeln, insbesondere dann, wenn zwischen ihnen ein erheblicher Unterschied besteht.

117 Änderungen sind für die Anmeldungsunterlagen der verschiedenen, für unterschiedliche benannte Staaten gültigenn Fassungen unter Art 123 (2) getrennt zu beurteilen. Wenn ein bestimmter Gegenstand für einzelne benannte Vertragsstaaten beansprucht werden soll und dieser Gegenstand ursprünglich nur für andere Vertragsstaaten beansprucht wurde, gilt die nachträgliche Beanspruchung für die betroffenen Vertragsstaaten als Änderung, welche unter Art 123 (2) zu prüfen ist.[184]

---

179 PrüfRichtl C-III, 8.4.
180 PrüfRichtl C-III, 8.3; vgl Art 167 Rdn 2–7.
181 Vgl auch PrüfRichtl C-III, 8.2.
182 Vgl PrüfRichtl C-III, 8.4.
183 PrüfRichtl C-VI, 5.5.
184 **T 658/03** vom 7.10.2004, Nr 2.1.3.

F Berichtigung von Mängeln in den beim EPA eingereichten Unterlagen (R 88)

32 Allgemeines zu R 88

Diese Vorschrift regelt, inwieweit auf Antrag »sprachliche Fehler, Schreibfehler und Unrichtigkeiten« in den beim EPA eingereichten Unterlagen berichtigt werden können. Der Berichtigungsantrag muss nicht unbedingt ausdrücklich gestellt werden; es genügt, wenn er implizit zum Ausdruck gebracht wird. In der Praxis der Beschwerdekammern wurde mehrfach betont, dass die Zulassung einer Berichtigung unter R 88 für das EPA fakultativ sei (»… können auf Antrag berichtigt werden«).[185] Die Rechtsprechung bemüht sich, einen gerechten Ausgleich zwischen den Interessen der Anmelder und dem Rechtssicherheitsbedürfnis der Allgemeinheit zu finden. R 88 erfuhr im Hinblick auf das EPÜ 2000 nur eine leichte sprachliche Korrektur.[186]

R 88 zerfällt sachlich in zwei Teile. Der zweite Teil (R 88 Satz 2) betrifft die Berichtigung der unmittelbaren Anmeldungsunterlagen, dh der Beschreibung, der Patentansprüche und der Zeichnungen. Wegen der Pflicht zur Offenbarung der gesamten Erfindung in der Anmeldung bei Einreichung unterliegen diese unmittelbaren Anmeldungsunterlagen strengeren Voraussetzungen als die übrigen Unterlagen.

Gemäß der Stellungnahme G 3/89 und der damit übereinstimmenden Entscheidung G 11/91 handelt es sich bei einer Berichtigung der die Offenbarung betreffenden Teile der europäischen Patentanmeldung oder des europäischen Patents um einen Spezialfall einer Änderung iSd Art 123, für den das in Art 123 (2) statuierte Erweiterungsverbot gilt; R 88 Satz 2 stellt eine Ausführungsvorschrift zu Art 123 dar.[187]

Der erste Satz der R 88 gilt für die Berichtigung aller übrigen Unterlagen, dh insbesondere des Erteilungsantrags einschließlich der Benennung von Vertragsstaaten und der Beanspruchung von Prioritäten (zum Inhalt des Erteilungsantrags vgl R 26).

In J 8/80 wird eingehend die Entstehungsgeschichte der R 88 unter dem Gesichtspunkt der Benennung von Staaten behandelt.[188]

Die Berichtigung der Erfindernennung ist in R 19 geregelt (vgl Art 81 Rdn 7–9).

Der PCT regelt die Berichtigung von Fehlern in der internationalen Anmeldung oder in anderen beim Internationalen Büro eingereichten Schriftstücken in R 91 (»Offensichtliche Fehler in Schriftstücken«)

---

185 **J 6/91**, ABl 1994, 349; **J 3/01** vom 17.6.2002.
186 ABl Sonderausgabe 1/2003, 142, 193 f.
187 **G 3/89**, ABl 1993, 117; **G 11/91**, ABl 1993, 125.
188 **J 8/80**, ABl 1980, 293, Nr IX–XIV, insbes XII und XIII.

33 Die zu berichtigenden Unterlagen

125 Berichtigt werden können sämtliche Unterlagen, die beim EPA eingereicht worden sind. Das sind die Anmeldungsunterlagen im engeren Sinne (Art 78), nämlich Erteilungsantrag, Beschreibung, Patentansprüche, Zeichnungen und Zusammenfassung sowie die in engem Zusammenhang mit der Anmeldung stehenden Unterlagen wie Erfindernennung, Vollmacht, Abbuchungsauftrag und alle weiteren Schriftstücke. Die Berichtigungsmöglichkeiten beziehen sich auch auf Unterlagen, die in elektronischer Form oder auf Datenträgern eingereicht wurden.[189]

126 In einem Einspruchsverfahren sowie im Beschwerdeverfahren können die in diesem Verfahren eingereichten Schriftstücke ebenfalls nach R 88 berichtigt werden.[190]

127 Nur Unterlagen können berichtigt werden und nicht Handlungen oder fehlende Handlungen. So könnte zwar die fehlende Benennung eines Staats berichtigt werden, aber nicht die fehlende Zahlung der Benennungsgebühr.[191] Die beabsichtigte, aber irrtümlich nicht erfolgte Entrichtung einer Gebühr ist ein *mistake of fact*, der nicht nach R 88 (1) korrigiert werden kann.[192] Auch eine Übersendung von Gebührenmarken des DPMA kann nicht nach R 88 berichtigt werden, auch wenn das Konto des Einzahlers beim EPA ein entsprechendes Guthaben aufweist.[193]

34 Der Berichtigung zugängliche Mängel

128 In der Überschrift der R 88 wird der Sammelbegriff *Mängel* für die in Satz 1 aufgeführten sprachlichen Fehler, Schreibfehler und Unrichtigkeiten verwendet. Wenn auch diese Bestimmung ursprünglich für die Berichtigung von Schreibfehlern konzipiert war, geht der Begriff *Unrichtigkeiten* eindeutig weiter.

129 Die Juristische Beschwerdekammer hat dies in ihrer ersten Entscheidung über die Berichtigung geklärt.[194] Danach liegt eine Unrichtigkeit dann vor, wenn die Unterlage nicht die wirkliche Absicht desjenigen wiedergibt, für den sie eingereicht worden ist.

130 Die Juristische Beschwerdekammer hat festgestellt, dass eine Unrichtigkeit auch in einer Auslassung bestehen oder sich aus einer Unterlassung ergeben

---

189 PrüfRichtl A-V, 3; vgl die Mitteilung vom 29.10.2002 über die elektronische Einreichung von Patentanmeldungen und anderen Unterlagen, ABl 2002, 545.
190 Vgl **G 2/04** vom 25.5.2004, Nr 3.1; **T 964/98** vom 22.1.2002.
191 **J 21/84**, ABl 1986, 75.
192 **T 152/85**, ABl 1987, 191.
193 **T 415/88** vom 6.6.1990.
194 **J 8/80**, ABl 1980, 293; bestätigt in **J 6/91**, ABl 1994, 349.

kann.[195] Zur Berichtigung kann daher die unrichtige Erklärung richtig formuliert werden, oder das, was ausgelassen wurde, kann hinzugefügt werden.[196]

35 Zuständigkeit für die Berichtigung

Zuständig für eine Entscheidung über einen Berichtigungsantrag ist grundsätzlich das Organ des EPA, vor dem das Verfahren anhängig ist. Betrifft die Berichtigung die Beschreibung, die Patentansprüche oder die Zeichnungen, so ist die Eingangsstelle für Berichtigungen nach R 88 Satz 2 nur dann zuständig, wenn der Antrag keine technische Prüfung erfordert.[197] Sieht sich dagegen die Eingangsstelle wegen des technischen Charakters der Berichtigung nicht in der Lage, dem Antrag stattzugeben, so ist die Prüfungsabteilung zuständig.[198] Nach dem Übergang der Verfahrenszuständigkeit auf die Prüfungsabteilung ist diese für Berichtigungen zuständig.[199] 131

36 Erleichterte Berichtigung nach Satz 1 und ihre Grenzen

Satz 1 regelt abschließend die Berichtigung von eingereichten Unterlagen mit Ausnahme der Beschreibung, der Patentansprüche und der Zeichnungen. Für diese drei Unterlagen (dh die für die Offenbarungen maßgebenden Bestandteile der Patentanmeldung) gelten nach Satz 2 zusätzlich strengere Bestimmungen (Rdn 153 ff). Da R 88 Satz 2 eine Ausführungsvorschrift zu Art 123 (2) darstellt (Rdn 120), dürfen die unter Satz 2 vorgenommenen Korrekturen nicht über das hinausgehen, was als Änderung unter Art 123 (2) zulässig wäre (Rdn 160). 132

Die Rechtsprechung zu R 88 Satz 1 hat sich hauptsächlich anhand der Berichtigung von Angaben im Erteilungsantrag entwickelt. Wenn eine Berichtigung beantragt wird und R 88 Satz 2 nicht anwendbar ist, muss lediglich feststehen, dass eine Unrichtigkeit vorliegt, worin die Unrichtigkeit besteht und in welcher Weise sie berichtigt werden soll.[200] Der tatsächliche Wille des Anmelders ist also maßgebend, auch wenn dieser Wille aus den tatsächlich eingereichten Anmeldungsunterlagen nicht ersichtlich ist. 133

J 8/80 enthält allgemein gültige Grundsätze für die Anwendung der Vorschrift von Satz 1: Es muss, damit Missbrauch verhindert wird, für das Amt feststehen, dass eine Unrichtigkeit vorliegt, worin die Unrichtigkeit besteht und in welcher Weise sie berichtigt werden soll.[201] Für den Fall, dass die Un- 134

---

195 **J 8/80**, ABl 1980, 293, Nr 4.
196 Vgl auch **J 4/82**, ABl 1982, 385, Nr 5.
197 **J 33/89**, ABl 1991, 288.
198 **J 4/85**, ABl 1986, 205.
199 **J 5/01** vom 28.11.2001.
200 Vgl zB **J 18/93**, ABl 1997, 326.
201 **J 8/80**, ABl 1980, 293, Nr 5 ff.

richtigkeit nicht offensichtlich ist, werden hohe Anforderungen an die Beweislast des Antragstellers gestellt. Er muss nachweisen, dass nichts anderes beabsichtigt war als das, was er als Berichtigung vorschlägt.[202] Es genügt nicht, diese Absicht darzulegen, wenn sie nicht durch Äußerungen und Handlungen bewiesen werden kann.

37 Zeitliche Grenzen für den Berichtigungsantrag nach Satz 1

135 R 88 Satz 1 enthält keine zeitlichen Grenzen für den Berichtigungsantrag. Die Möglichkeit einer Berichtigung besteht aber nur in einem anhängigen Verfahren. Entsprechend besteht nach der Abgabe des Patenterteilungsbeschlusses an die interne Poststelle des EPA zur Zustellung an den Anmelder oder nach der Verkündung einer Entscheidung im mündlichen Verfahren keine Berichtigungsmöglichkeit mehr.[203] Berichtigungsanträge können jederzeit gestellt werden. Geht es jedoch um die Berichtigung von Unrichtigkeiten, auf die sich Dritte verlassen durften und durch deren Berichtigung die Rechtssicherheit beeinträchtigt würde, wie zB bei der Berichtigung von Prioritätsansprüchen, so muss der Berichtigungsantrag unverzüglich, zumindest aber so rechtzeitig gestellt werden, dass er bei der Veröffentlichung der europäischen Patentanmeldung berücksichtigt werden kann. Eine Ausnahme von dieser Regel ist zulässig, wenn aus der veröffentlichten Anmeldung unmittelbar ersichtlich ist, dass ein Fehler vorliegt.[204] Nach rechtskräftiger Erteilung ist ein Berichtigungsantrag an das EPA schon deshalb nicht mehr möglich, weil das Patent mit diesem Zeitpunkt in die Zuständigkeit der nationalen Patentämter fällt (Art 64 (1); siehe auch Art 64 Rdn 2–5).[205]

136 In J 3/81 über eine Euro-PCT-Anmeldung wurde grundsätzlich geklärt, dass die Berichtigung eines Versehens (Benennung eines weiteren Staats) im Interesse der Öffentlichkeit dann nicht mehr möglich ist, wenn der Antrag nicht so rechtzeitig gestellt wird, dass der Anmeldung in der veröffentlichten Form für Dritte ein Hinweis auf den Berichtigungsantrag beigefügt werden kann[206] (vgl auch Art 93 Rdn 12). Diese Rechtsprechung wird auch für rein europäische Anmeldungen bestätigt.[207] Die Benutzer des europäischen Patentsystems sollen sich grundsätzlich darauf verlassen können, dass nach der Veröffentlichung einer europäischen Patentanmeldung nicht mittels einer Berichtigung weitere Staaten benannt werden.[208]

---

202 **J 8/80**, ABl 1980, 293, Nr 6.
203 **G 12/91**, ABl 1994, 285.
204 PrüfRichtl A-V, 3.
205 **J 42/92** vom 29.2.1997; **T 777/97** vom 16.3.1998, Nr 3.
206 **J 3/81**, ABl 1982, 100.
207 **J 21/84**, ABl 1986, 75; vgl auch **J 7/90**, ABl 1993, 133.
208 **J 21/84**, ABl 1986, 75, Nr 5.

Änderungen **Artikel 123**

Wird die Benennung eines Vertragsstaats in einer Euro-PCT-Anmeldung vom EPA als gültige Benennung anerkannt, nicht jedoch vom PCT-Anmeldeamt und/oder dem Internationalen Büro, so liegt aus Sicht des EPA keine *Unrichtigkeit* in einer Unterlage vor, so dass nicht nach R 88 berichtigt werden kann.[209]

137

Der Widerruf der Zurücknahme einer europäischen Patentanmeldung ist nicht zulässig, nachdem diese Zurücknahme der Öffentlichkeit bereits durch eine Veröffentlichung im Europäischen Patentblatt mitgeteilt wurde.[210]

138

In **J 10/87** hatte der Antragsteller die Benennung eines Vertragsstaats irrtümlich zurückgenommen. Die Berichtigung dieses Irrtums, dh den Widerruf der Zurücknahme, die etwa 2 1/2 Monate nach der Veröffentlichung des Hinweises auf die Erteilung des europäischen Patents erfolgt war, ließ die Juristische Beschwerdekammer zu, weil

139

a) der Öffentlichkeit die Zurücknahme der Benennung des europäischen Patents noch nicht amtlich mitgeteilt worden war, als sie widerrufen wurde,
b) der Irrtum bei der Zurücknahme der Benennung entschuldbar war,
c) das Verfahren durch die Berichtigung nicht ungebührlich verzögert wurde und
d) Dritte (welche zB über eine Akteneinsicht von der Zurücknahme hätten erfahren können) ausreichend geschützt waren.[211]

Wegen des Schutzes Dritter verwies die Juristische Beschwerdekammer auf **J 12/80**, wonach die Rechte und Interessen Dritter in entsprechender Anwendung des Art 122 (6) durch die nationalen Gerichte geschützt werden können.[212]

140

Die zeitliche Beschränkung gilt auch für die Berichtigung von Prioritätsansprüchen[213] (siehe auch Rdn 152).

141

Die bisherige Rechtsprechung der Juristischen Beschwerdekammer zur Berichtigung von Mängeln gemäß R 88 bei Staatenbenennungen und Prioritätsbeanspruchungen zusammenfassend stellte **J 6/91** fest, dass der Berichtigungsantrag unverzüglich und, sofern keine besonderen Umstände vorliegen, so rechtzeitig gestellt werden muss, dass in der Veröffentlichung der Anmeldung ein entsprechender Hinweis aufgenommen werden kann.[214] Bei PCT-Anmeldungen tritt nach Art 158 (1) die internationale Veröffentlichung an die Stelle der Veröffentlichung im Europäischen Patentblatt. Wird kein Hinweis veröf-

142

---

209 **J 26/87**, ABl 1989, 329.
210 **J 15/86**, ABl 1988, 417; vgl auch **J 25/03** vom 27.4.2005; **J 14/04** vom 17.3.2005.
211 **J 10/87**, ABl 1989, 323.
212 **J 12/80**, ABl 1981, 143.
213 **J 3/82**, ABl 1983, 171; **J 4/82**, ABl 1982, 385.
214 **J 6/91**, ABl 1994, 349.

fentlicht, so ist zu prüfen, ob das Interesse der Öffentlichkeit verletzt wird, wenn die Berichtigung zugelassen wird.[215]

143 In der genannten Entscheidung ließ die Juristische Beschwerdekammer wegen der besonderen Umstände die Hinzufügung einer (ersten) Priorität zu, welche vier Tage vor der beanspruchten (zweiten) Priorität aus einer US-Continuation-in-part-Anmeldung lag, obwohl die Berichtigung erst nach der internationalen Veröffentlichung beantragt wurde.[216] J 7/94 bestätigte, dass die Hinzufügung einer Priorität ohne Hinweis in der Veröffentlichung der Anmeldung nur bei Vorliegen besonderer Umstände möglich ist; diese lagen jedoch in casu nicht vor.[217]

144 In Fortführung dieser Rechtsprechung hat die Juristische Beschwerdekammer die Hinzufügung einer versehentlich weggelassenen Priorität unter Hinweis auf einen früheren ähnlichen Fall[218] zugelassen, nachdem die europäische Patentanmeldung ohne entsprechenden Hinweis veröffentlicht worden war: Der Anmelder hatte die Öffentlichkeit durch eine diese Priorität beanspruchende, vorsorglich eingereichte zweite Anmeldung über den vollen Umfang des europäischen Schutzbegehrens informiert.[219]

145 In **J 11/89** wurde die Hinzufügung einer zweiten Priorität zugelassen, da der entsprechende Prioritätsbeleg eingereicht worden war und die Eingangsstelle, obwohl sie diese Unstimmigkeit bemerkt hatte, die Anmelderin nicht benachrichtigt hatte. Auch in diesem Fall war der Berichtigungsantrag erst nach der Veröffentlichung der europäischen Patentanmeldung ohne einen entsprechenden Hinweis erfolgt.[220]

146 In **J 3/91**[221] ging es erstmals nicht um die Berichtigung einer weggelassenen Prioritätserklärung, sondern um die Berichtigung von Angaben, die zu einer Prioritätserklärung gehören. Die Juristische Beschwerdekammer war der Meinung, dass eine Berichtigung dieser Angaben zumindest dann noch nach der Veröffentlichung der europäische Patentanmeldung zulässig sei, wenn die Unstimmigkeit aus der veröffentlichten europäischen Patentanmeldung selbst ohne weiteres ersichtlich ist; dies gelte auch dann, wenn dadurch der Prioritätstag um ein ganzes Jahr vorverlegt wird. Wegen der Offensichtlichkeit der Unstimmigkeit würden die Interessen Dritter nicht verletzt.

147 Auch in **J 2/92**[222] wurde eine Korrektur der Prioritätserklärung ohne Hinweis in der veröffentlichten Anmeldung zugelassen. Als Prioritätstag (US) war

---

215 **J 6/91**, ABl 1994, 359, Nr 2.5, mit Hinweis auf **J 14/82**, ABl 1983, 121.
216 **J 6/91**, ABl 1994, 349, Nr 5.1 ff.
217 **J 7/94**, ABl 1995, 817.
218 **J 7/94**, ABl 1995, 817.
219 **J 11/92**, ABl 1995, 25; vgl auch **T 972/93** vom 16.6.1994, Nr 2 (jjj).
220 **J 11/89** vom 26.10.1989.
221 **J 3/91**, ABl 1994, 365.
222 **J 2/92**, ABl 1994, 375.

ein Samstag angegeben, auf dem Prioritätsbeleg das korrekte Datum (Freitag). Infolge eines weiteren Schreibfehlers übermittelte das USPTO der WIPO ein falsches Prioritätsdokument. Die Juristische Beschwerdekammer ließ ausnahmsweise auch den Austausch des falschen Prioritätsbelegs durch den richtigen zu, da aus der Akte ersichtlich war, dass sich der richtige noch nicht darin befand (weitere Beispiele für die Berichtigung von Fehlern bei der Prioritätsbeanspruchung siehe Art 88 Rdn 7–18).

38 Beispiele für eine Berichtigung nach Satz 1

In mehreren Fällen wurde die Nichtbenennung eines Vertragsstaats nachträglich berichtigt.[223] Dabei war es gleichgültig, ob es sich um die Berichtigung einer falschen Benennung oder die Geltendmachung einer weiteren Benennung handelte. Nach der im Formblatt vorgesehenen Benennung aller Vertragsstaaten im Erteilungsantrag haben solche Berichtigungen heute nur noch geringe praktische Bedeutung. **148**

Die Berichtigung von Angaben über die Identität des Anmelders ist erstmals in **J 7/80**[224] zugelassen worden: Die Anmeldung war im Namen der niederländischen Niederlassung einer schwedischen Gesellschaft in schwedischer Sprache eingereicht worden. Die Tatsache, dass wegen der Benutzung der schwedischen Sprache der niederländischen Gesellschaft kein Anmeldetag hätte zuerkannt werden können, wurde als Indiz dafür angesehen, dass nach dem wirklichen Willen der Beteiligten die schwedische Gesellschaft Anmelderin sein sollte. Im Anschluss an diese Entscheidung hat die Juristische Beschwerdekammer bestätigt, dass eine Berichtigung durch Angabe eines neuen Anmeldernamens nach R 88 zulässig ist, wenn genügend Beweise zur Stützung des Berichtigungsantrags vorliegen[225] (vgl Art 59 Rdn 11). **149**

In **T 219/86**[226] wurde entschieden, dass das bewusste Verschweigen der Identität eines Einsprechenden nicht nach R 88 korrigierbar sei. Handelt es sich jedoch um ein echtes Versehen, dass die Identität des Einsprechenden innerhalb der Einspruchsfrist nicht richtig angegeben ist, so kann dieser Fehler noch nach Ablauf der Einspruchsfrist berichtigt werden (vgl Art 99 Rdn 12). Die spätere Rechtsprechung bestätigte die Zulässigkeit der Korrektur des Namens oder der Adresse des Einsprechenden, wenn dieser am Ende der Einspruchsfrist trotz der falschen Angaben in den Einspruchsunterlagen eindeutig zu identifizieren war.[227] **150**

---

[223] **J 8/80**, ABl 1980, 293; **J 4/80**, ABl 1980, 351; **J 12/80**, ABl 1981, 143.
[224] **J 7/80**, ABl 1981, 137.
[225] **J 18/93**, ABl 1997, 326; Rspr BK 2001, VII.A.3, S 460.
[226] **T 219/86**, ABl 1988, 254.
[227] **T 382/03** vom 20.7.2004, Nr 4.2 mwNachw.

Artikel 123 *Änderungen*

151 In **T 344/88**[228] ließ die Beschwerdekammer die Berichtigung der Einspruchsschrift zu: Aufgrund der genauen Angaben in der Einspruchsbegründung war erkennbar, dass die Nummer der Hauptentgegenhaltung unrichtig angegeben war.

152 In **J 3/82**[229] war wegen eines Versehens der Sekretärin in einer Neuschrift des Erteilungsantrags die Geltendmachung der nationalen Priorität unterlassen worden. Dem Antrag auf Berichtigung wurde stattgegeben, unter anderem weil er so früh gestellt worden war, dass die Veröffentlichung der europäischen Patentanmeldung noch innerhalb der in Art 93 (1) vorgesehenen 18-Monatsfrist nach dem Prioritätstag erfolgen konnte.

39 Berichtigung von Beschreibung, Patentansprüchen und Zeichnungen (Satz 2)

153 In diesen Fällen kann nach Satz 2 nur berichtigt werden, wenn die Berichtigung derart offensichtlich ist, dass sofort erkennbar ist, dass nichts anderes beabsichtigt sein konnte als das, was als Berichtigung vorgeschlagen wird. Es muss für den Fachmann offensichtlich sein, dass ein Fehler vorliegt, und es muss für ihn sofort erkennbar sein, welche Berichtigung vorzunehmen ist.[230] Das trifft dann nicht zu, wenn der Fehler in einer Auslassung besteht und der ausgelassene Sachverhalt zum Zeitpunkt des Berichtigungsantrags auch in den eingereichten Prioritätsunterlagen fehlt.[231] Eine Berichtigung nach Satz 2 kann nur bis zur Abgabe der Erteilungs- oder Zurückweisungsentscheidung an die interne Poststelle des EPA (im schriftlichen Verfahren) bzw bis zu deren Verkündung in der mündlichen Verhandlung berücksichtigt werden.[232] Weitere zeitliche Beschränkungen, wie sie bei Berichtigungen unter Satz 1 im Hinblick auf die Rechtssicherheit häufig diskutiert werden (Rdn 135 ff), drängen sich bei Berichtigungen nach Satz 2 weniger auf, da sich für Dritte bei solchen Berichtigungen kein Nachteil in Form eines anhand der veröffentlichten Anmeldung nicht abschätzbaren Patentschutzes ergeben sollte.

154 In **T 13/84** wurde festgestellt, dass R 88 keine Anwendung findet auf eine nicht offensichtliche Berichtigung eines Fehlers in der Beschreibung oder in den Ansprüchen, der auf eine falsche technische Berechnung zurückzuführen ist.[233]

155 In **T 3/88** wurde in einem in der Beschreibung aufgeführten Beispiel die Berichtigung des Schmelzbereichs *163–141°C* in *136–141C* zugelassen: Für den

---

228 **T 344/88** vom 16.5.1991.
229 **J 3/82**, ABl 1983, 171.
230 PrüfRichtl C-VI, 5.9.
231 **J 13/82**, ABl 1983, 12.
232 PrüfRichtl C-VI, 5.4.
233 **T 13/84**, ABl 1984, 428.

Fachmann war klar, dass es sich um einen Zahlendreher handelte, und die sich zwingend ergebende Korrektur dieses Fehlers war das, was der Antragsteller als Berichtigung vorgeschlagen hatte.[234]

Dagegen wurde die Berichtigung eines Grenzwerts in **T 158/89**[235] nicht zugelassen, da der Fachmann zwar auf das Vorhandensein eines Fehlers schließen konnte, sich ihm aber zwei gleichwertige Möglichkeiten als Berichtigung anboten. Es war daher nicht sofort ersichtlich, dass nur das beabsichtigt sein konnte, was als Berichtigung vorgeschlagen wurde. 156

In **T 723/02** ging es um die Korrektur von Zahlenwerten bezüglich einzelner Schichtdicken. Für den Fachmann war es offensichtlich, dass in einer Tabelle enthaltene Zahlenangaben widersprüchlich waren. Der Hauptantrag auf Korrektur wurde unter R 88 und Art 123 (2) nicht zugelassen, weil es für den Fachmann mehrere plausible Korrekturmöglichkeiten gab.[236] Als Maßstab für die zutreffende Berichtigung nach R 88 Satz 2 kommt ein Abwägen der Wahrscheinlichkeit ebenso wenig in Betracht wie eine Auswahl unter gleich plausiblen Möglichkeiten.[237] 157

Was der Fachmann den maßgebenden Unterlagen der europäischen Patentanmeldung am Anmeldetag entnehmen konnte, ist vor einer Berichtigung in tatsächlicher Hinsicht zu ermitteln. Weitere Unterlagen können nur insoweit herangezogen werden, als sie am Anmeldetag vorhandene allgemeine Fachwissen belegen, das mit jedem geeigneten Beweismittel nachgewiesen werden kann. Andere Unterlagen (Drittdokumente) dürfen selbst dann nicht für eine Berichtigung herbeigezogen werden, wenn sie zusammen mit der europäischen Patentanmeldung eingereicht worden sind. Dies gilt auch für die Prioritätsdokumente oder für die Zusammenfassung.[238] 158

Über die Beiziehung von Drittdokumenten bei der Berichtigung nach R 88 Satz 2 sind in der Praxis trotz der klar ablehnenden Haltung der Großen Beschwerdekammer in **G 3/89** und **G 11/91** wieder Zweifel entstanden in Fällen, in denen der Anmelder irrtümlich die *falschen* Anmeldungsunterlagen (Ansprüche, Beschreibung, Zeichnungen) zusammen mit dem *richtigen* Erteilungsantrag und den *richtigen* Prioritätsdokumenten eingereicht hatte.[239] 159

Diese Zweifel hat die Große Beschwerdekammer mit **G 2/95**[240] beseitigt und die in **G 3/89** und **G 11/91** niedergelegten Grundsätze bestätigt: Mit den Anmeldungsunterlagen wird der Inhalt der Anmeldung in der ursprünglich eingereichten Fassung festgelegt. Was nicht bei der Anmeldung als ihr Inhalt erkenn- 160

---

234 **T 3/88** vom 6.5.1988.
235 **T 158/89** vom 20.11.1990.
236 **T 723/02** vom 13.5.2005.
237 **T 581/91** vom 4.8.1993; vgl auch **T 881/02** vom 16.12.2004.
238 **G 3/89**, ABl 1993, 117, Nr 7; **G 11/91**, ABl 1993, 125, Nr 7.
239 Vgl **J 21/85**, ABl 1986, 117; **T 726/93**, ABl 1995, 478; **J 21/94**, ABl 1996, 16.
240 **G 2/95**, ABl 1996, 555.

bar ist und damit offenbart wird, kann auch nicht im Wege der Berichtigung nach R 88 hineinkommen. Eine Berichtigung ist daher nach R 88 nur insoweit zulässig, als der Inhalt der ursprünglichen Anmeldung nicht erweitert wird. Art 123 (2) zieht damit eine Grenze für Berichtigungen. Die vollständigen Unterlagen einer europäischen Patentanmeldung, also Beschreibung, Patentansprüche und Zeichnungen, können daher nicht im Wege der Berichtigung nach Regel 88 EPÜ durch andere Unterlagen, die der Anmelder mit seinem Erteilungsantrag hatte einreichen wollen, ersetzt werden.[241]

161 Da die Berichtigung nach R 88 Satz 2 nicht zu einer Erweiterung der Anmeldung in der ursprünglich eingereichten Fassung führen darf, genügt es nicht, dass ein Fehler in der Anmeldung ersichtlich ist, vielmehr muss nach R 88 Satz 2 auch eindeutig erkennbar sein, was in Wahrheit gewollt war. Sind der Anmeldung versehentlich falsche Unterlagen beigefügt worden, so ist zwar allenfalls erkennbar, dass ein Fehler vorliegt, der Inhalt der irrtümlich nicht beigefügten Unterlagen ist aber nicht offenbart.

40 Nachreichen und Korrigieren von Zeichnungen (R 43 und R 88)

162 Nach R 43 kann das Einreichen von Zeichnungen nach dem Anmeldetag zur Folge haben, dass der Anmeldetag neu auf den Tag der Einreichung der Zeichnungen festgelegt wird.[242] Zum Verhältnis zwischen R 43 und R 88 Satz 2 befand die Juristische Beschwerdekammer in **J 1/82**,[243] dass beim Nachreichen einer vollständigen Figur R 43 als lex specialis anwendbar sei, dass aber das Fehlen bloß eines Teils einer Zeichnung nach R 88 Satz 2 berichtigt werden könne.[244] Nach **G 3/89**[245] und **G 2/95**[246] darf die nachgereichte zusätzliche Zeichnung der ursprünglichen Offenbarung aber nichts hinzufügen (vgl auch Art 91 Rdn 29).

163 Unabhängig von R 43 ist also auch beim Nachreichen von Zeichnungen R 88 Satz 2 zusammen mit Art 123 (2) unter den allgemeinen Voraussetzungen anwendbar. Beantragt der Anmelder, fehlende Zeichnungen im Weg der Berichtigung nach R 88 Satz 2 einzufügen, so ist über den Berichtigungsantrag zu entscheiden, bevor eine Mitteilung nach R 43 ergeht.[247]

---

241 **G 2/95**, ABl 1996, 555, LS II.
242 Vgl PrüfRichtl A-III, 10.
243 **J 1/82**, ABl 1982, 293.
244 Anders **J 4/85**, ABl 1986, 205 und **J 33/89**, ABl 1991, 288.
245 **G 3/89**, ABl 1993, 117.
246 **G 2/95**, ABl 1996, 555.
247 PrüfRichtl A-III, 10.

41 Wirkung der Berichtigung

Die Beschwerdekammern sind in ständiger Rechtsprechung von der Rückwirkung der Berichtigung auf den Zeitpunkt der ursprünglichen Anmeldung ausgegangen.[248] In **G 3/89** und **G 11/91** setzt sich die Große Beschwerdekammer mit dieser Rechtsprechung auseinander und kommt zum Ergebnis, dass die Berichtigung nach R 88 Satz 2 rein feststellenden Charakter hat. Die Berichtigung kann nur zum Ausdruck bringen, was der Fachmann der Anmeldung bereits am Anmeldetag entnehmen konnte, und lässt den Inhalt der europäischen Patentanmeldung in der ursprünglich eingereichten Fassung unberührt.[249] Von einer Rückwirkung kann daher nicht gesprochen werden. Auch im Zusammenhang mit Änderungen unter R 88 Satz 1 wird gelegentlich von Rückwirkung gesprochen. Die Juristische Beschwerdekammer hat dazu festgehalten, dass eine Berichtigung lediglich bewirke, dass das korrigierte Dokument so behandelt wird, als wäre es schon am Anmeldetag in der korrigierten Fassung eingereicht worden. Die Berichtigung hat dagegen keinen Einfluss auf Entscheidungen, welche allenfalls aufgrund des noch nicht korrigierten Dokuments ergangen sind.[250]

164

42 Berichtigung von Fehlern bei fehlerhaftem Druck der europäischen Patentschrift

Die dem Erteilungsbeschluss (Art 97 (2)) zugrunde liegende Fassung des europäischen Patents ist maßgebend für die Wirkung des Patents und für die Prüfung, ob im Einspruchsverfahren eine unzulässige Erweiterung des Schutzbereichs vorgenommen wurde. Fehler, die bei der Drucklegung der europäischen Patentschrift entstanden sind und die im Text, der dem Erteilungsbeschluss zugrunde lag, nicht enthalten sind, können daher jederzeit vom Amt richtiggestellt werden[251] (vgl auch Art 98 Rdn 9 f). Falls nötig, veröffentlicht das EPA die Berichtigung durch einen Hinweis im Europäischen Patentblatt und die Herausgabe eines Korrigendums bzw. einer neuen Patentschrift oder eines neuen Titelblatts (B8- bzw B9-Publikation).[252]

165

---

248 **J 4/85**, ABl 1986, 205; **T 219/86**, ABl 1988, 254; **T 200/89**, ABl 1992, 46.
249 **G 3/89**, ABl 1993, 117; **G 11/91**, ABl 1993, 125.
250 **J 3/01** vom 17.6.2002, Nr 7, 10.
251 Rechtsauskunft Nr 17/90, ABl 1990, 260; Regel 51 (11).
252 Rechtsauskunft Nr 17/90, ABl 1990, 260, Nr 5; ABl 2001, 117.

G Berichtigung von Fehlern in Entscheidungen (R 89)

43 Allgemeines zu R 89

166 Wie in den meisten Rechtssystemen wird auch im EPÜ die Berichtigung von Entscheidungen zugelassen. Dies gilt für Fehler in Entscheidungen der 1. und der 2. Instanz.

44 Einzelheiten der Berichtigung

167 Zugelassen ist nach dem Wortlaut von R 89 nur die Berichtigung von sprachlichen Fehlern, Schreibfehlern und offenbaren Unrichtigkeiten. Die Berichtigung einer Entscheidung unter R 89 ist nur zulässig, wenn der Wortlaut der Entscheidung offensichtlich von dem vom betreffenden Organ Gewollten abweicht.[253]

168 Sachliche Fehler können nicht im Wege der Berichtigung nach R 89 beseitigt werden. Eine Entscheidung kann von der Stelle, die sie erlassen hat, auch nicht aufgehoben werden.[254] Wenn es sich um eine Entscheidung der ersten Instanz handelt, käme für eine sachliche Korrektur eine Beschwerde nach Art 106 in Betracht, sofern eine Beschwer nach Art 107 gegeben ist, dh die Entscheidung vom Antrag des Anmelders abweicht. Wird zB nach der Verkündung einer Entscheidung und vor der Zustellung ihrer schriftlichen Begründung festgestellt, dass die Grundlage für die Entscheidung unrichtig war (weil etwa ein rechtzeitig eingereichtes Schriftstück im Amt fehlgeleitet wurde), so liegt ein sachlicher Fehler vor.

169 Die Berichtigung erfolgt von Amts wegen oder auf Antrag.[255] Für die Berichtigung von Fehlern in einer Entscheidung nach R 89 ist die Stelle zuständig, die die Entscheidung gefasst hat. Weist eine Prüfungsabteilung einen solchen Antrag ab, kann gegen diese Abweisung Beschwerde vor einer Technischen Beschwerdekammer geführt werden.[256]

170 Eine Berichtigung nach R 89 wirkt auf den Zeitpunkt der Entscheidung zurück.[257] Allerdings dürfte es auch hier geboten sein, von einem rein feststellenden Charakter der Berichtigung und damit nicht von einer Rückwirkung zu sprechen (siehe Rdn 164).[258]

---

253 PrüfRichtl E-X, 10.
254 **T 212/88**, ABl 1992, 28.
255 **T 150/89** vom 29.4.1991.
256 **G 8/95**, ABl 1996, 481.
257 **T 212/88**, ABl 1992, 28.
258 Vgl **G 3/89**, ABl 1993, 117; **G 11/91**, ABl 1993, 125.

Artikel 124 Angaben über nationale Patentanmeldungen

(1) Die Prüfungsabteilung oder die Beschwerdekammer kann den Anmelder auffordern, innerhalb einer von ihr zu bestimmenden Frist die Staaten anzugeben, in denen er nationale Patentanmeldungen für die Erfindung oder einen Teil der Erfindung, die Gegenstand der europäischen Patentanmeldung ist, eingereicht hat, und die Aktenzeichen der genannten Anmeldungen mitzuteilen.

(2) Unterlässt es der Anmelder, auf eine Aufforderung nach Absatz 1 rechtzeitig zu antworten, so gilt die europäische Patentanmeldung als zurückgenommen.

Margarete Singer

Übersicht
1	Allgemeines	1
2	Gegenstand der Auskunftsverpflichtung	2
3	Verfahrensrechtliche Beschränkung der Auskunftsverpflichtung	3
4	Sachlicher Umfang der Auskunftsverpflichtung	4-5
5	Unterlassen der Auskunft	6-9
6	Rechtzeitigkeit der Antwort	10-12

1 Allgemeines

Diese Vorschrift gibt dem EPA das Recht, vom Anmelder zu verlangen, die Staaten anzugeben, in denen er entsprechende nationale Patentanmeldungen eingereicht hat, sowie die Aktenzeichen dieser Anmeldungen. Das EPA kann so Informationen über das Ergebnis der Prüfung paralleler nationaler Patentanmeldungen erhalten und das europäische Patenterteilungsverfahren rationalisieren. 1

In der Praxis des EPA hat die Bestimmung nie Bedeutung erlangt. Die Prüfungsabteilungen verfügen aufgrund der europäischen Recherche meist über das für die Prüfung erforderliche Material. Falls die Prüfungsabteilungen sich ausnahmsweise für das Schicksal von Parallelanmeldungen in den Vertragsstaaten oder anderen Staaten interessieren, ermöglicht die weltweite Speicherung der Daten nationaler und internationaler Patentanmeldungen einen leichten und unmittelbaren Zugriff.

EPÜ 2000

Der Anwendungsbereich wird dahin erweitert, dass alle Instanzen und nicht nur die Prüfungsabteilungen und Beschwerdekammern zu Auskünften auffordern können. Die Einzelheiten und die Rechtsfolgen werden in die AO übernommen.

Artikel 124 *Angaben über nationale Patentanmeldungen*

2 Gegenstand der Auskunftsverpflichtung

2 Die Auskunftspflicht bezieht sich auf alle Anmeldungen, die die gleiche Erfindung oder einen Teil davon betreffen, unabhängig davon, ob es sich um Voranmeldungen (deren Priorität beansprucht ist oder nicht), um gleichzeitige oder auch um spätere nationale, europäische oder internationale Anmeldungen handelt, die vor dem Auskunftsersuchen eingereicht worden sind. Bei dieser Verpflichtung spielt es keine Rolle, ob die Anmeldungen in oder für Vertragsstaaten des EPÜ eingereicht worden sind oder in anderen Ländern und Kontinenten (siehe jedoch Art 140 Rdn 5).

3 Verfahrensrechtliche Beschränkung der Auskunftsverpflichtung

3 Die Verpflichtung beschränkt sich auf das Anmeldeverfahren und im Rahmen des Anmeldeverfahrens auf das Verfahren vor den Prüfungsabteilungen und den Beschwerdekammern (bei Beschwerden gegen Entscheidungen der Prüfungsabteilungen). Sie gilt also nicht im Verfahren vor der Eingangsstelle, den Recherchenabteilungen, der Rechtsabteilung und den Einspruchsabteilungen. Dies ergibt sich eindeutig durch die Beschränkung der Anwendung dieser Bestimmung auf zwei Organe und auf den Anmelder.

4 Sachlicher Umfang der Auskunftsverpflichtung

4 Die Auskunftsverpflichtung beschränkt sich sachlich auf die Angabe der Staaten, in denen solche Anmeldungen eingereicht worden sind, und zusätzlich nur auf die Mitteilung der Aktenzeichen der in diesen Staaten eingereichten Anmeldungen. Aus der Formulierung der Bestimmung dürfte sich klar ergeben, dass der Anmelder nicht aufgefordert werden darf, auch künftig eingereichte Anmeldungen anzugeben. Es kann von ihm auch nicht verlangt werden, dem EPA Bescheide und Entscheidungen der zuständigen Patentämter und Gerichte zu übersenden.

5 Ist das EPA an weiteren Informationen über die Behandlung solcher Anmeldungen interessiert, so kann es sich, soweit es sich um Anmeldungen im Rahmen der Vertragsstaaten des EPÜ handelt, gemäß Art 130 (1) an die Patentämter dieser Staaten wenden. Soweit es sich um Patentanmeldungen und Patente im Rahmen anderer nationaler Patentämter, bestimmter zwischenstaatlicher Organisationen oder anderer Organisationen handelt, ist eine Unterrichtungsmöglichkeit im Rahmen des Art 130 (2) vorgesehen.

5 Unterlassen der Auskunft

6 Nach Art 124 (2) gilt die europäische Patentanmeldung als zurückgenommen, wenn es der Anmelder unterlässt, auf eine Aufforderung rechtzeitig zu antworten; diese Wirkung tritt automatisch ein. Das EPÜ verwendet die gleiche Formulierung, wenn ein Anmelder oder Beschwerdeführer zu einer Stellungnah-

me aufgefordert wird (Art 96 (2), (3) für die Anmeldung und Art 110 (2), (3) für Beschwerden betreffend Anmeldungen).

Aus der Formulierung des Abs 1, dass der Anmelder aufgefordert werden kann, die Staaten anzugeben, in denen er einschlägige nationale Patentanmeldungen eingereicht hat, ergibt sich nicht eindeutig, ob er auch dem Amt mitzuteilen hat, dass er keine weiteren Anmeldungen eingereicht hat. Die Klärung dieser Frage ist aber wegen der in Abs 2 vorgesehenen Fiktion wichtig, dass die Anmeldung als zurückgenommen gilt.

Die Verwendung des Verbs *antworten* in Abs 2 deutet darauf hin, dass auf jeden Fall eine Antwort erwartet wird. Das würde aber bedeuten, dass der Rechtsverlust auch dann eintritt, wenn der Anmelder auf die Aufforderung nicht antwortet, weil er tatsächlich keine weiteren Anmeldungen eingereicht hat. Eine solche Folgerung würde jedoch zu einem offensichtlich sinnwidrigen und unvernünftigen Ergebnis führen. Denn die harte Sanktion soll nur den treffen, der vorhandene weitere Anmeldungen und deren Aktenzeichen verschweigt, nicht jedoch den, der keine solche Anmeldungen hat und dies nicht mitteilt.

Diese Bestimmung ist daher in dem Sinne auszulegen, dass der Rechtsverlust nur dann eintritt, wenn dem EPA trotz Aufforderung die weiteren Anmeldungen und deren Aktenzeichen nicht mitgeteilt worden sind.

6 Rechtzeitigkeit der Antwort

Der Anmelder wird zur Mitteilung von der Prüfungsabteilung oder der Beschwerdekammer nach Abs 1 innerhalb einer von ihr zu bestimmenden Frist aufgefordert. Üblicherweise und in Übereinstimmung mit Art 120 und R 84 betragen diese Fristen gewöhnlich zwischen zwei und vier Monaten. Die Fiktion der Rücknahme tritt mit der Fristversäumung automatisch (Rdn 6–9) ein; sie bedarf keiner ausdrücklichen Feststellung.

Das EPA hat einen solchen Rechtsverlust dem Anmelder jedoch nach R 69 (1) mitzuteilen. Der Anmelder kann nach R 69 (2) diese Feststellung mit einer beschwerdefähigen Entscheidung überprüfen lassen.

Hat der Anmelder jedoch die Frist tatsächlich versäumt, so kann er die Fristversäumung im Wege der Weiterbehandlung (Art 121) oder der Wiedereinsetzung (Art 122) heilen. Gegen Entscheidungen über beide Anträge ist das Rechtsmittel der Beschwerde gegeben.

Artikel 125 Heranziehung allgemeiner Grundsätze

Soweit dieses Übereinkommen Vorschriften über das Verfahren nicht enthält, berücksichtigt das Europäische Patentamt die in den Vertragsstaaten im Allgemeinen anerkannten Grundsätze des Verfahrensrechts.

Artikel 125   Heranziehung allgemeiner Grundsätze

Dieter Stauder

Übersicht

1	Allgemeines	1
2	Beschränkung auf Verfahrensvorschriften	2
3	Fehlende Verfahrensvorschriften (Lücken)	3-4
4	Berücksichtigung der Grundsätze durch das EPA	5
5	Anwendungsfälle und nicht im EPÜ geregelte Verfahrensgrundsätze	6-23
6	Vertrauensgrundsatz	24-42

1 Allgemeines

1   Diese Vorschrift soll Lücken schließen, die sich bei der Anwendung der verfahrensrechtlichen Bestimmungen des EPÜ zeigen. Auch die nationalen Patentgesetze enthalten nicht alle für das nationale Verfahren erforderlichen Vorschriften. Vielmehr werden in den Vertragsstaaten ergänzend zivilprozessuale und verwaltungsrechtliche Vorschriften herangezogen.

Da das EPÜ unabhängiges internationales Recht enthält, seine Herkunft aber in den Rechtssystemen der Vertragsstaaten hat, kann das EPA Lücken im Verfahrensrecht unter Berücksichtigung der in den Vertragsstaaten allgemein anerkannten Grundsätze schließen.

2 Beschränkung auf Verfahrensvorschriften

2   Die Vorschrift gilt nur für das Verfahren. Ihr Anwendungsbereich erstreckt sich nicht auf das materielle Recht. Diese Beschränkung auf Grundsätze des Verfahrensrechts wird ausdrücklich in **J 15/86** bestätigt.[1] Allerdings gehören viele Grundsätze sowohl dem materiellen Recht wie auch dem Verfahrensrecht an.

3 Fehlende Verfahrensvorschriften (Lücken)

3   Art 125 ist eine Generalklausel, mit deren Hilfe die Organe des EPA und besonders die Beschwerdekammern und die Große Beschwerdekammer Lücken im Verfahrensrecht des EPÜ schließen. Darüber hinaus entwickelt die Rechtsprechung aus Einzelregelungen des EPÜ allgemeine Verfahrensgrundsätze, die einer verbesserten Auslegung des Übereinkommens dienen. Eine Abgrenzung zwischen Lückenfüllung durch Rückgriff auf allgemein anerkannte Verfahrensgrundsätze der Vertragsstaaten und Rechtsfortentwicklung aufgrund Auslegung des EPÜ ist im einzelnen schwierig. Das zeigt sich in der Praxis der Beschwerdekammern, die einmal Art 125 unter vollem Rückgriff auf eine rechtsvergleichende Analyse der Rechtsgrundsätze der Vertragsstaaten anwen-

---

1   **J 15/86**, ABl 1988, 417, Nr 11.

den, zum anderen ohne vertiefenden Rückgriff dieser Art Verfahrensgrundsätze entwickeln.

Regelt das EPÜ einen Sachverhalt eindeutig, so ist kein Raum für den Rückgriff auf Art 125.² 4

4 Berücksichtigung der Grundsätze durch das EPA

Vorab stellt sich bei Anwendung der Vorschrift die Frage, ob ein in den Vertragsstaaten allgemein anerkannter Grundsatz für die Schließung einer Lücke im EPÜ geeignet ist. Die Bezugnahme auf die **Grundsätze** bedeutet, dass Besonderheiten der nationalen Verfahrensausgestaltung nicht berücksichtigt zu werden brauchen. Dabei sind die unterschiedlichen Aufgaben des internationalen EPÜ gegenüber nationalen Regelungen in Betracht zu ziehen. 5

Die allgemeine Anerkennung eines gemeinsamen Grundsatzes muss nicht für alle Vertragsstaaten nachgewiesen werden. Entscheidend sind die Bedeutung und Überzeugungskraft des Grundsatzes für seine Anwendung im europäischen Verfahren.

5 Anwendungsfälle und nicht im EPÜ geregelte Verfahrensgrundsätze

Im Verlauf des langjährigen Bestehen des EPA haben die Beschwerdekammern und die Große Beschwerdekammer in ihrer Rechtsprechung die tragenden Verfahrensprinzipien des EPÜ entwickelt und eine Vielzahl von Einzelfragen damit gelöst. So stehen heute das Prinzip des zweiseitigen Verfahrens, die Grenzen der Amtsmaxime und der Verfügungsgrundsatz fest. Aus ihnen hat die Rechtsprechung Folgerungen für die Auslegung der Verfahrensvorschriften in den verschiedenen Verfahrensabschnitten des EPÜ abgeleitet. 6

Das Gesamtverfahren wird vom Vertrauensgrundsatz beherrscht, der wegen der Vielfalt seiner Auswirkungen unter Rdn 24–43 gesondert behandelt wird.

Im Folgenden wird versucht, einen Überblick über die Fälle zu geben, in denen Art 125 aufgrund Rechtsvergleichung angewendet wurde.³ 7

a) Verkürzung einer Frist im Eilfall: **J 14/91**, siehe Art 164 Rdn 5).⁴ 8
b) Zum Prinzip der res judicata: **T 167/93**, siehe Art 111 Rdn 25.⁵ 9

---

2   Zur Frage, ob eine Lücke vorliegt, siehe zB **J 6/86**, ABl 1988, 124, Nr 6; **T 47/88**, ABl 1990, 35, Nr 10; **T 789/89**, ABl 1994, 482, Nr 2.3; **J 14/90**, ABl 1992, 505, Nr 1.2; **J 5/91**, ABl 1993, 657, Nr 5.3–5.5; **J 14/91**, ABl 1993, 479, Nr 2.3; **T 167/93**, ABl 1997, 229, Nr 2.1 und 2.2; **T 590/93**, ABl 1995, 337, Nr 2.
3   Zusammengestellt nach Eskil Waage, L'application de principes généraux de procédure en droit européen des brevets, 1999, in Französisch und Englisch.
4   **J 14/91**, ABl 1993, 479.
5   **T 167/93**, ABl 1997, 229, Nr 2.3–2.5.

Artikel 125   *Heranziehung allgemeiner Grundsätze*

10 c) Zur Bindungswirkung des Beschwerdeantrags und zur reformatio in peius: **T 60/91** und **T 96/92**, Vorlage zu **G 9/92**, siehe Art 107 Rdn 43 ff.[6]

11 d) Zum Grundsatz der Unparteilichkeit: **T 261/88**, Vorlage zu **G 5/91**, siehe Art 24 Rdn 7–10); vgl auch **J 11/94**, Vorlage zu **G 2/94**, siehe Art 134 Rdn 23.[7]

12 e) Zum Wiederaufnahmeverfahren: ablehnende Entscheidung **G 1/97**;[8] nunmehr durch **EPÜ 2000** geregelt: Antrag auf Überprüfung durch die Große Beschwerdekammer.

13 f) Zum Einspruch durch einen Strohmann; **T 301/95** zum Nachweis der Eigenschaft als Strohmann,[9] Vorlage zu **G 3/97**;[10] siehe auch Art 99 Rdn 8–11.

14 g) Zum Recht auf Zurücknahme der Beschwerde: **T 789/89**;[11] vgl allgemein Art 108 Rdn 32–40.

15 h) Zum Recht eines Kandidaten auf Einsichtnahme in seine Examensakte: **D 2/80** und **D 5/82**.[12]

16 i) Zur Nichtigkeit des Examensverfahrens wegen schweren Verfahrensfehlers: **D 5/82**.[13]

17 j) Zur Freiheit der Wahl zwischen mehreren Angriffs- oder Verteidigungszügen: **T 465/92**.[14]

18 k) Zur Amtsermittlung durch die Eingangsstelle: **J 20/85**.[15]

19 l) Gebot der Kooperation: (seit **T 84/82**)[16] und Verbot missbräuchlichen Verhaltens der Parteien (zB **T 830/91**; **T 907/91**).[17]

20 m) Zum fairen Verfahren und rechtlichen Gehör: **T 669/90**.[18]

---

[6] **T 60/91** und **T 96/92**, ABl 1993, 551, Nr 8, Vorlage zu **G 9/92**, ABl 1994, 875, Nr 1.

[7] **T 261/88**, ABl 1992, 627, Nr II, Vorlage zu **G 5/91**, ABl 1992, 617 (siehe Art 24 Rdn 7–10); vgl auch **J 11/94**, ABl 1995, 596, Nr 1.4.2, Vorlage zu **G 2/94**, ABl 1996, 401, Nr 5 und 7 (siehe Art 134 Rdn 23).

[8] **J 3/95**, ABl 1997, 493, Nr 9.1, Vorlage zu **G 1/97**, ABl 2000, 322.

[9] **T 301/95**, ABl 1997, 519, Nr 6.2.

[10] **G 3/97**, ABl 1999, 245.

[11] **T 789/89**, ABl 1994, 482, Nr 2.3.

[12] **D 2/80**, ABl 1982, 192, Nr 2; **D 5/82**, ABl 1983, 175, Nr 7.

[13] **D 5/82**, ABl 1983, 175, Nr 7.

[14] **T 465/92**, ABl 1996, 32, Nr 9.3.

[15] **J 20/85**, ABl 1987, 102, Nr 4a; siehe Art 117 Rdn 19.

[16] **T 84/82**, ABl 1983, 451, Nr 6 und 7.

[17] **T 830/91**, ABl 1994, 184, Nr 7.2; **T 907/91** vom 8.10.1993.

[18] **T 669/90**, ABl 1992, 739, Nr 2.3 und 2.4.

Heranziehung allgemeiner Grundsätze **Artikel 125**

n) Zu den gleichen Verfahrensrechten der Beteiligten: **G 1/86; T 190/90; T 73/88; T 210/89; T 887/93; T 682/89**.[19]

o) Zum effektiven Rechtsschutz: Rückverweisung zur Erhaltung einer weiteren Instanz (zB **G 9/91; G 1/94**) oder eigene Entscheidung der Beschwerdekammer, um das Verfahren beschleunigt abzuschließen.[20]

Das EPÜ enthält keine Bestimmungen über die Auslegung von Erklärungen. Die Juristische Beschwerdekammer befasste sich in den 80er Jahren wiederholt mit der Erklärung der Zurücknahme von europäischen Patentanmeldungen, ohne auf Grundsätze nationalen Rechts zurückzugreifen. Eine Erklärung ist im Zusammenhang mit dem gesamten Schreiben und unter Berücksichtigung der Begleitumstände auszulegen.[21] **T 910/92** zur Auslegung einer Verzichtserklärung für Ansprüche;[22] zur Rücknahme der europäischen Patentanmeldung siehe Art 67 Rdn 24–26 und Art 93 Rdn 3–6, zum »Verzicht auf das europäische Patent« im Einspruchsverfahren siehe Art 101 Rdn 65 und 66).

6 Vertrauensgrundsatz

Zwischen dem EPA und seinen Benutzern besteht ein Vertrauensverhältnis, das nicht durch Maßnahmen des EPA verletzt werden darf.[23] Die Große Beschwerdekammer betont hier, dass der Vertrauensschutz zu den wichtigsten Rechtsgrundsätzen gehört. Er ist im Recht der Europäischen Gemeinschaften fest verankert und wird von den Vertragsstaaten und der Rechtsprechung der Beschwerdekammern allgemein anerkannt.

Der Vertrauensschutz entfaltet seine Wirkung in erster Linie zwischen dem Anmelder und dem EPA; nach der genannten Entscheidung sind jedoch alle Beteiligten in das Vertrauensverhältnis einbezogen.

Es gilt der tragende Grundsatz der Anmelderfreundlichkeit.[24]

a) **Vertrauen auf Auskünfte und Akte des EPA**: Gibt das EPA eine falsche Auskunft, so werden ihre Auswirkungen nach dem Vertrauensgrundsatz so korrigiert, dass die für den Anmelder negativen Folgen als nicht eingetreten an-

---

19 **G 1/86**, ABl 1987, 447, Nr 5 und 11–14; **T 190/90** vom 16.1.1992, Nr 8.2; **T 73/88**, ABl 1992, 557, Nr 1.2; **T 210/89**, ABl 1991, 433, Nr 5 und 6; **T 887/93** vom 24.7.1996; **T 682/89** vom 17.8.1993, Nr 2.5.
20 **G 9/91**, ABl 1993, 408, Nr 18; **G 1/94**, ABl 1994, 787, Nr 13.
21 **J 11/80**, ABl 1981, 141, Nr 4–6; **J 6/86**, ABl 1988, 124, Nr 4; **J 7/87**, ABl 1988, 422, Nr 6; **J 11/87**, ABl 1988, 367, Nr 3; **J 15/86**, ABl 1988, 417, Nr 3–8 und 11: keine Anwendung der deutschen zivilrechtlichen Irrtumsregeln; **T 1/88** vom 26.1.1989, Nr 1.1.2.
22 **T 910/92** vom 17.5.1995, Nr 2.
23 **G 5/88, G 7/88, G 8/88**, ABl 1991, 137, Nr 3.2; modifizierend fortgeführt in **G 2/97**, ABl 1999, 123.
24 Singer, Das Neue Europäische Patentsystem, S 788.

gesehen werden: In **J 2/87** wurden die Zurückweisung der Anmeldung und die ihr zugrundeliegende falsche Verfahrensmitteilung für nichtig und wirkungslos erklärt;[25] die Beschwerdekammer versetzte damit das Anmeldeverfahren in den Zustand zurück, in dem es vor der falschen Mitteilung war, so dass der Anmelder nun seine Anmeldung sachgerecht zu Ende führen konnte. In **J xx/87** wurde die aufgrund falscher Auskunft des EPA verspätete Zahlung der Jahresgebühr als rechtzeitig angesehen.[26] In **J 6/79** wurde eine falsche Auskunft als wesentlicher Verfahrensmangel behandelt.[27]

28 Benutzer des EPA durften auf die Gültigkeit einer Verwaltungsvereinbarung zwischen dem EPA und dem DPMA über den rechtzeitigen Eingang von Schriftstücken vertrauen, auch wenn der Präsident des EPA zum Abschluss nicht befugt war.[28] Nach **T 485/89** wird der gute Glaube an die Gültigkeit auch dann geschützt, wenn das Schriftstück in Telekopie an das DPMA in München geschickt worden ist, obwohl diese Möglichkeit nicht ausdrücklich in der Vereinbarung vorgesehen ist.[29]

29 Der Vertrauensschutz wirkt sich auch aus, wenn das EPA seine Rechtsprechung ändert. Nachdem die Große Beschwerdekammer mit **G 3/91** die bis dahin ständige Rechtsprechung der Beschwerdekammern zugunsten der PCT-Anmelder bei der Anwendung des Art 122 (5) verworfen hatte,[30] bestätigte sie mit **G 5/93**, ABl 1994, 447 den Grundsatz des Vertrauensschutzes für PCT-Anmelder, sofern diese im Vertrauen auf die bisherige Praxis die Wiedereinsetzung beantragt hatten,[31] bevor die Entscheidung **G 3/91** veröffentlicht worden war. Die Änderung der Rechtsprechung, dass der Einspruch des Patentinhabers gegen sein eigenes europäisches Patent nicht zulässig ist, greift nicht rückwirkend in schwebende Verfahren ein, sondern gilt nur für Einsprüche ab Bekanntmachung der Entscheidung der Großen Beschwerdekammer **G 9/93**.[32]

30 Das berechtigte Vertrauen der Beteiligten gegenüber dem EPA gründet sich nicht nur auf Auskünfte und Erklärungen des EPA im Rahmen eines bestimmten Verfahrens und auf die amtlichen Mitteilungen; es kann auch aus dem allgemeinen Verhalten oder der ständigen Verwaltungspraxis des EPA herrühren, das sich zB aus den PrüfRichtl ergibt.[33] Allerdings geht es nicht an, dass die Beteiligten unter Berufung auf Treu und Glauben eine großzügige Praxis des EPA noch zu erweitern versuchen. Wenn das EPA keine künftige Verschärfung

---

25 **J 2/87**, ABl 1988, 330.
26 **J xx/87** vom 17.8.1987, ABl 1988, 323; Nr 3.13, 3.14.
27 **J 6/79**, ABl 1980, 225, Nr 8.
28 **G 5/88, G 7/88, G 8/88**, ABl 1991, 137, Nr 3.2; siehe Art 10 Rdn 5.
29 **T 485/89**, ABl 1993, 214, Nr 5.
30 **G 3/91**, ABl 1993, 8.
31 **G 5/93**, ABl 1994, 447.
32 **G 9/93**, ABl 1994, 891, Nr 6.1.
33 **G 2/93**, ABl 1995, 275, Nr 14; **T 905/90**, ABl 1994, 306, Nr 5.

ankündigt, berechtigt das nicht zu der Annahme, eine liberale Praxis ließe sich noch flexibler oder großzügiger handhaben.³⁴

b) **Missverständliche Mitteilungen**: Bescheide müssen so klar abgefaßt sein, dass Missverständnisse bei einem vernünftigen Adressaten ausgeschlossen sind.³⁵ Wenn die Einspruchsabteilung dem Patentinhaber Entgegenhaltungen zur Kenntnis übersendet, darf sie nicht erwarten, dass er eine Stellungnahme einreicht.³⁶ Missversteht ein Beteiligter einen mehrdeutigen Bescheid, darf ihm daraus kein Nachteil erwachsen.³⁷ Von zwei möglichen Auslegungen ist die vorzuziehen, die zu einem vernünftigen Ergebnis führt, nicht die mit einer absurden Folge.³⁸

Aufforderungen müssen besonders dann klar und eindeutig abgefasst sein, wenn ihre Nichtbefolgung zu Rechtsnachteilen führt.³⁹ Das EPA ist wegen seines mehrsprachigen Verfahrens zu einer klaren und möglichst einfachen Ausdrucksweise verpflichtet, zumal nicht für alle Anmelder eine der Verfahrenssprachen auch die Muttersprache ist.

c) **Widersprüchliches Verhalten**: Verhält sich das EPA im Verfahren widersprüchlich, so darf das nicht zu Lasten der Benutzer gehen. Hier geht es um die Fälle des *venire contra factum proprium*. Hat zB die Prüfungsabteilung durch »implizite Billigung des Standpunkts des Anmelders ... beim Anmelder die berechtigte Erwartung« geweckt, dass gegen die Einreichung einer Teilanmeldung keine Einwände erhoben würden, darf das EPA später nicht seinem eigenen früheren Verhalten zuwiderhandeln.⁴⁰ Das kann sogar so weit gehen, dass das EPA an eine in Aussicht gestellte Behandlung der Anmeldung (ua Zuerkennung eines späteren Anmeldetags) gebunden ist.⁴¹

d) **Freiwillige Serviceleistungen des EPA**: In bestimmten Situationen kann sich der Anmelder auf ein Verhalten des EPA verlassen, das nicht ausdrücklich in den Verfahrensbestimmungen vorgesehen ist.⁴² Nach **J 1/89** erfasst der Vertrauensschutz auch die vom EPA freiwillig erbrachten Serviceleistungen.⁴³ Es gibt zwar kein allgemeines Vertrauen auf die Erbringung solcher Leistungen, insbesondere keinen Anspruch darauf; werden sie aber erbracht, so darf sich der Benutzer auf ihre Richtigkeit und Vollständigkeit verlassen. Der Anmelder kann zB nicht darauf vertrauen, dass das EPA ihn im Anschluss an die Fälligkeit

---

34 **T 905/90**, ABl 1994, 306, Nr 7.
35 **J 13/84**, ABl 1985, 34, Nr 6; **J 2/87**, ABl 1988, 330, Nr 9.
36 **T 669/92**, ABl 1994, 739.
37 **J 3/87**, ABl 1989, 3.
38 **J 30/89** vom 14.12.1989.
39 **J 13/84**, ABl 1985, 34.
40 **J 27/94**, ABl 1995, 831, Nr 9.
41 **J 5/89** vom 9.6.1989.
42 **J 10/84**, ABl 1985, 71.
43 **J 1/89**, ABl 1992, 17.

der Jahresgebühr auf die Nachfrist für die Zahlung hinweist; erhält er aber einen solchen Hinweis, so kann er ihm vertrauen, und die aufgrund eines missverständlichen Hinweises zu spät entrichtete Jahresgebühr gilt als rechtzeitig bezahlt.[44]

35 Die Rechtsprechung der Beschwerdekammern erweist sich nach J 27/92 als ein gut ausgebautes Schutzinstrument für den Benutzer und besonders den Anmelder.[45] Im zitierten Fall war der Anmelder in einem Telefongespräch von der Informationsstelle des EPA falsch unterrichtet worden. Die Beschwerdekammer entschied, dass sich der gutgläubige Vertreter auf eine unrichtige und irreführende Auskunft des EPA verlassen darf. Die Tatsache nur mündlicher Mitteilung ist unerheblich, es bedarf keiner schriftlichen Mitteilung. Beweis wurde in diesem Fall durch eine dritte Person erbracht, die das Gespräch mit angehört hatte. Gerät der Anmelder in einem solchen Fall durch das spätere Verhalten des EPA in Beweisnot, darf ihm dies nicht zum Nachteil gereichen.

36 Dieser sehr hoch gesteckte Vertrauensschutz bedarf einer Begrenzung unter dem Gesichtspunkt, dass von den Beteiligten und besonders von den zugelassenen Vertretern Kenntnis der einschlägigen EPÜ-Bestimmungen erwartet werden darf, selbst wenn sie kompliziert sind.[46] Das EPA darf nicht mit einer Verantwortung belastet werden, die grundsätzlich die Vertreter der Verfahrensbeteiligten zu tragen haben. Hat allerdings das EPA eine objektiv irreführende Auskunft gegeben und damit einen Beteiligten zu einer Handlung mit für ihn negativen Folgen verleitet, so werden nach bisheriger Rechtsprechung die negativen Folgen als nicht eingetreten angesehen.

37 e) **Pflicht zur Unterrichtung:** Wenn es auch keinen Vertrauensschutz auf eine freiwillige Serviceleistung gibt (siehe oben unter d)), so kann doch der Vertrauensschutz das EPA dazu verpflichten, einen Betroffenen auf einen leicht behebbaren Fehler, der zu einem Rechtsverlust führen könnte, aufmerksam zu machen. Voraussetzung ist dabei immer, dass der Mangel für das EPA leicht erkennbar ist und der Benutzer ihn noch rechtzeitig beseitigen und damit den drohenden Rechtsverlust vermeiden kann.[47] Eine solche Verpflichtung besteht aber im Rahmen dessen, dass der Beteiligte selbst die Verantwortung in seinem Zuständigkeitsbereich trägt.[48]

38 Die 18 Tage vor Ablauf der Zahlungsfrist entrichtete Prüfungsgebühr war versehentlich zu niedrig und hätte leicht noch rechtzeitig vollständig gezahlt werden können.[49] Die Beschwerdekammer befand, dass die Eingangsstelle den

---

44 J 1/89, ABl 1992, 17; J 12/84, ABl 1985, 108; J 34/92 vom 23.8.1994.
45 J 27/92, ABl 1995, 288.
46 J 27/92, ABl 1995, 288, Nr 3.2.
47 J 13/90, ABl 1994, 456, Nr 6.
48 T 161/96, ABl 1999, 331, Nr 6.
49 J 15/90 vom 28.11.1994.

Anmelder auf den Fehlbetrag hätte aufmerksam machen müssen, und sah nach Eingang der Restsumme die Zahlung der gesamten Gebühr als rechtzeitig an.

In **J 11/89** war eine spätere Priorität versehentlich nicht mit geltend gemacht worden, obwohl alle für beide Prioritäten notwendigen Unterlagen dem Erteilungsantrag beigefügt waren.[50] Der Anmelder bemerkte den Irrtum erst bei der Veröffentlichung der europäischen Patentanmeldung. Da die Eingangsstelle ihn frühzeitig erkannt, den Anmelder aber nicht darauf hingewiesen hatte und auch sonst nichts zur Klärung unternommen hatte, berichtigte die Beschwerdekammer die Anmeldung und nahm die spätere Priorität mit auf. Das Interesse der Allgemeinheit an der Zuverlässigkeit der veröffentlichten Daten schien ihr nicht so stark berührt, da die frühere Priorität in der Veröffentlichung enthalten war. 39

Der Wiedereinsetzungsantrag in **T 14/89** hatte – für das EPA sofort erkennbar – leicht behebbare Mängel, deren Beseitigung noch innerhalb der Wiedereinsetzungsfrist hätte erwartet werden können.[51] Die Beschwerdekammer holte den hier geboten gewesenen Hinweis nach und gewährte nach Behebung der Mängel Wiedereinsetzung. Aus dieser Entscheidung ist kein allgemein gültiger Grundsatz zu entnehmen.[52] 40

Nach dem Sachverhalt, der zu **G 2/97** führte, war rechtzeitig Beschwerde eingelegt, die Beschwerdegebühr aber nicht rechtzeitig gezahlt worden.[53] Der Beschwerdeführer hätte noch rechtzeitig darauf hingewiesen werden können. Die Große Beschwerdekammer betont die Eigenverantwortung der am Verfahren Beteiligten für ihren eigenen Zuständigkeitsbereich. Ist ein drohendes versehentliches Säumnis weder der Beschwerde noch einem auf die Beschwerde bezüglichen Dokument zu entnehmen, so besteht jedenfalls keine Hinweispflicht der Kammer.[54] Dabei ist auch an den Grundsatz der Unparteilichkeit zu denken.[55] 41

Bei der Beurteilung der Sachlage, ob Mängel noch rechtzeitig behoben werden können, muss das EPA die Schnelligkeit moderner Kommunikationsmittel in Betracht ziehen.[56] 42

---

50   **J 11/89** vom 26.10.1989.
51   **T 14/89**, ABl 1990, 432.
52   **G 2/97**, ABl 1999, 123, Nr 3.4 am Ende.
53   **G 2/97**, ABl 1999, 123 (Vorlageentscheidung war **T 742/96**, ABl 1997, 533).
54   LS und besonders Nr 4.2; vgl weiter **T 690/93** vom 11.10.1994; für das Einspruchsverfahren **T 161/96**, ABl 1999, 331, Nr 6.
55   **T 690/93** vom 11.10.1994, Nr 3.5.
56   **J 13/90**, ABl 1994, 456.

Artikel 126 Beendigung von Zahlungsverpflichtungen

(1) Ansprüche der Organisation auf Zahlung von Gebühren an das Europäische Patentamt erlöschen nach vier Jahren nach Ablauf des Kalenderjahrs, in dem die Gebühr fällig geworden ist.

(2) Ansprüche gegen die Organisation auf Rückerstattung von Gebühren oder von Geldbeträgen, die bei der Entrichtung einer Gebühr zu viel gezahlt worden sind, durch das Europäische Patentamt erlöschen nach vier Jahren nach Ablauf des Kalenderjahrs, in dem der Anspruch entstanden ist.

(3) Die in den Absätzen 1 und 2 vorgesehene Frist wird im Fall des Absatzes 1 durch eine Aufforderung zur Zahlung der Gebühr und im Fall des Absatzes 2 durch eine schriftliche Geltendmachung des Anspruchs unterbrochen. Diese Frist beginnt mit der Unterbrechung erneut zu laufen und endet spätestens sechs Jahre nach Ablauf des Jahres, in dem sie ursprünglich zu laufen begonnen hat, es sei denn, dass der Anspruch gerichtlich geltend gemacht worden ist; in diesem Fall endet die Frist frühestens ein Jahr nach der Rechtskraft der Entscheidung.

Margarete Singer

Übersicht

1	Allgemeines	1
2	Die Ansprüche auf Zahlung von Gebühren an das EPA	2-6
3	Erlöschen dieser Zahlungsansprüche	7
4	Rechtliche Bedeutung des Erlöschens	8
5	Ansprüche gegen die Europäische Patentorganisation auf Rückzahlung	9
6	Unterbrechung der Frist bei Ansprüchen der EPO	10
7	Zuständigkeit bei Ansprüchen der EPO	11-13
8	Unterbrechung der Frist bei Geltendmachung von Ansprüchen gegen die EPO	14-16
9	Verzicht auf Beitreibung	17-18

1 Allgemeines

1 Diese Vorschrift regelt das Erlöschen von Zahlungsansprüchen der EPO und gegenüber der EPO. Dabei handelt es sich um Ansprüche auf Zahlung und auf Rückerstattung von Gebühren und zu viel gezahlten Geldbeträgen. Der Artikel bestimmt ferner, unter welchen Voraussetzungen die Frist für das Erlöschen unterbrochen werden kann.

Ähnliche nationale Bestimmungen finden sich gewöhnlich nicht in den nationalen Patentgesetzen, sondern häufig in Gesetzen allgemeiner Art, zB in den §§ 194 ff des deutschen BGB. Bei einem Vergleich der nationalen Bestimmungen mit denen des EPÜ ist jedoch darauf zu achten, inwieweit das EPÜ von einer anderen rechtlichen Konstruktion als nationale Gesetze ausgeht. Die rechtliche Konstruktion ist in Art 126 vorgesehenen Erlöschens eines Anspruchs dürfte sich beträchtlich von verschiedenen nationalen Rechten unterscheiden, nach denen der Anspruch zwar weiterbesteht, aber nach Ablauf einer bestimmten Frist nicht mehr geltend gemacht werden kann.

Zweck dieser Bestimmung ist es, den Rechtsfrieden zu wahren. Werden Rechte lange Zeit nicht ausgeübt, so können sich für den in Anspruch Genommenen aufgrund des Zeitablaufs Beweisschwierigkeiten ergeben, die bei frühzeitiger Inanspruchnahme des Rechts nicht aufgetreten wären.

EPÜ 2000

Der Artikel wird gestrichen und sinngemäß in die GebO überführt.

2 Die Ansprüche auf Zahlung von Gebühren an das EPA

Art 126 (2) sieht vor, dass Ansprüche der Europäischen Patentorganisation auf Zahlung von Gebühren an das EPA nach Ablauf von vier Jahren erlöschen. 2

Nach Art 1 GebO sind *Gebühren* im Sinne dieser Bestimmung sowohl die Gebühren, die nach dem EPÜ und seiner AO im Verlauf des Patenterteilungsverfahrens zu zahlen sind und in Art 2 GebO im einzelnen aufgeschlüsselt sind als auch die Gebühren, die der Präsident des EPA nach Art 3 (1) GebO für sonstige Amtshandlungen festsetzt. 3

Die in Art 3 (2) GebO erwähnten Verkaufspreise für Veröffentlichungen des EPA haben dagegen nicht unmittelbar mit dem europäischen Patenterteilungsverfahren zu tun. Es erscheint daher geboten, diese Verkaufspreise nicht in den Begriff *Gebühren* des EPA einzubeziehen. Sie fallen damit nicht unter die Regelung des Art 126. 4

Auf die Zahlung der meisten dieser Gebühren hat das EPA keinen Anspruch. Es steht völlig im Belieben des Beteiligten, die Gebühr zu zahlen oder nicht. Tut er das nicht, so erlangen bestimmte von ihm vorgenommene Handlungen keine Wirkung (zB der Prüfungsantrag nach Art 94 (2) Satz 2, der Einspruch nach Art 99 (1) Satz 3, die Beschwerde nach Art 108 Satz 2), oder bei nicht rechtzeitiger Entrichtung einer Gebühr gilt die europäische Patentanmeldung als zurückgenommen, zB wenn die Anmeldegebühr oder die Recherchengebühr nicht rechtzeitig entrichtet worden ist (Art 90 (3)). 5

Nur in wenigen Fällen entsteht ein Anspruch des EPA auf die Zahlung einer *fälligen Gebühr*, dh einer Gebühr, die dem EPA geschuldet wird. Dies ist zB der Fall, wenn nach R 36 (4) ein am europäischen Patenterteilungsverfahren Beteiligter seine Eingaben nicht in der vorgeschriebenen Stückzahl einreicht (zB im Einspruchsverfahren nach R 61a). 6

3 Erlöschen dieser Zahlungsansprüche

7 Nach Art 126 (1) erlöschen solche Ansprüche nach vier Jahren mit Ablauf des Kalenderjahrs, in dem die Gebühr fällig geworden ist. Die Frist beginnt also nicht mit der Fälligkeit der Gebühr, sondern erst mit dem Beginn des folgenden Kalenderjahres und endet vier Jahre später am 31.12. Angesichts dieser klaren Regelung bedarf es nicht der Anwendung von R 83.

4 Rechtliche Bedeutung des Erlöschens

8 Art 126 (1) bestimmt, dass die Zahlungsansprüche nach Ablauf der Frist *erlöschen (shall be extinguished, le droit ... se prescrit)*.

Ein ähnliches Institut aus dem deutschen Recht ist das der Verjährung nach §§ 194 ff BGB. Allerdings unterscheiden sich beide Regelungen beträchtlich. Die Verjährung gibt nach § 222 BGB dem Verpflichteten das Recht, die Leistung zu verweigern. Aber nach § 222 (2) BGB kann das zur Befriedigung eines verjährten Anspruchs Geleistete nicht zurückgefordert werden, auch wenn die Leistung in Unkenntnis der Verjährung bewirkt worden ist.

Wenn jedoch der Anspruch nach Art 126 (1) erloschen ist, dürfte eine nach dem Erlöschen gezahlte Gebühr zurückzuzahlen sein.

5 Ansprüche gegen die Europäische Patentorganisation auf Rückzahlung

9 Auch Ansprüche gegen die EPO erlöschen nach vier Jahren. Zur Berechnung der 4-Jahresfrist siehe unter Rdn 7.

Es handelt sich hier zB um die Rückzahlung von Gebühren oder Teilbeträgen von Gebühren, die zu Unrecht entrichtet worden sind, zB wenn objektiv kein Rechtsgrund für deren Zahlung vorlag. Dies ist etwa der Fall, wenn zum Zeitpunkt der Gebührenzahlung die Einzahlung der Gebühr zur Stellung eines Antrags auf Wiedereinsetzung in den vorigen Stand notwendig erschien, sich später aber herausstellte, dass kein Rechtsverlust eingetreten war.

Ein anderer Fall ist der, dass ein Beschwerdeverfahren über die Frage anhängig ist, ob eine europäische Patentanmeldung wegen nicht rechtzeitiger Zahlung von Gebühren als zurückgenommen gilt oder nicht. Werden während des Beschwerdeverfahrens fällig werdende Jahresgebühren nach Art 86 entrichtet, so sind diese zurückzuerstatten, wenn rechtskräftig festgestellt wird, dass die europäische Patentanmeldung vor der Fälligkeit der entrichteten Jahresgebühr als zurückgenommen gilt.

Ein weiterer Fall der Rückzahlung ist der, dass nach R 67 die Rückzahlung der Beschwerdegebühr angeordnet wird.

6 Unterbrechung der Frist bei Ansprüchen der EPO

10 Nach Art 126 (3) Satz 1 wird die 4-Jahresfrist durch eine schriftliche Aufforderung zur Zahlung der Gebühr unterbrochen. Diese Aufforderung ist an den

Schuldner zu richten. Wenn auch nicht ausdrücklich festgelegt ist, dass diese Ansprüche schriftlich geltend gemacht werden müssen, so ergibt sich dieses Erfordernis doch aus dem Grundsatz der Schriftlichkeit des Verfahrens vor dem EPA.

Da die Frist nur unterbrochen werden kann, solange sie läuft, muss die Zahlungsaufforderung dem Schuldner oder seinem Vertreter vor dem Erlöschen des Anspruchs zugehen. Nach Art 126 (3) Satz 2 beginnt die Frist im Falle der Unterbrechung erneut zu laufen. Wird also der Schuldner im Jahr nach der Fälligkeit der Schuld zur Zahlung aufgefordert, so beginnt die 4-Jahresfrist erneut nach dem 31.12. des betreffenden Jahres zu laufen. Allerdings endet die Frist nach Abs 3 Satz 2 spätestens nach Ablauf von 6 Jahren, gerechnet seit dem Beginn der ersten 4-Jahresfrist.

7 Zuständigkeit bei Ansprüchen der EPO

Davon, welche Stelle des EPA für die Geltendmachung eines Anspruchs auf Zahlung einer Gebühr zuständig ist, hängt auch die Beantwortung der Frage ab, welche Instanz im Falle von Meinungsverschiedenheiten angerufen werden kann. Zuerst ist zu klären, in welchem Verfahren die Gebühr fällig wird. Handelt es sich zB um die Kosten, die ein Beteiligter am Einspruchsverfahren zu tragen hat, weil er es trotz Aufforderung versäumt hat, fehlende Stücke seiner Eingaben einzureichen, so dürfte die Einspruchsabteilung für die Aufforderung zur Zahlung zuständig sein. Bestreitet der Beteiligte seine Verpflichtung, so kann er eine Entscheidung der Einspruchsabteilung verlangen und dagegen nach Art 106 Beschwerde einlegen, über die nach Art 21 (4) eine Technische Beschwerdekammer zu entscheiden hat. **11**

Ist das Einspruchsverfahren rechtskräftig erledigt, so könnte unter Umständen die Einspruchsabteilung auch noch später eine entsprechende Entscheidung treffen, da es sich um eine mit dem Einspruchsverfahren zusammenhängende Frage handelt. **12**

Ist jedoch ein größerer zeitlicher Abstand zwischen dem Entstehen der Forderung und der Beendigung der Zuständigkeit des EPA im Verfahren festzustellen, so dürfte die EPO, vertreten durch den Präsidenten des EPA (Art 5), für die Geltendmachung des Anspruchs zuständig sein, und zwar bereits hinsichtlich der Feststellung des Anspruchs. **13**

8 Unterbrechung der Frist bei Geltendmachung von Ansprüchen gegen die EPO

Die Frist für die Geltendmachung dieser Ansprüche (siehe unter Rdn 9) wird nach Art 126 (3) Satz 1 durch eine schriftliche Geltendmachung des Anspruchs unterbrochen. Ob die Geltendmachung gegenüber einem bestimmten Organ oder gegenüber dem EPA erfolgt, dürfte gleichgültig sein, da Schuldner das EPA bzw die EPO ist. Auch in diesem Fall sprechen grundsätzliche Überle- **14**

Artikel 126 *Beendigung von Zahlungsverpflichtungen*

gungen dafür, dass der Anspruch vor seinem tatsächlichen Erlöschen geltend gemacht werden muss. Ob das EPA an diesem Tag tatsächlich geöffnet ist (R 85 (1)), würde keine entscheidende Rolle spielen; entscheidend wäre nur die Frage des tatsächlichen Zugangs, zB über den Nachtbriefkasten des EPA oder nach R 36 (5).

15 Adressat des Gläubigers ist hier das EPA; für die gegenüber dem EPA einzuhaltenden Fristen sieht Art 120 iVm R 83 ff eine ins einzelne gehende Regelung vor. Danach könnte die mit dem 31.12. ablaufende Frist auf den nächstfolgenden Tag, an dem das Amt zur Entgegennahme von Schriftstücken geöffnet ist, nach R 85 verlängert sein. Diese Frage kann praktische Bedeutung haben, da nach den bisherigen Mitteilungen des Präsidenten des EPA der 31.12. ein Tag ist, an dem das EPA nicht geöffnet ist.

16 Wird eine Aufforderung auf Rückerstattung von Gebühren vom EPA abgelehnt und weist ein in Art 106 (1) aufgeführtes Organ eine solche Rückerstattung zurück, so dürfte das Rechtsmittel der Beschwerde gegeben sein. Weist der Präsident des EPA einen solchen Anspruch zurück oder verweigert er die Zahlung, so bleibt nur eine Klage nach Art 9 gegen die EPO, vertreten durch den Präsidenten des EPA.

9 Verzicht auf Beitreibung

17 Steht die Zahlungsverpflichtung eines Schuldners gegenüber dem EPA nach Meinung des EPA fest, so fragt sich, ob das EPA den geschuldeten Betrag mit den ihm zur Verfügung stehenden Mitteln beitreiben muss. In Betracht kommen Klagen und Zwangsvollstreckungsmaßnahmen, die über nationale Gerichte abzuwickeln wären.

18 R 91 gibt dem Präsidenten des EPA das Recht, davon abzusehen, geschuldete Geldbeträge beizutreiben, wenn der beizutreibende Betrag geringfügig oder die Beitreibung zu ungewiss ist. Diese Bestimmung erscheint zweckmäßig, um den Präsidenten nicht zu verpflichten, in jedem Fall ausstehender Beträge die rechtlich möglichen Maßnahmen zu ergreifen, sondern es seinem Ermessen zu überlassen, ob ihm ein solches Vorgehen angebracht erscheint.

Kapitel II Unterrichtung der Öffentlichkeit und Behörden

Artikel 127 Europäisches Patentregister

Das Europäische Patentamt führt ein Patentregister mit der Bezeichnung europäisches Patentregister, in dem alle Angaben vermerkt werden, deren Eintragung in diesem Übereinkommen vorgeschrieben ist. Vor der Veröffentlichung der europäischen Patentanmeldung erfolgt keine Eintragung in das Patentregister. Jedermann kann in das Patentregister Einsicht nehmen.

Lise Dybdahl-Müller/Margarete Singer

Übersicht
1	Allgemeines	1
2	Europäisches Patentregister	2-3
3	Inhalt des europäischen Patentregisters	4-7
4	Sprache der Eintragungen	8
5	Zuständigkeit	9-10
6	Zugang zum europäischen Patentregister	11-15
7	Europäisches Patentblatt	16
8	EPIDOS Patentinformationsprodukte	17-19

1 Allgemeines

Wie jedes nationale Patentamt führt auch das EPA ein Patentregister mit wichtigen Eintragungen über die bei ihm eingereichten Patentanmeldungen und die daraufhin erteilten Patente. Dieses Patentregister dient der Information interessierter Dritter und ist ein Hilfsmittel bei der Verwendung der Patentdokumentation. Art 127 wird ergänzt durch R 92, die festlegt, welche Angaben in das europäische Patentregister eingetragen werden müssen.

2 Europäisches Patentregister

Das vom EPA geführte Register trägt die Bezeichnung *europäisches Patentregister*. Es ist in Form einer Datenbank aufgebaut; es besteht also nicht aus verschiedenen Büchern oder Karteien.

Das europäische Patentregister ist nur der Teil der EDV des EPA, der der Öffentlichkeit zugänglich ist. In der EDV-Anlage des EPA sind noch zahlreiche weitere Angaben über jede europäische Patentanmeldung und den jeweiligen Stand des Verfahrens gespeichert, die nicht Teil des Patentregisters sind, sondern für interne Zwecke des EPA verwendet werden. Ein Teil dieser internen Daten ist in den verschiedenen EPIDOS Informationsprodukten (European Patentinformation and Documentation Systems) enthalten, auf die gesondert zugegriffen werden kann, siehe Rdn 17–19.

3 Inhalt des europäischen Patentregisters

4 Im europäischen Patentregister werden alle Angaben vermerkt, die im EPÜ einschließlich der AO vorgeschrieben sind. R 92 (Eintragungen in das europäische Patentregister) enthält die wichtigsten in das Register einzutragenden Angaben. Diese erstrecken sich von Nummer und Anmeldetag der europäischen Patentanmeldung, Bezeichnung der Erfindung, Angabe der Klassifikation, Angabe der Anmelder, der Erfinder und der Vertreter über den Veröffentlichungstag der Anmeldung bis zu den Angaben über die Erteilung des europäischen Patents sowie die Durchführung und den Abschluss des Einspruchs- und Beschwerdeverfahrens. Anträge, abgezielt auf Überprüfung einer rechtskräftigen Beschwerdekammerentscheidung, werden nicht in das Register eingetragen.[1]

5 Nach R 92 (2) kann der Präsident des EPA die Eintragung weiterer Angaben vorschreiben.[2]

6 Angaben über die Erstreckung von europäischen Patenten auf Staaten, die der EPO nicht angehören (siehe Art 79 Rdn 37–42 und Art 169 Rdn 3–6), sind seit April 1997 ebenfalls im Patentregister enthalten.[3] Diese Angaben ergaben sich bis dahin nur aus dem EPIDOS Informationsregister (siehe Rdn 17–19).

7 Nach Art 127 Satz 2 erfolgen vor der Veröffentlichung der europäischen Patentanmeldung keine Eintragungen in das Patentregister. Auch die bereits gespeicherten Angaben werden, soweit ihre Eintragung in das Register vorgeschrieben ist, erst mit der Veröffentlichung der Anmeldung der Öffentlichkeit zugänglich gemacht.

4 Sprache der Eintragungen

8 Die Eintragungen in das europäische Patentregister erfolgen in den drei Amtssprachen (Art 14 (9) Satz 1). Widersprechen sich die Eintragungen in den verschiedenen Amtssprachen, so sind die Angaben in der Verfahrenssprache maßgebend (Art 14 (9) Satz 2).

5 Zuständigkeit

9 Für die Entscheidungen über die Eintragungen und Löschungen ist die Rechtsabteilung zuständig (Art 20 (1)). Nach Art 20 (2) muss ein rechtskundiges Mitglied die Entscheidungen treffen.

---

1 **G 1/97**, ABl 2000, 322, Leitsatz IV.
2 Siehe hierzu Mitteilungen des Präsidenten vom 14.10.1983, 22.1.1986 und 30.7.1986 über die Eintragung bestimmter Angaben in das europäische Patentregister, ABl 1983, 458; ABl 1986, 61 und 327.
3 Mitteilung des EPA vom 23.1.1997, ABl 1997, 115.

Wird gleichzeitig mit der Eintragung eines Rechtsübergangs einer Anmel- 10
dung die Wiederherstellung der als zurückgenommen fingierten Anmeldung
im Wege der Wiedereinsetzung betrieben, so ist für die Entscheidung über die
Wiedereinsetzung nicht die Rechtsabteilung zuständig, sondern das Organ, das
die Rücknahmefiktion festgestellt hat;[4] siehe auch Art 20 Rdn 7.

6 Zugang zum europäischen Patentregister

Art 127 Satz 3 schreibt vor, dass jedermann das Patentregister einsehen kann. 11
Ein begründetes Interesse braucht also nicht nachgewiesen zu werden. Die
Einsicht kann auf verschiedene Weise geschehen. In der Mitteilung des EPA
über den Zugang zu den im Patentregister eingetragenen Angaben sind die einzelnen Möglichkeiten der Einsichtnahme aufgezählt:[5]

– Man kann persönlich das Register einsehen bei den Auskunftsstellen des 12
  EPA in München, Den Haag, Berlin (seit 1.7.1989) und Wien (seit 1992).[6]
  Seit dem 1.3.1995 ist hierfür 1 DEM, seit dem 2.3.1999 0,50 EUR Gebühr
  je Registerzugriff zu entrichten;[7] zZt sind drei Anfragen am Tag gebühren-
  frei.
– Auch die telefonische Anfrage bei allen Auskunftsstellen ist möglich. Hier 13
  gilt das Gleiche wie bei der persönlichen Nachfrage.
– Für einen gedruckten Auszug aus dem Register, den man schriftlich bean- 14
  tragen kann, sind Verwaltungsgebühren zu entrichten (R 92 (3)).[8]
– Schließlich ist die Einsicht in das Patentregister durch Direktzugriff online 15
  möglich. Der Zugriff online zu den Daten ist mehrfach erweitert worden.[9]
  Auf diesem Weg erhält man zum eigentlichen Registerauszug automatisch
  die in epoline® (ab 1.7.2005 im Register Plus) gespeicherten Daten (siehe
  Rdn 17–19).

7 Europäisches Patentblatt

Nach Art 129 a) können die Eintragungen im europäischen Patentregister auch 16
im Europäischen Patentblatt verfolgt werden, allerdings erst eine gewisse Zeit
nach ihrer Eingabe ins Register (siehe Art 129 Rdn 2).

---

4 **J 10/93**, ABl 1997, 91.
5 ABl 1987, 197.
6 ABl 1992, 183.
7 Beschluss des Präsidenten vom 15.12.1994, ABl 1995, 91; Beschluss des Verwaltungsrats vom 10.12.1998, ABl 1999, 9; letztes Gebührenverzeichnis, Beilage zum
   ABl 8-9/2005, Abschn 3 und EPIDOS Preisliste Nr 17.
8 Gebührenverzeichnis, in der ab 1.7.2005 geltenden Fassung der Beilage zum ABl 8-
   9/2005, Abschn 2.1, Nr 5.
9 Siehe ABl 1996, 226; ABl 1997, 381 und 576; ABl 1998, 95; ABl 2001, 249; ABl 2003,
   23 und 69; ABl 2005, 326.

8 EPIDOS Patentinformationsprodukte

17 Zusätzliche Verfahrensdaten zu europäischen Patentanmeldungen und europäischen Patenten sowie zu Euro-PCT-Anmeldungen sind heute in epoline® enthalten, früher im EPIDOS Informationsregister

18 Diese Daten werden im Anschluss an das offizielle Patentregister in einem gesonderten Abschnitt unter der Bezeichnung epoline®, online European Patent Register festgehalten. Sie sind nicht Bestandteil des Patentregisters und werden daher auch nicht im europäischen Patentblatt (Art 129 a)) veröffentlicht. Auf eine Online-Anfrage für eine bestimmte Anmeldung werden die EPIDOS-Daten zusätzlich zum Patentregisterinhalt automatisch mit übermittelt. Das Informationsangebot im einzelnen ergibt sich aus der Mitteilung des EPA über das kostenlose Abonnement der Online-Dienste des EPA[10] sowie dem Benutzerhandbuch für den Zugriff auf das europäische Patentregister online (Abschnitt V, Nr 2), das unentgeltlich bei der Dienststelle Wien des EPA erhältlich ist.[11] Die Gebühr wird pro Anfrage berechnet (Benutzerhandbuch Abschnitt VIII, S 38 f).

19 Die Daten für eine etwaige Erstreckung eines europäischen Patents auf bestimmte osteuropäische Länder (siehe Art 79 Rdn 37 und Art 169 Rdn 3–6) sind im Patentregister enthalten, siehe Rdn 3–6.

Artikel 128 Akteneinsicht

(1) Einsicht in die Akten europäischer Patentanmeldungen, die noch nicht veröffentlicht worden sind, wird nur mit Zustimmung des Anmelders gewährt.

(2) Wer nachweist, dass der Anmelder sich ihm gegenüber auf seine europäische Patentanmeldung berufen hat, kann vor der Veröffentlichung dieser Anmeldung und ohne Zustimmung des Anmelders Akteneinsicht verlangen.

(3) Nach der Veröffentlichung einer europäischen Teilanmeldung oder einer nach Artikel 61 Absatz 1 eingereichten neuen europäischen Patentanmeldung kann jedermann Einsicht in die Akten der früheren Anmeldung ungeachtet deren Veröffentlichung und ohne Zustimmung des Anmelders verlangen.

(4) Nach der Veröffentlichung der europäischen Patentanmeldung wird vorbehaltlich der in der Ausführungsordnung vorgeschriebenen Beschränkungen auf Antrag Einsicht in die Akten der europäischen Patentanmeldung und des darauf erteilten europäischen Patents gewährt.

---

10 ABl 1995, 235.
11 Siehe auch ABl 1996, 226 sowie ABl 1997, 381 und 576.

(5) Das Europäische Patentamt kann folgende Angaben bereits vor der Veröffentlichung der europäischen Patentanmeldung Dritten gegenüber machen oder veröffentlichen:
a) Nummer der europäischen Patentanmeldung;
b) Anmeldetag der europäischen Patentanmeldung und, wenn die Priorität einer früheren Anmeldung in Anspruch genommen worden ist, Tag, Staat und Aktenzeichen der früheren Anmeldung;
c) Name des Anmelders;
d) Bezeichnung der Erfindung;
e) die benannten Vertragsstaaten.

Lise Dybdahl-Müller/Margarete Singer

Übersicht

1	Allgemeines	1-2
2	Einsicht in noch nicht veröffentlichte europäische Patentanmeldungen	3-5
3	Berufung auf noch nicht veröffentlichte europäische Patentanmeldungen	6-12
4	Einsicht in die Akten nicht veröffentlichter Stammanmeldungen in besonderen Fällen	13-16
5	Akteneinsicht nach Veröffentlichung der europäischen Patentanmeldung	17-21
6	Ausnahmen von der Einsicht in die Akten veröffentlichter europäischer Patentanmeldungen	22-25
7	Durchführung der Akteneinsicht	26-29
8	Auskunft aus den Akten	30
9	Aufbewahrung der Akten	31-33
10	Veröffentlichung einzelner Angaben vor der Veröffentlichung der europäischen Patentanmeldung	34-35

1 Allgemeines

In die Akten von veröffentlichten europäischen Patentanmeldungen wird grundsätzlich Einsicht gewährt. Dies geschieht, ohne dass ein rechtliches Interesse an dieser Einsichtnahme dargelegt werden muss.

Einzelheiten der Akteneinsicht sind in R 93–95 und 98 geregelt.[1]

---

[1] Siehe auch den Beschluss des Präsidenten vom 3.9.1999, ABl 1999, 633.

2 Das EPA hat begonnen, das elektronische Aktensystem PHOENIX zur Aktenanlage, -führung und -aufbewahrung sowie zur Akteneinsicht schrittweise zu implementieren und zu nutzen.[2]

2 Einsicht in noch nicht veröffentlichte europäische Patentanmeldungen

3 In europäische Patentanmeldungen, die noch nicht veröffentlicht sind, wird nach Abs 1 grundsätzlich keine Akteneinsicht gewährt.[3] Dies entspricht der Regelung, dass nach Art 127 auch das allgemein zugängliche europäische Patentregister Eintragungen erst nach der Veröffentlichung der europäischen Patentanmeldung enthält.

Das generelle Verbot der Einsicht in nicht veröffentlichte europäische Patentanmeldungen ist notwendig, um die Vertraulichkeit zu garantieren, die erforderlich ist, damit diese Anmeldungen noch nicht Stand der Technik nach Art 54 (2) werden. Die Geheimhaltung der Anmeldung ermöglicht es dem Anmelder, seine Anmeldung vor ihrer Veröffentlichung zurückzuziehen und deren Gegenstand in erweiterter Form noch einmal anzumelden, ohne dass ihm die frühere Anmeldung entgegengehalten werden kann.

4 Wegen der Zurücknahme der Anmeldung zur Verhinderung der Veröffentlichung siehe Beschluss des Präsidenten vom 14.12.1992 (ABl 1993, 55). Wegen der Veröffentlichung von europäischen Patentanmeldungen, die noch nicht endgültig als zurückgenommen gelten, siehe Mitteilung des EPA vom 28.8.1990 (ABl 1990, 455).

5 Mit Zustimmung des Anmelders wird Dritten Einsicht in die Akten gewährt (Abs 1).

3 Berufung auf noch nicht veröffentlichte europäische Patentanmeldungen

6 Einsicht in noch nicht veröffentlichte europäische Patentanmeldungen wird nach Abs 2 ohne Zustimmung des Anmelders dann gewährt, wenn der Anmelder sich dem Dritten gegenüber auf seine europäische Patentanmeldung berufen hat. Die englische Fassung (*has invoked the rights*)[4] weist in besonderem Maße darauf hin, dass der Anmelder sich auf seine Rechte aus der Anmeldung beruft, dh dass er den Dritten auf die Folgen hinweist, die für diesen entstehen

---

2 Beschluss des Präsidenten vom 14.5.1998, ABl 1998, 360; Beschluss des Präsidenten vom 6.6.2003, ABl 2003, 370; Mitteilung des EPA vom 6.6.2003 über die Durchführung der Akteneinsicht, ABl 2003, 373; zuletzt Mitteilung des EPA vom 15.8.2006 über die Durchführung der Akteneinsicht und über die Online-Abfrage des Europäischen Patentregisters, ABl 2006, 535.
3 Zum Zugriff des Nutzers vor der Veröffentlichung über das My.epoline®-Portal siehe Mitteilung des EPA vom 9.12.2003, ABl 2004, 61.
4 Siehe **J 14/91**, ABl 1993, 479, Nr 4.1.

Akteneinsicht **Artikel 128**

können, wenn die europäische Patentanmeldung veröffentlicht und das europäische Patent erteilt ist und der Dritte den Anmeldungsgegenstand weiter benutzt. Es handelt sich also um eine frühzeitige Warnung vor späteren Rechtsfolgen.

Dass in diesem Sinne eine Warnung vorliegt, muss er dem EPA gegenüber nachweisen. Kann er dies nicht, so ist der Antrag auf Akteneinsicht abzuweisen. Das EPA ist nicht verpflichtet, den Sachverhalt von Amts wegen zu ermitteln. Der Anmelder hat Anspruch darauf, dass ihm der Dritte genannt wird. Die PrüfRichtl (A-XII, 2.5) erläutern das Verfahren. 7

In J 27/87 bestätigte die Beschwerdekammer die Auffassung der Eingangsstelle,[5] die in einem Schriftwechsel über eine technische Neuentwicklung keine Berufung auf eine europäische Patentanmeldung sah, obwohl später auch die Nummer der europäischen Patentanmeldung angegeben worden war; eine Warnung habe der Beschwerdeführer trotz ausreichender Gelegenheit nicht nachgewiesen. 8

Dagegen sah J 14/91 auch ohne Nachweis einer besonderen Bedrohung in einem Verwarnungsschreiben eine Berufung auf eine europäische Patentanmeldung, obwohl die Verwarnung sich auf die Erstanmeldung in einem Vertragsstaat (hier Deutschland) bezog und die europäische Nachanmeldung nur erwähnt wurde;[6] denn auf Grund des Doppelschutzverbots verliert das deutsche Patent mit der Erteilung des europäischen Patents insoweit seine Wirkung (siehe Art 139 Rdn 9) und wird durch das europäische Patent abgelöst. 9

Zuständig für die Entscheidung über den Antrag auf Akteneinsicht ist die Stelle, bei der das Verfahren schwebt, also nach Art 16 grundsätzlich die Eingangsstelle. 10

Das Verfahren zur Geltendmachung des Anspruchs ist zweiseitig, dh vor der Gewährung der Akteneinsicht ist auf jeden Fall der Anmelder zu beteiligen und nach Art 113 zu hören. Nach Art 116 (2) kann auch eine mündliche Verhandlung beantragt werden, die aber nur stattfindet, wenn die Eingangsstelle dies für sachdienlich hält.[7] 11

Gegen die Entscheidungen der Eingangsstelle ist die Beschwerde an die Juristische Beschwerdekammer gegeben (Art 21 (2)). Vor dieser findet eine mündliche Verhandlung ebenfalls nur statt, wenn die Kammer sie für sachdienlich hält.[8] Das war zB der Fall in J 14/91.[9] 12

---

5 **J 27/87** vom 3.3.1988.
6 **J 14/91**, ABl 1993, 479.
7 Siehe zB **J xx/xx** vom 1.3.1985, ABl 1985, 159.
8 **J 20/87**, ABl 1989, 67.
9 **J 14/91**, ABl 1993, 479.

4 Einsicht in die Akten nicht veröffentlichter Stammanmeldungen in besonderen Fällen

13 Ist eine Teilanmeldung (Art 76, R 25) veröffentlicht worden, so hat diese Veröffentlichung nach Abs 3 automatisch zur Folge, dass auch die Einsicht in die europäische Stammanmeldung, aus der diese Teilanmeldung hervorgegangen ist, jedermann offensteht. Diese Vorschrift findet vor allem dann Anwendung, wenn die europäische Patentanmeldung vor ihrer Veröffentlichung zurückgenommen worden ist.

14 Aber auch andere Fälle sind denkbar, in denen sich ausnahmsweise die Veröffentlichung der Stammanmeldung verzögert, die nach Art 93 (1) Satz 1 eigentlich schon hätte erfolgen müssen. Nach der bisherigen Praxis dürfte es sich dabei jedoch nur um kurzfristige Verzögerungen handeln, zB durch Unklarheiten bei der Erfindernennung. Bei Berichtigungen der Erfindernennung (R 19) wird allerdings die Anmeldung in ihrer ursprünglich eingereichten Fassung mit einem Hinweis auf die noch zu klärenden Fragen möglichst rechtzeitig veröffentlicht. Auch ein kurzer Schriftwechsel wegen unzulässiger Angaben in der Anmeldung (R 34), der aber im EPÜ nicht vorgeschrieben ist, könnte die Veröffentlichung der Anmeldung kurzfristig verzögern.

15 Solche Verzögerungen führen jedoch wegen des zwingenden Charakters von Art 93 (1) Satz 2 auf keinen Fall dazu, dass etwa auch die Veröffentlichung der Teilanmeldung hinausgeschoben würde.

16 Die gleichen Grundsätze gelten nach Abs 3 in Bezug auf noch nicht veröffentlichte europäische Patentanmeldungen, wenn der wirklich Berechtigte nach Art 61 (2) eine neue europäische Patentanmeldung eingereicht hat und diese auch veröffentlicht worden ist, nicht jedoch die ursprünglich eingereichte Stammanmeldung.

5 Akteneinsicht nach Veröffentlichung der europäischen Patentanmeldung

17 Das europäische Patenterteilungsverfahren wird von dem Grundsatz beherrscht, dass die Akten der europäischen Patentanmeldung und des europäischen Patents nach der Veröffentlichung der Anmeldung gemäß Art 93 der freien Akteneinsicht zugänglich sind. Der erweiterte europäische Recherchenbericht ist Bestandteil der Akte und wird somit nach der Veröffentlichung der Anmeldung der Akteneinsicht zugänglich. Einer der Gründe für die freie Akteneinsicht liegt darin, dass vom Tag der Veröffentlichung an die europäische Patentanmeldung nach Art 67 geschützt wird; Dritten soll die Möglichkeit gegeben werden, sich umfassend über ein etwa entstehendes oder bestehendes Ausschlussrecht zu unterrichten.[10]

---

10 Siehe zum Zugang über »Register Plus« ABl 2005, 49 und 326; der Zugriff erfolgt über http://www.epoline.org.

Akteneinsicht **Artikel 128**

Wird die Veröffentlichung der europäischen Patentanmeldung aus bestimmten Gründen widerrufen, so entfällt auch der Anspruch auf Einsicht in diese Akten, denn mit dem Widerruf der Veröffentlichung wird die Anmeldung zu einer noch nicht veröffentlichten Anmeldung. 18

Abs 4 stellt klar, dass sich die Akteneinsicht auch auf die Akten des auf diese Anmeldung erteilten Patents bezieht. Die Einsicht erstreckt sich auch auf die Unterlagen eines etwa anhängigen Einspruchsverfahrens. 19

Schriftstücke, die die Akteneinsicht Dritter betreffen, gehören nicht zu den Akten einer europäischen Patentanmeldung oder eines europäischen Patents; die Einsicht in sie ist daher nicht gestattet. 20

Die Veröffentlichung einer internationalen Anmeldung nach Art 21 PCT hat die gleiche Wirkung wie die Veröffentlichung einer europäischen Patentanmeldung. Die Akten einer Euro-PCT-Anmeldung können daher nach der internationalen Veröffentlichung ebenfalls eingesehen werden.[11] 21

6 Ausnahmen von der Einsicht in die Akten veröffentlichter europäischer Patentanmeldungen

Abs 4 iVm R 93 nimmt bestimmte Teile der Akten von der Einsicht aus. Nach R 93 a) sind dies Vorgänge über die Ausschließung oder Ablehnung von Mitgliedern der Beschwerdekammern (Art 24), nach R 93 b) Entwürfe von Entscheidungen und Bescheiden. R 93 c) nimmt auch die Erfindernennung von der Akteneinsicht aus, wenn der Erfinder nach R 18 (3) auf seine Nennung verzichtet hat; in diesem Fall soll er auch nicht über die Akteneinsicht ermittelt werden können. 22

Nach R 93 d) kann der Präsident des EPA weitere Schriftstücke von der Einsicht ausschließen. Dies kann er aber nur anordnen, wenn die Einsicht in diese Schriftstücke nicht dem Zweck dient, die Öffentlichkeit über die europäische Patentanmeldung und das darauf erteilte europäische Patent zu unterrichten. Dadurch soll vor allem die private Sphäre geschützt werden, aber auch bestimmte wirtschaftliche Interessen, die nichts mit dem technischen Inhalt der europäischen Patentanmeldung und des europäischen Patents zu tun haben. Solche Ausschlüsse sind zB bei Aktenteilen erfolgt, aus denen sich ergab, dass wegen krankhafter Zustände eines Beteiligten eine Wiedereinsetzung in den vorigen Stand stattgefunden hat oder das Verfahren deswegen unterbrochen war.[12] Auf diese Weise sollen negative Auswirkungen der grundsätzlich zu begrüßenden allgemeinen Akteneinsicht nach Möglichkeit vermieden werden. In 23

---

11 Siehe »Einsicht in PCT-Akten«, ABl 1999, 329 und ABl 2003, 382; PrüfRichtl E-IX, 6.5.
12 Siehe zB **J xx/xx** vom 1.3.1985, ABl 1985, 159 und **J xx/87** vom 17.8.1987, ABl 1988, 323.

Übereinstimmung mit diesem Grundsatz hat der Präsident am 7.9.2001 einen entsprechenden Beschluss erlassen.[13]

24 Andere als die von R 93 erfassten Vorgänge und Schriftstücke können nicht von der Akteneinsicht ausgeschlossen werden. Deshalb hat eine Beschwerdekammer vertrauliche Dokumente über den wirtschaftlichen Erfolg einer Erfindung, für die der Ausschluss von der Akteneinsicht beantragt worden war, mit dem Hinweis an den Antragsteller zurückgeschickt, dass die Mitglieder der Beschwerdekammer sie nicht zur Kenntnis genommen hätten.[14]

25 Auch in **T 811/90** beschloss die Beschwerdekammer die Rückgabe eines Schriftsatzes, der nach R 93 d) nicht von der Akteneinsicht hätte ausgeschlossen werden können:[15] Der Patentinhaber hatte Änderungen seiner Patentansprüche zugestanden, weil er noch nicht gewusst hatte, dass der Einsprechende seinen Antrag auf mündliche Verhandlung bereits zurückgezogen und die Einspruchsabteilung die Zurückweisung des Einspruchs beschlossen hatte.

7 Durchführung der Akteneinsicht

26 Die Durchführung der Akteneinsicht ist in R 94 im einzelnen geregelt. Die Einsicht wird entweder in das Original gewährt, in eine Kopie oder, wenn die Akte durch andere Medien gespeichert ist, in diese Medien (R 94 (1) Satz 1) unter epoline und Register Plus.[16] Da das elektronische Aktensystem erst nach und nach eingeführt wird, bestimmt der Präsident im Einzelfall die Art der Akteneinsicht (R 94 (1) Satz 2). Soweit nationale Patentämter betroffen sind, geschieht dies im Benehmen mit diesen Ämtern.

Nach Einführung der kostenlosen Online-Akteneinsicht ist die Einsicht in die Papierakten in den Dienstgebäuden des EPA in der Regel nicht mehr möglich.[17]

27 Werden Aufgaben des EPA von einem nationalen Patentamt im Rahmen des Zentralisierungsprotokolls (siehe Anhang 4) wahrgenommen, so kann auch dort Einsicht in die Originalakten gewährt werden, solange sie sich bei diesem Amt befinden.

28 Auf Antrag kann die Akteneinsicht auch im Patentamt des Vertragsstaats erfolgen, in dessen Hoheitsgebiet der Antragsteller seinen Wohnsitz oder Sitz hat. Das kann mit Hilfe einer Kopie oder über elektronische Medien geschehen.

29 Die Gewährung der Online-Akteneinsicht ist kostenlos. Die Akteneinsicht durch Erteilung von Papierkopien oder auf einem elektronischen Datenträger

---

13 Beschluss des Präsidenten vom 7.9.2001, ABl 2001, 458.
14 **T 516/89**, ABl 1992, 436.
15 **T 811/90**, ABl 1993, 728.
16 Mitteilung des EPA vom 15.8.2006, ABl 2006, 535.
17 Beschluss des Präsidenten des EPA vom 6.6.2003 über die Durchführung der Akteneinsicht ABl 2003, 370 und Mitteilung des EPA vom 6.6.2003 über die Durchführung der Akteneinsicht ABl 2003, 373, 374.

ist gebührenpflichtig. Die Gebühr wird als Verwaltungsgebühr festgesetzt und ist aus dem Gebührenverzeichnis ersichtlich.[18]

Von der europäischen Patentanmeldung werden auf Antrag auch beglaubigte Kopien gegen eine zusätzliche Gebühr für die Beglaubigung ausgestellt.[19]

8 Auskunft aus den Akten

Nach R 95 können statt der Akteneinsicht auf Antrag und gegen Zahlung einer Verwaltungsgebühr Auskünfte aus den Akten erteilt werden. Solche Auskünfte kommen jedoch nur für einfache Sachverhalte in Betracht, die vom EPA ohne zu großen Arbeitsaufwand ermittelt werden können. Dazu dürfte die Frage gehören, ob die europäische Patentanmeldung im Prüfungsverfahren zurückgewiesen und eine Beschwerde eingelegt worden ist.

Auch für solche Auskünfte ist die Entrichtung einer Verwaltungsgebühr in R 95 vorgesehen.[20]

Häufig wird es sich jedoch bei solchen Auskunftsersuchen um Fragen handeln, die bereits aus dem Patentregister beantwortet werden können (siehe Art 127).

9 Aufbewahrung der Akten

R 95a bestimmt die Aufbewahrungsdauer für Akten des EPA. Grundsätzlich hat das EPA die Akten mindestens 5 Jahre nach dem Ablauf des Jahres aufzubewahren, in dem es die letzten Maßnahmen getroffen hat oder bestimmte Ereignisse eingetreten sind.

Solche Maßnahmen oder Ereignisse sind zB die Zurückweisung oder Zurücknahme der Anmeldung, der Widerruf des Patents im Einspruchsverfahren und das Erlöschen des europäischen Patents im letzten der benannten Staaten. Da diese letzte Information noch nicht in allen Fällen zuverlässig dem EPA zur Verfügung steht, dürften die Akten erteilter europäischer Patente grundsätzlich 20 Jahre (Art 63) beim EPA aufbewahrt werden.[21]

R 95a (3) gibt dem Präsidenten die Befugnis zu bestimmen, in welcher Form die Akten aufzubewahren sind.

Eine Sonderregelung gilt für Anmeldungen, aus denen Teilanmeldungen nach Art 76 oder eine neue Anmeldung nach Art 61 (1) b) hervorgegangen sind. Solche Stammanmeldungen werden ebenso lange wie die daraus hervorgegangenen weiteren Anmeldungen aufbewahrt.

---

18 Letztes Gebührenverzeichnis, Abschnitt 2.1, Nr 6.
19 Letztes Gebührenverzeichnis, Abschnitt 2.1, Nr 8.1.
20 Siehe letztes Gebührenverzeichnis, Abschn 2.1, Nr 9.1.
21 Siehe auch ABl 1990, 365.

10 Veröffentlichung einzelner Angaben vor der Veröffentlichung der europäischen Patentanmeldung

34 Absatz 5 sieht vor, dass das EPA bereits vor der Veröffentlichung der europäischen Patentanmeldung Dritten gegenüber bestimmte Angaben machen kann, oder dass es diese veröffentlichen kann. Diese Möglichkeit ist insbesondere aus skandinavischen Patentgesetzen übernommen worden. Es handelt sich um Angaben, die eine Identifizierung der europäischen Patentanmeldung nach Nummer, Anmelde- und Prioritätsdatum, dem Namen des Anmelders, der Bezeichnung der Erfindung und den angegebenen Vertragsstaaten ermöglichen. Über den weiteren Inhalt der Anmeldung können keine Angaben gemacht werden.

35 Das EPA hat von dieser Möglichkeit bisher nicht Gebrauch gemacht.[22] Entsprechende Maßnahmen, im Einzelfall oder generell, müssten nach Art 10 grundsätzlich vom Präsidenten des EPA getroffen werden.

Artikel 129 Regelmäßig erscheinende Veröffentlichungen

Das Europäische Patentamt gibt regelmäßig folgende Veröffentlichungen heraus:
a) ein Europäisches Patentblatt, das die Eintragungen in das europäische Patentregister wiedergibt sowie sonstige Angaben enthält, deren Veröffentlichung in diesem Übereinkommen vorgeschrieben ist;
b) ein Amtsblatt des Europäischen Patentamts, das allgemeine Bekanntmachungen und Mitteilungen des Präsidenten des Europäischen Patentamts sowie sonstige dieses Übereinkommen und seine Anwendung betreffende Veröffentlichungen enthält.

Lise Dybdahl-Müller / Margarete Singer

Übersicht

1	Allgemeines	1
2	Europäisches Patentblatt	2
3	Amtsblatt des EPA	3
4	Zusätzliche Veröffentlichungen des EPA	4-7

1 Allgemeines

1 Diese Bestimmung schreibt für das EPA die Herausgabe von zwei regelmäßig erscheinenden Veröffentlichungen vor, wie sie auch die meisten größeren nationalen Patentämter herausgeben.

---

22 Siehe auch **J 27/87** vom 3.3.1988.

Einerseits sind nach dem EPÜ Informationen über die eingereichten Patentanmeldungen und erteilten Patente zu veröffentlichen; das geschieht im Europäischen Patentblatt.

Andererseits sind Veröffentlichungen insbesondere über das Verfahren vor dem EPA vorgesehen; hierfür dient das Amtsblatt des EPA.

2 Europäisches Patentblatt

Das Europäische Patentblatt gibt in erster Linie die im europäischen Patentregister vorgenommenen Eintragungen wieder (Art 129 a) iVm Art 127 und R 92). Das sind die wichtigsten bibliographischen und verfahrensrechtlichen Angaben über die veröffentlichten europäischen Patentanmeldungen und europäischen Patente sowie weitere im Übereinkommen für die Veröffentlichung vorgeschriebene Angaben, zB die Veröffentlichung des europäischen Recherchenberichts (Art 94 (2)) und die Erteilung des europäischen Patents (Art 97 (4)). Die seit dem 1.7.2005 dem Recherchenbericht nach R 44a beigefügte Stellungnahme ist nicht Bestandteil des Recherchenberichts und wird nicht mit veröffentlicht (R 44a (2)).[1] Sie wird aber mit der Übermittlung an den Anmelder Bestandteil der Akte und nach der Veröffentlichung über die Akteneinsicht nach Art 128 (4) zugänglich.

Die Veröffentlichung im Europäischen Patentblatt erfolgt in den drei Amtssprachen des EPA (Art 14 (8) a)).

Das Europäische Patentblatt erscheint wöchentlich, und zwar jeweils am Mittwoch. Seit dem 1.1.2005 gibt es keine Papierausgabe des Europäischen Patentblatts mehr. Stattdessen sind allen Benutzern pdf-Dateien kostenlos zugänglich, die dem existierenden Patentblatt entsprechen; ESPACE®Bulletin ist eine elektronische Version, die dieselben Informationen wie die frühere Papierversion enthält, jedoch mit 70 recherchierbaren Feldern. Bei jedem Dokument verbindet ein Hyperlink den Benutzer mit dem Europäischen Patentregister, wo man die historischen Daten der Anmeldung einsehen kann.

3 Amtsblatt des EPA

Art 129 b) schreibt auch die Herausgabe eines Amtsblattes des EPA vor. Es enthält allgemeine Bekanntmachungen und Mitteilungen des Präsidenten des EPA sowie sonstige das EPÜ und seine Anwendung betreffende Veröffentlichungen. Dazu gehören zB Entscheidungen der Beschwerdekammern und gelegentlich auch sonstiger Organe des EPA sowie Entscheidungen nationaler Gerichte und Patentämter, die Bezug zum EPÜ haben.

Die Veröffentlichung im Amtsblatt erfolgt in den drei Amtssprachen des EPA (Art 14 (8) b)). Dies gilt auch für Entscheidungen des EPA und anderer Stellen; dabei wird angegeben, in welcher Sprache das Original abgefasst ist.

---

1 ABl 2005, 5 und Mitteilung des EPA vom 1.7.2005, ABl 2005, 435 (437), I, 3.

Das Amtsblatt des EPA erscheint monatlich. Der Preis ist aus der vom EPA herausgegebenen Preisliste für Veröffentlichungen und Dienstleistungen ersichtlich, die man von den Auskunftstellen des EPA in München, Den Haag, Berlin und Wien unentgeltlich bekommen kann.

4 Zusätzliche Veröffentlichungen des EPA

4 Neben diesen im Übereinkommen vorgeschriebenen Veröffentlichungen gibt das EPA verschiedene Schriften heraus, die den Anmeldern und der interessierten Öffentlichkeit den Zugang zum EPÜ erleichtern. Dazu gehören auch die kostenlos erhältlichen Formblätter für Anträge und Eingaben. Eine Übersicht dieser Formblätter und der wichtigsten Schriften und Veröffentlichungen ist im ABl 2003, 16 ff. abgedruckt.

5 Außerdem hat das EPA die Schriftenreihe *EPOscript* veröffentlicht.[2]

6 Halbjährlich erscheint die *CD-ROM Espace legal*. Sie enthält:

– die Entscheidungen der Beschwerdekammern im Wortlaut, und zwar auch diejenigen, die nicht im ABl veröffentlicht werden, soweit sie auch zur Akteneinsicht zur Verfügung stehen (vgl Art 128),
– Übereinkommen, Verträge und Richtlinien,
– die wichtigsten Formulare in facsimile,
– eine Bibliothek mit den verschiedenen Veröffentlichungen des EPA,
– das Verzeichnis der zugelassenen Vertreter
– das Compendium

7 Für den Zugriff online auf die beim EPA zugänglichen Informationen ist die Dienststelle Wien zuständig.[3]

Artikel 130 Gegenseitige Unterrichtung

(1) Das Europäische Patentamt und vorbehaltlich der Anwendung der in Artikel 75 Absatz 2 genannten Rechts- und Verwaltungsvorschriften die Zentralbehörden für den gewerblichen Rechtsschutz der Vertragsstaaten übermitteln einander auf Ersuchen sachdienliche Angaben über die Einreichung europäischer oder nationaler Patentanmeldungen und über Verfahren, die diese Anmeldungen und die darauf erteilten Patente betreffen.

---

2 Bd. 1: Eposium 1992: Genetic Engineering – The New Challenge, 1993; Bd. 2: Tenth Anniversary of Trilateral Co-operation, 1994; Bd. 3: Nutzung des Patentschutzes in Europa, 1994; Bd. 4: Enabling Biotechnological Invention in Europe and the United States, 2001; Bd. 5: Principles of Procedure in European Patent Law, 2002; Bd. 6: Enforcement of Intellectual Property Rights and Patent Litigation, 2002.
3 Siehe auch Art 7 Rdn 2–4; Vor Art 10 Rdn 13 und Art 127 Rdn 17.

(2) Absatz 1 gilt nach Maßgabe von Arbeitsabkommen auch für die Übermittlung von Angaben zwischen dem Europäischen Patentamt und
a) den Zentralbehörden für den gewerblichen Rechtsschutz der Staaten, die nicht Vertragsstaaten sind,
b) den zwischenstaatlichen Organisationen, die mit der Erteilung von Patenten beauftragt sind, und
c) jeder anderen Organisation.

(3) Die Übermittlung von Angaben nach Absatz 1 und Absatz 2 Buchstaben a und b unterliegt nicht den Beschränkungen des Artikels 128. Der Verwaltungsrat kann beschließen, dass die Übermittlung von Angaben nach Absatz 2 Buchstabe c den genannten Beschränkungen nicht unterliegt, sofern die betreffende Organisation die übermittelten Angaben bis zur Veröffentlichung der europäischen Patentanmeldung vertraulich behandelt.

Lise Dybdahl-Müller/Margarete Singer

Übersicht

1	Allgemeines	1
2	Gegenseitige Unterrichtung des EPA und der nationalen Patentämter der Vertragsstaaten	2-6
3	Gegenseitige Unterrichtung des EPA und weiterer Institutionen	7-8
4	Nichtanwendung der Bestimmungen über die Beschränkung der Akteneinsicht	9
5	Sonderregelung für andere Organisationen	10

1 Allgemeines

Dieser Artikel sieht vor, dass das EPA und die nationalen Patentämter der Vertragsstaaten sich gegenseitig auf Ersuchen über nationale und europäische Patentanmeldungen und die darauf erteilten Patente unterrichten. Die Bestimmung ermöglicht es außerdem, solche Angaben mit gewissen sachlichen Beschränkungen auch über den Kreis der Vertragsstaaten und der Patentämter hinaus zu übermitteln.

2 Gegenseitige Unterrichtung des EPA und der nationalen Patentämter der Vertragsstaaten

Das EPA und die in diesem Artikel aufgeführten Behörden können sich auf gegenseitiges Ersuchen sachdienliche Angaben über die bei ihnen eingereichten Anmeldungen und entsprechenden Verfahren sowie über die in diesen Verfahren erteilten Patente übermitteln. Aus dem Text ergibt sich nicht eindeutig, ob nur Mitteilungen über den Verfahrensstand angefordert werden können oder

Artikel 130 — *Gegenseitige Unterrichtung*

auch die entsprechenden Bescheide selbst. Die Formulierung deutet aber darauf hin, dass auch Informationen über den sachlichen Ablauf des entsprechenden Verfahrens gegeben werden, dass also zB Kopien von Unterlagen übermittelt werden können (*sachdienliche Angaben ... über Verfahren ..., useful informations ... regarding any proceedings, toutes informations utiles ... sur le déroulement des procédures*).

3   Die Übermittlung ist also grundsätzlich für die von den Anmeldern und Patentinhabern eingereichten Unterlagen und für Informationen über das Verfahren vorgesehen. Dieser volle Informationsaustausch findet durch die Beschränkung auf sachdienliche Angaben dort seine Grenze, wo es sich zB um innere Vorgänge des Verfahrens handelt, etwa um Unterlagen über die Ablehnung und Ausschließung von Mitgliedern der Beschwerdekammern oder um Entwürfe von Entscheidungen.

4   Andere Angaben, die nach Art 128 (4), R 93 der Akteneinsicht entzogen sind, zB die Erfindernennung, wenn der Erfinder auf seine Nennung verzichtet hat, brauchen dagegen, wenn die Angabe sachdienlich ist, beim Informationsaustausch nicht zurückgehalten zu werden; denn Abs 3 befreit den Informationsaustausch ausdrücklich von den Beschränkungen des Art 128.

5   Aufgrund des Hinweises auf Art 75 (2) sind vom Informationsaustausch Unterlagen ausgenommen, die von der nationalen Behörde, bei der sie eingereicht worden sind, als geheimhaltungsbedürftig eingestuft worden sind.

6   Die gegenseitige Informationspflicht ist nicht beschränkt auf Anmeldungen, die miteinander in unmittelbarem Zusammenhang stehen, zB durch gemeinsame Priorität, gemeinsame Bezeichnung oder gemeinsame Anmelder; sie geht also weiter.

3 Gegenseitige Unterrichtung des EPA und weiterer Institutionen

7   Die Verpflichtung zum gegenseitigen Informationsaustausch kann nach Abs 2 aufgrund von Arbeitsabkommen auch auf weitere Institutionen erstreckt werden, nämlich auf:

8   – Patentämter außerhalb der Vertragsstaaten. Hier käme vor allem ein Informationsaustausch zB mit dem US-Patent and Trademark Office und dem japanischen Patentamt in Betracht, mit denen das EPA eng zusammenarbeitet.
   – Zwischenstaatliche Patenterteilungsbehörden. Hierunter fallen das Eurasische Patentamt in Moskau.[1]

---

1   Das Eurasische Patentamt nimmt seit Anfang 1996 Patentanmeldungen für diejenigen GUS-Staaten entgegen, die das am 9.9.1994 unterzeichnete Eurasische Patentabkommen unterzeichnet haben.

- Das Patentamt der OAPI (Organisation Africaine de la Propriété Intellectuelle) in Yaoundé und das Patentamt der ARIPO (African Regional Industrial Property Organisation) in Harare.
- Das Internationale Büro von WIPO im Rahmen von PCT fällt dem Wortlaut nach eigentlich nicht unter diese Bestimmung, da es selbst keine Patente erteilt. Allerdings obliegen dieser Weltorganisation wichtige Teilaufgaben, die sonst von Patentämtern wahrgenommen werden.
- Andere Organisationen. Falls das IB von WIPO nicht unter die vorhergehende Kategorie eingestuft wird, fällt es auf jeden Fall unter den Begriff *andere Organisation*. Daneben kämen unter anderem Dokumentations- und Informationszentren, Forschungsstellen und dergleichen in Betracht.

4 Nichtanwendung der Bestimmungen über die Beschränkung der Akteneinsicht

Abs 3 Satz 1 schreibt vor, dass die für die Akteneinsicht geltenden Beschränkungen (Art 128) nicht für die Unterrichtung der in Abs 2 a) und b) genannten Stellen, also nicht für nationale und internationale Patentämter gelten.

Dies besagt einmal, dass europäische Patentanmeldungen bereits vor ihrer Veröffentlichung übersandt und auch Angaben über die in diesem Stadium durchgeführten Verfahrensschritte gemacht werden können. Dass mit *Beschränkungen* vor allem dieser Fall gemeint ist, ergibt sich eindeutig aus dem letzten Satz dieses Absatzes.

Darüber hinaus fallen unter Beschränkungen aber auch solche Angaben, die in Art 128 (4) ausdrücklich als *Beschränkungen (restrictions)* bezeichnet und in R 93 näher erläutert sind (siehe unter Art 128).

Hierbei ist aber zu beachten, dass die in R 93 a) und b) aufgeführten Aktenteile grundsätzlich nicht mit unter den Informationsaustausch fallen, weil in ihnen keine sachdienlichen Angaben über die entsprechenden Patentanmeldungen enthalten sind (vgl Rdn 2–6).

5 Sonderregelung für andere Organisationen

Die für die Akteneinsicht geltenden Beschränkungen gelten jedoch grundsätzlich bei einer Unterrichtung **anderer** Organisationen als nationaler und internationaler Patentämter (Abs 2 c).

Nach Abs 3 Satz 2 kann der Verwaltungsrat die Übermittlung von europäischen Patentanmeldungen und sich darauf beziehenden Angaben vor der Veröffentlichung beschließen, sofern diese Informationen vom Empfänger bis zur Veröffentlichung der europäischen Patentanmeldungen vertraulich behandelt werden. Da die Vertraulichkeit damit nur bis zur Veröffentlichung gesichert ist, ist davon auszugehen, dass diejenigen Informationen, die auch nach der Veröffentlichung nicht der Akteneinsicht zugänglich sind, von dieser Übermittlung ausgeschlossen sind.

Artikel 131 Amts- und Rechtshilfe

(1) Das Europäische Patentamt und die Gerichte oder Behörden der Vertragsstaaten unterstützen einander auf Antrag durch die Erteilung von Auskünften oder die Gewährung von Akteneinsicht, soweit nicht Vorschriften dieses Übereinkommens oder des nationalen Rechts entgegenstehen. Gewährt das Europäische Patentamt Gerichten, Staatsanwaltschaften oder Zentralbehörden für den gewerblichen Rechtsschutz Akteneinsicht, so unterliegt diese nicht den Beschränkungen des Artikels 128.

(2) Die Gerichte oder andere zuständige Behörden der Vertragsstaaten nehmen für das Europäische Patentamt auf dessen Ersuchen um Rechtshilfe Beweisaufnahmen oder andere gerichtliche Handlungen innerhalb ihrer Zuständigkeit vor.

Lise Dybdahl-Müller / Margarete Singer

Übersicht

1	Allgemeines	1-5
2	Gewährung von Amtshilfe	6-7
3	Rechtshilfe für das EPA	8-9
4	Verkehr des EPA mit Behörden der Vertragsstaaten	10-12
5	Akteneinsicht in die Akten des EPA durch Gerichte und Behörden der Vertragsstaaten	13-14
6	Verfahren bei Rechtshilfeersuchen	15

1 Allgemeines

1 Dieser Artikel sieht vor, dass sich das EPA und die Gerichte oder Behörden in den Vertragsstaaten der EPO gegenseitig Amts- und Rechtshilfe leisten. Die Bestimmung geht auf Art 8 des Haager Übereinkommens über den Zivilprozess vom 1.3.1954 (BGBl 58 II 577) zurück, in dem die Rechtshilfe von Gerichten gegenüber ausländischen Gerichten geregelt ist.

2 Die Begriffe *Amtshilfe* und *Rechtshilfe* sind nicht nach nationalem Recht zu verstehen, sondern bringen zum Ausdruck, dass das EPA bei seiner Arbeit auf die Mithilfe und Zusammenarbeit mit den Gerichten und Behörden der Vertragsstaaten angewiesen ist.

Auf Anträge von Privatpersonen und Firmen, Akteneinsicht zu gewähren, 3
sind die Vorschriften über Amts- und Rechtshilfe nicht anwendbar. Solche Anträge müssen direkt beim EPA gestellt werden.[1]

Nach der in Abs 2 verwendeten Terminologie werden Ersuchen des EPA an 4
Gerichte und sonstige zuständige Behörden, Beweisaufnahmen und andere gerichtliche Handlungen vorzunehmen, als *Ersuchen um Rechtshilfe* (*letters rogatory, commissions rogatoires*) bezeichnet. Diese Definition des Begriffes wird in R 99 (Verfahren bei Rechtshilfeersuchen) bestätigt.

Weitere Einzelheiten sind in R 97 (Verkehr des EPA mit Behörden der Vertragsstaaten) und 98 (Akteneinsicht durch Gerichte und Behörden der Vertragsstaaten oder durch deren Vermittlung) enthalten. Eine besondere Form der Amtshilfe sieht Art 117 (3) b), (4), (5) und (6) iVm R 72 (2) c) und (3) für Beweisaufnahmen vor. 5

2 Gewährung von Amtshilfe

Abs 1 sieht zwischen dem EPA und den Gerichten und Behörden der Vertragsstaaten die gegenseitige Erteilung von Auskünften und die Gewährung von Akteneinsicht vor. Ein Unterfall der Auskunftserteilung zwischen dem EPA und nationalen Patentämtern und weiteren Organisationen ist bereits in Art 130 geregelt. In dem hier vorliegenden Artikel wird die Auskunfterteilung generalisiert und ein Akteneinsichtsrecht vorgesehen. Satz 1 schreibt die Beachtung von Vorschriften des EPÜ und des nationalen Rechts vor, die einer Auskunftserteilung oder Akteneinsicht entgegenstehen. 6

Soweit es sich um Akteneinsichtsersuchen von Gerichten, Staatsanwaltschaften und Patentämtern handelt, fallen nach Satz 2 die Beschränkungen des Art 128 fort, dh es kann Einsicht auch in die Akten noch nicht veröffentlichter Patentanmeldungen und in Aktenteile gewährt werden, die nach R 93 von der Akteneinsicht ausdrücklich ausgenommen sind (vgl Art 128 Rdn 22–25). Die gleichen Grundsätze gelten natürlich auch für Anträge auf Erteilung von Auskünften aus den Akten, da solche Auskünfte in diesem Zusammenhang als Unterfall der Akteneinsicht anzusehen sind. 7

3 Rechtshilfe für das EPA

Nach Abs 2 wird ein Tätigwerden von Gerichten oder anderen zuständigen Behörden der Vertragsstaaten als Rechtshilfe bezeichnet, wenn es sich um Beweisaufnahmen oder andere gerichtliche Handlungen handelt. Wichtigste Rechtshilfemaßnahme ist die hier ausdrücklich aufgeführte Beweisaufnahme. Siehe auch Art 117 (3)–(6). 8

Eine andere Maßnahme wäre die gerichtliche Zustellung von Bescheiden oder Entscheidungen; für den Fall, dass das EPA Schwierigkeiten mit Zustel- 9

---

[1] Beschwerdeabteilung des AT-Patentamts vom **6.8.1992**, LS in ABl 1993, 588.

lungen hat (Art 119 Satz 1 iVm R 77 ff), ist jedoch bereits in Art 119 Satz 2 iVm R 77 (3) die Zustellung durch Vermittlung nationaler Patentämter vorgesehen.

4 Verkehr des EPA mit Behörden der Vertragsstaaten

10 Der Verkehr des EPA mit nationalen Instanzen wird durch R 97 beträchtlich vereinfacht. Diese Vorschrift gilt sowohl für die gegenseitige Unterrichtung nach Art 130, wie auch vor allem für die Amts- und Rechtshilfe nach Art 131.

11 Als erster Grundsatz wird der unmittelbare Verkehr zwischen dem EPA und nationalen Patentämtern der Vertragsstaaten vorgesehen. Aufbauend auf diesem Grundsatz erfolgt der Verkehr zwischen dem EPA und nationalen Gerichten und sonstigen Behörden durch Vermittlung der nationalen Patentämter.

12 Entstehen durch Mitteilungen oder durch die Vermittlungstätigkeit Kosten, so sind diese von der Behörde zu tragen, von der die Mitteilung stammt (R 97 (2)). Zu den Kosten gehören auch Gebühren, die nach dem nationalen Recht im Zusammenhang mit solchen Mitteilungen zu entrichten sind (zB Stempelgebühren).

5 Akteneinsicht in die Akten des EPA durch Gerichte und Behörden der Vertragsstaaten

13 R 98 betrifft die Fälle, in denen Gerichte oder andere Behörden der Vertragsstaaten Einsicht in Akten des EPA nehmen oder solche Akten zu einem bei ihnen anhängigen Verfahren, zB wegen Patentverletzung, beiziehen. Die für die Akteneinsicht im allgemeinen vorgesehenen Einzelheiten der R 94 (zB Gebühr, Ort der Einsicht, Kopien) gelten nach R 98 in diesen Fällen nicht.

14 In den meisten Vertragsstaaten dürften die Parteien in gerichtlichen Verfahren grundsätzlich das Recht haben, die Akten des Verfahrens einzusehen. Diese Grundsätze gelten auch für die vom EPA beigezogenen Akten. Die Akteneinsicht erfolgt dann bei den in Betracht kommenden Gerichten oder Staatsanwaltschaften unter Anwendung der Vorschriften des Art 128, dh mit den dort und in R 93 vorgesehenen Beschränkungen. Die in R 94 (1) Satz 2 vorgesehene Verwaltungsgebühr für Akteneinsicht darf jedoch nicht erhoben werden. Um sicherzustellen, dass bei dieser Akteneinsicht die im EPÜ vorgesehenen Beschränkungen beachtet werden, weist das EPA die Gerichte und Staatsanwaltschaften jeweils bei der Aktenübersendung auf diese Beschränkungen hin.

6 Verfahren bei Rechtshilfeersuchen

15 R 99 enthält detaillierte Einzelregelungen über die Durchführung von Rechtshilfeersuchen, die vom EPA an nationale Gerichte oder andere zuständige Behörden gerichtet werden. In R 99 (6) ist das Recht des EPA festgelegt, dass an Beweisaufnahmen im Rahmen eines Rechtshilfeersuchens auch Mitglieder des betreffenden Organs des EPA teilnehmen und an die vernommene Person über

das Gericht oder unmittelbar Fragen stellen können. Eine entsprechende Bestimmung findet sich auch in Art 117 (6) zur Beweisaufnahme.

Artikel 132 Austausch von Veröffentlichungen

(1) Das Europäische Patentamt und die Zentralbehörden für den gewerblichen Rechtsschutz der Vertragsstaaten übermitteln einander auf entsprechendes Ersuchen kostenlos für ihre eigenen Zwecke ein oder mehrere Exemplare ihrer Veröffentlichungen.

(2) Das Europäische Patentamt kann Vereinbarungen über den Austausch oder die Übermittlung von Veröffentlichungen treffen.

Lise Dybdahl-Müller/Margarete Singer

Übersicht
1	Allgemeines	1
2	Austausch von Veröffentlichungen zwischen dem EPA und den Patentämtern der Vertragsstaaten .	2-4
3	Vereinbarungen des EPA über die Abgabe von Veröffentlichungen....................	5

1 Allgemeines

Diese Bestimmung sieht zwischen dem EPA und den nationalen Patentämtern den kostenlosen Austausch ihrer Veröffentlichungen vor und ermächtigt das EPA zum Abschluss von Vereinbarungen mit anderen Stellen über die Lieferung von Veröffentlichungen des Amtes. 1

2 Austausch von Veröffentlichungen zwischen dem EPA und den Patentämtern der Vertragsstaaten

Abs 1 legt die Verpflichtung des EPA und der nationalen Patentämter der Vertragsstaaten fest, die von ihnen herausgegebenen Veröffentlichungen dem anderen Amt auf dessen Ersuchen zu übermitteln. 2

Der Begriff *Veröffentlichungen* umfasst sowohl das Amtsblatt und das Europäische Patentblatt wie auch die veröffentlichten europäischen Patentanmeldungen und die erteilten europäischen Patente. Er betrifft sowohl druckschriftliche Veröffentlichungen wie auch Veröffentlichungen auf dem Wege der modernen Kommunikation (zB CD-ROM). 3

Die Lieferung der Veröffentlichungen erfolgt kostenlos, und zwar in einem oder in mehreren Exemplaren, aber nur für die eigenen Zwecke der Behörde, also nicht, um sie an andere Interessenten weiterzuleiten. 4

3 Vereinbarungen des EPA über die Abgabe von Veröffentlichungen

5 Abs 2 ermächtigt das EPA, generell Vereinbarungen zu treffen über die Abgabe von Veröffentlichungen. Unter den Kreis der Vertragspartner fallen sowohl nationale Patentämter von Nichtvertragsstaaten wie auch staatliche und nichtstaatliche Stellen und Organisationen. Dass damit nicht der übliche geschäftlich abzuwickelnde Verkauf von Veröffentlichungen an die Allgemeinheit gemeint ist, ergibt sich aus den Worten *Austausch* und *Übermittlung*. Zuständig für den Abschluss derartiger Vereinbarungen des EPA ist nach Art 10 der Präsident des EPA, der hierbei die Europäische Patentorganisation nach Art 5 vertritt.

Kapitel III Vertretung

Artikel 133 Allgemeine Grundsätze der Vertretung

(1) Vorbehaltlich Absatz 2 ist niemand verpflichtet, sich in den durch dieses Übereinkommen geschaffenen Verfahren durch einen zugelassenen Vertreter vertreten zu lassen.

(2) Natürliche oder juristische Personen, die weder Wohnsitz noch Sitz in einem Vertragsstaat haben, müssen in jedem durch dieses Übereinkommen geschaffenen Verfahren durch einen zugelassenen Vertreter vertreten sein und Handlungen mit Ausnahme der Einreichung einer europäischen Patentanmeldung durch ihn vornehmen; in der Ausführungsordnung können weitere Ausnahmen zugelassen werden.

(3) Natürliche oder juristische Personen mit Wohnsitz oder Sitz in einem Vertragsstaat können in jedem durch dieses Übereinkommen geschaffenen Verfahren durch einen ihrer Angestellten handeln, der kein zugelassener Vertreter zu sein braucht, aber einer Vollmacht nach Maßgabe der Ausführungsordnung bedarf. In der Ausführungsordnung kann vorgeschrieben werden, ob und unter welchen Voraussetzungen Angestellte einer juristischen Person für andere juristische Personen mit Sitz im Hoheitsgebiet eines Vertragsstaats, die mit ihr wirtschaftlich verbunden sind, handeln können.

(4) In der Ausführungsordnung können Vorschriften über die gemeinsame Vertretung mehrerer Beteiligter, die gemeinsam handeln, vorgesehen werden.

Lise Dybdahl-Müller/Margarete Singer

Übersicht

1	Allgemeines	1-6
A	**Regelung der Vertretung**	7-20
2	Grundsätzlich kein Vertretungszwang	7
3	Vertretungszwang für gebietsfremde Personen	8-10
4	Umfang und Grenzen des Vertretungszwangs	11-17
5	Handeln von Firmen, Gesellschaften und juristischen Personen aus den Vertragsstaaten	18-19
6	Vertretungsbefugnis von Angestellten für wirtschaftlich verbundene juristische Personen	20
B	**Die Vollmacht**	21-35
7	Allgemeines zur Vollmacht	21
8	Nachweis der Vollmacht	22-26

9	Frist für die Einreichung der Vollmacht	27-28
10	Allgemeine Vollmacht (R 101 (2))	29-30
11	Form und Inhalt der Vollmacht eines notwendigen Vertreters	31
12	Widerruf von Vollmachten	32
13	Erlöschen der Vollmacht	33
14	Mehrere Bevollmächtigte	34-35
C	**Die gemeinsame Vertretung**	**36-48**
15	Vorschriften für die gemeinsame Vertretung	36-37
16	Gemeinsamer Vertreter bei europäischen Patentanmeldungen ohne Vertretungszwang	38-39
17	Gemeinsamer Vertreter bei europäischen Patentanmeldungen mit Vertretungszwang	40-43
18	Regelung für gemeinsame Vertretung im Einspruchsverfahren	44
19	Gemeinsamer Vertreter bei Rechtsübergang	45-48

1 Allgemeines

1 Für das Verfahren vor dem EPA gilt der Grundsatz, dass die in den Vertragsstaaten der Europäischen Patentorganisation ansässigen Personen vor dem EPA selbst handeln können (**Recht der Selbstvertretung**), sich aber natürlich auch vertreten lassen können. Auch der vertretene Anmelder, der nicht zur Bestellung eines Vertreters verpflichtet ist, kann dem EPA gegenüber wirksam handeln.[1]

Natürliche und juristische Personen aus den Vertragsstaaten können durch ihre **Angestellten** handeln, die keine zugelassenen Vertreter zu sein brauchen, aber einer Vollmacht bedürfen. Jede juristische Person kann durch ihre **Organe** handeln; diese müssen jedoch ihre gesellschaftliche Rechtsstellung nachweisen. Eine **Vertretung** natürlicher und juristischer Personen aus den Vertragsstaaten vor dem EPA kann nur durch einen zugelassenen Vertreter oder einen Rechtsanwalt erfolgen.[2]

2 Lediglich Personen mit **Sitz oder Wohnsitz außerhalb der Vertragsstaaten** (gebietsfremde Personen) müssen im Verfahren durch einen vor dem EPA zugelassenen Vertreter handeln; die europäische Patentanmeldung einreichen können sie jedoch selbst.

3 Rechtsanwälte aus den Vertragsstaaten sind zur Vertretung insoweit zugelassen, als sie in ihrem Heimatstaat zur Vertretung vor dem nationalen Patentamt berechtigt sind (Art 134 (7)).

---

1 PrüfRichtl A-IX, 1.2.
2 PrüfRichtl A-IX, 1.2.

Im Gegensatz zu manchen nationalen Rechten kann auch die Vertretung von 4
Angehörigen der Vertragsstaaten nur von zugelassenen Vertretern wahrgenommen werden. Vertreter kann nur eine der in Art 134 vorgesehenen Personen sein.

Die Einzelheiten der Vertretung sind in den Art 133, 134, 144 und 163 sowie 5
in den R 90 (1) a) und c), 100–102 und 106 festgelegt. Die PrüfRichtl (A-III, 2; A-IX, 1) und die Mitteilungen des EPA (ABl 1978, 109 und 281; 1979, 92 und 452; 1980, 305; 1982, 470; 1985, 42; 1986, 327) enthalten weitere Hinweise für die Praxis.

Bei internationalen Anmeldungen nach PCT erstreckt sich das Vertretungsrecht 6
nationaler Vertreter, die eine internationale Anmeldung beim nationalen Anmeldeamt eingereicht haben, nach Art 49 PCT in beschränktem Umfang auch auf bestimmte Handlungen vor dem EPA (siehe zB den Antrag auf internationale vorläufige Prüfung).

A Regelung der Vertretung

2 Grundsätzlich kein Vertretungszwang

Abs 1 legt für das Verfahren vor dem EPA den auch in den Vertragsstaaten für 7
das nationale Patenterteilungsverfahren allgemein geltenden Grundsatz fest, dass vor dem EPA kein Vertretungszwang herrscht wie zB in bestimmten gerichtlichen Verfahren. Ebenso wie in den meisten Vertragsstaaten gilt dieser Grundsatz jedoch nur mit gewissen Einschränkungen, worauf in Abs 1 ausdrücklich hingewiesen wird. Voraussetzung für die Einreichung einer europäischen Patentanmeldung ist, dass die betreffende Person nach dem anzuwendenden nationalen Recht handlungsfähig (geschäftsfähig) ist. Sonst ist für diese Person der gesetzliche Vertreter handlungsberechtigt.

3 Vertretungszwang für gebietsfremde Personen

Nach Abs 2 müssen jedoch natürliche oder juristische Personen, die weder 8
Wohnsitz noch Sitz in einem Vertragsstaat haben (gebietsfremde Personen), im Verfahren vor dem EPA vertreten sein und auch sämtliche Handlungen mit Ausnahme der Einreichung der europäischen Patentanmeldung durch den Vertreter vornehmen lassen.

Kriterium für den Vertretungszwang ist die Frage, ob die betreffende Person 9
in einem Vertragsstaat Sitz oder Wohnsitz hat (franz *domicile* oder *siège*). In der englischen Fassung heißt es *either a residence or their principal place of business*. Trotz der englischen Formulierung *principal place of business* kommt es darauf an, ob zB eine juristische Person einen Sitz in einem der Vertragsstaaten nach dem Recht des betreffenden Staates hat und damit dort als juristische Person anerkannt ist. Es ist dabei unerheblich, ob zB die Muttergesellschaft, die eine

wirtschaftlich beherrschende Funktion ausübt, in einem Staat außerhalb der Staaten des EPÜ ihren Sitz hat.

Damit stellt das EPÜ auf die formelle Anerkennung der betreffenden Person als Rechtssubjekt ab. Es reicht die formelle Stellung aus, um vor dem EPA selbständig auftreten zu können, dagegen genügt nicht eine tatsächlich bestehende gewerbliche oder Handelsniederlassung den Anforderungen des EPÜ.

10 Demgegenüber hat die PVÜ die Inländergleichbehandlung von Ausländern in Art 3 von einer tatsächlich und nicht nur zum Schein bestehenden gewerblichen oder Handelsniederlassung (*établissements industriels ou commerciaux effectifs et sérieux*; *real and effective industrial establishments*) abhängig gemacht.[3]

4 Umfang und Grenzen des Vertretungszwangs

11 Ausgenommen vom Vertretungszwang ist ausdrücklich nur die Einreichung der europäischen Patentanmeldung. Nach der Amtspraxis wird dieser Begriff weit ausgelegt, so dass auch Handlungen, die mit der Anmeldung zusammenhängen, als darunter fallend angesehen werden. Dazu gehört die Einreichung von Erfindernennungen, die Erteilung eines Abbuchungsauftrags für die anfallenden Gebühren und die Übersendung von Prioritätsunterlagen; Voraussetzung ist aber, dass diese Schriftstücke zusammen mit der Anmeldung eingereicht, also nicht nachträglich übersandt werden.

12 Im übrigen unterliegt auch die Zahlung von Gebühren an das EPA nicht dem Vertretungszwang; entscheidend ist, dass die jeweils fällige Gebühr rechtzeitig beim EPA eingeht, gleichgültig, von wem sie kommt. Sind zu viel Gebühren entrichtet worden, oder sind sie zurückzuerstatten, so werden sie nicht an den Einzahler, sondern an den zur Entgegennahme von Zahlungen ermächtigten Vertreter überwiesen.[4]

13 Bedient sich der Anmelder für die Gebührenzahlung eines unabhängigen Unternehmens (Gebührenabwicklungsfirma), so verbleibt die Verantwortung für die rechtzeitige Zahlung bei seinem zugelassenen Vertreter.[5]

14 Im Gegensatz zu nationalen Rechten (zB § 25 DE-PatG) ist nur der Vertreter zur Vornahme von Verfahrenshandlungen befugt, nicht der Gebietsfremde selbst. Ob Handlungen eines gebietsfremden Anmelders durch eine Genehmigung des Vertreters geheilt werden können, ist bisher nicht entschieden worden. In **T 213/89** vom 10.4.1990 wies aber die Beschwerdekammer für die vom Anmelder selbst eingereichten geänderten Anmeldungsunterlagen darauf hin, dass der Vertreter sich nicht dazu geäußert habe, ob diese Unterlagen als formelle Antwort auf einen Bescheid des Amts gewertet werden sollten. Die Be-

---

3 Bodenhausen, Kommentar zur PVÜ, Art 3, Anmerkung (d).
4 Rev. Rechtsauskunft 6/91, ABl 1991, 573.
5 **J 27/90**, ABl 1993, 422.

schwerdekammer ging also offenbar davon aus, dass eine entsprechende Erklärung des Vertreters den Mangel geheilt hätte.

Will das EPA zur Klärung von Zweifelsfragen einem gebietsfremden Anmelder Gelegenheit geben, sich persönlich zu seiner Anmeldung zu äußern, so kann sie ihn Rahmen einer Beweisaufnahme als Zeugen vernehmen; das ist zB in **T 451/89** vom 1.4.1993 geschehen (vgl Art 117 Rdn 24). 15

Nach Art 133 (2) letzter Halbsatz können in der AO weitere Ausnahmen vom Vertretungszwang vorgesehen werden. Dies ist bisher nicht geschehen. 16

Hat eine gebietsfremde Person eine europäische Patentanmeldung eingereicht und keinen zugelassenen Vertreter bestellt, so wird sie nach Art 91 (1) a), (2) iVm R 41 (1) zur Behebung dieses Mangels innerhalb einer von der Eingangsstelle zu bestimmenden Frist (meist 2 Monate) aufgefordert (zum weiteren Verfahren siehe Art 91 Rdn 4–5). 17

5 Handeln von Firmen, Gesellschaften und juristischen Personen aus den Vertragsstaaten

Entsprechend den Erfordernissen des Wirtschaftslebens können Personen, die am Wirtschaftsleben teilnehmen, auch durch ihre Angestellten handeln. Dabei spielt es keine Rolle, ob es sich um Firmen, Rechtspersönlichkeiten des Zivil- oder Handelsrechts, Gesellschaften, juristische Personen oder dergleichen handelt. Die in Betracht kommende Person muss jedoch ein Angestellter (*employee*, *employé*) sein. Ein Familienangehöriger eines Einzelerfinders ohne Angestelltenstatus kann nicht für den Einzelerfinder handeln, der die Anmeldung eingereicht hat. 18

Die Tätigkeit des Angestellten ist rechtlich keine Vertretung der betreffenden Person, sondern eigenes Handeln der Person durch diesen Angestellten. Die englische Fassung *may be represented ... by an employee* ist gegenüber den klaren deutschen und französischen Fassungen des Textes ungenau. Dem Prinzip, dass ein Handeln des betreffenden Beteiligten vorliegt, entspricht es, dass der Angestellte kein zugelassener Vertreter zu sein braucht. Im Falle einer echten Vertretung, sei es eine notwendige oder freiwillige, muss die Vertretung nach Art 134 (1) jedoch stets von einem zugelassenen Vertreter wahrgenommen werden. 19

Aus Gründen der Rechtssicherheit muss die Handlungsberechtigung des Angestellten durch eine sonst für Vertreter vorgeschriebene Vollmacht nach R 101 nachgewiesen werden (Art 133 (3) Satz 1).[6]

---

6 Art 3 des Beschlusses des Präsidenten vom 19.7.1991, ABl 1991, 489.

6 Vertretungsbefugnis von Angestellten für wirtschaftlich verbundene juristische Personen

20 Art 133 (3) Satz 2 räumt dem Verwaltungsrat die Befugnis ein, in der AO vorzusehen, dass Angestellte einer juristischen Person auch für andere juristische Personen, die mit ihr wirtschaftlich verbunden sind, vor dem EPA handeln können. Bisher hat der Verwaltungsrat von dieser Ermächtigung keinen Gebrauch gemacht.

B Die Vollmacht

7 Allgemeines zur Vollmacht

21 Die Vertretung vor dem EPA kann nach Art 134 (1) – vorbehaltlich Art 134 (7) – nur durch zugelassene Vertreter auf Grund einer Vollmacht erfolgen, die dem EPA nachgewiesen werden muss, wenn dies vom EPA verlangt wird. Das EPA hat ein dreisprachiges Formblatt (Vollmacht) herausgegeben (EPA/EPO/OEB Form 1003 10.88, ABl 1989, 225). Die Einzelheiten über die Vollmacht enthält R 101. Diese Vorschrift unterscheidet zwischen Einzelvollmachten und allgemeinen Vollmachten.

Eine Untervollmacht des zugelassenen Vertreters an einen Dritten, der selbst kein zugelassener Vertreter ist, ist ungültig.[7]

8 Nachweis der Vollmacht

22 R 101 (1) verpflichtet den bestellten Vertreter, auf Verlangen innerhalb einer vom EPA zu bestimmenden Frist eine unterzeichnete Vollmacht einzureichen. Die Pflicht besteht aber nur noch in Ausnahmefällen. Durch Beschluss des Präsidenten vom 19.7.1991 ist ein Nachweis der Vollmacht von zugelassenen Vertretern nur noch bei Vertreterwechsel und bei Vorliegen besonderer Umstände erforderlich.[8] Sonst genügt es, dass der in die Liste eingetragene zugelassene Vertreter sich als solcher zu erkennen gibt.

23 Rechtsanwälte, die nach Art 134 (7) zur Vertretung berechtigt sind, müssen entweder eine unterzeichnete Vollmacht oder einen Hinweis auf eine registrierte allgemeine Vollmacht einreichen (vgl Rdn 29–30).[9]

24 Angestellte, die für einen Beteiligten handeln (Abs 3 Satz 1) und keine zugelassenen Vertreter sind, müssen ebenfalls eine unterzeichnete Vollmacht oder einen Hinweis auf eine registrierte allgemeine Vollmacht einreichen.[10]

25 Bezieht sich die Vollmacht auf mehrere europäische Patentanmeldungen oder europäische Patente, so ist ein Exemplar für jede Akte zur Verfügung zu stellen

---

7 **T 227/92** vom 1.7.1993.
8 Beschluss des Präsidenten vom 19.7.1991, ABl 1991, 489, Art 1.
9 Beschluss des Präsidenten vom 19.7.1991, ABl 1991, 489, Art 2.
10 Beschluss des Präsidenten vom 19.7.1991, ABl 1991, 489, Art 3.

(R 36 (4)), es sei denn, die Vollmacht ist eine allgemeine Vollmacht (siehe Rdn 29–30).

In Euro-PCT-Verfahren brauchen auch Rechtsanwälte und Angestellte keine gesonderte unterzeichnete Vollmacht vorzulegen, wenn sie sie schon beim EPA als Anmeldeamt eingereicht haben und die Vollmacht sich ausdrücklich auch auf die Verfahren nach dem EPÜ erstreckt.[11]

9 Frist für die Einreichung der Vollmacht

Wird die angeforderte Vollmacht nicht rechtzeitig eingereicht, so gelten nach R 101 (4) die vom Vertreter vorgenommenen Handlungen außer der Einreichung der europäischen Patentanmeldung als nicht erfolgt.[12] Als Rechtsbehelf bei einer Fristversäumung kommt in erster Linie die Weiterbehandlung nach Art 121 in Betracht, außerdem die Wiedereinsetzung in den vorigen Stand nach Art 122.

Hat ein gebietsfremder Anmelder keinen Vertreter bestellt, wozu er nach Art 133 (2), Art 91 (1) a) verpflichtet ist, so wird er nach R 101 (1) Satz 4 unter Fristsetzung aufgefordert, einen Vertreter zu bestellen und innerhalb der gleichen Frist die Vollmacht einzureichen. Die Frist wird gewöhnlich auf zwei Monate festgesetzt. Auch in diesem Fall kommt als Rechtsbehelf vor allem die Weiterbehandlung nach Art 121 in Betracht (siehe Art 91 Rdn 4–5).

10 Allgemeine Vollmacht (R 101 (2))

Gegenüber dem EPA können auch allgemeine Vollmachten verwendet werden. Damit bevollmächtigen zB Firmen einen Vertreter zur Vertretung in allen ihren Patentangelegenheiten. Diese Vollmacht braucht nur in einem Stück und nur in einer Sprache eingereicht zu werden und zwar bei der Direktion 5.2.4 des EPA. Es genügt dann, dass der Beteiligte im Erteilungsantrag oder vor dem jeweiligen Organ des EPA Namen und Anschrift sowie die Registriernummer des betreffenden Vertreters angibt.

Der Präsident des EPA hat aufgrund der in R 101 (3) enthaltenen Ermächtigung Form und Inhalt der allgemeinen Vollmacht bestimmt; außerdem hat er für Entscheidungen über die Registrierung die Rechtsabteilung für zuständig erklärt.[13]

11 Form und Inhalt der Vollmacht eines notwendigen Vertreters

Nach R 101 (3) a) kann der Präsident auch Form und Inhalt einer Einzelvollmacht bestimmen, die die Vertretung von Personen im Sinne des Art 133 (2)

---

11 PrüfRichtl A-IX, 1.5; siehe weiter Mitteilung zu PCT: Verzicht auf Vorlage der Anwaltsvollmachten, ABl 2004, 305.
12 **J 13/87**, ABl 1989, 3.
13 ABl 1985, 42; ABl 1989, 77; **J 9/99**, ABl 2004, 309, LS I, Nr 1.5.

betrifft. Von dieser Ermächtigung hat der Präsident bisher noch keinen Gebrauch gemacht.

12 Widerruf von Vollmachten

32 Die Vorschriften über die Vollmacht (R 101 (1)) und über allgemeine Vollmachten (R 101 (2)) sind nach R 101 (5) auf den Widerruf von Vollmachten entsprechend anzuwenden.

13 Erlöschen der Vollmacht

33 Ist die Bevollmächtigung eines Vertreters erloschen, weil zB der Beteiligte sie widerrufen hat, so wird der bisherige Vertreter vom EPA so lange als Vertreter angesehen, bis das Erlöschen der Vertretungsmacht dem EPA mitgeteilt worden ist (R 101 (6)). Eine Vollmacht gegenüber dem EPA erlischt nicht mit dem Tod des Vollmachtgebers, wenn dies in der Vollmacht nicht ausdrücklich bestimmt ist (R 101 (7)).

14 Mehrere Bevollmächtigte

34 Hat ein Beteiligter mehrere Personen bevollmächtigt, so sind diese berechtigt, sowohl gemeinschaftlich als auch einzeln zu handeln. Eine dieser Regelung entgegenstehende Bestimmung hat gegenüber dem EPA keine Wirkung, und zwar auch dann nicht, wenn sie sich aus der Anzeige über die Bestellung ergibt (R 101 (8)).

35 Wird ein Zusammenschluss von Vertretern, zB eine Sozietät bevollmächtigt, so gilt jeder Vertreter dieses Zusammenschlusses als bevollmächtigt (R 101 (9)).

Nach einem Beschluss des Verwaltungsrats (ABl 1979, 92, Nr 1) ist R 101 (9) dahin auszulegen, dass unter einem solchen Zusammenschluss nur der Zusammenschluss frei beruflich tätiger zugelassener Vertreter zu verstehen ist. Dieser Beschluss sieht die Registrierung solcher Zusammenschlüsse vor und regelt im einzelnen, wie deren Bevollmächtigung zu behandeln ist.

Unter Bezugnahme auf diese Auslegung des Begriffs *Zusammenschluss* durch den Verwaltungsrat hat die Rechtsabteilung am 25.4.1989 den Antrag abgelehnt, eine Sozietät aus Patent- und Rechtsanwälten als Zusammenschluss im Sinne der R 101 (9) anzuerkennen. Ein Zusammenschluss von Vertretern iSd R 101 (9) kann aber auch von zugelassenen Vertretern gebildet werden, die nicht freiberuflich tätig sind.[14]

---

14 **J 16/96**, ABl 1998, 347.

C Die gemeinsame Vertretung

15 Vorschriften für die gemeinsame Vertretung

Nach Abs 4 können in der AO Vorschriften über die gemeinsame Vertretung mehrerer Beteiligter, die gemeinsam handeln, vorgesehen werden. Das ist in R 100 geschehen. Damit soll das Verfahren vor dem EPA vereinfacht werden: eine bestimmte Person wird gegenüber dem EPA als Vertreter bestimmt oder fingiert, wenn mehrere Anmelder es versäumt haben, selbst einen gemeinsamen Vertreter zu bestimmen (R 26 (3)). 36

Dabei sind die unter Rdn 38, 40, 44 und 45 behandelten Fälle zu unterscheiden. 37

16 Gemeinsamer Vertreter bei europäischen Patentanmeldungen ohne Vertretungszwang

Ist keiner der mehreren Anmelder zur Bestellung eines Vertreters verpflichtet und ist im Antrag kein gemeinsamer Vertreter bezeichnet, so gilt nach R 100 (1) der im Patenterteilungsantrag (R 26 (2) c)) zuerst Genannte als gemeinsamer Vertreter. Diese Regelung gilt auch dann, wenn einer der weiteren Anmelder – freiwillig – einen Vertreter bestellt hat. 38

Haben mehrere Anmelder einen gemeinsamen Vertreter bestellt und endet die Vertretungsbefugnis für einen von ihnen, weil dieser seine Rechte aus der Anmeldung auf einen Dritten übertragen hat, so kann dieser Dritte oder ein von ihm bestellter Vertreter keine wirksamen Erklärungen zum Verfahren abgeben. Vielmehr muss das EPA nach R 100 (2) Satz 2 die aus der Anmeldung Berechtigten auffordern, einen neuen gemeinsamen Vertreter zu benennen. Wird dieser Aufforderung nicht entsprochen, so bestimmt das EPA den gemeinsamen Vertreter (vgl Rdn 47, 48).[15] 39

17 Gemeinsamer Vertreter bei europäischen Patentanmeldungen mit Vertretungszwang

Sind die mehreren Anmelder teils Gebietsfremde und damit verpflichtet, sich vertreten zu lassen, teils Angehörige von EPÜ-Staaten, so gilt nach R 100 (1) Satz 2 folgendes: 40

Ist der gebietsfremde Anmelder der Erstgenannte, so gilt sein Vertreter als gemeinsamer Vertreter, gleichgültig, ob einer der einem EPÜ-Staat angehörenden Anmelder einen Vertreter bestellt hat. 41

Ist im Erteilungsantrag ein einem EPÜ-Staat angehörender Anmelder zuerst genannt und hat dieser – freiwillig – einen Vertreter bestellt, so gilt dieser als gemeinsamer Vertreter.

---

15 **J 35/92** vom 17.3.1994.

Hat jedoch dieser zuerst genannte Anmelder keinen Vertreter bestellt und ist nur einer der folgenden Mitanmelder gebietsfremd, so ist der von diesem zu bestellende Vertreter gemeinsamer Vertreter.

42 Der Fall, dass der zuerst genannte, einem EPÜ-Staat angehörende Anmelder keinen Vertreter bestellt hat und mehrere gebietsfremde weitere Anmelder Vertreter bestellt haben, ist in R 100 (1) nicht erwähnt. Aus R 100 sind aber die beiden folgenden Grundsätze zu entnehmen: Bei mehreren hinsichtlich der Vertretungspflicht gleich zu behandelnden Anmeldern gilt als gemeinsamer Vertreter der in der europäischen Patentanmeldung zuerst genannte Anmelder; sind gebietsfremde Anmelder beteiligt, so muss ein zugelassener Vertreter der Gesprächspartner des EPA sein. Daraus dürfte folgen, dass bei mehreren gebietsfremden Anmeldern, die verschiedene Vertreter bestellt haben, der in der Anmeldung zuerst aufgeführte zugelassene Vertreter gemeinsamer Vertreter ist.

43 Steht dem EPA auf Grund dieser Fiktion ein gemeinsamer Vertreter gegenüber, so brauchen die weiteren gebietsfremden Anmelder keinen Vertreter mehr zu bestellen; durch die Fiktion ist ihre Pflicht zur Vertreterbestellung erfüllt.[16]

18 Regelung für gemeinsame Vertretung im Einspruchsverfahren

44 Nach R 100 (1) Satz 3 sind diese Grundsätze auch im Einspruchsverfahren anzuwenden. Dies gilt einmal, wenn es sich um gemeinsame Patentinhaber handelt, zum anderen aber auch dann, wenn mehrere Personen gemeinsam einen Einspruch nach Art 99 iVm R 55 eingelegt oder den Beitritt beantragt haben.[17]

19 Gemeinsamer Vertreter bei Rechtsübergang

45 Nach R 100 (2) finden diese Grundsätze entsprechend Anwendung, wenn eine Rechtsposition auf mehrere Personen übergeht. Dies gilt sowohl für die Rechte aus der Anmeldung und dem Patent, wie auch für die Rechtsposition aus dem Einspruch. Die Berechtigung und Verpflichtung zur gemeinsamen Vertretung kann sich also im Lauf des Verfahrens ändern.

46 R 100 (2) Satz 2 regelt die Fälle, in denen eine entsprechende Anwendung dieser Grundsätze nicht möglich ist, wenn zB von mehrerer Erben der an erster Stelle Aufgeführte seinen Wohnsitz außerhalb der Vertragsstaaten hat und nicht an der europäischen Patentanmeldung interessiert ist. Bestellt dieser Miterbe keinen Vertreter, so würde unter Umständen die europäische Patentanmeldung zurückzuweisen sein. Denkbar ist ebenso, dass sich die Mitglieder einer Erbengemeinschaft nicht auf einen gemeinsamen Vertreter einigen können.

---

16 So auch Strebel in MünchGemKom, Art 91, Rn 71.
17 Siehe auch **G 3/99**, ABl 2002, 347.

J 35/92 betraf einen solchen Ausnahmefall:[18] Von zwei Anmeldern, die einen gemeinsamen Vertreter bestellt hatten, übertrug der eine sein Recht aus der Anmeldung auf einen Dritten, der einen anderen Vertreter bestellte. Dessen Rücknahme der europäischen Patentanmeldung war unwirksam, weil er nicht der gemeinsame Vertreter war und wegen der ursprünglichen Bestellung eines gemeinsamen Vertreters kein Fall von R 100 (2) vorlag. Für die Anwendung der R 100 (1) Satz 1 war ebenfalls kein Raum, weil in der Anmeldung ein gemeinsamer Vertreter bestellt worden war.

Für diese Fälle sieht R 100 (2) Satz 3 vor, dass das EPA, dh das für den betreffenden Verfahrensabschnitt zuständige Organ (Art 15 ff) einen gemeinsamen Vertreter bestimmt. Diese Lösung dürfte für einen an seinem Recht nicht besonders interessierten Beteiligten den Vorteil haben, dass er zur Zahlung von Kosten für die Vertretung wahrscheinlich nicht im sonstigen Umfang herangezogen werden kann; dies ist jedoch eine nach dem jeweils anwendbaren nationalen Recht zu entscheidende Frage.

Artikel 134 Zugelassene Vertreter

(1) Die Vertretung natürlicher oder juristischer Personen in den durch dieses Übereinkommen geschaffenen Verfahren kann nur durch zugelassene Vertreter wahrgenommen werden, die in einer beim Europäischen Patentamt geführten Liste eingetragen sind.

(2) In der Liste der zugelassenen Vertreter kann jede natürliche Person eingetragen werden, die folgende Voraussetzungen erfüllt:
a) Sie muss die Staatsangehörigkeit eines Vertragsstaats besitzen;
b) sie muss ihren Geschäftssitz oder Arbeitsplatz im Hoheitsgebiet des Vertragsstaats haben;
c) sie muss die europäische Eignungsprüfung bestanden haben.

(3) Die Eintragung erfolgt auf Grund eines Antrags, dem die Bescheinigungen beizufügen sind, aus denen sich die Erfüllung der in Absatz 2 genannten Voraussetzungen ergibt.

(4) Die Personen, die in der Liste der zugelassenen Vertreter eingetragen sind, sind berechtigt, in den durch dieses Übereinkommen geschaffenen Verfahren aufzutreten.

(5) Jede Person, die in der Liste der zugelassenen Vertreter eingetragen ist, ist berechtigt, zur Ausübung ihrer Tätigkeit als zugelassener Vertreter einen Geschäftssitz in jedem Vertragsstaat zu begründen, in dem die Verfahren durchgeführt werden, die durch dieses Übereinkommen unter Berücksichtigung des dem Übereinkommen beigefügten Zentralisierungs-

---

[18] J 35/92 vom 17.3.1994.

protokolls geschaffen worden sind. Die Behörden dieses Staats können diese Berechtigung nur im Einzelfall in Anwendung der zum Schutz der öffentlichen Sicherheit und Ordnung erlassenen Rechtsvorschriften entziehen. Vor einer solchen Maßnahme ist der Präsident des Europäischen Patentamts zu hören.

(6) Der Präsident des Europäischen Patentamts kann in besonders gelagerten Fällen von der Voraussetzung nach Absatz 2 Buchstabe a Befreiung erteilen.

(7) Die Vertretung in den durch dieses Übereinkommen geschaffenen Verfahren kann wie von einem zugelassenen Vertreter auch von jedem Rechtsanwalt, der in einem Vertragsstaat zugelassen ist und seinen Geschäftssitz in diesem Staat hat, in dem Umfang wahrgenommen werden, in dem er in diesem Staat die Vertretung auf dem Gebiet des Patentwesens ausüben kann. Absatz 5 ist entsprechend anzuwenden.

(8) Der Verwaltungsrat kann folgende Vorschriften erlassen:
a) über die Vorbildung und Ausbildung, die eine Person besitzen muss, um zu der europäischen Eignungsprüfung zugelassen zu werden, und die Durchführung dieser Eignungsprüfung;
b) über die Errichtung oder Anerkennung eines Instituts, in dem die auf Grund der europäischen Eignungsprüfung oder nach Artikel 163 Absatz 7 zugelassenen Vertreter zusammengeschlossen sind, und
c) über die Disziplinargewalt, die dieses Institut oder das Europäische Patentamt über diese Personen besitzt.

Lise Dybdahl-Müller/Margarete Singer

Übersicht

1	Allgemeine Vorbemerkung	1
A	**Die Vertretung vor dem EPA (Art 134)**	**2-23**
2	Allgemeines zur Vertretung vor dem EPA	2
3	Personenkreis der Vertreter, insbesondere die zugelassenen Vertreter	3-4
4	Liste der zugelassenen Vertreter	5-6
5	Voraussetzungen für die Eintragung in die Liste der zugelassenen Vertreter (Abs 2)	7-10
6	Eintragung in die Liste	11-14
7	Zusätzlicher Geschäftssitz in weiteren Vertragsstaaten (Abs 5)	15
8	Berechtigung von Rechtsanwälten aus den Vertragsstaaten (Abs 7)	16-19
9	Auftreten von Dritten in der mündlichen Verhandlung	20-23

B	**Das Institut der beim EPA zugelassenen Vertreter (epi)**	24-31
10	Allgemeines zur Errichtung des Instituts (epi)	24
11	Stellung und Aufgaben des Instituts (epi)	25-26
12	Organisation des Instituts (epi)	27-31
C	**Die Eignungsprüfung für die zugelassenen Vertreter**	32-66
13	Allgemeines zur europäischen Eignungsprüfung	32-36
14	Zulassungsbedingungen zur Prüfung	37-47
15	Prüfungsstoff	48
16	Anmeldung zur Prüfung	49-51
17	Prüfungsaufgaben	52-54
18	Zeitpunkt und Ort der Prüfung	55
19	Bewertung der Prüfungsarbeiten	56
20	Beschwerden gegen die Entscheidungen der Prüfungskommission und des Prüfungssekretariats	57-63
21	Zusätzliche Ausbildungskurse für Kandidaten	64-66
D	**Die Disziplinargewalt über die zugelassenen Vertreter**	67-78
22	Allgemeines zur Disziplinargewalt	67-72
23	Disziplinarorgane	73-76
24	Verfahren	77
25	Verfahrensordnungen	78

1 Allgemeine Vorbemerkung

Dieser Artikel behandelt zwei Themen: Er regelt die Vertretung vor dem EPA und ermächtigt den Verwaltungsrat zum Erlass von Vorschriften über die Zulassungsvoraussetzungen zur europäischen Eignungsprüfung, über die Errichtung eines Instituts der beim EPA zugelassenen Vertreter (epi) und über die Disziplinargewalt über die zugelassenen Vertreter.

Die Bezeichnungen für den zugelassenen Vertreter lautet kurz: Zugelassener Vertreter vor dem EPA, European Patent Attorney, Mandataire européen en brevets.[1]

A Die Vertretung vor dem EPA (Art 134)

2 Allgemeines zur Vertretung vor dem EPA

Zur Vertretung vor dem EPA sind zwei Gruppen von Personen berechtigt: die in einer beim EPA geführten Liste eingetragenen zugelassenen Vertreter und die Rechtsanwälte, soweit sie in ihrem Vertragsstaat zur Vertretung auf dem Gebiet des Patentwesens zugelassen sind.

---

1 ABl 2004, 361.

Artikel 134 — *Zugelassene Vertreter*

Art 134 führt die Voraussetzungen auf, unter denen eine Eintragung in die Liste erfolgen kann, und legt die Rechte der eingetragenen Personen fest. Weitere Einzelheiten der Vertretung und der Vollmacht zur Vertretung sind in R 101 und im Beschluss des Präsidenten vom 19.7.1991 (ABl 1991, 489) geregelt. Änderungen in der Liste der zugelassenen Vertreter werden nach R 102 behandelt.

Die Eintragung von Vertretern aus neu hinzugekommenen Vertragsstaaten während einer Übergangszeit regeln Art 163 und R 106 (siehe Art 163 Rdn 2–4).

3 Personenkreis der Vertreter, insbesondere die zugelassenen Vertreter

3   Art 134 (1) schreibt vor, dass die Vertretung vor dem EPA nur durch zugelassene Vertreter erfolgen kann. Abs 7 erlaubt auch Rechtsanwälten aus den Vertragsstaaten die Vertretung, soweit sie in ihrem Heimatstaat als Vertreter auf dem Gebiet des Patentwesens tätig werden dürfen. Nur diese beiden Personengruppen können als Vertreter auftreten. Das gilt sowohl für die notwendige Vertretung nach Art 133 (2) als auch für die Vertretung von Personen, die nach Art 133 (1) keines Vertreters bedürfen.

4   Die Rechtsabteilung hat in mehreren Entscheidungen festgestellt, dass andere Personen, die nationale Patentanwälte sind, auch auf Grund des Gleichbehandlungsgrundsatzes nicht zur Vertretung vor dem EPA berechtigt sind. Ein deutscher Patentanwalt kann deshalb nicht als Vertreter für eine bestimmte europäische Patentanmeldung in das europäische Patentregister eingetragen werden;[2] dabei ist es unerheblich, ob der Kenntnisstand eines deutschen Patentanwalts dem eines *legal practitioner* vergleichbar ist (siehe Berichte der MDK, M/PR/I Nr 805, 806). *Legal practitioner* ist nichts anderes als ein Oberbegriff der englischen Berufsbezeichnungen *barrister* und *solicitor*. Auch der Gleichheitsgrundsatz in Art 3 des deutschen Grundgesetzes führt zu keinem anderen Ergebnis. Eine Gleichstellung deutscher Patentanwälte mit deutschen Rechtsanwälten nach Art 134 (7) würde im übrigen zu einer Verletzung des Gleichheitsgrundsatzes gegenüber anderen nationalen Patentvertretern führen.

Auch der Antrag eines britischen *chartered patent agent* auf Feststellung, dass er vor dem EPA nach Art 134 (7) handeln kann, wurde abgelehnt;[3] Art 49 PCT und Art 62 GPÜ (früher Art 64) führen zu keinem anderen Ergebnis.

Wegen der Anträge mehrerer westdeutscher Patentanwälte im Zusammenhang mit dem Beitritt der früheren DDR zur BRD, die wie die dortigen Patentassessoren ohne Ablegung der Eignungsprüfung analog Art 163 in die Liste der zugelassenen Vertreter eingetragen werden wollten, siehe Art 163 Rdn 7.

---

2   Rechtsabteilung vom 3.7.1985; **J 19/89**, ABl 1991, 425.
3   Rechtsabteilung vom 27.4.1989.

4 Liste der zugelassenen Vertreter

Nach Art 134 (1) müssen die zugelassenen Vertreter in einer beim EPA von der Rechtsabteilung geführten Liste eingetragen sein (Art 20 (1)). Mit der Eintragung erwerben sie nach Art 134 (4) die Berechtigung, in den im EPÜ vorgesehenen Verfahren als Vertreter aufzutreten.

Ein zugelassener Vertreter kann nicht einen anderen nicht zugelassenen Vertreter in Untervollmacht für sich handeln lassen. Dieser kann nur als technischer Berater des zugelassenen Vertreters tätig werden.[4]

5 Voraussetzungen für die Eintragung in die Liste der zugelassenen Vertreter (Abs 2)

Die Person muss nach Buchst a) die Staatsangehörigkeit eines Vertragsstaats besitzen. Weitere Staatsangehörigkeiten, auch eines Nichtvertragsstaats, schaden nicht. Vom Erfordernis der Staatsangehörigkeit kann der Präsident des EPA nach Abs 6 in besonders gelagerten Fällen Befreiung erteilen. Dies ist bisher nur wenige Male geschehen.

Die Person muss nach Buchst b) ihren Geschäftssitz oder Arbeitsplatz in einem Vertragsstaat haben. Der in der deutschen Fassung hier verwendete bestimmte Artikel *des* Vertragsstaats scheint zwar darauf hin zu deuten, dass sich der Geschäftssitz oder Arbeitsplatz in dem Vertragsstaat befinden muss, dessen Staatsangehörigkeit die Person besitzt. Aus dem englischen und französischen Text (within the territory of *one* of the Contracting States, sur le territoire de *l'un* des Etats contractants) ergibt sich jedoch eindeutig, dass es genügt, wenn sich der Geschäftssitz oder Arbeitsplatz in einem der Vertragsstaaten befindet. Die Materialien bestätigen diese Auffassung: Im Vorschlag des Allgemeinen Redaktionsausschusses der MDK vom 30.9.1973 (M/146/R5), also kurz vor der Unterzeichnung des Übereinkommens, hieß es im deutschen Text *im Hoheitsgebiet eines Vertragsstaats*. Da sich aus keinen weiteren Unterlagen eine sachliche Textänderung ergibt, dürfte es sich bei dem endgültigen deutschen Text um ein Schreib- oder Redaktionsversehen handeln.

Die Person muss die europäische Eignungsprüfung bestanden haben. Zur Vorbildung und Ausbildung für die Zulassung zur europäischen Eignungsprüfung siehe Rdn 32 und 37 ff.

Die Person muss geschäftsfähig sein. Wird ein in die Liste eingetragener Vertreter auf Dauer erkennbar geschäftsunfähig, so ist sein Name in der Liste zu löschen (R 102 (2) a)). Für Entscheidungen darüber ist die Rechtsabteilung zuständig, die zur Feststellung der Geschäftsunfähigkeit auch eine Beweisaufnahme durchführen kann.[5]

---

4 **T 227/92** vom 1.7.1993.
5 **J xx/86**, ABl 1987, 528.

Wegen Vertretern aus neu hinzugekommenen Vertragsstaaten siehe unter Art 163.

6 Eintragung in die Liste

11 Die Eintragung in die Liste der zugelassenen Vertreter ist notwendige Voraussetzung für die Vertretungsberechtigung; sie ist konstitutiv. Für die Eintragung ist ein Antrag erforderlich (Abs 3), dem die Bescheinigungen über die Erfüllung der in Abs 2 aufgeführten Voraussetzungen (siehe Rdn 7–10) beizufügen sind.

12 Nach R 102 (1) wird der zugelassene Vertreter auf seinen Antrag in der Liste gelöscht. Ein Vertreter, dessen Eintragung auf eigenen Antrag oder von Amts wegen gelöscht worden ist (R 102 (2)), kann auf seinen Antrag wieder eingetragen werden, wenn die Voraussetzungen für die Löschung entfallen sind (R 102 (3)).

13 Der zugelassene Vertreter wird in die Liste eingetragen unter dem Anfangsbuchstaben des ersten Bestandteils seines Familiennamens, zB bei Familiennamen mit *von* unter *v*.[6] Vertreter mit nicht leicht auffindbarem Namen, deren Familienname zB mit den Bestandteilen *von, van, de, du* usw. beginnt, können beantragen, in diesem Verzeichnis noch an einer weiteren Stelle aufgeführt zu werden, die ihnen zweckmäßig erscheint.

14 Das EPA veröffentlicht im Zweijahresrhythmus unabhängig von der ständig geführten Liste der zugelassenen Vertreter ein nach Vertragsstaaten geordnetes Verzeichnis der Vertreter in alphabetischer Reihenfolge. Die Liste kann auch über Internet abgerufen werden (www.european-patent-office.org)

7 Zusätzlicher Geschäftssitz in weiteren Vertragsstaaten (Abs 5)

15 Nach Abs 5 kann jeder zugelassene Vertreter einen weiteren Geschäftssitz in jedem Vertragsstaat errichten, in dem ein Verfahren nach dem EPÜ (einschließlich des Zentralisierungsprotokolls) durchgeführt wird. Damit können die in den übrigen Vertragsstaaten ansässigen Vertreter vor allem auch Geschäftssitze am Sitz des EPA in der Bundesrepublik Deutschland und in den Niederlanden errichten. Nach Abs 7 letzter Satz steht diese Möglichkeit auch Rechtsanwälten offen, soweit sie zur Vertretung zugelassen sind.

Der Souveränität der Vertragsstaaten wird dadurch Rechnung getragen, dass nach Abs 5 Satz 2 und 3 diese Berechtigung in Einzelfällen nach Anhörung des Präsidenten des EPA zum Schutz der öffentlichen Sicherheit und Ordnung entzogen werden kann. Bis heute hat es noch keinen solchen Fall gegeben.

---

6 **J 1/78**, ABl 1979, 285.

8 Berechtigung von Rechtsanwälten aus den Vertragsstaaten (Abs 7)

Die Berechtigung zur Vertretung von Anmeldern und sonstigen am patentamtlichen Verfahren Beteiligten obliegt in den einzelnen Vertragsstaaten grundsätzlich zugelassenen Vertretern, zum Teil auch Rechtsanwälten. Das EPÜ hat diese Gleichberechtigung von zugelassenen Vertretern und Rechtsanwälten für das Verfahren vor dem EPA übernommen. Ist ein Rechtsanwalt mit Geschäftssitz in einem Vertragsstaat in diesem Staat zur Vertretung auf dem Gebiet des Patentwesens berechtigt, so ist er nach Abs 7 in gleichem Umfang zur Vertretung vor dem EPA zugelassen. Er kann auch zusätzliche Geschäftssitze in Vertragsstaaten errichten, in denen Verfahren nach dem EPÜ durchgeführt werden (siehe Rdn 15). Im Gegensatz zu den zugelassenen Vertretern müssen Rechtsanwälte nicht die Staatsangehörigkeit eines Vertragsstaats besitzen. 16

Rechtsanwälte müssen immer eine Vollmacht einreichen.[7] 17

Nach einer Gesetzesänderung 1992 dürfen spanische Rechtsanwälte (abogados) vor dem nationalen Patentamt auftreten. Damit dürfen sie auch vor dem EPA vertreten.[8] 18

Die Registrierung von Rechtsanwälten beim EPA ist nicht zu verwechseln mit der Eintragung in die Liste der zugelassenen Vertreter nach Abs 1–3, die nur für den dort genannten Personenkreis in Betracht kommt, während die nach Abs 7 zur Vertretung berechtigten Rechtsanwälte keiner Eintragung in eine Liste bedürfen.[9] 19

9 Auftreten von Dritten in der mündlichen Verhandlung

Immer wieder beantragen die Verfahrensbeteiligten oder ihre Vertreter, auch außerhalb von Beweisaufnahmen Dritte, die keine zugelassenen Vertreter sind, wegen ihrer Sach- oder Rechtskenntnisse zum Vortrag in der mündlichen Verhandlung zuzulassen. Zunächst lehnte eine Beschwerdekammer dies strikt ab.[10] In **T 598/91** unterschied eine Beschwerdekammer dann zwischen der Vertretung, die den zugelassenen Vertretern vorbehalten ist, und dem Vortrag eines sachkundigen Dritten, dessen Hilfe sich der Vertreter bedient.[11] Damit glich die Beschwerdekammer ihre Rechtsprechung der seit einigen Jahren üblichen Praxis an, dass Assistenten der Patentanwälte unter deren Aufsicht und vollen Verantwortung technische Einzelheiten und rechtliche Argumente vortragen durften, wenn die Kammer und der Beteiligte zugestimmt hatten. In **T 603/92** 20

---

7   Art 3 des Beschlusses des Präsidenten vom 19.7.1991, ABl 1991, 489.
8   **J 18/99** vom 1.10.2002; vgl früher **J 27/95** vom 9.4.1997.
9   Urteil des Bayerischen VG München vom 19.10.1978, zitiert in Mitteilung des EPA, ABl 1979, 92, Nr 4.
10 **T 80/84**, ABl 1985, 269.
11 **T 598/91**, ABl 1994, 912.

war dies ein Assistent, der die Eignungsprüfung noch nicht abgelegt hatte.[12] In **T 843/91** betrachtete die Beschwerdekammer die Ausführungen des nicht zugelassenen Vertreters als Anhörung nach Art 117.[13]

21 Die Rechtsunsicherheit, die sich aus dieser unterschiedlichen Behandlung bei der Anhörung von nicht zugelassenen Vertretern ergab, beendeten die Beschwerdekammern mit der Vorlage zweier Entscheidungen an die Große Beschwerdekammer: **J 11/94**[14] betraf ein ex parte-Verfahren, **T 803/93**[15] ein Einspruchsbeschwerdeverfahren. Über beide Vorlagen entschied die Große Beschwerdekammer am 19.2.1996, und zwar mit **G 2/94** zu **J 11/94**[16] und mit **G 4/95** zu **T 803/93**.[17]

22 Für beide Arten von Verfahren betont die Große Beschwerdekammer, dass die Anhörung dritter Personen, die nicht zugelassene Vertreter sind, im Ermessen der jeweiligen Beschwerdekammer liegt und sich nach den besonderen Gegebenheiten des Falls richtet. Sinn des Vortrags soll sein, dass die Kammer sich über alle erheblichen Fakten informieren kann, bevor sie entscheidet. Für die Ausübung dieses Ermessens stellt die Große Beschwerdekammer folgende Leitlinien auf:

Es bedarf eines besonderen Antrags;

– aus dem Antrag müssen sich Name, Qualifikation und Gegenstand der vorgesehenen Darlegungen ergeben;
– die Erlaubnis zu solchen Darlegungen muss so rechtzeitig vor der Verhandlung beantragt werden, dass die Beschwerdekammer und die Beteiligten genügend Zeit zur Vorbereitung haben;
– kurz vor oder in der mündlichen Verhandlung gestellte Anträge sollten, falls nicht ungewöhnliche Umstände vorliegen, zurückgewiesen werden, außer wenn alle Beteiligten zustimmen;
– die Darlegungen stehen unter der vollen Verantwortung und Kontrolle des zugelassenen Vertreters;
– die gleichen Grundsätze gelten auch für Patentanwälte aus Staaten, die nicht dem EPÜ angehören.

23 In **G 2/94**[18] kam hinzu, dass die Darlegungen von einem früheren Vorsitzenden der Juristischen Beschwerdekammer gemacht werden sollten, der etwa

---

12 **T 603/92** vom 26.5.1994.
13 **T 843/91**, ABl 1994, 818.
14 **J 11/94**, ABl 1995, 596.
15 **T 803/93**, ABl 1996, 204.
16 **G 2/94**, ABl 1996, 401; **J 11/94**, ABl 1995, 596; siehe hierzu Mulas, Vortrag einer nicht vertretungsberechtigten Begleitperson in der mündlichen Verhandlung beim Europäischen Patentamt, Mitt. 1997, 312.
17 **G 4/95**, ABl 1996, 412; **T 803/93**, ABl 1996, 412.
18 **G 2/94**, ABl 1996, 401.

1 $^1/_2$ Jahre vor der Verhandlung in den Ruhestand getreten war. Bei der Ausübung des Ermessens ist hier darauf zu achten, dass keine Befangenheit der Beschwerdekammer zu befürchten sein darf, wenn sie den Vortrag gestattet. Dabei ist der Zeitraum seit dem Ausscheiden des Kammermitglieds wichtig. Die Große Beschwerdekammer geht davon aus, dass mindestens 3 Jahre vergangen sein sollten. Nach diesem Zeitraum sollte der Vortrag erlaubt werden, wenn keine außergewöhnlichen Umstände dagegen sprechen. Die Juristische Beschwerdekammer hatte keine Gelegenheit mehr, auf Grund dieser Vorgaben ihr Ermessen auszuüben, da die Vorlageentscheidung **J 11/94** inzwischen durch Rücknahme erledigt worden war.[19]

B Das Institut der beim EPA zugelassenen Vertreter (epi)

10 Allgemeines zur Errichtung des Instituts (epi)

Art 134 (8) b) enthält die Ermächtigung des Verwaltungsrats, Vorschriften zu erlassen über die Errichtung eines Instituts der beim EPA zugelassenen Vertreter (epi). Von dieser Ermächtigung hat der Verwaltungsrat am 21.10.1977 Gebrauch gemacht.[20] **24**

11 Stellung und Aufgaben des Instituts (epi)

Das Institut (epi) hat in jedem Vertragsstaat Rechtspersönlichkeit als juristische Person (Art 2 der Vorschriften über die Errichtung des Instituts). Das Institut ist eine zwischenstaatliche Einrichtung mit hoheitlichen Befugnissen (vgl Schäfers, Das Institut der beim Europäischen Patentamt zugelassenen Vertreter, GRUR 1985, 746 (750 ff)). Es stellt eine in den Rahmen des europäischen Patenterteilungsverfahrens integrierte Einrichtung dar.[21] Es besitzt finanzielle Autonomie und finanziert sich in erster Linie aus den Beiträgen seiner Mitglieder (Art 3 und 6), die über das Laufende Konto, das beim EPA geführt wird, entrichtet werden können (Beilage zum ABl 2/1999, 49). Für alle in der Liste eingetragenen Mitglieder besteht obligatorische Mitgliedschaft (Art 5). **25**

Das Institut (epi) hat nach Art 4 der Vorschriften über die Errichtung des Instituts die Aufgabe, **26**

– mit der EPO in Fragen des Berufs des zugelassenen Vertreters, insbesondere in Disziplinarangelegenheiten und bei der europäischen Eignungsprüfung, zusammenzuarbeiten,
– zur Verbreitung von Kenntnissen beizutragen, die die Tätigkeit seiner Mitglieder betreffen,

---

19 **J 11/94**, ABl 1995, 596.
20 ABl 1978, 85, geändert am 5.3.1997, ABl 1997, 130, ABl 2002, 429, letzte konsolidierte Fassung ABl 1997, 350; letzte Änderung ABl 2004, 361.
21 Entschließung des Verwaltungsrats der EPO, ABl 1984, 295, Nr 4.

Artikel 134 *Zugelassene Vertreter*

- dafür zu sorgen, dass seine Mitglieder seine beruflichen Regeln einhalten, unter anderem durch Aussprache von Empfehlungen,
- mit der EPO und anderen Stellen in Fragen des gewerblichen Rechtsschutzes Verbindung zu halten, soweit dies zweckmäßig ist.

12 Organisation des Instituts (epi)

27 Die Organisation ist in Art 7 ff der Vorschriften über die Errichtung des Instituts geregelt, die durch die Geschäftsordnung des Instituts näher ausgeführt werden. Der Rat wird von den Mitgliedern des EPI alle drei Jahre gewählt. Dieser Turnus ist erstmals anwendbar nach den Wahlen 1999 (ABl 1997, 350, FN zu Art 7 C). Ihm obliegt die Verwaltung und Leitung der Geschäfte. Er tagt mindestens zweimal im Jahr. Der Rat wählt aus seinen Mitgliedern einen Präsidenten, zwei Vizepräsidenten, einen Generalsekretär und einen Schatzmeister sowie einen stellvertretenden Sekretär und einen stellvertretenden Schatzmeister als Vorstand. Dem Vorstand gehören weitere Mitglieder aus den Vertragsstaaten an, und zwar aus jedem Vertragsstaat zwei, vier oder sechs Mitglieder, abhängig von der Zahl der Wahlberechtigten in dem jeweiligen Vertragsstaat. Der Präsident des Rates vertritt das Institut.

28 Der Rat wählt den Disziplinarrat (Art 11 der Vorschriften über die Errichtung des Instituts). Er ist die erste Instanz der drei Disziplinarorgane der zugelassenen Vertreter (Art 5 und 6 der Vorschriften in Disziplinarangelegenheiten von zugelassenen Vertretern, ABl 1978, 91).

29 Der Rat hat Ausschüsse für bestimmte Aufgabenbereiche eingesetzt (Art 12). Die Ausschüsse und die Namen ihrer Mitglieder sind zusammen mit den Disziplinarorganen in der epi-info abgedruckt. Generalversammlungen aller Mitglieder des Instituts (Art 13) können vom Rat einberufen werden.

30 Das Institut gibt die Zeitschrift epi-info heraus, die vierteljährlich erscheint. Die Web-Site heißt www.patentepi.com.

31 Das Institut hat die Möglichkeit einer Studentenmitgliedschaft geschaffen, die besonders der Unterstützung künftiger europäischer Patentvertreter dient. Information hierüber enthält die epi-info.[22]

C Die Eignungsprüfung für die zugelassenen Vertreter

13 Allgemeines zur europäischen Eignungsprüfung

32 Die Grundregeln der europäische Eignungsprüfung ergeben sich aus den vom Verwaltungsrat am 9.12.1993 erlassenen neuen **Vorschriften über die europäische Eignungsprüfung für zugelassene Vertreter (VEP).**[23] Auf Grund die-

---

22 Epi-info 2/98, S 75 (mit Anmeldeformular, das auch beim epi-Sekretariat erhältlich ist.
23 VEP vom 9.12.1993, ABl 1994, 7.

ser Vorschriften hat die Prüfungskommission folgende Ausführungsbestimmungen erlassen und folgende Anweisungen gegeben:

- Ausführungsbestimmungen zu den Vorschriften über die europäische Eignungsprüfung,[24]
- Anweisungen betreffend die für die Zulassung zur europäischen Eignungsprüfung erforderlichen Qualifikationen, im folgenden *Zulassungsanweisungen* genannt,[25]
- Anweisungen an die Bewerber für den Ablauf der Prüfung.[26]
- Anweisungen an die Bewerber für die Anfertigung ihrer Arbeiten,[27]
- Anweisungen an die Aufsichtspersonen für die europäische Eignungsprüfung.[28]

In der Beilage zum Amtsblatt Nr 12/2004 sind die neuesten konsolidierten Fassungen dieser Ausführungsbestimmungen und Anweisungen veröffentlicht. (Siehe auch http://eqe.european-patent-office.org),

33 Dass die Prüfungskommission bei Erlass der Ausführungsbestimmungen und der Anweisungen im Rahmen ihrer Befugnisse gehandelt hat und ihr Ermessen nicht überschritten hat, ist von der Beschwerdekammer in Disziplinarangelegenheiten mehrfach festgestellt worden.[29]

34 Die Prüfung wird von einer aus neun Mitgliedern bestehenden Prüfungskommission durchgeführt, die aus einem Vorsitzenden und je vier Mitgliedern des Instituts und des EPA besteht. Der Vorsitzende wird vom Präsidenten des EPA nach Anhörung des Rates des Instituts ernannt.

35 Die Prüfungskommission bildet zur Durchführung der Prüfung Prüfungsausschüsse, zur Zeit drei. Das EPA stellt der Prüfungskommission und den Prüfungsausschüssen ein Prüfungssekretariat zur Verfügung. Die Namen der Ausschussmitglieder werden im ABl bekannt gegeben. Einzelheiten über die Aufgaben der Prüfungskommission, der Prüfungsausschüsse und des Prüfungssekretariats ergeben sich aus den Art 7 ff VEP.

36 Über Beschwerden gegen die Entscheidungen der Prüfungskommission und des Prüfungssekretariats (Art 27 (2) VEP) entscheidet im Falle der Nichtabhilfe in letzter Instanz die Beschwerdekammer in Disziplinarangelegenheiten des EPA nach Art 27 (3) VEP (vgl Rdn 57–63). Die Kammer besteht aus zwei rechtskundigen Mitgliedern des EPA, von denen eines den Vorsitz führt, und einem zugelassenen Vertreter.

---

24 ABl 1998, 364.
25 ABl 1994, 599; 1996, 357; 1999, 92.
26 ABl 1995, 145; 1996, 118, 152; 1999, 93.
27 ABl 1998, 119 und 1999, 93.
28 ABl 1995, 153 und 2001, 120.
29 **D 1/81**, ABl 1982, 258; **D 5/89**, ABl 1991, 218; **D 3/89**, ABl 1991, 257.

14 Zulassungsbedingungen zur Prüfung

37 a) Voraussetzung für die Zulassung zur Prüfung ist nach Art 10 (1) VEP ein **natur- oder ingenieurwissenschaftliches Hochschuldiplom** oder der Nachweis gleichwertiger Kenntnisse.[30] Das Sekretariat hat für beide Alternativen Listen der Lehranstalten aufgestellt. Es hält die Listen der Lehranstalten auf dem laufenden und gibt auf Anfrage Auskunft darüber, ob ein bestimmtes Diplom unter Liste A oder B fällt.

38 In der Liste A sind die **Hochschulen** der Vertragsstaaten und die Diplome aufgeführt, die dem Erfordernis *natur- oder ingenieurwissenschaftliches Hochschuldiplom* genügen.[31]

39 In der Liste B hat das Sekretariat für den Nachweis der **gleichwertigen Kenntnisse** Lehranstalten der Vertragsstaaten und Diplome zusammengestellt, die diesem Erfordernis dann genügen, wenn die Kandidaten zusätzlich zu der in Art 10 (2) a) VEP vorgesehenen 3jährigen Tätigkeit weitere drei Jahre auf Vollzeitbasis auf dem Gebiet des Patentrechts gearbeitet haben (Art 3 der Zulassungsanweisungen).

40 Erfüllt der Bewerber nicht die Anforderungen nach Art 2, 3 oder 4, so können *gleichwertige Kenntnisse* auch anerkannt werden, wenn der Kandidat eine 10jährige einschlägige Berufserfahrung nachweisen kann (Art 6 der Zulassungsanweisungen).

41 In den weiteren, hiermit nicht erfassten Fällen entscheidet die Prüfungskommission im Einzelfall über die Zulassung (Art 9 der Zulassungsanweisungen).

42 Gleichwertige Kenntnisse gemäß Art 10 (1) VEP können nach **D 3/89** statt durch eine zusätzliche 3jährige Tätigkeit auf dem Gebiet des Patentwesens auch durch die Tätigkeit auf einem anderen geeigneten Gebiet, zB dem der Forschung nachgewiesen werden.[32] Eine Lehre ist dagegen nicht als Nachweis geeignet, dass der Bewerber über natur- oder ingenieurwissenschaftliche Kenntnisse auf Universitätsniveau verfügt (Nr 5 der Gründe).

43 Nach **D 1/81** kann für die Beurteilung der gleichwertigen Kenntnisse die Art der vom Bewerber erworbenen Diplome und die Mindestschuldauer als Kriterium herangezogen werden.[33] Zum Nachweis kann der Bewerber auch von der Prüfungskommission zu einem Interview geladen werden, hat aber keinen Anspruch darauf.[34]

44 b) Weitere Voraussetzung ist der Nachweis einer **3jährigen praktischen Tätigkeit** im Zusammenhang mit europäischen Patentanmeldungen und europäischen Patenten, zB bei einem vor dem EPA zugelassenen Vertreter oder in der

---

30 Art 10 (1) VEP, in der alten Fassung Art 7 (1) VEP.
31 Art 2 der Zulassungsanweisungen; vgl weiter Art 4.
32 **D 3/89**, Leitsatz III, ABl 1991, 257.
33 **D 1/81**, ABl 1982, 258.
34 **D 3/89**, ABl 1991, 257, LS V.

Patentabteilung eines in einem Vertragsstaat tätigen Betriebs (Einzelheiten siehe Art 10 (2)–(4) VEP). Das Praktikum kann weder bei einem nicht in die Liste eingetragenen deutschen Patentanwalt,[35] noch bei einem Rechtsanwalt abgeleistet werden, der nicht in die Liste der zugelassenen Vertreter eingetragen ist, und zwar auch dann nicht, wenn dieser Rechtsanwalt außerdem Patentanwalt nach nationalem Recht ist.[36] Ebenfalls kein anerkennungsfähiges Praktikum ist nach **D 2/82** die Ausbildung eines Patentanwaltskandidaten bei den deutschen Patentbehörden; sie kann nur zur Verkürzung der Ausbildungszeit führen.[37] Der Ausbilder muss, wenn der Kandidat sich für die Prüfung anmeldet, in der Liste der zugelassenen Vertreter eingetragen sein.[38]

Das Praktikum auf Vollzeitbasis muss nach **D 1/79** ausschließlich der Ausbildung gedient haben.[39] Die Nachweise sollen so ausführlich wie möglich sein. Es muss gewährleistet sein, dass der Praktikant als Assistent eines zugelassenen Vertreters laufend an Tätigkeiten im Zusammenhang mit europäischen Patentanmeldungen beteiligt war, für die der zugelassene Vertreter verantwortlich war.[40]

EPA-Prüfer werden zur Prüfung zugelassen, wenn sie dem Sekretariat nachweisen, dass sie zum Zeitpunkt der Prüfung mindestens vier Jahre als Prüfer beim EPA tätig waren (Art 10 (2) b) VEP). Für Prüfer beim EPA und für nationale Prüfer kann die Vorbereitungszeit um höchstens ein Jahr verkürzt werden (Art 10 (1) der Zulassungsanweisungen).

Hat der Kandidat eine 8monatige Ausbildung bei den deutschen Patentbehörden mit der Zulassung zur Patentanwaltsprüfung abgeschlossen und ist er zur deutschen Prüfung zugelassen worden, so verkürzt sich die 3jährige Ausbildungszeit um 6 Monate (Art 10 (2) der Zulassungsanweisungen). Schon nach **D 1/82**[41] konnte die Verkürzung davon abhängig gemacht werden, dass die Ausbildung mit der Zulassung zur Patentanwaltsprüfung, also in ihrer Gesamtheit, abgeschlossen war. Eine Beschäftigung iSd Art 10 (2) a) ii) oder iii) VEP ist diese Ausbildung nicht.

Für Kandidaten, die den 1jährigen Studiengang beim Centre d'Etudes Internationales de la Propriété Industrielle (CEIPI) in Straßburg erfolgreich abgeschlossen haben, wird die Ausbildungszeit um 6 Monate verkürzt (Art 10 (3) der Zulassungsanweisungen).

---

35 **D 25/96**, ABl 1998, 45.
36 **D 14/93**, ABl 1997, 561.
37 **D 2/82**, ABl 1982, 353.
38 Mitteilung der Prüfungskommission, ABl 1979, 96, Nr 10 und 1986, 162 Nr 2.4.1.
39 **D 1/79** ABl 1980, 298.
40 **D 4/86**, ABl 1988, 26.
41 **D 1/82**, ABl 1983, 352.

In gleicher Weise verkürzt das Prüfungssekretariat die Beschäftigungszeit aufgrund von Spezialstudiengängen an folgenden Instituten:[42]

- Humbold-Universität Berlin,
- Eidgenössische Technische Hochschule Zürich,
- Queen Mary and Westfield College,
- Universität Ilmenau.

15 Prüfungsstoff

48 In der Prüfung muss ein Bewerber nachweisen (Art 12 VEP)

- umfassende Kenntnisse des europäischen Patentrechts nach dem EPÜ und der VGP (GPÜ), der patentrechtlich relevanten Artikel der PVÜ, des PCT und aller Entscheidungen der Großen Beschwerdekammer sowie der wegweisenden Entscheidungen der Rechtsprechung des EPA. Das Sekretariat veröffentlicht jährlich im ABl ein Verzeichnis mit Hinweisen auf wegweisende Entscheidungen;
- allgemeine Kenntnisse des nationalen Rechts der Vertragsstaaten, soweit dieses europäische Patentanmeldungen und europäische Patente betrifft; hierunter fallen insbesondere die Broschüre *Nationales Recht zum EPÜ* (jeweils neuester Stand) und die Veröffentlichungen zum nationalen Recht im ABl;
- allgemeine Kenntnisse des nationalen Rechts der USA und Japans, soweit dieses für Verfahren vor dem EPA von Bedeutung ist.

16 Anmeldung zur Prüfung

49 Die Anmeldung ist nach Art 21 VEP an das Sekretariat zu richten. Für die Anmeldung und die Bescheinigung des Ausbilders oder Arbeitgebers sollten die von der Prüfungskommission herausgegebenen Formblätter verwendet werden. Aktualisierte Anmeldeformulare: http://eqe.european-patent-office.org.

50 Neben den Angaben über die Person des Bewerbers sind die Nachweise über seine Befähigung, über seine Praktika oder Beschäftigungszeiten und über Spezialstudien beizufügen sowie die Quittung über die Zahlung der Prüfungsgebühr, deren Grundgebühr derzeit 425 EUR beträgt.[43]

51 Gegebenenfalls hat der Bewerber auch anzugeben, in welcher Sprache eines Vertragsstaats er seine Arbeiten anzufertigen wünscht (vgl Rdn 52).

---

42 Zuletzt ABl 1999, 380 (384).
43 ABl 2006, 255, siehe auch Gebührenverzeichnis, Abschn. 2.1, Nr 12.1.

17 Prüfungsaufgaben

Die europäische Eignungsprüfung erfolgt nur schriftlich. Für die Prüfung ist die Kenntnis der drei Amtssprachen erforderlich. Die Prüfungsunterlagen stehen nach Art 15 VEP in allen drei Sprachen zur Verfügung.

Für die Prüfungsaufgabe C gilt eine eigene Sprachenregelung (Art 15 (2) VEP). Der Bewerber kann in seiner Anmeldung zur Prüfung verlangen, dass er die Arbeiten in einer Amtssprache eines Vertragsstaats anfertigen kann, die nicht eine der drei Amtssprachen des EPA ist. In diesem Fall lässt das Sekretariat die Arbeiten gebührenfrei in eine der drei Amtssprachen des EPA übersetzen (Art 15 (3) VEP).

Den Kandidaten werden – vereinfacht zusammengefasst – folgende Prüfungsaufgaben gestellt:

- Prüfungsaufgabe A: Ausarbeitung von Ansprüchen und der Einleitung einer europäischen Patentanmeldung;
- Prüfungsaufgabe B: Ausarbeitung einer Erwiderung auf einen Bescheid, in dem der Stand der Technik entgegengehalten wird;
- Prüfungsaufgabe C: Ausarbeitung einer Einspruchsschrift gegen ein europäisches Patent;
- Prüfungsaufgabe D (unterteilt in I und II): Beantwortung rechtlicher Fragen und die rechtliche Beurteilung eines spezifischen Sachverhalts.

Die Bewerber können bei den Prüfungsaufgaben A und B zwischen der Fachrichtung Chemie und Elektrotechnik/Mechanik wählen.

Die Bewerber werden gebeten, die Prüfungsvorschriften und besonders die Anweisungen an die Bewerber für die Anfertigung ihrer Arbeiten sorgfältig zu studieren. Die Prüfungsaufgaben seit 1990 sind in *Compendien* veröffentlicht[44] und erhältlich, die den Prüfungsbericht sowie Arbeiten von Bewerbern und Musterlösungen enthalten. Die Compendien gehören zum wichtigsten Vorbereitungsmaterial für die Bewerber, die sie dadurch nutzen können, dass sie die Arbeiten probeweise schreiben und ihre Antworten überprüfen.

18 Zeitpunkt und Ort der Prüfung

Die Eignungsprüfungen werden nach Art 1 VEP einmal im Jahr abgehalten. Die Termine für die Prüfung werden jedes Jahr im ABl bekannt gegeben. Die Prüfung kann nach Art 14 VEP in zwei Modulen (A und B, C und D) abgelegt werden.

Die Prüfungen finden grundsätzlich in München, Den Haag und Berlin statt. Seit Jahren werden sie auch bei den nationalen Patentämtern der Vertragsstaaten abgehalten, wenn sich für den jeweiligen Ort mindestens 10 Bewerber anmelden.

---

44 Siehe zB http://eqe.european-patent-office.org.

19 Bewertung der Prüfungsarbeiten

56 Nach Art 16 VEP müssen die Arbeiten der Bewerber einheitlich bewertet werden. Die Ausführungsbestimmungen der Prüfungskommission vom 28.4.1998 (ABl 1998, 364) enthalten Bewertungsregeln (R 3–7 Ausführungsbestimmungen zu den VEP). Die Einheitlichkeit der Bewertung bedeutet, dass die Note für jede Prüfungsarbeit vom Prüfungsausschuss in seiner Gesamtheit vergeben wird.[45]

Der erstmals an der Prüfung teilnehmende Bewerber genießt nach R 5 der Ausführungsbestimmungen die Möglichkeit eines Notenausgleichs (Kompensation). Damit erledigt sich weitgehend die Auseinandersetzung über Grenzfallentscheidungen.[46] Besteht der Bewerber trotz Kompensation nicht, so muss er alle Arbeiten wiederholen, die nicht die Note *bestanden* haben.[47] Die im einzelnen komplizierten Regelungen (besonders für die Übergangszeiten seit der letzten Änderung) können hier nicht im einzelnen dargestellt werden.

Bei den Entscheidungen der Prüfungskommission ist eine Stimmenthaltung unzulässig. Bei Stimmengleichheit entscheidet die Stimme des Vorsitzenden.[48]

20 Beschwerden gegen die Entscheidungen der Prüfungskommission und des Prüfungssekretariats

57 Gegen die Entscheidung der Prüfungskommission ist nach Art 27 VEP die Beschwerde an die Beschwerdekammer in Disziplinarangelegenheiten des EPA möglich. Die Beschwerde ist innerhalb von zwei Monaten nach Zustellung der Entscheidung schriftlich beim Sekretariat der Prüfungskommission einzulegen und gilt nach Art 27 (2) Satz 2 erst als eingelegt, wenn die Beschwerdegebühr entrichtet worden ist.[49] Beschwerden, die nicht rechtzeitig eingelegt sind und für die die Beschwerdegebühr nicht entrichtet ist, können weder durch die Prüfungskommission noch durch die Beschwerdekammer überprüft werden.[50]

Innerhalb von drei Monaten nach der Zustellung der Entscheidung ist die Beschwerde schriftlich zu begründen (also nicht innerhalb von vier Monaten wie nach Art 108 EPÜ). Das Sekretariat übersendet allen Bewerbern eine Kopie ihrer Arbeiten (Art 25 (2) VEP) und der Bewertungsbögen der Prüfer.[51] Damit werden die in **D 2/80** und **D 5/82** geforderten Voraussetzungen für eine faire

---

45 **D 5/82**, ABl 1983, 175; **D 7/82**, ABl 1983, 185; siehe weiter **D 3/00**, ABl 2003, 365.
46 Vgl Singer, 1. Aufl, Art 134 Rn 22.
47 R 7 der Ausführungsbestimmungen; **D 8/96**, ABl 1998, 302, Nr 3 und 4.
48 **D 1/86**, ABl 1987, 489.
49 Art 27 (2) Satz 2; ABl 1994, 760; Gebührenverziechnis, Abschn. 2.1, Nr 12.2.
50 **D 2/80**, ABl 1982, 192.
51 Ausführungsbestimmungen zu den VEP vom 28.4.1998, ABl 1998, 364.
52 **D 2/80**, ABl 1982, 192, Nr 2; **D 5/82**, ABl 1983, 175, Nr 7.
53 **D 12/97**, ABl 1999, 566.

Behandlung der Prüfungskandidaten erfüllt.[52] Eine darüber hinausgehende Begründungspflicht besteht nicht.[53]

Bei Fristversäumnissen bestimmt Art 27 (4) VEP für Anträge auf Wiedereinsetzung in den vorigen Stand, dass Art 24 (2) der Disziplinarvorschriften (VDV) anzuwenden ist und nicht unmittelbar Art 122 EPÜ. Die Frist für den Wiedereinsetzungsantrag nach Wegfall des Hindernisses beträgt also nur einen Monat, und es ist keine Gebühr zu entrichten.[54]

Ein Rechtsirrtum, insbesondere ein solcher über die Vorschriften betreffend Zustellung und Fristberechnung, rechtfertigt in aller Regel nicht die Wiedereinsetzung.[55]

Hilft die Prüfungskommission der Beschwerde nicht innerhalb von zwei Monaten nach Eingang der Begründung ab, so muss sie die Beschwerde der Beschwerdekammer in Disziplinarangelegenheiten vorlegen (Art 27 (3) VEP). Auf das Verfahren vor der Kammer sind die Verfahrensbestimmungen in Disziplinarangelegenheiten von zugelassenen Vertretern anzuwenden (Art 23 (4) VEP).

Zulässig sind nur Beschwerden gegen Entscheidungen der Prüfungskommission und des Prüfungssekretariats wegen Verletzung der Vorschriften über die Eignungsprüfung.[56] Über die Rechtmäßigkeit einzelner Bestimmungen des EPÜ oder gar des Grundgesetzes der Bundesrepublik Deutschland kann die Beschwerdekammer nicht entscheiden. Solche Beschwerden sind als unzulässig zu verwerfen.[57]

Hält die Beschwerdekammer die Beschwerde für zulässig und begründet, so ist sie nach Art 27 (4) Satz 2 VEP grundsätzlich nur befugt, die angefochtene Entscheidung aufzuheben. Da die Beschwerde nur wegen Verletzung der VEP oder ihrer AO eingelegt werden kann (Art 27 VEP), ist eine sachliche Überprüfung der Notengebung nicht Aufgabe der Beschwerdekammer, solange die Prüfungskommission nicht offensichtlich ihr Ermessen überschritten hat.[58] In **D 6/92** und **D 6/93** wurden diese Grundsätze bestätigt.[59] Die mit der Notengebung verbundenen Werturteile können daher nicht von der Beschwerdekammer überprüft werden.[60] In **D 6/93** stellte die Beschwerdekammer außerdem klar, dass der Kandidat die erforderlichen Kenntnisse in der schriftlichen Prüfung nachweisen muss. Die bisherige Rechtsprechung der Disziplinarkammer

---

52 **D 2/80**, ABl 1982, 192, Nr 2; **D 5/82**, ABl 1983, 175, Nr 7.
53 **D 12/97**, ABl 1999, 566.
54 **D 6/82**, ABl 1983, 337.
55 **D 6/82**, ABl 1983, 337.
56 **D 1/86, D 2/86, D 3/86**, ABl 1987, 489.
57 **D 4/80**, ABl 1982, 107.
58 **D 4/88** vom 15.9.1988; **D 1/92**, ABl 1993, 357.
59 **D 6/92**, ABl 1993, 361; **D 6/93** vom 6.12.1993.
60 **D 10/93** vom 6.4.1994.

zu den Grundsätzen der Ermessensausübung hat also auch nach der neuen Regelung weiterhin Bedeutung.

62 Nur schwerwiegende und eindeutige Fehler in der Bewertung können bei der Überprüfung berücksichtigt werden, sofern die Entscheidung der Prüfungskommission ohne diese Fehler anders ausgefallen wäre: In **D 1/94** war bei der Übersetzung der Arbeit aus der vom Kandidaten gewählten Nichtamtssprache ein Fehler unterlaufen;[61] hier verlangte die Beschwerdekammer von der Prüfungskommission eine Begründung ihrer Entscheidung, warum diese den Übersetzungsfehler nicht für schwerwiegend gehalten hatte.

63 Bei den Entscheidungen der Prüfungskommission ist eine Stimmenthaltung unzulässig. Bei Stimmengleichheit entscheidet die Stimme des Vorsitzenden.[62]

21 Zusätzliche Ausbildungskurse für Kandidaten

64 Das CEIPI und das Institut (epi) vermitteln dem Nachwuchs seit 1987 eine systematische und umfassende Grundausbildung im europäischen Patentrecht, die in erster Linie für künftige zugelassene Vertreter gedacht ist. Erfahrene Fachleute arbeiten als Tutoren mit kleinen Gruppen von Kandidaten innerhalb von zwei Jahren das gesamte europäische Patentrecht durch. Diese Kurse werden in einzelnen Vertragsstaaten in verschiedenen Städten angeboten.

65 Im Januar und Februar jeden Jahres werden besondere Kurse zur Examensvorbereitung in Straßburg angeboten. Der Examensvorbereitung dienen ebenso epi-Tutorien. Diese Kurse werden regelmäßig im ABl angekündigt.

Wegen weiterer Kurse an verschiedenen Instituten siehe Rdn 47.

66 Zur Europäischen Patentakademie siehe Vor Art 10 Rdn 14.

D Die Disziplinargewalt über die zugelassenen Vertreter

22 Allgemeines zur Disziplinargewalt

67 Art 134 (8) c) enthält die Ermächtigung des Verwaltungsrats, Vorschriften über die Disziplinargewalt zu erlassen, die das Institut oder das EPA über die zugelassenen Vertreter ausübt. Das ist mit den Vorschriften in Disziplinarangelegenheiten von zugelassenen Vertretern (VDV) vom 21.10.1977 (ABl 1978, 91) geschehen.

68 In Teil I (Berufliche Regeln) enthalten die VDV Bestimmungen über allgemeine Berufspflichten, über das Berufsgeheimnis und für das Verhalten gegenüber dem Auftraggeber. In seinen Richtlinien für die Berufsausübung[63] hat der Rat des Instituts (epi) nach Art 4 c) der Vorschriften über die Errichtung eines

---

61 **D 1/94**, ABl 1996, 468.
62 **D 1/86**, ABl 1987, 489.
63 Letzte Fassung siehe epi-info 2001, 75, ABl 2003, 523, geändert am 8.5.2001.

Instituts der beim EPA zugelassenen Vertreter[64] die beruflichen Pflichten der zugelassenen Vertreter erläutert. Insbesondere hat er die Beziehungen der zugelassenen Vertreter zur Öffentlichkeit, zu Mandanten, zu anderen Mitgliedern des Instituts (epi), zum EPA und zum Institut (epi) selbst behandelt.

Das bisher in den Richtlinien des Instituts (epi) für die Berufsausübung enthaltene Werbeverbot hat der Rat des Instituts (epi) aufgehoben und Werbung grundsätzlich erlaubt, soweit sie wahrheitsgemäß und sachlich ist.[65] Die Rechtsprechung zum Werbeverbot hat sich damit erledigt.[66] 69

Nach **D 5/86** kann eine Disziplinarmaßnahme nicht verhängt werden, wenn vernünftige Zweifel daran bestehen, ob wirklich berufliche Regeln verletzt worden sind.[67] Ist aufgrund der bisherigen Verfahrensmaßnahmen der Zweck des Disziplinarverfahrens bereits erreicht, so kann von der Verhängung einer Disziplinarmaßnahme abgesehen werden. 70

Im Disziplinarverfahren hat der betroffene zugelassene Vertreter eine allgemeine Mitwirkungspflicht, da das Verfahren auch seine berufliche Würde wahren oder wiederherstellen soll; seine Wahrheitspflicht nach Art 1 (1) Satz 2 VDV bezieht sich nicht nur auf die Berufsausübung, sondern auch auf Aussagen in einem Disziplinarverfahren.[68] Nach Art 18 VDV ist der Vertreter zur Auskunft und Vorlage seiner Akten verpflichtet, soweit er dadurch nicht seine berufliche Verschwiegenheitspflicht verletzen würde. Auf sie kann er sich dann nicht berufen, wenn die Schriftstücke in Einspruchs- oder Beschwerdeakten des EPA ohnehin vorhanden sind.[69] Nach **D 20/99** hindert die Anwendung eines nationalen Amnestiegesetzes nicht die disziplinarische Verfolgung.[70] 71

Die Veruntreuung von Gesellschaftsvermögen begründet den Tatbestand des unlauteren Wettbewerbs gegenüber Kollegen und verletzt die beruflichen Regeln.[71]

Art 4 VDV (Teil II) führt die in Betracht kommenden Disziplinarmaßnahmen auf, nämlich Warnung, Verweis, Geldbuße und Löschung in der Liste der zugelassenen Vertreter (bis zu 6 Monaten oder unbefristet). 72

23 Disziplinarorgane

In Art 5–11 VDV (Teil III) werden die für die Verhängung von Disziplinarmaßnahmen zuständigen Disziplinarorgane aufgeführt sowie ihre Aufgaben und Befugnisse und ihre Zusammensetzung festgelegt. 73

---

64 ABl 1978, 85.
65 Vgl ABl 1999, 537 und 2003, 523, Nr 2 a.
66 **D 12/88**, ABl 1991, 591.
67 **D 5/86**, ABl 1989, 210.
68 **D 8/82**, ABl 1983, 378.
69 **D 11/91**, ABl 1994, 401.
70 **D 20/99**, ABl 2002, 19, LS I.
71 **D 20/99**, ABl 2002, 19, LS II.

74 Es gibt folgende Organe (Art 5 VDV):
   a) Den Disziplinarrat des Instituts (epi) (Rdn 28, 29),
   b) den Disziplinarausschuss des EPA, der aus drei rechtskundigen Mitgliedern des EPA und zwei zugelassenen Vertretern besteht (Art 9 (1) VDV) und
   c) die Beschwerdekammer in Disziplinarangelegenheiten des EPA, die ebenfalls aus drei rechtskundigen Mitgliedern des EPA und zwei zugelassenen Vertretern besteht (Art 10 (1) VDV).

75 Eine Entscheidung des Disziplinarrats ist eine Entscheidung im Rechtssinn nur gegenüber dem betroffenen zugelassenen Vertreter, dem Präsidenten des Instituts und dem Präsidenten des EPA, so dass die Entscheidung auch nur von diesen Personen angefochten werden kann. Dritte, auf deren Anzeige hin das Verfahren eingeleitet worden ist, haben dagegen kein Beschwerderecht.[72]

76 Die Große Beschwerdekammer gehört nicht zu den mit Disziplinargewalt ausgestatteten Organen des Art 5 VDV. Ihr können daher auch keine Rechtsfragen von der Beschwerdekammer in Disziplinarangelegenheiten vorgelegt werden.[73]

24 Verfahren

77 In Art 12–25 VDV (Teil IV) wird das Verfahren geregelt. Art 25 (1) VDV verweist zusätzlich auf die entsprechende Anwendung bestimmter Verfahrensbestimmungen des EPÜ.

25 Verfahrensordnungen

78 Nach Art 25 (2) VDV haben sich die Disziplinarorgane ergänzende Verfahrensordnungen gegeben, die mit Beschluss des Verwaltungsrats vom 6.6.1980 genehmigt worden sind.[74]

---

[72] **D 15/95**, ABl 1998, 297.
[73] **D 5/82**, ABl 1983, 175; **D 7/82**, ABl 1983, 185.
[74] Beschluss des VR vom 6.6.1980, ABl 1980, 176, 177, 183 und 188.

Achter Teil Auswirkungen auf das nationale Recht

Kapitel I Umwandlung in eine nationale Patentanmeldung

Vorbemerkung zu Art 135–137

Detlef Schennen

In diesem Kapitel werden die zwei Gruppen von Fällen behandelt, in denen   1
eine europäische Patentanmeldung, die nicht zu einem europäischen Patent
führt, in eine nationale Patentanmeldung in den Staaten umgewandelt werden
kann, die der Anmelder in seiner europäischen Patentanmeldung benannt hat.

1) Die Umwandlung ist ausdrücklich im EPÜ vorgesehen (Art 135 (1) a)).
   Das ist zum einen der Fall, wenn eine europäische Patentanmeldung nicht
   beim EPA, sondern bei einer nationalen Behörde eines Vertragsstaats eingereicht und dann nicht rechtzeitig an das EPA weitergeleitet worden ist.
   Zum anderen galt dies, wenn die europäische Patentanmeldung in der ersten Aufbauzeit des EPA noch nicht geprüft werden konnte.
2) Das nationale Recht kann die Umwandlung einer europäischen Patentanmeldung für den Fall erlauben, dass die europäische Patentanmeldung ihre
   Wirkung verloren hat oder das europäische Patent widerrufen worden ist
   (Art 135 (1) b)). Solche Regelungen sind nicht zahlreich.

Der Antrag auf Umwandlung ist grundsätzlich beim EPA zu stellen, im Falle
der Nichtweiterleitung einer europäischen Patentanmeldung aus Gründen des
Geheimschutzes (Art 77 (4)) jedoch bei dem Patentamt, bei dem die europäische Patentanmeldung eingereicht worden ist.

Nach Art 140 kommt eine Umwandlung nicht nur in nationale Patentanmeldungen, sondern auch in nationale Gebrauchsmusteranmeldungen und Gebrauchszertifikatsanmeldungen in Betracht.

Die Umwandlung wird geregelt in den Art 135–137, 140 und R 103 sowie in
nationalen Gesetzen der Vertragsstaaten. Weitere Einzelheiten über die Umwandlung finden sich in der Broschüre *Nationales Recht zum EPÜ*, Tabelle
VII.

Artikel 135 Umwandlungsantrag

(1) Die Zentralbehörde für den gewerblichen Rechtsschutz eines benannten Vertragsstaats leitet das Verfahren zur Erteilung eines nationalen Patents nur auf Antrag des Anmelders oder Inhabers eines europäischen Patents in den folgenden Fällen ein:
a) wenn die europäische Patentanmeldung nach Artikel 77 Absatz 5 oder Artikel 162 Absatz 4 als zurückgenommen gilt;
b) in den sonstigen vom nationalen Recht vorgesehenen Fällen, in denen nach diesem Übereinkommen die europäische Patentanmeldung zurückgewiesen oder zurückgenommen worden ist oder als zurückgenommen gilt oder das europäische Patent widerrufen worden ist.

(2) Der Umwandlungsantrag muss innerhalb von drei Monaten nach dem Tag eingereicht werden, an dem die europäische Patentanmeldung zurückgenommen worden ist oder die Mitteilung, dass die Anmeldung als zurückgenommen gilt, oder die Entscheidung über die Zurückweisung der Anmeldung oder über den Widerruf des europäischen Patents zugestellt worden ist. Die in Artikel 66 vorgeschriebene Wirkung erlischt, wenn der Antrag nicht rechtzeitig eingereicht worden ist.

Detlef Schennen

Übersicht

1	Allgemeines	1
2	Im EPÜ ausdrücklich vorgeschriebene Tatbestände der Umwandlung	2-4
3	Dem nationalen Recht vorbehaltene Umwandlungstatbestände	5-10
4	Frist für die Stellung des Umwandlungsantrags	11-12
5	Dauer der Wirkung einer europäischen Patentanmeldung als nationale Hinterlegung	13

1 Allgemeines

1 Dieser Artikel legt fest, in welchen Fällen nationale Patentämter Verfahren zur Erteilung eines nationalen Patents auf der Grundlage einer europäischen Patentanmeldung einleiten können, sowie innerhalb welcher Frist ein Antrag auf Umwandlung eingereicht werden muss. Eine Umwandlung ist nach Abs 1 nur auf Antrag des Anmelders oder Inhabers eines europäischen Patents möglich.

EPÜ 2000

Die EPÜ-Revision 2000 hat den durch Zeitablauf obsolet gewordenen Fall des Art 162 gestrichen und die in Art 135 und Art 136 verstreuten Bestimmungen über Ort (EPA oder nationales Amt) und Erfordernisse der Einreichung des

Umwandlungsantrags besser und redaktionell übersichtlicher gruppiert, ohne sachliche Änderungen vorzunehmen.

2 Im EPÜ ausdrücklich vorgeschriebene Tatbestände der Umwandlung

In Art 135 (1) a) sind 2 Fälle vorgesehen, in denen der Patentanmelder einen Anspruch auf Umwandlung hat.

1) Der Anspruch besteht, wenn eine bei einer nationalen Stelle eines Vertragsstaats ordnungsgemäß eingereichte europäische Patentanmeldung nicht innerhalb einer Frist von 14 Monaten nach dem Anmeldetag oder im Falle einer Prioritätsbeanspruchung nach dem Prioritätstag dem EPA übermittelt wird; die europäische Patentanmeldung gilt dann nach Art 77 (5) als zurückgenommen. Das kann eintreten, wenn die europäische Patentanmeldung nach den nationalen Vorschriften über die Geheimhaltung von Erfindungen nicht weitergeleitet wird oder wenn ihre rechtzeitige Weiterleitung versehentlich unterbleibt. So war im Fall **J 3/80**[1] die europäische Patentanmeldung nach Aufhebung einer Geheimhaltungsanordnung einige Tage zu spät beim EPA eingegangen. Wie in diesen Fällen in den jeweiligen Staaten zu verfahren ist und welche gesetzlichen Vorschriften anzuwenden sind, ergibt sich aus der Informationsbroschüre des EPA *Nationales Recht zum EPÜ*, Kapitel VII. Die Umwandlung im Falle der Geheimhaltungsbedürftigkeit kann bei europäischen Erstanmeldungen von Bedeutung sein, weil der Anmelder auf diesem Weg wenigstens einen nationalen Patentschutz im eigenen Staat erlangen kann; außerdem sehen bilaterale und multilaterale Verträge über den gegenseitigen Austausch von geheimhaltungsbedürftigen Erfindungen die Möglichkeit von Nachanmeldungen in anderen Staaten vor, natürlich stets mit der Genehmigung des Ursprungsstaates.

2) Ferner bestand der Anspruch auf Umwandlung, wenn eine europäische Patentanmeldung nach Art 162 (4) als zurückgenommen galt, weil sie in ein bestimmtes technisches Gebiet fiel, für das der Verwaltungsrat die Behandlung der europäischen Patentanmeldung auf die Erstellung des europäischen Recherchenberichts und die Veröffentlichung der europäischen Patentanmeldung beschränkt hatte. Eine solche Beschränkung galt jedoch nur für die bis zum 1.12.1979 eingereichten Anmeldungen.

Es wurden zu weniger als 300 europäischen Patentanmeldungen Umwandlungsanträge gestellt.

3 Dem nationalen Recht vorbehaltene Umwandlungstatbestände

Nach Art 135 (1) b) kann das nationale Recht der Vertragsstaaten vorschreiben, dass eine europäische Patentanmeldung auf Antrag des Anmelders in eine nati-

---

[1] **J 3/80**, ABl 1980, 92.

Artikel 135 — Umwandlung

onale Anmeldung umgewandelt werden kann, wenn die europäische Patentanmeldung zurückgewiesen oder zurückgenommen worden ist oder als zurückgenommen gilt, oder wenn das europäische Patent widerrufen worden ist. Diese Bestimmung war auf der Münchner Diplomatischen Konferenz umstritten, weil es an sich dem Grundgedanken der Zentralisierung des Erteilungsverfahrens widerspricht, wenn die Vertragsstaaten auch für vom EPA für nicht patentwürdig erachtete Anmeldungen Schutz gewähren würden (Auffangbecken für fehlgeschlagene europäische Patentanmeldungen). Doch wollten die Vertragsstaaten so wenig Souveränitätsrechte wie möglich aufgeben.

6 Von der Möglichkeit nach Art 135 (1) b) haben die Vertragsstaaten bisher nur in sehr beschränktem Umfang und in einer Weise Gebrauch gemacht, die die Bedeutung des einheitlichen europäischen Erteilungsverfahrens nicht beeinträchtigt.

7 In welchen Fällen die Vertragsstaaten die Umwandlung zugelassen haben, wird nachstehend dargelegt.

8 1) CH/LI, ES, GR, IT und PT erlauben die Umwandlung, wenn die Anmeldung nach Art 14 (2) in einer zugelassenen Nichtamtssprache des EPA eingereicht worden war und die Übersetzung in eine der Amtssprachen nicht rechtzeitig vorgelegt worden ist, so dass die Anmeldung nach Art 90 (3) als zurückgenommen gilt. Dies betrifft Anmeldungen in der jeweiligen Landessprache, für CH/LI nur Anmeldungen in italienisch.

9 2) CH/LI erlauben die Umwandlung auch dann, wenn das EPA im Laufe der Prüfung festgestellt hat, dass ein älteres europäisches Recht für CH/LI der Erteilung eines europäischen Patents oder dessen Aufrechterhaltung im Einspruchsverfahren entgegensteht (Art 54 (3) u (4)), und daraufhin der Anmelder seine Anmeldung für diese Staaten zurückgenommen hat oder die Anmeldung zurückgewiesen worden oder das europäische Patent für diese Staaten widerrufen worden ist.

Der Grund für diese Umwandlungsmöglichkeit liegt darin, dass die Schweiz für die nationalen Patente bei der Prüfung auf ältere Rechte weiterhin die sogenannte Identitätsprüfung (prior claim approach) und nicht den *whole contents approach* anwendet, bei dem der gesamte Inhalt der älteren Anmeldung mit Veröffentlichung rückwirkend auf den Zeitpunkt der Anmeldung Stand der Technik wird. Im EPÜ ist für die europäische Prüfung der *whole contents approach* vorgesehen.

10 3) ES, GR, IT und PT haben vorgesehen, dass eine europäische Patentanmeldung, die vom EPA zurückgewiesen wurde, zurückgenommen wurde oder als zurückgenommen gilt, in eine nationale Gebrauchsmusteranmeldung umgewandelt werden kann. In Italien gilt das auch für ein widerrufenes europäisches Patent.

Für die Erteilung eines Gebrauchsmusters müssen jedoch die gegenüber Patenten unterschiedlichen Eintragungsvoraussetzungen vorliegen.

4 Frist für die Stellung des Umwandlungsantrags

Für die Stellung des Umwandlungsantrags ist eine Frist von drei Monaten vorgesehen (Art 135 (2)).
Diese Frist beginnt

- mit der Zurücknahme der europäischen Patentanmeldung; maßgeblich ist der Tag, an dem die Zurücknahmeerklärung beim EPA eingeht, oder
- mit der Zustellung (siehe unter Art 119) der Mitteilung, dass die europäische Patentanmeldung als zurückgenommen gilt, oder mit der Entscheidung über die Zurückweisung der Anmeldung oder den Widerruf des europäischen Patents im Einspruchsverfahren.

Da es sich bei dieser Frist um eine im EPÜ bestimmte Frist handelt, sind für die Fristberechnung die im EPÜ vorgesehenen Bestimmungen maßgebend (Art 120).

Soweit die Frist für die Stellung des Umwandlungsantrags gegenüber dem EPA einzuhalten ist, ist bei Fristversäumung auch eine Wiedereinsetzung in den vorigen Stand (Art 122) möglich, nicht jedoch eine Weiterbehandlung (Art 121), da die Umwandlung eine bereits weggefallene Anmeldung voraussetzt.

Ist jedoch der Umwandlungsantrag wegen Nichtweiterleitung der europäischen Patentanmeldung aus Gründen des Geheimschutzes nach Art 136 (2) bei einem nationalen Patentamt einzureichen (vgl Rdn 3), die Frist also nicht gegenüber dem EPA einzuhalten ist, so findet Art 122 keine unmittelbare Anwendung. Ob in diesem Fall Wiedereinsetzung oder Weiterbehandlung Anwendung findet, richtet sich nach dem jeweiligen nationalen Recht. Nach deutschem Recht steht die Wiedereinsetzung zur Verfügung (§ 123 DE-PatG), nicht jedoch die Weiterbehandlung (§ 123a DE-PatG), weil diese nur für den Fall der Zurückweisung einer deutschen Patentanmeldung eröffnet ist.

5 Dauer der Wirkung einer europäischen Patentanmeldung als nationale Hinterlegung

Art 135 (2) Satz 2 bestimmt, dass die in Art 66 festgelegte Wirkung der europäischen Patentanmeldung als vorschriftsmäßige nationale Hinterlegung erst erlischt, wenn der Umwandlungsantrag nicht rechtzeitig gestellt wird, also grundsätzlich mit Ablauf der 3-Monatsfrist.

Artikel 136 Einreichung und Übermittlung des Antrags

(1) Der Umwandlungsantrag ist beim Europäischen Patentamt zu stellen; im Antrag sind die Vertragsstaaten zu bezeichnen, in denen die Einleitung des Verfahrens zur Erteilung eines nationalen Patents gewünscht wird. Der Antrag gilt erst als gestellt, wenn die Umwandlungsgebühr ent-

Artikel 136 *Einreichung und Übermittlung des Antrags*

richtet worden ist. Das Europäische Patentamt übermittelt den Umwandlungsantrag den Zentralbehörden für den gewerblichen Rechtsschutz der im Antrag bezeichneten Vertragsstaaten und fügt eine Kopie der Akten der europäischen Patentanmeldung oder des europäischen Patents bei.

(2) Ist dem Anmelder die Mitteilung zugestellt worden, dass die europäische Patentanmeldung nach Artikel 77 Absatz 5 als zurückgenommen gilt, so ist der Umwandlungsantrag bei der Zentralbehörde für den gewerblichen Rechtsschutz zu stellen, bei der die Anmeldung eingereicht worden ist. Diese Behörde leitet vorbehaltlich der Vorschriften über die nationale Sicherheit den Antrag mit einer Kopie der europäischen Patentanmeldung unmittelbar an die Zentralbehörden für den gewerblichen Rechtsschutz der vom Anmelder in dem Antrag bezeichneten Vertragsstaaten weiter. Die in Artikel 66 vorgeschriebene Wirkung erlischt, wenn der Antrag nicht innerhalb von zwanzig Monaten nach dem Anmeldetag oder, wenn eine Priorität in Anspruch genommen worden ist, nach dem Prioritätstag weitergeleitet wird.

Detlef Schennen

Übersicht

1	Allgemeines	1
2	Gemeinsame Grundsätze (Abs 1)	2
3	Prüfung durch das EPA	3
4	Einreichung des Antrags bei einem nationalen Amt (Abs 2)	4-7

1 Allgemeines

1 Dieser Artikel regelt das Verfahren für die Stellung und Behandlung des Umwandlungsantrags. Abs 2 sieht Besonderheiten für die Behandlung von Umwandlungsanträgen aufgrund des Art 77 (5) vor.

2 Gemeinsame Grundsätze (Abs 1)

2 Außer in dem in Abs 2 geregelten Fall ist der Antrag beim EPA zu stellen. Im Antrag sind die Vertragsstaaten anzugeben, für die die Umwandlung gewünscht wird. Der Antrag gilt erst mit der Entrichtung der Umwandlungsgebühr als gestellt. Diese Gebühr ist in Art 2 Nr 14 GebO festgelegt und beträgt 50 Euro.

3 Prüfung durch das EPA

3 Das EPA (und zwar das für den jeweiligen Verfahrensabschnitt zuständige Organ nach Art 15 ff) prüft, ob der Umwandlungsantrag ordnungsgemäß ist, dh ob ein Umwandlungsgrund vorliegt und der Antrag formell in Ordnung ist. Ist

dies der Fall, so übersendet es den betroffenen nationalen Ämtern zusammen mit dem Antrag eine Kopie der Akten der europäischen Patentanmeldung oder des europäischen Patents. Besondere Kosten entstehen dem Antragsteller hierdurch nicht; sie sind mit der Umwandlungsgebühr abgegolten.

Das EPA veröffentlicht die Einreichung des Umwandlungsantrags im Europäischen Patentblatt unter I.10.

4 Einreichung des Antrags bei einem nationalen Amt (Abs 2)

Ist der Rechtsverlust aufgrund einer nationalen Geheimschutzmaßnahme eingetreten, so ist der Umwandlungsantrag beim zuständigen nationalen Patentamt einzureichen. Ob eine Gebühr zu entrichten ist, richtet sich nach nationalem Recht (in DE ist keine Gebühr vorgesehen), da die Gebührenpflicht lediglich in Abs 1 erwähnt ist und Art 2 Nr 14 nur für an das ePA zu zahlende Gebühren gilt. Die Frist für die Stellung des Antrags beträgt auch hier drei Monate (Art 135 (2)). 4

Soweit dieses Patentamt nach seinen Geheimschutzbestimmungen dazu berechtigt ist, leitet es die Unterlagen an die benannten nationalen Patentämter der Vertragsstaaten weiter. 5

Nach Art 136 (2) Satz 3 besteht eine zusätzliche Frist von 20 Monaten seit dem Anmelde- bzw Prioritätstag für die Weiterleitung des Antrags an die nationalen Ämter der übrigen benannten Vertragsstaaten. In diesen Staaten erlischt die Wirkung der europäischen Patentanmeldung als nationale Hinterlegung nach erfolglosem Fristablauf. 6

Abs 2 Satz 3 stellt darauf ab, wann der Antrag – also nicht zwingend auch die Unterlagen – *weitergeleitet* wird. Daß unter dem Zeitpunkt der Weiterleitung nicht die Absendung des Antrags, sondern dessen Eingang bei den Empfangsämtern zu verstehen ist, dürfte sich klar aus der englischen und der französischen Fassung ergeben (transmission not made, transmission n'est pas effectuée). 7

Artikel 137 Formvorschriften für die Umwandlung

(1) Eine europäische Patentanmeldung, die nach Artikel 136 übermittelt worden ist, darf nicht solchen Formerfordernissen des nationalen Rechts unterworfen werden, die von denen abweichen, die im Übereinkommen vorgesehen sind, oder über sie hinausgehen.

(2) Die Zentralbehörde für den gewerblichen Rechtsschutz, der die europäische Patentanmeldung übermittelt worden ist, kann verlangen, dass der Anmelder innerhalb einer Frist, die nicht weniger als zwei Monate betragen darf,

a) die nationale Anmeldegebühr entrichtet und

Artikel 137 Formvorschriften für die Umwandlung

b) eine Übersetzung der europäischen Patentanmeldung in einer der Amtssprachen des betreffenden Staats einreicht, und zwar in der ursprünglichen Fassung der Anmeldung und gegebenenfalls in der im Verfahren vor dem Europäischen Patentamt geänderten Fassung, die der Anmelder dem nationalen Verfahren zu Grunde zu legen wünscht.

Detlef Schennen

Übersicht

1	Allgemeines	1
2	Keine abweichenden Formerfordernisse	2
3	Zusätzliche nationale Erfordernisse	3-7
4	Akteneinsicht (R 103 (1))	8
5	Vermerk auf den nationalen Patentschriften	9

1 Allgemeines

1 Dieser Artikel schließt zusätzliche Formerfordernisse für die Umwandlung von europäischen Patentanmeldungen aus, erlaubt jedoch die Erhebung nationaler Anmeldegebühren und die Forderung nach Übersetzungen. R 103 regelt vor allem die Akteneinsicht in die umzuwandelnde europäische Patentanmeldung.

2 Keine abweichenden Formerfordernisse

2 Ausdrücklich ist in Art 137 (1) untersagt, die umgewandelte europäische Patentanmeldung nationalen Formerfordernissen zu unterwerfen, die von den Bestimmungen des EPÜ abweichen oder darüber hinausgehen. Dieser Gedanke wurde aus Art 27 (1) PCT übernommen. Es könnten also zB nicht Zeichnungen verlangt werden, wenn der Erfindungsgegenstand **auch** zeichnerisch dargestellt werden kann. Der PCT enthält hier jedoch eine Vorbehaltsregelung (Art 7 (2) ii) PCT).

3 Zusätzliche nationale Erfordernisse

3 In Abs 2 wird den nationalen Patentämtern das Recht eingeräumt, für die umzuwandelnden europäischen Patentanmeldungen zu verlangen, dass nationale Anmeldegebühren entrichtet und Übersetzungen in eine der Amtssprachen des betreffenden Staates eingereicht werden. Einzelheiten zu diesen Erfordernissen siehe Broschüre *Nationales Recht zum EPÜ*, Tabelle VII.

4 Die Formulierung, dass *die Zentralbehörde für den gewerblichen Rechtsschutz* dies verlangen kann und nicht jeder Vertragsstaat, deutet darauf hin, dass der Anmelder individuell aufzufordern ist und dass die festgelegte Mindestfrist von nicht weniger als zwei Monaten vom Zeitpunkt der Aufforderung an zu laufen beginnt.

Für die Sprache, in der die Übersetzungen in den Staaten mit mehreren Amts- 5
sprachen vorzulegen sind, gelten die allgemeinen Vorschriften (siehe Art 65
Rdn 7–13).

In jedem Fall ist eine Übersetzung der ursprünglichen Fassung der europä- 6
ischen Patentanmeldung einzureichen. Der Anmelder hat zusätzlich eine
Übersetzung der geänderten Fassung der Anmeldung einzureichen, sofern eine
solche Änderung noch im Verfahren vor dem EPA erfolgt ist und er diese Fassung dem nationalen Verfahren zugrundelegen möchte. Die Frage, ob in dem
anschließenden nationalen Verfahren die Anmeldung erneut geändert werden
kann, richtet sich ausschließlich nach nationalem Recht.

In allen Vertragsstaaten ist für die aus der umgewandelten europäischen Pa- 7
tentanmeldung hervorgehende nationale Anmeldung die normale Anmeldegebühr zu entrichten (siehe Broschüre *Nationales Recht zum EPÜ*, Tabelle VII.
2). In DE ist innerhalb von 3 Monaten ab Eingang der Anmeldung beim DPMA
die Anmeldegebühr zu zahlen, da die Fälligkeit erst mit Eingang beim DPMA
eintritt (§ 3 (1) iVm § 6 (1) Satz 2 DE-Patentkostengesetz). Dies gilt auch im
Falle des Art 136 (2) mit der Maßgabe, dass, wenn die europäische Patentanmeldung vom DPMA nicht weitergeleitet wurde, die Fälligkeit der Anmeldegebühr mit der Rechtskraft der Geheimhaltungsanordnung eintritt, woran
auch die Änderung von Art II § 4 (2) Nr 4 DE-IntPatÜG nichts geändert hat.
Da es im Falle von Art 136 (2) eine Umwandlungsgebühr nicht gibt (siehe unter
Art 136 Rdn 4), geht Art II § 9 (1) Satz 2 DE-IntPatÜG ins Leere.

4 Akteneinsicht (R 103 (1))

Die nach Art 136 dem nationalen Amt übermittelte Kopie der Akten der euro- 8
päischen Patentanmeldung oder des europäischen Patents ist der Akteneinsicht
zugänglich, und zwar nicht nach Art 128 wie das im EPA verbliebene Original,
sondern wie Unterlagen entsprechender nationaler Akten vor dem betreffenden nationalen Patentamt. Diese Akteneinsicht kann geringeren oder strengeren Voraussetzungen als denen nach europäischem Recht unterworfen sein.

5 Vermerk auf den nationalen Patentschriften

R 103 (2) bestimmt ausdrücklich, dass auf nationalen Patentschriften, die auf 9
umgewandelte europäische Patentanmeldungen zurückgehen, diese europäische Patentanmeldung anzugeben ist, dh ihre Nummer. Wird die umgewandelte europäische Patentanmeldung als nationale Patentanmeldung veröffentlicht, so dürfte auch ohne ausdrückliche Verpflichtung die Nummer der ursprünglichen europäischen Patentanmeldung angegeben werden.

Kapitel II Nichtigkeit und ältere Rechte

Vorbemerkung zu Art 138 und 139

Detlef Schennen

1 Das EPÜ ist ein Übereinkommen, das auf die Erteilung eines europäischen Patents gerichtet ist, das in den benannten Vertragsstaaten wie ein nationales Patents wirkt, wobei es seinen europäischen Charakter behält (vgl Art 2 Rdn 4–6). Daneben gibt es in den Vertragsstaaten eine große Zahl nationaler Patente.

Kapitel II regelt über die Erteilungsphase des europäischen Patents hinausgehendes Recht. Man bezeichnet diesen Zeitraum nach Erteilung des europäischen Patents als *nationale Phase*, in die das Einspruchsverfahren als zeitlich fortwirkende Ausnahme des europäischen Verfahrens hineinwirkt.

Art 138 und 139 regeln rudimentär das Recht des nach Erteilung des europäischen Patents eröffneten Weges, das europäische Patent einem Nichtigkeitsverfahren zu unterziehen.

Das europäische Patent kann mit Hilfe von zwei Verfahren widerrufen werden:

– Im zentralen Einspruchsverfahren vor dem EPA ist der Widerruf mit Wirkung für alle benannten Vertragsstaaten möglich (Art 99 ff). Der Einspruch ist innerhalb von neun Monaten nach der Bekanntmachung der Erteilung des europäischen Patents einzulegen.
– Zum anderen kann das europäische Patent in einem nationalen Nichtigkeitsverfahren für nichtig erklärt werden. Im Gegensatz zum Widerruf eines europäischen Patents im europäischen Einspruchsverfahren hat die nationale Nichtigkeitsentscheidung nur Wirkung in dem Gerichtsstaat.

Die Nichtigkeit wird regelmäßig vom Beklagten gegenüber der gegen ihn gerichteten Verletzungsklage geltend gemacht. In den meisten Vertragsstaaten kann sich der in Anspruch genommene Verletzungsbeklagte mit einer Widerklage wehren. In Österreich und Deutschland ist das Nichtigkeitsverfahren vom Zivilverfahren getrennt, eine Nichtigkeitswiderklage gibt es nicht. In Österreich ist die Nichtigkeitsklage vor der Nichtigkeitsabteilung des AT-Patentamts zu erheben (§§ 60, 112 AT-PatG, § 11 AT-PatVertrEG). In Deutschland wird die Nichtigkeitsklage vor dem Nichtigkeitssenat des DE-Bundespatentgerichts erhoben (§ 65 iVm § 66 (1) DE-PatG). Nichtigkeitsanträge können auch in Ländern, die die Nichtigkeitswiderklage zulassen, getrennt vor unterschiedlichen Instanzen (Amt oder Gericht) gestellt werden. In besonderen Fällen kann die Nichtigkeit auch im Wege der Einrede geltend gemacht werden.[1]

Nach nationalem Recht richtet sich dann auch, ob die Ungültigkeitsentscheidung des Gerichts erga omnes (absolut) oder inter partes (nur zwischen den Parteien) wirkt.

Aus der Literatur: Pitz, Das Verhältnis von Einspruchs- und Nichtigkeitsverfahren nach deutschem und europäischen Patentrecht, München 1994, S 125.

Artikel 138 Nichtigkeitsgründe

(1) Vorbehaltlich Artikel 139 kann auf Grund des Rechts eines Vertragsstaats das europäische Patent mit Wirkung für das Hoheitsgebiet dieses Staats nur für nichtig erklärt werden, wenn

a) der Gegenstand des europäischen Patents nach den Artikeln 52 bis 57 nicht patentfähig ist;

b) das europäische Patent die Erfindung nicht so deutlich und vollständig offenbart, dass ein Fachmann sie ausführen kann;

c) der Gegenstand des europäischen Patents über den Inhalt der Anmeldung in der eingereichten Fassung oder, wenn das Patent auf einer europäischen Teilanmeldung oder einer nach Artikel 61 eingereichten neuen europäischen Patentanmeldung beruht, über den Inhalt der früheren Anmeldung in der ursprünglich eingereichten Fassung hinausgeht;

d) der Schutzbereich des europäischen Patents erweitert worden ist;

e) der Inhaber des europäischen Patents nicht nach Artikel 60 Absatz 1 berechtigt ist.

(2) Betreffen die Nichtigkeitsgründe nur einen Teil des europäischen Patents, so wird die Nichtigkeit durch entsprechende Beschränkung dieses Patents erklärt. Wenn es das nationale Recht zulässt, kann die Beschränkung in Form einer Änderung der Patentansprüche, der Beschreibung oder der Zeichnungen erfolgen.

Detlef Schennen

Übersicht
1	Allgemeines	1-3
2	Nationales Verfahrensrecht und Aussetzung	4-6
3	Der Vorbehalt hinsichtlich Art 139	7
4	Die einzelnen Nichtigkeitsgründe (Abs 1)	8-11
5	Teilnichtigkeit (Abs 2)	12-13

---

[1] Für das britische Recht: Bericht von v. Rospatt, GRUR Int 1997, 861; allgemein Stauder, GRUR Int 1997, 859.

1 Allgemeines

1   Diese Vorschrift zählt die materiell-rechtlichen Bedingungen auf, unter denen die zuständige nationale Instanz ein europäisches Patent für das Hoheitsgebiet dieses Staates für nichtig erklären kann. Das EPÜ bestimmt in Art 138 (iVm Art 139) für alle Vertragsstaaten die materiellen Nichtigkeitsgründe, überlässt jedoch deren Umsetzung ins nationale Recht dem nationalen Gesetzgeber.[1] Der nationale Gesetzgeber darf keine anderen oder zusätzlichen Nichtigkeitsgründe als die in Abs 1 ausdrücklich genannten aufnehmen.

2   Die ersten Vorentwürfe des EPÜ enthielten die sogenannte Minimallösung: das europäische Patent sollte aufgrund der jeweils national geltenden Nichtigkeitsgründe unabhängig von den europäischen Erteilungsvoraussetzungen für nichtig erklärt werden können.

Demgegenüber wurde im Interesse der Rechtssicherheit eine weitgehende Rechtseinheit für notwendig gehalten. Deshalb wurden die materiell-rechtlichen Erteilungserfordernisse und die Einspruchsgründe mit den Nichtigkeitsgründen gleichgesetzt. Grundsätzlich kann daher ein europäisches Patent im nationalen Verfahren nur dann für nichtig erklärt werden, wenn die Voraussetzungen für seine Erteilung nicht vorgelegen haben (Maximallösung).

3   Diese Lösung ist die einzig konsequente. Das Nichtigkeitsverfahren dient der nachträglichen Überprüfung, ob das Patent zu Recht erteilt wurde. Es wäre sinnwidrig, die Nichtigkeitsgründe rechtlich anders zu handhaben als die Erteilungsgründe. Das bedeutet aber nicht, dass die nationalen Gerichte bei der Auslegung der Nichtigkeitsgründe sklavisch an die Auslegung der Erteilungsgründe durch das EPA gebunden wären. Vielmehr haben das EPA und besonders seine Beschwerdekammern die nationale Rechtsprechung ebenfalls zu berücksichtigen.

EPÜ 2000

Das EPÜ 2000 ändert Art 138 (2) dahin, dass eine Beschränkung des Patents im nationalen Nichtigkeitsverfahren nur durch Änderung der Patentansprüche erfolgt. Es bringt einen neuen Abs 3, der dem Patentinhaber in allen nationalen Verfahren betreffend die Gültigkeit des Patents die Beschränkung des europäischen Patents aus eigener Initiative durch Änderung der Ansprüche erlaubt. Damit kann der Patentinhaber eine Nichtigerklärung vermeiden. Die Beschränkung gilt nur für den betreffenden Vertragsstaat.

2 Nationales Verfahrensrecht und Aussetzung

4   Das Nichtigkeitsverfahren richtet sich nach nationalem Recht (vgl Art 64 (3)). Zu den Verfahrensbestimmungen gehört vor allem die Ausgestaltung des Nichtigkeitsverfahrens, in Deutschland als Klageverfahren vor dem BPatG mit Berufung an den BGH (§§ 81 ff, 101 ff DE-PatG). Die Klage wird gegen den in

---

1   BGH vom 12. 5. 1992 – *Linsenschleifmaschine* –, GRUR 1992, 839.

Nichtigkeit und ältere Rechte **Artikel 138**

der deutschen Patentrolle eingetragenen Inhaber des europäischen Patents geführt.[2] Das Verfahren wird in deutscher Sprache geführt, auch Änderungen der Ansprüche des in engl oder franz erteilten europäischen Patents werden in deutsch vorgenommen.[3] Eine Änderung der Patentansprüche in engl oder franz ist damit nicht vereinbar, schon wegen § 184 DE-Gerichtsverfassungsgesetz, wonach die Gerichtssprache deutsch ist.[4] Dem Patentinhaber sollte aber zugestanden werden, sein europäisches Patent mit einer engl oder franz Fassung beschränkt zu verteidigen; lediglich im Nichtigkeitsurteil wären die Ansprüche in deutsch abzufassen.

Nach § 81 (2) DE-PatG kann die Nichtigkeitsklage erst nach Ablauf der Einspruchsfrist oder rechtskräftigem Abschluß des Einspruchsverfahrens erhoben werden. Diese Bestimmung gilt – als Verfahrensbestimmung – auch für europäische Patente, womit dem Einspruchsverfahren vor dem EPA Vorrang gebührt.[5] § 11 AT-PatVertrEG sieht zwischen denselben Parteien hinsichtlich der entschiedenen Einspruchsgründe eine Bindung der Nichtigkeitsabteilung des AT-Patentamts an die Entscheidung der Beschwerdekammer vor, durch die das europäische Patent im Einspruchsverfahren ganz oder teilweise aufrechterhalten wird.[6] Eine solche Bindungswirkung besteht nicht in Großbritannien und Deutschland.[7] Nach dem BGH sind die von den Beschwerdekammern erlassenen Entscheidungen sachverständige Stellungnahmen von erheblichem Gewicht, die bei der Beurteilung der Patentfähigkeit im Nichtigkeitsverfahren zu würdigen sind; eine darüber hinausgehende rechtliche Wirkung kommt ihnen indes nicht zu.[8] 5

Ist eine Patentverletzungsklage anhängig (in der Praxis meist mit einer Nichtigkeitsklage verbunden), so ist das Einspruchsverfahren zu beschleunigen und vorrangig vor anderen Einspruchsverfahren durchzuführen.[9] 6

3 Der Vorbehalt hinsichtlich Art 139

Der in Art 138 (1) am Anfang ausgesprochene Vorbehalt verweist auf den Nichtigkeitsgrund der älteren nationalen und europäischen Patentanmeldung (ältere Rechte; siehe Art 139). 7

---

2 BPatG vom 26.6.1991 – *Zusätzlicher Kläger*, GRUR 1992, 435; BGH vom 4.2.1992 – *Tauchcomputer*, GRUR 1992, 430.
3 BPatG vom 2. 10. 1991 – *Beschränkung des Patents* –, GRUR 1992, 435.
4 BGH vom 12.5.1992 – *Linsenschleifmaschine* –, GRUR, 1992, 839; aA Rogge, GRUR 1993, 284, 285, und Schulte, PatG, § 81 Rn 138.
5 Benkard-Rogge, PatG, § 81 Rn 21; Benkard-Rogge, EPÜ, Art 138 Rn 34; siehe auch DE-BVerfG vom 5.4.2006, GRUR 2006, 569; aA Pitz, GRUR 1995, 231, 238.
6 Siehe Gall, 7. Aufl, S 438, 173.
7 BGH vom 4.1.1995 – *Zahnkranzfräser* –, GRUR 1996, 757.
8 BGH vom 5.5.1998 – *Regenbecken* –, ABl 1999, 322, Leitsatz.
9 Mitteilung des EPA vom 11.6.1990, ABl 1990, 324.

Schennen

4 Die einzelnen Nichtigkeitsgründe (Abs 1)

8 In Abs 1 werden die einzelnen Nichtigkeitsgründe aufgeführt, die der nationale Gesetzgeber für das europäische Patent vorsehen darf. Die in Abs 1 a)–c) aufgeführten Nichtigkeitsgründe entsprechen den in Art 100 a)–c) aufgeführten Einspruchsgründen.

9 Zusätzlich zu diesen Einspruchsgründen gibt es noch folgende Nichtigkeitsgründe:

– Unzulässige Erweiterung des Schutzbereichs im Einspruchsverfahren (Abs 1 d)) als Sanktion für den Verstoß gegen Art 123 (3);
– Anmeldung durch den Nichtberechtigten als Verstoß gegen Art 61 (1). In aller Regel wird der Berechtigte allerdings nicht die Nichtigkeit, sondern die Übertragung des europäischen Patents auf sich betreiben. Vor Erteilung kann der Berechtigte, der sein Recht auf das europäische Patent durch eine rechtskräftige nationale Entscheidung nachweist, bereits im Erteilungsverfahren ua die Zurückweisung der europäische Patentanmeldung beantragen (Art 61 (1) c)). Ein Einspruch kann nicht auf den Grund der widerrechtlichen Entnahme gestützt werden. Ab Erteilung des europäischen Patents ist der Berechtigte zur Durchsetzung seines Rechts auf die nationalen Verfahren verwiesen.

10 Das deutsche Recht hat diese Nichtigkeitsgründe in Art II § 6 (1) DE-IntPatÜG wörtlich übernommen. Gleichwohl handelt es sich um materiell europäisches Recht, nämlich die in Art 138 und Art II § 6 DE-IntPatÜG in Bezug genommenen Bestimmungen des EPÜ. Die nationale Nichtigkeitsentscheidung stellt deshalb, soweit die Nichtigkeitsgründe des Art 100 (1) a) – c) betroffen sind, der Sache nach eine Überprüfung der EPA-Entscheidung dar. Der vom Gericht anzulegende Auslegungsmaßstab ist der des EPÜ;[10] dabei ist es entsprechend den Regeln seines nationalen Rechts weder an den Prüfungsmaßstab und die Rechtsprechung des EPA, noch an parallele Entscheidungen in anderen Vertragsstaaten gebunden.[11] Der nationale Richter hat aber diese Rechtsprechung bei seiner Entscheidung entsprechend zu berücksichtigen. Der nationale Nichtigkeitsrichter wendet also genuin europäische Nichtigkeitsgründe an.[12]

11 Um Divergenzen der nationalen Rechtsprechung zu vermeiden, ist ein gesamteuropäischer Konsens bei der Auslegung der Art 52–57 und 83 zu finden. Der nationale Richter hat im Nichtigkeitsverfahren einen einheitlichen europäischen Maßstab anzustreben und dabei die Entscheidungspraxis der Beschwerdekammern zu beachten. Umgekehrt bemessen die Beschwerdekammern die

---

10 BPatG vom 30.3.1993 – *Perfluorocarbon* –, GRUR 1995, 394.
11 Rogge, mündliches Referat, wiedergegeben in GRUR 1996, 266.
12 So auch Pitz, GRUR 1995, 239 ff und die dort zitierte deutsche Rechtsprechung.

Anforderungen an die erfinderische Tätigkeit im europäischen Verfahren so, dass das europäische Patent in den nationalen Nichtigkeitsverfahren weitgehend bestehen kann.[13]

5 Teilnichtigkeit (Abs 2)

Betreffen die Nichtigkeitsgründe nur einen Teil des europäischen Patents, so wird die Teilnichtigkeit des europäischen Patents in Form der Beschränkung erklärt. Der Bestand des beschränkten Patents setzt seine Schutzfähigkeit voraus. Die geltende Fassung von Art 138 erlaubt dem nationalen Recht, die Beschränkung in Form einer Änderung der Ansprüche, der Beschreibung oder der Zeichnungen vorzunehmen. Die Fassung des EPÜ 2000 wird vorsehen, dass die Beschränkung nur in Form der Änderung der Ansprüche erfolgen kann.

Im deutschen Nichtigkeitsverfahren wurden Beschreibung und Zeichnungen ohnehin nicht an beschränkt aufrechterhaltene Ansprüche des europäischen Patents angepasst; die Gründe des Nichtigkeitsurteils ergänzen oder ersetzen insoweit die gegenstandslos gewordenen Passagen der Beschreibung.[14]

Artikel 139 Ältere Rechte und Rechte mit gleichem Anmelde- oder Prioritätstag

(1) In jedem benannten Vertragsstaat haben eine europäische Patentanmeldung und ein europäisches Patent gegenüber einer nationalen Patentanmeldung und einem nationalen Patent die gleiche Wirkung als älteres Recht wie eine nationale Patentanmeldung und ein nationales Patent.

(2) Eine nationale Patentanmeldung und ein nationales Patent in einem Vertragsstaat haben gegenüber einem europäischen Patent, soweit dieser Vertragsstaat benannt ist, die gleiche Wirkung als älteres Recht wie gegenüber einem nationalen Patent.

(3) Jeder Vertragsstaat kann vorschreiben, ob und unter welchen Voraussetzungen eine Erfindung, die sowohl in einer europäischen Patentanmeldung oder einem europäischen Patent als auch in einer nationalen Patentanmeldung oder einem nationalen Patent mit gleichem Anmeldetag oder, wenn eine Priorität in Anspruch genommen worden ist, mit gleichem Prioritätstag offenbart ist, gleichzeitig durch europäische und nationale Anmeldungen oder Patente geschützt werden kann.

---

13 T 1/81, ABl 1981, 439, Nr 11 und GRUR Int 1982, 53.
14 BPatG vom 2. 10. 1991 – *Beschränkung des Patents* –, GRUR 1992, 435.

Artikel 139 — *Nichtigkeit und ältere Rechte*

Detlef Schennen

Übersicht

1	Allgemeines	1
2	Wirkung europäischer älterer Rechte gegenüber nationalen Rechten (Abs 1)	2-5
3	Wirkung nationaler älterer Rechte gegenüber europäischen Rechten (Abs 2)	6-7
4	Doppelschutz der Erfindung durch nationale und europäische Schutzrechte (Abs 3)	8-10
5	Definition des »älteren Rechts«	11-13

1 Allgemeines

1 Diese Vorschrift regelt das Verhältnis zwischen europäischen Patenten und europäischen Patentanmeldungen einerseits und nationalen Rechten andererseits; ihr Sinn ist es, eine weitgehende Gleichbehandlung des europäischen Systems und der nationalen Systeme zu verwirklichen. Die Regelung betrifft das Verhältnis älterer europäischer Rechte zu jüngeren nationalen Rechten (Abs 1), das Verhältnis älterer nationaler Rechte zu jüngeren europäischen Rechten (Abs 2) und das Verhältnis prioritätsgleicher europäischer und nationaler Rechte zueinander (Abs 3).

Art 139 ist auch auf nationale Gebrauchsmuster und Gebrauchszertifikate anzuwenden (siehe Art 140 Rdn 7–14).

2 Wirkung europäischer älterer Rechte gegenüber nationalen Rechten (Abs 1)

2 Ältere europäische Rechte haben gegenüber nationalen Rechten die gleiche Wirkung wie ältere nationale Rechte. Die Vorschrift ist self-executing und bedarf keiner Umsetzung in das nationale Recht. Das nationale Recht bestimmt aber die Wirkung des älteren europäischen Rechts und damit auch, ob der *prior claim approach* oder der *whole contents approach* anzuwenden ist. Nach nationalem Recht richtet sich auch, in welchem Verfahrensabschnitt (Prüfungsverfahren, Einspruchsverfahren, Nichtigkeitsverfahren) das europäische Recht geltend gemacht werden kann.

3 Zu beachten ist, dass im Gegensatz zum europäischen Verfahren in der Schweiz und Liechtenstein nicht der *whole contents approach*, sondern der *prior claim approach* (Identitätsprüfung) angewandt wird. Die Schweiz und Liechtenstein erlauben mit Rücksicht darauf die Umwandlung in ein nationales Patent (siehe Art 135 Rdn 9).

4 Nach deutschem Recht (§ 3 (1) DE-IntPatÜG) stehen vorveröffentlichte europäische Patentanmeldungen (also europäische Patentanmeldungen und Patente, die vor dem Prioritätsdatum der jüngeren deutschen Patentanmeldung gemäß Art 93 veröffentlicht wurden) der deutschen Anmeldung uneinge-

schränkt als Stand der Technik entgegen, und zwar sowohl hinsichtlich der Beurteilung der Neuheit als auch hinsichtlich der Beurteilung der erfinderischen Tätigkeit (Gegenschluß aus § 4 Satz 2 DE-PatG) und unabhängig davon, welche Vertragsstaaten in der europäischen Patentanmeldung benannt sind.

Nachveröffentlichte europäische Patentanmeldungen und Patente stehen deutschen Patentanmeldungen nach § 3 (2) DE-PatG entgegen, jedoch nur, wenn in der älteren europäischen Patentanmeldung DE benannt war und nur als neuheitsschädlich, während sie bei der Beurteilung der erfinderischen Tätigkeit nicht in Betracht gezogen werden (§ 4 S 2 DE-PatG). Ob die europäische Patentanmeldung nach ihrer Veröffentlichung zur Erteilung führt, ist unerheblich.[1] Für nachveröffentlichte Euro-PCT-Anmeldungen gilt dasselbe, jedoch müssen zusätzlich die Erfordernisse des Art 158 (in der revidierten Fassung: Art 153) erfüllt sein (nationale Gebühr nach PCT, Veröffentlichung in einer der Sprachen des EPÜ), § 3 (1) Nr 2 DE-PatG.

3 Wirkung nationaler älterer Rechte gegenüber europäischen Rechten (Abs 2)

Abs 2 enthält den Nichtigkeitsgrund des älteren nationalen Rechts, der im autonomen Regelungsbereich des EPÜ liegt und keines nationalen Gesetzgebungsakts bedarf (Pitz, Das Verhältnis von Einspruchs- und Nichtigkeitsverfahren nach deutschem und europäischen Patentrecht, 1994, S 125). Im europäischen Verfahren gehören ältere nachveröffentlichte europäische Patentanmeldungen, die gleichzeitig oder später als die jüngere nationale Patentanmeldung veröffentlicht sind, nach Art 54 (3) zum Stand der Technik;[2] siehe auch unter Art 54 Rdn 7 zur Änderung durch das EPÜ 2000. Nachveröffentlichte nationale Anmeldungen gehören jedoch nicht nach Art 54 zum Stand der Technik, sondern sind allein im nationalen Nichtigkeitsverfahren geltend zu machen. Jedoch kann nach R 87 im europäischen Verfahren das ältere nationale Recht, wenn sein Bestehen dem EPA mitgeteilt wird, durch unterschiedliche Abfassung der Ansprüche, Beschreibung und Zeichnungen abgegrenzt werden (vgl Art 118 Rdn 6–15 sowie Art 123 Rdn 110). Voraussetzung des Abs 2 ist – wie bei Abs 1 –, dass in der jüngeren europäischen Patentanmeldung der betreffende Vertragsstaat benannt war. Rechtsfolge des Abs 2 ist, dass das europäische Patent auch nur für diesen Vertragsstaat für nichtig erklärt wird.

Ältere nationale Rechte haben gegenüber anmeldungs- oder prioritätsjüngeren europäischen Patenten die gleiche Wirkung wie gegenüber einem nationalen Patent. Dieses ältere nationale Recht entfaltet seine Wirkung gegenüber dem europäischen Patent ebenfalls entsprechend dem nationalen Recht entweder nach dem *whole contents approach* oder nach dem *prior claim approach*.

---

1   Schulte, PatG, § 3 Rn 79.
2   **T 550/94**, ABl 1992, 117.

Insbesondere wegen dieser Unterschiedlichkeit sah die Konvention davon ab, die älteren nationalen Rechte schon im europäischen Erteilungsverfahren voll zu berücksichtigen. Das deutsche Recht regelt den Nichtigkeitsgrund der jüngeren Anmeldung nicht ausdrücklich; Art II § 6 DE-IntPatÜG deckt nur den Fall der vorveröffentlichten nationalen Anmeldung ab. Art 139 (2) ist aber self-executing und stellt einen eigenständigen Nichtigkeitsgrund für europäische Patente im deutschen Nichtigkeitsverfahren dar.[3]

4 Doppelschutz der Erfindung durch nationale und europäische Schutzrechte (Abs 3)

8   Es steht den Vertragsstaaten frei, den Doppelschutz einer Erfindung durch nationale und europäische Schutzrechte mit gleichem Anmelde- oder Prioritätstag zuzulassen, zu verbieten oder näher zu regeln. Der Wortlaut der Vorschrift lässt offen, ob der jeweilige Staat dem europäischen oder dem nationalen Schutzrecht den Vorrang einräumen soll. Abs 3 ist jedoch dahin auszulegen, dass dem europäischen Patent der Vorrang gebührt.

Österreich, Dänemark, Finnland und Schweden haben den Doppelschutz zugelassen. Die übrigen Vertragsstaaten haben vorgesehen, dass das nationale Patent im Umfang des europäischen Patents seine Wirkungen verliert.

Einzelheiten siehe Broschüre *Nationales Recht zum EPÜ*, Tabelle X, Spalte 1.

9   In Deutschland ist nach Art II § 8 DE-IntPatÜG (geändert durch Art 6 Nr 5 des 2. GPatG) der Verlust der Wirkungen des europäischen Patents allein im Verletzungsverfahren beachtlich. Der Abschluß des deutschen Prüfungsverfahrens wird nicht hinfällig durch Erteilung des europäischen Patents.[4] Auch ein Einspruch[5] und eine Nichtigkeitsklage[6] gegen ein deutsches Patent, das seine Wirkungen verloren hat, ist zulässig. Ein gesondertes Feststellungsverfahren vor dem BPatG wurde 1991 durch das 2. GPatG aufgehoben. Das Doppelschutzverbot bedeutet also, dass eine Verletzungsklage nur noch auf das europäische Patent gestützt werden kann. Der Wegfall der Wirkungen tritt automatisch mit der Erteilung des europäischen Patents ein; dessen spätere Nichtigerklärung lässt das deutsche Patent nicht wieder aufleben (Art II § 8 (2) DE-IntPatÜG).

10 Das Doppelschutzverbot deutschen Rechts erstreckt sich nicht auf das Gebrauchsmuster, siehe Art 140.

---

3   Schulte, PatG, § 3 Rn 88.
4   BPatG vom 24.6.1986, – *Doppelschutz* –, ABl 1988, 99.
5   BGH vom 22.2.1994 – *Sulfonsäurechlorid* –, GRUR 1994, 439.
6   BGH vom 24.4.2001 – *Stretchfolie* –, GRUR 2002, 53.

5 Definition des »älteren Rechts«

Allen drei Absätzen des Art 139 liegt eine einheitliche Definition des »älteren Rechts« zugrunde, die in Abs 3 dann ausdrücklich genannt wird: Es wird auf das Prioritätsdatum der beiden Patentanmeldungen abgestellt. So ist eine europäische Patentanmeldung gegenüber einem später angemeldeten, aber eine frühere Priorität beanspruchenden nationalen Patent jünger. Eine deutsche Patentanmeldung und eine nachfolgende europäische Anmeldung, die deren Priorität beansprucht, sind prioritätsgleich (Fall des Abs 3).

Decken sich beide Anmeldungen nicht, so ist zunächst zu prüfen, ob für die ältere Anmeldung der whole contents approach oder der prior claim approach gilt. Sodann ist zu prüfen, ob das ältere Recht nur neuheitsschädlich ist oder auch bei der Beurteilung der Erfindungshöhe berücksichtigt wird. Sodann ist die Patentfähigkeit des überschießenden Teils der jüngeren Anmeldung nach allgemeinen Grundsätzen zu prüfen.

Abweichend davon gilt bei Abs 3: Das deutsche Patent verliert gegenüber dem europäischen Patent nur insoweit seine Wirkung, als der Schutzbereich des europäischen Patents unter Einschluß äquivalenter Verletzungsformen reicht.[7] Für eine selbständige Prüfung der Patentfähigkeit des im deutschen Patent enthaltenen Überschusses ist nach Wegfall des selbständigen Feststellungsverfahrens kein Raum mehr.

---

[7] LG Düsseldorf vom 16.3.1993 – *Signalübertragungsvorrichtung* –, GRUR 1993, 812.

Kapitel III Sonstige Auswirkungen

Artikel 140 Nationale Gebrauchsmuster und Gebrauchszertifikate

Die Artikel 66, 124, 135 bis 137 und 139 sind in den Vertragsstaaten, deren Recht Gebrauchsmuster oder Gebrauchszertifikate vorsieht, auf diese Schutzrechte und deren Anmeldungen entsprechend anzuwenden.

Detlef Schennen

Übersicht

1	Allgemeines	1-2
2	Wirkung der europäischen Patentanmeldung als nationale Hinterlegung (Art 66)	3-4
3	Angaben über nationale Anmeldungen von Gebrauchsmustern (Art 124)	5
4	Umwandlung in nationale Anmeldungen von Gebrauchsmustern (Art 135–137)	6
5	Nationale Gebrauchsmuster als ältere oder prioritätsgleiche Rechte (Art 139)	7-14

1 Allgemeines

1   Ein Teil der Vertragsstaaten kennt Gebrauchsmusterschutz (AT, DE, DK, ES, FI, GR, HU, IT, PL, PT und TR, in FR certificat d'utilité). Der Entwurf der Kommission für eine Richtlinie zur Harmonisierung des Gebrauchsmusterrechts von 1997[1] ist gegenwärtig politisch blockiert.

2   Nach Art 43 PCT kann der internationale Anmelder nach dem Recht des betreffenden Staates statt eines Patents oder zusätzlich zu einem Patent ein Gebrauchsmuster erhalten (Art 4 (3), R 4.1 b) iii) PCT).

EPÜ 2000

Art 140 wird durch das EPÜ 2000 nur insoweit geändert, als die Verweisung auf Art 136, der gestrichen wird, wegfallen wird.

2 Wirkung der europäischen Patentanmeldung als nationale Hinterlegung (Art 66)

3   Auf Grund der entsprechenden Anwendung von Art 66 ist die europäische Patentanmeldung prioritätsbegründend auch für eine spätere Gebrauchsmusteranmeldung. Art 140 schafft damit die rechtliche Grundlage für die in Art 135

---

1   GRUR Int 1998, 245.

vorgesehene Umwandlung von europäischen Patentanmeldungen und europäischen Patenten in nationale Gebrauchsmuster und Gebrauchszertifikate (siehe Art 135 (2) letzter Satz und Art 136 (2) letzter Satz, in denen auf Art 66 Bezug genommen wird).

Aus einer europäischen Patentanmeldung kann nach § 5 DE-GebrMG auch die Abzweigung einer Gebrauchsmusteranmeldung in Anspruch genommen werden.[2]

3 Angaben über nationale Anmeldungen von Gebrauchsmustern (Art 124)

Der Anmelder einer europäischen Patentanmeldung hat auf Aufforderung der Prüfungsabteilung oder der Beschwerdekammer auch die Staaten anzugeben, in denen er Gebrauchsmusteranmeldungen für die entsprechende Erfindung eingereicht hat. Wegen der Beschränkung des Art 140 auf die Vertragsstaaten besteht keine Verpflichtung, die Einreichung von Gebrauchsmustern in Nichtvertragsstaaten, zB in Japan, mitzuteilen.

4 Umwandlung in nationale Anmeldungen von Gebrauchsmustern (Art 135–137)

Der Anmelder oder Inhaber eines europäischen Patents kann seine Anmeldung oder sein Patent in eine nationale Anmeldung eines Gebrauchsmusters umwandeln. Zum Umwandlungsverfahren siehe Art 135–137.

Besonderheiten zum Gebrauchsmuster siehe Broschüre *Nationales Recht zum EPÜ*, Tabelle VII, Spalte 5; für AT auch ABl 1999, 146 (147).

5 Nationale Gebrauchsmuster als ältere oder prioritätsgleiche Rechte (Art 139)

Wegen der entsprechenden Anwendung des Art 139 (2) haben ältere nachveröffentlichte nationale Gebrauchsmuster oder Gebrauchszertifikate bzw die Anmeldung eines solchen Schutzrechts gegenüber einem jüngeren europäischen Patent dieselbe Wirkung wie gegenüber einem jüngeren nationalen Patent. Vorveröffentlichte nationale Gebrauchsmuster sind schon nach Art 54 (2) patenthindernd.

Umgekehrt haben nach Art 139 (1) ältere europäische Patentanmeldungen und europäische Patente gegenüber jüngeren nationalen Gebrauchsmustern und Gebrauchszertifikaten dieselbe Wirkung wie ältere nationale Patentanmeldungen und Patente.

Hier sind zwei Gruppen von Vertragsstaaten zu unterscheiden:

---

[2] Siehe Information in ABl 1987, 175.

Artikel 140 *Nationale Gebrauchsmuster*

- Einige Staaten wie Frankreich, Italien und nun auch Österreich[3] wenden für die Beurteilung der Neuheit von Gebrauchsmustern bzw Gebrauchszertifikaten den *whole contents approach* an und haben auch keine Sonderregelung für das Verhältnis von Patenten als älteren Rechten gegenüber Gebrauchsmustern bzw Gebrauchszertifikaten getroffen. In diesen Staaten ist gegenüber dem jüngeren Gebrauchsmuster oder Gebrauchszertifikat die prioritätsältere europäische Patentanmeldung wie nach Art 54 (3) neuheitsschädlich. Wie nach Art 56 kann aber das ältere europäische Recht für die Beurteilung der erfinderischen Tätigkeit nicht herangezogen werden. Ist die europäische Patentanmeldung bereits vor dem Prioritätsdatum der nationalen Gebrauchsmuster- oder Gebrauchszertifikatsanmeldung veröffentlicht worden, so ist sie uneingeschränkt Stand der Technik.
- In Deutschland, früher auch in Österreich, führt das Bestehen eines nachveröffentlichten älteren Patents oder Gebrauchsmusters zur Löschung (in AT: Nichtigerklärung) des Gebrauchsmusters (AT: § 28 (1) Nr 2 GebrMG aF; DE: § 15 (1) Nr 2 GebrMG). Nicht die Anmeldung, sondern nur das erteilte prioritätsältere Schutzrecht steht dem Gebrauchsmuster entgegen, und zwar nicht nur seiner Neuheit, sondern auch seinem erfinderischen Schritt (§ 1 (1) DE-GebrMG). Das prioritätsältere Recht wird aber nur mit dem Inhalt seiner Ansprüche (prior claim approach), nicht mit seinem gesamten Inhalt berücksichtigt.[4]

10 Art 140 bewirkt somit, dass gemäß Art 139 (1) ein europäisches Patent einem erteilten nationalen Patent gleichgestellt wird, so dass das europäische Patent älteres Recht gegenüber einem prioritätsjüngeren deutschen Gebrauchsmuster ist.

11 Art 139 (2) (Wirkung eines nationalen Gebrauchsmusters gegenüber einem jüngeren europäischen Patent) hat in Österreich und Deutschland folgende Auswirkungen:

12 In Österreich ist durch Gesetz vom 19.8.1994, erneut geändert durch Gesetz vom 4.12.1998, das Patentgesetz geändert und der *whole contents approach* eingeführt worden; gleichzeitig ist in § 3 (2) AT-PatG bestimmt worden, dass nachveröffentlichte ältere Gebrauchsmusteranmeldungen gegenüber jüngeren Patentanmeldungen neuheitsschädlich sind. In Österreich können also europäische Patente wegen nachveröffentlichter prioritätsälterer Gebrauchsmuster für nichtig erklärt werden.

13 In Deutschland darf das Recht aus dem jüngeren Patent während des Bestehens des älteren Gebrauchsmusters nur mit Erlaubnis des Gebrauchsmusterinhabers ausgeübt werden (§ 14 DE-GebrMG). Das jüngere Patent wird also

---

3 Neufassung von § 3 (2) AT-GebrMG durch Gesetz Nr 175/1998 vom 4.12.1998, BlPMZ 1999, 60; ABl 1999, 148.
4 Siehe Benkard-Schäfers, § 15 GebrMG, Rn 12.

nicht vernichtet; das europäische Patent kann deshalb später nach Ablauf des (kürzeren) Gebrauchsmusterschutzes ausgeübt werden.

Art 139 (3) gilt nach Art 140 auch in Bezug auf nationale Gebrauchsmuster und Gebrauchszertifikate sowie deren Anmeldungen. Nach deutschem und österreichischem Recht ist ein Doppelschutz durch ein europäisches Patent und ein Gebrauchsmuster zulässig.

Artikel 141 Jahresgebühren für das europäische Patent

(1) Jahresgebühren für das europäische Patent können nur für die sich an das in Artikel 86 Absatz 4 genannte Jahr anschließenden Jahre erhoben werden.

(2) Werden Jahresgebühren für das europäische Patent innerhalb von zwei Monaten nach der Bekanntmachung des Hinweises auf die Erteilung des europäischen Patents fällig, so gelten diese Jahresgebühren als wirksam entrichtet, wenn sie innerhalb der genannten Frist gezahlt werden. Eine nach nationalem Recht vorgesehene Zuschlagsgebühr wird nicht erhoben.

Detlef Schennen

Übersicht
1	Allgemeines	1
2	Beginn der Verpflichtung zur Zahlung nationaler Jahresgebühren	2-3
3	Fälligkeit der ersten nationalen Jahresgebühr	4

1 Allgemeines

Während bis zur Erteilung des europäischen Patents die Jahresgebühren an das EPA zu entrichten sind (Art 86), müssen sie nach der Erteilung an die Patentämter der benannten Vertragsstaaten gezahlt werden. Art 141 regelt die Überleitung der Zahlungsverpflichtung.

Die Broschüre *Nationales Recht zum EPÜ* unterrichtet in Tabelle VI eingehend über die Höhe und die Zahlungsmodalitäten nationaler Jahresgebühren.

Zur Aufteilung der Jahresgebühren zwischen dem EPA und den nationalen Patentämtern der Vertragsstaaten siehe Art 39.

2 Beginn der Verpflichtung zur Zahlung nationaler Jahresgebühren

Die Pflicht zur Zahlung nationaler Jahresgebühren beginnt mit dem Ablauf des letzten Jahres, für das eine europäische Jahresgebühr gezahlt werden muss. Denn Abs 1 legt fest, dass nationale Jahresgebühren nur für die Jahre erhoben werden können, die sich an das in Art 86 (4) genannte Jahr anschließen, also an das Jahr, in dem der Hinweis auf die Erteilung des europäischen Patents bekannt gemacht worden ist und für das folglich noch die europäische Jahresgebühr zu zahlen war.

3 Das unter Art 86 Rdn 5 aufgeführte Beispiel soll dies verdeutlichen:

Die europäische Patentanmeldung war am 2.6.1978 eingereicht worden; damit endet das jeweilige Patentjahr am 2.6., und das nächste Patentjahr beginnt am 3.6. zu laufen. Ob die Priorität einer älteren Anmeldung beansprucht worden ist, spielt für Zeitpunkt und Berechnung der Jahresgebühren keine Rolle (siehe Art 89; ebenso Art 4bis (5) PVÜ).

Erfolgt die Bekanntmachung des Hinweises auf die Erteilung vor dem oder spätestens am 2.6.1980, so sind keine europäischen Jahresgebühren mehr zu entrichten, sondern die nationalen Jahresgebühren ab dem 3. Patentjahr an das nationale Patentamt.

Ist die Bekanntmachung jedoch am 3.6. erfolgt, so ist die dritte Jahresgebühr noch an das EPA zu zahlen und am 30.6.1980 fällig.

Erst die folgenden Jahresgebühren sind dann an die nationalen Patentämter zu entrichten, wobei die Zahlungsmodalitäten sich nach dem jeweiligen nationalen Recht richten.[1]

3 Fälligkeit der ersten nationalen Jahresgebühr

4 Die Entrichtung der nationalen Jahresgebühren hat nach den jeweiligen nationalen Regeln zu erfolgen. Um jedoch dem Patentinhaber eine ausreichende Frist zur Zahlung dieser Gebühren einzuräumen, da ja die Fälligkeit von der Veröffentlichung des Hinweises auf die Erteilung des europäischen Patents abhängt, wird ihm in Art 141 (2) eine Sicherheitsfrist von zwei Monaten eingeräumt. Diese beginnt mit der Bekanntmachung des Hinweises auf die Erteilung im Europäischen Patentblatt (siehe Art 97 (4)). Der Patentinhaber wird nach der Praxis des EPA vom Zeitpunkt der Bekanntmachung unterrichtet. Allerdings kann er aus der Unterlassung dieser Mitteilung keine Rechte herleiten. Wohl aber kann dieser Umstand eine Wiedereinsetzung in den vorigen Stand oder einen ähnlichen Rechtsbehelf nach nationalem Recht rechtfertigen. Auf jeden Fall hat der Patentinhaber, der die Jahresgebühr innerhalb der in dieser Vorschrift festgelegten 2-Monats-Frist entrichtet, rechtzeitig gezahlt, unabhängig von etwa anderslautenden nationalen Bestimmungen. Art 5bis PVÜ garantiert dem Patentinhaber eine Zahlungsfrist von sechs Monaten nach Fälligkeit und erlaubt dem nationalen Recht, für die Zahlung während dieser Nachfrist einen Zuschlag zu verlangen. Art 141 (2) Satz 2 bewirkt aber, dass eine solche nationale Zuschlagsgebühr für eine Zahlung innerhalb der 2-Monats-Frist nicht verlangt werden kann.

---

1 Siehe Gall, aaO, Fragen 114–126, mit zahlreichen Beispielen.

Neunter Teil Besondere Übereinkommen

Vorbemerkung zu Art 142–149

Detlef Schennen

Übersicht
1	Allgemeines	1
2	Gegenwärtiger Stand des Gemeinschaftspatents ..	2-4
3	Anwendung bestimmter Vorschriften auf die Schweiz und Liechtenstein	5-7

1 Allgemeines

Die in diesem Teil zusammengefassten Vorschriften wurden in das Übereinkommen in erster Linie deshalb aufgenommen, um das nach dem EPÜ erteilte europäische Patent für die Staaten der Europäischen Union zu einem einheitlichen Gemeinschaftspatent werden lassen zu können. Von Anfang an war im Rahmen der Europäisierung des Patentrechts nicht nur die Schaffung eines einheitlichen Erteilungsverfahrens (mit dem EPÜ) beabsichtigt, sondern auch die Schaffung eines einheitlichen Patents mit einheitlichen Schutzwirkungen (das Gemeinschaftspatent). Aus politischen und praktischen Gründen entschloss man sich in den 60er Jahren dazu, zwei getrennte Abkommen auszuarbeiten. 1

2 Gegenwärtiger Stand des Gemeinschaftspatents

Das Übereinkommen über das europäische Patent für den Gemeinsamen Markt (Gemeinschaftspatentübereinkommen) wurde am 15.12.1975 in Luxemburg von den damaligen neun Staaten des Gemeinsamen Marktes unterzeichnet.[1] Es trat so nicht in Kraft, sondern wurde in zwei Regierungskonferenzen 1985 und 1989, beide in Luxemburg, noch einmal überarbeitet. In dieser endgültigen Form – bestehend aus der Vereinbarung über Gemeinschaftspatente, der als Anhang das Gemeinschaftspatentübereinkommen und das 2

---

1 GRUR Int 1976, 187–254.

Vor Artikel 142–149

Streitregelungsprotokoll beigefügt sind – ist es am 21.12.1989 von den damals zwölf EG-Staaten unterzeichnet worden.[2]

3 Zu seinem Inkrafttreten bedarf das GPÜ der Ratifikation durch alle 12 Unterzeichnerstaaten. Diese ist nicht erfolgt; nur 7 Staaten (DE, DK, FR, GB, GR, LU und NL) haben in der Folgezeit ratifiziert. Verschiedene Versuche (unter anderem über ein gesondertes Protokoll), ein Inkrafttreten zunächst nur für einen Teil der EG-Staaten zu erreichen, haben nicht zum Erfolg geführt. Mit dem Inkrafttreten des GPÜ in dieser Form wird nicht mehr gerechnet.

4 Die EG-Kommission ergriff mit ihrem Grünbuch vom Juli 1997[3] die Initiative, das Gemeinschaftspatent durch Verordnung zu schaffen, und legte am 1. 8. 2000 den Vorschlag für eine Verordnung des Rates über das Gemeinschaftspatent vor. In der Folgezeit scheiterten die Beratungen aber an den bekannten Problemen Streitregelung und Übersetzungen. Neue Konfliktfelder kamen sogar hinzu, wie die Zentralisierung und die Rolle der nationalen Ämter. Durch die EG-Erweiterung auf 25 (ab 2007 27) Staaten sind alle drei Konfliktfelder in ihrer praktischen Brisanz noch weit über das 1975, 1985 und 1989 Verhandelte verschärft worden. Zwar konnte im März 2003 im Binnenmarktrat ein gemeinsamer politischer Standpunkt verabschiedet werden,[4] doch wurden anschließend bereits gelöst geglaubte Themen wieder neu streitig. Nötig sind eine Einigung über die Details des Übersetzungsregimes, eine Revision der institutionellen Regelungen des EPÜ und, sozusagen nebenbei, der Aufbau einer beim Gerichtshof anzusiedelnden Patentgerichtsbarkeit, das alles einstimmig.[5] Es muss daher unverändert als ungewiss gelten, ob es je zu einem Gemeinschaftspatent kommen wird.

3 Anwendung bestimmter Vorschriften auf die Schweiz und Liechtenstein

5 Die Vorschriften dieses Teils haben es jedoch ermöglicht, die für die Territorien der Schweiz und des Fürstentums Liechtenstein erteilten europäischen Patente auf der Grundlage des Patentschutzvertrags zwischen der Schweiz und Liechtenstein vom 22.12.1978[6] zu einem einheitlichen Recht auszugestalten. Der Pa-

---

2   Text in BGBl 1991 II S 1358; Berichte der deutschen Delegation in GRUR Int 1986, 293 und 1990, 173.
3   Siehe ABl 1997, 443 sowie die Entschließung des Europäischen Parlaments vom 19.11.1999, ABl 1999, 193.
4   Soweit ersichtlich, sind die relevanten Texte nirgends veröffentlicht. Nicht nur wegen dieses Transparenzdefizits werden in dieser Kommentierung sowohl die relevanten Bestimmungen des GPÜ 1989 als auch die des Entwurfs der GPV – auf der Grundlage des gegenwärtig wahrscheinlich zutreffenden Beratungsstands – zitiert.
5   Überblick über die Problemfelder: Bauer, ÖBl 2005, 1.
6   ABl 1980, 407; BlPMZ 1980, 169; ABl 1980, 36.

tentschutzvertrag ist am 1.4.1980 gleichzeitig mit dem Inkrafttreten des EPÜ für Liechtenstein in Kraft getreten.

Dieser Vertrag stellt ein besonderes Übereinkommen im Sinne des Art 142 und einen regionalen Patentvertrag im Sinne des Art 45 PCT dar.

Nach Art 1 des Patentschutzvertrags bilden die Schweiz und Liechtenstein ein einheitliches Schutzgebiet für Erfindungspatente. Liechtenstein unterhält kein eigenes Patentamt. Zuständig ist nach Art 7 des Patentschutzvertrags das CH-Patentamt (IGE), das auch die europäischen Patente für Liechtenstein verwaltet.

Artikel 142 Einheitliche Patente

(1) Eine Gruppe von Vertragsstaaten, die in einem besonderen Übereinkommen bestimmt hat, dass die für diese Staaten erteilten europäischen Patente für die Gesamtheit ihrer Hoheitsgebiete einheitlich sind, kann vorsehen, dass europäische Patente nur für alle diese Staaten gemeinsam erteilt werden können.

(2) Hat eine Gruppe von Vertragsstaaten von der Ermächtigung in Absatz 1 Gebrauch gemacht, so sind die Vorschriften dieses Teils anzuwenden.

Detlef Schennen

Die Schweiz und Liechtenstein haben in Art 4 des zwischen ihnen geschlossenen Patentschutzvertrags vom 22.12.1978,[1] in Kraft getreten am 1.4.1980,[2] vorgesehen, dass die für diese beiden Staaten erteilten europäischen Patente einheitlich sind und nur für diese beiden Staaten gemeinsam erteilt werden können. Nach Art 2 des Patentschutzvertrags, der sich auf Art 149 stützt, kann ein europäisches Patent für die Schweiz und Liechtenstein nur durch gemeinsame Benennung erlangt werden. Die Benennung des einen Staats gilt als Benennung beider Vertragsstaaten. Für die Benennung der Schweiz und Liechtensteins wird nur eine einzige Benennungsgebühr verlangt (Art 2 Nr 3a GebO). Für das nach Art 5 des Patentschutzvertrags einheitliche Schutzgebiet gilt das schweizerische Bundesrecht betreffend Erfindungspatente. Siehe auch Vor Art 142 Rdn 5–7.

Artikel 143 Besondere Organe des Europäischen Patentamts

(1) Die Gruppe von Vertragsstaaten kann dem Europäischen Patentamt zusätzliche Aufgaben übertragen.

---

1 ABl 1980, 407.
2 Siehe ABl 1980, 36, Nr 1.2.

Artikel 144 Vertretung vor den besonderen Organen

(2) Für die Durchführung der in Absatz 1 genannten zusätzlichen Aufgaben können im Europäischen Patentamt besondere, den Vertragsstaaten der Gruppe gemeinsame Organe gebildet werden. Die Leitung dieser besonderen Organe obliegt dem Präsidenten des Europäischen Patentamts; Artikel 10 Absätze 2 und 3 sind entsprechend anzuwenden.

Detlef Schennen

1   Mit Schaffung des Gemeinschaftspatents werden als besondere Organe im EPA eine Patentverwaltungsabteilung und mindestens eine Nichtigkeitsabteilung zu bilden sein. Bis zur Erteilung des Gemeinschaftspatents gelten keine Besonderheiten.

Artikel 144 Vertretung vor den besonderen Organen

Die Gruppe von Vertragsstaaten kann die Vertretung vor den in Artikel 143 Absatz 2 genannten Organen besonders regeln.

Detlef Schennen

1   Für das Gemeinschaftspatent soll gelten: Mit gewissen Einschränkungen wird ein wirksam vor dem EPA bestellter Vertreter auch im Verfahren vor den besonderen Organen nach Art 143 in Angelegenheiten vertreten können, die ein Gemeinschaftspatent betreffen (Art 62 GPÜ).

Artikel 145 Engerer Ausschuss des Verwaltungsrats

(1) Die Gruppe von Vertragsstaaten kann zur Überwachung der Tätigkeit der nach Artikel 143 Absatz 2 gebildeten besonderen Organe einen engeren Ausschuss des Verwaltungsrats einsetzen, dem das Europäische Patentamt das Personal, die Räumlichkeiten und die Ausstattung zur Verfügung stellt, die er zur Durchführung seiner Aufgaben benötigt. Der Präsident des Europäischen Patentamts ist dem engeren Ausschuss des Verwaltungsrats gegenüber für die Tätigkeit der besonderen Organe verantwortlich.

(2) Die Zusammensetzung, die Zuständigkeit und die Tätigkeit des engeren Ausschusses bestimmt die Gruppe von Vertragsstaaten.

Detlef Schennen

1   Da der Vorschlag der Kommission für eine Gemeinschaftspatent-VO einen Beitritt der EG selbst zum EPÜ vorsieht, ist nicht abzusehen, ob Art 145 in der gegenwärtigen Form je zur Anwendung kommen wird.

Artikel 146 Deckung der Kosten für die Durchführung besonderer Aufgaben

Sind dem Europäischen Patentamt nach Artikel 143 zusätzliche Aufgaben übertragen worden, so trägt die Gruppe von Vertragsstaaten die der Organisation bei der Durchführung dieser Aufgaben entstehenden Kosten. Sind für die Durchführung dieser Aufgaben im Europäischen Patentamt besondere Organe gebildet worden, so trägt die Gruppe die diesen Organen zurechenbaren Kosten für das Personal, die Räumlichkeiten und die Ausstattung. Artikel 39 Absätze 3 und 4, Artikel 41 und Artikel 47 sind entsprechend anzuwenden.

Artikel 147 Zahlungen aufgrund der für die Aufrechterhaltung des einheitlichen Patents erhobenen Gebühren

Hat die Gruppe von Vertragsstaaten für das europäische Patent einheitliche Jahresgebühren festgesetzt, so bezieht sich der Anteil nach Artikel 39 Absatz 1 auf diese einheitlichen Gebühren; der Mindestbetrag nach Artikel 39 Absatz 1 bezieht sich auf das einheitliche Patent. Artikel 39 Absätze 3 und 4 ist entsprechend anzuwenden.

Detlef Schennen

Übersicht

1	Jahresgebühren für die Schweiz und Liechtenstein	1
2	Jahresgebühren für das Gemeinschaftspatent	2-3

1 Jahresgebühren für die Schweiz und Liechtenstein

Für die Schweiz und Liechtenstein sind für das europäische Patent einheitliche 1 Jahresgebühren zu entrichten. Damit ist diese Vorschrift auf die Jahresgebühren anzuwenden, die für europäische Patente gezahlt werden müssen, die einheitliche Wirkung in der Schweiz und Liechtenstein haben. Die Gebühren sind allein an das Schweizer Amt zu zahlen.

2 Jahresgebühren für das Gemeinschaftspatent

Für das Gemeinschaftspatent werden einheitliche Jahresgebühren zu zahlen 2 sein, und zwar allein an das EPA, das das Gemeinschaftspatent auch verwalten wird (Art 48 GPÜ und Art 25 GPV). Nach der GPV soll die Höhe der Jahresgebühren in einer VO der Kommission geregelt werden.

Noch Art 147 (1) iVm Art 20 GPÜ sah vor, dass Anteile an den Jahresgebüh- 3 ren an die Vertragsstaaten zurückzuzahlen sind, allerdings nach Abzug der Zusatzkosten, die die Durchführung des GPÜ verursacht. Nach der GPV sollen gemäß Nr 2.4 des gemeinsamen Standpunkts vom März 2003 die Jahresgebühren kostendeckend sein und jede indirekte Subvention der nationalen Ämter vermieden werden.

Artikel 148 Die europäische Patentanmeldung als Gegenstand des Vermögens

(1) Artikel 74 ist anzuwenden, wenn die Gruppe von Vertragsstaaten nichts anderes bestimmt hat.

(2) Die Gruppe von Vertragsstaaten kann vorschreiben, dass die europäische Patentanmeldung, soweit für sie diese Vertragsstaaten benannt sind, nur für alle diese Vertragsstaaten und nur nach den Vorschriften des besonderen Übereinkommens Gegenstand eines Rechtsübergangs sein sowie belastet oder Zwangsvollstreckungsmaßnahmen unterworfen werden kann.

Detlef Schennen

Übersicht
1	Anwendbares Recht für Liechtenstein	1
2	Anwendbares Recht für das Gemeinschaftspatent	2

1 Anwendbares Recht für Liechtenstein

1 Nach Art 148 (1) kann die Gruppe von Vertragsstaaten von dem Grundsatz abweichen, dass nach Art 74 die europäische Patentanmeldung als Gegenstand des Vermögens dem Recht des benannten Vertragsstaats unterliegt, wenn die Gruppe von Vertragsstaaten auch insoweit die europäische Patentanmeldung einheitlich behandeln möchte. Die Schweiz und Liechtenstein haben mit Art 5 ihres Patentschutzvertrags (siehe Vor Art 142 Rdn 4) eine derartige Regelung iSd Art 148 (1) getroffen. Danach gelten für Liechtenstein die CH-Patentgesetze einschließlich anderer Bestimmungen des CH-Bundesrechts, soweit die Handhabung der Patentgesetze ihre Anwendbarkeit bedingt. Somit gilt in Liechtenstein auch für die vermögensrechtliche Behandlung der europäischen Patentanmeldung Schweizer Recht.

Der Patentschutzvertrag zwischen der Schweiz und Liechtenstein enthält keine Bestimmungen gemäß Art 148 (2). Das Bestehen eines einheitlichen Schutzgebiets nach Art 1 des Patentschutzvertrags schließt es jedoch aus, dass eine europäische Patentanmeldung nur für die Schweiz und nicht zugleich auch für Liechtenstein übertragen wird. Zwangsvollstreckungsmaßnahmen in die europäische Patentanmeldung sind im einheitlichen Schutzgebiet vollstreckbar (siehe Art 10 (3) und 13 des Patentschutzvertrags).

2 Anwendbares Recht für das Gemeinschaftspatent

Nach Art 44 iVm Art 38 GPÜ und Art 14 GPV gilt für die vermögensrechtliche Behandlung der europäischen Patentanmeldung, die zur Erteilung eines GP führen kann, einheitlich das Recht eines bestimmten EG-Staats. Dieses ist das Recht des Sitzes des Anmelders, hilfsweise der Niederlassung des Anmelders, hilfsweise des Sitzes des Vertreters, hilfsweise des Sitzes des EPA (dh deutsches Recht). Da die europäische Patentanmeldung im ganzen und für alle Hoheitsgebiete als ein nationales Patent des so bestimmten Vertragsstaats gilt, kann sie auch nur einheitlich für alle EG-Staaten iSd Art 148 (2) übertragen werden. 2

Dingliche Rechte sowie Zwangsvollstreckungs- und Konkursmaßnahmen erfassen die Gemeinschaftspatentanmeldung als Ganzes. Lizenzen sind auch nur für einzelne Mitgliedstaaten (»Teile der Gemeinschaft«, Art 19 (1) GPV) zulässig. Insgesamt entsprechen die Regeln dem geltenden Recht zu Gemeinschaftsmarken und Gemeinschaftsgeschmacksmustern (siehe Art 16–24 der Verordnung über die Gemeinschaftsmarke) und tragen der Einheitlichkeit des Gemeinschaftspatents als Gegenstand des Vermögens voll Rechnung.

Artikel 149 Gemeinsame Benennung

(1) Die Gruppe von Vertragsstaaten kann vorschreiben, dass ihre Benennung nur gemeinsam erfolgen kann und dass die Benennung eines oder mehrerer der Vertragsstaaten der Gruppe als Benennung aller dieser Vertragsstaaten gilt.

(2) Ist das Europäische Patentamt nach Artikel 153 Absatz 1 Bestimmungsamt, so ist Absatz 1 anzuwenden, wenn der Anmelder in der internationalen Anmeldung mitgeteilt hat, dass er für einen oder mehrere der benannten Staaten der Gruppe ein europäisches Patent begehrt. Das Gleiche gilt, wenn der Anmelder in der internationalen Anmeldung einen dieser Gruppe angehörenden Vertragsstaat benannt hat, dessen Recht vorschreibt, dass eine Bestimmung dieses Staats die Wirkung einer Anmeldung für ein europäisches Patent hat.

Detlef Schennen

Übersicht
1	Situation in der Schweiz und Liechtenstein	1
2	Situation des Gemeinschaftspatents	2-4

Artikel 149 — *Gemeinsame Benennung*

1 Situation in der Schweiz und Liechtenstein

1 Die Schweiz und Liechtenstein haben in Art 2 ihres Patentschutzvertrags[1] von der in Abs 1 eröffneten Möglichkeit Gebrauch gemacht, dass ihre Benennung nur gemeinsam erfolgen kann; dabei gilt die Benennung eines dieser Staaten als Benennung beider Staaten.

Abs 2 betrifft Euro-PCT-Anmeldungen, dh internationale Anmeldungen nach dem PCT, für die das EPA Bestimmungsamt ist. Werden in einer solchen internationalen Anmeldung die Schweiz und/oder Liechtenstein als Bestimmungsstaaten benannt, so gilt der Hinweis, dass der Anmelder ein regionales Patent zu erhalten wünscht, als Wunsch, ein europäisches Patent für diese beiden Länder zu erhalten (Art 4 (1) und 45 PCT).

Enthält die internationale Anmeldung keinen Hinweis, dass der Anmelder ein regionales Patent für diese Bestimmungsstaaten zu erhalten wünscht, so gilt dies als Wunsch, ein vom CH-Patentamt (IGE) zu erteilendes nationales Patent für die Schweiz und Liechtenstein zu erhalten.

2 Situation des Gemeinschaftspatents

2 Die uneingeschränkte Anwendung von Art 149 (1) hätte zur Folge, dass es für die EG-Mitgliedsstaaten ab Inkrafttreten des GPÜ nur noch Gemeinschaftspatente gäbe. Das GPÜ 1989 will aus begreiflichen Gründen dem Anmelder die Wahlfreiheit lassen, ob er für die EG-Staaten ein normales europäisches Patent oder (freilich dann für alle EG-Staaten einheitlich) ein Gemeinschaftspatent wünscht (Art 3 und 81 GPÜ). Dieses Wahlrecht wird in Form eines nachträglichen Umstiegs auf das europäische Patent (Art 30 (6) GPÜ) noch zwei Monate nach Ablauf der Frist für die Einreichung der Übersetzungen gewährt.

3 Der Vorschlag für eine GPV sieht ein solches Wahlrecht nicht vor. Dafür ist nun eine Umwandlungsmöglichkeit in Benennungen der Vertragsstaaten in der Diskussion, wenn der Patentinhaber nötige Übersetzungen nicht eingereicht hat; die zur Zeit zirkulierenden Vorschläge wollen dies über eine Änderung des EPÜ selbst realisieren. Im Ergebnis würde auch nach diesem Lösungsmodell der Patentinhaber die Möglichkeit behalten, für einen Teil der EG-Mitgliedstaaten ein europäisches Bündelpatent zu erhalten.

4 Sowohl GPÜ 1989 als auch Gemeinschaftspatent-VO gehen von dem Prinzip aus, dass es ein Gemeinschaftspatent mit Löchern, also nur für einen Teil der EG-Staaten, nicht geben kann, sondern als Alternative zum Gemeinschaftspatent nur das Bündelpatent für einen Teil der EG-Mitgliedstaaten (wie schon heute) in Betracht kommt.

---

1 ABl 1980, 407.

Zehnter Teil Internationale Anmeldung nach dem Vertrag über die internationale Zusammenarbeit auf dem Gebiet des Patentwesens (PCT)

Vorbemerkung zu Art 150–158

Reinoud Hesper

Übersicht

1	Einleitung	1-7
2	Verbindung zwischen EPÜ und PCT	8-13
3	Funktionen des EPA nach dem PCT	14-20
4	Der PCT und seine Organe	21-28
5	Zielsetzung des PCT-Systems	29-40
6	Kurze Übersicht über das Euro-PCT-Verfahren ..	41-50
7	Jüngste Entwicklungen des PCT	51-63
8	Vom EPA angemeldete Vorbehalte	64-71
9	Allgemeines zur Vertretung in Verfahren nach dem PCT	72-75

1 Einleitung

Es wird ausdrücklich darauf hingewiesen, dass bei den folgenden Erörterungen 1 zum Zehnten Teil des EPÜ (Art 150–158 EPÜ) die Bestimmungen des EPÜ und die auf diesen beruhenden sekundären Rechtsvorschriften, die im Rahmen der Verfahren vor dem EPA in einer seiner Funktionen nach dem Patentzusammenarbeitsvertrag anzuwenden sind im Vordergrund stehen. Die Bestimmungen des Patentzusammenarbeitsvertrags, kurz PCT (Patent Cooperation Treaty), und die darin vorgesehenen Verfahren werden daher nur aus der Sicht des EPÜ und nur insoweit erörtert, als dies zur Erläuterung von Rolle und Funktionsweise des EPÜ und des EPA im Rahmen des PCT-Systems erforderlich ist.

Auf Grund verschiedener Entwicklungen wurde der Zehnte Teil des EPÜ 2 vollständig überarbeitet. Zunächst einmal hatte das PCT-System in den letzten Jahren tiefgreifende Änderungen erfahren, insbesondere durch die Einführung des Systems der erweiterten internationalen Recherche und vorläufigen Prüfung (Extended International Search and Preliminary Examination – EISPE) mit Wirkung vom 1. Januar 2004 (Rdn 59 ff). Im gleichen Zeitraum hatten Änderungen der Ausführungsordnung zum EPÜ, wie auch der sekundären

Vor Artikel 150-158

Rechtsakte und der EPA-Praxis im Zusammenhang mit PCT-Verfahren weitreichende Konsequenzen für die Bearbeitung von PCT-Anmeldungen durch das EPA in Wahrnehmung der ihm nach dem PCT obliegenden Funktionen.

3 Bei den Änderungen des EPÜ-Systems, die für die Verfahren nach dem PCT relevant sind, handelt es sich teilweise um »eigenständige« Änderungen, in vielen Fällen spiegeln sich darin aber (auch) Entwicklungen im PCT-System wider. In diesem Zusammenhang ist etwa auf die Entscheidungen des Verwaltungsrats zu der Frage hinzuweisen, ob bei Eintritt in die europäische Phase ein ergänzender europäischer Recherchenbericht erstellt werden muss und falls ja, ob hierfür eine volle Gebühr erhoben werden soll (Art 157 Rdn 59 ff).

4 Bei der Kommentierung der Bestimmungen des Zehnten Teils des EPÜ wurde außerdem deren vollständige Überarbeitung im EPÜ 2000 vorweggenommen. Der Kommentar folgt in seinem Aufbau nach Möglichkeit der Gliederung des jeweils besprochenen Artikels und der ihm zugeordneten Regeln der Ausführungsordnung, wobei auch auf den künftigen Wortlaut der betreffenden Vorschrift im EPÜ 2000 eingegangen wird.

EPÜ 2000

5 Im Rahmen des EPÜ 2000 wurde der Zehnte Teil des EPÜ einer vollständigen Revision unterzogen. Alle Bestimmungen, die aus unterschiedlichen Gründen als überflüssig angesehen werden konnten, wurden gestrichen. Darüber hinaus wurde der Wortlaut vieler Bestimmungen klarer gefasst und ihre Reihenfolge geändert. Im Allgemeinen liegen den Änderungen der betreffenden Artikel jedoch keine materiellen Änderungen zu Grunde.

6 Infolge dieser Überarbeitung sind viele Bestimmungen des EPÜ 2000 in einer anderen Vorschrift zu finden, als dies im EPÜ 1973 der Fall war. Der Regelungsgehalt eines bestimmten Artikels kann in einen anderen Artikel oder auch in die Ausführungsordnung des EPÜ überführt worden sein. Dementsprechend wurden auch die R 104–112 EPÜ mit den Durchführungsvorschriften zum Zehnten Teil des EPÜ neu gefasst.

7 Im folgenden Kommentar werden in der Einleitung zu den einzelnen Artikeln die allgemeinen Auswirkungen der Einführung des EPÜ 2000 auf die Verfahren nach dem PCT kurz skizziert. Detailliertere Informationen werden gegebenenfalls bei der Kommentierung des betreffenden Artikels gegeben, wobei dieser Absatz für Absatz erörtert wird. Dem Kommentar zum EPÜ 2000 liegt die Fassung des EPÜ 2000 und seiner Ausführungsordnung (R 104–112 EPÜ 2000) *gemäß Beschluss des Verwaltungsrats vom 12. Dezember 2002*[1] zu Grunde. In diesem Zusammenhang ist jedoch anzumerken, dass bei Redaktionsschluss weitere Änderungen der R 104–112 EPÜ 2000 erwogen wurden und dass auch eine vollständige Neunummerierung der Regeln der Ausführungsordnung im Gespräch war.

---

1 ABl Sonderausgabe Nr 1, 74 ff

Vor Artikel 150-158

2 Verbindung zwischen EPÜ und PCT

Das EPÜ ist zwar unabhängig vom PCT, beide Vertragswerke sind jedoch miteinander verzahnt. Schon die Vorbereitungsarbeiten für beide Konventionen waren von einer möglichst engen Verbindung dieser beiden internationalen Patentsysteme ausgegangen. Der PCT verbindet das europäische Patentsystem mit den nationalen Patentsystemen der übrigen PCT-Staaten in vorteilhafter Weise. Dies kommt Anmeldern aus Nicht-EPÜ-Staaten ebenso zugute wie Anmeldern aus Vertragsstaaten des EPÜ, die mit ihrer internationalen Anmeldung auch in den anderen PCT-Staaten Patentschutz anstreben. 8

Die Rechtsgrundlagen für diese Verbindung finden sich in den einschlägigen Bestimmungen des PCT durch die ausdrückliche Gleichstellung von nationalen Patenten und sogenannten »*regionalen Patenten*«, womit zB das europäische Patent gemeint ist (Art 2 iv) und x), Art 4 (1) ii) PCT). Hinzuweisen ist auch auf Art 45 PCT, wonach in jedem regionalen Patentvertrag – wie zB dem EPÜ – bestimmt werden kann, dass eine internationale Anmeldung als Anmeldung für die Erteilung eines regionalen Patents eingereicht werden kann (Art 150 Rdn 19; Art 153 Rdn 16 ff). 9

Das EPÜ enthält in seinem Zehnten Teil die Grundsätze für das Zusammenwirken beider Übereinkommen (Art 150–158 EPÜ). Damit bildet der Zehnte Teil die Rechtsgrundlage für die Tätigkeit des EPA in Verfahren nach dem PCT; darin wird festgelegt, wie die jeweils für die Bearbeitung von europäischen bzw von internationalen Patentanmeldungen geschaffenen Vorschriften ineinandergreifen. Von besonderer Bedeutung ist hierbei der Grundsatz des Vorrangs des PCT einschließlich seiner Ausführungsordnung für den Fall einer Kollision der Vorschriften beider Übereinkommen. Der Vorrang kann jedoch nicht geltend gemacht werden, wenn die betreffende Anmeldung eine Euro-Direktanmeldung ist, dh ihren Ursprung nicht im PCT-System hat. Die Vorschriften des EPÜ spielen jedoch eine (wichtige) ergänzende Rolle (Art 150 (2) EPÜ) (Art 150 Rdn 7 ff). 10

Die Einzelheiten der Zusammenarbeit zwischen der WIPO und dem EPA in seinen Funktionen als ISA und IPEA (Rdn 14 ff) sind in der Vereinbarung zwischen der Europäischen Patentorganisation und dem Internationalen Büro der WIPO über die Aufgaben des Europäischen Patentamts als ISA und IPEA nach dem PCT festgelegt, die am 1. Januar 1998 für eine Geltungsdauer von zehn Jahren in Kraft getreten ist. Diese Vereinbarung (nachfolgend kurz: »Vereinbarung EPO-WIPO«) wurde vor Ablauf ihrer zehnjährigen Geltungsdauer mit Wirkung vom 1. November 2001 geändert.[2] 11

In Anhang C der Vereinbarung EPO-WIPO sind die anfallenden Gebühren und Kosten sowie die Voraussetzungen für eine etwaige Rückerstattung oder Ermäßigung festgesetzt. Dieser Teil, der durch einseitige Mitteilung des EPA 12

---

2 ABl 2001, 601.

Vor Artikel 150-158

geändert werden kann, ist seit Inkrafttreten der (revidierten) Vereinbarung EPO-WIPO am 1. November 2001 mehrfach geändert worden. Für eine konsolidierte Fassung der EPO-WIPO-Vereinbarung mit dem seit 1. April 2006 geltenden Wortlaut siehe die Website der WIPO sowie Anhang 10 des vorliegenden Kommentars.

13 Bindende Bestimmungen für PCT-Verfahren enthalten auch die PCT-Verwaltungsvorschriften. In seiner Eigenschaft als Anmeldeamt hat das EPA außerdem die PCT-Richtlinien für Anmeldeämter anzuwenden. Als ISA und IPEA ist es an die PCT-Richtlinien für die internationale Recherche und vorläufige Prüfung (ISPE-Richtlinien) gebunden. Hinweise auf die (praktische) Durchführung der PCT-Bestimmungen geben die EPA Prüfungsrichtlinien (A-VII; C-IV, 6.2; C-VI, 1.1.3, sowie E-IX).

3 Funktionen des EPA nach dem PCT

14 Das EPA hat *jede* im Patentzusammenarbeitsvertrag vorgesehene Funktion übernommen und übt daher alle Tätigkeiten aus, die ein nationales/regionales Amt nach dem PCT wahrnehmen kann.

15 Dies betrifft zunächst einmal im Verfahren in der internationalen Phase die Funktionen als Anmeldeamt, internationale Recherchenbehörde (ISA – *International Searching Authority*) und mit der internationalen vorläufigen Prüfung beauftragte Behörde (IPEA – *International Preliminary Examining Authority*). Nach der Terminologie des PCT wird das EPA in seiner Eigenschaft als ISA und IPEA als sogenannte *internationale Behörde* tätig.

16 In seiner Eigenschaft als *nationales Amt* (Art 2 xii) PCT) kann das EPA für alle EPÜ-Vertragsstaaten Bestimmungsamt nach Kapitel I PCT sein (Art 153 EPÜ). Seit der zweite Teil des PCT (Kapitel II), dessen Anwendung für Anmelder fakultativ ist, für alle EPÜ-Vertragsstaaten verbindlich geworden ist, kann das EPA auch für jeden dieser Staaten als ausgewähltes Amt tätig werden (Art 156 EPÜ). Das bedeutet, dass der sogenannte »PCT-Weg« im Hinblick auf die Erlangung eines europäischen Patents für jeden EPÜ-Vertragsstaat eingeschlagen werden kann, und zwar auf Wunsch des Anmelders auch unter Inanspruchnahme von Kapitel II PCT. Eine im Hinblick auf die Erteilung eines europäischen Patents eingereichte internationale Anmeldung wird als »Euro-PCT-Anmeldung« bezeichnet (Art 150 Rdn 5).

17 Auf der Grundlage einer internationalen Anmeldung kann ein europäisches Patent sogar in bestimmten Staaten erlangt werden, in denen das EPÜ nicht in Kraft ist. Die Rede ist hier von der sogenannten »Erstreckung eines europäischen Patents« auf »Erstreckungsstaaten« (Art 153 Rdn 36 ff; Art 158 Rdn 63 ff).

18 Die Entscheidung, ob der PCT-Weg eingeschlagen werden soll, will wohlüberlegt sein. Für Anmelder aus EPÜ-Staaten kommt diese Möglichkeit vor allem dann in Betracht, wenn sie (Patent)Schutz nicht nur in den EPÜ-Ver-

tragsstaaten, sondern auch in weiteren PCT-Mitgliedstaaten erlangen wollen. Anmelder werden sich bei ihrer Entscheidung (auch) von finanziellen Überlegungen sowie von Effizienzerwägungen leiten lassen. So ist etwa die im PCT-System vorgesehene Möglichkeit, in über 130 Staaten (eine Option auf) Patentschutz zu erwerben – wobei in vielen Fällen vor Ablauf von (mindestens) 30 Monaten seit dem Prioritätstag keine Übersetzungen vorgelegt werden müssen –, der Einreichung mehrerer nationaler/regionaler Anmeldungen in verschiedenen Sprachen gegenüberzustellen.

Jedoch ist auch zu bedenken, welche Optionen hinsichtlich der Bearbeitung der Anmeldung auf dem PCT-Weg bestehen. Dies betrifft insbesondere die in Frage kommenden Anmeldeämter und die in Verbindung mit diesen zur Verfügung stehende(n) ISA und Anmeldesprache(n) (Vor Art 151/152 Rdn 5 ff, Art 154 Rdn 19). So verlangt etwa das EPA bei Eintritt in die europäische Phase einer Euro-PCT-Anmeldung keine ergänzende Recherche, so dass keine Recherchengebühren anfallen, *sofern* der internationale Recherchenbericht vom EPA *selbst* erstellt wurde (Art 157 Rdn 59 ff). **19**

Darüber hinaus ermäßigt sich die bei Eintritt in die europäische Phase zu entrichtende Prüfungsgebühr in der Regel um 50%, wenn das EPA in seiner Eigenschaft als IPEA den internationalen vorläufigen Prüfungsbericht erstellt hat (Art 12 (2) GebO) (Art 158 Rdn 80 ff). **20**

4 Der Zusammenarbeitsvertrag und seine Organe

Der Patentzusammenarbeitsvertrag wurde am 19. Juni 1970 in Washington unterzeichnet und ist am 24. Januar 1978 in Kraft getreten. Er ist ein offenes, multilaterales Übereinkommen, dem sich jeder Staat, der Mitgliedstaat der Pariser Verbandsübereinkunft ist, durch Hinterlegung der Beitrittsurkunde als Vertragspartner anschließen kann (Art 62 (1) PCT). Von dieser Möglichkeit machen immer mehr Staaten weltweit Gebrauch. **21**

Gegenwärtig ist der PCT in mehr als 130 Staaten in Kraft. Zu ihnen zählen neben allen Vertragsstaaten des EPÜ die Vertragsstaaten der regionalen Patentsysteme englisch- und französischsprachiger afrikanischer Staaten (ARIPO und OAPI), die Staaten der Eurasischen Patentorganisation (EAPO), die Mehrzahl der GUS-Staaten sowie viele Staaten, die keinem regionalen Patentsystem angehören, wie China, Japan und die USA. **22**

Verwaltungsmäßig bilden die PCT-Vertragsstaaten einen internationalen Verband für die Zusammenarbeit auf dem Gebiet des Patentwesens, dh eine Gruppe von Staaten, die im Rahmen der Pariser Verbandsübereinkunft ein Sonderabkommen getroffen haben. Für die Erhaltung und Entwicklung dieses Verbands ist die mit Überwachungsfunktionen und haushaltsrechtlichen sowie rechtsetzenden Aufgaben ausgestattete Versammlung der Vertragsstaaten zuständig. In der Versammlung ist jeder Vertragsstaat durch einen Delegierten vertreten (Art 53 PCT). Das EPA hat als einzige zwischenstaatliche Orga- **23** nisation, die als ISA und IPEA eingesetzt ist, nach Art 53 (8) PCT Beobachterstatus.

24 Zur Durchführung der Verfahren im Rahmen des PCT-Systems bedient sich der PCT der nationalen und regionalen Patentämter als Anmeldeämtern, Bestimmungsämtern und ausgewählte Ämter. Zusätzlich sind einige nationale Patentämter und das EPA als regionales Patentamt auch als ISA und IPEA tätig. Nachfolgend werden die für die Patenterteilung zuständigen nationalen/regionalen Behörden auch als »nationale Ämter« bezeichnet.

25 Als zentrales Element spielt schließlich das Internationale Büro der WIPO (IB) im PCT-System eine wichtige Rolle. Ihm obliegen alle Verwaltungsaufgaben des Verbands (Art 55 PCT).

26 Des Weiteren können internationale Anmeldungen statt bei einem zuständigen nationalen oder regionalen Amt direkt beim IB eingereicht werden (R 19.1 a) iii) PCT) (Art 151 Rdn 19–22). Auch für den Fall, dass eine internationale Anmeldung bei einem nationalen Amt eingereicht wird, das aus einem der weiter unten näher erörterten Gründen nicht als Anmeldeamt tätig werden kann, wird die Anmeldung an das IB weitergeleitet, das sodann im Rahmen seiner »Auffangzuständigkeit« die Funktion des Anmeldeamts wahrnimmt (R 19.4 PCT) (Art 151 Rdn 20).

27 Ferner obliegt es dem IB, eine Kopie sämtlicher bei den nationalen und regionalen Patentämtern als Anmeldeämtern eingereichten internationalen Anmeldungen zentral entgegenzunehmen, sie zu veröffentlichen und an die nationalen und regionalen Behörden weiterzuleiten (Art 12 (1), Art 20 und Art 21 PCT).

28 Schließlich gibt das IB mit dem *PCT-Blatt*, dem *PCT-Newsletter* und dem *PCT-Leitfaden für Anmelder* (nachfolgend: PCT-Leitfaden der WIPO) Publikationen heraus, die wichtige Informationen zum PCT und seiner praktischen Umsetzung enthalten (Art 55 (4) PCT).

5 Zielsetzung des PCT-Systems

29 Der Patentzusammenarbeitsvertrag ist im Wesentlichen auf vier Ziele gerichtet, die für die verschiedenen Interessenten ein durchaus unterschiedliches Gewicht aufweisen, nämlich:

(a) das Verfahren zur Erlangung von Schutz für Erfindungen in zwei oder mehr Ländern zu rationalisieren;

(b) den Anmeldern starke Patente zu verschaffen;

(c) Anmeldern und Dritten schnell Informationen zur Verfügung zu stellen, die ihnen die Beurteilung neuer Erfindungen erlauben; und

(d) den am wenigsten entwickelten Ländern sowie Entwicklungsländern technische Hilfe zu leisten.

Vor Artikel 150-158

Insbesondere soll es der PCT den Mitgliedstaaten der Pariser Verbandsübereinkunft ermöglichen, durch Beitritt zum PCT ihren Staatsangehörigen die Anmeldung von Erfindungen, die sie in zwei oder mehr Staaten geschützt haben wollen, bedeutend zu erleichtern. Der PCT ist damit ein Patentanmeldesystem.

Die Rationalisierung kommt in erster Linie Erfindern und Anmeldern zugute, in gewissem Umfang auch den nationalen Patentämtern. Die Erlangung von Schutz für eine Erfindung in zwei oder mehr Staaten wird dadurch vereinfacht, dass eine einzige Anmeldung, die bei einem nationalen/regionalen Patentamt – das als Anmeldeamt tätig wird – in nur einer Sprache eingereicht wird, die Wirkung einer nationalen Anmeldung in allen vom Anmelder bestimmten Staaten hat, dh in der Regel in allen PCT-Vetragsstaaten (Art 11 (3) PCT). Zudem beinhaltet eine internationale Anmeldung auch Bestimmungen für regionale Patente wie zB ein europäisches Patent (Art 153 Rdn 22 ff).

Eine Rationalisierung wird außerdem dadurch erreicht, dass internationale Anmeldungen einheitlichen Formvorschriften unterliegen. Von Bedeutung sind des Weiteren die im PCT vorgesehenen Möglichkeiten, die Anmeldung in der internationalen Phase – dh vor Beginn des Erteilungsverfahrens vor den nationalen oder regionalen Ämtern – zu ändern. Damit kann ein Anmelder es oftmals vermeiden, nach Eintritt in die nationale/regionale Phase bei jedem nationalen Amt gesondert Änderungen einreichen zu müssen (Art 153 Rdn 41; Art 154 Rdn 60; Art 155 Rdn 67 ff).

Die endgültige Entscheidung, in welchen der von ihm bestimmten/ausgewählten Staaten der Anmelder auf Grund seiner Anmeldung tatsächlich Schutzrechte erlangen möchte, braucht in der Regel frühestens 30 Monate nach dem Prioritätstag getroffen zu werden. Dieses Hinausschieben des nationalen Verfahrens wird mitunter als »aufschiebende Wirkung« des PCT-Wegs bezeichnet (Art 153 Rdn 30).

Auf Grund des für die Anmeldung erstellten internationalen Recherchenberichts (International Search Report, ISR) sind dem Anmelder der weltweite schriftliche Stand der Technik und damit wichtige Anhaltspunkte für seine Entscheidung bekannt, ob sich eine Weiterverfolgung der Anmeldung lohnt. Außerdem erlässt die ISA zusammen mit dem ISR einen schriftlichen Bescheid (den WO-ISA), der eine vorläufige und unverbindliche Stellungnahme dazu enthält, ob die beanspruchte Erfindung als neu, auf einer erfinderischen Tätigkeit beruhend und gewerblich verwertbar erscheint (Art 154 Rdn 57 ff). Der ISR und der WO-ISA (Written Opinion of the International Searching Authority) liefern dem Anmelder Informationen, mit deren Hilfe er es vermeiden kann, (weiter) Zeit und Geld für bereits vorweggenommene Erfindungen zu verschwenden.

Nach Kapitel II des PCT ist ein Anmelder berechtigt, die Prüfung seiner Anmeldung nach Maßgabe dieses Kapitels zu beantragen. Entscheidet er sich, von dem Verfahren nach Kapitel II PCT Gebrauch zu machen, so muss er einen entsprechenden Antrag stellen. Daraufhin gibt die IPEA eine schriftliche Stellungnahme, den IPER, dazu ab, ob die Erfindung den im PCT festgelegten Kriterien der Neuheit, der erfinderischen Tätigkeit und der gewerblichen Anwendbarkeit entspricht (Art 155 Rdn 97 ff).

36 Auf Wunsch des Anmelders wird der Prüfung die Fassung der Anmeldung mit Änderungen zu Grunde gelegt, die er im Hinblick auf das Verfahren nach Kapitel II PCT eingereicht hat. Der Bericht über die Ergebnisse der von der IPEA durchgeführten Prüfung wird als internationaler vorläufiger Prüfungsbericht bezeichnet (International Preliminary Examination Report – IPER) (Art 155 Rdn 7). Der IPER, der für die nationalen und regionalen Ämter in dem von ihnen durchgeführten Erteilungsverfahren nicht bindend ist, hilft dem Anmelder, seine Aussichten auf eine Patenterteilung auf der Grundlage der (geänderten) Anmeldung besser einzuschätzen. Damit trägt Kapitel II PCT zur Rationalisierung des Verfahrens bei. Auf das Verfahren nach Kapitel II PCT sowie auf die Frage seines Nutzens nach Einführung des EISPE-Systems (Rdn 58 ff) wird bei der Kommentierung von Art 155 EPÜ eingegangen (Art 155 Rdn 8 ff).

37 Insbesondere zusammen mit einem (positiven) IPER kann der ISR vor allem in Entwicklungsländern sowie in Ländern ohne (vollständiges) Prüfungsverfahren und spezialisiertes Personal ähnliche Vorzüge bieten wie ein geprüftes Patent. Gerade in diesen Ländern können diese Dokumente bei Lizenzverhandlungen und Verletzungsprozessen eine wichtige Rolle spielen. Außerdem kann die Öffentlichkeit jener Länder anhand des ISR sowie ggf des IPER den Wert der in einer Anmeldung enthaltenen Erfindung leichter und genauer beurteilen.

38 Das dritte Ziel, die Öffentlichkeit schnell über neue Erfindungen zu informieren, ist im Hinblick auf die Förderung des technologischen Fortschritts durch Ermöglichung einer zügigeren und zugleich effizienten Forschung von Bedeutung. Internationale Anmeldungen werden vom IB in der Regel nach Ablauf von 18 Monaten ab dem Prioritätstag zusammen mit der Zusammenfassung und dem ISR veröffentlicht. Die Veröffentlichung erfolgt in der Sprache, in der die Anmeldung eingereicht wurde, wenn diese zu den »Veröffentlichungssprachen« (Arabisch, Chinesisch, Deutsch, Englisch, Französisch, Japanisch, Russisch oder Spanisch) zählt. Bei einer Veröffentlichung in einer anderen Sprache als Englisch veröffentlicht das IB außerdem eine englische Übersetzung der Bezeichnung der Erfindung, der Zusammenfassung sowie des ISR (R 48.3 PCT) (Rdn 47; Art 153 Rdn 40).

39 Durch die im PCT-System vorgesehene Veröffentlichung einer Anmeldung wird der Stand der Technik in einem relativ frühen Verfahrensstadium weltweit bekannt und die darin enthaltene Information somit lange vor einer etwaigen Patenterteilung zugänglich gemacht. Darüber hinaus liefert der grundsätzlich

mit der Anmeldung zu veröffentlichende ISR der Wirtschaft im Allgemeinen und den Wettbewerbern im Besonderen Informationen, die es ihnen erlauben, sich ein Bild über die Qualität und die wirtschaftliche Bedeutung der Erfindung sowie über etwaige technische und rechtliche Auswirkungen auf die eigene Planung zu machen. Außerdem helfen diese Informationen unnötige Doppelforschung und damit Fehlinvestitionen zu vermeiden.

Die technische Hilfe und die Patentinformationsdienste spielen vor allem für die Regierungen der zahlreichen Entwicklungsländer eine besondere Rolle in deren Bestreben, eine eigene industrielle Produktion aufzubauen. Die in den Patentdokumenten der Industriestaaten enthaltenen technischen Informationen werden den Entwicklungsländern über das PCT-System zugänglich gemacht. Darüber hinaus unterstützen die Industriestaaten die Entwicklungsländer beim Aufbau ihrer Patentsysteme auf nationaler oder regionaler Ebene durch Ausbildung von Spezialisten, durch Entsendung von Sachverständigen und durch Lieferung von einschlägigem Material (Art 51 PCT).

6 Kurze Übersicht über das Euro-PCT-Verfahren

Das PCT-Verfahren umfasst zwei Hauptabschnitte, die internationale und die nationale/regionale Phase. Es beginnt mit der Einreichung einer *internationalen* Anmeldung und endet mit der Erteilung von *nationalen* Patenten durch die nationalen Ämter, wobei unter diese beiden Begriffe auch regionale Patente bzw regionale Ämter fallen. Eine graphische Übersicht über das PCT-Verfahren vermittelt die PCT-Zeitschiene in Anhang 10.

Während der gesamten *internationalen Phase* wird die Anmeldung grundsätzlich in *jedem* Verfahrensstadium von einem einzigen Amt zentral mit »*Wirkung für alle*« Bestimmungsstaaten/ausgewählten Staaten bearbeitet. Hier steht der internationale Charakter des Verfahrens im Vordergrund. Dies betrifft die Verfahren vor den zuständigen nationalen/regionalen Ämtern als Anmeldeämter, ISA und IPEA.

Die Wirkung der Einreichung einer internationalen Anmeldung »für alle« Bestimmungsstaaten setzt am internationalen Anmeldetag ein, der der Anmeldung wie in jedem Patentsystem nach Erfüllung verschiedener Erfordernisse zuerkannt wird. Dieser wichtige Grundsatz ist in Art 11 (3) PCT festgeschrieben, wonach jede internationale Anmeldung, die die in dieser Vorschrift genannten Erfordernisse erfüllt, »in jedem Bestimmungsstaat die Wirkung einer vorschriftsmäßigen nationalen Anmeldung mit dem internationalen Anmeldedatum« hat.

Vor Ende der internationalen Phase muss der Anmelder entscheiden, vor welchen Ämtern er in die nationale/regionale Phase eintreten und die Anmeldung im Hinblick auf die Erlangung der gewünschten nationalen/regionalen Patente weiterverfolgen möchte. In der nationalen/regionalen Phase des PCT-Verfahrens stehen die unterschiedlichen nationalen/regionalen Rechtsordnungen im

Vor Artikel 150-158

Vordergrund, denen das Erteilungsverfahren vor den jeweiligen Ämtern zu einem großen Teil unterliegt; das PCT-System kommt in diesem Verfahrensabschnitt nur begrenzt zum Tragen.

45 In der Regel ist jede internationale Anmeldung Gegenstand einer internationalen Recherche zum weltweiten Stand der Technik, die von einer der ISA durchgeführt wird. Dort, wo ein Anmeldeamt mehrere ISA bestimmt hat, kann der Anmelder zwischen diesen wählen. Die ISA erstellt einen internationalen Recherchenbericht (ISR), in dem der gesamte ermittelte Stand der Technik unter Angabe seiner Relevanz aufgeführt ist und der dem Anmelder zur Verfügung gestellt wird. Wie bereits erwähnt, erlässt die ISA auch einen schriftlichen Bescheid, den WO-ISA, der dem Anmelder in der Frage, ob er seine Anmeldung weiterverfolgen soll, als Entscheidungshilfe dient (Art 154 Rdn 50 ff).

46 Bei internationalen Anmeldungen, die die Priorität einer früheren Anmeldung beanspruchen, stehen der zuständigen ISA in der Regel nur 3 Monate für die Erstellung des ISR zu Verfügung (siehe PCT-Zeitschiene, Anhang 10).

47 Internationale Anmeldungen werden vom IB nach Ablauf von 18 Monaten ab dem Prioritätstag veröffentlicht. Grundsätzlich wird zugleich auch der ISR veröffentlicht, dem eine vom IB angefertigte englische Übersetzung beigefügt wird, wenn er in einer anderen Sprache abgefasst ist.

48 Im Rahmen eines weiteren, fakultativen Verfahrensabschnitts wird eine sogenannte »internationale vorläufige Prüfung« durchgeführt, die mit der Erstellung des internationalen vorläufigen Prüfungsberichts (IPER) durch die zuständige mit der internationalen vorläufigen Prüfung beauftragte Behörde (IPEA) abgeschlossen wird. Die IPEA prüft, ob die Anmeldung den im PCT definierten Kriterien der Neuheit, der erfinderischen Tätigkeit und der gewerblichen Anwendbarkeit entspricht. Mit anderen Worten, im IPER werden für die Patentierbarkeit der in der Anmeldung beanspruchten Erfindung wesentliche Aspekte in Rahmen eines unverbindlichen Gutachtens analysiert, das grundsätzlich bis zum achtundzwanzigsten Monat vorliegen soll.

49 Nach Abschluss der internationalen Phase muss der Anmelder bei jedem nationalen Amt, bei dem er eine Patenterteilung anstrebt, weitere Handlungen vornehmen. Der Anmelder kann hierbei frei entscheiden, ob und wann er innerhalb der Frist von mindestens 30 Monaten seit dem (frühesten) Prioritätstag vor einem bestimmten nationalen/regionalen Amt die nationale/regionale Phase einleiten will. Die internationale Phase läuft in jedem Bestimmungsstaat bis zum Eintritt in die nationale Phase vor dem betreffenden nationalen oder regionalen Amt bzw bis zum Ablauf der vor diesem Amt hierfür geltenden Frist weiter. Eine internationale Anmeldung kann sich daher hinsichtlich einiger Bestimmungsämter in der internationalen und hinsichtlich anderer Bestimmungsämter in der nationalen Phase befinden.

50 Zur wirksamen Einleitung der regionalen Phase vor dem EPA als Bestimmungsamt oder ausgewähltem Amt (dh zur Einleitung der europäischen Phase für eine Euro-PCT-Anmeldung) hat der Anmelder innerhalb von 31 Monaten ab dem (frühesten) Prioritätsdatum gewissen Erfordernissen nachzukommen. Er muss auf jeden Fall bestimmte Gebühren bezahlen, und je nach Anmeldung muss er außerdem Übersetzungen der Anmeldeunterlagen einreichen, einen Vertreter bestellen, weitere Unterlagen vorlegen usw (Art 157 Rdn 1 ff; Art 158 Rdn 1 ff).

7 Jüngste Entwicklungen des PCT

51 Der Patentzusammenarbeitsvertrag wurde seit seiner Verabschiedung drei Mal geringfügig geändert, seine Ausführungsordnung viele Male. Mit diesen Änderungen wurde das PCT-System für Anmelder verbessert und seine Benutzung erleichtert. Die in den letzten Jahren beschlossenen Änderungen werden nachfolgend unter dem Begriff »PCT-Reform« zusammengefasst.

52 Aus verschiedenen Gründen konnten weder der PCT noch seine Ausführungsordnung im gewünschten Maße revidiert und vereinfacht werden. Infolgedessen kann das durch den PCT geschaffene Rechtssystem als hochkompliziert bezeichnet werden. Darüber hinaus verlangen die wiederholten Änderungen des PCT der letzten Jahre zusammen mit den zahlreichen Änderungen des EPÜ-Rechts den Benutzern einige Mühe ab, wenn sie über die aktuelle Rechtslage im Bilde bleiben wollen.

53 Im Folgenden werden nur die jüngsten und wichtigsten Änderungen des Vertrags und seiner Ausführungsordnung skizziert. Auf jeweils relevante Änderungen wird bei der Kommentierung der betreffenden EPÜ-Bestimmungen näher eingegangen. Für (weitere) Einzelheiten zu (früheren) Änderungen des PCT und seiner Ausführungsordnung wird auf die Vorauflagen des vorliegenden Kommentars sowie auf die von der WIPO insbesondere im PCT-Newsletter bereitgestellten Informationen verwiesen.

54 Mit der letzten Änderung des Vertrags wurde die Frist nach Art 22 PCT für den Eintritt in die nationale Phase von 20 auf 30 Monate heraufgesetzt. Diese wichtige Änderung, die einen ersten Schritt hin zu einer umfassenderen Reform des PCT darstellt, erfolgte mit Wirkung vom 1. April 2002. Übergangsweise bleibt jedoch die früher geltende 20-Monatsfrist für einige wenige Bestimmungsämter in Kraft, die einen früher angemeldeten Vorbehalt noch nicht zurückgenommen haben (Art 155 Rdn 9 ff).

55 Die umfassendste Reform des PCT-Systems der letzten Jahre ist am *1. Januar 2004* in Kraft getreten.

56 Zunächst einmal gilt seit diesem Stichtag ein gestrafftes und rationalisiertes Bestimmungssystem (Art 153 Rdn 22 ff). Nach dem neuen Bestimmungssystem erhält der Anmelder mit der Einreichung einer internationalen Anmeldung automatisch das gesamte Paket sämtlicher nach dem PCT verfügbaren Bestimmungen, ohne in seiner Anmeldung einzelne Vertragsstaaten oder internationale Organisationen bestimmen, sich für bestimmte Schutzrechtsarten ent-

scheiden oder angeben zu müssen, ob um nationalen oder um regionalen Schutz nachgesucht wird. Mit diesen Fragen muss sich der Anmelder erst bei Eintritt in die nationale/regionale Phase oder später auseinandersetzen. Eine Ausnahme von diesem System der automatischen standardisierten Bestimmung gilt nur unter bestimmten Voraussetzungen für einige wenige PCT-Vertragsstaaten (Art 153 Rdn 22 ff).

57 Im Zuge der Einführung des neuen Bestimmungssystems wurde eine pauschale Anmeldegebühr eingeführt (Vor Art 151/152 Rdn 49), die an die Stelle der früheren Grundgebühr und Bestimmungsgebühr(en) tritt.

58 Weiter ist als eine überaus wichtige Stufe der PCT-Reform am 1. Januar 2004 das System der erweiterten internationalen Recherche und vorläufigen Prüfung (EISPE-System) in Kraft getreten.

59 Das EISPE-System zielt auf eine weitere Rationalisierung des internationalen Recherchenverfahrens und des internationalen vorläufigen Prüfungsverfahrens nach dem PCT ab. Die wichtigste Neuerung besteht darin, dass eines der zentralen Elemente des internationalen vorläufigen Prüfungsverfahrens nach Kapitel II PCT, nämlich die Abfassung einer schriftlichen Stellungnahme, faktisch vorgezogen und in das internationale Recherchenverfahren nach Kapitel I PCT integriert wurde.

60 Nach dem neuen System erlässt die ISA einen vorläufigen, unverbindlichen Bescheid (den WO-ISA) dazu, ob die beanspruchte Erfindung als neu, auf einer erfinderischen Tätigkeit beruhend und gewerblich anwendbar erscheint. Wird Antrag auf internationale vorläufige Prüfung gestellt, so wird dieses Gutachten grundsätzlich auch für die Zwecke der internationalen vorläufigen Prüfung nach Kapitel II verwertet (Art 155 Rdn 84 ff). Auf diese Weise werden die Verfahren zur Durchführung der internationalen Recherche und der internationalen vorläufigen Prüfung in einem größeren Maße als bisher ineinander verschränkt.

61 Am *1. April 2005* sind weitere Änderungen der Ausführungsordnung zum PCT in Kraft getreten. Zum einen wurde das Widerspruchsverfahren vereinfacht (Art 154 Rdn 84 ff). Zum anderen wurde den ISA die Möglichkeit eröffnet, bei verspäteter Einreichung von Sequenzprotokollen nach R 13ter PCT eine entsprechende Verspätungsgebühr zu erheben (Art 154 Rdn 73 ff).

62 Seit *1. April 2006* zählt auf Grund erneuter Änderungen der Ausführungsordnung auch Arabisch zu den Veröffentlichungssprachen. Darüber hinaus können seither alle internationalen Anmeldungen einschließlich der Erklärungen nach R 4.17 PCT ebenso wie das PCT-Blatt in elektronischer Form veröffentlicht werden.

63 Weitere Änderungen der Ausführungsordnung zum PCT sollen am 1. April 2007 in Kraft treten. Sie betreffen hauptsächlich die folgenden Punkte: fehlende Bestandteile oder Teile der internationalen Anmeldung, Wiedereinsetzung in das Prioritätsrecht und Berichtigung von offensichtlichen Fehlern. Das EPA

hat diesbezüglich Vorbehalte angemeldet, die sicherlich nicht vor Inkrafttreten des EPÜ 2000 zurückgenommen werden (Rdn 64 ff).

8 Vom EPA angemeldete Vorbehalte

Mit der Möglichkeit, hinsichtlich bestimmter PCT-Vorschriften Vorbehalte anzumelden, soll vermieden werden, dass Vertragsstaaten an PCT-Vorschriften gebunden sind, die mit den einschlägigen nationalen Rechtsvorschriften unvereinbar sind. Nach Art 2 x) PCT gilt das auch für internationale Organisationen – wie beispielsweise die EPO –, falls der PCT mit dem Übereinkommen unvereinbar ist, das die Rechtsgrundlage für ihre Tätigkeit bildet. 64

Das EPA hat in den letzten Jahren mehrere Vorbehalte wegen Unvereinbarkeit verschiedener Änderungen der PCT-Ausführungsordnung mit EPÜ-Recht erklärt. Diese Vorbehalte betreffen sowohl PCT-Regeln, die bereits in Kraft sind, als auch solche, die am 1. April 2007 in Kraft treten werden. Es ist zu erwarten, dass viele Vorbehalte nach Inkrafttreten des EPÜ 2000 zurückgezogen werden. 65

Eine PCT-Vorschrift, mit der Vorbehalte zugelassen werden, kann je nach ihrem Wortlaut unterschiedliche Folgen haben. 66

Erstens kann dem EPA mit einem Vorbehalt das Recht eingeräumt werden, in Wahrnehmung einer oder mehrerer seiner Funktionen nach dem PCT eine bestimmte PCT-Vorschrift nicht anzuwenden. Diese Art Vorbehalt gilt beispielsweise hinsichtlich der neuen Vorschrift über die Wiedereinsetzung in das Prioritätsrecht (R 26bis.3 j) und R 49ter.1 g) PCT). 67

Zweitens kann ein Vorbehalt zur Folge haben, dass in Verfahren vor dem Amt, das den Vorbehalt angemeldet hat, die Anwendung einer unvereinbaren PCT-Vorschrift durch ein anderes nationales/regionales Amt in einer der ihm nach dem PCT obliegenden Funktionen nicht anerkannt werden muss. Diese Art Vorbehalt ist zum Beispiel in R 49ter.1 g) PCT vorgesehen und kann von einem nationalen/regionalen Amt in seiner Eigenschaften als Bestimmungsamt/ausgewähltes Amt erklärt werden. 68

Das EPA als Bestimmungsamt/ausgewähltes Amt wendet *R 51bis (1) e) PCT* nicht an, die das Recht eines Bestimmungsamts, eine Übersetzung des Prioritätsbelegs zu verlangen, einschränkt, da diese Vorschrift mit Art 88 (1) EPÜ unvereinbar ist (Art 158 Rdn 110). 69

Das EPA als Bestimmungsamt/ausgewähltes Amt hat das IB außerdem von der Unvereinbarkeit von *R 4.10 a) und b) PCT* mit Art 87 EPÜ unterrichtet. Folglich wird die Priorität einer Anmeldung nicht anerkannt, die in einem oder für einen Mitgliedstaat der Welthandelsorganisation (WTO) eingereicht wurde, der nicht Vertragsstaat der Pariser Verbandsübereinkunft ist (Art 158 Rdn 109). 70

Außerdem wendet das EPA als Bestimmungsamt/ausgewähltes Amt auf Grund eines Vorbehalts *R 49.6 PCT* nicht an. Nach dieser Vorschrift kann ein 71

Anmelder, der es versäumt hat, die für den Eintritt in die nationale/regionale Phase nach Art 22 PCT vorgeschriebenen Handlungen rechtzeitig vorzunehmen, in Bezug auf eine internationale Anmeldung wieder in seine Recht eingesetzt werden. R 49.6 a) PCT kollidiert mit Art 122 EPÜ. Nach R 108 (3) EPÜ gilt jedoch jeder Rechtsverlust wegen Nichtvornahme der nach Art 22 PCT vorgeschriebenen Handlungen als nicht eingetreten, wenn die versäumte Handlung innerhalb von zwei Monaten nach Zustellung einer entsprechenden Mitteilung durch das EPA unter Entrichtung einer Zuschlagsgebühr nachgeholt wird (Art 158 Rdn 34, 43, 52).

9 Allgemeines zur Vertretung in Verfahren nach dem PCT

72 Rechtsanwälte, Patentanwälte oder andere Personen, die berechtigt sind, vor dem nationalen oder regionalen Amt aufzutreten, bei dem die internationale Anmeldung eingereicht worden ist (Anmeldeamt), sind *auch* berechtigt, in der internationalen Phase für den Anmelder vor dem IB, der zuständigen ISA und der zuständigen IPE aufzutreten (Art 49 PCT). Diese Personen werden in der Terminologie des PCT als »Anwalt« bezeichnet (R 2.2 PCT). Angesichts der Tatsache, dass ein beim Anmeldeamt ordnungsgemäß bestellter Anwalt nach dem PCT damit automatisch berechtigt ist, den Anmelder in jedem anderen Abschnitt der internationalen Phase zu vertreten, wird er auch als »Anwalt für die internationale Phase« bezeichnet.

73 Anmeldern wird empfohlen, einen Anwalt zu bestellen (Euro-PCT-Leitfaden Nr 8). *Nach dem PCT* besteht für den Anmelder in keinem der im PCT vorgesehen Verfahren Vertretungszwang. Jedoch kann jedes Anmeldeamt und jedes Bestimmungsamt/ausgewählte Amt nach Art 27 (7) PCT sein nationales Recht zur Vertretung anwenden. Dementsprechend kommen in Verfahren vor dem EPA als Anmeldeamt und als Bestimmungsamt/ausgewähltes Amt die Vorschriften des EPÜ zur Vertretung zur Anwendung (Art 133, 134 EPÜ).

74 Für weitere Informationen zu den Vorschriften zur Vertretung und die betreffenden Verfahren wird auf die Erörterung der jeweiligen PCT-Verfahren verwiesen (Vor Art 151/152 Rdn 56 ff; Art 154 Rdn 31 ff; Art 155 Rdn 27 ff; Art 158 Rdn 121 ff).

75 Zwei oder mehr Anmelder können entweder einen gemeinsamen Anwalt bestellen oder einen von ihnen als ihren gemeinsamen Vertreter einsetzen, der sodann selbst einen (für alle Anmelder zuständigen) Anwalt bestellen kann. Wurde weder ein gemeinsamer Anwalt noch ein gemeinsamer Vertreter bestellt, so gilt für eine vorschriftsmäßig beim EPA als Anmeldeamt eingereichte internationale Anmeldung der im Antrag an erster Stelle genannte Anmelder, der berechtigt ist, die Anmeldung beim EPA als Anmeldeamt einzureichen, als ihr gemeinsamer Vertreter (R 2.2, 2.2^{bis} und 90.2 b) PCT). In diesem Fall ist jedoch die Handlungsfähigkeit des gemeinsamen Vertreters eingeschränkt (R 90bis.5 PCT).

Artikel 150 Anwendung des Vertrags über die internationale Zusammenarbeit auf dem Gebiet des Patentwesens

(1) Der Vertrag über die internationale Zusammenarbeit auf dem Gebiet des Patentwesens vom 19. Juni 1970, im Folgenden Zusammenarbeitsvertrag genannt, ist nach Maßgabe dieses Teils anzuwenden.

(2) Internationale Anmeldungen nach dem Zusammenarbeitsvertrag können Gegenstand von Verfahren vor dem Europäischen Patentamt sein. In diesen Verfahren sind der Zusammenarbeitsvertrag und ergänzend dieses Übereinkommens anzuwenden. Stehen die Vorschriften dieses Übereinkommens denen des Zusammenarbeitsvertrags entgegen, so sind die Vorschriften des Zusammenarbeitsvertrags maßgebend. Insbesondere läuft die in Artikel 94 Absatz 2 dieses Übereinkommens genannte Frist zur Stellung des Prüfungsantrags für eine internationale Anmeldung nicht vor der in Artikel 22 oder 39 des Zusammenarbeitsvertrags genannten Frist ab.

(3) Eine internationale Anmeldung, für die das Europäische Patentamt als Bestimmungsamt oder ausgewähltes Amt tätig wird, gilt als europäische Patentanmeldung.

(4) Soweit in diesem Übereinkommen auf den Zusammenarbeitsvertrag Bezug genommen ist, erstreckt sich die Bezugnahme auch auf dessen Ausführungsordnung.

Reinoud Hesper

Übersicht
1	Einleitung	1
2	Art 150 (1) – Anwendbarkeit des PCT im Bereich des EPÜ..........................	2-3
3	Art 150 (2) Satz 1 – beim EPA eingereichte internationale Anmeldungen	4-6
4	Art 150 (2) Satz 2 und 3 – Vorrang des PCT	7-13
5	Art 150 (2) Satz 4 – Frist für die Stellung des Prüfungsantrags..........................	14-17
6	Art 150 (3) – die internationale Anmeldung als europäische Patentanmeldung	18-26
7	Beginn der europäischen Phase	27-31
8	Art 150 (4) – Anwendbarkeit der Ausführungsordnung zum PCT	32-35

1 Einleitung

In Art 150 EPÜ sind mehrere allgemeine Grundsätze für das Tätigwerden des EPA im Zusammenhang mit dem PCT niedergelegt. Diese Vorschrift ordnet

Artikel 150 *Anwendung des PCT*

an, dass der PCT im Bereich des EPÜ nach den Vorschriften von dessen Zehnten Teil anzuwenden ist, legt hierbei den Vorrang der Bestimmungen des PCT fest und regelt einige Grundsätze für den Übergang der Euro-PCT-Anmeldung aus der internationalen Phase in die regionale Phase vor dem EPA, dh in die europäische Phase. Die Funktion dieser Vorschrift kann somit als »Scharnierfunktion« beschrieben werden. Siehe auch die Richtlinien für die Prüfung E-IX.

2 Art 150 (1) – Anwendbarkeit des PCT im Bereich des EPÜ

2   Der Zehnte Teil des EPÜ enthält die Artikel 150–158 EPÜ, denen die Regeln 104–112 der Ausführungsordnung zugeordnet sind. Art 150 (1) EPÜ hat insoweit deklaratorischen Charakter, als darin ausgeführt wird, dass der PCT nach Maßgabe des Zehnten Teils des EPÜ anzuwenden ist. Damit wird klargestellt, welche die Rechtsgrundlagen für das Verhältnis von EPÜ und PCT sowie für deren Zusammenspiel sind; diese werden in den vorstehend genannten EPÜ-Vorschriften im Einzelnen geregelt. Die Bearbeitung von internationalen Anmeldungen durch das EPA nach Maßgabe des PCT richtet sich nach diesen Vorschriften.

3   In Art 150 (1) EPÜ wird darüber hinaus klargestellt, dass das EPÜ entsprechend der im dritten Absatz der Präambel zum EPÜ enthaltenen Erklärung ein regionaler Patentvertrag im Sinne des Art 45 (1) PCT ist.

3.1   Art 150 (1) EPÜ wurde inhaltlich ungeändert übernommen in Art 150 (1) EPÜ 2000.

3 Art 150 (2) Satz 1 – beim EPA eingereichte internationale Anmeldungen

4   Nach der generellen Vorschrift des Art 150 (2) Satz 1 EPÜ können internationale Anmeldungen Gegenstand von Verfahren vor dem EPA sein. Im Zehnten Teil des EPÜ und insbesondere in den Art 151, 153, 154, 155 und 156 wird bekräftigt, dass diese Vorschriften sich auf *alle* vom EPA nach dem EPÜ wie auch nach dem PCT durchgeführten Verfahren beziehen. Mit anderen Worten ist die Zuständigkeit des EPA hinsichtlich der Bearbeitung von internationalen Anmeldungen grundsätzlich nicht beschränkt.

5   Zunächst einmal können internationale Anmeldungen Gegenstand des *europäischen Patenterteilungsverfahrens* nach dem EPÜ sein. Dies ergibt sich daraus, dass das EPA für jede internationale Anmeldung, in der das EPA bestimmt wurde (Euro-PCT-Anmeldung), als Bestimmungsamt und, soweit für die internationale Anmeldung Antrag auf internationale vorläufige Prüfung gestellt wurde, als ausgewähltes Amt tätig werden kann (Art 153 und 156 EPÜ) (Rdn 20). Das EPA kann diese Funktionen unabhängig davon ausüben, ob es für die betreffende Anmeldung in der internationalen Phase Anmeldeamt und/oder ISA und/oder IPEA war.

Zudem können internationale Anmeldungen entsprechend den *durch den* 6
PCT geschaffenen besonderen Verfahren vom EPA in seiner Funktion als Anmeldeamt (Art 151 EPÜ), ISA (Art 154 EPÜ) oder IPEA (Art 155 EPÜ) bearbeitet werden. Das EPA kann in jeder dieser Funktionen tätig werden, ganz gleich, ob es für die betreffende Anmeldung zu den Bestimmungsämtern zählt oder nicht – und somit auch dann, wenn es für keinen der Bestimmungsstaaten Bestimmungsamt ist oder dies für die betreffende internationale Anmeldung auf Grund einer Zurücknahme nicht mehr ist (Art 153 Rdn 43 ff). Wie an anderer Stelle noch auszuführen sein wird, ist das EPA für alle vom 1. Januar 2004 an eingereichten Anmeldungen regelmäßig Bestimmungsamt (Art 153 Rdn 22 ff).

4 Art 150 (2) Satz 2 und 3 – Vorrang des PCT

Nach Art 150 (2) Satz 2 EPÜ ist bei der Bearbeitung von internationalen Anmeldungen der PCT und ergänzend das EPÜ anzuwenden. Demnach gehen 7
die Vorschriften des PCT denen des EPÜ vor – sei es in der internationalen Phase oder später in der regionalen Phase vor dem EPA. Die Vorschriften des EPÜ kommen lediglich ergänzend zur Anwendung. In einigen Fällen gewährt jedoch der PCT selbst den nationalen Rechtsvorschriften Vorrang (Art 27 (2)–(8) PCT).

Zur ergänzenden Rolle des EPÜ ist anzumerken, dass das EPÜ, soweit es um 8
die europäische Phase geht, in der Praxis keineswegs eine (nur) ergänzende Rolle spielt, und dass Anmeldungen ganz allgemein unter Anwendung der Vorschriften des EPÜ bearbeitet werden. Der Grundsatz des Vorrangs des PCT hat somit für die Bearbeitung in der nationalen Phase vor den Bestimmungsämtern nur eine ziemlich begrenzte Bedeutung. Dies ist zum einen auf die beschränkte Zahl der PCT-Vorschriften zurückzuführen, die die Bearbeitung in der nationalen Phase betreffen und/oder sich auf diese auswirken, und zum anderen auf den Vorrang, den der PCT den nationalen Rechtsvorschriften der Bestimmungsämter in bestimmten Fällen ausdrücklich einräumt (Art 27 (2)–(8) PCT).

So wird beispielsweise die Freiheit der PCT-Vertragsstaaten zur Festlegung 9
der materiellen Voraussetzungen der Patentierbarkeit durch den PCT ausdrücklich nicht eingeschränkt (Art 27 (5) PCT). Daher ist das EPA in der europäischen Phase an eine in der internationalen Phase von der betreffenden ISA und IPEA vertretene Auffassung zur Frage der Patentierbarkeit rein rechtlich nicht gebunden. Diesbezüglich können die Vorschriften des EPÜ uneingeschränkt angewandt werden, da keine vorrangigen PCT-Bestimmungen zu beachten sind.

Hingegen treten die Vorschriften des PCT zu Form und Inhalt an die Stelle 10
der unterschiedlichen nationalen Rechtsvorschriften (Art 27 (1) PCT). Bei einer Anmeldung, die in der internationalen Phase die einschlägigen Formvorschriften erfüllt, kann ein Bestimmungsamt in der anschließenden nationalen

Phase nicht mehr die Nichteinhaltung abweichender und/oder zusätzlicher nationaler Formvorschriften rügen. Hier ist die ergänzende Anwendung des nationalen Rechts grundsätzlich unzulässig, soweit der PCT eine Ausnahme nicht ausdrücklich zulässt (Art 27 (2)–(8) PCT).

11 In Art 150 (2) Satz 3 EPÜ wird klargestellt, dass die Vorschriften des PCT auch dann maßgebend sind, wenn die Erfordernisse beider Übereinkommen nicht miteinander übereinstimmen.

12 Im Gegensatz zum EPÜ sieht der PCT mit Ausnahme des in den R 40.2 c) und 68.3 c) PCT geregelten Widerspruchsverfahrens kein Rechtsmittelverfahren vor. Die Beschwerdekammern des EPA haben festgestellt, dass sie von dieser Ausnahme abgesehen für Beschwerden gegen Entscheidungen des EPA in seiner Eigenschaft als ISA oder IPEA nicht zuständig sind.[1] Mit anderen Worten, in Bezug auf Entscheidungen, die das EPA in der internationalen Phase einer internationalen Anmeldung trifft, ist der ergänzende Charakter der Art 106 ff EPÜ von den Beschwerdekammern bislang nicht anerkannt worden.

EPÜ 2000

13 In Art 150 (2) Satz 2 EPÜ 2000 wird ausdrücklich ausgeführt, dass nicht nur der PCT, sondern auch seine Ausführungsordnung in Verfahren vor dem EPA, die internationale Anmeldungen betreffen, anzuwenden sind. Diese Klarstellung ist insofern zweckmäßig, als im PCT selbst nicht ausdrücklich erklärt wird, dass die Ausführungsordnung Bestandteil dieses Vertragswerks ist, wie dies in Art 164 EPÜ bezüglich der Ausführungsordnung zu diesem Übereinkommen der Fall ist. In Art 150 (2) Satz 3 EPÜ 2000 wird außerdem ausdrücklich festgestellt, dass auch die Vorschriften der Ausführungsordnung zum PCT denen des Europäischen Patentübereinkommens vorgehen (Rdn 32–35).

5 Art 150 (2) Satz 4 – Frist für die Stellung des Prüfungsantrags

14 Zur Vermeidung von Missverständnissen, aber auch, um im EPÜ selbst ein eindeutiges Beispiel für den Vorrang des PCT zu geben, regelt Art 150 (2) Satz 4 EPÜ den Fall des Ablaufs der Frist für die Stellung des Prüfungsantrags für Euro-PCT-Anmeldungen. Die in Art 94 (2) EPÜ vorgeschriebene 6-Monatsfrist soll danach nicht vor Ablauf der in Art 22 bzw 39 PCT festgesetzten Frist enden. Damit wird die vorrangige Geltung des PCT und insbesondere des in den Art 23 (1) und 40 (1) PCT festgeschriebenen sogenannten Bearbeitungsverbots bekräftigt (Art 158 Rdn 87).

15 Die Frist nach Art 94 (2) EPÜ beträgt sechs Monate ab Veröffentlichung des internationalen Recherchenberichts (ISR) und endet im Normalfall im Laufe des 25. Monats nach der Einreichung der Anmeldung oder dem (frühesten) Prioritätstag (Art 157 Rdn 6). Seit Einführung einer einheitlichen Frist von 31 Monaten für die Vornahme der für die Einleitung der europäischen Phase

---

[1] **G 1/89**, ABl 1991, 155; **J 20/89**, ABl 1991, 375; **J 15/91**, ABl 1994, 296.

vorgeschriebenen Handlungen in R 107 (1) EPÜ iVm den Art 22 (3) und 39 (1) b) PCT muss der Prüfungsantrag nicht vor Ablauf des 31. Monats nach der Einreichung der Anmeldung oder dem (frühesten) Prioritätstag gestellt werden, obwohl die 6-Monatsfrist nach Art 94 (2) EPÜ in der Regel schon Monate früher abläuft (Art 158 Rdn 68). Mit anderen Worten, die Frist nach Art 94 (2) EPÜ verlängert sich infolge des vorrangig geltenden Bearbeitungsverbots nach Art 23 (1) bzw 40 (1) PCT mindestens bis zum Ende der 31-Monatsfrist gemäß R 107 (1) EPÜ (Art 158 Rdn 87).

Für Einzelheiten zur Stellung des Prüfungsantrags, auf die in Art 150 (2) Satz 4 EPÜ Bezug genommen wird, wird auf die Kommentierung von Art 158 EPÜ verwiesen (Art 158 Rdn 67 ff). 16

EPÜ 2000

Art 150 (2) Satz 4 EPÜ wurde als unnötige Wiederholung des Vorrangs des PCT gegenüber dem EPÜ gestrichen. 17

6 Art 150 (3) – die internationale Anmeldung als europäische Patentanmeldung

Art 150 (3) EPÜ bestimmt, dass die internationale Anmeldung vor dem EPA in seiner Funktion als Bestimmungsamt oder ausgewähltes Amt als europäische Patentanmeldung gilt. Für den Eintritt der Fiktion reicht es aus, dass das EPA in der internationalen Anmeldung als Bestimmungsamt angegeben ist.[2] Dementsprechend muss das EPA die Funktion eines Bestimmungsamts wahrnehmen, wenn nachgewiesen werden kann, dass es in der internationalen Anmeldung bestimmt worden ist.[3] Des Gleichen muss es als ausgewähltes Amt tätig werden, wenn es in einem Antrag auf internationale vorläufige Prüfung wirksam ausgewählt worden ist. Ist das EPA von seiner Auswahl nicht unterrichtet worden, so ist dies insoweit unbeachtlich, als eine in Unkenntnis der Auswahl versandte Mitteilung dem Anmelder nicht zum Nachteil gereichen darf.[4] 18

Nach Art 11 (3) PCT hat eine internationale Anmeldung vom internationalen Anmeldetag an in jedem Bestimmungsstaat die Wirkung einer vorschriftsmäßigen nationalen Anmeldung. Dass sie, insoweit das EPA Bestimmungsamt ist, auch einer vorschriftsmäßigen europäischen Patentanmeldung gleichgesetzt wird, ergibt sich aus Art 1 (1) und Art 45 PCT und wird in Art 150 (3) EPÜ bestätigt. 19

Vom internationalen Anmeldetag an wird eine internationale Anmeldung, in der ein PCT-Vertragsstaat im Hinblick auf die Erlangung eines europäischen Patents bestimmt ist, allgemein als *Euro-PCT-Anmeldung* bezeichnet.[5] Dieser 20

---

2 MGK, Gruszow, Art 150 Nr 5 und 14–16.
3 **J 26/87**, ABl 1989, 329.
4 **J 7/93** vom 23. 08. 03.
5 MGK, Gruszow, Art 150 Nr 4.

Begriff bringt treffend zum Ausdruck, dass eine internationale Anmeldung, für die das EPA Bestimmungsamt ist – weil der Anmelder in der internationalen Anmeldung mindestens einen EPÜ-Vertragsstaat für die Erteilung eines europäischen Patents bestimmt hat – nach Art 11 (3) PCT und Art 150 (3) EPÜ zugleich als europäische Patentanmeldung gilt.

21 Wie weiter unten noch darzulegen sein wird, sind für alle ab 1. Januar 2004 eingereichten Anmeldungen sämtliche EPÜ-Vertragsstaaten automatisch für ein nationales und ein regionales Patent bestimmt (»rationalisiertes Bestimmungssystem«). Dementsprechend ist das EPA für jede internationale Anmeldung Bestimmungsamt (Art 153 Rdn 1 ff). Dies hat, ebenso wie die Tatsache, dass die Anmeldung vom internationalen Anmeldetag an als europäische Patentanmeldung gilt, jedoch nur geringe praktische Auswirkungen, solange das EPA seine Tätigkeit als Bestimmungsamt noch nicht aufgenommen hat (Rdn 15).

22 Das EPA als Bestimmungsamt/ausgewähltes Amt beginnt mit der Bearbeitung der Anmeldung grundsätzlich erst nach Ablauf der Frist für den Eintritt in die europäische Phase (R 107 (1) EPÜ; Art 22, 23, 39 und 40 PCT). Aus diesem Grund ist Art 150 (3) EPÜ in erster Linie auf die Bearbeitung der internationalen Anmeldung in der europäischen Phase ausgerichtet.

23 Seit Einführung des rationalisierten Bestimmungssystems ist die Unterscheidung zwischen einer »Euro-PCT-Anmeldung« und einer »internationalen Anmeldung« nahezu gegenstandslos geworden, da das EPA grundsätzlich nunmehr für jede internationale Anmeldung Bestimmungsamt ist (Art 153 Rdn 43). Hingegen ist die Unterscheidung zwischen einer Euro-PCT-Anmeldung in der europäischen Phase und einer europäischen Direktanmeldung im Hinblick auf Verfahrensunterschiede – wie zB die unterschiedliche Frist zur Zahlung der Prüfungsgebühr (Art 158 Rdn 67 ff) –, die zwischen der Bearbeitung einer europäischen Direktanmeldung und einer Euro-PCT-Anmeldung bestehen, nach wie vor relevant.

24 Dass eine internationale Anmeldung als europäische Patentanmeldung behandelt werden muss, schließt die Anwendung speziell für internationale Anmeldungen geltender Bestimmungen wie zum Beispiel der R 107 und 108 EPÜ nicht aus, solange sie sachlich erforderlich und nicht diskriminierend sind.

EPÜ 2000

25 Da der Wortlaut von Art 150 (3) EPÜ immer wieder zu unterschiedlichen Auslegungen Anlass gegeben hat, wurde beschlossen, die genaue Bedeutung dieser Vorschrift zu klären. Außerdem wurde ihr Inhalt wegen des Sachzusammenhangs in Art 153 (2) EPÜ 2000 überführt (Art 153 Rdn 11 ff). Diese Vorschrift enthält in Art 153 (2) EPÜ 2000 nunmehr eine ausdrückliche Definition der »Euro-PCT-Anmeldung« als »internationale Anmeldung, für die das Europäische Patentamt Bestimmungsamt oder ausgewähltes Amt ist und der ein inter-

nationaler Anmeldetag zuerkannt worden ist«. Eine solche Anmeldung »hat die Wirkung einer vorschriftsmäßigen europäischen Anmeldung«.

Der Hinweis in Art 153 (2) EPÜ 2000 auf das EPA als ausgewähltes Amt mag als überflüssig erscheinen, da nur ein Bestimmungsamt (auch) ausgewähltes Amt sein kann. Wird das EPA jedoch in der europäischen Phase als ausgewähltes Amt tätig – und tritt sein Status als Bestimmungsamt somit in den Hintergrund –, so wird durch diesen Hinweis unterstrichen, dass die Anmeldung nach wie vor eine Euro-PCT-Anmeldung ist, die einer vorschriftsmäßigen europäischen Anmeldung gleichgestellt ist. Dieser Hinweis trägt außerdem der Tatsache Rechnung, dass Art 153 EPÜ 2000 das EPA in seiner Funktion sowohl als Bestimmungsamt wie auch als ausgewähltes Amt betrifft. 26

7 Beginn der europäischen Phase

Die internationale Phase endet nach dem PCT grundsätzlich mit dem Ablauf von 30 Monaten nach dem (frühesten) Prioritätstag oder dem internationalen Anmeldetag (Art 22 (1) und Art 39 (1) PCT). Vor diesem Zeitpunkt darf ein Bestimmungsamt oder ausgewähltes Amt die internationale Anmeldung nur auf ausdrücklichen Antrag des Anmelders hin prüfen oder bearbeiten (Art 23 (2) und 40 (2) PCT) (Art 153 Rdn 30). 27

Das EPA hat in Ausübung seines Ermessens nach Art 22 (3) und 39 (1) b) PCT eine Verlängerung der 30-Monatsfrist für den Eintritt in die europäische Phase beschlossen. Nach R 107 (1) EPÜ mit der Überschrift »Das EPA als Bestimmungsamt oder ausgewähltes Amt – Erfordernisse für den Eintritt in die europäische Phase« beträgt diese Frist 31 Monate und beginnt am Anmeldetag oder am (frühesten) Prioritätstag zu laufen (R 107 (1) EPÜ). Folglich gilt nach dem EPÜ für das Tätigwerden des EPA unabhängig davon, ob es Bestimmungsamt oder ausgewähltes Amt ist, dh, ob Antrag auf internationale vorläufige Prüfung gestellt wurde oder nicht, für den Eintritt in die europäische Phase eine einheitliche Frist. 28

Die Einheitsfrist nach R 107 (1) EPÜ wurde mit Wirkung zum 2. Januar 2002 eingeführt. Kurz darauf, nämlich am 1. April 2002, ist die geänderte Fassung des Art 22 (1) PCT in Kraft getreten, mit der die Frist für den Eintritt in die nationale Phase vor jedem nationalen Amt als Bestimmungsamt von 20 auf 30 Monate heraufgesetzt wurde. Vom 1. April 2002 an gilt somit für den Eintritt in die nationale Phase nicht nur vor dem EPA, sondern generell vor jedem Bestimmungsamt eine einheitliche Frist von mindestens 30 Monaten (Art 22 (3) PCT). 29

In diesem Zusammenhang ist zu beachten, dass die revidierte Fassung des Art 22 (1) PCT aus Gründen des nationalen Rechts für einige Bestimmungsämter noch nicht gilt und dass für diese die bisherige 20-Monatsfrist so lange in Kraft bleibt, bis die nationalen Vorschriften entsprechend angepasst werden. 30

Vor Artikel 151/152

Eine aktuelle Übersicht über die betreffenden Ämter ist der Website der WIPO zu entnehmen.

31 Für nähere Informationen speziell zu den bei Eintritt in die europäische Phase zu erfüllenden Erfordernisse wird auf die Kommentierung von Art 157 und 158 EPÜ verwiesen.

8 Art 150 (4) – Anwendbarkeit der Ausführungsordnung zum PCT

32 Nach Art 150 (4) EPÜ wird mit jeder Bezugnahme auf den PCT im Europäischen Patentübereinkommen auch auf die Regeln der Ausführungsordnung zum PCT Bezug genommen. Dies leuchtet insofern ein, als der PCT erst zusammen mit seiner Ausführungsordnung ein funktionsfähiges System bildet. Hierbei ist anzumerken, dass im PCT vielfach ausdrücklich auf Vorschriften der Ausführungsordnung Bezug genommen wird. Obwohl die PCT-Ausführungsordnung als Bestandteil des PCT angesehen werden soll, fehlt eine Vorschrift, die Art 164 EPÜ entsprechen würde, der ausdrücklich erklärt, dass die EPÜ-Ausführungsordnung Bestandteil des EPÜ ist.

33 Aus Art 150 (4) EPÜ iVm Art 150 (2) Satz 3 EPÜ folgt, dass nicht nur die Bestimmungen des PCT selbst, sondern auch die Bestimmungen seiner Ausführungsordnung sämtlichen Bestimmungen des EPÜ vorgehen.[6] Das bedeutet, dass das EPA keine Bestimmung des EPÜ anwenden darf, die mit einem Artikel des PCT oder einer Regel seiner Ausführungsordnung unvereinbar ist.

34 Ferner sind die Vorschriften des PCT auch im Falle eines Widerspruchs zwischen diesen und einer *Regel* seiner Ausführungsordnung maßgebend. Dieser Grundsatz ist in Art 58 (5) PCT festgeschrieben, der inhaltlich Art 164 (2) EPÜ entspricht. Nach Art 150 (4) EPÜ iVm Art 150 (2) Satz 2 EPÜ ist auch das EPA verpflichtet, diesen PCT-Grundsatz zu beachten.

EPÜ 2000

35 Der Kerngehalt des Art 150 (4) EPÜ wurde in Art 150 (2) EPÜ 2000 übernommen (Rdn 13).

Vorbemerkung zu Art 151 und 152 – Die internationale Anmeldung und ihre Einreichung

Reinoud Hesper

Übersicht

1	Einleitung	1
2	R 104 (1) Satz 1 EPÜ – Sprache der internationalen Anmeldung	5
3	Bestimmung von Staaten	20

---

6 Akten der Diplomatischen Konferenz von Washington, Nr 2120 ff.

4	Hinsichtlich der Einreichung zu beachtende Formerfordernisse	25
4.1	Internationale Anmeldungen auf dem Gebiet der Biotechnologie	29
4.2	Priorität	38
4.3	Erfindernennung	42
4.4	Die Unterschrift betreffende Erfordernisse	44
5	Gebühren für internationale Anmeldungen	46
6	Vertretung vor dem EPA als Anmeldeamt	56
7	Rechtsbehelfe gegen die Fiktion der Zurücknahme der internationalen Anmeldung vor dem Anmeldeamt	68

1 Einleitung

Gemäß dem PCT kann eine internationale Anmeldung bei dem bzw einem zuständigen nationalen und/oder regionalen Patentamt eingereicht werden, in jedem Fall aber beim Internationalen Büro der WIPO in Genf (IB), dessen Zuständigkeit an keinerlei Voraussetzungen geknüpft ist. Alle nationalen und regionalen Ämter, bei denen internationale Anmeldungen grundsätzlich eingereicht werden können, werden als *Anmeldeamt* bezeichnet. Zur Zuständigkeit des EPA als Anmeldeamt und zu den weiteren Optionen, über die Anmelder aus EPÜ-Vertragsstaaten für die Einreichung einer internationalen Anmeldung verfügen, siehe den Kommentar zu Art 151 EPÜ. 1

Zur Anmeldung ist jeder Angehörige eines Vertragsstaats des PCT berechtigt sowie jeder, der in einem solchen Staat Sitz oder Wohnsitz hat (Art 9 PCT; R 18.1 PCT) (Art 151 Rdn 6). 2

Sowohl nach dem PCT als auch nach dem EPÜ können außerdem zwei oder mehr Personen eine Patentanmeldung gemeinsam einreichen, wobei die verschiedenen Anmelder auch verschiedene Vertragsstaaten benennen können (R 18.3 und R 4.5 (d) PCT; Art 59 EPÜ). Wird die internationale Anmeldung von zwei oder mehr (gemeinsamen) Anmeldern eingereicht, muss nur einer von ihnen die Voraussetzungen hinsichtlich Staatsangehörigkeit, Sitz oder Wohnsitz erfüllen (Art 9 und R 18.3 PCT). 3

Die Möglichkeit, eine Teilanmeldung einzureichen, ist im PCT nicht vorgesehen. Eine Teilanmeldung kann jedoch nach Eintritt in die europäische Phase eingereicht werden (Art 76 Rdn 21 ff). 4

2 R 104 (1) Satz 1 EPÜ – Sprache der internationalen Anmeldung

Die internationale Anmeldung muss nach Art 3 (4) i) PCT in einer vorgeschriebenen Sprache eingereicht werden. Jedes Anmeldeamt kann diesbezüglich vorschreiben, welche Sprache(n) es für die Einreichung einer internationalen Anmeldung akzeptiert (R 12.1 a) PCT). Hierbei muss jedoch mindestens eine Sprache zugelassen werden, in der die zuständige ISA nach ihrer Vereinbarung 5

Vor Artikel 151/152

mit dem IB den internationalen Recherchenbericht (ISR) erstellen kann und die auch eine Veröffentlichungssprache ist (R 12.1 b) PCT).

6 R 104 (1) EPÜ sieht ausdrücklich vor, dass eine internationale Anmeldung beim EPA als Anmeldeamt in einer seiner drei Amtssprachen Deutsch, Englisch oder Französisch eingereicht werden muss. Eine internationale Anmeldung kann nicht in einer zulässigen Nicht-EPA-Sprache beim EPA eingereicht werden, wie dies nach Art 14 (2) EPÜ im Falle einer europäischen Direktanmeldung möglich ist (Art 14 Rdn 4 ff).

7 Wird eine Anmeldung beim EPA in einer anderen Sprache als Deutsch, Englisch oder Französisch eingereicht, so leitet das EPA sie gemäß R 19.4 PCT an das IB weiter, das dann statt des EPA als Anmeldeamt tätig wird (Art 151 Rdn 20).

8 Die vom Anmelder für die Einreichung seiner Anmeldung beim EPA gewählte Amtssprache ist damit als »Verfahrenssprache« festgelegt, die weder in der internationalen Phase noch bei Eintritt in die europäische Phase geändert werden kann (siehe Art 158 Rdn 29). Jedoch kann sich der Anmelder außer für Änderungen oder Berichtigungen der Anmeldung, die in der Verfahrenssprache zu erfolgen haben (R 12.2 PCT), in seinem Schriftverkehr mit dem EPA jeder der Amtssprachen des EPA bedienen (R 92.2 b) PCT; Art 150 (2), R 1 (2) EPÜ)[1]. Für den Schriftverkehr mit dem IB sind hingegen nur Englisch und Französisch zulässig (R 92.2 d) PCT).

9 Das EPA führt in allen seinen Funktionen seinen gesamten Schriftverkehr in der Verfahrenssprache.[2]

10 Da das EPA die einzige zuständige ISA bzw IPEA für internationale Anmeldungen ist, die beim EPA als Anmeldeamt eingereicht werden, braucht ein Anmelder, der seine Anmeldung beim EPA als Anmeldeamt eingereicht hat, für die Zwecke der internationalen Recherche und ggf der internationalen vorläufigen Prüfung keine Übersetzung einzureichen.

11 Da zudem jede der drei Amtssprachen des EPA auch internationale Veröffentlichungssprache ist (R 48.3 a) PCT), muss für eine beim EPA als Anmeldeamt in einer seiner Amtssprachen eingereichte internationale Anmeldung auch für die Zwecke der internationalen Veröffentlichung keine Übersetzung eingereicht werden.

12 Der PCT-Antrag (PCT/RO/101) selbst muss in einer Sprache eingereicht werden, die vom Anmeldeamt zugelassen *und* eine internationale Veröffentlichungssprache ist (R 12.1 c) PCT). Welche Sprachen bei der ISA zugelassen sind, ist in diesem Zusammenhang irrelevant.

13 Je nachdem, welche Bedingungen ein Anmeldeamt hinsichtlich der Sprache stellt, kann es nach R 12.1 c) PCT zulässig sein, den PCT-Antrag in einer ande-

---

1 ABl 1993, 540
2 Vereinbarung EPO-WIPO ABl 2001, 601, Anhang D; in Anhang 10 abgedruckt.

ren Sprache einzureichen als die übrigen Unterlagen, aus denen die internationale Anmeldung besteht. Wird eine Anmeldung zum Beispiel beim belgischen Patentamt als Anmeldeamt eingereicht, können der PCT-Antrag in deutscher und die übrigen Anmeldungsunterlagen in niederländischer Sprache eingereicht werden. Dies ist eine Ausnahme von der ansonsten vorgeschriebenen Abfassung sämtlicher Anmeldungsunterlagen in ein und derselben Sprache (Art 3 (4) i) PCT).

Die Verfahrenssprache richtet sich nach der für die übrigen Anmeldungsunterlagen verwendeten Sprache und nicht danach, in welcher Sprache der PCT-Antrag gestellt wird. 14

Da alle Amtssprachen des EPA Veröffentlichungssprachen sind, sind kaum Gründe ersichtlich, den PCT-Antrag beim EPA als Anmeldeamt in einer Amtssprache, die übrigen Anmeldungsunterlagen hingegen in einer anderen Amtssprache einzureichen. Gegebenenfalls würde dies jedoch auf Grund von R 12.1 c) PCT akzeptiert. 15

Entscheidet sich ein Staatsangehöriger eines EPÜ-Vertragsstaats oder eine Person mit Sitz oder Wohnsitz in einem solchen Staat, eine internationale Anmeldung beim zuständigen nationalen Amt als Anmeldeamt einzureichen, so wird dieses Amt in vielen Fällen auch eine andere Sprache als Deutsch, Englisch oder Französisch für die Einreichung akzeptieren. Möchte der Anmelder aber, dass das EPA als ISA tätig wird, so muss er binnen einem Monat nach Eingang der internationalen Anmeldung beim Anmeldeamt diesem eine Übersetzung der Anmeldung in eine der drei Amtssprachen des EPA zukommen lassen (R 12.3 a) PCT). 16

So können Anmelder bei Einreichung einer internationalen Anmeldung in spanischer Sprache beim spanischen oder beispielsweise auch beim kubanischen Patentamt zwischen dem spanischen Patentamt und dem EPA als ISA wählen. Wird das EPA gewählt, muss beim Anmeldeamt eine Übersetzung in eine der drei EPA-Amtssprachen eingereicht werden, die vom Anmeldeamt zusammen mit dem Recherchenexemplar an das EPA weitergeleitet wird (R 23 b) PCT). 17

Eine Ausnahme von dem Erfordernis, eine Übersetzung in eine der drei Amtssprachen einzureichen, gilt lediglich für internationale Anmeldungen, die beim belgischen oder beim niederländischen Patentamt in niederländischer Sprache eingereicht werden, da diese Sprache gemäß einer Vereinbarung zwischen diesen Ämtern und dem EPA von Letzterem in seiner Eigenschaft als ISA zugelassen ist (Vereinbarung EPO-WIPO, Art 3 und Anhang A; siehe Anhang 10) (Art 154 Rdn 50). 18

Ist für die Zwecke der internationalen Recherche eine Übersetzung erforderlich, so muss der PCT-Antrag nicht übersetzt werden, soweit er in einer Veröffentlichungssprache vorliegt (R 12.3 b) PCT). Wird daher für eine beim spanischen Patentamt eingereichte internationale Anmeldung das EPA als ISA ge- 19 wählt, muss zwar eine Übersetzung der internationalen Anmeldung, nicht aber des in spanischer Sprache abgefassten PCT-Antrags in eine EPA-Amtssprache eingereicht werden. Veröffentlicht wird die Anmeldung in der spanischen Sprache.

3 Bestimmung von Staaten

20 Im PCT-Antrag muss der Anmelder unter anderem angeben, in welchen PCT-Vertragsstaaten er seine Erfindung schützen lassen möchte. Diese Staaten werden als »Bestimmungsstaaten« bezeichnet (Art 4 (1) ii) und R 4.9 PCT). Das System, nach dem die Bestimmung erfolgt, sowie die Bestimmung des EPA – dh die Bestimmung von EPÜ-Vertragsstaaten im Hinblick auf die Erlangung eines europäischen Patents für diese Staaten – werden bei der Kommentierung von Art 153 EPÜ näher erörtert (Art 153 Rdn 12 ff).

21 Nach dem rationalisierten Bestimmungssystem, das am 1. Januar 2004 in Kraft getreten ist, erhält der Anmelder mit der Einreichung des PCT-Antrags automatisch das gesamte Paket sämtlicher nach dem PCT am internationalen Anmeldetag möglichen Bestimmungen im Hinblick auf regionale wie auch nationale Patente und für jede nach dem nationalen Recht des jeweiligen Bestimmungsstaates auf der Grundlage einer internationalen Anmeldung erhältliche Schutzrechtsart (R 4.9 PCT).

22 Aus Gründen des nationalen Rechts kann die ansonsten automatisch erfolgende Bestimmung für einige wenige Staaten durch Ankreuzen der entsprechenden Kästchen in Feld V des PCT-Antragsformblatts ausgeschlossen werden (Art 153 Rdn 25 ff). Ferner sieht das nationale Recht einer Anzahl von EPÜ-Vertragsstaaten vor, dass für diese Staaten auf der Grundlage einer internationalen Anmeldung nur die Erteilung eines *europäischen* Patents möglich ist (Art 153 Rdn 18–20).

23 Bei Einreichung einer internationalen Anmeldung hat der Anmelder zugleich auch eine Option auf die Beantragung der Erstreckung des europäischen Patents auf sogenannte *»Erstreckungsstaaten«*. Bei diesen Staaten handelt es sich um Nichtvertragsstaaten des EPÜ, die mit dem EPA ein Erstreckungsabkommen geschlossen haben. Die Voraussetzungen für eine derartige Erstreckungsoption werden bei der Kommentierung von Art 153 erörtert (Art 153 Rdn 36 ff; Art 166 Rdn 3 ff).

24 Gegenwärtig sind Erstreckungsabkommen mit Albanien (AL), Bosnien-Herzegowina (BA), der ehemaligen Jugoslawischen Republik Mazedonien (MK), Kroatien (HR) sowie Serbien-Montenegro (YU) in Kraft. Für welche Staaten die Erstreckung beantragt wird, muss erst bei Eintritt in die europäische Phase entschieden werden (Art 158 Rdn 63–66). Wird ein Erstreckungsabkommen für einen Staat beendet – wie 2004 das Erstreckungsabkommen mit

Lettland -, so bleibt das Erstreckungsverfahren auf alle vor Beendigung des Abkommens eingereichten Euro-PCT-Anmeldungen anwendbar.³

4 Hinsichtlich der Einreichung zu beachtende Formerfordernisse

Der PCT (Art 3–8 PCT) und insbesondere seine Ausführungsordnung (R 3– 13ter PCT) enthalten zahlreiche und sehr detaillierte Bestimmungen über Form, Inhalt und Aufbau der internationalen Anmeldung. Die einzelnen Anmeldebestimmungen des PCT decken sich weitgehend mit den entsprechenden Anmeldebestimmungen des EPÜ, aus dessen Entwürfen viele wörtlich übernommen worden sind. 25

Der PCT verlangt zB wie das EPÜ als weiteren Bestandteil der Anmeldung eine sogenannte Zusammenfassung. Diese soll in der Regel 50 bis 150 Wörter umfassen und wird von der ISA bei der Erstellung des ISR überprüft und falls nötig berichtigt (R 8 und R 38.2 PCT). 26

Die Formvorschriften des PCT treten an die Stelle der unterschiedlichen nationalen Vorschriften. Erfüllt eine internationale Anmeldung alle einschlägigen Vorschriften des PCT, so kann von einem nationalen Patentamt später in der nationalen Phase nicht mehr die Nichtbeachtung abweichender nationaler Formvorschriften gerügt werden (Art 27 (1) PCT). 27

Besonderheiten gelten unter anderen für die Zeichnungen (Art 7 PCT; R 7 und 11.13 PCT). Zeichnungen sind nach Art 7 (1) PCT einzureichen, wenn sie für das Verständnis der Erfindung notwendig sind. Kann die Erfindung hingegen durch die Zeichnungen erläutert werden, ohne dass diese für das Verständnis der Erfindung unbedingt notwendig wären, so kann jedes Bestimmungsamt den Anmelder auffordern, innerhalb einer vorgeschriebenen Frist, die nicht kürzer als zwei Monate sein darf, Zeichnungen nachzureichen (Art 7 (2) ii) und R 7.2 PCT). 28

4.1 Internationale Anmeldungen auf dem Gebiet der Biotechnologie

Ob eine Bezugnahme auf *hinterlegtes biologisches Material* in eine internationale Anmeldung aufgenommen werden muss, bleibt dem nationalen Recht des Bestimmungsstaates überlassen.⁴ Wann und wo eine Hinterlegung zu erfolgen hat, ist ebenfalls eine Frage des nationalen Rechts, die aber meist schon zum Zeitpunkt der Einreichung der internationalen Anmeldung berücksichtigt werden muss. Wenn eine Priorität beansprucht wird, sollte das nationale/regionale Recht bereits bei Einreichung der früheren prioritätsbegründenden Anmeldung berücksichtigt werden (Art 83 und R 28 (1) a) EPÜ) (Art 83 Rdn 63). Auf die einschlägigen Bestimmungen des EPÜ wird bei der Kommentierung von Art 83 Rdn 58–75 näher eingegangen. 29

---

3 ABl 2005, 299
4 ABl 1996, 596.

30   Das EPA als Bestimmungsamt verlangt eine Bezugnahme auf hinterlegtes biologisches Material unter den in R 28 (1) d) EPÜ genannten Voraussetzungen. Erfolgt eine Bezugnahme *nach Maßgabe der Vorschriften des PCT*, so gilt sie vor dem EPA als mit den Erfordernissen des EPÜ hinsichtlich Inhalt und Zeitpunkt der Vorlage der Bezugnahme in Einklang stehend (R 13bis.2–4 PCT).

31   Strebt der Anmelder mit einer internationalen Anmeldung ein europäisches Patent an, so muss eine ggf erforderliche Hinterlegung spätestens am internationalen Anmeldetag bei der Hinterlegungsstelle erfolgen.[5]

32   In der Beschreibung nicht enthaltene Angaben zum hinterlegten biologischen Material können, soweit das EPA als Bestimmungsamt betroffen ist, innerhalb der in R 13bis.4 PCT festgesetzten Frist auf einem gesonderten Formblatt nachgereicht werden (PCT/RO/134).

33   Nach R 13bis.3 PCT muss eine Bezugnahme auf hinterlegtes biologisches Material jede zusätzliche Angabe enthalten, die laut Mitteilung des betreffenden nationalen Amtes an das IB bei diesem Amt verlangt wird. Was das EPA betrifft, müssen die nach R 28 (1) b) EPÜ vorgeschriebenen Angaben zusammen mit der internationalen Anmeldung oder, falls dies versäumt wurde, spätestens nach Ablauf von 16 Monaten nach dem frühesten Prioritätstag eingereicht werden (R 28 (2) EPÜ).

34   Sind bei einer Euro-PCT-Anmeldung Anmelder und Hinterleger nicht identisch, so müssen außerdem die nach R 28 (1) d) EPÜ vorgeschriebenen Angaben spätestens mit Ablauf von 16 Monaten ab dem frühesten Prioritätsdatum gemacht werden.[6]

35   In der Entscheidung T 227/97 wurde die Wiedereinsetzung in die versäumte 16-Monatsfrist zur Einreichung der Eingangsnummer nach Art 122 EPÜ zugelassen.[7]

36   Das EPA übt das ihm als Bestimmungsamt zustehende Ermessen hinsichtlich der Herausgabe von Proben des biologischem Materials nach Maßgabe von R 28 (3) EPÜ aus (R 13bis.6 PCT). Demnach kann das EPA als Bestimmungsamt in vielen Fällen vom Tag der internationalen Veröffentlichung die Herausgabe von Proben an Dritte erlauben, genauer gesagt immer dann, wenn die internationale Veröffentlichung die Wirkung einer vorgeschriebenen nationalen Veröffentlichung einer ungeprüften nationalen Anmeldung hat[8] (Art 158 Rdn 113).

37   Offenbart die internationale Anmeldung eine oder mehrere *Nucleotid- und/oder Aminosäuresequenzen*, so muss die internationale Anmeldung nach R 5.2 und R 13ter PCT ein computerlesbares Sequenzprotokoll enthalten, das dem in

---

5   **G 2/93**, ABl 1995, 275.
6   **T 118/87**, ABl 1991, 474; siehe auch **G 2/93**, ABl 1995, 275.
7   **T 227/97**, ABl 1999, 275.
8   Euro-PCT-Leitfaden Nr 47.

Anhang C der PCT-Verwaltungsvorschriften vorgeschriebenen Standard entspricht. Ein Sequenzprotokoll, das nicht zusammen mit der internationalen Anmeldung eingereicht wird, ist nicht Bestandteil der internationalen Anmeldung (R 13ter.1 e) PCT; R 27a (4) EPÜ). Für weitere Einzelheiten wird auf den Euro-PCT-Leitfaden Nr 48 ff verwiesen.

4.2 Priorität

Die internationale Anmeldung kann eine Erstanmeldung oder eine Nachanmeldung sein, für die eine oder mehrere Prioritäten nach der Pariser Verbandsübereinkunft beansprucht werden. Das kann die Priorität einer nationalen, einer europäischen oder auch einer internationalen Erstanmeldung sein (Art 8 und R 4.10 PCT).

Nach R 4.10 PCT in der mit Wirkung vom 1. Januar 2000 geänderten Fassung kann in einer internationalen Anmeldung außerdem die Priorität aus einer Anmeldung beansprucht werden, die in einem oder für einen Mitgliedsstaat der Welthandelsorganisation (WTO) eingereicht wurde, der nicht Vertragsstaat der Pariser Verbandsübereinkunft zum Schutz des gewerblichen Eigentums ist (WTO-Priorität). Das EPA als Bestimmungsamt/ausgewähltes Amt hat jedoch einen Vorbehalt zu dieser Bestimmung erklärt, weil die geänderten R 4.10 a) und b) PCT mit Art 87 EPÜ kollidieren. Dies wurde von der Großen Beschwerdekammer in den Entscheidungen G 2/02 und G 3/02 bestätigt.[9] Dieser Vorbehalt wird wohl nach Inkrafttreten des EPÜ 2000 zurückgenommen werden (Art 87 Rdn 1; Vor Art 150–158 Rdn 70).

Die Priorität einer früheren Anmeldung muss im PCT-Antrag beansprucht werden (Art 8 PCT; R 4.1 b) und 4.10 PCT).[10] Eine entsprechende Vorschrift gilt auch für europäische Patentanmeldungen (R 26 (2) g) EPÜ). Nach R 26bis PCT können Anmelder vorbehaltlich der Einhaltung bestimmter Fristen einen Prioritätsanspruch ohne Angabe von Gründen berichtigen oder hinzufügen.

Bei Beanspruchung einer Priorität muss der Anmelder nach R 17.1 a) PCT eine beglaubigte Abschrift der früheren Anmeldung einreichen (den Prioritätsbeleg). Wird die Priorität einer internationalen Anmeldung beansprucht, für die das EPA Anmeldeamt war, kann der Anmelder das EPA um Übermittlung des Prioritätsbelegs an das IB ersuchen (R 20.9 PCT; R 17.1 b) PCT). Für die Übermittlung ist an das EPA eine Übermittlungsgebühr zu entrichten (Abschnitt 2.1 Nr 8.1 Verzeichnis der Gebühren, Auslagen und Verkaufspreise des EPA).

---

9   ABl 2003, 567; G 2/02 und G 3/02, ABl 2004, 483.
10   Euro-PCT-Leitfaden Nr 41.

4.3 Erfindernennung

42 Möchte der Anmelder auf der Grundlage der internationalen Anmeldung ein Patent für einen Staat erwerben, dessen nationales Recht die *Nennung des Erfinders* bei Einreichung einer nationalen Anmeldung verlangt, so muss auch in der internationalen Anmeldung der Erfinder genannt werden (Art 4 (1) v), R 4.1 a) iv) und R 4.6 PCT). Fehlt in einem solchen Fall die Erfindernennung, so richten sich die Folgen der Unterlassung in diesem Staat nach dessen nationalem Recht. Nach R 4.17 PCT können außerdem zusammen mit dem PCT-Antrag Erklärungen (mit in den Verwaltungsvorschriften vorgegebenem Wortlaut) zum Erfinder (R 4.17 i) und iv) PCT) eingereicht werden.[11]

43 Können die Angaben zum Erfinder nach dem nationalen Recht eines Bestimmungsstaates auch noch nach der Einreichung einer nationalen Anmeldung gemacht werden, so kann der Anmelder den Erfinder entweder im PCT-Antrag oder später in gesonderten Mitteilungen an jedes in Betracht kommende Bestimmungsamt nennen. Vor Eintritt in die nationale Phase kann dies auch zentral über das Anmeldeamt oder das IB geschehen. Nach dem EPÜ können die Angaben zum Erfinder auch nachträglich gemacht werden. Hat der Anmelder den Erfinder bei Eintritt in die europäische Phase noch nicht genannt, so fordert das EPA ihn hierzu auf (R 111 (1) EPÜ) (Art 158 Rdn 102).

4.4 Die Unterschrift betreffende Erfordernisse

44 Grundsätzlich ist der PCT-Antrag bzw die Vollmacht vom Anmelder zu unterzeichnen. Bei zwei oder mehr Anmeldern müssen entweder alle den Antrag unterzeichnen, oder diejenigen Anmelder, die einen Vertreter bestellt haben, müssen eine unterschriebene Vollmacht einreichen (Rdn 62 ff). Bei *mehreren Anmeldern* wird das EPA als Anmeldeamt jedoch von den Anmeldern die fehlende(n) Unterschrift(en) nicht verlangen, wenn der PCT-Antrag von mindestens einem von ihnen unterzeichnet ist, der zur Einreichung einer internationalen Anmeldung befugt ist (R 26.2^{bis} a) PCT). In seiner Eigenschaft als Bestimmungsamt kann das EPA jedoch von jedem Anmelder, der den PCT-Antrag nicht unterzeichnet hat, bei Eintritt in die europäische Phase die fehlende Unterschrift zur Bestätigung der internationalen Anmeldung verlangen (R 51bis.1 a) vi) PCT).

45 Wurde der PCT-Antrag nicht vom Anmelder, sondern von seinem Vertreter unterzeichnet, braucht beim EPA weder eine unterzeichnete Vollmacht noch eine Abschrift einer allgemeinen Vollmacht eingereicht werden, da das EPA hierauf verzichtet hat (Rdn 61 ff).[12] Anwälten wird jedoch empfohlen, sich von allen Anmeldern entweder durch ihre Unterschrift unter der internationalen Anmeldung oder durch eine Vollmacht ausdrücklich bevollmächtigen zu las-

---

11 *PCT Newsletter*, 1/2001.
12 ABl 2004, 305.

sen, da insbesondere für jede Zurücknahme (R 90bis PCT) die Unterschrift sämtlicher Anmelder benötigt wird.[13] Außerdem kann das EPA bei Zweifeln an der Berechtigung des Vertreters, vor diesem Amt aufzutreten, die Vorlage einer gesonderten Vollmacht oder einer Abschrift der allgemeinen Vollmacht verlangen.[14]

5 Gebühren für internationale Anmeldungen

Nach dem PCT sind für eine internationale Anmeldung verschiedene Gebühren zu entrichten (Art 3 (4) iv) PCT). Einmal sind dies die in der Ausführungsordnung zum PCT mit anhängendem Gebührenverzeichnis festgesetzten Gebühren, die zugunsten des IB erhoben werden (R 96 PCT), und zum anderen die zugunsten der nationalen oder regionalen Ämter für ihre Tätigkeit als Anmeldeamt, ISA und ggf IPEA zu entrichtenden Gebühren, deren Höhe von diesen festgesetzt wird. 46

Gebührenzahlungen an das EPA haben immer in Euro zu erfolgen. Der Tag, an dem die Zahlung als eingegangen gilt, bestimmt sich nach Art 8 GebO. 47

Für eine beim EPA als Anmeldeamt eingereichte internationale Anmeldung fallen folgende Gebühren an: die internationale Anmeldegebühr, die Übermittlungsgebühr und die internationale Recherchengebühr. Jede dieser Gebühren muss innerhalb von einem Monat nach Eingang der internationalen Anmeldung entrichtet werden. Zu zahlen ist jeweils der zum Zeitpunkt des Eingangs der Anmeldung geltende Betrag (R 15.4, 14.1 c) und 16.1 f) PCT). 48

Bei der internationalen Anmeldegebühr handelt es sich grundsätzlich um eine pauschale Gebühr (R 15 PCT). Umfasst die Anmeldung jedoch mehr als 30 Seiten, so erhöht sich die internationale Anmeldegebühr für jede weitere Seite um einen bestimmten Betrag. Diese zusätzliche Gebühr ist Teil der internationalen Anmeldegebühr und wird vom EPA als Anmeldeamt zusammen mit dieser an das IB weitergeleitet (R 15.2 PCT). Die Höhe der internationalen Anmeldegebühr wird vom IB festgesetzt und ist dem Gebührenverzeichnis im Anhang zur Ausführungsordnung zum PCT (PCT-Gebührenverzeichnis) zu entnehmen. 49

Das EPA erhebt gemäß dem ihm nach R 14 PCT zustehenden Ermessen für seine Arbeit als Anmeldeamt eine Gebühr, die Übermittlungsgebühr. Da die Pflicht zur Zahlung einer Übermittlungsgebühr in Art 152 (3) EPÜ festgeschrieben ist, werden Einzelheiten bei der Kommentierung dieser Vorschrift erörtert (Art 152 Rdn 35 ff). 50

Die zugunsten der ISA erhobene Recherchengebühr ist ebenfalls an das *Anmeldeamt* zu entrichten (R 16.1 a) und b) PCT). Für Einzelheiten wird auf die Kommentierung von Art 154 EPÜ verwiesen (Art 154 Rdn 37–49). 51

---

13   Euro-PCT-Leitfaden Nrn 32 ff; 52.
14   ABl 2004, 305.

Vor Artikel 151/152

52 Sind die an das EPA als Anmeldeamt zu entrichtenden Gebühren einen Monat nach Eingang der internationalen Anmeldung noch nicht oder nicht vollständig entrichtet, so fordert das EPA den Anmelder auf, den betreffenden Betrag nebst *Zuschlagsgebühr* innerhalb eines Monats vom Datum der Aufforderung zu zahlen (R 16bis.2 PCT).[15]

53 Die Gebühr für verspätete Zahlung beläuft sich auf 50% des ausstehenden Betrags, jedoch mindestens auf den Betrag der Übermittlungsgebühr und höchstens auf 50% der internationalen Anmeldegebühr, wobei die zusätzliche Gebühr für die 31. und jede weitere Seite unberücksichtigt bleibt (Rdn 49).

54 Sind die vorgeschriebenen Gebühren (R 27.1 PCT) einschließlich Zuschlagsgebühr nach Ablauf der festgesetzten Frist nicht vollständig entrichtet, so gilt die Anmeldung als zurückgenommen und wird vom Anmeldeamt für zurückgenommen erklärt (Art 14 (3) PCT). Solange das Anmeldeamt diese Erklärung noch nicht abgegeben hat, ist die Rücknahmefiktion nicht wirksam; eine vor der Erklärung eingehende Zahlung muß daher vom Amt noch berücksichtigt werden, dh die Rücknahmefiktion entfallen lassen (R 16bis.1 e) PCT).

55 In der europäischen Phase hat das EPA als Bestimmungsamt/ausgewähltes Amt nach Art 2 x) und xii) PCT; Art 11 (3) EPÜ bei einer Fristversäumnis Art 48 (2) a) iVm R 82bis.2 PCT anzuwenden, der bestimmt: »Jeder Vertragsstaat sieht, soweit er betroffen ist, eine Fristüberschreitung als entschuldigt an, wenn Gründe vorliegen, die nach seinem nationalen Recht zugelassen sind«. Diese Vorschrift wird durch R 82bis.2 PCT erläutert. Näheres zu beiden Vorschriften siehe unten (Art 153 Rdn 68 ff; Art 154 Rdn 104).

6 Vertretung vor dem EPA als Anmeldeamt

56 Der PCT schreibt nicht vor, unter welchen Voraussetzungen der Anmelder selbst handeln kann bzw wann er sich im Verfahren vor dem zuständigen Anmeldeamt von einem sogenannten »Anwalt« (so der Sprachgebrauch des PCT) vertreten lassen muss (Vor Art 150–158 Rdn 72 ff). Gemäß Art 27 (7) PCT kann jedes Anmeldeamt die nationalen Rechtsvorschriften zur Vertretung uneingeschränkt anwenden.

57 Für das Verfahren vor dem EPA als Anmeldeamt kann nur ein Vertreter bestellt werden, der berechtigt ist, in Verfahren nach dem EPÜ vor dem EPA aufzutreten. Daraus ergibt sich, dass der Anmelder nur von einem sogenannten »zugelassenen Vertreter« iSd Art 134 EPÜ vertreten werden kann (Art 134 Rdn 2 ff).

58 Nach Art 49 PCT und R 90.1 a) PCT können Personen, die befugt sind, vor dem nationalen Amt aufzutreten, bei dem die internationale Anmeldung eingereicht wird, als Anwalt für das Verfahren vor dem Anmeldeamt, der ISA und

---

[15] Beschluss des Präsidenten vom 15. Juni 1992 über die Gebühr für verspätete Zahlung nach R 16bis.2 PCT, ABl 1992, 383.

Vor Artikel 151/152

der IPEA bestellt werden. Mit anderen Worten ist der Anwalt, der befugt ist, vor dem Anmeldeamt aufzutreten, auch befugt, den Anmelder im weiteren Verfahren in der internationalen Phase zu vertreten.

Besteht nach dem anwendbaren nationalen Recht vor dem Anmeldeamt kein Vertretungszwang, so muss der Anmelder auch keinen Anwalt für das weitere Verfahren in der internationalen Phase bestellen. Erst bei Eintritt in die nationale Phase können die Bestimmungsämter in dieser Eigenschaft ihr nationales Recht zur Vertretung anwenden. 59

Bei Bevollmächtigung eines zugelassenen Vertreters ist zu beachten, dass das für europäische Direktanmeldungen geltende vereinfachte Verfahren, wonach ein zugelassener Vertreter, der sich als solcher zu erkennen gibt, grundsätzlich keine unterzeichnete Vollmacht einreichen muss, in der internationalen Phase nicht anwendbar ist.[16] Die vom EPA abgegeben sogenannten Verzichtserklärungen zu den für eine Bevollmächtigung zu erfüllenden Erfordernissen haben diesbezüglich in Verfahren nach dem PCT gewisse Erleichterungen gebracht (Rdn 63 ff). 60

Ein Anmelder kann einen zugelassenen Vertreter durch Ausfüllen des betreffenden Felds im Formblatt für den PCT-Antrag und Unterzeichnung dieses Formblatts bestellen (R 90.4 a) und 4.7 PCT). In dem Fall, dass der Anmelder selbst unterzeichnet, muss keine gesonderte Vollmacht eingereicht werden. 61

Wurde der PCT-Antrag vom Anwalt für die internationale Phase unterzeichnet, so muss der Anmelder grundsätzlich eine gesonderte unterzeichnete Vollmacht einreichen (R 90.4 b) und c) PCT), sofern das Anmeldeamt hierauf nicht verzichtet hat. 62

Das EPA hat in seiner Eigenschaft als Anmeldeamt (wie auch als ISA und IPEA) auf dieses Erfordernis verzichtet.[17] 63

Nach R 90.5 PCT kann ein zugelassener Vertreter für das Verfahren vor dem EPA als Anmeldeamt auch dadurch bestellt werden, dass im Antrag oder in einer gesonderten Mitteilung auf eine bereits vorhandene allgemeine Vollmacht Bezug genommen wird. Eine wirksame Bestellung setzt voraus, dass die allgemeine Vollmacht ordnungsgemäß eingereicht und dass eine Abschrift dem PCT-Antrag bzw der gesonderten Mitteilung beigefügt wird. Bei einer Bestellung durch Bezugnahme auf eine allgemeine Vollmacht muss weder der PCT-Antrag noch die gesonderte Mitteilung bzw die Abschrift der Vollmacht vom Anmelder unterzeichnet werden. 64

Das EPA als Anmeldeamt (sowie als ISA und IPEA) hat in Ausübung des ihm nach R 90.5 c) PCT zustehenden Ermessens auf das Erfordernis verzichtet, dass dem PCT-Antrag oder der gesonderten Mitteilung eine Abschrift der allgemeinen Vollmacht beigefügt werden muss. 65

---

16 ABl 1991, 489; ABl 1994, 538.
17 ABl 2004, 305.

66 Das EPA empfiehlt jedoch, von beiden Verzichtsregelungen möglichst keinen Gebrauch zu machen, da für alle Zurücknahmeerklärungen nach R 90bis.1–4 PCT eine vollständige Bestellung durch Einreichung einer gesonderten Vollmacht oder einer allgemeinen Vollmacht vorgeschrieben ist (R 90.4 e) und 90.5 d) PCT.[18] Insbesondere die kurzfristige Einholung einer gesonderten, von allen Anmeldern unterzeichneten Vollmacht kann sich als schwierig erweisen. Im Übrigen kann das EPA jederzeit – zB bei Zweifeln an der Berechtigung des Vertreters für die betreffende Anmeldung tätig zu werden – immer die Vorlage eine gesonderten Vollmacht oder einer Abschrift der allgemeinen Vollmacht verlangen.[19]

67 Die Bestellung eines Anwalts im PCT-Antrag ist nur für die internationale Phase gültig. Somit gilt ein vor dem EPA zugelassener Vertreter, der in der internationalen Phase für den Anmelder gehandelt hat, nicht automatisch als dessen Vertreter in der europäischen Phase (Art 158 Rdn 124). Ist das EPA jedoch Anmeldeamt und bestellt der Anmelder durch gesonderte Vollmacht einen zugelassenen Vertreter, so kann er in der Vollmacht angeben, dass dieser ihn auch vor dem EPA als Bestimmungsamt/ausgewähltes Amt vertreten soll.

7 Rechtsbehelfe gegen die Fiktion der Zurücknahme der internationalen Anmeldung vor dem Anmeldeamt

68 Stellt das Anmeldeamt nach Zuerkennung eines Anmeldetags fest, dass die internationale Anmeldung bestimmte Mängel aufweist, und kommt der Anmelder der Aufforderung zur Beseitigung dieser Mängel nicht innerhalb der gesetzten Frist nach (R 26.1 PCT), so gilt die internationale Anmeldung nach Art 14 (1) b) PCT als zurückgenommen und wird vom Anmeldeamt für zurückgenommen erklärt. Zuvor gibt das Anmeldeamt dem Anmelder allerdings Gelegenheit, binnen einem Monat nach der Mitteilung über die vorläufige Feststellung Gegenvorstellungen zu erheben (R 29.4 PCT).

69 Falls die Rücknahmefiktion auf einen Fehler oder ein Unterlassen des Anmelders zurückzuführen ist, kann dieser die Möglichkeit einer Nachprüfung nach den Art 25 und 24 (2) PCT iVm Art 48 (2) PCT in Anspruch nehmen (Art 153 Rdn 45 ff).

70 Um eine Nachprüfung durch das EPA als Bestimmungsamt zu erwirken, müssen nicht nur die Bedingungen von Art 25 (1) und (2) a) PCT iVm R 51.1 und 51.3 PCT erfüllt werden, sondern zugleich auch die Bedingungen für die Anwendung der einschlägigen Rechtsbehelfe nach dem EPÜ wie zB der Weiterbehandlung der Anmeldung nach Art 121 EPÜ.

71 Ein Anmelder kann das Nachprüfungsverfahren nach Art 24 (2) PCT iVm Art 25 (2) PCT auch dann in Anspruch nehmen, wenn eine (angebliche) An-

---

18 Euro-PCT Leitfaden Nrn 32–33.
19 ABl 2004, 305.

meldung nach Auffassung des Anmeldeamts nicht die Voraussetzungen für die Zuerkennung eines internationalen Anmeldetags erfüllt und mangels Berichtigung durch den Anmelder nicht als internationale Anmeldung behandelt wird (Art 11 (2) und R 20.7 PCT). Im Falle eines Fehlers des Anmeldeamts oder des IB, der zur Zuerkennung eines falschen Anmeldetags oder zum Verlust der Priorität geführt hat, kann Berichtigung dieses Fehlers nach R 82ter PCT beim Anmeldeamt oder beim IB beantragt werden.

Bei einer Verzögerung der Postzustellung oder einem Verlust von Anmeldungsunterlagen auf dem Postweg kann sich der Anmelder auf R 82.1 PCT berufen. Mit dieser Vorschrift kann jedoch ein Verlust des Prioritätsrechts dann nicht abgewendet werden, wenn die Anmeldung auf Grund einer Verzögerung der Postzustellung erst nach Ablauf des Prioritätsjahrs eingeht (Art 48 (1) PCT) (Art 152 Rdn 29). 72

Für die übrigen Fristen, die sich nicht unmittelbar aus dem PCT ergeben, gelten die einschlägigen Vorschriften des EPÜ (insbesondere R 83 und R 85 EPÜ). 73

Bei der Berechnung der Fristen, die das EPA für eine internationale Anmeldung setzt, ist R 80.6 PCT zu beachten: Fristen, die mit dem Datum einer Mitteilung zu laufen beginnen, verlängern sich entsprechend, wenn der Empfänger nachweisen kann, dass das Schriftstück erst nach diesem Datum abgeschickt worden ist. Kann der Empfänger belegen, dass das Schriftstück ihm mehr als sieben Tage nach dem darauf ausgewiesenen Datum zugegangen ist, so kommt es nicht mehr auf den Nachweis des Absendetags an. Die Frist verlängert sich dann um die Anzahl Tage, um welche die sieben Tage überschritten werden. 74

Artikel 151 Das Europäische Patentamt als Anmeldeamt

(1) Das Europäische Patentamt kann Anmeldeamt im Sinn des Artikels 2 Ziffer xv des Zusammenarbeitsvertrags sein, wenn der Anmelder Staatsangehöriger eines Vertragsstaats dieses Übereinkommens ist, für den der Zusammenarbeitsvertrag in Kraft getreten ist; das Gleiche gilt, wenn der Anmelder in diesem Staat seinen Wohnsitz oder Sitz hat.

(2) Das Europäische Patentamt kann auch Anmeldeamt sein, wenn der Anmelder Staatsangehöriger eines Staats ist, der nicht Vertragsstaat dieses Übereinkommens, jedoch Vertragsstaat des Zusammenarbeitsvertrags ist und der mit der Organisation eine Vereinbarung geschlossen hat, nach der das Europäische Patentamt nach Maßgabe des Zusammenarbeitsvertrags anstelle des nationalen Amts dieses Staats als Anmeldeamt tätig wird; das Gleiche gilt, wenn der Anmelder in diesem Staat seinen Wohnsitz oder Sitz hat.

Artikel 151 *Das EPA als Anmeldeamt*

(3) Vorbehaltlich der vorherigen Zustimmung des Verwaltungsrats wird das Europäische Patentamt auf Grund einer zwischen der Organisation und dem Internationalen Büro der Weltorganisation für geistiges Eigentum geschlossenen Vereinbarung auch für andere Anmelder als Anmeldeamt tätig.

Reinoud Hesper

Übersicht

1	Einleitung	1-4
2	Art 151 (1) – Das EPA als Anmeldeamt für Anmeldungen aus EPÜ-Vertragsstaaten	5-8
3	Art 151 (2) – EPA als Anmeldeamt anstelle nationaler Patentämter von Nicht-EPÜ-Staaten	9-10
4	Art 151 (3) – EPA als Anmeldeamt für andere Anmelder	11-12
5	Nationale Ämter der EPÜ-Vertragsstaaten als Anmeldeamt als Alternative zum EPA	13-18
6	Universalzuständigkeit des IB	19-22

1 Einleitung

1   Art 151 EPÜ legt fest, dass das EPA gemäß Art 10 iVm R 19 PCT Anmeldeamt sein kann. Der Begriff »Anmeldeamt« wird in Art 2 xv) PCT definiert als »*das nationale Amt oder die zwischenstaatliche Organisation, bei der die internationale Anmeldung eingereicht worden ist*«. Ferner regelt Art 151 EPÜ, für welche Kategorien von Anmeldern das EPA als Anmeldeamt tätig werden kann. Grundlage für diese Vorschrift ist unter anderem R 19 PCT, in der die Kriterien zur Bestimmung des bzw der für eine Anmeldung als Anmeldeamt zuständigen nationalen und/oder regionalen Patentamt bzw Patentämter genannt werden.

2   Die EPÜ-Staaten haben es Anmeldern ausdrücklich freigestellt, ihre internationale Anmeldung wahlweise bei dem für sie zuständigen nationalen Patentamt oder beim EPA in seiner Eigenschaft als »regionales Patentamt« (regionales Amt) als Anmeldeamt einzureichen (Art 2 xii) PCT). Als dritte Alternative kommt das IB in Betracht, das nicht nur vom Anmelder gewählt werden kann, sondern in einigen Fällen auch als »Auffang-Anmeldeamt« fungiert (Rdn 20).

3   Wie bei der Kommentierung von Art 152 EPÜ näher dargelegt werden wird, kann Anmeldern, die Staatsangehörige eines EPÜ-Vertragsstaates sind und/oder dort ihren Sitz oder Wohnsitz haben, unter *keinen* Umständen das Recht abgesprochen werden, das EPA als Anmeldeamt zu wählen (Art 152 Rdn 9). Das schließt jedoch nicht aus, dass eine internationale Anmeldung, für die der Anmelder das EPA als Anmeldeamt in Anspruch nehmen möchte, nach dem nationalen Recht des betreffenden EPÜ-Vertragsstaates aus Gründen der nationalen Sicherheit *über* das nationale Amt dieses Staates beim EPA eingereicht

werden muss. In diesem Fall handelt das nationale Amt für die Anmeldung lediglich als Annahmestelle für das EPA und nicht als zuständiges Anmeldeamt (Art 152 Rdn 4 ff).

Vorschriften zur Einreichung einer Anmeldung beim EPA als Anmeldeamt enthält Art 152 EPÜ (Art 152 Rdn 1 ff). Einzelheiten zum Verfahren vor dem EPA als Anmeldeamt sind in R 104 EPÜ festgelegt (Art 152 Rdn 18 ff). Siehe auch Prüfungsrichtlinien E-IX, 2. 4

2 Art 151 (1) – Das EPA als Anmeldeamt für Anmeldungen aus EPÜ-Vertragsstaaten

Entsprechend R 19.1 a) PCT sieht Art 151 Absatz 1 EPÜ vor, dass das EPA Anmeldeamt für Anmelder ist, die die Staatsangehörigkeit eines Staates besitzen, für den sowohl das EPÜ als auch der PCT in Kraft getreten ist, oder die in einem solchen EPÜ/PCT-Staat ihren Sitz oder Wohnsitz haben. Gegenwärtig sind alle 31 EPÜ-Staaten auch Vertragsstaaten des PCT. 5

Ob ein Anmelder, der dies von sich behauptet, tatsächlich »Angehöriger« eines PCT-Vertragsstaates bzw dort »ansässig« ist, richtet sich R 18.1 PCT zufolge nach dem nationalen Recht des betreffenden Staates. R 18.1 b) PCT setzt der diesbezüglichen normativen Freiheit der Vertragsstaaten jedoch Grenzen. In jedem Fall gilt der »Besitz einer tatsächlichen und nicht nur zum Schein bestehenden gewerblichen oder Handelsniederlassung« in einem PCT-Vertragsstaat als Sitz oder Wohnsitz in diesem Staat (R 18.1 b) i) PCT). Außerdem gilt eine juristische Person, die nach dem Recht eines PCT-Vertragsstaates gegründet wurde, als dessen Staatsangehörige (R 18.1 b) ii) PCT). Will das EPA feststellen, ob ein Anmelder berechtigt ist, eine Anmeldung bei ihm als Anmeldeamt einzureichen, so muss es daher prüfen, ob der Anmelder nach dem nationalen Recht des betreffenden EPÜ-Staates unter Beachtung der vom PCT gesetzten Grenzen als Angehöriger dieses Staates oder als in diesem Staat ansässig angesehen werden kann. 6

Bei zwei oder mehr Anmeldern genügt es, wenn wenigstens einer von ihnen die Voraussetzungen des Art 151 (1) EPÜ erfüllt (R 19.2 i) PCT). 7

EPÜ 2000

Art 151 EPÜ 2000 umfasst einen einzigen Absatz, dessen erster Satz bestimmt, dass das EPA nach Maßgabe der Ausführungsordnung als Anmeldeamt tätig wird. R 104 (1) EPÜ 2000 sieht vor, dass das EPA als Anmeldeamt zuständig ist, wenn der Anmelder Staatsangehöriger eines Vertragsstaates ist oder dort seinen Wohnsitz oder Sitz hat, wie dies auch bisher nach Art 151 (1) EPÜ der Fall war. Art 151 Satz 2 EPÜ 2000 bestätigt die Anwendbarkeit von Art 75 (2) EPÜ 2000 (Art 152 Rdn 8 ff). Dem Kommentar zum EPÜ 2000 liegt die Fassung des EPÜ 2000 und der Ausführungsordnung zum EPÜ 2000 (R 104–112 8

EPÜ 2000) *gemäß Beschluss des Verwaltungsrats vom 12. Dezember 2002*[1] zu Grunde. In diesem Zusammenhang ist jedoch anzumerken, dass bei Redaktionsschluss weitere Änderungen der R 104–112 EPÜ 2000 erwogen wurden und dass auch eine Änderung der Nummerierung der Regeln der Ausführungsordnung im Gespräch war.

3 Art 151 (2) – EPA als Anmeldeamt anstelle nationaler Patentämter von Nicht-EPÜ-Staaten

9   Nach Art 151 Absatz 2 EPÜ kann das EPA grundsätzlich auch für Anmelder als Anmeldeamt tätig werden, die die Staatsangehörigkeit eines *Nicht*-EPÜ-Staates besitzen, der Vertragstaat des PCT ist, oder dort ihren Sitz oder Wohnsitz haben. Diese Anmelder dürfen das EPA jedoch nach Art 151 (2) EPÜ iVm R 19.1 b) PCT nur unter der Voraussetzung als Anmeldeamt wählen, dass zwischen dem betreffenden PCT-Vertragsstaat und dem EPA eine entsprechende Vereinbarung geschlossen wurde. Das Recht des Anmelders, eine internationale Anmeldung bei einem Anmeldeamt einzureichen, der *für* den PCT-Vertragsstaat *handelt*, dessen Angehöriger der Anmelder ist oder in dem er seinen Sitz oder Wohnsitz hat, ergibt sich aus R 19.1 a) PCT.

EPÜ 2000

10   In Anbetracht der Universalzuständigkeit des IB (Rdn 19) wurde es als unwahrscheinlich angesehen, dass die in Art 151 (2) EPÜ vorgesehene Möglichkeit, von der bislang niemals Gebrauch gemacht wurde, künftig jemals genutzt würde. Daher wurde diese Vorschrift im EPÜ 2000 gestrichen. Bei Bedarf könnte auf der Grundlage von Art 151 EPÜ 2000 eine entsprechende Vorschrift in die Ausführungsordnung aufgenommen werden (Rdn 8).

4 Art 151 (3) – EPA als Anmeldeamt für andere Anmelder

11   Nach Art 151 Abs 3 könnte das EPA nach Abschluss einer Vereinbarung mit der WIPO auch für Anmelder aus Nicht-PCT-Staaten als Anmeldeamt tätig werden. Voraussetzung hierfür ist ein entsprechender Beschluss der Versammlung der PCT-Vertragsstaaten. Ein solcher Beschluss kann nur zugunsten von Staatsangehörigen eines der Pariser Verbandsübereinkunft, nicht aber dem PCT angehörenden Staates oder zugunsten von Anmeldern mit Sitz oder Wohnsitz in einem solchen Staat gefasst werden (Art 9 (2) und R 19.1 c) PCT). Ein solcher Beschluss auf der Grundlage von Art 9 (2) PCT ist bislang noch niemals gefasst worden.

EPÜ 2000

12   Aus denselben Gründen, aus denen Art 151 (2) EPÜ gestrichen wurde, wurde im EPÜ 2000 auch auf die Beibehaltung von Absatz 3 verzichtet.

---

1   ABl Sonderausgabe Nr 1, 74 ff

5 Nationale Ämter der EPÜ-Vertragsstaaten als Anmeldeamt als Alternative zum EPA

Für die Entscheidung eines Anmelders, bei welchem Anmeldeamt er eine internationale Anmeldung einreichen soll, sind eine Reihe von Kriterien von Bedeutung, wie etwa die vom jeweiligen Anmeldeamt vorgeschriebene(n) Einreichungssprache(n) (Art 11 (1) ii) PCT; Vor Art 151/152 Rdn 5 ff) und die Auswahl an ISA und IPEA, die für jedes der zuständigen Anmeldeämter zur Verfügung steht (Art 154 Rdn 14 ff; Art 155 Rdn 13 ff).

Neben der in vielen Fällen größeren geographischen Nähe des nationalen Patentamts kann dessen Wahl für den Anmelder den Vorzug haben, dass die internationale Anmeldung dort anders als beim EPA in einer anderen Sprache als Deutsch, Englisch oder Französisch eingereicht werden kann (R 104 (1) EPÜ) (Vor Art 151/152 Rdn 5 ff).

Zudem haben Anmelder bei Einreichung einer internationalen Anmeldung bei bestimmten nationalen Patentämtern von EPÜ-Vertragsstaaten als Anmeldeamt die Möglichkeit, zwischen mehreren zuständigen ISA und IPEA zu wählen, während die Entscheidung für das EPA als Anmeldeamt bedeutet, dass keine andere internationale Behörde als das EPA selbst für die internationale Recherche und die anschließende internationale vorläufige Prüfung zuständig sein wird.

Insbesondere dann, wenn die Einreichung bei einem nationalen Patentamt als Anmeldeamt es nicht nur gestattet, die internationale Anmeldung in einer anderen Sprache als Deutsch, Englisch oder Französisch einzureichen, sondern auch, die internationale Recherche in dieser Sprache durchführen zu lassen, kann die Sprache für den Anmelder einen wichtigen Entscheidungsfaktor darstellen.

Wird jedoch die Anmeldung beim Anmeldeamt eines EPÜ-Vertragsstaats in einer bei diesem Amt als Anmeldesprache zugelassenen Sprache eingereicht, die nicht Deutsch, Englisch oder Französisch ist, so muss für die Zwecke der internationalen Veröffentlichung innerhalb von 14 Monaten seit dem Prioritätstag eine Übersetzung der internationalen Anmeldung in eine der vom Anmeldeamt zugelassenen Veröffentlichungssprachen eingereicht werden (R 12.4 a) PCT) (Vor Art 151/152 Rdn 5 ff).

Was die EPÜ-Vertragsstaaten betrifft, gilt eine Ausnahme nur für Anmeldungen, die beim spanischen Patentamt in spanischer Sprache eingereicht werden, wenn dieses Amt auch als zuständige ISA für die betreffende Anmeldung gewählt wurde. Da Spanisch eine Veröffentlichungssprache ist, werden bei diesem Amt eingereichte Anmeldungen in dieser Sprache veröffentlicht. Angesichts der Tatsache, dass das spanische Patentamt auch als IPEA tätig werden kann, kann eine beim diesem Patentamt als Anmeldeamt eingereichte internationale Anmeldung während der internationalen Phase auch ohne Übersetzung bearbeitet werden. Innerhalb des räumlichen Geltungsbereichs des EPÜ ist dies – von den Amtssprachen des EPA abgesehen – nicht nur für auf Spanisch, sondern auch für auf Russisch eingereichte Anmeldungen möglich. So kann beispielsweise eine beim bulgarischen oder beim lettischen Anmeldeamt in russischer Sprache eingereichte internationale Anmeldung in der internationalen Phase in dieser Sprache bearbeitet werden, ohne dass eine Übersetzung benötigt würde, da das Patentamt der Russischen Föderation vom Anmelder als ISA und ggf als IPEA gewählt werden kann und Russisch auch eine Veröffentlichungssprache ist.

6 Universalzuständigkeit des IB

19 Unabhängig davon, in welchem PCT-Vertragsstaat er seinen Sitz oder Wohnsitz hat bzw welche Staatsangehörigkeit er besitzt, kann *jeder* Anmelder seine internationale Anmeldung beim Internationalen Büro der WIPO (IB) als Anmeldeamt einreichen (R 19.1 a) iii) PCT). In diesem Zusammenhang wird auch von der »Universalzuständigkeit« des IB als Anmeldeamt gesprochen. Die Anmeldung kann beim IB als Anmeldeamt in jeder Sprache eingereicht werden.[2] Zusätzlich kann das IB auf Grund einer Vereinbarung gemäß R 19.1 b) PCT als Anmeldeamt für PCT-Vertragsstaaten tätig werden, die diese Funktion nicht selbst wahrnehmen möchten. Derartige Vereinbarungen sind zugunsten der Staatsangehörigen bzw Gebietsansässigen einer Anzahl von PCT-Vertragsstaaten wie zB Madagaskar und Nigeria geschlossen worden.

20 Überdies begründet R 19.4 PCT eine Art »Auffangzuständigkeit« des IB für den Fall, dass eine internationale Anmeldung bei einem unzuständigen Anmeldeamt oder in einer Sprache eingereicht wird, die bei dem betreffenden Anmeldeamt nicht nach R 12.1 (a) PCT zugelassen ist. Des Weiteren kann jedes nationale Patentamt mit dem IB übereinkommen, dass dieses Verfahren auch aus anderen Gründen zur Anwendung kommen soll, so etwa im Falle der versehentlichen Übermittlung einer internationalen Anmeldung an ein Anmeldamt, das zwar grundsätzlich zuständig ist, für das sie aber nicht bestimmt ist (Art 152 Rdn 28). Ein Beispiel ist der versehentliche Einwurf eines an das EPA adressierten Schreibens in den Briefkasten des DPMA (Art 152 Rdn 28).

21 In all diesen Fällen gilt die Anmeldung als vom betreffenden Amt im Namen des IB entgegengenommen und wird unverzüglich an das IB weitergeleitet. Da der internationalen Anmeldung nach R 19.4 b) PCT der Tag der Entgegennahme durch das unzuständige nationale Patentamt zuerkannt wird, kann somit ein Verlust von Prioritätsrechten vermieden werden.

22 Nur für den Fälligkeitszeitpunkt der internationalen Anmeldegebühr (R 15.4 PCT), der Übermittlungsgebühr (R 14.1 c) PCT) und der internationalen Recherchengebühr (R 16.1 f) PCT) wird vom Datum des tatsächlichen Eingangs der internationalen Anmeldung beim IB ausgegangen (R 19.4 c) PCT). Zuguns-

---

2 PCT-Leitfaden der WIPO, Bd I/C unter IB.

ten des übermittelnden nationalen Amtes kann eine Übermittlungsgebühr erhoben werden. Das EPA verlangt zwar für sein Tätigwerden als zuständiges Anmeldeamt (Art 152 Rdn 35 ff), nicht aber für die Übermittlung einer Anmeldung an das IB nach R 19.4 b) PCT eine Übermittlungsgebühr.[3]

Artikel 152 Einreichung und Weiterleitung der internationalen Anmeldung

(1) Wählt der Anmelder das Europäische Patentamt als Anmeldeamt für seine internationale Anmeldung, so hat er diese unmittelbar beim Europäischen Patentamt einzureichen. Artikel 75 Absatz 2 ist jedoch entsprechend anzuwenden.

(2) Die Vertragsstaaten ergreifen im Fall der Einreichung einer internationalen Anmeldung beim Europäischen Patentamt durch Vermittlung der zuständigen Zentralbehörde für den gewerblichen Rechtsschutz alle geeigneten Maßnahmen, um sicherzustellen, dass die Anmeldungen so rechtzeitig an das Europäische Patentamt weitergeleitet werden, dass dieses den Übermittlungspflichten nach dem Zusammenarbeitsvertrag rechtzeitig genügen kann.

(3) Für die internationale Anmeldung ist die Über-mittlungsgebühr zu zahlen, die innerhalb eines Monats nach Eingang der Anmeldung zu entrichten ist.

Reinoud Hesper

Übersicht
1	Einführung	1-3
2	Art 152 (1) – Unmittelbare Einreichung beim Europäischen Patentamt	4-30
2.1	R 104 (1) und (2) EPÜ – Einreichungsmodalitäten und Formvorschriften	18-30
3	Art 152 (2), R 104 (3) – Weiterleitung an das Europäische Patentamt	31-34
4	Art 152 (3) – Verpflichtung zur Zahlung einer Übermittlungsgebühr	35-36

1 Einführung

Diese Vorschrift regelt die Einreichung der internationalen Anmeldung, soweit 1 sich der Anmelder für das EPA als Anmeldeamt entschieden hat (Art 151 Rdn 2). Für den seltenen Fall der Einreichung beim EPA »durch Vermittlung der zuständigen Zentralbehörde für den gewerblichen Rechtsschutz« eines

---

3 ABl 1993, 764 Fußnote 2.

Artikel 152 *Einreichung der internationalen Anmeldung*

EPÜ-Vertragsstaates (im Folgenden: »über ein nationales Patentamt«) wird in Art 152 (2) EPÜ und R 104 (3) EPÜ deren Verpflichtung zur rechtzeitigen Weiterleitung der internationalen Anmeldung an das EPA festgelegt. Art 152 (3) EPÜ sieht vor, dass für die Tätigkeit des EPA als Anmeldeamt eine Übermittlungsgebühr zu zahlen ist (Vor Art 151/152 Rdn 46 ff).

2 Die Bearbeitung der Anmeldung durch das EPA als Anmeldeamt erfolgt nicht nur nach Maßgabe des PCT und seiner Ausführungsordnung, sondern insbesondere auch der Verwaltungsvorschriften zum PCT und der PCT-Richtlinien für Anmeldeämter. Für weitere Einzelheiten wird auf den Euro-PCT-Leitfaden, Abschnitt B, sowie auf die Prüfungsrichtlinien E-IX, 2 verwiesen.

EPÜ 2000

3 Wie bereits ausgeführt (Art 151 Rdn 8 ff), wurden die Artikel 151 und 152 EPÜ im EPÜ 2000 zu Art 151 zusammengefasst, wobei die meisten Bestimmungen des bisherigen Art 152 EPÜ in die Ausführungsordnung zum EPÜ 2000 aufgenommen wurden (siehe im Einzelnen unten Rdn 14, 34, 36).

2 Art 152 (1) – Unmittelbare Einreichung beim Europäischen Patentamt

4 Anmelder, die Staatsangehörige eines Vertragsstaats des EPÜ sind oder in einem solchen Staat ihren Sitz oder Wohnsitz haben, können eine internationale Anmeldung wahlweise beim nationalen Patentamt dieses Staates, beim IB oder beim EPA *als Anmeldeamt* einreichen (Art 151 Rdn 1–4).

5 Wird allerdings das EPA als Anmeldeamt gewählt, so muss die internationale Anmeldung nach Art 152 (1) Satz 1 EPÜ beim EPA selbst, dh unmittelbar bei einer seiner Annahmestellen eingereicht werden. Ein Anmelder, der sich für das EPA als Anmeldeamt entscheidet, darf seine Anmeldung daher grundsätzlich nicht bei einem nationalen Patentamt eines EPÜ-Vertragsstaats einreichen, es sei denn, er ist nach nationalem Recht hierzu verpflichtet (Rdn 8; Art 75 Rdn 8 ff). Die Einreichung einer internationalen Anmeldung gemäß Art 152 (1) EPÜ *unterscheidet* sich somit in einem wesentlichen Aspekt von der Einreichung einer europäischen Direktanmeldung nach Art 75 (1) EPÜ, bei der der Anmelder zwischen der Einreichung beim EPA selbst und – sofern nach nationalem Recht zulässig – der Einreichung beim zuständigen nationalen Patentamt wählen kann (Art 75 Rdn 1).

6 Als Annahmestellen fungieren neben dem EPA in München dessen Dienststelle in Berlin sowie die Zweigstelle in Den Haag; ihre Anschrift ist der hinteren Umschlagseite des Amtsblatts sowie der Website des EPA zu entnehmen. Die Dienststelle des EPA in Wien und das Verbindungsbüro in Brüssel sind hingegen keine Annahmestellen; internationale Anmeldungen, die diesen zugehen, werden an eine der Annahmestellen weitergeleitet und erhalten als internationalen Anmeldetag den Tag des Eingangs bei der betreffenden Annahmestelle (Art 75 Rdn 5).

Die nach Absatz 1 vorgeschriebene Einreichung einer internationalen Anmeldung, für die das EPA *Anmeldeamt* sein soll, unmittelbar beim EPA selbst (unter Ausschluss der Einreichung über ein nationales Patentamt als »Annahmestelle«, siehe Rdn 8) soll es dem EPA ermöglichen, die im PCT festgesetzten strengen Fristen für die Bearbeitung der Anmeldung einzuhalten. Das EPA muss eine internationale Anmeldung nämlich wie jedes andere Anmeldamt auch nach einer Formalprüfung und der Bestimmung des Anmeldetags rechtzeitig an das IB und die zuständige ISA weiterleiten (Art 11, 12 und 14 PCT, R 20–23 PCT). Wohlgemerkt steht Art 152 (1) EPÜ dem Recht des Anmelders nicht entgegen, sein *nationales* Patentamt als *Anmeldeamt* auszuwählen. 7

Eine Ausnahme von der Verpflichtung zur *unmittelbaren* Einreichung beim EPA als Anmeldeamt ist in Art 152 (1) Satz 2 EPÜ vorgesehen, wonach Art 75 (2) EPÜ auf die Einreichung von internationalen Anmeldungen, für die das EPA Anmeldeamt ist, entsprechend anzuwenden ist. 8

Nach Art 75 (2) EPÜ kann das nationale Recht der EPÜ-Vertragsstaaten vorschreiben, dass eine Anmeldung wegen eines staatlichen Geheimhaltungsinteresses zuerst bei der zuständigen nationalen Behörde einzureichen ist (Art 75 Rdn 8–17). Das bedeutet, dass ein EPÜ-Vertragsstaat nicht nur verlangen kann, dass europäische Patentanmeldungen, sondern auch, dass internationale Anmeldungen, für die das EPA als Anmeldeamt ausgewählt wurde, zunächst dem nationalen Patentamt zugeleitet werden. Kommt eine solche nationale Rechtsvorschrift zur Anwendung, so wird das nationale Amt – quasi als »Annahmestelle« – für das EPA als dem Anmeldeamt tätig. Anmeldern kann jedoch nicht unter Berufung auf Art 152 (1) Satz 2 EPÜ iVm Art 75 (2) EPÜ das Recht abgesprochen werden, das EPA als Anmeldeamt zu wählen, indem ihnen vorgeschrieben wird, dass sie eine internationale Anmeldung beim nationalen Patentamt als *Anmeldeamt* einzureichen haben. Eine derartige Vorschrift würde gegen das EPÜ verstoßen. 9

Art 152 (1) Satz 1 und 2 EPÜ trägt den Interessen der Anmelder, der EPÜ-Vertragsstaaten und des PCT-Systems gleichermaßen Rechnung. Zum einen wird gewährleistet, dass Anmelder sich für jede internationale Anmeldung frei zwischen dem zuständigen nationalen Patentamt und dem EPA als Anmeldeamt entscheiden können. Zum anderen wird sichergestellt, dass jeder EPÜ-Vertragsstaat den Inhalt von internationalen Anmeldungen aus staatlichen Sicherheitserwägungen auch dann überprüfen kann, wenn das EPA Anmeldeamt ist. Und schließlich wird die Gefahr einer Überschreitung der strikten PCT-Fristen soweit möglich minimiert, indem für den Fall, dass das EPA Anmeldeamt ist, eine Einreichung über das zuständige nationale Patentamt außer in den Art 75 (2) EPÜ vorgesehenen Ausnahmefällen nicht gestattet wird. 10

Wird eine Anmeldung über ein lediglich als Annahmestelle fungierendes nationales Patentamt beim EPA eingereicht, so gilt der Tag des Eingangs beim nationalen Patentamt als internationaler Anmeldetag. Zu beachten ist in diesem 11

Artikel 152 *Einreichung der internationalen Anmeldung*

Zusammenhang, dass die Anmeldung in diesem Fall zwingend in einer der drei Amtssprachen des EPA eingereicht werden muss, da das EPA Anmeldeamt ist (R 104 (1) EPÜ, R 19.4 PCT) (Art 151 Rdn 20).

12 Viele Vertragsstaaten des EPÜ haben von der Möglichkeit Gebrauch gemacht, gemäß Art 152 (1) Satz 2 EPÜ für (bestimmte) internationale Anmeldungen aus staatlichen Sicherheitserwägungen die Einreichung über das zuständige nationale Patentamt vorzuschreiben. Der Anmelder hat hierbei die Wahl, ob er die Anmeldung beim betreffenden nationalen Amt in seiner Eigenschaft als Anmeldeamt oder als für das EPA handelnde Annahmestelle einreichen will. Die meisten Staaten gestatten es ihren Staatsangehörigen sowie Gebietsansässigen jedoch, ihre Anmeldung unmittelbar beim EPA als Anmeldeamt einzureichen, wenn für die Anmeldung die Priorität einer früheren im betreffenden Staat eingereichten Anmeldung beansprucht wird. Die Verantwortung für die Beachtung der entsprechenden Vorschriften des nationalen Rechts liegt ausschließlich beim Anmelder, das EPA überprüft deren Einhaltung *nicht.* Ausführliche Angaben zu einschlägigen Vorschriften finden sich in der EPA-Broschüre *Nationales Recht zum EPÜ*, Tabelle II, und im PCT-Leitfaden der WIPO, Bd 1/A, Anhang B1.

13 Sind Anmelder nach nationalem Recht verpflichtet, eine internationale Anmeldung zuerst dem nationalen Amt zuzuleiten, so machen sie nur selten von der Möglichkeit Gebrauch, das EPA als Anmeldeamt zu wählen. In der Regel wählt der Anmelder in diesem Fall das zuständige nationale Patentamt als Anmeldeamt und vermeidet damit die Notwendigkeit einer Übermittlung der Anmeldung an das EPA innerhalb der strengen Frist nach R 104 (3) EPÜ (Rdn 31 ff).

EPÜ 2000

14 Dem Kommentar zum EPÜ 2000 liegt die Fassung des EPÜ 2000 und der Ausführungsordnung zum EPÜ 2000 (R 104–112 EPÜ 2000) *gemäß Beschluss des Verwaltungsrats vom 12. Dezember 2002*[1] zu Grunde. In diesem Zusammenhang ist jedoch anzumerken, dass bei Redaktionsschluss weitere Änderungen der R 104–112 EPÜ 2000 erwogen wurden und dass auch eine Änderung der Nummerierung der Regeln der Ausführungsordnung im Gespräch war.

15 Zu den *Änderungen von Art 152 (1) EPÜ* ist Folgendes anzumerken:

Art 152 (1) Satz 1 EPÜ, wonach eine internationale Anmeldung, für die das EPA Anmeldeamt sein soll, unmittelbar beim EPA einzureichen ist, wurde im EPÜ 2000 gestrichen. Dieser wichtige Grundsatz hat in R 104 (1) Satz 2 EPÜ 2000 Eingang gefunden. Gegenüber der heutigen Fassung ist die einzige Ausnahme von diesem Grundsatz in der Formulierung in Art 151 (1) Satz 2 EPÜ 2000 eher indirekt enthalten. Danach ist Art 75 (2) anzuwenden, wenn das EPA

---

1   ABl Sonderausgabe Nr 1, 74 ff.

Einreichung der internationalen Anmeldung **Artikel 152**

als Anmeldeamt tätig wird (Rdn 8). In R 104 (1) Satz 3 EPÜ 2000 wird nochmals auf die Anwendbarkeit von Art 75 (2) EPÜ hingewiesen.

Bezüglich der *Änderungen von R 104 EPÜ* ist auf Folgendes hinzuweisen: 16
Die bislang in Art 151 (1) EPÜ genannten Voraussetzungen, unter denen das EPA Anmeldeamt sein kann, wurden in diesem Artikel gestrichen und in R 104 (1) Satz 1 EPÜ 2000 übernommen. R 104 (1) Satz 1 EPÜ, wonach die internationale Anmeldung in einer Amtssprache des EPA eingereicht werden muss, wurde im EPÜ 2000 in R 104 (2) Satz 1 aufgenommen. Satz 2 und 3 der bisherigen Fassung sind entfallen, da die Verpflichtung zur Einreichung einer Anmeldung in dreifacher Ausfertigung aufgehoben wurde.[2] Damit wurde auch Absatz 2 der bisherigen R 104 hinfällig. Nach einer vorsorglich in R 104 (2) Satz 2 EPÜ 2000 aufgenommenen Bestimmung kann der Präsident des EPA jedoch beschließen, dass die internationale Anmeldung und dazugehörige Unterlagen in mehrfacher Ausfertigung einzureichen sind.

Der *Inhalt der neuen R 104 EPÜ 2000* lässt sich wie folgt zusammenfassen. 17
R 104 (1) Satz 1 EPÜ 2000 legt fest, unter welchen Voraussetzungen das EPA als Anmeldeamt tätig sein kann. In Satz 2 wird die Verpflichtung statuiert, die Anmeldung unmittelbar beim EPA als Anmeldeamt einzureichen. Satz 3 wiederholt die hiervon geltende Ausnahme, auf die auch in Art 151 (1) Satz 2 EPÜ 2000 verwiesen wird, hinsichtlich der Einreichung über ein nationales Patentamt als Annahmestelle.

R 104 (2) Satz 1 EPÜ 2000 schreibt vor, dass die internationale Anmeldung in einer Amtssprache des EPA einzureichen ist. R 104 (2) Satz 2 EPÜ 2000 ermächtigt den Präsidenten vorsorglich, Umfang und Art der Anmeldeunterlagen näher zu bestimmen.

Auf R 104 (3) und (4) EPÜ 2000 wird weiter unten eingegangen (Rdn 31 ff).

2.1 R 104 (1) und (2) EPÜ – Einreichungsmodalitäten und Formvorschriften

Nach R 104 (1) EPÜ ist die Anmeldung in deutscher, englischer oder französischer Sprache einzureichen. Auf dieses Erfordernis wird in Vor Art 151/152 Rdn 5 ff) eingegangen. Da R 104 (1) und (2) EPÜ daneben auch Formvorschriften für die Einreichung einer internationalen Anmeldung enthält, sollen an dieser Stelle anhand dieser Vorschrift einige allgemeine Fragen im Zusammenhang mit der Einreichung einer internationalen Anmeldung geklärt werden. 18

Für die Einreichung der internationalen Anmeldung muss das vorgedruckte PCT-Antragsformblatt (PCT/RO/101) oder ein entsprechender Computerausdruck verwendet werden (R 3.1 PCT). Eine auf andere Weise erfolgte Einreichung muss nachträglich berichtigt werden (Art 14 (1) a) und (2) PCT). 19

---

2   ABl 2006, 439; Abschnitt 705bis PCT Verwaltungsvorschriften.

Artikel 152 *Einreichung der internationalen Anmeldung*

20 Auf Grund eines erst kürzlich gefassten Beschlusses des Präsidenten des EPA gemäß R 104 (1) EPÜ müssen die Anmeldeunterlagen, dh Antrag, Beschreibung, Ansprüche, Zusammenfassung und – soweit nach Art 7 PCT vorgeschrieben – Zeichnungen, **nicht mehr in drei Stücken** eingereicht werden, wie dies bislang nach R 104 (1) EPÜ, Art 3 (2) PCT, R 11.1 b) PCT vorgeschrieben war.[3] Für ab dem 1. Juli 2006 eingereichte Anmeldungen genügt beim EPA als Anmeldeamt die Einreichung sämtlicher Unterlagen in einfacher Ausfertigung. Diese Verbesserung im Verfahren wurde durch die vollständige Implementierung des Systems PHOENIX ermöglicht[4] (Art 128 Rdn 2).

21 Das EPA als Anmeldeamt sorgt für die erforderliche Verteilung von Kopien der eingereichten Anmeldung. Ein Exemplar verbleibt als »Anmeldeamtsexemplar« beim Anmeldeamt, die beiden anderen werden vom EPA an das IB (»Aktenexemplar«) bzw an die ISA (»Recherchenexemplar«) weitergeleitet (Art 12 PCT).

22 Der Verpflichtung aus R 104 (1) EPÜ, andere, in R 3.3 a) ii) PCT genannte und auf der rechten Seite von Feld IX des PCT-Antrags (PCT/RO/101) aufgeführte Unterlagen in dreifacher Ausfertigung einzureichen, muss ebenso wenig nachgekommen werden. Obwohl diesbezüglich kein ausdrücklicher Beschluss nach R 104 (1) EPÜ gefasst wurde, akzeptiert das EPA in langjähriger Praxis die Einreichung dieser sonstigen Unterlagen in einfacher Ausfertigung.[5] Nachdem sämtliche Unterlagen nur noch in einfacher Ausfertigung eingereicht werden müssen, ist R 104 (2) EPÜ gegenstandslos geworden und wird nicht mehr angewandt.

23 Die internationale Anmeldung kann direkt bei einer Annahmestelle des EPA abgegeben oder auf dem Postweg, per Telefax oder in elektronischer Form übermittelt werden (»elektronische Einreichung«). Das EPA bestätigt den Eingang der internationalen Anmeldung auf dem EPA-Formblatt 1030/1031.

24 Nach R 92.4 a) und h) PCT kann das EPA als Anmeldeamt die einschlägigen EPÜ-Bestimmungen bezüglich »Einrichtungen zur Nachrichtenübermittlung, die zur Einreichung eines gedruckten oder geschriebenen Schriftstücks führen« anwenden.[6] Daher wird hierauf an dieser Stelle nur insoweit eingegangen, als bestimmte mit dem PCT zusammenhängende Aspekte verdeutlicht werden sollen. Vgl auch die Kommentierung der entsprechenden EPÜ-Bestimmungen (Art 75 Rdn 23, Art 78 Rdn 1 ff).

25 Nicht in R 92.4 PCT geregelt ist die Einreichung in elektronischer Form, für die in R 89bis PCT eine eigene Bestimmung geschaffen wurde. Danach darf das Anmeldeamt eine elektronische Einreichung mit der Maßgabe zulassen, dass

---

3 Beschluss des Präsidenten vom 8. Juni 2006, ABl 2006, 439.
4 Beschluss des Präsidenten über die schrittweise Implementierung und Nutzung des elektronischen Aktensystems PHOENIX, ABl 1998, 360.
5 PrüfRichtl E-IX, 2.
6 ABl 1992, 384, Nr 6; ABl 2005, 44.

auch eine Einreichung auf Papier gestattet wird. Der Begriff »elektronische Einreichung« bezieht sich sowohl auf die Einreichung einer Anmeldung auf einem elektronischen Datenträger – dh einem physikalischen Medium, zum Beispiel einer CD – als auch auf die Online-Einreichung (R 89bis PCT und PCT Verwaltungsvorschriften). Das EPA als Anmeldeamt akzeptiert beide Arten der elektronischen Einreichung.[7] Für weitere Informationen zur elektronischen Einreichung wird auf die Website des EPA (www.epoline.org) sowie auf die diesbezüglichen Angaben im Euro-PCT-Leitfaden, Nr 21 ff verwiesen.

Das EPA hat von dem den Anmeldeämtern in R 92.4 h) PCT eingeräumten Ermessensspielraum in der Weise Gebrauch gemacht, dass die für europäische Direktanmeldungen geltenden Bestimmungen auf internationale Anmeldungen übertragen wurden. Eine internationale Anmeldung und alle zugehörigen Unterlagen dürfen somit weder telegraphisch, per Telex, Teletex oder ähnliche Verfahren eingereicht werden. Auf diesem Wege eingereichte Anmeldungen können einen wirksamen Anmeldetag nicht begründen.[8] Dasselbe gilt für E-Mails, da sie keine Rechtskraft besitzen und Verfahrenshandlungen nicht wirksam begründen können.[9] 26

Als Anmeldetag erhält eine bei einer Annahmestelle des EPA unmittelbar abgegebene oder ihr auf dem Postweg übermittelte Anmeldung den Tag der Übergabe bzw des Eingangs bei der Annahmestelle. Wird eine beim EPA als Anmeldeamt einzureichende Anmeldung versehentlich beim Deutschen Patent- und Markenamt (DPMA) abgegeben oder diesem übersandt oder geht sie ihm auf andere Weise zu, so wird sie umgehend an das EPA weitergeleitet. Jedoch wird ihr als Anmeldetag der Tag des tatsächlichen Eingangs beim EPA zugewiesen, was unter Umständen zum Verlust der Priorität führen kann. 27

Zu beachten ist in diesem Zusammenhang, dass die Verwaltungsvereinbarung zwischen dem DPMA und dem EPA über den Zugang von Schriftstücken und Zahlungsmitteln 2005 beendet wurde.[10] Für das EPA bestimmte Schriftstücke, die dem DPMA zugehen, werden von diesem folglich nicht mehr im Namen des EPA entgegengenommen (und umgekehrt). Damit ist die Situation äußerst unklar geworden. So gilt beispielsweise ein an das EPA adressierter Umschlag, der in den Briefkasten des DPMA eingeworfen wird, nicht als gemäß der Ausnahmeregelung des Art 152 (1) iVm Art 75 (2) EPÜ eingereicht; bei einer Einreichung auf Grund dieser Vorschriften ist als Empfänger das DPMA anzugeben (Rdn 8). Eine Lösung könnte in einem derartigen Fall anhand von R 19.4 iii) PCT gefunden werden; dies setzt die Einwilligung des Anmelders sowie 28

---

7   ABl 1999, 165, ABl 2002, 543, 545; ABl 2003 609; PrüfRichtl A-II, 1.3.
8   ABl 2005, 44, Nr 1.3.
9   ABl 2000, 443.
10 ABl 2005, 445.

Artikel 152 *Einreichung der internationalen Anmeldung*

eine Vereinbarung zwischen dem IB und – je nach Sachlage – dem EPA oder dem DPMA voraus (Art 151 Rdn 20).

29 R 82.1 PCT zur Entschuldigung von Verzögerungen bei der Postzustellung gilt nicht für die Prioritätsfrist. Daher sollte eine internationale Anmeldung frühestmöglich eingereicht werden. Bei Verlust oder Verzögerung lässt das EPA den Nachweis der Aufgabe zur Post gelten. Wie das EPA dem IB gemäß R 82.1 d) PCT mitgeteilt hat, gilt dies auch bei Beförderung durch einen der folgenden Kurierdienste: Chronopost, Deutsche Post Express, DHL, Federal Express, LTA, TNT, Skynet oder UPS (R 82.1 d) und e) PCT).[11] Des Weiteren muss der Anmelder nachweisen, dass er das Dokument fünf Tag vor Fristablauf per Einschreiben aufgegeben hat (R 82.1 a) PCT).

30 Wird die Anmeldung per Telefax eingereicht, so ist zugleich eine den geltenden Formvorschriften entsprechende Papierfassung der Anmeldeunterlagen zu übersenden, wobei auf dem Telefax vermerkt werden sollte, dass die per Fax übermittelten Unterlagen im Original nachgereicht werden (R 24 (1) und 36 (5) EPÜ).[12] Auf Antrag wird der Eingang gegen Zahlung einer Verwaltungsgebühr per Telefax bestätigt (Punkt 2.1 Nr 13 EPA-Gebührenverzeichnis). Die Verwaltungsgebühr wird am Tag des Eingangs des entsprechenden Antrags beim EPA fällig (Art 4 (1) GebO). Die Anmeldung erhält als Anmeldetag den Tag zuerkannt, an dem die Anmeldeunterlagen dem EPA *vollständig* vorliegen (Art 11 PCT, R 20 PCT).[13] In diesem Zusammenhang ist anzumerken, dass alle Annahmestellen des EPA sich in der mitteleuropäischen Zeitzone (MEZ) befinden.

3 Art 152 (2), R 104 (3) – Weiterleitung an das Europäische Patentamt

31 Muss eine Anmeldung, für die das EPA vom Anmelder als Anmeldeamt gewählt worden ist, aus staatlichen Sicherheitserwägungen über ein nationales Patentamt eingereicht werden, so wird dieses Amt – wie vorstehend erörtert (Rdn 9 ff) – nicht als Anmeldeamt tätig, sondern fungiert lediglich als Annahmestelle. Nach Art 152 (2) EPÜ iVm R 104 (3) EPÜ müssen die nationalen Patentämter der EPÜ-Vertragsstaaten in diesem Fall dafür Sorge tragen, dass die internationale Anmeldung zwei Wochen vor Ablauf des 13. Monats nach ihrer Einreichung bzw nach dem frühesten Prioritätstag beim EPA eingeht. Rechtliche Folgen bei Nichtbeachtung dieser Verpflichtung sind im EPÜ nicht vorgesehen, können aber vom nationalen Recht festgesetzt werden.

32 Durch die den Vertragsstaaten in R 104 (3) EPÜ auferlegte Verpflichtung soll die in Art 12 (3) PCT iVm R 22.3 PCT vorgesehene Folge vermieden werden,

---

11 ABl 2003, 283; PCT-Leitfaden der WIPO, Bd 1/A Anhang B2, EP.
12 Beschluss des Präsidenten vom 6. Dezember 2004, ABl 2005, 41; Mitteilung des EPA vom 6. Dezember 2004, ABl 2005, 44, Nr 4.2.
13 ABl 2005, 44, Nr 5.

dass eine internationale Anmeldung als zurückgenommen gilt, weil das Aktenexemplar dem IB nicht innerhalb der vorgeschriebenen Frist zugegangen ist (Art 153 Rdn 56).

Das Aktenexemplar muss dem IB grundsätzlich spätestens nach Ablauf von 13 Monaten nach dem Prioritätstag vorliegen (R 22.1 b) PCT). Die Härte der 13-Monatsfrist ist durch das Verfahren nach R 22 PCT gemildert worden, das bei Nichterhalt nach Ablauf von 14 Monaten eine entsprechende Erinnerung des IB an Anmelder und Anmeldeamt sowie eine dreimonatige Nachfrist vorsieht in der der Anmelder eine beglaubigte Kopie der Anmeldung einreichen kann, bevor die Anmeldung nach Art 12 (3) PCT als zurückgenommen gilt (R 22.1 d) PCT). 33

EPÜ 2000

Art 152 (2) EPÜ entfällt. Abgesehen von einigen geringfügigen redaktionellen Anpassungen wurde eine Überarbeitung der R 104 (3) EPÜ für nicht erforderlich gehalten (R 104 (3) EPÜ 2000). 34

4 Art 152 (3) – Verpflichtung zur Zahlung einer Übermittlungsgebühr

Art 152 (3) macht von der in Art 3 (4) iv) PCT iVm R 14 PCT vorgesehenen Ermächtigung Gebrauch, die Zahlung einer Übermittlungsgebühr vorzuschreiben, die dem EPA als Anmeldeamt zukommt. Sie ist als Entgelt gedacht für die Tätigkeit des Anmeldeamtes bei der Übermittlung von internationalen Anmeldungen an das IB und die zuständige ISA sowie für die Durchführung der weiteren Aufgaben des Anmeldeamtes. Die Höhe der Übermittlungsgebühr ist in Art 2 Nr 18 GebO EPÜ festgesetzt. Das Verfahren zur Entrichtung der Übermittlungsgebühr wird weiter oben erörtert (Vor Art 151/152 Rdn 46 ff). 35

EPÜ 2000

Art 152 (3) EPÜ wurde gestrichen, da es im Interesse einer größeren Flexibilisierung sinnvoll erschien, diese Gebührenregelung in die Ausführungsordnung aufzunehmen. Im EPÜ 2000 wurde in R 104 ein Absatz 4 eingefügt, der klarstellt, dass die Übermittlungsgebühr innerhalb eines Monats nach Einreichung der Anmeldung zu entrichten ist (R 14.1 c) PCT). Mit der Regelung in der Ausführungsordnung zum EPÜ 2000 wurde nachvollzogen, was für die Gebühren für das Tätigwerden des EPA als ISA und IPEA bereits gilt. Die Festsetzung von Gebühren durch das EPA in seiner Eigenschaft als internationale Behörde ist in Art 5 und Anhang C-I der Vereinbarung EPO-WIPO verankert, die Festsetzung von zusätzlichen Gebühren bei Nichteinheitlichkeit in R 105 EPÜ (Art 154 Rdn 90 ff). 36

Artikel 153 Das Europäische Patentamt als Bestimmungsamt

(1) Das Europäische Patentamt ist Bestimmungsamt im Sinn des Artikels 2 Ziffer xiii des Zusammenarbeitsvertrags für die in der internationalen Anmeldung benannten Vertragsstaaten dieses Übereinkommens, für die der Zusammenarbeitsvertrag in Kraft getreten ist, wenn der Anmelder in der internationalen Anmeldung dem Anmeldeamt mitgeteilt hat, dass er für diese Staaten ein europäisches Patent begehrt. Das Gleiche gilt, wenn der Anmelder in der internationalen Anmeldung einen Vertragsstaat benannt hat, dessen Recht vorschreibt, dass eine Bestimmung dieses Staats die Wirkung einer Anmeldung für ein europäisches Patent hat.

(2) Für Entscheidungen, die das Europäische Patentamt als Bestimmungsamt nach Artikel 25 Absatz 2 Buchstabe a des Zusammenarbeitsvertrags zu treffen hat, sind die Prüfungsabteilungen zuständig.

Reinoud Hesper

Übersicht

1	Einführung	1-11
2	Art 153 (1) – Voraussetzungen für das Tätigwerden des EPA als Bestimmungsamt	12-26
2.1	Am Anmeldetag sowohl dem PCT als auch dem EPÜ angehörende Staaten	15
2.2	Gewünschte Erteilung eines europäischen Patents	16-21
2.3	Automatisches Bestimmungssystem	22-26
3	Wirkung der Bestimmung für ein europäisches Patent	27-33
3.1	Aufschieben des Verfahrens vor dem EPA als Bestimmungsamt	30
3.2	Vorzeitige Bearbeitung	31-33
4	Gemeinsame Benennung	34-35
5	Erstreckung	36
6	Übermittlung durch das IB an das EPA als Bestimmungsamt	37-42
7	Verlust der Zuständigkeit als Bestimmungsamt	43-44
8	Art 153 (2) – Nachprüfung gemäß Art 25 (2) a) PCT durch das EPA als Bestimmungsamt	45-73
8.1	Der Nachprüfung unterliegende Fälle	52-56
8.2	Nachprüfungsverfahren gemäß Art 25 PCT	57-67
8.3	Heilung von Fristüberschreitungen gemäß Art 48 PCT	68-70
8.4	Berichtigung nach Art 26 PCT	71-73

1 Einführung

Artikel 153 (1) EPÜ nennt die Voraussetzungen, die erfüllt sein müssen, damit 1
das EPA Bestimmungsamt sein kann. Bestimmungsamt ist nach der Definition des Art 2 xiii) PCT »das nationale Amt des Staats, den der Anmelder nach Kapitel I dieses Vertrags bestimmt hat, oder das für diesen Staat handelnde nationale Amt«. Da der Begriff »nationales Amt« auch zwischenstaatliche Behörden wie das EPA einschließt (Art 2 xii) PCT), handelt das EPA als Bestimmungsamt in derselben Funktion wie das Bestimmungsamt eines beliebigen PCT-Vertragsstaates. Eine Bestimmung bezieht sich grundsätzlich auf einen Staat. In der Praxis wird die Bestimmung eines oder mehrerer der EPÜ-Vertragsstaaten zur Erlangung eines europäischen Patents jedoch häufig kurz als »Bestimmung des EPA« oder »Bestimmung EP« bezeichnet. Entsprechendes gilt für den Begriff »Auswahl«, der sich ebenfalls immer auf einen Staat bezieht (Art 156 Rdn 10).

Wurde die Anmeldung während der internationalen Phase nur nach Kapitel I 2
PCT bearbeitet, so wird das EPA nach Eintritt in die europäische Phase als Bestimmungsamt tätig. Hat der Anmelder jedoch wirksam Antrag auf internationale vorläufige Prüfung gestellt und dadurch erklärt, dass die Ergebnisse der Prüfung für die Erlangung eines europäischen Patents verwendet werden sollen, so ist das EPA nicht nur Bestimmungsamt, sondern auch »ausgewähltes Amt« (Art 31 (1) und (4) a) PCT, Art 2 xiv) PCT).

Da nur ein Staat ausgewählt werden kann, der zuvor bestimmt worden ist, 3
impliziert der Begriff »ausgewählter Staat«, dass der betreffende Staat auch Bestimmungsstaat ist (Art 31 (4) a) PCT). Folglich schließt der Status als »ausgewähltes Amt« den Status des betreffenden Amts als Bestimmungsamt mit ein. Wird eine Anmeldung entsprechend Kapitel II PCT behandelt, das die Vorschriften für die internationale vorläufige Prüfung enthält, so wird das EPA nach Eintritt der Anmeldung in die europäische Phase als »ausgewähltes Amt« bezeichnet. Die Voraussetzungen, unter denen das EPA als ausgewähltes Amt tätig werden kann, werden in Art 156 EPÜ genannt (Art 156 Rdn 8 ff).

Artikel 153 (1) und 156 EPÜ bilden somit in systematischer Hinsicht eine 4
Einheit, denn beide übertragen dem EPA die Zuständigkeit, in der europäischen Phase tätig zu werden und – falls alle Voraussetzungen erfüllt sind – auf der Grundlage der internationalen Anmeldung ein europäisches Patent zu erteilen. Da die Zuständigkeit als ausgewähltes Amt die Zuständigkeit als Bestimmungsamt einschließt, greifen die für das Bestimmungsamt geltenden Vorschriften des PCT auch für das EPA als ausgewähltes Amt ein. So ist zum Beispiel der weiter unten erläuterte Art 25 (2) a) PCT im Prinzip anwendbar, falls das EPA in seiner Eigenschaft als ausgewähltes Amt um Nachprüfung der Erklärung ersucht werden sollte, dass die Anmeldung als zurückgenommen gilt. In der Praxis wird dies wahrscheinlich niemals vorkommen, da zu dem Zeitpunkt, zu dem das Anmeldeamt diese Erklärung abgibt, gewöhnlich noch kein Antrag auf internationale vorläufige Prüfung gestellt worden ist. Demgegen-

über stellt Art 48 (2) a) PCT, auf den im Zusammenhang mit dem Nachprüfungsverfahren einzugehen sein wird (Rdn 68), ausdrücklich auf Staaten und internationale Organisationen in beiden Eigenschaften ab (»soweit dieser Staat betroffen ist«).

5 Die Artikel 153 und 156 EPÜ sind den Artikeln 157 und 158 EPÜ vorangestellt, in denen die (grundlegenden) Voraussetzungen für den Eintritt in die europäische Phase festgehalten sind. Die für den Eintritt in die europäische Phase zu erfüllenden Erfordernisse und das hierzu vor dem EPA als Bestimmungsamt/ausgewähltem Amt durchzuführende Verfahren werden bei der Kommentierung von Art 157 und 158 EPÜ erörtert, wobei auch auf die R 106–112 EPÜ eingegangen wird.

6 Durch die (wirksame) Bestimmung von Staaten für ein europäisches Patent in einer internationalen Anmeldung erwirbt der Anmelder eine *Option* auf die Einleitung der europäischen Phase vor dem EPA als Bestimmungsamt und den Erwerb eines europäischen Patents für diese Staaten. Zur Bestimmung von Staaten in der internationalen Phase siehe unten Rdn 22 ff.

7 Die (verbindliche) *Entscheidung*, für welche der Bestimmungsstaaten der Anmelder tatsächlich Patentschutz durch ein europäisches Patent erlangen möchte, muss erst bei Eintritt in die europäische Phase getroffen werden, wobei für die betreffenden Staaten innerhalb der in R 107 (1) d) EPÜ vorgesehenen Frist Benennungsgebühren nach Art 79 (2) EPÜ zu entrichten sind. Die (europäischen) Benennungsgebühren sind Teil der sogenannten »nationalen Gebühr«, die bei Eintritt in die europäische Phase anfällt (Art 22 und 39 PCT, Art 158 (2) EPÜ, R 106 b) EPÜ) (Art 158 Rdn 39).

8 Der Begriff *Bestimmung* ist in der deutschsprachigen Fassung von Art 153 (1) EPÜ und im amtlichen deutschen Text des PCT (Artikel 2 xiii) und 67 (1) b) PCT) zur Unterscheidung von dem Begriff der *Benennung* des Art 79 EPÜ gewählt worden, der der europäischen Patentanmeldung und der europäischen Phase einer internationalen Anmeldung vorbehalten ist.[1] In der englischen und der französischen Fassung des EPÜ wird hingegen bei internationalen wie auch bei europäischen Anmeldungen durchgängig von »designated Office« und »designation« bzw »office désigné« und »désignation« gesprochen.

9 Artikel 153 (2) EPÜ befasst sich mit den besonderen Fällen, in denen das Vorliegen einer internationalen Anmeldung vom Anmeldeamt verneint oder die internationale Anmeldung von dem Anmeldeamt oder dem IB für zurückgenommen erklärt worden ist (vorzeitiger Abbruch der internationalen Phase). In einem solchen Fall kann das EPA in seiner Eigenschaft als Bestimmungsamt nach Art 25 (2) a) PCT um Überprüfung des (negativen) Ausgangs der internationalen Phase ersucht werden (Rdn 45 ff). Für derartige Entscheidungen nach

---

[1] Die Bezugnahme auf die »benannten Staaten« in Art 156 EPÜ stimmt mit dieser Sprachregelung nicht überein.

Art 25 (2) a) PCT sind gemäß Art 153 (2) EPÜ die Prüfungsabteilungen zuständig (Rdn 46 ff).

Die wichtigsten PCT-Vorschriften zum Tätigwerden des EPA als Bestimmungsamt sind die Artikel 13, 20, 22–26, 27–28, 36, 39–41, 45 und 48 PCT sowie die Regeln 4.17, 17, 47, 49–52, 74, 76–78, 82bis, 82ter und 90bis–91 PCT. Weitere Informationen enthalten die EPA-Broschüre *Der Weg zum europäischen Patent – Euro-PCT* (»Euro-PCT-Leitfaden«), Teil 2, Kapitel E, die Prüfungsrichtlinien E-IX, 4 sowie die Hinweise zum Formblatt 1200 *Eintritt in die europäische Phase (EPA als Bestimmungsamt oder ausgewähltes Amt)*.

EPÜ 2000

Der bisherige Art 153 (1) EPÜ wurde im EPÜ 2000 lediglich neu gefasst und entspricht nunmehr Art 153 (1) Buchstabe a EPÜ 2000. Art 153 (1) Buchstabe b EPÜ 2000 regelt die Zuständigkeit des EPA als ausgewähltes Amt; die bisherigen Artikel 153 und 156 wurden insoweit zusammengefasst. Art 153 (1) Satz 2 EPÜ wurde als entbehrlich gestrichen (Rdn 19 und 21). Schließlich wurde Art 153 (2) EPÜ über die Zuständigkeit für Nachprüfungen nach Art 25 (2) a) PCT in die Ausführungsordnung aufgenommen (R 107 (3) EPÜ 2000) (Rdn 46). Die weiteren Bestimmungen der Absätze 2–7 von Art 153 EPÜ 2000 entsprechen im Wesentlichen den bisherigen Art 150 (2), 156, 157 und 158 EPÜ; auf die Kommentierung dieser Bestimmungen wird verwiesen.

2 Art 153 (1) – Voraussetzungen für das Tätigwerden des EPA als Bestimmungsamt

Nach Art 153 (1) EPÜ ist das EPA als Bestimmungsamt für internationale Anmeldungen zuständig, in denen mindestens ein PCT-Vertragsstaat im Hinblick auf die Erteilung eines europäischen Patents wirksam bestimmt worden ist.

Dies setzt zunächst voraus, dass der betreffende Staat zum Zeitpunkt der Einreichung der internationalen Anmeldung sowohl dem PCT als auch dem EPÜ angehört (PCT/EPÜ-Vertragsstaat) (Rdn 15).

Des Weiteren kann das EPA nur als Bestimmungsamt tätig werden, sofern »der Anmelder … dem Anmeldeamt mitgeteilt hat, dass er [für den betreffenden Staat] ein europäisches Patent begehrt« (Art 153 (1) Satz 1 EPÜ). Mit anderen Worten muss der Anmelder nach Art 153 (1) EPÜ in der internationalen Anmeldung angeben, dass er für den EPÜ-Vertragsstaat seiner Wahl die Erteilung eines europäischen Patents wünscht (Rdn 16–21). Infolge der Einführung des sogenannten »rationalisierten Bestimmungssystems« am 1. Januar 2004 (R 4.9 PCT) wird der Wunsch nach Erteilung eines europäischen Patents bereits durch Einreichung der internationalen Anmeldung automatisch zum Ausdruck gebracht (Rdn 22–26).

2.1 Am Anmeldetag sowohl dem PCT als auch dem EPÜ angehörende Staaten

15 Gegenwärtig kann das EPA für alle EPÜ-Vertragsstaaten als Bestimmungsamt tätig werden, da der PCT in all diesen Staaten in Kraft ist. Tritt das EPÜ in einem bestimmten PCT-Vertragsstaat erst *nach* dem internationalen Anmeldetag einer internationalen Anmeldung in Kraft, so kann das EPA für ihn *nicht Bestimmungsamt/ausgewähltes Amt* sein, und für diesen Staat kann kein europäisches Patent erteilt werden. Dies bedeutet, dass es hierbei nicht auf den Tag des Eintritts der Anmeldung in die europäische Phase ankommt.[2] War am internationalen Anmeldetag jedoch ein Erstreckungsabkommen zwischen dem EPA und einem sogenannten Erstreckungsstaat in Kraft, so kann für diesen Staat unter Umständen auf diesem Weg ein Patent erlangt werden, wenn die Voraussetzungen für eine Erstreckung des europäischen Patents erfüllt sind (Rdn 36).

2.2 Gewünschte Erteilung eines europäischen Patents

16 Art 153 (1) *Satz 1* EPÜ, wonach der Anmelder in der internationalen Anmeldung angeben muss, dass er ein europäisches Patent begehrt, ergänzt Art 4 (1) ii) 2. Teilsatz PCT, wonach im PCT-Antrag darauf hinzuweisen ist, wenn ein regionales Patent gewünscht wird.[3]

17 Die Möglichkeit, im PCT-Antrag einen PCT-Vertragsstaat (auch) im Hinblick auf die Erlangung eines regionalen Patents zu bestimmen, ist für jeden Vertragsstaat, der sowohl den PCT als auch einen regionalen Patentvertrag wie das EPÜ ratifiziert hat, in Art 45 (1) PCT ausdrücklich vorgesehen.

18 Nach Art 45 (2) PCT kann im nationalen Recht eines PCT-Vertragsstaates außerdem vorgesehen werden, dass die Bestimmung (bzw Auswahl) des betreffenden Staates für ein nationales Patent als Hinweis auf den Wunsch anzusehen ist, ein regionales Patent nach dem regionalen Patentvertrag zu erhalten. Sieht das nationale Recht diese Wirkung vor, so wird die Bestimmung eines Staates für ein nationales Patent in einer internationalen Anmeldung nach Art 4 (1) ii) 4. Teilsatz PCT in eine Bestimmung dieses Staates für ein regionales Patent umgedeutet.

19 Entsprechend der den Vertragsstaaten im PCT damit eingeräumten Befugnis, den »nationalen Weg zu versperren«, wird in Art 153 (1) *Satz 2* EPÜ ausgeführt, dass das EPA unter den in Satz 1 genannten Voraussetzungen auch Bestimmungsamt für einen EPÜ-Vertragsstaat ist, wenn die Bestimmung dieses Staates nach dessen nationalem Recht die Wirkung einer Anmeldung für ein europäisches Patent hat. Das bedeutet, dass für einen solchen Staat (wie etwa Italien) auf dem PCT-Weg nur ein *europäisches Patent* erlangt werden kann und

---

2 J 30/90, ABl 1992, 516.
3 J 26/87, ABl 1989, 329.

kein nationales Patent oder anderweitiges Schutzrecht wie zB ein Gebrauchsmuster (Rdn 23).

Von der Befugnis, den nationalen Weg zu versperren, haben Belgien, Frankreich, Griechenland, Irland, Italien, Monaco, die Niederlande, Slowenien und Zypern Gebrauch gemacht. Diese Entscheidung ist gewöhnlich darauf zurückzuführen, dass der betreffende Staat es vorzieht, wenn auf seinem Staatsgebiet nur (umfassend) geprüfte (europäische) Patente in Kraft sind und keine (nicht oder nur teilweise geprüften) nationalen Patente. 20

EPÜ 2000

Art 153 (1) a) EPÜ 2000 legt für ein Tätigwerden des EPA als Bestimmungsamt dieselben Voraussetzungen fest wie der bisherige Art 153 (1) EPÜ: Der Anmelder muss für diesen Staat 1.) einen EPÜ-Vertragsstaat bestimmen, der 2.) auch Vertragsstaat des PCT sein muss, um ein europäisches Patent für diesen Staat zu erhalten. Art 153 (1) Satz 2 EPÜ wurde im EPÜ 2000 nicht beibehalten, da er angesichts von Art 4 (1) ii) PCT als entbehrlich gelten kann (Rdn 19). 21

2.3 Rationalisiertes Bestimmungssystem

Nach dem bis zum 31. Dezember 2003 geltenden System musste der Anmelder im PCT-Antrag die Bestimmung »EP« durch Ankreuzen des betreffenden Kästchens ausdrücklich vornehmen, um seinen Wunsch zum Ausdruck zu bringen, auf der Grundlage seiner internationalen Anmeldung ein europäisches Patent zu erhalten. Mit der Bestimmung »EP« waren alle EPÜ-Vertragsstaaten bestimmt, für die der PCT am Tag der Einreichung der internationalen Anmeldung in Kraft war. 22

Für ab dem 1. Januar 2004 eingereichte internationale Anmeldungen beinhaltet der PCT-Antrag hingegen die automatische Bestimmung aller PCT-Vertragsstaaten, für die der PCT am internationalen Anmeldetag verbindlich ist (R 4.9 i) PCT), und zwar soweit möglich für ein nationales und ein regionales Patent (R 4.9 iii) PCT; Art 45 PCT) samt jeder anderen zugänglichen Art von Schutzrechten (R 4.9 ii) PCT; Art 43 und 44 PCT). Der Anmelder erhält also nach R 4.9 a) i)-iii) PCT schon allein durch die Einreichung seines PCT-Antrags automatisch das gesamte Paket sämtlicher nach dem PCT am internationalen Anmeldetag möglichen Bestimmungen im Hinblick auf regionale wie auch nationale Patente und jede andere Schutzrechtsart. 23

Folglich muss der Anmelder bei Einreichung seiner Anmeldung weder einzelne Vertragsstaaten bestimmen noch angeben, ob in einem Staat um nationalen oder um regionalen Schutz nachgesucht wird. Das EPA wird mit der Einreichung einer internationalen Anmeldung regelmäßig Bestimmungsamt, ohne dass der Anmelder durch Ankreuzen eines Kästchens im PCT-Antragsformular oder eine anderweitige Handlung ausdrücklich eine Bestimmung vornehmen müsste. 24

25 Eine Ausnahme hiervon ist in R 4.9 b) PCT vorgesehen, wonach eine automatische Bestimmung ausgeschlossen werden kann, wenn das nationale Recht eines PCT-Vertragsstaates zur »Selbstbenennung« dies erforderlich macht. Ein solcher Ausschluss ist nur nach ordnungsgemäßer Unterrichtung des IB durch den betreffenden Staat gemäß R 4.9 b) PCT zulässig und setzt voraus, dass die Einreichung einer internationalen Anmeldung, in der dieser Staat bestimmt und die Priorität einer in diesem Staat wirksamen früheren nationalen Anmeldung in Anspruch genommen wird, nach dem nationalen Recht dieses Staates dazu führt, dass die Wirkung der früheren nationalen Anmeldung mit denselben Folgen endet wie bei Zurücknahme der früheren nationalen Anmeldung. Solange dies der Fall ist, kann in einem PCT-Antrag durch Ankreuzen des entsprechenden Kästchens angegeben werden, dass die ansonsten automatische Bestimmung dieses Staates unterbleiben soll.

26 Hinsichtlich der Bestimmung für ein *nationales Patent* hat als einziger EPÜ-Vertragsstaat Deutschland das IB nach R 4.9 b) PCT von einem derartigen Ausschluss unterrichtet. Dementsprechend enthält der PCT-Antrag ein Kästchen, das angekreuzt werden muss, wenn der Anmelder die Bestimmung Deutschlands für ein *nationales* Patent ausschließen möchte. Hiervon ist das EPA als Bestimmungsamt nicht betroffen, und hinsichtlich der Bestimmung für ein *europäisches Patent* ist gegenwärtig keine Ausnahme vom System der automatischen Bestimmung vorgesehen. Die anderen Staaten, die von ihrem Unterrichtungsrecht gemäß R 4.9 b) PCT gegenüber dem IB Gebrauch gemacht haben, sind (JP) Japan, (KR) Südkorea und (RU) Russland.

3 Wirkung der Bestimmung für ein europäisches Patent

27 Vom internationalen Anmeldetag an ist das EPA für jeden EPÜ-Vertragsstaat Bestimmungsamt, sofern die Voraussetzungen des Art 153 (1) EPÜ in Bezug auf diesen Staat erfüllt sind. Ob dies der Fall ist, haben die Beschwerdekammern bei Eintritt in die europäische Frage abschließend zu entscheiden (Artikel 24 (2) und 39 (3) PCT).[4] Vom internationalen Anmeldetag an wird die Anmeldung außerdem einer europäischen Patentanmeldung gleichgesetzt und als Euro-PCT-Anmeldung bezeichnet (Art 11 (3) PCT; Art 150 (3) EPÜ) (Art 150 Rdn 18 ff).

28 Liegen die Voraussetzungen des Art 153 (1) EPÜ vor, so ist das EPA ungeachtet späterer Vorfälle Bestimmungsamt für die betreffende Anmeldung; so zum Beispiel bei (versehentlicher) Veröffentlichung der Anmeldung ohne Hinweis auf die Bestimmung des EPA und/oder bei Ausbleiben der Mitteilung des IB an das EPA gemäß Art 20 PCT.[5]

---

4   **J 26/87**, ABl 1989, 329.
5   **J 26/87**, ABl 1989, 329.

EPÜ 2000

In der englischen Fassung von Art 153 (1) EPÜ 2000 wurde die gegenwärtige unklare Formulierung »The European Patent Office shall act as a designated Office« ersetzt durch »shall *be* a designated Office…« (Hervorhebung hinzugefügt) und damit an die deutsche und die französische Fassung angeglichen.

3.1 Aufschieben des Verfahrens vor dem EPA als Bestimmungsamt

Die Wirkung einer internationalen Anmeldung nach Art 11 (3) PCT als nationale Anmeldung und die am internationalen Anmeldetag einsetzende Zuständigkeit jedes der Bestimmungsämter bedeuten nicht, dass das EPA von diesem Tag an mit der Bearbeitung der Anmeldung beginnen darf. Das Verfahren vor einem Bestimmungsamt wird bis zum Ablauf der nach Art 22 PCT geltenden Frist ausgesetzt; es gilt ein Bearbeitungsverbot. Für das EPA als Bestimmungsamt beträgt diese Frist 31 Monate (Art 22 (1) und (3) PCT, R 107 (1) EPÜ) (Art 150 Rdn 27 ff).[6] Dementsprechend ist es dem EPA grundsätzlich (Rdn 31 ff) nicht gestattet, vor diesem Zeitpunkt mit der Bearbeitung oder Prüfung einer internationalen Anmeldung zu beginnen, und es darf den Anmelder zu keiner diesbezüglichen Handlung auffordern (Art 23 (1) PCT). Diese Wirkung der internationalen Anmeldung wird als »Aufschieben der Prüfung des Patents durch die nationalen Ämter« bezeichnet.[7]

3.2 Vorzeitige Bearbeitung

Auf ausdrücklichen Wunsch des Anmelders kann die Bearbeitung einer internationalen Anmeldung jedoch vom EPA als Bestimmungsamt vor Ablauf der 31-Monatsfrist, dh jederzeit ab dem Tag der Einreichung der internationalen Anmeldung aufgenommen werden (Art 23 (2) PCT). Hat das IB dem EPA noch keine Kopie der internationalen Anmeldung, des ISR und des WO-ISA übermittelt, so muss der Anmelder beim IB deren Übermittlung beantragen (Art 20 PCT, R 44bis.2 b) und 47.4 PCT). Der Antrag auf vorzeitige Bearbeitung ist Teil des auf den Eintritt in die europäische Phase folgenden Verfahrensabschnitts. Daher ist für die Stellung des Antrags auf vorzeitige Bearbeitung der für die europäische Phase bestellte zugelassene Vertreter gemäß Art 134 EPÜ und nicht der für die internationale Phase bestellte Anwalt zuständig (Art 158 Rdn 121 ff).

Dem Antrag kann nur unter der Voraussetzung stattgegeben werden, dass die Erfordernisse gemäß Regel 107 EPÜ erfüllt sind.[8] Die vorzeitige Bearbeitung der Anmeldung wird sich jedoch auf Maßnahmen beschränken, für welche die entsprechenden weiteren Erfordernisse erfüllt sind. Zu bedenken ist beispiels-

---

6 ABl 2001, 373, 586.
7 PCT-Leitfaden der WIPO, Bd I/A Nr 46.
8 Euro-PCT-Leitfaden Nr 166.

weise, dass die Prüfungsgebühr bei vorzeitigem Eintritt in die europäische Phase nach R 107 (1) f) EPÜ zwar noch nicht fällig ist, mit der Prüfung jedoch erst begonnen wird, wenn Prüfungsantrag gestellt und die Prüfungsgebühr entrichtet worden ist.

33   Wünscht der Anmelder zusätzlich zu der *vorzeitigen* Bearbeitung auch eine *beschleunigte* Bearbeitung (»PACE«) in der europäischen Phase, so sind die hierzu notwendigen Schritte zu unternehmen (Art 92 Rdn 8 ff).[9]

4 Gemeinsame Benennung

34   Der PCT und das EPÜ erkennen gemeinsame Benennungen an, die auf regionalen Patentübereinkommen beruhen, wie sie etwa zwischen der Schweiz und Liechtenstein in Kraft sind[10] (Art 4 (1) ii) 3. Teilsatz PCT, Art 45 PCT, Art 149 EPÜ). Die Bestimmung eines der Vertragsstaaten eines solchen regionalen Patentübereinkommens in einer internationalen Anmeldung gilt als Bestimmung der gesamten »Gruppe«, dh sämtlicher Vertragsstaaten des regionalen Übereinkommens, das eine solche gemeinsame Benennung vorsieht (Art 149 Rdn 1).

35   In Art 153 EPÜ selbst werden gemeinsame Benennungen nicht erwähnt. Jedoch heißt es in Art 149 (2) EPÜ, dass Art 153 (1) EPÜ im Hinblick auf einen EPÜ-Vertragsstaat nicht nur uneingeschränkt anzuwenden ist, wenn ein Staat der betreffenden Gruppe für ein europäisches Patent bestimmt wurde (Art 153 (1) Satz 1 EPÜ), sondern auch, wenn ein Staat der Gruppe für ein *nationales* Patent bestimmt wurde und die Bestimmung dieses Staates nach dessen nationalem Recht die Wirkung einer Anmeldung für ein *europäisches* Patent hat (Art 153 (1) Satz 2 EPÜ).

5 Erstreckung

36   Beabsichtigt der Anmelder, für seine Euro-PCT-Anmeldung bei Eintritt in die europäische Phase die Erstreckung des erteilten Patents auf hierfür in Betracht kommende Staaten (Art 79 Rdn 37; Art 166 Rdn 10, 1. Auflage) zu beantragen, so ist hierfür Voraussetzung, dass in der internationalen Anmeldung sowohl der gewünschte Erstreckungsstaat als auch das EPA bestimmt worden ist (dh mindestens ein EPÜ-Vertragsstaat im Hinblick auf die Erteilung eines europäischen Patents) (Rdn 1, 19). Des Weiteren darf keine der beiden Bestimmungen in der internationalen oder in der europäischen Phase zurückgenommen worden sein oder als zurückgenommen gelten (R 90bis.2 PCT). Die (Fiktion der) Rücknahme sämtlicher Bestimmungen für ein europäisches Patent gilt als Rücknahme der Euro-PCT-Anmeldung (Art 79 (3) und R 108 (2) EPÜ) (Art 158 Rdn 63 ff). Zudem ist die Erstreckung eines europäischen Patents auf einen Erstreckungsstaat nur möglich, wenn das Erstreckungsabkommen mit

---

9   ABl 2001, 459; ABl 1995, 58 Fußnote 3; Euro-PTC-Leitfaden Nr 170.
10 ABl 1980, 36.

diesem Staat am Tag der Einreichung der internationalen Anmeldung bereits in Kraft war[11] (Vor Art 151/152 Rdn 23 ff).

6 Übermittlung durch das IB an das EPA als Bestimmungsamt

Ist das EPA Bestimmungsamt, so übermittelt ihm das IB die internationale Anmeldung zusammen mit dem ISR bzw dem »declaration of no-search« (Erklärung über die Nichtdurchführung der Recherche) gemäß Art 17 (2) a) PCT, da das EPA auf diese Übermittlung nicht verzichtet hat (Art 20 (1) a) PCT, R 47.1 PCT). Die Übermittlung gemäß Art 20 PCT erfolgt erst nach der internationalen Veröffentlichung, es sei denn, der Anmelder hat Antrag auf vorzeitige Bearbeitung gestellt (R 47.4 PCT) (Rdn 31 ff). Für ab dem 1. Januar 2004 eingereichte internationale Anmeldungen kann die Übermittlung auf Ersuchen des betreffenden Bestimmungsamts durch Einstellen der Unterlagen in eine digitale Bibliothek erfolgen (Regeln 47.1 und 93bis.1 PCT). 37

Die vom IB gemäß Art 20 PCT übermittelte internationale Anmeldung muss in der Sprache abgefasst sein, in der sie veröffentlicht wurde (R 47.3 a) PCT). Wurde die Anmeldung in einer anderen Sprache veröffentlicht als derjenigen, in der sie eingereicht wurde, so übermittelt das IB dem Bestimmungsamt auf dessen Antrag eine Kopie der Anmeldung in der Sprache der Einreichung (R 47.3 b) PCT). Das EPA hat beim IB um Übermittlung der eingereichten Sprachfassung nachgesucht. 38

Da die internationale Anmeldung und der ISR vom IB gestellt werden, hat das EPA diesem mitgeteilt, auf die Übermittlung eines Exemplars der Anmeldung durch den Anmelder bei Eintritt in die europäische Phase gemäß Art 22 PCT zu verzichten (R 49.1 a-bis) PCT) (Art 158 Rdn 24). 39

Auch der ISR bzw der »declaration of no-search« wird dem Bestimmungsamt auf dessen Antrag in einer unter der Verantwortung des IB angefertigten englischen Übersetzung übermittelt (Art 20 (1) b), R 45.1 und 48.3 c) PCT). Das EPA hat das IB um Übermittlung einer übersetzten Fassung dieser Unterlagen ersucht (R 47 (1) d) PCT). 40

Etwaige gemäß Art 19 PCT eingereichte Änderungen werden dem Bestimmungsamt möglichst zusammen mit den nach Art 20 PCT zu übermittelnden Unterlagen, andernfalls unverzüglich nach ihrem Eingang beim IB (Art 20 (1) b), R 47.1 b) PCT) zugeleitet. Das IB unterrichtet das EPA als Bestimmungsamt außerdem unter Angabe des Eingangsdatums vom Eingang des Aktenexemplars sowie etwaiger Prioritätsbelege (R 47.1 a-bis) PCT). 41

Schließlich teilt das IB dem Anmelder nach Ablauf von 28 Monaten nach dem Prioritätsdatum unverzüglich mit, welche Bestimmungsämter gemäß R 93bis.1 PCT (R 47.1 c) PCT) um die in Art 20 PCT vorgesehene Übermittlung nachgesucht und welche hierauf verzichtet haben. Solange nicht für alle Bestimmungs- 42

---

11 ABl 1994, 86.

Artikel 153　　*Das EPA als Bestimmungsamt*

staaten die vereinheitlichte Frist nach Art 22 PCT für den Eintritt in die nationale Phase gilt, werden gegebenenfalls zwei Mitteilungen nach R 47.1 c) PCT verschickt (Übergangsregelungen zu R 47.1 c) PCT).

7 Verlust der Zuständigkeit als Bestimmungsamt

43　Die Zuständigkeit des EPA als Bestimmungsamt kann während der internationalen Phase enden, mit der Folge, dass die Anmeldung ihre Wirkung als europäische Patentanmeldung verliert (Artikel 24 (1) und 11 (3) PCT) (Art 150 Rdn 18 ff).

44　Zunächst einmal kann es sein, dass der Anmelder nach R 90bis (1) und (2) EPÜ seine Anmeldung oder alle Bestimmungen für ein europäisches Patent vor Ablauf von 30 Monaten nach dem Prioritätstag zurücknimmt (Art 24 (1) i) PCT). Diese Frist ist nicht verlängerbar, selbst wenn der Anmelder berechtigt sein sollte, zu einem späteren Zeitpunkt in die nationale/regionale Phase vor dem bzw den Bestimmungsämtern/ausgewählten Ämtern einzutreten, wie dies etwa hinsichtlich des Eintritts in die europäische Phase der Fall ist (Art 22 (3) und 39 (1) b) PCT iVm R 107 (1) EPÜ). Die Zuständigkeit des EPA als Bestimmungsamt endet außerdem, wenn die internationale Anmeldung aus einem der in Art 24 (1) ii) PCT genannten Gründen als zurückgenommen gilt.[12] Schließlich endet die Zuständigkeit des EPA als Bestimmungsamt, wenn der Anmelder die für einen wirksamen Eintritt in die europäische Phase erforderlichen Handlungen nicht rechtzeitig vornimmt (Art 24 (1) iii) PCT).

8 Art 153 (2) – Nachprüfung gemäß Art 25 (2) a) PCT durch das EPA als Bestimmungsamt

45　Art 24 (1) PCT bestimmt, dass die internationale Anmeldung in bestimmten Fällen ihre in Art 11 (3) PCT vorgesehene Wirkung verliert, dh, dass ihre Wirkung als vorschriftsmäßige nationale Anmeldung in dem betreffenden Bestimmungsstaat mit den gleichen Folgen endet wie bei Zurücknahme einer nationalen Anmeldung. In Art 24 (1) ii) PCT werden die Fälle aufgezählt, in denen diese *Wirkung verloren geht*, weil die Anmeldung vom Anmeldeamt oder vom IB für zurückgenommen erklärt wurde. Die Nachprüfung einer derartigen vom PCT-Anmeldeamt oder vom IB getroffenen Feststellung ist in Art 25 PCT vorgesehen und im Einzelnen geregelt (Vor Art 151/152 Rdn 68 ff; Art 153 Rdn 43 ff). Außerdem sieht Art 25 (2) a) PCT eine Nachprüfung auch für den Fall vor, dass die *Wirkung* gemäß Art 11 (3) PCT *niemals eingetreten* ist, weil

---

12　Seit 1. Januar 2004 schließt die internationale Anmeldegebühr die Bestimmungsgebühren für sämtliche Bestimmungen ein. Der in Art 24 (1) ii) PCT genannte Fall, dass eine Anmeldung wegen Nichtentrichtung der Bestimmungsgebühr für bestimmte Bestimmungen als zurückgenommen gilt, kann damit nicht mehr eintreten.

das Anmeldeamt schon die Zuerkennung eines Anmeldetags abgelehnt hat (Art 11 (2) b) PCT).

Nach Art 153 (2) EPÜ wird eine vom Anmelder beantragte Nachprüfung gemäß Art 25 (2) a) PCT von der Prüfungsabteilung durchgeführt. Im jeweiligen Fall zuständig ist diejenige Prüfungsabteilung, die zuständig wäre, wenn es sich bei der internationalen Anmeldung um eine europäische Patentanmeldung handelte. Die erste diesbezügliche Entscheidung einer Prüfungsabteilung ist im ABl veröffentlicht worden und gibt einen guten Überblick über das Verfahren.[13]   46

Nachfolgend sollen die in Art 25 (2) a) PCT und R 51 PCT festgelegten Einzelheiten des Nachprüfungsverfahrens für das Verfahren vor dem EPA als Bestimmungsamt erläutert werden. Nach Art 25 (2) a) PCT steht die Nachprüfung zur Verfügung, um ein Versehen oder ein Unterlassen des Anmeldeamtes oder des IB zu korrigieren. Wie noch darzulegen sein wird (Rdn 62), kann das Nachprüfungsverfahren – in Verbindung mit Art 24 (2) PCT – aber auch in Anspruch genommen werden, wenn eine (negative) Entscheidung des Anmeldeamtes oder des IB (zB, dass die Anmeldung zurückgenommen wurde oder als zurückgenommen gilt) auf einen Fehler des Anmelders zurückzuführen ist (Euro-PCT-Leitfaden Nr 270).   47

Es ist zu beachten, dass das Nachprüfungsverfahren für jedes Bestimmungsamt, vor dem der Anmelder die Wirkung der internationalen Anmeldung als vorschriftsmäßige nationale Anmeldung nach Art 11 (3) PCT aufrechterhalten oder herbeiführen möchte, gesondert durchzuführen ist. Die Bindungswirkung von Entscheidungen eines Bestimmungsamts nach Art 25 (2) a) PCT ist auf dessen eigene Verfahren beschränkt. Hilft beispielsweise das EPA dem Nachprüfungsantrag ab, so bleibt nur die Wirkung der internationalen Anmeldung als europäische Patentanmeldung erhalten.   48

Nach Art 25 (2) a) PCT kann die Prüfungsabteilung für die Zwecke der europäischen Phase entscheiden, dass: 49

– die (angebliche) internationale Anmeldung existiert, obwohl das Anmeldeamt ihr die Zuerkennung eines internationalen Anmeldetags versagt hat, oder
– die internationale Anmeldung nach wie vor wirksam ist, obwohl das Anmeldeamt oder das IB (in Wahrnehmung seiner PCT-Verwaltungsaufgaben) erklärt hat, dass die Anmeldung als zurückgenommen gilt.

War das EPA Anmeldeamt, so ist eine Anfechtung im Wege der Beschwerde nach Art 106 EPÜ während der internationalen Phase nicht möglich (Art 150 Rdn 12 ff).[14]   50

---

13 ABl 1984, 565.
14 **J 20/89** ABl 1991, 375; **J 15/91** ABl 1994, 296.

EPÜ 2000

51 Die bislang in Art 153 (2) EPÜ enthaltene Zuweisung der Zuständigkeit für Entscheidungen über Nachprüfungsanträge an die Prüfungsabteilungen wurde im EPÜ 2000 in R 107 (3) aufgenommen.

8.1 Der Nachprüfung unterliegende Fälle

52 In Art 25 (1) a) und b) PCT iVm Art 24 (1) ii) PCT werden die Fälle aufgezählt, in denen Entscheidungen des Anmeldeamtes oder des IB von einem Bestimmungsamt nachgeprüft werden können. In Art 25 (1) b) PCT wird der Fall genannt, dass die Bestimmung eines Staates nach Art 14 (3) b) PCT wegen Nichtzahlung der Bestimmungsgebühr als zurückgenommen gilt. Da die zu entrichtende internationale Anmeldegebühr für ab dem 1. Januar 2004 eingereichte Anmeldungen die Bestimmungsgebühren für sämtliche Bestimmungen einschließt (Rdn 22 ff), hat sich das Nachprüfungsverfahren gemäß Art 25 (2) a) PCT insoweit erledigt.

53 Eine Nachprüfung gemäß Art 25 (2) a) PCT kommt für folgende Fälle in Frage:

54 a) Das Anmeldeamt hat die Zuerkennung eines internationalen Anmeldetags abgelehnt, weil die angebliche internationale Anmeldung seiner Auffassung nach die in Art 11 (1) PCT festgelegten Voraussetzungen nicht erfüllt und der Anmelder einer Aufforderung zur Berichtigung (Art 11 (2) a) PCT) nicht ordnungsgemäß nachgekommen ist. Das Verfahren, das zu einer derartigen sogenannten »negativen Feststellung« führt, wird in R 20 PCT näher beschrieben. Der Anmelder ist unverzüglich davon in Kenntnis zu setzen, dass seine Anmeldung keine internationale Anmeldung ist und nicht als solche behandelt wird; diese Feststellung ist zu begründen (R 20.7 i) PCT).

55 b) Das Anmeldeamt teilt dem Anmelder nach R 29.1 ii) PCT mit, dass die internationale Anmeldung nach Art 14 PCT als zurückgenommen gilt. Diese Regelung entspricht vom System her in sehr geraffter Form der für das Verfahren vor dem EPA vorgesehenen Feststellung, dass ohne besondere Entscheidung des Amts ein Rechtsverlust eingetreten ist (R 69 EPÜ). Im Einzelnen kann es sich um folgende Fälle handeln:

– Das Anmeldeamt stellt nach Art 14 (1) b) PCT fest, dass unter Art 14 (1) a) PCT aufgeführte Mängel nicht rechtzeitig behoben worden sind.

– Das Anmeldeamt stellt nach Art 14 (3) a) PCT fest, dass nach Art 3 (4) iv) PCT vorgeschriebene Gebühren, dh die internationale Anmeldegebühr, die Übermittlungsgebühr oder die Recherchengebühr (R 14–16bis PCT) nicht rechtzeitig eingezahlt worden sind.

– Das Anmeldeamt stellt nach Art 14 (4) PCT innerhalb der Frist von 4 Monaten seit dem Anmeldetag (R 30 PCT) fest, dass der internationalen Anmeldung zu Unrecht ein Anmeldedatum zuerkannt worden ist, weil eine der Voraussetzungen des Art 11 (1) PCT nicht erfüllt war.

c) Das IB erklärt die internationale Anmeldung nach Art 12 (3) PCT für zurückgenommen, weil ihm das Aktenexemplar auch drei Monate nach einer entsprechenden Erinnerung an den Anmelder und das Anmeldeamt nicht übermittelt wurde (R 22.1 c) und g) sowie 22.3 PCT).

8.2 Nachprüfungsverfahren gemäß Art 25 PCT

Voraussetzung für eine Nachprüfung nach Art 25 (2) a) PCT ist in jedem Fall, dass der Anmelder beim IB frühzeitig die unverzügliche Übersendung einer Kopie der Anmeldung samt sonstigen Anmeldungsunterlagen an das betreffende Bestimmungsamt beantragt (Art 25 (1) c) und R 51 PCT). Soll das EPA als Bestimmungsamt/ausgewähltes Amt zum Beispiel eine dem Anmelder bekanntgegebene negative Feststellung überprüfen, so muss dieser *beim IB* innerhalb von zwei Monaten vom Datum der entsprechenden Mitteilung (und nicht von ihrem Zugang) die Übermittlung von Kopien des Akteninhalts an das EPA als Bestimmungsamt beantragen (R 80.6 PCT).

Was das EPA betrifft, muss der Anmelder nach Art 25 (2) a) PCT iVm R 51.3 außerdem:

(a) die nationale Gebühr entrichten,
(b) eine Übersetzung der (angeblichen) Euro-PCT-Anmeldung in einer der Amtssprachen des EPA einreichen, wenn die Unterlagen nicht in einer dieser Sprachen abgefasst sind,
(c) das EPA um Nachprüfung der dem Anmelder bekanntgegebenen negativen Feststellung ersuchen,
(d) gegebenenfalls den Fehler oder die Unterlassung beheben, der/die zur negativen Feststellung geführt hat, und alle für die Inanspruchnahme der nach dem EPÜ in Frage kommende(n) Heilungsmöglichkeit(en) vorgeschriebenen Handlungen vornehmen (Rdn 62).

Bei a) und b) handelt es sich um regelmäßig für den Eintritt in die nationale Phase zu erfüllende Erfordernisse (Art 158 Rdn 27–62), bei c) und d) hingegen um speziell für das Nachprüfungsverfahren nach Art 25 (2) a PCT, ggf iVm Art 24 (2) PCT, geltende Erfordernisse. Das EPA empfiehlt außerdem die gleichzeitige Vornahme aller weiteren für den ordnungsgemäßen Eintritt in die europäische Phase nach Regel 107 (1) EPÜ und ggf nach R 110 EPÜ vorgeschriebenen Handlungen[15] (Art 157 Rdn 1 ff; Art 158 Rdn 1 ff).

Die Prüfungsabteilung prüft, ob die negative Feststellung zu Recht erfolgt ist. Wird ein *fehlerhaftes* Handeln des Anmeldeamtes oder des IB festgestellt und sind die übrigen Erfordernisse erfüllt (Rdn 58), so wird die internationale An-

---

15 Euro-PCT Leitfaden Nr 269.

meldung für die Staaten, für die das EPA Bestimmungsamt ist, als wirksame Euro-PCT-Anmeldung behandelt. Gleiches gilt für etwaige Erstreckungsstaaten.

61 Liegt nach Auffassung der Prüfungsabteilung hingegen kein fehlerhaftes Handeln vor, so bleibt es bei der Unwirksamkeit der internationalen Anmeldung als europäische Patentanmeldung. Da diese Feststellung von der Prüfungsabteilung in Form einer Entscheidung des EPA als Bestimmungsamt getroffen wird, kann sie mit der Beschwerde gemäß Art 106 (1) EPÜ angefochten werden.

62 Nach Art 24 (2) und 39 (3) PCT kann das EPA als Bestimmungsamt/ausgewähltes Amt die in Art 11 (3) PCT bestimmte Wirkung auf Grund der Vorschriften des EPÜ auch aufrechterhalten, wenn es hierzu nach Art 25 (2) PCT oder Art 39 (1) PCT nicht verpflichtet ist. Anders ausgedrückt *kann* das EPA als Bestimmungsamt/ausgewähltes Amt eine negative Feststellung auch dann aufheben, wenn das Anmeldeamt, das IB oder das Bestimmungsamt/ausgewählte Amt selbst nach den einschlägigen PCT-Vorschriften *zu Recht* festgestellt hat, dass die internationale Anmeldung zurückgenommen wurde, als zurückgenommen gilt oder niemals existiert hat. Bestand der Fehler in einer Fristüberschreitung, so *muss* das Bestimmungsamt/ausgewählte Amt dem Anmelder die im EPÜ vorgesehenen Heilungsmöglichkeiten gemäß Art 48 (2) a) PCT zubilligen (Rdn 68–70).

63 Ein Anmelder, der die Aufhebung einer negativen Feststellung des Anmeldeamts oder des IB in der internationalen Phase erwirken möchte, sollte daher nicht nur prüfen, ob das Anmeldeamt und das IB den PCT richtig angewandt haben, sondern auch, ob sie nach Maßgabe der einschlägigen Vorschriften des EPÜ zu einem anderen Ergebnis hätten gelangen können. Hat es der Anmelder versäumt, die in Art 22 und 39 PCT genannten Handlungen zur Einleitung der nationalen Phase vorzunehmen, so kann der Verlust der Wirkung der Anmeldung nach Art 24 (1) iii) und Art 39 (2) PCT für den betreffenden Bestimmungsstaat vor dem EPA als Bestimmungsamt/ausgewähltem Amt durch Anwendung von R 108 EPÜ sowie anderer EPÜ-Vorschriften abgewendet werden.

64 In diesem Zusammenhang haben die Beschwerdekammern entschieden, dass das EPA bei der Prüfung der Möglichkeit, die internationale Anmeldung als europäische Anmeldung aufrechtzuerhalten, dieselben Regeln und Grundsätze anwenden muss wie in vergleichbaren Fällen bei europäischen Direktanmeldungen. Dies entspricht einem wesentlichen Grundsatz des PCT selbst und ergibt sich zugleich unmittelbar aus Art 150 (3) EPÜ.[16]

65 Mangels besonderem Verfahren werden Anträge nach Art 24 (2) PCT vom EPA als Sonderfall der Anträge nach Art 25 (2) a) PCT behandelt, für die diesel-

---

16   J 17/99 vom 4.7.2000.

ben Verfahrenserfordernisse zu erfüllen sind (Rdn 57 ff).[17] Neben dem Nachprüfungsantrag muss zugleich auch der geeignete, im EPÜ vorgesehene Rechtsbehelf eingelegt und beispielsweise die Wiedereinsetzung in den vorigen Stand oder die Weiterbehandlung gemäß Art 122 bzw 121 EPÜ, ggf unter Hinweis auf Art 48 (2) a) und R 82bis PCT, beantragt werden (Rdn 68–70).

Der Antrag auf Weiterbehandlung nach Art 121 EPÜ ist innerhalb von zwei Monaten nach Bekanntgabe der negativen Feststellung zu stellen. Damit deckt sich diese Frist weitgehend[18] mit der Frist nach R 51 PCT. Die Frist für die Stellung des Weiterbehandlungsantrags ist nach Art 122 EPÜ wiedereinsetzungsfähig. Darüber hinaus kann die Wiedereinsetzung in den vorigen Stand auch in Anspruch genommen werden, wenn ein Anmelder die Frist nach R 51 PCT nicht eingehalten hat. 66

Hat das EPÜ einen Vorbehalt aus Gründen der Unvereinbarkeit mit dem EPÜ angemeldet, so ist eine Wiedereinsetzung nach R 49.6 a) PCT nicht möglich (Art 158 Rdn 45). 67

8.3 Heilung von Fristüberschreitungen gemäß Art 48 PCT

Nach Art 48 (2) a) PCT muss ein Bestimmungsamt/ausgewähltes Amt eine Fristüberschreitung als entschuldigt ansehen, wenn Gründe vorliegen, die nach dem für dieses Amt geltenden nationalen Recht zugelassen sind. Unter *»nationales Recht«* fällt auch das EPÜ (Art 2 x) PCT). Bei Art 48 (2) a) PCT handelt es sich um eine generelle Vorschrift zugunsten des Anmelders. Sie wird nach R 82bis.2 PCT und der ständigen Rechtsprechung der Beschwerdekammern sowie der Praxis des EPA weit ausgelegt.[19] Gegebenenfalls sollte daher zusammen mit einem Nachprüfungsantrag nach Art 24 (2) PCT iVm Art 25 (2) a) PCT zusätzlich auch Antrag auf Entschuldigung einer Fristüberschreitung gestellt werden. 68

Wird eine Fristüberschreitung vom EPA gemäß Art 48 (2) a) iVm R 82bis.2 PCT entschuldigt, so wirkt sich dies ebenso wie im Falle einer Nachprüfung gemäß Art 25 (2) a) PCT nur auf das Verfahren in der europäischen Phase vor dem EPA als Bestimmungsamt/ausgewähltem Amt aus.[20] 69

Steht fest, dass der Anmelder in der internationalen Phase eine Frist versäumt hat, die entweder 70

– im PCT oder seiner Ausführungsordnung vorgeschrieben ist,
– vom PCT-Anmeldeamt, der ISA, IPEA oder dem IB festgesetzt wurde,

---

17 Euro-PCT-Leitfaden Nr 270. Siehe auch die Entscheidung der Prüfungsabteilung vom 5. Juni 1984, ABl 1984, 565, sowie **G 3/91**, ABl 1993, 8.
18 Nicht ganz, weil die Frist nach R 51 PCT am Datum der Mitteilung zu laufen beginnt (Absendetheorie) (R 80.6 PCT).
19 **W 3/93**, ABl 1994, 931; **J 20/89**, ABl 1991, 375.
20 PCT-Leitfaden der WIPO, Bd I/A Nr 67 ff.

- für das PCT-Anmeldeamt nach nationalem Recht gilt, oder
- dem Anmelder vom Bestimmungsamt/ausgewähltem Amt für eine von ihm vorzunehmende Handlung gesetzt wurde oder die jenes Amt nach seinem nationalen Recht anzuwenden hat,

so kann die Prüfungsabteilung die Folgen der Fristüberschreitung durch analoge Anwendung des im EPÜ vorgesehenen entsprechenden Rechtsbehelfs beseitigen, so zB gemäß Art 121 EPÜ und/oder Art 122 EPÜ (Art 121 Rdn 8, 10–12; Art 122 Rdn 17–20).

8.4 Berichtigung nach Art 26 PCT

71 Hinzuweisen ist auch auf die neuere Rechtsprechung der Beschwerdekammern zu der in Art 26 PCT vorgesehenen Heilungsmöglichkeit.[21] Nach Art 26 PCT darf ein Bestimmungsamt eine internationale Anmeldung wegen Nichtbeachtung von Vorschriften des PCT nicht zurückweisen, ohne dem Anmelder zuvor Gelegenheit zu geben, die Anmeldung in dem nach dem nationalen Recht bei nationalen Anmeldungen für gleiche und vergleichbare Fälle vorgesehenen Umfang zu berichten.

72 Die angeführte Rechtsprechung betrifft die Berichtigung einer versehentlich unterbliebenen Bestimmung des EPA (Nichtankreuzen des Kästchens »EP« in dem bis zum 1. Januar 2004 gebräuchlichen PCT-Antragsformular). In der Entscheidung J 8/01 urteilte die Beschwerdekammer auf Grund einer weiten Auslegung des Gleichbehandlungsprinzips und der Gleichsetzung von Euro-PCT-Anmeldungen und europäischen Direktanmeldungen gemäß Art 150 (3) EPÜ, dass eine solche Berichtigung beim EPA als (angeblichem) Bestimmungsamt nach R 88 EPÜ iVm Art 26 PCT grundsätzlich beantragt werden kann.[22]

73 Obwohl es zu derartigen Versehen seit Einführung des rationalisierten Bestimmungssystems (Rdn 22 ff) nicht mehr kommen kann, bleiben die genannten Entscheidungen insoweit von Bedeutung, als darin der allgemeine PCT-Grundsatz zum Ausdruck kommt, dass für ein Bestimmungsamt geltende Rechtsvorschriften von diesem angewandt werden müssen, wenn sie für den Anmelder günstiger sind als die Vorschriften des PCT. Dieser Grundsatz findet seinen Niederschlag nicht nur in Art 26 PCT, sondern auch in den Art 24 (2), 27 (4), 39 (3) und 48 (2) PCT. Er soll verhindern, dass dem Anmelder durch Beschreiten des PCT-Wegs (rechtliche) Nachteile entstehen, die er nicht gehabt hätte, wenn er die Anmeldung (soweit das EPA als Bestimmungsamt betroffen ist) als europäische Direktanmeldung eingereicht hätte.

---

21 J 17/00 vom 2.7.2001; J 1/01 vom 28.9.2002; J 8/01, ABl 2003, 3.
22 J 8/01, ABl 2003, 3.

Artikel 154 Das Europäische Patentamt als Internationale Recherchenbehörde

(1) Vorbehaltlich einer zwischen der Organisation und dem Internationalen Büro der Weltorganisation für geistiges Eigentum geschlossenen Vereinbarung wird das Europäische Patentamt für Anmelder, die Staatsangehörige eines Vertragsstaats sind, für den der Zusammenarbeitsvertrag in Kraft getreten ist, als Internationale Recherchenbehörde im Sinn des Kapitels I des Zusammenarbeitsvertrags tätig; das Gleiche gilt, wenn der Anmelder in diesem Staat seinen Wohnsitz oder Sitz hat.

(2) Vorbehaltlich der vorherigen Zustimmung des Verwaltungsrats wird das Europäische Patentamt auf Grund einer zwischen der Organisation und dem Internationalen Büro der Weltorganisation für geistiges Eigentum geschlossenen Vereinbarung auch für andere Anmelder als Internationale Recherchenbehörde tätig.

(3) Für Entscheidungen über einen Widerspruch des Anmelders gegen eine vom Europäischen Patentamt nach Artikel 17 Absatz 3 Buchstabe a des Zusammenarbeitsvertrags für die internationale Recherche festgesetzte zusätzliche Gebühr sind die Beschwerdekammern zuständig.

Reinoud Hesper

Übersicht

1	Einleitung	1-5
2	Art 154 (1) – Tätigkeit des EPA als ISA für die EPÜ-Vertragsstaaten	6-11
3	Art 154 (2) – Tätigkeit des EPA als ISA für andere Staaten	12-13
4	Weitere Zuständigkeitsvoraussetzungen	14-30
4.1	Bestimmung durch das Anmeldeamt	16-19
4.2	Wahl durch den Anmelder	20-24
4.3	Beschränkung der Zuständigkeit	25-30
5	Vertretung vor dem EPA als ISA	31-36
6	Internationale Recherchengebühr	37-49
6.1	Ermäßigung der Internationalen Recherchengebühr	39-41
6.2	Rückerstattung der Internationalen Recherchengebühr	42-49
7	Übersetzungserfordernisse	50-52
8	Internationale Recherche	53-56
9	Übersicht über das Verfahren	57-64
10	Ablehnung der Durchführung einer (vollständigen) internationalen Recherche	65-68
11	Von der Recherche ausgenommene Gegenstände	69-70
12	Komplexe Anmeldungen	71

13	Geschäftsmethoden	72
14	Nucleotid- und Aminosäuresequenzen	73-74
15	Art 154 (3) – Zuständigkeit für Widerspruchsentscheidungen	75-80
16	Anwendbares Recht und Verfahren	81-89
17	R 105 (1) – Mangelnde Einheitlichkeit und Aufforderung zur Entrichtung zusätzlicher Gebühren	90-98
18	R 105 (3) Widerspruchsverfahren vor der Überprüfungsstelle	99-112
19	R 105 (3) Widerspruchsverfahren vor den Beschwerdekammern	113-118
19.1	Widerspruchsverfahren vor der Großen Beschwerdekammer	118

1 Einleitung

1   Jede internationale Anmeldung ist während der internationalen Phase Gegenstand einer internationalen Recherche, die durch die zuständige internationale Recherchenbehörde durchgeführt wird. Für die internationale Recherchenbehörde wird im Folgenden die übliche Abkürzung *ISA* verwendet, die sich aus der englischen Bezeichnung *International Searching Authority* ergibt. Art 154 (1) und (2) EPÜ definieren den Zuständigkeitsbereich des EPA als ISA. Wie im Folgenden näher auszuführen sein wird, kann das EPA grundsätzlich, für jede internationale Anmeldung als ISA tätig werden (Rdn 12). Einzelheiten im Hinblick auf die internationale Recherche, die ISA und den internationalen Recherchenbericht (ISR) sind insbesondere in den Art 15–18 PCT sowie in den R 16, 23, 25 und 33–45 PCT enthalten. Die Bedingungen, unter denen ein nationales Amt oder eine zwischenstaatliche Organisation wie das EPA ISA werden kann, sind in Art 16 PCT und den dazugehörenden Regeln festgelegt, während das Verfahren vor der ISA in Art 17 PCT und den dazugehörenden Regeln geregelt ist. Die ursprüngliche Absicht, eine einzige ISA zu errichten (Art 16 (2) PCT), hat sich als undurchführbar erwiesen. Die PCT-Versammlung hat inzwischen zwölf ISAs eingesetzt.[1]

2   Außer durch die vorgenannten Artikel und Regeln des PCT ist die Tätigkeit des EPA als ISA ergänzend auch durch die PCT-Verwaltungsvorschriften und die Vereinbarung zwischen EPA und IB (Vereinbarung EPO-WIPO, Anhang 10) geregelt. Teil 2 der Broschüre des EPA *Der Weg zum europäischen Patent – Euro-PCT* (Euro-PCT-Leitfaden) enthält eine Zusammenfassung des betreffenden Verfahrens. Darüber hinaus hat das EPA bei der Durchführung der internationalen Recherche die PCT-Richtlinien für die internationale Recherche und die vorläufige Prüfung (»ISPE-Richtlinien«) anzuwenden (Art 2 Vereinbarung EPO-WIPO; Rdn 103). Die ISPE-Richtlinien entsprechen weitgehend

---

[1] AT, AU, CA, CN, EP, ES, FI, JP, KR, RU, SE, US.

den Richtlinien für die Prüfung im EPA (PrüfRichtl E-IX, 3). In dem Verfahren vor dem EPA als ISA gelten nicht zuletzt wie in jedem Verfahren vor dem EPA die allgemeinen Rechtsgrundsätze wie zB der Grundsatz des guten Glaubens.[2]

Die Verwendung des ISR im Verfahren vor dem EPA als Bestimmungsamt/ ausgewähltes Amt wird durch Art 157 EPÜ geregelt (Art 157 Rdn 5–8). 3

Art 154 (3) EPÜ regelt eine weitere Zuständigkeitsfrage, indem dort den Beschwerdekammern die Zuständigkeit für die Entscheidung über Widersprüche von Anmeldern zuerkannt wird, die wegen der mangelnden Einheitlichkeit der Erfindung zur Entrichtung zusätzlicher Recherchengebühren aufgefordert wurden (Art 17 (3) a) und R 40.2 PCT; R 105 EPÜ) (Rdn 81 ff). Hiervon abgesehen unterliegen nach jetziger Rechtsprechung die durch das EPA als ISA getroffenen Entscheidungen nicht der Überprüfung durch die Beschwerdekammern (Art 150 Rdn 12).[3] 4

EPÜ 2000

Die Bestimmungen in Art 154 (1) und (2) EPÜ sowie in Art 155 (1) und (2) EPÜ zur Zuständigkeit des EPA, als ISA und als IPEA tätig zu werden, sind in einer einzigen Bestimmung zusammengefasst worden: Art 152 EPÜ 2000. Wie im Folgenden dargelegt werden wird, sind zahlreiche Änderungen des Wortlauts des gegenwärtigen Art 154 (1) und (2) EPÜ vorgenommen worden (Rdn 11 und 13), die aber keine sachliche Änderung der Zuständigkeit des EPA als ISA und als IPEA mit sich bringen. Eine wichtige inhaltliche Änderung wurde jedoch hinsichtlich der Zuständigkeit für Entscheidungen über Widersprüche nach den R 40.2 und 68.3 PCT vorgenommen, die bisher in den Art 154 (3) und 155 (3) EPÜ geregelt war. Diese beiden Bestimmungen wurden gestrichen, und die Beschwerdekammern werden für diese Entscheidungen nach dem EPÜ 2000 künftig nicht mehr zuständig sein (Rdn 79 ff). 5

2 Art 154 (1) EPÜ – Tätigkeit des EPA als ISA für EPÜ-Vertragsstaaten

Art 154 (1) EPÜ sieht vor, dass das EPA nach Maßgabe der Vereinbarung zwischen dem EPA und dem IB als ISA für Anmelder tätig wird, die Staatsangehörige eines EPÜ-Vertragsstaats sind, der auch PCT-Vertragsstaat ist; das Gleiche gilt, wenn der Anmelder in einem solchen Staat seinen Wohnsitz oder Sitz hat. Im Hinblick auf das Erfordernis, dass der Anmelder Staatsangehöriger eines EPÜ-Vertragsstaats sein oder dort seinen Wohnsitz oder Sitz haben muss, wird auf die Kommentierung von Art 151 EPÜ verwiesen (Art 151 Rdn 5 ff). 6

Für die EPÜ-Staaten wird nach Abschnitt I (2) des Zentralisierungsprotokolls (ZentrProt) (Anhang 4) grundsätzlich nur das EPA als ISA tätig. Dieser Grundsatz der ausschließlichen Zuständigkeit ist jedoch insofern eingeschränkt, als nationale Ämter von EPÜ-Vertragsstaaten, deren Amtssprache 7

---

[2] **W 2/93** vom 31.3.1993.
[3] **J 20/89**, ABl 1991, 375.

nicht eine der Amtssprachen des EPA ist, nach Abschnitt III (1) des ZentrProt als ISA tätig werden dürfen. Eine nach dieser Bestimmung bevollmächtigte ISA hat ihr Tätigkeit auf internationale Anmeldungen zu beschränken, die von Staatsangehörigen des jeweiligen Staates und der benachbarten EPÜ-Vertragsstaaten oder von Personen, die dort ihren Wohnsitz oder Sitz haben, eingereicht werden. Das finnische, das schwedische und das spanische Patentamt haben von dieser Ausnahmeregelung Gebrauch gemacht und werden als ISA (und IPEA) tätig.[4]

8   Anmelder, die ihre internationale Anmeldung bei einem »nordischen« Patentamt – dem dänischen, finnischen, isländischen, norwegischen oder schwedischen Patentamt – einreichen, können zwischen dem EPA und dem schwedischen nationalen Amt als ISA wählen. Darüber hinaus kann für Anmeldungen, die bei dem finnischen nationalen Amt als Anmeldeamt eingereicht werden, auch dieses Amt als ISA gewählt werden. Wird eine Anmeldung beim spanischen nationalen Amt als Anmeldeamt eingereicht, so kann der Anmelder zwischen diesem Amt und dem EPA als ISA wählen. Wird jedoch das spanische nationale Amt als Anmeldeamt gewählt, so muss die Anmeldung in spanischer Sprache eingereicht werden. Dementsprechend muss der Anmelder eine Übersetzung in eine der Amtssprachen des EPA einreichen, wenn er wünscht, dass das EPA die internationale Recherche durchführt.

9   Eine weitere Ausnahme von der ausschließlichen Zuständigkeit des EPA als ISA bei Anmeldungen, die von Anmeldern aus EPÜ-Vertragsssstaaten eingereicht werden, besteht insofern, als einige dieser Staaten zusätzlich eine nichteuropäische ISA als ISA (und IPEA) bestimmt haben (Rdn 23).

10   Das österreichische nationale Amt wird ebenfalls als ISA (und als IPEA) tätig. Es ist jedoch nicht für die von Anmeldern aus EPÜ-Vertragsstaaten, sondern ausschließlich für die von Anmeldern aus bestimmten Entwicklungsländern eingereichten Anmeldungen zuständig, sofern diese Anmeldungen in englischer, französischer oder deutscher Sprache abgefasst oder in eine der drei Sprachen übersetzt sind. Die schwedischen und spanischen nationalen Ämter werden ebenfalls für Anmelder aus bestimmten nichteuropäischen (Entwicklungs)Ländern tätig.

EPÜ 2000

11   In Art 152 EPÜ 2000 wird nicht mehr ausdrücklich ausgeführt, dass das EPA nur für Anmelder aus EPÜ-Vertragsstaaten als ISA tätig werden kann, für die der PCT in Kraft getreten ist. Dieses Erfordernis ist als überflüssig gestrichen worden, weil es als bloßer Ausdruck eines allgemeinen Rechtsgrundsatzes und als Wiederholung von Art 9 PCT angesehen werden kann. Die neue Bestimmung verlangt außerdem nicht mehr das Einverständnis des Verwaltungsrats, damit das EPA als zuständige ISA für Anmelder tätig werden kann, die Staats-

---

4   EPA, ABl 1979, 145 [154]; 1995, 511.

angehörige eines EPÜ-Vertragsstaats sind oder dort ihren Wohnsitz oder Sitz haben. Dies wurde als überflüssig erachtet, da die dem Präsidenten des EPA durch den Verwaltungsrat erteilte Ermächtigung, ein Abkommen mit dem IB schließen zu dürfen, ein solches Einverständnis mit umfasst (Art 33 (4) EPÜ).

3 Art 154 (2) – Tätigkeit des EPÜ als ISA für andere Staaten

Art 154 (2) EPÜ sieht vor, dass das EPA auf Grund einer zwischen dem EPA und dem IB geschlossenen Vereinbarung auch für andere als die in Absatz 1 bezeichneten Anmelder tätig werden darf, dh für Anmelder, die nicht Staatsangehörige eines EPÜ-Vertragsstaats sind oder dort ihren Wohnsitz oder Sitz haben. Damit ist die Zuständigkeit des EPA als ISA grundsätzlich universell und nicht auf internationale Anmeldungen aus EPÜ-Vertragsstaaten beschränkt. Der Grundsatz der Universalität wird in Art 3 (1) der Vereinbarung EPO-WIPO zum Ausdruck gebracht. 12

EPÜ 2000

Nach Art 152 Satz 2 des EPÜ 2000 darf das EPA nach Maßgabe einer zwischen dem EPA und dem IB geschlossenen Vereinbarung als ISA und IPEA für Anmelder tätig werden, die *nicht* Staatsangehörige eines EPÜ-Vertragsstaats sind oder dort ihren Wohnsitz oder Sitz haben. 13

4 Weitere Zuständigkeitsvoraussetzungen

Das EPA ist nach Art 16 (3) b) PCT und Art 154 EPÜ grundsätzlich zuständig, für internationale Anmeldungen aus allen Teilen der Welt als ISA tätig zu werden. Ob das EPA jedoch für eine bestimmte Anmeldung tätig werden kann, hängt darüber hinaus von den im Folgenden näher dargelegten Voraussetzungen ab (Art 3 (2) Vereinbarung EPO-WIPO). Diese betreffen die Bestimmung des EPA als ISA durch das zuständige Anmeldeamt (Rdn 16–19) und gegebenenfalls die Wahl des EPA als ISA durch den Anmelder (Rdn 20–24). Und schließlich hat das EPA nach Art 3 (4) Vereinbarung EPO-WIPO seine Zuständigkeit eingeschränkt (Rdn 25–30). 14

Selbst wenn alle formellen Bedingungen erfüllt sind und das EPA als zuständige ISA tätig wird, wird nicht in jedem Fall eine (vollständige) Recherche durchgeführt. In gewissen Fällen verfasst das EPA statt eines ISR eine Erklärung, dass kein Recherchenbericht erstellt wird, die häufig als »declaration of no-search« bezeichnet wird. In anderen Fällen wird ein unvollständiger ISR verfasst (Art 17 (2) PCT) (Rdn 65–68). 15

4.1 Bestimmung durch das Anmeldeamt

Das EPA kann nur dann als ISA tätig werden, wenn das zuständige Anmeldeamt das EPA bestimmt hat (Art 3 (2) Vereinbarung EPO-WIPO, R 35.1 PCT). Das EPA als Anmeldeamt hat lediglich sich selbst als ISA bestimmt. Darüber 16 hinaus haben alle EPÜ-Vertragsstaaten und die meisten anderen PCT-Vertragsstaaten das EPA als ISA bestimmt. Aktuelle Informationen hierzu sind in dem durch die WIPO veröffentlichten und auf deren Website verfügbaren PCT-Leitfaden der WIPO (Bd I/B, Anhang C) zu finden.[5]

17 Im Einklang mit dem Grundsatz der Universalität (Rdn 12) wird das EPA auch als ISA (und IPEA) für solche internationalen Anmeldungen tätig, die beim IB als Anmeldeamt eingereicht werden, wenn die weiteren Voraussetzungen erfüllt sind (Art 3 (3) Vereinbarung EPO-WIPO) (Art 155 Rdn 23). Zunächst betrifft dies Anmeldungen, die bei einem Anmeldeamt hätten eingereicht werden können, welches das EPA als ISA bestimmt hat, aber für die der Anmelder sein Wahlrecht nach R 19.1 a) iii) PCT ausgeübt hat, die Anmeldung beim IB einzureichen statt beim nationalen Patentamt des Staats, dessen Staatsangehöriger er ist oder in dem er seinen Wohnsitz oder Sitz hat, oder bei dem für diesen Staat handelnden Amt (Art 151 Rdn 19).

18 Für den Fall, dass ein PCT-Vertragsstaat die Einreichung von Anmeldungen beim eigenen nationalen Amt als Anmeldeamt nicht zulässt und dieser Staat mit dem IB nach R 19.1 b) PCT übereingekommen ist, dass das IB stattdessen als Anmeldeamt tätig werden soll, wird das EPA ferner unter der Bedingung als ISA tätig, dass es von dem betreffenden Staat bestimmt worden ist. Das EPA wird zum Beispiel für Madagaskar, Sri Lanka und die Vereinigten Arabischen Emirate[6] auf dieser Grundlage als ISA tätig.

19 Ein Anmeldeamt kann mehr als eine ISA bestimmt haben (R 35.2 PCT). Es kann erstens jede der bestimmten ISAs für alle bei ihr eingereichten Anmeldungen für zuständig erklären und die Wahl dem Anmelder überlassen (R 35.2 a) i) PCT). Zweitens kann das betreffende Anmeldeamt die Wahlfreiheit eingeschränkt haben, indem es eine oder mehrere ISAs für bestimmte Arten von internationalen Anmeldungen für zuständig erklärt und eine oder mehrere andere ISAs für andere Arten von internationalen Anmeldungen (R 35.2 a) ii) PCT). Das japanische Anmeldeamt hat das EPA zum Beispiel nur für die Anmeldungen als ISA bestimmt, die beim japanischen Patentamt in Englisch eingereicht werden. Im Gegensatz dazu hat das USPTO als Anmeldeamt das EPA ohne Einschränkungen als ISA bestimmt.

4.2 Wahl durch den Anmelder

20 Wenn verschiedene ISAs zur Verfügung stehen, muss eine Wahl getroffen und in dem PCT-Antrag angegeben werden (R 4.1 b) iv) und 4.14^{bis} PCT). Der PCT

---

5 Am 1. Mai 2006 hatten folgende PCT-Vertragsstaaten das EPA *nicht* als ISA (und IPEA) bestimmt: Vereinigte Arabische Emirate (AE), Australien (AU), Kanada (CN), China (CN), Komoren (KM), St. Kitts und Nevis (KN), Demokratische Volksrepublik Korea (KP), Republik Korea (KR), Libysch-Arabische Dschamahirija (LY), Oman (OM), Papua-Neuguinea (PG).
6 PCT-Leitfaden der WIPO Band I/B, Anhang C unter IB.

sieht gegenwärtig nicht die Bestellung von zwei oder mehr ISAs für ein und dieselbe Anmeldung vor (R 35.3 b) PCT). Anmelder, die die Wahl zwischen mehreren ISAs haben, sollten bedenken, dass das EPA gemäß Art 3 (2) Vereinbarung EPO-WIPO nur dann als IPEA tätig wird, wenn die internationale Recherche vom EPA oder vom finnischen, österreichischen, schwedischen oder spanischen Patentamt durchgeführt wurde (Art 155 Rdn 20). Die Wahl hat auch Auswirkungen auf die Behandlung der Anmeldung beim EPA als Bestimmungsamt/ausgewähltes Amt (Art 155 Rdn 19).

Für ab dem 1. Juli 2005 eingereichte Anmeldungen gilt der Verzicht auf das 21 Erfordernis einer zusätzlichen europäischen Recherche nur dann, wenn das EPA als ISA tätig geworden ist (Art 157 Rdn 59 ff). Für vor dem 1. Juli 2005 eingereichte Anmeldungen gilt derselbe Verzicht auch, wenn die internationale Recherche von dem österreichischen, schwedischen oder spanischen Patentamt ausgeführt wurde, jedoch nicht, wenn das finnische Patentamt als ISA tätig geworden ist (Art 157 Rdn 61).

Anmelder, die Staatsangehörige eines EPÜ-Vertragsstaats sind oder ihren 22 Wohnsitz oder Sitz in einem EPÜ-Vertragsstaat haben, können die Wahl zwischen dem EPA einerseits und einer anderen ISA in einem der EPÜ-Vertragsstaaten andererseits haben. Die nationalen Ämter von Finnland, Schweden und Spanien können als ISA für solche Anmelder jedoch nur tätig werden, wenn eine Anmeldung beim Anmeldeamt bestimmter EPÜ-Vertragsstaaten eingereicht wurde (Rdn 7–10). In einigen Fällen können solche Anmelder sogar drei Alternativen haben. Wenn zB Finnland als Anmeldeamt tätig wird, kann für die Durchführung der internationalen Recherche zwischen dem EPA, dem finnischen und dem schwedischen nationalen Amt als ISA gewählt werden.

Darüber hinaus haben die Anmeldeämter mehrerer EPÜ-Vertragsstaaten (zB 23 Bulgarien, Lettland, Litauen, Rumänien und Ungarn) zusätzlich eine nichteuropäische ISA, nämlich das russische Patentamt, als ISA (und IPEA) bestimmt. Aktuelle Informationen über die Wahlmöglichkeiten bei jedem Anmeldeamt, sind in dem PCT-Leitfaden der WIPO enthalten.[7]

Im Hinblick auf die Wahl zwischen dem EPA als ISA und einem nationalen 24 Amt eines der EPÜ-Vertragsstaaten, das als ISA tätig wird, ist zu erwähnen, dass sich das EPA und die Patentämter von Schweden und Spanien am 10. Februar 1999[8] in ihrer Eigenschaft als ISA zu einer Partnerschaft zum Zwecke der Durchführung der internationalen Recherche zusammengeschlossen haben. Das Partnerschaftsabkommen stützt sich auf Abschnitt III (2) des ZentrProt (Anhang 4) und sieht ein einheitliches Gebührenverzeichnis, dem die Gebüh-

---

7   Bd I/B, Anhang C.
8   ABl 1999, 66 und 431, letzter Absatz.

renordnung nach dem EPÜ zu Grunde liegt, sowie Instrumente zur Harmonisierung der Rechercheaktivität der drei Ämter vor.[9]

4.3 Beschränkung der Zuständigkeit

25 Das EPA darf gemäß der Vereinbarung mit dem IB seine Zuständigkeit als internationale Behörde beschränken (Art 3 (4) a) ii) – c) Vereinbarung EPO-WIPO). Eine solche Beschränkung ist nicht auf Anmelder aus EPÜ-Vertragsstaaten anwendbar (Art 154 (1) EPÜ, Abschnitt I (2) ZentrProt). Das EPA hat auf dieser Grundlage einen für einen Zeitraum von drei Jahren geltenden Beschluss für Anmeldungen gefasst, die ab dem 1. März 2002 im Bereich der Biotechnologie und der Geschäftsmethoden eingereicht werden.[10]

26 Die Beschränkung ist anwendbar, wenn eine Anmeldung, die einen oder mehrere Ansprüche aus einem der soeben genannten Bereiche enthält, von Staatsangehörigen der Vereinigten Staaten oder von Anmeldern, die dort ihren Sitz oder Wohnsitz haben, beim USPTO eingereicht wird. Darüber hinaus ist in den Fällen, in denen das IB Anmeldeamt war, das EPA nicht als ISA (und IPEA) zuständig, wenn die internationale Anmeldung beim USPTO als Anmeldeamt hätte eingereicht werden können, soweit sie nicht ebenso beim EPA als Anmeldeamt hätte eingereicht werden können.

27 Die Beschränkung der Zuständigkeit für Anmeldungen, die einen oder mehrere Ansprüche aus dem Bereich der Geschäftsmethoden enthalten, wäre am 1. März 2005 ausgelaufen; sie ist jedoch um einen Zeitraum von zwei Jahren verlängert worden, und eine erneute Verlängerung gilt als wahrscheinlich.[11] Die Beschränkung im Hinblick auf den Bereich der Biotechnologie wurde für ab dem 1. Januar 2004 eingereichte Anmeldungen vorzeitig aufgehoben.[12]

28 Die genannten Beschränkungen erstrecken sich auf die in einer Mitteilung des Präsidenten aufgezählten Klassen der Internationalen Patentklassifikation (IPC).[13] Im Zuge der Überarbeitung der IPC ist neu festgelegt worden, für welche Anmeldungen diese Beschränkungen gelten.[14]

29 Das EPA ist nicht verpflichtet, eine internationale Recherche durchzuführen, wenn es der Auffassung ist, dass sich die Anmeldung auf einen der in R 39.1 PCT aufgezählten Anmeldungsgegenstände bezieht; hiervon ausgenommen sind Anmeldungsgegenstände, für die nach den Vorschriften des EPÜ eine Recherche durchzuführen ist (Art 17 (2) a) i) PCT, Art 4 und Anhang B Vereinbarung EPO-WIPO). Da Geschäftsmethoden in R 39.1 PCT genannt werden,

---

9 *PCT-Newsletter* 6/2001. Siehe jedoch Art 155 Rdn 87 und Art 157 Rdn 15
10 ABl 2002, 52 und 175.
11 ABl 2005, 149.
12 ABl 2003, 633.
13 ABl 2002, 52, Nr 3.
14 ABl 2006, 149.

wird das EPA es als ISA ablehnen, eine Recherche durchzuführen, wenn der Anspruch sich lediglich auf eine Geschäftsmethode »als solche« bezieht (Art 52 Rdn 20 ff).[15] Nähere Informationen zu diesem Thema enthält Rdn 72.

Dementsprechend kann es selbst in dem Fall, dass seine Zuständigkeit nicht beschränkt ist, sein, dass sich das EPA als ISA insoweit weigert, eine Recherche durchzuführen, als der Anmeldungsgegenstand sich auf eine Geschäftsmethode »als solche« bezieht (Rdn 25).

5 Vertretung vor dem EPA als ISA

Gemäß R 90.1 PCT wird die Person, die ordnungsgemäß dazu bestellt ist, den Anmelder im Verfahren nach dem PCT zu vertreten, als »Anwalt« bezeichnet (Vor Art 150–158 Rdn 72 ff). Ein ordnungsgemäß bestellter und im Zusammenhang mit einer internationalen Anmeldung zum Auftreten vor dem Anmeldeamt befugter Anwalt ist dadurch »automatisch« berechtigt, vor der zuständigen ISA (und IPEA) und dem IB tätig zu werden, ohne dass es eines weiteren Bestellungsaktes bedürfte (Art 49 PCT). Er kann daher als »Anwalt für die internationale Phase« bezeichnet werden. Das bedeutet zum Beispiel, dass der im Hinblick auf die Einreichung der Anmeldung beim USPTO bestellte Anwalt berechtigt ist, den Anmelder vor dem EPA als ISA zu vertreten (Vor Art 150–158 Rdn 72 ff).

Die Frage, ob der Anwalt für die internationale Phase als Vertreter in der europäischen Phase tätig werden kann, ist auf der Grundlage des EPÜ zu beantworten (Art 158 Rdn 121 ff).

Unbeschadet des Rechts des Anmelders, sich vor der ISA durch den zur Einreichung der internationalen Anmeldung bestellten Anwalt vertreten zu lassen, dh durch den Anwalt für die internationale Phase, kann der Anmelder *zusätzlich* einen Vertreter bestellen, der ihn speziell im Verfahren vor der ISA vertreten soll (Art 49, R 90.1 b) PCT).

Stattdessen kann auch der Anwalt für die internationale Phase einen *Unteranwalt* speziell zur Vertretung vor der ISA bevollmächtigen (R 90.1 d) ii) PCT). Jeder speziell für das Verfahren vor der ISA bestellte Anwalt muss jedoch berechtigt sein, vor dem nationalen/regionalen Amt aufzutreten, das als ISA tätig wird. Das bedeutet, dass ein solcher für das Verfahren vor dem EPA als ISA bestellter Anwalt nach Art 134 EPÜ berechtigt sein muss, vor dem EPA aufzutreten. Sofern demnach zB eine Anmeldung beim USPTO als Anmeldeamt eingereicht wurde, darf der Anmelder bzw ggf sein Anwalt für die internationale Phase in diesem Falle nur einen beim EPA zugelassenen Vertreter aus der betreffenden beim EPA geführten Liste (Art 134 (1) EPÜ) oder einen Rechtsanwalt nach Art 134 (7) EPÜ bestellen.

---

15 PrüfRichtl C-IV, 2.3.5; ABl 2002, 176, Nr 7.

35 Normalerweise besteht für einen Anmelder kein Grund, mit der zuständigen ISA zu korrespondieren, und er benötigt deswegen im Allgemeinen keinen Anwalt, der über besondere Kenntnisse in Bezug auf die Praxis und die Verfahren vor der jeweiligen ISA verfügt. Für das Verfahren vor dem EPA als ISA kann es jedoch von Vorteil sein, von einem zugelassenen Vertreter nach Art 134 EPÜ vertreten zu werden, wenn das EPA feststellt, dass das Erfordernis der Einheitlichkeit nicht erfüllt ist und der Anmelder die Sicht der ISA nicht teilt (Rdn 75).

36 Das EPA hat in seiner Funktion als ISA auf die Erfordernisse im Hinblick auf die Einreichung einer Vollmacht oder einer Abschrift einer allgemeinen Vollmacht *verzichtet*.[16] Die obigen Informationen in Bezug auf die Bestellung eines zugelassenen Vertreters speziell für das Verfahren vor dem EPA als ISA gelten entsprechend, wenn ein solcher Vertreter zum Zwecke des Verfahrens vor dem EPA als IPEA bestellt wird (Art 155 Rdn 27 ff).

6 Internationale Recherchengebühr

37 Das EPA als ISA verlangt nach R 16.1 PCT die Entrichtung einer Recherchengebühr für die Durchführung der internationalen Recherche (Art 3 (4) iv) PCT). Die Gebührensätze sind in Art 2 Nr 2.2 GebO festgelegt und in der Vereinbarung EPO-WIPO näher bestimmt (Art 5 (1) und Anhang C-I Vereinbarung EPO-WIPO, Anhang 10). Informationen über die aktuelle Höhe der Gebühr sind in dem Abschnitt »Hinweise für die Zahlung von Gebühren, Auslagen und Verkaufspreisen« des Amtsblatts enthalten.

38 Die Recherchengebühr ist innerhalb derselben Frist an das Anmeldeamt zu entrichten, die auch für die Zahlung der internationalen Anmeldegebühr und der Übermittlungsgebühr gilt, also innerhalb eines Monats nach Eingang der internationalen Anmeldung. Zu zahlen ist der zum Zeitpunkt des Eingangs geltende Betrag (R 15.4, 14.1 c) und 16.1 f) PCT) (Vor Art 151/152 Rdn 46). Für Informationen über das Verfahren im Falle verspäteter Zahlung der fälligen Gebühren bei der Einreichung der internationalen Anmeldung vergleiche Vor Art 151/152 Rdn 52 ff.

6.1 Ermäßigung der internationalen Recherchengebühr

39 Die Recherchengebühr ermäßigt sich nach einem Beschluss des Verwaltungsrats um 75%, wenn es sich bei dem Anmelder um eine natürliche Person mit Staatsangehörigkeit und Wohnsitz in einem PCT-Vertragsstaat handelt, der nicht Vertragsstaat des EPÜ ist und der die Erfordernisse des PCT für die Ermäßigung der internationalen Anmeldegebühr und der Bearbeitungsgebühr erfüllt[17] (Art 155 Rdn 59). Im Falle mehrerer Anmelder müssen alle Anmelder die obigen Erfordernisse erfüllen, um in den Genuss der Ermäßigung zu kom-

---

16 ABl 2004, 305.
17 ABl 2000, 446.

men. Gemäß Nr 4 des PCT-Gebührenverzeichnisses gehören die betreffenden PCT-Vertragsstaaten entweder zu der Gruppe von Staaten, deren nationales Pro-Kopf-Einkommen unter 3.000 US-Dollar liegt oder zu der Gruppe von Staaten, die von den Vereinten Nationen als eines der am wenigsten entwickelten Länder eingestuft werden.

Die Tatsache, dass die Ermäßigung der Recherchengebühr ausschließlich den 40 Personen mit Staatsangehörigkeit und Wohnsitz in den PCT-Vertragsstaaten gewährt wird, die *nicht* dem EPÜ angehören, hat zur Folge, dass die Zahl der für diese Ermäßigung in Frage kommenden Fälle stärker eingeschränkt ist als bei dem im PCT vorgesehenen Ermäßigungssystem. Anmelder aus Bulgarien, Estland, Lettland, Litauen, Polen, Rumänien und der Türkei, deren internationale Anmeldegebühr und Bearbeitungsgebühr um 75% ermäßigt wird, haben somit keinen Anspruch auf dieselbe Ermäßigung für die Recherchengebühr. Eine vollständige Liste beider Gruppen von PCT-Vertragsstaaten wird regelmäßig im *PCT-Newsletter* veröffentlicht und ist unter den Informationen über das IB als Anmeldeamt abgedruckt.[18]

Das EPA gewährt unter denselben Bedingungen eine Ermäßigung der Ge- 41 bühr für die internationale vorläufige Prüfung (Art 155 Rdn 59).

6.2 Rückerstattung der internationalen Recherchengebühr

Die an das EPA als Internationale Behörde (ISA und IPEA) entrichteten Ge- 42 bühren werden rückerstattet, wenn die Zahlung aufgrund eines (objektiven) Irrtums, grundlos oder über den geschuldeten Betrag hinaus erfolgte (Art 5 (2) und Anhang C-II (1) Vereinbarung EPO-WIPO). Ein Zahlungsgrund fehlt zum Beispiel, wenn den eingereichten Unterlagen kein Anmeldetag zuerkannt werden kann, weil diese nicht als internationale Anmeldung angesehen werden können (R 16.2 i) PCT).

Gemäß R 16.3 PCT und R 41.1 PCT hat das EPA als ISA die Recherchenge- 43 bühr in dem Umfang und nach den Bedingungen zu erstatten, die in der Vereinbarung zwischen dem EPA und dem IB festgesetzt sind, sofern das EPA die Ergebnisse einer älteren Recherche verwenden konnte. Art 5 (2) i) Vereinbarung EPO-WIPO sieht zwar vor, dass die Recherchengebühr auch ermäßigt werden oder dass auf sie verzichtet werden kann, aber das EPA hat ein Rückerstattungssystem gewählt.

Für den Fall, dass das EPA den ISR auf eine von ihm durchgeführte frühere 44 Recherche zu einer Anmeldung stützen kann, deren Priorität für die internationale Anmeldung in Anspruch genommen wird, sehen die für die Rückerstattung in Anhang C-II (3) der Vereinbarung EPO-WIPO festgesetzten Bedingungen vor, dass die Recherchengebühr für die frühere Recherche teilweise

---

18 PCT-Leitfaden der WIPO Bd 1/B, Anhang C unter IB.

oder vollständig zurückerstattet wird, je nachdem, in welchem Umfang sich das EPA auf diese frühere Recherche stützen kann.

45 Die Bestimmung in Anhang C-II (3) in ihrer gegenwärtigen Fassung wurde für Anmeldungen eingeführt, die ab dem 1. Januar 2004 eingereicht werden. Für diese Anmeldungen ist die Höhe der Rückerstattung durch einen festen Betrag ausgedrückt, der auf der Grundlage der für die frühere Recherche gezahlten Recherchengebühren bestimmt wird, und nicht wie für vor dem 1. Januar 2004 eingereichte Anmeldungen als Prozentsatz (50 oder 100 Prozent) der für die spätere Recherche entrichteten Recherchengebühr.[19] Als Folge dieses neuen Rückerstattungssystems wurden Aktualisierungen der in Anhang C-II (3) festgelegten Erstattungsbeträge notwendig und werden es auch in Zukunft bleiben.[20]

46 Die Kriterien für die Feststellung, ob eine vollständige oder teilweise Erstattung zu gewähren ist, sind – (auch) für vor dem 1. Januar 2004 eingereichte Anmeldungen – in einer Mitteilung des Präsidenten vom 13. Dezember 2001[21] festgelegt. Überarbeitete Kriterien gelten für ab dem 1. Juli 2005 eingereichte Anmeldungen.[22]

47 Wenn der Anmelder möchte, dass das EPA als ISA dem ISR die Ergebnisse einer früheren Recherche zu Grunde legt, muss er dies nach R 4.11 PCT im PCT-Antrag angeben (PCT/RO/101 Feld Nr VII).

48 Eine weitere Rechtsgrundlage für eine Rückerstattung der Recherchengebühr durch die ISA ist in R 16.2 PCT iVm Art 5 (2) und Anhang C-II (2) Vereinbarung EPO-WIPO enthalten. Wenn der Anmelder die Anmeldung vor dem Beginn der Recherche zurücknimmt, wird ihm auf Antrag die vollständige Gebühr zurückerstattet. Diese Bestimmung ist insoweit streng, als sie einen ausdrücklichen Antrag auf Rückerstattung verlangt. Sie ist jedoch gleichzeitig anmelderfreundlich, weil sie statt auf den Zeitpunkt der Übermittlung des Recherchenexemplars an die ISA auf den tatsächlichen Beginn der Recherche als maßgebend abstellt. Dies ist darauf zurückzuführen, dass das EPA nur sich selbst als ISA bestimmt hat (Rdn 16).

49 Schließlich erfolgt auf Antrag eine vollständige Rückerstattung, wenn die Anmeldung infolge bestimmter Mängel gemäß Art 14 (1), (3) oder (4) PCT als zurückgenommen gilt.

7 Übersetzungserfordernisse

50 Das EPA als ISA akzeptiert Anmeldungen, die in einer der Amtssprachen des EPA Deutsch, Englisch oder Französisch abgefasst sind oder für die eine Über-

---

19 ABl 2003, 631.
20 ABl 2006, 252.
21 ABl 2002, 56.
22 ABl 2005, 433.

setzung in einer dieser Sprachen eingereicht wurde. Sofern das belgische oder niederländische nationale Amt als Anmeldeamt tätig geworden ist, ist auch eine auf Niederländisch eingereichte Anmeldung zulässig, und für die Zwecke der internationalen Recherche muss keine Übersetzung eingereicht werden (R 12.3 a) PCT, Art 3 (1) und Anhang A Vereinbarung EPO-WIPO, Anhang 10). Eine Übersetzung muss jedoch beim Anmeldeamt für die Zwecke der internationalen Veröffentlichung eingereicht werden (R 12.4 a) PCT). Sofern Niederländisch verwendet wird, werden der ISR und der WO-ISA außerdem in der Sprache der Veröffentlichung erstellt (R 12.4 a) und 43.4 PCT). Ist eine erforderliche Übersetzung beim Anmeldeamt eingereicht worden, so wird unverzüglich eine Abschrift davon und von dem PCT-Antrag an das EPA weitergeleitet (R 23.1 PCT).

Für allen weiteren Schriftverkehr mit dem EPA als ISA kann jede der drei Amtssprachen des EPA verwendet werden (R 92.2 b) PCT). 51

Wird eine für die Zwecke der internationalen Recherche durch das EPA vorgeschriebene Übersetzung auch nach Aufforderung durch das Anmeldeamt nicht ordnungsgemäß eingereicht, so gilt die Anmeldung als zurückgenommen (R 12.3 PCT). Darüber hinaus nennt Art 3 (1) Vereinbarung EPO-WIPO die Einreichung einer Anmeldung in einer durch das EPA als ISA akzeptierten Sprache als Zuständigkeitsvoraussetzung. Da das EPA für jeden EPÜ-Vertragsstaat ISA ist, müssen die Anmeldeämter dieser Staaten mindestens eine Amtssprache des EPA für die Zwecke der Einreichung akzeptieren (Art 154 (1) EPÜ, R 12.1 b) i) PCT). 52

8 Internationale Recherche

Die internationale Recherche dient der Ermittlung des einschlägigen Standes der Technik, worunter alles zu verstehen ist, was der Öffentlichkeit irgendwo in der Welt vor dem internationalen Anmeldedatum mittels schriftlicher Offenbarung zugänglich gemacht worden ist (Art 15 (2), R 33.1 a) PCT). Für internationale Anmeldungen, die ab dem 1. Januar 2004 eingereicht werden, gilt das System der erweiterten internationalen Recherche und vorläufigen Prüfung (»EISPE-System«). Nach dem EISPE-System umfasst die internationale Recherche auch die Erstellung eines schriftlichen Bescheids durch die ISA nach R 43bis PCT, der eine Beurteilung der Frage enthält, ob die Anmeldung die im PCT definierten materiellen Erfordernisse erfüllt. Durch die Bezeichnung dieses Dokuments als »WO-ISA, schriftlicher Bescheid der Internationalen Recherchenbehörde« wird eine Verwechslung mit dem schriftlichen Bescheid vermieden, der von der IPEA für die Zwecke der internationalen vorläufigen Prüfung nach Kapitel II erstellt wird (Art 155 Rdn 84 ff). 53

Nicht-schriftliche Offenbarungen fallen nicht unter die Definition des Standes der Technik in R 33.1 a) PCT. Wenn jedoch eine schriftliche Offenbarung auf eine einschlägige nicht-schriftliche Offenbarung verweist, die vor dem in- 54 ternationalen Anmeldedatum erfolgte, muss dies im ISR erwähnt werden (R 33.1 b) PCT). Die Definition des Standes der Technik im PCT dient ausschließlich den Zwecken des internationalen Verfahrens (Art 27 (5) Satz 2 PCT).

55 Das EPA darf als Bestimmungsamt/ausgewähltes Amt, also für die europäische Phase des Verfahrens, seine eigenen Standards in Bezug auf alle Aspekte der materiellen Voraussetzungen der Patentfähigkeit anwenden (Art 27 (5) Satz 1 PCT). Daher ist das EPA in der europäischen Phase nicht daran gehindert, die Definition des Standes der Technik nach Art 54 (1) EPÜ unter ausdrücklicher Einbeziehung von nicht-schriftlichen Offenbarungen anzuwenden.[23]

56 Dies bedeutet auch daß, obwohl der PCT keine Ausnahme von dem in R 33.1 a) PCT festgelegten Konzept der absoluten Neuheit vorsieht, das EPA in der europäischen Phase Art 55 EPÜ anwenden darf, der eine Offenbarung unter bestimmten Voraussetzungen als unschädlich für die Neuheit ansieht, wenn ein offensichtlicher Missbrauch vorliegt oder eine Zurschaustellung auf einer internationalen Ausstellung stattgefunden hat (Art 55 Rdn 1 ff).

9 Übersicht über das Verfahren

57 Von zentraler Bedeutung ist im Rahmen des *EISPE-Systems* die Einführung des WO-ISA und damit eines Elementes materieller Prüfung im Verfahren vor der ISA (Vor Art 150–158 Rdn 58 ff). Nach R 43bis PCT hat die ISA gleichzeitig mit der Erstellung des ISR einen schriftlichen Bescheid darüber zu erstellen, ob die beanspruchte Erfindung nach den PCT-Bestimmungen als neu, auf erfinderischer Tätigkeit beruhend und gewerblich anwendbar anzusehen ist. Die ISA hat ebenfalls festzustellen, ob die internationale Anmeldung die (weiteren) Erfordernisse des PCT und seiner Ausführungsordnung erfüllt, soweit die ISA dies zu prüfen hat. Für die Zwecke des WO-ISA ist der maßgebliche Zeitpunkt das (früheste) für die Anmeldung beanspruchte Prioritätsdatum (R 43bis.1 b) und R 64.1 PCT). Der maßgebliche Zeitpunkt für die Zwecke der internationalen Recherche ist jedoch stets das internationale Anmeldedatum (R 33.1 a) PCT). Dies stellt sicher, dass der ISR selbst dann vollständige Informationen liefert, wenn in der nationalen/regionalen Phase die Priorität des Anspruchs oder der Ansprüche abgelehnt wird.

58 Das EPA wird als ISA die sonstigen Erfordernisse, wie zB Form, Inhalt oder Klarheit betreffend, nur dann berücksichtigen, wenn sie sich auf die Beurteilung der materiellen Patentierbarkeitsvoraussetzungen auswirken. Inhaltlich ist der WO-ISA als ein dem schriftlichen Bescheid nach Kapitel II PCT vergleichbares Dokument konzipiert (Art 155 Rdn 84 ff).

---

23 ABl 2003, 574; PrüfRichtl E-IX, 3 und B-VI, 2.

Der WO-ISA ermöglicht es dem Anmelder daher, bereits in der Recherchen- 59
phase zu entscheiden, ob er seine Anmeldung bis in die nationale/regionale
Phase weiterverfolgen will. Die Beantragung einer internationalen vorläufigen
Prüfung lohnt sich in vielen Fällen nicht, wie im Folgenden näher ausgeführt
wird (Art 155 Rdn 67 ff).

Vor der Erstellung des ISR und des WO-ISA findet keinerlei Dialog zwischen 60
dem Anmelder und dem EPA statt. Nach Erhalt des ISR kann der Anmelder
jedoch nach Art 19 PCT Änderungen der Ansprüche und/oder informelle Stellungnahmen beim IB einreichen (PCT Leitfaden der WIPO Bd I/A Nr 292D).

Der WO-ISA wird dem Anmelder und dem IB zur selben Zeit wie der ISR 61
übermittelt, jedoch nicht veröffentlicht (R 42, 44.1 und 44ter PCT). Der ISR
wird normalerweise zusammen mit der internationalen Veröffentlichung der
Anmeldung veröffentlicht (R 48.2 a) v) PCT).

Der WO-ISA muss eine Mitteilung an den Anmelder enthalten, wonach der 62
WO-ISA vorbehaltlich etwaiger Ausnahmen als schriftlicher Bescheid der
IPEA für die Zwecke der internationalen vorläufigen Prüfung angesehen wird,
falls deren Durchführung beantragt wird (R 43bis.1 c), 66.1^{bis} a) und b) und 66.2
a) PCT). Wie im Folgenden näher dargelegt wird, erkennt das EPA als IPEA
den WO-ISA nur dann als schriftlichen Bescheid in dem Verfahren nach Kapitel II an, wenn es ihn selbst erstellt hat. Sofern der WO-ISA als schriftlicher
Bescheid nach Kapitel II angesehen wird, ist unbedingt zu beachten, dass eine
schriftliche Erwiderung und etwaige Änderungen vor Ablauf der in R 54bis.1
a) PCT genannten Frist für die Einreichung des Antrags auf internationale vorläufige Prüfung eingereicht werden müssen (Art 155 Rdn 80).

Sofern kein IPER erstellt wird, verfasst das IB gemäß R 44bis.1 PCT für die 63
ISA einen Bericht und übermittelt ihn nach R 93bis.1 PCT jedem Bestimmungsamt, jedoch nicht vor Ablauf von 30 Monaten ab dem Prioritätsdatum. Der Bericht hat denselben Inhalt wie der nach R 43bis.1 PCT erstellte WO-ISA und
trägt den Titel »internationaler vorläufiger Bericht zur Patentfähigkeit (Kapitel I des Vertrags über die internationale Zusammenarbeit auf dem Gebiet des
Patentwesens)«. Dieser Bericht wird kurz als »IPRP Kapitel I« bezeichnet.

Die ISA und das IB dürfen vor Ablauf von 30 Monaten nach dem Prioritäts- 64
datum weder Personen noch Behörden Einsicht in den nach R 43bis.1 PCT erstellten schriftlichen Bescheid bzw. den IPRP nach Kapitel I gewähren, sofern
der Anmelder nicht darum ersucht oder darin eingewilligt hat. Der Begriff
»Einsicht« umfasst alle Möglichkeiten der Kenntnisnahme durch Dritte einschließlich persönlicher Mitteilungen und allgemeiner Veröffentlichungen
(R 44ter PCT). Sofern jedoch der WO-ISA als schriftlicher Bescheid für die
Zwecke der internationalen vorläufigen Prüfung gilt, wird er in dieser Eigenschaft als Teil der Akte nach Kapitel II zur öffentlichen Einsichtnahme freigegeben, wenn das EPA als IPEA tätig wird (Art 156 Rdn 17 ff). Nachdem der
IPER erstellt wurde, also in der Regel vor Ablauf von 30 Monaten nach dem

Prioritätsdatum, wird eine Akte nach Kapitel II zur allgemeinen Einsichtnahme beim EPA freigegeben (Art 156 Rdn 19).

10 Ablehnung der Durchführung einer (vollständigen) internationalen Recherche

65 Wenn das EPA die für die Anmeldung zuständige ISA ist, hat es grundsätzlich eine (vollständige) internationale Recherche durchzuführen. Gemäß R 33.3 b) PCT hat die internationale Recherche »soweit es möglich und sinnvoll ist«, den gesamten Gegenstand zu erfassen, auf den die Ansprüche gerichtet sind, oder auf den sie nach vernünftiger Erwartung nach einer späteren Anspruchsänderung gerichtet werden könnten; derartige Änderungen können entweder nach Erhalt des ISR nach Art 19 PCT beim IB, im Verfahren vor der IPEA oder in der nationalen/regionalen Phase eingereicht werden (Art 157 Rdn 20 ff).

66 Die Bedingung »soweit es möglich und sinnvoll ist« in R 33.3 b) PCT bezieht sich auf die Tatsache, dass die ISA nicht unter allen Umständen verpflichtet ist, eine internationale Recherche in Bezug auf eine internationale Anmeldung durchzuführen. Anstelle eines ISR wird in diesem Falle eine »declaration of no-search« verfasst (Art 17 (2) a) PCT). Sofern jedoch die Gründe für die Nichtdurchführung einer internationalen Recherche nur für bestimmte Ansprüche bestehen, wird ein ISR und ein WO-ISA für die anderen Ansprüche erstellt. Es wird also ein unvollständiger Recherchenbericht erstellt (Art 17 (2) b) PCT).

67 Die in Art 17 (2) a) PCT aufgeführten zwei Hauptgründe dafür, die Durchführung einer (vollständigen) Recherche abzulehnen, betreffen den Gegenstand der Anmeldung (Rdn 69) und den Umstand, dass die Anmeldeunterlagen nicht den Anforderungen an die Beschreibung, die Ansprüche oder die Zeichnungen in einer Anmeldung entsprechen (Rdn 70). Die Situation, in der wegen des Fehlens von Sequenzprotokollen keine (vollständige) Recherche durchgeführt werden kann, kann als Sonderfall hierzu betrachtet werden (Rdn 73).

68 Schließlich wird eine vollständige Recherche für eine eingereichte internationale Anmeldung dann nicht durchgeführt, wenn es der Anmeldung an Einheitlichkeit mangelt und der Anmelder nicht alle erforderlichen zusätzlichen Recherchengebühren entrichtet (Rdn 75 ff).

11 Von der Recherche ausgenommene Gegenstände

69 Das EPA ist nicht verpflichtet, eine internationale Recherche durchzuführen und einen ISR zu erstellen, wenn es der Ansicht ist, dass die Anmeldung sich auf einen der in R 39.1 PCT aufgezählten Gegenstände bezieht, mit Ausnahme der Gegenstände, für die in Anwendung der einschlägigen Bestimmungen des EPÜ im Rahmen des europäischen Patenterteilungsverfahrens eine Recherche durchgeführt werden muss (Art 17 (2) a) i) PCT; Art 4 und Anhang B Vereinbarung EPO-WIPO). Das bedeutet, dass kein ISR erstellt wird, wenn sich eine internationale Anmeldung auf einen Anmeldungsgegenstand bezieht, der nicht als Erfindung oder gewerblich anwendbare Erfindung gilt oder der nach den Vorschriften des EPÜ ausdrücklich von der Patentierbarkeit ausgeschlossen ist (Art 52 Rdn 1 ff, Art 53 Rdn 1 ff). In den meisten Fällen beziehen sich jedoch nicht alle Ansprüche auf derartige Anmeldegegenstände bzw kann ein Teil der Ansprüche so abgeändert werden (»Fall-back position«), dass sie sich nicht mehr auf derartige Anmeldegegenstände beziehen. In diesem Fall ist das EPA als ISA in der Lage, eine unvollständige Recherche durchzuführen.

Das Ermessen, keine Recherche zu einer Anmeldung durchzuführen, als es sich bei dem Anmeldungsgegenstand um ein Computerprogramm handelt, ist auf den Fall beschränkt, dass die ISA nicht dafür »ausgerüstet« ist (R 39.1 vi) PCT). Dies bedeutet in der Praxis, dass sich das EPA in all den Fällen als nicht »ausgerüstet« betrachtet, in denen es auch nach den Vorschriften des EPÜ keine Recherche für eine Anmeldung durchführen würde, die ein Computerprogramm beansprucht. 70

12 Komplexe Anmeldungen

Gemäß Art 17 (2) a) ii) und R 33.3 b) PCT ist das EPA als ISA nicht verpflichtet, eine internationale Recherche durchzuführen, wenn es der Auffassung ist, dass die Anmeldungsunterlagen den vorgeschriebenen Anforderungen so wenig entsprechen, dass eine sinnvolle Recherche nicht durchgeführt werden kann. In diesem Zusammenhang liegt der Schwerpunkt auf den Anforderungen, die der PCT an Klarheit, Knappheit, Unterstützung durch die Beschreibung und Offenbarung stellt. Das bedeutet, dass das EPA nicht nur dann keine Recherche durchführt oder diese begrenzt, wenn es sich um Anmeldungen handelt, die offensichtlich nicht recherchierbar sind, sondern auch, wenn zum Beispiel die Anzahl der Ansprüche unverhältnismäßig groß ist (Art 17 (2) a) ii), R 6.1 a) PCT). Einzelheiten hierzu sind den ISPE-Richtlinien und den Prüfungsrichtlinien zu entnehmen.[24] 71

13 Geschäftsmethoden

Insbesondere im Hinblick auf die voneinander abweichenden Praktiken des USPTO und des EPA in Bezug auf Anmeldungen, die sich auf Geschäftsmethoden beziehen, hat das EPA es für ratsam erachtet, die Anmelder über seine Praxis nach Art 17 (2) a) PCT zu informieren.[25] Zunächst einmal wird insofern keine internationale Recherche durchgeführt, als sich der Anmeldungsgegenstand lediglich auf eine Geschäftsmethode ohne jeden technischen Charakter bezieht (Art 17 (2) a) (i) PCT; R 39.1 (iii) PCT). Außerdem lehnt das EPA die Durchführung einer Recherche insofern ab, als die Ansprüche lediglich allgemein bekannte Merkmale zur technischen Umsetzung solcher Methoden an- 72

---

24 ABl 2000, 228.
25 ABl 2002, 260.

führen, wenn der Recherchenprüfer keine technische Aufgabe feststellen kann, deren Lösung eventuell eine erfinderische Tätigkeit beinhalten würde.

14 Nucleotid- und Aminosäuresequenzen

73 Wenn das EPA als ISA zu dem Ergebnis kommt, dass die Anmeldung eine Offenbarung einer oder mehrerer Nucleotid- und/oder Aminosäuresequenzen enthält und dass das entsprechende Sequenzprotokoll – dh das Protokoll derartiger Sequenzen und/oder dazugehörige Tabellen – nicht (ordnungsgemäß) als Teil der Anmeldung oder gesondert für die Zwecke der internationalen Recherche eingereicht wurde, wird das EPA das ihm in R 13ter.1 PCT gewährte Ermessen ausüben und den Anmelder auffordern, die fehlenden Unterlagen gegen Entrichtung einer Gebühr für verspätete Einreichung nachzureichen.

74 Jede Aufforderung des EPA als ISA, ein fehlendes Sequenzprotokoll einzureichen, enthält auch die Aufforderung, die in der Mitteilung des Präsidenten des EPA vom 26. Januar 2005[26] festgesetzte Gebühr für verspätete Einreichung zu entrichten. Sofern beide in R 13ter.1 a) und b) PCT genannten Mängel vorliegen, wird die Gebühr für verspätete Einreichung nur einmal verlangt, zB in dem Fall, dass das Sequenzprotokoll auf Papier nicht dem vorgeschriebenen Standard entspricht und kein Sequenzprotokoll in elektronischer Form eingereicht wurde. Wenn der Datenträger irrtümlich beim Anmeldeamt eingereicht wird, hat der Anmelder zu überprüfen, ob er nach R 23.1 c) PCT weitergeleitet wird, da dies nicht immer der Fall ist.

15 Art 154 (3) – Zuständigkeit für Widerspruchsentscheidungen

75 Art 154 (3) EPÜ sieht vor, dass die Beschwerdekammern über Widersprüche gegen zusätzliche Recherchengebühren entscheiden, die das EPA als ISA wegen mangelnder Einheitlichkeit der Anmeldung festgesetzt hat. Art 155 (3) EPÜ enthält eine vergleichbare Bestimmung für die Fälle, in denen das EPA zu dem Ergebnis kommt, dass es einer Anmeldung an Einheitlichkeit mangelt, wenn das EPA die Anmeldung in seiner Funktion als IPEA prüft.

76 Die den Beschwerdekammern zugewiesene Zuständigkeit für die Überprüfung der Entscheidungen über die Einheitlichkeit der Erfindung ist eine Ausnahme zu dem Grundsatz, dass die durch das EPA in seiner Tätigkeit als ISA oder IPEA getroffenen Entscheidungen nicht der Überprüfung durch die Beschwerdekammern unterliegen (Art 150 Rdn 12).[27]

77 Im Folgenden wird das Verfahren wegen mangelnder Einheitlichkeit vor dem EPA als ISA behandelt. Das Verfahren vor dem EPA als IPEA entspricht zu einem großen Teil dem Verfahren nach Kapitel I, und die durch die Rechtsprechung entwickelten Grundsätze gelten grundsätzlich jeweils entsprechend für

---

26 ABl 2005, 225.
27 **J 20/89**, ABl 1991, 375; **J 14/98** vom 18.12.2000.

das Verfahren wegen mangelnder Einheitlichkeit vor dem EPA als ISA beziehungsweise IPEA. Daher sind die hier enthaltenen Informationen zumeist auch für den Fall von Bedeutung, dass das EPA als IPEA mangelnde Einheitlichkeit feststellt. Im Vordergrund stehen bei den folgenden Betrachtungen in den Abschnitten 16 bis 19 somit das Verfahren wegen mangelnder Einheitlichkeit, in dem das EPA als *Internationale Behörde* (ISA oder IPEA) tätig wird und die spezifischen Aspekte des Verfahrens wegen mangelnder Einheitlichkeit vor dem EPA als ISA.

Für weitere Informationen zu Fragen der mangelnden Einheitlichkeit und insbesondere zur Rechtsprechung der Beschwerdekammern wird auf die Kommentierung von Art 82 EPÜ und auf die Rechtsprechung der Beschwerdekammern verwiesen. In der Kommentierung von Art 157 EPÜ wird das Verfahren in der europäischen Phase für den Fall erläutert, dass wegen Nichtentrichtung (sämtlicher) zusätzlicher Recherchengebühren für Teile der Anmeldung keine internationale Recherche durchgeführt wurde (Art 157 Rdn 32 ff). 78

EPÜ 2000

Mit der Streichung der Artikel 154 (3) und 155 (3) EPÜ im EPÜ 2000 werden die Beschwerdekammern ihre Rolle als Überprüfungsorgane für Widerspruchsentscheidungen in dem Verfahren beim EPA als ISA und als IPEA verlieren. Diese Änderung liegt darin begründet, dass das gegenwärtige zweistufige Verfahren zeitaufwendig und teuer ist. Gemäß Art 1 (6) der Übergangsbestimmungen des EPÜ 2000 werden die Artikel 154 (3) und 155 (3) EPÜ jedoch auch weiterhin auf zum Zeitpunkt des Inkrafttretens des EPÜ 2000 anhängige internationale Anmeldungen anwendbar sein. Das bedeutet, dass die Beschwerdekammern nach dem Inkrafttreten des EPÜ 2000 für Entscheidungen über Widersprüche zuständig bleiben werden, die in Bezug auf vor dem 13. Dezember 2007 eingereichte internationale Anmeldungen eingelegt werden. 79

R 105 (3) EPÜ 2000 sieht vor, dass der Widerspruch nach Zahlung der Widerspruchsgebühr im Einklang mit den Regeln 40.2 c) und 68.3 c) PCT geprüft wird. Aus der ausdrücklichen Bezugnahme auf das dieser Prüfung vorangehende Überprüfungsverfahren ergibt sich, dass R 105 (3) EPÜ 2000 an die geänderten Regeln 40.2 und 68.3 PCT anzupassen ist, die ein einstufiges Verfahren vorsehen. R 105 (3) letzter Satz EPÜ 2000 bildet auch die gesetzliche Grundlage dafür, weitere Einzelheiten durch einen Beschluss des Präsidenten des EPA festzulegen, der unter Beachtung der Regeln 40.2 d) und 68.3 d) PCT über die Zusammensetzung der Überprüfungsstelle zu entscheiden haben wird. 80

16 Anwendbares Recht und Verfahren

Um die Einheitlichkeit der Erfindung zu beurteilen, für die die Recherche durchgeführt wird, wendet das EPA als ISA nicht die einschlägigen Bestimmungen des EPÜ (Art 82 und R 30 EPÜ), sondern die nach dem PCT gelten- 81

Artikel 154 *Das EPA als ISA*

den Rechtsvorschriften an und insbesondere Art 3 (4) iii) PCT, die R 13, 40 und 68 PCT, Abschnitt 206 und Annex B der PCT-Verwaltungsvorschriften sowie Kapitel 10 der ISPE-Richtlinien.[28] Die Beschwerdekammer hat in der Entscheidung W 21/03 bestätigt, dass die neuen ISPE-Richtlinien, die am 25. März 2004 in Kraft getreten sind, formell auf das als EPA als ISA anwendbar sind.[29] Die Definition der Einheitlichkeit der Erfindung im PCT und die entsprechende Definition im EPÜ sind jedoch weitgehend vereinheitlicht worden (Art 82 Rdn 3 ff).

82 Wenn die Beschwerdekammern Widersprüche prüfen, handeln sie nicht in ihrer Eigenschaft als Beschwerdestelle nach dem EPÜ, sondern nach den besonderen Bestimmungen von Art 154 (3) bzw. Art 155 (3) EPÜ als »Überprüfungsgremium« im Sinne von R 40.2 c) oder R 68.3 c) PCT. Im Hinblick darauf und auf den Vorrang des PCT wurde in der Entscheidung J 20/89 festgehalten, dass nach Art 150 (2) EPÜ die ergänzende Anwendung der EPÜ-Bestimmungen nur in begrenztem Umfang zulässig ist.[30]

83 In diesem Zusammenhang haben die Beschwerdekammern in der Entscheidung W 20/01 entschieden, dass die Anwendung der EPÜ-Bestimmungen durch Art, Funktion und Zweck des Widerspruchsverfahrens begrenzt ist.[31] Dies bedeutet zum Beispiel, dass angesichts des Charakters des Widerspruchsverfahrens als summarisches Verfahren kein Anspruch auf eine mündliche Verhandlung nach Art 116 EPÜ besteht.[32]

84 Die R 40 und 68 PCT legen das Verfahren vor der ISA und der IPEA fest, das für den Fall zu befolgen ist, dass mangelnde Einheitlichkeit festgestellt wird. Diese Regeln wurden mit Wirkung vom 1. April 2005 abgeändert. Das neue sogenannte »vereinfachte Widerspruchsverfahren« ist auf sämtliche internationalen Anmeldungen und Anträge auf internationale vorläufige Prüfung nach Kapitel II PCT anzuwenden, die ab dem 1. April 2005 eingereicht bzw gestellt werden. Auf Grund dieser Änderungen muss nicht mehr überprüft werden, ob die Aufforderung nach Art 17 (3) a) oder 34 (3) a) PCT, zusätzliche Gebühren zu entrichten, gerechtfertigt ist, bevor die Zahlung einer Widerspruchsgebühr nach R 40.2 e) oder R 68.3 e) PCT verlangt werden darf. Infolgedessen konnte das zweistufige Widerspruchsverfahren vor dem EPA als ISA durch ein einstufiges Verfahren ersetzt worden.

85 An den Änderungen der R 40 und 68 PCT war dem EPA insoweit gelegen, als der Wunsch bestand, die Rolle der Beschwerdekammern in Verfahren wegen mangelnder Einheitlichkeit vor dem EPA als internationaler Behörde abzuschaffen (Rdn 79).

---

28 **G 1/89** und **2/89**, ABl 1990, 155, 166; **J 20/89** ABl 1991, 375 Entscheidungsgrund 4.
29 **W 21/03** vom 23.4.2004.
30 **J 20/89** ABl 1991, 375, Entscheidungsgrund 4.
31 **W 20/01** vom 1.10.2002.
32 **W 4/93**, ABl 1994, 939; **W 15/00** vom 11.1.2001.

Obwohl die geänderten R 40 und 68 PCT dies nicht verlangen, hat das EPA 86
sich dafür entschieden, das bisherige zweistufige Verfahren vorläufig beizubehalten. Diese Entscheidung ist erstens darin begründet, dass die Zuständigkeit für (abschließende) Entscheidungen über mangelnde Einheitlichkeit für bis zum Inkrafttreten des EPÜ 2000 eingereichte Anmeldungen nach wie vor bei den Beschwerdekammern liegt. Ein einstufiges Verfahren vor den Beschwerdekammern würde möglicherweise dadurch, dass die Filterfunktion der Überprüfungsstelle verloren ginge, zu einem starken Anstieg der Zahl der von den Beschwerdekammern zu entscheidenden Fälle führen. Zweitens würde die Einführung eines einstufigen Verfahrens bedeuten, dass jeweils für vor bzw. nach dem 1. April 2005 eingereichte Anmeldungen zur gleichen Zeit zwei unterschiedliche Verfahren gelten würden.

Das einheitliche Verfahren, dh das einheitliche Verfahren für Anmeldungen 87
und Anträge gemäß Kapitel II, die vor und nach dem 1. April 2005 eingereicht bzw. gestellt wurden, ist auf alle Aufforderungen zur Entrichtung zusätzlicher Gebühren anwendbar, die das EPA ab diesem Datum erlässt. Das bedeutet, dass die Aufforderung zur Entrichtung zusätzlicher Recherchengebühren nach wie vor zunächst einer internen Überprüfung unterzogen wird, wenn unter Widerspruch gezahlt wird (Rdn 112). Im Lichte der geänderten R 40.2 und 68.3 PCT kann die erste Stufe des Widerspruchsverfahrens der Überprüfungsstelle in Bezug auf seit dem 1. April 2005 eingereichte Anmeldungen und gestellte Anträge nach Kapitel II als Service seitens des EPA betrachtet werden.

Das neue Verfahren ist in der Mitteilung des EPA vom 1. März 2005[33] gere- 88
gelt, die die vorangegangene Mitteilung[34] ersetzt und stellt eine Zwischenlösung bis zum Inkrafttreten des EPÜ 2000 dar.

EPÜ 2000

Für internationale Anmeldungen, die ab dem 13.12.2007 eingereicht werden, 89
wird ein »Überprüfungsgremium« die Beschwerdekammern in ihrer Rolle als zuständige Behörde für Widerspruchsentscheidungen ersetzen. Gemäß den geänderten R 40.2 (d) und 68.3 d) PCT darf diesem Überprüfungsgremium zwar die Person angehören, welche die Entscheidung getroffen hat, die Gegenstand des Widerspruchs ist, aber das Überprüfungsgremium darf nicht nur aus dieser Person bestehen. Die neue Regel ist also weniger streng als die früher geltenden R 40.2 d) und 68.3 d) PCT, die eine dreiköpfige »besondere Instanz« vorsahen, der niemand angehören durfte, der an der Entscheidung mitgewirkt hatte, die Gegenstand des Widerspruchs war.

---

33 ABl 2005, 226.
34 ABl 1992, 547.

Artikel 154 — *Das EPA als ISA*

17 R 105 (1) – Mangelnde Einheitlichkeit und Aufforderung zur Entrichtung zusätzlicher Gebühren

90 Eine internationale Anmeldung darf sich nur auf eine Erfindung oder eine Gruppe von Erfindungen beziehen, die eine einzige allgemeine erfinderische Idee betrifft (Art 3 (4) iii) PCT, R 13.1 PCT). Wenn das EPA als ISA zu dem Schluss kommt, dass die internationale Anmeldung nicht den Anforderungen des PCT an die Einheitlichkeit der Erfindung entspricht, informiert es den Anmelder über das Ergebnis seiner internationalen Teilrecherche, die auf die Teile der Anmeldung begrenzt ist, die sich auf die in den Ansprüchen zuerst erwähnte Erfindung beziehen.[35] Gleichzeitig fordert es den Anmelder auf, für jede weitere Erfindung innerhalb eines Monats nach dem Datum der Aufforderung eine zusätzliche Recherchengebühr zu entrichten (R 40.1 ii) PCT).

91 Die diese Information enthaltende Mitteilung, die »Mitteilung über das Ergebnis der internationalen Teilrecherche« (PCT/ISA/206, Annex 1), darf nicht mit dem ISR verwechselt werden.[36] Für den Fall, dass das EPA in seiner Funktion als IPEA tätig wird, ist die Aufforderung zur Entrichtung zusätzlicher Gebühren in Art 34 (3) a) und R 68.2 PCT geregelt.

92 Die zusätzliche Recherchengebühr wird vom EPA als ISA festgesetzt und entspricht gemäß R 105 (1) EPÜ der Höhe nach der internationalen Recherchengebühr (Art 2 Nr 2 GebO). Die zusätzliche Recherchengebühr muss unmittelbar an das EPA entrichtet werden, wenn dieses als ISA tätig ist (R 40.2 b) PCT). Wenn der Anmelder die zusätzliche Recherchengebühr nicht entrichtet oder wenn die Zahlung erst nach Ablauf der einmonatigen Frist gemäß R 40.1 ii) PCT eingeht, wird der ISR auf der Grundlage des dem Anmelder bereits mitgeteilten Ergebnisses der Teilrecherche erstellt, und eine etwaige zu spät entrichtete Recherchengebühr wird erstattet (Art 17 (3) a) PCT). Eine Bestimmung, die eine Verlängerung der einmonatigen Frist für die Entrichtung der zusätzlichen Recherchengebühren vorsehen würde, existiert nicht.

93 In einer Aufforderung nach Art 17 (3) a) PCT sind gemäß Regel 40.1 i) PCT die Gründe für die Auffassung anzugeben, dass die Anmeldung dem Erfordernis der Einheitlichkeit der Erfindung nicht genügt. Das bedeutet, dass der Recherchenprüfer die Aufforderung hinreichend genau rechtfertigen muss, um den Anmelder in die Lage zu versetzen, sich in der Sache dazu äußern zu können.[37]

94 Die Aufforderung erfolgt auf der Grundlage einer vorläufigen Beurteilung der Anmeldung, die für die anschließend für die weitere Prüfung der Anmeldung zuständigen Behörden keine bindende Wirkung entfaltet, und sollte in

---

35 ABl 1989, 61; ISPE-Richtlinien 10.61.
36 **W 6/94** vom 11.4.1994, Entscheidungsgrund 4.
37 **W 4/85**, ABl 1987, 63; **W 7/86**, ABl 1987, 67.

jedem Falle nur in eindeutigen Fällen mangelnder Einheitlichkeit ergehen.[38] In diesem Zusammenhang hat die Große Beschwerdekammer in ihrer Entscheidung G 1/89 ausdrücklich auf den Grundsatz der gerechten Behandlung verwiesen.[39] Ein Einwand der mangelnden Einheitlichkeit sollte nicht auf der Grundlage einer zu engen, wörtlichen oder akademischen Auslegung der einschlägigen Bestimmungen erhoben oder aufrechterhalten werden.[40]

95 Im Hinblick auf die besonderen Erfordernisse für die Beurteilung der Einheitlichkeit von Markush-Ansprüchen vergleiche Anhang B, Teil 1 f) der PCT-Verwaltungsvorschriften und die ISPE-Richtlinien (Nr 10.17; Nr 10.38 ff).[41]

96 Die Aufforderung zur Entrichtung zusätzlicher Recherchengebühren wegen mangelnder Einheitlichkeit darf nicht darauf gestützt werden, dass der erste Anspruch in der Anmeldung nicht den Anforderungen von Art 6 PCT an die Klarheit und Knappheit der Ansprüche entspricht.[42] Die Frage der Klarheit und Knappheit ist gesondert von der Frage der Einheitlichkeit zu betrachten (Art 17 (3) a) PCT). Mangelnde Klarheit und Knappheit kann nur zu der Feststellung führen, dass kein ISR oder ein unvollständiger ISR erstellt wird (Art 17 (2) a) ii) PCT), kann aber nicht die Grundlage für einen Einwand mangelnder Einheitlichkeit bilden.

97 Dem Anmelder wird nur eine einzige Aufforderung zugesandt, weitere Aufforderungen sind nicht statthaft.[43]

98 Der Anmelder hat nicht die Möglichkeit, die Ansprüche in seiner Entgegnung auf eine Aufforderung zur Entrichtung zusätzlicher Recherchengebühren zu beschränken, da er bis zur Erstellung des ISR nicht zur Änderung der Ansprüche befugt ist (Art 19 PCT).[44] Er kann sich jedoch dafür entscheiden, nicht sämtliche zusätzlichen Gebühren zu entrichten; die Ansprüche, für die keine Gebühren entrichtet wurden, verbleiben in der Anmeldung, werden aber nicht recherchiert.

18 R 105 (3) – Widerspruchsverfahren vor der Überprüfungsstelle

99 Wenn der Anmelder zusätzliche Recherchengebühren entrichtet, damit der ISR die Ansprüche abdeckt, die sich nach Ansicht der ISA nicht auf die Haupterfindung, sondern auf eine weitere Erfindung beziehen, kann er diese Gebühren unter Widerspruch zahlen (R 40.2 c) PCT und R 105 (3) EPÜ). Bei Zahlung

---

38 G 1/89, ABl 1991, 155, Entscheidungsgrund 8.
39 G 1/89, ABl 1991, 155, Entscheidungsgrund 8.
40 W 21/03 vom 23.4.2004; W 11/99 ABl 2000, 186, Entscheidungsgrund 2.3.
41 W 3/94, ABl 1995, 775.
42 W 31/88, ABl 1990, 134.
43 W 17/00 vom 21.5.2001; W 1/97, ABl 1999, 33.
44 W 6/03 vom 25.6.2003, Entscheidungsgrund 4.

von zusätzlichen Gebühren unter Widerspruch ist innerhalb der Zahlungsfrist eine Begründung einzureichen.

100 Gehen die Zahlung der Gebühren und die Begründung nicht innerhalb der Frist ein, erstellt das EPA den ISR auf der Grundlage der dem Anmelder bereits mitgeteilten Ergebnisse der Teilrecherche und sämtliche verspätet eingegangenen zusätzlichen Recherchengebühren werden zurückerstattet. Der Widerspruch wird für unzulässig erklärt.

101 Geht nur die Begründung nicht fristgerecht ein, so werden zwar die zusätzlichen Recherchen durchgeführt, aber der Widerspruch wird als unzulässig verworfen.[45] Zu den materiellen Erfordernissen in Bezug auf die Begründung vergleiche Rdn 105–107.

102 Wenn zusätzliche Gebühren unter Widerspruch gezahlt werden, so überprüft zunächst eine aus drei Mitgliedern bestehende Überprüfungsstelle, ob die Zahlungsaufforderung gerechtfertigt war: der Leiter der Direktion, aus der die Aufforderung ergangen ist, ein Prüfer mit besonderer Sachkenntnis auf dem Gebiet der Einheitlichkeit von Erfindungen und normalerweise der Prüfer, der die Aufforderung erlassen hat.[46]

103 In der Mitteilung über das Ergebnis der Vorabüberprüfung, in der der Anmelder auch zur Entrichtung der Widerspruchsgebühr aufgefordert wird, ist die Zusammensetzung der Überprüfungsstelle offenzulegen, wobei dieses Erfordernis als erfüllt gilt, wenn die Zusammensetzung auf andere Weise ersichtlich wird.[47] Die Überprüfungsstelle darf keine Gründe hinzufügen, die nicht bereits in der ursprünglichen Aufforderung enthalten waren; derartige Gründe dürfen später von den Beschwerdekammern nicht berücksichtigt werden (Rdn 113).[48] Gegenargumente im Einklang mit den in der ursprünglichen Aufforderung erwähnten Gründen sind selbstverständlich zulässig.

104 Bei einer Fristversäumung muss ein PCT-Vertragsstaat gemäß Art 48 (2) a) PCT einen nach nationalem Recht zugelassenen Entschuldigungsgrund (nur) »soweit er betroffen ist« gelten lassen (Art 153 Rdn 68 ff). Obwohl sich diese Vorschrift an die nationalen Ämter in ihrer Funktion als Bestimmungsamt/ausgewähltes Amt richtet (R 82bis PCT), kann der Rechtsbehelf der Wiedereinsetzung in den vorigen Stand gemäß Art 122 EPÜ im Rahmen des Verfahrens wegen mangelnder Einheitlichkeit auf der Grundlage des Art 48 (2) a) PCT zur Anwendung kommen.[49]

105 R 40.2 c) PCT schreibt vor, dass dem Widerspruch eine Begründung des Inhalts beigefügt werden muss, dass die internationale Anmeldung das Erforder-

---

45 **W 4/87**, ABl 1988, 425.
46 Beschluss des Präsidenten vom 25. August 1992, ABl 1992, 547.
47 **W 11/02** vom 20.12.2002.
48 **W 4/93** ABl 1994, 939, Entscheidungsgrund 2.1; **W 3/96** vom 29.11.1996.
49 **W 4/87**, ABl 1988, 425; **W 3/93**, ABl 1994, 931; siehe auch **J 20/89**, ABl 1991, 375, Entscheidungsgrund 5.

nis der Einheitlichkeit der Erfindung erfülle oder dass der Betrag der geforderten zusätzlichen Gebühren überhöht sei. Der Begriff »überhöht« bezieht sich nicht auf die Höhe der Recherchengebühr als solche, sondern auf die Anzahl der von der ISA zusätzlich erhobenen Recherchengebühren, die sich nach der Anzahl der nach Ansicht der ISA in der Anmeldung enthaltenen zusätzlichen Erfindungen bestimmt.

Die Begründung hat umfassend und genau darzulegen, warum der Anmelder in seiner Beurteilung nicht mit der ISA übereinstimmt. Der Anmelder muss mit anderen Worten spezifische konkrete Gründe angeben, die seine Meinung stützen, wonach der beanspruchte Gegenstand dem Erfordernis der Einheitlichkeit der Erfindung entspricht.[50] Die bloße Behauptung, dass die internationale Anmeldung das Erfordernis der Einheitlichkeit der Erfindung erfülle, stellt keine Begründung im Sinne der R 40.2 c) PCT dar.[51] 106

Ein Widerspruch, der nicht hinreichend begründet ist, wird als unzulässig abgewiesen; in diesem Fall werden weder die zusätzlich gezahlten Gebühren erstattet noch wird zur Zahlung der Widerspruchsgebühr aufgefordert.[52] Die Beschwerdekammern berücksichtigen keine Argumente, die erst nach Ablauf der Frist für die Einreichung der Begründung eingereicht werden.[53] 107

Die Überprüfung kann zu einem der drei folgenden Ergebnisse führen: 108

Wenn das Überprüfungsgremium zu dem Ergebnis kommt, dass die *Aufforderung* nach Art 17 (3) a) PCT und R 40.1 PCT *nicht begründet* war, werden alle entrichteten zusätzlichen Recherchengebühren zusammen mit der Widerspruchsgebühr zurückerstattet, sofern der Anmelder die letztere Gebühr bereits entrichtet hat (R 40.2 c) und e) PCT). Das gleiche Verfahren ist im Rahmen von Kapitel II anzuwenden (Art 34 (3) a) PCT, R 68.2, R 68.3 c) und e) PCT). Sofern der Anmelder zusätzliche Gebühren entrichtet, aber seinen Widerspruch nur auf einige der erhobenen Gebühren beschränkt hat, ist die Widerspruchsgebühr ebenfalls zurückzuerstatten, wenn die Überprüfungsstelle entscheidet, dass der eingeschränkte Widerspruch des Anmelders in vollem Umfang begründet ist.[54] 109

Wenn die Überprüfung zu dem Ergebnis führt, dass *die Aufforderung in vollem Umfang begründet* war, wird der Anmelder hierüber benachrichtigt und aufgefordert, die Widerspruchsgebühr zu entrichten, falls dies noch nicht geschehen ist. Wenn die Überprüfung zu dem Ergebnis führt, dass die *Aufforderung nur teilweise begründet* war, wird dies dem Anmelder mitgeteilt und die entsprechenden zusätzlichen Recherchengebühren werden ihm zurückerstattet. 110

---

50 **W 2/00** vom 18.10.2000, **W 27/03** vom 26.8.2004.
51 **W 16/92** ABl 1994, 237.
52 **W 4/87**, ABl 1988, 425; **W 16/92**, ABl 1994, 237; **W 27/03** vom 26.8.2004.
53 **W 15/00** vom 11.1.2001.
54 **W 8/01** vom 28.4.2003.

111 In beiden Fällen kommt dann das folgende Verfahren zur Anwendung: Hat der Anmelder die *Widerspruchsgebühr bereits entrichtet*, wird der Widerspruch an die Beschwerdekammer weitergeleitet, sofern der Anmelder nicht binnen eines Monats nach der Benachrichtigung über das Ergebnis der Überprüfung mitteilt, dass er den Widerspruch nicht aufrechterhalten möchte. Hat der Anmelder die *Widerspruchsgebühr noch nicht entrichtet*, wird er aufgefordert, dies innerhalb eines Monats nach Mitteilung des Ergebnisses der Überprüfung nachzuholen, falls er wünscht, dass die Beschwerdekammer über den Widerspruch entscheidet.

112 Um es dem Anmelder zu ermöglichen, das Ergebnis der internen Überprüfung zu überdenken, verlangt das EPA gegenwärtig in Abweichung von R 40.1 iii) und R 68.2 v) PCT die Zahlung der Widerspruchsgebühr erst nach Ablauf eines Monats nach dem Datum der Mitteilung über das *Ergebnis* der Überprüfung. Dies wird für Anmeldungen, die nach dem Inkrafttreten des EPÜ 2000 eingereicht werden, nicht mehr gelten.

19 R 105 (3) – Widerspruchsverfahren vor den Beschwerdekammern

113 Das EPA hat seine Zuständigkeit nach den R 40.2 (e) und 68.3 (e) PCT dahingehend ausgeübt, dass es die Prüfung eines Widerspruchs durch die Beschwerdekammer von der Entrichtung einer Widerspruchsgebühr gemäß Art 2 Nr 21 GebO abhängig macht.[55] Bei fristgerechter Entrichtung der Widerspruchsgebühr wird der Widerspruch den Beschwerdekammern zur Entscheidung übermittelt. Wird die Gebühr hingegen nicht fristgerecht entrichtet, so gilt der Widerspruch als nicht erhoben (R 40.2 e) und 68.3 e) PCT). Der PCT sieht keine Bestimmung über eine Verlängerung dieser Frist vor. Nach dem übergangsweise vor dem EPA als ISA und IPEA geltenden Verfahren ist die Widerspruchsgebühr jedoch erst nach Erhalt der Ergebnisse der Prüfung durch das Überprüfungsgremium zu entrichten (Rdn 87).

114 Sofern die Beschwerdekammer zu dem Ergebnis kommt, dass der Widerspruch in vollem Umfang begründet ist, werden die zusätzlichen Gebühren und die Widerspruchsgebühr zurückerstattet. Sofern der Widerspruch nur teilweise begründet ist, so werden zwar die entsprechenden zusätzlichen Gebühren, aber nicht die Widerspruchsgebühr zurückerstattet

115 Ist ein Widerspruchsverfahren nach Eintritt einer Anmeldung in die europäische Phase anhängig, so erstreckt sich die Aussetzung des Patenterteilungsverfahrens vor dem EPA als Bestimmungsamt nach R 13 EPÜ nicht auf das Widerspruchsverfahren nach dem PCT.[56]

116 Die Beschwerdekammer darf in ihrer Entscheidung über den Widerspruch nur solche Gründe berücksichtigen, die die Grundlage für die Aufforderung

---

55 ABl 2005, 226, Nr 2.
56 **W 3/02** vom 31.7.2003.

zur Entrichtung weiterer Gebühren bildeten. Daher darf sie keine weiteren von der Prüfungsabteilung oder der Überprüfungsstelle vorgebrachten Gründe berücksichtigen, die in der Aufforderung nicht erwähnt waren.[57] Darüber hinaus darf die Beschwerdekammer von Amts wegen keine anderen als die in der Aufforderung vorgetragenen Entscheidungsgründe vorbringen; sollten solche Gründe bestehen, können sie in einem anschließenden Verfahren vor der IPEA eingebracht werden.[58]

Die Beschwerdekammern dürfen Ansprüche nicht berücksichtigen, die der Anmelder während des Widerspruchsverfahrens abgeändert hat.[59] Der Anmelder ist erst befugt, Ansprüche abzuändern, nachdem er den ISR erhalten hat (Art 19 PCT). 117

19.1 Widerspruchsverfahren vor der Großen Beschwerdekammer

Da der PCT keine eigene Gerichtsinstanz errichtet hat, um über schwierige und bedeutsame Rechtsfragen zu entscheiden, ist es angesichts der in den Art 154 (3) und 155 (3) EPÜ enthaltenen Verantwortung der Beschwerdekammern und im Interesse der Anmelder gerechtfertigt, derartige Rechtsfragen nach Art 112 EPÜ der Großen Beschwerdekammer vorzulegen. Aus diesem Grund hat sich die Große Beschwerdekammer in der Entscheidung G 1/89 für zuständig erklärt, nach Art 112 EPÜ in Widerspruchsfällen tätig zu werden.[60] 118

Artikel 155 Das Europäische Patentamt als mit der internationalen vorläufigen Prüfung beauftragte Behörde

(1) Vorbehaltlich einer zwischen der Organisation und dem Internationalen Büro der Weltorganisation für geistiges Eigentum geschlossenen Vereinbarung wird das Europäische Patentamt für Anmelder, die Staatsangehörige eines Vertragsstaats sind, für den Kapitel II des Zusammenarbeitsvertrags verbindlich ist, als mit der internationalen vorläufigen Prüfung beauftragte Behörde im Sinn des Kapitels II des Zusammenarbeitsvertrags tätig; das Gleiche gilt, wenn der Anmelder in diesem Staat seinen Wohnsitz oder Sitz hat.

(2) Vorbehaltlich der vorherigen Zustimmung des Verwaltungsrats wird das Europäische Patentamt auf Grund einer zwischen der Organisation und dem Internationalen Büro der Weltorganisation für geistiges Eigen-

---

57 **W 12/93** vom 30.5.1994; **W 5/94** vom 7.6.1994; **W 4/93**, ABl 1994, 939, Nr 2.1.
58 **W 3/93**, ABl 1994, 931, Entscheidungsgrund 4; **W 7/99** vom 30.6.2000, Entscheidungsgrund 4.
59 **W 3/94**, ABl 1995, 775, Entscheidungsgrund 3; **W 6/94** vom 11.4.1995.
60 G 1/89, ABl 1991, 155, Nrn 1 und 2.

tum geschlossenen Vereinbarung auch für andere Anmelder als mit der internationalen vorläufigen Prüfung beauftragte Behörde tätig.

(3) Für Entscheidungen über einen Widerspruch des Anmelders gegen eine vom Europäischen Patentamt nach Artikel 34 Absatz 3 Buchstabe a des Zusammenarbeitsvertrags für die internationale vorläufige Prüfung festgesetzte zusätzliche Gebühr sind die Beschwerdekammern zuständig.

Reinoud Hesper

Übersicht

1	**Einleitung**	1–6
2	**Zweck der Prüfung nach Kapitel II PCT**	7–12
2.1	Auswirkungen der vereinheitlichten Fristenregelung für den Eintritt in die europäische Phase	9–11
2.2	Abschaffung des rationalisierten Verfahrens	12
3	**Art 155 (1) – Zuständigkeit des EPA als IPEA für die EPÜ-Vertragsstaaten**	13–22
3.1	Bestimmung durch das Anmeldeamt	15–18
3.2	Auswahl durch den Anmelder	19
3.3	Durch das EPA oder eine andere europäische ISA durchgeführte internationale Recherche	20
3.4	Beschränkung der Zuständigkeit	21–22
4	**Art 155 (2) – Zuständigkeit des EPA als IPEA für die Staaten, die Nicht-EPÜ-Vertragsstaaten sind**	23–26
5	**Vertretung vor dem EPA als IPEA**	27–31
6	**Einreichung des Antrags bei dem EPA als IPEA**	32–34
7	**Auswahl**	35–36
8	**Frist für das Einreichen des Antrags**	37–39
8.1	Verlängerung der Frist für den Eintritt in die nationale/regionale Phase auf 30 Monate	38–39
9	**Mängel im Antrag**	40–41
10	**Übersetzung der internationalen Anmeldung**	42–47
11	**Sprache des Antrags und weiterer Korrespondenz**	48–52
12	**Gebühren für die internationale vorläufige Prüfung**	53–64
12.1	Frist für die Zahlung von Gebühren	56–58
12.2	Gebührenermäßigungen	59
12.3	Gebührenrückerstattungen	60–64
13	**Beginn der internationalen vorläufigen Prüfung**	65–66
14	**Grundlage der internationalen vorläufigen Prüfung**	67–72
15	**Änderungen gemäß Art 34 PCT**	73–82
15.1	Fristverlängerung für das Einreichen von Änderungen	80–82
16	**Weiteres Verfahren vor dem EPA als IPEA**	83–95
16.1	Der schriftliche Bescheid	84–85

16.2	Vom EPA als schriftlicher Bescheid angesehener WO-ISA	86–88
16.3	Keine Erstellung eines schriftlichen Bescheides	89
16.4	Kommunikation zwischen dem EPA als IPEA und dem Anmelder	90–93
16.5	Frist für die Erstellung des IPER	94–95
17	**Der internationale vorläufige Prüfungsbericht (IPER)**	96–100
18	**Keine Erstellung eines IPER oder eines Teil-IPER**	101–107
18.1	Nichtrecherchierter Anmeldungsgegenstand	102
18.2	Ausgeschlossener Anmeldungsgegenstand	103–105
18.3	Die Erstellung einer sinnvollen Stellungnahme ist nicht möglich	106–107
19	**Art 155 (3) – Zuständigkeit für Widerspruchsentscheidungen**	108–117
19.1	Spezielle Aspekte des Verfahrens wegen mangelnder Einheitlichkeit vor dem EPA als IPEA	111–117

1 Einleitung

Nach Einreichung eines Antrags nach Kapitel II PCT wird eine internationale **1** vorläufige Prüfung durch die zuständige mit der internationalen vorläufigen Prüfung beauftragte Behörde (IPEA) durchgeführt (Art 31 (1) PCT). Dieses Verfahren ist für die Anmelder fakultativ. Art 155 (1)–(2) EPÜ legt fest, für welche Anmelder das EPA als IPEA tätig werden kann (Rdn 13 ff und Rdn 23 ff).

Ferner legt Artikel 155 Absatz 3 fest, dass die Beschwerdekammern für Ent- **2** scheidungen über Widersprüche von Anmeldern gegen die vom EPA als IPEA festgesetzten zusätzlichen Gebühren zuständig sind, wenn das EPA der Auffassung ist, dass die Erfindung nicht den Anforderungen an die Einheitlichkeit der Erfindung genügt (Rdn 108). Von dieser Ausnahme abgesehen unterliegen Entscheidungen, die das EPA als IPEA trifft, grundsätzlich nicht der Überprüfung durch die Beschwerdekammern (Art 150 Rdn 12 ff).[1]

Die internationale vorläufige Prüfung wird gemäß den Vorschriften des PCT **3** durchgeführt und ist insbesondere in den Art 31–42 PCT, den R 53–78 PCT sowie den einschlägigen allgemeinen Bestimmungen der Art 43–49 PCT und der R 79–83 PCT geregelt. Zusätzlich ist die Tätigkeit des EPA als IPEA in der Vereinbarung zwischen EPO und WIPO nach dem PCT (»Vereinbarung EPO-WIPO«) (Vor Art 150–158 Rdn 11, Anhang 10) geregelt.

Das EPA als IPEA ist auf Grund seiner Vereinbarung mit der WIPO ferner **4** verpflichtet, die internationale vorläufige Prüfung im Einklang mit den von der WIPO erlassenen Richtlinien für die internationale Recherche und die internationale vorläufige Prüfung (»ISPE-Richtlinien«) durchzuführen (Art 2 (1) Ver-

---

[1] **J 20/89**, ABl 1991, 375.

einbarung EPO-WIPO). Die gegenwärtigen ISPE-Richtlinien, die am 25. März 2004 in Kraft getreten sind, enthalten eine vollständig überarbeitete Version der früheren Richtlinien. Sie wurden deutlich stärker an das Prüfungsverfahren nach dem EPÜ angeglichen.

5 Im Folgenden wird das seit der Einführung des EISPE-Systems am 1. Januar 2004 geltende Verfahren vor dem EPA in seiner Funktion als IPEA kurz beschrieben (Vor Art 150–158 Rdn 2 und 58 ff, Art 154 Rdn 53). Der Schwerpunkt liegt auf den Besonderheiten des Verfahrens vor dem EPA als IPEA. Allgemeine Informationen über das Verfahren nach Kapitel II PCT sind in dem PCT-Leitfaden der WIPO (Bd 1/A) zu finden, spezielle Informationen über das Verfahren vor dem EPA als IPEA in Teil 2, Kapitel D der EPA-Broschüre *Der Weg zum europäischen Patent – Euro-PCT* (»Euro-PCT-Leitfaden«) und in den Prüfungsrichtlinien E-IX, 4.

EPÜ 2000

6 Art 154 (1) und (2) EPÜ und Art 155 (1) und (2) EPÜ betreffend die Zuständigkeit des EPA jeweils als ISA bzw IPEA sind in einer Vorschrift zusammengefasst worden (Art 154 Rdn 5). Wie im Folgenden erläutert werden wird, beinhalten die Änderungen des Wortlauts des bisherigen Art 155 (1) und (2) EPÜ keine materielle Änderung im Hinblick auf die Zuständigkeit des EPA als ISA und IPEA (Rdn 14 und Rdn 26). Für Einzelheiten zur Streichung von Art 155 (3) EPÜ (Rdn 110) wird auf den Kommentar zu Art 154, Rdn 5, 79 und 89 verwiesen.

2 Zweck der Prüfung nach Kapitel II PCT

7 Zweck der internationalen vorläufigen Prüfung ist es, sowohl dem Anmelder als auch den von diesem ausgewählten Ämtern einen internationalen vorläufigen Prüfungsbericht (IPER) zukommen zulassen. Dieser Prüfungsbericht wurde zum 1. Januar 2004 in »internationaler vorläufiger Bericht zur Patentfähigkeit (Kapitel II des PCT)« umbenannt, kurz: »IPRP Kapitel II« (R 70.15 PCT). Beide Begriffe beziehen sich auf dasselbe Dokument; im Folgenden wird in der Regel die Kurzbezeichnung IPER verwendet. Der neue Begriff ist im Zuge der Einführung des »internationalen vorläufigen Berichts zur Patentfähigkeit (IPRP Kapitel I)« eingeführt worden (Art 154 Rdn 63).

8 Ein IPER enthält ein nicht bindendes Gutachten zu der Frage, ob die beanspruchte Erfindung gemäß Art 33 (1)–(4) PCT als neu, auf erfinderischer Tätigkeit beruhend und gewerblich anwendbar anzusehen ist. Der IPER verschafft dem Anmelder damit die nötigen Informationen, um seine Aussichten auf Erteilung eines Patents in den Verfahren vor den ausgewählten Ämtern abschätzen zu können. Da der Anmelder bereits nach dem EISPE-System einen Bericht zur Patentfähigkeit, nämlich den WO-ISA (Art 154 Rdn 57) erhält, ist die Einreichung eines Antrags auf internationale vorläufige Prüfung in der Regel nur dann sinnvoll, wenn diese für eine geänderte Fassung der Anmeldung

durchgeführt werden soll. Wenn die Anmeldung nach der Ausstellung des ISR nicht geändert worden ist, wird die internationale vorläufige Prüfung anhand derselben Anmeldeunterlagen durchgeführt, die bereits für die internationale Recherche verwendet wurden. Der IPER wird daher in der Regel dem WO-ISA entsprechen und keinen zusätzlichen Nutzen bringen, insbesondere in dem Fall, in dem das EPA für die Anmeldung auch als ISA tätig geworden ist (Rdn 67 ff und 86 ff).

2.1 Auswirkungen der vereinheitlichten Fristen für den Eintritt in die europäische Phase

Seit dem 1. April 2002 wendet die Mehrzahl der nationalen und regionalen Ämter Art 22 PCT in der geänderten Fassung an, mit dem Ergebnis, dass bei diesen Ämtern eine einheitliche Frist von (mindestens) 30 Monaten für den Eintritt in die nationale/regionale Phase gilt. Daher gibt es in der Regel keinen Grund mehr, einen Antrag auf internationale vorläufige Prüfung nur deshalb einzureichen, um die Frist für den Eintritt in die nationale/regionale Phase um zehn Monate von 20 (21) auf 30 (31) Monate zu verlängern. Eine einheitliche Frist von 31 Monaten für den Eintritt in die *europäische* Phase war bereits früher eingeführt worden (Art 150 Rdn 29). Jedoch ist die Einreichung eines entsprechenden Antrags (ausschließlich) zu dem Zweck, die internationale Phase zu verlängern, insoweit in Erwägung zu ziehen, als vor einigen wenigen Bestimmungsämtern (einschließlich der Ämter einiger EPÜ-Vertragsstaaten) die kurze 20-Monatsfrist weiterhin gilt (Art 150 Rdn 30). Dies liegt darin begründet, dass diese Staaten einen einstweiligen Vorbehalt zu Art 22 PCT in der geänderten Fassung geltend gemacht haben. 9

Möchte ein Anmelder jedoch für die betreffenden EPÜ-Vertragsstaaten ein *europäisches* Patent und kein Patent über den *nationalen* Weg erlangen, so spielt die 20-monatige Frist für den Eintritt in die nationale Phase vor den Bestimmungsämtern der jeweiligen Staaten keine Rolle. Es ist mit anderen Worten möglich, die 20-Monatsfrist über den *europäischen* Weg zu umgehen. 10

Die WIPO veröffentlicht im *PCT-Newsletter* und auf ihrer Website eine Liste ausgewählter Ämter, für die weiterhin die bisherige Frist nach Art 22 PCT gilt. 11

2.2 Einstellung des rationalisierten Verfahrens

Infolge der Verlängerung und Harmonisierung der Frist für den Eintritt in die nationale/regionale Phase vor den Bestimmungsämtern und der Einführung des WO-ISA für Anmeldungen, die ab dem 1. Januar 2004 (Art 154 Rdn 53) eingereicht worden sind, hat sich die Anzahl der beim EPA eingereichten Anträge auf internationale vorläufige Prüfung seit dem 1. April 2002 verringert. Daher hat das EPA entschieden, das seit dem 3. Januar 2002 geltende Verfahren 12 der rationalisierten internationalen vorläufigen Prüfung für die internationalen Anmeldungen einzustellen, die ab dem 1. Januar 2004 eingereicht wurden.[2] Anmelder müssen sich also für diese Anmeldungen keine Gedanken mehr darüber machen, ob sie eine so genannte »eingehende Prüfung« beantragen sollen.[3] Die weiteren unter Punkt 4 der Mitteilung des Präsidenten des EPA über die Rationalisierung des Verfahrens der internationalen vorläufigen Prüfung im EPA aufgeführten Maßnahmen sind nicht abgeschafft worden.[4]

3 Art 155 (1) – Zuständigkeit des EPA als IPEA für die EPÜ-Vertragsstaaten

13 Vorbehaltlich einer zwischen dem EPA und dem IB der WIPO geschlossenen Vereinbarung, die weitere Bedingungen festlegt, gewährt Art 155 Absatz 1 EPÜ Anmeldern, die Staatsangehörige eines EPÜ-Vertragsstaates sind, für den Kapitel II des PCT bindend ist, das Recht, beim EPA als IPEA Antrag auf internationale vorläufige Prüfung zu stellen; das Gleiche gilt, wenn der Anmelder in einem solchen Staat seinen Sitz oder Wohnsitz hat (Art 151 Rdn 5 ff). Da Kapitel II PCT alle 31 EPÜ-Vertragsstaaten bindet, kann jeder ihrer Staatsangehörigen und jeder, der dort seinen Sitz oder Wohnsitz hat, das EPA darum ersuchen, eine internationale vorläufige Prüfung durchzuführen. Das EPA wird diesem Antrag jedoch nur dann entsprechen, wenn die weiteren in Art 3 (2) und (4) der Vereinbarung EPO-WIPO aufgeführten Zuständigkeitsvoraussetzungen erfüllt sind (Rdn 15 ff).

EPÜ 2000

14 Art 152 Satz 1 EPÜ 2000 legt nicht mehr fest, dass das EPA als IPEA nur für Staatsangehörige und »Einwohner« eines EPÜ-Vertragsstaates tätig werden darf, *für die Kapitel II verbindlich ist,* da damit nur das bereits in Art 31 (2) a) PCT festgelegte Erfordernis wiederholt wird. Außerdem ist Kapitel II PCT für alle PCT-Vertragsstaaten und somit für alle EPÜ-Vertragsstaaten verbindlich (PCT- Leitfaden der WIPO, Bd I/A, Anhang A Fußnote 1). Die Zuständigkeit des EPA als IPEA hängt daher grundsätzlich nur davon ab, ob der Anmelder Staatsangehöriger eines EPÜ-Vertragsstaates ist oder dort seinen Sitz oder Wohnsitz hat. Das EPA wird für diese Anmelder gemäß der Vereinbarung EPA-WIPO tätig.

3.1 Bestimmung durch das Anmeldeamt

15 Zunächst muss das Anmeldeamt, bei dem die Anmeldung eingereicht wurde, das EPA als IPEA bestimmt haben (Art 32 (2) PCT, R 59.1 PCT, Art 3 (2) Vereinbarung EPO-WIPO). Aus Abschnitt II ZentProt folgt, dass jeder EPÜ-Ver-

---

2   ABl 2001, 539; ABl 2004, 305.
3   ABl 2001, 539.
4   ABl 2004, 305.

tragsstaat das EPA als IPEA bestimmen muss; dort ist festgelegt, dass alle EPÜ-Vertragsstaaten *zu Gunsten des EPA* auf die Tätigkeit als IPEA verzichten (Anhang 4). Das EPA ist normalerweise für Anmelder aus den EPÜ-Vertragsstaaten die allein zuständige Behörde für die internationale vorläufige Prüfung. Es gibt jedoch eine Reihe von Ausnahmen. Einige EPÜ-Vertragsstaaten, denen es gemäß Abschnitt III ZentProt gestattet ist, eine »eigene« IPEA einzusetzen, haben das EPA *und* ihr nationales Amt bestimmt (Rdn 16–17). Andere EPÜ-Vertragsstaaten haben das EPA und das nationale Amt eines anderen EPÜ-Vertragsstaates als IPEA bestimmt. Schließlich haben einige EPÜ-Vertragsstaaten das EPA und das nationale Amt eines Staates, der nicht EPÜ-Vertragsstaat ist, als IPEA bestimmt (Rdn 18).

Abschnitt III des ZentProt legt fest, dass ein nationales Patentamt eines EPÜ-Vertragsstaates (nur) dann berechtigt ist, die Tätigkeit einer IPEA auszuüben, wenn die Amtssprache dieses Staates nicht Amtssprache des EPA ist. Diese Ausnahme vom Grundsatz eines zentralisierten Patentsystems wird mit dem Gleichbehandlungsprinzip begründet: Jedem EPÜ-Vertragsstaat wird das Recht eingeräumt, den Nachteil auszugleichen, der darin liegt, dass der Anmelder nicht seine nationale Sprache in dem Verfahren vor dem EPA als internationaler Behörde verwenden kann. Diese Vorschrift des ZentProt bildet eine der Rechtsgrundlagen für die Tätigkeit der nationalen Ämter Finnlands, Schwedens und Spaniens als IPEA.[5] Ferner werden diese nationalen Ämter für Anmelder aus anderen EPÜ-Vertragsstaaten und/oder aus Nicht-EPÜ-Vertragsstaaten tätig. Das österreichische Patentamt darf (als IPEA) ausschließlich für Anmelder aus Staaten tätig werden, die Nicht-EPÜ-Vertragsstaaten sind, nämlich für Anmelder aus (bestimmten) Entwicklungsländern. **16**

Finnland ist ein Beispiel für einen EPÜ-Vertragsstaat, der das EPA, sein eigenes nationales Amt und eine andere europäische IPEA (das schwedische Patentamt) bestimmt hat. **17**

Polen und Lettland zB haben das EPA und das nationale Amt eines Staates, der Nicht-EPÜ-Vertragsstaat ist, nämlich das russische Patentamt als IPEA bestimmt. **18**

3.2 Auswahl durch den Anmelder

Als zweite Voraussetzung für die Zuständigkeit des EPA als IPEA muss der Anmelder das EPA ausdrücklich ausgewählt haben, wenn er zwischen dem EPA und einem nationalen Amt wählen kann. Wenn das EPA den IPER erstellt hat, reduziert sich die Prüfungsgebühr in der europäischen Phase nach R 107 (2) EPÜ iVm R 12 (2) GebO um 50% (Art 158 Rdn 80 ff). **19**

---

5   ABl 1979, 145; PCT Newsletter 10/2001, 3.

3.3 Durch das EPA oder eine andere europäische ISA durchgeführte internationale Recherche

20 Dritte Voraussetzung für die Durchführung der internationalen vorläufigen Prüfung durch das EPA als IPEA ist, dass der ISR vom EPA selbst in seiner Eigenschaft als ISA oder vom finnischen, österreichischen, schwedischen oder spanischen Patentamt erstellt worden ist (Art 3 (2) Vereinbarung EPO-WIPO) (Art 154 Rdn 7 ff). Wenn ein Anmelder sich dazu entschließt, nach einer internationalen Recherche durch eine der genannten ISA zum Zweck des Verfahrens nach Kapitel II PCT zum EPA zu wechseln, ist darauf zu achten, dass die vor diesem Amt geltenden Sprach- und Übersetzungserfordernisse erfüllt sind (R 55.2 PCT) (Rdn 42 ff).[6]

3.2 Beschränkung der Zuständigkeit

21 Selbst wenn das EPA nach den oben genannten Voraussetzungen grundsätzlich als IPEA zuständig ist, kann seine Zuständigkeit nach Art 3 (4) der Vereinbarung EPO-WIPO beschränkt sein (Art 154 Rdn 25 ff). In Anwendung dieser Vorschrift wird das EPA gegenwärtig nicht als IPEA für Anmeldungen tätig, die von einem Staatsangehörigen der Vereinigten Staaten oder einem Anmelder, der dort seinen Sitz oder Wohnsitz hat, beim USPTO eingereicht werden, wenn die Anmeldung eine *Geschäftsmethode* beansprucht.[7] Auch in dem Falle, dass das IB Anmeldeamt war, ist das EPA nicht als IPEA zuständig, wenn die internationale Anmeldung auch beim USPTO, nicht aber beim EPA als Anmeldeamt hätte eingereicht werden können. Diese Beschränkung ist am 1. Januar 2002 für einen Zeitraum von drei Jahren in Kraft getreten und bis zum 28. Februar 2007 verlängert worden.[8] Sie erstreckt sich auf die in einer Mitteilung des Präsidenten genannten Klassen der Internationalen Patentklassifikation (IPC).[9] Eine weitere Beschränkung der Zuständigkeit im Hinblick auf *Telekommunikation* und *Biotechnologie*, die (ebenfalls) ab dem 1. Januar 2002 für einen Zeitraum von drei Jahren in Kraft getreten war, ist für ab dem 1. Juli 2004 bzw dem 1. Januar 2004 eingereichte Anträge auf internationale vorläufige Prüfung aufgehoben worden.[10]

22 Die oben genannte Beschränkung der Zuständigkeit des EPA als IPEA kommt allerdings nur zum Tragen, wenn das EPA selbst die internationale Recherche durchgeführt hat. Ist die Recherche nämlich durch das USPTO durchgeführt worden, so ist das EPA schon allein deshalb nicht zuständig, weil die internationale Recherche nicht durch das EPA als ISA durchgeführt wurde

---

6 ABl 1994, 540.
7 ABl EPA 2002, 52 und 175; 2006, 149.
8 ABl 2005, 149.
9 ABl 2006, 149.
10 ABl 2003, 633.

(Rdn 20). Da das USPTO als Anmeldeamt nur das EPA und sich selbst als ISA bestimmt hat, kommt die Möglichkeit, dass die internationale Recherche durch eine andere europäische ISA als das EPA durchgeführt wurde, nicht in Betracht.

4 Art 155 (2) – Zuständigkeit des EPA als IPEA für Nicht-EPÜ-Staaten

Gemäß Art 155 (2) EPÜ kann das EPA nach der Vereinbarung EPO-WIPO auch für andere als die in Absatz 1 erfassten Anmelder tätig werden. Das bedeutet, dass die Zuständigkeit des EPA als IPEA nicht auf internationale Anmeldungen von Staatsangehörigen der EPÜ-Vertragsstaaten oder von Anmeldern, die dort ihren Sitz oder Wohnsitz haben, beschränkt ist, sondern im Grunde universell ist. Das Gleiche gilt für seine Zuständigkeit als ISA (Art 154 Rdn 12). Der Grundsatz der Universalität des EPA als IPEA wird in Art 3 (2) der Vereinbarung EPO-WIPO zum Ausdruck gebracht. 23

Da alle PCT-Vertragsstaaten an Kapitel II gebunden sind, besteht das Recht, einen Antrag auf internationale vorläufige Prüfung beim EPA als IPEA einzureichen, grundsätzlich dann, wenn der Anmelder Staatsangehöriger *eines beliebigen PCT-Vertragsstaates* ist oder dort seinen Sitz oder Wohnsitz hat (Art 155 (1) und (2) EPÜ iVm Art 31 (2 a) PCT). Bei zwei oder mehr Anmeldern muss wenigstens einer von ihnen dieses Erfordernis erfüllen (R 54.2 PCT). Damit das EPA als IPEA tätig werden kann, müssen jedoch wie im Falle einer aus einem EPÜ-Vertragsstaat stammenden internationalen Anmeldung die weiteren Zuständigkeitsvoraussetzungen erfüllt sein (Rdn 15 ff). 24

Der PCT-Leitfaden der WIPO nennt die zuständige(n) IPEA für jeden einzelnen PCT-Vertragsstaat.[11] 25

EPÜ 2000

Art 152 letzter Satz EPÜ 2000 legt fest, dass das EPA nach Maßgabe der Vereinbarung EPA-WIPO auch für andere Anmelder tätig werden kann, die weder Staatsangehörige eines EPÜ-Vertragsstaats sind noch dort ihren Sitz oder Wohnsitz haben. 26

5 Vertretung vor dem EPA als IPEA

Auch wenn der Anmelder sich nach dem Recht des Anmeldeamtes in der internationalen Phase nicht von einem Anwalt vertreten lassen muss, empfiehlt das EPA schon bei Einreichung der Anmeldung einen Anwalt zu bestellen (Vor Art 150–158 Rdn 72 ff). Wenn ein Anmelder darüber hinaus wünscht, dass das EPA die internationale vorläufige Prüfung durchführen soll, empfiehlt es sich, für das Verfahren vor dem EPA als IPEA einen zugelasser Vertreter gemäß Art 134 EPÜ zu bestellen, sofern dies nicht bereits bei der Einreichung der internationalen Anmeldung geschehen ist. Ein Anmelder kann einen zugelasse- 27

---

11 PCT-Leitfaden der WIPO Bd I/A, Anhang B1-B2.

nen Vertreter speziell für das Verfahren vor dem EPA als IPEA bestellen (R 90.1 (c) PCT).

28 Sofern nicht der Anmelder, sondern der Anwalt für die internationale Phase einen zugelassenen Vertreter für das Verfahren vor dem EPA als IPEA bestellt, wird letzterer als Unteranwalt tätig (R 90.1 (d) ii) PCT; Art 154 Rdn 34 ff).

29 Der Anmelder kann einen Anwalt speziell für das Verfahren vor dem EPA als IPEA bestellen, indem er entweder den Antrag auf internationale vorläufige Prüfung unterschreibt, in dem der Anwalt benannt wird (PCT/IPEA/401, Feld Nr III), oder indem er eine gesonderte Vollmacht unterschreibt und direkt beim EPA einreicht. Die Bestellung kann auch erfolgen, indem im Antrag oder in einer gesonderten Mitteilung auf eine beim EPA ordnungsgemäß hinterlegte allgemeine Vollmacht verwiesen wird, soweit diese dem Antrag oder der gesonderten Mitteilung in Abschrift beigefügt wird. In letzterem Falle kann der Anwalt den Antrag oder die gesonderte Mitteilung unterzeichnen; die Abschrift muss nicht unterzeichnet werden.

30 Das EPA hat jedoch (auch) in seiner Funktion als IPEA einen *Verzicht* nach R 90.4 (d) PCT eingereicht (Art 154 Rdn 36); daher wird der speziell für das Verfahren vor dem EPA als IPEA bestellte Anwalt, selbst wenn er im Antrag auf internationale vorläufige Prüfung nicht wirksam bestellt wurde und auch keine gesonderte Vollmacht eingereicht wurde, als bestellt angesehen.[12] Ein Verzicht gilt ferner, wenn die Bestellung durch Verweisung auf eine allgemeine Vollmacht erfolgt, aber keine Abschrift dieser Vollmacht eingereicht wird. Auch in diesem Fall wird der zugelassene Vertreter für das Verfahren vor dem EPA als IPEA als bestellt angesehen. Der Verzicht gilt jedoch nicht für den Fall der Zurücknahme eines Antrags auf vorläufige Prüfung. Das bedeutet, dass das EPA als IPEA keine Zurücknahmeerklärung (R 90bis.4 PCT) akzeptieren wird, die auf der Grundlage einer unvollständigen Bestellung des Vertreters erfolgt (R 90.4 (e) und 90.5 (d) PCT).

31 Das EPA kann in jedem Fall und nach eigenem Ermessen verlangen, dass eine gesonderte Vollmacht oder eine Abschrift der allgemeinen Vollmacht eingereicht wird, wenn unklar ist, ob der Anwalt hinsichtlich der betreffenden Anmeldung vertretungsberechtigt ist.[13]

6 Einreichung des Antrags auf vorläufige Prüfung beim EPA als IPEA

32 Zur Einleitung des Verfahrens nach Kapitel II des PCT ist nach Art 31 und R 53 ff PCT unabhängig von der Einreichung der internationalen Anmeldung ein gesonderter Antrag auf internationale vorläufige Prüfung zu stellen, der direkt beim EPA einzureichen ist, wenn dieses die zuständige IPEA ist (Art 31 (3) und (6) a) PCT). Für den Antrag ist das vorgeschriebene Formblatt (PCT/

---

12 ABl 2004, 305.
13 ABl 2004, 305.

IPEA/401) oder ein entsprechender Computerausdruck zu verwenden (R 53.1 PCT). Zusätzlich müssen die Bearbeitungs- und die Prüfungsgebühr fristgerecht gezahlt werden (Rdn 53 ff).

Ein Antrag kann unmittelbar überreicht oder auf dem Postweg oder per Telefax übermittelt werden (Art 152 Rdn 23 ff). Anders als im Falle der Einreichung der internationalen Anmeldung ist die Einreichung des Antrags auf internationale vorläufige Prüfung in elektronischer Form noch *nicht* möglich. Nach Eingang des Antrags unterrichtet das EPA den Anmelder unverzüglich über das Eingangsdatum. 33

Wenn der Antrag bei einem Anmeldeamt, einer ISA, einer nicht zuständigen IPEA oder dem IB eingereicht wird, wird er – gegebenenfalls nach Rücksprache mit dem Anmelder – an die zuständige IPEA weitergeleitet (R 59.3 PCT). 34

7 Auswahl

Der Antrag auf internationale vorläufige Prüfung muss mindestens einen PCT-Vertragsstaat angeben, in dem die Ergebnisse der internationalen vorläufigen Prüfung verwendet werden sollen (Art 31 (4) PCT). Die betreffenden Staaten werden »ausgewählte Staaten« genannt (Art 156 EPÜ Rdn 8 ff). Gemäß R 53.7 PCT werden alle PCT-Vertragsstaaten, die in der internationalen Anmeldung bestimmt sind und für die Kapitel II des PCT verbindlich ist, »automatisch« ausgewählt, sofern nicht in der Zwischenzeit die Bestimmung widerrufen wurde (PCT/IPEA/401, Feld V; Art 156 Rdn 11). Daher ist die in Art 31 (4) a) PCT vorgesehene nachträgliche Auswahl weiterer Staaten in der Praxis nicht mehr relevant. 35

Ein Anmelder kann seinen Antrag auf internationale vorläufige Prüfung oder die Auswahl einzelner ausgewählter Staaten zurücknehmen (Art 37 und R 90bis.4 PCT). Die Rücknahme eines Antrags auf internationale vorläufige Prüfung oder der gesamten Auswahl von Staaten für ein europäisches Patent führt nicht dazu, dass die internationale Anmeldung in Bezug auf die Bestimmung von Staaten für ein europäisches Patent als zurückgenommen gilt (Art 37 (4) a) PCT). Mit der vereinheitlichten Frist von 31 Monaten für den Eintritt in die europäische Phase wird vermieden, dass eine solche Zurücknahme sich auf das weitere Verfahren in der europäische Phase auswirkt (Art 37 (4) b) und R 90bis.7 PCT). 36

8 Frist für die Einreichung des Antrags

Gemäß R 54bis PCT kann Antrag auf vorläufige Prüfung jederzeit vor Ablauf derjenigen der folgenden Fristen gestellt werden, die später abläuft: drei Monate ab dem Tag, an dem der ISR und der schriftliche Bescheid nach R 43bis.1 PCT übermittelt wurden, oder 22 Monate ab dem Prioritätsdatum. Jeder Antrag, der nach Ablauf der maßgebenden Frist gestellt wird, gilt als nicht gestellt und wird von der IPEA für nicht gestellt erklärt. Es gibt keine Vorschrift, wonach die 37

Frist für die Einreichung des Antrags verlängerbar wäre. Das EPA kann nur unter strengen Voraussetzungen eine Fristverlängerung für die Einreichung von Änderungen nach Art 34 PCT gewähren (Rdn 80 ff).[14]

8.1 Verlängerung der Frist für den Eintritt in die nationale/regionale Phase auf 30 Monate

38 Von wenigen Ausnahmen abgesehen wenden alle PCT-Vertragsstaaten Art 22 PCT in der mit Wirkung vom 1. April 2002 geänderten Fassung an (Rdn 9 ff). Das bedeutet, dass für die meisten ausgewählten Ämter einschließlich des EPA die Frist für den Eintritt in die nationale/regionale Phase unabhängig davon, ob der Anmelder den Antrag auf vorläufige Prüfung innerhalb von 19 Monaten ab dem (frühesten) Prioritätsdatum eingereicht hat, 30 bzw 31 Monate beträgt. In den (wenigen) EPÜ-Vertragsstaaten, für die weiterhin die 20-Monatsfrist für den Eintritt in die nationale Phase gilt, hat die nicht rechtzeitige Einreichung des Antrags oder der nicht rechtzeitig – dh innerhalb der 20-Monatsfrist – erfolgte Eintritt in die nationale Phase nur geringe Konsequenzen, da dem Anmelder auch über den europäischen Weg Patentschutz für den oder die betreffenden Staat(en) gewährt werden kann. Eine Liste der wenigen Staaten, für die noch der »alte« Art 22 PCT gilt, ist auf der WIPO-Website verfügbar.

39 Bei einem ausgewählten Amt, für das weiterhin die kurze Frist von 20 bzw 21 Monaten gilt, beginnt die Bearbeitung in der nationalen Phase nicht vor Ablauf von 30 bzw 31 Monaten nach dem Prioritätsdatum, wenn die zuständige IPEA den Antrag innerhalb der Frist von 19 Monaten erhalten hat. Dies ergibt sich aus Art 40 (1) PCT iVm Art 39 (1) a) PCT, die gemäß Art 58 (5) PCT der neuen R 54bis.1 PCT vorgehen. Geht der Antrag auf internationale vorläufige Prüfung erst nach Ablauf der Frist von 19 Monaten ein, so wird die internationale vorläufige Prüfung trotzdem noch durchgeführt, wenn die Frist nach R 54bis PCT eingehalten wurde.

9 Mängel des Antrags

40 Entspricht der Antrag auf internationale vorläufige Prüfung nicht den einschlägigen Erfordernissen, so fordert das EPA als IPEA den Anmelder auf, diese Mängel innerhalb von einem Monat ab dem Datum der Aufforderung zu beheben (R 60.1 (a) PCT). Kommt der Anmelder der Aufforderung innerhalb der Frist nach, so gilt der Antrag als zum Zeitpunkt seiner Einreichung eingegangen, sofern die internationale Anmeldung in der eingereichten Fassung des Antrags hinreichend gekennzeichnet wird (R 60.1 (b) PCT). Kommt der Anmelder der Aufforderung nicht nach, so gilt der Antrag als nicht gestellt (R 60.1 (c) PCT).

---

14 Euro-PCT-Leitfaden Nr 116.

Bei zwei oder mehr Anmeldern kommt es häufig vor, dass Angaben zur An- 41
schrift, zur Staatsangehörigkeit oder zum Sitz oder Wohnsitz fehlen. Sofern jedoch diese Angaben für einen der Anmelder in der Anmeldung gemacht werden, der zur Antragstellung berechtigt ist, bleibt dieser Mangel folgenlos und es ergeht keine Aufforderung (R 60.1 (a-bis) PCT). Ein nicht von allen Anmeldern unterzeichneter Antrag wird ebenfalls zugelassen; und unter der Voraussetzung, dass der Antrag *zumindest von einem* der Anmelder unterzeichnet wurde, ergeht keine Aufforderung zur Berichtigung (R 60.1 (a-ter) PCT). Ist der Antrag von einem Anwalt (der eventuell nur einen der Anmelder vertritt) unterzeichnet, so wird darüber hinaus auf das Erfordernis verzichtet, dass der jeweilige Anmelder eine gesonderte Vollmacht oder eine Abschrift einer allgemeinen Vollmacht einreichen muss (Rdn 27).

10 Übersetzung der internationalen Anmeldung

Ist die Sprache, in der die Anmeldung eingereicht worden ist, nicht Amtsspra- 42
che des EPA (Deutsch, Englisch, Französisch), so ist gegebenenfalls eine Übersetzung beim EPA als IPEA einzureichen (R 55.2 PCT).

Ist die internationale Anmeldung nicht in einer Amtssprache des EPA einge- 43
reicht worden, wurde jedoch für die Zwecke der internationalen Veröffentlichung eine Übersetzung in eine Amtssprache des EPA eingereicht, so darf das EPA als IPEA vom Anmelder keine Übersetzung verlangen. In diesem Fall wird der internationalen vorläufigen Prüfung die veröffentlichte Fassung der internationalen Anmeldung zu Grunde gelegt (R 55.2 (a) PCT). Änderungen der Anmeldung sind jedoch in der Veröffentlichungssprache einzureichen (R 66.9 (a) PCT; Rdn 73 ff).

Wird zB eine internationale Anmeldung in niederländischer Sprache beim 44
niederländischen Patentamt oder in schwedischer Sprache beim schwedischen Patentamt eingereicht, so wird die Anmeldung in englischer Sprache veröffentlicht, da dies die einzige von diesen Anmeldeämtern zugelassene Veröffentlichungssprache ist (R 48.3 (b) PCT iVm den R 12.3 und 12.4 PCT). Da Englisch Amtssprache des EPA ist, ist die Einreichung einer Übersetzung nicht erforderlich, und das EPA als IPEA wird die zur Verfügung stehende englische Übersetzung verwenden, die ihm unter Umständen bereits in seiner Eigenschaft als ISA übermittelt wurde.

Ist weder die Sprache, in der die internationale Anmeldung eingereicht wor- 45
den ist, noch die Sprache, in der die Anmeldung veröffentlicht wurde, eine der Amtssprachen des EPA (zB Spanisch), so hat der Anmelder für die internationale vorläufige Prüfung grundsätzlich eine Übersetzung einzureichen (R 55.2 (a) PCT). Eine Ausnahme gilt nur dann, wenn das EPA als ISA bereits im Besitz einer ihm für die Zwecke der internationalen Recherche übermittelten Übersetzung der internationalen Anmeldung in eine seiner Amtssprachen ist. In die-

sem Fall ist die Einreichung einer Übersetzung nicht erforderlich (R 55.2 (b) PCT).

46 Sollen der Prüfung Änderungen nach Art 19 und/oder Art 34 PCT zu Grunde gelegt werden und muss dem EPA als IPEA eine Übersetzung der Anmeldung übermittelt werden, so sind die Änderungen in der Sprache der Übersetzung abzufassen. Sind diese Änderungen in einer anderen Sprache eingereicht worden, so ist eine Übersetzung der Änderungen an das EPA als IPEA einzureichen (R 55.3 und 66.9 PCT).

47 Abgesehen vom oben genannten Fall der Einreichung von Änderungen (Rdn 46) ist die Einreichung einer weiteren Übersetzung der Anmeldung nicht erforderlich (Rdn 45). Reicht der Anmelder dennoch eine neue Übersetzung in eine der Amtssprachen des EPA ein, so wird diese der internationalen vorläufigen Prüfung zu Grunde gelegt (R 55.2 (b) PCT).

11 Sprache des Antrags und des weiteren Schriftverkehrs

48 Ein beim EPA als IPEA eingereichter Antrag auf internationale vorläufige Prüfung ist in der Regel in der Sprache der internationalen Anmeldung zu stellen, wobei Sonderbestimmungen gelten (R 55.1 PCT).

49 Zunächst einmal ist der Antrag in der Veröffentlichungssprache einzureichen, wenn die internationale Anmeldung in einer anderen Sprache als derjenigen, in der sie eingereicht wurde, veröffentlicht worden ist, sofern nicht eine Übersetzung der Anmeldung eingereicht werden muss (R 55.1 letzter Satz PCT). Wird zB eine internationale Anmeldung beim niederländischen Patentamt in niederländischer Sprache eingereicht, so wird sie durch das IB in englischer Sprache veröffentlicht, und die Einreichung einer Übersetzung der internationalen Anmeldung beim EPA als IPEA ist nicht erforderlich (Rdn 44). In solchen Fällen ist der Antrag auf internationale vorläufige Prüfung in englischer Sprache einzureichen.

50 Muss beim EPA als IPEA eine Übersetzung der internationalen Anmeldung eingereicht werden, so ist ferner der Antrag auf internationale vorläufige Prüfung in der Sprache dieser Übersetzung zu stellen (R 55.1 letzter Satz PCT; Rdn 42).

51 Ist das EPA bereits gemäß R 23.1 (b) PCT als ISA im Besitz einer für die Zwecke der internationalen Recherche angefertigten Übersetzung der internationalen Anmeldung in eine seiner Amtssprachen und ist die Einreichung einer Übersetzung beim EPA als IPEA dementsprechend nicht erforderlich, so ist schließlich der Antrag in der Sprache der in der Akte vorhandenen Übersetzung einzureichen (R 55.1 letzter Satz PCT iVm R 55.2 (b) PCT). Ist das EPA beispielsweise für eine in spanischer Sprache eingereichte Anmeldung auf der Grundlage einer Übersetzung in die englische Sprache tätig geworden, die für die Zwecke der internationalen Recherche eingereicht wurde, so ist der Antrag ebenfalls in englischer Sprache einzureichen.

Mit Ausnahme von Änderungen der Anmeldung gestattet das EPA die Verwendung jeder der drei Amtssprachen des EPA für jeden weiteren Schriftverkehr mit dem EPA als IPEA (Vor Art 151/152 Rdn 8). Daher ist der Anmelder im Hinblick auf den weiteren Schriftverkehr weder dazu verpflichtet, die Sprache der internationalen Anmeldung noch die Sprache der Übersetzung zu verwenden, welche die Grundlage der internationalen vorläufigen Prüfung bilden soll (R 92.2 (b) PCT; Abschnitt 104 der PCT-Verwaltungsvorschriften; Art 150 (2) EPÜ).[15]

12 Gebühren für die internationale vorläufige Prüfung

Für die internationale vorläufige Prüfung bedarf es in jedem Fall der Zahlung einer Bearbeitungsgebühr zugunsten des IB und, soweit die jeweilige IPEA dies verlangt, der Zahlung einer Gebühr für die vorläufige Prüfung zugunsten der IPEA (Art 31 (5), R 57 und 58 (1) a) PCT). Das EPA erhebt wie alle anderen IPEA eine Gebühr für die internationale vorläufige Prüfung. Die Höhe dieser Gebühr ist in Art 2 Nr 19 GebO festgelegt. Informationen zur aktuellen Höhe der Gebühr sind in dem Abschnitt »Hinweise für die Zahlung von Gebühren, Auslagen und Verkaufspreisen« im Amtsblatt enthalten. Die Höhe der Bearbeitungsgebühr ist dem Gebührenverzeichnis der PCT-Ausführungsordnung zu entnehmen.

Beide Gebühren sind unmittelbar an das EPA zu zahlen, das die Bearbeitungsgebühr an das IB weiterleitet (R 57.2 PCT). Der Betrag der Bearbeitungsgebühr und der Gebühr für die vorläufige Prüfung ist der zum Zeitpunkt der Zahlung geltende Betrag (R 58.1 (b) und 57.3 (d) PCT).

War das EPA als IPEA tätig, so ermäßigt sich wegen der an das EPA als IPEA entrichteten Gebühr für die internationale vorläufige Prüfung die Prüfungsgebühr in der nachfolgenden europäischen Phase vor dem EPA als ausgewähltem Amt um 50% (R 107 (2) EPÜ und Art 12 (2) GebO; Art 158 Rdn 80).

12.1 Zahlungsfrist für Gebühren

Die Gebühr für die vorläufige Prüfung und die Bearbeitungsgebühr sind innerhalb eines Monats nach Antragstellung oder innerhalb von 22 Monaten nach dem Prioritätsdatum zu zahlen, je nachdem, welche Frist später abläuft (R 57.3 und 58.1 (b) PCT).

Im Falle der verspäteten Zahlung einer Gebühr oder beider Gebühren fordert das EPA den Anmelder auf, den erforderlichen Betrag zusammen mit der durch das EPA im Jahr 1998 eingeführten Gebühr für verspätete Zahlung zu entrichten (R 58bis.1 und .2 PCT).[16] Ist die Gebühr verspätet eingegangen, so kann sie

---

15   ABl 1993, 540.
16   ABl 1998, 282.

unter den Voraussetzungen des Art 8 (3) GebO dennoch so behandelt werden, als ob sie rechtzeitig eingegangen wäre.

58 Werden die Gebühren nicht ordnungsgemäß entrichtet, so gilt der Antrag als nicht gestellt, und das EPA teilt dies dem Anmelder mit (R 58bis.1 (b) PCT). Gemäß R 107 EPÜ iVm Art 22 PCT hat dies keine Folgen für den Eintritt in die europäische Phase, ist aber für den Eintritt in die nationale Phase bei den wenigen nationalen Ämtern der PCT-Vertragsstaaten von Bedeutung, für die weiterhin die Frist von 20 bzw 21 Monaten nach dem (alten) Art 22 PCT gilt (Rdn 38 ff).

12.2 Gebührenermäßigungen

59 Natürliche Personen, die Staatsangehörige bestimmter Länder sind und in einem dieser Länder ihren Wohnsitz haben, kommen unter der Voraussetzung der Erfüllung weiterer Bedingungen in den Genuss einer Ermäßigung der vorläufigen Prüfungsgebühr in Höhe von 75%.[17] Diese Bedingungen entsprechen den Bedingungen, die das EPA für die Ermäßigung der *internationalen Recherchengebühr* festgelegt hat (Art 154 Rdn 39). Die Bearbeitungsgebühr ermäßigt sich unter denselben Voraussetzungen wie die *internationale Anmeldegebühr* um 75% (PCT-Gebührenverzeichnis Nr 4; Art 154 Rdn 40).

12.3 Rückerstattung von Gebühren

60 Das EPA erstattet jede an das EPA als internationale Behörde (ISA und IPEA) entrichtete Gebühr zurück, wenn die Zahlung (objektiv) irrtümlich, grundlos oder über den geschuldeten Betrag hinaus erfolgte (Art 5 (3) und Anhang C-II (1) Vereinbarung EPO-WIPO).

61 Die Gebühr für die vorläufige Prüfung wird in voller Höhe zurückerstattet, wenn der Antrag als nicht gestellt gilt (R 58.3 PCT, Art 5 (3) und Anhang C-II(4) Vereinbarung EPO-WIPO). Die Fälle, in denen ein Antrag als nicht gestellt gilt, sind im PCT aufgeführt (zB in R 54.4, 54bis.1 (b), 60.1 (c) PCT).

62 Die Gebühr für die vorläufige Prüfung wird zu 75% zurückerstattet, wenn der Anmelder den Antrag auf internationale vorläufige Prüfung oder die Anmeldung vor Aufnahme der Prüfung zurücknimmt (R 58.3 PCT, Art 5 (3) und Anhang C-II (5) Vereinbarung EPO-WIPO). Gemäß R 90bis.4 PCT muss die Rücknahme vor Ablauf von 30 Monaten ab dem Prioritätsdatum erfolgen.

63 Dem EPA als IPEA ist es freigestellt, unter Voraussetzungen, die es selber festlegen kann, weitere Rückerstattungen der vorläufigen Prüfungsgebühr vorzusehen (Anhang C-II (6) Vereinbarung EPO-WIPO). Von dieser ausdrücklichen Regelung in der Vereinbarung EPA-WIPO, die insofern als überflüssig angesehen werden kann, als die Erhebung dieser Gebühr im Ermessen des EPA liegt, wurde Gebrauch gemacht, als für die Zwecke des rationalisierten Verfah-

---

17 ABl 2000, 446.

rens in Art 10d GebO eine neue Grundlage für eine teilweise Rückerstattung der Gebühr für die vorläufige Prüfung geschaffen wurde (Rdn 12 ff).[18]

Bei Anmeldungen, die vor dem 1. Januar 2004 eingereicht wurden, werden zwei Drittel der Gebühr für die vorläufige Prüfung unter der Voraussetzung zurückerstattet, dass keine eingehende vorläufige Prüfung (mittelbar oder ausdrücklich) beantragt wurde, so dass der IPER erstellt werden kann, ohne dass ein Prüfer eingeschaltet werden muss (Art 10d GebO).[19] Für internationale Anmeldungen, die nach diesem Datum eingereicht wurden, ist das rationalisierte Verfahren abgeschafft worden.[20]

13 Beginn der internationalen vorläufigen Prüfung

Gemäss R 69.1 PCT beginnt das EPA als IPEA mit der internationalen vorläufigen Prüfung nach Eingang des entsprechenden Antrags, der vollständigen Bearbeitungsgebühr und der Gebühr für die vorläufige Prüfung, gegebenenfalls einschließlich der Gebühr für verspätete Zahlung nach R 58bis.2 PCT (Rdn 57), sowie des ISR oder des durch die ISA abgegebenen »declaration of no- search« und des nach R 43bis.1 PCT erstellten WO-ISA. Die Prüfung beginnt jedoch nicht vor Ablauf der nach R 54bis.1 (a) PCT maßgeblichen Frist, es sei denn, der Anmelder beantragt ausdrücklich ihre vorzeitige Durchführung.

Die Frist in R 54bis.1 (a) PCT stellt sicher, dass der Anmelder in Übereinstimmung mit R 66.2 (d) PCT ab dem Tag, an dem der ISR übermittelt wird, mindestens drei Monate Zeit hat, um zu entscheiden, ob er einen Antrag auf internationale vorläufige Prüfung stellen will und welche Gegenvorstellungen und Änderungen er der internationalen vorläufigen Prüfung zu Grunde legen will (Art 34 (2) b) PCT). Die vorzeitige Aufnahme der Prüfung kann durch Ankreuzen des betreffenden Kästchens im vorläufigen Prüfungsantrag oder in einer gesonderten Mitteilung beantragt werden. Insbesondere bei Stellung des Prüfungsantrags vor Erhalt des ISR und des WO-ISA sollte der Anmelder sich gut überlegen, ob er die vorzeitige Prüfung beantragen will, da er sich damit der Möglichkeit begeben könnte, rechtzeitig (weitere) Änderungen einzureichen (Rdn 82).

14 Grundlage der internationalen vorläufigen Prüfung

Sofern dem nichts entgegensteht, wird die internationale vorläufige Prüfung gemäß R 66.1 (a) PCT auf der Grundlage der eingereichten internationalen Anmeldung oder ihrer Übersetzung durchgeführt (Rdn 42 ff). Nach dem *EISPE-System* wird der vom EPA als IPEA erstellte IPER in der Regel und insbesondere dann, wenn das EPA als ISA tätig geworden ist, gegenüber dem WO-ISA

---

18 ABl 2001, 492.
19 ABl 2001, 539.
20 ABl 2004, 305.

keine zusätzlichen Informationen enthalten, wenn keine Gegenvorstellungen und/oder Änderungen der Anmeldung eingereicht wurden.

68 Sind keine nach Art 19 und/oder 34 PCT eingereichten Gegenvorstellungen und Änderungen im Verfahren nach Kapitel II zu berücksichtigen, so führt das EPA die Prüfung auf der Grundlage derselben Anmeldeunterlagen durch, die auch für die internationale Recherche benutzt wurden, und wird daher in der Regel keinen Anlass haben, hinsichtlich der Patentfähigkeit zu einem anderen Ergebnis zu gelangen als dem im WO-ISA festgehaltenen Ergebnis der internationalen Recherche (Art 154, Rdn 57 ff). Möchte der Anmelder, dass dem internationalen vorläufigen Prüfungsverfahren nach Art 19 und/oder 34 PCT eingereichte Änderungen zu Grunde gelegt werden, so hat er dies im Antrag durch Ankreuzen der entsprechenden Kästchen anzugeben (R 53.2 (a) iv) und 53.9 PCT) (PCT/IPEA/401, Feld IV).

69 Obwohl der internationalen vorläufigen Prüfung grundsätzlich die im ISR und im WO-ISA zitierten Dokumente zu Grunde gelegt werden, kann das EPA als IPEA auch von sich aus andere Dokumente berücksichtigen.

70 Auch ohne entsprechende Angaben im Prüfungsantrag wird das EPA der vorläufigen Prüfung die Änderungen zu Grunde legen, die ihm als IPEA unterbreitet wurden, wenn sie zu einem Zeitpunkt eingehen, zu dem es noch nicht mit der Erstellung des Bescheids bzw des IPER begonnen hat (R 66.1 (b)–(d) und 66.4^{bis} PCT). In diesem Fall gilt die Einreichung von Änderungen als Hinweis darauf, dass die Prüfung nicht auf der Grundlage der Anmeldung in der ursprünglich eingereichten Fassung erfolgen soll. Hierauf wird in den Erläuterungen zum Antrag auf internationale vorläufige Prüfung ausdrücklich hingewiesen (PCT/IPEA/401, Feld IV).

71 Sollen der Prüfung ferner Änderungen nach Art 19 und/oder Art 34 PCT zu Grunde gelegt werden und ist eine Übersetzung der Anmeldung beim EPA als IPEA einzureichen (Rdn 42 ff), so sind die Änderungen in der Sprache der Übersetzung abzufassen (Rdn 43). Werden sie in einer anderen Sprache eingereicht, so ist beim EPA eine Übersetzung der Änderungen einzureichen (R 55.3 PCT).

72 Das EPA als IPEA wird im Rahmen des Verfahrens nach Kapitel II PCT nicht verschiedene (Haupt- und Neben-)Anträge prüfen, denen unterschiedliche Anspruchssätze zu Grunde liegen. Da dies im PCT nicht vorgesehen ist und angesichts des (vorläufigen) Charakters des Verfahrens nach Kapitel II kommt eine ergänzende Anwendung des EPÜ-Rechts hier nicht in Betracht.

15 Änderungen gemäß Art 34 PCT

73 Nach Art 34 (2) b) PCT hat der Anmelder grundsätzlich das Recht, die Ansprüche, die Beschreibung und die Zeichnungen vor der Erstellung des IPER zu ändern. Werden Änderungen nach Art 34 PCT eingereicht, so hat der Anmelder auch Gegenvorstellungen einzureichen. Das bedeutet, dass er in einem

Begleitschreiben die Unterschiede zwischen der ursprünglich eingereichten Anmeldung und den Änderungen deutlich machen und die Gründe für die Änderungen erläutern muss (R 66.8 (a) PCT). Werden die Unterschiede und Gründe nicht hinlänglich deutlich gemacht, so wird keine Prüfung durchgeführt (Art 34 (4) PCT).[21]

Die Änderungen dürfen nicht über den Offenbarungsgehalt der ursprünglich eingereichten Fassung der internationalen Anmeldung hinausgehen, und der Prüfer hat dieses Erfordernis im Hinblick auf *jede Änderung* zu überprüfen (Art 34 (2) b) PCT, R 70.2 PCT). Da nach Art 123 (2) EPÜ das Gleiche gilt, kann der Prüfer sich auf die umfangreiche Rechtsprechung zu dieser Vorschrift stützen (Art 123 Rdn 24 ff). 74

Hinsichtlich des Inhalts, der Form und der Sprache der Änderungen siehe R 66.5, 66.8 und 66.9 PCT. 75

Bevor die Möglichkeiten der Einreichung von Änderungen dargestellt werden, ist zu erwähnen, dass für den Fall, dass Änderungen zu spät für eine Berücksichtigung durch das EPA als IPEA eingereicht werden, dies dadurch überwunden werden kann, dass sie in der anschließenden nationalen/regionalen Phase erneut eingereicht werden. Gemäß Art 41 PCT muss dem Anmelder zumindest eine Möglichkeit gewährt werden, Änderungen in dem Verfahren vor den ausgewählten Ämtern einzureichen (Art 157 Rdn 22). 76

Änderungen sind vorzugsweise zusammen mit dem Antrag auf vorläufige Prüfung und in jedem Falle vor Ablauf der Frist nach R 54bis PCT einzureichen. Selbst wenn der Anmelder bereits Änderungen nach Art 34 PCT eingereicht hat, kann er (weitere) Änderungen einreichen, solange die Frist nach R 54bis PCT noch nicht abgelaufen ist. Gegenvorstellungen und Argumente, die nach Ablauf der Frist nach R 54bis PCT eingehen, werden jedoch für die Erstellung des IPER oder des schriftlichen Bescheides nur dann berücksichtigt, wenn das EPA als IPEA noch nicht damit begonnen hat, das betreffende Dokument zu erstellen (R 66.4^{bis} PCT). 77

Erlässt das EPA als IPEA einen schriftlichen Bescheid, so erhält der Anmelder eine weitere Gelegenheit, Änderungen einzureichen, da er auf diesen Bescheid innerhalb der in der Mitteilung festgelegten Frist mit der Einreichung von Änderungen und/oder Gegenvorstellungen reagieren kann (R 66.3 PCT). Das EPA als IPEA setzt eine Frist, die sich am unteren Rand des nach R 66.2 (d) PCT erlaubten Rahmens bewegt (nicht kürzer als ein Monat) (R 66.2 (d) PCT).[22] Es liegt im Ermessen des EPA, ob es einem Antrag auf Fristverlängerung stattgibt (R 66.2 (e) PCT). Nach Fristablauf eingereichte (weitere) Änderungen werden jedoch nur berücksichtigt, wenn der Prüfer noch nicht damit begonnen hat, den IPER zu erstellen. 78

---

21 ABl 2001, 539, Nr 14.
22 ABl 2001, 539, Nr 12.

79 Grundsätzlich übt das EPA das ihm nach R 66.4 PCT eingeräumte Ermessen dahingehend aus, dass es keine *zusätzliche* Möglichkeit zur Einreichung von Änderungen oder Gegenvorstellungen einräumt.[23]

15.1 Verlängerung der Frist für die Einreichung von Änderungen

80 In dem Fall, dass das EPA als IPEA tätig geworden ist und der durch das EPA als ISA erstellte WO-ISA folglich als schriftlicher Bescheid für die Zwecke der internationalen vorläufigen Prüfung gilt (Rdn 86), kann eine Verlängerung der Frist um einen Monat für die Einreichung von Gegenvorstellungen und Änderungen nach Art 34 PCT beantragt werden.[24] Diese Fristverlängerung muss vor Ablauf der Frist nach R 54bis PCT beantragt werden. Dem Antrag wird nur stattgegeben, wenn die entsprechend verlängerte Frist nicht später als 25 Monate nach dem frühesten Prioritätsdatum abläuft. Dies betrifft nur die Frist für die *Einreichung von Änderungen* und nicht die Frist für die Stellung des Antrags auf vorläufige Prüfung, die *nicht* verlängert werden kann (Rdn 37).

81 Diese Möglichkeit der Fristverlängerung ist in Analogie zu R 66.2 (d) PCT geschaffen worden. Sie kann als Ausgleich dafür angesehen werden, dass das EPA als IPEA, keinen schriftlichen Bescheid erstellt, wenn es vorher als ISA für die Anmeldung tätig geworden ist, und der Anmelder dementsprechend nicht aufgefordert wird, auf einen solchen Bescheid zu erwidern (Rdn 86 ff). Nach Ablauf der Frist nach R 54bis PCT hat der Anmelder folglich keine zweite Gelegenheit, Änderungen einzureichen, und somit keine zusätzliche Frist von einem Monat, um über die notwendigen Änderungen nachzudenken, wie dies der Fall ist, wenn eine andere internationale Behörde als ISA für die Anmeldung tätig war.

82 In diesem Zusammenhang ist festzustellen, dass der IPER in den Fällen, in denen kein vorheriger schriftlicher Bescheid erlassen wird, unverzüglich nach Ablauf der Frist nach R 54bis PCT erstellt und übermittelt werden darf. In solch einem Fall können sogar Änderungen, die wenige Tage nach Ablauf der Frist nach R 54bis PCT eingereicht werden, zu spät eingehen, um noch berücksichtigt werden zu können. Aus demselben Grund sollte der Anmelder es sich gut überlegen, die vorzeitige Aufnahme der internationalen vorläufigen Prüfung zu beantragen, bevor ihm der ISR zugegangen ist (PCT/IPEA/401, Feld IV, Nr 4; Rdn 65 ff).

---

23 ABl 2001, 539, Nr 12.
24 Euro-PCT-Leitfaden Nr 116.

16 Das weitere Verfahren beim EPA als IPEA

Die internationale vorläufige Prüfung wird unter der Verantwortung der Prüfungsabteilung von einem (technischen) Prüfer durchgeführt (Art 18 (2) EPÜ).[25]

83

16.1 Der schriftliche Bescheid

Art 34 (2) (c) PCT legt fest, dass die IPEA wenigstens einen schriftlichen Bescheid erlässt. Dieses Erfordernis ist in R 66.2 (a) PCT festgeschrieben, wonach das EPA dem Anmelder schriftlich mitteilt, wenn es der Auffassung ist, dass die Anmeldung nicht den Kriterien der Patentierfähigkeit entspricht, oder andere Einwände hat. Es gelten jedoch einige wichtige Ausnahmen, und das EPA als IPEA erstellt in vielen Fällen *keinen* schriftlichen Bescheid (Rdn 86 ff).

84

Erstellt das EPA als IPEA einen schriftlichen Bescheid (PCT/IPEA/408), so wird der Anmelder aufgefordert, innerhalb einer Frist von normalerweise zwei Monaten zu erwidern.[26] Diese Frist wird unter der Bedingung, dass dies vor Fristablauf beantragt wird, auf drei Monate verlängert (Art 34 (2) d) PCT, R 66.2 (c) und (d) PCT). Die IPEA kann eine weitere Verlängerung gewähren, aber das EPA ist angesichts der strengen Frist für die Erstellung des IPER in der Regel nicht dazu bereit. Der Anmelder kann mit Änderungen oder Gegenvorstellungen auf den Bescheid erwidern (Rdn 73 ff). In diesem Fall kann es jedoch auch ratsam sein, die Gelegenheit zu einer formlosen Erörterung mit dem Prüfer zu nutzen (Rdn 92).

85

16.2 Vom EPA als schriftlicher Bescheid angesehener WO-ISA

Der Anmelder erhält grundsätzlich wenigstens einen schriftlichen Bescheid, bevor der IPER erstellt wird (Art 34 (2) (c) und R 66.2 PCT) (PCT/IPEA/408). Seit Einführung des *EISPE-Systems* einschließlich der (neuen) R 66.1[bis] PCT hat jedoch das Recht auf einen schriftlichen Bescheid im Verfahren nach Kapitel II PCT an Bedeutung verloren, da der WO-ISA nach dieser Vorschrift grundsätzlich als schriftlicher Bescheid der IPEA für die Zwecke der vorläufigen Prüfung gilt.

86

Laut einer Mitteilung des EPA an die WIPO gemäß R 66bis.1 (b) PCT gilt dies, soweit das EPA als IPEA betroffen ist, (nur) für jeden *durch das EPA* als ISA erstellten WO-ISA.[27] Daher wird das EPA als IPEA nur dann einen schriftlichen Bescheid erlassen, wenn der WO-ISA durch eine andere ISA als das EPA erstellt wurde, dh durch eine der anderen *europäischen ISA*

87

---

25 PrüfRichtl E-IX, 4.1.
26 ABl 2001, 539, 542.
27 PCT-Blatt 03/2004, 1744.

(Rdn 20 ff), und auch dann nur, wenn es Einwände hat und ein positiver IPER nicht erstellt werden kann (Rdn 89).

88 Gilt der WO-ISA für die Zwecke der vorläufigen Prüfung als schriftlicher Bescheid, so wird er nicht erneut als schriftlicher Bescheid des EPA als IPEA erlassen. In diesen Fällen wird das EPA daher unmittelbar dazu übergehen, den IPER zu erstellen, und es besteht keine Möglichkeit, (weitere) Gegenvorstellungen und Änderungen als Erwiderung auf den schriftlichen Bescheid einzureichen (R 66.4^{bis} PCT) (Rdn 80).

16.3 Keine Erstellung eines schriftlichen Bescheides des EPA als IPEA

89 Unter bestimmten Umständen ist die Frage, ob der WO-ISA als schriftlicher Bescheid für die Zwecke der internationalen vorläufigen Prüfung gilt, praktisch bedeutungslos, nämlich dann, wenn das EPA als IPEA nach Art 34 (2) c) PCT ohnehin nicht verpflichtet ist, vor Erstellung des IPER einen schriftlichen Bescheid zu erlassen. Das ist dann der Fall, wenn das EPA keine Einwände gegen die (ggf geänderte) internationale Anmeldung hat und daher unmittelbar ein »positiver IPER« erstellt werden kann. Das EPA übt hierbei das in Art 34 (2) c) PCT vorgesehene Ermessen aus.

16.4 Kommunikation zwischen EPA und Anmelder

90 Die Kommunikation zwischen dem Anmelder und der IPEA ist für das Verfahren nach Kapitel II PCT von fundamentaler Bedeutung. Nach Art 34 (2) a) und den R 66.6 und 66.3 PCT hat der Anmelder das Recht, sowohl förmlich in Schriftform als auch formlos, zB mündlich, schriftlich oder in einer Anhörung, mit dem EPA zu kommunizieren. Das *EISPE-System* und insbesondere die Anerkennung des WO-ISA als schriftlicher Bescheid der IPEA haben jedoch den Charakter des Verfahrens in dieser Hinsicht verändert (Rdn 86 ff). Darüber hinaus hat das EPA angesichts des Ausmaßes seines Arbeitsaufkommens im Zeitraum 1999–2004 die in Kapitel II PCT vorgesehenen Möglichkeiten der Kommunikaton zwischen Amt und Anmelder restriktiv gehandhabt.[28] Eine Neubewertung dieser Praxis anhand des heutigen Arbeitsaufkommens steht noch aus.

91 In diesem Zusammenhang ist zu erwähnen, dass das EPA keinen schriftlichen Bescheid erstellt, wenn es dazu nicht verpflichtet ist (Rdn 86–89). Es wird darüber hinaus grundsätzlich das in R 66.4 PCT vorgesehene Ermessen dahingehend ausüben, dass es keinen zusätzlichen schriftlichen Bescheid erlässt und keine zusätzliche Gelegenheit zur Einreichung von Änderungen und Gegenvorstellungen einräumt. Ist jedoch genug Zeit und erscheint es im Einzelfall angemessen, zB nach einem Telefongespräch, so sollte dem Anmelder

---

28 ABl 2001, 539.

eine zusätzliche Gelegenheit gegeben werden, schriftlich auf noch offene Fragen einzugehen.

Der Anmelder hat in jedem Fall das Recht auf eine telefonische Anhörung (Art 34 (2) a) und R 66.6 PCT). Möchte der Anmelder von dieser Möglichkeit Gebrauch machen, so muss er ein entsprechendes Ersuchen um persönliche telefonische Rücksprache einreichen. In den Fällen, in denen das EPA als IPEA keinen schriftlichen Bescheid erlässt, muss ein solches Ersuchen vor Ablauf der Frist für die Stellung des Antrags auf internationale vorläufige Prüfung eingereicht werden (R 54bis PCT); andernfalls könnte der IPER bereits erstellt worden sein (Rdn 80 ff).[29] 92

Ein solches Ersuchen ist vorzugsweise zusammen mit dem Antrag auf vorläufige Prüfung einzureichen. Erlässt das EPA als IPEA jedoch einen schriftlichen Bescheid (Rdn 87), so kann der Anmelder darauf erwidern, indem er seine Bemerkungen zusammen mit einem Ersuchen um persönliche Rücksprache einreicht. In Ausübung des der IPEA eingeräumten Ermessens und gemäß dem oben Gesagten gestattet das EPA normalerweise keine weitere Rücksprache.[30] 93

16.5 Frist für die Erstellung des IPER

Gemäß R 69.2 PCT muss bei Ablauf der folgenden Fristen, je nachdem, welche *zuletzt* abläuft, die internationale vorläufige Prüfung durchgeführt und der IPER erstellt worden sein: 94

– 28 Monate ab dem Prioritätsdatum oder
– sechs Monate ab dem in R 69.1 PCT vorgesehenen Zeitpunkt für den Beginn der internationalen vorläufigen Prüfung oder
– sechs Monate ab dem Datum des Eingangs der nach R 55.2 PCT eingereichten Übersetzung bei der IPEA.

Wenn mit anderen Worten der Anmelder ordnungsgemäß Antrag auf internationale vorläufige Prüfung gestellt, die erforderlichen Gebühren gezahlt und soweit erforderlich fristgerecht eine Übersetzung eingereicht hat, muss das EPA als IPEA den IPER vor Ablauf von 28 Monaten erstellen, sofern nicht der ISR oder der »declaration of no search« von der ISA verspätet übermittelt wurde (R 69.2 i)–iii) PCT). Diese Bestimmung stellt sicher, dass der IPER grundsätzlich entsprechend seinen hauptsächlichen Bestimmungszwecken verwendet werden kann, insbesondere, dem Anmelder bei der Entscheidung zu helfen, ob und wo er in die nationale/regionale Phase eintreten soll, und es ihm zu ermöglichen, die Anmeldung für die Zwecke des Verfahrens in der nationalen/regionalen Phase in eine optimale Form zu bringen. 95

---

29 ABl 2005, 493.
30 ABl EPA 2001, 539, Nr 12.

17 Der internationale vorläufige Prüfungsbericht (IPER)

96 Das EPA als IPEA erstellt einen internationalen vorläufigen Prüfungsbericht, den IPER (PCT/IPEA/409). Der IPER wird in der Veröffentlichungssprache oder in der Sprache der Übersetzung erstellt, wenn die vorläufige Prüfung auf der Grundlage einer Übersetzung durchgeführt wurde (Rdn 42 ff). Dieses Dokument stellt für den Anmelder die Grundlage für die Entscheidung dar, ob und wenn ja, wie er seine Anmeldung in der nationalen/regionalen Phase vor den ausgewählten Ämtern weiterverfolgen soll.

97 Der IPER enthält ein vorläufiges und nicht bindendes Gutachten darüber, ob die Erfindung als neu, auf erfinderischer Tätigkeit beruhend (nicht offensichtlich) und gewerblich anwendbar anzusehen ist (Art 33 (1)–(4) PCT). Jeder dieser Begriffe der Neuheit, erfinderischen Tätigkeit und gewerblichen Anwendbarkeit wird im PCT (lediglich) für die Zwecke der internationalen vorläufigen Prüfung ausdrücklich definiert. Die Auslegung dieser Begriffe im PCT stimmt jedoch in hohem Maße mit ihrer Auslegung nach dem EPÜ (Art 33 (2)–(4) PCT, R 64 und 65 PCT) überein. Das EPA kann wie jedes andere nationale oder regionale Patentamt abweichende Kriterien in den Verfahren vor dem EPA als Bestimmungsamt/ausgewähltes Amt anwenden.

98 In diesem Zusammenhang sind zwei Unterschiede gegenüber den materiellen Patentierbarkeitsvoraussetzungen nach dem EPÜ zu erwähnen. Erstens werden nichtschriftliche Offenbarungen wie zB mündliche Offenbarungen gemäß R 64.1 und 64.2 PCT anders als nach Art 54 (2) EPÜ nicht als einschlägiger Stand der Technik angesehen, um festzustellen, ob die Erfordernisse der Neuheit und der erfinderischen Tätigkeit erfüllt sind (Art 54 Rdn 10). Zweitens werden ältere Rechte gemäß R 64.3 PCT nicht als Bestandteil des einschlägigen Standes der Technik angesehen, wie dies nach Art 54 (3) EPÜ der Fall ist (Art 54 Rdn 76 ff). Der IPER sollte dennoch einen Hinweis auf etwaige derartige nichtschriftliche Offenbarungen und ältere Rechte enthalten (R 64.2, 64.3, 70.9 und 70.10 PCT).

99 Im IPER wird für jeden einzelnen Anspruch eindeutig festgestellt, ob die materiellrechtlichen Voraussetzungen des PCT erfüllt sind oder nicht. Zu diesem Zweck sind die einschlägigen Dokumente aus dem Stand der Technik anzugeben. In den meisten Fällen werden die Feststellungen ausführlich begründet, insbesondere dann, wenn sie negativ ausfallen oder wenn sie trotz einer scheinbar einschlägigen Entgegenhaltung positiv ausfallen (Art 35 (2) PCT; R 70.8 PCT).

100 Der IPER, der gemäß R 70.15 PCT den Titel »internationaler vorläufiger Bericht zur Patentfähigkeit (Kapitel II PCT)« trägt, wird dem Anmelder und dem IB übermittelt (PCT/IPEA/409) und den ausgewählten Ämtern übersandt (Art 36 PCT). Anders als der ISR wird er nicht veröffentlicht. Zur Frage der Vertraulichkeit wird auf Art 156 Rdn 17 ff verwiesen.

18 Keine Erstellung eines IPER oder Teil-IPER

Das EPA wird als IPEA dann keine internationale vorläufige Prüfung für eine Anmeldung durchführen, wenn es dazu entweder nach der Ausführungsordnung zum PCT nicht verpflichtet ist und beschließt, von diesem Ermessensspielraum Gebrauch zu machen, oder wenn kein sinnvolles Gutachten erstellt werden kann (Art 34 (4) a) i) und ii) PCT). Trifft einer dieser Umstände nur auf einzelne Ansprüche zu, so ist eine vorläufige Prüfung der anderen Ansprüche durchzuführen (Art 34 (4) b) PCT). Beschlüsse, keine oder zumindest keine vollständige vorläufige Prüfung durchzuführen, sind im Einklang mit Kapitel 9 der ISPE-Richtlinien zu treffen, ergänzt durch die Prüfungsrichtlinien.[31]

18.1 Nicht recherchierter Anmeldungsgegenstand

Hat die ISA keine internationale Recherche durchgeführt, so wird das EPA als IPEA zunächst im Einklang mit dem in R 66.1 (e) PCT eingeräumten Ermessensspielraum keine internationale vorläufige Prüfung durchführen (Art 154 Rdn 65 ff). Das EPA teilt dies dem Anmelder nach R 66.2 (vi) PCT mit. Dabei spielt es keine Rolle, ob der Anmelder Gegenvorstellungen und/oder Änderungen einreicht, um die Gründe für die Entscheidung der ISA, die betreffenden Ansprüche nicht zu recherchieren, zu beheben. Daraus folgt, dass bei Durchführung einer Teilrecherche nur ein recherchierter Anmeldungsgegenstand Gegenstand der internationalen vorläufigen Prüfung sein kann.

18.2 Ausgeschlossener Gegenstand

Das EPA wird in seiner Eigenschaft als IPEA eine Anmeldung insofern nicht prüfen, als diese einen der in einem der Unterabsätze der R 67.1 PCT festgelegten Anmeldungsgegenstände betrifft. Eine Ausnahme gilt dann, wenn das EPA im europäischen Patentanmeldungsverfahren in Anwendung der entsprechenden Vorschriften des EPÜ für den betreffenden Anmeldungsgegenstand eine Prüfung durchführen würde (Art 34 (4) a) i) PCT; Art 4 und Anhang B Vereinbarung EPO-WIPO; Art 92 Rdn 27).

Das Ermessen, eine Anmeldung insofern nicht zu prüfen, als es sich beim Anmeldungsgegenstand um ein Programm von Datenverarbeitungsanlagen handelt, ist auf den Fall begrenzt, dass die IPEA nicht dafür »ausgerüstet« ist, die Prüfung durchzuführen (R 67.1 (vi) PCT). In der Praxis bedeutet dies, dass das EPA als IPEA sich in all den Fällen für nicht »ausgerüstet« hält, in denen es nach den EPÜ-Vorschriften eine Anmeldung nicht prüfen würde, die ein Programm von Datenverarbeitungsanlagen beansprucht.

Im Gegensatz zu Art 53 EPÜ wird in R 67 PCT nicht auf Anmeldungsgegenstände abgestellt, deren Veröffentlichung oder Verwertung gegen die öffentli-

---

31 Siehe auch ABl 2000, 228.

che Ordnung oder die guten Sitten verstoßen würde. In den sehr seltenen Fällen, in denen die Erfindung in eklatanter Weise hochrangige Rechtsgrundsätze wie etwa Menschenrechte verletzt und der mit der internationalen vorläufigen Prüfung beauftragten Behörde ein Tätigwerden aus diesem Grunde nicht zugemutet werden kann, kann das Fehlen einer solchen Ausnahmeregelung in R 67 PCT jedoch dadurch überwunden werden, dass das EPA in allen seinen Funktionen an die Einhaltung der genannten Grundsätze als höheres Recht gebunden ist.

18.3 Die Erstellung einer sinnvollen Stellungnahme ist nicht möglich

106 Die internationale vorläufige Prüfung muss, soweit dies für die IPEA möglich und angemessen ist, den gesamten Anmeldungsgegenstand, auf den die Ansprüche gerichtet sind, oder auf den sie nach Änderung eines Anspruches oder mehrerer Ansprüche vernünftigerweise gerichtet werden könnten, erfassen. Sind andererseits die Beschreibung oder die Zeichnungen so unklar oder die Ansprüche so unzureichend durch die Beschreibung gestützt, dass die IPEA keine sinnvolle Stellungnahme erstellen kann, so darf die IPEA dies zum Ausdruck bringen (Art 34 (4) a) ii) PCT).

107 Je nach Fall wird keine Prüfung oder nur eine Teilprüfung durchgeführt, und die Auslassung wird in dem schriftlichen Bescheid und/oder dem IPER begründet (Art 34 (2) c) PCT; Art 35 (3) a) und b) PCT; R 70.2 (d) und 70.12 (iii) PCT). Insbesondere Ansprüche, die die grundlegenden Erfordernisse des PCT an Klarheit, Knappheit und Stützung durch die Beschreibung oder an den Offenbarungsgehalt (»komplexe Anwendungen«) nicht erfüllen, können von der Prüfung ausgeschlossen werden (Art 34 (4) a) ii) PCT; Art 6 PCT). Dies bedeutet auch, dass das EPA die Prüfung beschränkt, wenn die Anzahl der Ansprüche unverhältnismäßig hoch ist.

19 Art 155 (3) – Zuständigkeit für Widerspruchsentscheidungen

108 Art 155 (3) EPÜ verleiht den Beschwerdekammern des EPA die Zuständigkeit, darüber zu entscheiden, ob eine zusätzliche Gebühr, die wegen mangelnder Einheitlichkeit festgesetzt und vom Anmelder gezahlt worden ist, zu Recht verlangt wurde. Das Verfahren wegen mangelnder Einheitlichkeit vor dem EPA als IPEA stimmt größtenteils mit dem Verfahren nach Kapitel I PCT überein, und die in der Rechtsprechung der Beschwerdekammern entwickelten Grundsätze sind im Allgemeinen entsprechend auf das Verfahren wegen mangelnder Einheitlichkeit sowohl vor dem EPA als ISA als auch als IPEA anzuwenden. Daher wird auf die Erläuterungen bei der Kommentierung von Art 154 verwiesen (Rdn 75 ff).

Im Folgenden werden die wichtigsten Bestimmungen für das Uneinheitlich- 109
keitsverfahren bei der IPEA dargelegt und einige spezielle Aspekte dieses Verfahrens vor dem EPA als IPEA behandelt.

EPÜ 2000

Art 155 (3) EPÜ ist gestrichen worden, und die Beschwerdekammern werden 110
in Widerspruchsfällen keine Rolle mehr spielen. Für nähere Einzelheiten zum Widerspruchsverfahren nach dem EPÜ 2000 wird auf die Kommentierung von Art 154 Rdn 79–90 verwiesen.

19.1 Spezielle Aspekte des Verfahrens wegen mangelnder Einheitlichkeit vor dem EPA als IPEA

Ist das EPA als IPEA der Auffassung, dass die Anmeldung uneinheitlich ist, so 111
fordert es den Anmelder auf, entweder eine zusätzliche Gebühr für jede weitere durchzuführende Prüfung zu entrichten oder die Ansprüche einzuschränken (Art 34 (3) a) PCT, R 68.2 PCT).

Ein Einwand der Uneinheitlichkeit, der während des Verfahrens vor der ISA 112
nicht geltend gemacht wurde, kann selbst dann erhoben werden, wenn das EPA selbst für die Anmeldung als ISA tätig war.[32]

Die Aufforderung zur Entrichtung zusätzlicher Gebühren muss ausreichend 113
begründet sein. Auch ist darin der Betrag der zusätzlich zu zahlenden Gebühren zu nennen und mindestens eine Möglichkeit der Einschränkung der Ansprüche anzugeben, mit der dem Erfordernis der Einheitlichkeit der Erfindung entsprochen würde, sowie eine Frist von einem Monat für die Antwort zu setzen (R 68.2 (i) PCT).[33] Genügt die Aufforderung diesen Kriterien nicht, so ist sie nicht rechtswirksam.[34] In der Begründung sind vorgenommene Änderungen zu berücksichtigen.[35]

Nach der Entscheidung W 6/99 über einen a posteriori erhobenen Einwand 114
der Uneinheitlichkeit ist anders als im Verfahren vor der ISA ein schriftlicher Bescheid der IPEA nach R 66 PCT zu erlassen und die Antwort des Anmelders zu berücksichtigen, bevor dieser zur Entrichtung zusätzlicher Gebühren aufgefordert wird (Art 34 (3) a) PCT).[36] In W 3/03 war die Beschwerdekammer der Auffassung, dass dem Anmelder ein a posteriori-Einwand mangelnder Einheitlichkeit im schriftlichen Bescheid hätte mitgeteilt werden müssen, um ihm Gelegenheit zur Einreichung von Änderungen zu geben.[37] Die Bedeutung die-

---

32 **G 2/89** ABl 1991, 166 Gründe 8.1; **W 9/94** vom 29.11.1994; **W 7/99** vom 30. Juni 2000, Gründe 4.
33 **W 4/94** ABl 1996, 73.
34 **W 13/00** vom 12.9.2000.
35 **W 2/93** vom 31. März 1993.
36 **W 6/99**, ABl 4/2001, 196.
37 **W 3/03** vom 30. September 2003.

ser Rechtsprechung im seit dem 1. Januar 2004 geltenden Verfahren nach Kapitel II ist unklar.

115 Die Frist von einem Monat für die Zahlung der zusätzlichen Gebühr(en) oder für eine Beschränkung der Ansprüche (R 68.2 iii) und v) PCT), je nachdem, wofür sich der Anmelder entscheidet, ist nicht verlängerbar. Die Pflicht zur Entrichtung einer zusätzlichen Gebühr ist auf der Grundlage von R 68.3 (a) PCT in R 105 (2) EPÜ festgelegt. Die Höhe der Gebühr ist in Art 2 Nr 19 GebO festgelegt und entspricht der (normalen) für die internationale vorläufige Prüfung anfallenden Gebühr. Jede zusätzliche Prüfungsgebühr ist unmittelbar an das EPA als IPEA zu entrichten (R 68.3 (b) PCT).

116 Kommt der Anmelder der Aufforderung nicht nach, so dass weder die zusätzliche(n) Gebühr(en) (ordnungsgemäß) entrichtet noch die Ansprüche ausreichend eingeschränkt werden, so erstellt das EPA den IPER auf der Grundlage der Teile der Anmeldung, die die Haupterfindung betreffen, welche in der Regel die in den Ansprüchen zuerst genannte Erfindung ist (Art 34 (3) c) PCT, R 68.4 und 68.5 PCT).

117 Entrichtet der Anmelder eine zusätzliche Gebühr, so kann er unter Widerspruch zahlen, wobei dem Widerspruch eine Begründung beizufügen ist (R 68.3 (c) PCT). Eine allgemeine Bezugnahme auf bereits früher eingereichte Argumente genügt nicht.[38] Jeder Widerspruch wird in dem bereits dargestellten Widerspruchsverfahren überprüft (Art 154 Rdn 99 ff).

Artikel 156 Das europäische Patentamt als ausgewähltes Amt

Das Europäische Patentamt wird als ausgewähltes Amt im Sinn des Artikels 2 Ziffer xiv des Zusammenarbeitsvertrags tätig, wenn der Anmelder einen der benannten Staaten, auf die sich Artikel 153 Absatz 1 oder Artikel 149 Absatz 2 bezieht, ausgewählt hat und für diesen Staat Kapitel II dieses Vertrags verbindlich geworden ist. Vorbehaltlich der vorherigen Zustimmung des Verwaltungsrats gilt dies auch dann, wenn der Anmelder in einem Staat seinen Wohnsitz oder Sitz hat oder Staatsangehöriger eines Staats ist, der nicht Mitglied des Zusammenarbeitsvertrags ist oder für den Kapitel II nicht verbindlich ist, sofern er einer Personengruppe angehört, der die Versammlung des Internationalen Verbands für die Zusammenarbeit auf dem Gebiet des Patentwesens durch einen Beschluss nach Artikel 31 Absatz 2 Buchstabe b des Zusammenarbeitsvertrags gestattet hat, einen Antrag auf internationale vorläufige Prüfung zu stellen.

---

38 W 2/00 vom 18. Oktober 2000.

Reinoud Hesper

Übersicht

1	Einleitung	1-7
2	**Art 156 Satz 1 – das EPA als ausgewähltes Amt**	8-13
2.1	Auswahl eines an Kapitel II gebundenen EPÜ-Vertragsstaats	10-11
2.2	Auswahl eines EPÜ-Vertragsstaates mit Wirkung für alle	12-13
3	**Art 156 Satz 2 – das EPA als ausgewähltes Amt in Sonderfällen**	14
4	**Vorzeitige Bearbeitung**	15-16
5	**Akteneinsicht**	17-20

1 Einleitung

Art 156 EPÜ bestimmt, unter welchen Voraussetzungen das EPA ausgewähltes 1 Amt sein kann. Nach Art 2 xiv) PCT bedeutet »ausgewähltes Amt« das nationale Amt des Staates, den der Anmelder nach Kapitel II PCT ausgewählt hat, oder das für diesen Staat handelnde nationale Amt, wobei »nationales Amt« nach Art 2 xii) PCT auch zwischenstaatliche Behörden wie das EPA einschließt. Wie bereits ausgeführt, bilden die Art 156 und 153 (1) EPÜ insoweit eine Einheit, als beide dem EPA die Zuständigkeit für die Bearbeitung von Euro-PCT-Anmeldungen in der europäischen Phase übertragen (Art 153 Rdn 6).

Durch die Auswahl eines PCT-Vertragsstaates ermächtigt der Anmelder das 2 zuständige ausgewählte Amt, die Ergebnisse der internationalen vorläufigen Prüfung in dem vor diesem Amt in der nationalen/regionalen Phase durchzuführenden Verfahren zu verwerten. Die Ergebnisse der vorläufigen Prüfung werden jedem ausgewählten Amt vom IB übersandt. Es können nur solche Staaten ausgewählt werden, die zuvor bestimmt worden sind (Art 31 (4) a) PCT). Wird das zuständige Bestimmungsamt infolge der Auswahl eines (Bestimmungs)Staates zum ausgewählten Amt, so wird seine Funktion als Bestimmungsamt hierdurch nicht verdrängt, sondern in spezifischer Weise erweitert.

Zur Einleitung der europäischen Phase einer Euro-PCT-Anmeldung vor dem 3 EPA als ausgewähltem Amt muss den Erfordernissen der Art 157 und 158 EPÜ iVm den R 106–112 EPÜ nachgekommen werden. Auf diese Erfordernisse sowie auf die Bearbeitung der Anmeldung in der europäischen Phase wird bei der Kommentierung der Art 157 und 158 EPÜ eingegangen.

Die Auswahl von Staaten erfolgt im Antrag auf internationale vorläufige Prü- 4 fung, der bei der zuständige IPEA zu stellen ist (Art 31 (6) a) und Art 32 (2) PCT). Für ab dem 1. Januar 2004 eingereichte Anmeldungen impliziert die Einreichung dieses Antrags *die Auswahl* sämtlicher Bestimmungsstaaten, für die Kapitel II verbindlich ist, und zwar (soweit möglich) für die Erteilung sowohl

Artikel 156 — Das EPA als ausgewähltes Amt

von regionalen als auch von nationalen Patenten (R 4.9 und 53.7 PCT) (Art 155 Rdn 35). Da nach R 4.9 PCT dasselbe System auch für die *Bestimmung* von Staaten gilt (Vor Art 151/152 Rdn 21 ff), wird das EPA mit der Einreichung der PCT-Anmeldung Bestimmungsamt für alle EPÜ-Vertragsstaaten und mit der sich ggf daran anschließenden Stellung des Antrags auf internationale vorläufige Prüfung für all diese Staaten zum ausgewählten Amt.

5   Jedes ausgewählte Amt wird vom *IB* unverzüglich über seine Auswahl unterrichtet, sobald das IB seinerseits von der betreffenden IPEA hiervon erfahren hat (Art 31 (7) PCT, R 61.1 und 61.2 PCT).

6   Das Verfahren vor einem ausgewählten Amt ist in den Art 36–42 PCT sowie den dazugehörenden Regeln (insbesondere den R 72–78 PCT) in den Grundsätzen festgelegt. Diese Vorschriften betreffen zum einen die Bereitstellung von Unterlagen zur internationalen vorläufigen Prüfung durch die IPEA und das IB, die es dem ausgewählten Amt ermöglicht, deren Ergebnisse zu verwenden. Zum anderen werden die Voraussetzungen für eine Verwertung der Ergebnisse der vorläufigen Prüfung in der nationalen/regionalen Phase vor dem ausgewählten Amt festgelegt. Für weitere Einzelheiten zum Verfahren vor dem EPA als ausgewähltem Amt wird auf die EPA-Broschüre *Der Weg zum europäischen Patent – Euro-PCT* (»Euro-PCT-Leitfaden«), Teil 2, Kapitel E, sowie auf die Prüfungsrichtlinien E-IX, 6 verwiesen.

EPÜ 2000

7   Die bisherigen Art 156 und 153 (1) EPÜ wurden in Art 153 (1) a) und b) EPÜ 2000 zusammengefasst (Art 153 Rdn 11). Die Kernaussage des Art 156 Satz 1 EPÜ wurde in Art 153 (1) b) EPÜ 2000 übertragen. In ähnlicher Weise waren schon zuvor die Erfordernisse für den Eintritt in die europäische Phase vor dem EPA als Bestimmungsamt bzw ausgewähltem Amt in einer Vorschrift gebündelt worden (R 107 EPÜ). Angesichts der Tatsache, dass Kapitel II PCT für alle EPÜ-Vertragsstaaten verbindlich ist, wurde im EPÜ 2000 auf die Beibehaltung des bedeutungslos gewordenen 2. Satzes von Art 156 EPÜ verzichtet (Rdn 12).

2 Art 156 Satz 1 – das EPA als ausgewähltes Amt

8   Nach Art 156 Satz 1 EPÜ wird das EPA als ausgewähltes Amt für jeden EPÜ-Vertragsstaat tätig, für den *Kapitel II PCT verbindlich* geworden ist und den der Anmelder in seiner internationalen Anmeldung *für ein europäisches Patent bestimmt* und darüber hinaus in seinem Antrag auf internationale vorläufige Prüfung auch *ausgewählt* hat. Wie nachfolgend erläutert wird (Rdn 10–11), greift diese Vorschrift die nach dem PCT allgemein geltenden Voraussetzungen für die wirksame Auswahl eines PCT-Vertragsstaates für den speziellen Fall der Auswahl von EPÜ-Vertragsstaaten für ein europäisches Patent auf.

9   Art 156 Satz 1 EPÜ erfüllt eine zusätzliche Funktion, nämlich zu verhindern, dass die europäische Phase für ein und dieselbe internationale Anmeldung in verschiedenen EPÜ-Vertragsstaaten zu unterschiedlichen Zeitpunkten ein-

setzt, wenn nicht alle EPÜ-Vertragsstaaten im Hinblick auf die Erteilung eines europäischen Patents ausgewählt worden sind (Rdn 12–13).

2.1 Auswahl eines an Kapitel II gebundenen EPÜ-Vertragsstaats

Nach Art 156 Satz 1 EPÜ kann das EPA nur dann als ausgewähltes Amt tätig werden, wenn im Antrag auf internationale vorläufige Prüfung mindestens ein EPÜ-Vertragsstaat, für den *Kapitel II verbindlich ist* und der zuvor in der internationalen Anmeldung für ein europäisches Patent *bestimmt* worden ist, im Hinblick auf die Erteilung eines europäischen Patents ausgewählt wird. Diese beiden Voraussetzungen entsprechen Art 31 (4) a) Satz 3 und b) PCT, welcher die dem Anmelder zur Verfügung stehenden Möglichkeiten der Auswahl von Staaten auf diejenigen PCT-Vertragsstaaten beschränkt, die gemäß Art 4 PCT wirksam bestimmt worden und an Kapitel II PCT gebunden sind. Gegenwärtig ist dies für alle einunddreißig EPÜ-Vertragsstaaten der Fall; mit anderen Worten, keiner hat einen Vorbehalt nach Art 64 PCT angemeldet.[1]

10

Was die Auswahl des EPA betrifft, so ist die hierfür vorausgesetzte Eigenschaft als Bestimmungsamt auf Grund des automatischen Bestimmungssystems gemäß R 4.9 PCT mit der Einreichung der internationalen Anmeldung für alle EPÜ-Vertragsstaaten regelmäßig gegeben (Art 153 Rdn 22 ff). Nur in seltenen Fällen kann es vorkommen, dass die Zuständigkeit des EPA als Bestimmungsamt zu dem Zeitpunkt, zu dem gewöhnlich Antrag auf internationale vorläufige Prüfung gestellt würde, nicht mehr besteht (Art 24 PCT); so zB, wenn der Anmelder nach Einreichung einer internationalen Anmeldung alle Bestimmungen für ein europäisches Patent zurückgenommen hat (R 90bis.2 PCT).

11

2.2 Auswahl eines EPÜ-Vertragsstaates mit Wirkung für alle

Nach Art 156 Satz 1 EPÜ wird das EPA als ausgewähltes Amt tätig, sobald auch nur *ein einziger* in der internationalen Anmeldung bestimmter EPÜ-Vertragsstaat für ein europäisches Patent ausgewählt wird. Wäre das EPA nicht für alle im PCT-Antrag bestimmten EPÜ-Vertragsstaaten ausgewähltes Amt, so würde die europäische Phase somit dennoch für all diese Staaten vor dem EPA so beginnen wie vor einem ausgewählten Amt. Diese Vorschrift war solange von Bedeutung, wie Kapitel II nicht für alle EPÜ-Vertragsstaaten verbindlich war und für den Eintritt in die europäische Phase vor dem EPA als Bestimmungsamt und als ausgewähltem Amt unterschiedliche Fristen galten: Ohne diese Vorschrift hätte die Bearbeitung der Anmeldung in der europäischen Phase zu unterschiedlichen Zeitpunkten beginnen müssen.

12

Diese besondere Funktion von Art 156 Satz 1 EPÜ ist heute hinfällig geworden, da Kapitel II inzwischen für alle Vertragsstaaten des EPÜ verbindlich ist

13

---

1 ABl 1997, 394.

und außerdem – und vor allem – für den Eintritt in die europäische Phase vor dem EPA als Bestimmungsamt wie auch als ausgewähltem Amt eine einheitliche Frist von (maximal) 31 Monaten eingeführt wurde (Art 150 Rdn 27 ff).

3 Art 156 Satz 2 – das EPA als ausgewähltes Amt in Sonderfällen

14   Nach Art 156 Satz 2 kann das EPA ausnahmsweise auch dann ausgewähltes Amt sein, wenn der Anmelder die Voraussetzungen aus Satz 1 nicht erfüllt. Nach dieser Vorschrift ist ein Tätigwerden des EPA als ausgewähltes Amt grundsätzlich auch für einen Anmelder möglich, der seinen Sitz oder Wohnsitz in einem *Nicht*-PCT-Vertragsstaat oder einem nicht an Kapitel II gebundenen PCT-Staat hat bzw der Angehöriger eines solchen Staates ist. Diese Befugnis wird dem EPA vorbehaltlich der vorherigen Zustimmung des Verwaltungsrats sowie eines von der PCT-Versammlung gemäß Art 31 (2) b) PCT zu fassenden Beschlusses eingeräumt, der dieser Personengruppe gestattet, Antrag auf internationale vorläufige Prüfung zu stellen. Von dieser Vorschrift ist bislang niemals Gebrauch gemacht worden, und angesichts der Tatsache, dass alle EPÜ-Vertragsstaaten an Kapitel II gebunden sind, wurde sie im EPÜ 2000 nicht beibehalten.

4 Vorzeitige Bearbeitung

15   Ein Anmelder kann beim EPA als Bestimmungsamt *ausdrücklich beantragen*, dass dieses die Bearbeitung seiner Euro-PCT-Anmeldung vor Ablauf der 31-Monatsfrist aufnimmt (Art 40 (2) PCT). Ebenso wie bei einem Bestimmungsamt ist die Bearbeitung der Anmeldung durch ein ausgewähltes Amt ansonsten vor Ablauf der nach Art 39 PCT geltenden Frist nicht zulässig (Art 153 Rdn 29). Das EPA als ausgewähltes Amt darf die Bearbeitung der Anmeldung somit nicht vor Ablauf der für den Eintritt in die europäische Phase geltenden Frist von 31 Monaten aufnehmen und den Anmelder zu keiner hierzu erforderlichen Handlung auffordern (Art 40 (1) PCT iVm Art 39 PCT).

Dem Antrag auf vorzeitige Bearbeitung kann nur unter der Voraussetzung stattgegeben werden, dass die Erfordernisse nach R 107 EPÜ erfüllt sind (Art 153 Rdn 31–33).

16   Hat das IB noch nicht gemäß Art 20 und 36 (3) a) PCT Kopien sämtlicher für die Bearbeitung durch das EPA als ausgewähltes Amt erforderlichen Unterlagen übermittelt, so muss *der Anmelder* beim IB deren Übermittlung beantragen (R 61.2 d) und 73.2 b) PCT). Näheres zu den für eine vorzeitige Einleitung der europäischen Phase zu erfüllenden Erfordernissen siehe Art 153 Rdn 31 ff.

5 Akteneinsicht

17   Das Verfahren nach Kapitel II PCT hat vertraulichen Charakter. Daher stehen die in den Akten der IPEA befindlichen Unterlagen nicht zur allgemeinen Ein-

sichtnahme offen und müssen vom IB und von der IPEA vertraulich behandelt werden (Art 38 PCT). Nach Fertigstellung des IPER kann die IPEA jedoch jedem ausgewählten Amt (Kopien von) alle(n) ihr vorliegenden Unterlagen zur Verfügung stellen (R 94.2 PCT). Außerdem kann ein Bestimmungsamt/ausgewähltes Amt nach Art 30 (2) a) und R 94.3 PCT vom Tag der internationalen Veröffentlichung an unter den nach nationalem Recht geltenden Voraussetzungen,[2] aber unbeschadet der besonderen Vorschriften über den vertraulichen Charakter der Unterlagen der internationalen vorläufigen Prüfung, Einsicht in Unterlagen einer internationalen Anmeldung gewähren.

Nach dieser Maßgabe gestattet das EPA in seiner Eigenschaft als Bestimmungsamt vom Tag der internationalen Veröffentlichung an und in den von Art 128 (4) EPÜ gesetzten Grenzen Einsicht in alle in seinen Akten befindlichen Unterlagen (Art 128 Rdn 1 ff).[3] Gleiches gilt, wenn das EPA als ausgewähltes Amt tätig wird, mit der Einschränkung, dass mit dem Verfahren nach Kapitel II zusammenhängende Unterlagen erst nach Fertigstellung des IPER zugänglich gemacht werden (R 94.3 PCT, Art 150 (2) EPÜ).[4] Ob die Akten des EPA als Bestimmungsamt/ausgewähltes Amt eingesehen werden können, hängt nicht (mehr) davon ab, ob die Anmeldung in die europäische Phase eingetreten ist.[5]

Da der IPER im Allgemeinen innerhalb von 30 Monaten nach dem (frühesten) Prioritätstag erstellt wird, kann die Akte nach Kapitel II, die die Unterlagen zur internationalen vorläufigen Prüfung enthält, vor Ablauf der Frist von 30/31 Monaten für den Eintritt in die nationale/europäische Phase zur allgemeinen Einsichtnahme offenstehen. Ein ggf zu den Akten des EPA als IPEA gegebener WO-ISA kann daher schon vor Ablauf der 30-Monatsfrist einsehbar sein (Art 154 Rdn 62 ff).

Zu beachten ist in diesem Zusammenhang, dass die Unterlagen der internationalen vorläufigen Prüfung bei Anmeldungen, die vor dem 1. Juli 1998 eingereicht wurden, nicht zugänglich sind.[6]

Artikel 157 Internationaler Recherchenbericht

(1) **Unbeschadet der nachstehenden Absätze treten der internationale Recherchenbericht nach Artikel 18 des Zusammenarbeitsvertrags oder eine Erklärung nach Artikel 17 Absatz 2 Buchstabe a des Vertrags und deren Veröffentlichung nach Artikel 21 des Vertrags an die Stelle des eu-**

---

2 ABl 2001, 458.
3 PrüfRichtl E-IX, 5.8.
4 PrüfRichtl E-IX, 6.5; ABl 1999, 329; ABl 2003, 382.
5 ABl 2003, 382, Nr 3.
6 **T 1022/01** vom 26.4.2001.

ropäischen Recherchenberichts und des Hinweises auf dessen Veröffentlichung im Europäischen Patentblatt.

(2) Vorbehaltlich der Beschlüsse des Verwaltungsrats nach Absatz 3
a) wird zu jeder internationalen Anmeldung ein ergänzender europäischer Recherchenbericht erstellt;
b) hat der Anmelder die Recherchengebühr zu zahlen, die gleichzeitig mit der nationalen Gebühr nach Artikel 22 Absatz 1 oder Artikel 39 Absatz 1 des Zusammenarbeitsvertrags zu entrichten ist. Ist die Recherchengebühr nicht rechtzeitig entrichtet worden, so gilt die Anmeldung als zurückgenommen.

(3) Der Verwaltungsrat kann beschließen, unter welchen Voraussetzungen und in welchem Umfang
a) auf einen ergänzenden europäischen Recherchenbericht verzichtet wird;
b) die Recherchengebühr herabgesetzt wird.

(4) Der Verwaltungsrat kann die nach Absatz 3 gefassten Beschlüsse jederzeit rückgängig machen.

Reinoud Hesper

Übersicht

1	Einleitung	1-4
2	Art 157 (1) – Gleichwertigkeit von internationalem und europäischem Recherchenbericht	5-8
2.1	Gleichwertigkeit der Erklärung über die Nichterstellung eines ISR und des europäischen Recherchenberichts	8
3	Folgen der Ersetzung des europäischen Recherchenberichts durch den ISR	9-14
3.1	Frist für die Stellung des Prüfungsantrags	10-12
3.2	Frist für die Zahlung der Benennungsgebühren	13-14
4	Art 157 (2) a) – der ergänzende europäische Recherchenbericht	15-19
5	R 109 – Grundlage der ergänzenden europäischen Recherche	20-26
6	Art 157 (2) b) – Gebühr für die ergänzende europäische Recherche	27-31
7	R 112 – Nichteinheitlichkeit der Erfindung und ergänzende europäische Recherche	32-50
7.1	Weiteres Vorgehen bei Nichteinheitlichkeit	41-47
7.2	Gebühr für eine weitere Recherche	48-50
8	R 112 – Nichteinheitlichkeit bei Verzicht auf die ergänzende europäische Recherche	51-58

9	Art 157 (3) a) – Verzicht auf die ergänzende europäische Recherche	59-65
9.1	Declaration of no-search bei Verzicht auf eine ergänzende Recherche.....................	63
9.2	Verfahren mangels ISR und »declaration of no-search«	64-65
10	Art 157 (3) b) – Ermäßigung der Gebühr für die ergänzende europäische Recherche	66-72
10.1	Europäische ISA.....................	67-69
10.2	Außereuropäische ISA	70-72
11	Art 157 (4) – Aufhebung von Beschlüssen über einen Verzicht oder eine Gebührenermäßigung ...	73-74

1 Einleitung

In dieser Vorschrift wird die Verwendung des internationalen Recherchenberichts im europäischen Patenterteilungsverfahren vor dem EPA als Bestimmungsamt/ausgewähltem Amt geregelt. Sie sieht außerdem die Erstellung eines ergänzenden europäischen Recherchenberichts vor und ermächtigt den Verwaltungsrat, die entsprechenden Regelungen zu treffen und über die dafür erforderlichen Gebühren zu entscheiden.   1

Die internationale Recherche, die Internationale Recherchenbehörde (ISA), das Verfahren vor der ISA und der internationale Recherchenbericht (ISR) sind Gegenstand der Art 15–18 PCT und der dazugehörenden Regeln. Die Tätigkeit des EPA als ISA wird in Art 154 EPÜ behandelt. Mit Einzelheiten zur Recherche für Euro-PCT-Anmeldungen nach Eintritt in die europäische Phase befassen sich die R 107 (1) e), 109 und 112 EPÜ.   2

Zur Anwendung von Art 157 EPÜ wird im Übrigen auf die Prüfungsrichtlinien A-III, 12.10; A-VII, 1.3; A-VII, 5.3; B-II, 4.3; B-VII, 2.4; B-VIII, 3; C-VI, 9.4 und E-IX, 5.4 verwiesen. Weitere Einzelheiten sind Teil 2, Kapitel E der EPA-Broschüre *Der Weg zum europäischen Patent – Euro-PCT* (»Euro-PCT-Leitfaden«) sowie den Hinweisen zum Formblatt 1200 *Eintritt in die europäische Phase (EPA als Bestimmungsamt oder ausgewähltes Amt)* zu entnehmen.   3

EPÜ 2000

Art 157 EPÜ entfällt im EPÜ 2000; sein Inhalt wurde in Art 153 (6) und (7) EPÜ 2000 aufgenommen. Der Wortlaut der neuen Bestimmungen wurde vereinfacht, ohne jedoch inhaltliche Änderungen vorzunehmen. Der bisher in Art 157 (1) EPÜ festgeschriebene Grundsatz, dass der ISR und seine Veröffentlichung durch die WIPO an die Stelle des europäischen Recherchenberichts und des Hinweises auf seine Veröffentlichung im Europäischen Patentblatt treten, ist nunmehr in Art 153 (6) EPÜ 2000 enthalten (Rdn 5–7). Darüber hinaus sieht Art 153 (7) Satz 1 EPÜ 2000 vor, dass zu jeder Euro-PCT-Anmeldung grundsätzlich ein ergänzender Recherchenbericht zu erstellen ist, wie dies auch bisher nach Art 157 (2) a) EPÜ der Fall war. Die bislang in Art 157 (3) a) und   4

b) EPÜ festgeschriebene Befugnis, auf einen ergänzenden Recherchenbericht zu verzichten bzw die Recherchengebühr herabzusetzen, wurde in Art 153 (7) Satz 2 EPÜ 2000 aufgenommen. Siehe auch Rdn 59 und 66.

2 Art 157 (1) – Gleichwertigkeit von internationalem und europäischem Recherchenbericht

5   Nach Art 157 (1) EPÜ treten für eine Euro-PCT-Anmeldung im Verfahren vor dem EPA als Bestimmungsamt/ausgewähltem Amt der ISR (Art 18 PCT) und seine Veröffentlichung durch die WIPO (Art 21 (3) PCT) an die Stelle des europäischen Recherchenberichts und des Hinweises auf seine Veröffentlichung im Europäischen Patentblatt. Auf den ersten Blick wird damit die Autonomie des europäischen Patenterteilungssystems durchbrochen, in dem der europäischen Recherche und der Veröffentlichung ihrer Ergebnisse ein zentraler Stellenwert zukommt (Art 92 (1) und 93 (2) EPÜ). Die praktische Bedeutung des in Art 157 (1) EPÜ aufgestellten Grundsatzes sollte jedoch nicht überschätzt werden, da zugleich für jede internationale Anmeldung bei Eintritt in die europäische Phase nach Art 157 (2) EPÜ ein ergänzender Recherchenbericht erstellt werden muss, sofern hierauf nicht verzichtet wurde (Rdn 59 ff).

6   Mit Wirkung vom 1. April 2006 erfolgt die internationale Veröffentlichung nur noch elektronisch (R 48.1 PCT). Die Veröffentlichung umfasst in der Regel den ISR bzw die Erklärung nach Art 17 (2) a) PCT (R 48.2 PCT). Der Anmelder wird von der Veröffentlichung unter Angabe der Veröffentlichungsnummer unterrichtet, eine Papierfassung der internationalen Veröffentlichung wird ihm jedoch nur auf Antrag übermittelt. Auf die internationale Veröffentlichung wird in dem vom IB herausgegebenen PCT-Blatt hingewiesen, das ebenfalls ausschließlich in elektronischer Form veröffentlicht wird (Art 55 (4) und R 86.2 PCT).

7   Eine weitere Gleichsetzung von Verfahrenselementen der internationalen Phase mit solchen aus dem europäischen Patenterteilungsverfahren ist in Art 158 (1) EPÜ vorgesehen. Danach tritt die internationale Veröffentlichung einer internationalen Anmeldung durch die WIPO nach Art 21 (1) PCT grundsätzlich an die Stelle der Veröffentlichung einer europäischen Anmeldung (Art 158 Rdn 6 ff). Das heißt, dass bei Eintritt in die europäische Phase von einer erneuten Veröffentlichung der Anmeldung abgesehen wird; nur die bibliographischen Daten werden im Europäischen Patentblatt veröffentlicht. Eine Ausnahme hiervon gilt nach Art 158 (3) EPÜ für den Fall, dass die internationale Anmeldung nicht in einer Amtssprache des EPA veröffentlicht wurde. In diesem Fall veröffentlicht das EPA neben den bibliographischen Daten auch die Übersetzung, die ihm für einen wirksamen Eintritt in die europäische Phase übermittelt werden muss (Art 158 Rdn 113). Wird eine Euro-PCT-Anmeldung nicht in die europäische Phase überführt und gilt sie dementsprechend als zu-

rückgenommen, so wird im Europäischen Patentblatt ein Hinweis auf den Tag veröffentlicht, an dem die Rechtswirkung der Rücknahme(fiktion) eintritt.

2.1 Gleichwertigkeit der Erklärung über die Nichterstellung eines ISR und des europäischen Recherchenberichts

Kann nach Auffassung der ISA keine oder zumindest keine sinnvolle Recherche durchgeführt werden, so hält sie dies nach Art 17 (2) a) PCT wie weiter oben erörtert (Art 154 Rdn 65 ff) in einer entsprechenden Erklärung fest. Dieser sogenannte »declaration of no-search« (Erklärung über die Nichterstellung eines ISR) (Formblatt PCT/ISA/203) wird nach Art 21 (3) PCT vom IB veröffentlicht. Art 157 (1) EPÜ sieht ausdrücklich vor, dass diese Erklärung dem ISR gleichgestellt ist und daher wie dieser an die Stelle des europäischen Recherchenberichts und des Hinweises auf dessen Veröffentlichung im Europäischen Patentblatt tritt.

3 Folgen der Ersetzung des europäischen Recherchenberichts durch den ISR

Der Umstand, dass der ISR an die Stelle des europäischen Recherchenberichts tritt, wirkt sich auf die Berechnung sowohl der Fristen zur Einreichung des Prüfungsantrags und zur Entrichtung der Prüfungsgebühren als auch der Frist zur Zahlung der Benennungs- und Erstreckungsgebühren aus (Art 158 Rdn 49, 64, 68).

3.1 Frist für die Stellung des Prüfungsantrags

Da der ISR die Stelle des europäischen Recherchenberichts einnimmt, fängt die nach Art 94 (2) EPÜ geltende Frist von sechs Monaten für die Stellung des Prüfungsantrags und die Zahlung der Prüfungsgebühr am Tag der Veröffentlichung des ISR zu laufen an. Gewöhnlich wird der ISR unverzüglich nach Ablauf von 18 Monaten seit dem Anmeldetag oder dem (frühesten) Prioritätstag veröffentlicht (Art 21 (3) PCT, R 48.2 (a) v) PCT); demnach müsste der Prüfungsantrag im Laufe des 24. Monats nach diesem Datum gestellt werden, dh noch während der internationalen Phase. In den Art 22 und 39 PCT ist jedoch eine Frist von mindestens 30 Monaten für die Einleitung der nationalen/regionalen Phase festgelegt. Hier besteht somit ein Gesetzeskonflikt, und in einem solchen Fall sind nach Art 150 (2) Satz 3 EPÜ die Vorschriften des PCT maßgeblich (Art 150 Rdn 7 ff).

Zur Klarstellung dieses Grundsatzes wird in Art 150 (2) letzter Satz EPÜ nochmals ausdrücklich auf den Vorrang des PCT bei der Bestimmung des Tages hingewiesen, an dem die Frist zur Einreichung des Prüfungsantrags endet. Nach dieser Vorschrift läuft die in Art 94 (2) EPÜ genannte Frist zur Stellung des Prüfungsantrags »nicht vor der in Artikel 22 oder 39 PCT genannten Frist ab«. Der Umsetzung dieser Vorschrift dient R 107 (1) f) EPÜ (Art 150 Rdn 14 ff; Art 158 Rdn 68 ff). Seit Einführung einer einheitlichen Frist von 31 Monaten für die Vornahme der für den Eintritt in die europäische Phase vorgeschriebenen Handlungen in R 107 (1) EPÜ iVm Art 22 (3) und 39 (1) b) PCT muss beim EPA als Bestimmungsamt und ausgewähltem Amt der Prüfungsantrag nicht früher als vor Ablauf von 31 Monaten seit dem Anmeldetag oder dem (frühesten) Prioritätstag gestellt werden, obwohl die 6-Monatsfrist nach Art 94 (2) EPÜ in der Regel früher abläuft (Art 158 Rdn 67 ff).

12 Das EPA weist den Anmelder in einer Mitteilung (EPA Formblatt 1202) auf den Tag der internationalen Veröffentlichung sowie auf die Fristen zur Einreichung des Prüfungsantrags und zur Zahlung der Prüfungs-, Benennungs- und Erstreckungsgebühren hin.

3.2 Frist für die Zahlung der Benennungsgebühren

13 Von dem in Art 157 (1) EPÜ verankerten Grundsatz, dass der ISR und seine internationale Veröffentlichung an die Stelle des europäischen Recherchenberichts und des Hinweises auf seine Veröffentlichung im Europäischen Patentblatt treten, wird auch der Ablauf der Frist zur Zahlung der Benennungsgebühr gemäß R 107 (1) d) EPÜ iVm R 106 b) EPÜ beeinflusst (Art 158 Rdn 46 ff). In beiden Regeln wird auf Art 79 (2) EPÜ Bezug genommen, wonach für die Zahlung der Benennungsgebühren dieselben Fristen gelten wie für die Zahlung der Prüfungsgebühr; sie müssen »innerhalb von sechs Monaten nach dem Tag ..., an dem im Europäischen Patentblatt auf die Veröffentlichung des europäischen Recherchenberichts hingewiesen worden ist«, entrichtet werden. Bei Euro-PCT-Anmeldungen ist Art 79 (2) EPÜ auf Grund von Art 157 (1) EPÜ dahingehend zu verstehen, dass die Zahlung »innerhalb von sechs Monaten nach dem Tag der internationalen Veröffentlichung des ISR« zu erfolgen hat.

14 Mangels anderslautender Bestimmung müsste die Frist für die Zahlung der Benennungsgebühren demnach während der internationalen Phase enden. Da die Benennungsgebühren jedoch Teil der nationalen Gebühr sind (R 106 EPÜ), die nach Art 22 und 39 PCT innerhalb der Frist für den Eintritt in die nationale Phase zu entrichten ist, sieht R 107 (1) d) EPÜ vor, dass die Benennungsgebühren noch innerhalb der 31-Monatsfrist wirksam entrichtet werden können, wenn die Frist nach Art 79 (2) EPÜ früher abläuft (Art 158 Rdn 49).

4 Art 157 (2) a) – der ergänzende europäische Recherchenbericht

15 Nach Art 157 (2) a) EPÜ muss zu jeder internationalen Anmeldung bei Eintritt in die europäische Phase ein ergänzender europäischer Recherchenbericht erstellt werden, sofern hierauf nicht durch Beschluss des Verwaltungsrats nach Art 157 (3) a) EPÜ verzichtet wurde (Rdn 59 ff). Ebenso wie bei einer ab 1. Juli 2005 eingereichten europäischen (Direkt)Anmeldung muss auch bei einer von

diesem Datum an eingereichten internationalen Anmeldung zu jedem (ergänzenden) europäischen Recherchenbericht in der Regel eine Stellungnahme zur Patentierbarkeit (European Search Opinion – ESOP) nach R 44a EPÜ abgegeben werden[1] (Art 92 Rdn 31). Auf eine hiervon geltende Ausnahme wird weiter unten eingegangen (Rdn 56).

Auf die Fertigstellung des ergänzenden europäischen Recherchenberichts wird im Europäischen Patentblatt hingewiesen. Der ergänzende Recherchenbericht wird dem Anmelder zusammen mit einer Kopie der zusätzlich ermittelten Vorveröffentlichungen zugesandt und zu den Akten genommen. 16

Liegt keiner der Fälle vor, für die durch Beschluss des Verwaltungsrats nach Art 157 (3) a) EPÜ auf einen ergänzenden Recherchenbericht verzichtet wurde, so nimmt die Recherchenabteilung nach dem Eintritt einer Euro-PCT-Anmeldung in die europäische Phase umgehend die ergänzende europäische Recherche auf, sofern die folgenden Voraussetzungen erfüllt sind: Erstens müssen der ISR und die internationale Anmeldung dem EPA in einer seiner Amtssprachen übermittelt worden sein (Art 158 Rdn 21 ff); zweitens müssen alle anfallenden Gebühren entrichtet worden sein (Art 158 Rdn 39–99); drittens muss die Frist zur Einreichung von Änderungen nach R 109 EPÜ abgelaufen sein (Rdn 20 ff). 17

Wird ein ergänzender europäischer Recherchenbericht erstellt, so berücksichtigt die Recherchenabteilung in der von ihr abgegebenen europäischen Stellungnahme zur Patentierbarkeit beide Recherchenberichte. Auch die Prüfungsabteilung legt ihrer Prüfung die Recherchenergebnisse sowohl der internationalen als auch der europäischen Phase zu Grunde.[2] 18

EPÜ 2000

Der Grundsatz, dass für jede Euro-PCT-Anmeldung eine ergänzende Recherche durchgeführt wird (Art 157 (2) a) EPÜ), wurde in Art 153 (7) Satz 1 EPÜ 2000 übernommen (Rdn 4). 19

5 R 109 – Grundlage der ergänzenden europäischen Recherche

Nach R 107 (1) b) EPÜ muss der Anmelder innerhalb der 31-Monatsfrist für den Eintritt in die europäische Phase angeben, welche Anmeldungsunterlagen dem Erteilungsverfahren vor dem EPA als Bestimmungsamt/ausgewähltem Amt zu Grunde gelegt werden sollen. Dem Anmelder wird jedoch Gelegenheit gegeben, Änderungen einzureichen, die bei einer ggf durchzuführenden ergänzenden europäischen Recherche zu berücksichtigen sind. 20

Dazu kann der Anmelder zunächst einmal auf Änderungen *verweisen*, die er in der internationalen Phase gemäß Art 19 und/oder 34 PCT an der Anmeldung vorgenommen hat (Art 154 Rdn 60; Art 155 Rdn 73 ff). Außerdem ak- 21

---

1 ABl 2005, 5, 435, 577 1. Absatz.
2 PrüfRichtl E-IX, 5.4.

zeptiert das EPA – ohne besondere Rechtsgrundlage im EPÜ, aber als logische Folge aus R 109 EPÜ (Rdn 22) – *die Einreichung* von (weiteren) Änderungen *bei Eintritt in die europäische Phase*; diese werden gewöhnlich dem Formblatt 1200 beigefügt (Hinweis Nr 6 zum Formblatt 1200).

22 Mit R 109 EPÜ wird der Anspruch des Anmelders umgesetzt, in der nationalen Phase innerhalb von einem Monat *nach Ablauf der Frist für den Eintritt* in die nationale/regionale Phase Gelegenheit zur Änderung der Anmeldung zu erhalten (Art 28 und 41 PCT, R 52.1 a) und 78.1 a) PCT). R 109 EPÜ, wonach die Anmeldung innerhalb einer nicht verlängerbaren Frist von einem Monat *nach Zustellung einer entsprechenden Mitteilung* geändert werden kann, ist benutzerfreundlicher als die entsprechenden Bestimmungen des PCT.

23 Die Mitteilung nach R 109 EPÜ wird mit der Aufforderung zur Zahlung von Anspruchsgebühren nach R 110 EPÜ zusammengefasst (Art 158 Rdn 99 ff). Vor Erlass dieser Mitteilung vergewissert sich das EPA zunächst, dass der Recherche nichts mehr entgegensteht. Die Mitteilung ergeht, sobald die Voraussetzungen für einen wirksamen Eintritt in die europäische Phase erfüllt sind und die Übermittlung nach Art 20 PCT erfolgt ist. Auch wenn die Recherchengebühr bereits entrichtet wurde, erlässt das EPA die Mitteilung nach R 109 EPÜ jedoch erst, wenn ihm der fertiggestellte ISR vorliegt (Art 20 PCT sowie R 47, 52.1 a) und 78.1 a) PCT).

24 R 109 letzter Satz EPÜ sieht unter ausdrücklicher Verweisung auf Art 157 (2) EPÜ vor, dass die nach R 109 EPÜ (weiter) geänderte Anmeldung der ergänzenden europäischen Recherche zu Grunde gelegt wird.[3]

25 Unbeschadet der R 109 EPÜ hat der Anmelder nach Art 123 (1) EPÜ iVm R 86 (2)–(4) EPÜ das Recht, seine Anmeldung im Anschluss an die ergänzende Recherche nochmals zu ändern (Art 123 Rdn 1 ff).

26 Nach R 109 EPÜ eingereichte Änderungen werden bei der Berechnung der Anspruchsgebühren berücksichtigt (R 110 (2) Satz 2 EPÜ) (Art 158 Rdn 96). Im Hinblick auf das Verfahren in der europäischen Phase eingereichte Änderungen müssen in der Verfahrenssprache abgefasst sein (Art 28 (4) und 41 (4) PCT). Musste bei Eintritt in die europäische Phase eine Übersetzung eingereicht werden, sind etwaige Änderungen folglich in der Sprache der Übersetzung vorzulegen (Art 158 Rdn 29). Änderungen dürfen nicht über den Offenbarungsgehalt der internationalen Anmeldung in der eingereichten Fassung hinausgehen, sofern das vom Bestimmungsamt anzuwendende nationale Recht dies nicht gestattet (Art 28 (2) und 41 (2) PCT). Im Verfahren vor dem EPA als Bestimmungsamt/ausgewähltem Amt ist eine solche Erweiterung des Offenbarungsgehalts nach Art 123 (2) EPÜ nicht zulässig (Art 123 Rdn 24 ff).

---

3   PrüfRichtl B-III, 3.3.

6 Art 157 (2) b) – Gebühr für die ergänzende europäische Recherche

Nach Art 157 (2) b) EPÜ iVm R 107 (1) c) und (e) EPÜ muss der Anmelder die 27 Gebühr für die ergänzende europäische Recherche innerhalb derselben Frist wie die nationale Gebühr entrichten, dh innerhalb von 31 Monaten nach dem Anmeldetag oder dem (frühesten) Prioritätstag (Art 158 Rdn 39 ff). Von etwaigen Ermäßigungen abgesehen (Rdn 66 ff) entspricht die Gebühr für die ergänzende Recherche der Höhe nach der Gebühr für eine europäische Recherche (Art 2 Nr 2 GebO).

Die nicht fristgerechte Zahlung der Gebühr für die ergänzende europäische 28 Recherche hat zur Folge, dass die Euro-PCT-Anmeldung nach Art 157 (2) b) letzter Satz und R 108 (1) EPÜ als zurückgenommen gilt. Zur Behebung dieses Rechtsverlustes gewährt R 108 (3) EPÜ eine Nachfrist von zwei Monaten nach Zustellung einer Mitteilung, in der auf die Fristversäumung hingewiesen wird; innerhalb dieser Nachfrist kann die Gebühr noch mit einem Zuschlag von 50 % wirksam entrichtet werden (Art 2 Nr 3c GebO).

Eine Wiedereinsetzung nach Art 122 EPÜ in die Frist zur Zahlung der Re- 29 cherchengebühr oder in die Nachfrist nach R 108 (3) EPÜ ist nicht möglich.[4]

Wie bereits ausgeführt (Rdn 8), tritt ein »declaration of no-search« an die 30 Stelle des ISR. Daraus folgt, dass es im Hinblick auf Art 157 EPÜ keinen Unterschied macht, ob die ISA einen ISR erstellt oder ob sie erklärt, dass eine Recherche nicht durchgeführt wird. Liegt keiner der Fälle vor, in denen auf einen ergänzenden Recherchenbericht verzichtet wird, muss die Recherchenabteilung eine ergänzende europäische Recherche durchführen und völlig unabhängig entscheiden, ob erklärt werden muss, dass eine Recherche nicht durchführbar ist. Vor allem dann, wenn die Anmeldung geändert wurde, kann es durchaus vorkommen, dass die Mängel, die die ISA zu einer solchen Erklärung bewogen haben, zwischenzeitlich behoben wurden, so dass ein ergänzender europäischer Recherchenbericht erstellt werden kann.

EPÜ 2000

In Anbetracht der R 107 (1) e) und 108 EPÜ kann die Vorschrift des Art 157 31 (2) b) EPÜ als entbehrlich angesehen werden. Sie wurde deshalb in Art 153 (7) des EPÜ 2000, der an die Stelle des Art 157 (2)–(4) EPÜ getreten ist, nicht übernommen.

7 R 112 – Nichteinheitlichkeit der Erfindung und ergänzende europäische Recherche

Gilt kein entsprechender Verzicht und wird folglich bei Eintritt in die europä- 32 ische Phase ein ergänzender Recherchenbericht erstellt, so wird sich der Recherchenprüfer wie bei jeder europäischen Anmeldung mit der Frage der Einheitlichkeit der Erfindung auseinandersetzen müssen. Da jedoch die bei Ein-

---

4 **G 3/91**, ABl 1993, 8; Art 122 Rdn 17 ff.

tritt in die europäische Phase durchzuführende Recherche zu der in der internationalen Phase erfolgten Recherche hinzukommt und diese ergänzt, stellt sich die besondere Frage nach der Bedeutung, die den Feststellungen der ISA zum Erfordernis der Einheitlichkeit der Erfindung beizumessen ist (Art 154 Rdn 81 ff). Obwohl ein Bestimmungsamt/ausgewähltes Amt nicht an die Feststellungen der ISA gebunden ist, wird die Rechercheabteilung es möglichst vermeiden, von dem in der internationalen Phase eingenommenen Standpunkt abzuweichen.[5]

33 Sind bestimmte Teile der internationalen Anmeldung in der internationalen Phase nicht recherchiert worden, weil der Anmelder nicht alle von der ISA in der Aufforderung nach R 40.1 PCT geforderten zusätzlichen Recherchengebühren entrichtet hat, kann das Bestimmungsamt nach Maßgabe des anwendbaren (nationalen) Rechts bestimmen, dass die nicht recherchierten Teile als zurückgenommen gelten, falls nicht eine besondere Gebühr gezahlt wird (Art 17 (3) b) PCT). Das EPÜ sieht nichts Derartiges vor. Nicht recherchierte Gegenstände gelten nicht als zurückgenommen, können aber mit der gleichen Anmeldung nicht weiterverfolgt werden (Rdn 43).

34 Wurde für eine internationale Anmeldung wegen der Nichtentrichtung von zusätzlichen Recherchengebühren nur *eine unvollständige Recherche* durchgeführt, so wird das EPA als Bestimmungsamt/ausgewähltes Amt nach R 112 EPÜ und/oder R 46 EPÜ vorgehen und die in der internationalen Phase getroffenen Feststellungen zur Einheitlichkeit auf der Grundlage der (evtl geänderten) Anmeldung überprüfen.

35 Ihrem Wortlaut nach ist R 112 EPÜ *auf jeden Fall* anwendbar, wenn die ISA Nichteinheitlichkeit festgestellt und der Anmelder nicht alle zusätzlichen Gebühren entrichtet hat, dh unabhängig davon, ob ein ergänzender europäischer Recherchenbericht erstellt werden muss oder nicht. Im Rahmen einer (ergänzenden) europäischen Recherche muss sich die Rechercheabteilung jedoch nach R 46 EPÜ grundsätzlich immer mit der Frage der Einheitlichkeit auseinandersetzen (Art 82 Rdn 17 ff; Art 92 Rdn 30 ff). Aus diesem Grund kann davon ausgegangen werden, dass R 112 EPÜ in den Fällen, in denen eine ergänzende europäische Recherche durchgeführt werden muss, lediglich der Klarstellung dient. Daher wird das Verfahren vor der Rechercheabteilung, soweit es um die Einheitlichkeit der Erfindung geht, in den Prüfungsrichtlinien auch nicht unter R 112 EPÜ, sondern unter R 46 EPÜ behandelt.[6]

36 Im Zusammenhang mit Nichteinheitlichkeit wird im PCT der Begriff »zusätzliche Recherchengebühr« (R 40.2 PCT) verwendet, im EPÜ hingegen der Begriff »weitere Recherchengebühr« (R 46 EPÜ). Hierbei ist zu beachten, dass der Begriff »zusätzliche Recherche« im EPÜ sich *nicht* auf die bei Nichtein-

---

5   PrüfRichtl B-VII, 2.4.
6   PrüfRichtl C-III, 7.11.2.

heitlichkeit nach Entrichtung von »weiteren Recherchengebühren« durchgeführten Recherchen bezieht. Im europäischen Verfahren bezeichnet der Begriff »zusätzliche Recherche« eine Recherche, die im *Prüfungsstadium* aus verschiedenen Gründen erforderlich werden kann und für die keine Gebühr erhoben wird. Ein Grund für eine derartige zusätzliche Recherche kann beispielsweise sein, dass die Prüfungsabteilung in ihrer Beurteilung der Einheitlichkeit der Erfindung von der Auffassung der Recherchenabteilung abweicht.[7]

Wurde *von der ISA der Einwand der Nichteinheitlichkeit erhoben* und hat der Anmelder nicht alle zusätzlichen Recherchengebühren entrichtet, kann es vorkommen, dass dieser Einwand bei Eintritt in die europäische Phase nicht mehr aufrechterhalten werden muss. In diesem Fall wird eine vollständige ergänzende europäische Recherche durchgeführt und sofort im Anschluss daran ein ergänzender europäischer Recherchenbericht erstellt. Dazu kommt es in der Regel, wenn der Anmelder nach Erhalt des ISR die Gelegenheit zur Änderung der Ansprüche genutzt (dh sie auf die recherchierte Erfindung beschränkt) und angegeben hat, dass der Bearbeitung in der europäischen Phase die geänderte Anmeldung zu Grunde gelegt werden soll. Eine andere Möglichkeit ist die, dass die Recherchenabteilung im Gegensatz zur ISA zu der Auffassung gelangt, dass die (unveränderte) Anmeldung den Anforderungen an die Einheitlichkeit entspricht. 37

Falls eine Anmeldung nicht (hinreichend) geändert wurde und der Recherchenprüfer den in der internationalen Phase erhobenen Einwand der Nichteinheitlichkeit aufrechterhält, unterrichtet die Recherchenabteilung den Anmelder vom Ergebnis der ergänzenden europäischen Teilrecherche für die Erfindung, die in den Ansprüchen zuerst erwähnt wird, und fordert ihn zur Zahlung einer weiteren Recherchengebühr für jede weitere Erfindung auf, für die er die Erstellung eines europäischen Recherchenberichts wünscht. 38

Auch wenn *seitens der ISA kein Einwand der Nichteinheitlichkeit erhoben wurde*, muss der Recherchenprüfer bei Eintritt in die europäische Phase prüfen, ob die Anmeldung dem Erfordernis der Einheitlichkeit der Erfindung genügt (R 46 (1) EPÜ). Die Recherchenabteilung kann dies aus unterschiedlichen Gründen verneinen. Zum einen kann es sein, dass die Auslegung des Erfordernisses der Einheitlichkeit der Erfindung durch die ISA nicht mit dem EPÜ und seiner praktischen Umsetzung in Einklang steht (Art 27 (5) PCT). Es kann auch vorkommen, dass im Rahmen der ergänzenden europäischen Recherche Dokumente ermittelt werden, die in der internationalen Phase nicht zur Verfügung standen und die nachträglich zur mangelnden Einheitlichkeit der Erfindung führen.[8] Schließlich kann der Anmelder die Anmeldung in einer Weise verändert haben, die mangelnde Einheitlichkeit erst begründet. 39

---

7   Art 92 Rdn 28 ff, PrüfRichtl B-II, 4.2.
8   PrüfRichtl B-VII, 2.4.

40 Vom Wortlaut der R 112 EPÜ eindeutig nicht erfasst ist der Fall, dass seitens der ISA *kein* Einwand der mangelnden Einheitlichkeit erhoben wurde. Aus diesem Grund informiert die Recherchenabteilung den Anmelder in diesem Fall – gemäß R 46 (1) EPÜ – vom Ergebnis der ergänzenden europäischen Teilrecherche in Bezug auf die in den Ansprüchen zuerst erwähnte Erfindung und fordert ihn zur Zahlung einer weiteren Recherchengebühr für jede weitere Erfindung auf, für die ein europäischer Recherchenbericht erstellt werden soll.

7.1 Weiteres Vorgehen bei Nichteinheitlichkeit

41 Erfüllt die Euro-PCT-Anmeldung nach Auffassung der Recherchenabteilung nicht das Erfordernis der Einheitlichkeit der Erfindung, so kann die Anmeldung in der europäischen Phase nur auf der Grundlage einer der weiteren in der Anmeldung enthaltenen Erfindungen weiterverfolgt werden, für die eine weitere Recherchengebühr entrichtet und ein entsprechender (ergänzender) europäischer Recherchenbericht erstellt wurde. Ob für die betreffende Erfindung bereits eine internationale Recherche durchgeführt wurde, ist hierbei irrelevant: Nach Zahlung der weiteren europäischen Recherchengebühr wird für diese Erfindung eine ergänzende europäische Recherche durchgeführt, die die Grundlage für das weitere Erteilungsverfahren für ein europäisches Patent bildet.

42 *Streng genommen* müsste der Begriff »ergänzend« in diesem Fall in Anführungszeichen gesetzt werden, weil die ergänzende europäische Recherche insoweit, als das EPA als Bestimmungsamt/ausgewähltes Amt eine Recherche für eine weitere Erfindung durchführt, die – mangels Zahlung einer zusätzlichen Recherchengebühr – in der internationalen Phase noch gar nicht recherchiert wurde, keinen ergänzenden Charakter hat. *Ganz allgemein* ergänzt jedoch jede für eine Euro-PCT-Anmeldung bei Eintritt in die europäische Phase durchgeführte europäische Recherche das Ergebnis der internationalen Recherche. Daher wird der Begriff »ergänzend« nachfolgend ohne Anführungszeichen verwendet.

43 Entrichtet der Anmelder keine weitere Recherchengebühr, so muss er seine Anmeldung bei Eintritt in die europäische Phase auf die (eine) Erfindung beschränken, die vom EPA als Bestimmungsamt/ausgewähltem Amt recherchiert wurde. Er verzichtet damit auf die Möglichkeit, zu entscheiden, für welche der in seiner Anmeldung enthaltenen Erfindungen das europäische Patenterteilungsverfahren fortgesetzt werden soll. Alle Teile der Anmeldung, die nicht recherchierte Gegenstände betreffen, müssen gestrichen werden, gehen dem Anmelder aber nicht verloren, da er sie im Rahmen von Teilanmeldungen weiterverfolgen kann[9] (Rdn 44; Art 76 Rdn 1 ff).

---

9 **G 2/92**, ABl 1993, 591.

Hat der Anmelder eine oder mehrere weitere Recherchengebühr(en) entrichtet, so wird für jede Erfindung, für die eine Recherchengebühr gezahlt wurde, ein ergänzender europäischer Recherchenbericht erstellt. In der Stellungnahme zur Patentierbarkeit gemäß R 44a EPÜ, die dem Anmelder nur als Teil des ergänzenden europäischen Recherchenberichts übersandt wird – und nicht zusammen mit der Aufforderung zur Entrichtung weiterer Recherchengebühren – ist die Feststellung der mangelnden Einheitlichkeit zu begründen. Der Anmelder kann anhand des ergänzenden europäischen Recherchenberichts entscheiden, für welche der recherchierten Erfindungen er das Erteilungsverfahren weiterbetreiben möchte. Er muss seine Anmeldung entsprechend auf die (eine) Erfindung seiner Wahl beschränken.[10] Die Möglichkeit, nach Entrichtung weiterer Prüfungsgebühren mehrere Erfindungen in einem einzigen Verfahren prüfen zu lassen, wie sie Kapitel II PCT eröffnet, besteht hier nicht (Art 155 Rdn 111). **44**

Für alle weiteren Erfindungen kann unabhängig davon, ob sie recherchiert worden sind oder nicht, eine *Teilanmeldung* eingereicht werden, solange die Anmeldung anhängig ist (R 25 EPÜ). Wie für jede andere europäische Patentanmeldung auch muss für Teilanmeldungen eine Recherche durchgeführt und eine Recherchengebühr entrichtet werden. Ist die für eine Teilanmeldung durchzuführende Recherche jedoch bereits durch eine (weitere) ergänzende europäische Recherche abgedeckt, die bei Eintritt in die europäische Phase an der Stammanmeldung durchgeführt wurde, wird die Recherchengebühr unter den Voraussetzungen des Art 10 (2) GebO zurückerstattet (Art 76 Rdn 29).[11] **45**

Die Feststellungen der Recherchenabteilung zur Einheitlichkeit der Erfindung können im Stadium der Recherche nicht angefochten werden, müssen von der Prüfungsabteilung aber stets überprüft werden.[12] Sollte die Prüfungsabteilung die diesbezüglichen Feststellungen der Recherchenabteilung verwerfen, so wird eine wegen Nichteinheitlichkeit entrichtete weitere Recherchengebühr nach R 46 (2) EPÜ erstattet. **46**

In der Frage der Einheitlichkeit ist letztendlich die Auffassung der Prüfungsabteilung maßgeblich. Diese ist weder an das Ergebnis einer internationalen Recherche noch an dasjenige einer (ergänzenden) europäischen Recherche gebunden. Gelangt die Prüfungsabteilung zu der Auffassung, dass eine Anmeldung nicht einheitlich ist, obwohl weder in der internationalen Phase noch nach Eintritt in die europäische Phase von der Recherchenabteilung ein entsprechender Einwand erhoben wurde, muss der Anmelder seine Anmeldung daher auf eine einzige Erfindung beschränken. Vor allem seit der Einführung der kombinierten Recherche und Prüfung durch ein und denselben Prüfer im **47**

---

10 PrüfRichtl C-VI, 3.2a.
11 PrüfRichtl A-IV, 1.8.
12 PrüfRichtl C-VI, 3.2a.

Rahmen des BEST-Projekts werden die anlässlich einer ergänzenden Recherche getroffenen Feststellungen von der Prüfungsabteilung jedoch nur selten verworfen werden (Art 16 Rdn 2; Art 92 Rdn 32).

7.2 Gebühr für eine weitere Recherche

48 Einem Anmelder, der vom EPA als Bestimmungsamt/ausgewähltem Amt zur Entrichtung weiterer Recherchengebühren aufgefordert wird, wird dringend empfohlen, sich seine diesbezügliche Entscheidung gut zu überlegen.

49 Für die ergänzende europäische Recherche zu jeder (weiteren) Erfindung, die *von der ISA nicht recherchiert* wurde, fällt immer eine volle Recherchengebühr an, auf die keine Ermäßigung gewährt wird, da für diese weitere Erfindung noch keinerlei Recherche durchgeführt wurde und die europäische Recherche somit nicht lediglich *ergänzenden* Charakter hat.

50 Auch in den Fällen, in denen die *ISA* die betreffende Erfindung bereits *recherchiert hat* (sei es, dass sie die Anmeldung als einheitlich angesehen hat oder dass der Anmelder zusätzliche Recherchengebühren entrichtet hat), das EPA als Bestimmungsamt/ausgewähltes Amt jedoch zu der Auffassung gelangt, dass die Anmeldung das Erfordernis der Einheitlichkeit nicht erfüllt, muss für die ergänzende Recherche jeder vom EPA ermittelten weiteren Erfindung eine volle Recherchengebühr entrichtet werden. In diesem Fall wird nämlich davon ausgegangen, dass die europäische Recherche das Ergebnis der internationalen Recherche nicht ergänzt, sondern vielmehr ganz neu durchgeführt werden muss. Diese Annahme wird jedoch überprüft, und ggf wird dem Anmelder der Betrag erstattet, um den sich normalerweise die Recherchengebühr ermäßigt, wenn sich herausstellt, dass die weiteren Erfindungsgegenstände bereits vom internationalen Recherchenbericht mitumfasst sind (Rdn 66–72). Eine etwaige Ermäßigung der Gebühr für die ergänzende Recherche des in den Ansprüchen der Anmeldung an erster Stelle genannten Erfindungsgegenstands bleibt hiervon unberührt.[13]

8 R 112 – Nichteinheitlichkeit bei Verzicht auf die ergänzende europäische Recherche

51 Wird auf Grund eines entsprechenden Verzichts keine ergänzende Recherche durchgeführt (Rdn 59 ff), so wird die Prüfungsabteilung nach R 112 EPÜ die Frage der Einheitlichkeit prüfen und insbesondere klären müssen, ob die ISA ggf zu Recht festgestellt hat, dass Nichteinheitlichkeit vorliegt.

52 Auch hier kann es sein, dass der Feststellung der ISA, dass es der Anmeldung an Einheitlichkeit mangele, durch Änderungen der Anmeldung die Grundlage entzogen wurde (Rdn 20 ff). Dies setzt voraus, dass der Anmelder (1. seine Ansprüche auf eine der recherchierten Erfindungen beschränkt und (2. die Prü-

---

13 Euro-PCT-Leitfaden Nr 274.

fung der geänderten Fassung der Anmeldung beantragt hat. In diesem Fall nimmt das Erteilungsverfahren seinen gewohnten Lauf.

Gleiches gilt, wenn der Anmelder seine Anmeldung zwar *nicht geändert* hat, die Prüfungsabteilung aber im Gegensatz zur ISA das Erfordernis der Einheitlichkeit der Erfindung für die ursprünglich eingereichte Fassung der Anmeldung als erfüllt ansieht. Stellt die Prüfungsabteilung in einem solchen Fall fest, dass bestimmte Teile der Erfindung nicht vom ISR erfasst sind, kann sie die Recherchenabteilung auffordern, eine für den Anmelder kostenlose zusätzliche Recherche durchzuführen.[14] 53

Es kann aber auch sein, dass die Anmeldung nicht hinreichend geändert wurde, dh dass der Anmelder die Ansprüche nicht derart eingeschränkt hat, dass (1. sie sich auf eine einzige Erfindung beziehen, für die (2. eine Recherche durchgeführt wurde. In diesem Fall ergeht eine Mitteilung nach R 112 EPÜ, mit der dem Anmelder Gelegenheit gegeben wird, durch Entrichtung einer weiteren vollen Recherchengebühr für jede nicht recherchierte Erfindung eine Recherche für die Ansprüche zu veranlassen, die sich auf diese Erfindungen beziehen. 54

Kommt der Anmelder der Aufforderung zur Zahlung weiterer Recherchengebühren nicht nach, so werden der weiteren Prüfung diejenigen Ansprüche zu Grunde gelegt, für die eine Recherchengebühr gezahlt wurde. Beziehen sich die Ansprüche, für die eine Prüfung beantragt wird, jedoch immer noch auf mehr als eine Erfindung, so wird der Anmelder aufgefordert, dem EPA mitzuteilen, welche der recherchierten Erfindungen der weiteren Bearbeitung der Anmeldung zu Grunde gelegt werden soll und die Ansprüche entsprechend (weiter) einzuschränken. 55

Nach Zahlung der Recherchengebühr wird eine weitere europäische Recherche durchgeführt, und der ergänzende europäische Recherchenbericht wird dem Anmelder informationshalber übermittelt, dh ohne ihm eine Frist zur Stellungnahme zu setzen. Dieser Recherchenbericht wird als »europäischer Recherchenbericht nach R 112 EPÜ« bezeichnet. Zu diesem Recherchenbericht wird *keine* Stellungnahme zur Patentierbarkeit nach R 44a (1) EPÜ abgegeben, sondern eine Mitteilung nach R 51 (2) EPÜ erlassen.[15] In dieser Mitteilung wird der Anmelder vom EPA aufgefordert, die Anmeldung falls nicht bereits geschehen auf eine einzige Erfindung zu beschränken. Nach erfolgter Beschränkung wird die Prüfung wie gewohnt fortgesetzt. 56

Ist ein Anmelder mit einer Entscheidung der Prüfungsabteilung zur Einheitlichkeit nicht einverstanden und gelingt es ihm nicht, diese von seinem Standpunkt zu überzeugen, so kann er die betreffende Entscheidung anfechten (Art 106 (3) EPÜ). 57

---

14 PrüfRichtl B-II, 4.2.
15 Euro-PCT-Leitfaden Nr 273; PrüfRichtl B-XII, 8.

Artikel 157 *Internationaler Recherchenbericht*

58 Für weitere Einzelheiten zur Frage der Einheitlichkeit bei Euro-PCT-Anmeldungen wird auf die Prüfungsrichtlinien C-III, 7.11 verwiesen.

9 Art 157 (3) a) – Verzicht auf die ergänzende europäische Recherche

59 Art 157 (3) a) EPÜ verleiht dem Verwaltungsrat die Befugnis, auf die für jede Anmeldung bei Eintritt in die europäische Phase grundsätzlich vorgeschriebene Erstellung eines ergänzenden Recherchenberichts zu verzichten. Gegenwärtig muss für zwei Kategorien von internationalen Anmeldungen kein ergänzender europäischer Recherchenbericht erstellt werden:

60 (1) Wurde der ISR vom EPA in seiner Eigenschaft als ISA erstellt, so wird unabhängig von Zeitpunkt der Einreichung der internationalen Anmeldung auf einen ergänzenden Recherchenbericht immer verzichtet und es fällt keine Recherchengebühr an.[16] Für *ab dem 1. Juli 2005* eingereichte Euro-PCT-Anmeldungen fällt die *Prüfungsgebühr höher* aus, wenn von der Erstellung eines Recherchenberichts abgesehen wird (Art 158 Rdn 72–73).[17] Der Grund ist der, dass bei von diesem Datum an eingereichten Anmeldungen zusammen mit dem europäischen Recherchenbericht eine Stellungnahme zur Patentierbarkeit nach R 44a EPÜ abgegeben wird. In den ergänzenden europäischen Recherchenbericht ist somit ein gewisser Prüfungsaufwand eingeflossen. Entfällt die ergänzende europäische Recherche für eine Anmeldung jedoch auf Grund eines Verzichts, muss die »im Recherchenstadium vorgezogene« teilweise inhaltliche Prüfung später im Rahmen der eigentlichen Sachprüfung nachgeholt werden (Rdn 59 ff).

61 (2) Für *vor dem 1. Juli 2005* eingereichte internationale Anmeldungen wird auf eine Recherche verzichtet, wenn der ISR vom österreichischen, schwedischen oder spanischen Patentamt erstellt wurde.[18] Für diese Anmeldungen tritt ein von einem der genannten Patentämtern erstellter ISR (bzw ein »declaration of no-search«) uneingeschränkt an die Stelle des europäischen Recherchenberichts.

62 Unabhängig vom Anmeldetag muss immer ein ergänzender Recherchenbericht erstellt werden, wenn die internationale Recherche von einer »außereuropäischen ISA« erstellt wurde. Außerhalb Europas werden die nationalen Patentämter Australiens, Chinas, Japans, Kanadas, Südkoreas, Russlands und der USA als ISA tätig.

9.1 Declaration of no-search bei Verzicht auf eine ergänzende Recherche

63 Im Hinblick auf Art 157 EPÜ stehen ein ISR und ein »declaration of no-search« einander gleich (Rdn 8 ff). Beide treten an die Stelle des europäischen

---

16 ABl 1979, 4, in der in ABl 1979, 50 und ABl 2005, 546 berichtigten Fassung.
17 Mitteilung des EPA vom 28.10.2005, ABl 2005, 577.
18 ABl 1979, 4 und 50; ABl 1979, 248; ABl 1995, 511; ABl 2005, 546.

Recherchenberichts. Für die Frage, ob eine ergänzende Recherche durchgeführt werden muss, spielt es daher keine Rolle, ob ein ISR erstellt oder eine entsprechende Erklärung abgegeben wurde. In den Fällen, in denen auf eine ergänzende Recherche verzichtet wird, wird die Anmeldung nach Vornahme der Formalprüfung direkt an die Prüfungsabteilung weitergeleitet. Hält diese die (evtl geänderte) Anmeldung entgegen einem vorhergehenden »declaration of no-search« für recherchierbar, so wird unter ihrer Verantwortung eine für den Anmelder kostenlose sogenannte zusätzliche Recherche durchgeführt (Rdn 36; Art 92 Rdn 28 ff).[19]

9.2 Verfahren mangels ISR und »declaration of no-search«

64 Wird eine internationale Anmeldung zurückgenommen oder gilt sie als zurückgenommen, bevor der ISR erstellt und veröffentlicht werden konnte, schließt dies eine Weiterverfolgung in der europäischen Phase vor dem EPA als Bestimmungsamt/ausgewähltem Amt nicht unbedingt aus. So zum Beispiel in dem Fall, dass die internationale Anmeldung (erst) nach vorzeitiger Einleitung der europäischen Phase – die Bearbeitung der Anmeldung muss begonnen haben (R 90bis.6 a) PCT) –, aber vor Erstellung des ISR zurückgenommen wurde (Art 153 Rdn 31 ff).

65 Außerdem kann ein Anmelder die Mängel, auf Grund deren die Anmeldung als zurückgenommen galt, behoben haben, soweit das Verfahren vor dem EPA als Bestimmungsamt/ausgewähltem Amt betroffen ist (Art 153 Rdn 45). Auch in derartigen Fällen muss dem Grundsatz entsprochen werden, dass bei Eintritt in die europäische Phase ein ergänzender europäischer Recherchenbericht zu erstellen ist, sofern hierauf nicht verzichtet wurde. Ein Verzicht gilt jedoch nur für Anmeldungen, für die ein ISR oder ein »declaration of no-search« vorliegt, der an die Stelle des europäischen Recherchenberichts treten kann.

10 Art 157 (3) b) – Ermäßigung der Gebühr für die ergänzende europäische Recherche

66 Nach Art 157 (3) b) EPÜ ist der Verwaltungsrat befugt, eine Ermäßigung der Gebühren für eine ergänzende europäische Recherche zu beschließen. Je nachdem, ob die internationale Recherche für eine Anmeldung von einer europäischen ISA (Rdn 67 ff) oder von einer außereuropäischen ISA (Rdn 70 ff) durchgeführt wurde, gelten jeweils unterschiedliche Ermäßigungen.

10.1 Europäische ISA

67 Von dem Fall abgesehen, dass das EPA als ISA tätig wird, wurden sämtliche Beschlüsse über den Verzicht auf einen europäischen Recherchenbericht durch

---

19 PrüfRichtl B-II, 4.2; B-VIII, 3.

Beschluss des Verwaltungsrats vom 10. Juni 2005 aufgehoben und an deren Stelle Gebührenermäßigungen beschlossen.[20] Der betreffende Beschluss ist am 1. Juli 2005 in Kraft getreten und soll bis 30. Juni 2008 wirksam bleiben.

68 Gemäß diesem Beschluss wird die Recherchengebühr um einen bestimmten Betrag herabgesetzt, wenn der ISR von dem österreichischen, schwedischen oder spanischen Patentamt in seiner Eigenschaft als ISA für eine *ab dem 1. Juli 2005* eingereichte Anmeldung erstellt wurde. Hierdurch haben sich die Kosten für Anmelder, die eines dieser Patentämter als ISA wählen, trotz Ermäßigung erhöht, da in diesen Fällen bislang auf eine ergänzende europäische Recherche ganz verzichtet wurde (Rdn 59 ff). Dieser Effekt wird jedoch dadurch kompensiert, dass bei vorheriger Erstellung eines ergänzenden europäischen Recherchenberichts eine geringere Prüfungsgebühr erhoben wird (Rdn 60).[21] Auf diese Weise hat der Beschluss vom 1. Juli 2005 für Anmelder, die sich für eine dieser europäischen ISA entscheiden, insgesamt nicht zu einer Gebührenerhöhung geführt. Auf Grund der allgemeinen Erhöhung der vom EPA festgesetzten Gebühren mit Wirkung vom 1. April 2006 mussten die beschlossenen Ermäßigungen um vorgegebene Beträge bereits 2006 angepasst werden.[22]

69 Eine Ermäßigung in gleicher Höhe kann in Anspruch genommen werden, wenn der ISR vom finnischen Patentamt als ISA für eine Anmeldung erstellt wurde, die ab dem *1. April 2005* eingereicht wurde.[23]

10.2 Außereuropäische ISA

70 Für *vor dem 1. Juli 2005* eingereichte Anmeldungen ermäßigt sich die Gebühr für die ergänzende Recherche dann, wenn der ISR von einer sogenannten außereuropäischen ISA erstellt wurde, in den meisten Fällen um 20 %.[24] Diese Ermäßigung wird gewährt, wenn die internationale Recherche vom nationalen Patentamt Australiens, Chinas, Japans, Südkoreas, Russlands oder der Vereinigten Staaten durchgeführt wurde.

71 Für *ab dem 1. Juli 2005* eingereichte Anmeldungen wurde diese 20%ige Ermäßigung in Anlehnung an das ab 1. April bzw 1. Juli 2005 für von einer europäischen ISA recherchierte Anmeldungen geltende System durch eine Ermäßigung um einen festen Betrag ersetzt (Rdn 67–69).[25] Eine Anpassung an die allgemeine Gebührenerhöhung mit Wirkung vom 1. April 2006 ist nicht erfolgt (Rdn 68).

---

20 ABl 2005, 422, berichtigt auf S 546.
21 ABl 2005, 5 und 435 III-2.
22 ABl 2006, 13; ABl 2006, 8.
23 ABl 2005, 5 und 435 III-1.
24 ABl 1979, 368; ABl 1981, 5; ABl 1994, 6; ABl 2000, 321.
25 Beschluss des Verwaltungsrats vom 27. Oktober 2005, ABl 2005, 548.

Unabhängig vom Tag der Einreichung der internationalen Anmeldung wird bei einem Tätigwerden des kanadischen Patentamts als ISA gegenwärtig keine Ermäßigung gewährt.

11 Art 157 (4) – Aufhebung von Beschlüssen über einen Verzicht oder eine Gebührenermäßigung

Nach Art 157 (4) EPÜ kann der Verwaltungsrat die oben erörterten, nach Art 157 (3) EPÜ gefassten Beschlüsse jederzeit rückgängig machen (Rdn 59 ff). Von dieser Befugnis hat der Verwaltungsrat zum Beispiel Gebrauch gemacht, um den für Anmeldungen, die vor dem 1. Juli 2005 eingereicht und vom österreichischen, schwedischen oder spanischen Patentamt als ISA recherchiert wurden, beschlossenen Verzicht auf die ergänzende Recherche aufzuheben (Rdn 61).[26]

EPÜ 2000
Art 157 (4) EPÜ wurde als entbehrlich gestrichen.

Artikel 158 Veröffentlichung der internationalen Anmeldung und ihre Übermittlung an das Europäische Patentamt

(1) Die Veröffentlichung einer internationalen Anmeldung nach Artikel 21 des Zusammenarbeitsvertrags, für die das Europäische Patentamt Bestimmungsamt ist, tritt vorbehaltlich Absatz 3 an die Stelle der Veröffentlichung der europäischen Patentanmeldung und wird im Europäischen Patentblatt bekannt gemacht. Eine solche Anmeldung gilt jedoch nicht als Stand der Technik nach Artikel 54 Absatz 3, wenn die in Absatz 2 genannten Voraussetzungen nicht erfüllt sind.

(2) Die internationale Anmeldung ist dem Europäischen Patentamt in einer seiner Amtssprachen zuzuleiten. Der Anmelder hat die nationale Gebühr nach Artikel 22 Absatz 1 oder Artikel 39 Absatz 1 des Zusammenarbeitsvertrags an das Europäische Patentamt zu entrichten.

(3) Ist die internationale Anmeldung in einer Sprache veröffentlicht, die nicht eine der Amtssprachen des Europäischen Patentamts ist, so veröffentlicht das Europäische Patentamt die ihm nach Absatz 2 zugeleitete internationale Anmeldung. Vorbehaltlich Artikel 67 Absatz 3 tritt der einstweilige Schutz nach Artikel 67 Absätze 1 und 2 erst von dem Tag dieser Veröffentlichung an ein.

---

26   ABl 2005, 422 und 546.

Artikel 158
Veröffentlichung der internationalen Anmeldung

Reinoud Hesper

Übersicht

1	Allgemeines	1-5
2	Art 158 (1) Satz 1 – Gleichsetzung von internationaler und europäischer Veröffentlichung	6-13
2.1	Internationale Veröffentlichung	9-13
3	Art 158 (1) Satz 2 – Wirkung als älteres Recht	14-20
4	Art 158 (2) Satz 1 – Übermittlung der Anmeldung und Entrichtung der nationalen Gebühr	21-26
5	R 107 (1) a) – Einreichung einer Übersetzung	27-38
5.1	Verfahrenssprache	29
5.2	In der Übersetzung einzureichende Unterlagen	30-33
5.3	Säumnisfolgen	34-38
6	Art 158 (2) Satz 2 – Zahlung der nationalen Gebühr	39-62
6.1	R 107 (1) c) – Nationale Grundgebühr	42-45
6.2	R 107 (1) d) – Benennungsgebühren	46-50
6.3	R 108 (2) und (3) – Nichtzahlung von Benennungsgebühren	51-58
6.4	R 108 (4) – Nachfrist für die Zahlung bei Verzicht auf eine Benachrichtigung	59-62
7	Erstreckungsgebühren	63-66
8	R 107 (1) f) – Stellung des Prüfungsantrags und Entrichtung der Prüfungsgebühr	67-86
8.1	Versäumung der Frist zur Stellung des Prüfungsantrags	75
8.2	Aufnahme der Prüfung	76-79
8.3	R 107 (2) – Ermäßigung der Prüfungsgebühr	80-86
9	R 107 (1) g) EPÜ – Jahresgebühr	87-91
10	R 107 (1) h) – Ausstellungsbescheinigung	92-93
11	R 110 – Anspruchsgebühren	94-99
12	R 111 – Weitere Erfordernisse für den Eintritt in die europäische Phase	100-112
12.1	R 111 (1) – Angaben zum Erfinder	102-103
12.2	R 111 (2) – Aktenzeichen und Abschrift des Prioritätsbelegs	104-111
12.3	R 111 (3) – Sequenzprotokolle	112
13	Art 158 (3) – Einstweiliger Schutz einer Euro-PCT-Anmeldung	113-120
14	Vertretung	121-127

1 Einleitung

1 Art 158 EPÜ enthält unterschiedliche Bestimmungen. In Absatz 1 ist der Grundsatz der Gleichsetzung einer veröffentlichten internationalen Anmeldung, für die das EPA Bestimmungsamt ist (Euro-PCT-Anmeldung), mit einer veröffentlichten europäischen Patentanmeldung festgeschrieben. Dieser Grundsatz erfährt zwei wichtige Einschränkungen, die beide die *Wirkung* der veröffentlichten Euro-PCT-Anmeldung betreffen. Eine veröffentlichte Euro-PCT-Anmeldung unterscheidet sich von einer veröffentlichten europäischen Direktanmeldung nicht nur hinsichtlich ihrer Wirkung als älteres Recht gemäß Art 54 (3) EPÜ, sondern auch hinsichtlich der Voraussetzungen, die erfüllt sein müssen, damit der Anmeldung nach Art 67 (1) EPÜ einstweiliger Schutz zuteil wird. Wie nachstehend noch näher erörtert werden wird, hängen diese Unterschiede insbesondere mit der *Sprache der Veröffentlichung* der Euro-PCT-Anmeldung zusammen (Rdn 14, 113).

In Entsprechung zu den Art 22 und 39 PCT sieht Art 158 (2) EPÜ vor, dass 2 zwei grundlegende Erfordernisse erfüllt sein müssen, bevor mit der Bearbeitung der Euro-PCT-Anmeldung in der europäischen Phase begonnen werden kann. Zum einen muss die Anmeldung dem EPA in einer seiner Amtssprachen zugeleitet werden (Rdn 27 ff), und zum anderen muss die nationale Gebühr entrichtet werden (Rdn 39 ff). Wird diesen Erfordernissen nicht nachgekommen, so gilt die internationale Anmeldung nach den Vorschriften sowohl des PCT als auch des EPÜ hinsichtlich sämtlicher Bestimmungs- und Auswahlerklärungen für ein europäisches Patent als zurückgenommen (Art 24 (1) iii) und 39 (2) PCT). Nach Art 24 (2) und 39 (3) PCT kann das Recht des Bestimmungsamts für diesen Fall Heilungsmöglichkeiten vorsehen. Für das EPA als Bestimmungsamt/ausgewähltes Amt ist eine entsprechende Regelung in R 108 (3) EPÜ enthalten (Rdn 34 ff; 43 ff; 51 ff).

Alle weiteren Handlungen, die der Anmelder zur Einleitung der europä- 3 ischen Phase vollziehen muss, sind in Art 157 EPÜ sowie in den R 107 *ff* EPÜ festgesetzt. Auf diese weiteren beim Eintritt in die europäische Phase zu erfüllenden Erfordernisse wird nachfolgend nur insoweit eingegangen, als sie nicht bereits bei der Kommentierung von Art 157 EPÜ erörtert wurden.

Wurde eine Euro-PCT-Anmeldung vom IB nach Art 21 PCT in einer Spra- 4 che veröffentlicht, die nicht zu den EPA-Amtssprachen zählt, so veröffentlicht das EPA nach Art 158 (3) EPÜ eine Übersetzung in eine seiner Amtssprachen. Für eine solche Euro-PCT-Anmeldung tritt der einstweilige Schutz nach Art 158 (3) Satz 2 EPÜ erst mit dem Tag der (zweiten) Veröffentlichung durch das EPA ein (Rdn 113 ff).

Weitere Informationen zur Bearbeitung einer Euro-PCT-Anmeldung in der 5 europäischen Phase sind dem Formblatt 1200 (*Eintritt in die europäische Phase vor dem EPA (Bestimmungsamt oder ausgewähltes Amt)*) und dem zugehörigen Merkblatt zu entnehmen. Siehe auch den Euro-PCT-Leitfaden (Teil E) sowie den PCT-Leitfaden der WIPO (Bd II/B, EP).

EPÜ 2000

Dem Kommentar zum EPÜ 2000 liegt die Fassung des EPÜ 2000 und seiner 5.1 Ausführungsordnung (R 104–112 EPÜ 2000) *gemäß Beschluss des Verwal-*

tungsrats vom 12. Dezember 2002[1] zu Grunde. In diesem Zusammenhang ist jedoch anzumerken, dass bei Redaktionsschluss weitere Änderungen der R 104–112 EPÜ 2000 erwogen wurden und dass auch eine Neunummerierung der Regeln der Ausführungsordnung im Gespräch war. Auch wird darauf hingewiesen, dass nach dem EPÜ 2000 bei Versäumung der Fristen für die (in der Regel) beim Eintritt in die europäische Phase zu erfüllenden Handlungen wie zB Einreichung einer Übersetzung (Rdn 33 ff) und Stellung des Prüfungsantrags (Rdn 83 ff) durchwegs nur der Rechtsbehelf der Weiterbehandlung gemäß Art 121 EPÜ zur Verfügung steht. Die in R 108 (3) Satz 2 EPÜ vorgesehene Möglichkeit, bei nicht rechtzeitiger Einreichung der Übersetzung und/oder nicht rechtzeitiger Zahlung der in R 108 (1) EPÜ genannten Gebühren die versäumte Handlung innerhalb von zwei Monaten nach Zustellung einer entsprechenden Mitteilung gegen Zahlung einer Zuschlagsgebühr nachzuholen, entfällt im EPÜ 2000.

2 Art 158 (1) Satz 1 – Gleichsetzung von internationaler und europäischer Veröffentlichung

6 Nach Art 158 (1) Satz 1 EPÜ steht die Veröffentlichung einer internationalen Anmeldung, *für die das EPA Bestimmungsamt ist*, vorbehaltlich Absatz 3 der Veröffentlichung einer europäischen Anmeldung gleich. Die grundsätzliche Gleichsetzung beider Veröffentlichungen gilt somit nur insoweit, als es sich bei der internationalen Anmeldung um eine Euro-PCT-Anmeldung handelt (Art 150 Rdn 5). Seit Einführung des automatischen Bestimmungssystems ist diese Voraussetzung jedoch in der Regel für jede internationale Anmeldung erfüllt (Art 153 Rdn 22).

7 Darüber hinaus wird die Tragweite dieses Grundsatzes durch Art 158 EPÜ Absatz 3 eingeschränkt, wonach er nur für Euro-PCT-Anmeldungen gilt, die in einer EPA-Amtssprache veröffentlicht worden sind. Abschließend kann daher festgehalten werden, dass die internationale Veröffentlichung einer Euro-PCT-Anmeldung in deutscher, englischer oder französischer Sprache an die Stelle der europäischen Veröffentlichung tritt. Auf die internationale Veröffentlichung derartiger Anmeldungen wird dementsprechend im Europäischen Patentblatt hingewiesen.

EPÜ 2000

8 Die bisher in Art 158 (1) Satz 1 EPÜ enthaltene Regelung zur Wirkung der internationalen Veröffentlichung wurde im Kern in Art 153 (3) EPÜ 2000 übernommen, wonach die internationale Veröffentlichung einer Euro-PCT-Anmeldung in einer Amtssprache des EPA an die Stelle der Veröffentlichung einer europäischen Direktanmeldung tritt. Der Inhalt des bisherigen Art 158 (3) EPÜ findet sich nunmehr in Art 153 (4) EPÜ 2000.

---

1   ABl Sonderausgabe Nr 1, 74 ff.

2.1 Internationale Veröffentlichung

Die internationale Anmeldung wird vom IB gewöhnlich zusammen mit dem ISR sofort nach Ablauf von 18 Monaten seit dem Prioritätstag oder dem Anmeldetag der internationalen Anmeldung veröffentlicht (Art 21 PCT).

Die Veröffentlichung der internationalen Anmeldung erfolgt in elektronischer Form (R 48 PCT). Veröffentlicht werden der Text und die Zeichnungen der internationalen Anmeldung, nach Art 19 PCT geänderte Ansprüche, der ISR, Erklärungen nach R 4.17 PCT sowie das Sequenzprotokoll als Teil der Beschreibung. Ebenso wie bei einer ungeprüften europäischen Patentanmeldung umfasst die internationale Veröffentlichungsschrift einer PCT-Anmeldung eine genormte erste Seite mit den bibliographischen Angaben, der Zusammenfassung und der wichtigsten Zeichnung. Auf die Veröffentlichung der internationalen Anmeldung wird in dem am gleichen Tag in elektronischer Form veröffentlichten *PCT-Blatt* hingewiesen (R 86 PCT).

Eine in einer der Veröffentlichungssprachen Arabisch, Chinesisch, Deutsch, Englisch, Französisch, Japanisch, Russisch oder Spanisch eingereichte internationale Anmeldung wird in dieser Sprache veröffentlicht. Eine Anmeldung, die in einer anderen Sprache eingereicht wurde und für die nach R 12.3 oder 12.4 PCT eine Übersetzung in eine der Veröffentlichungssprachen eingereicht werden musste, wird in der Übersetzung veröffentlicht (R 12.3, 2.4 sowie 48.3 a) und b) PCT).

Ist die internationale Veröffentlichung der Anmeldung nicht in englischer Sprache, sondern in einer der sieben anderen Veröffentlichungssprachen erfolgt, so wird zusätzlich eine unter der Verantwortung des IB angefertigte englische Übersetzung der Bezeichnung der Erfindung, der Zusammenfassung und des ISR veröffentlicht (R 48.3 c) PCT). Die Veröffentlichung dieser englischen Kurzfassung stellt keine Veröffentlichung im Sinne von Art 158 (3) EPÜ dar (Rdn 113 ff).

Weitere Einzelheiten zur internationalen Veröffentlichung sind den R 48 und 86 PCT sowie den PCT-Verwaltungsvorschriften zu entnehmen.

3 Art 158 (1) Satz 2 – Wirkung als älteres Recht

Nach Art 54 (3) EPÜ umfasst der Stand der Technik auch den Inhalt älterer europäischer Patentanmeldungen, die nach dem Anmeldetag der zu prüfenden europäischen Patentanmeldung veröffentlicht worden sind (Art 54 Rdn 76 ff). Einer veröffentlichten Euro-PCT-Anmeldung wird nach Art 158 (1) Satz 2 EPÜ der Status als älteres Recht nach Art 54 (3) EPÜ jedoch nur unter der Voraussetzung zuerkannt, dass die (Mindest)Voraussetzungen für den Eintritt in die europäische Phase nach Art 158 (2) EPÜ iVm Art 22 oder 39 PCT erfüllt sind.

Artikel 158 — *Veröffentlichung der internationalen Anmeldung*

15 Wie nachfolgend noch näher dargelegt wird, setzt der Eintritt in die europäische Phase nach Art 158 (2) EPÜ iVm Art 158 (3) und R 107 (1) a) EPÜ voraus, dass dem EPA eine Übersetzung der Anmeldung in eine seiner Amtssprachen zugeleitet wird, falls die betreffende internationale Anmeldung in einer Nichtamtssprache veröffentlicht wurde. Des Weiteren muss nach Art 158 (2) EPÜ iVm den R 106 und 107 (1) c) und d) EPÜ die nationale Gebühr entrichtet werden (Rdn 39 ff).

16 Daraus folgt, dass eine Euro-PCT-Anmeldung gegenüber später eingereichten europäischen Patentanmeldungen den Status als älteres Recht gemäß Art 54 (3) EPÜ *mit der Zahlung der nationalen Gebühr* erwirbt, wenn sie *in einer EPA-Amtssprache* veröffentlicht wurde – und somit beim EPA als Bestimmungsamt keine Übersetzung eingereicht werden muss. Eine Euro-PCT-Anmeldung, die *vom IB in einer anderen Sprache als Deutsch, Englisch oder Französisch veröffentlicht wurde*, erlangt den Status als älteres Recht nach Art 54 (3) EPÜ hingegen erst mit der *Einreichung der Übersetzung der internationalen Anmeldung beim EPA und der Entrichtung der nationalen Gebühr.*

17 Die Beschränkung der Wirkung einer Euro-PCT-Anmeldung als älteres Recht durch Art 54 (3) EPÜ in Art 158 (1) EPÜ bewegt sich im Rahmen des Art 27 (5) PCT, der es dem nationalen Recht anheimstellt, die materiellen Voraussetzungen der Patentierbarkeit festzulegen.

18 Die Wirkung einer Euro-PCT-Anmeldung als älteres Recht gegenüber später eingereichten europäischen Direktanmeldungen setzt nach Art 54 (4) EPÜ voraus, dass in beiden Anmeldungen dieselben Staaten benannt (bestimmt) sind. Nach Art 54 (4) EPÜ iVm Art 158 (1) und (2) EPÜ gilt dies auch gegenüber jüngeren Euro-PCT-Anmeldungen. Im EPÜ 2000 wurde Art 54 (4) EPÜ nicht beibehalten (Art 54 Rdn 79).

EPÜ 2000

19 Nach Art 153 (5) EPÜ 2000 gilt eine Euro-PCT-Anmeldung mit der internationalen Veröffentlichung in einer EPA-Amtssprache (Art 153 (3) EPÜ 2000) bzw mit der Veröffentlichung einer Übersetzung in die deutsche, englische oder französische Sprache nach Eintritt in die europäische Phase (Art 153 (4) EPÜ 2000) als Stand der Technik gemäß Art 54 (3) EPÜ.

20 Darüber hinaus müssen nach Art 153 (5) EPÜ 2000 für den Eintritt der Wirkung einer Euro-PCT-Anmeldung als älteres Recht weitere, in der Ausführungsordnung festzulegende Erfordernisse erfüllt sein. Angesichts der Tatsache, dass eine materiellrechtliche Änderung nicht beabsichtigt war, kann davon ausgegangen werden, dass im Sinne eines effizienten Verfahrensablaufs als weiteres Erfordernis lediglich die vorschriftsmäßige Entrichtung der Anmeldegebühr verlangt werden wird, da die bislang in R 106 EPÜ vorgesehene nationale Gebühr im EPÜ 2000 entfällt (Rdn 41).

4 Art 158 (2) Satz 1 – Übermittlung der Anmeldung und Entrichtung der nationalen Gebühr

Nach Art 22 (1) und 39 (1) PCT *kann* jedes Bestimmungsamt/ausgewähltes 21
Amt vom Anmelder die Übermittlung einer Übersetzung und die Zahlung einer nationalen Gebühr verlangen. Ferner sehen beide Vorschriften vor, dass der Anmelder diesem Amt ein Exemplar der internationalen Anmeldung zukommen lassen *muss*, wenn die Übermittlung durch das IB nach Art 20 PCT noch nicht erfolgt ist. Art 158 (2) EPÜ, wonach die nationale Gebühr zu entrichten und die internationale Anmeldung »dem Europäischen Patentamt in einer seiner Amtssprache zuzuleiten« ist, entspricht der Umsetzung dieser Erfordernisse auf der Ebene des EPÜ.

Mit dem zuletzt genannten Erfordernis wird sowohl die Pflicht zur Übermittlung eines Exemplars der Anmeldung als auch die Pflicht zur Einreichung einer Übersetzung umgesetzt. Wie noch darzulegen sein wird, bedeutet das in der Praxis, dass ein Anmelder bei Eintritt in die europäische Phase nur dann eine Übersetzung einreichen muss, wenn die Euro-PCT-Anmeldung vom IB nicht in einer EPA-Amtssprache veröffentlicht wurde; darüber hinaus müssen dem EPA keine Exemplare der Anmeldung übermittelt werden. 22

Da das EPA hierauf nicht verzichtet hat, leitet ihm das IB nach Art 20 (1) a) 23
PCT zusammen mit dem ISR ein Exemplar der internationalen Anmeldung zu (Art 153 Rdn 37).[2] Nach R 47 (1) a) PCT werden diese Unterlagen dem EPA in der Sprache übermittelt, in der die Anmeldung veröffentlicht wurde (R 47.3 a) PCT).

Das EPA hat dem IB außerdem nach R 49.1 a-bis) PCT mitgeteilt, für den 24
Fall, dass ihm das IB bei Ablauf der Frist nach Art 22 PCT noch kein Exemplar der internationalen Anmeldung hat zukommen lassen, gemäß R 47 PCT auf deren Übermittlung durch den Anmelder zu verzichten.

Wurde eine Euro-PCT-Anmeldung *in einer EPA-Amtssprache veröffentlicht*, 25
muss der Anmelder nach Art 158 (2) EPÜ daher nichts unternehmen, um das EPA in den Besitz eines Exemplars der Anmeldung in einer seiner Amtssprachen gelangen zu lassen, da dies bereits durch die Übermittlung nach Art 20 PCT iVm R 49.1 a-bis) PCT gewährleistet wird. Ein Anmelder muss folglich nur dann eine *Übersetzung der Anmeldung in einer EPA-Amtssprache einreichen,* wenn die internationale Anmeldung vom IB in einer Nicht-Amtssprache veröffentlicht wurde (R 49.2 PCT; Prüfungsrichtlinien E-IX, 5.3). Eine Übersetzung muss gegenwärtig für Euro-PCT-Anmeldungen eingereicht werden, die vom IB auf Arabisch, Chinesisch, Japanisch, Russisch oder Spanisch veröffentlicht wurden. In welche der drei Amtssprachen des EPA er die Anmeldung übersetzen lässt, bleibt hierbei dem Anmelder überlassen (R 49.2 Satz 2 PCT).

---

2 PCT-Leitfaden der WIPO Bd II/B, EP S. 3.

EPÜ 2000

26 Die bislang in Art 158 (2) Satz 1 EPÜ festgeschriebene Verpflichtung, die Anmeldung dem EPA in einer seiner Amtssprachen zuzuleiten, wurde nicht beibehalten, da R 107 (1) a) EPÜ, wonach beim EPA gegebenenfalls eine Übersetzung einzureichen ist, als ausreichend angesehen wurde.

5 R 107 (1) a) – Einreichung einer Übersetzung

27 Muss dem EPA als Bestimmungsamt/ausgewähltem Amt gemäß Art 158 (2) EPÜ eine Übersetzung zugeleitet werden, so hat dies nach R 107 (1) a) EPÜ innerhalb der Einheitsfrist von 31 Monaten nach dem Prioritätstag zu erfolgen (Art 150 Rdn 27). Art 14 (2) EPÜ, wonach ein Anmelder eine *europäische Direktanmeldung* in jeder Amtssprache eines EPÜ-Vertragsstaats einreichen kann, in dem er Sitz oder Wohnsitz hat oder dessen Staatsangehöriger er ist, kann nicht auf die Übermittlung der Anmeldung zu Beginn der europäischen Phase übertragen werden. Selbst wenn man davon ausginge, dass die Einleitung der europäischen Phase mit der Einreichung einer Anmeldung vergleichbar ist, gilt Art 158 (2) EPÜ – in Verbindung mit den R 107 (1) a) und 108 EPÜ – hier als besondere und abschließende Regelung (lex specialis).

28 Die Übersetzung, die vom EPA übrigens nicht überprüft wird, bildet die Grundlage des Patenterteilungsverfahrens vor dem EPA. Die Berichtigung von Übersetzungsfehlern ist entsprechend der für europäische Patentanmeldungen geltenden Praxis zulässig (Art 150 (2) und 14 (2) letzter Satz EPÜ).[3] Das Recht, die Übersetzung zu berichtigen, ist somit ein eigenständiges Recht, das vom Recht, die Anmeldung zu ändern, zu unterscheiden ist.

5.1 Verfahrenssprache

29 Ist die internationale Veröffentlichung in einer der drei Amtssprachen des EPA erfolgt (Art 14 (1) EPÜ), so ist diese Sprache damit vor dem EPA als Verfahrenssprache festgelegt, die im anschließenden europäischen Verfahren beibehalten werden muss (Art 14 (3) und R 1 (2) PCT). Ist der Anmelder verpflichtet, eine Übersetzung einzureichen, so ist die von ihm hierfür gewählte Sprache vor dem EPA Verfahrenssprache. Der Anmelder kann sich jedoch im schriftlichen Verfahren vor dem EPA jeder der Amtssprachen des EPA bedienen (R 1 (1) EPÜ). Änderungen der Anmeldung sind aber stets in der Verfahrenssprache einzureichen (R 1 (2) EPÜ).

5.2 In der Übersetzung einzureichende Unterlagen

30 Wird das EPA als Bestimmungsamt tätig, sind folgende Unterlagen immer zu übersetzen:

---

3 Leitfaden der WIPO Bd II/B, EP S. 7 und Bd II, Nationale Phase Nr 57.

- die Beschreibung, die Ansprüche (in der ursprünglich eingereichten Fassung), Textbestandteile von Zeichnungen und die Zusammenfassung (R 49.5 PCT); das EPA verlangt keine Übersetzung des PCT-Antrags (R 49.5 a) i) PCT;[4]
- ggf im Verfahren vor dem IB nach Art 19 PCT eingereichte Änderungen der Ansprüche sowie die nach dieser Vorschrift dem IB gegenüber abzugebende Erklärung zur Erläuterung der Änderungen und ihrer Auswirkungen auf die Beschreibung und die Zeichnungen, jedoch nur, wenn diese Änderungen dem Verfahren in der europäischen Phase zu Grunde gelegt werden sollen;
- ggf nach R 91.1 f) PCT veröffentlichte Berichtigungsanträge;
- ggf gesondert eingereichte Bezugnahmen auf hinterlegtes biologisches Material (R 13bis.3 und .4 PCT).

Ein in der Anmeldung enthaltenes Sequenzprotokoll, das den Vorschriften von Anhang C zu den PCT-Verwaltungsvorschriften entspricht, muss nicht übersetzt werden, sofern der darin enthaltene freie Text auch im Hauptteil der Beschreibung erscheint (R 5.2 b) iVm R 13ter.2 PCT). **31**

Wenn das EPA als *ausgewähltes Amt* tätig wird, muss der Anmelder diesem neben den Übersetzungen, die er ihm als Bestimmungsamt zukommen lassen muss, auch eine Übersetzung sämtlicher Anlagen zum IPER übermitteln (Art 36 (2) b) und (3) b) PCT; R 74 PCT). Dies gilt auch dann, wenn der Anmelder diese Anlagen dem Verfahren in der europäischen Phase nicht zu Grunde legen will.[5] Versäumt es der Anmelder, fristgerecht eine Übersetzung sämtlicher Anlagen des IPER einzureichen, so wird er aufgefordert, dies innerhalb einer angemessenen Frist nachzuholen. Kommt er dieser Aufforderung nicht nach, gilt die Euro-PCT-Anmeldung als zurückgenommen.[6] **32**

Wurden beim IB Änderungen und eine Erklärung nach Art 19 PCT eingereicht und sind diese dem IPER nicht als Anlage beigefügt, so besteht keine Verpflichtung zur Einreichung einer Übersetzung dieser Unterlagen (R 76.5 iv) PCT). Der Anmelder darf jedoch nicht vergessen, die Änderungen und die Erklärung, mit der die Änderungen erläutert werden, auch in der Übersetzung beizufügen, wenn diese Änderungen dem Verfahren in der europäischen Phase zu Grunde gelegt werden sollen. **33**

5.3 Säumnisfolgen

Die internationale Anmeldung gilt als zurückgenommen und ihre Wirkung als europäische Patentanmeldung nach Art 11 (3) PCT endet, wenn der Anmelder **34**

---

4   Euro-PCT-Leitfaden Nr 202.
5   Euro-PCT-Leitfaden Nr 204.
6   Euro-PCT-Leitfaden Nr 206.

soweit erforderlich nicht innerhalb der 31-Monatsfrist eine vollständige Übersetzung der beim EPA ursprünglich eingereichten Fassung der Anmeldung einreicht. Dies ergibt sich aus R 108 (1) EPÜ iVm Art 24 (1) iii) PCT (EPA als Bestimmungsamt) bzw Art 39 (2) PCT (EPA als ausgewähltes Amt). Der Anmelder wird hierauf in einer Mitteilung hingewiesen, in der er auch darüber belehrt wird, dass der Rechtsverlust als nicht eingetreten gilt, wenn die Übersetzung unter Entrichtung einer Zuschlagsgebühr innerhalb von zwei Monaten nachgereicht wird (R 69 (1) und R 108 (3) EPÜ, Art 2 Nr 3c GebO).[7]

35 Hat der Anmelder die Ansprüche der internationalen Anmeldung nach Art 19 PCT geändert und reicht er beim EPA entweder nur eine Übersetzung der ursprünglich eingereichten Fassung oder nur eine Übersetzung der geänderten Fassung ein, so fordert ihn das EPA auf, die fehlende Übersetzung innerhalb einer angemessenen Frist nachzureichen (R 49.5 a) ii) und c-bis) PCT). Liegt dem EPA nach Ablauf dieser Frist nur die Übersetzung (eines Teils) der Anmeldung in der geänderten Fassung vor, nicht aber die (vollständige) Übersetzung der ursprünglich eingereichten Anmeldung, so gilt die Anmeldung nach Art 108 (1) EPÜ als zurückgenommen. Fehlt hingegen nur die Übersetzung der geänderten Anmeldung, so bleiben die betreffenden Änderungen unberücksichtigt (R 49.5 c-bis) letzter Satz PCT).

36 Wird nur die Übersetzung *eines Teils* der Anlagen des IPER nicht fristgerecht eingereicht, so wird der Anmelder nach ständiger Praxis des EPA aufgefordert, die fehlenden Übersetzungen innerhalb einer angemessenen Frist nachzureichen. Erst wenn er dieser Aufforderung nicht Folge leistet, ergeht eine Mitteilung, wonach seine Anmeldung als zurückgenommen gilt.[8]

37 Wenn nicht klar ist, ob die Übersetzung sich auf die eingereichte oder auf die geänderte Fassung der internationalen Anmeldung bezieht, fordert das EPA den Anmelder ebenfalls zur Klarstellung auf, bevor es eine Mitteilung nach R 108 EPÜ erlässt.

38 Eine Wiedereinsetzung nach Art 122 EPÜ in die in R 108 (3) EPÜ vorgesehene Nachfrist ist grundsätzlich möglich. Dazu muss der Anmelder nachweisen, dass er trotz Beachtung aller nach den gegebenen Umständen gebotenen Sorgfalt daran gehindert war, die Übersetzung fristgerecht einzureichen.[9] Ein Anmelder darf sich in diesem Zusammenhang nicht darauf verlassen, von der für die Durchführung des Verfahrens zuständigen EPA-Dienststelle als Serviceleistung einen entsprechenden Hinweis zu erhalten.[10]

---

7   ABl 2001, 588.
8   Euro-PCT-Leitfaden Nr 206.
9   **J 32/90** vom 10.7.1992.
10 **J 12/84**, ABl 1985, 108; **J 23/87** vom 9. November 1987.

6 Art 158 (2) Satz 2 – Zahlung der nationalen Gebühr

In Art 158 (2) Satz 2 EPÜ iVm den Regeln 106 und 107 (1) c) und d) EPÜ wird 39
von der in den Art 22 (1) und 39 (1) a) PCT ausdrücklich vorgesehenen Möglichkeit Gebrauch gemacht, zugunsten des EPA als Bestimmungsamt/ausgewähltes Amt eine *nationale Gebühr* zu erheben.

Die nationale Gebühr ist in R 106 EPÜ definiert; sie setzt sich zusammen aus 40
einer nationalen Grundgebühr, die der Anmeldegebühr nach Art 78 (2) EPÜ entspricht, und den Benennungsgebühren nach Art 79 (2) EPÜ. Die Frist zur Zahlung beider Gebühren ist in R 107 (1) c) und d) EPÜ festgelegt; in Art 2 Nrn 2 und 3 GebO wird sie ihrer Höhe nach bestimmt.

EPÜ 2000

R 106 EPÜ, in der der Begriff »nationale Gebühr« definiert wird, wurde im 41
Anschluss an die Streichung von Art 158 (2) EPÜ im EPÜ 2000 ebenfalls aufgehoben. R 107 (1) c) und d) EPÜ, wonach bei Eintritt in die europäische Phase die Anmeldegebühr und die Benennungsgebühr(en) zu entrichten sind, wurde insofern als ausreichend erachtet.

6.1 R 107 (1) c) – Nationale Grundgebühr

Nach R 107 (1) c) EPÜ ist die nationale Grundgebühr innerhalb von 31 Mona- 42
ten nach dem Anmeldetag oder, wenn eine Priorität in Anspruch genommen worden ist, nach dem (frühesten) Prioritätstag zu entrichten. Wird das Formblatt 1200 online eingereicht, so ermäßigt sich diese Gebühr, die der Höhe nach der europäischen Anmeldegebühr entspricht, unter denselben Voraussetzungen wie im Falle der Online-Einreichung einer europäischen Patentanmeldung (Art 78 Rdn 19).

Bei nicht fristgerechter Zahlung der nationalen Grundgebühr gilt die Anmel- 43
dung als zurückgenommen, und dem Anmelder wird nach R 69 (1) EPÜ eine entsprechende Mitteilung zugestellt (R 108 (1) und (3) EPÜ). Die Anmeldung entfaltet dementsprechend keine Wirkung als älteres Recht (Rdn 14 ff). Der Rechtsverlust gilt jedoch als nicht eingetreten, wenn innerhalb von zwei Monaten nach Zustellung der Mitteilung die versäumte Zahlung nachgeholt und eine Zuschlagsgebühr entrichtet wird (R 108 (3) EPÜ; Art 2 Nr 3c GebO).[11]

Da die Anmeldung mit Ablauf der Frist nach R 107 (1) EPÜ als zurückge- 44
nommen gilt – und nicht mit Ablauf der zweimonatigen Nachfrist nach R 108 (3) EPÜ –, wird der Rechtsverlust rückwirkend geheilt.[12]

Der Rechtsprechung zufolge ist die Frist zur Zahlung der nationalen Grund- 45
gebühr von der Wiedereinsetzung nach Art 122 EPÜ ausgenommen.[13] Darüber hinaus ist auch eine Wiedereinsetzung in die Zahlungsfrist nach R 49.6 a)

---

11 ABl 2001, 588.
12 **G 4/98** ABl 2001, 131.
13 **G 3/91**, ABl 1993, 8.

PCT ausgeschlossen, da das EPA nach R 49.6 f) PCT einen entsprechenden Vorbehalt angemeldet hat (Vor Art 150–158 Rdn 71).

6.2 R 107 (1) d) – Benennungsgebühren

46 Durch Zahlung der Benennungsgebühren in der europäischen Phase entscheidet der Anmelder endgültig, für welche der EPÜ-Vertragsstaaten er auf der Grundlage seiner Euro-PCT-Anmeldung ein europäisches Patent erwerben möchte. Wie weiter oben dargelegt wurde, ist das EPA mit der Einreichung des PCT-Antrags automatisch Bestimmungsamt für ein europäisches Patent für jeden EPÜ-Vertragsstaat (Art 153 Rdn 27 ff). Daher hat ein Anmelder in der Regel die Möglichkeit, bei Eintritt in die europäische Phase wirksam eine Benennungsgebühr für jeden EPÜ-Vertragsstaat zu entrichten. Eine Ausnahme hiervon gilt zum einen, wenn die Bestimmung von einigen oder sämtlichen EPÜ-Vertragsstaaten im Hinblick auf die Erlangung eines europäischen Patents (Bestimmung »EP«) zurückgenommen wurde, und zum anderen, wenn der EPÜ-Mitgliedsstaat am internationalen Anmeldetag noch nicht Vertragsstaat sowohl des PCT als auch des EPÜ war (Art 153 Rdn 15).

47 Für die Benennung von EPÜ-Vertragsstaaten bei Eintritt in die europäische Phase gelten dieselben Regeln wie für europäische Direktanmeldungen (Art 79 Rdn 13 ff; 32 ff): Der Anmelder muss für jeden EPÜ-Vertragsstaat, für den er um Patentschutz nachsucht, eine Benennungsgebühr entrichten. Für die gemeinsame Benennung Liechtensteins und der Schweiz fällt nur eine einzige Benennungsgebühr an. Mit der Zahlung des siebenfachen Betrags einer Benennungsgebühr gelten die Benennungsgebühren für alle (benannten) EPÜ-Vertragsstaaten als entrichtet.

48 Werden weniger als sieben Benennungsgebühren entrichtet, so muss der Anmelder angeben, für welche Staaten er die Zahlung vornimmt. Die betreffenden Staaten können in Feld 10.2 des Formblatts 1200 eingetragen werden. Besinnt sich der Anmeldern nachträglich anders, muss er dies dem EPA spätestens bei Vornahme der Zahlung mitteilen.[14]

49 Nach R 107 (1) d) EPÜ muss der Anmelder die Benennungsgebühren innerhalb der 31-Monatsfrist entrichten, wenn die Frist nach Art 79 (2) EPÜ früher abläuft. Da der ISR an die Stelle des europäischen Recherchenberichts und des Hinweises auf dessen Veröffentlichung im Europäischen Patentblatt tritt, beginnt die Sechsmonatsfrist am Tag der Veröffentlichung des ISR zu laufen. Mit anderen Worten kann ein Anmelder die Benennungsgebühren entweder innerhalb von 31 Monaten nach dem Anmeldetag bzw dem (frühesten) Prioritätstag oder innerhalb von sechs Monaten nach der Veröffentlichung des ISR wirksam entrichten, je nachdem, welche Frist später abläuft (Art 157 Rdn 13–14).[15] In

---

14 Euro-PCT-Leitfaden Nr 217.
15 Euro-PCT-Leitfaden Nr 218.

der Praxis endet die Sechsmonatsfrist nach Art 79 (2) EPÜ – iVm Art 157 (1) EPÜ – jedoch nur dann nach Ablauf der 31-Monatsfrist für den Eintritt in die europäische Phase, wenn die internationale Veröffentlichung des ISR sich extrem verzögert hat. Daher müssen die Benennungsgebühren in der Regel innerhalb der 31-Monatsfrist entrichtet werden.

Zu beachten ist ferner, dass weder die Erstellung eines *ergänzenden* europäischen Recherchenberichts nach Art 157 (1) EPÜ noch die Veröffentlichung der *Übersetzung* der Euro-PCT-Anmeldung nach Art 158 (3) EPÜ sich in irgendeiner Weise auf die Berechnung der Sechsmonatsfrist nach Art 79 (2) EPÜ auswirkt.

6.3 R 108 (2) und (3) – Nichtzahlung von Benennungsgebühren

Die *Benennung* eines EPÜ-Vertragsstaats, für den die Benennungsgebühr nicht rechtzeitig entrichtet worden ist, gilt als zurückgenommen (R 108 (2) EPÜ). Werden überhaupt keine Benennungsgebühren entrichtet, so hat dies dieselbe Folge wie die Nichtzahlung der nationalen Grundgebühr: Die *Anmeldung* gilt als zurückgenommen.

Nach R 108 (3) EPÜ wird der Anmelder *in der Regel* benachrichtigt, wenn eine Benennung mangels rechtzeitiger Zahlung der Benennungsgebühr für den betreffenden EPÜ-Vertragsstaat als zurückgenommen gilt. In derselben Mitteilung wird er außerdem darauf hingewiesen, dass der Rechtsverlust nach R 108 (3) EPÜ als *nicht eingetreten* gilt, wenn er die Gebühr(en) nebst Zuschlagsgebühr innerhalb von zwei Monaten nach Zustellung der Mitteilung entrichtet (R 108 (3) EPÜ; Art 2 Nr 3c GebO).[16] Da die Anmeldung mit Ablauf der Frist nach R 107 (1) d) EPÜ als zurückgenommen gilt – und nicht mit Ablauf der zweimonatigen Nachfrist nach R 108 (3) EPÜ –, wird der Rechtsverlust rückwirkend geheilt.[17]

Wie nachfolgend noch näher dargelegt wird, ergeben sich Ausnahmen von der Regel, dass der Anmelder auf jede Benennung hingewiesen wird, die wegen nicht rechtzeitiger Zahlung der Benennungsgebühr als zurückgenommen gilt, aus der vorgedruckten Erklärung in Abschnitt 10.2 des Formblatts 1200, wonach der Anmelder gegenüber dem EPA unter bestimmten Umständen auf eine entsprechende Mitteilung verzichtet.

Hat der Anmelder bei Eintritt in die europäische Phase seine Absicht bekundet, den siebenfachen Betrag der Benennungsgebühr zu entrichten (Abschnitt 10.1 des EPA Formblatts 1200), so wird ihm bei versäumter Zahlung immer eine Mitteilung nach R 108 (3) EPÜ zugehen. Hat er in Abschnitt 10.2 angegeben, weniger als den siebenfachen Betrag der Benennungsgebühr zahlen zu wollen, und dementsprechend in Abschnitt 10.2 des Formblatts 1200 bis zu

---

16 ABl 2001, 588.
17 **G 4/98**, ABl 2001, 131.

sechs Staaten eingetragen, so erhält er eine Mitteilung, wenn die Gebühr für einen dieser Staaten nicht rechtzeitig entrichtet wurde.

55 Abschnitt 10.2 enthält außerdem eine vorgedruckte Erklärung, wonach der Anmelder für alle EPÜ-Vertragsstaaten, die er *nicht in Abschnitt 10.2 angegeben* hat, auf die Zustellung einer Mitteilung nach R 108 (3) EPÜ verzichtet. In der neuesten Fassung des Formblatts ist diese Erklärung *nicht* mehr vorab angekreuzt.[18]

56 Abschließend kann festgehalten werden, dass ein Anmelder, der Abschnitt 10.2 des Formblatts 1200 ausgefüllt hat, in zwei Fällen eine Mitteilung erhalten wird: erstens dann, wenn weniger Benennungsgebühren entrichtet werden als in Abschnitt 10.2 Staaten angegeben sind; und zweitens dann, wenn die Anzahl der entrichteten Benennungsgebühren zwar der Anzahl der in diesem Abschnitt angegebenen Staaten entspricht, die Zahlung aber ausdrücklich für darin nicht genannte Staaten erfolgt ist. In letzterem Fall wurde für mindestens einen der vom Anmelder in Abschnitt 10.2 angegebenen Staaten keine Benennungsgebühr entrichtet, und da die Verzichtserklärung sich nur auf die in Abschnitt 10.2 *nicht angegebenen* Staaten bezieht, muss dem Anmelder eine entsprechende Mitteilung zugehen.

57 Ergeht keine Mitteilung nach R 108 (3) EPÜ, weil der Anmelder dem EPA gegenüber hierauf verzichtet hat, so kann die in dieser Vorschrift vorgesehene zweimonatige Nachfrist zur Nachentrichtung der Benennungsgebühr(en) nicht eingreifen. Eine auf derartige Fälle anwendbare besondere Bestimmung ist jedoch in R 108 (4) EPÜ enthalten (Rdn 59 ff).

58 Unabhängig davon, ob auf eine Mitteilung verzichtet wurde oder nicht, ist eine Wiedereinsetzung nach Art 122 EPÜ in die Frist zur Entrichtung der Benennungsgebühren nach der Rechtsprechung ausgeschlossen (Art 122 (5) EPÜ).[19] Eine Wiedereinsetzung in die Zahlungsfrist gemäß R 49.6 a) PCT ist ebenfalls nicht möglich, da das EPA nach R 49.6 f) PCT einen entsprechenden Vorbehalt angemeldet hat (Vor Art 150–158 Rdn 71).

6.4 R 108 (4) – Nachfrist für die Zahlung bei Verzicht auf eine Benachrichtigung

59 Ganz unabhängig davon, welche Angaben in Abschnitt 10.2 gemacht wurden, kann der Anmelder für jeden in der internationalen Anmeldung wirksam bestimmten EPÜ-Vertragsstaat innerhalb der Frist nach R 107 (1) d) EPÜ Benennungsgebühren entrichten (Art 153 Rdn 2 ff). Das bedeutet, dass er Benennungsgebühren auch für Staaten entrichten kann, die nicht in Abschnitt 10.2 angegeben wurden und für die somit gegenüber dem EPA auf eine Benachrichtigung für den Fall der unterbliebenen Zahlung verzichtet wurde.

---

18   ABl 2006, 447.
19   **G 3/91**, ABl 1993, 8.

Ferner kann der Anmelder innerhalb einer nicht verlängerbaren Frist von zwei Monaten nach Ablauf der Grundfrist gemäß R 107 (1) d) EPÜ die Benennungsgebühr für jede Benennung nachentrichten, für die er gegenüber dem EPA auf eine Benachrichtigung gemäß R 108 (3) EPÜ verzichtet hat. Die Zahlung ist nur wirksam, wenn innerhalb der Nachfrist auch ein Zuschlag gezahlt wird. Bei der Frist nach R 108 (4) EPÜ handelt es sich ebenso wie bei der Frist nach R 85a (2) EPÜ um eine zusammengesetzte Frist (Art 120 Rdn 22–33). 60

R 108 (4) EPÜ ist am 1. April 2005 in Kraft getreten und gilt für alle Euro-PCT-Anmeldungen, für die an diesem Stichtag noch nicht alle Benennungsgebühren wirksam entrichtet waren und für die die Nachfrist nach R 108 (4) EPÜ noch nicht abgelaufen war.[20] Mit dieser Verlängerung der Frist zur Entrichtung der Benennungsgebühren wird der Anmelder rechtlich einem Anmelder gleichgestellt, der eine europäische Direktanmeldung eingereicht hat und dem R 85a (2) EPÜ eine entsprechende Nachfrist einräumt. Insofern lag nämlich seit Inkrafttreten von R 108 EPÜ am 2. Januar 2002 als für Euro-PCT-Anmeldungen geltende lex specialis zu R 85a EPÜ eine Ungleichbehandlung vor, da R 85a EPÜ somit auf diese Anmeldungen nicht mehr anwendbar war. 61

EPÜ 2000

Die in R 108 (4) EPÜ vorgesehene Möglichkeit, die versäumte Zahlung der Bennenungsgebühr(en) innerhalb von zwei Monaten nach Zustellung einer entsprechenden Mitteilung gegen Zahlung einer Zuschlagsgebühr nachzuholen, entfällt im EPÜ 2000. Der Rechtsbehelf der Weiterbehandlung ist jedoch unter der Bedingung anwendbar, dass der Anmelder auf die Zustellung einer Mitteilung gemäß R 108 (3) Satz 1 EPÜ nicht verzichtet hat (Rdn 55). 62

7 Erstreckungsgebühren

Ein Antrag auf Erstreckung des Patents auf alle in einer internationalen Anmeldung bestimmten Staaten, die keine EPÜ-Staaten sind und mit denen am Anmeldetag der internationalen Anmeldung ein Erstreckungsabkommen in Kraft war, gilt für jede Euro-PCT-Anmeldung als gestellt (Art 153 Rdn 36; Art 79 Rdn 37 ff). In Abschnitt 11 des Formblatts 1200 kann der Anmelder angeben, für welche Erstreckungsstaaten er Erstreckungsgebühren zu entrichten beabsichtigt. Bei der Entrichtung von Gebühren muss angegeben werden, für welche Staaten die Zahlung erfolgt, insbesondere, wenn hierbei von den Angaben in Abschnitt 11 des Formblatts 1200 abgewichen wird. 63

Die Erstreckung wird erst wirksam, wenn die in Art 3 des jeweiligen Erstreckungsabkommens festgesetzte Erstreckungsgebühr fristgerecht entrichtet wird. Erstreckungsgebühren müssen innerhalb der auch für die Zahlung der 64

---

20 ABl 2005, 11, 126.

Benennungsgebühren geltenden Frist nach R 107 (1) d) EPÜ entrichtet werden[21] (Rdn 46 ff).

65 Auf die versäumte Zahlung von Erstreckungsgebühren wird der Anmelder nicht hingewiesen. Regel 85a (2) EPÜ, die bei Säumnis eine zweimonatige Nachfrist vorsieht, ist auf die Zahlung von Erstreckungsgebühren für eine Euro-PCT-Anmeldung – anders als bei den Benennungsgebühren (Rdn 59 ff) – immer anwendbar geblieben. Dies ist darin begründet, dass die Zahlungsbedingungen für diese Gebühren vom nationalen Recht der jeweiligen Erstreckungsstaaten unter ausdrücklicher Verweisung auf R 85a (2) EPÜ festgelegt werden (Art 79 Rdn 37 ff). Auch eine Nachentrichtung von Erstreckungsgebühren nach Ablauf der in R 107 (1) d) EPÜ vorgesehenen Frist ist innerhalb einer (zusammengesetzten) Nachfrist von zwei Monaten unter Zahlung eines 50%-igen Zuschlags möglich (Art 2 Nr 3b GebO).

66 Bei Nichtzahlung gilt der Erstreckungsantrag als zurückgenommen. Eine Rechtsverlustmitteilung nach R 69 (1) EPÜ ergeht nicht. Ob der Anmelder in Abschnitt 11 des Formblatts seine Absicht bekundet hat, die betreffende Erstreckungsgebühr zu zahlen, ist hierbei irrelevant.[22]

8 R 107 (1) f) – Stellung des Prüfungsantrags und Entrichtung der Prüfungsgebühr

67 Die Sachprüfung einer Euro-PCT-Anmeldung wird nur auf ausdrücklichen Antrag aufgenommen. Insoweit muss der Anmelder nach R 107 (1) f) EPÜ schriftlich Prüfungsantrag stellen. Da der Prüfungsantrag nur wirksam ist, wenn die Prüfungsgebühr entrichtet worden ist, muss diese innerhalb der für die Stellung des Prüfungsantrags geltenden Frist gezahlt werden (Art 94 (2) Satz 2 EPÜ). Die Zahlung der Prüfungsgebühr kann jedoch für sich genommen den Prüfungsantrag nicht ersetzen.

68 Nach R 107 (1) f) EPÜ ist der Prüfungsantrag innerhalb derjenigen der beiden folgenden Fristen zu stellen, die *später* abläuft: 31 Monate nach dem Anmeldetag bzw ggf nach dem (frühesten) Prioritätstag der Anmeldung, oder sechs Monate nach Veröffentlichung des ISR. Letztere Frist ergibt sich aus der Verweisung auf Art 94 (2) EPÜ in R 107 in Verbindung mit Art 157 (1) EPÜ, wonach der ISR an die Stelle des europäischen Recherchenberichts und des Hinweises auf dessen Veröffentlichung im Europäischen Patentblatt tritt (Art 157 Rdn 10 ff; Art 150 Rdn 14 ff). Die Frist nach Art 94 (2) EPÜ läuft jedoch nur dann später als die 31-Monatsfrist ab, wenn sich die Veröffentlichung des ISR extrem hinausgezögert hat, dh wenn sie mehr als 25 Monate nach dem internationalen Anmeldetag oder ggf dem (frühesten) Prioritätstag erfolgt ist.

---

21 ABl 1994, 75.
22 ABl 2001, 590.

Mit Regel 107 (1) f) EPÜ, wonach der Prüfungsantrag jedenfalls nicht vor Ablauf der 31-Monatsfrist gestellt werden muss, wird Art 150 (2) letzter Satz EPÜ umgesetzt (Art 150 Rdn 14 ff). 69

Benutzt der Anmelder für den Eintritt in die europäische Phase das Formblatt 1200, so ist das Erfordernis der Stellung des Prüfungsantrags mit Einreichung dieses Formulars »automatisch« erfüllt, da dessen Abschnitt 4 einen vorgedruckten Prüfungsantrag samt bereits angekreuztem Kästchen enthält. 70

Ob ein ergänzender europäischer Recherchenbericht erstellt werden muss und ob das EPA nach Art 158 (3) EPÜ eine Übersetzung der Euro-PCT-Anmeldung veröffentlicht, hat keinen Einfluss auf den Ablauf der Frist zur Stellung des Prüfungsantrags und zur Entrichtung der Prüfungsgebühr.[23] 71

Die Höhe der Prüfungsgebühr richtet sich danach, ob bei Eintritt in die europäische Phase ein ergänzender Recherchenbericht erstellt werden muss und wann die Euro-PCT-Anmeldung eingereicht wurde. Für vor dem 1. Juli 2005 eingereichte Euro-PCT-Anmeldungen ist die Prüfungsgebühr in allen Fällen gleich. Hingegen hängt ihre Höhe für ab dem 1. Juli 2005 eingereichte Anmeldungen davon ab, ob bei Eintritt in die europäische Phase ein ergänzender europäischer Recherchenbericht erstellt werden muss (Art 2 Nr 6 GebO). 72

Der Grund ist der, dass für ab diesem Datum eingereichte Euro-PCT-Anmeldungen im Rahmen der ergänzenden europäischen Recherche eine Stellungnahme zur Patentierbarkeit nach R 44a EPÜ abgegeben wird (Art 17 Rdn 8 ff). Da sich durch die bei der Ausarbeitung dieser Stellungnahme erledigte Arbeit der spätere Prüfungsaufwand verringert, hielt man eine Herabsetzung der Prüfungsgebühr für gerechtfertigt.[24] Eine Übersicht über die Höhe der Prüfungsgebühr in jeder möglichen Fallkonstellation wird im ABl 2006, 192 gegeben. 73

EPÜ 2000

R 107 (1) f) EPÜ wurde inhaltlich nicht verändert. 74

8.1 Versäumung der Frist zur Stellung des Prüfungsantrags

Wird der Prüfungsantrag nicht rechtzeitig gestellt und/oder die Prüfungsgebühr nicht rechtzeitig gezahlt, so gilt die Euro-PCT-Anmeldung nach R 108 (1) EPÜ als zurückgenommen. Diese Vorschrift ist gegenüber Art 94 (3) EPÜ lex specialis. Dem Anmelder wird nach R 69 (1) EPÜ mitgeteilt, dass seine Anmeldung als zurückgenommen gilt; in dieser Mitteilung wird er außerdem darauf hingewiesen, dass der Rechtsverlust als nicht eingetreten gilt, wenn die versäumte Handlung innerhalb von zwei Monaten unter Zahlung eines Zuschlags nachgeholt wird (R 108 (3) EPÜ; Art 2 Nr 3c GebO; ABl 2001, 588). Wird die Nachfrist nicht genutzt, so ist eine Wiedereinsetzung in die Frist zur Stellung 75

---

23 PrüfRichtl C-VI, 1.1.3.
24 ABl 2005, 435.

des Prüfungsantrags bzw zur Zahlung der Prüfungsgebühr nicht möglich[25] (Art 122 Rdn 33).

8.2 Aufnahme der Prüfung

76 Muss für eine Euro-PCT-Anmeldung ein (ergänzender) europäischer Recherchenbericht erstellt werden, so hat der Anmelder unter denselben Bedingungen wie im Falle einer europäischen Direktanmeldung Anspruch auf eine Aufforderung nach Art 96 (1) EPÜ iVm R 51 (1) EPÜ (Art 96 Rdn 7). Daher wird der Anmelder dann, wenn er Prüfungsantrag gestellt und die Prüfungsgebühr entrichtet hat, bevor ihm der ergänzende Recherchenbericht zugegangen ist, nach dessen Erhalt aufgefordert, mitzuteilen, ob er seine Anmeldung aufrechterhält.[26] In der Praxis setzt das EPA hierfür eine Frist von zwei Monaten ab Zustellung der Mitteilung.

77 Lässt der Anmelder die Mitteilung unbeantwortet, so gilt die Anmeldung als zurückgenommen (Art 96 (3) EPÜ). Der Anmelder kann die Anmeldung auch aktiv zurücknehmen. Die Anmeldung geht erst mit Ablauf der dem Anmelder gesetzten Frist in die Zuständigkeit der Prüfungsabteilung über. Wird die Anmeldung daher zurückgenommen oder gilt sie als zurückgenommen, bevor die Frist abgelaufen ist, so wird ihm die Prüfungsgebühr in voller Höhe zurückerstattet (Art 10b a) GebO).

78 Gibt der Anmelder auf die Aufforderung nach Art 96 (1) EPÜ hin an, die Anmeldung aufrecherhalten zu wollen, und besinnt er sich nach Ablauf der gesetzten Frist anders, so ist die Anmeldung bereits in die Zuständigkeit der Prüfungsabteilung übergegangen, und die Prüfungsgebühr kann nicht vollständig erstattet werden. Unter Umständen ist jedoch eine Erstattung von 75% möglich, falls mit der Sachprüfung noch nicht begonnen wurde (Art 10b b) GebO) (Art 96 Rdn 28 ff). Eine Erstattung in dieser Höhe kann auch in Fällen gewährt werden, in denen kein ergänzender Recherchenbericht erstellt wurde und die Zuständigkeit dementsprechend unmittelbar im Anschluss an die bei Eintritt in die europäische Phase vorgenommene Formalprüfung auf die Prüfungsabteilung übergeht.[27]

79 Der Anmelder kann auf den ihm nach Art 96 (1) EPÜ zustehenden Anspruch auf Erhalt einer Aufforderung durch Ankreuzen des entsprechenden Kästchens im Formblatt 1200 verzichten. Für weitere Einzelheiten siehe Art 96 Rdn 28 ff.

---

25 G 3/91, ABl 1993, 8.
26 PrüfRichtl A-VII, 5.3 und C-VI, 1.1.2; J 8/83, ABl 1985, 102.
27 ABl 1988, 354.

8.3 R 107 (2) – Ermäßigung der Prüfungsgebühr

Die Prüfungsgebühr ermäßigt sich um 50%, wenn das EPA als IPEA für die betreffende Euro-PCT-Anmeldung bereits einen IPER erstellt hat (R 107 (2) Satz 1 EPÜ; Art 12 (2) GebO). Allerdings fällt gemäß R 107 (2) Satz 2 EPÜ der volle Gebührensatz an, wenn der Anmelder eine Erfindung patentieren lassen will, die nicht Gegenstand des IPER war.[28] Dies bedeutet, dass R 107 (2) Satz 2 EPÜ sich nur auf den in Art 34 (3) c) PCT vorgesehenen Fall bezieht, dass der IPER sich nicht auf alle in der Anmeldung enthaltenen Erfindungen erstreckt, dh auf den Fall, dass festgestellt wurde, dass die Anmeldung dem Erfordernis der Einheitlichkeit der Erfindung nicht entspricht, und der Anmelder nicht gemäß R 68.2 PCT alle zur Einbeziehung der weiteren Erfindungen in die vorläufige Prüfung erforderlichen zusätzlichen Gebühren entrichtet hat. Von der Ermäßigung *nicht* ausgenommen werden in R 107 (2) EPÜ hingegen die Fälle, in denen gemäß Art 34 (4) a) und 35 (3) PCT nur ein unvollständiger IPER erstellt wurde, obwohl ein sachlicher Grund für die Gewährung der Ermäßigung nach R 107 (2) EPÜ hier ebenfalls nicht ersichtlich ist.

Kein Anspruch auf Ermäßigung besteht außerdem, wenn das EPA in seiner Eigenschaft als IPEA dem Anmelder bereits zwei Drittel der Gebühr für die vorläufige internationale Prüfung erstattet hat, weil es als IPEA den IPER unter den Bedingungen des sogenannten rationalisierten Verfahrens für die internationale vorläufige Prüfung erstellt hat, dh ohne aktive Mitwirkung der Prüfungsabteilung (Art 10d GebO; Art 12 (2) Satz 2 GebO).[29] Für ab dem 1. Januar 2004 eingereichte Anmeldungen ist diese Ausnahme irrelevant, da das rationalisierte Verfahren für von diesem Stichtag an eingereichte Anmeldungen abgeschafft wurde.[30]

Außerdem ermäßigt sich die Prüfungsgebühr um 20% für Anmelder mit Wohnsitz oder Sitz in einem EPÜ-Vertragsstaat sowie für Anmelder, die Angehörige eines solchen Staates und im Ausland ansässig sind, sofern in dem betreffenden Staat die Amtssprache oder eine der Amtssprachen keine EPÜ-Amtssprache ist (»zugelassene Nichtamtssprache«) und die folgenden Voraussetzungen erfüllt sind (Art 94 Rdn 24 ff):

Erstens muss der Anmelder schriftlich Prüfungsantrag in einer der Amtssprachen des betreffenden Staates stellen. Zweitens muss der schriftliche Prüfungsantrag in dieser Sprache spätestens bei Zahlung der Prüfungsgebühr eingereicht werden, wenn zuvor bereits Prüfungsantrag in einer EPA-Amtssprache gestellt wurde. Mit anderen Worten berechtigt ein nach wirksamer Entrichtung der Prüfungsgebühr gestellter schriftlicher Antrag in einer Nicht-Amtssprache des EPÜ nicht zu einer Gebührenermäßigung, wenn zuvor bereits schriftlich Prü-

---

28 ABl 2005, 577.
29 ABl 2001, 539.
30 ABl 2004, 305.

fungsantrag in einer EPA-Sprache gestellt wurde. Der Grund ist der, dass der frühere Prüfungsantrag mit der Zahlung der Prüfungsgebühr wirksam wird und die Antragstellung damit abgeschlossen ist (Art 94 (2) Satz 2 EPÜ *e contrario*).

84 In diesem Zusammenhang ist zu beachten, dass bei Verwendung des Formblatts 1200 infolge des in Abschnitt 4 bereits angekreuzten, vorgedruckten Prüfungsantrags »automatisch« Prüfungsantrag in einer der Amtssprachen des EPA gestellt wird, sofern der Anmelder im selben Abschnitt nicht auch Prüfungsantrag in einer anderen Amtssprache des betreffenden Staates stellt.

85 Drittens muss der Anmelder dann, wenn er Prüfungsantrag in einer anderen Amtssprache des betreffenden Staates als Deutsch, Englisch oder Französisch gestellt hat – im Falle Belgiens zB auf Niederländisch – innerhalb eines Monats eine Übersetzung des Prüfungsantrags in die Verfahrenssprache nachreichen. Die Übersetzung darf frühestens zusammen mit dem Prüfungsantrag in der Verfahrenssprache eingereicht werden, bei Verwendung des Formblatts 1200 also nicht vor Einreichung dieses Formblatts.[31]

86 Liegen die Voraussetzungen für beide Ermäßigungen vor, so wird die Prüfungsgebühr zunächst um 50% herabgesetzt (Rdn 80); der sich hieraus ergebende Betrag ermäßigt sich wiederum um 20% – insgesamt wird also eine Ermäßigung in Höhe von 60% des vollen Gebührensatzes gewährt (Art 14 (4) EPÜ, R 6 (2) und (3) EPÜ; Art 12 (1) GebO).

9 R 107 (1) g) EPÜ – Jahresgebühr

87 Nach R 107 (1) g) EPÜ ist die Jahresgebühr für das dritte Jahr innerhalb der 31-Monatsfrist zu entrichten, wenn diese Gebühr nach R 37 (1) EPÜ früher fällig würde. Mit anderen Worten ist der spätere der sich aus R 37 (1) EPÜ bzw R 107 (1) g) EPÜ ergebenden Fälligkeitszeitpunkte maßgeblich. Diese Verlängerung der Grundfrist nach R 37 (1) EPÜ für Euro-PCT-Anmeldungen ist eine Folge des Bearbeitungsverbots nach Art 23 (1) und 40 (1) PCT iVm Art 150 (2) EPÜ (Art 86 Rdn 28 ff; Art 153 Rdn 30).

88 Wird die Jahresgebühr nicht bis zum späteren der oben genannten Fälligkeitszeitpunkte entrichtet, so ergeht eine entsprechende Mitteilung an den Anmelder. Da es keine Rechtsgrundlage für eine Pflicht des EPA gibt, eine solche Mitteilung zu erlassen, ist diese als reine Serviceleistung zugunsten des Anmelders anzusehen (Art 86 Rdn 10 ff).

89 Es ist darauf hinzuweisen, dass die Fälligkeit der Jahresgebühren sich vom internationalen Anmeldetag berechnet, die 31-Monatsfrist nach R 107 (1) EPÜ hingegen vom (frühesten) Prioritätstag (Art 86 Rdn 4 ff). Das bedeutet zB für den Fall, dass keine Priorität beansprucht wurde, dass die Jahresgebühr für das dritte Jahr zwar etwa sieben Monate vor Ablauf der 31-Monatsfrist fällig wird,

---

31 G 6/91, ABl 1992, 491.

aber noch innerhalb der 31-Monatsfrist zuschlagsfrei entrichtet werden kann.

Nach Ablauf der in R 37 (1) EPÜ bzw R 107 (1) g) EPÜ festgesetzten Frist kann die Jahresgebühr gegen Entrichtung einer 10%igen Zuschlagsgebühr innerhalb von sechs Monaten nach Fälligkeit nachentrichtet werden. Für weitere Einzelheiten zur Entrichtung der Jahresgebühren und zu den bei einer Fristversäumung zur Verfügung stehenden Erhaltungsmaßnahmen wird auf Art 86 Rdn 10 ff verwiesen, für die Berechnung der sechsmonatigen Nachfrist für eine innerhalb der 31-Monatsfrist nach R 107 (1) EPÜ zu entrichtende Jahresgebühr auf die Rechtsauskunft L 5/93 und den Kommentar zu Art 120.[32] 90

EPÜ 2000

R 107 (1) g) EPÜ wurde nicht geändert. 91

10 R 107 (1) h) – Ausstellungsbescheinigung

Nach R 107 (1) h) EPÜ muss eine gegebenenfalls nach R 23 EPÜ einzureichende Ausstellungsbescheinigung innerhalb der 31-Monatsfrist nach R 107 (1) EPÜ vorgelegt werden. Bei Nichterfüllung dieses Erfordernisses ist eine Anwendung von Art 55 EPÜ nicht möglich, mit der Folge, dass die durch Zurschaustellung auf einer internationalen Ausstellung im Sinne des Art 55 (1) b) EPÜ offenbarte Erfindung gemäß Art 54 (2) EPÜ dem einschlägigen Stand der Technik zugerechnet wird. Die Wiedereinsetzung in den vorigen Stand nach Art 122 EPÜ kann beantragt werden. 92

EPÜ 2000

R 107 (1) h) EPÜ wurde nicht geändert. 93

11 R 110 – Anspruchsgebühren

Mit R 110 (1) EPÜ wurde eine eigenständige Rechtsgrundlage für die Erhebung von Anspruchsgebühren für den elften und jeden weiteren Anspruch einer Euro-PCT-Anmeldung geschaffen (Art 84 Rdn 51). R 110 EPÜ ist jedoch möglichst im Einklang mit R 31 EPÜ über die für europäische Direktanmeldungen anfallenden Anspruchsgebühren auszulegen. 94

Die Höhe der Anspruchsgebühren wird in Art 2 Nr 15 GebO festgesetzt. Nach R 110 (1) EPÜ anfallende Anspruchsgebühren müssen innerhalb der 31-Monatsfrist gemäß R 107 (1) EPÜ entrichtet werden. Nicht rechtzeitig entrichtete Anspruchsgebühren können noch innerhalb einer nicht verlängerbaren Nachfrist von einem Monat nach Zustellung einer Mitteilung, in der auf die Fristversäumung hingewiesen wird, zuschlagsfrei entrichtet werden (Art 122 Rdn 127). Die Erinnerung an noch ausstehende Anspruchsgebühren wird mit der Mitteilung nach R 109 EPÜ zusammengefasst, in der der Anmelder auf sein 95

---

32 ABl 1993, 229.

Recht zur Einreichung von Änderungen hingewiesen wird (Art 157 Rdn 20 ff).[33]

96 Die Höhe der Anspruchsgebühren berechnet sich grundsätzlich nach der Anzahl der Ansprüche in der Fassung der Anmeldung, die den Angaben im Formblatt 1200 zufolge der Bearbeitung in der europäischen Phase zu Grunde gelegt werden soll. Ändert sich die Anzahl der Ansprüche infolge einer späteren (weiteren) Anspruchsänderung auf eine Mitteilung nach R 109 EPÜ hin, so ist die neue Anzahl Ansprüche für die Berechnung der Anspruchsgebühren maßgeblich. Sind die Anspruchsgebühren vor Einreichung der Änderungen entrichtet worden, so muss der Anmelder ggf Anspruchsgebühren nachentrichten, wenn in der geänderten Anmeldung Ansprüche hinzugekommen sind. Übersteigt die Anzahl der entrichteten Anspruchsgebühren hingegen die Anzahl der in der geänderten Anmeldung verbleibenden Ansprüche, so wird ihm der zu viel gezahlte Betrag zurückerstattet.

97 Wird eine Anspruchsgebühr nicht rechtzeitig entrichtet, so gilt dies als Verzicht auf den betreffenden Patentanspruch (R 110 (4) EPÜ).

98 Eine Wiedereinsetzung in die Zahlungsfrist ist möglich, da diese auch im Falle einer europäischen Patentanmeldung in Anspruch genommen werden kann (Art 122 Rdn 127).[34] Einfacher ist jedoch eine Wiedereinführung im Wege einer Änderung nach Art 123 (1) EPÜ, wenn der Verzicht auf Ansprüche gar nicht erst zu einem Rechtsverlust führt, weil der darin enthaltene Gegenstand in der Beschreibung oder den Zeichnungen zu finden ist.[35]

EPÜ 2000

99 R 110 EPÜ wurde inhaltlich nicht geändert.

12 R 111 – Weitere Erfordernisse für den Eintritt in die europäische Phase

100 R 111 EPÜ befasst sich mit weiteren Erfordernissen, denen ggf bei Eintritt in die europäische Phase nachzukommen ist. Diese betreffen die Einreichung von Angaben zum Erfinder, die Übermittlung des Aktenzeichens und/oder einer Abschrift des Prioritätsbelegs nach R 111 (2) EPÜ sowie die Einreichung des Sequenzprotokolls unter Beachtung der Formerfordernisse, auf die in R 111 (3) EPÜ verwiesen wird.

EPÜ 2000

101 Mit Beschluss des Verwaltungsrats vom 12. Dezember 2002 wurde R 111 EPÜ inhaltlich nicht geändert. Bei Redaktionsschluss wurden jedoch wichtige Änderungen dieser Regel erwogen (Rdn 5.1)

---

33 ABl 1999, 696.
34 **G 5/93**, ABl 1994, 447.
35 **J 15/88**, ABl 1990, 445.

12.1 R 111 (1) – Angaben zum Erfinder

R 111 (1) EPÜ eröffnet die Möglichkeit, die Angaben zum Erfinder bei Eintritt in die europäische Phase nachzuholen, falls sie weder im PCT-Antrag gemacht noch später im Verlauf der internationalen Phase eingereicht wurden. Die Art 4 (1) v) und (4) PCT iVm den Art 22 (1) und 39 (1) b) PCT stellen es dem nationalen Recht des Bestimmungsamts/ausgewählten Amts ausdrücklich frei, eine Einreichung dieser Angaben bei Eintritt in die nationale Phase zuzulassen (Art 81 Rdn 3).

Sind die nach R 17 (1) EPÜ vorgeschriebenen Angaben zum Erfinder nicht innerhalb der 31-Monatsfrist gemäß R 107 (1) EPÜ gemacht worden, so fordert das EPA den Anmelder unter Fristsetzung hierzu auf. Liegen die Angaben bei Fristablauf immer noch nicht vor, so gilt die Anmeldung als zurückgenommen (Art 91 (5) EPÜ). Zur Abwendung des Rechtsverlusts kann in diesem Fall die Weiterbehandlung nach Art 121 EPÜ oder die Wiedereinsetzung in den vorigen Stand nach Art 122 EPÜ beantragt werden. (Art 122 Rdn 48; Art 121 Rdn 9)

12.2 R 111 (2) – Aktenzeichen und Abschrift des Prioritätsbelegs

Hinsichtlich der Pflicht des Anmelders zur Einreichung des Aktenzeichens sowie einer beglaubigten Abschrift einer früheren Anmeldung, deren Priorität in Anspruch genommen wird, ist R 111 (2) EPÜ im Verhältnis zu R 38 EPÜ *lex specialis*. Nach R 111 (2) EPÜ müssen sowohl das Aktenzeichen als auch die Abschrift dem EPA als Bestimmungsamt/ausgewähltem Amt innerhalb der 31-Monatsfrist nach R 107 (1) EPÜ übermittelt werden, wenn dies nicht bereits in der internationalen Phase geschehen ist. Wird diesem Erfordernis nicht rechtzeitig nachgekommen, so fordert das EPA den Anmelder unter Fristsetzung zur Einreichung des Aktenzeichens und/oder der beglaubigten Abschrift auf.[36]

Insoweit, als der Anmelder in der betreffenden Mitteilung zur Einreichung einer beglaubigten Abschrift der prioritätsbegründenden Anmeldung aufgefordert wird, setzt R 111 (2) EPÜ die R 17.1 (c) PCT um, wonach ein Bestimmungsamt/ausgewähltes Amt einen Prioritätsanspruch nicht unberücksichtigt lassen darf, ohne dem Anmelder zuvor Gelegenheit zur Einreichung dieses Prioritätsbelegs zu geben.

Ferner muss der Anmelder eine beglaubigte Abschrift der Patentanmeldung nur dann vorlegen, wenn sie nicht bereits gemäß R 17.1 PCT in der internationalen Phase beim Anmeldeamt oder beim Internationalen Büro eingereicht wurde oder als eingereicht gilt. Liegt der Prioritätsbeleg dem EPA nicht vor, obwohl der Anmelder beim Anmeldeamt nach R 17 PCT die Erstellung des Prioritätsbelegs und seine Übermittlung an das Internationale Büro beantragt

---

36 PrüfRichtl A-VII, 3.5; C-V, 2.1.

hat, so tritt kein Rechtsverlust ein. Die Entscheidung über die Patenterteilung kann aber erst getroffen werden, wenn der Prioritätsbeleg dem EPA zugegangen ist.[37]

107 Dass ein Bestimmungsamt nach den Vorschriften des PCT die Vorlage einer beglaubigten Abschrift der prioritätsbegründenden Anmeldung verlangen kann, bedeutet nicht, dass beim EPA als Bestimmungsamt/ausgewähltem Amt in jedem Fall eine beglaubigte Abschrift eingereicht werden muss. Das EPA darf den Anmelder nur unter den Voraussetzungen von R 38 (4) EPÜ zur Einreichung einer Abschrift auffordern; auf diese Regel wird in R 111 (2) EPÜ ausdrücklich verwiesen.[38] Findet eine Ausnahme gemäß R 38 (4) EPÜ Anwendung, so nimmt das EPA eine Abschrift der früheren Anmeldung in die Patentakte auf und teilt dies dem Anmelder mit.[39]

108 Das Aktenzeichen sollte bei Einreichung der internationalen Anmeldung angegeben worden sein (R 4.10 PCT). In den außergewöhnlichen Fällen, in denen dies nicht möglich war – in der Regel mangels rechtzeitiger Mitteilung des Aktenzeichens durch das nationale Amt, bei dem die Prioritätsanmeldung eingereicht wurde –, wird dem Anmelder nach R 111 (2) EPÜ Gelegenheit gegeben, das Aktenzeichen beim EPA nachzureichen.

109 In diesem Zusammenhang ist zu beachten, dass das EPA – zumindest bis zum Inkrafttreten des EPÜ 2000 – ein Prioritätsrecht aus einer Anmeldung nicht anerkennt, die in einem oder für einen Staat eingereicht wurde, der zwar Mitglied der WTO, nicht aber Vertragsstaat der Pariser Verbandsübereinkunft zum Schutz des gewerblichen Eigentums ist (Vor Art 150–158 Rdn 70).

110 Wenn es in R 111 (2) EPÜ heißt, dass eine »Abschrift nach Art 88 (1) …« einzureichen ist, ist damit nicht nur die Einreichung einer beglaubigten Abschrift, sondern auch einer Übersetzung gemeint (Art 88 Rdn 22).

111 Zur Nichteinreichung des Prioritätsbelegs sowie ggf dessen Übersetzung wird auf die Kommentierung von Art 88 verwiesen.[40]

12.3 R 111 (3) – Sequenzprotokolle

112 Werden in einer Euro-PCT-Anmeldung Nucleotid- und Aminosäuresequenzen offenbart, so muss die Anmeldung bei Eintritt in die europäische Phase ein dem vorgeschriebenen Standard entsprechendes Sequenzprotokoll in einer der Amtssprachen des EPA enthalten. Des Weiteren muss das Sequenzprotokoll auf dem vorgeschriebenen Datenträger eingereicht werden. War das EPA als ISA tätig, so wird es in der Regel bereits im Besitz eines diesen Vorschriften entsprechenden Sequenzprotokolls sein. Andernfalls muss der Anmelder si-

---

37 Euro-PCT-Leitfaden Nr 265.
38 ABl 1995, 9, 413, 414; ABl 1999, 80; ABl 2000, 227.
39 ABl 2000, 227; ABl 1999, 80.
40 PrüfRichtl C-V, 3.4; Art 121 Rdn 9

cherstellen, dass diesen Erfordernissen innerhalb der 31-Monatsfrist nach R 107 (1) EPÜ nachgekommen wird. Geschieht dies nicht, so fordert das EPA den Anmelder nach R 111 (3) EPÜ hierzu auf (Art 121 Rdn 7). Nähere Informationen zu diesem Thema enthalten der Euro-PCT-Leitfaden Nrn 208–211 sowie Abschnitt 9 des Merkblatts zum Formblatt 1200, die Prüfungsrichtlinien A-VII, 4.2 und die Beilage Nr 2 zum ABl 11/1998, 66 (Art 83 Rdn 53 ff).

13 Art 158 (3) – Einstweiliger Schutz einer Euro-PCT-Anmeldung

Nach Art 29 PCT hat die Veröffentlichung der internationalen Anmeldung durch das IB in jedem Bestimmungsstaat die gleiche *Wirkung* wie eine dort gesetzlich vorgeschriebene inländische Veröffentlichung einer ungeprüften *nationalen* Anmeldung. Das bedeutet, dass der PCT hinsichtlich des Schutzes einer veröffentlichten internationalen Anmeldung lediglich Gleichbehandlung vorschreibt. In Bestimmungsstaaten, deren nationales Patentsystem die Veröffentlichung der ungeprüften Patentanmeldung nicht vorsieht, genießt auch die veröffentlichte internationale Anmeldung folglich keinen Schutz – es sei denn, das nationale Recht des betreffenden Staates sähe ausdrücklich einen einstweiligen Schutz für internationale Anmeldungen vor. 113

Den einstweiligen Schutz der veröffentlichten europäischen Patentanmeldung regelt Art 67 EPÜ. Nach Absatz 1 bewirkt die Veröffentlichung einer europäischen Direktanmeldung, dass alle in der Anmeldung benannten EPÜ-Vertragsstaaten dem Anmelder vom Tag der Veröffentlichung an vorläufig dieselben Rechte gewähren müssen wie bei Vorliegen eines nationalen Patents. Obwohl dieser wichtige Grundsatz des einstweiligen Schutzes nach Art 67 (2) und (3) EPÜ durch das nationale Recht der EPÜ-Vertragsstaaten stark eingeschränkt werden kann und auch wird, unterscheidet sich Art 67 EPÜ seinem Wesen nach grundlegend von Art 29 PCT. Zum einen wird in dieser EPÜ-Vorschrift grundsätzlich von der Gewährung von einstweiligem Schutz ausgegangen, und zum anderen wird in Art 67 (2) letzter Satz EPÜ ein Mindestschutz gewährleistet. 114

Nach Art 158 (1) Satz 1 EPÜ steht die internationale Veröffentlichung einer Euro-PCT-Anmeldung nach Art 21 PCT *vorbehaltlich* der in Art 158 (3) EPÜ vorgesehenen Ausnahme der Veröffentlichung einer europäischen Direktanmeldung gleich. Nach Art 158 (3) EPÜ tritt der einstweilige Schutz des Art 67 EPÜ für eine Euro-PCT-Anmeldung, die *nicht* in einer Amtssprache des EPA veröffentlicht wurde, erst an dem Tag ein, an dem im Europäischen Patentblatt auf die Veröffentlichung der Übersetzung in eine EPA-Amtssprache hingewiesen worden ist (Art 67 Rdn 20). Zu beachten ist in diesem Zusammenhang, dass die veröffentlichte Übersetzung vom EPA nicht geprüft wird. 115

Die (zweite) Veröffentlichung einer Euro-PCT-Anmeldung durch das EPA setzt voraus, dass der Anmelder dem EPA die Übersetzung zugeleitet und dass er die nationale Gebühr entrichtet hat (Art 158 (2) EPÜ). Der Anmelder wird 116 in einer Mitteilung von der Veröffentlichung unterrichtet. Mit der Übersetzung wird auch der ISR noch einmal vom EPA veröffentlicht. Die Frist zur Stellung des Prüfungsantrags wird hiervon jedoch nicht beeinflusst (Art 157 Rdn 10 ff).

117   Da die Veröffentlichung der Übersetzung erst bei Eintritt in die europäische Phase erfolgt, tritt der einstweilige Schutz für diese Euro-PCT-Anmeldungen frühestens 13 Monate nach der internationalen Veröffentlichung ein. Diese Ausnahme von dem in Art 158 EPÜ aufgestellten Grundsatz der Gleichsetzung von internationaler und europäischer Veröffentlichung wird in Art 29 (2) i) PCT ausdrücklich zugelassen.

118   Aus Art 158 (1) und (3) EPÜ folgt, dass eine Euro-PCT-Anmeldung unter der Voraussetzung, dass sie in einer der Amtssprachen des EPA veröffentlicht wurde, vom Tag der internationalen Veröffentlichung einstweiligen Schutz nach Art 67 EPÜ gewährt. Ist diese Voraussetzung erfüllt, so tritt der einstweilige Rechtsschutz nach Art 67 EPÜ während der internationalen Phase ein, ohne dass irgendeine Handlung zur Einleitung der europäischen Phase vorgenommen worden wäre.

119   Der einstweilige (Mindest)Schutz der veröffentlichten Euro-PCT-Anmeldung nach Art 67 (2) EPÜ iVm Art 158 (1) und (3) EPÜ kann nach Art 67 (3) EPÜ unter Umständen entsprechend dem Gleichbehandlungsgrundsatz eingeschränkt werden (Art 67 Rdn 3 ff). Derartige Einschränkungen betreffen den Eintritt des einstweiligen Schutzes, der nach Maßgabe der einschlägigen nationalen Rechtsvorschriften der jeweiligen Bestimmungsstaaten hinausgeschoben werden kann.

120   Sofern in einem EPÜ-Vertragsstaat für den Eintritt des einstweiligen Schutzes eine Übersetzung der Ansprüche der europäischen Patentanmeldung verlangt wird, bedeutet dies für eine Euro-PCT-Anmeldung, dass Rechtsschutz in diesem Staat erst eintritt, wenn die vorgeschriebene Übersetzung in die Landessprache – je nach den nationalen Rechtsvorschriften – der Öffentlichkeit zugänglich gemacht und/oder demjenigen übermittelt worden ist, der die Erfindung in diesem Staat benutzt (Art 67 (3) EPÜ) (Art 67 Rdn 10 ff). Auf eine weitere Einschränkung wird bei der Kommentierung von Art 68 EPÜ eingegangen, auf die an dieser Stelle verwiesen wird. Nähere Informationen zum nationalen Recht der EPÜ-Vertragsstaaten sind der Broschüre *Nationales Recht zum EPÜ* (Tabelle III. A) zu entnehmen.

14 Vertretung

121   Nach Art 27 (7) PCT kann jedes Bestimmungsamt, »das mit der Bearbeitung der Anmeldung begonnen hat«, seine nationalen Rechtsvorschriften hinsichtlich der Vertretung anwenden. Mit der Bearbeitung der Anmeldung durch das EPA als Bestimmungsamt/ausgewähltes Amt wird nach Ablauf der 31-Monatsfrist begonnen.

Artikel 158

122 Das EPA wendet Art 133 EPÜ an, wonach Anmelder, die weder Wohnsitz noch Sitz in einem EPÜ-Vertragsstaat haben (»auswärtige Anmelder«) sich von einem zugelassenen Vertreter im Sinne von Art 134 EPÜ vertreten und Handlungen in allen Verfahren nach dem EPÜ durch ihn vornehmen lassen müssen.[41] Weitere Informationen zur Vertretung können den Abschnitten 2 und 3 des Formblatt 1200 entnommen werden.

123 Eine Ausnahme vom Grundsatz des Vertretungszwangs gilt für die Einreichung einer europäischen Patentanmeldung, für welche die Bestellung eines zugelassenen Vertreters nicht vorgeschrieben ist (Art 133 (2) EPÜ 1. Teilsatz) (Art 133 Rdn 11). In Analogie zu dieser Ausnahme gestattet es das EPA als Bestimmungsamt/ausgewähltes Amt, dass die für die Aufnahme der Bearbeitung einer Euro-PCT-Anmeldung in der europäischen Phase erforderlichen Verfahrenshandlungen entweder vom auswärtigen Anmelder selbst oder in seinem Namen von *einem vor dem EPA zu seiner Vertretung berechtigten Vertreter* vorgenommen werden, sofern dies *vor Ablauf der 31-Monatsfrist* nach Art 22 (3) und 39 (1) b) PCT iVm R 107 (1) EPÜ geschieht.

124 Ein vor dem EPA vertretungsberechtigter Vertreter kann unter Umständen schon während der internationalen Phase bestellt worden sein, sofern die beim EPA vorgelegte Vollmacht sich ausdrücklich auch auf die europäische Phase erstreckt.

125 Die zur Einleitung der europäischen Phase innerhalb der 31-Monatsfrist erforderlichen Handlungen kann ein Anmelder nur dann von seinem Anwalt für die internationale Phase vornehmen lassen, wenn dieser ein beim EPA zugelassener Vertreter ist. Eine Ausnahme gilt lediglich für die Einzahlung von Gebühren beim EPA, die jeder bewirken kann.

126 Hat der auswärtige Anmelder die vorgeschriebenen Handlungen nicht selbst innerhalb der 31-Monatsfrist nach R 107 (1) EPÜ vorgenommen, so kann er diese sowie die anschließenden Verfahrenshandlungen (zB die Beantragung der Wiedereinsetzung in den vorigen Stand) nur von einem zugelassenen Vertreter vornehmen lassen. Dies gilt nicht für Zahlungen, die jedermann wirksam vornehmen kann.

127 Aus diesen Gründen wird auswärtigen Anmeldern dringend empfohlen, für ihre Vertretung einen zugelassenen Vertreter aus der beim EPA geführten Liste zu bestellen und dies rechtzeitig zu tun – dh möglichst bereits bei Einleitung des Verfahrens vor dem EPA als Bestimmungsamt (Art 133 (2), 150 und 153 (1) EPÜ).[42]

---

[41] PrüfRichtl A-VIII, 3.1.
[42] Euro-PCT-Leitfaden Nr 182.

Elfter Teil Übergangsbestimmungen

Artikel 159 Verwaltungsrat während einer Übergangszeit

(1) Die in Artikel 169 Absatz 1 genannten Staaten bestellen ihre Vertreter im Verwaltungsrat; auf Einladung der Regierung der Bundesrepublik Deutschland tritt der Verwaltungsrat nicht später als zwei Monate nach Inkrafttreten des Übereinkommens zusammen, um insbesondere den Präsidenten des Europäischen Patentamts zu ernennen.

(2) Die Amtszeit des ersten nach Inkrafttreten des Übereinkommens ernannten Präsidenten des Verwaltungsrats beträgt vier Jahre.

(3) Die Amtszeit eines gewählten Mitglieds des ersten nach Inkrafttreten des Übereinkommens gebildeten Präsidiums des Verwaltungsrats beträgt fünf Jahre und die Amtszeit eines weiteren gewählten Mitglieds dieses Präsidiums vier Jahre.

Detlef Schennen

1 Diese Übergangsbestimmung hat heute keine Bedeutung mehr.
EPÜ 2000
Sie wird im EPÜ 2000 gestrichen.

Artikel 160 Ernennung von Bediensteten während einer Übergangszeit

(1) Bis zum Erlass des Statuts der Beamten und der für die sonstigen Bediensteten des Europäischen Patentamts geltenden Beschäftigungsbedingungen stellen der Verwaltungsrat und der Präsident des Europäischen Patentamts im Rahmen ihrer Zuständigkeit das erforderliche Personal ein und schließen zu diesem Zweck befristete Verträge. Der Verwaltungsrat kann für die Einstellung des Personals allgemeine Grundsätze aufstellen.

(2) Während einer Übergangszeit, deren Ende der Verwaltungsrat bestimmt, kann der Verwaltungsrat nach Anhörung des Präsidenten des Europäischen Patentamts zu Mitgliedern der Großen Beschwerdekammer oder der Beschwerdekammern auch technisch vorgebildete oder rechtskundige Mitglieder nationaler Gerichte und Behörden der Vertragsstaa-

ten ernennen, die ihre Tätigkeit in den nationalen Gerichten oder Behörden weiterhin ausüben können. Sie können für einen Zeitraum ernannt werden, der weniger als fünf Jahre beträgt, jedoch mindestens ein Jahr betragen muss; sie können wieder ernannt werden.

Detlef Schennen

Abs 1 hat keine Bedeutung erlangt. 1

Für Abs 2 gilt folgendes: In ständiger Praxis wurden in erheblichem Umfang 2
Mitglieder nationaler Gerichte oder Behörden zu Mitgliedern der Technischen, Juristischen und Großen Beschwerdekammern ernannt. Der Großen Beschwerdekammer gehören besonders erfahrene nationale Patentrichter als Mitglieder an. Nicht zuletzt trägt der Erfahrungsaustausch mit nationalen Richtern mittelbar zur Harmonisierung des europäischen Patentrechts bei.

Von der Heranziehung technischer Mitglieder wurde allerdings zuletzt kein 3
Gebrauch mehr gemacht.

EPÜ 2000

Das **EPÜ 2000** streicht fast alle Übergangsvorschriften, so auch Art 160. Die 4
Möglichkeit der Ernennung externer Mitglieder der Großen Beschwerdekammer wird in Art 11 (5) auf Dauer festgeschrieben; dafür entfällt künftig die Möglichkeit der Ernennung externer Mitglieder der Technischen und Juristischen Beschwerdekammern.

Artikel 161 Erstes Haushaltsjahr

(1) Das erste Haushaltsjahr der Organisation beginnt mit dem Tag des Inkrafttretens dieses Übereinkommens und endet am 31. Dezember desselben Jahrs. Beginnt das erste Haushaltsjahr in der zweiten Jahreshälfte, so endet es am 31. Dezember des folgenden Jahrs.

(2) Der Haushaltsplan für das erste Haushaltsjahr ist baldmöglichst nach Inkrafttreten dieses Übereinkommens aufzustellen. Bis zum Eingang der in Artikel 40 vorgesehenen Beiträge der Vertragsstaaten im Rahmen des ersten Haushaltsplans zahlen die Vertragsstaaten auf Verlangen des Verwaltungsrats in der von ihm festgesetzten Höhe Vorschüsse, die auf ihre Beiträge für diesen Haushaltsplan angerechnet werden. Die Vorschüsse werden nach dem in Artikel 40 vorgesehenen Aufbringungsschlüssel festgesetzt. Artikel 39 Absätze 3 und 4 ist auf die Vorschüsse entsprechend anzuwenden.

Artikel 162 *Übergangsbestimmungen*

Detlef Schennen

EPÜ 2000

Diese Vorschrift hat keine Bedeutung mehr und wird im EPÜ 2000 gestrichen.

Artikel 162 Stufenweise Ausdehnung des Tätigkeitsbereichs des Europäischen Patentamts

(1) Europäische Patentanmeldungen können von dem Tag an beim Europäischen Patentamt eingereicht werden, den der Verwaltungsrat auf Vorschlag des Präsidenten des Europäischen Patentamts bestimmt.

(2) Der Verwaltungsrat kann auf Vorschlag des Präsidenten des Europäischen Patentamts die Behandlung europäischer Patentanmeldungen von dem in Absatz 1 genannten Zeitpunkt an beschränken. Die Beschränkung kann sich auf bestimmte Gebiete der Technik beziehen. Jedoch sind die Anmeldungen in jedem Fall daraufhin zu prüfen, ob sie einen Anmeldetag haben.

(3) Ist ein Beschluss nach Absatz 2 ergangen, so kann der Verwaltungsrat die Behandlung europäischer Patentanmeldungen nicht mehr weiter beschränken.

(4) Kann eine europäische Patentanmeldung infolge der Beschränkung des Verfahrens nach Absatz 2 nicht weiterbehandelt werden, so teilt das Europäische Patentamt dies dem Anmelder mit und weist ihn darauf hin, dass er einen Umwandlungsantrag stellen kann. Mit dieser Mitteilung gilt die europäische Patentanmeldung als zurückgenommen.

Detlef Schennen

EPÜ 2000

Diese Vorschrift hat keine Bedeutung mehr und wird im **EPÜ 2000** gestrichen.

Artikel 163 Zugelassene Vertreter während einer Übergangszeit

(1) Während einer Übergangszeit, deren Ende der Verwaltungsrat bestimmt, kann in Abweichung von Artikel 134 Absatz 2 in der Liste der zugelassenen Vertreter jede natürliche Person eingetragen werden, die die folgenden Voraussetzungen erfüllt:

a) Die Person muss die Staatsangehörigkeit eines Vertragsstaats besitzen;
b) sie muss ihren Geschäftssitz oder Arbeitsplatz im Hoheitsgebiet eines Vertragsstaats haben;
c) sie muss befugt sein, natürliche oder juristische Personen auf dem Gebiet des Patentwesens vor der Zentralbehörde für den gewerblichen

Rechtsschutz des Vertragsstaats zu vertreten, in dem sie ihren Geschäftssitz oder Arbeitsplatz hat.

(2) Die Eintragung erfolgt auf Antrag, dem eine Bescheinigung der Zentralbehörde für den gewerblichen Rechtsschutz beizufügen ist, aus der sich die Erfüllung der in Absatz 1 genannten Voraussetzungen ergibt.

(3) Unterliegt in einem Vertragsstaat die in Absatz 1 Buchstabe c genannte Befugnis nicht dem Erfordernis einer besonderen beruflichen Befähigung, so muss der Antragsteller die Vertretung auf dem Gebiet des Patentwesens vor der Zentralbehörde für den gewerblichen Rechtsschutz dieses Staats mindestens fünf Jahre lang regelmäßig ausgeübt haben. Die Voraussetzung der Berufsausübung ist jedoch nicht erforderlich für Personen, deren berufliche Befähigung, natürliche oder juristische Personen auf dem Gebiet des Patentwesens vor der Zentralbehörde für den gewerblichen Rechtsschutz eines Vertragsstaats zu vertreten, nach den Vorschriften dieses Staats amtlich festgestellt worden ist. Aus der Bescheinigung der Zentralbehörde für den gewerblichen Rechtsschutz muss sich ergeben, dass der Antragsteller eine der in diesem Absatz genannten Voraussetzungen erfüllt.

(4) Der Präsident des Europäischen Patentamts kann Befreiung erteilen:
a) vom Erfordernis nach Absatz 3 Satz 1, wenn der Antragsteller nachweist, dass er die erforderliche Befähigung auf andere Weise erworben hat;
b) in besonders gelagerten Fällen vom Erfordernis nach Absatz 1 Buchstabe a.

(5) Der Präsident des Europäischen Patentamts hat von dem Erfordernis des Absatzes 1 Buchstabe a Befreiung zu erteilen, wenn der Antragsteller am 5. Oktober 1973 die Voraussetzungen des Absatzes 1 Buchstaben b und c erfüllt hat.

(6) Personen, die ihren Geschäftssitz oder Arbeitsplatz in einem Staat haben, der diesem Übereinkommen weniger als ein Jahr vor Ablauf der Übergangszeit nach Absatz 1 oder nach Ablauf der Übergangszeit beitritt, können während eines Zeitraums von einem Jahr, gerechnet vom Zeitpunkt des Wirksamwerdens des Beitritts des genannten Staates an, unter den Voraussetzungen der Absätze 1 bis 5 in die Liste der zugelassenen Vertreter eingetragen werden.

(7) Nach Ablauf der Übergangszeit bleiben unbeschadet der in Anwendung von Artikel 134 Absatz 8 Buchstabe c getroffenen Disziplinarmaßnahmen Personen, die während der Übergangszeit in die Liste der zugelassenen Vertreter eingetragen worden sind, in der Liste eingetragen oder

werden auf Antrag in die Liste wieder eingetragen, sofern sie die Voraussetzungen des Absatzes 1 Buchstabe b erfüllen.

Lise Dybdahl-Müller/Margarete Singer

Übersicht
1	Allgemeines	1
2	Regelung für Staaten, die dem EPÜ nach Ablauf der Übergangszeit beitreten	2-4
3	Auswirkungen auf die Zeit nach der Übergangszeit	5
4	Analoge Anwendung des Abs 6	6-8

1 Allgemeines

1 Diese Vorschrift regelt, wer während einer Übergangszeit als Vertreter vor dem EPA in die Liste der zugelassenen Vertreter eingetragen werden kann, ohne eine Eignungsprüfung nach Art 134 abgelegt zu haben (»Großväterregelung«).

Für Rechtsanwälte bedarf es keiner Übergangsregelung, da sie auch ohne Eintragung in die Liste nach Art 134 (7) zur Vertretung vor dem EPA insoweit befugt sind, als sie in ihrem Heimatstaat die Vertretung auf dem Gebiet des Patentwesens ausüben können.[1]

Die Übergangszeit für die Vertragsstaaten der Anfangszeit endete am 7.10.1981 (ABl 1978, 327). Für alle später beigetretenen Staaten[2] endete sie nach Art 163 (6) jeweils 1 Jahr nach dem Wirksamwerden ihres Beitritts, zuletzt für Lettland am 30.6.2006.

2 Regelung für Staaten, die dem EPÜ nach Ablauf der Übergangszeit beitreten

2 Abs 6 sieht vor, dass nationale Vertreter, die vor dem nationalen Patentamt eines dem EPÜ neu beitretenden Staats auftreten können, in die Liste der zugelassenen Vertreter vor dem EPA unter den gleichen Bedingungen eingetragen werden, wie sie für die nationalen Vertreter der ersten Vertragsstaaten während der Übergangszeit gegolten haben.

3 Die Eintragung muss innerhalb eines Jahres nach dem Beitritt des betreffenden Staats erfolgen. Nach der Praxis des EPA genügt es jedoch, dass der Antrag zusammen mit den notwendigen Unterlagen innerhalb dieses Zeitraums beim EPA eingeht. Es wird also im Prinzip darauf abgestellt, ob die tatsächliche Möglichkeit der Eintragung innerhalb der Frist bestand. Die Frist ist inzwischen für alle derzeitigen Vertragsstaaten abgelaufen.

---

1   Urteil des Bayerischen Verwaltungsgerichts München vom 19.10.1978, ABl 1979, 94.
2   Bulgarien, Dänemark, Estland, Finnland, Griechenland, Island, Lettland, Litauen, Polen, Portugal, Rumänien, Slowenien, Slowakei, Spanien, Türkei, Ungarn, Zypern.

Wiedereinsetzung in die Übergangsfrist ist nicht vorgesehen. Ob der Rechtsgedanke der in Art 122 festgelegten Wiedereinsetzung entsprechend angewendet werden könnte, war bisher von der Beschwerdekammer noch nicht zu entscheiden.[3]

3 Auswirkungen auf die Zeit nach der Übergangszeit

Abs 7 sieht vor allem vor, dass zugelassene Vertreter, die während der Übergangszeit in die Liste eingetragen worden sind und deren Eintragung wieder gelöscht worden ist, jederzeit wieder in die Liste eingetragen werden, sofern sie ihren Geschäftssitz oder Arbeitsplatz in einem der Vertragsstaaten haben.

4 Analoge Anwendung des Abs 6

Auf die Patentvertreter der ehemaligen Deutschen Demokratischen Republik (DDR) wendete das EPA mit Zustimmung des Verwaltungsrats Abs 6 analog an. Eine unmittelbare Anwendung des Art 163 (6) kam nicht in Betracht, weil die DDR nicht dem EPÜ beigetreten war, vielmehr wurden ihre Staatsangehörigen durch die Wiedervereinigung Staatsangehörige eines Vertragsstaats. Die Übergangsfrist von einem Jahr begann für sie am 3.10.1990, als das Staatsgebiet der DDR Teil der Bundesrepublik wurde. Die Frist endete also für diesen Personenkreis am 3.10.1991.

Für westdeutsche Patentanwälte war durch diese analoge Anwendung des Art 163 (6) die Jahresfrist nicht wieder eröffnet worden, und zwar auch dann nicht, wenn diese westdeutschen Patenanwälte berechtigt gewesen waren, vor dem Patentamt der ehemaligen DDR als Vertreter aufzutreten. Das hat die Juristische Beschwerdekammer in **J 18/92** vom 18.12.1992 festgestellt. Mit diesem Verfahren hatte sie vier weitere ähnlich gelagerte Fälle[4] verbunden und die Beschwerden gegen alle fünf Entscheidungen der Rechtsabteilung zurückgewiesen, mit denen diese die Anträge auf Eintragung in die Liste nach Art 163 (6) abgelehnt hatte. Eine analoge Anwendung des Art 163 (6) setzt voraus, dass die Antragsteller – wie die Patentvertreter der DDR – in einer vergleichbaren Lage sind wie die Patentvertreter eines Staats, der dem EPÜ beitritt. Bei keinem der Antragsteller war dies der Fall.

Für Patentvertreter in den Erstreckungsstaaten (siehe Art 79 Rdn 37–42 und Art 169 Rdn 3–5) ist eine analoge Anwendung des Art 163 (6) nicht gerechtfertigt. Erst wenn diese Länder dem EPÜ beigetreten sind, können die dortigen Patentvertreter sich unter den erleichterten Bedingungen des Art 163 (6) in die Liste eintragen lassen.[5]

---

3 Vgl Bernecker in MünchGemKom, Art 163, Rn 146.
4 **J 30/92, J 31/92, J 32/92, J 33/92.**
5 Siehe auch Bernecker in MünchGemKom, Art 163, Rn 78 und 153–162.

Zwölfter Teil Schlussbestimmungen

Von den in diesem letzten Teil aufgeführten Vorschriften brauchen für die praktische Anwendung des EPÜ nur wenige kommentiert zu werden.

Artikel 164 Ausführungsordnung und Protokolle

(1) Die Ausführungsordnung, das Anerkennungsprotokoll, das Protokoll über Vorrechte und Immunitäten, das Zentralisierungsprotokoll sowie das Protokoll über die Auslegung des Artikels 69 sind Bestandteile des Übereinkommens.

(2) Im Fall mangelnder Übereinstimmung zwischen Vorschriften des Übereinkommens und Vorschriften der Ausführungsordnung gehen die Vorschriften des Übereinkommens vor.

Detlef Schennen

Übersicht

1	Allgemeines	1
2	Die Bestandteile des Übereinkommens	2-3
3	Der Vorrang des Übereinkommens vor der Ausführungsordnung	4-8

1 Allgemeines

1 Diese Vorschrift bestimmt, dass auch andere vertragliche Abmachungen, die im Zusammenhang mit dem EPÜ getroffen worden sind, Bestandteile des Übereinkommens sind.

Für den Fall unterschiedlicher Regelungen im Übereinkommen und in der AO wird dem Übereinkommen der Vorrang eingeräumt.

2 Die Bestandteile des Übereinkommens

2 In Abs 1 werden dem Übereinkommen folgende Bestandteile hinzugefügt: Die AO (siehe Anhang 1), das Anerkennungsprotokoll (siehe Anhang 2), das Protokoll über Vorrechte und Immunitäten (siehe Anhang 3), das Zentralisierungsprotokoll (siehe Anhang 4) und das Protokoll über die Auslegung des Art 69 (abgedruckt im Anschluss an Art 69).

3 Diese zusätzlichen vertraglichen Texte sind zusammen mit dem Übereinkommen auf der Münchner Diplomatischen Konferenz angenommen und unterzeichnet und von den Vertragsstaaten ratifiziert worden. Sie haben die gleiche Rechtssatzqualität und völkerrechtliche Verbindlichkeit wie das Überein-

kommen selbst. Änderungsmöglichkeiten ohne Revisionskonferenz bestehen nur nach Art 33 (1) und (3). Im Normenrang geht das Zentralisierungsprotokoll nach dessen Abschnitt VII dem EPÜ vor.

EPÜ 2000

Das EPÜ 2000 fügt dem Abs 1 lediglich die Erwähnung des Personalstandsprotokolls hinzu und lässt die Vorschrift im übrigen unverändert.

3 Der Vorrang des Übereinkommens vor der Ausführungsordnung

Abs 2 enthält den allgemein geltenden Auslegungsgrundsatz, dass im Falle mangelnder Übereinstimmung zwischen Übereinkommen und Ausführungsordnungen oder Gesetzen und Durchführungsverordnungen erstere vorgehen. PCT enthält in Art 58 (5) den gleichen Grundsatz. 4

Davon gehen die Beschwerdekammern als selbstverständlich aus, zB in **T 11/82**,[1] wonach die in R 27 enthaltenen Mussvorschriften nur im Fall mangelnder Übereinstimmung mit den Vorschriften des Übereinkommens außer Acht gelassen werden dürfen.

Von Beschwerdeführern wird gelegentlich die mangelnde Übereinstimmung zwischen Vorschriften der AO und des Übereinkommens geltend gemacht. Die Beschwerdekammern konnten bisher jedoch eine solche fehlende Übereinstimmung erst in einem Fall feststellen: In **J 14/91**[2] hat die Kammer das Recht auf Beachtung einer Ladungsfrist von mindestens zwei Monaten (R 71 (1) Satz 2) hinter dem Anspruch des aus einer europäischen Patentanmeldung Verwarnten auf Akteneinsicht nach Art 128 (2) zurücktreten lassen (für die Einzelheiten dieses Falls siehe Art 128 Rdn 9); andernfalls hätte dieser Anspruch nicht vor der Veröffentlichung der europäischen Patentanmeldung durchgesetzt werden können und wäre damit gegenstandslos geworden. R 72 (1) Satz 2 tritt danach aber nicht generell, sondern nur im Einzelfall zurück. 5

Dagegen stellte die Beschwerdekammer in **J 5/81**[3] fest, dass die theoretische Möglichkeit zum Missbrauch einer Vorschrift nicht ihre Ungültigkeit begründet. Ein Beschwerdeführer hatte erfolglos gerügt, R 48 (1) stehe nicht im Einklang mit dem Übereinkommen, weil sie vom Präsidenten des EPA missbraucht werden könne; denn er könne willkürlich den Zeitpunkt bestimmen, an dem die technischen Vorbereitungen für die Veröffentlichung der europäischen Patentanmeldung als abgeschlossen gelten. 6

Sind Bestimmungen der AO in sich nicht eindeutig, so greifen die Beschwerdekammern auf die Vorschriften und Grundsätze des Übereinkommens zurück. Das ist auch in **J 5/81**[4] geschehen, in der die Formulierung »als abge- 7

---

1 **T 11/82**, ABl 1983, 479, Nr 6.
2 **J 14/91**, ABl 1993, 479, Nr 2.2.
3 **J 5/81**, ABl 1982, 155.
4 **J 5/81**, ABl 1982, 155.

schlossen gelten« ausgelegt wird; dabei verweist die Kammer auf den tragenden Grundsatz der in Art 93 enthaltenen Verpflichtung zur Veröffentlichung aller europäischen Patentanmeldungen nach 18 Monaten.

8 Die in R 71a bestimmte Pflicht des EPA, die Parteien bereits bei der Ladung auf erörterungsbedürftige Fragen hinzuweisen, steht im Widerspruch zu Art 11 (2) VerfOBK und damit auch zu Art 23 (4) des Übereinkommens,[5] der die Unabhängigkeit der Beschwerdekammern garantiert. R 71a gilt daher nicht für das Verfahren vor den Beschwerdekammern (vgl Art 116 Rdn 51).

Artikel 165 Unterzeichnung – Ratifikation

(1) Dieses Übereinkommen liegt für die Staaten, die an der Regierungskonferenz über die Einführung eines europäischen Patenterteilungsverfahrens teilgenommen haben oder die über die Abhaltung dieser Konferenz unterrichtet worden sind und denen die Möglichkeit der Teilnahme geboten worden ist, bis zum 5. April 1974 zur Unterzeichnung auf.

(2) Dieses Übereinkommen bedarf der Ratifikation; die Ratifikationsurkunden werden bei der Regierung der Bundesrepublik Deutschland hinterlegt.

Detlef Schennen

1 An der vom 10.9. bis 5.10.1973 in München abgehaltenen Regierungskonferenz haben folgende Staaten teilgenommen: Belgien, Dänemark, Deutschland, Finnland, Frankreich, Griechenland, Großbritannien, Irland, Italien, Jugoslawien, Liechtenstein, Luxemburg, Monaco, die Niederlande, Norwegen, Österreich, Portugal, Schweden, die Schweiz und Spanien.

Außer Finnland, Jugoslawien, Portugal und Spanien haben alle Teilnehmerstaaten das Abkommen unterzeichnet, und zwar vierzehn bei Abschluß der Konferenz, zwei weitere bis zum 5.4.1974.

Island, die Türkei und Zypern waren eingeladen worden, haben aber nicht teilgenommen.

Wegen der in Abs 2 behandelten Ratifikation siehe unter Art 169.

Artikel 166 Beitritt

(1) Dieses Übereinkommen steht zum Beitritt offen:
a) **den in Artikel 165 Absatz 1 genannten Staaten;**
b) **auf Einladung des Verwaltungsrats jedem anderen europäischen Staat.**

---

5 G 6/95, ABl 1996, 649.

(2) Jeder ehemalige Vertragsstaat, der dem Übereinkommen nach Artikel 172 Absatz 4 nicht mehr angehört, kann durch Beitritt erneut Vertragspartei des Übereinkommens werden.

(3) Die Beitrittsurkunden werden bei der Regierung der Bundesrepublik Deutschland hinterlegt.

Detlef Schennen

Übersicht
1	Allgemeines	1
2	Beitrittsberechtigte Staaten	2
3	Einladung des Verwaltungsrats zum Beitritt	3-4

1 Allgemeines

Dieser Artikel regelt zusammen mit Art 165 (1) die Möglichkeit eines Beitritts zum EPÜ.   1

2 Beitrittsberechtigte Staaten

Von den Staaten, die nach Art 166 (1) (a) iVm Art 165 beitrittsberechtigt sind, sind nur Norwegen und Jugoslawien später nicht beigetreten. Nach Aufhebung der völkerrechtlichen Sanktionen gegen Restjugoslawien bedeutet dies nach den völkerrechtlichen Grundsätzen über die Rechtsnachfolge in internationalen Verträge, dass heute Kroatien, Mazedonien und Serbien-Montenegro beitrittsberechtigt sind.   2

3 Einladung des Verwaltungsrats zum Beitritt

Andere Staaten können dem EPÜ nur beitreten, wenn der Verwaltungsrat hierzu eine Einladung ausspricht. Solche Staaten ergehen an die Staaten, die der EG beitreten wollen, da das geplante Gemeinschaftspatent eine Beteiligung aller EG-Mitgliedstaaten am EPÜ erfordert.   3

Mit Ausnahme von Malta und Kroatien sind alle Staaten, die 2004 der EG beigetreten sind oder derzeit in Verhandlungen über den EG-Beitritt stehen, bereits dem EPÜ beigetreten; zur Liste der heute 31 Vertragsstaaten siehe unter Art 169.   4

Artikel 167 Vorbehalte

(1) Jeder Vertragsstaat kann bei der Unterzeichnung oder bei der Hinterlegung seiner Ratifikations- oder Beitrittsurkunde nur die in Absatz 2 vorgesehenen Vorbehalte machen.

(2) Jeder Vertragsstaat kann sich vorbehalten zu bestimmen:

Artikel 167 *Vorbehalte*

a) dass europäische Patente übereinstimmend mit den für nationale Patente geltenden Vorschriften unwirksam sind oder für nichtig erklärt werden können, soweit sie Schutz für chemische Erzeugnisse als solche oder für Nahrungs- oder Arzneimittel als solche gewähren; ein solcher Vorbehalt berührt nicht den Schutz aus dem Patent, soweit es ein Verfahren zur Herstellung oder Verwendung eines chemischen Erzeugnisses oder ein Verfahren zur Herstellung eines Nahrungs- oder Arzneimittels betrifft;

b) dass europäische Patente übereinstimmend mit den für nationale Patente geltenden Vorschriften unwirksam sind oder für nichtig erklärt werden können, soweit sie Schutz für landwirtschaftliche oder gartenbauliche Verfahren gewähren, auf die nicht bereits Artikel 53 Buchstabe b anzuwenden ist;

c) dass europäische Patente übereinstimmend mit den für nationale Patente geltenden Vorschriften eine kürzere Laufzeit als zwanzig Jahre haben;

d) dass das Anerkennungsprotokoll für ihn nicht verbindlich sein soll.

(3) Alle von einem Vertragsstaat gemachten Vorbehalte sind für einen Zeitraum von höchstens zehn Jahren vom Inkrafttreten dieses Übereinkommens an wirksam. Hat ein Vertragsstaat Vorbehalte nach Absatz 2 Buchstabe a oder b gemacht, so kann der Verwaltungsrat mit Wirkung für diesen Staat die Frist für alle oder einen Teil der gemachten Vorbehalte um höchstens fünf Jahre verlängern, wenn dieser Staat spätestens ein Jahr vor Ablauf des Zeitraums von zehn Jahren einen begründeten Antrag stellt, der es dem Verwaltungsrat erlaubt, zu entscheiden, dass dieser Vertragsstaat am Ende des Zeitraums von zehn Jahren nicht in der Lage ist, den Vorbehalt zurückzunehmen.

(4) Jeder Vertragsstaat, der einen Vorbehalt gemacht hat, nimmt ihn zurück, sobald es die Umstände gestatten. Die Zurücknahme des Vorbehalts erfolgt durch eine an die Regierung der Bundesrepublik Deutschland gerichtete Notifikation und wird einen Monat nach dem Tag des Eingangs der Notifikation wirksam.

(5) Ein nach Absatz 2 Buchstabe a, b oder c gemachter Vorbehalt erstreckt sich auf die europäischen Patente, die auf Grund von europäischen Patentanmeldungen erteilt worden sind, die während der Wirksamkeit des Vorbehalts eingereicht worden sind. Der Vorbehalt bleibt während der gesamten Geltungsdauer dieser Patente wirksam.

(6) Jeder Vorbehalt wird mit Ablauf des in Absatz 3 Satz 1 erwähnten Zeitraums und, falls der Zeitraum verlängert worden ist, mit Ablauf des verlängerten Zeitraums unwirksam; Absätze 4 und 5 bleiben unberührt.

Vorbehalte **Artikel 167**

Detlef Schennen

Übersicht
1	Allgemeines	1
2	Vorbehalt betreffend den Schutz für chemische Erzeugnisse, Nahrungsmittel und Arzneimittel (Abs 2 a))	2-7
3	Gesonderte Anspruchssätze	8-13
4	Vorbehalt betreffend die Patentlaufzeit (Abs 2 c))	14
5	Vorbehalt betreffend das Anerkennungsprotokoll (Abs 2 d))	15

1 Allgemeines

Diese Vorschrift, die den Vertragsstaaten eine zeitlich beschränkte Vorbehaltsmöglichkeit für die Anwendung bestimmter Artikel des Übereinkommens einräumt, soll ihnen die Umstellung ihrer Wirtschaft auf die neuen Bestimmungen und die Angleichung des nationalen Rechts innerhalb dieser Zeit ermöglichen. Dies betrifft besonders den Vorbehalt für den Stoffschutz bei chemischen Erzeugnissen (Abs 2 a)), der auf der Münchner Diplomatischen Konferenz sehr umstritten war. 1

EPÜ 2000

Das EPÜ 2000 streicht Art 167, da die Frist für die Erklärung von Vorbehalten längst abgelaufen ist. Da die Vorbehalte für die bis zu ihrem Geltungsende eingereichten europäischen Patentanmeldungen gelten, gibt es heute immer noch europäische Patente, für die die Vorbehalte wirksam sind. Deshalb wird auf eine Kommentierung von Art 167 noch nicht verzichtet.

2 Vorbehalt betreffend den Schutz für chemische Erzeugnisse, Nahrungsmittel und Arzneimittel (Abs 2 a))

Von der Möglichkeit des Vorbehalts nach Abs 2 a) hatten Gebrauch gemacht Österreich (für chemische Erzeugnisse, Nahrungsmittel und Arzneimittel), Spanien (für chemische Erzeugnisse und Arzneimittel) und Griechenland (nur für Arzneimittel). 2

Der Vorbehalt Österreichs galt nach Abs 3 für 10 Jahre vom Inkrafttreten des Übereinkommens an und ist am 7.10.1987 abgelaufen. 3

Die Vorbehalte Griechenlands und Spaniens, die von deren Beitritt an ab dem 1.10.1986 galten, hat der Verwaltungsrat gemäß Abs 3 Satz 2 und 3 um 5 Jahre verlängert; sie sind damit am 7.10.1992 (15 Jahre nach Inkrafttreten des EPÜ) abgelaufen (siehe Abs 6). Eine weitere Verlängerung wäre nicht zulässig gewesen. 4

Nach Abs 5 erstreckt sich der Vorbehalt auf alle europäischen Patente, die während der Wirksamkeit des Vorbehalts eingereicht worden sind, dh für Österreich auf alle europäischen Patente mit einem Anmeldetag bis einschließlich 5

7.10.1987, für Griechenland und Spanien bis einschließlich 7.10.1992. Dies ergibt sich eindeutig aus dem Text des Abs 5.[1] Die Auffassung des spanischen Patentamts, dass es auf das Prioritätsdatum ankomme, ist nicht EPÜ-konform; sie steht auch nicht im Einklang mit Art 4 PVÜ.[2]

6   Nach Abs 5 bleibt der Vorbehalt für die Patentanmeldungen, die während der Wirksamkeit des Vorbehalts eingereicht worden sind, während der gesamten Geltungsdauer des Patents wirksam. Ein im europäischen Patent enthaltener Erzeugnisanspruch lebt also nach Ablauf des Vorbehalts nicht wieder auf.[3]

7   Wichtig ist der zweite Halbsatz des Abs 2 a), wonach der Vorbehalt nur den Erzeugnisschutz ausschließt, nicht den Schutz des Herstellungs- oder Verwendungsverfahrens.[4] Auch unter der Geltung des Vorbehalts ist daher der Verfahrensschutz möglich, wobei sich dieser Schutz nach Art 64 (2) ausdrücklich auf die durch das Verfahren unmittelbar hergestellten Erzeugnisse erstreckt.

3 Gesonderte Anspruchssätze

8   Um dem Schutzbedürfnis europäischer Patentanmelder gerecht zu werden, hat das EPA erlaubt, in der europäischen Patentanmeldung neben Erzeugnisansprüchen eine weitere Reihe von Herstellungsverfahrensansprüchen für die von den Vorbehalten des Abs 2 betroffenen Staaten aufzustellen, und zwar gemäß Rechtsauskunft des EPA Nr 4/80, die auch für Griechenland und Spanien gilt, von der Einreichung der europäischen Patentanmeldung an.[5]

9   Werden mehrere Anspruchssätze eingereicht, so unterliegt nur der Satz der Gebührenpflicht nach R 31 und R 51 (7), der die meisten Patentansprüche enthält.[6]

10   Das EPA ist nicht verpflichtet, die Anmelder auf die Möglichkeit hinzuweisen, gesonderte Anspruchssätze für die Staaten einzureichen, die einen Vorbehalt gemacht haben.[7] Jedoch weist das EPA den Anmelder von sich aus darauf hin, dass er zweckmäßigerweise einen gesonderten Anspruchssatz spätestens

---

1   Siehe Mitteilung des Präsidenten, ABl 1992, 301, Nr 2; für AT so auch AT-Patentamt, Oberster Patent- und Markensenat vom 12.6.1996 – *Rekombinante DNS-Moleküle* –, ABl 1998, 217.
2   Siehe Kunz-Hallstein, Mitt. 1993, 19.
3   So auch AT-Patentamt, Beschwerdeabteilung vom **12.12.1989**, ABl 1990, 375.
4   Zur Umgehung des Stoffschutzvorbehalts siehe AT-Patentamt, Oberster Patent- und Markensenat, Entscheidung vom 12.6.1996 – *Rekombinante DNS-Moleküle* –, ABl 1998, 217.
5   Rechtsauskunft Nr 4/80, ABl 1980, 48; siehe auch PrüfRichtl C-III, 8.3; **J 21/82**, ABl 1984, 65.
6   Rechtsauskunft Nr 3/85, ABl 1985, 347; **J 8/84**, ABl 1985, 261.
7   **J 12/83**, ABl 1985, 6.

mit der Beantwortung der Mitteilung nach R 51 (4) (Einverständnis mit der zu erteilenden Fassung) einreichen sollte.[8]

Nach Zustellung der Mitteilung zur Zahlung der Erteilungsgebühr nach R 51 (6) bedarf die Zulassung gesonderter Anspruchssätze der Zustimmung des EPA nach R 86 (3), die nur ausnahmsweise in Betracht kommt, zumal Vorbehalte nach Abs 2 a) keine Erfordernisse der europäischen Patentanmeldung im Sinne von Art 96 (2) sind.[9]

Nach der Erteilung des europäischen Patents ist jedoch ein Antrag auf Aufnahme eines weiteren Anspruchssatzes verspätet und eine Beschwerde gegen die Ablehnung dieses Antrags unzulässig, weil der Anmelder im Erteilungsverfahren der zu erteilenden Fassung bereits zugestimmt hatte.[10]

Das spanische Patentamt kennzeichnet Stoffansprüche bei der Veröffentlichung von spanischen Übersetzungen entsprechend.[11]

4 Vorbehalt betreffend die Patentlaufzeit (Abs 2 c))

Abs 2 c) sieht eine Vorbehaltsmöglichkeit hinsichtlich der 20jährigen Laufzeit des europäischen Patents vor. Von dieser Möglichkeit hat kein Vertragsstaat Gebrauch gemacht.

5 Vorbehalt betreffend das Anerkennungsprotokoll (Abs 2 d))

Das Anerkennungsprotokoll ist als Anhang 2 aufgeführt und kurz erläutert. Von dem das Anerkennungsprotokoll betreffenden, nicht verlängerbaren Vorbehalt hatte nur Österreich Gebrauch gemacht. Er ist am 7.10.1987 abgelaufen.

Artikel 168 Räumlicher Anwendungsbereich

(1) Jeder Vertragsstaat kann in seiner Ratifikations- oder Beitrittsurkunde oder zu jedem späteren Zeitpunkt durch eine Notifikation an die Regierung der Bundesrepublik Deutschland erklären, dass das Übereinkommen auf alle oder einzelne Hoheitsgebiete anzuwenden ist, für deren auswärtige Beziehungen er verantwortlich ist. Die für den betreffenden Vertragsstaat erteilten europäischen Patente haben auch in den Hoheitsgebieten Wirkung, für die eine solche Erklärung wirksam ist.

(2) Ist die in Absatz 1 genannte Erklärung in der Ratifikations- oder Beitrittsurkunde enthalten, so wird sie gleichzeitig mit der Ratifikation oder dem Beitritt wirksam; wird die Erklärung nach der Hinterlegung der Ratifikations- oder Beitrittsurkunde in einer Notifikation abgegeben,

---

8 Mitteilung des Präsidenten, ABl 1992, 301, Nr 3.
9 **G 7/93**, ABl 1994, 775. **T 675/90**, ABl 1994, 58 ist insoweit überholt.
10 **J 12/83**, ABl 1985, 6; **J 12/85**, ABl 1986, 155.
11 Siehe Mitteilung des Präsidenten des EPA, ABl 1982, 301, Nr 3.

Artikel 168 — *Räumlicher Anwendungsbereich*

so wird diese Notifikation sechs Monate nach dem Tag ihres Eingangs bei der Regierung der Bundesrepublik Deutschland wirksam.

(3) Jeder Vertragsstaat kann jederzeit erklären, dass das Übereinkommen für alle oder einzelne Hoheitsgebiete, für die er nach Absatz 1 eine Notifikation vorgenommen hat, nicht mehr anzuwenden ist. Diese Erklärung wird ein Jahr nach dem Tag wirksam, an dem sie der Regierung der Bundesrepublik Deutschland notifiziert worden ist.

Detlef Schennen

Übersicht
1	Allgemeines	1-2
2	Erklärungen über den räumlichen Anwendungsbereich	3
3	Schutz in weiteren Gebieten	4
4	Deutsche Einheit	5

1 Allgemeines

1   Das EPÜ findet im Hoheitsgebiet des benannten Vertragsstaats Anwendung, und das europäische Patent hat in diesem Staat dieselbe territoriale Wirkung wie ein nationales Patent dieses Staats (vgl Art 2). Welches Gebiet zum Hoheitsgebiet eines Vertragsstaats gehört, bestimmt sich nach dem Verfassungsrecht des betreffenden Staates und dem allgemeinen Völkerrecht, nicht nach Art 168. Die Anwendbarkeit auf bestimmte Teile des Festlandssockels sehen die Niederlande (Art 44 B des ReichspatentG) und Art 9 der Vereinbarung über Gemeinschaftspatente vor.

2   Verschiedene Vertragsstaaten sind auch für die auswärtigen Beziehungen anderer Gebiete verantwortlich, die nicht Hoheitsgebiet des Vertragsstaats sind. Das EPÜ hat in solchen Gebieten Wirkung, wenn der betreffende Vertragsstaat eine Erklärung nach Art 168 (2) abgibt. Diese Erklärungen können jederzeit geändert werden (Abs 3). Bislang sind lediglich von Großbritannien, Frankreich und Dänemark Erklärungen abgegeben worden, und zwar mit der Ratifikations- oder Beitrittsurkunde. Übersicht: Broschüre *Nationales Recht zum EPÜ*, Tabelle X, Spalte 2.

2 Erklärungen über den räumlichen Anwendungsbereich

3   Erklärungen nach Art 168 (1) haben abgegeben:

DK: Keine Anwendung auf die Faröer und Grönland;[1]

---

[1] Bekanntmachung BGBl 1990 II, S 98.

FR: Geltung einschließlich der französischen Übersee-Departements und Übersee-Territorien,[2] dh für Neu-Kaledonien, Französisch-Polynesien, die französischen Südpolar- und Antarktisgebiete, Wallis und Futuna, Saint-Pierre und Miquelon;
GB: Geltung einschließlich der Insel Man.

3 Schutz in weiteren Gebieten

GB: In verschiedenen überseeischen Gebieten und Commonwealth-Staaten können europäische Patente registriert werden.[3]
NL: Europäische Patente gelten nur im europäischen Teil des Königreichs, nationale Patente auch in den niederländischen Antillen (Art 29 M (1) des NL-Reichspatentgesetzes).

4 Deutsche Einheit

Bis zum 2.10.1990 galt das EPÜ für Deutschland nur auf dem bisherigen Gebiet der Bundesrepublik Deutschland und (Art XI § 2 IntPatÜG) im Land Berlin. Ab dem 3.10.1990 gilt es automatisch auch im Beitrittsgebiet (neue Bundesländer und Ostteil Berlins). Für europäische Patente, europäische Patentanmeldungen und Euro-PCT-Anmeldungen, die vor diesem Datum eingereicht waren (maßgeblich ist der Anmeldetag, nicht der Prioritätstag), gilt es dort erst ab dem 1.5.1992, dem Inkrafttreten des Erstreckungsgesetzes; durch dieses Gesetz wurden sämtliche vor dem 3.10.1990 national oder nach internationalen Übereinkommen angemeldeten Schutzrechte auf den jeweils anderen Teil Deutschlands automatisch erstreckt.[4]

Artikel 169 Inkrafttreten

(1) Dieses Übereinkommen tritt in Kraft drei Monate nach Hinterlegung der letzten Ratifikations- oder Beitrittsurkunde von sechs Staaten, in deren Hoheitsgebiet im Jahre 1970 insgesamt mindestens 180 000 Patentanmeldungen für die Gesamtheit dieser Staaten eingereicht wurden.

(2) Jede Ratifikation oder jeder Beitritt nach Inkrafttreten dieses Übereinkommens wird am ersten Tag des dritten Monats nach der Hinterlegung der Ratifikations- oder Beitrittsurkunde wirksam.

---

2 Bekanntmachung BGBl 1977 II, S 792.
3 Mitteilung des EPA, ABl 2004, 179.
4 Siehe Mitteilung des EPA, ABl 1990, 498 und 1992, 329.

Artikel 169 *Inkrafttreten und Erstreckung*

Detlef Schennen

Übersicht
1	Allgemeines	1-2
2	Erstreckung europäischer Patente auf Drittstaaten	3-6

1 Allgemeines

1   Die in Abs 1 aufgeführten Bedingungen waren am 7.10.1977 erfüllt. Zu diesem Zeitpunkt ist das EPÜ in Kraft getreten. Die sieben Staaten, deren Beitritt bzw Ratifikation das EPÜ in Kraft gesetzt hat, sind Belgien, Deutschland, Frankreich, Großbritannien, Luxemburg, die Niederlande und die Schweiz.

2   Inzwischen ist das EPÜ auch in Kraft getreten für Schweden am 1.5.1978, Italien am 1.12.1978, Österreich am 1.5.1979, Liechtenstein am 1.4.1980, Spanien und Griechenland am 1.10.1986; Dänemark am 1.1.1990, Monaco am 1.12.1991, Portugal am 1.1.1992, Irland am 1.8.1992, Finnland am 1.3.1996, Zypern am 1.4.1998, Türkei am 1.11.2000, Bulgarien, Estland, Slowakei und Tschechische Republik am 1.7.2002, Slowenien am 1.12.2002, Ungarn am 1.1.2003, Rumänien am 1.3.2003, Polen am 1.3.2004, Island am 1.11.2004, Litauen am 1.12.2004 und Lettland[1] am 1.7.2005. Die Zahl der Vertragsstaaten beträgt derzeit 31.

2 Erstreckung europäischer Patente auf Drittstaaten

3   Mit einigen Staaten Mittel- und Osteuropas sind zur Vorbereitung ihres Beitritts zum EPÜ Erstreckungsübereinkommen abgeschlossen worden. Danach haben europäische Patente, die sich auf diese Staaten erstrecken, in dem betreffenden Staat die Wirkung eines nationalen Patents. Zu den Einzelheiten siehe Art 79 Rdn 37–42.

4   Bei Euro-PCT-Anmeldungen ist neben der Bestimmung als europäisches Patent (EP-Bestimmung) eine ausdrückliche Bestimmung der erwünschten Erstreckungsstaaten erforderlich.

5   Derartige Abkommen sind geschlossen worden mit Slowenien am 2.7.1993, in Kraft getreten am 1.3.1994,[2] mit Litauen mit Wirkung zum 5.7.1994,[3] mit Lettland in Kraft seit 1.5.1995 ,[4] mit Rumänien in Kraft seit 15.10.1996,[5] mit Albanien in Kraft seit 1.2.1996[6] und mit der ehemaligen jugoslawischen Repu-

---

1   ABl 2005, 299.
2   ABl 1993, 574 und 1994, 75.
3   ABl 1994, 527.
4   ABl 1994, 201 und 1995, 345.
5   ABl 1996, 601.
6   ABl 1996, 82.

blik Mazedonien in Kraft seit dem 1.11.1997.[7] Von diesen Staaten sind Slowenien, Rumänien, Lettland und Litauen bereits Vollmitglieder geworden. Die Erstreckungsabkommen bleiben aber für vor deren Beitritt eingereichte europäische Patentanmeldungen wirksam.[8]

Einige Staaten erkennen europäische Patente unilateral durch Registrierung an, siehe Art 168 Rdn 4. 6

Artikel 170 Aufnahmebeitrag

(1) Jeder Staat, der nach Inkrafttreten dieses Übereinkommens das Übereinkommen ratifiziert oder ihm beitritt, hat der Organisation einen Aufnahmebeitrag zu zahlen, der nicht zurückgezahlt wird.

(2) Der Aufnahmebeitrag beträgt 5% des Betrags, der sich ergibt, wenn der für den betreffenden Staat nach dem in Artikel 40 Absätze 3 und 4 vorgesehenen Aufbringungsschlüssel ermittelte Prozentsatz, der zu dem Zeitpunkt gilt, zu dem die Ratifikation oder der Beitritt wirksam wird, auf die Summe der von den übrigen Vertragsstaaten bis zum Abschluss des diesem Zeitpunkt vorangehenden Haushaltsjahrs geschuldeten besonderen Finanzbeiträge angewendet wird.

(3) Werden besondere Finanzbeiträge für das Haushaltsjahr, das dem in Absatz 2 genannten Zeitpunkt vorausgeht, nicht mehr gefordert, so ist der in Absatz 2 genannte Aufbringungsschlüssel derjenige, der auf den betreffenden Staat auf der Grundlage des letzten Jahrs, für das besondere Finanzbeiträge zu zahlen waren, anzuwenden gewesen wäre.

Detlef Schennen

Die Aufnahmebeiträge sind nach dem Schlüssel zu berechnen, der für die Finanzbeiträge der Staaten nach Art 40 (2) und (3) vorgesehen war. Während diese Finanzbeiträge aber längst zurückgezahlt worden sind und von den neu hinzukommenden Staaten nicht mehr erhoben werden, besteht die Verpflichtung zur Zahlung der Aufnahmebeiträge weiterhin. Sie fließen in den Haushalt des EPA. 1

Artikel 171 Geltungsdauer des Übereinkommens

Dieses Übereinkommen wird auf unbegrenzte Zeit geschlossen.

---

7 ABl 1997, 538.
8 Siehe Mitteilung des EPA vom 21. 4. 2005, ABl 2005, 299 (zu Lettland).

Artikel 172 Revision

(1) Dieses Übereinkommen kann durch Konferenzen der Vertragsstaaten revidiert werden.

(2) Die Konferenz wird vom Verwaltungsrat vorbereitet und einberufen. Sie ist nur beschlussfähig, wenn mindestens drei Viertel der Vertragsstaaten auf ihr vertreten sind. Die revidierte Fassung des Übereinkommens bedarf zu ihrer Annahme der Dreiviertelmehrheit der auf der Konferenz vertretenen Vertragsstaaten, die eine Stimme abgeben. Stimmenthaltung gilt nicht als Stimmabgabe.

(3) Die revidierte Fassung des Übereinkommens tritt nach Hinterlegung der Ratifikations- oder Beitrittsurkunden durch die von der Konferenz festgesetzte Anzahl von Vertragsstaaten und zu dem von der Konferenz bestimmten Zeitpunkt in Kraft.

(4) Die Staaten, die die revidierte Fassung des Übereinkommens im Zeitpunkt ihres Inkrafttretens weder ratifiziert haben noch ihr beigetreten sind, gehören von diesem Zeitpunkt dem Übereinkommen nicht mehr an.

Detlef Schennen

Übersicht

1	Allgemeines	1
2	Revision des Art 63	2-4
3	Das EPÜ 2000	5-7
3	Weitere Revisionen	8-10
4	Das Übereinkommen über die Anwendung des Art 65	11-12
4	Das EPLA	13-14
5	Änderungen ohne formelle Revision	15-18

1 Allgemeines

1 Das Übereinkommen kann durch Revisionskonferenzen oder im Verfahren nach Art 33 (1) und (3) geändert werden. Abs 2 und 3 regeln das Verfahren für die Revision. Abs 4 soll die einheitliche Weiterentwicklung des EPÜ gewährleisten.

Bisher hat es zwei Revisionen gegeben,

– die Revision des Art 63 und
– die EPÜ-Revision 2000.

Zwei weitere Revisionen sind geplant oder erforderlich.
Der Vermeidung des Rückgriffs auf das Verfahren der Revision dienen ferner

– der Abschluß von Zusatzübereinkommen und

– die Erleichterung der Änderung des Inhalts des Übereinkommens ohne formelle Revision durch das EPÜ 2000.

2 Revision des Art 63

Erstmals ist das EPÜ durch Konferenz vom 16. bis 17.12.1991 in München revidiert worden. Durch die Akte zur Revision von Art 63, von den Vertragsstaaten am 17.12.1991 einstimmig beschlossen und bis Frühjahr 1992 auch gezeichnet, ist Art 63 (Laufzeit des europäischen Patents) neu gefasst worden. Die Revisionsakte ist entsprechend Art 172 (3) und Art 4 der Revisionsakte zwei Jahre nach Hinterlegung der Ratifikationsurkunde durch die Schweiz als neuntem Vertragsstaat am 4.7.1997 in Kraft getreten.[1]

Nach Art 172 (4) scheiden die Staaten, die die revidierte Fassung im Zeitpunkt ihres Inkrafttretens nicht ratifiziert haben, aus dem EPÜ aus. Die Revisionsakte nimmt in Kauf, dass Art 172 (4) auf sie anwendbar ist. Hätte also ein Vertragsstaat die Revisionsakte nach Hinterlegung der neunten Ratifikationsurkunde nicht innerhalb der 2-Jahresfrist ratifiziert, so hätte er aus dem EPÜ ausscheiden müssen. Diese harte Vorschrift soll die Einheitlichkeit des europäischen Patenterteilungsverfahrens und der Patentierungsvoraussetzungen sicherstellen. Auf den revidierten Art 63, der lediglich eine zusätzliche Ermächtigung für das nationale Recht vorsieht, passt sie nicht recht. Gleichwohl wollte die Revisionskonferenz den wichtigen Grundsatz des Art 172 (4) nicht gleich beim ersten Anlass durchbrechen.[2] Sie ging vielmehr davon aus, dass kein Zweifel an einer baldigen Ratifikation besteht, gerade weil die revidierte Fassung von Art 63 eine Änderung des nationalen Rechts lediglich ermöglicht. Dass Art 172 (4) als gewisses Druckmittel dient, dürfte nicht unbedingt negativ sein.

Rechtzeitig bis zum 4. 7. 1997 haben dann auch alle damaligen Vertragsstaaten die Ratifikationsurkunden hinterlegt: NL 29.10.1992, GB 2.11.1992, SE 7.12.1992, DK 12.1.1993, DE 25.6.1993, AT 30.7.1993, GR 27.6.1994, FR 19.8.1994, CH 4.7.1995, IT 6.7.1995, LI 27.7.1995, PT 28.8.1995, MC 25.6.1996, FI 8.9.1996, BE 12.11.1996, ES 30.4.1997, LU 9.5.1997, IE 20.5.1997.

3 Das EPÜ 2000

Eine erste sachliche Revision des EPÜ erfolgte im November 2000 (»EPÜ 2000«). Hauptpunkte waren die Anpassung an internationale Übereinkommen (TRIPS, PLT), Verfahrensverbesserungen (zentrale Beschränkungsmöglichkeit, Festschreiben der Zusammenführung von Recherche und Prüfung, Überprüfungsmöglichkeit für rechtskräftige Entscheidungen) und Änderung des

---

1 ABl 1997, 187 und Bekanntmachung, BGBl 1997 II S 1446.
2 Zustimmend Joos, Revisionen des EPÜ, in: Festschrift für Kolle und Stauder, S 429, 436.

Art 69 betreffend Äquivalente. Daneben wurden zahllose redaktionelle Verbesserungen verabschiedet und Redundantes gestrichen.

6   Mit Ausnahme der Verbesserung des Schutzes der zweiten medizinischen Indikation wurden Änderungen der Patentierungsvoraussetzungen letztlich auf der Revisionskonferenz ausgeklammert und durch eine Entschließung der Konferenz auf später verschoben, nämlich die Anpassung an die EG-Biotechnologierichtlinie und die Streichung des Patentierungsausschlusses für Computerprogramme. Die Wiedereinführung der Neuheitsschonfrist steht gar nicht mehr auf dem EPA-Fahrplan und bedürfte wohl neuen Anschubs seitens der WIPO.

7   Die revidierte Fassung des EPÜ (EPÜ 2000) tritt nach Art 8 der Revisionsakte zwei Jahre nach Hinterlegung der 15. Ratifikationsurkunde in Kraft. Dies steht für 2007 zu erwarten. Die seit 2000 neu beigetretenen Vertragsstaaten waren verpflichtet, auch der revidierten Fassung beizutreten. Im Interesse der Einheit des europäischen Patentrechts gilt die harte Sanktion des Abs 4, so dass alle Vertragsstaaten praktisch gezwungen sind, die Revisionsakte zeitgerecht zu ratifizieren.

3 Weitere Revisionen

8   Zwei weitere Revisionen sind entweder geplant oder doch erforderlich.
9   Ein Vorschlag zielt darauf hin, die Beschwerdekammern zwar innerhalb der EPO zu belassen, aber aus dem EPA herauszulösen.[3] Bereits 1997 machte eine externe Arbeitsgruppe dem Verwaltungsrat dahingehende Vorschläge. Nach positiver Stellungnahme des Verwaltungsrats wurde diesem 2004 ein ausgearbeiteter Vorschlag vorgelegt. Wiederum reagierte der Verwaltungsrat positiv, jedoch gibt es bis heute keine Entscheidung über die Einberufung einer Diplomatischen Konferenz.
10 Auch das geplante Gemeinschaftspatent, das nun in Form einer EG-Verordnung verwirklicht werden soll (siehe vor Art 142), wird Anpassungen des EPÜ erforderlich machen; Art 142 ff werden dazu wegen der institutionellen Regelungen, die nach den Vorstellungen der EG-Kommission ganz anders sein sollen als noch im GPÜ, nicht mehr ausreichen.

4 Das Übereinkommen über die Anwendung des Art 65

11 Zwei weitere Vorhaben sind zu berichten, das europäische Patentrecht durch Zusatzabkommen zum EPÜ fortzuentwickeln, von denen nur eines bislang erfolgreich ist.
12 Das Übereinkommen vom 17.10.2000 über die Anwendung des Art 65[4] stellt eine freiwillige Anstrengung von zunächst einer Gruppe von Vertragsstaaten

---

3   Siehe ausführlich Messerli, Organisatorische Verselbständigung der Beschwerdekammern des EPA, in: Festschrift für Kolle und Stauder, S 441.
4   ABl 2001, 550.

zur Senkung der Übersetzungskosten dar. Hauptpunkt des Abkommens ist, dass Vertragsstaaten auf die Übersetzung des europäischen Patents in ihre Amtssprache verzichten, wenn die europäische Patentschrift in einer bestimmten Amtssprache des EPA veröffentlicht wurde.

4 Das EPLA

Während die Verhandlungen zum Streitregelungssystem für das Gemeinschaftspatent unter Ägide der Kommission über den schon 1989 erreichten Verhandlungsstand keinen Zentimeter hinausgekommen sind,[5] ist mit Unterstützung der Industrie im EPA der Vorschlag eines Europäischen Patentstreitregelungsabkommens (European Patent Litigation Agreement – EPLA) geboren worden. Er sieht die Schaffung eines Europäischen Patentgerichts vor, das Fragen der Verletzung und auf Widerklage Fragen der Rechtsgültigkeit europäischer Bündelpatente mit europaweiter Wirkung einheitlich entscheidet. Das EPLA enthält zudem einen vollständigen Katalog der Sanktionen bei Patentverletzung.

Der vollständig ausgearbeitete Entwurf liegt vor, wird aber von der EG-Kommission über ihren Einfluss auf die Mitgliedstaaten wegen angeblicher Inkompatibilität mit der GPV blockiert.[6] Folge ist nur, dass die Patentinhaber statt eines einheitlichen EG-weiten Rechtsschutzes und eines einheitlichen EG-weiten Patents vorerst einmal keines von beidem bekommen.

5 Änderungen ohne formelle Revision

Art 33 (1) (a) ermöglicht bereits Änderungen des EPÜ durch den Verwaltungsrat, jedoch nur in engstem Umfang.

EPÜ 2000

Das EPÜ 2000 hat die Möglichkeiten, den Inhalt des EPÜ ohne Revisionskonferenz und damit ohne den Druck des Art 172 (4) zu ändern, in dreifacher Weise erweitert.

Art 33 (1) (b) in der geänderten Fassung wird eine Anpassung des Inhalts des EPÜ an internationale Verträge oder Rechtsvorschriften der EG durch bloßen Verwaltungsratsbeschluss ermöglichen. Diese Beschlüsse bedürfen aber der Einstimmigkeit und können durch nachträglichen Widerruf von nur einem Vertragsstaat außer Kraft gesetzt werden.[7] Trotz der vielen Kautelen kann damit im Falle der einstimmigen Verabschiedung von EG-Rechtsnormen eine zügige Anpassung des EPÜ ermöglicht werden.

---

5   Literatur dazu: Schade, GRUR 2000, 827; ders, GRUR 2000, 101; Luginbühl, GRUR Int 2004, 357; Tilmann, Mitt 2004, 388.
6   Zu Recht kritisch Willems, The EPLA – Trojan Horse or Gift of the Gods?, in: Festschrift für Kolle und Stauder, S 325.
7   Joos, Revisionen des EPÜ, in: Festschrift für Kolle und Stauder, S 429, 438.

17 Zum anderen überführt das EPÜ 2000 zahlreiche bisher im Übereinkommen selbst geregelte Fragen in die DV und macht sie damit der Änderung durch Verwaltungsratsbeschluss zugänglich. Bespiel ist die Neufassung des Art 121 mit Regelung der der Weiterbehandlung zugänglichen Fristen in der DV.

18 Drittens wird ein neuer Art 149 a eingefügt, der – nach dem Vorbild von Art 19 PVÜ – zum Abschluß von Zusatzabkommen ermächtigt und dabei ausdrücklich die oben unter Rdn 11 und 13 genannten Abkommen erwähnt. Dem kommt aber nur klarstellende Bedeutung zu; die Ermächtigung zum Abschluss solcher Abkommen bedarf keiner ausdrücklichen Erwähnung im EPÜ, wenn sie weder im Widerspruch zum EPÜ stehen noch die Einheit des europäischen Patenterteilungsverfahrens gefährden.

Artikel 173 Streitigkeiten zwischen Vertragsstaaten

(1) Jede Streitigkeit zwischen Vertragsstaaten über die Auslegung oder Anwendung dieses Übereinkommens, die nicht im Verhandlungsweg beigelegt worden ist, wird auf Ersuchen eines beteiligten Staats dem Verwaltungsrat unterbreitet, der sich bemüht, eine Einigung zwischen diesen Staaten herbeizuführen.

(2) Wird eine solche Einigung nicht innerhalb von sechs Monaten nach dem Tag erzielt, an dem der Verwaltungsrat mit der Streitigkeit befasst worden ist, so kann jeder beteiligte Staat die Streitigkeit dem Internationalen Gerichtshof zum Erlass einer bindenden Entscheidung unterbreiten.

Detlef Schennen

Diese Bestimmung hat bisher nicht zu Zweifeln geführt und bedarf daher keiner Kommentierung.

Artikel 174 Kündigung

Jeder Vertragsstaat kann dieses Übereinkommen jederzeit kündigen. Die Kündigung wird der Regierung der Bundesrepublik Deutschland notifiziert. Sie wird ein Jahr nach dem Tag dieser Notifikation wirksam.

Detlef Schennen

Diese Bestimmung hat bisher nicht zu Zweifeln geführt und bedarf daher keiner Kommentierung.

Artikel 175 Aufrechterhaltung wohlerworbener Rechte

(1) Hört ein Staat nach Artikel 172 Absatz 4 oder Artikel 174 auf, Vertragspartei dieses Übereinkommens zu sein, so berührt dies nicht die nach diesem Übereinkommen bereits erworbenen Rechte.

(2) Die europäischen Patentanmeldungen, die zu dem Zeitpunkt anhängig sind, zu dem ein benannter Staat aufhört, Vertragspartei dieses Übereinkommens zu sein, werden in Bezug auf diesen Staat vom Europäischen Patentamt so weiterbehandelt, als ob das Übereinkommen in der nach diesem Zeitpunkt geltenden Fassung auf diesen Staat anzuwenden wäre.

(3) Absatz 2 ist auf europäische Patente anzuwenden, für die zu dem in Absatz 2 genannten Zeitpunkt ein Einspruchsverfahren anhängig oder die Einspruchsfrist noch nicht abgelaufen ist.

(4) Das Recht eines ehemaligen Vertragsstaats, ein europäisches Patent nach der Fassung des Übereinkommens zu behandeln, die auf ihn anzuwenden war, wird durch diesen Artikel nicht berührt.

Detlef Schennen

Diese Bestimmung hat bisher nicht zu Zweifeln geführt und bedarf daher keiner Kommentierung.

Artikel 176 Finanzielle Rechte und Pflichten eines ausgeschiedenen Vertragsstaats

(1) Jeder Staat, der nach Artikel 172 Absatz 4 oder Artikel 174 nicht mehr dem Übereinkommen angehört, erhält die von ihm nach Artikel 40 Absatz 2 geleisteten besonderen Finanzbeiträge von der Organisation erst zu dem Zeitpunkt und den Bedingungen zurück, zu denen die Organisation besondere Finanzbeiträge, die im gleichen Haushaltsjahr von anderen Staaten gezahlt worden sind, zurückzahlt.

(2) Der in Absatz 1 bezeichnete Staat hat den in Artikel 39 genannten Anteil an den Jahresgebühren für die in diesem Staat aufrechterhaltenen europäischen Patente auch in der Höhe weiterzuzahlen, die zu dem Zeitpunkt maßgebend war, zu dem er aufgehört hat, Vertragspartei zu sein.

Detlef Schennen

Diese Bestimmung hat bisher nicht zu Zweifeln geführt und bedarf daher keiner Kommentierung.

Artikel 177 Sprachen des Übereinkommens

(1) Dieses Übereinkommen ist in einer Urschrift in deutscher, englischer und französischer Sprache abgefasst, wobei jeder Wortlaut gleichermaßen verbindlich ist, und wird im Archiv der Regierung der Bundesrepublik Deutschland hinterlegt.

(2) Fassungen des Übereinkommens in anderen als den in Absatz 1 genannten Amtssprachen von Vertragsstaaten, die der Verwaltungsrat genehmigt hat, gelten als amtliche Fassungen. Bei Meinungsverschiedenheiten über die Auslegung der verschiedenen Fassungen sind die in Absatz 1 genannten Fassungen maßgebend.

Dieter Stauder

Übersicht
1	Allgemeines	1
2	Verbindlichkeit der drei Amtssprachen des EPA (Abs 1)	2-5
3	Weitere Auslegungsgrundsätze	6-15
4	Amtliche Fassungen und deren Bedeutung (Abs 2)	16

1 Allgemeines

1   Dieser Artikel legt einen Auslegungsgrundsatz fest, der für mehrsprachige Verträge wichtig ist. Für das EPÜ gelten im übrigen die für internationale Abkommen geltenden Auslegungsregeln.

Bei der Auslegung des EPÜ sind Vorschriften an anderer Stelle zu beachten: Die Ziele der Präambel als Richtlinie für die Anwendung des EPÜ, die Auslegung des EPÜ in Übereinstimmung mit der PVÜ (siehe Vor Art 87 Rdn 2) und mit dem PCT (Art 150), das Verhältnis von Auslegung zu Lückenfüllung (Art 125 Rdn 3–4), der Vorrang des EPÜ und seiner Protokolle vor der AO (Art 164 Rdn 4–8). Art 69 besitzt ein eigenes Auslegungsprotokoll.

2 Verbindlichkeit der drei Amtssprachen des EPA (Abs 1)

2   Das Übereinkommen ist in den drei Amtssprachen Deutsch, Englisch und Französisch abgefasst. Alle drei Fassungen sind gleichermaßen verbindlich.

Keiner dieser drei Texte hat die Eigenschaft nur einer Übersetzung. Jede der drei Fassungen ist unter Berücksichtigung der Beratungs- und Abstimmungsergebnisse – natürlich unter Beachtung der anderen Fassungen – eigenständig formuliert worden.

3   Dieser Artikel enthält einen wichtigen völkerrechtlichen Auslegungsgrundsatz für die Anwendung des Übereinkommens. Der Wortlaut in allen drei Fas-

sungen ist authentisch; daher ist ein einheitlicher Wille des Gesetzgebers anzunehmen, der anhand der drei authentischen Fassungen zu ermitteln ist (siehe auch Bruchhausen, Die Methodik der Auslegung und Anwendung des europäischen Patentrechts und des harmonisierten nationalen Patentrechts, GRUR Int 1983, 205 [211]). Es bedarf daher der Textvergleichung. Das kann auf der einen Seite die Rechtsfindung komplizierter machen, auf der anderen Seite jedoch helfen, die wirkliche Bedeutung einer Vorschrift zu erfassen. Die Berücksichtigung nur **einer** Fassung, etwa in der Sprache, in der die europäische Patentanmeldung dem EPA vorliegt, wäre wegen des Charakters des EPÜ als multilaterales Übereinkommen ungerechtfertigt und widersinnig.

In Art 33 des Wiener Übereinkommen über das Recht der Verträge vom 23.5.1969, das allerdings für das EPÜ nicht unmittelbar gilt, wird ausdrücklich die Vermutung aufgestellt, dass die entsprechenden Worte in jedem authentischen Text dieselbe Bedeutung haben. Wird bei einem Textvergleich ein Bedeutungsunterschied aufgedeckt, so ist, wenn der Unterschied nicht im Wege der üblichen Auslegung beseitigt werden kann, diejenige Bedeutung zugrunde zu legen, die unter Berücksichtigung von Ziel und Zweck des Vertrags die Fassungen der betreffenden Bestimmung am besten miteinander in Einklang bringt. 4

Die Entscheidungen der Beschwerdekammern und der Großen Beschwerdekammer haben dagegen nur in ihrem amtlichen Text Verbindlichkeit für ihren Inhalt.[1] Übersetzungen sind und bleiben Übersetzungen. 5

3 Weitere Auslegungsgrundsätze

Das EPÜ ist ein internationaler Vertrag und als solcher in Übereinstimmung mit den Grundsätzen des Völkerrechts auszulegen. Die im Völkerrecht entwickelten Auslegungsgrundsätze gelten nicht nur für internationale Verträge, die Beziehungen zwischen Staaten regeln, sondern auch für die Verträge, die unmittelbar Rechte und Pflichten für natürliche und juristische Personen begründen und näher festlegen (die sogenannten *law-making treaties* oder *traités-lois*). Nach allgemeiner Meinung sind die Auslegungsgrundsätze für beide Arten von Verträgen gleich. 6

Die Auslegungsgrundsätze sind, wie auch andere Teile des Völkerrechts, als Völkergewohnheitsrecht unter Einbeziehung von Entscheidungen internationaler und hoher nationaler Gerichte sowie der Literatur und völkerrechtlicher Gutachtertätigkeit entwickelt worden. 7

Auslegungsgrundsätze für internationale Verträge sind im Wiener Übereinkommen über das Recht der Verträge vom 23.5.1969 enthalten. Das Übereinkommen kann allerdings nicht direkt auf das EPÜ angewendet werden, da es nur für Verträge gilt, die nach seinem Inkrafttreten geschlossen worden sind 8

---

1 **T 952/92**, ABl 1995, 755, LS V und Nr 2.2.

(Art 4 des Übereinkommens). Bei Abschluss des EPÜ war das Wiener Übereinkommen noch nicht in Kraft.[2]

9 Die im Wiener Übereinkommen enthaltenen Auslegungsregeln der Art 31 und 32 schreiben jedoch bestehendes Völkergewohnheitsrecht fest, das auf das EPÜ angewendet werden kann.[3] Ebenso haben der Internationale Gerichtshof, das deutsche Bundesverfassungsgericht und das House of Lords (England) Auslegungsgrundsätze des Wiener Übereinkommens angewandt.[4] Die einschlägigen Auslegungsregeln der Art 31–33 des Wiener Übereinkommens sind in ABl 1984, 193, 196 abgedruckt.

10 Die wichtigsten Grundsätze enthalten Art 31 und 32:

– Übereinkommen sind nach Treu und Glauben auszulegen. Das gilt für das EPÜ insbesondere für das Verhältnis zwischen Anmelder und EPA: Der Anmelder kann sich in bestimmten Situationen auf ein Verhalten des EPA verlassen, auch wenn dieses nicht ausdrücklich in den Verfahrensbestimmungen vorgesehen ist (siehe hierzu Art 125 Rdn 24–42).

– Wenn nicht feststeht, dass die Vertragsstaaten einem Ausdruck eine besondere Bedeutung beilegen wollten, ist den Bestimmungen des Übereinkommens die in ihrem Zusammenhang und im Lichte seines Zieles und Zweckes zukommende Bedeutung beizumessen. Die Auslegung richtet sich nach Ziel und Zweck seiner Regelung.[5] Von Bedeutung ist hier auch die Präambel.[6] Die AO unterliegt dem Grundsatz der konventionskonformen Auslegung: es ist derjenigen Auslegung der AO der Vorzug zu geben, die am ehesten den Grundsätzen des Übereinkommens entspricht.[7]

Ferner sind zu berücksichtigen:

– jede spätere Übereinkunft zwischen den Vertragsparteien über die Auslegung des Vertrags oder die Anwendung seiner Bestimmungen;

---

[2] Von den 25 Vertragsstaaten des EPÜ gehören 23 inzwischen dem Wiener Übereinkommen an; Stand 2005, ABl 2005, 291).

[3] **J 8/82**, ABl 1984, 155, Nr 10; **T 128/82**, ABl 1984, 164, Nr 9; **G 1/83**, **G 5/83** und **G 6/83**, ABl 1985, 60, 64 und 67; siehe weiter **G 2/02** und **G 3/02**, ABl 2004, 483, Nr 5.1.ff.; in der Entscheidung intensive Auseinandersetzung mit weiteren Auslegungsgrundsätzen.

[4] Vgl Wetzel/Rauschnig, Die Wiener Vertragsrechtskonvention, Metzner, Frankfurt 1978 und Entscheidung des House of Lords vom 10.7.1980 – *Fothergill v. Monarch Airlines* –, [1980] 3 W.L.R 209, [1980] 2 All E.R. 696, ins Deutsche übersetzt in GRUR Int 1982, 133 – *Fluggepäckschaden*, besprochen von Stauder, GRUR Int 1982, 85.

[5] Teleologische Auslegung vgl **G 1/88**, ABl 1989, 189, Nr 5; **J 4/91**, ABl 1992, 403; **T 377/95**, ABl 1999, 11, Nr 15.

[6] Hierzu Beier/Ohly, MünchGemKom, Präambel Rn 1 ff.

[7] **G 1/88**, ABl 1989, 189, Nr 4 und 5.

– jede spätere Übung bei der Anwendung des Übereinkommens, aus der die Übereinstimmung der Vertragsparteien über seine Auslegung hervorgeht;
– jeder einschlägige Völkerrechtssatz.

Die vorbereitenden Arbeiten und die Umstände des Abschlusses des Übereinkommens können als ergänzende Auslegungsmittel herangezogen werden, 11

– um die sich aus der Anwendung der oben aufgeführten Regeln ergebende Bedeutung zu bestätigen[8]
– oder um die Bedeutung zu bestimmen, wenn bei Anwendung dieser Regeln entweder der Sinn mehrdeutig oder dunkel bleibt oder zu einem offensichtlich sinnwidrigen oder unvernünftigen Ergebnis führt.[9]

Von herausragender Bedeutung ist für das europäische – und das angepasste 12 nationale – Patentrecht der Grundsatz der harmonisierten oder rechtseinheitlichen Auslegung:[10]

»Bei der Auslegung internationaler Verträge, durch die Rechte und Pflichten natürlicher oder juristischer Personen begründet werden, muss auch die Frage der Harmonisierung nationaler und internationaler Vorschriften in Betracht gezogen werden. Dieser Auslegungsgesichtspunkt, der im Wiener Übereinkommen nicht behandelt wird, ist dann von besonderer Bedeutung, wenn Bestimmungen eines internationalen Vertrags, wie es im europäischen Patentrecht der Fall ist, in nationale Gesetzgebungen übernommen werden. Zur Schaffung eines harmonisierten Patentrechts in den Vertragsstaaten ist eine harmonisierte Auslegung notwendig. Deshalb muss man auch das EPA, insbesondere seine Beschwerdeinstanz, die Rechtsprechung und die Rechtsauffassungen der Gerichte und Patentämter in der Vertragsstaaten beachten.«

Siehe auch Haertel/Stauder, Zur Auslegung von internationalem Einheitsrecht;[11] Bruchhausen, Die Methodik der Auslegung und Anwendung des europäischen Patentrechts und des harmonisierten nationalen Patentrechts;[12] Entscheidung der Großen Beschwerdekammer G 1/83 – Zweite medizinische Indikation –;[13] Singer, Wie legt das EPA das EPÜ aus?, in Festschrift für Preu,

---

8   So bereits **G 1/83**, ABl 1985, 60; **G 1/86**, ABl 1987, 447; **T 128/82**, ABl 1984, 164; **J 6/79**, ABl 1980, 225; **J 15/80**, ABl 1981, 213 und 546; **J 20/84**, ABl 1987, 95; vgl auch **J 4/91**, ABl 1992, 403, Nr 2.3 und 2.4; in **G 3/92**, ABl 1994, 607 stützt sich zB die abweichende Mindermeinung auf die Geschichte.
9   **J 6/83**, ABl 1985, 97.
10 Grundlegend hierzu **G 1/83, G 5/83** und **G 6/83**, ABl 1985, 60, 64 und 67, jeweils unter Nr 6.
11 Haertel/Stauder, Zur Auslegung von internationalem Einheitsrecht, GRUR Int 1982, 85.
12 Bruchhausen, Die Methodik der Auslegung und Anwendung des europäischen Patentrechts und des harmonisierten nationalen Patentrechts, GRUR Int 1983, 205.
13 **G 1/83**, ABl 1985, 60, Nr 6.

Lohn der Leistung und Rechtssicherheit;[14] Walter, Die Auslegung staatsvertraglichen und harmonisierten Rechts: Gewicht und Bedeutung von Entscheidungen ausländischer Gerichte und der Beschwerdekammern des Europäischen Patentamts.[15]

Eine PVÜ-freundliche Auslegung (vgl Präambel Rdn 4) gilt besonders für das Prioritätsrecht.[16]

13 Durch die Angleichung der nationalen Patentgesetze an das europäische Patentrecht und durch die Zugehörigkeit der Vertragsstaaten zum EPÜ haben die Staaten zum Ausdruck gebracht, dass sie eine rechtseinheitliche Rechtsprechung und Rechtsentwicklung durch die Gerichte anstreben. Das britische PatG hat dieses Ziel in seinem berühmten Sec. 130 (7) niedergelegt. Im Urteil vom 26.10.1995 – **Terfenadine** – unter Nr 4 erklärt das House of Lords, dass bei Auslegung des EPÜ und der inhaltsgleichen nationalen Vorschriften den Entscheidungen des EPA große Überzeugungskraft zukommt, auch wenn sie für die britischen Gerichte nicht strikt bindend sind.[17] So hat der Patents Court schon in seiner Entscheidung vom 4.7.1985 **Wyeth (John) & Brother Ltd's Application** betont,[18] dass im Interesse einer einheitlichen Rechtsprechung die Neuheit in derselben Weise zu beurteilen ist, wie es die Große Beschwerdekammer in ihrer Entscheidung zur zweiten medizinischen Indikation getan hat.[19] Das schwedische Patentbeschwerdegericht hat am **13.6.1986** diese Frage ebenso entschieden;[20] es bejahte die Harmonisierung der Patentpraxis und sah hierin keinen sklavischen Gehorsam, sondern befand es für richtig, der europäischen Rechtsauffassung zu folgen.

14 Zur Rechtseinheit trägt auch bei, dass sich die erste Instanz des EPA an die ständige Rechtsprechung der Beschwerdekammern hält. Will ein Gericht von einer ständigen Rechtsprechung abweichen, so sollte es seine Haltung gründlich und kritisch überprüfen.[21] Die Einrichtung der Großen Beschwerdekam-

---

14 Singer, Wie legt das EPA das EPÜ aus? in Festschrift für Preu, Lohn der Leistung und Rechtssicherheit, Beck 1988, 201.
15 Walter, Die Auslegung staatsvertraglichen und harmonisierten Rechts: Gewicht und Bedeutung von Entscheidungen ausländischer Gerichte und der Beschwerdekammern des Europäischen Patentamts, GRUR Int 1998, 866.
16 Vgl **T 301/87**, ABl 1990, 335, Nr 7.5; **G 3/93**, ABl 1995, 18, Nr 4; Vor Art 87 Rdn 1.
17 Merrell Dow Pharmaceuticals Inc. et al. v. H. N. Norton & Co. Ltd, House of Lords vom 26.10.1995, [1996] R.P.C. 76; GRUR Int 1996, 825 – *Terfenadine* –.
18 Wyeth (John) & Brother Ltd's Application, Patents Court vom 4.7.1985, [1985] R.P.C. 545; ABl 1986, 175.
19 Vgl Bristol-Myers Squibb Co v. Baker Norton Pharmaceutical Inc, Patents Court vom 20.8.1998 [1999] R.C.P. 253 mit allerdings kritischen Äußerungen von Judge Jacob, S 272 f.
20 SE-Patentbesväsretten vom 13.6.1986, ABl 1988, 198, Nr 3 und 6.
21 **J 27/94**, ABl 1995, 831, Nr 4 und 5.

mer verfolgt ebenfalls das Ziel der Rechtseinheit (siehe im einzelnen Art 112 Rdn 9–18).

Aufgrund des wachsenden Zeitabstands seit Entstehung des EPÜ, wegen der fortschreitenden technischen Entwicklung und neuer praktischer Anforderungen an die Konvention ergibt sich verstärkt die Notwendigkeit, das EPÜ den Anforderungen der Zeit anzupassen. Ihr dient eine der Entwicklung folgende Rechtsprechung, die die Aufgabe der Rechtsfortentwicklung übernimmt.[22] Sie ist eine der wichtigsten Funktionen oberer Gerichte. Im Rahmen des EPÜ ist sie geboten, wenn sich in den Vertragsstaaten eine Übereinstimmung über die Auslegung bestimmter Normen zeigt.[23]

4 Amtliche Fassungen und deren Bedeutung (Abs 2)

Auch Fassungen in anderen Amtssprachen der Vertragsstaaten gelten nach Genehmigung durch den Verwaltungsrat als amtliche Fassungen. Nach Satz 2 dieses Absatzes ist bei Meinungsverschiedenheiten über die Auslegung der verschiedenen Fassungen der Text in den drei Amtssprachen des Übereinkommens maßgebend.

Genehmigte amtliche Fassungen in anderen Amtssprachen liegen bisher nicht vor.

Artikel 178 Übermittlungen und Notifikationen

(1) Die Regierung der Bundesrepublik Deutschland stellt beglaubigte Abschriften des Übereinkommens her und übermittelt sie den Regierungen aller anderen Staaten, die das Übereinkommen unterzeichnet haben oder ihm beigetreten sind.

(2) Die Regierung der Bundesrepublik Deutschland notifiziert den in Absatz 1 genannten Regierungen:
a) jede Unterzeichnung;
b) die Hinterlegung jeder Ratifikations- oder Beitrittsurkunde;
c) Vorbehalte und Zurücknahmen von Vorbehalten nach Artikel 167;
d) Erklärungen und Notifikationen nach Artikel 168;
e) den Zeitpunkt des Inkrafttretens dieses Übereinkommens;
f) Kündigungen nach Artikel 174 und jeden Zeitpunkt des Inkrafttretens dieser Kündigungen.

(3) Die Regierung der Bundesrepublik Deutschland lässt dieses Übereinkommen beim Sekretariat der Vereinten Nationen registrieren.

---

22 Vgl **T 377/95**, ABl 1999, 11, Nr 26 zur dynamischen Auslegungsmethode.
23 Hierzu Straus, Völkerrechtliche Verträge und Gemeinschaftsrecht als Auslegungsfaktoren des Europäischen Patentübereinkommens, GRUR Int 1998, 1 (3 ff).

Zu Urkund dessen haben die hierzu ernannten Bevollmächtigten nach Vorlage ihrer in guter und gehöriger Form befundenen Vollmachten dieses Übereinkommen unterschrieben.

Geschehen zu München am fünften Oktober neunzehnhundertdreiundsiebzig.

Anhang

Übersicht

Anhang 1	Ausführungsordnung (AO)	1245
Anhang 2	Anerkennungsprotokoll (AnerkProt)	1313
Anhang 3	Protokoll über Vorrechte und Immunitäten (ImmunProt)	1318
Anhang 4	Zentralisierungsprotokoll (ZentrProt)	1326
Anhang 5	Gebührenordnung (GebO)	1332
Anhang 6	Das laufende Konto des EPA (LfdKto)	1341
Anhang 7	Verfahrensordnung der Großen Beschwerdekammer (VerfOGBK)	1342
Anhang 8	Verfahrensordnung der Beschwerdekammern (VerfOBK)	1347
Anhang 9	Straßburger Patentübereinkommen (StraßbÜ)	1355
Anhang 10	Vereinbarung zwischen EPO und WIPO nach dem PCT – mit PCT-Zeitschiene und PCT-Phasenbild (EPO/WIPO-Vereinb)	1366
Anhang 11	Konkordanztabelle EPÜ 2000 Ausführungsordnung	1376

Anhang 1

Ausführungsordnung zum Übereinkommen über die Erteilung europäischer Patente

vom 5. Oktober 1973

zuletzt geändert durch den Beschluss des Verwaltungsrats der Europäischen Patentorganisation vom 9. Dezember 2004

Gliederung

Erster Teil Ausführungsvoschriften zum ersten Teil des Übereinkommens

Kapitel I Sprachen des Europäischen Patentamts

Regel 1	Ausnahmen von den Vorschriften über die Verfahrenssprache im schriftlichen Verfahren
Regel 2	Ausnahmen von den Vorschriften über die Verfahrenssprache im mündlichen Verfahren
Regel 3	(gestrichen)
Regel 4	Sprache der europäischen Teilanmeldung
Regel 5	Beglaubigung von Übersetzungen
Regel 6	Fristen und Gebührenermäßigung
Regel 7	Rechtliche Bedeutung der Übersetzung der europäischen Patentanmeldung

Kapitel II Organisation des Europäischen Patentamts

Regel 8	Patentklassifikation
Regel 9	Geschäftsverteilung für die erste Instanz
Regel 10	Präsidium der Beschwerdekammern
Regel 11	Geschäftsverteilungsplan für die Große Beschwerdekammer und Erlass ihrer Verfahrensordnung
Regel 12	Verwaltungsmäßige Gliederung des Europäischen Patentamts

Zweiter Teil Ausführungsvoschriften zum zweiten Teil des Übereinkommens

Kapitel I Verfahren bei mangelnder Berechtigung des Anmelders oder Patentinhabers

Regel 13	Aussetzung des Verfahrens
Regel 14	Beschränkung der Zurücknahme der europäischen Patentanmeldung
Regel 15	Einreichung einer neuen europäischen Patentanmeldung durch den Berechtigten
Regel 16	Teilweiser Rechtsübergang auf Grund einer Entscheidung

Anhang 1 — AO

Kapitel II   Erfindernennung

Regel 17   Einreichung der Erfindernennung
Regel 18   Bekanntmachung der Erfindernennung
Regel 19   Berichtigung der Erfindernennung

Kapitel III   Eintragung von Rechtsübergängen sowie von Lizenzen und anderen Rechten

Regel 20   Eintragung von Rechtsübergängen
Regel 21   Eintragung von Lizenzen und anderen Rechten
Regel 22   Besondere Angaben bei der Eintragung von Lizenzen

Kapitel IV   Ausstellungsbescheinigung

Regel 23   Ausstellungsbescheinigung

Kapitel V   Frühere europäische Anmeldungen

Regel 23a   Frühere Anmeldung als Stand der Technik

Kapitel VI   Biotechnologische Erfindungen

Regel 23b   Allgemeines und Begriffsbestimmungen
Regel 23c   Patentierbare biotechnologische Erfindungen
Regel 23d   Ausnahmen von der Patentierbarkeit
Regel 23e   Der menschliche Körper und seine Bestandteile

Dritter Teil   Ausführungsvoschriften zum dritten Teil des Übereinkommens

Kapitel I   Einreichung der europäischen Patentanmeldung

Regel 24   Allgemeine Vorschriften
Regel 25   Vorschriften für europäische Teilanmeldungen

Kapitel II   Anmeldebestimmungen

Regel 26   Erteilungsantrag
Regel 27   Inhalt der Beschreibung
Regel 27a   Erfordernisse europäischer Patentanmeldungen betreffend Nucleotid- und Aminosäuresequenzen
Regel 28   Hinterlegung von biologischem Material
Regel 28a   Erneute Hinterlegung von biologischem Material
Regel 29   Form und Inhalt der Patentansprüche
Regel 30   Einheitlichkeit der Erfindung
Regel 31   Gebührenpflichtige Patentansprüche
Regel 32   Form der Zeichnungen
Regel 33   Form und Inhalt der Zusammenfassung
Regel 34   Unzulässige Angaben
Regel 35   Allgemeine Bestimmungen über die Form der Anmeldungsunterlagen
Regel 36   Unterlagen nach Einreichung der europäischen Patentanmeldung

Kapitel III   Jahresgebühren

Regel 37   Fälligkeit

Kapitel IV Priorität

Regel 38   Prioritätserklärung und Prioritätsunterlagen
Regel 38a Ausstellung von Prioritätsunterlagen

Vierter Teil Ausführungsvoschriften zum vierten Teil des Übereinkommens

Kapitel I Prüfung durch die Eingangsstelle

Regel 39   Mitteilung auf Grund der Eingangsprüfung
Regel 40   Prüfung bestimmter Formerfordernisse
Regel 41   Beseitigung von Mängeln in den Anmeldungsunterlagen
Regel 42   Nachholung der Erfindernennung
Regel 43   Verspätet oder nicht eingereichte Zeichnungen

Kapitel II Europäischer Recherchenbericht

Regel 44   Inhalt des europäischen Recherchenberichts
Regel 44a Erweiterter europäischer Recherchenbericht
Regel 45   Unvollständige Recherche
Regel 46   Europäischer Recherchenbericht bei mangelnder Einheitlichkeit
Regel 47   Endgültiger Inhalt der Zusammenfassung

Kapitel III Veröffentlichung der europäischen Patentanmeldung

Regel 48   Technische Vorbereitungen für die Veröffentlichung
Regel 49   Form der Veröffentlichung der europäischen Patentanmeldungen und europäischen Recherchenberichte
Regel 50   Mitteilungen über die Veröffentlichung

Kapitel IV Prüfung durch die Prüfungsabteilung

Regel 51   Prüfungsverfahren
Regel 52   Erteilung des europäischen Patents an verschiedene Anmelder

Kapitel V Europäische Patentschrift

Regel 53   Technische Vorbereitungen für die Veröffentlichung und Form der europäischen Patentschrift
Regel 54   Urkunde über das europäische Patent

Fünfter Teil Ausführungsvoschriften zum fünften Teil des Übereinkommens

Regel 55   Inhalt der Einspruchsschrift
Regel 56   Verwerfung des Einspruchs als unzulässig
Regel 57   Vorbereitung der Einspruchsprüfung
Regel 57a Änderung des europäischen Patents
Regel 58   Prüfung des Einspruchs
Regel 59   Anforderung von Unterlagen
Regel 60   Fortsetzung des Einspruchsverfahrens von Amts wegen
Regel 61   Rechtsübergang des europäischen Patents
Regel 61a Unterlagen im Einspruchsverfahren
Regel 62   Form der neuen europäischen Patentschrift im Einspruchsverfahren
Regel 62a Neue Urkunde über das europäische Patent

Anhang 1 AO

Regel 63   Kosten

Sechster Teil   Ausführungsvoschriften zum sechsten Teil des Übereinkommens

Regel 64   Inhalt der Beschwerdeschrift
Regel 65   Verwerfung der Beschwerde als unzulässig
Regel 66   Prüfung der Beschwerde
Regel 67   Rückzahlung der Beschwerdegebühr

Siebenter Teil   Ausführungsvoschriften zum siebenten Teil des Übereinkommens

Kapitel I   Entscheidungen, Bescheide und Mitteilungen des Europäischen Patentamts

Regel 68   Form der Entscheidungen
Regel 69   Feststellung eines Rechtsverlusts
Regel 70   Unterschrift, Name, Dienstsiegel

Kapitel II   Mündliche Verhandlung und Beweisaufnahme

Regel 71   Ladung zur mündlichen Verhandlung
Regel 71a   Vorbereitung der mündlichen Verhandlung
Regel 72   Beweisaufnahme durch das Europäische Patentamt
Regel 73   Beauftragung von Sachverständigen
Regel 74   Kosten der Beweisaufnahme
Regel 75   Beweissicherung
Regel 76   Niederschrift über mündliche Verhandlungen und Beweisaufnahmen

Kapitel III   Zustellungen

Regel 77   Allgemeine Vorschriften über Zustellungen
Regel 78   Zustellung durch die Post
Regel 79   Zustellung durch unmittelbare Übergabe
Regel 80   Öffentliche Zustellung
Regel 81   Zustellung an Vertreter
Regel 82   Heilung von Zustellungsmängeln

Kapitel IV   Fristen

Regel 83   Berechnung der Fristen
Regel 84   Dauer der Fristen
Regel 84a   Verspäteter Zugang von Schriftstücken
Regel 85   Verlängerung von Fristen
Regel 85a   Nachfrist für Gebührenzahlungen
Regel 85b   Nachfrist für die Stellung des Prüfungsantrags

Kapitel V   Änderungen und Berichtigungen

Regel 86   Änderung der europäischen Patentanmeldung
Regel 87   Unterschiedliche Patentansprüche, Beschreibungen und Zeichnungen für verschiedene Staaten
Regel 88   Berichtigung von Mängeln in den beim Europäischen Patentamt eingereichten Unterlagen
Regel 89   Berichtigung von Fehlern in Entscheidungen

Kapitel VI Unterbrechung des Verfahrens

Regel 90 Unterbrechung des Verfahrens

Kapitel VII Verzicht auf Beitreibung

Regel 91 Verzicht auf Beitreibung

Kapitel VIII Unterrichtung der Öffentlichkeit

Regel 92 Eintragungen in das europäische Patentregister
Regel 93 Von der Einsicht ausgeschlossene Aktenteile
Regel 94 Durchführung der Akteneinsicht
Regel 95 Auskunft aus den Akten
Regel 95a Anlage, Führung und Aufbewahrung von Akten
Regel 96 Weitere Veröffentlichungen des Europäischen Patentamts

Kapitel IX Rechts- und Amtshilfe

Regel 97 Verkehr des Europäischen Patentamts mit Behörden der Vertragsstaaten
Regel 98 Akteneinsicht durch Gerichte und Behörden der Vertragsstaaten oder durch deren Vermittlung
Regel 99 Verfahren bei Rechtshilfeersuchen

Kapitel X Vertretung

Regel 100 Bestellung eines gemeinsamen Vertreters
Regel 101 Vollmacht
Regel 102 Änderungen in der Liste der Vertreter

Achter Teil Ausführungsvoschriften zum achten Teil des Übereinkommens

Regel 103 Unterrichtung der Öffentlichkeit bei Umwandlungen

Neunter Teil Ausführungsvoschriften zum zehnten Teil des Übereinkommens

Regel 104 Das Europäische Patentamt als Anmeldeamt
Regel 105 Das Europäische Patentamt als Internationale Recherchenbehörde oder als mit der internationalen vorläufigen Prüfung beauftragte Behörde
Regel 106 Die nationale Gebühr
Regel 107 Das Europäische Patentamt als Bestimmungsamt oder ausgewähltes Amt – Erfordernisse für den Eintritt in die europäische Phase
Regel 108 Folgen der Nichterfüllung bestimmter Erfordernisse
Regel 109 Änderung der Anmeldung
Regel 110 Gebührenpflichtige Patentansprüche Folgen bei Nichtzahlung
Regel 111 Prüfung bestimmter Formerfordernisse durch das Europäische Patentamt
Regel 112 Prüfung der Einheitlichkeit durch das Europäische Patentamt

Erster Teil Ausführungsvoschriften zum ersten Teil des Übereinkommens

Kapitel I Sprachen des Europäischen Patentamts

Regel 1 Ausnahmen von den Vorschriften über die Verfahrenssprache im schriftlichen Verfahren

(1) Im schriftlichen Verfahren vor dem Europäischen Patentamt kann jeder Beteiligte sich jeder Amtssprache des Europäischen Patentamts bedienen. Die in Artikel 14 Absatz 4 vorgesehene Übersetzung kann in jeder Amtssprache des Europäischen Patentamts eingereicht werden.

(2) Änderungen der europäischen Patentanmeldung oder des europäischen Patents müssen in der Verfahrenssprache eingereicht werden.

(3) Schriftstücke, die als Beweismittel vor dem Europäischen Patentamt verwendet werden sollen, insbesondere Veröffentlichungen, können in jeder Sprache eingereicht werden. Das Europäische Patentamt kann jedoch verlangen, dass innerhalb einer von ihm zu bestimmenden Frist, die nicht kürzer als ein Monat sein darf, eine Übersetzung in einer seiner Amtssprachen eingereicht wird.

Regel 2 Ausnahmen von den Vorschriften über die Verfahrenssprache im mündlichen Verfahren

(1) Jeder an einem mündlichen Verfahren vor dem Europäischen Patentamt Beteiligte kann sich anstelle der Verfahrenssprache einer anderen Amtssprache des Europäischen Patentamts bedienen, sofern er dies entweder dem Europäischen Patentamt spätestens einen Monat vor dem angesetzten Termin mitgeteilt hat oder selbst für die Übersetzung in die Verfahrenssprache sorgt. Jeder Beteiligte kann sich auch einer Amtssprache eines der Vertragsstaaten bedienen, sofern er selbst für die Übersetzung in die Verfahrenssprache sorgt. Von den Vorschriften dieses Absatzes kann das Europäische Patentamt Ausnahmen zulassen.

(2) Die Bediensteten des Europäischen Patentamts können sich im mündlichen Verfahren anstelle der Verfahrenssprache einer anderen Amtssprache des Europäischen Patentamts bedienen.

(3) In der Beweisaufnahme können sich die zu vernehmenden Beteiligten, Zeugen oder Sachverständigen, die sich in einer der Amtssprachen des Europäischen Patentamts oder der Vertragsstaaten nicht hinlänglich ausdrücken können, einer anderen Sprache bedienen. Ist die Beweisaufnahme auf Antrag eines Beteiligten angeordnet worden, so werden die zu vernehmenden Beteiligten, Zeugen oder Sachverständigen mit Erklärungen, die sie in anderen

Sprachen als den Amtssprachen des Europäischen Patentamts abgeben, nur gehört, sofern der antragstellende Beteiligte selbst für die Übersetzung in die Verfahrenssprache sorgt; das Europäische Patentamt kann jedoch die Übersetzung in eine seiner anderen Amtssprachen zulassen.

(4) Mit Einverständnis aller Beteiligten und des Europäischen Patentamts kann in einem mündlichen Verfahren jede Sprache verwendet werden.

(5) Das Europäische Patentamt übernimmt, soweit erforderlich, auf seine Kosten die Übersetzung in die Verfahrenssprache und gegebenenfalls in seine anderen Amtssprachen, sofern ein Beteiligter nicht selbst für die Übersetzung zu sorgen hat.

(6) Erklärungen der Bediensteten des Europäischen Patentamts, der Beteiligten, Zeugen und Sachverständigen in einem mündlichen Verfahren, die in einer Amtssprache des Europäischen Patentamts abgegeben werden, werden in dieser Sprache in die Niederschrift aufgenommen. Erklärungen in einer anderen Sprache werden in der Amtssprache aufgenommen, in die sie übersetzt worden sind. Änderungen des Textes der Beschreibung und der Patentansprüche der europäischen Patentanmeldung oder des europäischen Patents werden in der Verfahrenssprache in die Niederschrift aufgenommen.

Regel 3 (gestrichen)

Regel 4 Sprache der europäischen Teilanmeldung

Eine europäische Teilanmeldung oder, im Fall des Artikels 14 Absatz 2, ihre Übersetzung muss in der Verfahrenssprache der früheren europäischen Patentanmeldung eingereicht werden.

Regel 5 Beglaubigung von Übersetzungen

Ist die Übersetzung eines Schriftstücks einzureichen, so kann das Europäische Patentamt innerhalb einer von ihm zu bestimmenden Frist die Einreichung einer Beglaubigung darüber verlangen, dass die Übersetzung mit dem Urtext übereinstimmt. Wird die Beglaubigung nicht rechtzeitig eingereicht, so gilt das Schriftstück als nicht eingegangen, sofern im Übereinkommen nichts anderes bestimmt ist.

Regel 6 Fristen und Gebührenermäßigung

(1) Die in Artikel 14 Absatz 2 vorgeschriebene Übersetzung ist innerhalb von drei Monaten nach Einreichung der europäischen Patentanmeldung einzureichen, jedoch nicht später als dreizehn Monate nach dem Prioritätstag. Betrifft die Übersetzung jedoch eine europäische Teilanmeldung oder die in Artikel 61 Absatz 1 Buchstabe b vorgesehene neue europäische Patentanmel-

dung, so darf sie innerhalb eines Monats nach Einreichung dieser Anmeldung vorgelegt werden.

(2) Die in Artikel 14 Absatz 4 vorgeschriebene Übersetzung ist innerhalb eines Monats nach Einreichung des Schriftstücks einzureichen. Ist das Schriftstück ein Einspruch oder eine Beschwerde, so verlängert sich die genannte Frist gegebenenfalls bis zum Ablauf der Einspruchs- oder Beschwerdefrist.

(3) Macht ein Anmelder, Patentinhaber oder Einsprechender von den durch Artikel 14 Absätze 2 und 4 eröffneten Möglichkeiten Gebrauch, so werden dementsprechend die Anmeldegebühr, die Prüfungsgebühr, die Einspruchsgebühr und die Beschwerdegebühr ermäßigt. Die Ermäßigung wird in der Gebührenordnung in Höhe eines Prozentsatzes der Gebühren festgelegt.

Regel 7 Rechtliche Bedeutung der Übersetzung der europäischen Patentanmeldung

Das Europäische Patentamt kann, soweit nicht der Gegenbeweis erbracht wird, für die Bestimmung, ob der Gegenstand der europäischen Patentanmeldung oder des europäischen Patents nicht über den Inhalt der Anmeldung in der ursprünglich eingereichten Fassung hinausgeht, davon ausgehen, dass die in Artikel 14 Absatz 2 genannte Übersetzung mit dem ursprünglichen Text der Anmeldung übereinstimmt.

Kapitel II   Organisation des Europäischen Patentamts

Regel 8 Patentklassifikation

(1) Das Europäische Patentamt benutzt
a) bis zum Inkrafttreten des Straßburger Abkommens über die Internationale Patentklassifikation vom 24. März 1971 die Patentklassifikation, die in Artikel 1 der Europäischen Übereinkunft über die Internationale Patentklassifikation vom 19. Dezember 1954 vorgesehen ist;
b) nach Inkrafttreten des genannten Straßburger Abkommens die in Artikel 1 dieses Abkommens vorgesehene Patentklassifikation.

(2) Die Klassifikation nach Absatz 1 wird nachstehend als Internationale Klassifikation bezeichnet.

Regel 9 Geschäftsverteilung für die erste Instanz

(1) Der Präsident des Europäischen Patentamts bestimmt die Zahl der Recherchenabteilungen, der Prüfungsabteilungen und der Einspruchsabteilungen. Er verteilt die Geschäfte auf diese Abteilungen in Anwendung der Inter-

nationalen Klassifikation und entscheidet gegebenenfalls über die Klassifikation einer europäischen Patentanmeldung oder eines europäischen Patents nach Maßgabe der Internationalen Klassifikation.

(2) Der Präsident des Europäischen Patentamts kann der Eingangsstelle, den Recherchenabteilungen, den Prüfungsabteilungen, den Einspruchsabteilungen und der Rechtsabteilung über die Zuständigkeit hinaus, die ihnen durch das Übereinkommen zugewiesen ist, weitere Aufgaben übertragen.

(3) Der Präsident des Europäischen Patentamts kann mit der Wahrnehmung einzelner den Prüfungsabteilungen oder Einspruchsabteilungen obliegender Geschäfte, die technisch oder rechtlich keine Schwierigkeiten bereiten, auch Bedienstete betrauen, die keine technisch vorgebildeten oder rechtskundigen Prüfer sind.

(4) Der Präsident des Europäischen Patentamts kann bestimmen, dass nur eine der Geschäftsstellen der Einspruchsabteilungen für die Kostenfestsetzung nach Artikel 104 Absatz 2 zuständig ist.

Regel 10 Präsidium der Beschwerdekammern

(1) Das autonome Organ innerhalb der die Beschwerdekammern umfassenden Organisationseinheit (das »Präsidium der Beschwerdekammern«) setzt sich zusammen aus dem für die Beschwerdekammern zuständigen Vizepräsidenten als Vorsitzendem und zwölf Mitgliedern der Beschwerdekammern, von denen sechs Vorsitzende und sechs weitere Mitglieder sind.

(2) Alle Mitglieder des Präsidiums werden von den Vorsitzenden und den Mitgliedern der Beschwerdekammern für die Dauer eines Geschäftsjahres gewählt. Kann das Präsidium nicht vollzählig zusammengesetzt werden, so werden die vakanten Stellen durch Bestimmung der dienstältesten Vorsitzenden bzw. Mitglieder besetzt.

(3) Das Präsidium erlässt die Verfahrensordnung der Beschwerdekammern und die Verfahrensordnung für die Wahl und die Bestimmung seiner Mitglieder. Ferner berät das Präsidium den für die Beschwerdekammern zuständigen Vizepräsidenten in die Funktionsweise der Beschwerdekammern allgemein betreffenden Angelegenheiten.

(4) Vor Beginn eines jeden Geschäftsjahrs verteilt das um alle Vorsitzenden erweiterte Präsidium die Geschäfte auf die Beschwerdekammern. In derselben Zusammensetzung entscheidet es bei Meinungsverschiedenheiten zwischen mehreren Beschwerdekammern über ihre Zuständigkeit. Das erweiterte Präsidium bestimmt die ständigen Mitglieder der einzelnen Beschwerdekammern sowie ihre Vertreter. Jedes Mitglied einer Beschwerdekammer kann zum Mitglied mehrerer Beschwerdekammern bestimmt werden. Falls erforderlich, können diese Anordnungen im Laufe des Geschäftsjahrs geändert werden.

(5) Zur Beschlussfähigkeit des Präsidiums ist die Anwesenheit von mindestens fünf Mitgliedern erforderlich, unter denen sich der für die Beschwerdekammern zuständige Vizepräsident oder sein Vertreter und die Vorsitzenden von zwei Beschwerdekammern befinden müssen. Handelt es sich um die in Absatz 4 genannten Aufgaben, so ist die Anwesenheit von neun Mitgliedern erforderlich, unter denen sich der für die Beschwerdekammern zuständige Vizepräsident oder sein Vertreter und die Vorsitzenden von drei Beschwerdekammern befinden müssen. Das Präsidium entscheidet mit Stimmenmehrheit; bei Stimmengleichheit gibt die Stimme des Vorsitzenden oder seines Vertreters den Ausschlag. Stimmenthaltung gilt nicht als Stimmabgabe.

(6) Der Verwaltungsrat kann den Beschwerdekammern Aufgaben nach Artikel 134 Absatz 8 Buchstabe c übertragen.

Regel 11 Geschäftsverteilungsplan für die Große Beschwerdekammer und Erlass ihrer Verfahrensordnung

(1) Vor Beginn eines jeden Geschäftsjahrs bestimmen die nicht nach Artikel 160 Absatz 2 ernannten Mitglieder der Großen Beschwerdekammer die ständigen Mitglieder der Großen Beschwerdekammer sowie ihre Vertreter.

(2) Die nicht nach Artikel 160 Absatz 2 ernannten Mitglieder der Großen Beschwerdekammer erlassen die Verfahrensordnung der Großen Beschwerdekammer.

(3) Zur Beschlussfähigkeit in den in den Absätzen 1 und 2 genannten Angelegenheiten ist die Anwesenheit von mindestens fünf Mitgliedern erforderlich, unter denen sich der Vorsitzende der Großen Beschwerdekammer oder sein Vertreter befinden muss; bei Stimmengleichheit gibt die Stimme des Vorsitzenden oder seines Vertreters den Ausschlag. Stimmenthaltung gilt nicht als Stimmabgabe.

Regel 12 Verwaltungsmäßige Gliederung des Europäischen Patentamts

(1) Die Prüfungsabteilungen und Einspruchsabteilungen werden verwaltungsmäßig zu Direktionen zusammengefasst, deren Zahl vom Präsidenten des Europäischen Patentamts bestimmt wird.

(2) Die Direktionen, die Rechtsabteilung, die Beschwerdekammern und die Große Beschwerdekammer sowie die Dienststellen für die innere Verwaltung des Europäischen Patentamts werden verwaltungsmäßig zu Generaldirektionen zusammengefasst. Die Eingangsstelle und die Recherchenabteilungen werden verwaltungsmäßig zu einer Generaldirektion zusammengefasst.

(3) Jede Generaldirektion wird von einem Vizepräsidenten geleitet. Der Verwaltungsrat entscheidet nach Anhörung des Präsidenten des Europäischen Patentamts über die Zuweisung der Vizepräsidenten an die Generaldirektionen.

Zweiter Teil Ausführungsvoschriften zum zweiten Teil des Übereinkommens

Kapitel I Verfahren bei mangelnder Berechtigung des Anmelders oder Patentinhabers

Regel 13 Aussetzung des Verfahrens

(1) Weist ein Dritter dem Europäischen Patentamt nach, dass er ein Verfahren gegen den Anmelder eingeleitet hat, in dem der Anspruch auf Erteilung des europäischen Patents ihm zugesprochen werden soll, so setzt das Europäische Patentamt das Erteilungsverfahren aus, es sei denn, dass der Dritte der Fortsetzung des Verfahrens zustimmt. Diese Zustimmung ist dem Europäischen Patentamt schriftlich zu erklären; sie ist unwiderruflich. Das Erteilungsverfahren kann jedoch nicht vor der Veröffentlichung der europäischen Patentanmeldung ausgesetzt werden.

(2) Wird dem Europäischen Patentamt nachgewiesen, dass in dem Verfahren zur Geltendmachung des Anspruchs auf Erteilung des europäischen Patents eine rechtskräftige Entscheidung ergangen ist, so teilt das Europäische Patentamt dem Anmelder und gegebenenfalls den Beteiligten mit, dass das Erteilungsverfahren von einem in der Mitteilung genannten Tag an fortgesetzt wird, es sei denn, dass nach Artikel 61 Absatz 1 Buchstabe b eine neue europäische Patentanmeldung für alle benannten Vertragsstaaten eingereicht worden ist. Ist die Entscheidung zu Gunsten des Dritten ergangen, so darf das Verfahren erst nach Ablauf von drei Monaten nach Eintritt der Rechtskraft dieser Entscheidung fortgesetzt werden, es sei denn, dass der Dritte die Fortsetzung des Erteilungsverfahrens beantragt.

(3) Mit der Entscheidung über die Aussetzung des Verfahrens oder später kann das Europäische Patentamt einen Zeitpunkt festsetzen, zu dem es beabsichtigt, das vor ihm anhängige Verfahren ohne Rücksicht auf den Stand des in Absatz 1 genannten, gegen den Anmelder eingeleiteten Verfahrens fortzusetzen. Der Zeitpunkt ist dem Dritten, dem Anmelder und gegebenenfalls den Beteiligten mitzuteilen. Wird bis zu diesem Zeitpunkt nicht nachgewiesen, dass eine rechtskräftige Entscheidung ergangen ist, so kann das Europäische Patentamt das Verfahren fortsetzen.

(4) Weist ein Dritter dem Europäischen Patentamt während eines Einspruchsverfahrens oder während der Einspruchsfrist nach, dass er gegen den Inhaber des europäischen Patents ein Verfahren eingeleitet hat, in dem das europäische Patent ihm zugesprochen werden soll, so setzt das Europäische Patentamt das Einspruchsverfahren aus, es sei denn, dass der Dritte der Fortsetzung des Verfahrens zustimmt. Diese Zustimmung ist dem Europäischen

Patentamt schriftlich zu erklären; sie ist unwiderruflich. Die Aussetzung darf jedoch erst angeordnet werden, wenn die Einspruchsabteilung den Einspruch für zulässig hält. Die Absätze 2 und 3 sind entsprechend anzuwenden.

(5) Die am Tag der Aussetzung laufenden Fristen mit Ausnahme der Fristen zur Zahlung der Jahresgebühren werden durch die Aussetzung gehemmt. An dem Tag der Fortsetzung des Verfahrens beginnt der noch nicht verstrichene Teil einer Frist zu laufen; die nach Fortsetzung des Verfahrens verbleibende Frist beträgt jedoch mindestens zwei Monate.

Regel 14 Beschränkung der Zurücknahme der europäischen Patentanmeldung

Von dem Tag an, an dem ein Dritter dem Europäischen Patentamt nachweist, dass er ein Verfahren zur Geltendmachung des Anspruchs auf Erteilung des europäischen Patents eingeleitet hat, bis zu dem Tag, an dem das Europäische Patentamt das Erteilungsverfahren fortsetzt, darf weder die europäische Patentanmeldung noch die Benennung eines Vertragsstaats zurückgenommen werden.

Regel 15 Einreichung einer neuen europäischen Patentanmeldung durch den Berechtigten

(1) Reicht die Person, der durch rechtskräftige Entscheidung der Anspruch auf Erteilung des europäischen Patents zugesprochen worden ist, nach Artikel 61 Absatz 1 Buchstabe b eine neue europäische Patentanmeldung ein, so gilt die frühere europäische Patentanmeldung für die in ihr benannten Vertragsstaaten, in denen die Entscheidung ergangen oder anerkannt worden ist, mit dem Tag der Einreichung der neuen europäischen Patentanmeldung als zurückgenommen.

(2) Für die neue europäische Patentanmeldung sind innerhalb eines Monats nach ihrer Einreichung die Anmeldegebühr und die Recherchengebühr zu entrichten. Die Benennungsgebühren sind innerhalb von sechs Monaten nach dem Tag zu entrichten, an dem im Europäischen Patentblatt auf die Veröffentlichung des europäischen Recherchenberichts zu der neuen europäischen Patentanmeldung hingewiesen worden ist.

(3) Die in Artikel 77 Absätze 3 und 5 vorgeschriebenen Fristen für die Weiterleitung europäischer Patentanmeldungen betragen für die neue europäische Patentanmeldung vier Monate nach Einreichung dieser Anmeldung.

Regel 16 Teilweiser Rechtsübergang auf Grund einer Entscheidung

(1) Ergibt sich aus einer rechtskräftigen Entscheidung, dass einem Dritten der Anspruch auf Erteilung eines europäischen Patents nur für einen Teil des in der europäischen Patentanmeldung offenbarten Gegenstands zugespro-

chen worden ist, so sind für diesen Teil Artikel 61 und Regel 15 entsprechend anzuwenden.

(2) Erforderlichenfalls hat die frühere europäische Patentanmeldung für die benannten Vertragsstaaten, in denen die Entscheidung ergangen oder anerkannt worden ist, und für die übrigen benannten Vertragsstaaten unterschiedliche Patentansprüche, Beschreibungen und Zeichnungen zu enthalten.

(3) Ist ein Dritter nach Artikel 99 Absatz 5 in Bezug auf einen oder mehrere Vertragsstaaten an die Stelle des bisherigen Patentinhabers getreten, so kann das im Einspruchsverfahren aufrechterhaltene europäische Patent für diesen Staat oder diese Staaten unterschiedliche Patentansprüche, Beschreibungen und Zeichnungen enthalten.

Kapitel II Erfindernennung

Regel 17 Einreichung der Erfindernennung

(1) Die Erfindernennung hat in dem Antrag auf Erteilung eines europäischen Patents zu erfolgen. Ist jedoch der Anmelder nicht oder nicht allein der Erfinder, so ist die Erfindernennung in einem gesonderten Schriftstück einzureichen; sie muss den Namen, die Vornamen und die vollständige Anschrift des Erfinders, die in Artikel 81 genannte Erklärung und die Unterschrift des Anmelders oder Vertreters enthalten.

(2) Die Richtigkeit der Erfindernennung wird vom Europäischen Patentamt nicht geprüft.

(3) Ist der Anmelder nicht oder nicht allein der Erfinder, so teilt das Europäische Patentamt dem genannten Erfinder die in der Erfindernennung enthaltenen und die weiteren in Artikel 128 Absatz 5 vorgesehenen Angaben mit.

(4) Der Anmelder und der Erfinder können aus der Unterlassung der Mitteilung nach Absatz 3 und aus in ihr enthaltenen Fehlern keine Ansprüche herleiten.

Regel 18 Bekanntmachung der Erfindernennung

(1) Die als Erfinder genannte Person wird auf der veröffentlichten europäischen Patentanmeldung und auf der europäischen Patentschrift als Erfinder vermerkt, sofern sie dem Europäischen Patentamt gegenüber nicht schriftlich auf das Recht verzichtet, als Erfinder bekannt gemacht zu werden.

(2) Reicht ein Dritter beim Europäischen Patentamt eine rechtskräftige Entscheidung ein, aus der hervorgeht, dass der Anmelder oder Patentinhaber

verpflichtet ist, ihn als Erfinder zu nennen, so ist Absatz 1 entsprechend anzuwenden.

Regel 19 Berichtigung der Erfindernennung

(1) Eine unrichtige Erfindernennung kann nur auf Antrag berichtigt werden; mit dem Antrag ist die Zustimmungserklärung des zu Unrecht als Erfinder Genannten und, wenn der Antrag nicht vom Anmelder oder Patentinhaber eingereicht wird, dessen Zustimmungserklärung einzureichen. Regel 17 ist entsprechend anzuwenden.

(2) Ist eine unrichtige Erfindernennung im europäischen Patentregister vermerkt oder im Europäischen Patentblatt bekannt gemacht, so wird diese Eintragung oder diese Bekanntmachung berichtigt.

(3) Absatz 2 ist auf den Widerruf einer unrichtigen Erfindernennung entsprechend anzuwenden.

Kapitel III Eintragung von Rechtsübergängen sowie von Lizenzen und anderen Rechten

Regel 20 Eintragung von Rechtsübergängen

(1) Ein Rechtsübergang der europäischen Patentanmeldung wird auf Antrag eines Beteiligten in das europäische Patentregister eingetragen, wenn er dem Europäischen Patentamt durch Vorlage von Urkunden nachgewiesen wird.

(2) Der Eintragungsantrag gilt erst als gestellt, wenn eine Verwaltungsgebühr entrichtet worden ist. Er kann nur zurückgewiesen werden, wenn die in Absatz 1 vorgeschriebenen Voraussetzungen nicht erfüllt sind.

(3) Ein Rechtsübergang wird dem Europäischen Patentamt gegenüber erst und nur insoweit wirksam, als er ihm durch Vorlage von Urkunden nach Absatz 1 nachgewiesen wird.

Regel 21 Eintragung von Lizenzen und anderen Rechten

(1) Regel 20 Absätze 1 und 2 ist auf die Eintragung der Erteilung oder des Übergangs einer Lizenz sowie auf die Eintragung der Begründung oder des Übergangs eines dinglichen Rechts an einer europäischen Patentanmeldung und auf die Eintragung von Zwangsvollstreckungsmaßnahmen in eine solche Anmeldung entsprechend anzuwenden.

(2) Die in Absatz 1 genannten Eintragungen werden auf Antrag gelöscht; der Antrag gilt erst als gestellt, wenn eine Verwaltungsgebühr entrichtet worden ist. Dem Antrag sind Urkunden, aus denen sich ergibt, dass das Recht

nicht mehr besteht, oder eine Erklärung des Rechtsinhabers darüber beizufügen, dass er in die Löschung der Eintragung einwilligt; der Antrag darf nur zurückgewiesen werden, wenn diese Voraussetzungen nicht erfüllt sind.

Regel 22 Besondere Angaben bei der Eintragung von Lizenzen

(1) Eine Lizenz an einer europäischen Patentanmeldung wird im europäischen Patentregister als ausschließliche Lizenz bezeichnet, wenn der Anmelder und der Lizenznehmer dies beantragen.

(2) Eine Lizenz an einer europäischen Patentanmeldung wird im europäischen Patentregister als Unterlizenz bezeichnet, wenn sie von einem Lizenznehmer erteilt wird, dessen Lizenz im europäischen Patentregister eingetragen ist.

Kapitel IV Ausstellungsbescheinigung

Regel 23 Ausstellungsbescheinigung

Der Anmelder muss innerhalb von vier Monaten nach Einreichung der europäischen Patentanmeldung die in Artikel 55 Absatz 2 genannte Bescheinigung einreichen, die während der Ausstellung von der Stelle erteilt wird, die für den Schutz des gewerblichen Eigentums auf dieser Ausstellung zuständig ist, und in der bestätigt wird, dass die Erfindung dort tatsächlich ausgestellt worden ist. In dieser Bescheinigung ist ferner der Tag der Eröffnung der Ausstellung und, wenn die erstmalige Offenbarung der Erfindung nicht mit dem Eröffnungstag der Ausstellung zusammenfällt, der Tag der erstmaligen Offenbarung anzugeben. Der Bescheinigung muss eine Darstellung der Erfindung beigefügt sein, die mit einem Beglaubigungsvermerk der vorstehend genannten Stelle versehen ist.

Kapitel V Frühere europäische Anmeldungen

Regel 23a Frühere Anmeldung als Stand der Technik

Eine europäische Patentanmeldung gilt nur dann als Stand der Technik nach Artikel 54 Absätze 3 und 4, wenn die Benennungsgebühren nach Artikel 79 Absatz 2 wirksam entrichtet worden sind.

Kapitel VI   Biotechnologische Erfindungen

Regel 23b Allgemeines und Begriffsbestimmungen

(1) Für europäische Patentanmeldungen und Patente, die biotechnologische Erfindungen zum Gegenstand haben, sind die maßgebenden Bestimmungen des Übereinkommens in Übereinstimmung mit den Vorschriften dieses Kapitels anzuwenden und auszulegen. Die Richtlinie 98/44/EG vom 6. Juli 1998 über den rechtlichen Schutz biotechnologischer Erfindungen ist hierfür ergänzend heranzuziehen.

(2) »Biotechnologische Erfindungen« sind Erfindungen, die ein Erzeugnis, das aus biologischem Material besteht oder dieses enthält, oder ein Verfahren, mit dem biologisches Material hergestellt, bearbeitet oder verwendet wird, zum Gegenstand haben.

(3) »Biologisches Material« ist jedes Material, das genetische Informationen enthält und sich selbst reproduzieren oder in einem biologischen System reproduziert werden kann.

(4) »Pflanzensorte« ist jede pflanzliche Gesamtheit innerhalb eines einzigen botanischen Taxons der untersten bekannten Rangstufe, die unabhängig davon, ob die Bedingungen für die Erteilung des Sortenschutzes vollständig erfüllt sind,
a) durch die sich aus einem bestimmten Genotyp oder einer bestimmten Kombination von Genotypen ergebende Ausprägung der Merkmale definiert,
b) zumindest durch die Ausprägung eines der erwähnten Merkmale von jeder anderen pflanzlichen Gesamtheit unterschieden und
c) in Anbetracht ihrer Eignung, unverändert vermehrt zu werden, als Einheit angesehen werden kann.

(5) Ein Verfahren zur Züchtung von Pflanzen oder Tieren ist im Wesentlichen biologisch, wenn es vollständig auf natürlichen Phänomenen wie Kreuzung oder Selektion beruht.

(6) »Mikrobiologisches Verfahren« ist jedes Verfahren, bei dem mikrobiologisches Material verwendet, ein Eingriff in mikrobiologisches Material durchgeführt oder mikrobiologisches Material hervorgebracht wird.

Regel 23c Patentierbare biotechnologische Erfindungen

Biotechnologische Erfindungen sind auch dann patentierbar, wenn sie zum Gegenstand haben:
a) biologisches Material, das mit Hilfe eines technischen Verfahrens aus seiner natürlichen Umgebung isoliert oder hergestellt wird, auch wenn es in der Natur schon vorhanden war;

b) Pflanzen oder Tiere, wenn die Ausführung der Erfindung technisch nicht auf eine bestimmte Pflanzensorte oder Tierrasse beschränkt ist;
c) ein mikrobiologisches oder sonstiges technisches Verfahren oder ein durch diese Verfahren gewonnenes Erzeugnis, sofern es sich dabei nicht um eine Pflanzensorte oder Tierrasse handelt.

Regel 23d Ausnahmen von der Patentierbarkeit

Nach Artikel 53 Buchstabe a werden europäische Patente insbesondere nicht erteilt für biotechnologische Erfindungen, die zum Gegenstand haben:
a) Verfahren zum Klonen von menschlichen Lebewesen;
b) Verfahren zur Veränderung der genetischen Identität der Keimbahn des menschlichen Lebewesens;
c) die Verwendung von menschlichen Embryonen zu industriellen oder kommerziellen Zwecken;
d) Verfahren zur Veränderung der genetischen Identität von Tieren, die geeignet sind, Leiden dieser Tiere ohne wesentlichen medizinischen Nutzen für den Menschen oder das Tier zu verursachen, sowie die mit Hilfe solcher Verfahren erzeugten Tiere.

Regel 23e Der menschliche Körper und seine Bestandteile

(1) Der menschliche Körper in den einzelnen Phasen seiner Entstehung und Entwicklung sowie die bloße Entdeckung eines seiner Bestandteile, einschließlich der Sequenz oder Teilsequenz eines Gens, können keine patentierbaren Erfindungen darstellen.

(2) Ein isolierter Bestandteil des menschlichen Körpers oder ein auf andere Weise durch ein technisches Verfahren gewonnener Bestandteil, einschließlich der Sequenz oder Teilsequenz eines Gens, kann eine patentierbare Erfindung sein, selbst wenn der Aufbau dieses Bestandteils mit dem Aufbau eines natürlichen Bestandteils identisch ist.

(3) Die gewerbliche Anwendbarkeit einer Sequenz oder Teilsequenz eines Gens muss in der Patentanmeldung konkret beschrieben werden.

Dritter Teil   Ausführungsvoschriften zum dritten Teil des Übereinkommens

Kapitel I   Einreichung der europäischen Patentanmeldung

Regel 24 Allgemeine Vorschriften

(1) Europäische Patentanmeldungen können schriftlich bei den in Artikel 75 genannten Behörden unmittelbar oder durch die Post eingereicht werden.

Der Präsident des Europäischen Patentamts kann bestimmen, dass europäische Patentanmeldungen auf andere Weise mittels technischer Einrichtungen zur Nachrichtenübermittlung eingereicht werden können, und die Bedingungen für deren Benutzung festlegen. Er kann insbesondere bestimmen, dass innerhalb einer vom Europäischen Patentamt festzusetzenden Frist schriftliche Unterlagen nachzureichen sind, die den Inhalt der auf diese Weise eingereichten Anmeldungen wiedergeben und dieser Ausführungsordnung entsprechen.

(2) Die Behörde, bei der die europäische Patentanmeldung eingereicht wird, vermerkt auf den Unterlagen der Anmeldung den Tag des Eingangs dieser Unterlagen. Sie erteilt dem Anmelder unverzüglich eine Empfangsbescheinigung, die zumindest die Nummer der Anmeldung, die Art und Zahl der Unterlagen und den Tag ihres Eingangs enthält.

(3) Wird die europäische Patentanmeldung bei einer in Artikel 75 Absatz 1 Buchstabe b genannten Behörde eingereicht, so unterrichtet diese Behörde das Europäische Patentamt unverzüglich vom Eingang der Unterlagen der Anmeldung. Sie teilt dem Europäischen Patentamt die Art und den Tag des Eingangs dieser Unterlagen, die Nummer der Anmeldung und gegebenenfalls den Prioritätstag mit.

(4) Hat das Europäische Patentamt eine europäische Patentanmeldung durch Vermittlung einer Zentralbehörde für den gewerblichen Rechtsschutz eines Vertragsstaats erhalten, so teilt es dies dem Anmelder unter Angabe des Tages ihres Eingangs beim Europäischen Patentamt mit.

Regel 25 Vorschriften für europäische Teilanmeldungen

(1) Der Anmelder kann eine Teilanmeldung zu jeder anhängigen früheren europäischen Patentanmeldung einreichen.

(2) Die Anmeldegebühr und die Recherchengebühr sind für eine europäische Teilanmeldung innerhalb eines Monats nach ihrer Einreichung zu entrichten. Die Benennungsgebühren sind innerhalb von sechs Monaten nach dem Tag zu entrichten, an dem im Europäischen Patentblatt auf die Veröffentlichung des europäischen Recherchenberichts zu der europäischen Teilanmeldung hingewiesen worden ist.

Kapitel II Anmeldebestimmungen

Regel 26 Erteilungsantrag

(1) Der Antrag auf Erteilung eines europäischen Patents ist schriftlich auf einem vom Europäischen Patentamt vorgeschriebenen Formblatt einzurei-

chen. Vorgedruckte Formblätter werden von den in Artikel 75 Absatz 1 genannten Behörden gebührenfrei zur Verfügung gestellt.

(2) Der Antrag muss enthalten:
a) ein Ersuchen auf Erteilung eines europäischen Patents;
b) die Bezeichnung der Erfindung, die eine kurz und genau gefasste technische Bezeichnung der Erfindung wiedergibt und keine Fantasiebezeichnung enthalten darf;
c) den Namen, die Anschrift, die Staatsangehörigkeit und den Staat des Wohnsitzes oder Sitzes des Anmelders. Bei natürlichen Personen sind Familienname und Vorname anzugeben, wobei der Familienname vor dem Vornamen zu stehen hat. Bei juristischen Personen und juristischen Personen gemäß dem für sie maßgebenden Recht gleichgestellten Gesellschaften ist die amtliche Bezeichnung anzugeben. Anschriften sind in der Weise anzugeben, dass die üblichen Anforderungen für eine schnelle Postzustellung an die angegebene Anschrift erfüllt sind. Sie müssen in jedem Fall alle maßgeblichen Verwaltungseinheiten, gegebenenfalls bis zur Hausnummer einschließlich, enthalten. Gegebenenfalls sollen Telegramm- und Telexanschriften und Telefonnummern angegeben werden;
d) falls ein Vertreter bestellt ist, seinen Namen und seine Geschäftsanschrift nach Maßgabe von Buchstabe c;
e) gegebenenfalls eine Erklärung, dass es sich um eine europäische Teilanmeldung handelt, und die Nummer der früheren europäischen Patentanmeldung;
f) im Fall des Artikels 61 Absatz 1 Buchstabe b die Nummer der früheren europäischen Patentanmeldung;
g) falls die Priorität einer früheren Anmeldung in Anspruch genommen wird, eine entsprechende Erklärung, in der der Tag dieser Anmeldung und der Staat angegeben sind, in dem oder für den sie eingereicht worden ist;
h) die Benennung des Vertragsstaats oder der Vertragsstaaten, in denen für die Erfindung Schutz begehrt wird;
i) die Unterschrift des Anmelders oder Vertreters;
j) eine Liste über die dem Antrag beigefügten Anlagen. In dieser Liste ist die Blattzahl der Beschreibung, der Patentansprüche, der Zeichnungen und der Zusammenfassung anzugeben, die mit dem Antrag eingereicht werden;
k) die Erfindernennung, wenn der Anmelder der Erfinder ist.

(3) Im Fall mehrerer Anmelder soll der Antrag die Bezeichnung eines Anmelders oder Vertreters als gemeinsamer Vertreter enthalten.

Regel 27 Inhalt der Beschreibung

(1) In der Beschreibung

a) ist das technische Gebiet, auf das sich die Erfindung bezieht, anzugeben;
b) ist der bisherige Stand der Technik anzugeben, soweit er nach der Kenntnis des Anmelders für das Verständnis der Erfindung, die Erstellung des europäischen Recherchenberichts und die Prüfung als nützlich angesehen werden kann; es sollen auch die Fundstellen angegeben werden, aus denen sich dieser Stand der Technik ergibt;
c) ist die Erfindung, wie sie in den Patentansprüchen gekennzeichnet ist, so darzustellen, dass danach die technische Aufgabe, auch wenn sie nicht ausdrücklich als solche genannt ist, und deren Lösung verstanden werden können; außerdem sind gegebenenfalls vorteilhafte Wirkungen der Erfindung unter Bezugnahme auf den bisherigen Stand der Technik anzugeben;
d) sind die Abbildungen der Zeichnungen, falls solche vorhanden sind, kurz zu beschreiben;
e) ist wenigstens ein Weg zur Ausführung der beanspruchten Erfindung im Einzelnen anzugeben; dies soll, wo es angebracht ist, durch Beispiele und gegebenenfalls unter Bezugnahme auf Zeichnungen geschehen;
f) ist, wenn es sich aus der Beschreibung oder der Art der Erfindung nicht offensichtlich ergibt, ausdrücklich anzugeben, in welcher Weise der Gegenstand der Erfindung gewerblich anwendbar ist.

(2) Die Beschreibung ist in der in Absatz 1 angegebenen Art und Weise sowie Reihenfolge einzureichen, sofern nicht wegen der Art der Erfindung eine abweichende Form oder Reihenfolge zu einem besseren Verständnis oder zu einer knapperen Darstellung führen würde.

Regel 27a Erfordernisse europäischer Patentanmeldungen betreffend Nucleotid- und Aminosäuresequenzen

(1) Sind in der europäischen Patentanmeldung Nucleotid- oder Aminosäuresequenzen offenbart, so hat die Beschreibung ein Sequenzprotokoll zu enthalten, das den vom Präsidenten des Europäischen Patentamts erlassenen Vorschriften für die standardisierte Darstellung von Nucleotid- und Aminosäuresequenzen entspricht.

(2) Der Präsident des Europäischen Patentamts kann bestimmen, dass zusätzlich zu den schriftlichen Anmeldungsunterlagen ein Sequenzprotokoll gemäß Absatz 1 auf einem von ihm vorgeschriebenen Datenträger einzureichen und eine Erklärung beizufügen ist, dass die auf dem Datenträger gespeicherte Information mit dem schriftlichen Sequenzprotokoll übereinstimmt.

(3) Wird ein Sequenzprotokoll nach dem Anmeldetag eingereicht oder berichtigt, so hat der Anmelder eine Erklärung beizufügen, dass das nachge-

reichte oder berichtigte Sequenzprotokoll nicht über den Inhalt der Anmeldung in der ursprünglich eingereichten Fassung hinausgeht.

(4) Ein nach dem Anmeldetag eingereichtes Sequenzprotokoll ist nicht Bestandteil der Beschreibung.

Regel 28 Hinterlegung von biologischem Material

(1) Wird bei einer Erfindung biologisches Material verwendet oder bezieht sie sich auf biologisches Material, das der Öffentlichkeit nicht zugänglich ist und in der europäischen Patentanmeldung nicht so beschrieben werden kann, dass ein Fachmann die Erfindung danach ausführen kann, so gilt die Erfindung nur dann als gemäß Artikel 83 offenbart, wenn

a) eine Probe des biologischen Materials spätestens am Anmeldetag bei einer anerkannten Hinterlegungsstelle hinterlegt worden ist,
b) die Anmeldung in ihrer ursprünglich eingereichten Fassung die dem Anmelder zur Verfügung stehenden maßgeblichen Angaben über die Merkmale des biologischen Materials enthält,
c) die Hinterlegungsstelle und die Eingangsnummer des hinterlegten biologischen Materials in der Anmeldung angegeben sind und
d) falls das biologische Material nicht vom Anmelder hinterlegt wurde – Name und Anschrift des Hinterlegers in der Anmeldung angegeben sind und dem Europäischen Patentamt durch Vorlage von Urkunden nachgewiesen wird, dass der Hinterleger den Anmelder ermächtigt hat, in der Anmeldung auf das hinterlegte biologische Material Bezug zu nehmen, und vorbehaltlos und unwiderruflich seine Zustimmung erteilt hat, dass das von ihm hinterlegte Material nach Maßgabe dieser Regel der Öffentlichkeit zugänglich gemacht wird.

(2) Die in Absatz 1 Buchstaben c und gegebenenfalls d genannten Angaben können nachgereicht werden

a) innerhalb von sechzehn Monaten nach dem Anmeldetag oder, wenn eine Priorität in Anspruch genommen worden ist, nach dem Prioritätstag; die Frist gilt als eingehalten, wenn die Angaben bis zum Abschluss der technischen Vorbereitungen für die Veröffentlichung der europäischen Patentanmeldung mitgeteilt werden,
b) bis zum Tag der Einreichung eines Antrags auf vorzeitige Veröffentlichung der Anmeldung,
c) innerhalb eines Monats, nachdem das Europäische Patentamt dem Anmelder mitgeteilt hat, dass ein Recht auf Akteneinsicht nach Artikel 128 Absatz 2 besteht.

Maßgebend ist die Frist, die zuerst abläuft. Die Mitteilung dieser Angaben gilt vorbehaltlos und unwiderruflich als Zustimmung des Anmelders, dass das von ihm hinterlegte biologische Material nach Maßgabe dieser Regel der Öffentlichkeit zugänglich gemacht wird.

(3) Vom Tag der Veröffentlichung der europäischen Patentanmeldung an ist das hinterlegte biologische Material jedermann und vor diesem Tag demjenigen, der das Recht auf Akteneinsicht nach Artikel 128 Absatz 2 hat, auf Antrag zugänglich. Vorbehaltlich Absatz 4 wird der Zugang durch Herausgabe einer Probe des hinterlegten biologischen Materials an den Antragsteller hergestellt.

Die Herausgabe erfolgt nur, wenn der Antragsteller sich gegenüber dem Anmelder oder Patentinhaber verpflichtet hat, das biologische Material oder davon abgeleitetes biologisches Material Dritten nicht zugänglich zu machen und es lediglich zu Versuchszwecken zu verwenden, bis die Patentanmeldung zurückgewiesen oder zurückgenommen wird oder als zurückgenommen gilt oder das europäische Patent in allen benannten Vertragsstaaten erloschen ist, sofern der Anmelder oder Patentinhaber nicht ausdrücklich darauf verzichtet.

Die Verpflichtung, das biologische Material nur zu Versuchszwecken zu verwenden, ist hinfällig, soweit der Antragsteller dieses Material auf Grund einer Zwangslizenz verwendet. Unter Zwangslizenzen sind auch Amtslizenzen und Rechte zur Benutzung einer patentierten Erfindung im öffentlichen Interesse zu verstehen.

(4) Bis zum Abschluss der technischen Vorbereitungen für die Veröffentlichung der Anmeldung kann der Anmelder dem Europäischen Patentamt mitteilen, dass der in Absatz 3 bezeichnete Zugang

a) bis zu dem Tag, an dem der Hinweis auf die Erteilung des europäischen Patents bekannt gemacht wird, oder gegebenenfalls
b) für die Dauer von zwanzig Jahren ab dem Anmeldetag der Patentanmeldung, falls diese zurückgewiesen oder zurückgenommen worden ist oder als zurückgenommen gilt,

nur durch Herausgabe einer Probe an einen vom Antragsteller benannten Sachverständigen hergestellt wird.

(5) Als Sachverständiger kann benannt werden:

a) jede natürliche Person, sofern der Antragsteller bei der Einreichung des Antrags nachweist, dass die Benennung mit Zustimmung des Anmelders erfolgt,
b) jede natürliche Person, die vom Präsidenten des Europäischen Patentamts als Sachverständiger anerkannt ist.

Zusammen mit der Benennung ist eine Erklärung des Sachverständigen einzureichen, in der er die in Absatz 3 vorgesehenen Verpflichtungen gegenüber dem Anmelder bis zum Erlöschen des europäischen Patents in allen benannten Vertragsstaaten oder – falls die Patentanmeldung zurückgewiesen oder zurückgenommen wird oder als zurückgenommen gilt – bis zu dem in Absatz 4 Buchstabe b vorgesehenen Zeitpunkt eingeht, wobei der Antragsteller als Dritter anzusehen ist.

(6) Abgeleitetes biologisches Material im Sinne des Absatzes 3 ist jedes Material, das noch die für die Ausführung der Erfindung wesentlichen Merkmale des hinterlegten Materials aufweist. Die in Absatz 3 vorgesehenen Verpflichtungen stehen einer für die Zwecke von Patentverfahren erforderlichen Hinterlegung eines abgeleiteten biologischen Materials nicht entgegen.

(7) Der in Absatz 3 vorgesehene Antrag ist beim Europäischen Patentamt auf einem von diesem Amt anerkannten Formblatt einzureichen. Das Europäische Patentamt bestätigt auf dem Formblatt, dass eine europäische Patentanmeldung eingereicht worden ist, die auf die Hinterlegung des biologischen Materials Bezug nimmt, und dass der Antragsteller oder der von ihm benannte Sachverständige Anspruch auf Herausgabe einer Probe dieses Materials hat. Der Antrag ist auch nach Erteilung des europäischen Patents beim Europäischen Patentamt einzureichen.

(8) Das Europäische Patentamt übermittelt der Hinterlegungsstelle und dem Anmelder oder Patentinhaber eine Kopie des Antrags mit der in Absatz 7 vorgesehenen Bestätigung.

(9) Der Präsident des Europäischen Patentamts veröffentlicht im Amtsblatt des Europäischen Patentamts das Verzeichnis der Hinterlegungsstellen und Sachverständigen, die für die Anwendung dieser Regel anerkannt sind.

Regel 28a Erneute Hinterlegung von biologischem Material

(1) Ist nach Regel 28 Absatz 1 hinterlegtes biologisches Material bei der Stelle, bei der es hinterlegt worden ist, nicht mehr zugänglich, weil

a) das biologische Material nicht mehr lebensfähig ist oder
b) die Hinterlegungsstelle aus anderen Gründen zur Abgabe von Proben nicht in der Lage ist,

und ist keine Probe des biologischen Materials an eine andere für die Anwendung der Regel 28 anerkannte Hinterlegungsstelle weitergeleitet worden, bei der dieses Material weiterhin zugänglich ist, so gilt die Unterbrechung der Zugänglichkeit als nicht eingetreten, wenn das ursprünglich hinterlegte biologische Material innerhalb von drei Monaten nach dem Tag erneut hinterlegt wird, an dem dem Hinterleger von der Hinterlegungsstelle diese Unterbrechung mitgeteilt wurde, und dem Europäischen Patentamt innerhalb von vier Monaten nach dem Tag der erneuten Hinterlegung eine Kopie der von der Hinterlegungsstelle ausgestellten Empfangsbescheinigung unter Angabe der Nummer der europäischen Patentanmeldung oder des europäischen Patents übermittelt wird.

(2) Die erneute Hinterlegung ist im Fall von Absatz 1 Buchstabe a bei der Hinterlegungsstelle vorzunehmen, bei der die ursprüngliche Hinterlegung vorgenommen wurde; sie kann in den Fällen des Absatzes 1 Buchstabe b bei einer anderen für die Anwendung der Regel 28 anerkannten Hinterlegungsstelle vorgenommen werden.

(3) Ist die Hinterlegungsstelle, bei der die ursprüngliche Hinterlegung vorgenommen wurde, für die Anwendung der Regel 28 entweder insgesamt oder für die Art des biologischen Materials, zu der die hinterlegte Probe gehört, nicht mehr anerkannt oder hat sie die Erfüllung ihrer Aufgaben in Bezug auf hinterlegtes biologisches Material vorübergehend oder endgültig eingestellt und erfolgt die in Absatz 1 genannte Mitteilung der Hinterlegungsstelle nicht innerhalb von sechs Monaten nach dem Eintritt dieses Ereignisses, so beginnt die in Absatz 1 genannte Dreimonatsfrist zu dem Zeitpunkt, in dem der Eintritt dieses Ereignisses im Amtsblatt des Europäischen Patentamts veröffentlicht wurde.

(4) Jeder erneuten Hinterlegung ist eine vom Hinterleger unterzeichnete Erklärung beizufügen, in der bestätigt wird, dass das erneut hinterlegte biologische Material dasselbe wie das ursprünglich hinterlegte ist.

(5) Wird die erneute Hinterlegung nach dem Budapester Vertrag über die internationale Anerkennung der Hinterlegung von Mikroorganismen für die Zwecke von Patentverfahren vom 28. April 1977 vorgenommen, so gehen die Vorschriften dieses Vertrages vor.

Regel 29 Form und Inhalt der Patentansprüche

(1) Der Gegenstand des Schutzbegehrens ist in den Patentansprüchen durch Angabe der technischen Merkmale der Erfindung anzugeben. Wo es zweckdienlich ist, haben die Patentansprüche zu enthalten:

a) Die Bezeichnung des Gegenstands der Erfindung und die technischen Merkmale, die zur Festlegung des beanspruchten Gegenstands der Erfindung notwendig sind, jedoch in Verbindung miteinander zum Stand der Technik gehören;

b) einen kennzeichnenden Teil, der durch die Worte »dadurch gekennzeichnet« oder »gekennzeichnet durch« eingeleitet wird und die technischen Merkmale bezeichnet, für die in Verbindung mit den unter Buchstabe a angegebenen Merkmalen Schutz begehrt wird.

(2) Unbeschadet Artikel 82 darf eine europäische Patentanmeldung nur dann mehr als einen unabhängigen Patentanspruch in der gleichen Kategorie (Erzeugnis, Verfahren, Vorrichtung oder Verwendung) enthalten, wenn sich der Gegenstand der Anmeldung auf einen der folgenden Sachverhalte bezieht:

a) mehrere miteinander in Beziehung stehende Erzeugnisse,

b) verschiedene Verwendungen eines Erzeugnisses oder einer Vorrichtung,
c) Alternativlösungen für eine bestimmte Aufgabe, sofern es nicht zweckmäßig ist, diese Alternativen in einem einzigen Anspruch wiederzugeben.

(3) Zu jedem Patentanspruch, der die wesentlichen Merkmale der Erfindung wiedergibt, können ein oder mehrere Patentansprüche aufgestellt werden, die sich auf besondere Ausführungsarten dieser Erfindung beziehen.

(4) Jeder Patentanspruch, der alle Merkmale eines anderen Patentanspruchs enthält (abhängiger Patentanspruch), hat, wenn möglich in seiner Einleitung, eine Bezugnahme auf den anderen Patentanspruch zu enthalten und nachfolgend die zusätzlichen Merkmale anzugeben, für die Schutz begehrt wird. Ein abhängiger Patentanspruch ist auch zulässig, wenn der Patentanspruch, auf den er sich unmittelbar bezieht, selbst ein abhängiger Patentanspruch ist. Alle abhängigen Patentansprüche, die sich auf einen oder mehrere vorangehende Patentansprüche beziehen, sind soweit wie möglich und auf die zweckmäßigste Weise zusammenzufassen.

(5) Die Anzahl der Patentansprüche hat sich bei Berücksichtigung der Art der beanspruchten Erfindung in vertretbaren Grenzen zu halten. Mehrere Patentansprüche sind fortlaufend mit arabischen Zahlen zu nummerieren.

(6) Die Patentansprüche dürfen sich, wenn dies nicht unbedingt erforderlich ist, im Hinblick auf die technischen Merkmale der Erfindung nicht auf Bezugnahmen auf die Beschreibung oder die Zeichnungen stützen. Sie dürfen sich insbesondere nicht auf Hinweise stützen wie: »wie beschrieben in Teil ... der Beschreibung« oder »wie in Abbildung ... der Zeichnung dargestellt«.

(7) Sind der europäischen Patentanmeldung Zeichnungen beigefügt, so sollen die in den Patentansprüchen genannten technischen Merkmale mit Bezugszeichen, die auf diese Merkmale hinweisen, versehen werden, wenn dies das Verständnis des Patentanspruchs erleichtert; die Bezugszeichen sind in Klammern zu setzen. Die Bezugszeichen dürfen nicht zu einer einschränkenden Auslegung des Patentanspruchs herangezogen werden.

Regel 30 Einheitlichkeit der Erfindung

(1) Wird in einer europäischen Patentanmeldung eine Gruppe von Erfindungen beansprucht, so ist das Erfordernis der Einheitlichkeit der Erfindung nach Artikel 82 nur erfüllt, wenn zwischen diesen Erfindungen ein technischer Zusammenhang besteht, der in einem oder mehreren gleichen oder entsprechenden besonderen technischen Merkmalen zum Ausdruck kommt. Unter dem Begriff »besondere technische Merkmale« sind diejenigen technischen Merkmale zu verstehen, die einen Beitrag jeder beanspruchten Erfindung als Ganzes zum Stand der Technik bestimmen.

(2) Die Entscheidung, ob die Erfindungen einer Gruppe untereinander in der Weise verbunden sind, dass sie eine einzige allgemeine erfinderische Idee

verwirklichen, hat ohne Rücksicht darauf zu erfolgen, ob die Erfindungen in gesonderten Patentansprüchen oder als Alternativen innerhalb eines einzigen Patentanspruchs beansprucht werden.

Regel 31 Gebührenpflichtige Patentansprüche

(1) Enthält eine europäische Patentanmeldung bei der Einreichung mehr als zehn Patentansprüche, so ist für jeden weiteren Patentanspruch eine Anspruchsgebühr zu entrichten. Die Anspruchsgebühren sind bis zum Ablauf eines Monats nach Einreichung der Anmeldung zu entrichten. Werden die Anspruchsgebühren nicht rechtzeitig entrichtet, so können sie noch innerhalb einer Nachfrist von einem Monat nach Zustellung einer Mitteilung, in der auf die Fristversäumung hingewiesen wird, wirksam entrichtet werden.

(2) Wird eine Anspruchsgebühr nicht innerhalb der in Absatz 1 genannten Frist entrichtet, so gilt dies als Verzicht auf den entsprechenden Patentanspruch. Eine fällig gewordene Anspruchsgebühr, die entrichtet worden ist, wird nur im Fall des Artikels 77 Absatz 5 zurückgezahlt.

Regel 32 Form der Zeichnungen

(1) Auf Blättern, die Zeichnungen enthalten, darf die benutzte Fläche 26,2 cm mal 17 cm nicht überschreiten. Die Blätter dürfen keine Umrahmungen um die benutzbare oder benutzte Fläche aufweisen. Die Mindestränder sind folgende:

Oberer Rand: 2,5 cm

Linker Seitenrand: 2,5 cm

Rechter Seitenrand: 1,5 cm

Unterer Rand: 1 cm

(2) Die Zeichnungen sind wie folgt auszuführen:
a) Die Zeichnungen sind in widerstandsfähigen, schwarzen, ausreichend festen und dunklen, in sich gleichmäßig starken und klaren Linien oder Strichen ohne Farben oder Tönungen auszuführen.
b) Querschnitte sind durch Schraffierungen kenntlich zu machen, die die Erkennbarkeit der Bezugszeichen und Führungslinien nicht beeinträchtigten dürfen.
c) Der Maßstab der Zeichnungen und die Klarheit der zeichnerischen Ausführung müssen gewährleisten, dass eine elektronische oder fotografische Wiedergabe auch bei Verkleinerungen auf zwei Drittel alle Einzelheiten noch ohne Schwierigkeiten erkennen lässt. Wird der Maßstab in Ausnahmefällen auf der Zeichnung angegeben, so ist er zeichnerisch darzustellen.

d) Alle Zahlen, Buchstaben und Bezugszeichen in den Zeichnungen müssen einfach und eindeutig sein. Klammern, Kreise oder Anführungszeichen dürfen bei Zahlen und Buchstaben nicht verwendet werden.
e) Alle Linien in den Zeichnungen sollen mit Zeichengeräten gezogen werden.
f) Jeder Teil der Abbildung muss im richtigen Verhältnis zu jedem anderen Teil der Abbildung stehen, sofern nicht die Verwendung eines anderen Verhältnisses für die Klarheit der Abbildung unerlässlich ist.
g) Die Ziffern und Buchstaben müssen mindestens 0,32 cm hoch sein. Für die Beschriftung der Zeichnungen sind lateinische und, soweit üblich, griechische Buchstaben zu verwenden.
h) Ein Zeichnungsblatt kann mehrere Abbildungen enthalten. Sollen Abbildungen auf zwei oder mehr Blättern nur eine einzige vollständige Abbildung darstellen, so sind die Abbildungen auf den einzelnen Blättern so anzuordnen, dass die vollständige Abbildung zusammengesetzt werden kann, ohne dass ein Teil der Abbildungen auf den einzelnen Blättern verdeckt wird. Die einzelnen Abbildungen sind auf einem Blatt oder auf mehreren Blättern ohne Platzverschwendung anzuordnen, eindeutig voneinander getrennt und vorzugsweise im Hochformat; sind die Abbildungen nicht im Hochformat dargestellt, so sind sie im Querformat mit dem Kopf der Abbildungen auf der linken Seite des Blattes anzuordnen. Sie sind durch arabische Zahlen fortlaufend und unabhängig von den Zeichnungsblättern zu nummerieren.
i) Bezugszeichen dürfen in den Zeichnungen nur insoweit verwendet werden, als sie in der Beschreibung und in den Patentansprüchen aufgeführt sind; das Gleiche gilt für den umgekehrten Fall. Gleiche mit Bezugszeichen gekennzeichnete Teile müssen in der ganzen Anmeldung die gleichen Zahlen erhalten.
j) Die Zeichnungen dürfen keine Erläuterungen enthalten; ausgenommen sind kurze unentbehrliche Angaben wie »Wasser«, »Dampf«, »Offen«, »Zu«, »Schnitt nach A-B« sowie in elektrischen Schaltplänen und Blockschaltbildern oder Flussdiagrammen kurze Stichworte, die für das Verständnis unentbehrlich sind. Diese Erläuterungen sind so anzubringen, dass sie im Fall der Übersetzung überklebt werden können, ohne dass die Linien der Zeichnungen verdeckt werden.

(3) Flussdiagramme und Diagramme gelten als Zeichnungen.

Regel 33 Form und Inhalt der Zusammenfassung

(1) Die Zusammenfassung muss die Bezeichnung der Erfindung enthalten.

(2) Die Zusammenfassung muss eine Kurzfassung der in der Beschreibung, den Patentansprüchen und Zeichnungen enthaltenen Offenbarung enthalten;

die Kurzfassung soll das technische Gebiet der Erfindung angeben und so gefasst sein, dass sie ein klares Verständnis des technischen Problems, des entscheidenden Punkts der Lösung der Erfindung und der hauptsächlichen Verwendungsmöglichkeiten ermöglicht. In der Zusammenfassung ist gegebenenfalls die chemische Formel anzugeben, die unter den in der europäischen Patentanmeldung enthaltenen Formeln die Erfindung am besten kennzeichnet. Sie darf keine Behauptungen über angebliche Vorzüge oder den angeblichen Wert der Erfindung oder über deren theoretische Anwendungsmöglichkeiten enthalten.

(3) Die Zusammenfassung soll aus nicht mehr als 150 Worten bestehen.

(4) Enthält die europäische Patentanmeldung Zeichnungen, so hat der Anmelder diejenige Abbildung oder in Ausnahmefällen diejenigen Abbildungen anzugeben, die er zur Veröffentlichung mit der Zusammenfassung vorschlägt. Das Europäische Patentamt kann eine oder mehrere andere Abbildungen veröffentlichen, wenn es der Auffassung ist, dass diese die Erfindung besser kennzeichnen. Hinter jedem wesentlichen Merkmal, das in der Zusammenfassung erwähnt und durch die Zeichnung veranschaulicht ist, hat in Klammern ein Bezugszeichen zu stehen.

(5) Die Zusammenfassung ist so zu formulieren, dass sie eine wirksame Handhabe zur Sichtung des jeweiligen technischen Gebiets gibt und insbesondere eine Beurteilung der Frage ermöglicht, ob es notwendig ist, die europäische Patentanmeldung selbst einzusehen.

Regel 34 Unzulässige Angaben

(1) Die europäische Patentanmeldung darf nicht enthalten:
a) Angaben oder Zeichnungen, die gegen die öffentliche Ordnung oder die guten Sitten verstoßen;
b) herabsetzende Äußerungen über Erzeugnisse oder Verfahren Dritter oder den Wert oder die Gültigkeit von Anmeldungen oder Patenten Dritter. Reine Vergleiche mit dem Stand der Technik allein gelten nicht als herabsetzend;
c) Angaben, die den Umständen nach offensichtlich belanglos oder unnötig sind.

(2) Enthält eine europäische Patentanmeldung Angaben oder Zeichnungen im Sinn des Absatzes 1 Buchstabe a, so schließt das Europäische Patentamt diese Angaben bei der Veröffentlichung aus und gibt dabei die Stelle der Auslassung sowie die Zahl der ausgelassenen Wörter und Zeichnungen an.

(3) Enthält eine europäische Patentanmeldung Äußerungen im Sinn des Absatzes 1 Buchstabe b, so kann das Europäische Patentamt diese Angaben bei der Veröffentlichung der Anmeldung ausschließen. Dabei gibt es die Stelle

der Auslassung und die Zahl der ausgelassenen Wörter an und stellt auf Antrag eine Abschrift der ausgelassenen Stellen zur Verfügung.

Regel 35 Allgemeine Bestimmungen über die Form der Anmeldungsunterlagen

(1) Die in Artikel 14 Absatz 2 genannten Übersetzungen gelten als Unterlagen der europäischen Patentanmeldung.

(2) Die Unterlagen der europäischen Patentanmeldung sind in drei Stücken einzureichen. Der Präsident des Europäischen Patentamts kann jedoch bestimmen, dass die Unterlagen in weniger als drei Stücken einzureichen sind.

(3) Die Unterlagen der europäischen Patentanmeldung sind in einer Form einzureichen, die gewährleistet, dass eine elektronische sowie eine unmittelbare Vervielfältigung, insbesondere durch Scanning, Fotografie, elektrostatisches Verfahren, FotoOffsetdruck und Mikroverfilmung, in einer unbeschränkten Stückzahl vorgenommen werden kann. Die Blätter müssen glatt und knitterfrei sein. Sie dürfen nicht gefaltet sein und sind einseitig zu beschriften.

(4) Die Unterlagen der europäischen Patentanmeldung sind auf biegsamem, festem, weißem, glattem, mattem und widerstandsfähigem Papier im Format A 4 (29,7 cm mal 21 cm) einzureichen. Vorbehaltlich Regel 32 Absatz 2 Buchstabe h sowie des Absatzes 1 ist jedes Blatt in der Weise zu verwenden, dass die kurzen Seiten oben und unten erscheinen (Hochformat).

(5) Jeder Bestandteil der europäischen Patentanmeldung (Antrag, Beschreibung, Patentansprüche, Zeichnungen und Zusammenfassung) muss auf einem neuen Blatt beginnen. Alle Blätter müssen so miteinander verbunden sein, dass sie leicht gewendet sowie leicht entfernt und wieder miteinander verbunden werden können.

(6) Vorbehaltlich der Regel 32 Absatz 1 sind auf den Blättern als Mindestränder folgende Flächen unbeschriftet zu lassen:

Oberer Rand: 2 cm

Linker Seitenrand: 2,5 cm

Rechter Seitenrand: 2 cm

Unterer Rand: 2 cm

Die empfohlenen Höchstmaße für die vorstehenden Ränder sind folgende:

Oberer Rand: 4 cm

Linker Seitenrand: 4 cm

Rechter Seitenrand: 3 cm

Unterer Rand: 3 cm

(7) Die Ränder der Blätter müssen bei der Einreichung der europäischen Patentanmeldung vollständig unbenutzt sein.

(8) Alle Blätter der europäischen Patentanmeldung sind fortlaufend mit arabischen Zahlen zu nummerieren. Die Blattzahlen sind oben in der Mitte, aber nicht auf dem oberen Rand anzubringen.

(9) Auf jedem Blatt der Beschreibung und der Patentansprüche soll jede fünfte Zeile nummeriert sein. Die Zahlen sind an der linken Seite, rechts vom Rand anzubringen.

(10) Der Antrag auf Erteilung eines europäischen Patents, die Beschreibung, die Patentansprüche und die Zusammenfassung müssen mit Maschine geschrieben oder gedruckt sein. Nur grafische Symbole und Schriftzeichen, chemische oder mathematische Formeln können, falls notwendig, handgeschrieben oder gezeichnet sein. Der Zeilenabstand hat 1 1/2zeilig zu sein. Alle Texte müssen in Buchstaben, deren Großbuchstaben eine Mindesthöhe von 0,21 cm besitzen, und mit dunkler unauslöschlicher Farbe geschrieben sein.

(11) Der Antrag auf Erteilung eines europäischen Patents, die Beschreibung, die Patentansprüche und die Zusammenfassung dürfen keine Zeichnungen enthalten. Die Beschreibung, die Patentansprüche und die Zusammenfassung können chemische oder mathematische Formeln enthalten. Die Beschreibung und die Zusammenfassung können Tabellen enthalten. Ein Patentanspruch darf dies nur dann, wenn sein Gegenstand die Verwendung von Tabellen wünschenswert erscheinen lässt. Tabellen sowie chemische oder mathematische Formeln können im Querformat wiedergegeben werden, wenn sie im Hochformat nicht befriedigend dargestellt werden können; Blätter, auf denen Tabellen oder chemische oder mathematische Formeln im Querformat wiedergegeben werden, sind so anzuordnen, dass der Kopf der Tabellen oder Formeln auf der linken Seite des Blattes erscheint.

(12) Physikalische Größen sind in den in der internationalen Praxis anerkannten Einheiten anzugeben, soweit zweckdienlich nach dem metrischen System unter Verwendung der SI-Einheiten. Soweit Angaben diesem Erfordernis nicht genügen, sind die in der internationalen Praxis anerkannten Einheiten zusätzlich anzugeben. Für mathematische Formeln sind die allgemein üblichen Schreibweisen und für chemische Formeln die allgemein üblichen Symbole, Atomgewichte und Molekularformeln zu verwenden. Grundsätzlich sind nur solche technische Bezeichnungen, Zeichen und Symbole zu verwenden, die auf dem Fachgebiet allgemein anerkannt sind.

(13) Terminologie und Zeichen sind in der gesamten europäischen Patentanmeldung einheitlich zu verwenden.

(14) Jedes Blatt muss weitgehend frei von Radierstellen und frei von Änderungen, Überschreibungen und Zwischenbeschriftungen sein. Von diesem

Erfordernis kann abgesehen werden, wenn der verbindliche Text dadurch nicht in Frage gestellt wird und die Voraussetzungen für eine gute Vervielfältigung nicht gefährdet sind.

Regel 36 Unterlagen nach Einreichung der europäischen Patentanmeldung

(1) Die Regeln 27, 29 und 32 bis 35 sind auf Schriftstücke, die die Unterlagen der europäischen Patentanmeldung ersetzen, anzuwenden. Regel 35 Absätze 2 bis 14 ist ferner auf die in Regel 51 genannten Übersetzungen der Patentansprüche anzuwenden.

(2) Alle anderen als die in Absatz 1 Satz 1 genannten Schriftstücke sollen mit Maschine geschrieben oder gedruckt sein. Auf jedem Blatt ist links ein etwa 2,5 cm breiter Rand freizulassen.

(3) Die nach Einreichung der europäischen Patentanmeldung einzureichenden Schriftstücke sind zu unterzeichnen, soweit es sich nicht um Anlagen handelt. Ist ein Schriftstück nicht unterzeichnet worden, so fordert das Europäische Patentamt den Beteiligten auf, das Schriftstück innerhalb einer vom Europäischen Patentamt zu bestimmenden Frist zu unterzeichnen. Wird das Schriftstück rechtzeitig unterzeichnet, so behält es den ursprünglichen Tag des Eingangs, anderenfalls gilt das Schriftstück als nicht eingegangen.

(4) Schriftstücke, die anderen Personen mitzuteilen sind oder die mehrere europäische Patentanmeldungen oder europäische Patente betreffen, sind in der entsprechenden Stückzahl einzureichen. Kommt ein Beteiligter dieser Verpflichtung trotz Aufforderung des Europäischen Patentamts nicht nach, so werden die fehlenden Stücke auf Kosten des Beteiligten angefertigt.

(5) Der Präsident des Europäischen Patentamts kann bestimmen, dass nach Einreichung der europäischen Patentanmeldung Unterlagen abweichend von den Absätzen 2 bis 4 beim Europäischen Patentamt auf andere Weise mittels technischer Einrichtungen zur Nachrichtenübermittlung eingereicht werden können, und die Bedingungen für deren Benutzung festlegen. Er kann insbesondere bestimmen, dass innerhalb einer von ihm festgesetzten Frist ein Schriftstück nachzureichen ist, das den Inhalt der auf diese Weise eingereichten Unterlagen wiedergibt und dieser Ausführungsordnung entspricht; wird dieses Schriftstück nicht rechtzeitig eingereicht, so gelten die Unterlagen als nicht eingegangen.

Kapitel III Jahresgebühren

Regel 37 Fälligkeit

(1) Die Jahresgebühren für die europäische Patentanmeldung sind jeweils für das kommende Jahr am letzten Tag des Monats fällig, der durch seine Benennung dem Monat entspricht, in den der Anmeldetag für diese Anmeldung fällt. Die Jahresgebühr kann frühestens ein Jahr vor ihrer Fälligkeit wirksam entrichtet werden.

(2) Die Zuschlagsgebühr gilt im Sinn des Artikels 86 Absatz 2 als gleichzeitig mit der Jahresgebühr entrichtet, wenn sie innerhalb der in dieser Vorschrift vorgeschriebenen Frist entrichtet wird.

(3) Jahresgebühren, die für eine frühere Patentanmeldung bis zu dem Tag der Einreichung einer europäischen Teilanmeldung fällig geworden sind, sind auch für die Teilanmeldung zu entrichten und werden mit Einreichung der Teilanmeldung fällig. Diese Gebühren und eine Jahresgebühr, die bis zum Ablauf von vier Monaten nach Einreichung der Teilanmeldung fällig wird, können innerhalb dieser Frist ohne Zuschlagsgebühr entrichtet werden. Erfolgt die Zahlung nicht rechtzeitig, so können die Jahresgebühren noch innerhalb von sechs Monaten nach Fälligkeit wirksam entrichtet werden, sofern gleichzeitig die Zuschlagsgebühr nach Artikel 86 Absatz 2 entrichtet wird.

(4) Für eine nach Artikel 61 Absatz 1 Buchstabe b eingereichte neue europäische Patentanmeldung sind Jahresgebühren für das Jahr, in dem diese Anmeldung eingereicht worden ist, und für vorhergehende Jahre nicht zu entrichten.

Kapitel IV Priorität

Regel 38 Prioritätserklärung und Prioritätsunterlagen

(1) Die in Artikel 88 Absatz 1 genannte Prioritätserklärung besteht aus einer Erklärung über den Tag der früheren Anmeldung und den Staat, in dem oder für den sie eingereicht worden ist, sowie aus der Angabe des Aktenzeichens.

(2) Die Erklärung über den Tag und den Staat der früheren Anmeldung ist bei Einreichung der europäischen Patentanmeldung anzugeben; das Aktenzeichen ist vor Ablauf des sechzehnten Monats nach dem Prioritätstag zu nennen.

(3) Die Abschrift der früheren Anmeldung ist vor Ablauf des sechzehnten Monats nach dem Prioritätstag einzureichen. Die Abschrift muss von der Behörde, bei der die frühere Anmeldung eingereicht worden ist, als mit der

früheren Anmeldung übereinstimmend bescheinigt sein; der Abschrift ist eine Bescheinigung dieser Behörde über den Tag der Einreichung der früheren Anmeldung beizufügen.

(4) Die Abschrift der früheren Anmeldung gilt als ordnungsgemäß eingereicht, wenn eine dem Europäischen Patentamt zugängliche Abschrift dieser Anmeldung unter den vom Präsidenten des Europäischen Patentamts festgelegten Bedingungen in die Akte der europäischen Patentanmeldung aufzunehmen ist.

(5) Die nach Artikel 88 Absatz 1 erforderliche Übersetzung der früheren Anmeldung ist innerhalb einer vom Europäischen Patentamt zu bestimmenden Frist, spätestens jedoch innerhalb der Frist nach Regel 51 Absatz 4 einzureichen. Statt der Übersetzung kann eine Erklärung vorgelegt werden, dass die europäische Patentanmeldung eine vollständige Übersetzung der früheren Anmeldung ist. Absatz 4 ist entsprechend anzuwenden.

(6) Die Angaben der Prioritätserklärung sind in der veröffentlichten europäischen Patentanmeldung und auf der europäischen Patentschrift zu vermerken.

Regel 38a Ausstellung von Prioritätsunterlagen

Auf Antrag stellt das Europäische Patentamt für den Anmelder eine beglaubigte Kopie der europäischen Patentanmeldung (Prioritätsunterlage) aus. Der Präsident des Europäischen Patentamts bestimmt die erforderlichen Bedingungen einschließlich der Form der Prioritätsunterlage und der Fälle, in denen eine Verwaltungsgebühr zu entrichten ist.

Vierter Teil Ausführungsvoschriften zum vierten Teil des Übereinkommens

Kapitel I Prüfung durch die Eingangsstelle

Regel 39 Mitteilung auf Grund der Eingangsprüfung

Genügt die europäische Patentanmeldung nicht den Erfordernissen des Artikels 80, so teilt die Eingangsstelle die festgestellten Mängel dem Anmelder mit und weist ihn darauf hin, dass die Anmeldung nicht als europäische Patentanmeldung behandelt wird, wenn er die festgestellten Mängel nicht innerhalb eines Monats beseitigt. Beseitigt der Anmelder rechtzeitig die festgestellten Mängel, so teilt ihm die Eingangsstelle den Anmeldetag mit.

Regel 40 Prüfung bestimmter Formerfordernisse

Die Formerfordernisse, denen eine europäische Patentanmeldung nach Artikel 91 Absatz 1 Buchstabe b genügen muss, sind die in Regel 27a Absätze 1 bis 3, Regel 32 Absätze 1 und 2, Regel 35 Absätze 2 bis 11 und 14 und Regel 36 Absätze 2 und 4 vorgeschriebenen Erfordernisse.

Regel 41 Beseitigung von Mängeln in den Anmeldungsunterlagen.

(1) Werden auf Grund der in Artikel 91 Absatz 1 Buchstaben a bis d vorgeschriebenen Prüfung Mängel der europäischen Patentanmeldung festgestellt, so teilt die Eingangsstelle dies dem Anmelder mit und fordert ihn auf, die Mängel innerhalb einer von ihr zu bestimmenden Frist zu beseitigen. Die Beschreibung, die Patentansprüche und die Zeichnungen können nur insoweit geändert werden, als es erforderlich ist, um die festgestellten Mängel gemäß den Bemerkungen der Eingangsstelle zu beseitigen.

(2) Absatz 1 ist nicht anzuwenden, wenn der Anmelder, der eine Priorität in Anspruch nimmt, bei Einreichung der europäischen Patentanmeldung den Tag oder Staat der früheren Anmeldung nicht angegeben hat.

(3) Absatz 1 ist auch nicht anzuwenden, wenn die Prüfung ergeben hat, dass der bei Einreichung der europäischen Patentanmeldung genannte erste Anmeldetag um mehr als ein Jahr vor dem Anmeldetag der europäischen Patentanmeldung liegt. In diesem Fall teilt die Eingangsstelle dem Anmelder mit, dass kein Prioritätsanspruch besteht, wenn der Anmelder nicht innerhalb eines Monats einen berichtigten Prioritätstag angibt, der in das Jahr fällt, das vor dem Anmeldetag der europäischen Patentanmeldung liegt.

Regel 42 Nachholung der Erfindernennung

(1) Ergibt die in Artikel 91 Absatz 1 Buchstabe f vorgeschriebene Prüfung, dass die Erfindernennung nicht nach Regel 17 erfolgt ist, so teilt die Eingangsstelle dem Anmelder mit, dass die europäische Patentanmeldung als zurückgenommen gilt, wenn der Mangel nicht innerhalb der in Artikel 91 Absatz 5 vorgeschriebenen Frist beseitigt wird.

(2) Handelt es sich um eine europäische Teilanmeldung oder um eine nach Artikel 61 Absatz 1 Buchstabe b eingereichte neue europäische Patentanmeldung, so endet die Frist für die Erfindernennung nicht vor Ablauf von zwei Monaten nach der in Absatz 1 genannten Mitteilung; auf diese Frist wird in der Mitteilung hingewiesen.

Regel 43 Verspätet oder nicht eingereichte Zeichnungen

(1) Ergibt die in Artikel 91 Absatz 1 Buchstabe g vorgeschriebene Prüfung, dass die Zeichnungen nach dem Anmeldetag eingereicht worden sind, so teilt die Eingangsstelle dem Anmelder mit, dass die Zeichnungen und die Bezug-

nahmen auf die Zeichnungen in der europäischen Patentanmeldung als gestrichen gelten, wenn der Anmelder nicht innerhalb eines Monats beantragt, den Anmeldetag neu auf den Tag der Einreichung der Zeichnungen festzusetzen.

(2) Ergibt die in Absatz 1 genannte Prüfung, dass die Zeichnungen nicht eingereicht worden sind, so fordert die Eingangsstelle den Anmelder auf, die Zeichnungen innerhalb eines Monats einzureichen, und teilt dem Anmelder mit, dass der Anmeldetag neu auf den Tag der Einreichung der Zeichnungen festgesetzt wird oder, wenn die Zeichnungen nicht rechtzeitig eingereicht werden, die Bezugnahmen auf die Zeichnungen in der europäischen Patentanmeldung als gestrichen gelten.

(3) Jeder neu festgesetzte Anmeldetag wird dem Anmelder mitgeteilt.

Kapitel II Europäischer Recherchenbericht

Regel 44 Inhalt des europäischen Recherchenberichts

(1) Im europäischen Recherchenbericht werden die dem Europäischen Patentamt zum Zeitpunkt der Erstellung des Berichts zur Verfügung stehenden Schriftstücke genannt, die zur Beurteilung der Neuheit der der europäischen Patentanmeldung zu Grunde liegenden Erfindung und der erfinderischen Tätigkeit, auf der die Erfindung beruht, in Betracht gezogen werden können.

(2) Die Schriftstücke werden im Zusammenhang mit den Patentansprüchen aufgeführt, auf die sie sich beziehen. Soweit erforderlich, werden die maßgeblichen Teile jedes Schriftstücks näher gekennzeichnet (beispielsweise durch Angabe der Seite, der Spalte und der Zeilen oder der Abbildungen).

(3) Im europäischen Recherchenbericht ist zu unterscheiden zwischen Schriftstücken, die vor dem beanspruchten Prioritätstag, zwischen dem Prioritätstag und dem Anmeldetag und an oder nach dem Anmeldetag veröffentlicht worden sind.

(4) Schriftstücke, die sich auf eine vor dem Anmeldetag der europäischen Patentanmeldung der Öffentlichkeit zugänglich gemachte mündliche Beschreibung, Benutzung oder sonstige Offenbarung beziehen, werden in dem europäischen Recherchenbericht unter Angabe des Tags einer etwaigen Veröffentlichung des Schriftstücks und einer nichtschriftlichen Offenbarung genannt.

(5) Der europäische Recherchenbericht wird in der Verfahrenssprache abgefasst.

(6) Auf dem europäischen Recherchenbericht ist die Klassifikation des Gegenstands der europäischen Patentanmeldung nach der Internationalen Klassifikation anzugeben.

Regel 44a Erweiterter europäischer Recherchenbericht

(1) Zusammen mit dem europäischen Recherchenbericht ergeht eine Stellungnahme dazu, ob die Anmeldung und die Erfindung, die sie zum Gegenstand hat, die Erfordernisse dieses Übereinkommens zu erfüllen scheinen, sofern nicht eine Mitteilung nach Regel 51 Absatz 2 oder Absatz 4 erlassen werden kann.

(2) Die Stellungnahme nach Absatz 1 wird nicht zusammen mit dem Recherchenbericht veröffentlicht.

Regel 45 Unvollständige Recherche

Ist die Recherchenabteilung der Auffassung, dass die europäische Patentanmeldung den Vorschriften dieses Übereinkommens so wenig entspricht, dass es nicht möglich ist, auf der Grundlage aller oder einiger Patentansprüche sinnvolle Ermittlungen über den Stand der Technik durchzuführen, so stellt sie entweder in einer Erklärung fest, dass Ermittlungen nicht möglich sind, oder erstellt, soweit dies durchführbar ist, für einen Teil der Anmeldung einen europäischen Recherchenbericht. Diese Erklärung und dieser Bericht gelten für das weitere Verfahren als europäischer Recherchenbericht.

Regel 46 Europäischer Recherchenbericht bei mangelnder Einheitlichkeit

(1) Entspricht die europäische Patentanmeldung nach Auffassung der Recherchenabteilung nicht den Anforderungen an die Einheitlichkeit der Erfindung, so erstellt sie einen teilweisen europäischen Recherchenbericht für die Teile der Anmeldung, die sich auf die zuerst in den Patentansprüchen erwähnte Erfindung oder Gruppe von Erfindungen im Sinn des Artikels 82 beziehen. Sie teilt dem Anmelder mit, dass für jede weitere Erfindung innerhalb einer von der Recherchenabteilung zu bestimmenden Frist, die nicht kürzer als zwei Wochen sein und sechs Wochen nicht übersteigen darf, eine weitere Recherchengebühr zu entrichten ist, wenn der europäische Recherchenbericht diese Erfindung erfassen soll. Die Recherchenabteilung erstellt den europäischen Recherchenbericht für die Teile der Anmeldung, die sich auf die Erfindungen beziehen, für die Recherchengebühren entrichtet worden sind.

(2) Eine nach Absatz 1 gezahlte Recherchengebühr wird zurückgezahlt, wenn der Anmelder im Verlauf der Prüfung der europäischen Patentanmeldung durch die Prüfungsabteilung einen Erstattungsantrag stellt und die Prüfungsabteilung feststellt, dass die in Absatz 1 genannte Mitteilung nicht gerechtfertigt war.

Regel 47 Endgültiger Inhalt der Zusammenfassung

(1) Gleichzeitig mit der Erstellung des europäischen Recherchenberichts bestimmt die Recherchenabteilung den endgültigen Inhalt der Zusammenfassung.

(2) Der endgültige Inhalt der Zusammenfassung wird dem Anmelder zusammen mit dem europäischen Recherchenbericht übersandt.

Kapitel III Veröffentlichung der europäischen Patentanmeldung

Regel 48 Technische Vorbereitungen für die Veröffentlichung

(1) Der Präsident des Europäischen Patentamts bestimmt, wann die technischen Vorbereitungen für die Veröffentlichung der europäischen Patentanmeldung als abgeschlossen gelten.

(2) Die europäische Patentanmeldung wird nicht veröffentlicht, wenn sie vor Abschluss der technischen Vorbereitungen für die Veröffentlichung rechtskräftig zurückgewiesen oder zurückgenommen worden ist oder als zurückgenommen gilt.

Regel 49 Form der Veröffentlichung der europäischen Patentanmeldungen und europäischen Recherchenberichte

(1) Der Präsident des Europäischen Patentamts bestimmt, in welcher Form die europäischen Patentanmeldungen veröffentlicht werden und welche Angaben sie enthalten. Das Gleiche gilt, wenn der europäische Recherchenbericht und die Zusammenfassung gesondert veröffentlicht werden. Der Präsident des Europäischen Patentamts kann für die Veröffentlichung der Zusammenfassung besondere Vorschriften erlassen.

(2) In der veröffentlichten europäischen Patentanmeldung werden die benannten Vertragsstaaten angegeben.

(3) Sind vor Abschluss der technischen Vorbereitungen für die Veröffentlichung der europäischen Patentanmeldung die Patentansprüche nach Regel 86 Absatz 2 geändert worden, so werden in der Veröffentlichung außer den ursprünglichen Patentansprüchen auch die neuen oder geänderten Patentansprüche aufgeführt.

Regel 50 Mitteilungen über die Veröffentlichung

(1) Das Europäische Patentamt hat dem Anmelder den Tag mitzuteilen, an dem im Europäischen Patentblatt auf die Veröffentlichung des europäischen

Recherchenberichts hingewiesen worden ist, und ihn in dieser Mitteilung auf Artikel 94 Absätze 2 und 3 hinzuweisen.

(2) Der Anmelder kann aus der Unterlassung der Mitteilung nach Absatz 1 keine Ansprüche herleiten. Ist in der Mitteilung ein späterer Tag der Veröffentlichung angegeben, so ist für die Frist zur Stellung des Prüfungsantrags der spätere Tag als der Tag des Hinweises auf die Veröffentlichung maßgebend, wenn der Fehler nicht ohne Weiteres erkennbar war.

Kapitel IV Prüfung durch die Prüfungsabteilung

Regel 51 Prüfungsverfahren

(1) In der Mitteilung nach Artikel 96 Absatz 1 gibt das Europäische Patentamt dem Anmelder Gelegenheit, zu dem europäischen Recherchenbericht Stellung zu nehmen und gegebenenfalls die Beschreibung, die Patentansprüche und die Zeichnungen zu ändern.

(2) In den Mitteilungen nach Artikel 96 Absatz 2 fordert die Prüfungsabteilung den Anmelder gegebenenfalls auf, die festgestellten Mängel zu beseitigen und die Beschreibung, die Patentansprüche und die Zeichnungen zu ändern.

(3) Die Mitteilungen nach Artikel 96 Absatz 2 sind zu begründen; dabei sollen alle Gründe zusammengefasst werden, die der Erteilung des europäischen Patents entgegenstehen.

(4) Bevor die Prüfungsabteilung die Erteilung des europäischen Patents beschließt, teilt sie dem Anmelder mit, in welcher Fassung sie das europäische Patent zu erteilen beabsichtigt, und fordert ihn auf, innerhalb einer zu bestimmenden nicht verlängerbaren Frist, die nicht kürzer als zwei Monate sein und vier Monate nicht übersteigen darf, die Erteilungsgebühr und die Druckkostengebühr zu entrichten sowie eine Übersetzung der Patentansprüche in den beiden Amtssprachen des Europäischen Patentamts einzureichen, die nicht die Verfahrenssprache sind. Wenn der Anmelder innerhalb dieser Frist die Gebühren entrichtet und die Übersetzung einreicht, gilt dies als Einverständnis mit der für die Erteilung vorgesehenen Fassung.

(5) Beantragt der Anmelder innerhalb der in Absatz 4 vorgesehenen Frist Änderungen nach Regel 86 Absatz 3 oder die Berichtigung von Fehlern nach Regel 88, so hat er, soweit die Patentansprüche geändert oder berichtigt werden, eine Übersetzung der geänderten oder berichtigten Patentansprüche einzureichen. Wenn der Anmelder innerhalb dieser Frist die Gebühren entrichtet und die Übersetzung einreicht, gilt dies als Einverständnis mit der Erteilung des Patents in der geänderten oder berichtigten Fassung.

(6) Stimmt die Prüfungsabteilung einer nach Absatz 5 beantragten Änderung oder Berichtigung nicht zu, so gibt sie, bevor sie eine Entscheidung

trifft, dem Anmelder Gelegenheit, innerhalb einer zu bestimmenden Frist Stellung zu nehmen und von der Prüfungsabteilung für erforderlich gehaltene Änderungen und, soweit die Patentansprüche geändert werden, eine Übersetzung der geänderten Patentansprüche einzureichen. Reicht der Anmelder solche Änderungen ein, so gilt dies als Einverständnis mit der Erteilung des Patents in der geänderten Fassung. Wird die europäische Patentanmeldung zurückgewiesen oder zurückgenommen oder gilt sie als zurückgenommen, so werden die Erteilungsgebühr und die Druckkostengebühr sowie nach Absatz 7 entrichtete Anspruchsgebühren zurückerstattet.

(7) Enthält die europäische Patentanmeldung in der für die Erteilung vorgesehenen Fassung mehr als zehn Patentansprüche, so fordert die Prüfungsabteilung den Anmelder auf, innerhalb der in Absatz 4 vorgesehenen Frist für jeden weiteren Patentanspruch Anspruchsgebühren zu entrichten, soweit diese nicht bereits gemäß Regel 31 Absatz 1 entrichtet worden sind.

(8) Werden die Erteilungsgebühr und die Druckkostengebühr oder die Anspruchsgebühren nicht rechtzeitig entrichtet oder wird die Übersetzung nicht rechtzeitig eingereicht, so gilt die europäische Patentanmeldung als zurückgenommen.

(8a) Werden die Benennungsgebühren nach Zustellung der Mitteilung nach Absatz 4 fällig, so wird der Hinweis auf die Erteilung des europäischen Patents erst bekannt gemacht, wenn die Benennungsgebühren entrichtet sind. Der Anmelder wird hiervon unterrichtet.

(9) Wird eine Jahresgebühr nach Zustellung der Mitteilung nach Absatz 4 und vor dem Tag der frühestmöglichen Bekanntmachung des Hinweises auf die Erteilung des europäischen Patents fällig, so wird der Hinweis erst bekannt gemacht, wenn die Jahresgebühr entrichtet ist. Der Anmelder wird hiervon unterrichtet.

(10) In der Mitteilung nach Absatz 4 werden die benannten Vertragsstaaten angegeben, die eine Übersetzung nach Artikel 65 Absatz 1 verlangen.

(11) In der Entscheidung, durch die das europäische Patent erteilt wird, ist die der Patenterteilung zu Grunde liegende Fassung der europäischen Patentanmeldung anzugeben.

Regel 52 Erteilung des europäischen Patents an verschiedene Anmelder

Sind als Anmelder für verschiedene Vertragsstaaten verschiedene Personen in das europäische Patentregister eingetragen, so erteilt die Prüfungsabteilung das europäische Patent den verschiedenen Anmeldern jeweils für die sie betreffenden Vertragsstaaten.

Kapitel V Europäische Patentschrift

Regel 53 Technische Vorbereitungen für die Veröffentlichung und Form der europäischen Patentschrift

Die Regeln 48 und 49 Absätze 1 und 2 sind auf die europäische Patentschrift entsprechend anzuwenden. Außerdem wird in der Patentschrift die Frist angegeben, innerhalb deren Einspruch gegen das europäische Patent eingelegt werden kann.

Regel 54 Urkunde über das europäische Patent

Sobald die europäische Patentschrift herausgegeben worden ist, stellt das Europäische Patentamt dem Patentinhaber die Urkunde über das europäische Patent aus. Der Präsident des Europäischen Patentamts bestimmt den Inhalt und die Form der Urkunde sowie die Art und Weise, wie sie übermittelt wird, und legt fest, in welchen Fällen eine Verwaltungsgebühr zu entrichten ist.

Fünfter Teil Ausführungsvoschriften zum fünften Teil des Übereinkommens

Regel 55 Inhalt der Einspruchsschrift

Die Einspruchsschrift muss enthalten:
a) den Namen, die Anschrift und den Staat des Wohnsitzes oder Sitzes des Einsprechenden nach Maßgabe der Regel 26 Absatz 2 Buchstabe c;
b) die Nummer des europäischen Patents, gegen das der Einspruch eingelegt wird, sowie die Bezeichnung des Inhabers dieses Patents und der Erfindung;
c) eine Erklärung darüber, in welchem Umfang gegen das europäische Patent Einspruch eingelegt und auf welche Einspruchsgründe der Einspruch gestützt wird, sowie die Angabe der zur Begründung vorgebrachten Tatsachen und Beweismittel;
d) falls ein Vertreter des Einsprechenden bestellt ist, seinen Namen und seine Geschäftsanschrift nach Maßgabe der Regel 26 Absatz 2 Buchstabe c.

Regel 56 Verwerfung des Einspruchs als unzulässig

(1) Stellt die Einspruchsabteilung fest, dass der Einspruch Artikel 99 Absatz 1 sowie Regel 1 Absatz 1 und Regel 55 Buchstabe c nicht entspricht oder dass das europäische Patent, gegen das der Einspruch eingelegt wird, nicht hinreichend bezeichnet ist, so verwirft sie den Einspruch als unzulässig, so-

fern die Mängel nicht bis zum Ablauf der Einspruchsfrist beseitigt worden sind.

(2) Stellt die Einspruchsabteilung fest, dass der Einspruch anderen als den in Absatz 1 bezeichneten Vorschriften nicht entspricht, so teilt sie dies dem Antragsteller mit und fordert ihn auf, innerhalb einer von ihr zu bestimmenden Frist die festgestellten Mängel zu beseitigen. Werden die Mängel nicht rechtzeitig beseitigt, so verwirft die Einspruchsabteilung den Einspruch als unzulässig.

(3) Jede Entscheidung, durch die ein Einspruch als unzulässig verworfen wird, wird dem Patentinhaber mit einer Abschrift des Einspruchs mitgeteilt.

Regel 57 Vorbereitung der Einspruchsprüfung

(1) Die Einspruchsabteilung teilt dem Patentinhaber den Einspruch mit und fordert ihn auf, innerhalb einer von ihr zu bestimmenden Frist eine Stellungnahme und gegebenenfalls Änderungen der Beschreibung, der Patentansprüche und der Zeichnungen einzureichen.

(2) Sind mehrere Einsprüche eingelegt worden, so teilt die Einspruchsabteilung gleichzeitig mit der Mitteilung nach Absatz 1 die Einsprüche den übrigen Einsprechenden mit.

(3) Die Einspruchsabteilung teilt die Stellungnahme des Patentinhabers und gegebenenfalls die Änderungen den übrigen Beteiligten mit und fordert sie auf, wenn sie dies für sachdienlich erachtet, sich innerhalb einer von ihr zu bestimmenden Frist hierzu zu äußern.

(4) Im Fall eines Antrags auf Beitritt zum Einspruchsverfahren kann die Einspruchsabteilung von der Anwendung der Absätze 1 bis 3 absehen.

Regel 57a Änderung des europäischen Patents

Unbeschadet Regel 87 können die Beschreibung, die Patentansprüche und die Zeichnungen geändert werden, soweit die Änderungen durch Einspruchsgründe nach Artikel 100 veranlasst sind, auch wenn der betreffende Grund vom Einsprechenden nicht geltend gemacht worden ist.

Regel 58 Prüfung des Einspruchs

(1) Alle Bescheide nach Artikel 101 Absatz 2 und alle hierzu eingehenden Stellungnahmen werden den Beteiligten übersandt.

(2) In den Bescheiden, die nach Artikel 101 Absatz 2 an den Patentinhaber ergehen, wird dieser gegebenenfalls aufgefordert, soweit erforderlich die Beschreibung, die Patentansprüche und die Zeichnungen in geänderter Form einzureichen.

(3) Die Bescheide, die nach Artikel 101 Absatz 2 an den Patentinhaber ergehen, sind soweit erforderlich zu begründen; dabei sollen alle Gründe zusam-

mengefasst werden, die der Aufrechterhaltung des europäischen Patents entgegenstehen.

(4) Bevor die Einspruchsabteilung die Aufrechterhaltung des europäischen Patents in geändertem Umfang beschließt, teilt sie den Beteiligten mit, in welchem Umfang sie das Patent aufrechtzuerhalten beabsichtigt, und fordert sie auf, innerhalb von zwei Monaten Stellung zu nehmen, wenn sie mit der Fassung, in der das Patent aufrechterhalten werden soll, nicht einverstanden sind.

(5) Ist ein Beteiligter mit der von der Einspruchsabteilung mitgeteilten Fassung nicht einverstanden, so kann das Einspruchsverfahren fortgesetzt werden; andernfalls fordert die Einspruchsabteilung den Patentinhaber nach Ablauf der in Absatz 4 genannten Frist auf, innerhalb von drei Monaten die Druckkostengebühr für eine neue europäische Patentschrift zu entrichten und eine Übersetzung der geänderten Patentansprüche in den beiden Amtssprachen des Europäischen Patentamts einzureichen, die nicht die Verfahrenssprache sind.

(6) Werden die nach Absatz 5 erforderlichen Handlungen nicht rechtzeitig vorgenommen, so können sie noch innerhalb einer Frist von zwei Monaten nach Zustellung einer Mitteilung, in der auf die Fristversäumung hingewiesen wird, wirksam vorgenommen werden, sofern innerhalb dieser Frist eine Zuschlagsgebühr in Höhe der zweifachen Druckkostengebühr für eine neue europäische Patentschrift entrichtet wird.

(7) In der Mitteilung der Einspruchsabteilung nach Absatz 5 werden die benannten Vertragsstaaten angegeben, die eine Übersetzung nach Artikel 65 Absatz 1 verlangen.

(8) In der Entscheidung, durch die das europäische Patent in geändertem Umfang aufrechterhalten wird, ist die der Aufrechterhaltung zu Grunde liegende Fassung des europäischen Patents anzugeben.

Regel 59 Anforderung von Unterlagen

Unterlagen, die von einem am Einspruchsverfahren Beteiligten genannt werden, sind zusammen mit dem Einspruch oder dem schriftlichen Vorbringen in zwei Stücken einzureichen. Sind solche Unterlagen nicht beigefügt und werden sie nach Aufforderung durch das Europäische Patentamt nicht rechtzeitig nachgereicht, so braucht das Europäische Patentamt das darauf gestützte Vorbringen nicht zu berücksichtigen.

Regel 60 Fortsetzung des Einspruchsverfahrens von Amts wegen

(1) Hat der Patentinhaber für alle benannten Vertragsstaaten auf das europäische Patent verzichtet oder ist das europäische Patent für alle diese Staaten erloschen, so kann das Einspruchsverfahren auf Antrag des Einsprechenden

fortgesetzt werden; der Antrag ist innerhalb von zwei Monaten nach dem Tag zu stellen, an dem ihm das Europäische Patentamt den Verzicht oder das Erlöschen mitgeteilt hat.

(2) Stirbt ein Einsprechender oder verliert er seine Geschäftsfähigkeit, so kann das Einspruchsverfahren auch ohne die Beteiligung seiner Erben oder gesetzlichen Vertreter von Amts wegen fortgesetzt werden. Das Verfahren kann auch fortgesetzt werden, wenn der Einspruch zurückgenommen wird.

Regel 61 Rechtsübergang des europäischen Patents

Regel 20 ist auf einen Rechtsübergang des europäischen Patents während der Einspruchsfrist oder der Dauer des Einspruchsverfahrens entsprechend anzuwenden.

Regel 61a Unterlagen im Einspruchsverfahren

Die Vorschriften von Kapitel II des Dritten Teils der Ausführungsordnung sind auf die im Einspruchsverfahren eingereichten Unterlagen entsprechend anzuwenden.

Regel 62 Form der neuen europäischen Patentschrift im Einspruchsverfahren

Regel 49 Absätze 1 und 2 ist auf die neue europäische Patentschrift entsprechend anzuwenden.

Regel 62a Neue Urkunde über das europäische Patent

Regel 54 ist auf die neue europäische Patentschrift entsprechend anzuwenden.

Regel 63 Kosten

(1) Die Kostenverteilung wird in der Entscheidung über den Einspruch angeordnet. Es können nur die Kosten berücksichtigt werden, die zur zweckentsprechenden Wahrung der Rechte notwendig waren. Zu den Kosten gehört die Vergütung für die Vertreter der Beteiligten.

(2) Dem Antrag auf Kostenfestsetzung sind eine Kostenberechnung und die Belege beizufügen. Der Antrag ist erst zulässig, wenn die Entscheidung, für die Kostenfestsetzung beantragt wird, rechtskräftig ist. Zur Festsetzung der Kosten genügt es, dass sie glaubhaft gemacht werden.

(3) Der Antrag auf Entscheidung der Einspruchsabteilung über die Kostenfestsetzung der Geschäftsstelle ist innerhalb eines Monats nach Zustellung der Kostenfestsetzung schriftlich beim Europäischen Patentamt einzureichen und zu begründen. Der Antrag gilt erst als gestellt, wenn die Kostenfestsetzungsgebühr entrichtet worden ist.

Anhang 1 AO

(4) Die Einspruchsabteilung entscheidet über den in Absatz 3 genannten Antrag ohne mündliche Verhandlung.

Sechster Teil Ausführungsvoschriften zum sechsten Teil des Übereinkommens

Regel 64 Inhalt der Beschwerdeschrift

Die Beschwerdeschrift muss enthalten:
a) den Namen und die Anschrift des Beschwerdeführers nach Maßgabe der Regel 26 Absatz 2 Buchstabe c;
b) einen Antrag, der die angefochtene Entscheidung und den Umfang anzugeben hat, in dem ihre Änderung oder Aufhebung begehrt wird.

Regel 65 Verwerfung der Beschwerde als unzulässig

(1) Entspricht die Beschwerde nicht den Artikeln 106 bis 108 sowie Regel 1 Absatz 1 und Regel 64 Buchstabe b, so verwirft die Beschwerdekammer sie als unzulässig, sofern die Mängel nicht bis zum Ablauf der nach Artikel 108 maßgebenden Fristen beseitigt worden sind.

(2) Stellt die Beschwerdekammer fest, dass die Beschwerde der Regel 64 Buchstabe a nicht entspricht, so teilt sie dies dem Beschwerdeführer mit und fordert ihn auf, innerhalb einer von ihr zu bestimmenden Frist die festgestellten Mängel zu beseitigen. Werden die Mängel nicht rechtzeitig beseitigt, so verwirft die Beschwerdekammer die Beschwerde als unzulässig.

Regel 66 Prüfung der Beschwerde

(1) Die Vorschriften für das Verfahren vor der Stelle, die die mit der Beschwerde angefochtene Entscheidung erlassen hat, sind im Beschwerdeverfahren entsprechend anzuwenden, soweit nichts anderes bestimmt ist.

(2) Die Entscheidung ist von dem Vorsitzenden der Beschwerdekammer und dem dafür zuständigen Bediensteten der Geschäftsstelle der Beschwerdekammer durch ihre Unterschrift oder andere geeignete Mittel als authentisch zu bestätigen. Die Entscheidung enthält:
a) die Feststellung, dass sie von der Beschwerdekammer erlassen ist;
b) den Tag, an dem die Entscheidung erlassen worden ist;
c) die Namen des Vorsitzenden und der übrigen Mitglieder der Beschwerdekammer, die bei der Entscheidung mitgewirkt haben;
d) die Bezeichnung der Beteiligten und ihrer Vertreter;
e) die Anträge der Beteiligten;
f) eine kurze Darstellung des Sachverhalts;

g) die Entscheidungsgründe;
h) die Formel der Entscheidung, gegebenenfalls einschließlich der Entscheidung über die Kosten.

Regel 67 Rückzahlung der Beschwerdegebühr

Die Rückzahlung der Beschwerdegebühr wird angeordnet, wenn der Beschwerde abgeholfen oder ihr durch die Beschwerdekammer stattgegeben wird und die Rückzahlung wegen eines wesentlichen Verfahrensmangels der Billigkeit entspricht. Die Rückzahlung wird, falls der Beschwerde abgeholfen wird, von dem Organ, dessen Entscheidung angefochten wurde, und in den übrigen Fällen von der Beschwerdekammer angeordnet.

Siebenter Teil   Ausführungsvoschriften zum siebenten Teil des Übereinkommens

Kapitel I   Entscheidungen, Bescheide und Mitteilungen des Europäischen Patentamts

Regel 68 Form der Entscheidungen

(1) Findet eine mündliche Verhandlung vor dem Europäischen Patentamt statt, so können die Entscheidungen verkündet werden. Später sind die Entscheidungen schriftlich abzufassen und den Beteiligten zuzustellen.

(2) Die Entscheidungen des Europäischen Patentamts, die mit der Beschwerde angefochten werden können, sind zu begründen und mit einer schriftlichen Belehrung darüber zu versehen, dass gegen die Entscheidung die Beschwerde statthaft ist. In der Belehrung sind die Beteiligten auch auf die Artikel 106 bis 108 aufmerksam zu machen, deren Wortlaut beizufügen ist. Die Beteiligten können aus der Unterlassung der Rechtsmittelbelehrung keine Ansprüche herleiten.

Regel 69 Feststellung eines Rechtsverlusts

(1) Stellt das Europäische Patentamt fest, dass ein Rechtsverlust auf Grund des Übereinkommens eingetreten ist, ohne dass eine Entscheidung über die Zurückweisung der europäischen Patentanmeldung oder über die Erteilung, den Widerruf oder die Aufrechterhaltung des europäischen Patents oder über die Beweisaufnahme ergangen ist, so teilt es dies dem Betroffenen nach Artikel 119 mit.

(2) Ist der Betroffene der Auffassung, dass die Feststellung des Europäischen Patentamts nicht zutrifft, so kann er innerhalb von zwei Monaten nach

Zustellung der Mitteilung nach Absatz 1 eine Entscheidung des Europäischen Patentamts beantragen. Eine solche Entscheidung wird nur dann getroffen, wenn das Europäische Patentamt die Auffassung des Antragstellers nicht teilt; andernfalls unterrichtet das Europäische Patentamt den Antragsteller.

Regel 70 Unterschrift, Name, Dienstsiegel

(1) Entscheidungen, Bescheide und Mitteilungen des Europäischen Patentamts sind mit der Unterschrift und dem Namen des zuständigen Bediensteten zu versehen.

(2) Werden die in Absatz 1 genannten Schriftstücke von dem zuständigen Bediensteten mit Hilfe einer Datenverarbeitungsanlage erstellt, so kann die Unterschrift durch ein Dienstsiegel ersetzt werden. Werden diese Schriftstücke automatisch durch eine Datenverarbeitungsanlage erstellt, so kann auch die Namensangabe des zuständigen Bediensteten entfallen. Dies gilt auch für vorgedruckte Bescheide und Mitteilungen.

Kapitel II   Mündliche Verhandlung und Beweisaufnahme

Regel 71 Ladung zur mündlichen Verhandlung

(1) Zur mündlichen Verhandlung nach Artikel 116 werden die Beteiligten unter Hinweis auf Absatz 2 geladen. Die Ladungsfrist beträgt mindestens zwei Monate, sofern die Beteiligten nicht mit einer kürzeren Frist einverstanden sind.

(2) Ist ein zu einer mündlichen Verhandlung ordnungsgemäß geladener Beteiligter vor dem Europäischen Patentamt nicht erschienen, so kann das Verfahren ohne ihn fortgesetzt werden.

Regel 71a Vorbereitung der mündlichen Verhandlung

(1) Mit der Ladung weist das Europäische Patentamt auf die Fragen hin, die es für die zu treffende Entscheidung als erörterungsbedürftig ansieht. Gleichzeitig wird ein Zeitpunkt bestimmt, bis zu dem Schriftsätze zur Vorbereitung der mündlichen Verhandlung eingereicht werden können. Regel 84 ist nicht anzuwenden. Nach diesem Zeitpunkt vorgebrachte neue Tatsachen und Beweismittel brauchen nicht berücksichtigt zu werden, soweit sie nicht wegen einer Änderung des dem Verfahren zu Grunde liegenden Sachverhalts zuzulassen sind.

(2) Sind dem Anmelder oder Patentinhaber die Gründe mitgeteilt worden, die der Erteilung oder Aufrechterhaltung des Patents entgegenstehen, so kann er aufgefordert werden, bis zu dem in Absatz 1 Satz 2 genannten Zeit-

punkt Unterlagen einzureichen, die den Erfordernissen des Übereinkommens genügen. Absatz 1 Sätze 3 und 4 sind entsprechend anzuwenden.

Regel 72 Beweisaufnahme durch das Europäische Patentamt

(1) Hält das Europäische Patentamt die Vernehmung von Beteiligten, Zeugen oder Sachverständigen oder eine Augenscheinseinnahme für erforderlich, so erlässt es eine entsprechende Entscheidung, in der das betreffende Beweismittel, die rechtserheblichen Tatsachen sowie Tag, Uhrzeit und Ort angegeben werden. Hat ein Beteiligter die Vernehmung von Zeugen oder Sachverständigen beantragt, so wird in der Entscheidung des Europäischen Patentamts die Frist festgesetzt, in der der antragstellende Beteiligte dem Europäischen Patentamt Name und Anschrift der Zeugen und Sachverständigen mitteilen muss, die er vernehmen zu lassen wünscht.

(2) Die Frist zur Ladung von Beteiligten, Zeugen und Sachverständigen zur Beweisaufnahme beträgt mindestens zwei Monate, sofern diese nicht mit einer kürzeren Frist einverstanden sind. Die Ladung muss enthalten:

a) einen Auszug aus der in Absatz 1 genannten Entscheidung, aus der insbesondere Tag, Uhrzeit und Ort der angeordneten Beweisaufnahme sowie die Tatsachen hervorgehen, über die die Beteiligten, Zeugen und Sachverständigen vernommen werden sollen;

b) die Namen der am Verfahren Beteiligten sowie die Ansprüche, die den Zeugen und Sachverständigen nach Regel 74 Absätze 2 bis 4 zustehen;

c) einen Hinweis darauf, dass der Beteiligte, Zeuge oder Sachverständige seine Vernehmung durch das zuständige Gericht seines Wohnsitzstaats verlangen kann, sowie eine Aufforderung, dem Europäischen Patentamt innerhalb einer von diesem festgesetzten Frist mitzuteilen, ob er bereit ist, vor dem Europäischen Patentamt zu erscheinen.

(3) Beteiligte, Zeugen und Sachverständige werden vor ihrer Vernehmung darauf hingewiesen, dass das Europäische Patentamt das zuständige Gericht in ihrem Wohnsitzstaat um Wiederholung der Vernehmung unter Eid oder in gleichermaßen verbindlicher Form ersuchen kann.

(4) Die Beteiligten können an der Beweisaufnahme teilnehmen und sachdienliche Fragen an die vernommenen Beteiligten, Zeugen und Sachverständigen richten.

Regel 73 Beauftragung von Sachverständigen

(1) Das Europäische Patentamt entscheidet, in welcher Form das Gutachten des von ihm beauftragten Sachverständigen zu erstatten ist.

(2) Der Auftrag an den Sachverständigen muss enthalten:
a) die genaue Umschreibung des Auftrags;
b) die Frist für die Erstattung des Gutachtens;

Anhang 1   AO

c) die Bezeichnung der am Verfahren Beteiligten;
d) einen Hinweis auf die Rechte, die ihm nach Regel 74 Absätze 2 bis 4 zustehen.

(3) Die Beteiligten erhalten eine Abschrift des schriftlichen Gutachtens.

(4) Die Beteiligten können den Sachverständigen ablehnen. Über die Ablehnung entscheidet das Organ des Europäischen Patentamts, das für die Beauftragung des Sachverständigen zuständig ist

Regel 74 Kosten der Beweisaufnahme

(1) Das Europäische Patentamt kann die Beweisaufnahme davon abhängig machen, dass der Beteiligte, der sie beantragt hat, beim Europäischen Patentamt einen Vorschuss hinterlegt, dessen Höhe im Wege einer Schätzung der voraussichtlichen Kosten bestimmt wird.

(2) Zeugen und Sachverständige, die vom Europäischen Patentamt geladen worden sind und vor diesem erscheinen, haben Anspruch auf Erstattung angemessener Reise- und Aufenthaltskosten. Es kann ihnen ein Vorschuss auf diese Kosten gewährt werden. Satz 1 ist auch auf Zeugen und Sachverständige anzuwenden, die ohne Ladung vor dem Europäischen Patentamt erscheinen und als Zeugen oder Sachverständige vernommen werden.

(3) Zeugen, denen nach Absatz 2 ein Erstattungsanspruch zusteht, haben Anspruch auf eine angemessene Entschädigung für Verdienstausfall; Sachverständige haben Anspruch auf Vergütung ihrer Tätigkeit. Diese Entschädigung oder Vergütung wird den Zeugen und Sachverständigen gezahlt, nachdem sie ihrer Pflicht oder ihrem Auftrag genügt haben.

(4) Der Verwaltungsrat legt die Einzelheiten der Anwendung der Absätze 2 und 3 fest. Das Europäische Patentamt zahlt die nach den Absätzen 2 und 3 fälligen Beträge aus.

Regel 75 Beweissicherung

(1) Das Europäische Patentamt kann auf Antrag zur Sicherung eines Beweises unverzüglich eine Beweisaufnahme über Tatsachen vornehmen, die für eine Entscheidung von Bedeutung sein können, die das Europäische Patentamt hinsichtlich einer europäischen Patentanmeldung oder eines europäischen Patents wahrscheinlich zu treffen hat, wenn zu besorgen ist, dass die Beweisaufnahme zu einem späteren Zeitpunkt erschwert oder unmöglich sein wird. Der Zeitpunkt der Beweisaufnahme ist dem Anmelder oder Patentinhaber so rechtzeitig mitzuteilen, dass er daran teilnehmen kann. Er kann sachdienliche Fragen stellen.

(2) Der Antrag muss enthalten:
a) den Namen, die Anschrift und den Staat des Wohnsitzes oder Sitzes des Antragstellers nach Maßgabe der Regel 26 Absatz 2 Buchstabe c;

b) eine ausreichende Bezeichnung der europäischen Patentanmeldung oder des europäischen Patents;
c) die Bezeichnung der Tatsachen, über die Beweis erhoben werden soll;
d) die Bezeichnung der Beweismittel;
e) die Darlegung und die Glaubhaftmachung des Grunds, der die Besorgnis rechtfertigt, dass die Beweisaufnahme zu einem späteren Zeitpunkt erschwert oder unmöglich sein wird.

(3) Der Antrag gilt erst als gestellt, wenn die Beweissicherungsgebühr entrichtet worden ist.

(4) Für die Entscheidung über den Antrag und für eine daraufhin erfolgende Beweisaufnahme ist das Organ des Europäischen Patentamts zuständig, das die Entscheidung zu treffen hatte, für die die zu beweisenden Tatsachen von Bedeutung sein können. Die Vorschriften des Übereinkommens über die Beweisaufnahme in den Verfahren vor dem Europäischen Patentamt sind entsprechend anzuwenden.

Regel 76 Niederschrift über mündliche Verhandlungen und Beweisaufnahmen

(1) Über eine mündliche Verhandlung oder Beweisaufnahme wird eine Niederschrift aufgenommen, die den wesentlichen Gang der mündlichen Verhandlung oder Beweisaufnahme, die rechtserheblichen Erklärungen der Beteiligten und die Aussagen der Beteiligten, Zeugen oder Sachverständigen sowie das Ergebnis eines Augenscheins enthalten soll.

(2) Die Niederschrift über die Aussage eines Zeugen, Sachverständigen oder Beteiligten wird diesem vorgelesen oder zur Durchsicht vorgelegt. In der Niederschrift wird vermerkt, dass dies geschehen und die Niederschrift von der Person genehmigt ist, die ausgesagt hat. Wird die Niederschrift nicht genehmigt, so werden die Einwendungen vermerkt.

(3) Die Niederschrift wird von dem Bediensteten, der sie aufnimmt, und dem Bediensteten, der die mündliche Verhandlung oder Beweisaufnahme leitet, durch ihre Unterschrift oder andere geeignete Mittel als authentisch bestätigt.

(4) Die Beteiligten erhalten eine Abschrift der Niederschrift.

Kapitel III Zustellungen

Regel 77 Allgemeine Vorschriften über Zustellungen

(1) In den Verfahren vor dem Europäischen Patentamt wird entweder das Originalschriftstück, eine vom Europäischen Patentamt beglaubigte oder mit

Dienstsiegel versehene Abschrift dieses Schriftstücks oder ein mit Dienstsiegel versehener Computerausdruck zugestellt. Abschriften von Schriftstücken, die von Beteiligten eingereicht werden, bedürfen keiner solchen Beglaubigung.

(2) Die Zustellung wird bewirkt:
a) durch die Post gemäß Regel 78;
b) durch Übergabe im Europäischen Patentamt gemäß Regel 79;
c) durch öffentliche Bekanntmachung gemäß Regel 80;
d) durch technische Einrichtungen zur Nachrichtenübermittlung, die der Präsident des Europäischen Patentamts unter Festlegung der Bedingungen für ihre Benutzung bestimmt.

(3) Die Zustellung durch Vermittlung der Zentralbehörde für den gewerblichen Rechtsschutz eines Vertragsstaats erfolgt nach den Vorschriften, die von dieser Behörde in nationalen Verfahren anzuwenden sind.

Regel 78 Zustellung durch die Post

(1) Entscheidungen, durch die eine Beschwerdefrist in Lauf gesetzt wird, Ladungen und andere vom Präsidenten des Europäischen Patentamts bestimmte Schriftstücke werden durch eingeschriebenen Brief mit Rückschein zugestellt. Alle anderen Zustellungen durch die Post erfolgen mittels eingeschriebenen Briefs.

(2) Bei der Zustellung mittels eingeschriebenen Briefs mit oder ohne Rückschein gilt dieser mit dem zehnten Tag nach der Abgabe zur Post als zugestellt, es sei denn, dass das zuzustellende Schriftstück nicht oder an einem späteren Tag zugegangen ist; im Zweifel hat das Europäische Patentamt den Zugang des Schriftstücks und gegebenenfalls den Tag des Zugangs nachzuweisen.

(3) Die Zustellung mittels eingeschriebenen Briefs mit oder ohne Rückschein gilt auch dann als bewirkt, wenn die Annahme des Briefs verweigert wird.

(4) Soweit die Zustellung durch die Post durch die Absätze 1 bis 3 nicht geregelt ist, ist das Recht des Staats anzuwenden, in dessen Hoheitsgebiet die Zustellung erfolgt.

Regel 79 Zustellung durch unmittelbare Übergabe

Die Zustellung kann in den Dienstgebäuden des Europäischen Patentamts durch unmittelbare Übergabe des Schriftstücks an den Empfänger bewirkt werden, der dabei den Empfang zu bescheinigen hat. Die Zustellung gilt auch dann als bewirkt, wenn der Empfänger die Annahme des Schriftstücks oder die Bescheinigung des Empfangs verweigert.

Regel 80 Öffentliche Zustellung

(1) Kann der Aufenthaltsort des Empfängers nicht festgestellt werden oder war die Zustellung nach Regel 78 Absatz 1 auch nach einem zweiten Versuch des Europäischen Patentamts unmöglich, so wird durch öffentliche Bekanntmachung zugestellt.

(2) Der Präsident des Europäischen Patentamts bestimmt, in welcher Weise die öffentliche Bekanntmachung erfolgt und wann die Frist von einem Monat zu laufen beginnt, nach deren Ablauf das Schriftstück als zugestellt gilt.

Regel 81 Zustellung an Vertreter

(1) Ist ein Vertreter bestellt worden, so werden die Zustellungen an den Vertreter gerichtet.

(2) Sind mehrere Vertreter für einen Beteiligten bestellt, so genügt die Zustellung an einen von ihnen.

(3) Haben mehrere Beteiligte einen gemeinsamen Vertreter, so genügt die Zustellung nur eines Schriftstücks an den gemeinsamen Vertreter.

Regel 82 Heilung von Zustellungsmängeln

Kann das Europäische Patentamt die formgerechte Zustellung eines Schriftstücks nicht nachweisen oder ist das Schriftstück unter Verletzung von Zustellungsvorschriften zugegangen, so gilt das Schriftstück als an dem Tag zugestellt, den das Europäische Patentamt als Tag des Zugangs nachweist.

Kapitel IV Fristen

Regel 83 Berechnung der Fristen

(1) Die Fristen werden nach vollen Tagen, Wochen, Monaten oder Jahren berechnet.

(2) Bei der Fristberechnung wird mit dem Tag begonnen, der auf den Tag folgt, an dem das Ereignis eingetreten ist, auf Grund dessen der Fristbeginn festgelegt wird; dieses Ereignis kann eine Handlung oder der Ablauf einer früheren Frist sein. Besteht die Handlung in einer Zustellung, so ist das maßgebliche Ereignis der Zugang des zugestellten Schriftstücks, sofern nichts anderes bestimmt ist.

(3) Ist als Frist ein Jahr oder eine Anzahl von Jahren bestimmt, so endet die Frist in dem maßgeblichen folgenden Jahr in dem Monat und an dem Tag, die durch ihre Benennung oder Zahl dem Monat und Tag entsprechen, an denen das Ereignis eingetreten ist; hat der betreffende nachfolgende Monat

keinen Tag mit der entsprechenden Zahl, so läuft die Frist am letzten Tag dieses Monats ab.

(4) Ist als Frist ein Monat oder eine Anzahl von Monaten bestimmt, so endet die Frist in dem maßgeblichen folgenden Monat an dem Tag, der durch seine Zahl dem Tag entspricht, an dem das Ereignis eingetreten ist; hat der betreffende nachfolgende Monat keinen Tag mit der entsprechenden Zahl, so läuft die Frist am letzten Tag dieses Monats ab.

(5) Ist als Frist eine Woche oder eine Anzahl von Wochen bestimmt, so endet die Frist in der maßgeblichen Woche an dem Tag, der durch seine Benennung dem Tag entspricht, an dem das Ereignis eingetreten ist.

Regel 84 Dauer der Fristen

Ist im Übereinkommen oder in dieser Ausführungsordnung eine Frist vorgesehen, die vom Europäischen Patentamt zu bestimmen ist, so darf diese Frist auf nicht weniger als zwei Monate und auf nicht mehr als vier Monate sowie, wenn besondere Umstände vorliegen, auf nicht mehr als sechs Monate festgesetzt werden. In besonders gelagerten Fällen kann die Frist vor Ablauf auf Antrag verlängert werden.

Regel 84a Verspäteter Zugang von Schriftstücken

(1) Ein beim Europäischen Patentamt verspätet eingegangenes Schriftstück gilt als rechtzeitig eingegangen, wenn es nach Maßgabe der vom Präsidenten des Europäischen Patentamts festgelegten Bedingungen rechtzeitig vor Ablauf der Frist bei der Post oder einem anerkannten Übermittlungsdienst aufgegeben wurde, es sei denn, das Schriftstück ist später als drei Monate nach Ablauf der Frist eingegangen.

(2) Absatz 1 ist auf die im Übereinkommen vorgesehenen Fristen entsprechend anzuwenden, falls Handlungen bei der zuständigen Behörde nach Artikel 75 Absatz 1 Buchstabe b oder Absatz 2 Buchstabe b vorgenommen werden.

Regel 85 Verlängerung von Fristen

(1) Läuft eine Frist an einem Tag ab, an dem eine Annahmestelle des Europäischen Patentamts im Sinne von Artikel 75 Absatz 1 Buchstabe a zur Entgegennahme von Schriftstücken nicht geöffnet ist oder an dem gewöhnliche Postsendungen aus anderen als den in Absatz 2 genannten Gründen dort nicht zugestellt werden, so erstreckt sich die Frist auf den nächstfolgenden Tag, an dem alle Annahmestellen zur Entgegennahme von Schriftstücken geöffnet sind und an dem gewöhnliche Postsendungen zugestellt werden.

(2) Läuft eine Frist an einem Tag ab, an dem die Postzustellung in einem Vertragsstaat oder zwischen einem Vertragsstaat und dem Europäischen Pa-

tentamt allgemein unterbrochen oder im Anschluss an eine solche Unterbrechung gestört ist, so erstreckt sich die Frist für Beteiligte, die in diesem Staat ihren Wohnsitz oder Sitz haben oder einen Vertreter mit Geschäftssitz in diesem Staat bestellt haben, auf den ersten Tag nach Beendigung der Unterbrechung oder Störung. Satz 1 ist auf die in Artikel 77 Absatz 5 genannte Frist entsprechend anzuwenden. Ist der betreffende Staat der Sitzstaat des Europäischen Patentamts, so gilt diese Vorschrift für alle Beteiligten. Die Dauer der Unterbrechung oder Störung der Postzustellung wird in einer Mitteilung des Präsidenten des Europäischen Patentamts bekannt gegeben.

(3) Die Absätze 1 und 2 sind auf Fristen, die im Übereinkommen vorgesehen sind, in Fällen entsprechend anzuwenden, in denen Handlungen bei der zuständigen Behörde nach Artikel 75 Absatz 1 Buchstabe b oder Absatz 2 Buchstabe b vorgenommen werden.

(4) Ist der ordnungsgemäße Dienstbetrieb des Europäischen Patentamts durch ein außerordentliches Ereignis, zum Beispiel eine Naturkatastrophe oder einen Streik, unterbrochen oder gestört und verzögern sich dadurch amtliche Benachrichtigungen über den Ablauf von Fristen, so können die innerhalb dieser Fristen vorzunehmenden Handlungen noch innerhalb eines Monats nach Zustellung der verzögerten Benachrichtigung wirksam vorgenommen werden. Der Beginn und das Ende einer solchen Unterbrechung oder Störung werden in einer Mitteilung des Präsidenten des Europäischen Patentamts bekannt gegeben.

(5) Unbeschadet der Absätze 1 bis 4 kann der Beweis angeboten werden, dass an einem der letzten zehn Tage vor Ablauf einer Frist der Postdienst als Folge eines Kriegs, einer Revolution, einer Störung der öffentlichen Ordnung, eines Streiks, einer Naturkatastrophe oder ähnlicher Ursachen an dem Sitz oder Wohnsitz, dem Ort der Geschäftstätigkeit oder dem gewöhnlichen Aufenthaltsort des Beteiligten oder seines Vertreters unterbrochen oder im Anschluss an eine solche Unterbrechung gestört war. Sind solche Umstände dem Europäischen Patentamt nachgewiesen worden, so gilt ein verspätet eingegangenes Schriftstück als rechtzeitig eingegangen, sofern der Versand innerhalb von fünf Tagen nach der Wiederherstellung des Postdienstes vorgenommen wurde.

Regel 85a Nachfrist für Gebührenzahlungen

(1) Wird die Anmeldegebühr, die Recherchengebühr oder eine Benennungsgebühr nicht innerhalb der in Artikel 78 Absatz 2, Artikel 79 Absatz 2, Regel 15 Absatz 2 oder Regel 25 Absatz 2 vorgesehenen Fristen entrichtet, so kann sie noch innerhalb einer Nachfrist von einem Monat nach Zustellung einer Mitteilung, in der auf die Fristversäumnis hingewiesen wird, wirksam entrichtet werden, sofern innerhalb dieser Frist eine Zuschlagsgebühr entrichtet wird.

(2) Benennungsgebühren, für die der Anmelder auf einen Hinweis nach Absatz 1 verzichtet hat, können noch innerhalb einer Nachfrist von zwei Monaten nach Ablauf der in Absatz 1 genannten Grundfristen wirksam entrichtet werden, sofern innerhalb dieser Frist eine Zuschlagsgebühr entrichtet wird.

Regel 85b Nachfrist für die Stellung des Prüfungsantrags

Wird der Prüfungsantrag nicht innerhalb der in Artikel 94 Absatz 2 vorgesehenen Frist gestellt, so kann er noch innerhalb einer Nachfrist von einem Monat nach Zustellung einer Mitteilung, in der auf die Fristversäumung hingewiesen wird, wirksam gestellt werden, sofern innerhalb dieser Frist eine Zuschlagsgebühr entrichtet wird.

Kapitel V Änderungen und Berichtigungen

Regel 86 Änderung der europäischen Patentanmeldung

(1) Vor Erhalt des europäischen Recherchenberichts darf der Anmelder die Beschreibung, die Patentansprüche oder die Zeichnungen der europäischen Patentanmeldung nicht ändern, soweit nichts anderes vorgeschrieben ist.

(2) Nach Erhalt des europäischen Recherchenberichts und vor Erhalt des ersten Bescheids der Prüfungsabteilung kann der Anmelder von sich aus die Beschreibung, die Patentansprüche und die Zeichnungen ändern.

(3) Nach Erhalt des ersten Bescheids der Prüfungsabteilung kann der Anmelder von sich aus die Beschreibung, die Patentansprüche und die Zeichnungen einmal ändern, sofern die Änderung gleichzeitig mit der Erwiderung auf den Bescheid eingereicht wird. Weitere Änderungen können nur mit Zustimmung der Prüfungsabteilung vorgenommen werden.

(4) Geänderte Patentansprüche dürfen sich nicht auf nicht recherchierte Gegenstände beziehen, die mit der ursprünglich beanspruchten Erfindung oder Gruppe von Erfindungen nicht durch eine einzige allgemeine erfinderische Idee verbunden sind.

Regel 87 Unterschiedliche Patentansprüche, Beschreibungen und Zeichnungen für verschiedene Staaten

Stellt das Europäische Patentamt fest, dass für einen oder mehrere der benannten Vertragsstaaten der Inhalt einer früheren europäischen Patentanmeldung nach Artikel 54 Absätze 3 und 4 zum Stand der Technik gehört, oder wird ihm das Bestehen eines älteren Rechts nach Artikel 139 Absatz 2 mitgeteilt, so kann die europäische Patentanmeldung oder das europäische Patent für diesen Staat oder diese Staaten unterschiedliche Patentansprüche und, wenn es das Europäische Patentamt für erforderlich hält, unterschiedliche Beschreibungen und Zeichnungen enthalten.

Regel 88 Berichtigung von Mängeln in den beim Europäischen Patentamt eingereichten Unterlagen

Sprachliche Fehler, Schreibfehler und Unrichtigkeiten in den beim Europäischen Patentamt eingereichten Unterlagen können auf Antrag berichtigt werden. Betrifft jedoch der Antrag auf Berichtigung die Beschreibung, die Patentansprüche oder die Zeichnungen, so muss die Berichtigung derart offensichtlich sein, dass sofort erkennbar ist, dass nichts anderes beabsichtigt sein konnte als das, was als Berichtigung vorgeschlagen wird.

Regel 89 Berichtigung von Fehlern in Entscheidungen

In Entscheidungen des Europäischen Patentamts können nur sprachliche Fehler, Schreibfehler und offenbare Unrichtigkeiten berichtigt werden.

Kapitel VI Unterbrechung des Verfahrens

Regel 90 Unterbrechung des Verfahrens

(1) Das Verfahren vor dem Europäischen Patentamt wird unterbrochen:
a) im Fall des Todes oder der fehlenden Geschäftsfähigkeit des Anmelders oder Patentinhabers oder der Person, die nach dem Heimatrecht des Anmelders oder Patentinhabers zu dessen Vertretung berechtigt ist. Solange die genannten Ereignisse die Vertretungsbefugnis eines nach Artikel 134 bestellten Vertreters nicht berühren, tritt eine Unterbrechung des Verfahrens jedoch nur auf Antrag dieses Vertreters ein;
b) wenn der Anmelder oder Patentinhaber auf Grund eines gegen sein Vermögen gerichteten Verfahrens aus rechtlichen Gründen verhindert ist, das Verfahren vor dem Europäischen Patentamt fortzusetzen;
c) wenn der Vertreter des Anmelders oder Patentinhabers stirbt, seine Geschäftsfähigkeit verliert oder auf Grund eines gegen sein Vermögen gerichteten Verfahrens aus rechtlichen Gründen verhindert ist, das Verfahren vor dem Europäischen Patentamt fortzusetzen.

(2) Wird dem Europäischen Patentamt bekannt, wer in den Fällen des Absatzes 1 Buchstaben a und b die Berechtigung erlangt hat, das Verfahren vor dem Europäischen Patentamt fortzusetzen, so teilt es dieser Person und gegebenenfalls den übrigen Beteiligten mit, dass das Verfahren nach Ablauf einer von ihm zu bestimmenden Frist wiederaufgenommen wird.

(3) Im Fall des Absatzes 1 Buchstabe c wird das Verfahren wiederaufgenommen, wenn dem Europäischen Patentamt die Bestellung eines neuen Vertreters des Anmelders angezeigt wird oder das Europäische Patentamt die Anzeige über die Bestellung eines neuen Vertreters des Patentinhabers den übrigen Beteiligten zugestellt hat. Hat das Europäische Patentamt drei Monate nach dem Beginn der Unterbrechung des Verfahrens noch keine Anzeige über die Bestellung eines neuen Vertreters erhalten, so teilt es dem Anmelder oder Patentinhaber mit:

a) im Fall des Artikels 133 Absatz 2, dass die europäische Patentanmeldung als zurückgenommen gilt oder das europäische Patent widerrufen wird, wenn die Anzeige nicht innerhalb von zwei Monaten nach Zustellung dieser Mitteilung erfolgt, oder,

b) wenn der Fall des Artikels 133 Absatz 2 nicht vorliegt, dass das Verfahren vom Tag der Zustellung dieser Mitteilung an mit dem Anmelder oder Patentinhaber wiederaufgenommen wird.

(4) Die am Tag der Unterbrechung für den Anmelder oder Patentinhaber laufenden Fristen, mit Ausnahme der Frist zur Stellung des Prüfungsantrags und der Frist für die Entrichtung der Jahresgebühren, beginnen an dem Tag von Neuem zu laufen, an dem das Verfahren wiederaufgenommen wird. Liegt dieser Tag später als zwei Monate vor Ablauf der Frist zur Stellung des Prüfungsantrags, so kann ein Prüfungsantrag noch bis zum Ablauf von zwei Monaten nach diesem Tag gestellt werden.

Kapitel VII   Verzicht auf Beitreibung

Regel 91 Verzicht auf Beitreibung

Der Präsident des Europäischen Patentamts kann davon absehen, geschuldete Geldbeträge beizutreiben, wenn der beizutreibende Betrag geringfügig oder die Beitreibung zu ungewiss ist.

Kapitel VIII   Unterrichtung der Öffentlichkeit

Regel 92 Eintragungen in das europäische Patentregister

(1) Im europäischen Patentregister müssen folgende Angaben eingetragen werden:

a)   Nummer der europäischen Patentanmeldung;
b)   Anmeldetag der europäischen Patentanmeldung;
c)   Bezeichnung der Erfindung;

d) Symbole der Klassifikation der europäischen Patentanmeldung;
e) die benannten Vertragsstaaten;
f) Name, Vornamen, Anschrift, Staat des Wohnsitzes oder Sitzes des Anmelders oder Patentinhabers;
g) Name, Vornamen und Anschrift des vom Anmelder oder Patentinhaber genannten Erfinders, sofern er nicht nach Regel 18 Absatz 1 auf das Recht verzichtet hat, als Erfinder bekannt zu werden;
h) Name, Vornamen und Geschäftsanschrift des in Artikel 134 bezeichneten Vertreters des Anmelders oder Patentinhabers; im Fall mehrerer Vertreter werden nur Name, Vornamen und Geschäftsanschrift des zuerst genannten Vertreters, gefolgt von den Worten »und Partner«, eingetragen; im Fall eines Zusammenschlusses von Vertretern nach Regel 101 Absatz 9 werden nur Name und Anschrift des Zusammenschlusses eingetragen;
i) Prioritätsangaben (Tag, Staat und Aktenzeichen der früheren Anmeldung);
j) im Fall der Teilung der europäischen Patentanmeldung die Nummern der europäischen Teilanmeldungen;
k) bei europäischen Teilanmeldungen und bei den nach Artikel 61 Absatz 1 Buchstabe b eingereichten neuen europäischen Patentanmeldungen die unter den Buchstaben a, b und i vorgesehenen Angaben für die frühere europäische Patentanmeldung;
l) Tag der Veröffentlichung der europäischen Patentanmeldung und gegebenenfalls Tag der gesonderten Veröffentlichung des europäischen Recherchenberichts;
m) Tag der Stellung eines Prüfungsantrags;
n) Tag, an dem die europäische Patentanmeldung zurückgewiesen oder zurückgenommen worden ist oder als zurückgenommen gilt;
o) Tag der Bekanntmachung des Hinweises auf die Erteilung des europäischen Patents;
p) Tag des Erlöschens des europäischen Patents in einem Vertragsstaat während der Einspruchsfrist und gegebenenfalls bis zur rechtskräftigen Entscheidung über den Einspruch;
q) Tag der Einlegung des Einspruchs;
r) Tag und Art der Entscheidung über den Einspruch;
s) Tag der Aussetzung und der Fortsetzung des Verfahrens im Fall der Regel 13;
t) Tag der Unterbrechung und der Wiederaufnahme des Verfahrens im Fall der Regel 90;
u) Tag der Wiedereinsetzung in den vorigen Stand, sofern eine Eintragung nach den Buchstaben n oder r erfolgt ist;

v) die Einreichung eines Antrags nach Artikel 135 beim Europäischen Patentamt;
w) Rechte an der europäischen Patentanmeldung oder am europäischen Patent und Rechte an diesen Rechten, soweit ihre Eintragung in Anwendung dieser Ausführungsordnung vorgenommen wird.

(2) Der Präsident des Europäischen Patentamts kann bestimmen, dass in das europäische Patentregister andere als die in Absatz 1 vorgesehenen Angaben eingetragen werden.

(3) Auf Antrag werden Auszüge aus dem europäischen Patentregister nach Entrichtung einer Verwaltungsgebühr erteilt.

Regel 93 Von der Einsicht ausgeschlossene Aktenteile

Von der Akteneinsicht sind nach Artikel 128 Absatz 4 folgende Aktenteile ausgeschlossen:
a) Vorgänge über die Frage der Ausschließung oder Ablehnung von Mitgliedern der Beschwerdekammern oder der Großen Beschwerdekammer;
b) Entwürfe zu Entscheidungen und Bescheiden sowie sonstige Schriftstücke, die der Vorbereitung von Entscheidungen und Bescheiden dienen und den Beteiligten nicht mitgeteilt werden;
c) die Erfindernennung, wenn der Erfinder nach Regel 18 Absatz 1 auf das Recht verzichtet hat, als Erfinder bekannt gemacht zu werden;
d) andere Schriftstücke, die vom Präsidenten des Europäischen Patentamts von der Einsicht ausgeschlossen werden, weil die Einsicht in diese Schriftstücke nicht dem Zweck dient, die Öffentlichkeit über die europäische Patentanmeldung oder das darauf erteilte europäische Patent zu unterrichten.

Regel 94 Durchführung der Akteneinsicht

(1) Die Einsicht in die Akten europäischer Patentanmeldungen und Patente wird in das Original oder in eine Kopie oder, wenn die Akten mittels anderer Medien gespeichert sind, in diese Medien gewährt.

(2) Der Präsident des Europäischen Patentamts bestimmt die Bedingungen der Einsichtnahme einschließlich der Fälle, in denen eine Verwaltungsgebühr zu entrichten ist.

Regel 95 Auskunft aus den Akten

Das Europäische Patentamt kann vorbehaltlich der in Artikel 128 Absätze 1 bis 4 und Regel 93 vorgesehenen Beschränkungen auf Antrag und gegen Entrichtung einer Verwaltungsgebühr Auskünfte aus den Akten europäischer Patentanmeldungen oder europäischer Patente erteilen. Das Europäische Patentamt kann jedoch verlangen, dass von der Möglichkeit der Akteneinsicht

Gebrauch gemacht wird, wenn dies im Hinblick auf den Umfang der zu erteilenden Auskünfte zweckmäßig erscheint.

Regel 95a Anlage, Führung und Aufbewahrung von Akten

(1) Zu allen europäischen Patentanmeldungen und Patenten werden vom Europäischen Patentamt Akten angelegt, geführt und aufbewahrt.

(2) Der Präsident des Europäischen Patentamts bestimmt, in welcher Form die Akten europäischer Patentanmeldungen und Patente angelegt, geführt und aufbewahrt werden.

(3) In eine elektronische Akte aufgenommene Unterlagen gelten als Originale.

(4) Die Akten der europäischen Patentanmeldungen und Patente werden für eine Zeitdauer von mindestens fünf Jahren ab dem Ende des Jahres aufbewahrt, in dem
a) die Anmeldung zurückgewiesen oder zurückgenommen worden ist oder als zurückgenommen gilt oder
b) das Patent im Einspruchsverfahren widerrufen worden ist oder
c) die Geltungsdauer des Patents oder die verlängerte Laufzeit oder der entsprechende Schutz nach Artikel 63 Absatz 2 im letzten der benannten Staaten abgelaufen ist.

(5) Unbeschadet Absatz 4 werden die Akten der europäischen Patentanmeldungen, welche Gegenstand von Teilanmeldungen nach Artikel 76 oder einer neuen Anmeldung nach Artikel 61 Absatz 1 Buchstabe b waren, zumindest für dieselbe Zeitdauer wie irgendeine der Akten einer der letztgenannten Anmeldungen aufbewahrt. Das Gleiche gilt für die Akten von europäischen Patenten, die auf Grund dieser Anmeldungen erteilt worden sind.

Regel 96 Weitere Veröffentlichungen des Europäischen Patentamts

(1) Der Präsident des Europäischen Patentamts kann bestimmen, dass und in welcher Form die in Artikel 128 Absatz 5 vorgesehenen Angaben Dritten mitgeteilt oder veröffentlicht werden.

(2) Der Präsident des Europäischen Patentamts kann bestimmen, dass und in welcher Form neue oder geänderte Patentansprüche, die nach dem in Regel 49 Absatz 3 genannten Zeitpunkt eingegangen sind, veröffentlicht werden und dass ein Hinweis auf Einzelheiten solcher Ansprüche im Europäischen Patentblatt bekannt gemacht wird.

Kapitel IX Rechts- und Amtshilfe

Regel 97 Verkehr des Europäischen Patentamts mit Behörden der Vertragsstaaten

(1) Bei Mitteilungen, die sich aus der Anwendung des Übereinkommens ergeben, verkehren das Europäische Patentamt und die Zentralbehörden für den gewerblichen Rechtsschutz der Vertragsstaaten unmittelbar miteinander. Das Europäische Patentamt und die Gerichte sowie die übrigen Behörden der Vertragsstaaten können miteinander durch Vermittlung der Zentralbehörde für den gewerblichen Rechtsschutz verkehren.

(2) Die Kosten, die durch die in Absatz 1 genannten Mitteilungen entstehen, sind von der Behörde zu tragen, die die Mitteilungen gemacht hat; diese Mitteilungen sind gebührenfrei.

Regel 98 Akteneinsicht durch Gerichte und Behörden der Vertragsstaaten oder durch deren Vermittlung

(1) Die Einsicht in die Akten einer europäischen Patentanmeldung oder eines europäischen Patents durch Gerichte und Behörden der Vertragsstaaten wird in das Original oder in eine Kopie gewährt; Regel 94 ist nicht anzuwenden.

(2) Gerichte und Staatsanwaltschaften der Vertragsstaaten können in Verfahren, die bei ihnen anhängig sind, Dritten Einsicht in die vom Europäischen Patentamt übermittelten Akten oder Kopien der Akten gewähren. Die Akteneinsicht wird nach Maßgabe des Artikels 128 gewährt; die Verwaltungsgebühr für die Akteneinsicht wird nicht erhoben.

(3) Das Europäische Patentamt weist die Gerichte und Staatsanwaltschaften der Vertragsstaaten bei der Übermittlung der Akten oder Kopien der Akten auf die Beschränkungen hin, denen die Gewährung der Einsicht in die Akten einer europäischen Patentanmeldung oder eines europäischen Patents an Dritte nach Artikel 128 Absätze 1 und 4 unterworfen ist.

Regel 99 Verfahren bei Rechtshilfeersuchen

(1) Jeder Vertragsstaat bestimmt eine zentrale Behörde, die vom Europäischen Patentamt ausgehende Rechtshilfeersuchen entgegenzunehmen und dem zuständigen Gericht oder der zuständigen Behörde zur Erledigung zuzuleiten hat.

(2) Das Europäische Patentamt fasst Rechtshilfeersuchen in der Sprache des zuständigen Gerichts oder der zuständigen Behörde ab oder fügt den Rechtshilfeersuchen eine Übersetzung in dieser Sprache bei.

(3) Vorbehaltlich der Absätze 5 und 6 hat das zuständige Gericht oder die zuständige Behörde bei der Erledigung eines Ersuchens in den Formen zu verfahren, die ihr Recht vorsieht. Sie hat insbesondere geeignete Zwangsmittel nach Maßgabe ihrer Rechtsvorschriften anzuwenden.

(4) Ist das ersuchte Gericht oder die ersuchte Behörde nicht zuständig, so ist das Rechtshilfeersuchen von Amts wegen unverzüglich an die in Absatz 1 genannte zentrale Behörde zurückzusenden. Die zentrale Behörde übermittelt das Rechtshilfeersuchen, wenn ein anderes Gericht oder eine andere Behörde in diesem Staat zuständig ist, diesem Gericht oder dieser Behörde oder, wenn kein Gericht oder keine Behörde in diesem Staat zuständig ist, dem Europäischen Patentamt.

(5) Das Europäische Patentamt ist von Zeit und Ort der durchzuführenden Beweisaufnahme oder der anderen vorzunehmenden gerichtlichen Handlungen zu benachrichtigen und unterrichtet seinerseits die betreffenden Beteiligten, Zeugen und Sachverständigen.

(6) Auf Ersuchen des Europäischen Patentamts gestattet das zuständige Gericht oder die zuständige Behörde die Teilnahme von Mitgliedern des betreffenden Organs und erlaubt diesen, an vernommene Personen über das Gericht oder die Behörde oder unmittelbar Fragen zu richten.

(7) Für die Erledigung von Rechtshilfeersuchen dürfen Gebühren und Auslagen irgendwelcher Art nicht erhoben werden. Der ersuchte Staat ist jedoch berechtigt, von der Organisation die Erstattung der an Sachverständige und an Dolmetscher gezahlten Entschädigung sowie der Auslagen zu verlangen, die durch das Verfahren nach Absatz 6 entstanden sind.

(8) Haben nach dem von dem zuständigen Gericht oder der zuständigen Behörde angewendeten Recht die Beteiligten selbst für die Aufnahme der Beweise zu sorgen und ist das Gericht oder die Behörde zur Erledigung des Rechtshilfeersuchens außer Stande, so kann das Gericht oder die Behörde mit Einverständnis des Europäischen Patentamts eine geeignete Person mit der Erledigung beauftragen. Bei der Einholung des Einverständnisses des Europäischen Patentamts gibt das zuständige Gericht oder die zuständige Behörde die ungefähre Höhe der Kosten an, die durch dieses Verfahren entstehen. Durch das Einverständnis des Europäischen Patentamts wird die Organisation verpflichtet, die entstehenden Kosten zu erstatten; ohne ein solches Einverständnis ist die Organisation zur Zahlung der Kosten nicht verpflichtet.

Kapitel X Vertretung

Regel 100 Bestellung eines gemeinsamen Vertreters

(1) Wird eine europäische Patentanmeldung von mehreren Personen eingereicht und ist im Antrag auf Erteilung eines europäischen Patents kein gemeinsamer Vertreter bezeichnet, so gilt der Anmelder, der im Antrag als Erster genannt ist, als gemeinsamer Vertreter. Ist einer der Anmelder jedoch verpflichtet, einen zugelassenen Vertreter zu bestellen, so gilt dieser Vertreter als gemeinsamer Vertreter, sofern nicht der im Antrag als Erster genannte Anmelder einen zugelassenen Vertreter bestellt hat. Entsprechendes gilt für gemeinsame Patentinhaber und mehrere Personen, die gemeinsam einen Einspruch oder einen Antrag auf Beitritt einreichen.

(2) Erfolgt im Laufe des Verfahrens ein Rechtsübergang auf mehrere Personen und haben diese Personen keinen gemeinsamen Vertreter bezeichnet, so ist Absatz 1 entsprechend anzuwenden. Ist eine entsprechende Anwendung nicht möglich, so fordert das Europäische Patentamt die genannten Personen auf, innerhalb von zwei Monaten einen gemeinsamen Vertreter zu bestellen. Wird dieser Aufforderung nicht entsprochen, so bestimmt das Europäische Patentamt den gemeinsamen Vertreter.

Regel 101 Vollmacht

(1) Die Vertreter vor dem Europäischen Patentamt haben auf Verlangen innerhalb einer vom Europäischen Patentamt zu bestimmenden Frist eine unterzeichnete Vollmacht einzureichen. Der Präsident des Europäischen Patentamts bestimmt, in welchen Fällen zur Einreichung einer Vollmacht aufzufordern ist. Die Vollmacht kann sich auf eine oder mehrere europäische Patentanmeldungen oder europäische Patente erstrecken und ist in der entsprechenden Stückzahl einzureichen. Ist den Erfordernissen des Artikels 133 Absatz 2 nicht entsprochen, so wird für die Anzeige über die Bestellung eines Vertreters und die Einreichung der Vollmacht dieselbe Frist gesetzt.

(2) Die Beteiligten können allgemeine Vollmachten einreichen, die einen Vertreter zur Vertretung in allen ihren Patentangelegenheiten bevollmächtigen. Die allgemeine Vollmacht braucht nur in einem Stück eingereicht zu werden.

(3) Der Präsident des Europäischen Patentamts kann Form und Inhalt
a) einer Vollmacht, die die Vertretung von Personen im Sinn des Artikels 133 Absatz 2 betrifft, und
b) einer allgemeinen Vollmacht
bestimmen und im Amtsblatt des Europäischen Patentamts bekannt machen.

(4) Wird die Vollmacht nicht rechtzeitig eingereicht, so gelten unbeschadet anderer im Übereinkommen vorgesehener Rechtsfolgen die Handlungen des

Vertreters mit Ausnahme der Einreichung einer europäischen Patentanmeldung als nicht erfolgt.

(5) Die Absätze 1 und 2 sind auf Schriftstücke über den Widerruf von Vollmachten entsprechend anzuwenden.

(6) Der Vertreter, dessen Vertretungsmacht erloschen ist, wird weiter als Vertreter angesehen, bis das Erlöschen der Vertretungsmacht dem Europäischen Patentamt angezeigt worden ist.

(7) Sofern die Vollmacht nichts anderes bestimmt, erlischt sie gegenüber dem Europäischen Patentamt nicht mit dem Tod des Vollmachtgebers.

(8) Hat ein Beteiligter mehrere Vertreter bestellt, so sind diese ungeachtet einer abweichenden Bestimmung in der Anzeige über ihre Bestellung oder in der Vollmacht berechtigt, sowohl gemeinschaftlich als auch einzeln zu handeln.

(9) Die Bevollmächtigung eines Zusammenschlusses von Vertretern gilt als Bevollmächtigung für jeden Vertreter, der den Nachweis erbringt, dass er in diesem Zusammenschluss tätig ist.

Regel 102 Änderungen in der Liste der Vertreter

(1) Die Eintragung des zugelassenen Vertreters in der Liste der zugelassenen Vertreter wird gelöscht, wenn der zugelassene Vertreter dies beantragt oder trotz wiederholter Mahnung den Jahresbeitrag an das Institut der beim Europäischen Patentamt zugelassenen Vertreter bis zum Ende des Jahres, für das der Beitrag fällig ist, nicht entrichtet hat.

(2) Nach Ablauf der in Artikel 163 Absatz 1 genannten Übergangszeit wird die Eintragung des zugelassenen Vertreters unbeschadet der in Anwendung von Artikel 134 Absatz 8 Buchstabe c getroffenen Disziplinarmaßnahmen von Amts wegen nur gelöscht:
a) im Fall des Todes oder der fehlenden Geschäftsfähigkeit des zugelassenen Vertreters;
b) wenn der zugelassene Vertreter nicht mehr die Staatsangehörigkeit eines Vertragsstaats besitzt, sofern er nicht während der Übergangszeit in die Liste eingetragen worden ist oder der Präsident des Europäischen Patentamts nicht eine Befreiung nach Artikel 134 Absatz 6 erteilt hat;
c) wenn der zugelassene Vertreter seinen Geschäftssitz oder Arbeitsplatz nicht mehr in einem Vertragsstaat hat.

(3) Eine Person, deren Eintragung gelöscht worden ist, wird auf Antrag in die Liste der zugelassenen Vertreter wieder eingetragen, wenn die Voraussetzungen für die Löschung entfallen sind.

Achter Teil Ausführungsvoschriften zum achten Teil des Übereinkommens

Regel 103 Unterrichtung der Öffentlichkeit bei Umwandlungen

(1) Die Unterlagen, die dem Umwandlungsantrag nach Artikel 136 beizufügen sind, sind der Öffentlichkeit von der Zentralbehörde für den gewerblichen Rechtsschutz unter den gleichen Voraussetzungen und im gleichen Umfang wie die Unterlagen eines nationalen Verfahrens zugänglich zu machen.

(2) Auf den Patentschriften der nationalen Patente, die aus der Umwandlung einer europäischen Patentanmeldung hervorgehen, ist diese Anmeldung anzugeben.

Neunter Teil Ausführungsvoschriften zum zehnten Teil des Übereinkommens

Regel 104 Das Europäische Patentamt als Anmeldeamt

(1) Wird das Europäische Patentamt als Anmeldeamt nach dem Zusammenarbeitsvertrag tätig, so ist die internationale Anmeldung in deutscher, englischer oder französischer Sprache einzureichen. Die internationale Anmeldung ist in drei Stücken einzureichen. Das Gleiche gilt für alle Unterlagen, die in der in Regel 3.3a Ziffer ii der Ausführungsordnung zum Zusammenarbeitsvertrag vorgesehenen Kontrollliste genannt sind, mit Ausnahme der Gebührenquittung oder des Schecks für die Gebührenzahlung. Der Präsident des Europäischen Patentamts kann jedoch bestimmen, dass die internationale Anmeldung und alle dazugehörigen Unterlagen in weniger als drei Stücken einzureichen sind.

(2) Wird Absatz 1 Satz 2 nicht entsprochen, so werden die fehlenden Stücke vom Europäischen Patentamt auf Kosten des Anmelders angefertigt.

(3) Wird eine internationale Anmeldung bei einer Behörde eines Vertragsstaats zur Weiterleitung an das Europäische Patentamt als Anmeldeamt eingereicht, so hat der Vertragsstaat dafür zu sorgen, dass die Anmeldung beim Europäischen Patentamt spätestens zwei Wochen vor Ablauf des dreizehnten Monats nach ihrer Einreichung oder, wenn eine Priorität in Anspruch genommen wird, nach dem Prioritätstag eingeht.

Regel 105 Das Europäische Patentamt als Internationale Recherchenbehörde oder als mit der internationalen vorläufigen Prüfung beauftragte Behörde

(1) Im Fall des Artikels 17 Absatz 3 Buchstabe a des Zusammenarbeitsvertrags ist für jede weitere Erfindung, für die eine internationale Recherche

durchzuführen ist, eine zusätzliche Gebühr in Höhe der Recherchengebühr zu entrichten.

(2) Im Fall des Artikels 34 Absatz 3 Buchstabe a des Zusammenarbeitsvertrags ist für jede weitere Erfindung, für die eine internationale vorläufige Prüfung durchzuführen ist, eine zusätzliche Gebühr in Höhe der Gebühr für die vorläufige Prüfung zu entrichten.

(3) Ist eine zusätzliche Gebühr unter Widerspruch entrichtet worden, so überprüft das Europäische Patentamt unbeschadet der Regeln 40.2 Absatz e und 68.3 Absatz e der Ausführungsordnung zum Zusammenarbeitsvertrag, ob die Aufforderung zur Zahlung der zusätzlichen Gebühr berechtigt war, und erstattet die zusätzliche Gebühr zurück, wenn dies nach seiner Auffassung nicht der Fall war. Ist das Europäische Patentamt nach dieser Überprüfung der Auffassung, dass die Aufforderung berechtigt war, so unterrichtet es den Anmelder hiervon und fordert ihn zur Entrichtung einer Gebühr für die Prüfung des Widerspruchs (»Widerspruchsgebühr«) auf. Wird die Widerspruchsgebühr rechtzeitig entrichtet, so wird der Widerspruch der Beschwerdekammer zur Entscheidung vorgelegt.

Regel 106 Die nationale Gebühr

Die nationale Gebühr nach Artikel 158 Absatz 2 setzt sich aus folgenden Gebühren zusammen:
a) einer der Anmeldegebühr nach Artikel 78 Absatz 2 entsprechenden nationalen Grundgebühr und
b) den Benennungsgebühren nach Artikel 79 Absatz 2.

Regel 107 Das Europäische Patentamt als Bestimmungsamt oder ausgewähltes Amt – Erfordernisse für den Eintritt in die europäische Phase

(1) Für eine internationale Anmeldung nach Artikel 150 Absatz 3 hat der Anmelder innerhalb von einunddreißig Monaten nach dem Anmeldetag oder, wenn eine Priorität in Anspruch genommen worden ist, nach dem Prioritätstag die folgenden Handlungen vorzunehmen:
a) die gegebenenfalls nach Artikel 158 Absatz 2 erforderliche Übersetzung der internationalen Anmeldung einzureichen;
b) die Anmeldungsunterlagen anzugeben, die dem europäischen Erteilungsverfahren in der ursprünglich eingereichten oder in geänderter Fassung zu Grunde zu legen sind;
c) die nationale Grundgebühr nach Regel 106 Buchstabe a zu entrichten;
d) die Benennungsgebühren zu entrichten, wenn die Frist nach Artikel 79 Absatz 2 früher abläuft;

e) die Recherchengebühr nach Artikel 157 Absatz 2 Buchstabe b zu entrichten, wenn ein ergänzender europäischer Recherchenbericht erstellt werden muss;

f) den Prüfungsantrag nach Artikel 94 zu stellen, wenn die in Artikel 94 Absatz 2 angegebene Frist früher abläuft;

g) die Jahresgebühr für das dritte Jahr nach Artikel 86 Absatz 1 zu entrichten, wenn diese Gebühr nach Regel 37 Absatz 1 früher fällig wird;

h) gegebenenfalls die Ausstellungbescheinigung nach Artikel 55 Absatz 2 und Regel 23 einzureichen.

(2) Hat das Europäische Patentamt einen internationalen vorläufigen Prüfungsbericht erstellt, so wird die Prüfungsgebühr nach Maßgabe der Gebührenordnung ermäßigt. Wurde der Bericht nach Artikel 34 Absatz 3 Buchstabe c des Zusammenarbeitsvertrags für bestimmte Teile der internationalen Anmeldung erstellt, so wird die Ermäßigung nur gewährt, wenn die Prüfung für den im Bericht behandelten Gegenstand durchgeführt werden soll.

Regel 108 Folgen der Nichterfüllung bestimmter Erfordernisse

(1) Wird die Übersetzung der internationalen Anmeldung nicht rechtzeitig eingereicht oder der Prüfungsantrag nicht rechtzeitig gestellt oder wird die nationale Grundgebühr oder die Recherchengebühr nicht rechtzeitig entrichtet oder wird keine Benennungsgebühr rechtzeitig entrichtet, so gilt die europäische Patentanmeldung als zurückgenommen.

(2) Die Benennung eines Vertragsstaats, für den die Benennungsgebühr nicht rechtzeitig entrichtet worden ist, gilt als zurückgenommen.

(3) Stellt das Europäische Patentamt fest, dass die Anmeldung oder die Benennung eines Vertragsstaats nach Absatz 1 oder 2 als zurückgenommen gilt, so teilt es dies dem Anmelder mit. Regel 69 Absatz 2 ist entsprechend anzuwenden. Der Rechtsverlust gilt als nicht eingetreten, wenn innerhalb von zwei Monaten nach Zustellung der Mitteilung nach Satz 1 die versäumte Handlung nachgeholt und eine Zuschlagsgebühr entrichtet wird.

(4) Benennungsgebühren, für die der Anmelder auf Zustellung einer Mitteilung nach Absatz 3 verzichtet hat, können noch innerhalb von zwei Monaten nach Ablauf der betreffenden Frist wirksam entrichtet werden, sofern innerhalb dieser Frist eine Zuschlagsgebühr entrichtet wird.

Regel 109 Änderung der Anmeldung

Unbeschadet Regel 86 Absätze 2 bis 4 kann die Anmeldung innerhalb einer nicht verlängerbaren Frist von einem Monat nach Zustellung einer entsprechenden Mitteilung an den Anmelder einmal geändert werden. Die geänderte Anmeldung wird einer nach Artikel 157 Absatz 2 erforderlichen ergänzenden Recherche zu Grunde gelegt.

Regel 110 Gebührenpflichtige Patentansprüche Folgen bei Nichtzahlung

(1) Enthalten die Anmeldungsunterlagen, die dem europäischen Erteilungsverfahren zu Grunde zu legen sind, mehr als zehn Ansprüche, so ist für den elften und jeden weiteren Anspruch innerhalb der Frist nach Regel 107 Absatz 1 eine Anspruchsgebühr zu entrichten.

(2) Nicht rechtzeitig entrichtete Anspruchsgebühren können noch innerhalb einer nicht verlängerbaren Nachfrist von einem Monat nach Zustellung einer Mitteilung, in der auf die Nichtzahlung hingewiesen wird, wirksam entrichtet werden. Werden innerhalb dieser Nachfrist geänderte Ansprüche eingereicht, so werden die Anspruchsgebühren auf der Grundlage der geänderten Ansprüche berechnet.

(3) Anspruchsgebühren, die innerhalb der in Absatz 1 genannten Frist entrichtet werden und die nach Absatz 2 Satz 2 fälligen Gebühren übersteigen, werden zurückerstattet.

(4) Wird eine Anspruchsgebühr nicht rechtzeitig entrichtet, so gilt dies als Verzicht auf den entsprechenden Patentanspruch.

Regel 111 Prüfung bestimmter Formerfordernisse durch das Europäische Patentamt

(1) Sind die in Regel 17 Absatz 1 vorgeschriebenen Angaben über den Erfinder bei Ablauf der in Regel 107 Absatz 1 genannten Frist noch nicht mitgeteilt worden, so wird der Anmelder aufgefordert, die Angaben innerhalb einer vom Europäischen Patentamt zu bestimmenden Frist zu machen.

(2) Wird die Priorität einer früheren Anmeldung in Anspruch genommen und ist das Aktenzeichen oder die Abschrift nach Artikel 88 Absatz 1 und Regel 38 Absätze 1 bis 3 bei Ablauf der in Regel 107 Absatz 1 genannten Frist noch nicht eingereicht worden, so wird der Anmelder aufgefordert, das Aktenzeichen oder die Abschrift der früheren Anmeldung innerhalb einer vom Europäischen Patentamt zu bestimmenden Frist einzureichen. Regel 38 Absatz 4 ist anzuwenden.

(3) Liegt bei Ablauf der in Regel 107 Absatz 1 genannten Frist ein nach Regel 5.2 der Ausführungsordnung zum Zusammenarbeitsvertrag vorgeschriebenes Sequenzprotokoll dem Europäischen Patentamt nicht vor oder entspricht es nicht dem vorgeschriebenen Standard oder ist es nicht auf dem vorgeschriebenen Datenträger eingereicht worden, so wird der Anmelder aufgefordert, ein dem vorgeschriebenen Standard entsprechendes Sequenzprotokoll oder ein Sequenzprotokoll auf dem vorgeschriebenen Datenträger innerhalb einer vom Europäischen Patentamt zu bestimmenden Frist einzureichen.

Regel 112 Prüfung der Einheitlichkeit durch das Europäische Patentamt

Ist nur für einen Teil der internationalen Anmeldung von der Internationalen Recherchenbehörde eine Recherche durchgeführt worden, weil diese Behörde der Auffassung war, dass die internationale Anmeldung nicht den Anforderungen an die Einheitlichkeit der Erfindung entspricht, und hat der Anmelder nicht alle zusätzlichen Gebühren nach Artikel 17 Absatz 3 Buchstabe a des Zusammenarbeitsvertrags innerhalb der vorgeschriebenen Frist entrichtet, so prüft das Europäische Patentamt, ob die Anmeldung den Anforderungen an die Einheitlichkeit der Erfindung entspricht. Ist das Europäische Patentamt der Auffassung, dass dies nicht der Fall ist, so teilt es dem Anmelder mit, dass für die Teile der internationalen Anmeldung, für die keine Recherche durchgeführt worden ist, ein europäischer Recherchenbericht erstellt werden kann, wenn für jede weitere Erfindung innerhalb einer vom Europäischen Patentamt bestimmten Frist, die nicht kürzer als zwei Wochen sein und sechs Wochen nicht übersteigen darf, eine Recherchengebühr entrichtet wird. Die Recherchenabteilung erstellt einen europäischen Recherchenbericht für die Teile der internationalen Anmeldung, die sich auf die Erfindungen beziehen, für die Recherchengebühren entrichtet worden sind. Regel 46 Absatz 2 ist entsprechend anzuwenden.

Anhang 2

Protokoll über die gerichtliche Zuständigkeit und die Anerkennung von Entscheidungen über den Anspruch auf Erteilung eines europäischen Patents

(Anerkennungsprotokoll, – AnerkProt)

vom 5.10.1973

Mit kurzen Hinweisen

Dieses Protokoll dient der Verwirklichung der in Art 61 festgelegten materiellrechtlichen Ansprüche auf das europäische Patent. Es regelt insbesondere die Zuständigkeit der nationalen Gerichte (in Abschnitt I) und die Anerkennung ihrer Entscheidungen (in Abschnitt II). Nach Art 164 (1) ist das Anerkennungsprotokoll Bestandteil des Übereinkommens.

Siehe die umfangreiche Kommentierung von Stauder in MünchGemKom, 6. Lieferung.

Abschnitt I Zuständigkeit

Artikel 1

(1) Für Klagen gegen den Anmelder, mit denen der Anspruch auf Erteilung eines europäischen Patents für einen oder mehrere der in der europäischen Patentanmeldung benannten Vertragsstaaten geltend gemacht wird, bestimmt sich die Zuständigkeit der Gerichte der Vertragsstaaten nach den Artikeln 2 bis 6.

(2) Den Gerichten im Sinn dieses Protokolls sind Behörden gleichgestellt, die nach dem nationalen Recht eines Vertragsstaats für die Entscheidung über die in Absatz 1 genannten Klagen zuständig sind. Die Vertragsstaaten teilen dem Europäischen Patentamt die Behörden mit, denen eine solche Zuständigkeit zugewiesen ist; das Europäische Patentamt unterrichtet die übrigen Vertragsstaaten hiervon.

(3) Als Vertragsstaaten im Sinn dieses Protokolls sind nur die Vertragsstaaten zu verstehen, die die Anwendung dieses Protokolls nach Artikel 167 des Übereinkommens nicht ausgeschlossen haben.

In Abs 1 wird von der Zuständigkeit der nationalen Gerichte für die Entscheidung der sich aus Art 61 ergebenden Fragen ausgegangen.

Abs 2 stellt den Gerichten auch andere Behörden gleich, die nach dem nationalen Recht der Vertragsstaaten für die Entscheidung über solche Klagen zuständig sind. Gegenwärtig trifft dies nur für Großbritannien zu, wo das Patentamt gewisse Zuständigkeiten hat.

Von dem in Abs 3 aufgeführten Vorbehalt hinsichtlich der Anwendung dieses Protokolls hatte nach Art 167 (2) d) nur Österreich Gebrauch gemacht.

Da die Dauer dieses Vorbehalts nach Art 167 (3) auf 10 Jahre ohne Verlängerungsmöglichkeit ab Inkrafttreten des EPÜ beschränkt ist, gilt das Protokoll für alle gegenwärtigen und künftigen Vertragsstaaten.

Artikel 2

Der Anmelder, der seinen Wohnsitz oder Sitz in einem Vertragsstaat hat, ist vorbehaltlich der Artikel 4 und 5 vor den Gerichten dieses Vertragsstaats zu verklagen.

Artikel 3

Wenn der Anmelder seinen Wohnsitz oder Sitz außerhalb der Vertragsstaaten hat und die Person, die den Anspruch auf Erteilung des europäischen Patents geltend macht, ihren Wohnsitz oder Sitz in einem Vertragsstaat hat, sind vorbehaltlich der Artikel 4 und 5 die Gerichte des letztgenannten Staats ausschließlich zuständig.

Artikel 4

Ist der Gegenstand der europäischen Patentanmeldung eine Erfindung eines Arbeitnehmers, so sind vorbehaltlich Artikel 5 für einen Rechtsstreit zwischen dem Arbeitnehmer und dem Arbeitgeber ausschließlich die Gerichte des Vertragsstaats zuständig, nach dessen Recht sich das Recht auf das europäische Patent gemäß Artikel 60 Absatz 1 Satz 2 des Übereinkommens bestimmt.

Artikel 5

(1) Haben die an einem Rechtsstreit über den Anspruch auf Erteilung eines europäischen Patents beteiligten Parteien durch eine schriftliche oder durch eine mündliche, schriftlich bestätigte Vereinbarung bestimmt, daß ein Gericht oder die Gerichte eines bestimmten Vertragsstaats über diesen Rechtsstreit entscheiden sollen, so sind dieses Gericht oder die Gerichte dieses Staats ausschließlich zuständig.

(2) Handelt es sich bei den Parteien um einen Arbeitnehmer und seinen Arbeitgeber, so ist Absatz 1 jedoch nur anzuwenden, soweit das für den Arbeitsvertrag maßgebliche nationale Recht eine solche Vereinbarung zuläßt.

Artikel 6

In den nicht in den Artikeln 2 bis 4 und in Artikel 5 Absatz 1 geregelten Fällen sind die Gerichte der Bundesrepublik Deutschland ausschließlich zuständig.

In den Art 2 bis 6 wird die internationale Zuständigkeit der Gerichte der Vertragsstaaten in folgender Weise geregelt:
1) *In erster Linie sind die Gerichte des Vertragsstaats zuständig, in dem der beklagte Anmelder Sitz oder Wohnsitz hat.*
2) *Ist eine solche Zuständigkeit nicht gegeben, so sind die Gerichte im Vertragsstaat des Klägers zuständig, wenn dieser in einem Vertragsstaat Sitz oder Wohnsitz hat.*
3) *Handelt es sich um einen Rechtsstreit zwischen Arbeitgeber und Arbeitnehmer über eine Arbeitnehmererfindung, so sind die Gerichte des Vertragsstaats zuständig, dessen Arbeitnehmererfinderrecht anzuwenden ist.*
4) *Bei einem vereinbarten Gerichtsstand in einem Vertragsstaat ist das vereinbarte Gericht zuständig; handelt es sich um eine Arbeitnehmererfindung, so ist erforderlich, daß nach dem Arbeitnehmererfinderrecht eine solche Vereinbarung zulässig ist.*
5) *Mangels einer der vorhergehenden Zuständigkeiten sind die Gerichte der Bundesrepublik Deutschland zuständig.*

Zu diesen Fragen siehe auch Ohl, Die Patentvindikation im deutschen und europäischen Recht, und Cronauer Das Recht auf das Patent im EPÜ.

Stauder (MünchGemKom, 6. Lieferung, Art 6 Rn 4) weist darauf hin, daß Art 6 nicht ausschließt, daß auch Gerichte in Nicht-Vertragsstaaten zuständig sein können. Siehe zu dieser Frage auch Art 61 Rdn 14.

Artikel 7

Die Gerichte der Vertragsstaaten, die mit Klagen nach Artikel 1 befaßt werden, prüfen ihre Zuständigkeit nach den Artikeln 2 bis 6 von Amts wegen.

Artikel 8

(1) Werden bei Gerichten verschiedener Vertragsstaaten Klagen wegen desselben Anspruchs zwischen denselben Parteien anhängig gemacht, so hat sich das später angerufene Gericht von Amts wegen zugunsten des zuvor angerufenen Gerichts für unzuständig zu erklären.

(2) Das Gericht, das sich nach Absatz 1 für unzuständig zu erklären hätte, hat die Entscheidung bis zur rechtskräftigen Entscheidung des zuvor angerufenen Gerichts auszusetzen, wenn der Mangel der Zuständigkeit des anderen Gerichts geltend gemacht wird.

*In den **Art 7 und 8** wird die Prüfung der Zuständigkeit von Amts wegen festgelegt und das zuerst angerufene Gericht für zuständig erklärt, wenn eine der Parteien den Anspruch in mehreren Vertragsstaaten anhängig gemacht hat.*

Abschnitt II   Anerkennung

Artikel 9

(1) Die in einem Vertragsstaat ergangenen rechtskräftigen Entscheidungen über den Anspruch auf Erteilung eines europäischen Patents für einzelne oder alle in der europäischen Patentanmeldung benannte Vertragsstaaten werden vorbehaltlich Artikel 11 Absatz 2 in den anderen Vertragsstaaten anerkannt, ohne daß es hierfür eines besonderen Verfahrens bedarf.

(2) Die Zuständigkeit des Gerichts, dessen Entscheidung anerkannt werden soll, und die Gesetzmäßigkeit dieser Entscheidung dürfen nicht nachgeprüft werden.

Artikel 10

Artikel 9 Absatz 1 ist nicht anzuwenden, wenn:
– a) der Anmelder, der sich auf die Klage nicht eingelassen hat, nachweist, daß ihm das diesen Rechtsstreit einleitende Schriftstück nicht ordnungsgemäß und nicht so rechtzeitig zugestellt worden ist, daß er sich verteidigen konnte;
– b) der Anmelder nachweist, daß die Entscheidung mit einer anderen Entscheidung unvereinbar ist, die zwischen denselben Parteien in einem Vertragsstaat auf eine Klage hin ergangen ist, die früher eingereicht wurde als die Klage, die zu der anzuerkennenden Entscheidung geführt hat.

*Die **Art 9 und 10** regeln die Anerkennung rechtskräftig ergangener Entscheidungen über Ansprüche nach Art 61. Sie schreiben die grundsätzliche Anerkennung der Entscheidung in den anderen Vertragsstaaten ohne Durchführung eines Exequaturverfahrens vor. Dies gilt nur dann nicht, wenn sich der Beklagte nachweislich nicht auf die Klage eingelassen hat oder wenn eine früher eingereichte Klage nachweislich zu einer mit der neuen Entscheidung unvereinbaren Entscheidung geführt hat.*

Artikel 11

(1) Im Verhältnis der Vertragsstaaten zueinander haben die Vorschriften dieses Protokolls Vorrang vor widersprechenden Vorschriften anderer Abkommen, die die gerichtliche Zuständigkeit oder die Anerkennung von Entscheidungen regeln.

(2) Dieses Protokoll steht der Anwendung von Abkommen zwischen Vertragsstaaten und einem nicht durch das Protokoll gebundenen Staat nicht entgegen.

Anhang 3

Protokoll über die Vorrechte und Immunitäten der Europäischen Patentorganisation
(Protokoll über Vorrechte und Immunitäten, – ImmunProt)

vom 5.10.1973

Artikel 1

(1) Die Räumlichkeiten der Organisation sind unverletzlich.

(2) Die Behörden der Staaten, in denen die Organisation Räumlichkeiten hat, dürfen diese Räumlichkeiten nur mit Zustimmung des Präsidenten des Europäischen Patentamts betreten. Bei Feuer oder einem anderen Unglück, das sofortige Schutzmaßnahmen erfordert, wird diese Zustimmung vermutet.

(3) Die Zustellung einer Klageschrift oder sonstiger Schriftstücke, die sich auf ein gegen die Organisation gerichtetes Verfahren beziehen, in den Räumlichkeiten der Organisation stellt keinen Bruch der Unverletzlichkeit dar.

Artikel 2

Die Archive der Organisation und alle Dokumente, die ihr gehören oder sich in ihrem Besitz befinden, sind unverletzlich.

Artikel 3

(1) Die Organisation genießt im Rahmen ihrer amtlichen Tätigkeit Immunität von der Gerichtsbarkeit und Vollstreckung mit Ausnahme folgender Fälle:
a) soweit die Organisation im Einzelfall ausdrücklich hierauf verzichtet;
b) im Fall eines von einem Dritten angestrengten Zivilverfahrens wegen Schäden aufgrund eines Unfalls, der durch ein der Organisation gehörendes oder für sie betriebenes Motorfahrzeug verursacht wurde, oder im Fall eines Verstoßes gegen die Vorschriften über den Straßenverkehr, an dem dieses Fahrzeug beteiligt ist;
c) im Fall der Vollstreckung eines nach Artikel 23 ergangenen Schiedsspruchs.

(2) Das Eigentum und die sonstigen Vermögenswerte der Organisation genießen ohne Rücksicht darauf, wo sie sich befinden, Immunität von jeder Form der Beschlagnahme, Einziehung, Enteignung und Zwangsverwaltung.

(3) Das Eigentum und die sonstigen Vermögenswerte der Organisation genießen ebenfalls Immunität von jedem behördlichen Zwang oder jeder Maßnahme, die einem Urteil vorausgehen, es sei denn, daß dies im Zusammenhang mit der Verhinderung und gegebenenfalls der Untersuchung von Unfällen, an denen der Organisation gehörende oder für sie betriebene Motorfahrzeuge beteiligt sind, vorübergehend notwendig ist.

(4) Unter amtlicher Tätigkeit der Organisation im Sinn dieses Protokolls sind alle Tätigkeiten zu verstehen, die für ihre im Übereinkommen vorgesehene Verwaltungsarbeit und technische Arbeit unbedingt erforderlich sind.

Artikel 4

(1) Im Rahmen ihrer amtlichen Tätigkeit sind die Organisation, ihr Vermögen und ihre Einkünfte von jeder direkten Besteuerung befreit.

(2) Sind bei größeren Einkäufen, die von der Organisation getätigt werden und die für ihre amtliche Tätigkeit erforderlich sind, Steuern oder sonstige Abgaben im Preis enthalten, so werden in jedem Fall, in dem dies möglich ist, von den Vertragsstaaten geeignete Maßnahmen getroffen, um der Organisation den Betrag der Steuern oder sonstigen Abgaben dieser Art zu erlassen oder zu erstatten.

(3) Von Abgaben, die lediglich die Vergütung für Leistungen öffentlicher Versorgungsbetriebe darstellen, wird keine Befreiung gewährt.

Artikel 5

Die von der Organisation ein- oder ausgeführten Waren, die für deren amtliche Tätigkeit erforderlich sind, werden von Zöllen und sonstigen Abgaben bei der Ein- oder Ausfuhr mit Ausnahme der Abgaben für Dienstleistungen befreit sowie von allen Ein- und Ausfuhrverboten und -beschränkungen ausgenommen.

Artikel 6

Für Waren, die für den persönlichen Bedarf der Bediensteten des Europäischen Patentamts gekauft oder eingeführt werden, wird keine Befreiung nach den Artikeln 4 und 5 gewährt.

Artikel 7

(1) Die in den Artikeln 4 und 5 angeführten, der Organisation gehörenden Waren dürfen nur zu den Bedingungen verkauft oder veräußert werden, die von den Vertragsstaaten, welche die Befreiung gewährt haben, genehmigt sind.

(2) Der Waren- und Dienstleistungsverkehr zwischen den verschiedenen Dienstgebäuden der Organisation ist von Abgaben und Beschränkungen je-

der Art befreit; gegebenenfalls treffen die Vertragsstaaten geeignete Maßnahmen, um solche Abgaben zu erlassen oder zu erstatten oder um solche Beschränkungen aufzuheben.

Artikel 8

Der Versand von Veröffentlichungen und sonstigem Informationsmaterial durch oder an die Organisation unterliegt keinen Beschränkungen.

Artikel 9

Die Vertragsstaaten räumen der Organisation die devisenrechtlichen Befreiungen ein, die zur Ausübung ihrer amtlichen Tätigkeit erforderlich sind.

Artikel 10

(1) Bei ihrem amtlichen Nachrichtenverkehr und bei der Übermittlung aller ihrer Schriftstücke genießt die Organisation in jedem Vertragsstaat die günstigste Behandlung, die dieser Staat einer anderen internationalen Organisation gewährt.

(2) Der amtliche Nachrichtenverkehr der Organisation, gleichviel mit welchem Nachrichtenmittel, unterliegt nicht der Zensur.

Artikel 11

Die Vertragsstaaten treffen geeignete Maßnahmen, um Einreise, Aufenthalt und Ausreise der Bediensteten des Europäischen Patentamts zu erleichtern.

Artikel 12

(1) Die Vertreter der Vertragsstaaten, deren Stellvertreter, Berater oder Sachverständige genießen während der Tagungen des Verwaltungsrats oder der Tagungen anderer vom Verwaltungsrat eingesetzter Organe sowie während der Reise zum und vom Tagungsort folgende Vorrechte und Immunitäten:

a) Immunität von Festnahme oder Haft sowie von der Beschlagnahme ihres persönlichen Gepäcks, außer wenn sie auf frischer Tat ertappt werden;
b) Immunität von der Gerichtsbarkeit, auch nach Beendigung ihres Auftrags, bezüglich der von ihnen in Ausübung ihres Amts vorgenommenen Handlungen einschließlich ihrer schriftlichen und mündlichen Äußerungen; diese Immunität gilt jedoch nicht im Fall eines Verstoßes gegen die Vorschriften über den Straßenverkehr durch eine der genannten Personen und im Fall von Schäden, die durch ein Motorfahrzeug verursacht wurden, das einer dieser Personen gehört oder von einer solchen Person gesteuert wurde;
c) Unverletzlichkeit aller ihrer amtlichen Schriftstücke und Urkunden;

d) das Recht, Verschlüsselungen zu verwenden sowie Urkunden oder sonstige Schriftstücke durch Sonderkurier oder in versiegelten Behältern zu empfangen;
e) Befreiung für sich und ihre Ehegatten von allen Einreisebeschränkungen und von der Meldepflicht für Ausländer;
f) die gleichen Erleichterungen hinsichtlich der Währungs- und Devisenvorschriften wie die Vertreter ausländischer Regierungen mit vorübergehendem amtlichen Auftrag.

(2) Die Vorrechte und Immunitäten werden den in Absatz 1 genannten Personen nicht zu ihrem persönlichen Vorteil gewährt, sondern um ihre vollständige Unabhängigkeit bei der Ausübung ihres Amts im Zusammenhang mit der Organisation zu gewährleisten. Ein Vertragsstaat hat deshalb die Pflicht, die Immunität in allen Fällen aufzuheben, in denen sie nach Auffassung dieses Staats verhindern würde, daß der Gerechtigkeit Genüge geschieht, und in denen sie ohne Beeinträchtigung der Zwecke aufgehoben werden kann, für die sie gewährt wurde.

Artikel 13

(1) Vorbehaltlich Artikel 6 steht der Präsident des Europäischen Patentamts im Genuß der Vorrechte und Immunitäten, die Diplomaten nach dem Wiener Übereinkommen über diplomatische Beziehungen vom 18. April 1961 eingeräumt werden.

(2) Die Immunität von der Gerichtsbarkeit gilt jedoch nicht im Fall eines Verstoßes des Präsidenten des Europäischen Patentamts gegen die Vorschriften über den Straßenverkehr oder im Fall eines Schadens, der durch ein ihm gehörendes oder von ihm gesteuertes Motorfahrzeug verursacht wurde.

Artikel 14

Die Bediensteten des Europäischen Patentamts
a) genießen auch nach ihrem Ausscheiden aus dem Dienst Immunität von der Gerichtsbarkeit hinsichtlich der von ihnen in Ausübung ihres Amts vorgenommenen Handlungen einschließlich ihrer mündlichen und schriftlichen Äußerungen; diese Immunität gilt jedoch nicht im Fall eines Verstoßes gegen die Vorschriften über den Straßenverkehr durch einen Bediensteten des Europäischen Patentamts oder eines Schadens, der durch ein ihm gehörendes oder von ihm geführtes Motorfahrzeug verursacht wurde;
b) sind von jeder Verpflichtung zum Wehrdienst befreit;
c) genießen Unverletzlichkeit aller ihrer amtlichen Schriftstücke und Urkunden;

d) genießen in bezug auf Einwanderungsbeschränkungen und die Meldepflicht der Ausländer dieselbe Erleichterung, die allgemein den Mitgliedern des Personals internationaler Organisationen gewährt wird; das gleiche gilt für die in ihrem Haushalt lebenden Familienangehörigen;
e) genießen in bezug auf Devisenvorschriften dieselben Vorrechte, die allgemein den Mitgliedern des Personals internationaler Organisationen gewährt werden;
f) genießen im Fall einer internationalen Krise dieselben Erleichterungen bei der Rückführung in ihren Heimatstaat wie die Diplomaten; das gleiche gilt für die in ihrem Haushalt lebenden Familienangehörigen;
g) haben das Recht, ihre Wohnungseinrichtung und ihre persönlichen Gebrauchsgegenstände bei Antritt ihres Dienstes in dem betreffenden Staat zollfrei einzuführen und bei Beendigung ihres Dienstes in diesem Staat zollfrei wieder auszuführen, vorbehaltlich der Bedingungen, welche die Regierung des Staats, in dem dieses Recht ausgeübt wird, jeweils für erforderlich hält, und mit Ausnahme der Güter, die in diesem Staat erworben wurden und dort einem Ausfuhrverbot unterliegen.

Artikel 15

Sachverständige genießen bei der Ausübung ihrer Tätigkeit für die Organisation oder bei der Ausführung von Aufträgen für diese die nachstehenden Vorrechte und Immunitäten, soweit sie für die Ausübung ihrer Tätigkeiten notwendig sind, und zwar auch während der Reisen, die in Ausübung ihrer Tätigkeit oder zur Durchführung ihres Auftrags ausgeführt werden:

a) Immunität von der Gerichtsbarkeit hinsichtlich der von ihnen in Ausübung ihres Amts vorgenommenen Handlungen einschließlich ihrer mündlichen und schriftlichen Äußerungen, außer im Fall eines Verstoßes gegen die Vorschriften über den Straßenverkehr durch einen Sachverständigen oder im Fall eines Schadens, der durch ein ihm gehörendes oder von ihm geführtes Motorfahrzeug verursacht wurde; die Sachverständigen genießen diese Immunität auch nach Beendigung ihrer Tätigkeit bei der Organisation;
b) Unverletzlichkeit aller ihrer amtlichen Schriftstücke und Urkunden;
c) die zur Überweisung ihrer Bezüge erforderlichen devisenrechtlichen Befreiungen.

Artikel 16

(1) Die in den Artikeln 13 und 14 genannten Personen sind für die von der Organisation gezahlten Gehälter und Bezüge nach Maßgabe der Bedingungen und Regeln, die der Verwaltungsrat innerhalb eines Jahres nach Inkrafttreten des Übereinkommens festlegt, zugunsten der Organisation steuer-

pflichtig. Von diesem Zeitpunkt an sind diese Gehälter und Bezüge von der staatlichen Einkommensteuer befreit. Die Vertragsstaaten können jedoch die befreiten Gehälter und Bezüge bei der Festsetzung des auf Einkommen aus anderen Quellen zu erhebenden Steuerbetrags berücksichtigen.

(2) Absatz 1 ist auf Renten und Ruhegehälter, die von der Organisation an ehemalige Bedienstete des Europäischen Patentamts gezahlt werden, nicht anzuwenden.

Artikel 17

Der Verwaltungsrat bestimmt die Gruppen von Bediensteten, auf die Artikel 14 ganz oder teilweise und Artikel 16 anzuwenden sind, sowie die Gruppen von Sachverständigen, auf die Artikel 15 anzuwenden ist. Die Namen, Dienstbezeichnungen und Anschriften der zu diesen Gruppen gehörenden Bediensteten und Sachverständigen werden den Vertragsstaaten von Zeit zu Zeit mitgeteilt.

Artikel 18

Vorbehaltlich von Abkommen, die nach Artikel 25 mit den Vertragsstaaten geschlossen werden, sind die Organisation und die Bediensteten des Europäischen Patentamts von sämtlichen Pflichtbeiträgen an staatliche Sozialversicherungsträger befreit, sofern die Organisation ein eigenes Sozialversicherungssystem errichtet.

Artikel 19

(1) Die in diesem Protokoll vorgesehenen Vorrechte und Immunitäten sind nicht dazu bestimmt, den Bediensteten des Europäischen Patentamts oder den Sachverständigen, die für die Organisation oder in deren Auftrag tätig sind, persönliche Vorteile zu verschaffen. Sie sind lediglich zu dem Zweck vorgesehen, unter allen Umständen die ungehinderte Tätigkeit der Organisation und die vollständige Unabhängigkeit der Personen, denen sie gewährt werden, zu gewährleisten.

(2) Der Präsident des Europäischen Patentamts hat die Pflicht, eine Immunität aufzuheben, wenn sie nach seiner Ansicht verhindern würde, daß der Gerechtigkeit Genüge geschieht, und wenn sie ohne Beeinträchtigung der Interessen der Organisation aufgehoben werden kann. Aus den gleichen Gründen kann der Verwaltungsrat eine Immunität des Präsidenten aufheben.

Artikel 20

(1) Die Organisation wird jederzeit mit den zuständigen Behörden der Vertragsstaaten zusammenarbeiten, um die Rechtspflege zu erleichtern, die Einhaltung der Vorschriften über Sicherheit und Ordnung sowie über den Ge-

sundheits- und Arbeitsschutz und ähnlicher staatlicher Rechtsvorschriften zu gewährleisten und jeden Mißbrauch der in diesem Protokoll vorgesehenen Vorrechte, Immunitäten und Erleichterungen zu verhindern.

(2) Die Einzelheiten der in Absatz 1 genannten Zusammenarbeit können in den in Artikel 25 genannten Ergänzungsabkommen festgelegt werden.

Artikel 21

Jeder Vertragsstaat behält das Recht, alle im Interesse seiner Sicherheit notwendigen Vorsichtsmaßnahmen zu ergreifen.

Artikel 22

Ein Vertragsstaat ist nicht verpflichtet, die in den Artikeln 12, 13, 14 Buchstaben b, e und g sowie in Artikel 15 Buchstabe c bezeichneten Vorrechte und Immunitäten zu gewähren:
a) seinen eigenen Staatsangehörigen;
b) Personen, die bei Aufnahme ihrer Tätigkeit bei der Organisation ihren ständigen Wohnsitz in diesem Staat haben und nicht Bedienstete einer anderen zwischenstaatlichen Organisation sind, deren Personal in die Organisation übernommen wird.

Artikel 23

(1) Jeder Vertragsstaat kann einem internationalen Schiedsgericht jede Streitigkeit unterbreiten, die sich auf die Organisation oder einen Bediensteten oder Sachverständigen, der für die Organisation oder in deren Auftrag tätig ist, bezieht, soweit die Organisation oder die Bediensteten und Sachverständigen ein Vorrecht oder eine Immunität nach diesem Protokoll in Anspruch genommen haben und diese Immunität nicht aufgehoben worden ist.

(2) Hat ein Vertragsstaat die Absicht, eine Streitigkeit einem Schiedsgericht zu unterbreiten, so notifiziert er dies dem Präsidenten des Verwaltungsrats; dieser unterrichtet sofort jeden Vertragsstaat von der Notifikation.

(3) Das Verfahren nach Absatz 1 ist auf Streitigkeiten zwischen der Organisation und den Bediensteten oder Sachverständigen über das Statut oder die Beschäftigungsbedingungen oder, was die Bediensteten anbelangt, über die Versorgungsordnung nicht anzuwenden.

(4) Gegen den Spruch des Schiedsgerichts, der endgültig und für die Parteien bindend ist, kann ein Rechtsmittel nicht eingelegt werden. Im Fall einer Streitigkeit über Sinn und Tragweite des Schiedsspruchs obliegt es dem Schiedsgericht, den Spruch auf Antrag einer Partei auszulegen.

Artikel 24

(1) Das in Artikel 23 genannte Schiedsgericht besteht aus drei Mitgliedern; ein Schiedsrichter wird von dem Staat oder den Staaten, die Parteien des Schiedsverfahrens sind, ein weiterer vom Verwaltungsrat ernannt; diese beiden Schiedsrichter ernennen einen dritten Schiedsrichter, der als Obmann tätig wird.

(2) Die Schiedsrichter werden aus einem Verzeichnis ausgewählt, das höchstens sechs von jedem Vertragsstaat und sechs vom Verwaltungsrat benannte Schiedsrichter umfaßt. Dieses Verzeichnis wird so bald wie möglich nach Inkrafttreten dieses Protokolls erstellt und in der Folge je nach Bedarf geändert.

(3) Nimmt eine Partei innerhalb von drei Monaten nach der in Artikel 23 Absatz 2 genannten Notifizierung die in Absatz 1 vorgesehene Ernennung nicht vor, so wird der Schiedsrichter auf Antrag der anderen Partei vom Präsidenten des Internationalen Gerichtshofs aus dem Kreis der in dem Verzeichnis aufgeführten Personen bestimmt. Das gleiche geschieht auf Antrag der zuerst handelnden Partei, wenn innerhalb eines Monats nach der Ernennung des zweiten Schiedsrichters die beiden ersten Schiedsrichter sich nicht über die Ernennung des dritten einigen können. Ist jedoch in diesen beiden Fällen der Präsident des Internationalen Gerichtshofs verhindert, die Wahl zu treffen, oder ist er Angehöriger eines an der Streitigkeit beteiligten Staats, so nimmt der Vizepräsident des Internationalen Gerichtshofs die erwähnten Ernennungen vor, sofern er nicht selbst Angehöriger eines an der Streitigkeit beteiligten Staats ist; im letztgenannten Fall obliegt es dem Mitglied des Internationalen Gerichtshofs, das nicht selbst Angehöriger eines an der Streitigkeit beteiligten Staats ist und das vom Präsidenten oder Vizepräsidenten ausgewählt worden ist, die Ernennung vorzunehmen. Ein Angehöriger des antragstellenden Staats kann nicht für den Posten des Schiedsrichters gewählt werden, dessen Ernennung dem Verwaltungsrat oblag, und eine auf Vorschlag des Verwaltungsrats in das Verzeichnis aufgenommene Person kann nicht für den Posten des Schiedsrichters gewählt werden, dessen Ernennung dem antragstellenden Staat oblag. Die diesen beiden Gruppen angehörenden Personen können auch nicht zum Obmann des Schiedsgerichts gewählt werden.

(4) Das Schiedsgericht gibt sich eine Verfahrensordnung.

Artikel 25

Die Organisation kann auf Beschluß des Verwaltungsrats mit einem oder mehreren Vertragsstaaten Ergänzungsabkommen zur Durchführung dieses Protokolls in ihren Beziehungen mit diesem Staat oder diesen Staaten sowie sonstige Vereinbarungen schließen, um eine wirksame Tätigkeit der Organisation und den Schutz ihrer Interessen zu gewährleisten.

Anhang 4

Protokoll über die Zentralisierung des europäischen Patentsystems und seine Einführung
(Zentralisierungsprotokoll, – ZentrProt)

vom 5.10.1973

Abschnitt I

(1) a) Bei Inkrafttreten des Übereinkommens treffen die Vertragsstaaten des Übereinkommens, die gleichzeitig Mitgliedstaaten des durch das Haager Abkommen vom 6. Juni 1947 errichteten Internationalen Patentinstituts sind, die notwendigen Maßnahmen, um sicherzustellen, daß alle Aktiva und Passiva sowie das gesamte Personal des Internationalen Patentinstituts spätestens zu dem in Artikel 162 Absatz 1 des Übereinkommens vorgesehenen Zeitpunkt auf das Europäische Patentamt übertragen werden. Diese Übertragung erfolgt im Wege eines Vertrags zwischen dem Internationalen Patentinstitut und der Europäischen Patentorganisation. Die oben erwähnten Staaten und die anderen Vertragsstaaten des Übereinkommens treffen die notwendigen Maßnahmen, um sicherzustellen, daß dieser Vertrag spätestens zu dem in Artikel 162 Absatz 1 des Übereinkommens vorgesehenen Zeitpunkt angewendet wird. Die Mitgliedstaaten des Internationalen Patentinstituts, die gleichzeitig Vertragsstaaten des Übereinkommens sind, verpflichten sich ferner, ihre Mitgliedschaft am Haager Abkommen zum Zeitpunkt der Anwendung des Vertrags zu beenden.

b) Die Vertragsstaaten des Übereinkommens treffen die notwendigen Maßnahmen, um sicherzustellen, daß die Aktiva und Passiva sowie das gesamte Personal des Internationalen Patentinstituts in das Europäische Patentamt nach Maßgabe des unter Buchstabe a erwähnten Vertrags übernommen werden. Die Zweigstelle in Den Haag übernimmt von der Anwendung dieses Vertrags an einerseits die Aufgaben, die dem Internationalen Patentinstitut am Tag der Auflage des Übereinkommens zur Unterzeichnung obliegen, insbesondere diejenigen, die es zu diesem Zeitpunkt gegenüber seinen Mitgliedstaaten wahrnimmt, wobei es unerheblich ist, ob diese Staaten Vertragsstaaten des Übereinkommens werden oder nicht, und andererseits die Aufgaben, zu deren Wahrnehmung es sich bei Inkrafttreten des Übereinkommens gegenüber Staaten verpflichtet hat, die in diesem Zeitpunkt sowohl Mitgliedstaaten des Internationalen Patentinstituts als auch Vertragsstaaten des Übereinkommens sind. Außerdem kann der Verwaltungsrat der Europäischen Patentorganisation der Zweigstelle weitere Aufgaben auf dem Gebiet der Recherche übertragen.

c) Die obengenannten Verpflichtungen beziehen sich sinngemäß auch auf die gemäß dem Haager Abkommen geschaffene Dienststelle unter den im Abkommen zwischen dem Internationalen Patentinstitut und der Regierung des beteiligten Vertragsstaats vorgesehenen Bedingungen. Diese Regierung verpflichtet sich, mit der Europäischen Patentorganisation ein neues Abkommen, das das bereits bestehende Abkommen mit dem Internationalen Patentinstitut ablöst, zu schließen, um die Bestimmungen über die Organisation, die Tätigkeit und die Finanzierung der Dienststelle mit diesem Protokoll in Einklang zu bringen.

(2) Die Vertragsstaaten des Übereinkommens verzichten zu dem in Artikel 162 Absatz 1 des Übereinkommens genannten Zeitpunkt vorbehaltlich Abschnitt III für ihre Zentralbehörden für den gewerblichen Rechtsschutz zugunsten des Europäischen Patentamts auf die Tätigkeit als Internationale Recherchenbehörde nach dem Zusammenarbeitsvertrag.

(3) a) Zu dem in Artikel 162 Absatz 1 des Übereinkommens genannten Zeitpunkt wird in Berlin (West) zum Zweck der Durchführung von Recherchen für europäische Patentanmeldungen eine Dienststelle des Europäischen Patentamts errichtet. Diese Dienststelle untersteht der Zweigstelle in Den Haag.

b) Der Verwaltungsrat legt die Befugnisse der Dienststelle Berlin unter Berücksichtigung allgemeiner Erwägungen und der Bedürfnisse des Europäischen Patentamts auf dem Recherchengebiet fest.

c) Zumindest am Anfang des Zeitabschnitts nach der stufenweisen Ausdehnung des Tätigkeitsbereichs des Europäischen Patentamts muß der Umfang der dieser Dienststelle übertragenen Arbeiten eine volle Auslastung des im Zeitpunkt der Auflage des Übereinkommens zur Unterzeichnung bei der Dienststelle Berlin des Deutschen Patentamts beschäftigten Prüferpersonals ermöglichen.

d) Die Bundesrepublik Deutschland übernimmt die zusätzlichen Kosten, die der Europäischen Patentorganisation aus der Errichtung und dem Betrieb der Dienststelle Berlin entstehen.

Abschnitt II

Die Vertragsstaaten des Übereinkommens verzichten vorbehaltlich der Abschnitte III und IV für ihre Zentralbehörden für den gewerblichen Rechtsschutz zugunsten des Europäischen Patentamts auf die Tätigkeit als mit der internationalen vorläufigen Prüfung beauftragte Behörde nach dem Zusammenarbeitsvertrag. Diese Verpflichtung wird nur in dem Umfang, in dem das

Europäische Patentamt nach Artikel 162 Absatz 2 des Übereinkommens die Prüfung europäischer Patentanmeldungen durchführen kann, wirksam; diese Wirkung tritt zwei Jahre nach dem Zeitpunkt ein, zu dem das Europäische Patentamt nach einem Fünfjahresplan, der die Zuständigkeit des Amts stufenweise auf alle Gebiete der Technik ausdehnt und nur durch einen Beschluß des Verwaltungsrats geändert werden kann, seine Prüfungstätigkeit auf die betreffenden Gebiete der Technik ausgedehnt hat. Die Einzelheiten der Erfüllung der genannten Verpflichtung werden durch Beschluß des Verwaltungsrats festgelegt.

Abschnitt III

(1) Die Zentralbehörde für den gewerblichen Rechtsschutz jedes Vertragsstaats des Übereinkommens, dessen Amtssprache nicht eine der Amtssprachen des Europäischen Patentamts ist, ist berechtigt, eine Tätigkeit als Internationale Recherchenbehörde und als mit der internationalen vorläufigen Prüfung beauftragte Behörde nach dem Zusammenarbeitsvertrag auszuüben. Die Inanspruchnahme dieses Rechts setzt die Verpflichtung des betreffenden Staats voraus, diese Tätigkeit auf internationale Anmeldungen zu beschränken, die von Staatsangehörigen des betreffenden Staats, von Personen mit Wohnsitz oder Sitz im Hoheitsgebiet dieses Staats, von Staatsangehörigen eines diesem Übereinkommen angehörenden Nachbarstaats dieses Staats oder von Personen, die in einem solchen Nachbarstaat ihren Wohnsitz oder Sitz haben, eingereicht werden. Der Verwaltungsrat kann der Zentralbehörde für den gewerblichen Rechtsschutz eines Vertragsstaats durch Beschluß gestatten, die genannte Tätigkeit auf solche internationale Anmeldungen auszudehnen, die von Staatsangehörigen oder von Personen mit Wohnsitz oder Sitz im Hoheitsgebiet eines Nichtvertragsstaats, der die gleiche Amtssprache wie der betreffende Vertragsstaat hat, eingereicht werden und die in dieser Sprache abgefaßt sind.

(2) Im Hinblick auf eine Harmonisierung der nach dem Zusammenarbeitsvertrag vorgesehenen Recherchentätigkeiten im Rahmen des europäischen Patenterteilungssystems wird eine Zusammenarbeit zwischen dem Europäischen Patentamt und den nach diesem Abschnitt zugelassenen Zentralbehörden für den gewerblichen Rechtsschutz hergestellt. Diese Zusammenarbeit erfolgt aufgrund einer besonderen Vereinbarung, die sich zum Beispiel erstrecken kann auf Recherchenverfahren und -methoden, die Anforderungen für die Einstellung und Ausbildung von Prüfern, Richtlinien für den Austausch von Recherchen und anderen Diensten zwischen den Behörden sowie andere, zur Sicherstellung der erforderlichen Kontrolle und Überwachung notwendige Maßnahmen.

Abschnitt IV

(1) a) Um den nationalen Patentämtern der Vertragsstaaten des Übereinkommens die Anpassung an das europäische Patentsystem zu erleichtern, kann der Verwaltungsrat, wenn er es für wünschenswert hält, unter den nachstehend festgelegten Bedingungen den Zentralbehörden für den gewerblichen Rechtsschutz dieser Staaten, in denen das Verfahren in einer der Amtssprachen des Europäischen Patentamts durchgeführt werden kann, die Bearbeitung der europäischen Patentanmeldungen, die in der betreffenden Sprache abgefaßt sind, übertragen, soweit nach Artikel 18 Absatz 2 des Übereinkommens in der Regel ein Prüfer der Prüfungsabteilung beauftragt wird. Diese Aufgaben sind im Rahmen des im Übereinkommen vorgesehenen Erteilungsverfahrens durchzuführen; die Entscheidung über diese Anmeldungen trifft die Prüfungsabteilung in ihrer nach Artikel 18 Absatz 2 vorgesehenen Zusammensetzung.

b) Die nach Maßgabe des Buchstabens a übertragenen Arbeiten dürfen nicht mehr als 40% der Gesamtzahl der eingereichten europäischen Patentanmeldungen betragen; die einem einzelnen Staat übertragenen Arbeiten dürfen nicht mehr als ein Drittel der Gesamtzahl der eingereichten europäischen Patentanmeldungen betragen. Diese Arbeiten werden für einen Zeitraum übertragen, der von der Aufnahme der Tätigkeit des Europäischen Patentamts an gerechnet 15 Jahre beträgt, und werden während der letzten 5 Jahre schrittweise (um grundsätzlich 20% jährlich) bis auf Null verringert.

c) Aufgrund des Buchstabens b beschließt der Verwaltungsrat über die Art, den Ursprung und die Anzahl der europäischen Patentanmeldungen, mit deren Bearbeitung die Zentralbehörde für den gewerblichen Rechtsschutz eines der genannten Vertragsstaaten beauftragt werden kann.

d) Die vorstehenden Durchführungsbestimmungen werden in ein besonderes Abkommen aufgenommen, das zwischen der Zentralbehörde für den gewerblichen Rechtsschutz des betreffenden Vertragsstaats und der Europäischen Patentorganisation geschlossen wird.

e) Ein Patentamt, mit dem ein solches besonderes Abkommen geschlossen worden ist, kann bis zum Ablauf des Zeitraums von 15 Jahren eine Tätigkeit als eine mit der internationalen vorläufigen Prüfung beauftragte Behörde nach dem Zusammenarbeitsvertrag ausüben.

(2) a) Ist der Verwaltungsrat der Auffassung, daß dies mit dem guten Funktionieren des Europäischen Patentamts vereinbar ist, so kann er, um Schwierigkeiten abzuhelfen, die für bestimmte Vertragsstaaten aus der Anwendung von Abschnitt I Nummer 2 erwachsen können, den Zentralbehörden für den gewerblichen Rechtsschutz dieser Staaten die Aufgabe übertragen, Recherchen für europäische Patentanmeldungen durchzuführen, sofern deren Amtssprache eine der Amtssprachen des Europäischen Patentamts ist und diese

Behörden die Voraussetzungen erfüllen, um gemäß den im Zusammenarbeitsvertrag vorgesehenen Bedingungen als internationale Recherchenbehörde ernannt zu werden.

b) Bei diesen Arbeiten, die unter der Verantwortung des Europäischen Patentamts durchgeführt werden, hat sich die betreffende Zentralbehörde an die für die Erstellung des europäischen Recherchenberichts geltenden Richtlinien zu halten.

c) Nummer 1 Buchstabe b Satz 2 und Buchstabe d ist entsprechend anzuwenden.

Abschnitt V

(1) Die in Abschnitt I Nummer 1 Buchstabe c genannte Dienststelle ist berechtigt, für europäische Patentanmeldungen, die von Angehörigen des Staats, in dem die Dienststelle ihren Sitz hat, und von Personen mit Wohnsitz oder Sitz in diesem Staat eingereicht werden, eine Recherche in der ihr zur Verfügung stehenden Dokumentation durchzuführen, soweit diese in der Amtssprache dieses Staates abgefaßt ist. Hierdurch darf jedoch weder das Europäische Patenterteilungsverfahren verzögert werden, noch dürfen der Europäischen Patentorganisation zusätzliche Kosten entstehen.

(2) Die in Nummer 1 genannte Dienststelle ist berechtigt, auf Antrag und auf Kosten des Anmelders eines europäischen Patents eine Recherche für die von ihm eingereichte Patentanmeldung in der unter Nummer 1 vorgesehenen Dokumentation durchzuführen. Die Berechtigung gilt, solange die in Artikel 92 des Übereinkommens vorgesehene Recherche nicht gemäß Abschnitt VI auf diese Dokumentation ausgedehnt worden ist; doch darf dadurch das europäische Patenterteilungsverfahren nicht verzögert werden.

(3) Der Verwaltungsrat kann die in den Nummern 1 und 2 vorgesehenen Berechtigungen unter den in den genannten Nummern vorgesehenen Voraussetzungen auch auf Zentralbehörden für den gewerblichen Rechtsschutz der Vertragsstaaten ausdehnen, die als Amtssprache keine der Amtssprachen des Europäischen Patentamts haben.

Abschnitt VI

Die in Artikel 92 des Übereinkommens vorgesehene Recherche wird grundsätzlich für alle europäischen Patentanmeldungen auf Patentschriften und veröffentlichte Patentanmeldungen sowie weitere einschlägige Dokumente von Vertragsstaaten ausgedehnt, die zu dem in Artikel 162 Absatz 1 des Übereinkommens erwähnten Zeitpunkt nicht im Prüfstoff des Europäischen Patentamts enthalten sind. Der Verwaltungsrat legt aufgrund der Ergebnisse einer Studie, die sich insbesondere mit den technischen und finanziellen Aspekten zu befassen hat, den Umfang, die näheren Bedingungen und den Zeitplan der Ausdehnung fest.

Abschnitt VII

Dieses Protokoll geht entgegenstehenden Vorschriften des Übereinkommens vor.

Abschnitt VIII

Die in diesem Protokoll vorgesehenen Beschlüsse des Verwaltungsrats werden mit Dreiviertelmehrheit getroffen (Artikel 35 Absatz 2 des Übereinkommens). Die Vorschriften über Stimmenwägung (Artikel 36 des Übereinkommens) sind anzuwenden.

Anhang 5

Gebührenordnung

vom 20. Oktober 1977

zuletzt geändert durch Beschluss des Verwaltungsrats der Europäischen Patentorganisation vom 15. Dezember 2005

Gliederung

Art 1	Allgemeines
Art 2	Im Übereinkommen und seiner Ausführungsordnung vorgesehene Gebühren
Art 3	Vom Präsidenten des Amts festgesetzte Gebühren, Auslagen und Verkaufspreise
Art 4	Fälligkeit der Gebühren
Art 5	Entrichtung der Gebühren
Art 6	gestrichen
Art 7	Angaben über die Zahlung
Art 8	Maßgebender Zahlungstag
Art 9	Nicht ausreichender Gebührenbetrag
Art 10	Rückerstattung der Recherchengebühr
Art 10a	Rückerstattung der Gebühr für ein technisches Gutachten
Art 10b	Rückerstattung der Prüfungsgebühr
Art 10c	Rückerstattung von Bagatellbeträgen
Art 10d	Rückerstattung der Gebühr für die internationale vorläufige Prüfung
Art 11	Beschwerdefähige Kostenfestsetzungsentscheidungen
Art 12	Gebührenermäßigung
Art 13	Übermittlung der Abschrift
Art 14	Inkrafttreten

Der Verwaltungsrat der Europäischen Patentorganisation –
gestützt auf das Europäische Patentübereinkommen, insbesondere auf
Artikel 33 Absatz 2 Buchstabe d –
gibt sich hiermit folgende Gebührenordnung:

Artikel 1 Allgemeines

Nach den Vorschriften dieser Gebührenordnung werden erhoben:
a) die gemäß dem Übereinkommen und seiner Ausführungsordnung an das Europäische Patentamt (nachstehend Amt genannt) zu entrichtenden Ge-

bühren sowie die Gebühren und Auslagen, die der Präsident des Amts auf Grund des Artikels 3 Absatz 1 festsetzt;
b) die Gebühren und Auslagen nach dem Vertrag über die internationale Zusammenarbeit auf dem Gebiet des Patentwesens (PCT), deren Höhe vom Amt festgesetzt werden kann.

Artikel 2 Im Übereinkommen und seiner Ausführungsordnung vorgesehene Gebühren

Die nach Artikel 1 an das Amt zu entrichtenden Gebühren werden wie folgt festgesetzt:

		EUR
1	Anmeldegebühr (Artikel 78 Absatz 2), nationale Grundgebühr (Regel 106 Buchstabe a), wenn	
	– die europäische Patentanmeldung oder, im Falle einer internationalen Anmeldung, das Formblatt für den Eintritt in die europäische Phase (EPA Form 1200) online eingereicht wird	95
	– die europäische Patentanmeldung oder, im Falle einer internationalen Anmeldung, das Formblatt für den Eintritt in die europäische Phase (EPA Form 1200) auf Papier eingereicht wird	170
2	Recherchengebühr	
	– für eine europäische Recherche oder eine ergänzende europäische Recherche zu einer ab dem 1. Juli 2005 eingereichten Anmeldung (Artikel 78 Absatz 2, Regel 44a, Regel 46 Absatz 1, Regel 112, Artikel 157 Absatz 2 Buchstabe b)	1 000
	– für eine ergänzende europäische Recherche zu einer vor dem 1. Juli 2005 eingereichten Anmeldung (Artikel 157 Absatz 2 Buchstabe b)	720
	– für eine internationale Recherche (Regel 16.1 PCT und Regel 105 Absatz 1)	1 615
3	Benennungsgebühr für jeden benannten Vertragsstaat (Artikel 79 Absatz 2) mit der Maßgabe, dass mit der Entrichtung des siebenfachen Betrags dieser Gebühr die Benennungsgebühren für alle Vertragsstaaten als entrichtet gelten	80
3a.	Gemeinsame Benennungsgebühr für die Schweizerische Eidgenossenschaft und das Fürstentum Liechtenstein	80

3b. Zuschlagsgebühr für die verspätete Entrichtung der Anmeldegebühr, der Recherchengebühr oder der Benennungsgebühren (Regel 85a)	50% der
betreffenden Gebühr oder Gebühren, insgesamt jedoch höchstens 680 EUR	
3c. Zuschlagsgebühr für die verspätete Einreichung der Übersetzung der internationalen Anmeldung oder die verspätete Stellung des Prüfungsantrags oder die verspätete Entrichtung der nationalen Grundgebühr, der Recherchengebühr oder der Benennungsgebühren (Regel 108 Absätze 3 und 4)	50% der
betreffenden Gebühren, jedoch mindestens 520 EUR	
bei verspäteter Einreichung der Übersetzung und insgesamt höchstens 1 820 EUR	
4 Jahresgebühren für die europäische Patentanmeldung (Artikel 86 Absatz 1), jeweils gerechnet vom Anmeldetag an	
– für das 3. Jahr	400
– für das 4. Jahr	425
– für das 5. Jahr	450
– für das 6. Jahr	745
– für das 7. Jahr	770
– für das 8. Jahr	800
– für das 9. Jahr	1 010
– für das 10. Jahr und jedes weitere Jahr	1 065
5 Zuschlagsgebühr für die verspätete Zahlung einer Jahresgebühr für die europäische Patentanmeldung (Artikel 86 Absatz 2)	10% der
verspätet gezahlten Jahresgebühr	
6 Prüfungsgebühr (Artikel 94 Absatz 2)	
– für eine vor dem 1. Juli 2005 eingereichte Anmeldung	1 490
– für eine ab dem 1. Juli 2005 eingereichte Anmeldung	1 335
– für eine ab dem 1. Juli 2005 eingereichte internationale Anmeldung, für die kein ergänzender europäischer Recherchenbericht erstellt wird (Artikel 157 Absatz 3 Buchstabe a)	1 490

7	Zuschlagsgebühr für die verspätete Stellung des Prüfungsantrags (Regel 85b)	50% der
8	Erteilungsgebühr einschließlich Druckkostengebühr für die europäische Patentschrift (Artikel 97 Absatz 2 Buchstabe b) bei einer Seitenzahl der für den Druck bestimmten Anmeldungsunterlagen von	
8.1	höchstens 35 Seiten	750
8.2	mehr als 35 Seiten	750
	zuzüglich 11 EUR für die 36. und jede weitere Seite	
9	Druckkostengebühr für eine neue europäische Patentschrift (Artikel 102 Absatz 3 Buchstabe b)	
	– Pauschalgebühr	55
10	Einspruchsgebühr (Artikel 99 Absatz 1 und Artikel 105 Absatz 2)	635
11	Beschwerdegebühr (Artikel 108)	1 065
12	Weiterbehandlungsgebühr (Artikel 121 Absatz 2)	210
13	Wiedereinsetzungsgebühr (Artikel 122 Absatz 3)	365
14	Umwandlungsgebühr (Artikel 136 Absatz 1 und Artikel 140)	55
15	Anspruchsgebühr für den elften und jeden weiteren Patentanspruch (Regel 31 Absatz 1, Regel 51 Absatz 7 und Regel 110 Absatz 1)	45
16	Kostenfestsetzungsgebühr (Regel 63 Absatz 3)	55
17	Beweissicherungsgebühr (Regel 75 Absatz 3)	55
18	Übermittlungsgebühr für eine internationale Anmeldung (Artikel 152 Absatz 3)	105
19	Gebühr für die vorläufige Prüfung einer internationalen Anmeldung (Regel 58 PCT und Regel 105 Absatz 2)	1 595
20	Gebühr für ein technisches Gutachten (Artikel 25)	3 185
21	Widerspruchsgebühr (Regeln 40.2 e) und 68.3 e) PCT, Regel 105 Absatz 3)	1 065

Artikel 3 Vom Präsidenten des Amts festgesetzte Gebühren, Auslagen und Verkaufspreise

(1) Der Präsident des Amts setzt die in der Ausführungsordnung genannten Verwaltungsgebühren und, soweit erforderlich, die Gebühren und Auslagen für andere als in Artikel 2 genannte Amtshandlungen des Amts fest.

(2) Der Präsident des Amts setzt ferner die Verkaufspreise der in den Artikeln 93, 98, 103 und 129 des Übereinkommens genannten Veröffentlichungen fest.

(3) Die in Artikel 2 vorgesehenen und die nach Absatz 1 festgesetzten Gebühren und Auslagen werden im Amtsblatt des Europäischen Patentamts veröffentlicht.

Artikel 4 Fälligkeit der Gebühren

(1) Gebühren, deren Fälligkeit sich nicht aus den Vorschriften des Übereinkommens oder des PCT oder der dazugehörigen Ausführungsordnungen ergibt, werden mit dem Eingang des Antrags auf Vornahme der gebührenpflichtigen Amtshandlung fällig.

(2) Der Präsident des Amts kann davon absehen, Amtshandlungen im Sinn des Absatzes 1 von der vorherigen Zahlung der entsprechenden Gebühr abhängig zu machen.

Artikel 5 Entrichtung der Gebühren

(1) Die an das Amt zu zahlenden Gebühren sind in Euro zu entrichten:
a) durch Einzahlung oder Überweisung auf ein Bankkonto des Amts,
b) durch Einzahlung oder Überweisung auf ein Postscheckkonto des Amts, oder
c) durch Übergabe oder Übersendung von Schecks, die an die Order des Amts lauten.

(2) Der Präsident des Amts kann zulassen, dass die Gebühren auf andere Art als in Absatz 1 vorgesehen entrichtet werden.

Artikel 6 (gestrichen)

Artikel 7 Angaben über die Zahlung

(1) Jede Zahlung muss den Einzahler bezeichnen und die notwendigen Angaben enthalten, die es dem Amt ermöglichen, den Zweck der Zahlung ohne Weiteres zu erkennen.

(2) Ist der Zweck der Zahlung nicht ohne Weiteres erkennbar, so fordert das Amt den Einzahler auf, innerhalb einer vom Amt zu bestimmenden Frist

diesen Zweck schriftlich mitzuteilen. Kommt der Einzahler der Aufforderung nicht rechtzeitig nach, so gilt die Zahlung als nicht erfolgt.

Artikel 8 Maßgebender Zahlungstag

(1) Als Tag des Eingangs einer Zahlung beim Amt gilt:
a) im Fall des Artikels 5 Absatz 1 Buchstaben a und b der Tag, an dem der eingezahlte oder überwiesene Betrag auf einem Bank- oder Postscheckkonto des Amts tatsächlich gutgeschrieben wird;
b) im Fall des Artikels 5 Absatz 1 Buchstabe c der Tag, an dem der Scheck beim Amt eingeht, sofern dieser Scheck eingelöst wird.

(2) Lässt der Präsident des Amts gemäß Artikel 5 Absatz 2 zu, dass die Gebühren auf andere Art als in Artikel 5 Absatz 1 vorgesehen entrichtet werden, so bestimmt er auch den Tag, an dem diese Zahlung als eingegangen gilt.

(3) Gilt eine Gebührenzahlung gemäß den Absätzen 1 und 2 erst nach Ablauf der Frist als eingegangen, innerhalb der sie hätte erfolgen müssen, so gilt diese Frist als eingehalten, wenn dem Amt nachgewiesen wird, dass der Einzahler
a) innerhalb der Frist, in der die Zahlung hätte erfolgen müssen, in einem Vertragsstaat:
　i) die Zahlung des Betrags bei einem Bankinstitut oder Postamt veranlasst hat oder
　ii) einen Auftrag zur Überweisung des zu entrichtenden Betrags einem Bankinstitut oder Postscheckamt formgerecht erteilt hat oder
　iii) einem Postamt einen an das Amt gerichteten Brief übergeben hat, in dem ein dem Artikel 5 Absatz 1 Buchstabe c entsprechender Scheck enthalten ist, sofern dieser Scheck eingelöst wird, und
b) eine Zuschlagsgebühr in Höhe von 10% der betreffenden Gebühr oder Gebühren, höchstens jedoch EUR 150 entrichtet hat; die Zuschlagsgebühr wird nicht erhoben, wenn eine Handlung nach Buchstabe a spätestens zehn Tage vor Ablauf der Zahlungsfrist vorgenommen worden ist.

(4) Das Amt kann den Einzahler auffordern, innerhalb einer vom Amt zu bestimmenden Frist den Nachweis über den Zeitpunkt der Vornahme einer der Handlungen nach Absatz 3 Buchstabe a zu erbringen und gegebenenfalls die Zuschlagsgebühr nach Absatz 3 Buchstabe b zu entrichten. Kommt der Einzahler dieser Aufforderung nicht nach, ist der Nachweis ungenügend oder wird die angeforderte Zuschlagsgebühr nicht rechtzeitig entrichtet, so gilt die Zahlungsfrist als versäumt.

Anhang 5 *GebO*

Artikel 9 Nicht ausreichender Gebührenbetrag

(1) Eine Zahlungsfrist gilt grundsätzlich nur dann als eingehalten, wenn der volle Gebührenbetrag rechtzeitig gezahlt worden ist. Ist nicht die volle Gebühr entrichtet worden, so wird der gezahlte Betrag nach dem Fristablauf zurückerstattet. Das Amt kann jedoch, soweit die laufende Frist es erlaubt, dem Einzahler die Gelegenheit geben, den fehlenden Betrag nachzuzahlen. Es kann ferner, wenn dies der Billigkeit entspricht, geringfügige Fehlbeträge der zu entrichtenden Gebühr ohne Rechtsnachteil für den Einzahler unberücksichtigt lassen.

(2) Wurden im Antrag auf Erteilung des europäischen Patents mehr als ein Vertragsstaat gemäß Artikel 79 Absatz 1 des Übereinkommens benannt und reicht der gezahlte Betrag nicht für alle Benennungsgebühren aus, so wird er entsprechend den Angaben verwendet, die der Anmelder bei der Zahlung macht. Hat er bei der Zahlung keine solchen Angaben gemacht, so gelten diese Gebühren nur für so viele Benennungen als entrichtet, als der gezahlte Betrag entsprechend der Reihenfolge, in der die Vertragsstaaten benannt sind, ausreicht.

Artikel 10 Rückerstattung von Recherchengebühren

(1) Die für eine europäische oder eine ergänzende europäische Recherche entrichtete Recherchengebühr wird in voller Höhe zurückerstattet, wenn die europäische Patentanmeldung zu einem Zeitpunkt zurückgenommen oder zurückgewiesen wird oder als zurückgenommen gilt, in dem das Amt mit der Erstellung des Recherchenberichts noch nicht begonnen hat.

(2) Wird der europäische Recherchenbericht auf einen früheren Recherchenbericht gestützt, den das Amt für eine Patentanmeldung, deren Priorität beansprucht wird, oder für eine frühere Anmeldung im Sinn des Artikels 76 oder der Regel 15 des Übereinkommens erstellt hat, so erstattet das Amt gemäß einem Beschluss seines Präsidenten dem Anmelder einen Betrag zurück, dessen Höhe von der Art der früheren Recherche und dem Umfang abhängt, in dem sich das Amt bei der Durchführung der späteren Recherche auf den früheren Recherchenbericht stützen kann.

Artikel 10a Rückerstattung der Gebühr für ein technisches Gutachten

Die Gebühr für ein technisches Gutachten nach Artikel 25 des Übereinkommens wird zu 75% zurückerstattet, wenn das Ersuchen um das Gutachten zurückgenommen wird, bevor das Amt mit seiner Erstellung begonnen hat.

Artikel 10b Rückerstattung der Prüfungsgebühr

Die Prüfungsgebühr nach Artikel 94 Absatz 2 des Übereinkommens wird
a) in voller Höhe zurückerstattet, wenn die europäische Patentanmeldung zurückgenommen oder zurückgewiesen wird oder als zurückgenommen gilt, bevor die Anmeldung in die Zuständigkeit der Prüfungsabteilungen übergegangen ist;
b) zu 75% zurückerstattet, wenn die europäische Patentanmeldung zu einem Zeitpunkt zurückgenommen oder zurückgewiesen wird oder als zurückgenommen gilt, zu dem die Anmeldung bereits in die Zuständigkeit der Prüfungsabteilungen übergegangen ist, die Sachprüfung jedoch noch nicht begonnen hat.

Artikel 10c Rückerstattung von Bagatellbeträgen

Zu viel gezahlte Gebührenbeträge werden nicht zurückerstattet, wenn es sich um Bagatellbeträge handelt und der Verfahrensbeteiligte eine Rückerstattung nicht ausdrücklich beantragt hat. Der Präsident des Amts bestimmt, bis zu welcher Höhe ein Betrag als Bagatellbetrag anzusehen ist.

Artikel 10d Rückerstattung der Gebühr für die internationale vorläufige Prüfung

Hat der Anmelder während der internationalen vorläufigen Prüfung weder eine eingehende vorläufige Prüfung verlangt, noch Änderungen nach Artikel 19 oder 34 Absatz 2 PCT eingereicht, noch sonstige Gegenvorstellungen erhoben, so werden zwei Drittel der für die internationale vorläufige Prüfung entrichteten Gebühr zurückerstattet. Der Präsident des Amts bestimmt die Einzelheiten der Rückerstattung.

Artikel 11 Beschwerdefähige Kostenfestsetzungsentscheidungen

Entscheidungen über die Festsetzung des Betrags der Kosten des Einspruchsverfahrens sind gemäß Artikel 106 Absatz 5 des Übereinkommens beschwerdefähig, wenn der Betrag die Beschwerdegebühr übersteigt.

Artikel 12 Gebührenermäßigung

(1) Die in Regel 6 Absatz 3 des Übereinkommens vorgesehene Ermäßigung beträgt 20% der Anmeldegebühr, der Prüfungsgebühr, der Einspruchsgebühr und der Beschwerdegebühr.

(2) Die in Regel 107 Absatz 2 des Übereinkommens vorgesehene Ermäßigung beträgt 50% der Prüfungsgebühr. Die Ermäßigung wird nicht gewährt, wenn das Amt als mit der internationalen vorläufigen Prüfung beauftragte Behörde die für die vorläufige Prüfung entrichtete Gebühr nach Artikel 10d zurückerstattet hat.

Artikel 13 Übermittlung der Abschrift

Der Präsident des Europäischen Patentamts übermittelt allen Unterzeichnerstaaten des Übereinkommens sowie den Staaten, die diesem beitreten, eine beglaubigte Abschrift dieser Gebührenordnung.

Artikel 14 Inkrafttreten

Diese Gebührenordnung tritt am 20. Oktober 1977 in Kraft.

GESCHEHEN zu München am 20. Oktober 1977.

Anhang 6
Vorschriften über das laufende Konto
(Beilage Nr 2 zum ABl 1/2005, 3)
Deutscher Text: S 3–8 aus der Beilage
Anhänge

A.1 Vorschriften über das automatische Abbuchungsverfahren	ABl 2005, Beil. zu Nr. 1/2005, Seite 9
A.2 Hinweise zum automatischen Abbuchungsverfahren	ABl 2005, Beil. zu Nr. 1/2005, Seite 18
B.1 Vorschriften über die Online-Gebührenzahlung im Rahmen von My.epoline	ABl 2005, Beil. zu Nr. 1/2005, Seite 37
B.2 Vorschriften über die Abbuchung vom laufenden Konto per Diskette	ABl 2005, Beil. zu Nr. 1/2005, Seite 42
C.1 Verwaltungsvereinbarung vom 5. April 1993 zwischen dem EPA und dem epi	ABl 2005, Beil. zu Nr. 1/2005, Seite 46
C.2 Abbuchung von epi-Jahresbeiträgen von den beim EPA geführten laufenden Konten	ABl 2005, Beil. zu Nr. 1/2005, Seite 49

Anhang 7

Verfahrensordnung der Großen Beschwerdekammer
(VerfOGBK)

vom 10.12.1982 (ABl 2003, 83)

Konsolidierte Fassung unter Berücksichtigung der in ABl EPA 1989, 362; ABl EPA 1994, 443 und ABl EPA 2003, 58 veröffentlichten Änderungen.

Artikel 1 Geschäftsverteilungsplan

(1) Vor Beginn eines jeden Geschäftsjahres stellen die nach Artikel 11 Absatz 3 EPÜ ernannten Mitglieder der Großen Beschwerdekammer einen Geschäftsverteilungsplan für alle Rechtsfragen auf, die im Laufe des Jahres vorgelegt werden. Der Plan kann im Laufe des Jahres geändert werden.

(2) In dem Verfahren vor der Großen Beschwerdekammer dürfen mindestens vier Mitglieder nicht an dem Verfahren vor der die Rechtsfrage vorlegenden Kammer mitgewirkt haben.

Artikel 2 Vertretung der Mitglieder

(1) Vertretungsgründe sind insbesondere Krankheit, Arbeitsüberlastung und unvermeidbare Verpflichtungen.

(2) Will ein Mitglied vertreten werden, so unterrichtet es den Vorsitzenden der Kammer unverzüglich von seiner Verhinderung.

Artikel 3 Ausschließung und Ablehnung

(1) Das Verfahren nach Artikel 24 Absatz 4 des Übereinkommens ist auch anzuwenden, wenn die Kammer von einem möglichen Ausschließungsgrund auf andere Weise als von dem Mitglied oder einem Beteiligten Kenntnis erhält.

(2) Das betroffene Mitglied wird aufgefordert, sich zu dem Ausschließungsgrund zu äußern.

(3) Vor der Entscheidung über die Ausschließung des Mitglieds wird das Verfahren in der Sache nicht weitergeführt.

Artikel 4 Berichterstatter

(1) Der Vorsitzende der Kammer bestimmt für jede Rechtsfrage eines der Mitglieder der Kammer oder sich selbst als Berichterstatter. Der Vorsitzende kann einen Mitberichterstatter bestimmen.

(2) Ist ein Mitberichterstatter bestimmt worden, so werden die in den Absätzen 3 bis 5 vorgesehenen Maßnahmen vorbehaltlich einer Anordnung des Vorsitzenden gemeinsam vom Berichterstatter und dem Mitberichterstatter getroffen.

(3) Der Berichterstatter führt eine vorläufige Untersuchung der Rechtsfrage durch und kann vorbehaltlich einer Anordnung des Vorsitzenden der Kammer Bescheide an die Beteiligten abfassen. Die Bescheide werden vom Berichterstatter im Auftrag der Kammer unterzeichnet.

(4) Der Berichterstatter bereitet die Sitzungen und mündlichen Verhandlungen der Kammer vor.

(5) Der Berichterstatter entwirft die Entscheidungen.

(6) Ist der Berichterstatter oder der Mitberichterstatter der Ansicht, daß seine Kenntnisse der Verfahrenssprache für die Abfassung von Bescheiden und Entscheidungen nicht ausreichen, so kann er diese in einer anderen Amtssprache entwerfen. Die Entwürfe werden vom Europäischen Patentamt in die Verfahrenssprache übersetzt; die Übersetzungen werden von dem Berichterstatter oder von einem anderen Mitglied der Kammer überprüft.

Artikel 5 Geschäftsstelle

(1) Bei der Großen Beschwerdekammer wird eine Geschäftsstelle eingerichtet, deren Aufgaben vom Leiter der Geschäftsstellen der Beschwerdekammern wahrgenommen werden.

(2) Die nach Artikel 11 Absatz 3 EPÜ ernannten Mitglieder der Großen Beschwerdekammer können dem Leiter der Geschäftsstellen Aufgaben übertragen, die technisch und rechtlich keine Schwierigkeiten bereiten, wie insbesondere Aufgaben betreffend Akteneinsicht, Ladung, Zustellung oder Gewährung von Weiterbehandlung.

(3) Niederschriften über mündliche Verhandlungen und Beweisaufnahmen werden vom Leiter der Geschäftsstellen oder von einem anderen Bediensteten des Amtes, den der Vorsitzende dazu bestimmt, angefertigt.

Artikel 6 Beteiligung von Dolmetschern

Soweit erforderlich, sorgt der Vorsitzende der Kammer bei mündlichen Verhandlungen, Beweisaufnahmen und Beratungen der Kammer für Übersetzungen.

Artikel 7 Änderung in der Zusammensetzung der Kammer

(1) Ändert sich die Zusammensetzung der Kammer nach einer mündlichen Verhandlung, so werden die Beteiligten unterrichtet, daß auf Antrag eine erneute mündliche Verhandlung vor der Kammer in ihrer neuen Zusammensetzung stattfindet. Eine erneute mündliche Verhandlung findet auch dann statt, wenn das neue Mitglied dies beantragt und die übrigen Mitglieder der Kammer damit einverstanden sind.

(2) Das neue Mitglied ist an bereits getroffene Zwischenentscheidungen wie die übrigen Mitglieder gebunden.

(3) Ist ein Mitglied der Kammer nach einer Endentscheidung verhindert, so wird es nicht ersetzt. Ist der Vorsitzende verhindert, so unterzeichnet in seinem Auftrag das im Rahmen der Kammer dienstälteste rechtskundige Mitglied der Kammer und bei gleichem Dienstalter das älteste Mitglied.

Artikel 8 Verbindung von Rechtsfragen

Liegen der Kammer mehrere Rechtsfragen gleicher oder ähnlicher Art vor, so kann die Kammer sie in einem gemeinsamen Verfahren behandeln.

Artikel 9 Mündliche Verhandlungen

(1) Ist eine mündliche Verhandlung vorgesehen, so bemüht sich die Kammer darum, daß die Beteiligten vor der mündlichen Verhandlung die erforderlichen Informationen und Unterlagen einreichen.

(2) Die Kammer kann eine Mitteilung erlassen, in der auf Punkte, die von besonderer Bedeutung zu sein scheinen, oder auf die Tatsache hingewiesen wird, daß bestimmte Fragen offenbar nicht mehr strittig sind; die Mitteilung kann auch andere Bemerkungen enthalten, die es erleichtern, die mündliche Verhandlung auf das Wesentliche zu konzentrieren.

(3) Eine mündliche Verhandlung kann nach dem Ermessen der Kammer nach Eingang eines schriftlichen und begründeten Antrags ausnahmsweise verlegt werden; der Antrag ist so früh wie möglich vor dem anberaumten Termin zu stellen und in Kopie den anderen Beteiligten zu übersenden, die der Kammer so schnell wie möglich mitzuteilen haben, ob sie damit einverstanden sind.

(4) Die Kammer ist nicht verpflichtet, einen Verfahrensschritt einschließlich ihrer Entscheidung aufzuschieben, nur weil ein ordnungsgemäß geladener Beteiligter in der mündlichen Verhandlung nicht anwesend ist; dieser kann dann so behandelt werden, als stütze er sich lediglich auf sein schriftliches Vorbringen.

(5) Der Vorsitzende leitet die mündliche Verhandlung und stellt ihre faire, ordnungsgemäße und effiziente Durchführung sicher.

(6) Ist eine Sache in der mündlichen Verhandlung entscheidungsreif, so stellt der Vorsitzende die abschließenden Anträge der Beteiligten fest und erklärt die sachliche Debatte für beendet. Nach Beendigung der sachlichen Debatte können die Beteiligten nichts mehr vorbringen, es sei denn, die Kammer beschließt, die Debatte wieder zu eröffnen.

(7) Die Kammer stellt sicher, daß die Sache am Ende der mündlichen Verhandlung entscheidungsreif ist, sofern nicht besondere Umstände vorliegen. Vor dem Ende der mündlichen Verhandlung kann der Vorsitzende die Entscheidung der Kammer verkünden.

Artikel 10 Unterrichtung der Beteiligten

Hält die Kammer es für zweckmäßig, den Beteiligten ihre Ansicht über die Beurteilung sachlicher oder rechtlicher Fragen mitzuteilen, so hat das so zu geschehen, daß die Mitteilung nicht als bindend für die Kammer verstanden werden kann.

Artikel 11 Beratung vor der Entscheidung

An einer Beratung nehmen nur die Mitglieder der Kammer teil; der Vorsitzende kann jedoch die Anwesenheit anderer Bediensteter zulassen. Die Beratungen sind geheim.

Artikel 11a Äußerungsrecht des Präsidenten des Europäischen Patentamts

Die Kammer kann den Präsidenten des Europäischen Patentamts von Amts wegen oder auf dessen schriftlichen begründeten Antrag auffordern, sich zu Fragen von allgemeinem Interesse, die sich im Rahmen eines vor der Kammer anhängigen Verfahrens stellen, schriftlich oder mündlich zu äußern. Die Beteiligten sind berechtigt, zu diesen Äußerungen Stellung zu nehmen.

Artikel 11b Stellungnahmen Dritter

(1) Im Rahmen eines Verfahrens vor der Kammer können schriftliche Stellungnahmen, die von Dritten eingereicht werden und die in diesem Verfahren zu klärende Rechtsfragen betreffen, nach dem Ermessen der Kammer behandelt werden.

(2) Die Kammer kann im Amtsblatt des Europäischen Patentamts nähere Bestimmungen betreffend diese Stellungnahmen bekanntmachen.

Artikel 12 Reihenfolge bei der Abstimmung

(1) Bei den Beratungen der Kammer äußert zuerst der Berichterstatter, dann ggf. der Mitberichterstatter und, wenn der Berichterstatter nicht der Vorsitzende ist, zuletzt der Vorsitzende seine Meinung.

(2) Die gleiche Reihenfolge gilt für Abstimmungen; auch wenn der Vorsitzende Berichterstatter ist, stimmt er zuletzt ab. Stimmenthaltungen sind nicht zulässig.

Artikel 12a Begründung von Entscheidungen

Die Entscheidung der Kammer entspricht dem Votum der Mehrheit ihrer Mitglieder. In die Begründung der Entscheidung können auch die Erwägungen einer Minderheit aufgenommen werden, wenn die Kammermitglieder dem mehrheitlich zustimmen.

Die Namen der diese Minderheit bildenden Mitglieder oder deren Anzahl dürfen weder in der Entscheidung selbst noch in der Begründung angegeben werden.

Artikel 13 Stellungnahme zu Rechtsfragen

Für Stellungnahmen zu Rechtsfragen, die der Präsident des EPA der Kammer gemäß Artikel 112 Absatz 1 Buchstabe b des Übereinkommens vorgelegt hat, finden die vorhergehenden Vorschriften ggf. entsprechende Anwendung.

Artikel 14 Verbindlichkeit der Verfahrensordnung

Diese Verfahrensordnung ist für die Große Beschwerdekammer verbindlich, soweit sie nicht zu einem mit dem Geist und Ziel des Übereinkommens unvereinbaren Ergebnis führt.

Artikel 15 Inkrafttreten

Diese Verfahrensordnung tritt am Tage ihrer Genehmigung durch den Verwaltungsrat der Europäischen Patentorganisation in Kraft.

Geschehen zu München am 10.12.1982

Für die Große Beschwerdekammer

Der Vorsitzende

R. Singer

# Anhang 8

Verfahrensordnung der Beschwerdekammern (VerfOBK)

vom 4.6.1980 (ABl 2003, 89)

Konsolidierte Fassung unter Berücksichtigung der in ABl EPA 1983, 7; ABl EPA 1989, 361; ABl EPA 2000, 316; ABl EPA 2003, 61 und ABl 2004, 541 veröffentlichten Änderungen.

Artikel 1 Geschäftsverteilungsplan

(1) Vor Beginn eines jeden Geschäftsjahres stellt das in Regel 10 Absatz 4 EPÜ erwähnte Präsidium einen Plan auf, nach dem alle Beschwerden, die im Laufe des Jahres eingereicht werden, auf die Beschwerdekammern verteilt und die Mitglieder und deren Vertreter bestimmt werden, die in den einzelnen Kammern tätig werden können. Der Plan kann im Laufe des Jahres geändert werden.

(2) Das Präsidium kann dem Vorsitzenden einer Kammer die Aufgabe übertragen, die Mitglieder zu bestimmen, die für die Prüfung der einzelnen seiner Kammer zugewiesenen Beschwerden zuständig sein sollen, sobald die Beschwerde bei der Geschäftsstelle eingegangen ist.

Artikel 2 Vertretung der Mitglieder und der Vorsitzenden

(1) Vertretungsgründe sind insbesondere Krankheit, Arbeitsüberlastung und unvermeidbare Verpflichtungen.

(2) Will ein Mitglied vertreten werden, so unterrichtet es den Vorsitzenden der betreffenden Kammer unverzüglich von seiner Verhinderung.

(3) Der Vorsitzende der Kammer kann ein anderes Mitglied der Kammer unter gebührender Berücksichtigung des Geschäftsverteilungsplans vertretungsweise zum Vorsitzenden für eine bestimmte Beschwerde bestimmen.

Artikel 3 Ausschließung und Ablehnung

(1) Das Verfahren nach Artikel 24 Absatz 4 des Übereinkommens ist auch anzuwenden, wenn eine Kammer von einem möglichen Ausschließungsgrund auf andere Weise als von dem Mitglied oder einem Beteiligten Kenntnis erhält.

(2) Das betroffene Mitglied wird aufgefordert, sich zu dem Ausschließungsgrund zu äußern.

(3) Vor der Entscheidung über die Ausschließung des Mitglieds wird das Verfahren in der Sache nicht weitergeführt.

Artikel 3a Kontrolle des Verfahrens

(1) Der Vorsitzende bestimmt für jede Beschwerde ein Mitglied der Kammer oder sich selbst für die Prüfung, ob die Beschwerde zulässig ist.

(2) Der Vorsitzende oder ein von ihm bestimmtes Mitglied stellt sicher, daß die Beteiligten diese Verfahrensordnung und die Anweisungen der Kammer befolgen und schlägt hierfür geeignete Maßnahmen vor.

Artikel 4 Berichterstatter

(1) Der Vorsitzende der Kammer bestimmt für jede Beschwerde eines der Mitglieder der Kammer oder sich selbst als Berichterstatter. Der Vorsitzende kann einen Mitberichterstatter bestimmen, wenn dies im Hinblick auf den Beschwerdegegenstand zweckmäßig erscheint.

(2) Der Berichterstatter führt eine vorläufige Untersuchung der Beschwerde durch und kann vorbehaltlich einer Anordnung des Vorsitzenden der Kammer Bescheide an die Beteiligten abfassen. Die Bescheide werden vom Berichterstatter im Auftrag der Kammer unterzeichnet.

(3) Der Berichterstatter bereitet die Sitzungen und mündlichen Verhandlungen der Kammer vor.

(4) Der Berichterstatter entwirft die Entscheidungen.

(5) Ist der Berichterstatter der Ansicht, daß seine Kenntnisse der Verfahrenssprache für die Abfassung von Bescheiden und Entscheidungen nicht ausreichen, so kann er diese in einer anderen Amtssprache entwerfen. Die Entwürfe werden vom Europäischen Patentamt in die Verfahrenssprache übersetzt; die Übersetzungen werden von dem Berichterstatter oder von einem anderen Mitglied der Kammer überprüft.

Artikel 5 Geschäftsstellen

(1) Bei den Beschwerdekammern werden Geschäftsstellen eingerichtet, deren Aufgaben von Geschäftsstellenbeamten wahrgenommen werden. Einer der Geschäftsstellenbeamten wird zum Leiter der Geschäftsstellen bestellt.

(2) Das in Regel 10 Absatz 1 EPÜ erwähnte Präsidium kann den Geschäftsstellenbeamten Aufgaben übertragen, die technisch und rechtlich keine Schwierigkeiten bereiten, wie insbesondere Aufgaben betreffend Akteneinsicht, Ladung, Zustellung oder Gewährung von Weiterbehandlung.

(3) Der Geschäftsstellenbeamte legt dem Vorsitzenden der Kammer zu jeder neu eingegangenen Beschwerde einen Bericht über die Zulässigkeit der Beschwerde vor.

(4) Niederschriften über mündliche Verhandlungen und Beweisaufnahmen werden vom Geschäftsstellenbeamten oder von einem anderen Bediensteten des Amtes, den der Vorsitzende dazu bestimmt, angefertigt.

Artikel 6 Beteiligung von Dolmetschern

Soweit erforderlich, sorgt der Vorsitzende der Kammer bei mündlichen Verhandlungen, Beweisaufnahmen und Beratungen der Kammer für Übersetzung.

Artikel 7 Änderung in der Zusammensetzung einer Kammer

(1) Ändert sich die Zusammensetzung einer Kammer nach einer mündlichen Verhandlung, so werden die Beteiligten unterrichtet, daß auf Antrag eine erneute mündliche Verhandlung vor der Kammer in ihrer neuen Zusammensetzung stattfindet. Eine erneute mündliche Verhandlung findet auch dann statt, wenn das neue Mitglied dies beantragt und die übrigen Mitglieder der Kammer damit einverstanden sind.

(2) Das neue Mitglied ist an bereits getroffene Zwischenentscheidungen wie die übrigen Mitglieder gebunden.

(3) Ist ein Mitglied der Kammer nach einer Endentscheidung verhindert, so wird es nicht ersetzt. Ist der Vorsitzende verhindert, so unterzeichnet in seinem Auftrag das im Rahmen der Beschwerdekammern dienstälteste Mitglied der Kammer und bei gleichem Dienstalter das älteste Mitglied.

Artikel 8 Erweiterung einer Beschwerdekammer

Ist eine Beschwerdekammer, die sich aus zwei technisch vorgebildeten Mitgliedern und einem rechtskundigen Mitglied zusammensetzt, der Meinung, daß die Art der Beschwerde es erfordert, daß sich die Beschwerdekammer aus drei technisch vorgebildeten Mitgliedern und zwei rechtskundigen Mitgliedern zusammensetzt, so entscheidet die Kammer hierüber zu dem frühest möglichen Zeitpunkt bei der Prüfung der Beschwerde.

Artikel 9 Verbindung von Beschwerdeverfahren

(1) Sind gegen eine Entscheidung mehrere Beschwerden eingelegt, so werden sie im selben Verfahren behandelt.

(2) Sind Beschwerden gegen verschiedene Entscheidungen eingelegt worden und ist für deren Behandlung eine Kammer in der gleichen Zusammensetzung zuständig, so kann diese Kammer diese Beschwerden mit Zustimmung der Beteiligten in einem gemeinsamen Verfahren behandeln.

Artikel 10 Zurückverweisung an die erste Instanz

Eine Kammer verweist die Angelegenheit an die erste Instanz zurück, wenn das Verfahren vor der ersten Instanz wesentliche Mängel aufweist, es sei denn, daß besondere Gründe gegen die Zurückverweisung sprechen.

Artikel 10a Grundlage des Verfahrens

(1) Dem Beschwerdeverfahren liegen zugrunde
a) die Beschwerde und die Beschwerdebegründung nach Artikel 108 EPÜ;
b) in Fällen mit mehr als einem Beteiligten alle schriftlichen Erwiderungen des bzw. der anderen Beteiligten, die innerhalb von vier Monaten nach Zustellung der Beschwerdebegründung einzureichen sind;
c) Mitteilungen der Kammer und Antworten hierauf, die gemäß den Anweisungen der Kammer eingereicht worden sind.

(2) Die Beschwerdebegründung und die Erwiderung müssen den vollständigen Sachvortrag eines Beteiligten enthalten. Sie müssen deutlich und knapp angeben, aus welchen Gründen beantragt wird, die angefochtene Entscheidung aufzuheben, abzuändern oder zu bestätigen, und sollen ausdrücklich und spezifisch alle Tatsachen, Argumente und Beweismittel anführen. Alle Unterlagen, auf die Bezug genommen wird, sind
a) als Anlagen beizufügen, soweit es sich nicht um im Zuge des Erteilungs-, Einspruchs- oder Beschwerdeverfahrens bereits eingereichte Unterlagen oder vom Amt in diesen Verfahren erstellte oder eingeführte Schriftstücke handelt;
b) jedenfalls einzureichen, soweit die Kammer dazu im Einzelfall auffordert.

(3) Vorbehaltlich der Artikel 113 und 116 EPÜ kann die Kammer nach Einreichung der Beschwerdebegründung bzw. in Fällen mit mehr als einem Beteiligten nach Ablauf der Frist nach Absatz 1 Buchstabe b jederzeit über die Sache entscheiden.

(4) Unbeschadet der Befugnis der Kammer, Tatsachen, Beweismittel oder Anträge nicht zuzulassen, die bereits im erstinstanzlichen Verfahren hätten vorgebracht werden können oder dort nicht zugelassen worden sind, wird das gesamte Vorbringen der Beteiligten nach Absatz 1 von der Kammer berücksichtigt, wenn und soweit es sich auf die Beschwerdesache bezieht und die Erfordernisse nach Absatz 2 erfüllt.

(5) Fristen können nach dem Ermessen der Kammer nach Eingang eines schriftlichen und begründeten Antrags ausnahmsweise verlängert werden.

Artikel 10b Änderungen des Vorbringens eines Beteiligten

(1) Es steht im Ermessen der Kammer, Änderungen des Vorbringens eines Beteiligten nach Einreichung seiner Beschwerdebegründung oder Erwide-

rung zuzulassen und zu berücksichtigen. Bei der Ausübung des Ermessens werden insbesondere die Komplexität des neuen Vorbringens, der Stand des Verfahrens und die gebotene Verfahrensökonomie berücksichtigt.

(2) Die anderen Beteiligten sind berechtigt, zu geändertem Vorbringen Stellung zu nehmen, das von der Kammer nicht von Amts wegen als unzulässig erachtet worden ist.

(3) Änderungen des Vorbringens werden nach Anberaumung der mündlichen Verhandlung nicht zugelassen, wenn sie Fragen aufwerfen, deren Behandlung der Kammer oder dem bzw. den anderen Beteiligten ohne Verlegung der mündlichen Verhandlung nicht zuzumuten ist.

Artikel 10c Beitritte

Die Artikel 10a und 10b gelten entsprechend für Beitritte, die während eines anhängigen Beschwerdeverfahrens erklärt werden.

Artikel 11 Mündliche Verhandlungen

(1) Ist eine mündliche Verhandlung vorgesehen, so kann die Kammer eine Mitteilung erlassen, in der auf Punkte, die von besonderer Bedeutung zu sein scheinen, oder auf die Tatsache hingewiesen wird, daß bestimmte Fragen offenbar nicht mehr strittig sind; die Mitteilung kann auch andere Bemerkungen enthalten, die es erleichtern, die mündliche Verhandlung auf das Wesentliche zu konzentrieren.

(2) Eine mündliche Verhandlung kann nach dem Ermessen der Kammer nach Eingang eines schriftlichen und begründeten Antrags ausnahmsweise verlegt werden; der Antrag ist so früh wie möglich vor dem anberaumten Termin zu stellen und in Kopie den anderen Beteiligten zu übersenden, die der Kammer so schnell wie möglich mitzuteilen haben, ob sie damit einverstanden sind.

(3) Die Kammer ist nicht verpflichtet, einen Verfahrensschritt einschließlich ihrer Entscheidung aufzuschieben, nur weil ein ordnungsgemäß geladener Beteiligter in der mündlichen Verhandlung nicht anwesend ist; dieser kann dann so behandelt werden, als stütze er sich lediglich auf sein schriftliches Vorbringen.

(4) Der Vorsitzende leitet die mündliche Verhandlung und stellt ihre faire, ordnungsgemäße und effiziente Durchführung sicher.

(5) Ist eine Sache in der mündlichen Verhandlung entscheidungsreif, so stellt der Vorsitzende die abschließenden Anträge der Beteiligten fest und erklärt die sachliche Debatte für beendet. Nach Beendigung der sachlichen Debatte können die Beteiligten nichts mehr vorbringen, es sei denn, die Kammer beschließt, die Debatte wieder zu eröffnen.

(6) Die Kammer stellt sicher, daß die Sache am Ende der mündlichen Verhandlung entscheidungsreif ist, sofern nicht besondere Umstände vorliegen. Vor dem Ende der mündlichen Verhandlung kann der Vorsitzende die Entscheidung der Kammer verkünden.

Artikel 11a Kosten

(1) Vorbehaltlich Artikel 104 (1) EPÜ kann die Kammer auf Antrag anordnen, daß ein Beteiligter die Kosten eines anderen Beteiligten teilweise oder ganz zu tragen hat. Unbeschadet des Ermessens der Kammer gehören hierzu die Kosten, die entstanden sind durch
a) Änderungen gemäß Artikel 10b am Vorbringen eines Beteiligten gemäß Artikel 10a (1);
b) Fristverlängerung;
c) Handlungen oder Unterlassungen, die die rechtzeitige und effiziente Durchführung der mündlichen Verhandlung beeinträchtigen;
d) Nichtbeachtung einer Anweisung der Kammer;
e) Verfahrensmißbrauch.

(2) Bei den Kosten, deren Erstattung angeordnet wird, kann es sich um die Gesamtheit oder einen Teil der dem Berechtigten erwachsenen Kosten handeln; sie können unter anderem als Prozentsatz oder als bestimmter Betrag angegeben werden. In letzterem Fall ist die Entscheidung der Kammer unanfechtbar im Sinne des Artikels 104 (3) EPÜ. Zu den Kosten, deren Erstattung angeordnet werden kann, gehören Kosten, die einem Beteiligten von seinem zugelassenen Vertreter in Rechnung gestellt worden sind, Kosten, die einem Beteiligten selbst unabhängig davon erwachsen sind, ob er durch einen zugelassenen Vertreter vertreten wurde, und Kosten für Zeugen oder Sachverständige, die ein Beteiligter getragen hat; die Erstattung beschränkt sich auf notwendige und angemessene Aufwendungen.

Artikel 12 Unterrichtung der Beteiligten

(1) Im schriftlichen Abschnitt des Verfahrens erfolgen Antworten auf Anträge und Anweisungen zu Verfahrensfragen in Form von Mitteilungen.

(2) Hält die Kammer es für zweckmäßig, den Beteiligten ihre Ansicht über die Beurteilung sachlicher oder rechtlicher Fragen mitzuteilen, so hat das so zu geschehen, daß die Mitteilung nicht als bindend für die Kammer verstanden werden kann.

Artikel 12a

Die Kammer kann den Präsidenten des Europäischen Patentamts von Amts wegen oder auf dessen schriftlichen, begründeten Antrag auffordern, sich zu Fragen von allgemeinem Interesse, die sich im Rahmen eines vor der Kammer anhängigen Verfahrens stellen, schriftlich oder mündlich zu äußern. Die Beteiligten sind berechtigt, zu diesen Äußerungen Stellung zu nehmen.

Artikel 13 Beratung vor der Entscheidung

Sind nicht alle Mitglieder der Kammer der gleichen Ansicht über die zu treffende Entscheidung, so findet eine Beratung statt. An der Beratung nehmen nur die Mitglieder der Kammer teil; der Vorsitzende kann jedoch die Anwesenheit anderer Bediensteter zulassen. Die Beratungen sind geheim.

Artikel 14 Reihenfolge bei der Abstimmung

(1) Bei den Beratungen der Kammer äußert zuerst der Berichterstatter, dann der etwaige Mitberichterstatter und zuletzt der Vorsitzende seine Meinung, sofern er nicht Berichterstatter ist.

(2) Die gleiche Reihenfolge gilt für Abstimmungen; wenn der Vorsitzende auch Berichterstatter ist, so stimmt er zuletzt ab. Stimmenthaltungen sind nicht zulässig.

Artikel 15 Abweichung von einer früheren Entscheidung einer Kammer oder von den Richtlinien

(1) Hält es eine Kammer für notwendig, von einer Auslegung oder Erläuterung des Übereinkommens abzuweichen, die in einer früheren Entscheidung einer Kammer enthalten ist, so ist dies zu begründen, es sei denn, daß diese Begründung mit einer früheren Stellungnahme oder der Entscheidung der Großen Beschwerdekammer in Einklang steht. Der Präsident des Europäischen Patentamts wird hierüber unterrichtet.

(2) Legt eine Kammer in einer Entscheidung das Übereinkommen anders aus, als es in den Richtlinien vorgesehen ist, so begründet sie dies, wenn ihrer Meinung nach diese Begründung zum Verständnis der Entscheidung beitragen kann.

Artikel 16 Abweichung von einer Entscheidung oder Stellungnahme der Großen Beschwerdekammer

Will eine Kammer von einer Auslegung oder Erläuterung des Übereinkommens, die in einer Stellungnahme oder Entscheidung der Großen Beschwerdekammer enthalten ist, abweichen, so befaßt sie die Große Beschwerdekammer mit der Frage.

Artikel 17 Verweisung einer Frage an die Große Beschwerdekammer

(1) Soll eine Frage der Großen Beschwerdekammer vorgelegt werden, so trifft die Kammer darüber eine Entscheidung.

(2) Die Entscheidung enthält die in Regel 66 Absatz 2 Buchstaben a, b, c, d und f genannten Angaben sowie die Frage, welche die Kammer der Großen Beschwerdekammer vorlegt. Dabei ist auch anzugeben, in welchem Zusammenhang sich die Frage stellt.

(3) Die Entscheidung wird den Beteiligten mitgeteilt.

Artikel 18 Verbindlichkeit der Verfahrensordnung

Diese Verfahrensordnung ist für die Beschwerdekammern verbindlich, soweit sie nicht zu einem mit dem Geist und Ziel des Übereinkommens unvereinbaren Ergebnis führt.

Artikel 19 Inkrafttreten

Diese Verfahrensordnung tritt am Tage ihrer Genehmigung durch den Verwaltungsrat der Europäischen Patentorganisation in Kraft. Mit Inkrafttreten dieser Verfahrensordnung tritt die von dem in Regel 10 Absatz 2 erwähnten Präsidium am 27. April 1978 erlassene und vom Verwaltungsrat der Europäischen Patentorganisation mit Beschluß vom 3. Juni 1978 genehmigte Verfahrensordnung der Juristischen Beschwerdekammer außer Kraft.

Geschehen zu Den Haag am 4. Juni 1980

Für das in Regel 10 Absatz 2 erwähnte Präsidium

Der Vorsitzende

J. B. van Benthem

Anhang 9

Übereinkommen zur Vereinheitlichung gewisser Begriffe des materiellen Rechts der Erfindungspatente
(Straßburger Patentübereinkommen – StraßbÜ)

vom 27.11.1963

Bemerkungen von Romuald Singer

Vorbemerkung:

Das Straßburger Patentübereinkommen (StraßbÜ) wurde am 27.11.1963 in Straßburg unterzeichnet. Es soll die wichtigsten materiellrechtlichen Bestimmungen der nationalen Patentrechte in Europa harmonisieren. Das Übereinkommen ist am 1.8.1980 in Kraft getreten und gilt jetzt für folgende Staaten: Bundesrepublik Deutschland, Frankreich, Irland, Italien, Liechtenstein, Luxemburg, die Niederlande, Schweden, die Schweiz und das Vereinigte Königreich.

Eine Denkschrift zum StraßbÜ wurde gemeinsam von den Vertretern der Unterzeichnerstaaten des EPÜ ausgearbeitet und ist veröffentlicht in der Bundestagsdrucksache 7/3712 vom 2.6.1975, 377 = BlPMZ 1976, 336.

Das Übereinkommen wurde im Rahmen des Europarats ausgearbeitet, und zwar vom Ausschuß der Patentsachverständigen. Da die vom Europarat schon seit 1949 geplante Zentralisierung des Patentwesens innerhalb Europas wegen der in den Mitgliedstaaten bestehenden unterschiedlichen materiellrechtlichen Bestimmungen vorerst undurchführbar war, konzentrierte sich die Tätigkeit des Ausschusses ab 1955 auf eine Vereinheitlichung der materiellrechtlichen Bestimmungen der Patentgesetze der Mitgliedstaaten.

Die Arbeiten der EWG-Arbeitsgruppe »Patente« und die des Gemeinsamen Nordischen Patentkomitees haben den Abschluß des Übereinkommens wesentlich erleichtert.

Das Übereinkommen konzentriert sich auf eine Vereinheitlichung der wichtigsten Grundbegriffe des materiellen Patentrechts und verpflichtet die Vertragsstaaten dazu, diese Begriffe in ihr nationales Patentrecht zu übernehmen. Allerdings ist eine einheitliche Auslegung gleichlautender Bestimmungen nicht durch ein den nationalen Gerichten übergeordnetes Gericht gewährleistet. Der Abschluß dieses Übereinkommens war nur dadurch möglich, daß für die einzelnen Staaten Alternativlösungen vorgesehen oder Formulierungen gewählt wurden, die einen gewissen Auslegungsspielraum offenlassen.

Trotz dieser Schwächen hat das Übereinkommen bereits vor seinem Inkrafttreten eine bedeutende Rolle gespielt: nicht nur in das EPÜ wurden seine materiellrechtlichen Bestimmungen übernommen, sondern auch weitgehend in die nationalen Gesetze der meisten Europarat-Staaten und auch anderer Staaten. Nach allgemeiner Auffassung zwingt dieses Übereinkommen nicht zur Vereinheitlichung des Gebrauchsmusterrechts (siehe Haertel, Gebrauchsmusterschutz und Straßburger Patentübereinkommen von 1963, GRUR Int 1987, 373).

Die Art 1 bis 7 bestimmen die Voraussetzungen, von denen die Gültigkeit der Patente in den Vertragsstaaten abhängig ist. Art 8 schreibt vor, welche Bestandteile eine Patentanmeldung zu enthalten hat und legt den sachlichen Schutzbereich eines Patents fest. Die Art 9 bis 14 regeln das Inkrafttreten des Übereinkommens, den Beitritt und die Kündigung sowie gewisse Vorbehaltsmöglichkeiten.

Verbindlich ist der Wortlaut des Übereinkommens in englischer und französischer Sprache, der deutsche Wortlaut ist eine amtliche Übersetzung (BGBl II Nr 32 vom 26.6.1976, 658).

Die Vertragsstaaten haben dafür gesorgt oder sorgen dafür, daß ihr nationales Recht in Übereinstimmung mit dem StraßbÜ steht. Zwei neue Regelungen des deutschen Patentgesetzes, nämlich die Einschränkung der Neuheitsschonfrist (§ 2 (4) DE-PatG) und der Wegfall des Ausstellungsschutzes (Art IV Nr 7 IntPatÜG) waren bereits am 7. 1. 1980 in Kraft getreten, also einen Monat vor dem Inkrafttreten des StraßbÜ (siehe Art XI § 3 (3) IntPatÜG).

Die Artikelüberschriften sind nicht Bestandteil des Übereinkommens, sondern wurden in Anlehnung an die Überschriften des EPÜ eingefügt.

Präambel

Die Mitgliedstaaten des Europarats, die dieses Übereinkommen unterzeichnet haben –

in der Erwägung, daß der Europarat die Verwirklichung einer engeren Verbindung zwischen seinen Mitgliedern bezweckt, um insbesondere ihren wirtschaftlichen und sozialen Fortschritt durch den Abschluß von Vereinbarungen und durch gemeinsames Vorgehen auf den Gebieten der Wirtschaft, des Sozialwesens, der Kultur, der Wissenschaft, des Rechts und der Verwaltung zu fördern;

in der Erwägung, daß die Vereinheitlichung gewisser Begriffe des materiellen Rechts der Erfindungspatente für die Industrie und die Erfinder von Vorteil sein, den technischen Fortschritt fördern und die Schaffung eines internationalen Patents erleichtern würde;

im Hinblick auf Artikel 15 der am 20.3.1883 in Paris unterzeichneten Verbandsübereinkunft zum Schutz des gewerblichen Eigentums, revidiert in Brüssel am 14.12.1900, in Washington am 2.6.1911, im Haag am 6.11.1925, in London am 2.6.1934 und in Lissabon am 31.10.1958 sind wie folgt übereingekommen:

Artikel 1 Patentfähige Erfindungen

Für Erfindungen, die gewerblich anwendbar sind, neu sind und auf einer erfinderischen Tätigkeit beruhen, werden in den Vertragsstaaten Patente erteilt. Eine Erfindung, die diesen Voraussetzungen nicht entspricht, kann nicht Gegenstand eines rechtsgültigen Patents sein. Ein Patent, das für nichtig erklärt worden ist, weil die Erfindung diesen Voraussetzungen nicht entspricht, gilt als von Anfang an nichtig.

Art 1 legt den allgemeinen Grundsatz für die Erteilung gültiger Patente in den Vertragsstaaten fest: Für Erfindungen sind Patente zu erteilen, wenn die Voraussetzungen der gewerblichen Anwendbarkeit, der Neuheit und der erfinderischen Tätigkeit gegeben sind. Diese Voraussetzungen sind in den Art 3–7 näher definiert.

Liegen diese Voraussetzungen nicht vor, so kann kein rechtsgültiges Patent erteilt werden, bzw ein etwa erteiltes Patent ist nicht rechtsgültig; dies ist vor allem für Staaten von Bedeutung, in denen Patente ohne sachliche Vorprüfung erteilt werden, wie zB in Belgien, Griechenland, Frankreich, Italien, Spanien. Wird ein Patent mangels dieser Voraussetzungen für nichtig erklärt, so tritt die Nichtigkeit rückwirkend ein (Art 1 Satz 3). Auch die Niederlande haben ihr nationales Recht entsprechend angeglichen.

Die Patentierbarkeitsvoraussetzungen sind abschließend festgelegt; dies schließt nicht aus, daß ein Patent aus Gründen, die nichts mit der Patentierbarkeit zu tun haben, für nichtig erklärt werden kann, zB im Fall der Anmeldung durch einen Nichtberechtigten.

Für das EPÜ siehe Art 52 und 138, 139.

Artikel 2 Ausnahmen von der Patentierbarkeit

Die Vertragsstaaten sind nicht verpflichtet, die Erteilung von Patenten vorzusehen

a) für Erfindungen, deren Veröffentlichung oder Verwertung gegen die öffentliche Ordnung oder die guten Sitten verstoßen würde; ein solcher Verstoß kann nicht allein aus der Tatsache hergeleitet werden, daß die Verwertung der Erfindung durch Gesetz oder Verwaltungsvorschrift verboten ist;

b) für Pflanzensorten oder Tierarten sowie für im wesentlichen biologische Verfahren zur Züchtung von Pflanzen oder Tieren; diese Bestimmung ist auf mikrobiologische Verfahren und auf die mit Hilfe dieser Verfahren gewonnenen Erzeugnisse nicht anzuwenden.

Durch Art 2 wird den Vertragsstaaten die Möglichkeit gegeben, zwei Gruppen von Erfindungen von der Patenterteilung auszuschließen. Es sind dies einmal Erfindungen, deren Veröffentlichung oder Verwertung gegen die öffentliche Ordnung oder gegen die guten Sitten verstoßen würde. Zum andern sind dies Pflanzensorten oder Tierarten sowie im wesentlichen biologische Verfahren zur Züchtung von Pflanzen und Tieren (nicht jedoch mikrobiologische Verfahren und durch solche Verfahren hergestellte Erzeugnisse).

Da die Ausnahmen von der Patentierbarkeit sich auf diese beiden Gruppen von Erfindungen beschränken, sind chemische Erzeugnisse, Arzneimittel und Nahrungsmittel dem Patentschutz zugänglich.

Das deutsche Patentgesetz hat deren Schutzfähigkeit bereits ab 1.1.1968 anerkannt. Der Schutz von Nahrungs- und Arzneimitteln sowie von landwirtschaftlichen und gartenbaulichen Verfahren kann nach dem StraßbÜ im Wege eines Vorbehalts nach Art 12 für eine Übergangszeit ausgeschlossen werden.

Für das EPÜ siehe Art 53 und 167.

Artikel 3 Gewerbliche Anwendbarkeit

Eine Erfindung gilt als gewerblich anwendbar, wenn ihr Gegenstand auf irgendeinem gewerblichen Gebiet einschließlich der Landwirtschaft hergestellt oder benutzt werden kann.

In Art 3 wird die gewerbliche Anwendbarkeit sehr weit definiert. Ausdrücklich werden Erfindungen, deren Gegenstand auf dem Gebiet der Landwirtschaft hergestellt oder benutzt werden kann, einbezogen. Diese Bestimmung ist insbesondere für den Patentschutz in Dänemark, Großbritannien, Irland und den Niederlanden von Bedeutung, wo früher solche Erfindungen weitgehend vom Patentschutz ausgeschlossen waren.

Für das EPÜ siehe Art 57.

Nach dem EPÜ (Art 52 (4)) und dem DE-PatG (§ 5 (2)) gelten Verfahren zur Heilbehandlung nicht als gewerblich anwendbar. Arzneimittel selbst werden jedoch ausdrücklich als gewerblich anwendbar anerkannt.

Artikel 4 Neuheit

(1) Eine Erfindung gilt als neu, wenn sie nicht zum Stand der Technik gehört.

(2) Vorbehaltlich der Bestimmungen des Absatzes 4 dieses Artikels bildet den Stand der Technik alles, was vor dem Tag der Einreichung der Patentanmeldung oder einer ausländischen Anmeldung, deren Priorität gültig beansprucht wird, durch schriftliche oder mündliche Beschreibung, durch Benutzung oder in sonstiger Weise der Öffentlichkeit zugänglich gemacht worden ist.

(3) Jeder Vertragsstaat kann vorsehen, daß der Inhalt der in diesem Staat eingereichten Patentanmeldungen oder erteilten Patente, die an oder nach dem in Absatz 2 dieses Artikels erwähnten Tag Gegenstand einer amtlichen Veröffentlichung waren, als zum Stand der Technik gehörend gilt, soweit dieser Inhalt ein früheres Prioritätsdatum hat.

(4) Ein Patent kann nicht lediglich aus dem Grund verweigert oder für nichtig erklärt werden, daß die Erfindung innerhalb von sechs Monaten vor Einreichung der Anmeldung der Öffentlichkeit zugänglich gemacht worden ist, wenn die Offenbarung unmittelbar oder mittelbar zurückgeht

a) auf einen offensichtlichen Mißbrauch zum Nachteil des Anmelders oder seines Rechtsvorgängers, oder

b) auf die Tatsache, daß der Anmelder oder sein Rechtsvorgänger die Erfindung auf amtlichen oder amtlich anerkannten Ausstellungen im Sinne des am 22.11.1928[1] in Paris unterzeichneten und am 10.5.1948[2] revidierten Übereinkommens über internationale Ausstellungen zur Schau gestellt hat.

Die in allen Rechtssystemen geforderte Voraussetzung der »Neuheit« wird in Abs 1 und 2 einheitlich festgelegt und führt in den meisten Staaten zu einer Verschärfung dieses Begriffs in Richtung einer Identität. Danach wird alles, was vor der Anmeldung eines Patents oder einer zu Recht in Anspruch genommenen Priorität der Öffentlichkeit zugänglich gemacht worden ist, in den Stand der Technik einbezogen und steht gegebenenfalls damit der Patentierung entgegen. Auf welche Weise eine Information der Öffentlichkeit zugänglich gemacht worden ist, spielt entgegen den meisten nationalen Gesetzen keine Rolle; es kann durch schriftliche oder mündliche Beschreibung, durch Benutzung oder in sonstiger Weise geschehen sein. Diese Regelung findet sich auch in Art 54 EPÜ.

Verschiedene Staaten, darunter auch die Bundesrepublik Deutschland, hatten früher nur druckschriftliche Veröffentlichungen und öffentliche Vorbenutzungshandlungen im Inland als neuheitsschädlich erachtet. Durch das IntPatÜG (Art IV Nr 3) wurde die Regelung des StraßbÜ am 1.1.1978 in das deutsche Recht übernommen.

---

1 BlPMZ 1957, 346
2 BlPMZ 1957, 347; 1968, 346; 1974, 58, 248

*In Abs 3 wird die Behandlung der sog »älteren Rechte« erwähnt. Darunter wird der Konflikt zwischen zwei Anmeldungen verstanden. Eine Anmeldung mit dem gleichen Gegenstand wird **nach** einer anderen Anmeldung, aber **vor** deren Veröffentlichung eingereicht.*

Das Übereinkommen überläßt es den Staaten, ob sie nur einen Doppelschutz verhindern wollen, was früher das deutsche Patentrecht im Wege der sogenannten Identitätsprüfung getan hat oder ob die Beschreibung der zuerst eingereichten Anmeldung mit dem Zeitpunkt der Anmeldung als Stand der Technik im Verhältnis zur später eingereichten Anmeldung gelten soll (whole contents approach). Durch Art 6 des Übereinkommens werden die Staaten jedoch gezwungen, zumindest das Nebeneinanderbestehen von zwei identischen Patenten zu verhindern, soweit das jüngere einem älteren gegenübersteht.

Sowohl das EPÜ (Art 54 (3) und (4)) als auch das neue DE-PatG (IntPatÜG, Art IV Nr 3, § 2 (2)) haben die letzte Alternative gewählt und beziehen die ältere Anmeldung unter dem Gesichtspunkt der Neuheit in den Stand der Technik ein.

Durch Abs 4 wird die sog Neuheitsschonfrist beschränkt auf Offenbarungen der Erfindung, die auf einen offensichtlichen Mißbrauch zum Nachteil des Anmelders oder seines Rechtsvorgängers zurückgehen, sowie auf Zurschaustellungen der Erfindung auf amtlichen oder amtlich anerkannten Ausstellungen nach einem internationalen Ausstellungsübereinkommen; nur die wenigsten internationalen Ausstellungen erfüllen jedoch die erforderlichen Voraussetzungen (siehe zB ABl 1989, 156). Die bisher in der Bundesrepublik Deutschland übliche Ausstellungspriorität ist durch die Änderungen des deutschen Patentrechts ab 1.7.1980 entfallen.

Artikel 5 Erfinderische Tätigkeit

Eine Erfindung gilt als auf einer erfinderischen Tätigkeit beruhend, wenn sie sich nicht in naheliegender Weise aus dem Stand der Technik ergibt. Jedoch kann für die Beurteilung der Frage, ob eine Erfindung auf einer erfinderischen Tätigkeit beruht oder nicht, das Recht jedes Vertragsstaats entweder allgemein oder für besondere Arten von Patenten oder Patentanmeldungen, wie etwa Zusatzpatente, vorsehen, daß alle oder ein Teil der in Artikel 4 Absatz 3 erwähnten Patente oder Patentanmeldungen nicht zum Stand der Technik gehören.

*Satz 1 definiert die **erfinderische Tätigkeit** dahingehend, daß sich die beanspruchte Erfindung nicht in naheliegender Weise aus dem Stand der Technik ergeben darf.*

Während dieses Erfordernis in verschiedenen Staaten seit langem durch die Rechtsprechung entwickelt worden war – in der Bundesrepublik Deutschland als Erfindungshöhe bezeichnet –, wird es durch dieses Übereinkommen neu in das Patentsystem anderer Staaten, wie Frankreich, eingefügt.

Eine fast identische Formulierung, die bei der Erläuterung des Begriffs »naheliegend« auf den Fachmann abstellt, findet sich in Art 56 EPÜ; sie wurde auch in § 4 DE-PatG übernommen.

Satz 2 stellt klar, daß für die Beurteilung der erfinderischen Tätigkeit, wie bei der Prüfung auf Neuheit vom Stand der Technik auszugehen ist, daß jedoch einzelne neuheitsschädliche Sachverhalte, zB ältere Rechte, bei der Prüfung auf erfinderische Tätigkeit unberücksichtigt bleiben können. Sowohl das EPÜ (Art 56 S 2) als auch das DE-PatG (§ 4 S 2) haben von dieser Möglichkeit Gebrauch gemacht.

Artikel 6 Identitätsprüfung

Jeder Vertragsstaat, der von der in Artikel 4 Absatz 3 erwähnten Möglichkeit keinen Gebrauch macht, ist gleichwohl verpflichtet, vorzusehen, daß eine Erfindung insoweit nicht Gegenstand eines rechtsgültigen Patents sein kann, als sie in diesem Staat bereits den Gegenstand eines Patents bildet, das, ohne zum Stand der Technik zu gehören, für die gemeinsamen Merkmale ein früheres Prioritätsdatum hat.

Diese Bestimmung verbietet für Staaten, die für die Lösung des Problems der älteren Rechte nicht den whole contents approach des Art 4 (3) vorsehen, die Doppelpatentierung und bestimmt, daß die jüngere Erfindung nicht Gegenstand eines rechtsgültigen Patents sein kann.

Artikel 7 Ältere Rechte bei gemeinsamem Patentgebiet

Jede Gruppe von Vertragsstaaten, die Einrichtungen für die gemeinsame Einreichung von Patentanmeldungen geschaffen hat, kann für die Anwendung des Artikels 4 Absatz 3 und des Artikels 6 als ein einziger Staat angesehen werden.

Artikel 8 Patentansprüche, Offenbarung der Erfindung, Schutzbereich

(1) Die Patentanmeldung muß eine Beschreibung der Erfindung, gegebenenfalls mit den Zeichnungen, auf die sie Bezug nimmt, sowie einen oder mehrere Patentansprüche, die definieren, wofür Schutz begehrt wird, enthalten.

(2) In der Beschreibung ist die Erfindung so deutlich und vollständig darzulegen, daß ein Fachmann sie danach ausführen kann.

(3) Der sachliche Schutzbereich des Patents wird durch den Inhalt der Patentansprüche bestimmt. Die Beschreibung und die Zeichnungen sind jedoch zur Auslegung der Patentansprüche heranzuziehen.

Die Abs 1 und 2 sollten ursprünglich das inzwischen außer Kraft getretene europäische Übereinkommen über Formerfordernisse bei Patentanmeldungen vom 11.12.1953 (BGBl II 1954, S 1099 = BlPMZ 1954, 212) ergänzen.

Nach Abs 1 muß eine Patentanmeldung auch Patentansprüche enthalten, die festlegen, wofür Schutz begehrt wird. Dieses Erfordernis zwang verschiedene Staaten, zB Belgien, Luxemburg, Griechenland und die Türkei, in ihren Rechtssystemen Patentansprüche vorzuschreiben.

Abs 2 sieht für die Beschreibung eine so deutliche und vollständige Darlegung der Erfindung vor, daß ein Fachmann sie danach ausführen kann. Diese Bestimmung ist auch in das EPÜ (Art 83) und das neue DE-PatG (§ 35 (2)) übernommen worden, allerdings unter Fortfall des Wortes »danach«, um zu verhindern, daß diese Bestimmung zu eng ausgelegt wird.

Abs 3 behandelt einen wichtigen Aspekt der Auslegung der Patente. Der Schutzumfang der Patente wurde früher in verschiedenen Staaten durchaus unterschiedlich beurteilt. Die deutsche Rechtsprechung hat den Schutzumfang des Patents relativ weit gezogen im Bestreben, dem Erfinder einen angemessenen Lohn für die Offenbarung seiner Erfindung zuteil werden zu lassen; andere Staaten, zB die skandinavischen Staaten und Großbritannien, neigen oder neigten im Interesse der Rechtssicherheit einer engeren Auslegung zu, die früher auf den Wortlaut der Patentansprüche abstellte.

Abs 3 schreibt in Satz 1 eine mittlere Lösung vor, daß nämlich für den Schutzbereich des Patents der Inhalt der Patentansprüche, nicht jedoch der Wortlaut, maßgebend ist. Nach Satz 2 sind die Beschreibung und die Zeichnungen zur Auslegung der Patentansprüche heranzuziehen.

Diese Regelung wurde auch in das EPÜ (Art 69 (1)) und in das neue DE-PatG (§ 14) übernommen. Das EPÜ enthält darüber hinaus noch ein Protokoll über die Auslegung des Art 69.

Artikel 9 Unterzeichnung – Ratifikation

(1) Dieses Übereinkommen liegt für die Mitgliedstaaten des Europarats zur Unterzeichnung auf. Es bedarf der Ratifizierung oder Annahme. Die Ratifikations- oder Annahmeurkunden werden beim Generalsekretär des Europarats hinterlegt.

(2) Das Übereinkommen tritt drei Monate nach dem Tag der Hinterlegung der achten Ratifikations- oder Annahmeurkunde in Kraft.

(3) Für jeden Unterzeichnerstaat, der das Übereinkommen später ratifiziert oder annimmt, tritt es drei Monate nach dem Tag der Hinterlegung seiner Ratifikations- oder Annahmeurkunde in Kraft.

Artikel 10 Beitritt

(1) Nach dem Inkrafttreten dieses Übereinkommens kann das Ministerkomitee des Europarats jedes Mitglied des Internationalen Verbands zum Schutz des gewerblichen Eigentums, das nicht Mitglied des Europarats ist, einladen, dem Übereinkommen beizutreten.

(2) Der Beitritt erfolgt durch Hinterlegung einer Beitrittsurkunde beim Generalsekretär des Europarats, die drei Monate nach dem Tag ihrer Hinterlegung wirksam wird.

Artikel 11 Räumlicher Anwendungsbereich

(1) Jede Vertragspartei kann bei der Unterzeichnung oder bei der Hinterlegung ihrer Ratifikations-, Annahme- oder Beitrittsurkunde das oder die Hoheitsgebiete bezeichnen, auf die dieses Übereinkommen anzuwenden ist.

(2) Jede Vertragspartei kann bei der Hinterlegung ihrer Ratifikations-, Annahme- oder Beitrittsurkunde oder jederzeit danach durch eine an den Generalsekretär des Europarats gerichtete Notifikation die Anwendung dieses Übereinkommens auf jedes andere in der Erklärung bezeichnete Hoheitsgebiet ausdehnen, dessen internationale Beziehungen sie wahrnimmt oder für das sie berechtigt ist, Verträge zu schließen.

(3) Jede nach Absatz 2 abgegebene Erklärung kann für jedes in der Erklärung bezeichnete Hoheitsgebiet gemäß dem in Artikel 13 dieses Übereinkommens festgelegten Verfahren zurückgezogen werden.

Artikel 12 Vorbehalte

(1) Ungeachtet der Bestimmungen dieses Übereinkommens kann jede Vertragspartei bei der Unterzeichnung oder bei der Hinterlegung ihrer Ratifikations-, Annahme- oder Beitrittsurkunde sich für die nachstehend bezeichnete Übergangszeit das Recht vorbehalten,

a) die Erteilung von Patenten nicht vorzusehen für Nahrungs- und Arzneimittel als solche sowie für landwirtschaftliche oder gartenbauliche Verfahren, auf die nicht bereits Artikel 2 Buchstabe b) anwendbar ist;

b) rechtsgültige Patente für Erfindungen zu erteilen, die innerhalb von sechs Monaten vor Einreichung der Anmeldung offenbart worden sind, und zwar entweder, von dem in Artikel 4 Absatz 4 b) bereits geregelten Fall abgesehen, vom Erfinder selbst oder, von dem in Artikel 4 Absatz 4 a) bereits geregelten Fall abgesehen, von einem Dritten, der auf den Erfinder zurückgehende Kenntnisse erlangt hat.

(2) Die in Absatz 1 erwähnte Übergangszeit beträgt im Fall des Buchstabens a) zehn Jahre und im Fall des Buchstabens b) fünf Jahre. Sie beginnt mit dem Inkrafttreten dieses Übereinkommens für die betreffende Vertragspartei.

(3) Jede Vertragspartei, die auf Grund dieses Artikels einen Vorbehalt macht, nimmt ihn zurück, sobald es die Umstände gestatten. Die Rücknahme des Vorbehalts erfolgt durch eine an den Generalsekretär des Europarats gerichtete Notifikation und wird einen Monat nach dem Tag des Eingangs der Notifikation wirksam.

Nach Art 12 kann jeder Vertragsstaat für eine Übergangszeit gewisse Vorbehalte gegen die sofortige Anwendung bestimmter Vorschriften machen. Der wichtigste in Art 12 (1) Buchst a) vorgesehene Vorbehalt sieht die Möglichkeit vor, für 10 Jahre ab Inkrafttreten des Übereinkommens für den betreffenden Staat Nahrungs- und Arzneimittel sowie landwirtschaftliche und gartenbauliche Verfahren vom Patentschutz auszuschließen. Diese Vorbehaltsmöglichkeit ist nicht gegeben für chemische Erzeugnisse und für Verfahren zur Herstellung von Nahrungs- und Arzneimitteln.

Bisher hat kein Vertragsstaat von der Möglichkeit eines Vorbehalts Gebrauch gemacht.

Artikel 13 Geltungsdauer – Kündigung

(1) Dieses Übereinkommen bleibt zeitlich unbegrenzt in Kraft.

(2) Jede Vertragspartei kann dieses Übereinkommen für sich selbst durch eine an den Generalsekretär des Europarats gerichtete Notifikation kündigen.

(3) Die Kündigung wird sechs Monate nach dem Tag des Eingangs der Notifikation beim Generalsekretär wirksam.

Artikel 14 Notifikationen

Der Generalsekretär des Europarats notifiziert den Mitgliedstaaten des Rats, jedem Staat, der diesem Übereinkommen beigetreten ist, sowie dem Direktor des Internationalen Büros zum Schutz des gewerblichen Eigentums

a) jede Unterzeichnung;
b) jede Hinterlegung einer Ratifikations-, Annahme- oder Beitrittsurkunde;
c) jeden Tag des Inkrafttretens dieses Übereinkommens;
d) jede nach Artikel 11 Absätze 2 und 3 eingegangene Erklärung und Notifiktaion;
e) jeden nach Artikel 12 Absatz 1 gemachten Vorbehalt;
f) jede nach Artikel 12 Absatz 3 bewirkte Rücknahme eines Vorbehalts;
g) jede nach Artikel 13 Absatz 2 eingegangene Notifikation und den Tag, an dem die Kündigung wirksam wird.

Zu Urkund dessen haben die hierzu gehörig befugten Unterzeichneten dieses Übereinkommens unterschrieben.

Geschehen zu Straßburg am 27.11.1963 in englischer und französischer Sprache, wobei jeder Wortlaut gleichermaßen verbindlich ist, in einer Urschrift, die im Archiv des Europarats hinterlegt wird. Der Generalsekretär des Europarats übermittelt jedem Unterzeichnerstaat und jedem beitretenden Staat sowie dem Direktor des Internationalen Büros zum Schutz des gewerblichen Eigentums eine beglaubigte Abschrift.

Anhang 10

Vereinbarung zwischen EPO und WIPO nach dem PCT

(ABl 2001, 601)

Geänderte Vereinbarung

zwischen der Europäischen Patentorganisation und dem Internationalen Büro der Weltorganisation für geistiges Eigentum über die Aufgaben des Europäischen Patentamts als Internationale Recherchenbehörde und mit der internationalen vorläufigen Prüfung beauftragte Behörde nach dem Vertrag über die internationale Zusammenarbeit auf dem Gebiet des Patentwesens.

Präambel

Die Europäische Patentorganisation und das Internationale Büro der Weltorganisation für geistiges Eigentum,

in der Erwägung, daß die Vereinbarung vom 1. Oktober 1997 nach den Artikeln 16 Absatz 3 Buchstabe b und 32 Absatz 3 des Vertrags über die internationale Zusammenarbeit auf dem Gebiet des Patentwesens sowie den Artikeln 154 und 155 des Europäischen Patentübereinkommens über die Aufgaben des Europäischen Patentamts als Internationale Recherchenbehörde und mit der internationalen vorläufigen Prüfung beauftragte Behörde nach dem Vertrag über die internationale Zusammenarbeit auf dem Gebiet des Patentwesens für einen Zeitraum von 10 Jahren, vom 1. Januar 1998 bis zum 31. Dezember 2007, geschlossen worden ist,

in dem Bestreben, die Tätigkeit des Europäischen Patentamts als Internationale Recherchenbehörde und mit der internationalen vorläufigen Prüfung beauftragte Behörde nach dem Vertrag über die internationale Zusammenarbeit auf dem Gebiet des Patentwesens zu verlängern,

sind wie folgt übereingekommen:

Artikel 1 Begriffsbestimmungen

(1) Im Sinne dieser Vereinbarung bedeutet
a) »Vertrag« der Vertrag über die internationale Zusammenarbeit auf dem Gebiet des Patentwesens,
b) »Ausführungsordnung« die Ausführungsordnung zum Vertrag,
c) »Verwaltungsrichtlinien« die Verwaltungsrichtlinien zum Vertrag,

d) »Artikel« ein Artikel des Vertrags (sofern nicht spezifisch auf einen Artikel dieser Vereinbarung Bezug genommen wird),
e) »Regel« eine Regel der Ausführungsordnung,
f) »Vertragsstaat« ein Vertragsstaat des Vertrags,
g) »Behörde« das Europäische Patentamt,
h) »Internationales Büro« das Internationale Büro der Weltorganisation für geistiges Eigentum,
i) »Übereinkommen« das Übereinkommen über die Erteilung europäischer Patente (Europäisches Patentübereinkommen).

(2) Alle anderen in dieser Vereinbarung verwendeten Begriffe und Bezeichnungen, die auch im Vertrag, in der Ausführungsordnung oder den Verwaltungsrichtlinien vorkommen, haben im Rahmen dieser Vereinbarung dieselbe Bedeutung wie im Vertrag, in der Ausführungsordnung und den Verwaltungsrichtlinien.

Artikel 2 Grundlegende Verpflichtungen

(1) Die Behörde führt nach Maßgabe des Vertrags, der Ausführungsordnung, der Verwaltungsrichtlinien und dieser Vereinbarung die internationale Recherche und die internationale vorläufige Prüfung durch und nimmt alle anderen Aufgaben einer Internationalen Recherchenbehörde und einer mit der internationalen vorläufigen Prüfung beauftragten Behörde wahr, die in den genannten Texten vorgesehen sind. Bei der Durchführung der internationalen Recherche und der internationalen vorläufigen Prüfung ist die Behörde zur Anwendung und Beachtung der gemeinsamen Regeln für die Durchführung der internationalen Recherche und der internationalen vorläufigen Prüfung verpflichtet und insbesondere gehalten, nach den Richtlinien für die Recherche und den Richtlinien für die internationale vorläufige Prüfung nach dem Vertrag über die internationale Zusammenarbeit auf dem Gebiet des Patentwesens vorzugehen.

(2) Die Behörde und das Internationale Büro unterstützen sich gegenseitig in dem Ausmaß, das von beiden, der Behörde und dem Internationalen Büro, als angemessen angesehen wird, bei der Durchführung ihrer jeweiligen Aufgaben aufgrund des Vertrags, der Ausführungsordnung, der Verwaltungsrichtlinien und dieser Vereinbarung.

Artikel 3 Zuständigkeit der Behörde

(1) Die Behörde wird für jede internationale Anmeldung, die beim Anmeldeamt eines Vertragsstaats oder bei einem für einen Vertragsstaat handelnden Anmeldeamt eingereicht worden ist, als Internationale Recherchenbehörde tätig, sofern das Anmeldeamt die Behörde zu diesem Zweck bestimmt, die Anmeldung oder eine für die Zwecke der internationalen Recherche einge-

reichte Übersetzung der Anmeldung in der oder einer der in Anhang A zu dieser Vereinbarung angegebenen Sprache(n) ist und, falls anwendbar, die Behörde vom Anmelder ausgewählt worden ist.

(2) Die Behörde wird für jede internationale Anmeldung, die beim Anmeldeamt eines Vertragsstaats oder bei einem für einen Vertragsstaat handelnden Anmeldeamt eingereicht worden ist, als mit der internationalen vorläufigen Prüfung beauftragte Behörde tätig, sofern das Anmeldeamt die Behörde zu diesem Zweck bestimmt, die internationale Recherche zu der Anmeldung von der Behörde oder dem Amt für gewerblichen Rechtsschutz eines Vertragsstaats des Übereinkommens durchgeführt wird oder durchgeführt worden ist und, falls anwendbar, die Behörde vom Anmelder ausgewählt worden ist.

(3) Wird eine internationale Anmeldung beim Internationalen Büro als Anmeldeamt nach Regel 19.1 Absatz a Ziffer iii eingereicht, so werden die Absätze 1 und 2 so angewandt, als wäre die Anmeldung bei einem Anmeldeamt eingereicht worden, das nach Regel 19.1 Absatz a Ziffer i oder ii, Absatz b oder c oder Regel 19.2 Ziffer i zuständig gewesen wäre.

(4)

a) Wenn die Arbeitsbelastung der Behörde so groß wird, daß sie mit den ihr zur Verfügung stehenden Mitteln ihre Aufgaben nach dieser Vereinbarung nicht ohne Gefährdung der ordnungsgemäßen Durchführung ihrer Aufgaben nach dem Übereinkommen wahrnehmen kann, kann sie unbeschadet der Absätze 1 und 2

  i) dem Amt für gewerblichen Rechtsschutz eines Vertragsstaats des Übereinkommens Arbeiten im Zusammenhang mit der internationalen Recherche oder der internationalen vorläufigen Prüfung übertragen, die unter der Verantwortung der Behörde durchzuführen sind;

  ii) dem Internationalen Büro entweder mitteilen, daß sie die internationale Recherche oder die internationale vorläufige Prüfung oder beides nicht durchführt für internationale Anmeldungen, die beim Anmeldeamt eines Staats oder bei einem für diesen Staat handelnden Anmeldeamt eingereicht worden sind, wenn dessen Staatsangehörige oder dort ansässige Personen dieses Amt als Internationale Recherchenbehörde und/oder als mit der internationalen vorläufigen Prüfung beauftragte Behörde auswählen können, oder daß sie die internationale Recherche oder die internationale vorläufige Prüfung oder beides für solche internationale Anmeldungen nur für eine bestimmte Anzahl von Anmeldungen pro Jahr oder nur auf bestimmten technischen Gebieten durchführt.

b) Eine Beschränkung nach Buchstabe a Ziffer ii wird zu dem zwischen dem Anmeldeamt und der Behörde vereinbarten und in der Mitteilung bestimmten Zeitpunkt wirksam, sofern der Eingang der Mitteilung beim Internationalen Büro und dieser Zeitpunkt mindestens einen Monat auseinander liegen. Ist kein solcher Zeitpunkt zwischen dem Anmeldeamt und der Behörde vereinbart worden, so wird die Beschränkung drei Monate nach dem Eingang der Mitteilung der Behörde beim Internationalen Büro wirksam. Das Internationale Büro veröffentlicht jede Mitteilung nach diesem Buchstaben unverzüglich im Blatt.

c) Die anfängliche Geltungsdauer einer Beschränkung nach Buchstabe a Ziffer ii darf drei Jahre nicht übersteigen. Sie kann ein oder mehrmals jeweils um höchstens zwei Jahre verlängert werden, sofern dies spätestens drei Monate vor ihrem Ablauf angezeigt wird.

Artikel 4 Anmeldungsgegenstände, bei denen keine Verpflichtung zur Recherche und zur Prüfung besteht

Die Behörde ist gemäß Artikel 17 Absatz 2 Buchstabe a Ziffer i bzw. Artikel 34 Absatz 4 Buchstabe a Ziffer i nicht verpflichtet, eine Recherche bzw. Prüfung zu einer internationalen Anmeldung durchzuführen, wenn sie der Auffassung ist, daß sich

die Anmeldung auf einen der in Regel 39.1 bzw. Regel 67.1 aufgeführten Gegenstände bezieht; hiervon ausgenommen sind die in Anhang B dieser Vereinbarung genannten Gegenstände.

Artikel 5 Gebühren und Kosten

(1) In Anhang C dieser Vereinbarung ist ein Verzeichnis aller Gebühren der Behörde und aller sonstigen Kosten enthalten, die sie in ihrer Eigenschaft als Internationale Recherchenbehörde und mit der internationalen vorläufigen Prüfung beauftragte Behörde in Rechnung stellen kann.

(2) Unter den in Anhang C dieser Vereinbarung angegebenen Bedingungen und in dem dort vorgesehenen Umfang wird von der Behörde

i) die gezahlte Recherchengebühr ganz oder teilweise erstattet, bzw. die Recherchengebühr erlassen oder ermäßigt, wenn ein internationaler Recherchenbericht ganz oder teilweise auf die Ergebnisse einer von ihr durchgeführten früheren Recherche gestützt werden kann (Regeln 16.3 und 41.1);

ii) die Recherchengebühr erstattet, wenn die internationale Anmeldung vor Beginn der internationalen Recherche zurückgenommen wird oder als zurückgenommen gilt.

(3) Die Behörde erstattet unter den in Anhang C dieser Vereinbarung angegebenen Bedingungen und in dem dort vorgesehenen Umfang die gezahlte Gebühr für die vorläufige Prüfung ganz oder teilweise, wenn der Antrag auf internationale vorläufige Prüfung als nicht gestellt gilt (Regel 58.3) oder die-

ser Antrag oder die internationale Anmeldung vom Anmelder vor Beginn der internationalen vorläufigen Prüfung zurückgenommen wird.

Artikel 6 Klassifikation

Für die Zwecke der Regeln 43.3 Absatz a und 70.5 Absatz b verwendet die Behörde ausschließlich die Internationale Patentklassifikation.

Artikel 7 Sprachen im Schriftverkehr mit der Behörde

Die Behörde verwendet im Schriftverkehr (einschließlich der Formblätter), mit Ausnahme des Schriftverkehrs mit dem Internationalen Büro, die Sprache oder eine der Sprachen, die in Anhang D – unter Berücksichtigung der in Anhang A dieser Vereinbarung angegebenen und der von der Behörde nach Regel 92.2 Absatz b zugelassenen Sprache oder Sprachen – angegeben sind.

Artikel 8 Recherche internationaler Art

Die Behörde führt Recherchen internationaler Art in dem von ihr festgelegten Umfang durch.

Artikel 9 Inkrafttreten

Diese geänderte Vereinbarung tritt am 1. November 2001 in Kraft.

Artikel 10 Geltungsdauer und Verlängerung

Diese Vereinbarung gilt bis zum 31. Dezember 2007. Spätestens im Januar 2007 nehmen die Vertragsparteien dieser Vereinbarung Verhandlungen über eine Verlängerung auf.

Artikel 11 Änderung

(1) Unbeschadet der Absätze 2 und 3 kann diese Vereinbarung vorbehaltlich der Zustimmung der Versammlung des Verbands für die internationale Zusammenarbeit auf dem Gebiet des Patentwesens von den Vertragsparteien im gegenseitigen Einvernehmen geändert werden; die Änderungen werden zu dem einvernehmlich festgelegten Zeitpunkt wirksam.

(2) Unbeschadet des Absatzes 3 können die Anhänge dieser Vereinbarung vom Generaldirektor der Weltorganisation für geistiges Eigentum und vom Präsidenten des Europäischen Patentamts im gegenseitigen Einvernehmen geändert werden; die Änderungen werden zu dem einvernehmlich festgelegten Zeitpunkt wirksam.

(3) Der Präsident des Europäischen Patentamts kann durch Mitteilung an den Generaldirektor der Weltorganisation für geistiges Eigentum

i) die in Anhang A dieser Vereinbarung angegebenen Sprachen ergänzen;

ii) das in Anhang C dieser Vereinbarung enthaltene Verzeichnis der Gebühren und Kosten ändern;
iii) die in Anhang D dieser Vereinbarung angegebenen Sprachen für den Schriftverkehr ändern.

(4) Eine gemäß Absatz 3 mitgeteilte Änderung wird zu dem in der Mitteilung bestimmten Zeitpunkt wirksam, sofern bei einer Erhöhung der in Anhang C aufgeführten Gebühren oder Kosten der Eingang der Mitteilung beim Internationalen Büro und der Zeitpunkt des Inkrafttretens mindestens einen Monat auseinander liegen.

Artikel 12 Kündigung

(1) Diese Vereinbarung tritt vor dem 31. Dezember 2007 außer Kraft,
i) wenn die Europäische Patentorganisation gegenüber dem Generaldirektor der Weltorganisation für geistiges Eigentum diese Vereinbarung schriftlich kündigt oder
ii) wenn der Generaldirektor der Weltorganisation für geistiges Eigentum gegenüber der Europäischen Patentorganisation diese Vereinbarung schriftlich kündigt.

(2) Die Kündigung dieser Vereinbarung nach Absatz 1 wird ein Jahr nach Eingang des Kündigungsschreibens wirksam, sofern in diesem Schreiben nicht ein längerer Zeitraum bestimmt ist oder die beiden Vertragsparteien nicht einvernehmlich einen kürzeren Zeitraum festlegen.

Zu Urkund dessen haben die Vertragsparteien diese Vereinbarung unterzeichnet.

Geschehen zu Genf am 31. Oktober 2001 in zwei Urschriften, jede in deutscher, englischer und französischer Sprache, wobei jeder Wortlaut gleichermaßen verbindlich ist.

Für die Europäische Patentorganisation: Ingo Kober Präsident Europäisches Patentamt

Für das Internationale Büro: Kamil Idris Generaldirektor Weltorganisation für geistiges Eigentum

Anhang A Sprachen

Gemäß Artikel 3 der Vereinbarung bestimmt die Behörde die folgenden Sprachen:

Deutsch, Englisch, Französisch und, wenn das Anmeldeamt das Amt für den gewerblichen Rechtsschutz Belgiens oder der Niederlande ist, Niederländisch.

Anhang B Von der Recherche oder Prüfung nicht ausgeschlossene Gegenstände

Folgende in Regel 39.1 bzw. Regel 67.1 aufgeführte Gegenstände sinngemäß Artikel 4 der Vereinbarung nicht von der Recherche oder Prüfung ausgeschlossen:

alle Gegenstände, für die in Anwendung der entsprechenden Bestimmungen des Übereinkommens im Rahmen des europäischen Patenterteilungsverfahrens eine Recherche oder Prüfung durchgeführt wird.

Anhang C Gebühren und Kosten[3]

Teil I: Verzeichnis der Gebühren und Kosten

Art der Gebühr oder der Kosten	Betrag (Euro)[4]
Recherchengebühr (Regel 16.1 a))	945 (überholt)
Zusätzliche Gebühr (Regel 40.2 a))	945 (überholt)
Gebühr für die vorläufige Prüfung (Regel 58.1 b))	1 533 (überholt)
Zusätzliche Gebühr (Regel 68.3 a))	1 533 (überholt)
Widerspruchsgebühr (Regeln 40.2 e) und 68.3 e))	1 022 (überholt)
Auslagen für Kopien (Regeln 44.3 b), 71.2 b), 94.1))	pro Seite 0,60 (überholt)

---

[3] Anhang C (Gebühren und Kosten) der Vereinbarung EPO-WIPO ist seit Inkrafttreten der (revidierten) Vereinbarung am 1. November 2001 mehrfach geändert worden. Die letzten in diesem Kommentar noch berücksichtigten Änderungen sind am 1. April 2006 in Kraft getreten (ABl 2006, 252). Eine konsolidierte Fassung der EPO-WIPO Vereinbarung auf Englisch ist auf der WIPO Website verfügbar: (http://www.wipo.int/pct/en/texts/agreements/ag_ep.pdf).

[4] Zur Information werden die derzeit geltenden Beträge angefügt:
Search fee (Rule 16.1(a)) 1.615 €
Additional fee (Rule 40.2(a)) 1.615 €
Preliminary examination fee (Rule 58.1(b)) 1.595 €
Additional fee (Rule 68.3(a)) 1.595 €
Protest fee (Rules 40.2(e) and 68.3(e)) 1.065 €
Late furnishing fee (Rule 13*ter*.1(c) and 13*ter*.2) 200 €
Cost of copies (Rules 44.3(b), 71.2(b) and 94.1), per page 0.65 €

Teil II: Bedingungen und Umfang der Rückerstattung oder Ermäßigung von Gebühren

(1) Versehentlich, grundlos oder zuviel entrichtete Gebührenbeträge gemäß Teil I werden zurückerstattet.

(2) Wird die internationale Anmeldung vor Beginn der internationalen Recherche zurückgenommen oder gilt sie gemäß Artikel 14 Absatz 1, 3 oder 4 vor Beginn der internationalen Recherche als zurückgenommen, so wird die entrichtete Recherchengebühr auf Antrag ganz zurückerstattet.

(3) Stützt sich die Behörde auf eine frühere Recherche (einschließlich einer von privater Seite in Auftrag gegebenen »Standardrecherche«), die sie zu einer Anmeldung durchgeführt hat, deren Priorität für die internationale Anmeldung beansprucht wird, so werden 100% oder 50% der Recherchengebühr zurückerstattet, je nach dem wie weit sich die Behörde auf die frühere Recherche stützen kann.

(4) In den in Regel 58.3 vorgesehenen Fällen wird die für die vorläufige Prüfung entrichtete Gebühr ganz zurückerstattet.

(5) Wird die internationale Anmeldung oder der Antrag auf internationale vorläufige Prüfung vor Beginn der internationalen vorläufigen Prüfung zurückgenommen, so wird die für die vorläufige Prüfung entrichtete Gebühr zu 75% zurückerstattet.

(6) Die Behörde kann weitere Rückerstattungen der Gebühr für die internationale vorläufige Prüfung vorsehen, wobei sie die Bedingungen und den Umfang selbst festlegt.

Anhang D Sprachen für den Schriftverkehr

Gemäß Artikel 7 der Vereinbarung bestimmt die Behörde die folgenden Sprachen:

Deutsch, Englisch oder Französisch, je nachdem, in welcher Sprache die internationale Anmeldung oder ihre Übersetzung eingereicht wird.

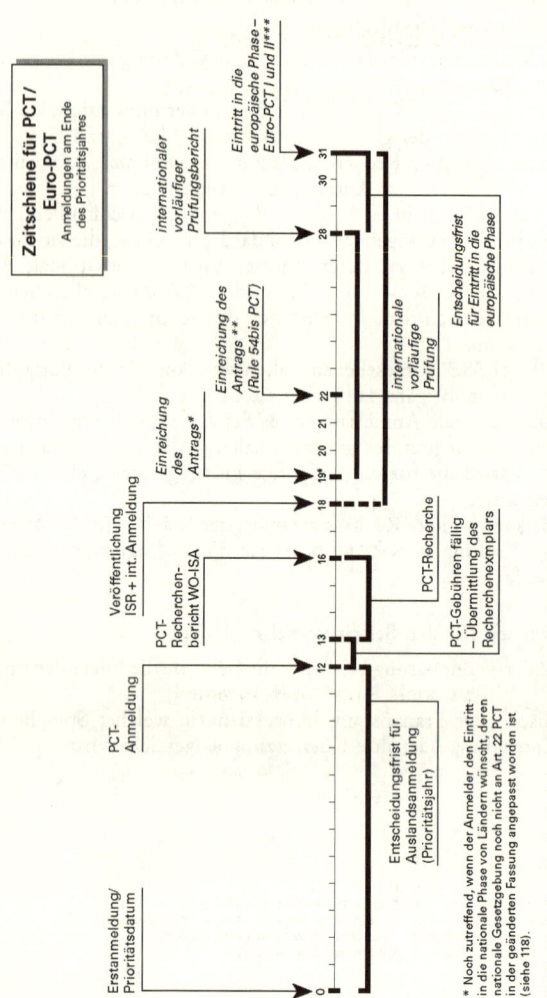

Anhang 10 *EPO/WIPO-Vereinbarung*

Zeitschiene für PCT/Euro-PCT
Anmeldungen am Ende des Prioritätsjahres

- 0 — Erstanmeldung/Prioritätsdatum
- 12 — PCT-Anmeldung
- 13 — PCT-Gebühren fällig – Übermittlung des Rechercheexemplars
- 16 — PCT-Recherchenbericht
- 18 — Veröffentlichung ISR + int. Anmeldung
- 19* / 20 — Einreichung des Antrags*
- 22 — Einreichung des Antrags** (Rule 54bis PCT)
- 28 — internationaler vorläufiger Prüfungsbericht
- 30/31 — Eintritt in die europäische Phase – Euro-PCT I und II***

Entscheidungsfrist für Auslandsanmeldung (Prioritätsjahr)

PCT-Recherche

internationale vorläufige Prüfung

Entscheidungsfrist für Eintritt in die europäische Phase

* Noch zutreffend, wenn der Anmelder den Eintritt in die nationale Phase von Ländern wünscht, deren nationale Gesetzgebung noch nicht an Art. 22 PCT in der geänderten Fassung angepasst worden ist (siehe 118).

** Wünscht der Anmelder den Eintritt in die nationale Phase von Ländern, in denen die 30/31-Monatsfrist gilt, so muss der Antrag vor Ablauf derjenigen der folgenden Fristen gestellt werden, die später abläuft (siehe 115):
- 3 Monate ab dem Tag, an dem die ISA dem Anmelder den ISR und den WO-ISA übermittelt hat, oder
- 22 Monate ab dem (frühesten) Prioritätsdatum.

*** Mit Wirkung vom 2.1.2002 beträgt die Frist für den Eintritt in die europäische Phase generell 31 Monate – sowohl nach Kapitel I wie auch nach Kapitel II PCT (siehe 157).

Die Euro-PCT-Phasen

Prioritätsanmeldung

Internationale Phase

PCT Kap. I — EPA oder andere Behörde **RO**[1]

EPA oder andere Behörde **ISA**[2]

PCT Kap. II — EPA oder andere Behörde **IPEA**[3]

31 Monate[4] | 31 Monate[4]

Europäische (regionale) Phase

EPA

Bestimmungsamt oder ausgewähltes Amt

Nationale Phase nach Erteilung eines europäischen Patents

in bis zu 31 EPÜ-Vertragsstaaten und bis zu 5 Erstreckungsstaaten[5]

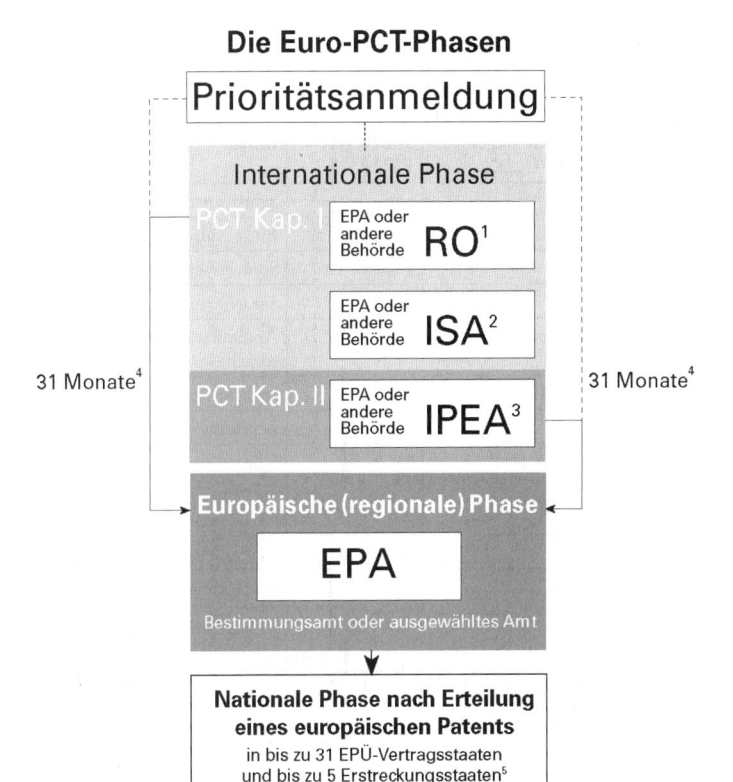

1 RO = Anmeldeamt
2 ISA = Internationale Recherchenbehörde
  (wird vom RO bestimmt und ggf. vom Anmelder gewählt)
3 IPEA = mit der internationalen vorläufigen Prüfung beauftragte Behörde
  (wie bei ISA; EPA nur, wenn ISA = EPA oder AT-, ES-, FI-, SE-Patentamt)
4 Ab Anmeldetag oder ggf. ab dem frühesten Prioritätstag.
  Die 31-Monatsfrist gilt für den Eintritt in die europäische Phase (vor dem EPA als Bestimmungsamt (Kap. 1) und ausgewähltem Amt (Kap. II)).
5 Auf Grund von bilateralen Abkommen mit der EPO.

Anhang 11

Konkordanztabelle EPÜ 2000 Ausführungsordnung

Bearbeitet von Nikolaus Heusler, Prüfer im EPA

alter Artikel EPÜ 1973	neue Regel EPÜ 2000	alte Regel EPÜ 1973	Inhalt
--	1	neu	Schriftform
--	2	neu	Einreichung, Formvorschriften
--	3	1	Sprache schriftl. Verfahren
--	4	2	Sprache mündl. Verfahren
--	gestrichen	3	Änderung der Verfahrenssprache
--	gestrichen	4	Sprache der Teilanmeldung
--	5	5	Beglaubigung
--	6	6	Übersetzungen, Gebührenermäßigung
--	7	7	Übersetzung der Anmeldung
--	8	8	Klassifikation
--	9	12	Gliederung der Verwaltung des EPA
16-18	10	--	Eingangsstelle, Prüfungsabteilung
--	11	9	Geschäftsverteilung erste Instanz
--	12	10	Präsidium Beschwerdekammern
--	13	11	Große Beschwerdekammer
--	14	13	Aussetzung des Verfahrens
--	15	14	Beschränkung von Zurücknahmen
61 (1)	16	--	Vindikation
--	17	15	Neueinreichung durch Berechtigten
--	18	16	teilweiser Rechtsübergang
--	19	17	Einreichung Erfindernennung

Konkordanztabelle — Anhang 11

alter Artikel EPÜ 1973	neue Regel EPÜ 2000	alte Regel EPÜ 1973	Inhalt
--	20	18	Bekanntmachung Erfindernennung
--	21	19	Berichtigung Erfindernennung
--	22	20	Eintragung Rechtsübergang
--	23	21	Eintragung Lizenz
--	24	22	Besondere Angaben bei Lizenz
--	25	23	Ausstellungsbescheinigung
--	gestrichen	23a	frühere Anmeld. als Stand der Technik
--	26	23b	Begriffe Biotechnologie
--	27	23c	patentierbare Biotech-Erfindungen
--	28	23d	Ausnahmen Biotech-Erfindungen
--	29	23e	menschlicher Körper
--	30	27a	Nucleotid-/Aminosäuresequenzen
--	31	28 (1, 2)	Hinterlegung Bio-Material
--	32	28 (4)	Sachverständigenlös. biolog. Material
--	33	28 (3)	Zugang zu Bio-Material
--	34	28a	erneute Hinterlegung biol. Material
--	35	24	Einreichung - allg. Vorschriften
--	36	25	Teilanmeldungen
77	37	--	Übermittlung Patentanmeldungen
78 (2)	38	--	Anmelde-, Recherchengebühr
79 (2)	39	--	Benennungsgebühren
80	40	--	Anmeldetag
--	41	26	Erteilungsantrag

Anhang 11 — Konkordanztabelle

alter Artikel EPÜ 1973	neue Regel EPÜ 2000	alte Regel EPÜ 1973	Inhalt
--	42	27	Inhalt der Beschreibung
--	43	29	Form und Inhalt der Ansprüche
--	44	30	Einheitlichkeit
--	45	31	Anspruchsgebühren
--	46	32	Zeichnungen
--	47	33	Zusammenfassung
--	48	34	unzulässige Angaben
--	49	35	allgemeine Formvorschriften
--	50	36	nachgereichte Unterlagen
--	51	37	Fälligkeit Jahresgebühren
--	52	38	Prioritätserklärung
--	53	38	Prioritätsunterlagen
--	54	38a	Ausstellung Prioritätsunterlagen
--	55	39	Eingangsprüfung
--	56	38, 41, 43	fehlende Teile Beschr./Zeichng.
91	57	40	Formalprüfung
--	58	41 (1)	Mängel in Anmeldungsunterlagen
91 (3)	59	neu	Mängel bei Priorität
--	60	42	Nachholung Erfindernennung
--	61	44	Inhalt Recherchenbericht
--	62	44a	erweiterter Recherchenbericht
--	63	45	unvollständige Recherche
--	64	46	Rechber. bei mang. Einheitl.
92 (2)	65	--	Übermittlung Recherchenbericht
--	66	47	Inhalt Zusammenfassung
--	67	48	techn. Vorbereitungen Veröffentl.
--	68	49	Form der Veröffentlichung

Konkordanztabelle Anhang 11

alter Artikel EPÜ 1973	neue Regel EPÜ 2000	alte Regel EPÜ 1973	Inhalt
--	69	50	Mitteilung über Veröffentlichung
94, 96 (1)	70	--	Prüfungsantrag
--	71	51	Prüfungsverfahren
--	72	52	verschiedene Anmelder
--	73	53	Patentschrift
--	74	54	Patenturkunde
99 (3)	75	--	Einspr. bei Verzicht und Erlöschen
99	76	55	Einspruch: Form und Inhalt
--	77	56	Einspruch: unzulässig
--	78	13 (4)	Einspruch: Vindikation
--	79	57	Vorbereitung Einspruchsprüfung
--	80	57a	Änderung des Patents
--	81	58 (1, 2, 3)	Prüfung des Einspruchs
--	82	58 (4, 5, 6)	Aufrechterhalt. geänderter Umfang
--	83	59	Anforderung von Unterlagen
--	84	60	Fortsetz. Einspruchsverf. ex officio
--	85	61	Rechtsübergang Patent
--	86	61a	Unterlagen im Einspr.verfahren
--	87	62, 62a	neue Patentschrift nach Einspruch
--	88	63	Kosten
105	89	--	Beitritt des Verletzers
neu	90	neu	Beschränkung: Gegenstand
neu	91	neu	Beschränkung: Zuständigkeit
neu	92	neu	Beschränkungsantrag
neu	93	neu	Beschränkung oder Einspruch

Anhang 11 *Konkordanztabelle*

alter Artikel EPÜ 1973	neue Regel EPÜ 2000	alte Regel EPÜ 1973	Inhalt
neu	94	neu	Beschränkung: unzulässig
neu	95	neu	Beschränkung: Entscheidung
neu	96	neu	neue Pat.schrift nach Beschränk.
106 (4, 5)	97	--	Kostenbeschwerde
106 (2)	98	--	Beschw. bei Verzicht und Erlöschen
--	99	64	Beschwerdeschrift, Begründung
--	100	66 (1)	Prüfung der Beschwerde
--	101	65	Beschwerde: unzulässig
--	102	66 (2)	Entscheidung Beschwerdekammer
--	103	67	Rückzahlung Beschwerdegebühr
neu	104	neu	Überprüfungsantrag, Verfahr.-fehler
neu	105	neu	Überprüfungsantrag, Straftaten
neu	106	neu	Überprüfungsantrag, Rügepflicht
neu	107	neu	Überprüfungsantrag, Inhalt
neu	108	neu	Überprüfungsantrag, Prüfung
neu	109	neu	Überprüfungsantrag, Verfahren
neu	110	neu	Überprüf.antr., Gebührenerstatt.
--	111	68	Form der Entscheidungen
--	112	69	Rechtsverlust
--	113	70	Unterschrift, Name, Siegel
115	114	--	Einwendungen Dritter
--	115	71	Ladung mündl. Verhandlung
--	116	71a	Vorbereitung mündl. Verhandlung

alter Artikel EPÜ 1973	neue Regel EPÜ 2000	alte Regel EPÜ 1973	Inhalt
--	117	72 (1)	Beweisaufnahme
--	118	72 (2)	Ladung zur Vernehmung
117	119	72 (3, 4)	Durchführung Beweisaufnahme
117 (4, 5, 6)	120	--	Vernehmung vor Gericht
--	121	73	Sachverständige
--	122	74	Kosten Beweisaufnahme
--	123	75	Beweissicherung
--	124	76	Niederschrift
--	125	77, 82	Zustellung, allg. Vorschriften
--	126	78	Zustellung durch Post
--	127	77	Zustellung durch techn. Mittel
--	128	79	Zustellung durch Übergabe
--	129	80	öffentliche Zustellung
--	130	81	Zustellung an Vertreter
--	131	83	Berechnung der Fristen
--	132	84	vom EPA bestimmte Fristen
--	133	84a	verspäteter Zugang
--	134	85	Verlängerung von Fristen
121	135	--	Weiterbehandlung
122	136	--	Wiedereinsetzung
--	gestrichen	85a, 86b	Nachfristen
--	137	86	Änderung der Anmeldung
--	138	87	unterschiedl. Unterlagen
--	139	88	Berichtigung von Mängeln
--	140	89	Bericht. von Fehlern in Entscheid.
124	141	--	Auskünfte über Stand der Technik
--	142	90	Unterbrechung
--	gestrichen	91 → GebO	Verzicht auf Beitreibung

Anhang 11 — Konkordanztabelle

alter Artikel EPÜ 1973	neue Regel EPÜ 2000	alte Regel EPÜ 1973	Inhalt
--	143	92	Patentregister
--	144	93	von Akteneinsicht ausgeschlossen
--	145	94	Durchführung der Akteneinsicht
--	146	95	Auskunft aus den Akten
--	147	95a	Aktenführung
--	gestrichen	96	weitere Veröffentlichungen
--	148	97	Behörden der Vertragsstaaten
--	149	98	Akteneinsicht durch Gerichte usw.
--	150	99	Rechtshilfe
--	151	100	gemeinsamer Vertreter
--	152	101	Vollmacht
neu	153	neu	Zeugnisverweig.recht Vertreter
--	154	102	Änderungen Vertreterliste
135	155	--	Umwandlungsantrag
--	156	103	Unterricht. der Öfftl. bei Umwandl.
--	157	104	EPA als PCT-Anmeldeamt
--	158	105	EPA als PCT-ISA oder IPEA
--	gestrichen	106	nationale Gebühr
--	159	107	regionale europäische Phase
--	160	108	Nichterfüllung von Formerfordernissen
--	161	109	Änderung der Anmeldung
--	162	110	Anspruchsgebühren Euro-PCT
--	163	111	Prüfung Formerfordernisse
--	164	112	Einheitlichkeit Euro-PCT
--	165	neu	Euro-PCT als 54 (3)-Anm.

Konkordanztabelle **Anhang 11**

Die wichtigsten Änderungen für die tägliche Praxis
Bearbeitet von Nikolaus Heusler, Prüfer im EPA

Regel 25 alt	Regel 36 neu	Teilanmeldungen
Regel 27 alt	Regel 42 neu	Inhalt der Beschreibung
Regel 29 alt	Regel 43 neu	Form und Inhalt der Ansprüche
Regel 30 alt	Regel 44 neu	Einheitlichkeit
Regel 45 alt	Regel 63 neu	unvollständige Recherche
Regel 46 alt	Regel 64 neu	Rechber. bei mang. Einheitl.
Regel 51 alt	Regel 71 neu	Prüfungsverfahren
Art. 99 iunctim Regel 55 alt	Regel 76 neu	Einspruch: Form und Inhalt
Regel 56 alt	Regel 77 neu	Einspruch: unzulässig
Regel 57 alt	Regel 79 neu	Vorbereitung Einspruchsprüfung
Regel 57a alt	Regel 80 neu	Änderung des Patents
Regel 58 (1, 2, 3) alt	Regel 81 neu	Prüfung des Einspruchs
Regel 58 (4, 5, 6) alt	Regel 82 neu	Aufrechterhalt. geänderter Umfang
Regel 71 alt	Regel 115 neu	Ladung mündl. Verhandlung
Regel 71a alt	Regel 116 neu	Vorbereitung mündl. Verhandlung
Regel 72 (1) alt	Regel 117 neu	Beweisaufnahme
Regel 72 (2) alt	Regel 118 neu	Ladung zur Vernehmung
Art. 117 iunctim Regel 72 (3, 4) alt	Regel 119 neu	Durchführung Beweisaufnahme
Regel 86 alt	Regel 137 neu	Änderung der Anmeldung
Regel 87 alt	Regel 138 neu	unterschiedl. Unterlagen
Regel 88 alt	Regel 139 neu	Berichtigung von Mängeln

Entscheidungen der Großen Beschwerdekammer

Halbfett gedruckte Ziffern verweisen auf den Artikel und mager gedruckte Ziffern auf die Randnummer der Kommentierung.

Aktenzeichen	ABl oder Datum	Art (EPÜ), Rdn
G 1/83	1985, 60	**Präambel**, 6; **52**, 3, 48, 49, 71; **53**, 6, 75; **54**, 87, 90, 99; **84**, 41; **112**, 12; **177**, 9, 11, 12
G 5/83	1985, 64	**Präambel**, 6; **52**, 3, 48, 49, 71; **54**, 87, 90, 99; **84**, 41; **177**, 9, 12
G 6/83	1985, 67	**Präambel**, 6; **52**, 3, 48, 49, 71; **54**, 87, 90, 99; **84**, 41; **177**, 9, 12
G 1/84	1985, 299	**Vor 99**, 4, 5; **99**, 7, 14, 83; **112**, 33; **115**, 7
G 1/86	1987, 447	**Vor 21**, 1, 2; **99**, 24; **107**, 36; **108**, 8; **110**, 5, 32; **122**, 3, 39, 40; **125**, 21; **177**, 11
G 1/88	1989, 189	**91**, 2; **102**, 44, 46; **106**, 35; **107**, 19; **112**, 12; **113**, 54; **177**, 10
G 2/88	1990, 93	**54**, 29, 49, 52, 55, 101, 104; **69**, 18; **112**, 4; **123**, 82, 83, 88
G 4/88	1989, 480	**99**, 59, 60, 61, 62, 63; **107**, 12; **115**, 16
G 5/88	1991, 137	**5**, 4; **112**, 33; **125**, 24, 28
G 6/88	1990, 114	**54**, 49, 55, 101; **69**, 15, 18; **84**, 35; **112**, 4
G 7/88	1991, 137	**5**, 4; **125**, 24, 28
G 8/88	1991, 137	**5**, 4; **125**, 24, 28
G 1/89	1991, 155	**22**, 4; **82**, 24; **112**, 22; **150**, 12; **154**, 81, 94, 118
G 2/89	1991, 166	**22**, 4; **82**, 15; **112**, 22; **154**, 81; **155**, 112
G 3/89	1993, 117	**112**, 4; **123**, 8, 32, 120, 158, 162, 164, 170
G 2/9	1999, 123	**125**, 41
G 1/90	1991, 275	**101**, 65; **102**, 3; **113**, 59
G 2/90	1992, 10	**21**, 12, 15; **106**, 6
G 1/91	1992, 253	**82**, 21; **100**, 15; **102**, 37, 40
G 2/91	1992, 206	**107**, 39; **108**, 3, 35
G 3/91	1993, 8	**78**, 22; **79**, 17, 36; **91**, 17; **122**, 33, 35; **125**, 29; **153**, 65; **157**, 29; **158**, 45, 58, 75
G 4/91	1993, 707	**2**, 3; **Vor 99**, 3; **102**, 5; **105**, 15; **107**, 5, 48
G 5/91	1992, 617	**19**, 4; **24**, 1, 4, 7, 8, 10; **106**, 19, 29; **125**, 11
G 6/91	1992, 491	**14**, 40, 42; **99**, 36; **108**, 28; **120**, 12; **158**, 85
G 7/91	1993, 356	**Vor 106**, 2; **107**, 39, 50; **108**, 34; **110**, 5, 42, 47; **113**, 60; **114**, 22
G 8/91	1993, 408	**99**, 68; **Vor 106**, 2; **107**, 39, 50; **108**, 33, 35; **110**, 5, 42, 47; **113**, 60; **114**, 22
G 9/91	1993, 408	**Vor 99**, 3, 4, 5; **99**, 71, 74, 75, 84, 85; **101**, 37, 38, 39, 41, 48, 61; **102**, 33, 34, 38, 41; **104**, 11; **107**, 41;

Aktenzeichen	ABl oder Datum	Art (EPÜ), Rdn
		108, 21; 110, 40, 44; 112, 22; 114, 13, 14, 15, 17, 18; 115, 3, 5; 125, 22
G 10/91	1993, 420	Vor 99, 3, 4, 5; 99, 68, 71, 74, 75, 84, 85; 101, 37, 38, 39, 41, 47, 48, 61; 102, 33, 34, 38, 41; 104, 11; 107, 41; 108, 21; 110, 43, 50, 51, 57, 62; 112, 22; 114, 13, 18, 19, 56
G 11/91	1993, 125	80, 14; 83, 8; 112, 4; 123, 120, 158, 164, 170
G 12/91	1994, 285	76, 23; 97, 26, 29; 102, 5; 106, 10; 107, 48; 113, 47; 114, 63; 115, 6; 116, 62, 66; 123, 14, 135
G 1/92	1993, 277	54, 4, 21, 41
G 2/92	1993, 591	82, 19, 20; 92, 31; 123, 7; 157, 43
G 3/92	1994, 607	60, 6, 19; 61, 6, 7, 12, 13, 16, 22; 177, 11
G 4/92	1994, 149	110, 76; 113, 1, 17, 30; 114, 45; 116, 55
G 5/92	1994, 22	94, 32; 122, 32, 34
G 6/92	1994, 22	94, 32; 122, 32, 34
G 9/92	1994, 875	101, 66; 107, 43; 108, 15; 110, 41, 45; 112, 13; 114, 24; 125, 10
G 1/93	1994, 541	123, 98, 99, 100
G 2/93	1995, 275	83, 58, 68, 69; 112, 13; 122, 51; 125, 30; Vor 151/152, 31, 34
G 3/93	1995, 18	86, 2; 89, 5; 112, 16; 177, 12
G 4/93	1994, 875	101, 66; 107, 43; 110, 41, 45
G 5/93	1994, 447	112, 33; 122, 33; 125, 29; 158, 98
G 7/93	94, 775	18, 10; 84, 54; 113, 7, 49; 123, 14, 15; 167, 11
G 8/93	1994, 887	101, 77; 107, 39, 50; 108, 39; 110, 47; 114, 22
G 9/93	1994, 891	99, 7; 112, 33; 125, 29
G 10/93	1995, 172	107, 41; 110, 64; 114, 21
G 1/94	1994, 787	105, 15, 19; 107, 5, 48; 110, 52; 125, 22
G 2/94	1996, 390	112, 4; 125, 11; 134, 21, 23
G 1/95	1996, 615	101, 46, 47, 48; 110, 54; 114, 20
G 2/95	1996, 555	80, 8; 123, 160, 162
G 3/95	1996, 169	53, 98; 112, 24
G 4/95	1996, 401	112, 4; 116, 1, 2, 40, 58, 66; 117, 6, 23, 30; 134, 21
G 6/95	1996, 649	Vor 21, 2; 23, 6; 110, 75; 116, 51; 123, 21; 164, 8
G 7/95	1996, 626	101, 46, 47, 48; 110, 54; 114, 20
G 8/95	1996, 481	106, 6, 19; 123, 169
G 1/97	2000, 322	Vor 21, 3; Vor 106, 3; 106, 1; 125, 12; 127, 4
G 2/97	1999, 123	99, 38; 110, 33; 125, 24, 40
G 3/97	1999, 245	99, 8, 11, 14; 101, 23, 25; 117, 14; 125, 13
G 4/97	1999, 270	99, 8, 11, 14; 101, 23, 25; 114, 36
G 1/98	2000, 111	53, 33, 54, 102, 111
G 2/98	2001, 413	Präambel, 4; 54, 6, 61; 83, 3; 87, 7, 27; 88, 27; 123, 31, 42
G 3/98	2001, 63	55, 10; 112, 18; 117, 15

Aktenzeichen	ABl oder Datum	Art (EPÜ), Rdn
G 4/98	2001, 131	**54**, 79; **66**, 7; **67**, 25; **76**, 19; **79**, 26; **80**, 23; **112**, 24; **120**, 71; **158**, 44, 52
G 1/99	2001, 381	**101**, 66; **107**, 45; **110**, 45
G 2/99	2001, 63	**55**, 7, 10
G 3/99	2002, 347	**99**, 5, 8, 13, 28, 65, 109; **107**, 15; **133**, 44
G 1/02	2003, 165	**15**, 4; **101**, 6; **106**, 4
G 2/02	2004, 483	**Präambel**, 6; **87**, 52; **Vor 151/152**, 39; **177**, 9
G 3/02	2004, 483	**Präambel**, 6; **87**, 52; **Vor 151/152**, 39; **177**, 9
G 1/03	2004, 413	**54**, 56, 57, 58, 59; **56**, 34; **84**, 16, 17; **87**, 34; **123**, 39, 46, 47, 48, 49
G 2/03	2004, 413	**54**, 56; **56**, 34; **84**, 16; **123**, 46
G 3/03	2005, 344	**109**, 9, 12
G 1/04	2006, 334	**52**, 65, 66; **112**, 24
G 2/04	2005, 549	**10**, 9; **80**, 14; **Vor 99**, 5; **99**, 8, 59, 63, 64; **107**, 12; **108**, 4; **112**, 14, 18; **123**, 126
G 3/04	2006, 118	**107**, 2, 50
G 2/06	2006, 393	**53**, 28–33

Entscheidungen der Juristischen Beschwerdekammer

Halbfett gedruckte Ziffern verweisen auf den Artikel und mager gedruckte Ziffern auf die Randnummer der Kommentierung.

Aktenzeichen	ABl oder Datum	Art (EPÜ), Rdn
J 1/78	1979, 285	**134**, 13
J 2/78	1979, 283	**108**, 31
J 5/79	1980, 71	**122**, 140
J 6/79	1980, 225	**111**, 39; **122**, 19, 33, 85; **125**, 27; **177**, 11
J 1/80	1980, 289	**88**, 19; **91**, 11; **111**, 52; **122**, 49, 97, 134
J 3/80	1980, 92	**77**, 13; **122**, 13; **135**, 3
J 4/80	1980, 351	**79**, 11; **123**, 148
J 5/80	1981, 213	**87**, 29; **122**, 68, 72, 74
J 7/80	1981, 137	**14**, 4, 42; **78**, 30; **80**, 12, 14; **123**, 149
J 8/80	1980, 293	**123**, 27, 122, 129, 130, 134, 148
J 11/80	1981, 141	**93**, 6; **125**, 23
J 12/80	1981, 143	**123**, 140, 148
J 15/80	1981, 213	**1**, 2; **86**, 2; **87**, 27; **177**, 11
J 21/80	1981, 101	**108**, 24, 31
J 1/81	1983, 53	**120**, 51, 52
J 3/81	1982, 100	**106**, 23; **123**, 136
J 5/81	1982, 155	**54**, 79; **60**, 17; **93**, 5; **111**, 47, 50; **112**, 15; **164**, 6, 7
J 7/81	1983, 89	**120**, 41
J 8/81	1982, 10	**106**, 16
J 1/82	1982, 293	**91**, 29; **123**, 162
J 3/82	1983, 171	**88**, 17; **106**, 23; **123**, 141, 152
J 4/82	1982, 385	**88**, 11, 15; **113**, 42; **123**, 130, 141
J 7/82	1982, 391	**111**, 34, 42; **113**, 8, 16, 17, 29; **114**, 31; **122**, 94
J 8/82	1984, 155	**16**, 9; **20**, 6; **62**, 2, 7, 9; **81**, 7; **177**, 9
J 10/82	1983, 94	**21**, 11; **106**, 4; **111**, 51
J 12/82	1983, 221	**94**, 8; **99**, 4; **122**, 35
J 13/82	1983, 12	**123**, 153
J 14/82	1983, 121	**88**, 11, 12, 15; **123**, 142
J 16/82	1983, 262	**108**, 24; **122**, 68, 72, 77
J 18/82	1983, 441	**122**, 35
J 19/82	1984, 6	**108**, 32, 37
J 21/82	1984, 65	**18**, 6; **84**, 54; **89**, 3; **118**, 5; **123**, 107; **167**, 8
J 23/82	1983, 127	**79**, 24; **91**, 16; **114**, 9
J 24/82	1984, 467	**96**, 35, 39

Aktenzeichen	ABl oder Datum	Art (EPÜ), Rdn
J 25/82	1984, 467	**96**, 35
J 26/82	1984, 467	**96**, 35
J 3/83	02.11.1983	**122**, 11
J 5/83	28.01.1984	**122**, 58
J 6/83	1985, 97	**17**, 2; **94**, 31; **177**, 11
J 7/83	1984, 211	**111**, 39; **120**, 83, 91
J 8/83	1985, 102	**16**, 11; **96**, 7, 8; **158**, 76
J 12/83	1985, 6	**107**, 25; **113**, 48; **167**, 10, 12
J 13/83	03.12.1984	**106**, 8, 18
J 8/84	1985, 261	**84**, 55; **118**, 14; **167**, 9
J 9/84	1985, 233	**84**, 49
J 10/84	1985, 71	**123**, 10; **125**, 34
J 12/84	1985, 108	**86**, 15; **122**, 58; **125**, 34; **158**, 38
J 13/84	1985, 34	**96**, 31; **125**, 31, 32
J 15/84	04.06.1985	**119**, 11, 14; **122**, 94
J 16/84	1985, 357	**91**, 16
J 18/84	1987, 215	**20**, 5, 6; **72**, 1; **107**, 8; **111**, 38
J 19/84	12.11.1984	**113**, 50
J 20/84	1987, 95	**78**, 9; **177**, 11
J 21/84	1986, 75	**79**, 12; **80**, 14; **88**, 11; **123**, 127, 136
J 4/85	1986, 205	**16**, 10; **18**, 7; **91**, 29; **123**, 131, 162, 164
J 11/85	1986, 1	**99**, 35; **120**, 67
J 12/85	1986, 155	**106**, 3; **167**, 12
J 13/85	1987, 523	**76**, 14
J 15/85	1986, 395	**76**, 15
J 20/85	1987, 102	**75**, 27; **113**, 1, 18; **114**, 29; **117**, 12, 19, 102; **125**, 18
J 21/85	1986, 117	**123**, 159
J 23/85	1987, 95	**78**, 9
J xx/xx	1985, 159, 1.3.1985	**116**, 32; **120**, 82, 84, 87; **128**, 11, 23
J 2/86	1987, 362	**122**, 64
J 3/86	1987, 362	**117**, 12; **122**, 64
J 4/86	1988, 119	**66**, 7; **67**, 25; **86**, 32; **94**, 21, 37
J 6/86	1988, 124	**125**, 4, 23
J 9/86	17.03.1987	**122**, 61
J 12/86	1988, 83	**108**, 36; **111**, 36
J 14/86	1988, 85	**120**, 10
J 15/86	1988, 417	**123**, 138; **125**, 2, 23
J 16/86	01.12.1986	**122**, 98
J 18/86	1988, 167	**1**, 1, 2; **75**, 2, 26; **80**, 19
J 22/86	1987, 280	**99**, 18; **100**, 13; **108**, 19; **122**, 122
J 24/86	1987, 399	**122**, 7
J 25/86	1987, 475	**58**, 8; **80**, 6

Aktenzeichen	ABl oder Datum	Art (EPÜ), Rdn
J 27/86	13.10.1987	97, 4; 107, 28; 108, 16; 111, 53
J 28/86	1988, 85	94, 19, 29, 36
J 29/86	1988, 84	111, 55
J 32/86	16.02.1987	122, 33
J 34/86	15.03.1988	61, 14
J xx/86	1987, 528	20, 9; 113, 28; 134, 10
J 2/87	1988, 330	108, 22; 122, 98; 125, 27, 31
J 3/87	1989, 3	111, 55; 125, 31
J 4/87	1988, 172	87, 44; 120, 58
J 5/87	1987, 295	97, 20
J 7/87	1988, 422	125, 23
J 8/87	1989, 9	83, 69; 122, 51
J 9/87	1989, 9	122, 51
J 10/87	1989, 323	79, 28; 123, 139
J 11/87	1988, 367	96, 35; 125, 23
J 12/87	1989, 366	122, 33, 119, 129
J 13/87	1989, 3	133, 27
J 14/87	1988, 295	9, 7; 21, 6; 64, 7; 97, 34; 99, 20
J 19/87	21.03.1988	87, 41
J 20/87	1989, 67	116, 35; 128, 12
J 21/87	21.12.1987	80, 7
J 23/87	09.11.1987	122, 58; 158, 38
J 25/87	23.03.1988	122, 68
J 26/87	1989, 329	106, 17; 123, 137; 150, 18; 153, 16, 27, 28
J 27/87	03.03.1988	114, 4; 128, 8, 35
J xx/87	1988, 177, 21.5.87	94, 30; 120, 82; 121, 4; 122, 58
J xx/87	1988, 323, 17.8.87	86, 17; 108, 26; 120, 79, 94; 122, 100; 125, 27; 128, 23
J 3/88	19.07.1988	122, 65, 76
J 4/88	1989, 483	14, 42; 108, 28
J 5/88	30.08.1988	61, 24
J 11/88	1989, 433	120, 58, 60
J 13/88	23.09.1988	120, 12
J 15/88	1990, 445	158, 98
J 22/88	1990, 244	122, 86
J 25/88	1989, 486	66, 7; 67, 25; 80, 4
J 26/88	07.12.1989	122, 62
J 27/88	05.07.1989	122, 64, 65, 94, 96
J 1/89	1992, 17	86, 29; 125, 34
J 5/89	09.06.1989	80, 17; 125, 33
J 9/89	11.10.1989	122, 86
J 11/89	26.10.1989	88, 17; 123, 145; 125, 39
J 19/89	1991, 425	134, 4

Aktenzeichen	ABl oder Datum	Art (EPÜ), Rdn
J 20/89	1991, 375	**150**, 12; **153**, 50, 68; **154**, 4, 76, 81, 82, 104; **155**, 2
J 25/89	19.03.1990	**116**, 20
J 30/89	14.12.1989	**125**, 31
J 31/89	31.10.1989	**86**, 10; **122**, 84
J 33/89	1991, 288	**16**, 10; **91**, 29; **123**, 131, 162
J 37/89	1993, 201	**96**, 41; **106**, 29; **111**, 38; **120**, 44; **121**, 18, 31
J 39/89	22.05.1991	**119**, 29, 33
J 40/89	22.05.1991	**86**, 15; **122**, 58
J 42/89	30.10.1991	**116**, 62
J 3/90	1991, 550	**113**, 1, 18, 27; **114**, 2, 29; **120**, 58
J 6/90	1993, 714	**122**, 91, 99
J 7/90	1993, 133	**79**, 12, 14; **122**, 11; **123**, 136
J 9/90	08.04.1992	**120**, 83; **122**, 45
J 13/90	1994, 456	**86**, 16, 19; **122**, 61, 111, 117; **125**, 37, 42
J 14/90	1992, 505	**23**, 11; **79**, 32; **80**, 17; **125**, 4
J 15/90	28.11.1994	**125**, 38
J 16/90	1992, 260	**112**, 18; **122**, 33
J 18/90	1992, 511	**80**, 17; **111**, 65
J 19/90	30.04.1992	**122**, 91
J 27/90	1993, 422	**122**, 93; **133**, 13
J 30/90	1992, 516	**79**, 32; **153**, 15
J 32/90	10.07.1992	**158**, 38
J 3/91	1994, 365	**88**, 9, 14; **123**, 146
J 4/91	1992, 402	**86**, 10; **120**, 19, 26; **177**, 10, 11
J 5/91	1993, 657	**79**, 20; **120**, 72; **125**, 4
J 6/91	1994, 349	**88**, 13; **123**, 118, 129, 142, 143
J 9/91	01.12.1991	**88**, 10
J 10/91	11.12.1992	**117**, 12
J 11/91	1994, 28	**79**, 29; **90**, 11; **122**, 15
J 14/91	1993, 479	**107**, 8; **116**, 35, 36, 41; **117**, 73; **125**, 4, 8; **128**, 6, 9, 12; **164**, 5
J 15/91	1994, 296	**150**, 12; **153**, 50
J 16/91	1994, 28	**79**, 29; **90**, 11; **122**, 15
J 17/91	1994, 225	**71**, 14; **73**, 8
J 1/92	15.07.1992	**107**, 10; **110**, 19
J 2/92	1994, 375	**88**, 9; **123**, 147
J 11/92	1995, 25	**88**, 9, 12; **123**, 144
J 12/92	30.04.1993	**121**, 33
J 13/92	18.10.1993	**106**, 16
J 16/92	25.04.1994	**117**, 59
J 19/92	11.10.1993	**119**, 27
J 22/92	15.12.1994	**106**, 10

Aktenzeichen	ABl oder Datum	**Art (EPÜ), Rdn**
J 25/92	29.09.1993	94, 13
J 27/92	1995, 288	99, 35; 108, 29; 114, 29; 120, 64, 67; 125, 35, 36
J 28/92	11.05.1994	122, 85
J 34/92	23.08.1994	122, 58; 125, 34
J 35/92	17.03.1994	133, 39, 47
J 38/92	1995, 8	61, 21
J 41/92	1995, 93	122, 70, 117
J 42/92	28.02.1997	64, 6; 123, 135
J 47/92	1995, 180	112, 15; 120, 3, 67; 121, 5
J 49/92	29.05.1995	120, 82
J 1/93	17.05.1994	120, 58
J 2/93	1995, 675	106, 3, 16
J 3/93	22.02.1994	122, 66
J 7/93	23.08.1993	122, 119; 150, 18
J 8/93	13.03.1997	117, 12
J 10/93	1997, 91	20, 7; 122, 46, 120; 127, 10
J 13/93	05.07.1995	119, 11
J 18/93	1997, 326	59, 11; 60, 1, 20; 80, 14; 123, 133, 149
J 5/94	28.09.1994	122, 110
J 7/94	1995, 817	88, 9, 13, 14, 15; 123, 143, 144
J 8/94	1997, 17	111, 65; 122, 36
J 11/94	1995, 596	125, 11; 134, 21, 23
J 14/94	1995, 825	106, 9
J 16/94	1997, 331	108, 4, 15
J 20/94	1996, 181	80, 8; 90, 7
J 21/94	1996, 16	80, 3; 123, 159
J 24/94	05.07.1994	106, 18
J 27/94	1995, 831	111, 25; 125, 33; 177, 14
J 28/94	1997, 400	61, 19; 99, 19, 23; 106, 24; 107, 9, 33; 113, 10
J 29/94	1998, 147	110, 70; 113, 21; 118, 4; 121, 30, 33
J 3/95	1997, 493	Vor 21, 3; 125, 12
J 22/95	1998, 569	66, 6; 67, 25; 76, 19
J 26/95	1999, 667	107, 11; 120, 83; 122, 114
J 27/95	09.04.1997	134, 18
J 29/95	1996, 489	111, 56
J 32/95	1999, 713	113, 16, 45
J 33/95	18.12.1995	107, 8
J 7/96	1999, 443	18, 10; 61, 5, 15, 18, 19; 64, 6; 97, 30
J 10/96	15.07.1998	122, 103
J 16/96	1998, 347	133, 35
J 18/96	1998, 403	14, 4, 5; 80, 8, 12; 107, 28
J 21/96	06.05.1998	76, 23; 122, 11

Aktenzeichen	ABl oder Datum	Art (EPÜ), Rdn
J 25/96	11.04.2000	122, 65, 74
J 27/96		79, 12
J 9/97	09.06.1999	116, 32
J 17/97	14.02.2002	76, 3
J 27/97	26.10.1998	119, 6, 35
J 29/97	14.06.1999	76, 19
J 37/97	15.10.1998	106, 16
J 5/98	05.04.2000	120, 53, 68
J 11/98	15.06.2000	120, 83; 122, 86
J 12/98	08.10.2002	122, 98
J 14/98	18.12.2000	154, 76
J 15/98	2001, 183	14, 7; 80, 11
J 18/98	16.01.2004	122, 110
J 6/99	25.10.1999	94, 26
J 9/99	2004, 309	113, 3; 133, 30
J 17/99	04.07.2000	153, 64
J 18/99	01.10.2002	134, 18
J 22/99	21.06.2001	80, 16
J 7/00	12.07.2002	61, 18
J 17/00	02.07.2001	153, 71
J 1/01	28.09.2002	153, 71
J 2/01	2005, 88	59, 4; 60, 19; 76, 3; 116, 37; 118, 1
J 3/01	17.06.2002	123, 118, 164
J 5/01	28.11.2001	16, 9; 123, 131
J 8/01	2003, 3	153, 71, 72
J 9/01	19.11.2001	14, 7; 80, 11
J 27/01	11.03.2004	122, 94
J 13/02	26.06.2003	16, 7; 106, 3
J 17/02	08.07.2005	78, 19
J 1/03	06.10.2004	122, 33, 85
J 13/03	23.02.2004	122, 58
J 14/03	20.08.2004	120, 58
J 17/03	18.06.2004	116, 33
J 18/03	03.09.2004	122, 115
J 24/03	2004, 544	76, 23; 122, 11
J 25/03	2006, 395	79, 28; 123, 138
J 28/03	2005, 597	76, 23; 97, 4; 106, 25.1; 108, 5
J 34/03	14.10.2005	80, 8
J 7/04	09.11.2004	76, 23
J 9/04	01.03.2005	79, 37
J 10/04	05.07.2004	117, 55
J 14/04	17.03.2005	123, 138

Aktenzeichen	ABl oder Datum	Art (EPÜ), Rdn
J 17/04	09.04.2005	79, 14; 113, 21
J 18/04	2006, 569	76, 23
J 16/05	17.10.2005	80, 11

Entscheidungen der Technischen Beschwerdekammern

Halbfett gedruckte Ziffern verweisen auf den Artikel und mager gedruckte Ziffern auf die Randnummer der Kommentierung.

Aktenzeichen	ABl oder Datum	Art (**EPÜ**), Rdn
T 1/80	1981, 206	**56**, 4, 45, 77; **123**, 19
T 2/80	1981, 431	**56**, 77
T 4/80	1982, 149	**84**, 25
T 7/80	1982, 95	**54**, 49
T 1/81	1981, 439	**56**, 35; **138**, 11
T 2/81	1982, 394	**54**, 70
T 5/81	1982, 249	**56**, 45; **97**, 2; **106**, 19; **111**, 40; **113**, 51
T 6/81	1982, 183	**84**, 31
T 7/81	1983, 98	**108**, 15
T 9/81	1983, 372	**52**, 73; **54**, 87
T 11/81	04.11.1981	**56**, 124
T 12/81	1982, 296	**54**, 4, 28, 33, 50, 67, 69, 73, 74; **87**, 13, 37; **123**, 38, 70
T 15/81	1982, 2	**56**, 25, 121
T 18/81	1985, 166	**56**, 112; **111**, 42; **113**, 17
T 19/81	1982, 51	**56**, 109
T 20/81	1982, 217	**56**, 41
T 21/81	1983, 15	**56**, 86
T 24/81	1983, 133	**56**, 4, 13, 75, 104
T 26/81	1982, 211	**56**, 37; **83**, 38, 51
T 32/81	1982, 225	**56**, 117; **108**, 15
T 9/82	30.07.1982	**56**, 131
T 10/82	1983, 407	**99**, 9; **104**, 8, 11, 38; **106**, 36, 38; **116**, 24
T 11/82	1983, 479	**83**, 35; **114**, 33; **123**, 43; **164**, 4
T 13/82	1983, 411	**108**, 8; **111**, 36; **117**, 12; **122**, 105
T 20/82	20.12.1982	**56**, 55
T 22/82	1982, 341	**56**, 63
T 32/82	1984, 354	**84**, 7; **113**, 50
T 36/82	1983, 269	**56**, 25
T 37/82	1984, 71	**56**, 48; **123**, 71
T 41/82	1982, 256	**108**, 36; **111**, 33, 36
T 43/82	16.04.1984	**52**, 70; **54**, 88
T 52/82	1983, 416	**123**, 62
T 59/82	24.05.1982	**56**, 121
T 61/82	11.05.1982	**56**, 117

Aktenzeichen	ABl oder Datum	Art (EPÜ), Rdn
T 62/82	13.06.1983	56, 110
T 65/82	1983, 327	56, 63, 65
T 69/82	27.09.1983	56, 80
T 76/82	23.02.1983	114, 2
T 79/82	06.10.1983	56, 89, 106
T 84/82	1983, 451	96, 31; 113, 45; 125, 19
T 94/82	1984, 75	84, 9
T 96/82	22.02.1985	87, 4
T 107/82	30.11.1983	56, 123
T 109/82	1984, 473	56, 66, 105; 114, 37
T 113/82	1984, 10	56, 30, 56
T 114/82	1983, 323	106, 4; 107, 17; 111, 51
T 115/82	1983, 323	106, 4; 107, 17
T 119/82	1984, 217	56, 60, 65, 111; 114, 37
T 123/82	30.03.1985	54, 9
T 124/82	18.10.1983	56, 55
T 128/82	1984, 164	52, 70; 54, 88; 177, 9, 11
T 140/82	28.07.1983	117, 56
T 143/82	27.10.1983	52, 72
T 146/82	1985, 267	61, 18, 19; 99, 57; 107, 8
T 150/82	1984, 309	54, 51; 64, 13; 84, 10, 19, 20
T 151/82	20.01.1984	117, 56
T 152/82	1984, 301	106, 37
T 161/82	1984, 551	54, 43; 96, 31; 113, 45
T 162/82	1987, 533	10, 3; 23, 6; 84, 30; 96, 31; Vor 106, 9; 111, 54; 112, 15; 113, 46
T 164/82	09.05.1984	56, 76
T 167/82	11.12.1985	56, 57
T 172/82	1983, 493	123, 56
T 181/82	1984, 401	54, 27, 65, 68; 56, 71, 72, 75; 87, 13; 102, 27; 112, 17
T 184/82	1984, 261	56, 44
T 185/82	1984, 174	113, 27; 114, 2
T 191/82	1985, 189	56, 80; 122, 78, 96
T 192/82	1984, 415	56, 35, 48, 86
T 2/83	1984, 265	56, 53, 64
T 4/83	1983, 498	56, 33, 79
T 6/83	1990, 5	52, 33, 40
T 13/83	1984, 428	84, 57; 123, 74
T 14/83	1984, 105	83, 18; 84, 25
T 16/83	12.12.1985	52, 21
T 20/83	1983, 419	56, 77
T 21/83	06.04.1984	54, 49, 107

Aktenzeichen	ABl oder Datum	Art (EPÜ), Rdn
T 36/83	1986, 295	**52**, 60; **54**, 89, 104; **57**, 7; **84**, 42
T 40/83	04.11.1985	**56**, 57
T 49/83	1984, 87	**53**, 92, 104
T 61/83	21.11.1983	**52**, 67
T 69/83	1984, 357	**56**, 86, 114
T 72/83	21.12.1983	**122**, 78
T 76/83	21.03.1985	**56**, 45
T 84/83	29.09.1983	**54**, 14
T 91/83	12.07.1984	**56**, 80
T 94/83	01.03.1985	**52**, 73
T 95/83	1985, 75	**110**, 79; **116**, 50, 61; **123**, 20
T 104/83	09.05.1984	**56**, 112
T 126/83	19.04.1984	**56**, 87
T 130/83	08.05.1984	**122**, 78
T 144/83	1986, 301	**52**, 60; **54**, 89; **57**, 3, 7; **84**, 42
T 148/83	16.02.1984	**56**, 113
T 160/83	19.03.1984	**84**, 31
T 164/83	1987, 149	**56**, 71
T 169/83	1985, 193	**54**, 43; **78**, 35; **83**, 7; **87**, 36; **123**, 64
T 170/83	1984, 605	**14**, 27; **104**, 39
T 171/83	29.05.1984	**56**, 55
T 173/83	1987, 465	**54**, 18; **55**, 13, 16
T 177/83	29.08.1984	**54**, 49
T 188/83	1984, 555	**54**, 56, 60, 70
T 190/83	24.07.1984	**52**, 72; **123**, 54
T 199/83	14.02.1985	**56**, 89, 107, 121
T 201/83	1984, 481	**123**, 40
T 204/83	1985, 310	**54**, 37, 42; **56**, 18; **83**, 7
T 205/83	1985, 363	**54**, 51, 108; **56**, 84; **87**, 35
T 206/83	1987, 5	**54**, 12, 39; **56**, 11; **83**, 13; **87**, 10; **123**, 36
T 208/83	29.08.1984	**52**, 67
T 215/83	29.04.1986	**56**, 80
T 219/83	1986, 211	**54**, 106; **84**, 20; **102**, 44; **112**, 15; **113**, 54; **114**, 40; **117**, 15
T 220/83	1986, 249	**108**, 18
T 6/84	1985, 238	**54**, 34; **123**, 65
T 13/84	1986, 253	**56**, 44, 45; **84**, 27, 30, 31; **123**, 73, 154
T 18/84	07.12.1984	**52**, 67
T 31/84	1986, 369	**54**, 34
T 32/84	1986, 9	**123**, 35
T 38/84	1984, 368	**56**, 83
T 41/84	12.03.1985	**56**, 98

Aktenzeichen	ABl oder Datum	Art (EPÜ), Rdn
T 42/84	1988, 251	10, 3; 106, 15; 111, 56
T 45/84	22.01.1985	52, 67
T 51/84	1986, 226	52, 20, 21, 44
T 57/84	1987, 53	56, 78
T 73/84	1985, 241	101, 65; 102, 18; 110, 38; 113, 59
T 75/84	22.02.1988	108, 7
T 80/84	1985, 269	134, 20
T 81/84	1988, 207	52, 55
T 82/84	09.06.2005	99, 65
T 85/84	14.01.1986	104, 39
T 89/84	1984, 562	111, 36
T 90/84	02.04.1985	56, 53
T 94/84	1986, 337	111, 45; 113, 29
T 106/84	1985, 132	56, 56, 81, 93
T 118/84	06.02.1986	56, 130
T 147/84	04.03.1987	116, 17
T 153/84	15.10.1984	111, 54
T 156/84	1988, 372	114, 51, 56, 57; 115, 5
T 161/84	28.08.1986	56, 128
T 163/84	1987, 301	56, 63
T 166/84	1984, 489	112, 4
T 167/84	1987, 369	54, 32, 81; 56, 137; 104, 43; 116, 59
T 170/84	1986, 400	83, 34; 84, 29
T 171/84	1986, 95	54, 30; 56, 11; 83, 13, 46; 123, 36
T 175/84	1989, 71	56, 58; 69, 13
T 176/84	1986, 50	56, 45, 132
T 178/84	1989, 157	96, 11
T 184/84	04.04.1986	87, 2, 4, 35
T 185/84	1986, 373	102, 44
T 186/84	1986, 79	101, 65; 102, 19; 113, 59
T 192/84	1985, 39	120, 59; 122, 6, 119
T 194/84	1990, 59	123, 41, 42, 59
T 195/84	1986, 121	54, 27; 56, 11, 133
T 198/84	1985, 209	54, 4, 33, 71, 72
T 199/84	18.12.1986	56, 75, 77
T 208/84	1987, 14	52, 29, 40
T 218/84	13.01.1987	56, 44, 85
T 225/84	1986, 263	56, 64
T 237/84	1987, 309	69, 20; 78, 40
T 246/84	27.03.1987	56, 111
T 249/84	21.01.1985	115, 20
T 251/84	30.10.1987	99, 93, 98

Aktenzeichen	ABl oder Datum	Art (EPÜ), Rdn
T 256/84	11.09.1986	**56**, 53
T 258/84	1987, 119	**111**, 18; **114**, 55, 65
T 264/84	07.04.1981	**102**, 20
T 270/84	01.09.1987	**56**, 80
T 271/84	1987, 405	**56**, 77, 96; **123**, 84
T 273/84	1986, 346	**111**, 18; **114**, 7, 42, 54, 64
T 287/84	1985, 333	**122**, 57, 110
T 289/84	10.11.1986	**54**, 53
T 1/85	22.07.1986	**56**, 127
T 15/85	31.05.1988	**56**, 50
T 17/85	1986, 406	**54**, 71
T 22/85	1990, 12	**52**, 22
T 25/85	1986, 81	**99**, 8, 9, 12; **101**, 27
T 26/85	1990, 22	**54**, 12, 39, 72; **56**, 115; **84**, 58; **87**, 10
T 37/85	1988, 86	**56**, 57
T 43/85	03.02.1987	**104**, 8
T 52/85	16.03.1989	**52**, 23
T 61/85	30.09.1987	**87**, 12
T 66/85	1989, 167	**83**, 7; **123**, 56
T 68/85	1987, 228	**84**, 24
T 69/85	02.04.1987	**54**, 52
T 81/85	17.03.1989	**87**, 5
T 83/85	28.08.1986	**111**, 56
T 87/85	15.12.1987	**84**, 31
T 89/85	07.12.1985	**108**, 15
T 91/85	27.01.1987	**117**, 55
T 99/85	1987, 413	**56**, 47; **83**, 39; **84**, 32; **100**, 17
T 105/85	05.02.1987	**122**, 76, 77
T 110/85	06.08.1986	**122**, 39, 62, 78
T 115/85	1990, 30	**52**, 31
T 116/85	1989, 13	**52**, 58
T 121/85	14.03.1989	**52**, 23
T 123/85	1989, 336	**83**, 13; **96**, 35; **101**, 65, 66; **123**, 81
T 127/85	1989, 271	**99**, 79; **100**, 16; **102**, 26
T 133/85	1988, 441	**84**, 57; **123**, 40
T 138/85	23.04.1987	**56**, 46
T 144/85	25.06.1987	**56**, 57
T 149/85	1986, 103	**14**, 12; **99**, 32
T 152/85	1987, 191	**79**, 12; **99**, 34, 38; **123**, 127
T 153/85	1988, 1	**54**, 34, 47; **56**, 15; **83**, 30; **110**, 79; **113**, 57; **116**, 50, 61; **123**, 19
T 155/85	1988, 87	**56**, 44, 78

Aktenzeichen	ABl oder Datum	Art (EPÜ), Rdn
T 162/85	20.05.1987	100, 15
T 163/85	1990, 379	52, 45
T 164/85	12.11.1987	100, 18
T 165/85	05.08.1986	56, 97
T 168/85	27.04.1987	100, 17
T 180/85	26.05.1988	116, 71
T 181/85	05.05.1987	56, 73
T 185/85	31.07.1987	100, 18
T 213/85	1987, 482	108, 20
T 222/85	1988, 3	99, 68, 83, 85, 86, 96; 110, 34
T 225/85	28.04.1987	56, 56
T 226/85	1988, 336	83, 18, 20; 84, 58
T 229/85	1987, 237	56, 47; 83, 39
T 231/85	1989, 74	54, 100, 102; 111, 48
T 235/85	22.11.1988	111, 46
T 239/85	04.11.1987	56, 16
T 244/85	1988, 216	107, 17, 18; 112, 12
T 247/85	16.09.1986	106, 33
T 248/85	1986, 261	54, 51; 56, 14; 64, 11; 83, 35; 84, 20; 111, 21
T 252/85	14.09.1987	54, 51
T 253/85	10.02.1987	111, 20
T 260/85	1989, 105	123, 57
T 261/85	14.05.1987	56, 49, 56
T 262/85	03.12.1987	114, 60
T 271/85	1988, 341	112, 12
T 291/85	1988, 302	54, 36, 47
T 292/85	1989, 275	56, 31, 79, 91, 101; 83, 21, 45; 84, 24, 26; 123, 35
T 299/85	15.06.1988	111, 40
T 307/85	26.05.1987	56, 56
T 7/86	1988, 381	87, 13
T 16/86	04.02.1988	123, 55
T 17/86	1989, 297	123, 40
T 19/86	1989, 24	52, 57; 54, 96
T 23/86	1987, 316	69, 26; 84, 2; 100, 16; 102, 37
T 26/86	1988, 19	52, 30, 40, 72
T 30/86	11.11.1987	54, 55
T 38/86	1990, 384	52, 23
T 44/86	13.10.1987	117, 55
T 61/86	02.12.1988	56, 63
T 63/86	1988, 224	110, 78, 79; 111, 22; 123, 18, 23
T 65/86	22.06.1989	52, 23
T 69/86	15.09.1987	117, 12

Aktenzeichen	ABl oder Datum	Art (EPÜ), Rdn
T 92/86	05.11.1987	**56**, 91
T 95/86	23.10.1990	**52**, 23
T 111/86	30.06.1987	**56**, 57
T 113/86	28.10.1987	**102**, 26
T 117/86	1989, 401	**104**, 15, 17, 29; **108**, 36, 39; **114**, 66; **117**, 3
T 120/86	06.02.1997	**113**, 40
T 132/86	26.11.1987	**56**, 77
T 146/86	09.05.1988	**110**, 30
T 166/86	1987, 372	**123**, 15
T 168/86	22.02.1988	**85**, 4
T 174/86	05.07.1988	**100**, 17
T 186/86	05.12.1989	**52**, 23
T 194/86	17.05.1988	**54**, 25
T 197/86	1989, 371	**56**, 72
T 199/86	15.09.1987	**56**, 71
T 210/86	14.02.1990	**123**, 87
T 219/86	1988, 254	**99**, 12; **101**, 27; **123**, 150, 164
T 222/86	22.09.1997	**101**, 77; **102**, 3
T 234/86	1989, 79	**99**, 83, 92, 96; **101**, 62, 63; **107**, 21; **110**, 36; **111**, 39; **113**, 56
T 237/86	1988, 261	**102**, 20
T 243/86	09.12.1986	**117**, 12; **122**, 119
T 246/86	1989, 199	**85**, 4; **123**, 32
T 254/86	1989, 115	**56**, 46, 78, 114
T 257/86	19.04.1988	**108**, 19
T 281/86	1989, 202	**83**, 46
T 290/86	1992, 414	**52**, 58; **54**, 56, 97
T 299/86	1988, 88	**116**, 4, 14
T 300/86	28.08.1989	**54**, 14, 18
T 303/86	08.11.1988	**54**, 60; **104**, 44
T 305/86	22.11.1988	**104**, 41, 42
T 317/86	1989, 378	**99**, 70
T 326/86	06.06.1988	**118**, 4
T 335/86	18.10.1988	**56**, 81, 94
T 336/86	28.09.1988	**104**, 45
T 349/86	1988, 345	**99**, 60
T 355/86	14.04.1987	**99**, 59, 60
T 378/86	1988, 386	**69**, 15; **123**, 93
T 385/86	1988, 308	**52**, 67
T 389/86	1988, 87	**102**, 6; **108**, 6; **116**, 69
T 390/86	1989, 30	**15**, 2; **19**, 6; **102**, 46; **116**, 66, 67
T 392/86	01.02.1988	**56**, 53

Aktenzeichen	ABl oder Datum	Art (EPÜ), Rdn
T 398/86	16.03.1987	111, 56
T 406/86	1989, 302	102, 26; 113, 57
T 407/86	01.03.1988	85, 4
T 412/86	03.11.1989	102, 20
T 416/86	1989, 308	123, 60
T 417/86	28.04.1988	56, 51, 66
T 433/86	11.12.1987	123, 44
T 2/87	1988, 264	99, 24; 122, 38
T 11/87	02.03.1989	56, 80; 122, 59
T 16/87	1992, 212	69, 26; 83, 5; 87, 24; 99, 89; 100, 16; 117, 15
T 19/87	1988, 268	96, 21; 111, 46, 54; 116, 3, 5, 13, 14, 15
T 28/87	1989, 1383	56, 13, 136
T 42/87	05.10.1989	52, 31
T 51/87	1991, 177	56, 11; 83, 13, 35; 115, 10; 123, 43
T 56/87	1990, 188	54, 43; 123, 38
T 58/87	24.11.1988	52, 64
T 59/87	1991, 561	54, 28, 100, 103; 123, 79
T 64/87	21.09.1989	56, 51, 66
T 69/87	27.09.1988	99, 70
T 77/87	1990, 280	54, 38; 56, 19; 85, 6; 123, 38
T 81/87	1990, 250	87, 2, 10
T 83/87	14.01.1988	52, 68
T 85/87	21.07.1988	87, 4, 13; 88, 29
T 88/87	18.04.1989	116, 14
T 101/87	25.01.1990	104, 35; 114, 52
T 118/87	1991, 474	83, 61; Vor 151/152, 34
T 124/87	1989, 491	54, 69, 82; 114, 46
T 128/87	1989, 406	117, 12; 122, 106, 109
T 133/87	23.06.1988	111, 20
T 139/87	1990, 68	109, 10
T 141/87	29.09.1988	56, 118
T 166/87	16.05.1988	122, 61
T 170/87	1989, 441	54, 49, 56; 56, 34; 123, 44, 56
T 193/87	1993, 207	14, 17; 101, 12
T 213/87	08.07.1990	56, 35
T 219/87	11.03.1988	56, 53
T 243/87	30.08.1989	19, 6; 116, 67
T 245/87	1989, 171	52, 61
T 261/87	16.12.1988	56, 90
T 267/87	09.03.1989	114, 60
T 269/87	24.01.1989	87, 5
T 281/87	14.07.1988	122, 84

Aktenzeichen	ABl oder Datum	Art (EPÜ), Rdn
T 295/87	06.12.1988	**87**, 4, 37; **102**, 26, 27
T 296/87	1990, 195	**54**, 74; **56**, 86; **76**, 15; **100**, 16; **101**, 66
T 301/87	1990, 335	**56**, 84; **83**, 21; **86**, 2; **87**, 5, 39; **89**, 6; **100**, 16; **102**, 38, 41; **123**, 38; **177**, 12
T 305/87	1991, 429	**54**, 35, 47; **123**, 54
T 315/87	14.02.1989	**122**, 114
T 320/87	1990, 71	**53**, 94, 105; **84**, 20
T 323/87	1989, 343	**14**, 17; **108**, 27; **122**, 40
T 326/87	1992, 522	**104**, 16, 35; **111**, 18; **114**, 58, 64, 66
T 328/87	1992, 701	**54**, 25; **99**, 77, 81, 90, 91, 92, 93; **101**, 29
T 330/87	24.02.1988	**56**, 75, 99
T 331/87	1991, 22	**123**, 57
T 332/87	23.11.1990	**54**, 35
T 361/87	15.06.1988	**83**, 62
T 381/87	1990, 213	**54**, 15, 22, 109; **110**, 79; **117**, 13
T 383/87	26.04.1989	**104**, 40; **116**, 3
T 387/87	14.09.1989	**56**, 57
T 389/87	10.05.1988	**83**, 46
T 400/87	01.03.1990	**52**, 68
T 409/87	03.05.1988	**96**, 21; **116**, 14
T 415/87	27.06.1988	**102**, 20
T 416/87	1990, 415	**104**, 17, 30; **111**, 20; **114**, 65, 66
T 433/87	17.08.1989	**116**, 14
T 438/87	09.05.1989	**99**, 21; **100**, 17
T 453/87	18.05.1989	**99**, 88
T 454/87	02.08.1989	**56**, 129
T 1/88	26.01.1989	**125**, 23
T 3/88	06.05.1988	**123**, 155
T 18/88	1992, 107	**56**, 17, 63
T 26/88	1991, 30	**102**, 3
T 35/88	09.12.1988	**111**, 48
T 38/88	07.03.1989	**56**, 72, 87
T 47/88	1990, 35	**125**, 4
T 57/88	20.11.1990	**100**, 17
T 73/88	1992, 557	**87**, 6, 24; **107**, 31; **123**, 30; **125**, 21
T 79/88	25.07.1991	**104**, 40; **116**, 59
T 87/88	1993, 430	**17**, 7; **92**, 31
T 93/88	11.08.1988	**111**, 46; **116**, 5
T 118/88	14.11.1989	**123**, 18
T 119/88	1990, 395	**52**, 18, 42
T 129/88	1993, 598	**54**, 112; **101**, 76; **110**, 63; **114**, 36, 38
T 134/88	18.12.1989	**99**, 79, 96, 98, 101; **101**, 29

Aktenzeichen	ABl oder Datum	Art (EPÜ), Rdn
T 145/88	1990, 451	99, 98
T 158/88	1991, 566	52, 24, 34
T 182/88	1990, 287	**123**, 15
T 194/88	30.11.1992	101, 69
T 197/88	1989, 412	101, 76; 111, 42
T 198/88	1991, 254	**Vor 99**, 4; 101, 48; 114, 30
T 205/88	01.06.1989	102, 44
T 208/88	20.07.1988	54, 100, 103; 111, 39; 112, 4
T 209/88	20.12.1989	111, 46; 113, 25
T 212/88	1992, 28	83, 46; **104**, 11, 24; **116**, 63, 66; **123**, 168, 170
T 223/88	06.07.1989	122, 61
T 227/88	1990, 292	102, 38, 41
T 236/88	26.10.1989	56, 85
T 238/88	1992, 709	69, 26; **83**, 20
T 241/88	20.02.1990	123, 66
T 245/88	12.03.1991	54, 24
T 248/88	14.11.1989	123, 63
T 251/88	14.11.1989	19, 4
T 261/88	1992, 627	125, 11
T 265/88	07.11.1989	123, 60
T 271/88	06.06.1989	84, 10
T 274/88	06.06.1989	111, 23
T 279/88	25.01.1990	99, 86, 89; 101, 29
T 283/88	07.09.1988	111, 46; **116**, 13, 16
T 293/88	1992, 220	101, 39
T 297/88	05.12.1989	54, 95
T 309/88	28.02.1990	122, 60, 64, 76
T 310/88	23.07.1990	54, 28
T 315/88	11.10.1989	56, 50
T 329/88	22.06.1993	101, 69; 106, 28
T 330/88	22.03.1990	104, 24
T 337/88	21.03.1990	102, 41
T 344/88	16.05.1991	99, 88; **116**, 20; **123**, 151
T 371/88	1992, 157	123, 94
T 415/88	06.06.1990	123, 127
T 426/88	1992, 427	56, 11, 119, 133
T 459/88	1990, 425	102, 20, 22
T 461/88	1993, 295	54, 16, 21, 24; **104**, 41
T 472/88	10.10.1990	102, 38
T 475/88	23.11.1989	83, 13; **99**, 60
T 493/88	1991, 380	111, 53
T 512/88	24.07.1991	56, 113

Aktenzeichen	ABl oder Datum	Art (EPÜ), Rdn
T 514/88	1992, 570	**76**, 15; **123**, 29, 32, 73
T 521/88	27.10.1989	**56**, 18
T 536/88	1992, 638	**114**, 30
T 547/88	19.11.1993	**116**, 27
T 550/88	1992, 117	**99**, 98; **100**, 14; **123**, 111
T 560/88	19.02.1990	**111**, 46
T 572/88	27.02.1991	**54**, 27, 28, 32, 82
T 574/88	06.12.1989	**56**, 46, 49
T 582/88	17.05.1990	**52**, 63; **54**, 104; **104**, 39
T 591/88	12.12.1989	**104**, 24
T 598/88	07.08.1989	**111**, 46, 48; **114**, 44; **116**, 9, 11
T 619/88	01.03.1990	**123**, 91
T 635/88	1993, 608	**99**, 9, 11, 14
T 648/88	1991, 292	**56**, 63
T 2/89	1991, 51	**99**, 96, 101
T 5/89	1992, 348	**101**, 63; **107**, 21; **111**, 23
T 11/89	06.12.1990	**84**, 17
T 14/89	1990, 432	**86**, 16, 19; **122**, 60, 111, 117; **125**, 40
T 16/89	24.01.1990	**89**, 4
T 22/89	26.06.1990	**101**, 58
T 49/89	10.07.1990	**123**, 87
T 60/89	1992, 268	**56**, 12, 116, 118; **83**, 11, 13; **110**, 63; **114**, 23, 36
T 73/89	07.08.1989	**122**, 75, 84
T 83/89	1992, 718	**99**, 91
T 93/89	1992, 718	**54**, 25; **99**, 81; **114**, 60
T 96/89	17.01.1991	**123**, 87, 93
T 115/89	24.07.1990	**56**, 89, 105
T 118/89	19.09.1990	**123**, 54
T 125/89	10.01.1991	**104**, 40; **116**, 3, 59
T 130/89	1991, 514	**56**, 27, 35
T 150/89	29.04.1991	**123**, 169
T 153/89	17.11.1992	**111**, 21
T 158/89	20.11.1990	**123**, 156
T 164/89	03.04.1990	**114**, 58
T 173/89	29.08.1990	**101**, 61; **114**, 14
T 176/89	27.06.1990	**56**, 113
T 182/89	1991, 391	**83**, 5; **Vor 99**, 4; **99**, 100; **117**, 15
T 184/89	25.02.1992	**56**, 47
T 200/89	1992, 46	**123**, 164
T 202/89	1992, 223	**105**, 15
T 210/89	1991, 433	**33**, 6; **108**, 8; **122**, 40; **125**, 21
T 226/89	28.02.1990	**56**, 91, 100

Aktenzeichen	ABl oder Datum	Art (EPÜ), Rdn
T 228/89	25.11.1991	113, 51
T 231/89	1993, 13	123, 86, 97
T 243/89	02.07.1991	96, 31; 113, 45
T 250/89	1992, 355	108, 18, 19; 122, 87
T 268/89	1994, 50	56, 46
T 275/89	1992, 126	54, 109; 101, 58, 59; 113, 16, 37, 44; 116, 44
T 291/89	14.05.1991	101, 48
T 297/89	15.10.1990	102, 37
T 299/89	31.01.1991	107, 27; 110, 18
T 300/89	1991, 480	96, 32; 111, 46; 116, 4, 8, 11
T 323/89	1992, 169	104, 8, 9, 10, 17, 47; 106, 40; 108, 36, 39; 117, 3, 69
T 326/89	16.09.1991	56, 73
T 331/89	13.12.1992	101, 66; 123, 20
T 338/89	10.12.1990	105, 3, 5, 6, 15; 115, 8
T 339/89	06.12.1990	123, 34
T 344/89	19.12.1991	123, 73
T 346/89	21.06.1991	56, 48
T 352/89	15.01.1991	116, 13
T 366/89	12.02.1992	56, 90, 113
T 381/89	22.02.1993	108, 39
T 386/89	24.03.1992	56, 44
T 387/89	1992, 583	Vor 99, 4; 101, 48; 114, 30
T 388/89	26.02.1991	56, 57
T 392/89	03.07.1990	123, 27
T 397/89	08.03.1991	123, 61
T 402/89	12.08.1991	123, 90
T 418/89	1993, 20	83, 62
T 426/89	1992, 172	52, 62, 72; 69, 15; 84, 37; 102, 37; 123, 91
T 443/89	05.07.1991	123, 64
T 448/89	1992, 361	99, 87, 103
T 450/89	15.10.1991	54, 28
T 451/89	01.04.1993	117, 24
T 482/89	1992, 646	54, 14; 117, 14, 33, 38
T 485/89	1993, 214	125, 28
T 500/89	26.03.1991	54, 73
T 516/89	1992, 436	128, 24
T 520/89	19.02.1990	102, 44
T 523/89	01.08.1990	54, 104
T 534/89	1994, 464	104, 27; 110, 3; 114, 61
T 538/89	02.01.1991	99, 90, 97, 105
T 552/89	27.08.1991	56, 17
T 560/89	1992, 725	56, 135; 114, 58; 123, 64

Aktenzeichen	ABl oder Datum	Art (EPÜ), Rdn
T 561/89	29.04.1991	102, 44; **114**, 52
T 563/89	03.09.1981	**99**, 61; **107**, 12
T 576/89	1993, 543	101, 66; 107, 42
T 580/89	1993, 218	**99**, 71; **115**, 5, 6
T 581/89	22.01.1991	**87**, 19
T 583/89	02.12.1992	102, 38
T 596/89	15.12.1992	104, 13, 17
T 603/89	1992, 230	**52**, 43
T 604/89	1992, 240	**99**, 89
T 614/89	11.06.1992	104, 41; 108, 36
T 622/89	17.09.1992	104, 31
T 623/89	12.05.1992	**56**, 71
T 665/89	17.07.1991	**99**, 28, 109
T 666/89	1993, 495	**54**, 28, 72, 75
T 668/89	19.06.1990	**111**, 46; **116**, 5, 15
T 673/89	08.09.1992	**123**, 84
T 680/89	08.05.1990	**111**, 54
T 682/89	17.08.1993	101, 58, 59; **125**, 21
T 702/89	1994, 472	107, 37; **120**, 46, 58; **122**, 12, 40
T 710/89	24.09.1991	**56**, 29
T 715/89	16.03.1990	**122**, 111
T 716/89	1992, 132	**111**, 44
T 742/89	02.11.1992	**56**, 41
T 743/89	27.01.1992	**54**, 109; **117**, 16
T 748/89	02.09.1991	**123**, 41
T 749/89	16.12.1992	**56**, 111, 113
T 760/89	1994, 797	**117**, 7, 14, 22, 33
T 762/89	28.09.1992	101, 69; **106**, 28
T 763/89	08.07.1993	**54**, 28
T 765/89	08.07.1993	108, 36
T 774/89	02.06.1992	**52**, 63
T 780/89	1993, 440	**52**, 59
T 783/89	19.02.1991	**111**, 44
T 784/89	1992, 438	**123**, 69
T 789/89	1994, 482	104, 1; **107**, 4, 35; **108**, 40; **125**, 4, 14
T 3/90	1992, 737	**116**, 21
T 5/90	27.11.1992	**123**, 79
T 12/90	23.08.1990	**54**, 69
T 19/90	1990, 476	**53**, 15, 17, 47, 56, 77, 78, 85
T 34/90	1992, 454	**14**, 30; **110**, 3; **116**, 57
T 47/90	1991, 486	109, 10; **111**, 22
T 49/90	17.11.1992	**83**, 16

Aktenzeichen	ABl oder Datum	Art (EPÜ), Rdn
T 50/90	14.05.1991	99, 79
T 55/90	05.05.1992	102, 46
T 59/90	12.03.1993	56, 32
T 61/90	22.06.1993	56, 53
T 74/90	01.10.1991	54, 44; 56, 113
T 75/90	03.05.1993	117, 39
T 82/90	23.07.1992	56, 55
T 89/90	1992, 456	102, 46; 106, 31, 35
T 95/90	30.10.1992	56, 16
T 97/90	1993, 719	111, 19; 114, 64, 65
T 110/90	1994, 557	52, 25, 34, 40
T 132/90	21.02.1994	87, 47
T 144/90	03.12.1991	52, 42
T 154/90	1993, 505	104, 16; 106, 38; 108, 18; 111, 48; 116, 24
T 156/90	09.09.1991	107, 18
T 157/90	12.09.1991	123, 26, 61
T 166/90	11.08.1992	123, 95
T 182/90	1994, 641	52, 53, 58
T 190/90	16.01.1992	113, 5, 35; 125, 21
T 210/90	25.05.1993	102, 44
T 229/90	10.10.1991	54, 44
T 233/90	08.07.1992	54, 39, 44
T 251/90	07.11.1990	116, 4, 50, 61
T 253/90	10.06.1991	114, 5
T 270/90	21.03.1991	110, 79; 114, 5; 117, 13
T 273/90	10.06.1991	107, 30
T 288/90	01.12.1992	54, 46
T 290/90	1992, 368	2, 3; 14, 42, 43; 99, 35, 36, 49; 106, 36; 108, 28, 29
T 300/90	16.04.1991	56, 109
T 303/90	03.02.1992	54, 88
T 308/90	03.09.1991	83, 7
T 314/90	15.11.1991	104, 15, 32
T 317/90	23.04.1992	102, 27
T 324/90	1993, 33	108, 24; 111, 36; 122, 62, 108, 112
T 337/90	16.12.1992	116, 64
T 363/90	25.02.1992	54, 24; 117, 38
T 375/90	21.05.1992	123, 15
T 376/90	1994, 906	99, 75; 101, 18; 106, 36
T 390/90	1994, 808	105, 15; 115, 5
T 394/90	20.03.1991	56, 56
T 400/90	03.07.1991	87, 38
T 401/90	03.02.1992	54, 88

Aktenzeichen	ABl oder Datum	Art (EPÜ), Rdn
T 404/90	16.12.1993	**56**, 90
T 409/90	1993, 40	**87**, 5
T 424/90	11.12.1991	**56**, 118
T 432/90	11.08.1992	**100**, 16
T 456/90	25.11.1991	**52**, 19; **111**, 60
T 484/90	1993, 448	**111**, 34; **113**, 30; **114**, 52
T 494/90	14.06.1991	**116**, 13, 15
T 504/90	28.10.1992	**99**, 87, 98, 101, 105; **100**, 16, 17
T 513/90	1994, 154	**56**, 35
T 537/90	20.04.1993	**56**, 17
T 547/90	17.01.1991	**123**, 73
T 553/90	1993, 666	**60**, 19; **62**, 10; **71**, 15; **99**, 46; **107**, 11
T 582/90	11.12.1992	**54**, 112; **99**, 9; **117**, 39, 61, 63
T 588/90	04.05.1993	**110**, 44
T 590/90	24.03.1993	**56**, 41
T 591/90	12.11.1991	**54**, 38
T 594/90	07.06.1995	**88**, 30
T 595/90	1994, 695	**56**, 60; **111**, 59; **114**, 63; **116**, 62
T 598/90	10.03.1992	**56**, 24
T 611/90	1993, 50	**104**, 27; **106**, 40; **108**, 21; **110**, 55; **111**, 19; **114**, 58, 64, 66
T 614/90	25.02.1994	**116**, 27
T 622/90	13.11.1991	**113**, 19
T 629/90	1992, 654	**101**, 77; **108**, 40
T 663/90	13.08.1991	**111**, 46; **116**, 3, 4, 21
T 664/90	09.07.1991	**64**, 13
T 666/90	28.02.1994	**113**, 54
T 669/90	1992, 739	**101**, 58; **113**, 5, 39; **114**, 59; **125**, 20
T 675/90	1994, 58	**167**, 11
T 677/90	17.05.1991	**102**, 20
T 685/90	30.01.1992	**123**, 35
T 686/90	10.07.1993	**52**, 19
T 689/90	1993, 616	**83**, 29
T 717/90	10.07.1991	**56**, 57
T 762/90	29.11.1991	**111**, 59
T 766/90	15.07.1992	**116**, 21
T 775/90	24.06.1992	**56**, 25
T 789/90	26.03.1992	**102**, 37
T 793/90	13.01.1992	**115**, 3
T 796/90	13.09.1993	**101**, 47
T 811/90	1993, 728	**107**, 6; **115**, 8; **116**, 25; **128**, 25
T 815/90	1994, 389	**112**, 13

Aktenzeichen	ABl oder Datum	Art (EPÜ), Rdn
T 830/90	1994, 713	54, 18, 112; 110, 63; 114, 36, 38
T 833/90	19.05.1994	107, 19
T 854/90	1993, 669	52, 21
T 869/90	15.03.1991	122, 57
T 877/90	28.07.1992	54, 15
T 887/90	06.10.1993	54, 111
T 892/90	12.01.1993	100, 16
T 893/90	22.07.1993	54, 97; 111, 40
T 896/90	22.04.1994	99, 73
T 900/90	18.05.1994	106, 10; 122, 27
T 901/90	23.09.1993	54, 35
T 905/90	1994, 306	14, 40, 43; 99, 35; 108, 29; 125, 30
T 909/90	03.06.1992	104, 16, 38
T 910/90	14.04.1993	56, 46
T 938/90	25.03.1992	123, 90
T 953/90	12.05.1992	54, 15
T 955/90	21.11.1991	56, 133
T 958/90	04.12.1992	54, 105
T 963/90	02.04.1992	56, 121
T 969/90	12.05.1992	54, 15
T 5/91	24.06.1993	56, 80
T 17/91	26.08.1992	114, 61
T 24/91	1995, 512	52, 54
T 47/91	30.06.1992	56, 39, 132
T 60/91	1993, 551	112, 13, 14; 113, 7; 115, 1; 125, 10
T 75/91	11.01.1993	111, 53
T 79/91	21.02.1992	84, 48; 96, 31
T 108/91	1994, 228	123, 85
T 109/91	15.01.1995	117, 13, 16
T 110/91	24.04.1992	104, 36
T 122/91	09.07.1991	122, 82
T 125/91	03.02.1992	111, 17
T 126/91	12.05.1992	100, 16
T 138/91	26.01.1993	100, 19
T 156/91	14.01.1993	100, 7, 16
T 166/91	15.06.1993	110, 53
T 187/91	1994, 572	123, 26, 40
T 196/91	05.12.1991	101, 65
T 204/91	22.06.1992	10, 3; 99, 86
T 205/91	16.06.1992	54, 44
T 212/91	16.05.1995	114, 56, 58
T 214/91	23.06.1992	123, 84

Aktenzeichen	ABl oder Datum	Art (EPÜ), Rdn
T 221/91	08.12.1992	**54**, 111; **117**, 17
T 234/91	25.06.1993	**56**, 56
T 245/91	21.06.1994	**54**, 73
T 246/91	14.09.1993	**84**, 48
T 251/91	12.09.1991	**87**, 4, 34
T 255/91	1993, 318	**87**, 4, 34
T 257/91	17.11.1992	**56**, 82
T 263/91	04.12.1992	**116**, 14
T 289/91	1994, 649	**99**, 10, 11; **101**, 29; **110**, 34
T 322/91	14.10.1993	**102**, 20
T 367/91	14.12.1992	**111**, 54
T 369/91	1993, 561	**106**, 37; **122**, 63
T 375/91	17.11.1995	**114**, 62
T 381/91	17.12.1993	**110**, 53
T 384/91	1995, 745	**123**, 99
T 392/91	24.06.1993	**107**, 21
T 395/91	07.12.1995	**117**, 45
T 407/91	15.04.1993	**56**, 57
T 409/91	1994, 653	**83**, 20; **84**, 24, 56
T 410/91	13.10.1993	**56**, 57
T 411/91	10.11.1993	**111**, 59
T 413/91	25.06.1992	**122**, 87
T 415/91	13.05.1992	**123**, 57
T 435/91	1995, 188	**84**, 24, 58
T 440/91	22.03.1994	**56**, 44
T 441/91	18.08.1992	**54**, 111; **89**, 6; **114**, 60
T 453/91	31.05.1994	**52**, 21
T 455/91	1995, 684	**56**, 120, 126; **84**, 37
T 462/91	05.07.1994	**54**, 15
T 473/91	1993, 630	**109**, 9; **122**, 59, 81, 123
T 478/91	02.06.1993	**56**, 89, 107
T 490/91	26.11.1991	**123**, 37
T 495/91	20.07.1993	**56**, 43
T 497/91	03.06.1992	**88**, 36
T 500/91	21.10.1992	**56**, 118
T 506/91	03.04.1992	**107**, 17
T 525/91	25.03.1992	**122**, 82
T 532/91	05.07.1993	**101**, 58, 59
T 545/91	28.04.1993	**99**, 86
T 548/91	07.02.1994	**99**, 10, 14; **107**, 18, 27; **110**, 18
T 552/91	1995, 100	**123**, 75
T 561/91	1993, 736	**84**, 11

Aktenzeichen	ABl oder Datum	Art (EPÜ), Rdn
T 566/91	18.05.1994	56, 44
T 581/91	04.08.1993	123, 157
T 582/91	11.11.1992	87, 24; 123, 65
T 598/91	1994, 912	134, 20
T 605/91	20.07.1993	56, 89
T 621/91	28.09.1994	99, 68, 84, 86, 96, 103
T 624/91	16.06.1993	54, 30
T 626/91	05.04.1995	84, 9
T 632/91	01.02.1994	56, 35
T 640/91	1994, 918	110, 65; 111, 44; 113, 46
T 643/91	18.09.1996	107, 34
T 646/91	16.05.1995	101, 47
T 658/91	14.05.1993	54, 74
T 677/91	03.11.1992	54, 44; 56, 6
T 682/91	22.09.1992	111, 39
T 690/91	10.01.1996	111, 27, 30
T 706/91	15.12.1992	108, 9
T 729/91	21.11.1994	56, 9
T 741/91	22.09.1993	56, 41, 43
T 746/91	20.10.1993	110, 78
T 757/91	10.03.1992	106, 34; 111, 8
T 766/91	29.09.1993	56, 11
T 768/91	14.06.1994	113, 32; 117, 40
T 770/91	29.04.1992	117, 12
T 773/91	25.03.1992	111, 36
T 784/91	22.09.1993	111, 61
T 785/91	05.03.1993	101, 63
T 788/91	25.11.1994	111, 65
T 793/91	13.03.1992	107, 24
T 819/91	26.03.1996	111, 21
T 830/91	1994, 184	125, 19
T 833/91	16.04.1993	52, 21, 23
T 843/91	1994, 818	24, 7, 12; 106, 29, 34; 111, 8, 24, 27, 29, 62; 134, 20
T 852/91	06.06.1994	56, 35
T 856/91	08.10.1992	111, 53
T 867/91	12.10.1993	110, 31
T 884/91	08.02.1994	108, 40
T 886/91	16.06.1994	87, 5
T 898/91	18.07.1997	107, 4
T 907/91	08.10.1993	125, 19
T 912/91	25.10.1994	113, 33; 123, 90
T 925/91	1995, 469	99, 68, 79, 85, 96; 101, 29; 108, 15, 20

Aktenzeichen	ABl oder Datum	Art (EPÜ), Rdn
T 934/91	1994, 184	104, 48; 106, 18, 40; 111, 24, 27
T 937/91	1996, 25	101, 46
T 939/91	05.12.1994	19, 4; 111, 51
T 951/91	1995, 202	104, 2; 114, 42, 61, 62; 115, 5, 16
T 957/91	29.09.1994	87, 23
T 962/91	21.04.1993	52, 19
T 990/91	25.05.1992	111, 43; 123, 76
T 1/92	1993, 685	99, 19, 23; 106, 24; 107, 25; 111, 50
T 27/92	1994, 853	105, 15, 16, 21
T 35/92	28.10.1992	111, 46; 116, 21
T 42/92	29.11.1994	54, 35
T 65/92	13.06.1993	87, 21
T 81/92	05.07.1993	104, 13, 40
T 82/92	04.05.1994	101, 74; 108, 40
T 92/92	21.09.1993	114, 44
T 96/92	1993, 551	125, 10
T 111/92	03.08.1992	122, 57
T 112/92	1994, 192	56, 35
T 113/92	17.12.1992	111, 8, 29
T 127/92	14.12.1994	88, 31
T 131/92	03.03.1994	87, 22
T 133/92	18.10.1994	110, 76; 113, 33
T 160/92	1995, 35	54, 38; 56, 19; 96, 39
T 164/92	1995, 305	54, 16; 56, 118
T 182/92	06.04.1993	87, 16; 111, 54
T 188/92	15.12.1992	108, 18
T 189/92	07.10.1992	115, 13
T 199/92	11.01.1994	99, 104; 110, 34
T 201/92	18.07.1995	114, 52
T 202/92	19.07.1994	113, 33
T 223/92	20.07.1993	56, 118, 120
T 227/92	01.07.1993	133, 21; 134, 6
T 230/92	16.03.1993	117, 45
T 238/92	13.05.1993	114, 52
T 239/92	23.02.1995	117, 15
T 253/92	22.10.1993	111, 60
T 273/92	18.08.1993	56, 91, 95
T 288/92	18.11.1993	111, 25; 123, 40
T 293/92	24.08.1995	101, 58, 59, 61
T 304/92	23.06.1993	111, 62
T 305/92	18.05.1993	87, 5
T 327/92	22.04.1997	110, 46

Aktenzeichen	ABl oder Datum	Art (EPÜ), Rdn
T 334/92	23.03.1994	56, 46
T 340/92	05.10.1994	107, 10; 110, 31
T 341/92	1995, 373	110, 76; 113, 31
T 371/92	1995, 324	99, 4; 108, 26; 122, 91
T 382/92	26.11.1992	19, 4; 111, 51
T 398/92	12.11.1996	123, 66
T 406/92	18.01.1995	54, 15; 99, 85, 86
T 441/92	10.03.1995	76, 18
T 446/92	28.03.1995	113, 33
T 447/92	07.07.1993	54, 82
T 453/92	20.12.1994	56, 109
T 461/92	05.07.1994	56, 109
T 465/92	1996, 32	56, 39, 40; 125, 17
T 469/92	09.09.1994	88, 36; 111, 33
T 470/92	19.02.1996	99, 73
T 472/92	1998, 161	54, 22, 29, 41, 111; 117, 13
T 473/92	10.03.1995	116, 57
T 492/92	18.01.1996	83, 19
T 501/92	1996, 261	102, 24; 110, 3, 37, 45, 76; 113, 31
T 506/92	03.08.1995	56, 86
T 511/92	27.05.1993	54, 28
T 514/92	1996, 270	101, 46, 47; 110, 54
T 541/92	25.04.1994	99, 93; 101, 29
T 543/92	13.06.1994	111, 47
T 548/92	05.08.1993	104, 8
T 570/92	22.06.1995	54, 86
T 585/92	1996, 129	55, 13
T 588/92	18.03.1994	111, 54
T 597/92	1996, 135	54, 56; 56, 53
T 598/92	07.12.1993	111, 62
T 601/92	20.04.1995	111, 40
T 603/92	26.05.1994	134, 20
T 630/92	22.02.1994	56, 66
T 646/92	13.09.1994	108, 18
T 649/92	1998, 97	99, 8
T 654/92	03.05.1994	54, 31; 56, 37
T 655/92	1998, 17	52, 49, 54, 71; 54, 93
T 659/92	1995, 519	99, 59, 65; 107, 12; 108, 36
T 667/92	27.11.1996	115, 5
T 669/92	1994, 739	125, 31
T 682/92	04.10.1993	122, 105
T 684/92	25.07.1995	105, 16

Aktenzeichen	ABl oder Datum	Art (EPÜ), Rdn
T 686/92	28.10.1993	116, 5, 21
T 694/92	1997, 408	56, 36, 70, 116; **83**, 45; **84**, 58
T 697/92	15.06.1994	56, 14
T 703/92	14.09.1995	119, 13, 28, 34, 36
T 710/92	11.10.1995	56, 34
T 737/92	12.06.1995	99, 74; **110**, 44
T 745/92	23.04.1992	56, 17
T 753/92	04.04.1995	106, 39
T 766/92	14.05.1996	56, 86
T 769/92	1995, 525	52, 35, 40
T 775/92	07.04.1993	52, 68
T 804/92	1994, 862	117, 54
T 812/92	21.11.1995	56, 91
T 820/92	1995, 113	52, 53
T 838/92	10.01.1995	106, 18; **107**, 13; **113**, 18; **116**, 64; **117**, 5, 38, 40
T 867/92	1995, 126	104, 33; **106**, 40; **114**, 52
T 870/92	08.08.1997	99, 8, 12, 61, 65, 75
T 879/92	16.03.1994	111, 46
T 881/92	22.04.1996	56, 43
T 882/92	22.04.1996	56, 43
T 884/92	22.04.1996	56, 43
T 892/92	1994, 664	101, 58; **111**, 44; **113**, 4, 8, 40; **116**, 18
T 896/92	28.04.1994	54, 43
T 910/92	17.05.1995	96, 35; **125**, 23
T 920/92	19.10.1995	83, 24
T 930/92	1996, 191	56, 28; **104**, 8, 47; **106**, 40; **116**, 23
T 931/92	10.08.1993	54, 35
T 939/92	1996, 309	54, 86; **56**, 46, 70; **83**, 22; **84**, 58; **112**, 17
T 951/92	1996, 53	96, 31; **101**, 59; **113**, 16, 19, 23
T 952/92	1995, 755	54, 20, 40; **111**, 67; **177**, 5
T 957/92	21.12.1993	56, 100
T 958/92	18.12.1995	101, 76, 77
T 964/92	23.08.1994	56, 46
T 973/92	06.12.1993	102, 20
T 996/92	23.03.1993	107, 30
T 1002/92	1995, 605	52, 32; **101**, 48; **110**, 62; **114**, 56, 58
T 1019/92	09.06.1994	99, 73
T 1037/92	29.08.1996	56, 121
T 1048/92	05.12.1994	54, 74
T 1049/92	10.11.1994	111, 54
T 1054/92	20.06.1996	54, 111
T 1055/92	1995, 214	84, 7

Aktenzeichen	ABl oder Datum	Art (EPÜ), Rdn
T 1063/92	13.10.1993	106, 34; 111, 27
T 1066/92	05.07.1995	101, 40, 43; 102, 33; 110, 44
T 1072/92	28.06.1994	56, 74
T 1077/92	05.12.1995	56, 55, 102
T 1090/92	08.12.1994	87, 4, 34
T 1097/92	27.09.1993	109, 9
T 18/93	07.11.1994	101, 47; 110, 53
T 26/93	16.12.1994	111, 25
T 28/93	07.07.1994	99, 85, 90, 91, 96, 103, 104, 105; 101, 29
T 33/93	05.05.1993	111, 21, 43
T 39/93	1997, 134	56, 44, 117; 114, 53; 116, 48
T 51/93	08.06.1994	54, 60, 97
T 59/93	20.04.1994	52, 37, 40
T 63/93	28.07.1993	113, 45
T 74/93	1995, 712	54, 88; 57, 6
T 82/93	1996, 274	52, 53; 112, 15
T 85/93	1998, 183	56, 25; 114, 46
T 109/93	01.03.1996	56, 13
T 125/93	04.12.1996	114, 64
T 153/93	21.02.1994	106, 34; 111, 27
T 167/93	1997, 229	56, 53; 111, 25; 125, 4, 9
T 169/93	10.07.1996	102, 41; 110, 46
T 195/93	04.05.1995	105, 4
T 203/93	01.09.1994	56, 54, 91, 95
T 220/93	30.11.1993	111, 42
T 225/93	13.05.1997	83, 19
T 233/93	28.02.1996	110, 48
T 238/93	10.05.1994	56, 79
T 254/93	1998, 285	54, 98, 105
T 263/93	12.01.1994	101, 58; 113, 38, 44
T 279/93	12.12.1996	54, 105; 123, 92
T 286/93	22.11.1996	56, 83
T 296/93	28.07.1994	56, 36; 87, 5; 105, 8, 15; 111, 62
T 302/93	05.07.1995	99, 85, 86, 104; 101, 29
T 326/93	29.11.1994	117, 17
T 351/93	01.03.1995	56, 80
T 356/93	1995, 545	53, 15, 16, 17, 33, 44, 48, 56, 58, 60, 85, 95, 106, 111
T 378/93	06.12.1996	56, 11
T 412/93	21.11.1994	83, 62
T 419/93	19.07.1995	56, 38
T 422/93	1997, 24	56, 47, 122
T 433/93	06.12.1996	101, 59; 113, 37

Aktenzeichen	ABl oder Datum	Art (EPÜ), Rdn
T 441/93	27.03.1996	56, 122
T 443/93	22.03.1995	99, 73; 117, 38
T 454/93	06.11.1995	116, 14
T 458/93	13.09.1995	100, 17
T 463/93	19.02.1996	101, 77
T 467/93	13.06.1995	105, 16
T 471/93	05.12.1995	105, 16, 17
T 473/93	01.02.1994	117, 58
T 487/93	06.02.1996	113, 45
T 489/93	25.02.1994	122, 74
T 505/93	10.11.1995	99, 96
T 528/93	23.10.1996	107, 17
T 540/93	08.02.1994	56, 66
T 583/93	04.01.1996	110, 79; 116, 50, 61; 117, 24
T 588/93	31.01.1996	56, 41
T 590/93	1995, 337	99, 10, 14; 114, 36; 117, 57; 125, 4
T 597/93	17.02.1997	56, 50
T 607/93	14.02.1996	54, 48
T 614/93	13.06.1995	117, 60
T 647/93	1995, 132	97, 4; Vor 106, 9; 109, 12; 111, 47; 113, 7, 8, 50
T 690/93	11.10.1994	122, 117; 125, 41
T 702/93	10.02.1994	82, 11
T 714/93	20.11.1995	101, 69; 106, 28
T 719/93	22.09.1994	108, 36
T 720/93	19.09.1995	111, 28, 30
T 726/93	1995, 478	123, 159
T 731/93	01.12.1994	116, 28
T 740/93	10.01.1996	111, 53; 113, 12
T 752/93	16.07.1996	107, 45
T 790/93	15.07.1994	106, 4, 24; 111, 51
T 793/93	27.09.1995	54, 107
T 795/93	29.10.1996	54, 110
T 798/93	1997, 363	99, 10, 14; 101, 74, 77
T 803/93	1996, 204	134, 21
T 805/93	20.02.1997	84, 9
T 818/93	02.04.1996	56, 44; 83, 7
T 822/93	23.05.1995	122, 86
T 828/93	07.05.1996	87, 4, 17; 88, 27
T 829/93	24.05.1996	102, 27, 29; 113, 57
T 840/93	1996, 335	110, 79; 113, 57
T 847/93	31.01.1995	104, 31, 35
T 860/93	1995, 47	69, 26; 111, 54

Aktenzeichen	ABl oder Datum	Art (EPÜ), Rdn
T 861/93	29.04.1994	99, 84, 86, 103; **114**, 44
T 866/93	08.09.1997	**54**, 47
T 885/93	15.02.1996	**114**, 53; **116**, 48
T 887/93	24.07.1996	**125**, 21
T 913/93	26.03.1996	**110**, 38
T 926/93	1997, 447	**99**, 73
T 928/93	23.01.1997	**54**, 32; **101**, 47
T 951/93	17.09.1993	**115**, 10, 15
T 970/93	15.03.1996	**117**, 58
T 972/93	16.06.1994	88, 10, 12; **123**, 144
T 977/93	2001, 84	**54**, 41
T 986/93	1996, 215	**101**, 44; **110**, 65, 66; **114**, 19
T 999/93	09.03.1995	**111**, 47
T 1022/93	05.10.1995	**104**, 34
T 1071/93	22.12.1994	**113**, 44
T 27/94	14.05.1996	**111**, 28, 30
T 34/94	22.03.1994	**110**, 63; **114**, 23, 36; **117**, 15
T 45/94	02.11.1994	**122**, 105
T 47/94	16.01.1995	**116**, 17
T 89/94	05.07.1994	**111**, 47
T 97/94	1998, 467	**117**, 6, 13, 39
T 105/94	29.07.1997	**101**, 45
T 125/94	29.05.1996	**111**, 22
T 135/94	12.06.1995	**56**, 64
T 143/94	1996, 430	**52**, 58, 71
T 193/94	28.10.1997	**101**, 43
T 207/94	1999, 273	**56**, 109; **87**, 5
T 209/94	11.10.1996	**54**, 73
T 284/94	1999, 464	**123**, 60
T 301/94	28.11.1996	**54**, 21; **117**, 33
T 305/94	20.06.1996	**54**, 44
T 329/94	1998, 241	**52**, 56
T 341/94	13.07.1995	**56**, 109
T 348/94	21.10.1998	**54**, 109
T 356/94	30.06.1995	**113**, 39, 44
T 363/94	22.11.1995	**56**, 57
T 364/94	04.03.1997	**117**, 50
T 378/94	19.03.1996	**54**, 64
T 382/94	1998, 24	**14**, 4; **80**, 12
T 386/94	1996, 658	**56**, 36; **111**, 25
T 426/94	22.05.1996	**113**, 33
T 455/94	10.12.1997	**101**, 45; **110**, 55

Aktenzeichen	ABl oder Datum	Art (EPÜ), Rdn
T 459/94	13.05.1997	114, 56
T 488/94	02.07.1997	113, 16
T 501/94	1997, 193	114, 62
T 522/94	1998, 421	99, 81, 84; 101, 29; 110, 34
T 525/94	17.06.1998	107, 10
T 533/94	23.03.1995	99, 104
T 534/94	23.03.1995	99, 104
T 550/94	1992, 117	139, 6
T 557/94	12.12.1996	111, 20
T 562/94	29.05.1995	107, 19
T 575/94	11.07.1996	117, 38
T 579/94	18.08.1998	107, 45
T 590/94	03.05.1996	54, 44; 99, 8; 101, 29; 105, 16, 17; 110, 34
T 609/94	27.02.1997	111, 30
T 619/94	12.12.1995	56, 134
T 620/94	13.06.1995	89, 8
T 631/94	1996, 67	105, 15; 107, 5, 48
T 648/94	26.10.1994	109, 10
T 667/94	16.10.1997	54, 47; 100, 7
T 668/94	20.10.1998	56, 48
T 676/94	06.02.1996	83, 13
T 687/94	23.04.1996	56, 50
T 689/94	13.11.1995	100, 15; 102, 38
T 746/94	05.11.1998	123, 26
T 750/94	1998, 32	54, 22, 109; 117, 1, 11, 13, 14, 16, 22, 38
T 796/94	27.11.1995	88, 16
T 803/94	21.01.1997	117, 58
T 804/94	10.07.1995	111, 52; 113, 42
T 808/94	26.01.1995	111, 17; 116, 5, 8
T 840/94	1996, 680	122, 66, 94
T 848/94	03.06.1997	117, 13
T 873/94	1997, 456	76, 18; 123, 40
T 882/94	07.08.1997	56, 77
T 891/94	02.03.1999	114, 19
T 892/94	2000, 1	54, 105; 113, 3, 5
T 917/94	28.10.1999	54, 54
T 918/94	06.06.1995	115, 11
T 921/94	30.10.1998	113, 46
T 922/94	30.10.1997	101, 44; 102, 41
T 953/94	15.07.1996	52, 36
T 958/94	1997, 241	54, 93, 97
T 977/94	18.12.1997	111, 8

Aktenzeichen	ABl oder Datum	Art (EPÜ), Rdn
T 3/95	24.09.1997	99, 104
T 27/95	25.06.1996	102, 41; 110, 57
T 32/95	28.10.1996	54, 107
T 72/95	18.03.1998	56, 27
T 86/95	09.09.1997	54, 109
T 94/95	30.06.1997	113, 37
T 111/95	13.03.1996	116, 40
T 112/95	19.02.1998	123, 86
T 114/95	08.04.1997	99, 73
T 121/95	03.02.1998	113, 16
T 136/95	1998, 198	87, 2; **88**, 35; **123**, 30
T 147/95	14.11.1995	111, 19
T 152/95	03.07.1996	99, 85, 104; 101, 18, 29
T 181/95	12.09.1996	56, 13, 14
T 187/95	03.02.1997	113, 13, 16
T 223/95	04.03.1997	114, 14, 36
T 227/95	11.04.1996	107, 29; 111, 49
T 253/95	17.12.1997	113, 35; 116, 45
T 272/95	1999, 590	99, 13
T 274/95	1997, 99	101, 41, 44; 110, 56
T 301/95	1997, 519	99, 8; **115**, 19; **117**, 16; **125**, 13
T 317/95	26.02.1999	54, 98; 56, 72, 112
T 325/95	18.11.1997	123, 79
T 337/95	1996, 628	84, 12
T 364/95	20.11.1996	87, 19
T 365/95	11.06.1997	99, 86, 96, 104, 105; 101, 43
T 377/95	1999, 11	177, 10, 15
T 386/95	15.10.1997	114, 58
T 389/95	15.10.1997	114, 52, 56
T 395/95	04.09.1997	88, 27
T 428/95	17.04.1996	100, 16
T 443/95	12.12.1997	101, 43, 45, 66
T 460/95	1998, 587	108, 4; **122**, 85
T 476/95	20.06.1996	19, 4
T 493/95	22.10.1996	122, 84
T 510/95	19.10.1995	110, 65
T 556/95	1997, 205	113, 47; 116, 11; 123, 14
T 558/95	10.02.1997	114, 36; 117, 38, 58
T 582/95	28.01.1997	101, 58
T 610/95	21.07.1999	102, 27
T 670/95	09.06.1998	99, 65; 107, 12
T 696/95	16.11.1995	108, 26

Aktenzeichen	ABl oder Datum	Art (EPÜ), Rdn
T 727/95	2001, 1	**83**, 18
T 736/95	2001, 191	**114**, 18
T 786/95	13.10.1997	**99**, 81, 92
T 789/95	13.03.1997	**113**, 35
T 809/95	29.04.1997	**87**, 39
T 839/95	23.06.1998	**106**, 31
T 850/95	1997, 152	**78**, 60; **97**, 32
T 908/95	21.07.1997	**115**, 14
T 931/95	2001, 575	**52**, 11, 26, 39; **56**, 27
T 939/95	1998, 481	**109**, 16
T 1002/95	10.02.1998	**102**, 37; **107**, 45
T 1007/95	1999, 733	**108**, 21
T 59/96	07.04.1999	**56**, 46
T 79/96	20.10.1998	**54**, 48
T 80/96	2000, 50	**54**, 54
T 113/96	19.12.1997	**114**, 51, 52
T 120/96	06.02.1997	**116**, 18
T 161/96	1999, 331	**125**, 37, 41
T 165/96	30.05.2000	**54**, 14, 15, 18
T 169/96	30.06.1996	**113**, 50
T 194/96	10.10.1996	**116**, 28
T 233/96	04.05.2000	**54**, 96
T 237/96	22.04.1998	**123**, 15
T 239/96	23.10.1998	**108**, 3
T 296/96	21.01.2000	**123**, 54
T 336/96	11.09.1997	**100**, 16
T 339/96	21.10.1998	**56**, 44
T 366/96	17.02.2000	**54**, 67
T 382/96	07.07.1996	**110**, 36; **113**, 48
T 410/96	25.07.1999	**84**, 46
T 452/96	05.04.2000	**116**, 48
T 481/96	16.09.1996	**102**, 20
T 541/96	07.03.2001	**83**, 17
T 556/96	24.03.2000	**116**, 23
T 615/96	13.11.2001	**101**, 74; **102**, 35
T 626/96	10.01.1997	**56**, 81
T 643/96	14.10.1996	**56**, 35
T 674/96	29.04.1999	**123**, 17
T 686/96	06.05.1999	**54**, 48
T 711/96	17.06.1998	**56**, 50
T 737/96	09.03.2000	**56**, 36
T 742/96	1997, 533	**125**, 41

Aktenzeichen	ABl oder Datum	Art (EPÜ), Rdn
T 755/96	2000, 174	114, 47
T 789/96	2002, 362	52, 62
T 855/96	10.11.1999	114, 51, 52, 56
T 890/96	09.09.1999	54, 109
T 946/96	23.06.1997	113, 50
T 986/96	10.08.2000	56, 46
T 990/96	1998, 489	54, 54
T 1008/96	25.06.2003	87, 41
T 1054/96	1998, 511	53, 99, 111
T 1069/96	10.05.2000	99, 92
T 1105/96	1998, 249	96, 34
T 1/97	30.03.1999	110, 31
T 19/97	31.07.2001	99, 65
T 56/97	30.08.2001	54, 98; 113, 31
T 77/97	03.07.1997	87, 2, 4, 14; 88, 27, 37
T 103/97	06.11.1998	113, 19
T 142/97	2000, 358	113, 5; 117, 4, 39
T 158/97	04.04.2000	56, 27, 48
T 167/97	1999, 488	122, 97
T 188/97	08.02.2001	105, 6
T 212/97	08.06.1999	101, 22
T 223/97	03.11.1998	102, 27
T 227/97	1999, 495	83, 69; 122, 20, 51; Vor 151/152, 35
T 276/97	26.02.1999	123, 29
T 298/97	2002, 83	99, 61; 107, 10; 116, 27
T 315/97	02.10.2002	106, 1; 107, 45
T 323/97	2002, 476	123, 45
T 382/97	28.09.2000	123, 17
T 400/97	24.05.2000	54, 109
T 425/97	08.05.1998	113, 55
T 426/97	14.12.1999	114, 51, 52, 56
T 442/97	04.09.1997	83, 15
T 450/97	1999, 67	83, 37; 123, 43
T 470/97	10.07.2001	110, 50
T 552/97	04.11.1997	111, 40; 113, 54
T 577/97	05.04.2000	113, 57
T 596/97	10.06.1998	113, 12
T 598/97	10.08.1998	115, 10
T 623/97	11.04.2002	56, 30
T 631/97	2001, 13	82, 19
T 633/97	19.07.2000	114, 58
T 636/97	26.03.1998	111, 8

Aktenzeichen	ABl oder Datum	Art (EPÜ), Rdn
T 642/97	15.02.2001	113, 12; 116, 63
T 644/97	22.04.1999	56, 44, 46
T 710/97	25.10.2000	56, 46
T 712/97	27.01.2002	113, 39
T 769/97	18.04.2002	101, 74; 102, 35
T 777/97	16.03.1998	19, 6; **64**, 6; **123**, 135
T 799/97	04.07.2001	99, 65
T 802/97	24.07.1998	113, 16
T 838/97	14.11.2000	54, 18
T 935/97	04.02.1999	52, 38, 48
T 951/97	1998, 440	113, 43, 52; **114**, 49; **117**, 32
T 967/97	25.10.2001	56, 45, 49
T 1001/97	25.01.2000	105, 4
T 1067/97	04.10.2000	123, 65
T 1070/97	04.03.1999	122, 57
T 1129/97	2001, 273	84, 12
T 1137/97	14.10.2002	99, 65; 107, 12
T 1149/97	07.05.1999	69, 27; **123**, 78, 79
T 1171/97	17.09.1999	104, 23
T 1173/97	1999, 609	**Präambel**, 6; **52**, 3, 38, 40, 48
T 1177/97	09.07.2002	56, 27
T 1194/97	2000, 525	56, 27
T 1198/97	05.03.2001	106, 18; 113, 18
T 1204/97	11.04.2003	99, 60
T 1212/97	14.05.2001	54, 109
T 1229/97	04.07.2001	99, 49
T 4/98	2002, 139	52, 71; **54**, 93; **56**, 35
T 18/98	21.11.2000	105, 6
T 26/98	30.04.2002	56, 121
T 97/98	2002, 183	110, 31
T 191/98	04.03.2003	113, 31
T 238/98	07.05.2003	54, 18
T 247/98	17.06.1999	119, 13, 27
T 287/98	05.12.2000	123, 33
T 338/98	02.03.1999	122, 64
T 342/98	20.11.2001	114, 62
T 366/98	30.06.1999	122, 66
T 428/98	2001, 494	122, 61, 95, 107
T 587/98	2000, 497	76, 16
T 590/98	30.04.2003	99, 65
T 598/98	16.10.2001	101, 69
T 656/98	2003, 385	107, 11

Aktenzeichen	ABl oder Datum	Art (EPÜ), Rdn
T 682/98	11.01.2002	113, 33
T 685/98	1999, 346	96, 1, 38, 40; 109, 12; 113, 21, 42
T 690/98	22.06.1999	115, 6
T 718/98	26.11.2002	114, 61
T 728/98	2001, 319	84, 10, 12
T 777/98	2001, 509	122, 81
T 814/98	08.11.2000	110, 31
T 872/98	26.10.1999	56, 115
T 881/98	23.05.2000	122, 84
T 897/98	05.10.1998	54, 22
T 914/98	22.09.2000	101, 58; 113, 23, 44
T 927/98	09.07.1999	117, 39
T 960/98	09.04.2003	83, 19
T 961/98	12.03.1999	113, 51
T 964/98	22.01.2002	123, 126
T 1020/98	2003, 533	84, 14
T 1022/98	10.11.1999	113, 4, 42
T 1043/98	11.05.2000	56, 133
T 1056/98	02.02.2000	113, 19
T 1066/98	02.10.2000	123, 101
T 1118/98	23.01.2002	123, 26
T 1149/98	08.03.2000	105, 4
T 79/99	03.12.1999	120, 43
T 119/99	25.05.2000	118, 4
T 131/99	19.07.2001	84, 45
T 165/99	03.03.2003	114, 19
T 186/99	22.12.2000	114, 33
T 240/99	16.12.2002	99, 90, 91, 92, 100, 105
T 241/99	06.12.2004	99, 91, 92, 93
T 363/99	19.04.2004	84, 10
T 451/99	13.01.2005	84, 18; 123, 46
T 486/99	23.09.1999	122, 61
T 507/99	2003, 225	123, 45, 46
T 537/99	13.01.2005	102, 28
T 553/99	21.02.2001	123, 99
T 588/99	27.03.2003	56, 124
T 653/99	18.09.2002	101, 22
T 663/99	06.02.2002	113, 42
T 702/99	03.12.2003	56, 72
T 711/99	2004, 550	99, 14, 59
T 736/99	20.06.2002	114, 52
T 762/99	24.06.2004	114, 62

Aktenzeichen	ABl oder Datum	Art (EPÜ), Rdn
T 832/99	17.09.2004	**122**, 72
T 848/99	03.05.2000	**122**, 82, 114
T 932/99	03.08.2004	**84**, 7
T 934/99	18.04.2001	**99**, 85, 86, 96, 104
T 947/99	27.11.2003	**114**, 60, 61
T 952/99	10.12.2002	**84**, 37
T 964/99	2002, 4	**52**, 67
T 971/99	19.04.2000	**122**, 57
T 998/99	2005, 229	**87**, 9; **89**, 12
T 1019/99	16.06.2004	**56**, 46
T 1049/99	09.11.2004	**54**, 48
T 1080/99	2002, 568	**56**, 19; **85**, 6; **116**, 43
T 1086/99	10.11.2004	**102**, 41
T 1137/99	14.10.2002	**99**, 14
T 35/999	2000, 447	**52**, 53
T 9/00	2002, 275	**99**, 13, 15, 61
T 41/00	19.12.2001	**115**, 13
T 43/00	09.05.2003	**117**, 16, 58
T 48/00	12.06.2002	**113**, 23; **116**, 66
T 64/00	01.02.2005	**101**, 41
T 65/00	10.10.2001	**99**, 98; **101**, 22
T 74/00	15.03.2005	**99**, 65; **117**, 1
T 96/00	24.06.2004	**114**, 65
T 113/00	17.09.2004	**56**, 46
T 120/00	18.02.2003	**114**, 62
T 134/00	05.09.2003	**56**, 48
T 251/00	10.04.2003	**99**, 86
T 269/00	16.03.2005	**117**, 4
T 274/00	16.06.2004	**123**, 83
T 278/00	2003, 546	**111**, 53; **113**, 12
T 327/00	13.03.2003	**113**, 43
T 335/00	08.10.2002	**99**, 70, 77
T 336/00	08.10.2002	**99**, 70, 77
T 375/00	07.05.2002	**117**, 45
T 479/00	15.02.2002	**56**, 46
T 481/00	13.08.2004	**114**, 60; **117**, 58
T 499/00	28.01.2003	**117**, 15
T 521/00	10.04.2003	**99**, 98, 103
T 532/00	01.06.2005	**123**, 73
T 594/00	06.05.2004	**116**, 63
T 607/00	21.02.2005	**101**, 69
T 641/00	2003, 352	**52**, 39; **56**, 27, 47

Aktenzeichen	ABl oder Datum	**Art (EPÜ), Rdn**
T 643/00	16.10.2003	56, 27
T 664/00	28.11.2002	116, 44
T 665/00	13.04.2005	117, 11
T 681/00	26.03.2003	84, 2
T 699/00	25.04.2005	101, 66
T 708/00	2004, 160	108, 15; 123, 7, 11
T 714/00	06.08.2002	123, 65
T 727/00	22.06.2001	123, 65
T 740/00	10.10.2001	101, 63; 113, 55; 116, 63
T 787/00	26.06.2003	114, 58
T 805/00	15.07.2003	101, 74; 102, 35
T 820/00	07.09.2004	54, 48
T 824/00	2004, 5	107, 17; 113, 7
T 835/00	07.11.2000	56, 46
T 860/00	28.09.2004	123, 36
T 903/00	27.10.2004	116, 13
T 915/00	19.06.2002	56, 81
T 931/00	19.05.2003	123, 65
T 943/00	31.07.2003	83, 19
T 961/00	09.12.2002	102, 18
T 970/00	15.09.2004	56, 45
T 986/00	2003, 554	113, 7, 54
T 1066/00	14.06.2005	123, 101
T 1126/00	02.12.2004	101, 74; 102, 36
T 1140/00	30.01.2001	116, 56
T 1143/00	07.11.2002	105, 8
T 1164/00	02.09.2003	101, 41
T 1188/00	30.04.2003	56, 44, 48
T 10/01	09.03.2005	84, 18
T 15/01	2006, 153	87, 9; 89, 12; 99, 51; 102, 30; 107, 11; 112, 15
T 56/01	21.01.2004	84, 48
T 92/01	20.06.2002	110, 45
T 131/01	18.07.2002	101, 22; 110, 55; 114, 44
T 135/01	21.01.2004	101, 47
T 192/01	22.06.2004	123, 101
T 211/01	01.12.2003	56, 46
T 220/01	28.02.2003	123, 58
T 275/01	03.02.2005	101, 41
T 283/01	03.09.2002	122, 61
T 295/01	2002, 251	101, 6
T 318/01	18.11.2004	113, 55
T 367/01	30.07.2003	114, 47; 116, 28

Aktenzeichen	ABl oder Datum	Art (EPÜ), Rdn
T 386/01	24.07.2003	101, 65; 102, 20; 113, 59; 114, 44
T 402/01	21.02.2005	113, 35
T 433/01	04.06.2003	123, 42
T 460/01	21.10.2004	114, 23
T 493/01	04.06.2003	56, 119, 120
T 500/01	12.11.2003	123, 71
T 508/01	09.10.2001	113, 5, 29
T 520/01	29.10.2003	101, 44
T 579/01	30.06.2004	123, 93
T 594/01	30.03.2004	54, 30, 54
T 604/01	12.08.2004	113, 5; 114, 44
T 611/01	23.08.2004	113, 5, 23; 116, 10
T 657/01	24.06.2003	123, 101
T 694/01	2003, 250	105, 4, 17.1; 110, 52; 111, 27, 29
T 701/01	29.10.2003	113, 50
T 708/01	17.03.2005	101, 69
T 803/01	09.09.2003	56, 60
T 860/01	11.09.2002	117, 4
T 877/01	24.06.2005	101, 44
T 879/01	24.06.2005	101, 41
T 931/01	20.04.2005	123, 35
T 981/01	24.11.2004	107, 31
T 1007/01	2005, 240	105, 2, 16
T 1022/01	26.04.2001	156, 20
T 1052/01	01.07.2003	123, 86
T 1056/01	04.06.2003	87, 49
T 1081/01	27.09.2004	54, 18
T 1098/01	13.04.2005	101, 74; 102, 35, 36
T 1109/01	04.02.2002	116, 22
T 1122/01	06.05.2004	116, 59
T 1158/01	2005, 110	76, 12
T 1200/01	06.11.2002	117, 12
T 1227/01	12.10.2004	123, 57, 58
T 1235/01	26.02.2004	113, 44
T 21/02	20.02.2006	109, 12
T 42/02	28.02.2003	116, 30, 67
T 67/02	14.05.2004	57, 7
T 68/02	24.06.2004	114, 56
T 97/02	06.05.2005	113, 16, 50
T 113/02	17.03.2004	56, 27
T 119/02	12.07.2006	52, 65
T 137/02	19.02.2004	113, 34; 116, 56, 72

Aktenzeichen	ABl oder Datum	Art (EPÜ), Rdn
T 161/02	13.09.2004	84, 18
T 181/02	13.10.2003	102, 27
T 186/02	29.06.2004	113, 8, 12
T 273/02	27.04.2005	99, 66
T 283/02	09.04.2003	101, 74, 76; 115, 16
T 374/02	13.10.2005	117, 36, 69
T 413/02	05.05.2005	107, 12
T 482/02	09.02.2005	99, 8
T 496/02	11.01.2005	102, 41
T 511/02	17.02.2004	99, 88, 105
T 522/02	20.07.2004	113, 33, 34
T 540/02	19.10.2004	113, 50
T 552/02	15.10.2003	122, 123
T 562/02	10.02.2005	114, 56
T 569/02	02.06.2004	114, 62
T 587/02	12.09.2002	113, 15
T 609/02	27.10.2004	83, 42
T 632/02	17.07.2003	56, 13
T 646/02	21.09.2004	110, 44
T 653/02	09.07.2004	110, 44
T 677/02	22.04.2004	122, 62
T 713/02	12.04.2005	106, 16
T 720/02	23.09.2004	76, 12
T 723/02	13.05.2005	123, 157
T 749/02	20.01.2004	123, 15
T 831/02	24.11.2005	116, 22
T 881/02	16.12.2004	123, 36, 157
T 890/02	2005, 497	56, 11
T 900/02	28.04.2004	116, 30
T 912/02	10.01.2005	113, 16
T 915/02	29.04.2005	113, 31, 34
T 922/02	10.03.2004	113, 40, 46
T 934/02	29.04.2004	108, 21
T 953/02	08.06.2005	115, 12
T 966/02	01.12.2004	99, 13, 15; 101, 59; 113, 37, 42
T 972/02	08.07.2005	101, 76
T 975/02	26.01.2005	113, 23, 48
T 977/02	16.06.2004	54, 103
T 1063/02	16.06.2004	106, 19
T 1081/02	13.01.2004	102, 5; 113, 42
T 1091/02	2005, 14	99, 59; 112, 14; 117, 14, 22
T 1124/02	20.01.2005	110, 60

Aktenzeichen	ABl oder Datum	Art (EPÜ), Rdn
T 1127/02	14.09.2004	**54**, 48
T 1168/02	10.02.2006	**82**, 14
T 1183/02	2003, 404	**109**, 12; **116**, 22
T 1187/02	16.07.2003	**106**, 25.1; **108**, 5
T 25/03	08.02.2005	**102**, 26; **123**, 65
T 39/03	2006, 362	**76**, 12
T 115/03	19.10.2004	**102**, 41
T 131/03	22.12.2004	**117**, 15
T 132/03	05.03.2004	**116**, 9
T 157/03	04.01.2005	**114**, 62
T 172/03	27.11.2003	**56**, 8
T 190/03	2006, 502	**24**, 7; **116**, 38
T 215/03	18.11.2005	**114**, 61
T 258/03	2004, 575	**52**, 11, 26, 39, 40; **56**, 27, 48
T 264/03	12.03.2004	**113**, 5; **117**, 36
T 281/03	17.05.2006	**113**, 4, 19
T 293/03	25.07.2005	**99**, 65
T 309/03	2004, 91	**108**, 4
T 315/03	2006, 15	**53**, 15, 17, 47, 56, 60, 62, 78
T 324/03	08.09.2005	**117**, 4
T 353/03	25.08.2003	**113**, 16
T 382/03	20.07.2004	**123**, 150
T 383/03	2005, 159	**52**, 53
T 389/03	06.07.2004	**113**, 15
T 394/03	04.03.2005	**113**, 35
T 424/03		**52**, 40
T 444/03	05.07.2004	**114**, 29; **116**, 11
T 455/03	05.07.2005	**113**, 48; **116**, 61, 62
T 466/03	21.09.2004	**102**, 5
T 531/03	17.03.2005	**56**, 27
T 571/03	22.03.2006	**113**, 29
T 653/03	08.04.2005	**123**, 26, 63
T 658/03	07.10.2004	**123**, 117
T 719/03	14.10.2004	**122**, 64
T 808/03	12.02.2004	**122**, 64, **123**, 126
T 830/03	21.09.2004	**102**, 5; **106**, 1; **108**, 7
T 843/03	25.10.2004	**87**, 10
T 849/03	19.08.2004	**113**, 5, 23
T 850/03	21.04.2005	**123**, 66
T 861/03	28.11.2003	**113**, 21, 26; **116**, 14
T 874/03	28.06.2005	**114**, 55, 56; **116**, 60
T 910/03	07.07.2005	**123**, 27, 30, 42, 58

Aktenzeichen	ABl oder Datum	Art (EPÜ), Rdn
T 922/03	22.05.2005	123, 22
T 938/03	05.04.2005	99, 73
T 1000/03	03.08.2005	113, 51
T 1020/03	29.10.2004	54, 97
T 1027/03	10.01.2005	101, 45
T 1058/03	25.08.2005	123, 79
T 1067/03	04.05.2005	116, 43, 44
T 1081/03	16.12.2004	99, 90, 91, 92, 105
T 1110/03	2005, 302	111, 45; 113, 5; 116, 59; 117, 1, 4
T 56/04	21.09.2005	84, 10
T 82/04	09.06.2005	102, 29
T 95/04	29.09.2004	116, 15
T 126/04	29.06.2004	108, 27; 110, 26
T 292/04	17.10.2005	54, 98
T 300/04	21.04.2005	101, 45; 116, 43
T 362/04	12.01.2006	116, 22
T 468/04	30.09.2004	113, 17, 24
T 474/04	2006, 129	113, 5; 117, 4, 14, 38, 39, 55, 58, 60
T 692/04	06.10.2005	114, 62
T 742/04	14.07.2005	113, 40; 116, 18
T 781/04	30.11.2005	78, 72; 108, 11
T 782/04	19.07.2005	99, 85, 88, 92
T 823/04	05.08.2005	113, 34; 116, 22, 72
T 870/04	11.05.2005	57, 3; 83, 49
T 911/04	10.02.2005	116, 5
T 958/04	17.12.2004	123, 58
T 971/04	22.11.2005	84, 2
T 991/04	22.11.2005	108, 11
T 1059/04	17.06.2005	113, 34; 116, 72
T 1181/04	2005, 312	97, 12, 18; 107, 23; 113, 53
T 1255/04	2005, 424	97, 12; 107, 23; 113, 53
T 1259/04	10.01.2006	113, 45
T 1329/04	28.06.2005	83, 42
T 1359/04	26.04.2005	113, 18, 27, 42, 43; 116, 63, 64
T 1374/04	2006, 393	53, 28, 34, 60, 62, 74, 81
T 1440/04	23.03.2006	76, 12
T 5/05	09.11.2005	87, 9; 89, 12
T 58/05	16.05.2006	83, 18
T 242/05	20.09.2006	109, 12
T 308/05	27.02.2006	113, 53
T 514/05	2006, 526	78, 72; 108, 11
T 988/05	14.02.2006	113, 4, 13

Aktenzeichen	ABl oder Datum	**Art (EPÜ), Rdn**
T 1309/05	10.01.2006	**113**, 21, 29
T 1356/05	16.02.2006	**113**, 21
T 1379/05	20.02.2006	**113**, 16, 46
T 1395/05	20.01.2006	**107**, 23; **113**, 53
T 1409/05	30.03.2006	**76**, 12

Euro-PCT-Entscheidungen der Technischen Beschwerdekammern (Widersprüche)

Halbfett gedruckte Ziffern verweisen auf den Artikel und mager gedruckte Ziffern auf die Randnummer der Kommentierung.

Aktenzeichen	ABl oder Datum	**Art (EPÜ)**, Rdn
W 4/85	1987, 63	**154**, 93
W 7/86	1987, 67	**154**, 93
W 9/86	1987, 459	**82**, 15, 30
W 4/87	1988, 425	**122**, 20; **154**, 101, 104, 107
W 1/88	24.10.1989	**122**, 107
W 31/88	1990, 134	**82**, 7, 16; **154**, 96
W 11/89	1993, 225	**82**, 7, 30
W 6/90	1991, 438	**82**, 7
W 15/91	1993, 515	**82**, 26
W 16/92	1994, 237	**82**, 28; **154**, 106, 107
W 2/93	31.03.1993	**154**, 2; **155**, 113
W 3/93	1994, 931	**82**, 28, 30; **122**, 20, 124; **153**, 68; **154**, 104, 116
W 4/93	1994, 939	**82**, 30; **154**, 83, 103, 116
W 12/93	30.05.1994	**154**, 116
W 17/93	19.07.2001	**82**, 7
W 3/94	1995, 775	**82**, 8, 30; **154**, 95, 117
W 4/94	1996, 73	**82**, 30; **155**, 113
W 5/94	07.06.1994	**154**, 116
W 6/94	11.04.1994	**154**, 91, 117
W 9/94	29.11.1994	**155**, 112
W 3/96	29.11.1996	**154**, 103
W 4/96	1997, 552	**82**, 6, 8
W 1/97	1999, 33	**82**, 25; **154**, 97
W 6/97	18.09.1997	**82**, 7
W 6/98		**82**, 15
W 6/99	2001, 96	**82**, 25; **155**, 114
W 7/99	20.06.2000	**154**, 116; **155**, 112
W 11/99	2000, 186	**82**, 10; **154**, 94
W 2/00	18.10.2000	**154**, 106; **155**, 117
W 13/00	12.09.2000	**155**, 113
W 15/00	11.01.2001	**116**, 6; **154**, 83, 107
W 17/00	21.05.2001	**154**, 97
W 8/01	28.04.2003	**154**, 109
W 20/01	01.10.2002	**154**, 83

Aktenzeichen	ABl oder Datum	**Art (EPÜ), Rdn**
W 3/02	31.07.2003	**154**, 115
W 11/02	20.12.2002	**154**, 103
W 3/03	30.09.2003	**155**, 114
W 6/03	25.06.2003	**154**, 98
W 21/03	23.04.2004	**154**, 81, 94
W 27/03	26.08.2004	**154**, 106, 107

Entscheidungen der Beschwerdekammer in Disziplinarangelegenheiten

Halbfett gedruckte Ziffern verweisen auf den Artikel und mager gedruckte Ziffern auf die Randnummer der Kommentierung.

Aktenzeichen	ABl oder Datum	**Art (EPÜ), Rdn**
D 1/79	1980, 298	**134**, 45
D 2/80	1982, 192	**125**, 15; **134**, 57
D 4/80	1982, 107	**134**, 60
D 1/81	1982, 258	**134**, 33, 43
D 1/82	1983, 352	**134**, 47
D 2/82	1982, 353	**134**, 44
D 5/82	1983, 175	**125**, 15, 16; **134**, 56, 57, 76
D 6/82	1983, 337	**122**, 24, 83; **134**, 58
D 7/82	1983, 185	**134**, 56, 76
D 8/82	1983, 378	**134**, 71
D 1/86	1987, 489	**134**, 56, 60, 63
D 2/86	1987, 489	**134**, 60
D 3/86	1987, 489	**134**, 60
D 4/86	1988, 26	**134**, 45
D 5/86	1989, 210	**134**, 70
D 4/88	15.09.1988	**134**, 61
D 12/88	1991, 591	**134**, 69
D 3/89	1991, 257	**134**, 33, 42, 43
D 5/89	1991, 218	**134**, 33
D 11/91	1994, 401	**134**, 71
D 1/92	1993, 357	**134**, 61
D 6/92	1993, 361	**134**, 61
D 6/93	06.12.1993	**134**, 61
D 10/93	06.04.1994	**134**, 61
D 14/93	1997, 561	**134**, 44
D 1/94	1996, 468	**134**, 62
D 15/95	1998, 297	**134**, 75
D 8/96	1998, 302	**134**, 56
D 25/96	1998, 45	**134**, 44
D 12/97	1999, 566	**134**, 57
D 20/99	2002, 19	**134**, 71
D 3/00	2003, 365	**134**, 56

Entscheidungen der ersten Instanz des EPA

Halbfett gedruckte Ziffern verweisen auf den Artikel und mager gedruckte Ziffern auf die Randnummer der Kommentierung.

Entscheidungsorgan	Datum, Fundstelle	**Art (EPÜ)**, Rdn
Prüf.-Abt.	5.6.1984; ABl 1984, 565	**121**, 11
Einspr.-Abt.	13.5.1992; ABl 1992, 747	**101**, 26
Einspr.-Abt.	15.2.1993, GRUR Int 1993, 865	**53**, 95
Rechts-Abt.	3.7.1985	**134**, 4
Rechts-Abt.	3.11.1988	**71**, 17
Rechts-Abt.	25.4.1989	**133**, 35
Rechts-Abt.	27.4.1989	**134**, 4

Entscheidungen europäischer und nationaler Gerichte

(sortiert nach Gerichten, innerhalb der Gerichte nach Entscheidungsdatum)
Halbfett gedruckte Ziffern verweisen auf den Artikel und mager gedruckte Ziffern auf die Randnummer der Kommentierung.

Gericht	Schlagwort oder Datum	Fundstelle	**Art (EPÜ), Rdn**
EKMR	Lenzing gegen Deutschland – 09.09.1998		**8**, 10
EGMR	Waite und Kennedy	NJW 1999, 1173	**8**, 7, 11
EuGH	Duijnstee./.Goderbauer – 15.11.1983	EuGH Slg 1983, 3663; GRUR Int 1984, 693	**61**, 5
EuGH	Biogen / Smithkline – 23.01.1997	GRUR 1997, 363	**63**, 15
EuGH	16.09.1999	GRUR Int 2000, 69	**63**, 11
EuGH	BASF/Deutsches Patentamt – 21.09.1999	GRUR Int 2000, 71	**65**, 3
EuGH	BASF / BIE – 10.05.2001	GRUR Int 2001, 754	**63**, 14
EuGH	Omeprazol – 11.12.2003	GRUR 2004, 225	**63**, 16
EuGH	Novartis/Comptroller General – 21.04.2004	GRUR Int 2005, 581	**63**, 6
EuGH	Roche/Primus – 13.07.2006	GRUR Int 2006, 836	**64**, 23
EMBL-Schiedsspruch	Kunz-Hallstein – 29.06.1990	NJW 1992, 3069	**8**, 2
AT-OGH	Duschtrennnwand	ABl 1993, 87	**99**, 46
AT-OGH	Befestigungsvorrichtung für Fassadenelemente – 03.04.1984	GRUR Int 1985, 766	**69**, 41
AT-OGH	Duschtrennwand – 12.02.1991	ABl 1993, 87	**71**, 15
AT-OGH	11.06.1992	RIW 1993, 237	**8**, 5
AT-OGH	Holzlamellen – 20.10.1992	ABl 1993, 751; GRUR Int 1994, 65; Österr Patentblatt 1993, 154; Österr. Patentblatt 1993, 154	**61**, 1, 3, 10, 13; **62**, 5; **81**, 21
AT-Patentamt	12.12.199	ABl 1990, 375	**167**, 6
AT-Patentamt	13.12.1983	ABl 1984, 276	**71**, 12, 13
AT-Patentamt	06.08.1992	ABl 1993, 588	**131**, 3

Entscheidungsregister **EuGH/nationale Gerichte**

Gericht	Schlagwort oder Datum	Fundstelle	Art (EPÜ), Rdn
AT-Patentamt	Rekombinante DNS-Moleküle – 12.06.1996	ABl 1998, 217	**167**, 5, 7
CH-BG	Rohrschelle – 31.10.1991	GRUR Int 1993, 878	**69**, 42
CH-Bundesgericht	Stapelvorrichtung – 19.08.1991	ABl 1993, 170; BGE 117 II, 480; GRUR Int 1992, 293; SMI 1992, 95	**54**, 14; **55**, 7
CH-Handelsgericht Zürich	Werkzeughalterspindeln II – 03.12.1991	ABl 1993, 189; GRUR Int 1992, 783; SMI 1992, 303	**69**, 42
CH-Rekurskommission	30.04.1998	sic! 1999, 449	**63**, 6
DE-BVerfG	Eurocontrol I	NJW 1982, 505	**8**, 7
DE-BVerfG	Eurocontrol II	NJW 1982, 512	**8**, 11
DE-BVerfG	Solange II	NJW 1987, 577	**8**, 8
DE-BVerfG	Maastricht	NJW 1993, 3047	**8**, 8
DE-BVerfG	Lenzing – 08.01.1997	Mitt 1997, 394	**8**, 10; **Vor 21**, 5
DE-BVerfG	25.09.2000	NJW 2001, 1566	**122**, 81
DE BVerfG	Europäische Eignungsprüfung – 04.04.2001	GRUR 2001, 728; GRUR Int 2001, 728; NJW 2001, 2705	**8**, 4, 8, 10
DE-BVerfG	05.04.2006		**8**, 8
DE-BVerwG	Europäische Schulen – 19.10.1992	NJW 1993, 1409	**8**, 2, 11
DE-Bayerisches Verwaltungsgericht München	19.10.1978	ABl 1979, 94	**163**, 1
DE-BGH	Roll- und Wippbrett	ABl 1982, 66	**79**, 3
DE-BGH	Fotovoltaisches Halbleiterelement	GRUR 1993, 466	**54**, 18
DE-BGH	Spannschraube – 02.03.199	GRUR 1999, 932; Mitt 1999, 304	**69**, 39
DE-BGH	Waeschepresse – 27.05.1952	BlPMZ 1952, 409; GRUR 1952, 564	**122**, 139
DE-BGH	Bausteine – 19.03.1969	GRUR 1969, 439	**64**, 10
DE-BGH	Rote Taube – 27.03.1969	GRUR 1969, 672	**52**, 12
DE-BGH	19.10.1971	GRUR 1972, 704	**53**, 57
DE-BGH	28.11.1972	GRUR 1973, 585	**53**, 54
DE-BGH	Bäckerhefe – 11.03.1975	GRUR 1975, 430	**83**, 15
DE-BGH	Werbespiegel – 28.09.1976	GRUR 1977, 107	**68**, 4
DE-BGH	Zahnpasta – 29.10.1981	GRUR 1982, 162	**64**, 10
DE-BGH	Brückenlegepanzer I – 25.01.1983	GRUR 1983, 237	**68**, 4

EuGH/nationale Gerichte — Entscheidungsregister

Gericht	Schlagwort oder Datum	Fundstelle	Art (EPÜ), Rdn
DE-BGH	Kreiselegge – 15.11.1983	GRUR 1984, 194	56, 67
DE-BGH	Formstein – 29.04.1986	ABl 1987, 551; GRUR 1986, 803	69, 28, 33
DE-BGH	Tollwutvirus – 12.02.1987	ABl 1987, 429	83, 15
DE-BGH	Ionenanalyse – 14.06.1988	GRUR 1988, 896	69, 35
DE-BGH	Roll- und Wippbrett – 29.10.1988	ABl 1982, 66; GRUR Int 1982, 31	86, 2
DE-BGH	Batteriekastenschnur – 03.10.1989	GRUR 1989, 903	69, 33
DE-BGH	Geschlitzte Abdeckfolie – 21.11.1989	GRUR 1990, 505	64, 12
DE-BGH	Spreizdübel – 15.01.1990	GRUR 1990, 508	64, 12
DE-BGH	Elastische Bandage – 18.09.1990	ABl 1991, 533	56, 82
DE-BGH	Autowaschvorrichtung – 09.11.1990	ABl 1991, 503; GRUR 1991, 444	69, 38
DE-BGH	Chinesische Schriftzeichen – 01.06.1991	GRUR 19192, 36	52, 24
DE-BGH	Beheizbarer Atemluftschlauch – 24.09.1991	ABl 1993, 89; GRUR Int 1992, 40	64, 3; 69, 37
DE-BGH	Heliumeinspeisung – 19.11.1991	ABl 1992, 686; GRUR 1992, 305	69, 36
DE-BGH	Tauchcomputer – 04.02.1992	GRUR 1992, 430	138, 4
DE-BGH	Linsenschleifmaschine – 12.05.1992	ABl 1993, 331; GRUR 1992, 839	70, 11; 138, 1, 4
DE-BGH	Magazinbildwerfer – 23.06.1992	ABl 1993, 88; GRUR 1992, 692; GRUR 1992, 693	72, 3, 4
DE-BGH	Wandabstreifer – 26.01.1993	Mitt 1993, 325	122, 141, 142
DE-BGH	Locking Device – 08.06.1993	Schulte-Kartei PatG § 81-85, Nr 151	70, 11
DE-BGH	Sulfonsäurechlorid – 22.02.1994	GRUR 1994, 439	139, 9
DE-BGH	Zerlegvorrichtung für Baumstämme – 17.03.1994	GRUR 1994, 597	69, 39
DE-BGH	Rotationsbürstenwerkzeug – 24.03.1994	GRUR 1994, 602	71, 18
DE-BGH	Kleiderbügel – 20.04.1994	GRUR 1995, 388	73, 4
DE-BGH	Zahnkranzfräser – 04.01.1995	GRUR 1996, 757; GRUR Int 1996, 56	56, 7; Vor 106, 4; 138, 5
DE-BGH	Corioliskraft – 05.12.1995	ABl 1998, 263; GRUR 1996, 349	55, 7
DE-BGH	Kabeldurchführung – 04.02.1997	GRUR 1997, 454	69, 34
DE-BGH	Drahtbiegemaschine – 29.04.1997	GRUR 1997, 890	61, 8

Entscheidungsregister — EuGH/nationale Gerichte

Gericht	Schlagwort oder Datum	Fundstelle	Art (EPÜ), Rdn
DE-BGH	Weichvorrichtung I – 05.06.1997	ABl 1998, 141; Mitt 1997, 364	69, 39
DE-BGH	Handhabungsgerät – 16.09.1997	GRUR 1998, 130	84, 37
DE-BGH	Polymermasse – 03.02.1998	GRUR 1998, 901	83, 24
DE-BGH	Leuchtstoff – 24.03.1998	GRUR 1998, 1003	84, 3
DE-BGH	Regenbecken – 05.05.1998	ABl 1999, 322; GRUR 1998, 895	56, 7; 69, 13; **138**, 5
DE-BGH	Sammelförderer – 27.10.1998	ABl 2001, 259; GRUR 1999, 909; IIC 1999, 932; Mitt 1999, 365	69, 39
DE-BGH	Coverdisk – 02.02.1999	GRUR 1999, 776	73, 7
DE-BGH	Spannschraube – 02.03.1999	ABl 2001, 259	84, 10
DE-BGH	Anschraubscharnier – 19.05.1999	Mitt 1999, 369	54, 14
DE-BGH	Idarubicin II – 15.02.2000	GRUR 2000, 683	63, 12
DE-BGH	Brieflocher – 07.11.2000	GRUR 2001, 232	84, 10
DE-BGH	Trigonellin – 20.03.2001	Mitt 2001, 254	56, 48
DE-BGH	Luftverteiler – 11.09.2001	GRUR Int 2002, 154	87, 7
DE-BGH	Schneidmesser I – 12.03.2002	GRUR 2002, 513	69, 36
DE-BGH	Kunststoffrohrteil – 12.03.2002	GRUR Int 2002, 612	69, 40
DE-BGH	Kosmetisches Sonnenschutzmittel – 10.12.2002	GRUR 2003, 317	56, 57
DE-BGH	Cabergolin – 17.12.2002	GRUR 2003, 599	63, 16
DE-BGH	Stretchfolie – 24.04.2004	GRUR 2002, 53	139, 9
DE-BGH	07.07.2004	NJW-RR 2004, 1651	122, 101
DE-BGH	Arzneimittelgebrauchsmuster – 05.10.2005	GRUR 19206, 135	84, 40
DE-BPatG	Steuerbare Filterschaltung	ABl 1998, 617	123, 97
DE-BPatG	15.01.1965	BPatGE 6, 145	52, 12
DE-BPatG	Doppelschutz – 24.06.1986	ABl 1988, 99	139, 9
DE-BPatG	Umschreibgebühr – 07.07.1986	ABl 1987, 438; GRUR Int 1986, 801	71, 12; 99, 46
DE-BPatG	15.11.1988	BPatGE 30, 109	107, 48
DE-BPatG	Zusätzlicher Kläger – 26.06.1991	GRUR 19192, 435; GRUR 1992, 435	71, 12; **138**, 4
DE-BPatG	Beschränkung des Patents – 02.10.1991	GRUR 1992, 435	**138**, 4, 13
DE-BPatG	Perfluorocarbon – 30.03.1993	GRUR 1995, 394	**138**, 10
DE-BPatG	Idarubicin I – 15.05.1995	BlPMZ 1995, 446	63, 12
DE-BPatG	11.12.1996	BPatGE 37, 187	80, 1
DE-BPatG	CAD/CAM-Einrichtung – 21.01.1997	BPatGE 38, 31	52, 24

Gericht	Schlagwort oder Datum	Fundstelle	Art (EPÜ), Rdn
DE-BPatG	Übersetzung der Beschreibung – 23.05.1997	BPatGE 38, 150; GRUR 1997, 820	65, 20
DE-BPatG	13.11.2003		122, 85
DE-BPatG	23.11.2004	BlPMZ 2005, 183; Mitt 2005, 119	10, 5
DE-BPatG	03.03.2005	CR 2005, 554	56, 27
DE-BPatG	Computerprogramm-Anspruch – 12.12.2005	Mitt 2006, 217	52, 38
DE-Bundesarbeitsgerichts	02.07.1981	NJW 1982, 1664	122, 101
DE-LG Düsseldorf	Signalübertragungsvorrichtung – 16.03.1993	GRUR 1993, 812	139, 13
DE-OLG Düsseldorf	Epilady VIII – 21.11.1991	GRUR Int 1993, 242	69, 55
DE-OLG München	Sequestration – 26.09.1996	Mitt 1997, 349	61, 23
DE-VG München	08.07.1999	ABl 2000, 205; GRUR Int 2000, 77	Vor 21, 1; Vor 106, 4
DE-VG München	Nationale Überprüfung von EPA-Entscheidungen I – 08.07.1999	GRUR Int 2000, 77	8, 3, 4
DE-VG München	Nationale Überprüfung von Patentamtsentscheidungen II – 08.07.1999	GRUR Int 2000, 77	8, 10
FR-Cour de Cassation	Alfuzosin – 26.10.1993	ABl 1995, 252; RDPI 1993, 54	54, 95; 69, 46
FR-Cour de Cassation	04.06.2002	PIBD 2002 III, 387	69, 58
FR-Cour de Paris	Aufspießmaschine – 11.10.1990	GRUR Int 1993, 173	69, 46
FR-Cour de Paris	18.01.1995	Ann 1995, 287	69, 46
FR-Cour de Paris	29.11.1995	Ann 1997, 116	69, 59
FR-Cour de Paris	PIBD – 29.11.1995	PIBD 1996 III, 287	69, 46
FR-Cour de Paris	15.03.1996	Ann 1996, 182	69, 47
FR-Cour de Paris	18.06.1996	PIBD 1996 IV, 606	69, 47
FR-TGI Paris	14.06.1996	PIBD 1996 III, 555	69, 46
GB House of Lords	Biogen Inc. v. Medeva Plc	[1997] R.P.C. 1 (49-; 2); [1997] R.P.C., 1 (49-; 2); GRUR Int 1998, 412	87, 11, 18
GB House of Lords	Terfenadin – 26.10.1995	GRUR Int 1996, 825	2, 6; Vor 106, 2
GB-Court of Appeal	Kunststoffnetz – 16.11.1994	[1995] F.S.R., 116; [1995] R.P.C.., 287; GRUR Int 1997, 368	69, 45

Entscheidungsregister — EuGH/nationale Gerichte

Gericht	Schlagwort oder Datum	Fundstelle	Art (EPÜ), Rdn
GB-Court of Appeal	Zigarettenblättchen – 16.06.1995	[1995] R.P.C. 585; GRUR Int 1997, 374	**69**, 46
GB-Court of Appeal	Compact Disk – 28.11.1996	[1997] R.P.C. 757	**64**, 12
GB-Court of Appeal	Aldous und Roch L.JJ. – 20.03.1998	[1998] R.P.C. 609	**Vor 106**, 4
GB-High Court	Oral Health Products Inc. (Halstead's) Applications – 14.10.1976	[1977] R.P.C. 612	**52**, 58
GB-House of Lords	Fothergill v. Monarch Airlines/Fluggepäckschaden – 10.07.1980	[1980] 2 All E.R., 696; [1980] 3 W.L.R, 209; GRUR Int 1982, 133	**177**, 9
GB-House of Lords	Terfenadine – 26.10.1995	[1996] R.P.C. 76; GRUR Int 1996, 825	**177**, 13
GB-House of Lords	Biogen Inc. v. Medeva Plc. – 31.10.1996	[1997] R.P.C. 41; GRUR Int 1998, 412	**52**, 9
GB-Patent Court	Pioneer Electronics Capital v. Warner Music Manufacturing Europe GmbH – 24.01.1995	[1995] R.P.C. 487	**64**, 12
GB-Patents Court	Stahlträger II – 27.11.1980	[1982] R.P.C.t, 183; GRUR Int 1982, 136	**69**, 43
GB-Patents Court	Wyeth and Schering – 04.07.1985	ABl 1986, 175	**Vor 21**, 1
GB-Patents Court	Merril Lynch's Appl. – 07.04.1987	GRUR Int 1989, 419	**Vor 21**, 1
GB-Patents Court	Epilady IX – 16.05.1989	[1990] F.S.R., 1981; GRUR Int 1993, 245	**69**, 44
GB-Patents Court	Kartonrohlinge – 13.12.1994	[1995] R.P.C. 321; GRUR Int 1997, 371	**69**, 45
GB-Patents Court	Papiermaschine – 28.04.1995	[1995] R.P.C. 705; GRUR Int 1997, 373	**69**, 46
GB-Patents Court	20.12.1996	BlPMZ 1997, 210	**Vor 106**, 4
GB-Patents Court	Lenzing – 20.12.1996	GRUR Int 1997, 1010	**8**, 3
GB-Patents Court	Lenzing – 20.12.1997	[1997] R.P.C. 245	**Vor 21**, 1
GB-Patents Court	Bristol-Myers Squibb Co v. Baker Norton Pharmaceutical Inc – 20.08.1998	[1999] R.C.P., 253	**177**, 13
GB-Patents Court	Wyeth (John) & Brother Ltd's Application – 04.07.1985	[1985] R.P.C. 545; ABl 1986, 175	**177**, 13
GB-PatOffice	16.09.1995	[1996] R.P.C. 125	**70**, 14
IT-Tribunale di Milano	Epilady XI – 04.05.1992	GRUR Int 1993, 249	**69**, 53
NL-Gerechtshof Den Haag	Epilady XII – 20.02.1992	BIE 1992, 285; GRUR Int 1993, 252	**69**, 48

Gericht	Schlagwort oder Datum	Fundstelle	Art (EPÜ), Rdn
NL-Gerechtshof Den Haag	NASBA – 11.11.1997	GRUR Int 1998, 58	**69,** 19, 51
NL-Gerechtshof Den Haag	Expandable Graffs Partnership v. Boston Scientific BV – 23.04.1998	F.S.R. [1999], 352	**64,** 23
NL-Hoge Raad	Extraktionsvorrichtung – 27.01.1989	BIE 1989, 202; GRUR Int 1990, 384	**69,** 48
NL-Hoge Raad	Kontaktlinsenflüssigkeit – 13.01.1995	ABl 1995, 142; ABl 1998, 142; BIE 1995, 238; GRUR Int 1995, 727	**69,** 27, 49
NL-Hoge Raad	Heizkesselanlage – 13.01.1995	GRUR Int 1996, 67	**69,** 50
NL-Hoge Raad	Follikelstimulationshormon II – 23.06.1995	ABl 1998, 278; BIE 1997, 235; GRUR Int 1997, 838	**55,** 7, 13
NL-Octrooiraad	12.09.1985	ABl 1988, 71	**52,** 29
NL-Octrooiraad	10.12.1990	ABl 1993, 703	**52,** 29
SE-Patentbesvärsretten	Hydrophyridin – 13.06.1996	ABl 1988, 198	**177,** 13
SE-Patentbesvärsretten	Vorrichtung für Verkaufsautomaten – 10.05.1995	GRUR Int 1998, 251	**54,** 14, 21

Sachregister

Die **halbfett** gedruckten Ziffern geben den **Artikel** (des EPÜ) an, die mager gedruckten Ziffern nach dem Komma die jeweiligen Randnummern der Erläuterungen.

A

Abbuchungsauftrag Anhang 5
Abhängige Patentansprüche 82, 12–14; **84**, 43–47
Abhilfe 109
Ablehnung
– einer vollständigen internationalen Recherche **154**, 67–72
– von Mitgliedern der Beschwerdekammer **24**
– von Sachverständigen **117**, 48
Absoluter Stoffschutz 52, 6
Abstimmungen
– im Verwaltungsrat **35**
Ad hoc-Mitglieder der Beschwerdekammern 112, 5
Ad-hoc-Mitglieder der Beschwerdekammern 160
Affidavit 117, 54
Aktenaufbewahrung 128, 31–33
Aktenauskunft 128, 30
Akteneinsicht 128
– Ausnahmen von der Beschränkung der ~ **130**, 9
– bei Teilanmeldungen in die Stammanmeldung **76**, 33
– durch Gerichte und Behörden der Vertragsstaaten **131**, 13–14
– in die internationalen Anmeldung(en) **156**, 17–20
– in noch nicht veröffentlichte europäische Patentanmeldungen **128**, 3–5
– nach Veröffentlichung der europäischen Patentanmeldung **128**, 17–25

Allgemeinbegriffe und spezielle Begriffe 54, 61–65
Allgemeine Grundsätze der Vertretung 132
Allgemeine Grundsätze des Verfahrensrechts 125
Allgemeine Verfahrensvorschriften 113; 114; 115; 116; 117; 118; 119; 120; 121; 122; 123; 124; 125; 126
Allgemeine Vollmacht 133, 29–30
Allgemeiner Erfindungsgedanke 69, 5
Allgemeines Fachwissen 83, 13
Ältere europäische Rechte 56, 137–138
– Euro-PCT- Anmeldung(en)als ~ **158**, 14–20
– Nichtigkeit und ~ **138**
– unterschiedliche Fassungen bei ~ **123**, 105–109
Ältere nationale Rechte 139
– Nationale Gebrauchsmuster als ~ **140**, 7–14
– unterschiedliche Fassungen bei ~ **123**, 110–112
Ältere Rechte 54, 76–84
Alternativanträge
– im Beschwerdeverfahren **110**, 36; **111**, 10–11
– im Einspruchsverfahren **101**, 62
Amtliche Fassungen des EPÜ 177, 16
Amts- und Rechtshilfe 131
Amtsblatt des EPA 129, 3
Amtsermittlungsgrundsatz Vor 99– 105, 5; **110**, 5; **110**, 58; **114**
– im Beschwerdeverfahren **110**, 80–81

Singer/Stauder, EPÜ, 4. Aufl.

Sachregister

Amtsernittllung
- Beschränkungen im Einspruchsverfahren 114, 13–24
- Verfahren vor dem EPA 114, 7–12

Amtshilfeersuchen 117, 67–68

Amtspflichten der Bediensteten 12

Amtssprachen
- des EPA 14

Amtssprachen des EPA 14, 3

Amtsverschwiegenheit 12, 2–3

Analogieverfahren 56, 60–61

Änderung
- der AO 33, 5–6
- der europäischen Patentanmeldung während des Erteilungsverfahrens 96, 2–3
- der Unterlagen *von sich aus* 123, 11–13
- von Fristen 33, 3–4
- von Patentansprüchen im Beschwerdeverfahren 110, 77–79

Änderung von Patentansprüchen 123, 56–67

Änderungen
- der internationalen Anmeldung(en) 155, 73–82
- im Beschwerdeverfahren 123, 17
- im Einspruchsverfahren 123, 16
- in Beschreibung und Zeichnungen 123, 71–73

Änderungen (der europäischen Patentanmeldung und des europäischen Patents) 123

Änderungen und Berichtigunggen 97, 9–11

Anerkennung des Urteils 61, 9–14

Anerkennungsprotokoll 61, 11–12; Anhang 2

Anfechtungsgründe
- bei Beschwerdekammerentscheidungen 112a, 6–7

Angaben über nationale Patentanmeldungen 124

Anmelde- und Recherchengebühr 90, 12–14

Anmeldeberechtigte Personen und Gesellschaften 58, 3–6

Anmeldeberechtigung 58
- Prüfung der ~ 58, 7–8

Anmeldegebühr 78, 20–23; Anhang 5

Anmelder
- aus Nichtvertragsstaaten, Vertretung von ~ 133 (2)
- Tod des ~, Fortfall seiner Geschäftsfähigkeit 120, 82
- Vertretung mehrerer ~ 59, 7–8

Anmelder und Erfinder 58, 2

Anmeldetag 80
- bei Teilanmeldungen 76, 11
- Zuerkennung des ~ 90, 5–7

Anmeldung europäischer Patente, *siehe auch Patentanmeldung*
- durch Nichtberechtigte 61
- Recht zur 58

Annahmestellen
- für europäische Patentanmeldungen 75, 5–7

Anpassung der Beschreibung im Beschwerdeverfahren 111, 8

Anspruch auf
- Erfindernennung 62, 4–6
- mündliche Verhandlung 116, 9 ff

Anspruch, Patentansprüche 69; 84

Anspruchsgebühren 84, 50; 97, 20–22
- bei Euro-PCT- Anmeldung(en) 158, 94–99

Anspruchskategorie
- Änderung der ~ 123, 88–92

Anspruchskategorien, *siehe auch Patentkategorien* 84, 27–32

Anspruchssätze, gesonderte 123, 116–117

Antrag
- auf erneute mündliche Verhandlung 116, 26–30

- auf Fristverlängerung 120, 41–44
- auf Patenterteilung 78, 29–33; 91, 9
- auf vorläufige Prüfung der internationalen Anmeldung(en) 155, 32–34
- auf Weiterbehandlung 121, 24–25
- auf Wiedereinsetzung 122, 88–91

Antrag auf Entscheidung nach R 69 106, 8–14

Antragsberechtigung
- für die Prüfung 94, 15–19
- für Weiterbehandlung 121, 13–14
- für Wiedereinsetzung 122, 37–46

Antragsfrist
- für die europäische Prüfung bei Euro-PCT-Anmeldungen 150, 14–17
- für die Prüfung bei europäischen Patentanmeldungen 94, 20
- für die Prüfung bei Euro-PCT-Anmeldungen 94, 22
- für Weiterbehandlung 121, 26
- für Wiedereinsetzung 122, 92–97

Anweisungen an den menschlichen Geist 52, 20

Anwendung des PCT 150

Anwendung nationalen Rechts 2, 8; 74

Anwendungsbereich, räumlicher ~ des EPÜ 168

Äquivalente, Äquivalenz
- bei erfinderischer Tätigkeit 56, 14
- bei Neuheit 54, 32
- bei Schutzbereich 69, 28–31
- und Neuheit 54, 81

Arbeitnehmererfindung 55, 18–19

Arbeitnehmererfindung,
- Recht auf das Patent 60, 12–15

Arzneimittel 52, 69–71
- Anspruchsformulierungen bei ~ 84, 38–42
- Stand der Technik bei ~ 54, 85–86

Ärztliche Instrumente 52, 72

Ästhetische Formschöpfungen 52, 18.19

Aufbewahrung der Akten 128, 31–33

Aufenthaltskosten von Zeugen und Sachverständigen 117, 94–96

Aufforderung
- zur Erklärung über die Aufrechterhaltung der Anmeldung 96, 4–6
- zur Erklärung über die Aufrechterhaltung der Euro-PCT-Anmeldung 96, 7–9

Aufgabe und Lösung 56, 37–51

Aufgaben
- der EPO 4, 8–9

Aufgaben und Befugnisse
- des Präsidenten des EPA 10

Aufgabenerfindung 56, 64–67

Aufnahmebeitrag 170

Aufrechterhaltung
- des europäischen Patents 102
- des Patents in geändertem Umfang 102, 42–46
- Erklärung über die ~ der Euro-PCT-Anmeldung 96, 7–9
- wohlerworbener Rechte 175

Aufrechterhaltung,
- Erklärung über die ~ der europäischen Patentanmeldung 96, 4–6

Aufschiebende Wirkung der Beschwerde 106, 1, 20–26

Aufschiebung
- des Verfahrens vor dem EPA als Bestimmungsamt 153, 30

Augenscheinseinnahme 117, 50–52

Ausführbare Offenbarung
- im Prioritätsdokument 87, 10–11

Ausführbarkeit 54, 39

Ausführbarkeit *siehe auch Ausführungsweg* 54, 39; 83, 13–23

Ausführbarkeit siehe auch Ausführungsweg 54, 12

Ausführbarkeit und gewerbliche Anwendbarkeit 57, 11–13

Ausführung des Haushaltsplans 48

Sachregister

Ausführungsordnung (AO) als Bestandteil des EPÜ 164, 2; Anhang 1

Ausführungsweg
- für die Offenbarung 83, 44–48

Ausgaben der EPO, Deckung der ~ 37

Ausgabenbewilligung 43

Ausgewähltes Amt (PCT)
- EPA als ~ 156

Auskünfte
- aus Akten 128, 30
- Einholung von ~ 117, 28–30

Auskunftsverpflichtung über nationale Patentanmeldungen 124, 2–5

Auslegung der europäischen Patentanmeldung und des europäischen Patents 69 Prot.

Auslegung des EPÜ 125, 3–4; 177; Präambel, 5–9

Auslegungsprotokoll *im Anschluß an Art 69* 69

Ausnahmen von der Patentierbarkeit 53

Ausreichende Offenbarung 83, 6–14

Ausreichende Offenbarung und gewerbliche Anwendbarkeit 57, 11–13

Ausschließlichkeitsrecht des europäischen Patents 64, 2–5

Ausschließung
- von Mitgliedern der Beschwerdekammer 24

Ausschluß der Wiedereinsetzung 122, 26–36

Ausschlussfrist
- für Wiedereinsetzung 122, 98–103

Äußerungsmöglichkeit im Einspruchsverfahren 113, 35–40

Äußerungsmöglichkeit im Verfahren
- Grenzen für die ~ 113, 41–47

Äußerungsrecht im Verfahren 113, 20

Außervertragliche Haftung der EPO 9, 5–7

Aussetzung
- des Erteilungsverfahrens 61, 17–23

Aussetzung des Erteilungsverfahrens
- Jahresgebühren bei ~ 86, 21–23

Ausstellungen
- internationale 55, 20–22

Ausstellungsbescheinigung
- bei Euro-PCT- Anmeldung(en) 158, 92–93

Austausch von Veröffentlichungen 132

Auswahl
- eines EPÜ-Vertragsstaats 156, 10–13

Auswahl (Art 31 (4) PCT)
- von Bestimmungsstaaten 155, 35–36

Auswahl des EPA als IPEA
- durch den Anmelder 155, 19

Auswahlerfindungen 54, 66–69

Autonomie der EPO 4, 3–5

B

Beamtenstatut 33

Beauftragter Prüfer 18, 13–14; 96, 19–22

Bedeutung des Anmeldetags 80, 22–23

Beendigung von Zahlungsverpflichtungen 126

Befugnisse
- des Verwaltungsrats 33

Befugnisse und Aufgaben
- des Präsidenten des EPA 10

Beginn des vollen Schutzes des europäischen Patents 64, 6–8

Beglaubigung von Übersetzungen 14, 29

Begriff
- der Teilanmeldung 76, 1–7

Begründetheit der Beschwerde 110, 35–38

Begründung
- der Beschwerde 108, 12; 108, 13–22
- des Einspruchs 99, 77–79
- des Wiedereinsetzungsantrags 122, 104–112

Sachregister

Begründungspflicht
- für Beschwerdeentscheidungen **111**, 2
- für Entscheidungen der 1. Instanz **97**, 4

Begutachtung durch Sachverständige **117**, 45–49

Behebbare Mängel 91, 7

Beitreibung, Verzicht auf ~ 126, 17–18

Beitritt
- des vermeintlichen Patentverletzers **105**
- zum EPÜ **166**

Bemessung der Gebühren 40

Benachbartes technisches Gebiet **56**, 123–136

Benachrichtigung des Anmelders wegen der Jahresgebühr 86, 15–17

Benennung
- Berichtigung der ~ **79**, 11–12
- Gemeinsame ~ der Schweiz und Liechtensteins **149**, 1
- vorsorgliche ~ für den Anmeldetag **80**, 4
- vorsorgliche ~ im Formblatt **79**, 7–10
- Zurücknahme der ~ **79**, 26–29

Benennung von Vertragsstaaten
- In internationalen Anmeldungen **79**, 32–36

Benennungsgebühren 79; **79**, 13–18; **91**, 15–17; **97**, 25
- bei PCT- Anmeldung(en) **158**, 46–58
- nicht ausreichende ~ **79**, 23–25

Berechnung der Fristen 120, 9 ff

Berechtigung zur Beschwerde 107

Berichtigung
- bei internationalen Anmeldung(en) **153**, 71–73
- Beschreibung, Patentansprüchen und Zeichnungen **123**, 153–163
- der Benennung **79**, 11–12
- der Erfindernennung **62**, 7–10; **81**, 7–9
- der europäischen Patentschrift **98**, 9–10
- der Prioritätsunterlagen **88**, 7–18
- der Übersetzung in den Vertragsstaaten **69**, 13–14
- der Übersetzung in nationale Amtssprachen **70**, 13–14
- von Fehlern in Entscheidungen **123**, 166–170
- von Mängeln in eingereichten Unterlagen **123**, 118 ff; **123**, 74–76

Berichtigung, erleichterte
- von Mängeln in eingereichten Unterlagen **123**, 132–134

Berichtigungen
- in der Veröffentlichung **93**, 12

Berlin
- Dienststelle in ~ **6**, 5–6

Berufung
- auf noch nicht veröffentlichte europäische Patentanmeldungen **128**, 6–12

Beschlagnahme der europäischen Patentanmeldung 61, 23

Beschleunigte Bearbeitung
- der internationalen Anmeldung(en) **153**, 33

Beschleunigte Erteilung (PACE) 93, 22

Beschleunigte Recherche (PACE) 92, 8–10

Beschleunigtes Einspruchsverfahren Vor **99–105**, 8

Beschränkung
- der Zuständigkeit des EPA als IPEA **155**, 21–22

Beschränkung der Zuständigkeit des EPA
- für Nicht-EPÜ-Staaten **154**, 25–30

Beschränkungs- und Widerrufsverfahren 105a/b/c

Beschreibung
- Bedeutung für die Auslegung **69**, 23–27

Beschreibung der Erfindung
- für die Offenbarung **83**, 31 ff

Beschwer 107, 16 ff

Sachregister

Beschwerde 106; 107; 108; 109; 110; 111; 112
- nach Wegfall des europäischen Patents 106, 27–28
- Prüfung der ~ 110
- Weiterleitung der ~ an die Beschwerdekammer 109, 14–16
- Zurücknahme der ~ 108, 32–40

Beschwerdebegründung 108, 12
Beschwerdebegründungsfrist 108
Beschwerdeberechtigte 107
Beschwerdeentscheidung 111
Beschwerdefähige Entscheidungen 106, 2–5
Beschwerdefrist 108
Beschwerdegebühr 108, 23–26
Beschwerdeinstanz des EPA Vor 21–24 2–4; 21
Beschwerdekammer 15; 23; 24
- Große ~ 112
- Herauslösung der ~ 172, 9
- in Disziplinarangelegenheiten der zugelassenen Vertreter 21, 20–21

Beschwerdekammer in Disziplinarangelegenheiten der zugelassenen Vertreter 15, 8
Beschwerdemöglichkeiten vor Anrufung des Gerichts 13, 3–4
Beschwerdeschrift 108, 13–22
Beschwerdeverfahren 106; 107; 108; 109; 110; 111; 112
- als gerichtliches Verfahren 110, 3–5
- schriftliches ~ 110, 73

Besondere Organe des EPA 143
Besondere Übereinkommen
- für Gruppen von Vertragsstaaten 142

Besondere Vereinbarungen zwischen Vertragsstaaten 143; 144; 145; 146; 147; 148; 149

Bestandteile
- der europäischen Patentanmeldung 78, 7–10
- der europäischen Patentschrift 98, 2–4
- des EPÜ 164, 2–3

Bestellung von Rechten 72
Bestimmung
- Wirkung für ein europäisches Patent 153, 27–33

Bestimmung der IPEA
- durch das Anmeldeamt 155, 15–18
- durch den Anmelder 155, 19

Bestimmung des EPA durch das Anmeldeamt 154, 16–19
Bestimmungsamt (PCT) 153
Bestimmungssystem, automatisches 153, 22–26
Beweisanzeichen 56, 68–79
Beweisaufnahme 117
- Kosten der ~ im Einspruchsverfahren 104, 17–21

Beweisbeschluss 117, 70–72
Beweislast
- für fehlende Neuheit 54, 106–112
- im Einspruchsverfahren 102, 9–10
- Umkehrung der ~ 64, 15
- Verteilung der ~ 117, 15–17

Beweismittel 117
- Recht auf freie Wahl der ~ 117, 4

Beweissicherung 117, 101–111
Bezugszeichen 78, 40; 84, 13–14
Billigkeit bei Kostenverteilung im Einspruchsverfahren 104, 22 ff
Bindungswirkung
- für die erste Instanz bei Zurückverweisung 111, 24–30
- für die gewährte Wiedereinsetzung 122, 126
- von Entscheidungen der Beschwerdekammern Vor 106–112, 5
- von Entscheidungen der Großen Beschwerdekammer Vor 106–112, 7; 112, 28–33

Biologische Erfindungen 83, 21

Sachregister

Biologische Züchtungsverfahren 53, 103–108
Biologisches Material 83, 58–75
BioPatRL 53, 2
– Anwendbarkeit der R 23d 53, 65
– Übernahme in die AO 53, 4
Biotechnologische Erfindungen
– als internationale Anmeldung(en) Vor 151/152, 29–37
Biotechnologische Erfindungen, Richtlinie 98/44/EG 53, 2
– Sonderrecht für ~ 53, 3
Bündel europäischer Patente 2, 3

C

Catnic-Entscheidung 69, 43–44
CEIPI 134, 64–66
Chemische Zwischenprodukte 56, 62–63
Code-Nummern für bibliographische Daten 93, 21
Computerprogramme, computerbezogene Erfindungen 52, 27–40
Could-would-approach 56, 52–54
Crossborder injunction 64, 17–24

D

Darstellung der Erfindung
– für die Offenbarung 83, 38–42
Datenverarbeitungsanlagen 52, 27–40
Datimtex 78, 19
DATIMTEX 78, 19
Dauer der Fristen 120, 34–40
Declaration of no-search 157, 63
Definition
– der Einheitlichkeit 82, 5–8
– europäisches Patent 2, 2
Definitionen:
– Sprachen 14, 3
– wesentlicher Verfahrensmangel 111, 39

Den Haag
– Zweigstelle in ~ 6
Deutsche Einheit, Anwendungsbereich des EPÜ 168
Devolutiveffekt der Beschwerde 106, 1
Diagnostizierverfahren 52, 65–68
Dienstaufsicht 10, 7
Dienststellen des Europäischen Patentamts 7
Dienststelle Wien des EPA 7, 2–4
Dienststellen des EPA in Vertragsstaaten 7
Dieselbe Erfindung
– Priorität für ~ 87, 2–9
Disclaimer 54, 56–59; 84, 15–18; 123, 46–49
Disclaimer und Identität
– gegenüber dem Prioritätsdokument 87, 24–25
Dispositionsmaxime 110, 5
Disziplinargewalt
– des Präsidenten 10, 8
– des Verwaltungsrats 11, 4
– über zugelassene Vertreter 134, 57–78
Doppelerfindungen 60, 16–18
Doppelpatentierung 54, 82
– Gefahr der 56, 138
Doppelschutz
– durch nationale und europäische Schutzrechte 139, 8–10
Doppelschutzverbot 53, 90

E

EASY 78, 19
EASY-Projekt 78, 19
Eidesstattliche Erklärungen und Versicherungen 117, 58–60
Eigene Mittel der EPO 38
Eigenständigkeit
– des EPÜ 2, 6

Sachregister

Eignungsprüfung, europäische 134, 32 ff
Eingangsprüfung 90
Eingangssstelle 15
Eingangsstelle 16
– Organisation der ~ 15, 3–5
Einheit der europäischen Patentanmeldung oder des europäischen Patents 118
Einheit der Rechtsordnung 53, 40
Einheit des Europäischen Patents 53, 34–39
Einheitliche Fassung der europäischen Patentanmeldung und des europäischen Patents 118, 5
Einheitliches Patent
– für die Schweiz und Liechtenstein 147; 148, 1
– für Gruppen von Vertragsstaaten 142
Einheitlichkeit der Erfindung 82
– bei Euro-PCT- Anmeldung(en) 154, 81–89
Einheitlichkeit der Erfindung und ergänzende europäische Recherche 157, 32 ff
Einholung von
– Auskünften ~ 117, 28–30
Einmaliges Versehen 122, 64
Ein-Mann-Prüfungsabteilung 18, 12; 33, 8
Einreichung
– der europäischen Patentanmeldung 75
– der Übersetzung aus zugelassenen Nichtamtssprachen 14, 13–19; 90, 15–16
– des Prüfungsantrags 94, 8–11
– des Prüfungsantrags durch Telefax 94, 11
– durch Telefax 78, 10–18; 78, 64–72
– einer neuen europäischen Patentanmeldung 61, 28–30
– elektronische ~ der europäischen Patentanmeldung 78, 19

– schriftliche ~ der europäischen Patentanmeldung 78, 9
– und Erfordernisse der europäischen Patentanmeldung 75; 76; 77; 78; 79; 80; 81; 82; 83; 84; 85; 86
– von Teilanmeldungen 76, 8–10
Einreichung der internationalen Anmeldung(en) 152, 4 ff
Einreichung und Übermittlung des Antrags Umwandlung 136
Einreichung und Weiterleitung der internationalen Anmeldung 152
Einreichungsart
– für europäische Patentanmeldungen 75, 23–27
Einschreibbrief, Zustellung durch ~ 119, 8–17
Einsprachigkeit, Grundsatz der ~ 14, 4
Einspruch 99
– Technische und rechtliche Würdigung 99, 94–105
Einspruchsabteilungen 15; 19
Einspruchsberechtigte 99, 5–13
Einspruchsbeschwerdeverfahren 107, 34; 107, 4
Einspruchsbeteiligte 99, 45–50
Einspruchsfrist 99, 22–24
Einspruchsgebühr 99, 33–38
Einspruchsgründe 100
– Angabe der Beweismittel 99, 92–93
– Angabe der Tatsachen 99, 80–91
Einspruchsgründe, Angabe der - 99, 77–79
Einspruchsschrift, Inhalt der 99, 67 ff
Einspruchsverfahren 99; 100; 101; 102; 103; 104; 105
Einstweiliger Schutz
– bei Euro-PCT- Anmeldung(en) 158, 113–120
Einteiliger Patentanspruch 84, 27–32
Eintragung
– nach Erteilung 71, 14–15

Sachregister

- von Lizenzen **73**, 8–9
- von Rechtsübergängen **71**, 6–11
- von Zwangsvollstreckungsmaßnahmen **71**, 16–19

Eintritt der Schutzwirkung des europäischen Patents 64, 6–8

Einverständnis des Anmelders mit der Fassung des europäischen Patents 97, 6–8

Einverständnis mit der beabsichtigten Fassung, konkludent nach R 51 (4) 97, 8

Einwendungen Dritter gegen die Patentierbarkeit 115
- zeitliche Grenzen **115**, 4–6

Einzelvergleich bei Neuheit 54, 46–48

EISPE bei internationalen Anmeldung(en)
- Übersicht über das Verfahren **154**, 57–64

Elektronische Akte (PHOENIX) 90, 2

Elektronische Einreichung 78, 19
- der internationalen Anmeldung(en) **152**, 25

Embryonale Stammzellen 53, 28

Embryonen
- Verwendung zu industriellen kommerziellen Zwecken **53**, 73

Empfangsbescheinigung für die europäische Patentanmeldung 75, 27

Engerer Schutzbereich der übersetzten Fassung 69, 7–12; **69**, 7–12

Enhanced European Search Report 92, 5–7

Entdeckungen 52, 13–17

Entferntes technisches Gebiet 56, 123–136

Entrichtung der nationalen Gebühr
- an das Bestimmungsamt **158**, 21–26

Entschädigung, angemessene 67, 8–9

Entscheidendes Organ
- für Antrag auf Weiterbehandlung **121**, 35–37

Entscheidendes Organ bei der Wiedereinsetzung 122, 120–123

Entscheidung
- über die Patenterteilung **97**, 28

Entscheidungen
- beschwerdefähige ~ **106**, 15–19; **106**, 2–5
- der Einspruchsabteilungen über Kostenverteilung **106**, 39–40
- der Großen Beschwerdekammer **112**
- über die Beschwerde **111**

Entscheidungen der Rechtsabteilung
- Rechtsmittel gegen ~ **20**, 8–9

EPA
- als internationales Anmeldeamt **151**, 9–10

EPA (Europäisches Patentamt) 4

EPA als Anmeldeamt für EPÜ-Staaten 151, 5–8

EPA als Anmeldeamt für Nicht-EPÜ-Staaten 151, 9–10

EPA als Anmeldeamt für Nicht-PCT-Staaten 151, 11–12

EPA als ausgewähltes Amt 156, 8–13

epi, Institut der beim EPA zugelassenen Vertreter 134, 24–31

EPIDOS 127, 17–19

Epilady-Fall 69, 54–57

EPLA 172, 13–14

EPO
- Geschäftsfähigkeit **5**
- Rechtspersönlichkeit **5**
- Rechtsstellung **5**

EPO (Europäische Patentorganisation) 4

epoline® 78, 19

EPÜ
- Eigenständigkeit des ~ **1**, 2–3

EPÜ 2000 53, 7; **172**, 5–7

Erfinder 58, 2
– Recht auf das europäische Patent **60**, 5
Erfinderische Tätigkei und Priorität t 89, 9
Erfinderische Tätigkeit 56
Erfindernennung 81; 91, 18–22
– Anspruch auf ~ **62**
– bei Euro-PCT- Anmeldung(en) **158**, 102–103
– bei internationalen Anmeldungen **Vor 151/152**, 42–43
– bei Teilanmeldungen **76**, 31–32
– Berichtigung der ~ **81**, 7–9
– in der PCT-Anmeldung **81**, 9
– unterlassene ~ **81**, 13–17
Erfindung 52
– Begriff der ~ **52**, 9–12
– einfache ~ **56**, 55–59
Erfindungsgedanke, allgemeiner 69, 31; **69**, 5
Erfindungsgemäße Verwertung 53, 54
Erfindungszweck 53, 55
Erfordernisse
– der europäischen Patentanmeldung **78**
Ergänzende europäische Recherche 92, 2
Ergänzender europäischer Recherchenbericht 92, 29; **157**, 15–26
Ergänzender europäischer Recherchenbericht (Art 157 (2) a)) 17, 8
Erklärung unter Eid, schriftliche 117, 54
Erlöschen
– von Zahlungsansprüchen der EPO **126**, 2–7
– von Zahlungsansprüchen gegen die EPO **126**, 9
Erlöschen des europäischen Patents
– Einspruch nach ~ **99**, 41–44
Ermächtigung des Präsidenten 33, 9
Ermäßigung der Prüfungsgebühr
– bei internationalen Anmeldung(en) **158**, 80–86

Ermessensentscheidung
– zur Kostentragung **104**, 23
Ermessensentscheidungen
– der ersten Instanz **110**, 65–66
– der Prüfungskommission **134**, 59–60
– des EPA bei Änderungen der Anmeldung **123**, 15
Ermittlung von Amts wegen 114
Ernennung
– der Mitglieder der Beschwerdekammern **23; 23**, 2
– von Bediensteten während einer Übergangszeit **160**
Ernennung der Beschwerdekammermitglieder 11, 3
Ernennung des Präsidenten und hoher Beamter 11, 2
Ernennung hoher Beamter des EPA 11
Erstanmeldung Vor 87–89, 3–4
Erstanmeldung, vorschriftsmäßige 87, 45–48
Erste Anmeldung einer Erfindung 87, 33–39; **87**, 49
Erste medizinische Indikation 52, 70; **54**, 87–89; **84**, 40
Erstellung des europäischen Recherchenberichts 92
Erstreckung 79, 37–42; **169**, 3–6
– bei Teilanmeldungen **76**, 19
– der internationalen Anmeldung(en) **153**, 36
Erstreckungsgebühren
– bei PCT- Anmeldung(en) **158**, 63–66
Ersuchen des EPA an ein Gericht um Vernehmung 117, 67–68
Erteilung
– beschleunigte ~ des europäischen Patents (PACE **92**, 8–10; **93**, 22
– des europäischen Patents **97**
Erteilung eines europäischen Patents
– eines europäischen Patents **153**, 16–21

Sachregister

Erteilungs- und Druckkostengebühr **97**, 16
Erteilungsantrag **78**, 29–33; **91**, 9
Erteilungsverfahren **90**; **91**; **92**; **93**; **94**; **95**; **96**; **97**; **98**
Erweiterte Internationale Recherche und vorläufige Prüfung (EISPE) Vor **150–158**, 2, 36, 58–60
Erweiterter europäischer Recherchenbericht **92**, 5–7
Erweiterter europäischer Recherchenbericht (EESR) **17**, 8
Erweiterung
– der Beschwerdekammer **21**, 13–16
Erweiterungsverbot **123**, 53 ff
Euro PCT-Anmeldungen
– Weiterbehandlung von ~ **121**, 8–12
Europäische Eignungsprüfung **134**, 32 ff
Europäische Patentakademie Vor **10–25**, 14
Europäische Patentanmeldung **75**; **76**; **77**; **78**; **79**; **80**; **81**; **82**; **83**; **84**; **85**; **86**
– als Gegenstand des Vermögens **71**; **72**; **73**; **74**; 74
– als nationale Hinterlegung **66**, 3
Europäische Patentorganisation (EPO) **4**; **8**
– Sitz **6**
Europäische Patentschrift **98**
Europäische Recherche **92**, 2
Europäische Teilanmeldung **76**
– Benennung von Vertragsstaaten bei ~ **79**, 31
– Einreichung der ~ **75**, 30–31; **76**, 8–10
– Jahresgebühren für ~ **86**, 24–26
– Sprache der ~ **14**, 37; **76**, 20
Europäische Teilanmeldungen
– Benennung von Vertragsstaaten bei ~ **76**, 19
Europäisches Patent
– Definition und Wirkung **2**

Europäisches Patentamt
– als ausgewähltes Amt **156**
– als Bestimmungsamt **153**
– als Internationale Recherchenbehörde (ISA) **154**
– als internationale vorläufige Prüfungsbehörde (IPEA) **155**
Europäisches Patentamt (EPA) **4**; **7**; **8**
– Sitz **6**
Europäisches Patentblatt **127**, 16; **129**, 2
Europäisches Patentregister **127**; **127**
Europäisches Recht für die Erteilung von Patenten **1**
Euro-PCT-Anmeldung(en) **150**; **151**; **152**; **153**; **154**; **155**
– als ältere europäische Rechte **158**, 14–20
– Einheitlichkeit bei ~ **154**, 81–98
– Frist für Prüfungsantrag bei ~ **94**, 22
– Jahresgebühren für ~ **86**, 28–31
– und Eingangsstelle **16**, 11
– und Einheitlichkeit der Erfindung **82**, 24–31
– Veröffentlichung der ~ **158**
– Weiterbehandlung von ~ **121**, 8–12
– Wiedereinsetzung bei ~ **122**, 127–130; **122**, 17–20
Euro-PCT-Verfahren, kurze Übersicht Vor **150–158**, 41–50

F

Fachmann **54**, 26; **54**, 44; **56**, 11; **56**, 116–122; **83**, 11; **123**, 34–38
Fachwissen, allgemeines **83**, 13
Fälligkeit
– der Gebühren bei Euro-PCT- Anmeldung(en) **154**
– von Jahresgebühren nach Erteilung des europäischen Patents **141**, 4
Fehlergrenzen, übliche **54**, 30

Sachregister

Fernschriftliche Einreichung
- von europäischen Patentanmeldungen 78, 10–18
- von sonstigen Unterlagen 78, 72

Festlegung des Anmeldetags 80, 15–21; 80, 2–12

Feststellung
- der Einlegung des Einspruchs 101, 7–14
- eines Rechtsverlusts nach R 69 106, 7–14

Feststellung eines Rechtsverlusts und Wiedereinsetzung 122, 131–135

Fiktion
- der Berechtigung des Anmelders 60, 19–20
- der Zurücknahme der europäischen Patentanmeldung 67, 24–26
- der Zurücknahme der Euro-PCT-Anmeldung(en) Vor 151/152, 54–55
- des gemeinsamen Anmelders und des gemeinsamen Patentinhabers 118, 4–6

Finanzbeiträge der Vertragsstaaten 40

Finanzielle Rechte und Pflichten eines ausgeschiedenen Vertragsstaats 176

Finanzordnung der EPO 50

Finanzvorschriften 37; 38; 39; 41; 42; 43; 44; 45; 46; 47; 48; 49; 50; 51

Form und Sprachet
- der Beschwerdeentscheidungen 111, 64

Formalprüfung 91

Formblatt für den Erteilungsantrag 78, 29–33

Formerfordernisse
- der Euro-PCT-Anmeldung Vor 151/152, 25 ff
- für die Formalprüfung der europäischen Patentanmeldung 91, 6–7
- für die Umwandlung 137
- Überprüfung von ~ 96, 12

Formstein-Einwand 69, 34

Formstein-Entscheidung 69, 33

Formvorschriften
- bei Einreichung der internationalen Anmeldung(en) 152, 18–30

Fortbestand des nationalen Rechts 1, 4–5

Fortsetzung des Einspruchsverfahrens auf Antrag 101, 67–73

Fortsetzung des Einspruchsverfahrens von Amts wegen 101, 74–77

Frankreich, Anwendungsbereich des EPÜ 168, 3

Freie Beweiswürdigung 117, 5

Frist
- für Beitritt des vermeintlichen Patentverletzers zum Einspruchsverfahren 105, 7–13
- für Beschwerde und Beschwerdebegründung 108, 5–8
- für die Einreichung der Übersetzung 65, 14–16
- für die Stellung des PCT-Prüfungsantrags 157, 10–12
- für die Stellung des Prüfungsantrags bei internationalen Anmeldung(en) 150, 14–17
- für Einreichung des Antrags auf vorläufige Prüfung der internationalen Anmeldung(en) 155, 37–39
- für Einspruch 99, 22–24
- für Erstellung des IPER 155, 94–95
- für Mängelbeseitigung 91, 31
- für Weiterbehandlung von Euro-PCT-Anmeldungen 121, 8–12
- für Weiterbehandlungsantrag 121, 26
- für Wiedereinsetzung 122, 92–97
- für Wiedereinsetzung von Euro-PCT-Anmeldungen 122, 20
- gegenüber nationalen Behörden, Wiedereinsetzung 122, 143–144
- Versäumung der ~ zur Stellung des Prüfungsantrags 94, 32–35

Fristen 120
- bei Unterbrechung der Postzustellung 120, 55–61
- der Weiterbehandlung zugängliche ~ 121, 4–7

Fristende
- am Wochenende oder Feiertag 120, 21
- bei Jahres- und Monatsfristen 120, 12–16
- bei Wochenfristen 120, 20

Fristverlängerung 120, 41–44; 120, 49 ff
- für die Einreichung der internationalen Anmeldung(en) 155, 80–82

Fuchsfalle 123, 97–101
Funktionelle Ansprüche 84, 23–26

G

Gebietsfremde Personen 133, 8–17
Gebrauchsmuster und Gebrauchszertifikate, nationale 140
Gebühr
- für die Beschwerde 108, 23–26
- für die ergänzende europäische Recherche 157, 27–31

Gebühr für eine weitere Recherche 157, 48–50; 157, 48–50

Gebühr, nationale
- für die Veröffentlichung der Patentschrift 65, 19

Gebühren
- Erlöschen von Ansprüchen auf ~ 126, 6
- für die internationale vorläufige Prüfung 155, 53–64
- für die Veröffentlichung der Übersetzung der Patentansprüche 67, 15
- für die Weiterbehandlung 121, 34
- für die Wiedereinsetzung 122, 113–119
- für Euro-PCT-Anmeldung(en) **Vor 151/152**, 46–55; 152, 36
- für Teilanmeldungen 76, 26–30
- und Sprachen 94, 24–26

Gebührenänderung bei Jahresgebühren 86, 8–9

Gebührenermäßigung
- aus Sprachgründen 14, 38–43; 94, 24–26
- bei Euro-PCT-Anmeldungen 94, 27
- für internationale Recherchengebühr 154, 39–41
- für Recherchen durch europäische ISAs 157, 66–69

Gebührenordnung (GebO) 51; Anhang 5

Gebührenrückzahlung
- Erlöschen von Ansprüchen auf ~ 126, 9

Gefahrenabwehr 53, 56

Gegenseitige Unterrichtung der Patentämter 130

Gegenstand des Vermögens, europäische Patentanmeldung als ~ 71; 72; 73; 74

Geheimhaltungsbedürftige Anmeldungen 75, 8–17; 77, 5–8

Geltungsdauer des EPÜ 171

Gemeinsame Anmelder 59, 4
- Fiktion der ~ 118, 4–6

Gemeinsame Vertretung
- mehrerer Beteiligter 133, 36–48

Gemeinsame Vertretung mehrerer Beteiligter
- bei Rechtsübergang auf mehrere Beteiligte 133, 45–48

Gemeinsamer Vertreter
- mehrerer Anmelder 59, 7–8

Gemeinsames europäisches Recht 1
Gemeinschaftspatent 3, 1; Vor 142–149, 2–4; 172, 10

Gentechnik und erfinderische Tätigkeit 56, 36

Gentechnologische Erfindungen 83, 21
Gentherapie 53, 72

Sachregister

Gerichtliche Zuständigkeit, *siehe auch* *Anerkennungsprotokoll*
– bei Haftung der EPO 9, 10–11
Gerichtsbefreiung der EPO 8, 4–6
Gerichtscharakter der Beschwerdekammern Vor 21–24, 1; Vor 106–112, 2
Gerichtsstand der unerlaubten Handlung 64, 18
Geringerer einstweiliger Schutz 67, 3–6
Geschäftliche Tätigkeiten 52, 21
Geschäftsfähigkeit 58, 4
Geschäftsfähigkeit der EPO 5
Geschäftsordnung
– des Verwaltungsrats 33, 7
Geschäftsstelle für die Kostenfestsetzung im Einspruchsverfahren 15, 5
Geschäftsverteilung
– der Beschwerdekammern 23, 9
Geschäftsverteilung für die zweite Instanz 15, 6–7
Geschmacksmuster und Priorität 87, 27
Gewaltenteilung 23, 5
Gewerbliche Anwendbarkeit 57
– für die Offenbarung 83, 49
Gewerbliche Tätigkeit und Anwendbarkeit 57, 11–13
Gleichsetzung von internationaler und europäischer Veröffentlichung 158, 6–13
Gleichwertigkeit von internationalem und europäischem Recherchenbericht 157, 5–9
Gliederung des EPA Vor 10–25, 14
Grenzüberschreitende Patentverletzungen 64, 17–24
Großbritannien, Anwendungsbereich des EPÜ 168, 3–4
Große Beschwerdekammer 15; 22; 112
Großväterregelung 163, 1
Grundlage des europäischen Recherchenberichts 92, 12–14

Grundlagen der Entscheidungen
– Anhörung der Beteiligten zu den ~ 113, 11–14
Gute Sitten, Verstoß gegen 53, 58–59
– in der europäischen Patentanmeldung 78, 45–47
Guter Glaube 125, 24–42

H

Haftung 9
Haftung der Bediensteten des EPA 9, 8–9
Haftung der EPO
– außervertragliche ~ 9, 5–7
– vertragliche ~ 9, 2–4
Harmonisierungsübereinkommen (StraßbÜ) Vor 52–57 Anhang 9
Haupt- und Hilfsantrag 97, 12–15
Hauptantrag und Hilfsanträge
– im Beschwerdeverfahren 110, 36; 111, 10–11
– im Einspruchsverfahren 101, 62
– im Prüfungsverfahren 96, 26–37
Haushaltsjahr der EPO 45; 161
Haushaltsplan der EPO 42; 43; 44; 46; 47; 48
Heilung von
– Fristversäumnissen 121, 15–20
– Fristversäumnissen (Art 48 PCT) 153, 68–70
– Zustellungsmängeln 119, 31
Heilverfahren 52, 49–64
Hemmung und Unterbrechung der Fristen
– bei Aussetzung des Verfahrens 61, 21
Herabsetzende Äußerungen
– in der europäischen Patentanmeldung 78, 48–51
Heranziehung allgemeiner Verfahrensgrundsätze 125

Heraugabe von Kulturen biologischen Materials 83, 70–71
Hilfsanträge
- im Beschwerdeverfahren 110, 36; 111, 10–11
- im Prüfungsverfahren 96, 34

Hilfserwägungen, Bedeutung von 56, 68–79
Hilfskräfte des Vertreters,
- Sorgfaltspflicht der ~ 122, 71–79

Hinausgehen über den ursprünglichen Inhalt der Anmeldung 100, 8–9
Hinterlegung
- eines Vorschusses für die Beweisaufnahme 117, 91–93
- von biologischem Material 83, 58–62

Hydropyridin-Entscheidung des DE-BGH 54, 91–92

I

Identität des Anmelders und Anmeldetag 80, 5–7
Identitätsprüfung 54, 77; 56, 137–138
IIB 6, 3
Implizite Merkmale 54, 28
Inanspruchnamae der Priorität 88
Inanspruchnahme der Priorität 91, 10–14
Information, Vertraulichkeit der 54, 17–19; 55, 13
Informationswiedergabe 52, 41–46
Inhalt
- des Recherchenberichts 92, 19–26

Inhalt der Einspruchsschrift 99, 67 ff
Inhalt der Patentansprüche und Auslegungsprotokoll 69, 20–22
Inhärente Merkmale 54, 29
INID-Code 93, 21
Inkrafttreten des EPÜ 169
INPADOC (Dienststelle Wien) 7, 2–4

Instanzverlust, Vermeidung von 111, 16–23
Institut der beim EPA zugelassenen Vertreter (epi) 134, 24–31
Institutionelle Vorschriften 1; 2; 3; 4; 5; 6
International Preliminary Examining Authority (IPEA) 155
International Search Authority (ISA) 154
Internationale
- Arbeitsorganisation (ILO) 13, 2
- Ausstellungen 55, 20–22
- Patentklassifikation 17, 5

Internationale Anmeldung 150
- Benennung von EPÜ-Vertragsstaaten in der ~ 79, 32–36

Internationale Anmeldung(en) 151; 153; 154; 155; 158
- als europäische Patentanmeldung(en) 150, 18–26
- beim EPA 150, 4–6
- Einreichung und Weiterleitung der ~ 152
- Übermittlung der ~ an das EPA 158

Internationale Arbeitsorganisation (ILO) 13, 2
Internationale Ausstellungen
- Geltendmachung 55, 22

Internationale Phase
- Zustellung in der ~ 119, 18

Internationale Recherche 92, 2
Internationale Veröffentlichung 158, 9–13
Internationale vorläufige Prüfung, Grundlage 155, 67–72
Internationale vorläufige Prüfung 155
- Beginn 155, 65–66

Internationale vorläufige Recherche 155, 20
Internationaler Recherchenbericht 157

Internationales Büro der WIPO (IB) Vor 150–158, 11–12
Internationales Patentinstitut (IIB) 6, 3
Interner Stand der Technik 83, 36
Inventive step 56, 4
IPEA (International Preliminary Examining Authority) 155
IPER 155, 96–107
ISA (International Search Authority) 154
ISA-Tätigkeit des EPA für EPÜ-Staaten 154, 6–11
ISA-Tätigkeit des EPA für Nicht-EPÜ-Staaten 154, 12 ff

J

Jahresfristen, Berechnung von 120, 12–16
Jahresgebühr
– bei Euro-PCT-Anmeldung(en) 158, 87–91
Jahresgebühren 39
– bei Aussetzung und Unterbrechung des Verfahrens 86, 21–23
– für das einheitliche Patent (Schweiz und Liechtenstein) 147
– für das europäische Patent 141
– für die europäische Patentanmeldung 97, 23–24
– für die europäischen Patentanmeldung 86
– für Euro-PCT-Anmeldungen 86, 28–31
– für Teilanmeldungen 86, 21–26
– x 97
Jahresgebührenlücke 86, 7; 97, 19
– für die europäische Patentanmeldung 97, 24
Joint clusters 16, 4
Juristische Beschwerdekammer 21, 10–12
Juristische Person 133

Juristische Personen
– Handeln von ~ 133

K

Kategorienwechsel (Patentansprüche) 123, 68–70
Keimbahntherapie 53, 72
Kennzeichnender Teil des Patentanspruchs 84, 27–32
Kit-of parts 54, 87
Klarheit der Patentansprüche 84, 4–14
Klassifikation, Internationale 17, 5
Klassifizierung der Anmeldung 17, 6–7
Klonen von menschlichen Lebewesen 53, 69
Kombinationserfindungen 56, 55–59
Kombinationspräparat 52, 73
Kommunikation zwischen Anmelder und EPA 155, 90–93
Konflikt zwischen Art 123 (2) und (3) 123, 96–101
Konto, laufendes ~ Anhang 6
Konzentration von Verletzungsverfahren 64, 22–24
Kosmetische Anwendung 57, 7; 84, 41
Kosten
– der Zeugen und Sachverständigen 117, 94–96
– Verteilung der ~ im Einspruchsverfahren 104
Kosten im Einspruchsverfahren - Kausalität 104, 24–25
Kostenentscheidung
– im Einspruchsverfahren 106, 38–40
Kostenfestsetzung im Einspruchsverfahren 15, 5
– Vollstreckung der Entscheidung über die ~ 104, 57–58
– Zuständigkeit 104, 46–49
Kostenfestsetzungsentscheidung
– beschwerdefähige ~ 106–112, 41

Kostentragung im Einspruchsverfahren 104

Kostenverteilung im Einspruchsverfahren 104, 7–13

Kulturen von Mikroorganismen 83, 60–61

Kündigung des EPÜ 174

L

Ladung
- zur Beweisaufnahme 117, 73–75
- zur mündlichen Verhandlung 116, 40–44

Lange bestehendes Bedürfnis 56, 88 ff

Latchways-Entscheidung der Großen Beschwerdekammer 61, 6–8

Laufzeit des europäischen Patents 63

Leitung des EPA 10; 10, 3–5

Liste der zugelassenen Vertreter 134, 5–6
- Eintragung 134, 11–14
- Voraussetzungen für die Eintragung 134, 7–10

Lücken im EPÜ 125, 3–4

M

MAC (Management Advisery Committee) 10, 2

Mängel
- bei der Erfindernennung 81, 23
- im Antrag auf vorläufige Prüfung der internationalen Anmeldung(en) 155, 40–41

Mängel, behebbare
- im Prüfungsantrag 94, 12–13
- in der europäischen Patentanmeldung 91, 23–29

Mängelberichtigung in eingereichten Unterlagen 123, 118 ff

Mängelbeseitigung vor der Eingangsstelle 90, 8–11

Mangelnde Einheitlichkeit 92, 30–33
- a priori und a posteriori 82, 15–16

Mangelnde Einheitlichkeit
- bei Euro-PCT-Anmeldungen 82, 24–31

Mangelnde Offenbarung als Einspruchsgrund 100, 4–7

Mangelnde Patentfähigkeit als Einspruchsgrund 100, 3

Mangelnde rechtzeitige Stellungnahme
- im Prüfungsverfahren 96, 38–41

Maßgebender Zeitpunkt für die Beurteilung der Offenbarung 54, 44–45

Maßgebliche Fassung
- der europäischen Patentanmeldung 113, 48–53
- des europäischen Patents 113, 54–62
- Im Einspruchsverfahren 70, 6

Maßgeblichkeit
- der Übersetzung in nationale Amtssprachen 70, 3; 70, 4
- der Verfahrenssprache 70, 2–3

Materielles Patentrecht 52; 54; 55; 56; 57; 58; 59; 60; 61; 62; 63; 64; 65; 66; 66; 67; 68; 69; 70; 71; 72; 73; 74

Materiellrechtlicher Anspruch auf das Patent 61, 2–4

Mathematische Methoden 52, 13–17

Medizinische Instrumente 52, 72

Mehrere Anmelder 59

Mehrere Beteiligte
- im Beschwerdeverfahren 107, 15; 107, 34 ff
- Zustellung an 119, 30

Mehrere Bevollmächtigte 133, 34–35

Mehrere Prioritäten 88, 23–34

Mehrere Sätze von Patentansprüchen 84, 52–55

Menschliche Keimbahn
- Veränderung der ~ 53, 72

Mental steps 52, 20

Merkmale
- Übereinstimmung bei Neuheit **54**, 49–60

Mikrobiologische Verfahren 53, 101–108
Mikrobiologische Verfahren und Erzeugnisse 83, 21
Mikroorganismen 53, 109; **83**, 60–61
Mindestschutz national 67, 7
Mißbrauch, offensichtlicher zum Nachteil des Anmelders 55, 13–18
Miterfinder 60, 7–10
Mitteilung über die Veröffentlichung der europäischen Patentanmeldung 93, 23–25
Mitteilungen, mißverständliche 125, 31
Mittel für unvorhergesehene Ausgaben der EPO 44
Mittellosigkeit des Anmelders
- als Wiedereinsetzungsgrund **122**, 86

Mitwirkungspflicht der Verfahrensbeteiligten 114, 37–40
Mosaikbetrachtung 56, 16
Multistate-Patentverletzungen 64, 22
Mündliche Ausführungen von Begleitpersonen in Ex-parte-Verfahren
- Auftreten von Dritten **134**, 20–23

Mündliche Verhandlung 116
- im Beschwerdeverfahren **110**, 73
- Kosten der ~ im Einspruchsverfahren **104**, 14–16
- Nichtbeachtung eines Antrags auf ~ **113**, 25
- Öffentlichkeit der **116**, 31–36
- vor der Eingangsstelle **116**, 31–36
- Vorbereitung der ~ **116**, 45–53

Mündliches Verfahren 113, 24

N

Nachfrist
- bei Jahresgebühren **86**, 10–12
- der R 85a und 85b **79**, 19–22
- für Anmelde- und Recherchengebühr **78**, 22
- für Benennungsgebühren **79**, 19–22
- für Prüfungsantrag **94**, 21
- für Zahlung der Benennungsgebühren bei PCT-Anmeldung(en) **158**, 59–62

Nachfristen
- Nach R 85a und 85b **120**, 66–77

Nachholung der versäumten Handlung
- bei Weiterbehandlung **121**, 33
- bei Wiedereinsetzung **122**, 97

Nachprüfung durch das EPA als Bestimmungsamt (Art 25 (2) PCT) 153, 45 ff
Nachprüfung,
- Fälle der ~ bei internationalen Anmeldung(en) **153**, 52–56

Nachprüfungsverfahren bei internationalen Anmeldungen (Art 25 PCT) 153, 57–67
Nachweis
- der formgerechten Zustellung **119**, 32–33
- des Prioritätsrechts **87**, 40–41

Naheliegen der Erfindung 56, 20–36
Nahes oder entferntes technisches Gebiet 56, 123–136
Nationale Gebrauchsmuster und Gebrauchszertifikate 140
- Prioritätsbegründung durch ~ **87**, 27

Nationale Grundgebühr
- bei PCT-Anmeldung(en) **158**, 42–45

Nationale Patentämter der Vertragsstaaten
- als Einreichungsbehörde **75**, 18–19
- als internationales Anmeldeamt **151**, 13–18
- Zustellung durch ~ **119**, 4

Nationale Patentanmeldungen, Angaben über 124
Nationale Richter in den Beschwerdekammern 112, 5; **160**, 2–3

Nationale Stellen
- als Einreichungsbehörde 75, 19; 75, 22

Nationale Verletzungsverfahren 64, 16

Nationale Zustellanschrift
- bei Einreichung der Übersetzung der Patentansprüche 67, 16
- bei Einreichung der Übersetzung der Patentschrift 65, 17

Nationaler Vertreter
- für die Einreichung der Übersetzung der Patentansprüche 67, 16
- für die Einreichung der Übersetzung der Patentschrift 65, 17

Nationales Recht
- Anwendung des ~ 2
- bei Übertragung der europäischen Patentanmeldung 74, 2
- Fortbestand des ~ 1, 4–5

Nebeneffekte 56, 84–87

Neueinreichung der europäischen Patentanmeldung 61, 28–30

Neueinreichung des wahren Berechtigten
- Jahresgebühren bei ~ 86, 27

Neuheit 56

Neuheit von Teilbereichen 54, 70–73

Neuheit, ältere Rechte 56, 10

Neuheitsgrundsätze
- Anwendung der ~ bei Änderung der europäischen Patentanmeldung 123, 39–42

Newuheit und Priorität 89, 2–8

Nichtberechtigte, Anmeldung durch 61

Nichteinheitlichkeit bei Verzicht auf die ergänzende europäische Recherche 157, 51–58

Nichterscheinen in der mündlichen Verhandlung 113, 30–34

Nichtigerklärung eines europäischen Patents 68, 5

Nichtigkeit und ältere Rechte 138, 139

Nichtigkeitsgründe 138

Nichtigkeitsverfahren
- nationales 138

Nichtrechtzeitige Stellungnahme
- zu Prüfungsbescheiden 96, 38–41

Nichtzahlung der Jahresgebühr, Folge 86, 13–14

Niederlande, Anwendungsbereich des EPÜ 168, 4

Niederschrift
- über die Beweisaufnahme 117, 81–85
- über die mündliche Verhandlung 116; 116, 63–65

Notifikationen 178

Notwendiger Vertreter, Form der Vollmacht 133, 31

Nucleotid- und Aminosäuresequenzen 83, 53–57
- bei Euro-PCT-Anmeldung(en) 154, 73–74

Nützlichkeit 52, 13

O

Oberbegriff des Patentanspruchs 84, 27–32

Offenbarung
- Deutlichkeit und Vollständigkeit für den Fachmann 83, 11–14

Offenbarung der Erfindung 83
- bei lebender Materie (Mikrobiologie) 83, 58–75
- und Stand der Technik 54, 14–16
- unschädliche ~ 55

Offenbarungsgehalt 54, 26 ff; 123, 24 ff
- der Voranmeldung 87, 12–23

Offenkundige Vorbenutzung 54, 40–41

Offensichtlicher Missbrauch 55, 13–18

Öffentliche Ordnung
- Europäischer ode nationaler Maßstab 53, 8–14
- Maßstab 53, 8–14

- Verstoß gegen die ~ 53, 48–48 53; 53, 48–53

Öffentliche Ordnung oder gute Sitten
- Verstoß gegen die ~ in der europäischen Patentanmeldung 78, 45–47

Öffentliche Zugänglichkeit 54, 14–16; 54, 21–25

Öffentliche Zustellung 119, 22–24

Öffentlichkeit
- Begriff der ~ 54, 14
- der mündlichen Verhandlung 116, 37–39

Omnibus-claims 84, 19

Ordre public 53, 63

Ordre Public oder gute Sitten
- Verstoß gegen ~ 53, 60–62

Organe der EPO 4

Organe im Verfahren 15

Örtliche Aufteilungs des EPA Vor 10–25, 3–5

P

PACE 92, 8–10; 93, 22; 96, 7

Parallele europäische und Euro-PCT-Anmeldungen 16, 12

Patentakademie
- Europäische Vor 10–25, 14

Patentanmeldung, *siehe auch Anmeldung*
- als Gegenstand des Vermögens 71; 72; 73; 74
- Einreichung der ~ 75

Patentansprüche 84

Patentblatt, Europäisches 127, 16; 129

Patenterteilung 97
- an verschiedene Anmelder 59, 9–11; 97, 27
- Entscheidung über die ~ 97, 28
- Wirksamwerden der ~ 97, 29–34

Patentfähige Erfindungen 52

Patentierbarkeit 52; 53; 54; 55; 56; 57
- Ausnahmen von der ~ 53
- Einspruch aufgrund mangelnder ~ 100, 3
- Einwendungen gegen ~ 115, 10–11

Patentierungsausschluss (R 23 d) 53, 63–78

Patentierungsgebot 52, 3–6

Patentierungshindernis
- des Art 53 53, 40–47

Patentjahr 86, 5

Patentkategorien 82, 8–11; 84, 33–37

Patentkategorien und Schutzbereich 69, 15—19

Patentklassifikation, internationale 17, 5

Patentregister 20, 4–7

Patentschrift, europäische 98
- Übersetzung der europäischen ~ 65

Patentschutzvertrag zwischen der Schweiz und Liechtenstein Vor 142–149, 5–6
- Art 2 des ~ 149

Patentzusammenarbeitsvertrag (PCT) 150, 1; 155

PCT
- Erteilung eines europäischen Patents 153, 16–21
- Funktionen des EPA nach ~ Vor 150–158, 14–20
- und seine Organe Vor 150–158, 21–28

PCT/EPÜ-Vertragsstaaten 153, 12–15

PCT, Verbindung zum EPÜ Vor 150–158, 8–13

PCT, vereinheitlichte Fristenregelung
- für Eintritt in die europäische Phase 155, 9–12

PCT: EPA als
- ausgewähltes Amt 156
- Bestimmungsamt 153
- Internationale Recherchenbehörde (ISA) 154
- internationales Anmeldeamt 151

Sachregister

PCT: EPA als mit der internationale vorläufigen Prüfung beauftragte Behörde (IPEA) 155
PCT-Anmeldung(en) 150; 151; 152; 153; 154; 155; 158
PCT-Benennungssystem Vor 151/152, 20–24
PCT-Bestimmungssystem Vor 150, 56
PCT-System
– Zielsetzung des ~ Vor 150, 29–40
Personal des EPA Vor 10–25, 15–16
Personal, Räumlichkeiten und Ausstattung des Verwaltungsrats 32
Pfändung
– von Patentanmeldungen 71, 16–19
Pflanzensorten 53, 88–89
PHOENIX (elektronische Akte) 90, 2
Pläne, Regeln und Verfahren für gedankliche Tätigkeiten, Spiele 52, 20–26
Postzustellung 119, 7–18
– Unterbrechung der ~ 120, 55–61
Präsidium
– des Verwaltungsrats 28
Präsidium der Beschwerdekammern 15, 6; 23, 9
Prinzip der Amtsernittllung 114; 114
Prior claim approach 54, 77; 56, 137–138
Priorität 87; 88; 89
– aus Anmeldungen in Nicht-PVÜ-Staaten 87, 50–52
– bei internationalen Anmeldungen Vor 151/152, 38–41
– bei Teilanmeldungen 76, 11
– für dieselbe Erfindung 87, 2–9
– Inanspruchnahme der ~ 91, 10–14
– innere ~ Vor 87–89, 4
– Mehrfach~ 88, 23–34
Prioritätsbegründende Schutzrechtsanmeldungen 87, 26–32
Prioritätsbeleg 88, 19–22

Prioritätsbelege
– bei Euro-PCT-Anmeldung(en) 158, 104–111
Prioritätsberechtigter 87, 40–42
Prioritätserklärung 88, 2–6
– Berichtigung von Fehlern in ~ 88, 7–18
Prioritätsfrist 87, 43–44
Prioritätsrecht 87
– Grenzen des ~ 89, 11–12
– Übertragbarkeit des ~ 87, 42
– Umfang des ~ 88, 34–37
– Wirkung des ~ 89
Prioritätstag
– als Anmeldetag 56, 8
Prioritätstag der Stamm- und Teilanmeldung 76, 11
Prioritätsunterlagen 88, 19–22
Privilegien der EPO 8, 4–6
Product-by-process-Ansprüche 84, 20–22
Programme für Datenverarbeitungsanlagen 52, 27–40
Protokoll über Vorrechte und Immunitäten 8, 3–6; Anhang 3
Protokolle als Bestandteile des EPÜ 164
Provisional application (USA) 87, 31
Prüfung
– der Beschwerde 110
– der europäischen Patentanmeldung 96
– der internationalen Anmeldung(en) (Zweck) 155, 7–12
– Des Einspruchs 101
Prüfungsabteilungen 15; 18
– Aufgaben der ~ 96, 19
– der gesamten ~ vorbehaltene Tätigkeiten 18, 16; 96, 23–25
– Ergänzung der ~ durch rechtskundigen Prüfer 18, 17–18
Prüfungsantrag 94; 155
– bei PCT-Anmeldung(en) 158, 67–75
Prüfungsbescheid, Inhalt 96, 26–37

Prüfungsgebühr 94, 23
- Ermäßigung der ~ aus Sprachgründen **94,** 24–26
- Ermäßigung der ~ bei Euro-PCT-Anmeldungen **94,** 27

Prüfungskommission 134, 57–63

Prüfungsrichtlicnien, Erlass der ~ 10, 3

Prüfungsverfahren 96

R

Ratifikation des EPÜ 165

Räumlicher Anwendungsbereich des EPÜ 168

Recherche 16, 1–4
- beschleunigte (PACE) ~ **92,** 8–10
- internationale **154,** 53–56
- Umfang der **92,** 15–17
- unvollständige ~ **92,** 27

Recherchenabteilungen 15; 17

Recherchenbericht
- ergänzender europäischer ~ **82,** 31; **157,** 15–26
- Erstellung des europäischen ~ **92**
- Inhalt des **92,** 19–26
- internationaler ~ **157**

Recherchendokumentation 92, 18

Recherchengebühr 78, 20–23
- internationale ~ **154,** 37–49
- Rückzahlung der ~ **78,** 27

Recherchengebühr für außereuropäische ISAs 157, 70–74

Rechnungsprüfung der EPO 49

Recht auf das europäische Patent 60

Recht auf mündliche Verhandlung als grundlegendes Verfahrensrecht 116, 2–5

Rechte aus dem europäischen Patent 64

Rechte aus der europäischen Patentanmeldung nach Veröffentlichung 67

Rechte und Pflichten ausgeschiedener Vertragsstaaten 176

Rechtliches Gehör 111, 42–46; **113**; **116**; **116**

Rechtsabteilung 15; 20

Rechtsanwälte als Vertreter 134, 16–19

Rechtsauskünfte 10, 4

Rechtsbehelfe bei nicht rechtzeitiger Weiterleitung der europäischen Patentanmeldung an das EPA 77, 13–15

Rechtsfolge
- der nicht rechtzeitigen Aufrechterhaltung der Anmeldung **96,** 10

Rechtsfragen, der Großen Beschwerdekammer vorzulegende 112, 9–18

Rechtsgeschäftliche Übertragung 72

Rechtshilfe, Amts- und 131

Rechtsirrtümer
- als Wiedereinsetzungsgrund **122,** 82

Rechtskundige Mitglieder der Beschwerdekammern 21, 2

Rechtskundige Prüfer 18, 17–18

Rechtsmittel
- gegen Ablehnung der Weiterbehandlung **121,** 37

Rechtsnachfolge
- während des Einspruchsverfahrens **99,** 52–58

Rechtsnachfolger
- des Erfinders **60,** 11
- des Patentinhabers im Beschwerdeverfahren **107,** 11–12

Rechtspersönlichkeit der EPO 5

Rechtsprechung der Beschwerdekammern zu Art 53 a) 53, 28–33

Rechtsprechung der Beschwerdekammern zu mikrobiologischen Verfahren 53, 109–112

Rechtsprechung der Beschwerdekammern zu Züchtungsverfahren 53, 107–112

Sachregister

Rechtsprechung der Beschwerdekammern zum Pflanzenschutz 53, 109–112

Rechtsschutzbedürfnis beim Einspruch 99, 15

Rechtsstellung der EPO 5

Rechtsübergang
- der Stellung als Einsprechender 99, 59–66

Rechtsverlust
- Feststellung eines ~ nach R 69 106, 7–14

Rechtsverlust, unmittelbarer 122, 47–54

Rechtsverlustmitteilung 77, 12
- im Beschwerdeverfahren 106, 8–10
- wegen Nichtzahlung der Beschwerdegebühr 108, 24; 108, 30–31

Reformatio in peius 101, 66; 114, 24; 125, 10

Regelmäßig erscheinende Veröffentlichungen 129

Regionale (europäische) Phase, Beginn bei internationalen Anmeldungen 150, 27–31

Regionale Patente – nationale Patente Vor 150–158, 9

Registrierung
- Grenze zwischen europäischer und nationaler 71, 12–13

Reisekosten von Zeugen und Sachverständigen 117, 94–96

Reproduktives Klonen 53, 70

Restituio in integrum
- bei Jahresgebühren 86, 18–20

Revision des Art 63 172, 2–4

Revision des EPÜ 172

Revisionsakte vom 29.11.2000 53, 7

Richterliche Unparteilichkeit 24, 1

Richtlinie 98/44/EG
- im nationalen Recht 53, 5

Richtlinien für die Prüfung, Erlaß der 10

Rückerstattung
- der Beschwerdegebühr 109, 12–13; 111, 31 ff
- der europäischen Recherchengebühr 78, 27
- der internationalen Recherchengebühr 154, 42–49
- der Prüfungsgebühr 94, 28–31
- von Jahresgebühren 86, 32

Rücknahme
- der Beschwerde 108, 32–40
- des Antrags auf mündliche Verhandlung 116, 21–23

Rücknahme der europäischen Patentanmeldung, Beschränkung der ~ 61, 15–23

Rücknahme des Einspruchs 101, 74

Rückschauende Betrachtungsweise (ex post facto) 56, 55–59

Rücksprachen 113, 26; 116, 14
- mit dem Prüfer 18, 14

Rückzahlung
- der Beschwerdegebühr 109, 12–13; 111, 31 ff, 57
- der internationalen Recherchengebühr 154, 42–49
- der Prüfungsgebühr 94, 28–31
- von Jahresgebühren 86, 32

S

Sachliche Prüfung
- des Einspruchs 101, 36 ff
- des im Einspruchsverfahren geänderten Patents 102, 32 ff

Sachprüfung 96; 96, 13 ff; 96, 13–18
- im Einspruchsbeschwerdeverfahren 110, 39 ff

Sachverständige 117, 45–49; 117, 94–100; 117, 97–100

Schadensersatz wegen Benutzung einer angemeldeten Erfindung 67, 8–9

Schiedsgericht 8, 12–13
Schriftform
- der Beschwerde **108**, 9–12
- der europäischen Patentanmeldung **78**, 9
- des Einspruchs **99**, 27–30
- des Prüfungsantrags **94**, 8–9
- des Weiterbehandlungsantrags **121**, 24
- des Wiedereinsetzungsantrags **122**, 88–91

Schriftliche Bescheide
- der IPEA **155**, 84–89

Schriftliche Entscheidung 116, 70–72
Schriftliche Erklärung unter Eid 117, 54
Schriftlichkeit *siehe Schriftform*
- des Verfahrens allgemein **113**, 22

Schriftlichkeit und Unterschrift
- beim Übertragungsvertrag **72**, 2–4

Schriftlichkeit/*Schriftform*
- des Beschwerdeverfahrens **110**, 73

Schutz des guten Glaubens 125, 24–42
Schutzbegehren, Gegenstand des 84, 3
Schutzbeginn mit Zugänglichkeit
- der Übersetzung der Patentansprüche **67**, 14

Schutzbereich
- Bestimmung des ~ durch das EPA **123**, 82–83
- der europäischen Patentanmeldung und des europäischen Patents **69**

Schutzbereich der europäischen Patentanmeldung 69, 60–63
Schutzbereich der europäischen Patentanmeldung und des europäischen Patents
- engerer ~ der übersetzten Fassung **70**, 7–12
- Erweiterungsverbot für das erteilte Patent **123**, 77 ff

Schutzzertifikat für Arzneimittel 63, 6–8

Schutzzertifikat für Pflanzenschutzmittel 63, 9
Schweizer Verwendungsansprüche 52, 71
Schweizerisches Bundesamt für geistiges Eigentum
- Auskunft des ~ vom 30.05.1984 **54**, 94
- Rechtsauskunft des ~ vom 15.12.1980 **55**, 8

Sequenzprotokoll 83, 53–57
Sequenzprotokolle
- als Bestandteil der Beschreibung **93**, 14
- bei Euro-PCT-Anmeldung(en) **158**, 112

Sequestration der europäischen Patentanmeldung 61, 23
Serviceleistungen des EPA, freiwillige 125, 34–36; **125**, 37–41
Sittenordnung, Verstoß gegen ~ 53, 58, 59
Sitz
- EPO **6**

Sonderregelung im Beamtenstatut für Mitglieder der Beschwerdekammern 23, 8
Sorgfalt, gebotene, bei Wiedereinsetzung 122, 55–64
Sortenschutz 53, 98–99
Spezielle Begriffe und Allgemeinbegriffe 54, 61–65
Sprache
- der Beschwerde **108**, 9–12
- der europäischen Patentanmeldung **14**, 4–12
- der Teilanmeldung **14**, 37
- des Antrags auf vorläufige Prüfung der internationalen Anmeldung(en) **155**, 48–52

Sprachen 65; **70**; **70**
- bei Einreichung bei nationalen Behörden **75**, 20–21
- bei Euro-PCT-Anmeldung(en) **Vor 151/152**, 5 ff
- der Beweisaufnahme **117**, 86–90

- der Eintragung ins Patentregister **127**, 8
- der europäischen Patentanmeldung **78**, 54
- des Einspruchs **99**, 31–32
- des EPA **14**
- des Übereinkommens **177**
- des Verwaltungsrats **31**
- Gebührenermäßigung wegen ~ **94**, 24–26
- Gebührenermäßigung wegen ~ **14**, 38–43
- Terminologie **14**, 3

Staatsgeheimnis 75, 8–17; **77**, 5–8

Stammanmeldungen
- Einsicht in noch nicht veröffentlichte ~ **128**, 13–16

Stand der Technik 52, 9; **54**, 8–13; **56**, 8–19
- Anpassung an neu ermittelten ~ **123**, 43–49
- bei Arzneimitteln **54**, 85–86
- interner ~ **83**, 36

Standardcode für Staaten und internationale Organisationen 92, 34

Statusklausel 5, 2–3

Stellungnahme der Großen Beschwerdekammer zu Rechtsfragen 112

Stemcells/Warf Entscheidung T1374/04 53, 28–33

Stimmenwägung im Verwaltungsrat 36

Stimmrecht im Verwaltungsrat 34

Stoffe und Stoffgemische 54, 74

Stoffschutz 52, 6

Straßburger Patentübereinkommen (StraßbÜ) 53, 10; Anhang 9

Streitigkeiten zwischen Vertragsstaaten 173

Streitsachen zwischen der Organisation und Bediensteten 13

Streitsachen zwischen EPO und Bediensteten 13

Streitschlichtung 8, 10–11

Strohmann (G 3/97) 99, 8–11

Stückzahl der Unterlagen
- der europäischen Patentanmeldung **78**, 55

Stufenweise Ausdehnung des Tätigkeitsbereichs des EPA 162

Stundung von Gebühren 51, 2; **78**, 26

Suspensiveffekt 106, 76

T

Tagungen des Verwaltungsrats 29

Technisch vorgebildete Mitglieder der Beschwerdekammern 21, 13–16; **21**, 2

Technisch, Definition 52, 11–12

Technische Aufgabe
- für die Offenbarung **83**, 38

Technische Beschwerdekammern 21

Technische Gutachten für Gerichte 25

Technischer Fortschritt 52, 13

Technisches Allgemeinwissen 56, 133; **123**, 36

Technologiebedingte Gefahren
- Abwehr von ~ **53**, 45–56

Teilanmeldung
- Sprache der ~ **14**, 37

Teilanmeldungen 76
- Benennung von Vertragsstaaten bei ~ **79**, 31
- Einreichung der ~ **75**, 30–31; **76**, 8–10
- Jahresgebühren für ~ **86**, 21–26
- Sprache der ~ **76**, 20

Teilnahme von Beobachtern an Tagungen des Verwaltungsrats 30

Teilnichtigkeit 138, 12–13

Teilpriorität 88, 25–34

Teilrechtsverlust 121, 21–23

Teilschutz gegen Verletzungen 69, 59

Teilverzicht
- im Prüfungsverfahren **96**, 35

Teilweiser Rechtsübergang 61, 31–32

Telefax
- für internationale Anmeldung(en) 152, 30

Telegrafische Einreichung
- der europäischen Patentanmeldung (nein) 78, 16

Telekopie
- für europäische Patentanmeldungen 78, 10–18
- für sonstige Unterlagen 78, 72

Territoriale Wirkung des europäischen Patents 3

Territorialer Umfang des Einspruchs 99, 39–40

Therapeutische Behandlung 52, 49–64

Therapeutische Verfahren 54, 87

Therapeutisches Klonen 53, 70

Tierrassen, Tierarten 53, 101–103

Torpedo 64, 24

Transgene Tiere 53, 76

Trennnung der Instanzen 23, 4–5

Trennung von Verwaltung und Rechtsprechung 10, 11; 23, 4–5

Treu und Glauben 125, 24–42

TRIPS-Abkommen Präambel, 6; 53, 65; 63, 1
- Anwendbarkeit des ~ 52, 4; 53, 6

U

Übereinkommen zum Schutz von Pflanzenzüchtungen (ÜPOV-Ü) 53, 90–96

Übereinstimmung aller Merkmale 54, 49–60

Übergabe
- Zustellung durch unmittelbare ~ 119, 19–21

Übermittlung
- europäischer Patentanmeldungen an das EPA 77
- internationaler Patentanmeldungen durch das IB an das EPA als Bestimmungsamt 153, 37–42

Übermittlung der internationalen Anmeldung(en) an das EPA 158

Übermittlung der PCT-Anmeldung(en)
- an das Bestimmungsamt 158, 21–26

Übermittlung des EPÜ und Notifikationen 178

Übermittlung europäischer Patentanmeldungen an das EPA
- nicht rechtzeitige ~ 135

Übermittlungsgebühr
- für internationale Anmeldungen 151, 22

Übermittlungsgebühr bei internationalen Anmeldung(en) 152, 35–36

Überprüfung von Entscheidungen
- Antrag auf ~ 112a

Überprüfungsstelle (vor dem Widerspruchsverfahren) 17, 10; 82, 29

Überraschende Ergebnisse 56, 84

Übersetzung
- der europäischen Patentschrift 65
- der internationalen Anmeldung(en) 155, 42–47; 158, 27–38
- der Patentansprüche 67, 10–11; 97, 17–18
- der Prioritätsunterlagen 88, 22
- Einreichung der ~ aus zugelassenen Nichtamtssprachen 90, 15–16

Übersetzungserfordernisse 154, 50–52

Übersetzungskosten
- Senkung der ~ 172, 11–12

Übertragung
- der Beteiligtenstelung im Beschwerdeverfahren 107, 12
- des Prioritätsrechts 87, 42
- und Bestellung von Rechten 72
- von Arbeiten auf nationale Patentämter 18, 15
- von Aufgaben und Befugnissen auf die Vizepräsidenten 10, 9

Sachregister

Übertragung und Bestellung von Rechten
- an der europäischen Patentanmeldung 71

Übertragung von Arbeiten auf nationale Patentämter 6, 7

Übertragung von Aufgaben
- im Beschwerdeverfahren 110, 84

Übertragungsverfügung
- betreffend Beschwerdekammern 15, 7; 21, 4
- betreffend Prüfung/Einspruch 15, 4; 19, 2

Umfang
- des Widerrufs des europäischen Patents 68, 2–4

Umfang des Prioritätsrechts 88, 34–37

Umkehrung der Beweislast 64, 15

Umwandlung
- der europäischen Patentanmeldung in nationale Anmeldungen 77, 14; 77, 2
- der europäischen Patente in nationale Gebrauchsmuster- und Gebrauchszertifikat-Anmeldungen 140, 6
- Verfahren der ~ 136; 137

Umwandlungsantrag 135

Umwandlungsverfahren 135

Unabhängige Patentansprüche 84, 43–47

Unabhängigkeit der Mitglieder Beschwerdekammern 23, 6–7

Unerwartete zusätzliche Ergebnisse 56, 84–87

Universalzuständigkeit des IB
- als Anmeldeamt 151, 19–22

Unmittelbarer Rechtsverlust bei Wiedereinsetzung 122, 47–54

Unmittelbares Verfahrenserzeugnis, Schutz des ~ 64, 9–14

Unnötige Angaben
- in der europäischen Patentanmeldung 78, 52

Unparteilichkeit
- der Richter 24, 1

Unparteilichkeit der Mitglieder Beschwerdekammern 23, 6–7

Unschädliche Offenbarung 55, 23–25

Unschädliche Offenbarung der Erfindung 55

Unschädliche Offenbarung, Wirkung 55, 23–25

Unteransprüche 84, 43

Unterbrechung der Fristen
- bei Unterbrechung des Verfahrens 120, 78 ff

Unterbrechung der Postzustellung 120, 55–61

Unterbrechung des Verfahrens
- Jahresgebühren bei ~ 86, 21–23
- während des Einspruchsverfahrens 101, 79

Unterbrechung während des Streits um Recht am Patent 61, 17–23

Unterkombination 69, 38

Unterlagen der europäischen Patentanmeldung 14, 18; 78, 59–72

Unterlassung der Auskunfts über nationale Patentanmeldungen 124, 6–12

Unterlassung der Erfindernennung 81, 13–17

Unterrichtung des EPA durch die Einreichungsbehörden 75, 27

Unterschiedliche Patentansprüche, Beschreibungen und Zeichnungen für verschiedene Staaten 118, 6–15; 123, 102 ff

Unterschriftserfordernisse
- bei Euro-PCT-Anmeldung(en) Vor 151/152, 44–45

Unterzeichnung -- Ratifikation 165

Unvollständige Recherche 92, 27

Unzulässige Angaben in der europäischen Patentanmeldung 78, 44–52

Sachregister

Unzulässigkeit
- der Beschwerde 110, 8 ff
- des Einspruchs 101, 19 ff

Urkunde
- neue ~ über das europäische Patent nach Einspruchsverfahren 103, 5–7
- über das europäische Patent 98, 7–8

Urkunden
- Vorlegung von ~ 117, 31–35

Ursprünglich eingereichte Fassung 70, 5
- Beschränkung auf das Offenbarte in der ~ 123, 24 ff
- Hinausgehen über die ~ als Einspruchsgrund 100, 8–9
- Hinausgehen über die ~ bei Teilanmeldungen als Einspruchsgrund 100, 10
- in einer zugelassenen Nichtamtssprache 70, 5

V

Verbindliche Fassung einer europäischen Patentanmeldung oder eines europäischen Patents 70

Verbindlichkeit
- der drei Amtssprachen 177, 2–5
- der Verfahrenssprache 70, 4

Verbot der rückschauenden Betrachtungsweise 56, 55–59

Vereinbarung zwischen WIPO und EPO Vor 150–158, 11–13; Anhang 10

Verfahren
- bei der Überprüfung von Beschwerdekammerentscheidungen 112a, 14–17
- mangels ISR und declaration of no-search 157, 64–65

Verfahren beim EPA als IPEA 155, 83 ff

Verfahren vor dem EPA
- Stellung von Dritten 115, 15–16

Verfahrensbeteiligte im Beschwerdeverfahren 107

Verfahrenserzeugnis, unmittelbares, Schutz des ~ 64, 9–14; 64, 9–14

Verfahrensfehler, wesentlicher 111, 39

Verfahrensgrundsätze
- Berücksichtigung allgemeiner 125, 5

Verfahrenskostenhilfe 51, 2

Verfahrensordnung
- der Beschwerdekammer 15, 9; 23; Anhang 8
- der Beschwerdekammern 21, 1
- der Großen Beschwerdekammer 15, 9; 22, 2; Anhang 7

Verfahrenssprache 14, 3
- Ausnahmen bei Beweismistteln 14, 28
- Ausnahmen im mündlichen Verfahren 14, 30–36
- Ausnahmen im schriftlichen Verfahren 14, 24–27
- Verbindlichkeit der ~ 70
- Wahl und Verwendung der ~ 14, 20–22

Verfahrensvorschriften 116
- im Beschwerdeverfahren 110, 67–81

Verfahrensvorschriften, allgemeine 113; 114; 115; 118; 119; 120; 121; 122; 123; 124; 125; 126

Verfügungsgrundsatz
- im Beschwerdeverfahren 107, 39–41; 110, 81

Vergleich mit jeweils nur einer Offenbarung 54, 46–48

Verhältnis EPÜ ~ AO 164, 4–8

Verhandlung, mündliche 116

Verjährung von Zahlungsverpflichtungen 126

Verkündung der Entscheidung 116, 66–69

Verlängerung der Prüfungsantragsfrist 95

Verlängerungsmöglichkeit für die Laufzeit des Patents 63, 4

Verletzung von Zustellungsvorschriften 119, 34–36

Verletzungsverfahren
- bei grenzüberschreitenden Verletzungen **64**, 17–24

Vernehmung von Beteiligten 117, 24–27

Vernehmung von Beteiligten und Zeugen 117, 76–80
- durch Gerichte **117**; **117**, 63–66

Vernehmung von Zeugen 117, 36–44

Vernehmungsersuchen an Gerichte 117, 67–68

Veröffentlichung
- Abschluß der technischen Vorbereitungen für die ~ **93**, 4
- der europäischen Patentanmeldung **93**
- der europäischen Patentanmeldung in der Verfahrenssprache **14**, 44
- der europäischen Patentschrift **98**
- der europäischen Patentschrift in der Verfahrenssprache **14**, 45–46
- der internationalen Anmeldung(en) **158**
- einer neuen europäischen Patentschrift nach einem Einspruchsverfahren **98**, 11; **103**
- einzelner Angaben noch nicht veröffentlichter europäischer Patentanmeldungen **128**, 34–35
- Form der ~ **93**, 15–20
- geänderter Patentansprüche **93**, 11
- von Beschwerdeentscheidungsdaten **111**, 66
- von Beschwerdekammerentscheidungen **111**, 57–69
- von Entscheidungsdaten über den Einspruch **103**, 4
- von Euro-PCT-Anmeldung(en) **158**
- von Euro-PCT-Anmeldungen **67**, 20–23
- Zeitpunkt der ~ **93**, 2

Veröffentlichung durch Vorbenutzung 54, 26 ff

Veröffentlichungen
- Austausch von ~ **132**

Verschiebung des Anmeldetags 80, 15–21

Verschiedene Anmelder
- Fiktion der ~ als gemeinsame Anmelder **118**, 4–6
- Patenterteilung an ~ **97**, 27

Verspätete Weiterleitung der europäischen Patentanmeldung an das EPA 77, 9–11

Verspäteter Zugang von Schriftstücken (R 84a) 120, 45–48

Verspätetes Vorbringen 114, 41 ff

Verteilungsschlüssel 39

Vertragliche Haftung der EPO 9, 2–4

Vertragliche Lizenzen 73

Vertragsstaaten 169
- mit mehreren Amtssprachen **65**, 7–13; **67**, 12–13

Vertragsstaaten mit zugelassenen Nichtamtssprachen 14, 8

Vertrauensgrundsatz
- im Prüfungsverfahren **96**, 37

Vertrauensschutz 125, 24–42

Vertrauliche Information 55, 13

Vertraulichkeit der Information bei Neuheit 54, 17–19

Vertreter
- Fortfall seiner Geschäftsfähigkeit **120**, 87–89
- im Einspruchsverfahren **99**, 106–109
- Sorgfaltspflicht des ~ **122**, 65–70
- Zustellung an **119**, 25–30

Vertreter, gemeinsamer
- mehrerer Anmelder **59**, 7–8

Vertretung 133
- der EPO **5**; **5**, 4
- des Präsidenten **10**, 10–11
- für internationale Anmeldung(en) **Vor 150–158**, 72–75; **158**, 121–127
- vor dem EPA **134**; **134**, 2 ff

- vor dem EPA als IPEA **155**, 27–31
- vor dem EPA als ISA **154**, 31–36
- vor dem EPA durch Rechtsanwälte **134**, 16–19
- vor den besonderen Organen **144**

Vertretung vor dem EPA
- bei Euro-PCT-Anmeldungen Vor **151/152**, 56–67

Vertretungsbefugnis von Angestellten bei wirtschaftlich verbundenen juristischen Personen 133, 18–20

Vertretungszwang 91, 4–5; **133**, 8–17

Vertretungszwang, Ausnahme
- für die Anmeldung **133**, 11

Verwaltungsmäßige Gliederung des EPA Vor **10–25**, 6–14; **15**, 10

Verwaltungsrat 29; 30; 31; 32; 33; 34; 35; 36
- Abstimmungsregeln im ~ **35**, 4
- als Organ der EPO **4**, 6–7
- Ausschüsse des ~ **29**, 3–4
- Befugnisse des ~ **33**
- Engerer Ausschuss des ~ **145**
- Personal, Räumlichkeiten und Ausstattung des ~ **32**
- Präsidium des ~ **28**
- Sprachen des ~ **31**
- Stimmenwägung im ~ **36**
- Stimmrecht im ~ **34**
- Tagungen des ~ **29**
- Teilnahme von Beobachtern an Tagungen des ~ **30**
- Vorsitz im ~ **27**
- während einer Übergangszeit **159**
- Zusammensetzung des ~ **26**

Verwaltungsstruktur des EPA 15

Verwaltungsvereinbarungen 10, 5

Verwaltungsvorschriften nach PCT Vor **150–158**, 13

Verweisung auf andere Dokumente bei Offenbarung der Erfindung 83, 24–30

Verwendungserfindung 54, 55

Verwertung
- der Erfindung **53**, 54–57

Verzeichnis (Liste) der zugelassenen Vertreter 134, 11–14; **134**, 5–6
- Voraussetzungen für die Eintragung **134**, 7–10

Verzeichnis (Registrierung) der zugelassenen Rechtsanwälte 134, 19

Verzicht
- auf Beitreibung geschuldeter Geldbeträge **126**, 17–18
- auf die Priorität **93**, 7
- auf Erfindernennung **81**, 23
- auf Priorität **88**, 32–33
- im Einspruchsverfahren auf das europäische Patent **101**, 65–66

Verzicht auf das europäische Patent
- Einspruch nach ~ **99**, 41–44

Verzicht auf die ergänzende europäische Recherche 157, 51–65

Völkerrechtssubjekt, EPO als ~ **4**, 3

Vollmacht 133, 21–35

Vollstreckung von Kostenfestsetzungsentscheidungen 104, 57–58

Vorbehalte 2, 9; **167**
- des EPA gegen Bestimmungen des PCT Vor **150–158**, 64–71

Vorbenutzung, öffentliche 54, 112

Vorbereitende Arbeiten, Auslegung des EPÜ 177, 11

Vorlage einer Rechtsfrage 112, 9–18
- Verfahren **112**, 19–25

Vorläufige Haushaltsführung 47

Vorlegung von Urkunden als Beweismittel 117, 31–35

Vorrang
- der Bestimmungen des PCT vor denen des EPÜ **150**, 7–13
- des EPÜ vor der AO **164**, 4–8
- des EPÜ, allgemein **2**, 7

Vorrechte und Immunitäten 8

Vorschlagsrecht des Präsidenten 10, 6

Vorschriften über das laufende Konto (LfdKto) Anhang 6
Vorschuss
– für die Kosten der Beweisaufnahme 117, 91–93

Vorschüsse der Vertragsstaaten 41
Vorsitz
– im Verwaltungsrat 27
– in der Großen Beschwerdekammer 22, 5
– in der technischen Beschwerdekammer 21, 19

Vorsorgliche Benennung 79, 7–10
Vorteilhafte Wirkungen 56, 86
Vorurteile der Fachwelt 56, 108–115
Vorveröffentlichung 54, 34
Vorzeitige Bearbeitung
– der internationalen Anmeldung(en) 153, 31–33; 156, 15–16

W

Wahl der ISA durch den Anmelder 154, 20–24
Wahlmöglichkeit 3, 1–3
Wahrer Berechtigter 61, 5
Wegfall der europäischen Patentanmeldung 67, 24–26; 67, 24–26
Weisungsfreiheit der Mitglieder der Beschwerdekammern 23, 6–7
Weisungsrecht des Präsidenten 10, 7
Weit entferntes technisches Gebiet 56, 123–136
Weiterbehandlung der europäischen Patentanmeldung 121
Weiterbehandlungsgebühr 121, 34
Weiterbenutzungsrecht
– bei der Überprüfung von Beschwerdekammerentscheidungen 112a, 18
– bei Wiedereinsetzung 122, 136–142
– bei zu eng übersetzter Fassung 70, 15
– nicht bei Weiterbehandlung 121, 39–40

Weitere medizinische Indikationen 54, 90–98
Weiterleitung
– der Beschwerde an die Beschwerdekammer 109, 14–16
– der internationalen Anmeldung(en) 152, 31–34

Weiterverfolgung der Anmeldung als eigene 61, 24–27
Wesentlicher Verfahrensmangel
– im Beschwerdeverfahren 111, 39

Whole contents approach 54, 77–81; 56, 137–138
Widerklage 64, 24
Widerruf des europäischen Patents 68; 102; 102, 7–22
– Wirkung des ~ 102, 47–48

Widerspruchsentscheidungen über Einheitlichkeit bei Euro-PCT-Anmeldung(en)
– Zuständigkeit 155, 108–117

Widerspruchsentscheidungen über Einheitlichkeit bei Euro-PCT-Anmeldungen 82, 27–31
– Zuständigkeit der Beschwerdekammern 21, 17–18

Widerspruchsverfahren
– vor den Beschwerdekammern 154, 113–118
– vor der Überprüfungsstelle 154, 99–112

Wiederaufnahme des Prüfungsverfahrens 97, 26
Wiedereinsetzung
– in Nebenverfahren 122, 21–25

Wiedereinsetzung in den vorigen Stand 122; 122
– bei Jahresgebühren 86, 18–20

Wiedereinsetzungsgebühr 122, 113–119
Wiederholbarkeit 83, 18–20
Wien, Dienststelle in ~ (INPADOC) 7, 2–4

Sachregister

Wiener Übereinkommen über das Recht der Verträge 177, 9–11
Wiener Übereinkommen: Präambel, 6
Wiener Vertragsrechtskonvention 53, 6; 53, 75
Wirksamwerden der Patenterteilung 97, 29–35
Wirkung
– der Berichtigung 123, 164
– der europäischen Patentanmeldung als nationale Hinterlegung 140, 3–4
– der Nichtigerklärung eines europäischen Patents 68, 5
– der rechtskräftigen Zurückweisung der europäischen Patentanmeldung 67, 24–26
– der Weiterbehandlung 121, 38
– der Wiedereinsetzung 122, 124–125
– des Widerrufs des europäischen Patents 102
Wirkung der europäischen Patentanmeldung
– als nationale Hinterlegung 66
Wirkung des
– Prioritätsrechts 89
Wirkung des Prioritätsrechts 89
Wirkung des Widerrufs des europäischen Patents 67
Wirkungen
– des europäischen Patents und der europäischen Patentanmeldung 69
Wirkungen des europäischen Patents und der europäischen Patentanmeldung 63; 64; 66; 67; 70
Wirtschaftlicher Erfolg 56, 80–83
Wissenschaftliche Theorien 52, 13–17
Wohlerworbene Rechte, Aufrechterhaltung 175

Z

Zahl der Patentansprüche 84, 48–51
Zahlung
– der nationalen Gebühr bei PCT-Anmeldung(en) 158, 39 ff
Zahlungen der Vertragsstaaten an die EPO 39
Zahlungsfrist
– für die Benennungsgebühren 157, 13–14
Zahlungsverpflichtungen
– Beendigung von ~ 126
Zahlungsverpflichtungen, Beendigung von 126
Zeichnungen
– Auswahl für die Zusammenfassung 85
– Bedeutung für die Auslegung 69, 23–27
– Berücksichtigung von ~ 54, 42–43
– Beschreibung der ~ 83, 43
– Einreichung von ~ 91, 23–29
– Form der ~ 78, 34–43
Zeitliche Beschränkung
– bei Berichtigung der Priorität 88, 11–12
– der Änderungsmöglichkeit 123, 8–10
– für den Berichtigungsantrag 123, 135–147
Zeitpunkt
– des Standes der Technik 56, 8
– für die Ermittlung des Offenbarungsgehalts 54, 44–45
Zeitraum für die Einreichung von Teilanmeldungen 76, 21–25
Zentralisierungsprotokoll Anhang 4
Zeugen 117, 36–44; 117, 94–100; 117, 94–100
Züchtungsverfahren 53, 103
Zuerkennung des Anmeldetags 90, 5–7
Zugang zum europäischen Patentregister 127, 11–15
Zugänglichkeit der Übersetzung
– der Patentansprüche 67, 19
– der Patentschrift 65, 22

Zugänglichkeit des Offenbarungsmittels
54, 23–25
Zugelassene Nichtamtssprachen 14, 10–12; 14, 3
Zugelassene Vertreter 134
– während einer Übergangszeit 163
Zulässigkeit
– der Abhilfe 109, 5–9
– der Beschwerde 110, 6 ff
– der Überprüfung von Beschwerdekammerentscheidungen 112a, 8–13
– des Einspruchs 101, 15–18
Zurücknahme
– der Benennung 79; 79, 26–29
– der Beschwerde 108, 32–40
– der europäischen Patentanmeldung vor der Veröffentlichung 93, 3–8
– des Einspruchs 101, 74
– keine ~ des Prüfungsantrags 94, 36
Zurückverweisung 111, 16–23
Zurückweisung der europäischen Patentanmeldung 97
– auf Antrag des wahren Berechtigten 61, 33
Zurückweisung des Einspruchs
102, 23 ff
Zurückweisung oder Erteilung 97
Zurückweisungsentscheidung 97, 2–5
Zurückzahlung
– der Beschwerdegebühr 109, 12–13; 111, 31 ff
– der internationalen Recherchengebühr 154, 42–49
– der Prüfungsgebühr 94, 28–31
– von Jahresgebühren 86, 32
Zusammenarbeitsvertrag 157
Zusammenarbeitsvertrag (PCT) 150; 150–158; 151; 152; 153; 154; 156; 157
Zusammenfassung 85
– Nachreichung der ~ 91, 8
– Zweck der ~ 85, 2–6

Zusammenführung von Beklagten
64, 22–24
Zusammengesetzte Fristen 120, 22–33
Zusammensetzung
– der Einspruchsabteilung 19, 4
– der Prüfungsabteilung 18, 11
Zusätzliche europäische Recherche
92, 2; 92, 28
Zuschlagsgebühr
– bei Anmelde- und Recherchengebühr 78, 22
– bei Benennungsgebühren 79, 19–22
– bei Jahresgebühren 86, 10–12
zuständige Stelle
– für die Einreichung des Einspruchs 99, 25–26
Zuständigkeit
– bei Ansprüchen der EPO 126, 11–13
– der Beschwerdekammern 21, 5–8; 106; 106, 6; 154
– der Eingangsstelle 16, 5–11
– der Einspruchsabteilungen 101, 3–6
– der Großen Beschwerdekammer 22, 3–4; 112
– der Prüfungsabteilung 18, 4–10
– der Prüfungsabteilungen 94, 5–7
– der Recherchenabteilungen 17
– für den Prüfungsantrag 94, 5–7
– für die Abhilfe 109, 2–4
– für die Berichtigung 123, 131
– für die Einreichung des Einspruchs 99, 25–26
– für die Kostenfestsetzung im Einspruchsverfahren 104, 46–49
– für mündliche Vernehmungen 117, 62
– für Widerspruchsentscheidungen 154, 75–80
– für Widerspruchsentscheidungen über Einheitlichkeit bei Euro-PCT-Anmeldung(en) 155, 108–117
– gerichtliche ~ bei Haftung der EPO 9, 10–11

Sachregister

- Universal~ des IB als Anmeldeamt **151**, 19–22
- Verlust der ~ des EPA als Bestimmungsamt **153**, 43–44

Zuständigkeit des EPA als IPEA
- für Nicht-EPÜ-Staaten **155**, 23–26

Zuständigkeit des EPA als IPEA für EPÜ-Vertragsstaaten 155, 13–22

Zuständigkeitsbeginn
- für dieEinspruchsabteilung **19**, 3

Zuständigkeitsbeschränkung des EPA als ISA 155, 21–22

Zustellung 119

Zustimmung der Prüfungsabteilung zu Änderungen 123, 14–15

Zweigstelle des EPA in Den Haag 6, 3–4

Zweite medizinische Indikation 52, 69–71; **54**, 90–98

Zweite nichtmedizinische Verwendung 54, 99–105

Zweiteilige Anspruchsfassung 84, 27–32
- für die Offenbarung **83**, 34–35

Zwischenentscheidung
- im Beschwerdeverfahren **106**, 29–37
- im Einspruchsverfahren **102**, 4

Zwischenprodukte
- und Einheitlichkeit der Erfindung **82**, 23

Zwischenprodukte, chemische 56, 62–63

Der Praxis-Kommentar für PC und Notebook

Singer / Stauder
Europäisches Patentübereinkommen

■

Die elektronische Ausgabe für PC und Notebook bietet die Original-Kommentierung der gedruckten Ausgabe und gewährt den unmittelbaren und schnellen Zugriff auf alle zitierten veröffentlichen und unveröffentlichten Entscheidungen des EPA und nationaler Gerichte. So trägt der Patent- und Rechtsanwalt die Amtsblätter des EPA mit sich bis in die mündliche Verhandlung im EPA und vor Gericht.

■

Weitere Information im Internet unter www.heymanns.com oder in Ihrer Buchhandlung.

4., überarbeitete Auflage

Elektronische Ausgabe
mit Volltexten verlinkter Entscheidungen
2007. CD-ROM mit Handbuch € 164,-*
ISBN 978-3-452-26524-1
*Netzwerkpreise auf Anfrage
(= Heymanns Taschenkommentare zum gewerblichen Rechtsschutz)

Carl Heymanns Verlag
Ein Unternehmen von Wolters Kluwer Deutschland

Stand: 2/07

Heymanns Fachzeitschriften

Mitteilungen der deutschen Patentanwälte

Erscheint monatlich. Jahresbezugspreis € 168,-, Vorzugspreis: € 84,-*
zzgl. Versandkosten (€ 10,50 Inland / € 23,70 Ausland). Einzelheft
€ 16,60 zzgl. Versandkosten (ca. € 2,27 Inland / ca. € 3,20 Ausland).
*Für Patentanwaltskandidaten und Studenten. Gültig für drei Jahrgänge.

➤ **Das Online Angebot:** Im Internet unter www.mitteilungen.biz.

Blatt für PMZ

Herausgegeben vom Deutschen Patent- und Markenamt

Erscheint monatlich. Jahresbezugspreis € 70,- zzgl. Versandkosten
(€ 10,50 Inland / € 23,70 Ausland). Einzelheft € 7,- zzgl. Versandkosten
(ca. € 2,27 Inland / ca. € 3,20 Ausland).

➤ **Das Online Angebot:** Im Internet unter www.blpmz.de.

epi – Information

Erscheint vierteljährlich. Jahresbezugspreis € 42,- zzgl. Versandkosten
(€ 9,90 Inland / € 14,- Ausland). Einzelheft € 12,60 zzgl. Versandkosten
(ca. € 2,27 Inland / ca. € 3,20 Ausland).

MarkenR

Zeitschrift für deutsches, europäisches und internationales
Kennzeichenrecht

Erscheint 10 x jährlich (mit zwei Doppelheften). Jahresbezugspreis € 149,-
zzgl. Versandkosten (€ 10,80 Inland / ca. € 10,80 Ausland). Einzelheft
€ 17,50 zzgl. Versandkosten (ca. € 3,19 Inland / ca. € 3,19 Ausland).

Testabonnement (2 Hefte) € 10,- inkl. Versandkosten
Wird das Test-Abo nicht innerhalb von 8 Tagen nach Erhalt des letzten Probeheftes schriftlich bei Ihrer Buchhandlung oder bei Wolters Kluwer Deutschland GmbH, Postfach 2352, 56513 Neuwied gekündigt, geht es in ein reguläres Abonnement über. Das reguläre Abonnement kann mit einer Frist von 6 Wochen zum Kalender-Jahresende gekündigt werden.

MarkenR-Archiv auf CD-ROM 1999-2005 € 158,-. Sonderpreis für Bezieher der Zeitschrift "MarkenR": € 108,-. Update jährlich € 103,-. Netzwerklizenzen auf Anfrage. Die CD-ROM können Sie 4 Wochen kostenlos und unverbindlich testen.

Mehr Informationen im Internet unter
www.heymanns.com.

Carl Heymanns Verlag
Ein Unternehmen von Wolters Kluwer Deutschland

Stand: 01/2007